SCHÜLERDUDEN

Die Duden-Bibliothek für den Schüler

Rechtschreibung und Wortkunde
Vom 4. Schuljahr an. 319 Seiten mit einem Wörterverzeichnis mit 15 000 Stichwörtern.

Bedeutungswörterbuch
Bedeutung und Gebrauch der Wörter.
447 Seiten mit über 500 Abbildungen.

Grammatik
Eine Sprachlehre mit Übungen und Lösungen.
412 Seiten.

Fremdwörterbuch
Herkunft und Bedeutung der Fremdwörter.
466 Seiten.

Die richtige Wortwahl
Ein vergleichendes Wörterbuch sinnverwandter Ausdrücke. 480 Seiten mit rund 13 000 Wörtern.

Die Literatur
Die wichtigsten literarischen Begriffe. 480 Seiten.
2 000 Stichwörter, zahlreiche Abbildungen.
Register.

Die Mathematik I
Ein Lexikon zur Schulmathematik, Sekundarstufe I (5.–10. Schuljahr). 539 Seiten mit über 1 000 meist zweifarbigen Abbildungen. Register.

Die Mathematik II
Ein Lexikon zur Schulmathematik, Sekundarstufe II (11.–13. Schuljahr). 468 Seiten mit über 500 meist zweifarbigen Abbildungen.
Register.

Die Physik
Von der ersten Physikstunde bis zum Abitur.
490 Seiten. 1 700 Stichwörter, 400 Abbildungen.
Register.

Die Chemie
Ein Lexikon der gesamten Schulchemie.
424 Seiten. 1 600 Stichwörter, 800 Abbildungen.
Register.

Die Biologie
Das Grundwissen der Biologie von A bis Z.
464 Seiten. 2 500 Stichwörter, zahlreiche Abbildungen.

Die Geographie
Von der Geomorphologie zur Sozialgeographie.
420 Seiten. 1 800 Stichwörter, 200 Abbildungen und Tabellen.

Die Musik
Ein Sachlexikon der Musik. 464 Seiten.
2 500 Stichwörter. 350 Notenbeispiele und Bilder. Register.

Die Geschichte
Die wichtigsten historischen Begriffe. 504 Seiten.
2 400 Stichwörter, 150 Abbildungen.
Personen- und Sachregister.

Seiten.
2 500 Stichwörter, 120 Abbildungen, Literaturverzeichnis. Register.

Die Psychologie
Ein Fachwörterbuch speziell für Schüler.
408 Seiten. 3 000 Stichwörter, 200 Abbildungen.
Register.

Die Religionen
Ein Lexikon aller Religionen der Welt.
464 Seiten. 4 000 Stichwörter, 200 Abbildungen.
Register.

Das Wissen von A - Z
Ein allgemeines Lexikon für die Schule.
568 Seiten. 8 000 Stichwörter, 1 000 Abbildungen und Zeichnungen im Text, davon 350 farbig auf 24 Bildtafeln.

Das große Duden-Schülerlexikon
Verständliche Antwort auf Tausende von Fragen.
704 Seiten, rund 10 000 Stichwörter.
1 500 Abbildungen, Zeichnungen und Graphiken im Text.

SCHÜLERDUDEN-ÜBUNGSBÜCHER

Band 1: Aufgaben zur modernen Schulmathematik mit Lösungen I
Bis 10. Schuljahr. Mengenlehre und Elemente der Logik. 260 Seiten mit Abbildungen und mehrfarbigen Beilagen.

Band 2: Aufgaben zur modernen Schulmathematik mit Lösungen II
11.–13. Schuljahr. Ausbau der Strukturtheorien – Analysis. Analytische Geometrie. 270 Seiten mit Abbildungen.

Band 3: Übungen zur deutschen Rechtschreibung I
Die Schreibung schwieriger Laute.
Mit Lösungsschlüssel. 239 Seiten.

Band 4: Übungen zur deutschen Rechtschreibung II
Groß- und Kleinschreibung.
Mit Lösungsschlüssel. 256 Seiten.

Band 5: Übungen zur deutschen Sprache I
Grammatische Übungen. Mit Lösungsschlüssel.
239 Seiten.

Band 6: Aufgaben zur Schulphysik mit Lösungen
Bis 10. Schuljahr. 200 vollständig gelöste Aufgaben. 208 Seiten.

Band 7: Übungen zur Schulbiologie
Mehr als 400 Aufgaben mit Lösungen. 224 Seiten mit 180 Abbildungen.

Band 8: Übungen zur deutschen Rechtschreibung III
Die Zeichensetzung. Mit Lösungsschlüssel.
205 Seiten.

Bibliographisches Institut
Mannheim/Wien/Zürich

DUDEN
Band 7

Der Duden in 10 Bänden
Das Standardwerk zur deutschen Sprache

Herausgegeben vom Wissenschaftlichen Rat
der Dudenredaktion:
Dr. Günther Drosdowski,
Dr. Rudolf Köster, Dr. Wolfgang Müller,
Dr. Werner Scholze-Stubenrecht

1. Rechtschreibung

2. Stilwörterbuch

3. Bildwörterbuch

4. Grammatik

5. Fremdwörterbuch

6. Aussprachewörterbuch

7. Etymologie

8. Sinn- und sachverwandte
Wörter

9. Zweifelsfälle der
deutschen Sprache

10. Bedeutungswörterbuch

DUDEN

Etymologie
Herkunftswörterbuch der
deutschen Sprache

Bearbeitet von Günther Drosdowski, Paul Grebe
und weiteren
Mitarbeitern der Dudenredaktion

In Fortführung der
»Etymologie der neuhochdeutschen Sprache«
von Konrad Duden

DUDEN BAND 7

Bibliographisches Institut Mannheim/Wien/Zürich
Dudenverlag

Am Ende des Bandes befinden sich:
1. Hinweise für den Benutzer
2. ein Verzeichnis der verwendeten Abkürzungen
3. ein Verzeichnis der wichtigsten Fachausdrücke
4. ein Register, das alle behandelten Wörter enthält, die n i c h t im
Rahmen des Alphabets stehen

VORWORT

Die Dudenredaktion ist bei ihrem Bemühen, den „Großen Duden" zu einem umfassenden Sprachwerk zu erweitern, nunmehr in der glücklichen Lage, auch einen Etymologieduden vorzulegen. Sie fühlte sich dazu verpflichtet, weil Konrad Duden selbst schon neben seinem berühmten Rechtschreibband und einer Grammatik eine „Etymologie der neuhochdeutschen Sprache" herausgegeben hatte.

Jeder, der mit den Schwierigkeiten der Etymologie vertraut ist, weiß, daß für die Bearbeitung eines solchen Werkes mehrere Jahre erforderlich sind. Die Dudenredaktion kann solche längere Zeit beanspruchenden Aufgaben nur deshalb bewältigen, weil sie durch ihren großen Mitarbeiterstab in der Lage ist, mit Hilfe kleinerer Arbeitsgruppen verschiedene Werke gleichzeitig vorbereiten zu lassen.

Bei der Auswahl der Stichwörter lag uns viel daran, neben den deutschen Wörtern auch die häufigsten Fremdwörter zu berücksichtigen, weil gerade bei ihnen das Fragebedürfnis groß ist.

Bei der Bearbeitung haben wir der Begriffsbildung, der Bedeutungsentwicklung und der Verknüpfung der Wortgeschichte mit der Kultur- und Geistesgeschichte große Aufmerksamkeit geschenkt. Ferner haben wir mit besonderer Sorgfalt die Wortfamilien herausgearbeitet, um die mannigfaltigen verwandtschaftlichen Beziehungen der Wörter sichtbar zu machen und ein Bild von den weitreichenden sprachlichen Zusammenhängen zu geben. Schließlich ist fast bei jedem behandelten Wort angegeben, seit wann es verwendet wird.

Wir wären glücklich, wenn es uns durch diesen Band gelänge, bei recht vielen Angehörigen unserer Sprachgemeinschaft das Interesse an der Herkunft und der Geschichte unserer Wörter zu wecken.

Mannheim, den 1. Oktober 1963

DIE DUDENREDAKTION

A

¹a..., A... siehe ab...

²a..., A..., (vor Vokalen meist:) an..., An...: Aus dem *Gr.* stammende Vorsilbe verneinender Bed., in FW wie → anonym, → Anekdote. *Gr.* a[n]... (das sogenannte 'Alpha privativum') hat Entsprechungen in anderen *idg.* Sprachen, so z. B. in *lat.* in... (vgl. ²in...) und *dt.* → un...

Aal *m*: Der Name des schlangenförmigen Fisches ist auf den *germ.* Sprachbereich beschränkt: *mhd., ahd.* āl, *niederl.* aal, *engl.* eel, *schwed.* ål. Welche Vorstellung dieser *altgerm.* Benennung zugrunde liegt, ist dunkel. Abl.: aalen, sich *ugs.* für "faulenzen, sich rekeln" (19. Jh., zunächst *ostmitteld.*). Zus.: aalglatt (19. Jh.); Aalraupe "breitköpfiger und breitmäuliger, aalähnlicher Süßwasserfisch" (17. Jh., älter Aalrupp; der 2. Bestandteil – *mhd.* ruppe, rutte, beachte *landsch.* Rutte w – hat nichts mit 'Raupe' zu tun, sondern ist eine alte Entlehnung aus *lat.* rubēta "Frosch, Kröte", beachte die *nordd.* Bezeichnung [Aal]quappe); Spickaal (s. d.).

Aar *m*: Der alte *idg.* Vogelname wurde im *Dt.* schon früh durch die seit dem 12. Jh. bezeugte Zusammensetzung → Adler (*mhd.* adelar[e] eigtl. "Edelaar") zurückgedrängt und hielt sich bis zum 18. Jh. lediglich in einigen Zusammensetzungen, wie z. B. Mausaar und Fischaar. Dann wurde der Name wieder gebräuchlich, aber fast ausschließlich in dichterischer Sprache. – Die *germ.* Bezeichnungen *mhd.* ar, *ahd.* aro, daneben *mhd., ahd.* arn, *got.* ara, *aengl.* earn, *schwed.* örn sind z. B. verwandt mit *air.* irar "Adler", *russ.* orël "Adler" und mit *gr.* órnis "Vogel" (beachte das Fachwort Ornithologie "Vogelkunde"). Siehe auch den Artikel Sperber.

Aas *s* "Fleisch eines toten Körpers, Kadaver": In dem *nhd.* Wort Aas sind zwei verschiedene Wörter zusammengefallen, nämlich *mhd., ahd.* āz "Essen, Speise, Futter" (vgl. den Artikel Obst) und *mhd.* ās "Futter, Fleisch zur Fütterung der Hunde und Falken; Fleisch eines toten Körpers". Beide Wörter gehören im Sinne von "Essen, Fraß" zu der Wortgruppe von → *essen* und sind z. B. verwandt mit *aengl.* ēs "Futter, Nahrung, Köder" und mit *aengl.* ǣt "Speise, Nahrung, Fleisch", *aisl.* āt "Speise, Nahrung". Zur Bedeutungsgeschichte und zur Verwendung von 'Aas' als Schimpfwort vgl. z. B. den Artikel Luder. – An die alte Bedeutung des Substantivs "Essen, Futter, Fleisch" schließen sich an die Ableitungen → äsen "fressen"

(vom Wild) und das seit dem 18. Jh. bezeugte aasen "Fleisch von den Häuten schaben, fleischen" (Fachwort der Gerber und Kürschner), dann "in Speisen herumsudeln, Nahrung vergeuden", worauf die *ugs.* Verwendung im Sinne von "verschwenden" beruht.

ab: Das *gemeingerm.* Wort (Adv., Präp.) *mhd.* ab[e], *ahd.* aba, *got.* af, *engl.* of, *schwed.* av geht mit Entsprechungen in anderen *idg.* Sprachen auf *idg.* *apo- "ab, weg" zurück. Verwandt sind z. B. *gr.* apó "von, ab" und *lat.* ab "von", die in zahlreichen aus dem *Gr.* und *Lat.* entlehnten Wörtern als erster Bestandteil stecken (s. apo... und ab...). Zu dieser *idg.* Wurzel gehören auch die unter → aber und → Ebbe behandelten Wörter (s. ferner den Artikel Ufer). – Als Präposition ist 'ab' im *Nhd.* durch 'von' verdrängt worden (außer in *schweiz.* und *südwestd.* Mundarten; beachte auch abhanden, das aus der Präp. ab und dem alten Dat. *Mehrz.* von → Hand zusammengerückt ist). Wendungen wie 'ab Bremen', 'ab Werk' und 'ab morgen' stammen aus der neueren Kaufmannssprache (19. Jh.). Das Adverb 'ab' bildet vor allem unfeste Zusammensetzungen mit Verben der Bewegung, des Hauens, Schneidens u. a.

ab..., Ab..., ¹a..., A... (vor b, f, p, v), abs..., Abs... (vor c, z, q, t) "weg..., fort..., ab..., ent...; miß...": Aus gleichbed. *lat.* ab..., das urverw. ist mit *dt.* → *ab*.

Abc, Abece *s*: Etwa seit dem 12. Jh. übliche Abkürzung des → Alphabets mit Hilfe der ersten drei Buchstaben; *mhd.* ābēcē, auch: abc. Zus.: Abc-Buch "Fibel" (*frühnhd.*); Abc-Schütze: (16. Jh., für älteres Schütze "Schulanfänger". Schütze gibt hier *lat.* tīrō "Rekrut, Neuling" wieder).

Abend *m*: Die *germ.* Bezeichnungen *mhd.* ābent, *ahd.* āband, *niederl.* avond, *engl.* evening, *schwed.* afton gehören wahrscheinlich zu der *idg.* Präposition *epi "nahe hinzu, nach, hinter" (vgl. *After*). Der Abend ist demnach von den Germanen als "der hintere oder spätere Teil des Tages" benannt worden. In den älteren Sprachzuständen hatte 'Abend' auch die Bed. "Vorabend", bes. "Abend vor Festtagen", dann auch "Tag vor einem Fest" (beachte Feierabend, Heiligabend, Sonnabend). Dieser Wortgebrauch erklärt sich daraus, daß nach der früher üblichen Zeiteinteilung der Tag mit dem Abend begann. Die Verwendung des Wortes im Sinne von "Westen" findet sich zuerst in Luthers Bibelübersetzung. Abl.:

abendlich (*mhd.* ābentlich, *ahd.* ābandlīh); abends (*mhd.* ābendes; adverbiell erstarrter Genitiv). Zus.: Abendland (16. Jh., zuerst in der *Mehrz.* abendlender; Lehnübertragung für →Okzident); Abendmahl (*mhd.* ābentmāl „Abendessen"; von Luther für das Abschiedsessen Christi am Gründonnerstag und das dabei gestiftete Sakrament eingeführt); Abendrot (*mhd.* ābentrōt, *ahd.* ābintrōto); Abendröte (*mhd.* ābentrœte).

Abenteuer *s* „prickelndes Erlebnis; gewagtes Unternehmen": *Frühnhd.*, aus *mhd.* āventiure „Begebenheit; Erlebnis, Wagnis usw.". Voraus liegen (*a*)*frz.* aventure, *vlat.* * adventūra „Ereignis, Geschehnis". Zu *lat.* ad-venīre „herankommen; sich ereignen" (vgl. *Advent*). – Abl.: abenteuerlich (*spätmhd.* āventiurlich); abenteuern „sich in Abenteuer begeben" (*mhd.* āventiuren); Abenteurer *m* (*mhd.* āventiurære).

aber: Das als Adv. und Konj. verwendete Wort (*mhd.* aber, aver, *ahd.* avur) ist eine alte Komparativbildung zu der unter → *ab* dargestellten *idg.* Wz. *apo- „ab, weg". Es bedeutete demnach, wie auch die z. B. verwandten *got.* afar „nach, nachher" und *aind.* aparám „später", urspr. etwa „weiter weg". Aus „weiter weg, (nachher, später)" entwickelte sich die Bed. „wieder, noch einmal", beachte z. B. „tausend und aber tausend' und abermals. Die Verwendung von ‚aber' zum Ausdruck des Gegensatzes entwickelte sich aus der Verwendung des Wortes zum Ausdruck der Wiederholung. Bisweilen drückte ‚aber' früher auch die Richtung auf das Verkehrte hin aus (s. Aberglaube und Aberwitz).

Aberglaube *m* „in religiöser Scheu und in magischem Denken wurzelnder Glaube, Irrglaube": Die seit dem 15. Jh. bezeugte Zusammensetzung enthält als ersten Bestandteil das unter → *aber* behandelte Wort im Sinne von „verkehrt" (vgl. Aberwitz). *Spätmhd.* abergloube gibt *lat.* superstitiō „ängstliche Scheu, Wahnglaube" wieder. Abl.: abergläubisch (16. Jh.).

Aberwitz *m*: Das heute nur noch selten gebrauchte Wort für „Wahnwitz, Unverstand" (*mhd.* aberwitze) enthält als ersten Bestandteil das unter →*aber* behandelte Wort im Sinne von „verkehrt" (vgl. Aberglaube). Abl.: aberwitzig „verrückt, wahnwitzig".

abgefeimt „durchtrieben, listig, hinterhältig": Das seit dem 15. Jh. bezeugte Wort ist das in adjektivischen Gebrauch übergegangene 2. Partizip von dem heute veralteten Verb abfeimen „den unreinen Schaum von einer Flüssigkeit entfernen, reinigen". Es bedeutet eigentl. „abgeschäumt, gereinigt" und entspricht in der Bedeutungsentwicklung etwa dem FW → raffiniert „durchtrieben, schlau" (zu raffinieren „reinigen"). Das heute nicht mehr gebräuchliche Verb feimen „abschäumen, reinigen"

(*mhd.* veimen, *ahd.* feimōn) ist abgeleitet von einem alten Wort für „Schaum", das noch *mdal.* als Feim, Faum „unreiner Schaum" bewahrt ist. *Mhd.* veim, *ahd.* feim „Schaum, Unreinigkeit", *engl.* foam „Schaum" sind z. B. verwandt mit *lat.* spūma „Schaum" und beruhen auf *idg.* *[s]poimno-s „Schaum" (vgl. Bimsstein).

abgeschmackt „fade, reizlos, platt, albern": Das heute nur noch im übertragenen Sinne verwendete Adjektiv entstand im 17. Jh. aus älterem abgeschmack „geschmacklos, fade", dessen zweiter Bestandteil *frühnhd.* geschmack, *mhd.* gesmac „[wohl]schmeckend" ist (vgl. *schmecken*). *Frühnhd.* abgeschmack – vielleicht nach *frz.* dégoûtant – trat an die Stelle von *mhd.* ā-smec „geschmacklos".

Abgott *m*: Die seit *ahd.* Zeit bezeugte Bezeichnung für „falscher Gott, Götze" wurde im Rahmen der frühen christlichen Missionstätigkeit geschaffen. *Ahd.-mhd.* abgot ist wahrscheinlich eine Bildung zu einem alten christlichen Adjektiv für „gottlos", beachte *got.* afguþs „gottlos", das *gr.* asebés „ohne Ehrfurcht, gottlos" wiedergibt. Abl.: Abgötterei *w* (*mhd.* abgötterīe); abgöttisch „maßlos" (*mhd.* abgötisch „falschen Göttern anhangend, gottlos").

Abgrund *m*: Der *dt.* und *niederl.* Ausdruck für „schauerliche Tiefe" (*mhd.*, *ahd.* abgrunt, *niederl.* afgrond) ist aus den unter →*ab* und →*Grund* behandelten Wörtern gebildet und bedeutet eigtl. „abwärts gehender [Erd]boden". Die *nord.* Sippe von *schwed.* avgrund ist aus dem *Mnd.* entlehnt. Abl.: abgründig „abgrundtief; unermeßlich, unergründlich" (*mhd.* abgründec; *ahd.* dafür abgrunti).

Abiturient *m*: Das Wort wurde im 19. Jh. aus *nlat.* abituriēns „wer (von der Schule) abgehen wird" eingedeutscht; dazu das Subst. Abitur *s* „Reifeprüfung", aus *nlat.* abitūrium. Beiden Wörtern liegt ein von *lat.* ab-īre „fortgehen" weitergebildetes *nlat.* Verb abitūrīre „fortgehen werden" zugrunde. Über die *lat.* Vorsilbe ab... „weg, fort" vgl. *ab*.... Das Stammverb *lat.* īre „gehen", das urverwandt ist mit *dt.* →*eilen*, ist noch in folgenden FW enthalten: →Ambition, →Initialen, →Initiative, →Koitus, →Komteß, →Präteritum, →Trance, →Transit. →transitiv.

Ablativ *m*: Der Name ist den german. Sprachen nicht vorhandenen Kasus (des sechsten in der latein. Deklination), der auf die Frage woher?, wovon? urspr. eine Trennung oder Entfernung zum Ausdruck bringt, beruht auf *lat.* (casus) ablātīvus. Zu *lat.* auferre (ablātus) „forttragen, entfernen, wegnehmen, trennen usw."

abmurksen (*ugs.* für:) „umbringen": Das seit dem Beginn des 19. Jh.s gebräuchliche Verb gehört zu *niederd.* murken „töten" (*mnd.* morken „zerdrücken"; vgl. *murksen*).

abnorm „normwidrig, krankhaft": Im 19. Jh. mit den Abl. a b n o r m a l u. A b n o r m i t ä t *w* „Normwidrigkeit; Mißbildung; krankhaftes Verhalten"(Med.) entlehnt aus *lat.* ab-nōrmis „von der Norm weg" (entspr. *lat.* ab-nōrmitās); vgl. *ab..* und *Norm.*

abonnieren „(für eine bestimmte Zeit) im voraus bestellen": Das Wort wurde im 18. Jh. aus *frz.* abonner „ausbedingen, festsetzen; eine periodisch wiederkehrende Leistung vereinbaren" entlehnt. Das vorausliegende Verb afrz. abosner „abgrenzen" gehört als Abl. zu dem unter →*borniert* genannten Subst. *afrz.* bosne, bodne „Grenzstein". – Abl.: A b o n n e m e n t *s* „Vorausbestellung; Dauerkarte" (Ende 18. Jh., aus gleichbed. *frz.* abonnement); A b o n n e n t *m* „wer auf etwas abonniert ist" (Ende 18. Jh., nach gleichbed. *frz.* abonné).

Abort *m*: Das seit dem 18. Jh. bezeugte Wort war zunächst im Sinne von „abgelegener Ort" gebräuchlich. Es stammt wahrscheinlich aus dem *Niederd.*, vgl. *mnd.* afōrt „abgelegener Ort". Bereits im 18. Jh. wurde es dann als verhüllender Ausdruck für „Abtritt" verwendet (beachte dazu die verhüllenden Ausdrücke Örtchen und Lokus). Die Endbetonung beruht auf Vermischung mit dem aus *lat.* abortus entlehnten Abort „Fehlgeburt".

abrupt „abgebrochen, zusammenhanglos, plötzlich": Im 18. Jh. aus gleichbed. *lat.* abruptus (bzw. Adv. abruptē), „abgerissen" entlehnt. Zu *lat.* ab-rumpere „weg-, los-, abreißen", einem Kompositum von *lat.* rumpere „zerbrechen, zerreißen" (vgl. das LW *Rotte*).

Abschied *m*: Das seit *spätmhd.* Zeit bezeugte Substantiv (*spätmhd.* abeschit, -scheit) gehört zu dem heute nur noch fachsprachlich gebräuchlichen Verb abscheiden „entfernen", *mhd.* abescheiden „lostrennen, entfernen; entlassen, verabschieden" (vgl. *scheiden*). Gebräuchlich ist dagegen noch das adjektivisch verwendete zweite Partizip a b g e s c h i e d e n „zurückgezogen, einsam; tot"; beachte dazu die Abgeschiedenen, verhüllend für „die Toten", und A b g e s c h i e d e n h e i t *w* „Zurückgezogenheit, Einsamkeit". – Das Substantiv Abschied bedeutete früher außer „Weggang, Trennung" und „Entlassung" (beachte z. B. 'seinen Abschied nehmen oder erbitten') auch „Tod" und „[richterliche] Entscheidung, Beschluß", daher älter *nhd.* Reichs-, Landtagsabschied.

Absinth *m* „Branntwein aus Wermut": Im 19. Jh. aus gleichbed. *lat.* absinthium < *gr.* apsínthion entlehnt, einem *vorgr.* Wort dunkler Herkunft.

absolut „unabhängig, uneingeschränkt; unbedingt": Das Adjektiv begegnet uns seit dem 17. Jh. in zwei Bereichen im philosophisch-allgemeinen und im politisch-staatsrechtlichen. Für jenen gilt unmittelbare Ent-

lehnung aus *lat.* absolūtus „losgelöst", während in diesem entspr. *frz.* absolu auf das Wort eingewirkt hat. Das zugrunde liegende Verb *lat.* ab-solvere (absolūtum) „loslösen" ist ein Kompositum von *lat.* solvere „lösen; befreien" (< * se-luere). Über *idg.* Zusammenhänge vgl. den Artikel ²*Lohe.* Beachte noch die verwandten FW → Absolution, →Absolutismus, →absolvieren, →resolut, Resolution.

Absolution *w* „Freisprechung", insbesondere im Sinne von „Sündenvergebung": Im 15. Jh. als kirchlich-relig. Terminus aus *lat.* absolūtiō „Loslösung, Freisprechung (vor Gericht)" entlehnt. Zu *lat.* ab-solvere „loslösen; freisprechen" (vgl. oben *absolut*).

Absolutismus *m* „uneingeschränkte Regierungsgewalt": Junge, aus dem *Frz.* übernommene *nlat.* Bildung (beachte entspr. *frz.* absolutisme) zu *lat.* absolūtus (> *frz.* absolu) „losgelöst; unabhängig usw." (vgl. *absolut*).

absolvieren „erledigen, ableisten; etwas zum Abschluß bringen", insbesondere 'die Schule (Universität u.a.) absolvieren': Im 16. Jh. aus *lat.* ab-solvere „loslösen; vollenden" entlehnt (vgl. *absolut*). – Aus dem Part. Präs. Akt. *lat.* absolvēns stammt das in neuerer Zeit aufgekommene Subst. A b s o l v e n t *m* „wer nach erfolgreicher Prüfung von einer Schule (u. a.) abgeht".

absorbieren „aufsaugen; (übertr.:) gänzlich beanspruchen": Im 17. Jh. aus *lat.* ab-sorbēre „hinunterschlürfen, verschlingen" entlehnt, einem Kompositum von *lat.* sorbēre, sorbere „schlürfen, verschlucken".

abspenstig: Das seit dem 16. Jh. bezeugte Adjektiv, das heute nur noch in der Wendung 'jemandem eine Person abspenstig machen' gebräuchlich ist, gehört zu *frühnhd.* abspannen „weglocken", einer Zusammensetzung mit dem im *Nhd.* untergegangenen einfachen Verb *mhd.* spanen, *ahd.* spanan „locken" (vgl. *Gespenst*).

Abstinenz *w* „Enthaltsamkeit vom Alkoholgenuß": Im 16. Jh. mit der Bed. „Mäßigung im Essen und Trinken" als medizin. und kirchl. Terminus aus gleichbed. *lat.* abs-tinentia entlehnt. Das *lat.* Substantiv gehört zu *lat.* abs-tinēre, einem Kompositum von *lat.* tenēre „halten, festhalten" (vgl. *tendieren*). Die moderne Bed. des Wortes entwickelt erst im 19. Jh. unter dem Einfluß von gleichbed. *engl.* abstinence. – Abl.: A b s t i n e n z l e r *m* (20. Jh.).

abstrahieren „das Allgemeine aus dem zufälligen Einzelnen begrifflich heraussondern; verallgemeinern": Das seit dem 16. Jh. bezeugte FW aus dem Bereich der Philosophie beruht auf *lat.* abs-trahere (abstractum) „abziehen, wegziehen", einem Kompositum von *lat.* trahere „ziehen, schleppen usw." (vgl. das LW *trachten*). – Dazu: **abstrakt** „vom Dinglichen gelöst; begrifflich; nur gedacht, unwirklich" (18. Jh., aus entspr. *lat.* abstrac-

9

tus „abgezogen"); Abstraktion w „Begriffsbildung; Verallgemeineruŋng" (18. Jh., von gleichbed. *spätlat.* abstractiō).

abstrus „schwer verständlich, verworren": Im 17. Jh. aus *lat.* abstrūsus „versteckt, verborgen" entlehnt, dem Partizipialadjektiv von *lat.* abs-trūdere (abstrūsum) „wegstoßen; verbergen". Das einfache Verb *lat.* trūdere „stoßen" ist etymolog. verwandt mit *dt.* →*verdrießen.*

absurd „ungereimt, widersinnig": Im 16. Jh. aus gleichbed. *lat.* absurdus (eigtl. „widrig klingend") entlehnt. Dies gehört zu der lautmalenden Wortgruppe von *lat.* susurrus „das Zischen" (elementarverwandt mit *dt.* →*schwirren*). – Dazu die Wendung 'ad absurdum führen' „die Widersinnigkeit einer Behauptung erweisen" und das Subst. Absurdität w „Ungereimtheit" (aus *spätlat.* absurditās „Mißklang, Ungereimtheit").

Abszeß m „[Eiter]geschwür": Im Anfang des 18. Jh.s als medizin. Terminus aus gleichbed. *lat.* abscessus (eigtl. Bed.: „Fortgang, Entfernung", danach: „Absonderung von eitrigem Sekret") entlehnt. Das lat. Substantiv gehört zu *lat.* abs-cēdere „weggehen; sich ablagern, sich absondern", einem Kompositum von *lat.* cēdere „gehen; weichen" (vgl. das FW *Prozeß*).

Abszisse w „Achsenabschnitt im Koordinatensystem" (Math.): *Nlat.* (linea) abscissa „die Abgeschnittene (Linie)" gehört zu *lat.* ab-scindere „abspalten". Das Stammwort *lat.* scindere (scissum) „zerreißen, spalten" gehört zur weitverzweigten Sippe der *idg.* Wz. *skěi- „schneiden, trennen" (vgl. den Artikel *Schiene*).

Abt m „Kloster-, Stiftsvorsteher": Das Subst. gehört zu einer Gruppe von LW aus der röm. Kirchensprache (insbes. des Klosterwesens) wie →Mönch, →Nonne, →Priester u. a., die früh ins *germ.* Sprachen gelangten. *Mhd.* abbet, apt, *mnd.* ab[be]t, *ahd.* abbat beruhen wie z. B. entspr. *engl.* abbot, *frz.* abbé, *it.* abate auf *kirchenlat.* abbātem, dem Akk. von abbās „Abt"; dies aus *spätgr.* ábbās „Vater" (nach der biblischen Gebetsanrede *aram.* abbā „Vater!"). Das alte Lallwort ist zur ehrenden Anrede und zum Titel des geistlichen Vorgesetzten geworden. Zum gleichen Wort gehören →Abtei, →Äbtissin.

Abtei w „von einem Abt geleitetes Stift": *Mhd.* abbeteie, *ahd.* abbateia, aus *kirchenlat.* abbatia (zu abbās, vgl. *Abt*). Gleicher Herkunft ist z. B. *frz.* abbaye (*engl.* abbey stammt selbst aus dem *Afrz.*).

Äbtissin w „Vorsteherin eines Frauenstifts": *Spätmhd.* ebtissîn verdeutlicht durch die weibl. Endung -in, *mhd.* eppetisse, *ahd.* abbatissa. Aus *kirchenlat.* abbātissa, der weibl. Form zu abbās (vgl. *Abt*). Gleicher Herkunft ist z. B. entspr. *frz.* abbesse (*engl.* abbess kommt aus dem *Afrz.*).

abtrünnig: Die nur *dt.* Adjektivbildung *mhd.* abetrünnec, *ahd.* ab[a]trunnîg gehört zu der unter →*trennen* behandelten Sippe und bedeutet demnach eigtl. „wer sich von etwas absondert".

abwesend: Das seit dem 15. Jh. gebräuchliche Adjektiv ist eigtl. das erste Partizip von einem im *Nhd.* untergegangenen zusammengesetzten Verb *mhd.* abewesen, *ahd.* ab[a]wesan „fehlen, nicht da sein". *Ahd.* ab[a]wesan, das zum starken Verb *ahd.* wesan „sein" (vgl. *Wesen*) gehört, ist eine LÜ von *lat.* abesse. – Zu dem substantivierten Infinitiv des zusammengesetzten Verbs (beachte *frühnhd.* Abwesen s) ist Abwesenheit w (16. Jh.) gebildet. Sowohl 'abwesend' als auch 'Abwesenheit' sind zuerst in *niederd.* bezeugt. Lautung bezeugt.

Ach s „Leid, Klage": Das seit *mhd.* Zeit gebräuchliche Wort (*mhd.* ach), das heute gewöhnlich nur noch in den Wendungen 'mit Ach und Krach' und 'mit Ach und Weh' verwendet wird, ist eine Substantivierung der Interjektion ach! (*mhd.*, *ahd.* ah), Ausruf des Schmerzes, der Verwunderung u. ä. – Siehe den Artikel ächzen.

Achat m: Der Name des Halbedelsteins, *mhd.* achāt[es], beruht auf gleichbed. *gr.-lat.* achátēs, dessen weitere Herkunft nicht geklärt ist (wohl kaum von dem gleichnamigen altsizilianischen Fluß).

Achillesferse w „wunder Punkt, schwache Seite": Übertragen nach einem altgr. Sagenmotiv, das in ähnlicher Form auch in der Siegfriedsage wiederkehrt: Der altgr. Held Achill hatte nur eine verwundbare Stelle an seinem Körper, seine Ferse. Ein Pfeilschuß in die Ferse soll ihn getötet haben. – In Analogie dazu prägte man die Bezeichnung **Achillessehne** w für die stark ausgeprägte Sehne am hinteren Fußgelenk (mit oder Beanspruchung beim [Wett]lauf); denn ein Achillessehnenriß bewirkt sofortige Geh- und Stehunfähigkeit.

Achse w: Die *altgerm.* Bezeichnung der Radachse *mhd.* achse, *ahd.* ahsa, *niederl.* as, *aengl.* eax, *schwed.* (weitergebildet) axel beruht mit der unter →*Achsel* behandelten Körperteilbezeichnung und mit verwandten Wörtern in anderen *idg.* Sprachen auf *idg.* *aĝes- „Achsel; Achse". Vgl. z. B. *gr.* áxōn „Achse" und *lat.* axis „Achse" (s. axial). Das *idg.* Wort ist eine Bildung zu der Verbalwurzel *aĝ- „[mit geschwungenen Armen] treiben" und bedeutete demnach urspr. etwa „Drehpunkt [der geschwungenen Arme]" oder „Schulter samt den geschwungenen Armen". Als die Indogermanen den Wagenbau kennenlernten, übertrugen sie das Wort auf den Wagenteil, benannten also die Achse, genauer das Ende der Achse, als „Drehpunkt der den Wagen vorwärtstreibenden Räder" (vgl. zu diesem Benennungsvorgang die Artikel Nabel und

Nabe). – Zu der *idg.* Verbalwurzel *aĝ-
„[mit geschwungenen Armen] treiben" gehört aus dem *germ.* Sprachbereich auch
das unter → Acker (wohl eigtl. „Vieh-
trift") behandelte Wort. Aus anderen *idg.*
Sprachen gehören zu dieser Wurzel z. B. *gr.*
ágein „führen" (s. die FW Demagoge, Pädagoge, Synagoge und Stratege), *lat.* agere
„treiben; führen; handeln" (s. die Fremdwörtergruppe um agieren, zu der Akt,
Aktion, reagieren, redigieren, kaschieren
u. a. gehören) und *gall.* amb-actus „Diener",
eigtl. „Herumgeschickter" (s. Amt). Auf
einem alten Bedeutungsübergang von „treiben, in Bewegung oder in Schwingung versetzen" zu „wiegen, wägen" beruhen z. B.
gr. áxios „wert, würdig", eigtl. „von ange-
messenem Gewicht" (s. Axiom) und *lat.*
exigere „abwägen, abmessen", ex-āctus „genau abgewogen" (s. exakt), exāmen „Prüfung", eigtl. „Ausschlag der Waage" (s.
Examen). – Das Wort Achse wurde bereits in
ahd. Zeit – nach dem Vorbild von *lat.* axis –
auch übertragen verwendet im Sinne von
„Erdachse; Himmel[sgegend]". An diesen
Wortgebrauch schließt sich die fachsprachliche Verwendung des Wortes im
Sinne von „ortsfeste Gerade inmitten eines
Systems" an. Häufig wurde 'Achse' früher
auch im Sinne von „Wagen" verwendet,
beachte dazu die Wendung 'auf der Achse
sein' „umherziehen, unterwegs sein"
(16. Jh.).
Achsel w „Schulter[gelenk]": Die *altgerm.*
Körperteilbezeichnung *mhd.* ahsel, *ahd.*
ahsla, *niederl.* (ablautend) oksel, *aengl.* eaxl,
schwed. axel beruht mit dem unter → Achse
behandelten Wort auf einer alten *idg.* Bildung zu der Verbalwurzel *aĝ- „[mit geschwungenen Armen] treiben". Die Achsel
ist demnach etwa als „Drehpunkt [der geschwungenen Arme]" benannt worden. Eng
verwandt ist z. B. *lat.* āla „Achsel; Flügel"
(aus *ags-lā, beachte dazu die Verkleinerungsbildung axilla „Achselhöhle; kleiner
Flügel").
acht: Das *gemeingerm.* Zahlwort *mhd.* aht,
ahd. ahto, *got.* ahtau, *engl.* eight, *schwed.*
åtta geht mit Entsprechungen in den
meisten anderen *idg.* Sprachen auf *idg.*
*oktōu „acht" zurück, vgl. z. B. *gr.* oktṓ
„acht" und *lat.* octō „acht" (s. Oktave). Das
idg. Zahlwort *oktōu ist eine Dualform und
bedeutet wohl eigtl. „die beiden Vierer-
spitzen", nämlich der Hände ohne die Daumen (vgl. *Ecke*). Die alte Viererzählung läßt
sich auch noch an den unter → neun behandelten Zahlwörtern erkennen. Abl.: achte
Ordnungszahl (*mhd.* ahte[de], *ahd.* ahtodo).
Zus.: Achtel *s* (*mhd.* ahtel, ahtteil; zum
zweiten Bestandteil vgl. *Teil*); achtzehn
(*mhd.* ahzehen, *ahd.* ahtozehan); achtzig
(*mhd.* ahzec, *ahd.* ahtozug; zum zweiten Bestandteil vgl. ...zig).

¹**Acht** w „Ausschluß aus der [weltlichen] Gemeinschaft": Das *westgerm.* Wort für „[öf-
fentlich gebotene] Verfolgung" *mhd.* āhte,
ahd. āhta, *mnd.* achte, *aengl.* ōht ist verwandt mit *air.* ēcht „Totschlag aus Rache".
Die weitere Herkunft des den Kelten und
Germanen gemeinsamen Wortes ist dunkel. –
Nach *germ.* Recht konnte der in die Acht erklärte Verbrecher von jedem getötet werden.
Im deutschen Mittelalter war die Acht als
Reichs-, Landes- und Stadtacht eine häufig
verhängte weltliche Strafe für Friedens-
brecher und stand neben der kirchlichen
Bann (s. d.), daher die Formel 'in Acht und
Bann tun". Abl.: ächten „in die Acht erklären, ausstoßen" (*mhd.* æhten, *ahd.*
āhten; entspr. *aengl.* ōehtan „verfolgen").
²**Acht** w „Aufmerksamkeit, Beachtung, Fürsorge": Das *westgerm.* Substantiv *mhd.* ahte,
ahd. ahta, *niederl.* acht, *aengl.* eaht gehört
mit *got.* aha „Sinn, Verstand", ahjan „meinen" und anderen verwandten Wörtern im
germ. Sprachbereich zu der *idg.* Wz. *ok-
„nachdenken, *Außergerm.* ist
z. B. verwandt die Sippe von *gr.* óknos „Zaudern". – Im heutigen Sprachgebrauch ist
'Acht' nur noch in bestimmten Verbindungen und Zusammensetzungen bewahrt, beachte z. B. außer acht lassen, sich in acht
nehmen, acht geben, achtlos. – Vom Substantiv abgeleitet ist das Verb achten „aufpassen, beachten; für etwas halten; schätzen, hochachten" (*mhd.* ahten, *ahd.* ahtōn;
entspr. *niederl.* achten, *aengl.* eahtian). Dazu
gebildet ist Achtung w „Rücksicht, Wertschätzung, Anerkennung" (*mhd.* ahtunge,
ahd. ahtunga). Um das Verb gruppieren sich
die Präfixbildungen beachten (*mhd.* be-
ahten, *ahd.* biahtōn), dazu beachtlich „bemerkenswert" (*mhd.* beahtlich), erachten
(*mhd.* erahten, *ahd.* irahtōn) und verachten
(*mhd.* verahten), dazu verächtlich „geringschätzig, minderwertig" (15. Jh.). Abl.:
achtbar „angesehen, anständig" (*mhd.*
ahtbære); achtsam „aufmerksam, fürsorglich" (*mhd.* in unahtsam). Siehe auch den
Artikel Obacht.
achter „hinter": Das aus der *nordd.* Seemannssprache übernommene Wort (*mnd.*
achter) ist die *niederd.* Entsprechung von
hochd. after „hinter" (vgl. *After*). Beachte
dazu das Adverb achtern „hinten" und
die Zus. Achterdeck „Hinterdeck" (s.
Deck).
ächzen „stöhnen": Das auf das *dt.* Sprachgebiet beschränkte Verb (*mhd.* achzen, ech-
zen) ist eine Bildung zu der unter → *Ach* dargestellten Interjektion und bedeutet eigtl.
„ach! sagen".
Acker *m*: Das *gemeingerm.* Wort *mhd.* acker,
ahd. ackar, *got.* akrs, *engl.* acre, *schwed.* åker
geht mit verwandten Wörtern in anderen
idg. Sprachen zurück auf *idg.* *aĝro-s „Feld,
Ackerland", eine Bildung zu der unter

ad

→*Achse* dargestellten Verbalwurzel *ağ-* „[mit geschwungenen Armen] treiben". Das *idg.* Wort bezeichnete demnach urspr. das Land außerhalb der Siedlungen, wohin das Vieh zum Weiden oder aber auch zum Düngen des Bodens getrieben wurde (vgl. dazu z. B. das zum Verb treiben gebildete Substantiv Trift „Weide, Flur"). In anderen *idg.* Sprachen sind z. B. verwandt *aind.* ájra-ḥ „Feld, Flur", *gr.* agrós „Feld, Land" (beachte das damit gebildete Fachwort Agronom „Diplomlandwirt") und *lat.* ager „Feld, Ackerland" (s. Agrar...). Abl.: a c k e r n „pflügen, das Feld bestellen", *ugs.* für „schwer arbeiten, schuften" (*mhd.* ackern, eckern; beachte auch *mhd.* z' acker gān, varn „zu Acker gehen, fahren", daraus zusammengezogen z a c k e r n „pflügen"). Zus.: A c k e r b a u (16. Jh.); G o t t e s a c k e r bes. *südd.* für „Friedhof" (*spätmhd.* goczacker; urspr. der in den Feldern liegende Begräbnisplatz, im Gegensatz zum Kirchhof). – Siehe auch den Artikel Ecker.

ad..., Ad..., (vor folgendem Konsonant häufig angeglichen zu:) ac..., af..., ag..., ak..., al..., an..., ap..., ar..., as..., at...: Aus dem *Lat.* stammende Vorsilbe von FW mit den Bedeutungen „zu, hinzu, bei, an, hin", wie z. B. in addieren, Advent u. v. a.

Adamsapfel *m*: Die seit dem 18. Jh. bezeugte volkstümliche Bezeichnung für den vorstehenden Schildknorpel des Mannes beruht auf der Vorstellung, daß Adam ein Stück des verbotenen Apfels im Halse steckengeblieben sei. Diese Vorstellung ist bei den europäischen Völkern weitverbreitet – beachte z. B. *engl.* Adam's apple, *schwed.* adamsäpple, *frz.* pomme d'Adam – und ist wohl eine Umdeutung von *hebr.* tappūach ha ādām „vorstehender Schildknorpel des Mannes", weil *hebr.* tappūach „Erhebung (am menschlichen Körper)" das Wort für „Apfel" ist und weil *hebr.* ādām „Mann, Mensch" zum Namen des ersten Mannes wurde.

adäquat „angemessen, entsprechend": Im 18. Jh. aus gleichbed. *lat.* adaequātus entlehnt. Dies gehört zu *lat.* ad-aequāre „gleichmachen, angleichen". Stammwort ist *lat.* aequus „gleich" (vgl. hierüber das FW *egal*).

addieren „zusammenzählen" (Math.): Im 16. Jh. als mathemat. Terminus aus *lat.* ad-dere „beitun, hinzufügen; addieren" entlehnt. Das *lat.* Verb gehört vermutlich mit einigen anderen Kompositen wie *lat.* ab-dere „wegtun, verbergen", con-dere „zusammentun, gründen", die in der Flexion mit den Kompositen von *lat.* dare „geben" (s. Datum) zusammengefallen sind, zu dem unter →*tun* genannten Wörtern der *idg.* Wz. *dhē-* „setzen, stellen, legen". – Abl.: A d d i t i o n *w* „Zusammenzählen" (aus entspr. *lat.* additiō).

Adel *m* „vornehmes Geschlecht, edler Stand; edles Wesen": Die Herkunft des *altgerm.*

Wortes für „Abstammung, Sippe, Geschlecht" (*mhd.* adel, *ahd.* adal, *mniederl.* adel-, *aengl.* ædel-, *aisl.* aðal) ist nicht sicher geklärt. Vielleicht gehört es zu *idg.* *atta, *ăto-s „Vater", einem Lallwort der Kindersprache, das auch in *nichtidg.* Sprachen verbreitet ist, vgl. z. B. *ahd.* atto „Vater, Vorfahr", *lat.* atta „Vater", *gr.* átta „Väterchen" und *türk.* ata „Vater". – Das Wort bezeichnete zunächst die alte Abstammung einer Sippe, dann die Sippe oder das Geschlecht selbst und schließlich speziell das vornehme Geschlecht und den edlen Stand. Im Ablaut zu diesem Wort, von dem das unter →edel behandelte Adjektiv abgeleitet ist, steht *germ.* *ōþela- „Odal, Sippeneigentum an Grund und Boden, väterliches Erbgut" (*ahd.* uodal, *asächs.* ōthil, *aengl.* ōðel, *aisl.* ōðal). Abl.: a d e l n „in den Adelsstand erheben; edel machen" (16. Jh.); a d [e] l i g „aus edlem Geschlecht stammend, vornehm" (mit Wechsel der Endung aus *mhd.* adellich, *ahd.* adallīh).

Ader *w*: Das im heutigen Sprachgebrauch im Sinne von „Blutgefäß" verwendete Wort bezeichnete früher alle Gefäße und Stränge sowie auch innere Organe des menschlichen und tierischen Körpers. Die heute übliche Bedeutung setzte sich erst in *nhd.* Zeit durch, begünstigt durch die früher wichtige Rolle des medizinischen Aderlasses. Seit *ahd.* Zeit wird das Wort auch übertragen gebraucht, beachte dazu die Zus. Erzader und W a s s e r a d e r. *Mhd.* āder, *ahd.* ād[e]ra „Blutgefäß; Sehne; Nerv; Muskel; Darm", Mehrz. auch „Eingeweide", *niederl.* ader „Ader", *aengl.* ǣdre „Ader", Mehrz. auch „Nieren", *schwed.* åder „Ader" sind verwandt mit *gr.* ētor, étron „Herz", Unterleib" und beruhen auf einer alten Bezeichnung für „Eingeweide". – Abl.: ä d e r n „aderähnlich mustern" (*mhd.* ēdern „mit Adern versehen"). Zus.: A d e r l a ß „Öffnung einer Ader zum Ablassen von Blut", übertr. „große Einbuße, finanzieller Verlust" (älter *nhd.* auch Aderlässe, *mhd.* āderlāz, -læze; vgl. lassen).

adieu! „lebe wohl!": Die im 16./17. Jh. aus *frz.* adieu „zu Gott, Gott befohlen" übernommene Grußformel ist identisch mit a d e, das schon in *mhd.* Zeit aus entspr. *afrz.* adé entlehnt worden war. *Frz.* adieu (= à dieu) geht zurück auf *lat.* ad deum. Über die *idg.* Zusammenhänge von *lat.* deus (*alat.* deivos) „Gott" und besonders über die Verwandtschaft mit *lat.* diēs „Tag" unterrichtet der Artikel → *Zier*. – Zum gleichen Stamm gehört das FW →Diva.

Adjektiv *s* „Eigenschaftswort, Beiwort" (Sprachw.): *Nlat.* 'verbum adjectivum' „hinzufügbares Wort". Zu *lat.* ad-icere (adiectum) „hinzuwerfen, hinzutun", einem Kompositum von *lat.* iacere „werfen, schleudern" (vgl. hierüber das FW *Jeton*).

12

Adjutant *m* „dem Kommandeur einer militär. Einheit beigegebener Verbindungsoffizier": Das im Verlauf des 30jährigen Krieges aufgenommene FW bedeutet wörtlich etwa „Hilfsoffizier". Es ist entlehnt aus gleichbed. *frz.* adjutant (älter: ajudant) < *span.* ayudante (eigtl. „Helfer, Gehilfe"). Das dem Wort zugrunde liegende *span.* Verb ayudar „helfen" beruht wie entspr. *frz.* aider „helfen" auf gleichbed. *lat.* adiūtāre, einem Iterativ von *lat.* ad-iuvāre „helfen, unterstützen".

Adler *m*: Der Name des Raubvogels ist eine verdunkelte Zusammensetzung und bedeutet eigtl. „Edelaar" (vgl. *Aar*). Er geht zurück auf *mhd.* adel-ar[e], das im 12. Jh. in der aufblühenden Falknerei als Bezeichnung für den edlen Jagdvogel geschaffen wurde, da *mhd.* ar „Adler" auch unedle Jagdvögel wie Bussard und Sperber bezeichnete.

Admiral *m* „Seeoffizier im Generalsrang": Im 16. Jh. aus gleichbed. *frz.* amiral, admiral (im *Afrz.* allgemein „Oberhaupt") entlehnt, das seinerseits aus *arab.* amīr „Befehlshaber" stammt (vgl. *Emir*). – Abl.: Admiralität *w* „Marineoberkommando" (17. Jh.).

Adonis *m* „schöner Jüngling oder Mann": Die im 18. Jh. aufkommende Bezeichnung beruht auf *gr.* Ádōnis, dem Namen eines von der altgriech. Göttin Aphrodite wegen seiner Schönheit geliebten Jünglings. Der appellative Gebrauch des Namens für den Typus des schönen Jünglings oder schönen Liebhabers war schon in der Antike üblich.

adoptieren „an Kindes Statt annehmen": Im 16. Jh. aus gleichbed. *lat.* ad-optāre (eigtl. „hinzuerwählen") entlehnt, einem Kompositum von *lat.* optāre „wählen; wünschen". – Dazu: Adoption *w* „Annahme an Kindes Statt" (16. Jh., aus entspr. *lat.* adoptiō); Adoptiv... „durch Adoption zugesprochen" (aus *lat.* adoptīvus), in Zus. wie Adoptivsohn.

Adresse *w* „Anschrift, Aufschrift, Wohnungsangabe": Im 17. Jh. aus gleichbed. *frz.* adresse (eigtl. „Richtung, Bestimmungsrichtung") entlehnt. Das zugrunde liegende Verb *frz.* adresser „etwas an jmdn. richten; mit einer Anschrift versehen, einen Brief (u. a.) an jmdn. schicken", das seinerseits unser gleichbed. FW adressieren (17. Jh.) lieferte, beruht auf *vlat.* *ad-dīrēctiāre „ausrichten". Zu *lat.* dī-rigere (dīrēctus) „gerade richten, ausrichten" (vgl. *dirigieren*). – Abl.: Adressat *m* „Empfänger eines Briefs" (19. Jh., mit *lat.* Endung gebildet).

adrett „nett, hübsch; ordentlich, sauber, gefällig gekleidet": Das seit dem 17. Jh. zunächst als ‘addroitt’ bezeugte Adj. ist aus *frz.* adroit (adroite) „geschickt, gewandt; richtig, ordentlich" entlehnt. Das *frz.* Wort beruht seinerseits auf *vlat.* *ad-dīrēctus „ausgerichtet, wohlgeleitet". Zugrunde liegt *lat.* dī-rigere (dīrēctus) „gerade richten, ausrichten" (vgl. *dirigieren*).

Advent *m* „Zeit der Ankunft Christi": *Mhd.* advent[e] ist aus *lat.* adventus „Ankunft" entlehnt, das zu ad-venīre „ankommen" gehört. Das einfache Verb venīre ist mit *dt.* →*kommen* urverwandt. Über die Vorsilbe vgl.: *ad...* – Aus dem religiösen Bereich gehört noch das Subst. →Adventisten hierher. Im weltlichen Bereich geht eine ganze Reihe von FW auf Komposita von *lat.* venīre „kommen" zurück. Unmittelbar zu advenīre gehört noch das LW →Abenteuer. Weiterhin gehören: zu con-venīre „zusammenkommen; übereinkommen; passen, sich schicken" →Konvent und Konvention; zu in-venīre „hineinkommen, auf etwas stoßen, etwas vorfinden; etwas erwerben" →Inventar, →Inventur; zu inter-venīre „dazwischentreten, sich einmischen" →Intervention, intervenieren, Intervenient; zu ē-venīre „herauskommen, eintreffen, sich ereignen" →eventuell, Eventualitäten; zu subvenīre „[unterstützend] hinzukommen" über *frz.* souvenir „ins Gedächtnis kommen; sich erinnern" →Souvenir.

Adventisten *Mehrz.* heißen die Anhänger einer Sekte, die an die baldige Wiederkehr Christi glauben. Wort und Sache sind *engl.-amerik.* Ursprungs und erst in neuerer Zeit (19./20. Jh.) übernommen worden. *Engl.-amerik.* adventist ist eine *nlat.* Bildung zu *lat.* adventus „Ankunft" (hier im Sinne von „Ankunft des Herrn"); vgl. *Advent*.

Adverb *s* „Umstandswort": Im 17. Jh. als grammatischer Terminus aus gleichbed. *lat.* adverbium (eigtl. „das zum Verb gehörige Wort") entlehnt. Zu *lat.* verbum „Wort, Zeitwort" (vgl. *Verb*). – Abl.: adverbial „umstandswörtlich" (aus gleichbed. *lat.* adverbiālis).

Advokat *m* „[Rechts]anwalt": Im 15. Jh. aus gleichbed. *lat.* advocātus (eigtl. Bed.: „der Herbeigerufene", nämlich zur Beratung in einem Rechtsstreit) entlehnt. Zu *lat.* ad-vocāre „herbeirufen", einem Kompositum von *lat.* vocāre „rufen" (vgl. *Vokal*). – Gleichen Ursprungs ist das LW →Vogt.

Affäre *w* „Angelegenheit; [unangenehmer] Vorfall; Streitsache": Im 17. Jh. aus gleichbed. *frz.* affaire entlehnt. Das *frz.* Wort selbst ist durch Zusammenrückung der Fügung ‘(avoir) à faire’ „zu tun (haben)" entstanden. Das zugrunde liegende Verb *frz.* faire „machen, tun" beruht auf gleichbed. *lat.* facere (vgl. *Fazit*). – Beachte die Redensart ‘sich aus der Affäre ziehen’ „sich aus einer Sache herauswinden", die entspr. *frz.* ‘se tirer d'affaire’ wiedergibt.

Affe *m*: Der *altgerm.* Tiername *mhd.* affe, *ahd.* affo, *niederl.* aap, *engl.* ape, *schwed.* apa ist ein altes Lehnwort aus einer unbekannten Sprache. Die Germanen lernten das Tier schon früh durch umherziehende Kaufleute kennen, die es aus dem Süden mitbrachten. Die soldatensprachl. Verwendung von ‘Affe’ im Sinne von „Tornister" geht von dem Bild des Affen auf der Schulter des wandernden Schaustellers aus. Abl.: äffen „nachahmen; narren" (*mhd.* effen); affig „gefallsüchtig; albern";äffisch „affenartig" (16. Jh.). Zus.: Affenliebe „übertriebene Liebe" (16. Jh.); Maulaffe (s. *Maul*); Schlaraffe (s. d.).

Affekt *m* „Gemütsbewegung; stärkere Erregung": Im 16. Jh. aus *lat.* affectus „durch äußere Einflüsse bewirkte leib-seelische Verfassung, Gemütsbewegung, Leidenschaft" entlehnt. Zu *lat.* af-ficere „hinzutun; einwirken, Eindruck machen; stimmen, anregen, ergreifen", einem Kompositum von *lat.* facere „machen, tun; bewirken" (vgl. *Fazit*). – Dazu: **affektiert** „gemacht, erkünstelt; geziert, unnatürlich, gezwungen" (17. Jh.). Es handelt sich bei diesem Wort um das in adjektivischen Gebrauch übergegangene zweite Partizip des heute veralteten Zeitworts affektieren „erkünsteln; sich zieren" (16. Jh.), das auf *lat.* affectāre „sich an etwas machen; ergreifen; anstreben; sich etwas zurecht machen, erkünsteln" zurückgeht (wohl nach dem Vorbild von entspr. *frz.* affecter).

Affront *m* „Beleidigung": Im 17. Jh. aus gleichbed. *frz.* affront entlehnt, das seinerseits ein postverbales Substantiv zu *frz.* affronter „auf die Stirn schlagen; vor den Kopf stoßen, beschimpfen, beleidigen" ist. Zu *frz.* front (< *lat.* frōns, frontis) „Stirn; Vorderseite" (vgl. *Front*).

After *m*: Die als anstößig empfundene Bezeichnung für das Ende des Mastdarms (*mhd.* after, *ahd.* aftero) ist eine Substantivierung des im *Nhd.* untergegangenen Adjektivs *ahd.* aftero, *mhd.* after „hinter; nachfolgend" und bedeutete dementsprechend zunächst „Hinterer" (vgl. die unter →hinter behandelte Substantivierung Hintern). Das Adjektiv gehört zu der Präposition und zum Adverb älter *nhd.*, *mhd.* after, *ahd.* aftar, *niederd.* achter (s. achter), *got.* aftra, *engl.* after, *schwed.* efter „nach; hinter; gemäß". Dieses *gemeingerm.* Wort beruht mit verwandten Wörtern in anderen *idg.* Sprachen auf *idg.* *epi-, *opi- „nahe hinzu, auf etwas hin, nach", vgl. z. B. *gr.* epí „auf etwas hin" und *lat.* ob „auf etwas hin, nach", die in zahlreichen aus dem *Gr.* und *Lat.* entlehnten Fremdwörtern als Präfix erscheinen (s. epi... und ob...). Zu dieser *idg.* Präposition gehört wahrscheinlich auch das unter →Abend behandelte Substantiv. – Älter *nhd.* after „hinter" kam wegen der anstößigen Bedeutung des Substantivs außer Gebrauch. Auch die Zusammensetzungen mit 'after', wie z. B. Aftermiete „Untermiete", sind heute nicht mehr gebräuchlich.

Agave *w*: Der aus dem *Frz.* übernommene Name der aloeähnlichen, tropischen Pflanze (*frz.* agave, älter: agavé) wurde von Bo-

tanikern des 18. Jh.s mit dem Femininum von *gr.* agauós „edel", nämlich agaué gebildet. Er bedeutet demnach eigtl. „die Edle".

Agent *m*: Das im 16./17. Jh. aus *it.* agente (= *frz.* agent) entlehnte FW bezeichnete urspr. einen „Geschäftsträger" im politischen Sinn. Später entwickelte sich daraus die spezielle Bed. „in staatlichem Auftrag tätiger Spion". Früh war das Wort auch in der Kaufmannssprache heimisch im Sinne von „[Handels]vertreter; Geschäftsvermittler" (beachte Zus. wie Theateragent, Versicherungsagent u. a.), was sich auch in der jungen, mit *lat.* gebildeten Abl. **Agentur** *w* „Vermittlungsbüro, [Handels]vertretung" (19. Jh.) zeigt. – *It.* agente beruht auf *lat.* agēns (agentis), dem Part. Präs. von *lat.* agere „tun, treiben, ausführen, handeln usw." (vgl. *agieren*).

Aggregat *s* „Koppelung einer Kraftmaschine mit einer Arbeitsmaschine (Techn.); mehrgliedrige Zahlengröße (Mathem.)": Das FW ist eine junge gelehrte Neubildung des 19. Jh.s zu *lat.* ag-gregāre „anhäufen", es bedeutet also eigtl. „Anhäufung". Stammwort ist *lat.* grex, gregis „Herde, Haufe, Schar", das verwandt ist mit *lat.* gremium „Schoß; Bündel" (vgl. *Gremium*). – Dazu die Zus. **Aggregatzustand** (19. Jh.) als Bezeichnung für die durch verschiedene „Zusammenhäufung" der Moleküle bedingte Erscheinungsform eines Stoffes.

Aggression *w*, „kriegerischer Angriff": In neuerer Zeit aus gleichbed. *lat.* aggressiō entlehnt. Das *lat.* Wort gehört zu *lat.* ag-gredī „heranschreiten; angreifen", einem Kompositum von *lat.* gradī „schreiten, gehen" (vgl. *Grad*). – Dazu auch: **aggressiv** „angriffslustig, herausfordernd" (19. Jh., *nlat.* Bildung nach entspr. *frz.* agressif); **Aggressor** *m* „Angreifer" (18./19. Jh., aus gleichbed. *spätlat.* aggressor).

agieren „handeln, tätig sein; eine Rolle spielen": Das seit dem 16. Jh. bezeugte FW geht auf gleichbed. *lat.* agere (āctum) zurück. – Die Grundbed. von *lat.* agere, das urverwandt ist mit dem unter →Achse genannten Wörtern, ist „treiben, antreiben". Aus dieser Grundbed. haben das Verb und zahlreiche Ableitungen und Komposita eine Fülle von Bedeutungen entwickelt, die den verschiedensten Anwendungsbereichen zugeordnet sind. Unter diesen sind einige für uns von besonderem Interesse, weil sie in FW der Sippe von *lat.* agere lebendig sind. Aus dem allgemeinen Sprachgebrauch seien davon erwähnt: „in Bewegung setzen; bewirken; in einer bestimmten inneren Verfassung sein" (in den FW →agil, →aktiv, Aktivität, aktivieren, →reagieren, Reaktion; in gewissem Sinne auch in →Akt und →Aktion). Auf wirtschaftlichem Gebiet sind es Bed. wie „handeln, ein Geschäft betreiben; wirksam sein" (so in →Aktiva, →Aktie, Aktionär, →Transaktion). 'Aktie' und 'Aktionär' gehören urspr. allerdings mehr zur dritten Gruppe von Fachwörtern des Rechtswesens und der Verwaltungssprache (wie →Aktion u. →Akten); denn das dem FW Aktie zugrunde liegende *lat.* Subst. āctiō hat im altröm. Recht die Bed. „klagbarer Anspruch". – Mehr politischen Charakter haben die Wörter →Agent, →Agitation, Agitator, →Reaktion, Reaktionär. Die Bedeutungsentwicklung ist dabei zwar modern, aber doch schon im *Lat.* vorgebildet in Bed. wie „eine Sache öffentlich (vor dem Volk od. Senat) betreiben", die agere u. noch schärfer das abgeleitete Intensivum agitāre „etwas heftig betreiben; (das Volk) aufhetzen, aufwiegeln" entwickelt haben. – Auch in der Sprache des Schauspielers war *lat.* agere mit Bed. wie „eine Rolle spielen" heimisch. Die FW →Akt, →Akteur und auch agieren bestätigen dies. – Ausschließlich modern ist die Bedeutungsentwicklung in FW aus Naturwissenschaft und Technik (wie in →reagieren, Reagenz, Reagenzglas, →Reaktor) oder aus dem Publizistik und dem Verlagswesen (wie in →redigieren, Redaktion, Redakteur; im gewissen Sinn auch in →aktuell, Aktualität). – Eine schon im *Idg.* erfolgte Sonderentwicklung in der Bed. liegt in den zum Stamm von *lat.* agere gehörenden FW →Examen, examinieren, →exakt vor (vgl. hierzu im besonderen auch die Artikel *Achse* und Axiom).

agil „beweglich, geschäftig": Im 18. Jh. über gleichbed. *frz.* agile aus *lat.* agilis „leicht zu führen, beweglich; geschäftig" entlehnt. Zu *lat.* agere „treiben, führen; handeln usw." (vgl. *agieren*).

Agitation *w* „aufrührerische [politische] Hetze": Im 19. Jh. als politisches Schlagwort zusammen mit dem dazugehörigen Subst. **Agitator** *m* „Aufwiegler" aus entspr. *engl.* agitation (bzw. agitator) entlehnt. Die *engl.* Wörter beruhen ihrerseits formal auf entspr. *lat.* agitātiō „das In-Bewegung-Setzen, die Bewegung" bzw. *lat.* agitātor „Treiber", in der Bedeutungsentwicklung jedoch sind sie abhängig vom dem zugrunde liegenden Verb *lat.* agitāre „etwas heftig betreiben; schüren, aufpeitschen, aufwiegeln, aufhetzen" (daraus entspr. *engl.* to agitate). Über weitere etymolog. Zusammenhänge vgl. den Artikel *agieren*.

Agraffe *w* „Spange": Im 17. Jh. aus gleichbed. *frz.* agrafe (eigtl. „Haken") entlehnt. Zu *frz.* agrafer „an-, einhaken".

Agrar...: Bestimmungswort von Zus. mit der Bedeutung „Landwirtschaft, Boden", wie in Agrarpoliṭik (20. Jh.) u. a. Zugrunde liegt das *lat.* Adj. agrārius „den Acker[bau] betreffend", das von *lat.* ager „Acker" (urverwandt mit *dt.* →Acker) abgeleitet ist.

Ahle *w* „Pfriem, Vorstecher": Der *altgerm.* Werkzeugname *mhd.* āle, *ahd.* āla, *niederl.* aal, *aengl.* ǣl, *aisl.* (ablautend) alr ist verwandt mit *aind.* ārā „Ahle". Es handelt sich also um eine uralte Bezeichnung eines schon für die Steinzeit nachgewiesenen spitzen Gerätes zum Vorstechen von Häuten oder dgl.

Ahn *m* „Vorfahre": Das im *germ.* Sprachbereich nur im *Dt.* gebräuchliche Wort ist ein Lallwort der Kindersprache für ältere Personen aus der Umgebung des Kindes. Mit *mhd.* an[e], *ahd.* ano „Vorfahre; Großvater" sind z. B. [elementar]verwandt *gr.* ánnis „Großmutter" und *lat.* anus „altes Weib". – Eine Verkleinerungsbildung zu 'Ahn' ist das unter → Enkel behandelte Wort. Abl.: Ahne *w* (*mdh.* ane, *ahd.* ana). Zus.: Ahnherr (*mhd.* anherre „Groß-, Vorvater"); Urahn (*mhd.* urane, *ahd.* urano).

ahnden „rächen, [be]strafen": *Mhd.* anden „Unwillen empfinden, rächen, strafen", *ahd.* antōn „zornig oder wütend werden, sich ereifern, sich heftig für etwas einsetzen, rächen, strafen", *mniederl.* anden „Unwillen empfinden, neidisch sein, seinen Ärger oder Zorn auslassen", *aengl.* andian „eifersüchtig, neidisch sein" sind abgeleitet von dem *westgerm.* Substantiv *mhd.* ande „Kränkung, Unwille", *ahd.* anto „das Eifern, Eifersucht, Mißgunst, Ärger, Zorn, Ärgernis", *mniederl.* ande „Eifer, Ärger, Zorn; Ärgernis", *aengl.* anda „Groll, Feindschaft; Mißgunst, Ärger, Zorn; Ärgernis". Dieses *westgerm.* Substantiv ist wahrscheinlich eine Bildung zu der unter →*an* behandelten Präposition und bedeutet demnach eigtl. „was einen ankommt".

ahnen „voraussehen, unmittelbar empfinden, vermuten": Das *nur* Verb (*mhd.* anen) ist wahrscheinlich von der unter →*an* behandelten Präposition abgeleitet und bedeutet demnach eigtl. „einen an- oder überkommen". Es wurde zunächst unpersönlich gebraucht, beachte *mhd.* 'es anet mir (auch: mich)' „es kommt mich an", d. h. etwas Unbestimmtes rührt mich von außen her an. Abl.: Ahnung *w* „unbestimmtes Gefühl, Vermutung" (17. Jh.).

ähnlich: Die *nhd.* Form ähnlich ist aus der Vermischung zweier verschiedener Wörter hervorgegangen: erstens *mhd.* äne-, enlich, „ähnlich, gleich" (für *ahd.* anagilīh, vgl. *an* und *gleich*), zweitens *ostmitteld.* enlich, *mhd.* einlich „einheitlich" (Ableitung von *mhd.* ein „ein", vgl. ¹*ein*). Abl.: ähneln, „ähnlich sein" (17. Jh., für älteres ähnlichen, *mhd.* anelichen).

Ahorn *m*: Der im *germ.* Sprachbereich nur im *Dt.* gebräuchliche Baumname (*mhd.*, *ahd.*, *mnd.* ahorn) gehört mit verwandten Wörtern in anderen *idg.* Sprachen – vgl. z. B. *lat.* acer „Ahorn" – zu der unter →*Ecke* dargestellten *idg.* Wz. *ak̑-* „spitz, scharf". Der Ahorn ist demnach nach seinen auffällig spitz eingeschnittenen Blättern benannt. – Andere im *Dt.* gebräuchliche Namen des Ahorns sind z. B. Maßholder (s. Maßliebchen) und *niederd. mdal.* Löne.

Ähre w: Das *gemeingerm.* Wort *mhd.* eher, *ahd.* ehir, *got.* ahs, *engl.* ear, *schwed.* ax gehört mit verwandten Wörtern in anderen *idg.* Sprachen – vgl. z. B. *lat.* acus „Granne, Spreu" – zu der unter → *Ecke* dargestellten *idg.* Wz. *ak̑-* „spitz, scharf". Die Ähre ist also nach ihren spitzen Grannen benannt.

Akademie w „Forschungsstätte; Bildungsinstitution, Fachhochschule": Im 16. Jh. entlehnt aus *lat.* Acadēmĭa, *gr.* Akadḗmeia, dem Namen der Lehrstätte Platons. Diese wiederum heißt nach einem dem Heros Akádēmos geweihten Hain, in dem sie sich befand. Im 18. Jh. entwickelte das Wort die Bed. „gelehrte Gesellschaft" (nach *frz.* académie). – Dazu die *nlat.* Bildungen akademisch „gebildet" (16. Jh.) u. Akademiker (18. Jh.).

Akazie w: Der in *dt.* Texten seit dem 18. Jh. bezeugte Name des zu den Mimosegewächsen gehörenden tropischen und subtropischen Laubbaumes führt über entspr. *lat.* acacia auf *gr.* akakía „Akazie; Ginster" zurück.

Akelei w: Der Name der Zierpflanze aus der Familie der Hahnenfußgewächse, *mhd.* ageleie, ackelei, *ahd.* agaleia, *mnd.* ak[e]leye, beruht auf gleichbed. *mlat.* aquile[g]ia. Die weitere Herkunft des Wortes ist dunkel.

akklimatisieren, sich „sich (nach und nach) eingewöhnen, anpassen": Gelehrte FW-Bildung des 18. Jh.s zu → *Klima*. Dazu das Subst. Akklimatisation w „Eingewöhnung".

¹Akkord m „Stücklohn[vertrag]": Das FW erscheint im 16. Jh. mit der allg. Bed. „Vertrag, Abkommen, Vergleich". Erst im 19. Jh. kommt die heute übliche spezielle Bed. auf. Zus. wie Akkordarbeit, Akkordlohn und die Wendung 'im Akkord arbeiten' schließen sich an. Entlehnt ist das FW aus *frz.* accord „Übereinstimmung; Abkommen, Vertrag" (= *it.* accordo). Das zugrunde liegende Verb *frz.* accorder „in Übereinstimmung bringen; ein Abkommen treffen" beruht wie entspr. *it.* accordare auf gleichbed. *vlat.* *ad-cordāre, einer denominativen Präfixbildung zu *lat.* cor (cordis) „Herz; Geist, Verstand; Gemüt; Stimmung, Gestimmtheit" (vgl. *Courage*). – **²Akkord** m „Zusammenklang (mehrerer Töne)": Als musikal. Terminus im Anfang des 18. Jh.s aus gleichbed. *frz.* accord entlehnt. Für das zugrunde liegende Verb *frz.* accorder „(die Instrumente) stimmen" (15. Jh.), das wohl urspr. identisch ist mit *frz.* accorder „in Übereinstimmung bringen" (s. oben unter ¹Akkord), vermutet man sekundären Quereinfluß von *lat.* chorda (> *frz.* corde) „Saite". – **Akkordeon** s „Handharmonika": Künstliche Neubildung des 19. Jh.s zu ²Akkord (s. o.).

akkreditieren „beglaubigen (insbesondere den diplomatischen Vertreter eines Landes)": Im 19. Jh. aus gleichbed. *frz.* accréditer entlehnt, einer denominativen Präfixbildung zu

frz. crédit „Vertrauen; Kredit" (vgl. „*Kredit*). – Dazu das Subst. Akkreditiv s „Beglaubigungsschreiben eines diplomatischen Vertreters; Krediteinräumung" (19./20. Jh.).

Akkumulator m „Energiespeicherer", dafür häufig das Kurzwort Akku m: Gelehrte Entlehnung des 19. Jh.s aus *lat.* accumulātor „Anhäufer". Zu *lat.* ac-cumulāre „anhäufen" und weiter zu *lat.* cumulus „Haufe" (vgl. *Kumulus*).

akkurat: Das seit dem 17. Jh. zunächst als Adv. mit der Bed. „sorgfältig, genau" bezeugte FW, das erst im 18. Jh. auch als Adjektiv mit der speziellen charakterisierenden Bed. „gewissenhaft, ordnungsliebend" verwendet wird, ist aus *lat.* accūrātē „sorgfältig" entlehnt, dem Adv. zu gleichbed. *lat.* accūrātus. Zugrunde liegt das Adj. Verb ac-cūrāre „mit Sorgfalt tun". Über das Stammwort *lat.* cūra „Sorge, Pflege usw." vgl. den Artikel *Kur*. – Abl.: Akkuratesse w „peinliche Genauigkeit, Gewissenhaftigkeit" (um 1700; mit *frz.* Endung hinzugebildet).

Akkusativ „Wenfall" (Gramm.): Aus *lat.* (casus) accūsātīvus „der die Anklage betreffende (vierte) Fall". Der *lat.* Name beruht (ähnlich wie bei → Genitiv) auf einem Mißverständnis bei der Übersetzung von *gr.* (ptōsis) aitiatikḗ „Ursache und Wirkung betreffender Fall". Gemeint ist dabei einerseits das vom Verb gleichsam verursachte Objekt im vierten Fall, andererseits auch die an diesem Objekt auftretende Wirkung. Fälschlich wurde nun das unmittelbar zu *gr.* aítion „Ursache" gehörende Adj. aitiatikós auf aitiāsthai „beschuldigen, anklagen" bezogen und von den Lateinern mit dem von *lat.* accūsāre „beschuldigen, anklagen" abgeleiteten Adj. accūsātīvus wiedergegeben.

Akrobat m „Turnkünstler": Das seit dem Anfang des 19. Jh.s zunächst nur im Sinne von „Seiltänzer" bezeugte FW, das im Bereich des Zirkuswesens seine heutige Bed. entwickelte, geht zurück auf *gr.* akróbatos „auf den Fußspitzen gehend". Zu *gr.* ákros „äußerst, oberst; spitz" und *gr.* bateīn „gehen" (vgl. *Basis*). – Abl.: akrobatisch (Adj.).

Akt m: Das seit dem 16. Jh. bezeugte FW, das auf *lat.* āctus „Handlung; Geschehen; Darstellung; Vorgang usw." zurückgeht (zu *lat.* agere, āctum „treiben; handeln, tätig sein usw.", vgl. *agieren*), erscheint zuerst mit der allgemeinen Bed. „[feierliche] Handlung". Diese Bed. wird in jungen Zus. wie Gewaltakt (19. Jh.), Willensakt (19. Jh.), Gnadenakt (19. Jh.) besonders deutlich. Ebenfalls schon im 16. Jh., jedoch anfangs meist noch in der Form 'actus', findet sich das Wort in der Bühnensprache mit der schon im *Lat.* vorgebildeten Bed. „Aufzug eines Theaterstücks". Seit dem 19. Jh. ist 'Akt' auch als Fachwort der bildenden Kunst bezeugt. Es bezeichnet dort die Stellung des nackten Modells und die danach entworfene künstlerische Darstellung des nackten menschlichen Körpers (beachte auch die junge Zus. A k t p h o t o s). – In der modernen Verwaltungssprache wird 'Akt' gelegentlich auch im Sinne von ,,Vorgang; über Personen oder Vorgänge angefertigter Schriftsatz'' gebraucht. Es handelt sich dabei wohl um eine junge Rückbildung aus dem bereits in der Kanzleisprache des 15./16. Jh.s üblichen gleichbed. Fremdwort **Akten** *Mehrz.*, das auf *lat.* ācta ,,das Verhandelte, die Ausführungen, der Vorgang'', dem substantivierten Neutr. Plur. des Part. Perf. Pass. von agere, beruht. Häufiger als die Einzahlform 'Akt' begegnet die gleichfalls aus der *Mehrz.* rückgebildete *Einz.* A k t e *w*.

Akteur *m* ,,handelnde Person; Schauspieler'': Im 18. Jh. aus gleichbed. *frz.* acteur als Ersatzwort für das ältere, aber in der Bed. abgewertete Komödiant übernommen. Das *frz.* Wort beruht seinerseits auf *lat.* āctor (āctōris) ,,handelnde Person [auf der Bühne]''. Zu *lat.* agere (āctum) ,,treiben; handeln, tätig sein; eine Rolle spielen'' (vgl. *agieren*).

Aktie *w* ,,Anteilschein'' (Urkunde über Höhe der Beteiligung an Gewinn oder Verlust eines Geschäftes): Um 1700 aus gleichbed. *niederl.* actie (älter: action) entlehnt, das seinerseits wie entspr. *engl.* action und *frz.* action auf *lat.* āctiō ,,Handlung, Tätigkeit; Tätigwerden vor Gericht'' (s. Aktion) in dessen speziell juristischer Bed. ,,klagbarer Anspruch'' zurückgeht (vgl. *agieren*). Der Inhaber einer Aktie heißt A k t i o n ä r *m* (18. Jh., aus entspr. *frz.* actionnaire).

Aktion *w* ,,Handlung; Verfahren'': Entlehnt aus gleichbed. *lat.* āctiō. Zu *lat.* agere (āctum) ,,treiben; handeln usw.'' (vgl. *agieren*). Zus.: A k t i o n s r a d i u s *m* ,,Wirkungsbereich''. – Siehe auch: Aktie.

aktiv ,,tätig, wirksam'': Im 17. Jh. aus gleichbed. *lat.* āctīvus entlehnt. Zu *lat.* agere (āctum) ,,treiben; handeln, tätig sein usw.'' (vgl. *agieren*). – Substantiviert zu A k t i v *s* bezeichnet das als grammatischer Terminus (im Gegensatz zu →Passiv) die ,,tätige'' Verhaltensrichtung des Zeitworts. – Auf dem substantivierten Neutr. Plur. (*lat.* āctīva) beruht das finanzwirtschaftliche Fachwort **Aktiva** *Mehrz.* ,,Guthaben, vorhandene [Vermögens]werte''. Es bezeichnet gleichsam das ,,wirksame'' Kapital, im Gegensatz zu →Passiva. – Zu ,,aktiv'' gehören weiter die folgenden FW: **aktivieren** ,,in Tätigkeit setzen, in Gang bringen'' (19. Jh., nach entspr. *frz.* activer gebildet); **Aktivität** *w* ,,Tatkraft; Unternehmungsgeist'' (17. Jh., nach entspr. *mlat.* āctīvitās).

aktuell ,,zeitnah; zeitgemäß; vordringlich'': Das im 18. Jh. in der Sprache der gehobenen Gesellschaft aufgekommene FW, das in neuster Zeit durch die Publizistik zum ausge-

sprochenen Schlagwort geworden ist, ist aus gleichbed. *frz.* actuel entlehnt. Das *frz.* Wort seinerseits beruht auf entspr. *spätlat.* āctuālis ,,wirksam; wirklich, tatsächlich''. Zu *lat.* agere (āctum) ,,treiben; betreiben; handeln usw.'' (vgl. *agieren*). Dazu das Subst. A k t u a l i t ä t *w* ,,Tagesereignis; bedrängende Gegenwart'' (im 19. Jh. nach gleichbed. *frz.* actualité hinzugebildet).

akustisch ,,den Schall, das Gehör betreffend; klanglich'': Gelehrte Entlehnung des 18. Jh.s aus *gr.* akoustikós ,,das Gehör betreffend''. Zu *gr.* akoúein ,,hören'' (wahrscheinlich urverwandt mit *dt.* →hören). – Dazu das Subst. A k u s t i k *w* ,,Lehre vom Schall (18. Jh.); Klangwirkung (19. Jh.)''.

akut ,,heftig, dringend; unvermittelt auftretend (von Krankheiten)'': Das erst im 19. Jh. gebuchte Adj. ist ein altes medizin. Fachwort (Gegensatz: →chronisch). Es wurde als solches aus *lat.* acūtus entlehnt, das eigtl. ,,geschärft, scharf, spitz'' bedeutet. Das *lat.* Wort wurde aber schon von altröm. Ärzten in einem speziell medizin. Sinne zur Charakterisierung von unvermittelt auftretenden Krankheiten gebraucht, die einen kurzen und heftigen Verlauf haben (*lat.* 'morbus acūtus', im Gegensatz zu 'morbus longus oder vetustus'). – Das dem *lat.* Wort zugrunde liegende Verb *lat.* acuere (acūtum) ,,schärfen, spitzen'' ist mit *dt.* →Ecke etymolog. verwandt. – Gleichen Ausgangspunkt (*lat.* acūtus) hat das sprachwissenschaftl. Fachwort **Akut** *m* ,,Betonungszeichen für den steigenden (= scharfen) Ton'', das sich aus *lat.* Fügungen wie 'acūtus accentus' ,,scharfe Betonung, Scharfton; Akut'' entwickelt hat.

Akzent *m* ,,Betonung; Tonfall; Nachdruck'': Im 16. Jh. als sprachwissenschaftl. Terminus aus gleichbed. *lat.* ac-centus (eigtl. ,,das An-, Beitönen'') entlehnt, das seinerseits LÜ von entspr. *gr.* pros-ōidía ist. Das zugrunde liegende Verb *lat.* ac-cinere ,,dazu singen; dazu tönen'' ist ein Kompositum von *lat.* canere (cantum) ,,singen; ertönen'' (vgl. *Kantor*). – Dazu: **akzentuieren** ,,betonen; hervorheben'' (18. Jh., aus entspr. *mlat.* accentuāre).

akzeptieren ,,annehmen; billigen'': Im 15. Jh. aus gleichbed. *lat.* ac-ceptāre entlehnt, eine Intensivbildung zu gleichbed. *lat.* ac-cipere (vgl. *kapieren*). – Dazu das Adj. a k z e p t a b e l ,,annehmbar'' (18. Jh.; über entspr. *frz.* acceptable aus gleichbed. *spätlat.* acceptābilis.

Alabaster *m*: Der Name des Edelgipses, *mhd.* alabaster, führt über entspr. *lat.* alabaster auf *gr.* alábast[r]os ,,Gips; gipserne Salbenbüchse'' zurück.

Alarm *m* ,,Gefahrmeldung; Beunruhigung'': Das seit *spätmhd.* Zeit bezeugte Subst. (*spätmhd.* alerm, *frühnhd.* Alarm[a], Alerman, Lerman) stammt wie entspr. *frz.* alar-

me aus gleichbed. *it.* allarme. Das *it.* Wort
selbst ist durch Zusammenziehung aus dem
militär. Ruf 'all'arme!' „zu den Waffen!" entstanden. Das zugrunde liegende Subst. *it.*
arma „Waffe" (*Mehrz.* arme „Waffen") beruht auf *spätlat.* arma „Waffe", das sich
aus *klass. lat.* arma (Neutr. Plur.) „Waffen"
(vgl. *Armee*) entwickelt hat. – Dazu: a l a r -
m i e r e n „Warnzeichen geben; beunruhigen"
(17. Jh., nach gleichbed. *frz.* alarmer). –
Siehe auch: Lärm.

Alaun *m*: Der Name des Bittersalzes (chem.:
Kalium-Aluminium-Sulfat), *mhd.*, *mnd.* alūn,
geht zurück auf *lat.* alūmen „bitteres Ton-
erdesalz, Alaun". – Siehe auch: Aluminium.

albern: Das Adjektiv ist eine verdunkelte
Zusammensetzung aus dem unter →*all* behandelten Wort und einem im *Dt.* untergegangenen Adjektiv * u̯āri- „freundlich, hold,
gütig" und bedeutete demnach urspr. „ganz
freundlich". *Mhd.* alwǣre „schlicht; einfältig, dumm", *ahd.* alawāri „freundlich, wohlwollend" entspricht *aisl.* ǫlværr „freundlich,
gastlich", vgl. dazu *got.* allawērei „schlichte
Güte". Damit verwandt ist z. B. der 2. Bestandteil von *lat.* sevērus „streng" (eigtl.
„ohne Freundlichkeit"). Entfernt verwandt
sind damit auch die unter →gewähren und
unter →wahr behandelten Wörter und wahrscheinlich auch die Sippe von →Wirt. – Das
auslautende -n von 'albern' gegenüber *mhd.*
alwǣre stammt aus den gebeugten Formen
des Adjektivs. Abl.: a l b e r n „sich kindisch
oder närrisch benehmen" (17. Jh.); A l b e r n -
h e i t *w* (17. Jh., in der Form alberheit).

Albino *m* „Weißling" (Mensch, Tier oder
Pflanze mit fehlender Farbstoffbildung): Gelehrte Entlehnung neuster Zeit aus *span.* albino „Albino", einer Abl. von *span.* albo < *lat.*
albus „weiß" (vgl. *Album*).

Album *s* „Sammel-, Gedenkbuch": Das seit
dem 17. Jh. bezeugte FW bezeichnete zunächst allgemein ein Buch mit „weißem"
Papier für Aufzeichnungen. Die gleichfalls
seit dem 17. Jh. bezeugte Bedeutung „Sam-
mel-, Gedenkbuch" wird seit dem 18. Jh.
allein üblich. Das Wort geht zurück auf
lat. album „weiße Tafel für Aufzeichnungen;
öffentliche Liste, Verzeichnis". Stammwort
ist das *lat.* Adj. albus „weiß", das auch dem
FW →*Albino* zugrunde liegt.

Alchimie *w*: Die Bezeichnung für die mittelalterliche Goldmacherkunst, *spätmhd.* alche-
mie, *frühnhd.* alchimei, führt über gleichbed.
frz. alchimie und *span.* alquimia auf *arab.*
(mit Artikel) al-kīmiyā' „Chemie" zurück. –
Abl.: A l c h i m i s t *m* „Goldmacher, Schwarz-
künstler" (spätmhd. alchimiste, aus entspr.
mlat. alchimista). – Siehe auch: Chemie.

Ale *s* „englisches Bier": Im 19. Jh. aus *engl.*
ale. Das vorausliegende *aengl.* ealu bezeichnet wie *asächs.* alo- (in alofat „Bierkrug"),
aisl. ǫl, *schwed.* öl den ungehopften germ.
Trank im Ggs. zum gehopften →Bier.

Alge *w*: Der Name der zu den niedrigsten
Pflanzenabteilungen gehörenden Wasser-
pflanze geht auf *lat.* alga „Seegras, Seetang"
zurück.

Algebra *w*: „Buchstabenrechnung, Lehre von
mathem. Gleichungen": Im 17. Jh. durch
roman. Vermittlung (beachte entspr. *span.*,
port. álgebra, *it.* algebra, *frz.* algèbre) aus *arab.*
al-ǧabr (eigtl.: „die Einrenkung [gebrochener
Teile]", dann „Wiederherstellung der normalen Gleichungsform ohne negative Glieder")
entlehnt. – Abl.: a l g e b r a i s c h.

alias „anders, sonst, auch" (Adv.): Aus dem
entspr. *lat.* Adv. aliās „ein anderes Mal; anders, sonst" übernommen. Zu *lat.* alius „ein
anderer" (urverwandt mit gleichbed. *gr.*
állos; vgl. die Vorsilbe allo...). – Zum gleichen
Stamm, mit Komparativsuffix gebildet,
stellt sich *lat.* alter „der eine von zweien, der
andere" mit *lat.* alternus „abwechselnd" (in
→ Alternative). – Als Vorderglied erscheint
der Stamm von *lat.* alius in dem *lat.* Adv.
alibī „anderswo", das unserem der Kriminalistik und der Rechtswissenschaft angehörenden substantivierten FW **Alibi** *s* „Nachweis der Abwesenheit vom Tatort, Un-
schuldsbeweis" (18. Jh.; vielleicht vermittelt
durch gleichbed. *frz.* alibi) zugrunde liegt.

Alimente *Mehrz.* „Unterhaltsbeiträge (besonders für unerwachsene Kinder)": Als Wort der
Rechtssprache im 18. Jh. aus gleichbed. *lat.*
alimenta (Neutr. Plur. von alimentum) entlehnt. Das *lat.* Wort bedeutet eigtl. „Nahrung[smittel]". Es gehört zu dem mit *dt.*
→*alt* etymologisch verwandten Verb *lat.*
alere (altum) „[er]nähren; aufziehen". – Zum
gleichen Stamm gehören auch *lat.* altus
„hoch, tief" (eigtl. „emporgewachsen") in
den FW →Alt, →Altan, →exaltiert und *lat.*
prōlēs „Sprößling, Nachkomme" im FW
→Proletarier, ferner *lat.* co-alēscere „zusammenwachsen" (s. Koalition).

Alkali *s* „Laugensalz": Im 16. Jh. nach gleichbed. *frz.* alcali, *span.* álcali, aus *arab.* (mit
Artikel) al-qaly „kalzinierte Asche" entlehnt. – Abl.: a l k a l i s c h „laugenhaft, Lau-
genwirkung zeigend (von chem. Reaktionen)", 18. Jh.; K a l i *s*: Sammelbezeichnung
für Kalisalze (wichtige Ätz- und Düngemittel), im 19. Jh. aus „Alkali" rückgebildet.

Alkohol *m* „reiner Weingeist": Das seit
dem 16. Jh. bezeugte FW entstammt der
Sprache der Alchimisten. Es erscheint dort
zunächst mit der eigtl. Bed. „feines, trockenes Pulver", in der es über entspr. *span.* alcohol aus *arab.* (mit Artikel) al-kuḥl „Anti-
mon; daraus bereitete Salbe zum Schwarz-
färben der Augenlider" entlehnt wurde. Die
Alchimisten verwandten das Wort aber bereits im gleichen Jh. in der übertragenen
Bedeutung „Weingeist" ('alcohol vini'). Sie
bezieht sich auf die besonders feine Stofflich-
keit und hohe Flüchtigkeit des Alkohols. –
Abl.: a l k o h o l i s c h „Alkohol enthaltend"

(20. Jh.); Alkoholiker *m* „der Trunksucht Verfallener" (20.Jh.). Von dem Wort Alkohol stammt auch das in der Chemie gebräuchliche Suffix …ol zur Kennzeichnung alkoholischer Verbindungen.

Alkoven *m* „Nebenraum, Bettnische": Das seit Anfang des 18. Jh.s zuerst nur in der Form Alkove bezeugte FW ist aus gleichbed. *frz.* alcôve entlehnt. Das *frz.* Wort selbst führt über *span.* alcoba „Schlafgemach" auf *arab.* (mit Artikel) al-qubba „Kuppel" zurück.

all: Das gemeingerm. Wort *mhd., ahd.* al, *got.* alls, *engl.* all, *schwed.* all gehört wahrscheinlich im Sinne von „ausgewachsen" zu der Wortgruppe von →*alt*. Das zugrunde liegende *germ.* *alla- entstand demnach durch Angleichung von -ln- zu -ll- aus *idg.* *alnó-s „ausgewachsen, vollständig, gesamt", einer alten Partizipialbildung zu der unter →*alt* dargestellten *idg.* Wz. *al- „wachsen". – Schon seit *mhd.* Zeit wird ‚all' bei Voranstellung flexionslos gebraucht, beachte z. B. ‚all der Schmerz', ‚mit all ſeiner Habe'. Seit dem 16. Jh. findet sich statt dessen auch ungebeugtes alle, das in [mit, von, aus usw.] alledem bewahrt ist. Die in Nord- und Mitteldeutschland übliche Verwendung von ‚alle' im Sinne von „nicht mehr vorhanden, zu Ende" – wie in ‚alle sein, werden, machen' – beruht wahrscheinlich auf Ellipse, d. h. ‚alle sein' steht für ‚alle verbraucht, verzehrt oder dgl. sein'. – Abl. All *s* (17. Jh., als Ersatzwort für das FW Universum; beachte die verdeutlichende Zus. Weltall, 18. Jh.) Zus.: allein (*mhd.* alein[e], entspr. *niederl.* alleen, *engl.* alone; vgl. *¹ein*), dazu alleinig (17. Jh., zunächst *oberd.*); allenfalls (17. Jh., entstanden aus ‚[auf] allen Fall' „für jeden möglichen Fall" mit angetretenem adverbiellen -s, vgl. *Fall*); allerdings (16./17. Jh., mit adverbiellem s aus *spätmhd.* allerdinge „in jeder Hinsicht, gänzlich", das aus *mhd.* aller dinge Genitiv Mehrz. zusammenrückt ist, vgl. *Ding*; im Sinne von „zwar, freilich" ist ‚allerdings' seit dem 19. Jh. gebräuchlich); allerhand (16. Jh., zusammengerückt aus *mhd.* aller hande Genitiv Mehrz. „von allen Arten", eigtl. „von allen Seiten", vgl. *Hand*); Allerheiligen (eigtl. Genitiv Mehrz., gekürzt aus ‚Allerheiligen Tag', *mhd.* aller heiligen tac für *kirchenlat.* omnium sanctōrum diēs „allen Heiligen gewidmetes Fest der röm.-kath. Kirche"); allerlei (zusammengerückt aus der genitivischen Verbindung *mhd.* aller lei[e] „von aller Art", vgl. …*lei*; beachte dazu Leipziger Allerlei „Leipziger Mischgemüse"); Allerseelen „katholischer Totengedenktag am 2. November" (19. Jh., eigtl. Genitiv Mehrz.; nach dem Muster von ‚Allerheiligen' gekürzt aus ‚Allerseelen Tag' für *kirchenlat.* [omnium] animārum diēs); allgemein (*mhd.* algemeine Adv. „auf ganz gemeinsame Weise,

insgesamt"; mit ‚all' verstärktes → gemein in dessen alter Bed. „gemeinsam"); allmächtig (*mhd.* almehtec, *ahd.* al[a]mahtīg, LÜ von *lat.* omnipotēns), dazu Allmacht (17. Jh., rückgebildet aus *frühnhd.* allmächtigkeit, *mhd.* almehtecheit); allmählich (*mhd.* almechlich „langsam"; der zweite Bestandteil gehört zu →*gemach*, vgl. *mhd.* algemechlīche Adv. „nach und nach" und älter *nhd.* allgemach „langsam"), Alltag (um 1800; junge Rückbildung aus Wörtern wie Alltagskleid, Alltagsmensch, in denen älteres ‚alle Tage, alletag' „täglich; gewöhnlich" steckt; zu ‚alletag' gehören auch alltäglich, 17. Jh., und alltags, 19. Jh.).

Allee *w* „Baumstraße": Im 17. Jh. aus gleichbed. *frz.* allée (eigtl. „Gang", dann „Baumgang") entlehnt. Das zugrunde liegende Verb *frz.* aller „gehen" beruht auf gleichbed. *vlat.* *alāre, das für *klass. lat.* ambulāre „umhergehen, gehen; spazieren" (vgl. *ambulant*) steht. – Siehe auch: allez!, Allüren.

Allegorie *w* „sinnbildliche Darstellung, Gleichnis": In *frühnhd.* Zeit aus *gr.-lat.* allēgoría entlehnt, das eigtl. „das Anderssagen" bedeutet. Gemeint ist die Darstellung eines abstrakten Begriffes durch ein konkretes Bild. Formal zugrunde liegen *gr.* állos „anderer" (állon „anderes") – vgl. *allo*... – und *gr.* agoreúein „sagen, sprechen" (vgl. *Kategorie*). Abl.: allegorisch „[sinn]bildlich", nach *gr.-lat.* allēgorikós.

allegro „lebhaft, munter" (Mus.): Im 17. Jh. mit anderen musikalischen Tempobezeichnungen (wie → andante usw.) aus gleichbed. *it.* allegro übernommen. Das *it.* Wort selbst beruht auf einem *vlat.* Adj. *alacrus, das für *klass. lat.* alacer (alacris) „lebhaft, munter" steht. – Dazu: Allegro *s* „lebhafter, schneller Satz eines Musikstücks" (18. Jh.); allegretto „mäßig schnell, mäßig lebhaft" (18. Jh., aus gleichbed. *it.* allegretto).

Allergie *w* „Überempfindlichkeit (als krankhafte Reaktion des Körpers auf körperfremde Stoffe)": Eine gelehrte Neubildung des 20. Jh.s zu *gr.* állos „anderer" (vgl. *allo*...) und *gr.* érgon „Werk; Ding, Sache" (vgl. *Energie*), also etwa im Sinne von „Fremdeinwirkung" zu verstehen. Das Wort lehnt sich auch formal an das FW Energie an. – Abl.: allergisch „überempfindlich" (20. Jh.).

allez! „vorwärts!": Im 19. Jh. aus gleichbed. *frz.* allez!, der zweiten Pers. Plur. des Imperativs von *frz.* aller „gehen" (vgl. *Allee*), entlehnt.

Allianz *w* „Staatenbündnis": Im 17. Jh. aus *frz.* alliance „Verbindung, Bund; Staatenbündnis" entlehnt. Das *frz.* Subst. gehört als Abl. zu *afrz.* aleier (= *frz.* allier) „verbinden, vereinigen", das seinerseits auf *lat.* alligāre „anbinden; verbinden" beruht, einem Kompositum von *lat.* ligāre „binden" (vgl. *legieren*). – Dazu auch das FW Alliierte *m*

„Verbündeter" (17. Jh.; nach entspr. *frz.*
allié „verbündet; Bundesgenosse" gebildet).
allo..., Allo...: Aus dem *Gr.* stammendes Bestimmungswort von Zus. mit der Bed. „anders, verschieden, fremd". *Gr.* állos „anderer", das urverwandt ist mit *lat.* alius „ein
anderer" (vgl. *alias*), ist auch das Stammwort der FW →Allotria und →parallel.
Allotria *Mehrz.* (meist als *Einz.* empfunden:
s) „Unfug; Narretei": Das FW erscheint zuerst in der Gelehrtensprache des 17. Jh.s.
In die Gemeinsprache gelangt es jedoch
erst seit dem Ende des 18. Jh.s. Das Wort
geht zurück auf *gr.* allótria „sachfremde, abwegige Dinge", das seinerseits zu *gr.* állos
(állo) „anderer; andersartig, verschieden"
gehört (vgl. *allo...*).
Allüren *Mehrz.* „Umgangsformen": Im 19.
Jh. aus der *Mehrz.* von *frz.* allure „Gang;
Benehmen" entlehnt. Zu *fr.* aller „gehen"
(vgl. *Allee*).
Almanach *m* „Kalender; [bebildertes] Jahrbuch": Im 15. Jh. durch *niederl.* Vermittlung (*mniederl.* almanag) aus entspr. *mlat.*
almanachus entlehnt. Die weitere Herkunft
des Wortes ist unsicher.
Almosen *s* „milde, barmherzige Gabe": *Gr.*
eleēmosýnē „Mitleid, Erbarmen", das zu *gr.*
éleos „Jammer, Klage; Mitleid" gehört, gelangte über *kirchenlat.* eleēmosyna „Almosen" und über *vlat.* Zwischenformen mit anlautendem a- mit der Einführung des Christentums in die germ. Sprachen. Beachte:
mhd. almuose, *ahd.* alamuosa, *niederl.* aalmoes, *engl.* alms, *schwed.* allmosa. – Im *Frz.*
erscheint das Wort als aumône.
¹Alp, Alpe *w*: Der Ausdruck für „Bergweide" (*mhd.* albe, *ahd.* alba) geht mit den
Gebirgsnamen Alb und Alpen *Mehrz.* wahrscheinlich auf ein *voridg.* *alb- „Berg" zurück, das aber schon früh an die Sippe von
lat. albus „weiß" volksetymologisch angeschlossen wurde. Die seit dem 15./16. Jh. gebräuchliche Nebenform Alm *w* entstand
durch Angleichung aus alb[e]n, dessen -n aus
den gebeugten Formen von *mhd.* albe stammt.
²Alp (Alpdrücken, Alptraum) siehe Elf.
Alphabet *s* „Abc": Die seit *mhd.* Zeit bezeugte, aus der Schulsprache übernommene
Bezeichnung führt über entspr. *kirchenlat.*
alphabētum auf gleichbed. *gr.* alphábētos
zurück. Wie *dt.* 'Abc' ist auch das *gr.* Wort
aus den Anfangsbuchstaben des griech. Alphabets (álpha und bēta) gebildet, die ihrerseits (wie die Buchstabenschrift überhaupt)
aus dem *Semit.* stammen und den Griechen
durch die Phönizier vermittelt wurden (beachte: *hebr.* aleph „a" und beth „b"). – Abl.
alphabetisch „abcelich"; alphabetisieren „abcelich einreihen, nach der Buchstabenfolge ordnen" (20. Jh.); Analphabet *m*
„der Schrift Unkundiger" (Anfang 19. Jh.,
aus entspr. *gr.* an-alphábētos; über das verneinende Präfix vgl. ²*a...*).

Alraun *m*, gewöhnlich Alraune *w*: Der
Name der als zauberkräftig angesehenen
menschenähnlichen Wurzel der Alraunpflanze (Mandragora) lautete in den älteren
Sprachzuständen *mhd.* alrūne, *ahd.* alrūn[a].
Diese Benennung ist wahrscheinlich durch
Erleichterung der Drittkonsonanz -lbr- aus
*albrūn[a] entstanden und enthält demnach als Bestimmungswort *ahd.* alb „Kobold, Geist, Mahr" (vgl. *Elf*). Das Grundwort gehört zu *ahd.* rūnēn „heimlich reden,
flüstern" (vgl. *raunen*). Da nach dem Volksglauben die Zauberkraft der Wurzel von
einem Geist ausgeht, ist *ahd.* alrūn[a] wohl
eigtl. der Name des in die Wurzel gebannten
Geistes.
also: Die *nhd.* Form geht über *mhd.* alsō zurück auf *ahd.* alsō, das ein mit al (vgl. *all*) verstärktes sō (vgl. *so*) ist und demnach urspr.
„ganz so" bedeutete. – Neben *mhd.* alsō
findet sich die abgeschwächte Form als[e],
auf der die *nhd.* Konjunktion als beruht.
alt: Das *gemeingerm.* Adjektiv *mhd.*, *ahd.* alt,
got. (weitergebildet) alþeis, *engl.* old,
schwed. (Komparativ) äldre bedeutet eigtl.
„aufgewachsen" und ist das 2. Partizip zu
einem im *Dt.* untergegangenen Verb mit der
Bed. „wachsen; wachsen machen, aufziehen, ernähren": *got.* alan „wachsen", *aengl.*
alan „nähren", *aisl.* ala „nähren, hervorbringen". *Außergerm.* entspricht z. B. *lat.* altus „hoch", das eigtl. das zweite Partizip von
lat. alere „nähren, großziehen" ist und urspr.
„großgewachsen" bedeutete (s. die Artikel
Alt, Alimente u. Proletarier). Diese *germ.*
und *lat.* Formen beruhen mit verwandten
Wörtern in anderen *idg.* Sprachen auf der
idg. Wz. *al-, „wachsen; wachsen machen,
nähren", zu der aus dem *germ.* Sprachbereich
auch die unter →all, →Alter und →Welt behandelten Wörter gehören. Abl.: veralten
(*mhd.* veralten, *ahd.* firaltēn „zu alt werden";
Präfixbildung zu *mhd.* alten, *ahd.* altēn „alt
werden"); ältlich „alt wirkend" (*mhd.* altlich,*ahd.* altlīh). Zus.: altbacken (16. Jh.; s.
backen); Altenteil „Vorbehaltsteil der Eltern nach Übergabe eines Bauernhofs an die
Kinder" (18. Jh., zunächst *nordd.*); altklug
„klug wie ein Alter" (18. Jh.; tadelnd verwendet); Altmeister (17. Jh., zunächst im
Sinne von „Obermeister einer Zunft", dann
als Ersatzwort für →Senior"; Altvordern
Mehrz. „Vorfahren" (*mhd.* altvorder, *ahd.*
altford[o]ro „Vorfahr", gewöhnlich *Mehrz.*
„Vorfahren, Voreltern"; eigtl. „der Altfrühere", vgl. *vorder*); Altweibersommer
„Spät-, Nachsommer; die im Spätsommer
herumfliegenden Spinnenfäden" (Anfang des
19. Jh.s).
Alt *m* „tiefe Frauenstimme", auch Bezeichnung für die Altsängerin: Der seit dem
15./16. Jh. bezeugte musikalische Terminus,
der letztlich auf *lat.* altus „hoch; tief" beruht
(zum Stamm von *lat.* alere „[er]nähren; auf-

ziehen", vgl. *Alimente*), erscheint zunächst mit der Bed. „hohe Männerstimme". In diesem Sinne setzt es gleichbed. *lat.* 'vōx alta' fort. Der Bedeutungsübergang von „hohe Männerstimme" zu „tiefe Frauenstimme" war erst möglich, als sich die Frau als Solistin in der Kirchenmusik und in der Oper durchgesetzt hatte und damit die vorher von Männern gesungene, für die natürliche männliche Stimmlage zu hohe Altstimme übernahm. Im Deutschen vollzog sich dieser Übergang in der Bed. wohl unmittelbar nach dem Vorbild von *it.* alto „hohe Männerstimme; tiefe Frauenstimme". – Abl.: Altistin *w* „Altsängerin" (18. Jh.).

Altan *m* „Balkon; Söller": Das seit dem 15. Jh. zuerst als 'Altane' *w* bezeugte FW (die heute übliche männliche Form entwickelte sich nach dem Vorbild von 'Balkon') breitete sich von Österreich und Bayern auf das gesamte Sprachgebiet aus. Das Wort gehört zu einer Reihe anderer FW, wie →Bastei und →Bastion, die seit dem Beginn der Renaissance als Fachwörter ital. Baukunst von Italien nach Deutschland gelangt sind. *It.* altana „hoher, vorspringender Teil eines Gebäudes; Altan" ist eine Substantivbildung zu *it.* alto (< *lat.* altus) „hoch". Über weitere etymologische Zusammenhänge vgl. den Artikel *Alimente*.

Altar *m*: Die Bezeichnung des erhöhten Opfertisches (vor allem in christlichen Kirchen) geht auf *lat.* altāre zurück (klass. nur *Mehrz.* altāria) „Aufsatz auf dem Opfertisch, Opferherd, Brandaltar" zurück. Das *lat.* Wort wurde im 8. Jh. im Rahmen der Christianisierung des germ. Nordens entlehnt (*ahd.* altāri, altār[e], *mhd.* altāre, altāre, entspr. *engl.* altar).

Alter *s*: Das *altgerm.* Wort für „Lebensalter, Lebenszeit, Zeit" (*mhd.* alter, *ahd.* altar, *niederl.* ouder[dom], *aengl.* ealdor, *schwed.* ålder) gehört zu der Wortgruppe von →*alt.* Im heutigen Sprachgebrauch wird 'Alter' gewöhnlich im Sinne von „Lebensjahre, Lebensabschnitt" und als Gegenwort zu 'Jugend' verwendet. In Zusammensetzungen und in bestimmten Wendungen hat 'Alter' auch die Bed. „Zeit, langer [Zeit]abschnitt", beachte z. B. 'von alters her' und Zeitalter, Weltalter. Abl.: altern „alt werden" (18. Jh.); Altertum *s* (17. Jh., im Sinne von „Altsein"; seit dem 18. Jh. in der heute üblichen Bed. „alte Zeit der Geschichte"; beachte auch die Verwendung der *Mehrz.* Altertümer im Sinne von „Realien, Gegenstände der Altertumskunde"), dazu altertümlich (18. Jh.) und altertümeln (Anfang des 19. Jh.s).

Alternative *w* „Entscheidung zwischen zwei Möglichkeiten": Im 17. Jh. aus gleichbed. *frz.* alternative entlehnt. Zu *frz.* alternatif (< *lat.* alternus) „abwechselnd; wechselweise" (vgl. *alias*).

altruistisch „selbstlos" (im Gegensatz zu →egoistisch): Gelehrte Bildung neuester Zeit zu *lat.* alter „der andere" (vgl. *Alternative*).

Aluminium *s*: Das im 19. Jh. entdeckte weißglänzende Leichtmetall wurde nach seinem natürlichen Vorkommen in der „Alaunerde" benannt. Das Wort ist eine gelehrte *nlat.* Bildung zu *lat.* alūmen „Alaun" (vgl. *Alaun*).

Amateur *m*: Das seit dem 18. Jh. bezeugte FW bezeichnete zunächst im speziellen Sinn den Kunstliebhaber und Kunstfreund, allerdings mit dem leicht verächtlichen Nebensinn des Dilettantischen. Erst vom Ende des 19. Jh.s an kommt die heute übliche allgemeine Bed. des Wortes auf „wer eine Sache nicht berufsmäßig, sondern aus Liebhaberei betreibt". Das Wort ist aus gleichbed. *frz.* amateur entlehnt, das seinerseits *lat.* amātor (-tōris) „Liebhaber, Verehrer; wer einer Sache sehr zugetan ist" fortsetzt. Zugrunde liegt das *lat.* Verb amāre „lieben, verehren; gern tun", das wie *lat.* amīcus „Freund", *lat.* amita „Vatersschwester, Tante" (s. Tante) von dem auch in →*Amme* vorliegenden kindersprachlichen Lallwort *am[m]a ausgeht.

Amazone *w*: Das schon im *Mhd.* vorkommende FW hat zunächst die historische Bed. „kriegerisches Weib". Es geht über entspr. *lat.* Amāzōn auf gr. Amāzōn zurück, den Namen eines kriegerischen Weibervolkes in Kleinasien. In der *frz.* Ritterpoesie tritt dann das Wort in der Bedeutung „kühne Reiterin" (*frz.* amazone) auf und wird so auch bei uns verwendet. Danach nennt man im modernen Reitsport die weiblichen Teilnehmer am Spring- oder Jagdreiten 'Amazonen'.

amb..., **Amb...** (vor Vokalen), **ambi...**, **Ambi...**, **am...**, **Am...** (vor Konsonanten): Aus dem *Lat.* stammende Vorsilbe mit der Bed. „um, herum, ringsum" in FW wie →Ambition und →ambulant. *Lat.* amb[i]-, am-, „herum, um, ringsum" ist etymolog. verwandt mit *dt.* →*bei*.

Ambition *w* „[beruflicher] Ehrgeiz": In neuerer Zeit über entspr. *frz.* ambition aus gleichbed. *lat.* ambitiō entlehnt. Das *lat.* Subst. bedeutet eigtl. „das Herumgehen", dann im speziell politischen Sinn „das Herumgehen bei den Wählern in der Absicht, sich deren Gunst zu erschleichen". Es gehört als Abl. zu *lat.* amb-īre „herumgehen", einem Kompositum von *lat.* īre „gehen" (vgl. *amb...* und *Abiturient*).

Amboß *m* „Unterlage bei der Metallbearbeitung, bes. beim Schmieden": Das auf das *dt.* Sprachgebiet beschränkte Substantiv *mhd.* anebōʒ, *ahd.* anabōʒ bedeutet eigtl. „woran (worauf) man schlägt". Der erste Bestandteil ist die unter →*an* behandelte Präposition, der zweite Bestandteil gehört zu dem im *Nhd.* untergegangenen Verb *mhd.* bōʒen,

Amboß

21

ahd. bōȥan „schlagen, stoßen, klopfen". Das *ahd.* Wort anabōȥ ist wahrscheinlich eine Lehnbildung nach *lat.* incūs, Gen. incūdis „Amboß" (zu *lat.* in „in, auf" und cūdere „schlagen") und bezeichnete demnach den römischen Amboß, den die Germanen durch die römische Schmiedekunst kennengelernt und übernommen hatten.

ambulant „nicht ortsgebunden; nicht stationär": Fügungen wie 'ambulantes Gewerbe' u. 'ambulante Behandlung' (Gegens.: 'stationäre Behandlung') weisen dieses FW zwei Sachbereichen zu, dem kaufmännischen und medizinischen. Entlehnt wurde das Wort im 19. Jh. aus dem Französischen. *Frz.* ambulant geht zurück auf *lat.* ambulāns (ambulantis) „herumgehend", zu ambulāre „herumgehen", das vielleicht mit *gr.* alásthai „umherirren" und alýein „außer sich sein, umherirren" (s. Halluzination, halluzinieren) unter einer *idg.* Wurzel *ăl- (erweitert: *aleu-, alu-) „planlos umherirren" zu vereinigen ist. – Dazu das seit dem 19. Jh. bezeugte Subst. A m b u l a n z *w* „bewegliches Feldlazarett", das aus *frz.* ambulance entlehnt ist. Beachte ferner das FW →Präambel, das *lat.* ambulāre als Grundwort enthält. – Im *Vlat.* hat ambulāre Kurz- oder Mischformen entwickelt, so *alāre, auf das *frz.* aller (s. Allee, allez!, Allüren) und ambitāre (durch Kreuzung mit *lat.* ire „gehen"), auf das *it.* andare (s. andante) zurückgeht.

Ameise *w*: Der *westgerm.* Insektenname *mhd.* āmeiȥe, *ahd.* āmeiȥa, *mnd.* ēmete, *engl.* emmet, ant gehört zu dem unter →Meißel behandelten Verb *mhd.* meiȥen, *ahd.* meiȥan „[ab]schneiden; hauen". Die Vorsilbe *mhd.*, *ahd.* ā- bedeutet „fort, weg" (vgl. Ohnmacht). Die Benennung beruht demnach von der Beobachtung aus, daß das Insekt Blätter und Holzteilchen abschneidet.

amen: Das Schlußwort beim Gebet, *mhd.* āmen, beruht auf *hebr.-gr.-lat.* āmēn „wahrlich; es geschehe!".

Amme *w*: Das Wort für „Ziehmutter, Pflegemutter, Kinderfrau" (*mhd.* amme, *ahd.* amma) ist ein Lallwort aus der Kindersprache und ist z. B. [elementar]verwandt mit *aisl.* amma „Großmutter", *gr.* ámmia „Mutter" und *span.* ama „Amme". Von einem Lallwort *am[ma]- geht vermutlich auch die *lat.* Sippe von amāre „lieben" aus (vgl. das FW Amateur). Siehe auch den Artikel Hebamme.

Ammer *w*: Der Name der Finkenart geht zurück auf *ahd.* amaro, das wahrscheinlich aus *amarofogal gekürzt ist und eigtl. „Dinkelvogel" bedeutet. Das Bestimmungswort gehört zu *ahd.* amar „Dinkel" (eine heute kaum noch angebaute Weizenart), beachte *südd.* E m m e r *m* „Dinkel", das auf gleichbed. *ahd.* amari zurückgeht. Der Vogel ist so benannt, weil er sich vorwiegend von Getreidekörnern ernährt (vgl. zur Benennung den Artikel Hänfling). Mit *ahd.* amaro,

mhd. amer „Ammer" ist verwandt *aengl.* amor[e], emer „Ammer".

Ammoniak *s*: Der Name der stechend riechenden gasförmigen Stickstoff-Wasserstoff-Verbindung geht auf *lat.* 'sāl Ammōniacum' „Ammonssalz" zurück (nach der Ammonsoase [heute Siwa] in Ägypten, in der dieses Salz gefunden wurde). – Das Wort darf nicht mit der unverwandten Bezeichnung →Salmiak verwechselt werden.

Amnestie *w* „Begnadigung; Straferlaß": In *frühnhd.* Zeit aus *gr.(-lat.)* amnēstía „Vergessen; Vergebung" entlehnt. Zu ²*a*... (s. d.) und *gr.* mnästhai „sich erinnern", das verwandt ist mit *gr.* maínesthai „rasen, tobenusw." (vgl. *Manie.*) – Abl.: a m n e s t i e r e n „begnadigen" (18./19. Jh.).

Amöbe *w*: Der Name des zur Klasse der Wurzelfüßer gehörenden Urtierchens beruht auf einer gelehrten Entlehnung aus *gr.* amoibḗ „Wechsel, Veränderung" (zu *gr.* ameíbein „wechseln", das wohl zu der unter →Meineid dargestellten *idg.* Wortsippe gehört). Die Amöbe ist nach ihrer Eigenschaft, ständig die Gestalt zu „wechseln", benannt.

Amok *m* „krankhafte Mordwut": Im 20. Jh. aus *malai.* amuk „wütend, rasend" entlehnt. Zus.: A m o k l a u f, A m o k l ä u f e r.

amortisieren „[Schulden] tilgen, abschreiben": Das seit dem 18./19. Jh. zunächst mit der heute unüblichen Bed. „eine [Schuld]-urkunde für ungültig erklären" bezeugte kaufmannssprachliche Wort ist mit Endungserweiterung aus *frz.* amortir „abtöten; abschwächen; abtragen, amortisieren" entlehnt. Das *frz.* Wort selbst beruht auf *vlat.* *ad-mortire „tot machen, abtöten", einem denominativen Präfixverb von *lat.* mortuus (*vlat.* mortus) „tot". Stammwort ist das mit *dt.* →mürbe etymologisch verwandte Verb *lat.* morī „sterben". – Abl.: A m o r t i s a t i o n *w* „[Schulden]tilgung" (19. Jh., nlat. Bildung).

Ampel *w*: *Mhd.* ampel, ampulle, *ahd.* amp[ul]la gehen zurück auf *lat.* ampulla „kleine Flasche; Ölgefäß" (s. auch: Ampulle und Pulle). Bis ins 14. Jh. bezeichnete das Wort Ampel ausschließlich die Ewige Lampe (Glasgefäß mit Öl und Docht) über dem Altar in der Kirche. Erst von da an wurden auch Beleuchtungskörper im häuslichen Leben so benannt. Seit dem 16. Jh. wird das Wort jedoch immer mehr von dem LW →Lampe zurückgedrängt. Im modernen Sprachgebrauch wirkt die Bezeichnung 'Ampel' ein wenig antiquiert. Sie ist jedoch in der jungen Zus. V e r k e h r s a m p e l (20. Jh.) neu belebt. – *Lat.* ampulla (<*ampor-la) ist eine Verkleinerungsbildung zu *lat.* amp[h]ora „zweihenkliger Krug", das seinerseits entlehnt ist aus *gr.* amphoreús (für amphiphoreús) „an beiden Seiten zu Tragender (Krug)". Zu *gr.* amphí „zu beiden Seiten; ringsum, um – herum" (vgl. *amphi*...) und *gr.* phérein „tragen" (vgl. *Peripherie*). – Siehe auch: Eimer.

amphi..., Amphi...: Aus dem *Gr.* stammende Vorsilbe mit der Bed. „ringsum, um - herum; beidseitig; zweifach", in FW wie →Amphibie. Gleichbed. *gr.* amphí (Präpos. u. Präfix) ist etymolog. verwandt mit *dt.* →*bei.*

Amphibie *w*: In der Zoologie systematische Bezeichnung für eine Klasse wechselwarmer Wirbeltiere (Lurche), die von den Fischen zu den Landtieren überleiten. Das seit dem 18. Jh. bezeugte FW beruht auf einer gelehrten Entlehnung aus gleichbed. *gr.-lat.* amphíbion. Das zugrunde liegende Adj. *gr.* amphí-bios „doppellebig, auf dem Lande und im Wasser lebend" gehört zu *gr.* amphí „ringsum, umherum; beidseitig; zweifach" (vgl. *amphi...*) und *gr.* bíos „Leben" (vgl. *bio...*). – Im bildlich übertragenen Sinne erscheint das FW in der jungen Zus. A m p h i - b i e n f a h r z e u g „schwimmfähiges Landfahrzeug" (20. Jh.).

Ampulle *w* „bauchiges Gefäß; Glasröhrchen": Neuentlehnung im 19. Jh. aus *lat.* ampulla „kleine Flasche; Ölgefäß" (vgl. *Ampel*). – Siehe auch: Pulle.

amputieren „einen Körperteil operativ abtrennen" (Med.): Das Wort wurde im 18. Jh. als medizin. Terminus aus gleichbed. *lat.* am-putāre (eigtl. „ringsherum wegschneiden, abschneiden") entlehnt, einem Präfixverb von *lat.* putāre „schneiden; reinigen, ordnen; berechnen, vermuten usw." (über das Präfix vgl. den Artikel *ambi...*). Abl.: A m p u t a t i o n *w* „operative Abtrennung eines Körperteils" (18. Jh.; aus gleichbed. *lat.* amputātiō). – Beachte in diesem Zusammenhang drei weitere Präfixverben von *lat.* putāre, die einigen FW im *Dt.* zugrunde liegen: *lat.* dē-putāre „einem etwas zuschneiden, bestimmen" (in →deputieren, Deputat, Deputation, Deputierte), *lat.* dis-putāre „nach allen Seiten erwägen" (in → Disput, disputieren), *lat.* com-putāre „zusammenrechnen" (in →Konto, →Kontor, Kontori[st], → Diskont, →Skonto).

Amsel *w*: Die Herkunft des *westgerm.* Vogelnamens (*mhd.* amsel, *ahd.* ams[a]la, *engl.* ouzel) ist nicht sicher geklärt. Entfernt verwandt ist vielleicht *lat.* merula „Amsel".

Amt *s* „Dienststellung; Dienstraum, Dienstgebäude; Dienstbereich, Verwaltungsbezirk": Die *germ.* Substantivbildungen *mhd.* amb[e]t, ambahte, *ahd.* ambaht[i], *got.* andbahti, *aengl.* ambeht, *schwed.* ämbete gehören im Sinne von „Dienst, Dienstleistung" zu einem *gemeingerm.* Wort für „Diener, Gefolgsmann": *ahd.* ambaht, *got.* andbahts, *aengl.* ambeht „Diener, Dienstmann, Bote", vgl. die Femininbildung *aisl.* ambātt „Dienerin". Dieses Wort ist – wie wahrscheinlich auch die unter →Eid, →Geisel und →Reich behandelten Wörter – aus dem *Kelt.* entlehnt, und zwar aus *kelt.* * amb[i]aktos

„Diener, Bote", das *gallolat.* als ambactus überliefert ist und eigtl. „Herumgeschickter" bedeutet (vgl. *Achse*). Abl.: a m t e n *südd.* und *schweiz.* für „ein Amt ausüben" (*mhd., ahd.* ambahten; seit dem 19. Jh. durch a m t i e r e n verdrängt); a m t l i c h „dienstlich; von einer Amtsstelle ausgehend, offiziell" (*mhd.* ambetlich, *ahd.* ambahtlīh); B e - a m t e *m* „Inhaber eines öffentlichen Amtes" (17. Jh., Substantivierung von *frühnhd.* beam[p]t „mit einem Amt betraut, beamtet"). Zus.: A m m a n n *schweiz.* in L a n d a m - m a n n „Regierungspräsident" und in Gemeindeammann „Gerichtsvollzieher" (*mhd.* amman, älter ambetman, *ahd.* ambahtman „Amtmann, Verwalter, Gerichtsperson"). Siehe auch den Artikel Amtsschimmel.

Amtsschimmel *m*: Der seit dem 19. Jh. gebräuchliche Ausdruck für „Bürokratie" enthält als Grundwort wahrscheinlich ein volksetymologisch umgestaltetes *östr.* Simile *s* „Formular" (aus *lat.* similis „ähnlich"). Das Simile war im alten Österreich ein Musterformular, nach dem bestimmte wiederkehrende Angelegenheiten schematisch erledigt wurden. Daher nannte man Beamte, die alles nach dem gleichen Schema erledigten, scherzhaft Simile- oder Schimmelreiter. – Andererseits könnte der Ausdruck von der Schweiz ausgegangen sein und sich darauf beziehen, daß die Schweizer Amtsboten früher auf Pferden (Schimmeln) Akten und Entscheidungen zu überbringen pflegten.

Amulett *s* „Talisman": Im 16. Jh. aus gleichbed. *lat.* amulētum entlehnt. Die weitere Zugehörigkeit des Wortes ist unsicher.

amüsieren „unterhalten, die Zeit vertreiben, erheitern, Vergnügen bereiten", auch reflexiv gebraucht: Das FW ist seit dem Ende des 17. Jh.s als 'amusieren' „hinhalten, aufhalten; Maulaffen feilhalten" bezeugt. Seit dem 18. Jh. wird es in der heutigen Form und im heutigen Sinne allgemein üblich. Es ist entlehnt aus *frz.* amuser „das Maul aufreißen machen; Maulaffen feilhalten; foppen, belustigen" (für den reflexiven Gebrauch ist *frz.* s'amuser „sich vergnügen usw." Vorbild). Das *frz.* Wort gehört wohl als denominatives Präfixverb zu *vlat.* * mūsus „Schnauze, Maul" (in *frz.* museau „Schnauze", *it.* muso „Schnauze"). – Dazu: a m ü s a n t „unterhaltsam, vergnüglich" (18. Jh., aus gleichbed. *frz.* amusant).

an: Das *gemeingerm.* Wort (Präp. und Adv.) *mhd.* an[e], *ahd.* an[a], *got.* ana, *engl.* on, *schwed.* å beruht mit verwandten Wörtern in anderen *idg.* Sprachen auf *idg.* * an- „an etwas hin oder entlang", vgl. z. B. *gr.* aná „auf, hinan, entlang", das in zahlreichen aus dem *Gr.* entlehnten Wörtern als erster Bestandteil steckt (s. ana...). – Zu 'an' stellen sich im *Dt.* die Bildungen →ahnen und →ähnlich. Als Adverb ist 'an' durch 'heran' und 'hinan' ersetzt worden, steckt aber in unfest zusammengewachsenen Verben und in Wörtern wie bergan, hintenan, anbei.

ana..., Ana...: Aus dem *Gr.* stammende Vorsilbe mit den Bedeutungen „auf, hinauf; gemäß, entsprechend", in FW wie →Analyse, →analog u. a. *Gr.* aná (Präpos. und Präfix) „auf, hinauf; entlang; gemäß usw." ist mit *dt.* →*an* urverwandt.

analog „entsprechend, ähnlich, gleichartig": Im 18. Jh. über entspr. *frz.* analogue aus gleichbed. *gr.-lat.* análogos (eigtl.: „dem Logos, dem Satz, dem Maß, der Vernunft entsprechend") entlehnt. Zu *gr.* aná „gemäß" (vgl. *ana...*) und *gr.* lógos „Wort, Rede; Satz, Maß; Denken, Vernunft" (vgl. *Logik*). – Das hierher gehörende Substantiv **Analogie** *w* „Entsprechung, Gleichartigkeit, Übereinstimmung" erscheint als wissenschaftlicher Terminus bereits im 17. Jh. in unmittelbarer Übernahme von entspr. *gr.-lat.* analogía).

Analyse *w* „Auflösung; Zergliederung, Untersuchung": Der in dieser Form seit dem 18. Jh. bezeugte wissenschaftliche Terminus geht zurück auf *gr.-mlat.* análysis „Auflösung; Zergliederung". Zu *gr.* ana-lýein „auflösen", einem Kompositum von *gr.* lýein „lösen" (etymolog. verwandt mit den unter →*los* genannten Wörtern). – Dazu: **analysieren** „zergliedern, untersuchen; eine chem. Analyse vornehmen" (17. Jh.).

Ananas *w*: Der Name der tropischen Südfrucht, im Deutschen seit dem 16. Jh. bezeugt, stammt – vielleicht über *span.* aná(s) – von *port.* ananás, dem das gleichbed. naná der südamerik. Indianersprache G u a r a n i zugrunde liegt.

Anarchie *w* „gesetzloser Zustand, Herrschaftslosigkeit; Zügellosigkeit": Im 17./18. Jh. aus gleichbed. *gr.* an-archía entlehnt, das seinerseits von *gr.* án-archos „führerlos; zügellos" abgeleitet ist. Das *gr.* Wort ist mit verneinendem Präfix (vgl. *²a...*) zu *gr.* árchein „vorangehen, Führer sein, herrschen" (vgl. *Archiv*) gebildet.

Anästhesie *w* „Schmerzunempfindlichkeit; Schmerzbetäubung" (Med.): Gelehrte Entlehnung neuester Zeit aus *gr.* an-aisthēsía „Fühllosigkeit, Unempfindlichkeit". Zu →*²a...* „un..." und *gr.* aisthánesthai „fühlen, empfinden; wahrnehmen" (vgl. *Ästhetik*). – Abl.: **anästhesieren** „betäuben, schmerzunempfindlich machen" (20. Jh.); **Anästhesist** *m* „Narkosefacharzt" (20. Jh.).

Anatomie *w* „Lehre vom Körperbau der Lebewesen": Im 16. Jh. aus gleichbed. *gr.-spätlat.* anatomía entlehnt. Zu *gr.* ana-témnein „aufschneiden, sezieren", einem Kompositum von *gr.* témnein „schneiden, zerteilen" (vgl. *Atom*). – Abl.: **anatomisch** „die Anatomie betreffend, zergliedernd" (17. Jh.); **Anatom** *m* „Lehrer der Anatomie" (um 1800).

anberaumen „zeitlich festlegen, ansetzen": Das aus der Kanzleisprache stammende Wort hat sich – unter Anlehnung an das unter →Raum behandelte Substantiv – aus älterem 'anberamen' entwickelt und gehört zu *spätmhd.* berämen „als Ziel festsetzen", *mhd.* rämen, *ahd.* rämēn „zielen, streben", *mhd.* räm „Ziel" (vgl. *Arm*).

Andacht *w*: Die Bildung *mhd.* andāht, *ahd.* anadāht „Denken an etwas, Aufmerksamkeit, Hingabe" gehört zu dem unter →*denken* behandelten starken Verb, beachte die im *Nhd.* untergegangene Substantivbildung *mhd.*, *ahd.* dāht „Denken, Gedanke". Seit dem 12. Jh. wird 'Andacht' speziell im Sinne von „Denken an Gott; innige, religiöse Hingabe" verwendet. Im *Nhd.* wird das Wort auch im Sinne von „inniges Gebet, kurzer Gebetsgottesdienst" gebraucht, beachte z. B. die Zus. Morgenandacht. Abl.: **andächtig** „aufmerksam, hingebungsvoll, fromm" (*mhd.* andæhtec, *ahd.* anadāhtīg).

andante „mäßig langsam": Als musikal. Tempobezeichnung im 17. Jh. aus gleichbed. *it.* andante (eigtl. „gehend") übernommen. Über das zugrunde liegende Verb *it.* andare „gehen" vgl. den Artikel *ambulant*.

ander: Das *gemeingerm.* Für- und Zahlwort *mhd.*, *ahd.* ander, *got.* anþar, *engl.* other, *aisl.* annar beruht auf einer alten Komparativbildung, und zwar entweder zu der *idg.* Demonstrativpartikel *an- „dort" oder aber zu dem unter →*jener* behandelten *idg.* Pronominalstamm. *Außergerm.* entsprechen z. B. *aind.* ántara-ḥ „anderer" und *lit.* añtras „anderer". – Als Ordnungszahlwort ist 'ander' im *Nhd.* durch die junge Bildung 'zweite' (vgl. *zwei*) verdrängt worden. Von der alten Verwendung von 'ander' im Sinne von „der zweite" gehen aus anderthalb „eineinhalb", eigtl. „das zweite halb" (*mhd.* anderhalp, *ahd.* anderhalb; *spätmhd.* anderthalp mit dem -t- der Ordnungszahlwörter); anderweit veralt. für „in anderer Hinsicht, sonstwie" (*mhd.* anderweide, anderweit „zum zweiten Mal"; durch Anlehnung an das Adjektiv 'weit' seit dem 17. Jh. dann „anderwärts, anderswo, sonst"; zum Grundwort *mhd.* weide „Weide, Tagesreise, Weg" vgl. *²Weide*, dazu anderweitig (17. Jh.); selbander veralt. für „zu zweit" (*mhd.* selbe ander „selbst der zweite"). Die alte Verwendung von 'ander' als Ordnungszahlwort läßt sich auch noch in der Gegenüberstellung mit 'ein' erkennen, beachte z. B. 'der eine – der andere', 'ein Wort gab das andere'. Heute wird 'ander' zum Ausdruck der Verschiedenheit und zu unbestimmt unterscheidender Wertung verwendet. – Das Adverb **anders** (*mhd.* anders, *ahd.* anderes) ist der adverbiell erstarrte Genitiv Einz. Abl.: **ändern** „anders machen" (*mhd.* endern).

Anekdote *w* „knappe, pointierte, charakterisierende Geschichte": Im 18. Jh. aus gleichbed. *frz.* anecdote entlehnt. Das *frz.* Wort selbst geht zurück auf Anekdota (zu *gr.* an-ék-dota „noch nicht Herausgegebenes, Unveröffentlichtes"), den Titel eines aus dem Nachlaß des byzantinischen Geschichtsschreibers Prokop herausgegebenen Werkes, in welchem eine Fülle von Einzelheiten über die Begebenheiten und Personen aus dessen Lebenszeit zusammengetragen sind.

Anemone *w* „Windröschen": Der seit dem 16. Jh. zunächst in Zus. wie 'Anemonenblume' bezeugte Blumenname geht auf *gr. lat.* anemṓnē zurück. Schon im Altertum brachte man den Namen mit *gr.* ánemos „Wind" in Verbindung. Eine vernünftige Erklärung für die Benennung dieser Blume als „Windblume" gibt es jedoch trotz vieler poetischer Versuche (u. a.: „weil sie vom Wind entblättert wird") nicht.

anfangen: Die heute übliche Form anfangen hat sich im *Frühnhd.* gegenüber der älteren Form anfahen (*mhd.* an[e]vāhen, *ahd.* anfāhan) durchgesetzt, wie auch beim einfachen Verb die jüngere Form fangen die ältere Form fahen verdrängt hat (s. **fangen**). Aus der urspr. Bed. „anfassen, anpacken, in die Hand nehmen" entwickelte sich bereits im *Ahd.* die Bed. „beginnen". Abl.: **Anfang** *m* (*mhd.* an[e]vanc, *ahd.* anafang), dazu **anfänglich** und **anfangs**; **Anfänger** *m* „Lernender, Lehrling" (16. Jh., in der Bed. „Urheber").

Angel *w*: Das *altgerm.* Wort *mhd.* angel, *ahd.* angul, *niederl.* angel, *engl.* angle, *schwed.* angel ist eine Bildung zu einem im *Nhd.* untergegangenen *altgerm.* Substantiv mit der Bed. „Haken": *mhd.* ange, *ahd.* ango, *aengl.* anga, *aisl.* ange „Haken; Stachel; Spitze". Diese *germ.* Sippe gehört mit verwandten Wörtern in anderen *idg.* Sprachen zu der *idg.* Wz. *ank-, *ang- „biegen, krümmen", vgl. z. B. *aind.* aṅkuśá-ḥ „Haken; Angelhaken; Elefantenstachel", *gr.* agkýlos „krumm, gebogen", ágkȳra „Anker" (s. **Anker**) und *lat.* angulus „Winkel, Ecke". Zu dieser Wurzel gehört ferner die unter → **Anger** (eigtl. „Biegung, Bucht, Tal") behandelte Wortgruppe. – Das *altgerm.* Wort, das urspr. den aus Knochen geschnitzten oder aus Metall geschmiedeten, zum Fischfang dienenden Haken bezeichnete, ging später auf das ganze Fanggerät über (beachte die verdeutlichende Zus. **Angelhaken**). Schon früh bezeichnete es auch speziell den hölzernen oder metallenen Haken oder Stift, um den sich die Türflügel drehen. An diesen Wortgebrauch schließen sich an **Angelpunkt** „Dreh-, Kernpunkt" und **sperrangelweit** „weit offenstehend" (eigtl. „so weit offen, wie die Türangeln es zulassen"), beachte auch die Wendung 'aus den Angeln heben'. Abl.: **angeln** „mit der Angel fischen" (*mhd.*

angeln; dagegen *ahd.* angulōn „mit Haken oder Stacheln versehen"), dazu **Angler** *m*. Zus.: **Fußangel** „Nagelbrett oder mehrspitziges Eisen zum Schutz von Grundstücken" (*spätmhd.* vuoz angel).

Anger *m*: Das veraltende Wort für „grasbewachsenes Land; Dorfplatz" (*mhd.* anger, *ahd.* angar) gehört im Sinne von „Biegung, Bucht" zu der unter → **Angel** dargestellten *idg.* Wortgruppe. Eng verwandt sind die *nord.* Sippe von *schwed.* äng „Wiese" und *außergerm.* z. B. *lat.* ancrae Mehrz. „Bucht, bepflanzter Streifen an Flüssen" und *gr.* ágkos „Tal". Zus.: **Schindanger** „Platz der Abdecker" (17. Jh.).

Angina *w* „Rachen-, Mandelentzündung": Als Krankheitsbezeichnung aus gleichbed. *lat.* angina entlehnt. Das *lat.* Wort selbst beruht auf *gr.* agchónē „Erwürgen, Erdrosseln" (zu dem mit *dt.* → **eng** urverwandten Verb *gr.* ágchein „erwürgen, die Kehle zuschnüren"), das bei der Entlehnung dem etymolog. verwandten Verb *lat.* angere „beengen, würgen" lautlich angeglichen wurde. Der Name der Krankheit bezieht sich also auf die für die Angina charakteristische „Verengung" der Kehle (mit Schluckbeschwerden). Übrigens war die Angina auch schon den altgriech. Ärzten bekannt, allerdings unter einem anderen Namen (*gr.* syn-ágchē).

Angst *w*: Die auf das *dt.* und *niederl.* Sprachgebiet beschränkte Substantivbildung (*mhd.* angest, *ahd.* angust, *niederl.* angst) gehört im Sinne von „Enge, Beklemmung" zu der *idg.* Wortgruppe von → **eng**. Vgl. z. B. aus anderen *idg.* Sprachen *lat.* angustus „eng", angustiae „Enge, Klemme, Schwierigkeiten". Im *Nhd.* wird 'Angst' auch als Artangabe verwendet, beachte z. B. 'mir ist angst', 'jemandem angst und bange machen'. Abl.: **ängstigen** „furchtsam, ängstlich machen" (abgeleitet von *frühnhd.* engstig „ängstlich", für älteres, heute nur noch dichterisch verwendetes **ängsten**, *mhd.* angesten, *ahd.* angusten); **ängstlich** „furchtsam, bedrohlich" (*mhd.* angestlich, *ahd.* angustlīh). Zus.: **Angströhre** scherzh. für „Zylinder" (1848 in Wien geprägt, als die aufständischen Studenten statt der Kalabreser wieder bürgerliche Zylinder aufsetzten).

anheim...: Verdeutlichend für 'heim' „nach Hause" (vgl. *Heim*) kam in *frühnhd.* Zeit gleichbed. 'anheim' auf, das besonders in der Kanzleisprache gebraucht wurde und mit einigen Verben unfeste Zusammensetzungen einging, beachte z. B. **anheimfallen** und **anheimstellen**.

anheimeln „heimatlich vorkommen, traulich anmuten": Das urspr. auf den südwestdeutschen Sprachraum beschränkte Verb ist von dem unter → **Heim** behandelten Wort abgeleitet, beachte das in der Schweiz gebräuchliche einfache **heimeln**. Beachte auch das Adjektiv **heimelig** „anheimelnd".

25

anheischig: Das nur noch in der Wendung 'sich anheischig machen" „sich erbieten" gebräuchliche Adjektiv ist durch Anlehnung an das Verb →heischen aus *mhd.* antheizec „verpflichtet, durch Versprechen gebunden" entstanden. *Mhd.* antheizec ist an die Stelle von gleichbed. *mhd.* antheize, *ahd.* antheizi getreten, einer Ableitung von *mhd.*, *ahd.* antheiz „Versprechen, Gelübde" (eigtl. „Entgegenrufen", vgl. *ent-* und *heißen*).

animalisch „tierisch": Gelehrte Neubildung des 17. Jh.s zu *lat.* animal „Tier". Das *lat.* Wort gehört mit einer urspr. Bed. „beseeltes Geschöpf" zu *lat.* animus „Lebenshauch; Seele" (vgl. *animieren*).

animieren „anregen, ermuntern": Im 17. Jh. aus *frz.* animer (eigtl.: „beseelen, beleben") entlehnt. In den Zus. A n i m i e r d a m e , A n i m i e r m ä d c h e n zeigt sich deutlich der Bedeutungsabwertung, die sich an diesem Wort vollzogen hat. – Voraus liegt *lat.* animâre „Leben einhauchen, beseelen", das zu *lat.* animus, anima „Lebenshauch; Seele" gehört, ebenso wie animal „Tier" mit einer Grundbed. „beseeltes Geschöpf" (s. animalisch). – Es besteht Urverwandtschaft mit *gr.* ánemos „Wind[hauch]" (s. Anemone) und wohl auch mit *gr.* ästhma „schweres, kurzes Atmen, Keuchen" (s. Asthma) und *lat.* hâlâre „hauchen" (dazu in-hâlâre „einhauchen", s. inhalieren). Als gemeinsame *idg.* Wurzel gilt *an[ǝ]-* „hauchen, atmen", die auch in anderen *idg.* Sprachen vertreten ist. Dabei ist für das mit *n* gebildete *lat.* hâlâre eine Grundform *an-slâre anzusetzen und für *gr.* ästhma entspr. *án-sthma.

Anis *m*: Der Name der am östl. Mittelmeer beheimateten Gewürz- und Heilpflanze, *spätmhd.* anîs, führt über *lat.* anîsum (Nebenform von *lat.* anêsum) auf *gr.* ánês[s]on, ánethon „Dill" zurück. Die weitere Herkunft des Wortes ist dunkel.

Anker *m*: Die *germ.* Bezeichnungen des Geräts zum Festlegen von Schiffen (*mhd.*, *spätahd.* anker, *niederl.* anker, *engl.* anchor, *schwed.* ankare) beruhen auf einer frühen Entlehnung aus *lat.* ancora „Anker". Als die Germanen, die ihre Schiffe mit schweren Steinen festzulegen pflegten, durch die Römer am Niederrhein und an der Nordsee den zweiarmigen Schiffsanker kennenlernten, übernahmen sie mit dem Gerät auch dessen Namen. Die Römer ihrerseits übernahmen den dreiarmigen Schiffsanker von den Griechen und entlehnten die *gr.* Bezeichnung ágkyra (vgl. *Angel*). – Im *Nhd.* bezeichnet 'Anker' auch verschiedene technische Vorrichtungen (Bolzen, Hebel, Klammern) zur Festigung von Holz- und Steinbauten, zur Befestigung von Maschinenteilen od. dgl., beachte die Zus. Ankerbalken, Maueranker, Uhranker. Abl.: ankern (*mhd.* ankern), dazu v e r a n k e r n (18. Jh.,

zuerst von Mauerankern gebraucht). Zus.: Ankerspill (s. Spill).

Anmut *w*: Das im *germ.* Sprachbereich nur im *Dt.* gebräuchliche Wort (*mhd.* anemuot) bedeutet eigtl. „der an etwas gesetzte Sinn" (vgl. *Mut*). Es wurde zunächst im Sinne von „Verlangen, Lust, Vergnügen" verwendet. Auf Anlehnung an die Bedeutung des Adjektivs anmutig (s. u.) beruht der heutige Wortgebrauch im Sinne von „Liebreiz, anziehendes Wesen". Das seit dem 15. Jh. bezeugte Adjektiv **anmutig** bedeutete zunächst „Verlangen, Lust erweckend". Aus diesem Wortgebrauch entwickelte sich die heute übliche Bed. „gefällig, liebreizend".

Annalen *Mehrz.* „[geschichtliche] Jahrbücher, chronologisch geordnete Geschichtswerke": Im 18. Jh. aus gleichbed. *lat.* (librî) annâlês entlehnt. Zu *lat.* annus „Jahr".

annektieren „sich [gewaltsam] aneignen": Als polit. Terminus im 19. Jh. aus gleichbed. *frz.* annexer (zu *frz.* annexe „Verknüpftes; Dazugehöriges; Anhang") entlehnt und nach *lat.* an-nectere (annexus) „verknüpfen", das dem *frz.* Wort zugrunde liegt, relativisiert. – Das Stammverb *lat.* nectere (nexus) „knüpfen, binden" ist etymologisch verwandt mit *dt.* →*Netz*. – Dazu: A n n e x i o n *w* „[gewaltsame] Aneignung fremden Gebiets" (19. Jh.; aus gleichbed. *frz.* annexion < *lat.* annexiô „Verknüpfung"). – Siehe Konnex.

Anno „im Jahre": Übernommen aus dem Ablativ von *lat.* annus „Jahr" (vgl. *Annalen*). Das Wort lebt nur in festen, scherzhaften Wendungen wie 'Anno dazumal' und 'Anno Tobak' „in alter Zeit", die nach dem Vorbild von 'Anno Domini' „im Jahre des Herrn" entstanden sind.

annoncieren „eine Zeitungsanzeige aufgeben": Im 18. Jh. aus *frz.* annoncer „ankündigen, öffentlich bekanntmachen" entlehnt. Das *frz.* Wort selbst beruht auf *lat.* an-nûntiâre „an-, verkündigen". Zu *lat.* nûntius „Botschaft; Bote" (vgl. *Nuntius*). – Abl.: A n n o n c e *w* „Zeitungsanzeige" (18./19. Jh.; aus *frz.* annonce „Ankündigung; Anzeige, Bekanntmachung").

annullieren „für ungültig, für nichtig erklären; vernichten": Im 16. Jh. als Rechtsterminus aus gleichbed. *spätlat.* an-nûllâre entlehnt. Das *lat.* Wort ist eine denominative Präfixableitung von *lat.* nûllus „keiner" (vgl. *null*).

Anode *w* „positiv geladene Elektrode" (Phys.): Gelehrte Entlehnung neuester Zeit aus *gr.* án-odos „Aufweg; Eingang" (zu *gr.* hodós „Weg", vgl. *Periode*). Die Anode bezeichnet also die „Eintrittsstelle" der Elektronen in den geschlossenen Stromkreis.

anonym „ungenannt, namenlos" (bes. von Schriftwerken, deren Verfasser nicht genannt sein will): Das seit dem 18. Jh. zuerst in der Form anonymisch bezeugte FW geht auf *gr.-lat.* an-ṓnymos „namenlos; unbekannt" zurück. Dessen Stammwort ist *gr.* ónoma (bzw. eine Dialektform ónyma) „Name", das urverwandt ist mit gleichbed. *lat.* nōmen und *dt.* →*Name*. – Abl.: Anonymität *w* (19. Jh.). – *Gr.* ónyma erscheint auch in den FW →*Homonym*, →*Pseudonym* und →*synonym*.

Anorak *m* „Windbluse, Schneejacke": Im 20. Jh. aus *eskim.* anorak entlehnt.

anranzen (*ugs.* für:) „hart anfahren, barsch zurechtweisen": Die Herkunft des seit dem 19. Jh. gebräuchlichen Verbs ist nicht sicher geklärt. Es kann auf eine Weiterbildung von *mhd.* ranken „wie ein Esel schreien" zurückgehen oder aber zusammenhängen mit dem nur noch *landsch.* und weidmänn. gebräuchlichen Verb ranzen „unruhig umherlaufen; sich begatten; sich balgen" (*mhd.* ranzen „ungestüm umherspringen; necken", Weiterbildung von *mhd.* ranken „sich hin und her bewegen").

anrüchig „übel beleumdet, verdächtig": Die heute übliche Form anrüchig, die durch Anlehnung an 'riechen, Geruch' aus anrüchtig entstanden ist, hat sich erst im 19. Jh. gegenüber der älteren Form anrüchtig durchgesetzt. Das seit dem 15. Jh., zunächst in *hochd.* Rechtstexten bezeugte anrüchtig ist aus *mnd.* anrüchtich „von schlechtem Leumund, ehrlos" übernommen. Es gehört wie die unter →berüchtigt, →Gerücht und →ruchbar behandelten Wörter zu *mnd.* ruchte „Ruf, Leumund", dem *mhd.* ruoft „Ruf, Leumund" entspricht (vgl. *rufen*). Zu *niederd.* -cht- statt *hochd.* -ft- s. den Artikel Gracht.

ansässig: Das seit dem 18. Jh. bezeugte Adjektiv gehört zu *frühnhd.* anseß „fester Wohnsitz", ansesse „Alteingesessener, Hauseigentümer" (vgl. *sitzen*).

anschnauzen (*ugs.* für:) „barsch zurechtweisen": Das seit dem 16. Jh. bezeugte Verb, das im heutigen Sprachgefühl als zu 'Schnauze' gehörig empfunden wird, hat sich aus *anschnau[b]ezen entwickelt, einer Intensivbildung zu dem im gleichen Sinne verwendeten anschnauben (vgl. *schnauben*). Abl.: Anschnauzer *ugs.* für „Rüffel".

Anstalt *w*: *Mhd.* anstalt „Richtung, Beziehung; Aufschub" ist eine Bildung zum alten Präteritumstamm von *mhd.* an[e]stellen „einstellen, aufschieben" (vgl. *stellen* und den Artikel Gestalt). Im *Nhd.* schloß sich 'Anstalt' an die Verwendung des Verbs im Sinne von „anordnen, vorbereiten, einrichten" an. Darauf beruht der Wortgebrauch im Sinne von „Anordnung, Vorbereitung", beachte die Wendung 'Anstalten treffen oder machen', und im Sinne von „Einrichtung, Organisation mit eigener Rechtspersönlichkeit" (18. Jh.), dann auch „Gebäude einer Einrichtung", beachte z. B. die Zus. Blinden-, Lehr-, Irrenanstalt. – Abl. ver-

anstalten „unternehmen, machen, ins Werk setzen" (18. Jh.), dazu Veranstaltung *w*.

Anstand *m* „gutes Benehmen, Schicklichkeit; Einwand, Aufschub; Standort oder Hochsitz des Jägers": Das seit *mhd.* Zeit gebräuchliche Wort (*mhd.* anstant) ist eine Bildung zu dem zusammengesetzten Verb anstehen „stehenbleiben, warten; aufschieben; passen, geziemen" (*mhd.* an[e]stēn, *ahd.* anastēn, vgl. *stehn*). Das Substantiv schließt sich also eng an die verschiedenen, z. T. heute veralteten Bedeutungen des zusammengesetzten Verbs an. Von der Bed. „Einwand, Aufschub", die in Wendungen wie 'Anstand nehmen' bewahrt ist, gehen aus anstandslos „ohne weiteres" (Anfang 20. Jh.) und beanstanden „Einwände erheben, bemängeln" (19. Jh.). Abl.: anständig „schicklich, geziemend, passend; gehörig, ordentlich" (17. Jh.).

¹ant..., Ant...: Die Vorsilbe mit der Bedeutung „entgegen" ist heute nur noch in →Antlitz und →Antwort und verdunkelt in →anheischig bewahrt. Sie war im *Mhd.* und *Ahd.* in Substantiven und Adjektiven ebenso verbreitet wie bei Verben die Vorsilbe →ent..., die durch Abschwächung in unbetonter Stellung aus 'ant...' entstanden ist .Das *gemeingerm.* Präfix *mhd.*, *ahd.* ant-, *got.* and[a]-, *aengl.* and-, *aisl.* and- ist z. B. verwandt mit *gr.* antí „angesichts, gegenüber" und *lat.* ante „vor", die in zahlreichen aus dem *Gr.* und *Lat.* entlehnten Wörtern als erster Bestandteil stecken (s. ante..., anti... und den Artikel antik). Diese Wörter beruhen auf erstarrten Kasusformen des *idg.* Substantivs *ant-s „Vorderseite, Stirn, Gesicht". Die Bed. „entgegen, gegenüber, vor" haben sich also aus „auf die Vorderseite zu, ins Gesicht, im Angesicht von" entwickelt. Verwandt ist auch das unter →Ende behandelte Wort.

²ant..., Ant... siehe anti...

Antenne *w* „Sende- oder Empfangsdraht für elektr. Wellen": Im 20. Jh. aus gleichbed. *it.* antenna entlehnt. Das *it.* Wort bedeutet eigtl. „Segelstange; Stange" und geht in diesem Sinne zurück auf gleichbed. *lat.* antenna.

Anthologie *w* „Sammlung, Auswahl von Gedichten oder Prosastücken": Gelehrte Entlehnung des 18. Jh.s aus gleichbed. *gr.* anthología (eigtl. „Blumensammeln, Blütenlese"). Zu *gr.* ánthos „Blume, Blüte" und *gr.* légein „sammeln; lesen" (vgl. *Lexikon*).

Anthrazit *m* „harte, glänzende Steinkohle": Gelehrte Entlehnung neuester Zeit aus *lat.* anthracĭtēs, < *gr.* anthrakĭtēs „Kohlenstein" (Name eines Edelsteins). Zu *gr.* ánthrax (ánthrakos) „Kohle".

anti..., Anti..., (vor Selbstlauten und vor h:) **²ant..., Ant...**: Aus dem *Gr.* stammende Vorsilbe mit der Bed. „gegen, entgegen, wider; gegenüber; anstatt", in FW wie →Antipathie, →Antipode u. a. *Gr.* antí (Präp. u. Präfix) „angesichts, gegenüber; anstatt; vor; gegen" ist etymolog. verwandt mit der *dt.* Vorsilbe →¹*ant...*

antik „altertümlich": Im 18. Jh. über gleichbed. *frz.* antique aus *lat.* antīquus „vorig; alt" entlehnt. Das *lat.* Adj. ist eine Variation von *lat.* antícus „der vordere", die ihrerseits von *lat.* ante „vor" (urverwandt mit *dt.* →¹*ant...*) abgeleitet ist. Dazu das Subst. Antike *w* als Bezeichnung für das klassische Altertum (18. Jh.). – Gleichfalls von *lat.* antíquus stammen die FW →Antiquar, Antiquariat, antiquarisch, →antiquiert und →Antiquitäten.

Antilope *w*: Der im *Dt.* seit dem 18./19. Jh. bezeugte Name des gehörnten Huftieres (Asiens und bes. Afrikas) geht zurück auf den Namen eines Fabeltiers *mgr.* anthólōps (> *mlat.* ant[h]alōpus), das mit „Blumenauge" bedeutet (zu *gr.* ánthos „Blume" und *gr.* ōps „Auge"). In den europ. Sprachen erscheint der Name zuerst im *Engl.* als antelope (Anf. 17. Jh.) u. wird von dort weitervermittelt. Uns erreicht er über gleichbed. *frz.-niederl.* antilope.

Antipathie *w* „Abneigung, Widerwille" (im Gegensatz zu →Sympathie): Im 16. Jh. über gleichbed. *lat.* antipathīa aus gleichbed. *gr.* anti-pátheia entlehnt. Über das zugrunde liegende Subst. *gr.* páthos „Leid; Leidenschaft; Gemütsstimmung" vgl. den Artikel *Pathos*.

Antipode *m* „auf dem gegenüberliegenden Punkt der Erde lebender Mensch", auch übertr. gebraucht im Sinne von „Gegenspieler": Das FW ist seit dem 16. Jh. als geographischer Terminus bezeugt, anfänglich nur in der Pluralform 'Antipoden'. Es geht zurück auf gleichbed. *gr.-lat.* antípous (*Mehrz.* antípodes), das wörtlich „Gegenfüßler" bedeutet. Zu *gr.* antí „gegenüber" (vgl. *anti...*) und *gr.* poús (podós) „Fuß" (vgl. *Podium*).

Antiquar *m* „Händler mit Altertümern, Altbuchhändler": Das seit dem 18. Jh. bezeugte FW geht zurück auf *lat.* antīquārius „Kenner und Anhänger des Alten (der alten Sprache, Literatur usw.)". Zu *lat.* antíquus „vorig; alt" (vgl. *antik*). – Abl.: Antiquariat *s* „Geschäft eines Antiquars" (19./20. Jh., *nlat.* Bildung); antiquarisch „alt, gebraucht" (19./20. Jh.). – Zu *lat.* antíquus gehören auch die beiden folgenden FW: **antiquiert** „veraltet" (Neubildung des 17. Jh.s); **Antiquitäten** *Mehrz.* „Altertümer, Denkmäler aus alter Zeit" (16. Jh., aus *lat.* antíquitātēs „Altertümer, alte Sagen, alte Geschichte usw."). Dazu die Zus. Antiquitätenhändler.

Antlitz *s* „Gesicht": Das heute nur noch in gehobener Sprache gebräuchliche Wort bedeutet eigtl. „das Entgegenblickende". *Mhd.* antlitze, *ahd.* antlizzi (Mischform aus *antliz

und gleichbed. antlutti), *aengl.* andwlita, *schwed.* anlete enthalten als ersten Bestandteil die unter →¹*ant...* „entgegen" behandelte Vorsilbe und als zweiten Bestandteil eine Bildung zu einem im *Dt.* untergegangenen Verb mit der Bed. „blicken, sehen": *aengl.* wlītan, *aisl.* līta „blicken, schauen, sehen" (beachte *got.* wlits „Aussehen; Gestalt", *aengl.* wlite „Blick; Gesicht; Aussehen; Gestalt, Erscheinung", *aisl.* litr „Aussehen, Glanz").

Antwort *w*: Das *gemeingerm.* Substantiv *mhd.* antwürte, *ahd.* antwurti, *got.* andawaúrdi, *aengl.* andwyrde, *aisl.* andyrði bedeutet eigtl. „Gegenrede". Das Grundwort ist eine Kollektivbildung zu dem unter →*Wort* behandelten Substantiv, das Bestimmungswort ist die unter →¹*ant...* „entgegen" behandelte Vorsilbe. Die *nhd.* Form Antwort gegenüber *mhd.* antwürte ist durch Anlehnung an 'Wort' entstanden. – Davon abgeleitet ist das Verb antworten (*mhd.* antwürten, *ahd.* antwurten, *got.* andwaúrdjan *aengl.* andwyrdan), beachte dazu die Präfixbildungen beantworten, verantworten und das zusammengesetzte Verb →überantworten.

Anwalt *m*: Die *westgerm.* Substantivbildung *mhd.* anwalte, *ahd.* anawalto, *mnd.* anwalde, *aengl.* onwealda gehört zu dem unter →*walten* behandelten Verb und bedeutet eigtl. „einer, der über etwas Gewalt hat". Das Wort bezeichnete im *Ahd.* den Macht- oder Befehlshaber, im *Mhd.* dann gewöhnlich den bevollmächtigten Beamten oder Gesandten eines Fürsten oder einer Stadt und schließlich den Vertreter einer Partei vor Gericht. Im Sinne von „berufener Vertreter vor Gericht, Rechtsberater" hat es die FW Prokurator, Konsulent und Advokat verdrängt. – Zus.: Rechtsanwalt (seit dem 19. Jh. amtliche Standesbezeichnung in Deutschland, in der Schweiz neben 'Fürsprech'); Staatsanwalt (2. Hälfte des 19. Jh.s).

Anwärter *m*: Das seit dem 16. Jh. bezeugte Wort gehört zu *frühnhd.* anwarten „auf etwas [mit Anspruch] warten" (*mhd.* an[e]warten, *ahd.* anawartēn „erwarten, ausschauen"; vgl. *warten*). Seit 1900 hat sich 'Anwärter' in der Beamtensprache gegenüber dem FW →Aspirant durchgesetzt. Zu *frühnhd.* anwarten ist auch **Anwartschaft** *w* „Anspruch oder Aussicht auf ein Amt oder dgl." (17. Jh.) gebildet.

Anwesen *s*: Das vorwiegend im *oberd.* Sprachraum gebräuchliche Wort für „[bebautes] Grundstück" geht zurück auf *mhd.* anewesen „Anwesenheit". Dies ist der subst. Infinitiv von *mhd.* an[e]wesen, *ahd.* anawesan „darin, dabei sein", einer LÜ von *lat.* adesse (vgl. *Wesen*). Von diesem Präfixverb ist im heutigen Sprachgebrauch noch das 1. Partizip anwesend „zugegen, gegenwärtig" bewahrt. – Aus der urspr. Bed. „Anwesenheit", die sich vereinzelt bis ins 18. Jh. hielt, entwickelte sich seit dem 15. Jh. die Bed. „Aufenthalt[sort], Wohnung". Abl.: Anwesenheit *w* (17. Jh.).

Aorta *w*: Die medizin. Bez. der Hauptkörperschlagader geht zurück auf gleichbed. *gr.* aortḗ. Das *gr.* Subst. gehört wohl zu *gr.* aeírein „zusammen-, anbinden" und bedeutet demnach urspr. „das Anbinden, Anhängen", dann im konkreten Sinne „angebundener, angehängter Gegenstand". Die Aorta ist also wohl danach benannt, daß sie gleichsam am Herzbeutel wie ein Schlauch „angebunden" oder „angehängt" ist. – Siehe auch: Arterie.

apart „von eigenartigem Reiz; geschmackvoll": Das seit dem 17./18. Jh. bezeugte Adj. ist durch Zusammenrückung entstanden aus der dem *Frz.* entlehnten adverbialen Fügung à part „beiseite, abgesondert; besonders; eigenartig", wobei sich die urspr. Bed. des Wortes zu „besonders schön usw." verengt hat.

Apathie *w*: *Gr.* a-pátheia „Schmerzlosigkeit, Unempfindlichkeit" (zu →²a... „un..." und *gr.* páthos „Schmerz", vgl. *Pathos*) gelangte als zentraler Begriff stoischer Philosophie („völlige Absage an Lust und Unlust") über entspr. *lat.* apathía im 18. Jh. als FW ins Deutsche. Mit dem Beginn des 19. Jh.s wurde das Wort (wohl nach gleichbed. *frz.* apathie) in die medizin. Fachsprache zur Bezeichnung des Krankheitsbildes der geistigen Erschöpfung und völligen Teilnahmslosigkeit übernommen. Daran schließt sich im gleichen Sinne die abgeleitete Adj. apathisch „teilnahmslos, geistig erschöpft" an (19./20. Jh.).

Aperitif *m*: Im ausgehenden 19. Jh. als Bezeichnung für ein appetitanregendes alkoholisches Getränk, aus dem *Frz.* übernommen. *Frz.* apéritif ist urspr. Adj. mit der Bed. „öffnend". Als Subst. bedeutet es demnach eigtl. etwa „Magenöffner". Dem *frz.* Wort liegt ein *mlat.* Adj. aperitívus „öffnend" zugrunde, das von *lat.* aperíre „öffnen" abgeleitet ist.

Apfel *m*: Das *gemeingerm.* Wort *mhd.* apfel, *ahd.* apful, *krimgot.* apel, *engl.* apple, *schwed.* äpple ist verwandt mit der *kelt.* Sippe von *air.* ubull „Apfel" und mit der *baltoslaw.* Sippe von *russ.* jábloko „Apfel", beachte auch den *lat.* Namen der kampanischen Stadt Abella, die wohl nach ihrer Apfelzucht benannt ist. Welche Vorstellung dieser den Germanen, Kelten, Balten und Slawen gemeinsamen Benennung der Frucht des Apfelbaums zugrunde liegt, ist dunkel. – Das *gemeingerm.* Wort bezeichnete urspr. wahrscheinlich den Holzapfel. Als die Germanen durch den römischen Obstbau veredelte Apfelsorten kennenlernten, übertrugen sie die Bezeichnung für den wildwachsenden Apfel auf die veredelte Frucht, während sie sonst die *lat.* Namen der Früchte von den

Römern übernahmen (vgl. z. B. die Artikel Birne, Kirsche, Pflaume). – Im übertragenen Gebrauch bezeichnet 'Apfel' im *Dt.* Dinge, die mit der Form eines Apfels Ähnlichkeit haben, beachte z. B. Augapfel (vgl. *Auge*), Gallapfel(vgl. ²*Galle*), Granatapfel(s.d.) Reichsapfel (vgl. *Reich*). Zus.: Apfelbaum (*mhd.* apfelboum, für die alte *germ.* Benennung *mhd.* apfalter, *ahd.* affoltra, *aengl.* apulder, *aisl.* apaldr; zum 2. Bestandteil vgl. *Teer*); Apfelschimmel (17. Jh.; nach den apfelförmigen Flecken benannt); Apfelsine (s. d.).

Apfelsine *w*: Die Frucht wurde um 1500 von den Portugiesen aus Südchina eingeführt. Nach Norddeutschland gelangte sie um 1700 über die Nordseehäfen Amsterdam u. Hamburg. Ihr *nordd.* Name beruht auf älter *niederl.* appelsina (noch *mdal.*, im heutigen *Niederl.* gilt sinaasappel), *niederd.* Appelsina, was wörtlich soviel bedeutet wie „Apfel von China". ('Sina' ist die alte Form des Landnamens China). Im 18. Jh. hieß die Frucht deshalb bei uns auch Chinaapfel. Die anderen Namen →Orange u. →Pomeranze kamen aus Italien nach Deutschland.

Aphorismus *m* „Gedankensplitter; kurzer, aber inhaltsreicher Gedanke in prägnanter Form": Aus *lat.* aphorismus < *gr.* aph-orismós „Abgrenzung, Bestimmung; kurzer Satz, der den Hauptgedanken einer Sache in gedrängter Form zusammenfaßt". Zu *gr.* aph-orízein „abgrenzen, genau bestimmen" (vgl. *apo...* u. *Horizont*). – Dazu das Adj. aphoristisch „im Stil des Aphorismus; prägnant, geistreich".

apo..., Apo..., (vor Selbstlauten und vor h:) ap..., Ap... bzw. aph..., Aph...: Aus dem *Gr.* stammende Vorsilbe mit der Bed. „von – weg, ab" in FW wie →Apostroph, →Aphorismus u. a. *Gr.* apó „von – weg, ab" (Präp. u. Präfix) ist etymolog. verwandt mit *dt.* →*ab*.

Apostel *m* „Sendbote" (insbes. „Jünger Jesu"), auch übertr. gebraucht im Sinne von „Vertreter einer neuen [Glaubens]lehre": Das aus der *lat.* Kirchensprache übernommene LW (*mhd.* apostel, *ahd.* apostolo) entspr. schon *got.* apaústaúlus), das jedoch erst durch Luthers Bibelübersetzung allgemein bekannt wurde, führt über *kirchenlat.* apostolus auf *gr.* apó-stolos „abgesandt; Bote; Apostel" zurück. Zu *gr.* apo-stéllein „entsenden", einem Kompositum von *gr.* stéllein „fertigmachen, aufstellen, ausrüsten; senden" (vgl. *Stola*). – Dazu das Adj. apostolisch „nach Art der Apostel, von den Aposteln ausgehend; (im kathol. Sprachgebrauch auch:) päpstlich" (aus gleichbed. *kirchenlat.* apostolicus, *gr.* apostolikós).

Apostroph *m* „Auslassungszeichen" (Sprachwiss.): Gelehrte Entlehnung im 16. Jh.s aus gleichbed. *gr.-spätlat.* apó-strophos. Das *gr.* Wort ist eigtl. Adj. mit der Bed. „abge-

wandt; abfallend" und gehört zu *gr.* apo-stréphein „abwenden", einem Kompositum von *gr.* stréphein „wenden" (vgl. *Strophe*).
Apotheke *w*: Grundwort dieses seit *mhd.* bezeugten Lehnwortes ist das unter → *Theke* behandelte *gr.* Subst. thḗkē „Behältnis", das in Verbindung mit der Vorsilbe → *apo*... (*gr.* apothḗkē) einen Ort bezeichnet, an dem man etwas abstellen und aufbewahren kann, also einen „Abstellraum, eine Vorratskammer, ein Magazin". Deutlicher wird dies noch in dem daraus entlehnten *lat.* Subst. apothēca und in den hieraus hervorgegangenen *roman.* Wörtern *span.* bodega, *frz.* boutique (s. Butike). So bezeichnete denn auch die Apotheke urspr. nur einen Vorratsraum, speziell den Raum für Heilkräuter, der in alten Klöstern zur Versorgung der Kranken angelegt war. Entspr. war der Apotheker urspr. nur der „Lagerdiener" oder „Lagerverwalter" (*mhd.* apotēker < *lat.-mlat.* apothēcārius). – Interessant ist, daß diese Bezeichnungen im *Frz.* nicht gelten. Vielmehr stehen dort pharmacie für „Apotheke" u. pharmacien für „Apotheker". Diese entsprechen unseren rein wissenschaftlichen Fachwörtern → Pharmazie, → Pharmazeut, pharmazeutisch. – In den gleichen kulturgeschichtlichen Zusammenhang gehören noch Lehn- u. Fremdwörter wie → Arznei, → Pille, → Mixtur; und aus jüngerer Zeit: → destillieren, → kondensieren, → filtrieren, → Droge u. a.
Apparat *m* „Gerät; Vorrichtung; Ausrüstung": Das FW erscheint zuerst im 17. Jh. mit der allg. Bed. „Vorrat an Werkzeugen". Die daraus spezialisierte, heute übliche Bed. „Gerät; Vorrichtung; Ausrüstung" kommt erst im Anfang des 19. Jh.s auf. Quelle des Wortes ist *lat.* apparātus „Zubereitung, Zurüstung; Einrichtung; Werkzeuge", das von *lat.* ap-parāre „beschaffen; ausrüsten" (vgl. *parat*) abgeleitet ist. – Dazu die junge *nlat.* Bildung Apparatur *w* „Gesamtanlage von Apparaten; Gerätschaft" (20. Jh.).
Appartement [...ma̯ŋg; *schweiz.*: ...me̯nt] *s* „Zimmerflucht (in Hotels)": Im 17. Jh. entlehnt aus *frz.* appartement < *it.* appartamento „(größere) abgeteilte (und abgeschlossene) Wohnung". Zugleich drang das *frz.* Wort in das *Engl.-Amerik.* (apartment), von wo es im 20. Jh. ein zweites Mal ins Dt. als Apartement [*pa̯rtme̯nt*] *s* „abgeteilte (luxuriöse) Kleinwohnung" entlehnt wurde. – Das zugrunde liegende *it.* Verb appartare „abteilen" geht auf *lat.* ā parte „zur Seite, abgetrennt" zurück. Zu *lat.* pars. (partis) „Teil" (vgl. *Partei*).
Appell *m* „Aufruf; Mahnruf": Im 18. Jh. zunächst als militär. Fachwort aus *frz.* appel entlehnt (zu *frz.* appeler „,[auf]rufen"). Voraus liegt ein zu *lat.* pellere „stoßen, treiben" (vgl. das FW *Puls*) gehörendes Präfixverb, *lat.* appellāre (< *lat.* *adpellāre), das urspr. etwa „mit Worten antreiben, auffordern" bedeu-

tete. Unmittelbar hieraus wurde in *mhd.* Zeit das Verb **appellieren** „anrufen; (mit Nachdruck) hinweisen" entlehnt.
Appetit *m* „Eßlust, Hunger; Verlangen": Im 15. Jh. aus *lat.-mlat.* appetītus (cibī) „Verlangen (nach Speise)" entlehnt. Das zugrunde liegende Verb *lat.* ap-petere „nach etwas hinlangen; verlangen, begehren" ist ein Kompositum von *lat.* petere „zu erreichen suchen; begehren, verlangen", das etymologisch mit *dt.* → *Feder* verwandt ist. Abl.: **appetitlich** „appetitanregend; sauber, nett" (16. Jh.). – Zum gleichen Stammwort (*lat.* petere) gehören auch die FW → kompetent und → repetieren.
applaudieren „Beifall klatschen": Im 17. Jh. aus gleichbed. *lat.* applaudere (applausum) entlehnt, einem Kompositum von *lat.* plaudere (plausum) „klatschen, schlagen; Beifall klatschen" (vgl. *plausibel*). – Dazu das Subst. **Applaus** *m* „Beifall" (18. Jh.; aus gleichbed. *spätlat.* applausus).
apportieren „herbeibringen" (bes. vom Jagdhund: „erlegtes Wild herbeischleppen"): Ein Fachwort der Hundedressur, das seit dem 18. Jh. bezeugt ist. Es ist formal aus *frz.* apporter „herbeibringen" (allg.) entlehnt, hat jedoch seine Spezialbed. von entspr. *frz.* rapporter übernommen. Quelle des *frz.* Wortes ist *lat.* ap-portāre „herbeibringen", ein Kompositum von *lat.* portāre „tragen, bringen" (vgl. das FW *Porto*).
Apposition *w* „hauptwörtliche Beifügung; Beisatz": Ein sprachwissenschaftlicher Terminus, der von *lat.* appositiō „das Hinsetzen; der Zusatz" genommen ist. Zu *lat.* ap-pōnere „hinstellen; hinzufügen", einem Kompositum von *lat.* pōnere „setzen, stellen, legen" (vgl. das FW *Position*).
approbiert „(nach bestandener Prüfung) als Arzt oder Apotheker bestätigt und zugelassen": Das seit dem 17./18. Jh. gebräuchliche Wort ist das in adjektivische Funktion übergegangene zweite Partizip des heute verált. Zeitworts approbieren „billigen, genehmigen". Quelle des Wortes ist gleichbed. *lat.* ap-probāre, ein Kompositum von *lat.* probāre „billigen" (vgl. das LW *prüfen*). – Dazu: Approbation *w* „staatliche Zulassung zur Berufsausübung (bei Ärzten u. Apothekern)", aus *lat.* approbātiō „Billigung, Genehmigung".
Aprikose *w*: Die seit dem 17. Jh. bei uns bekannte Steinfrucht trägt im Grunde einen *lat.* Namen, dessen urspr. Gestalt auf den verschlungenen Pfaden seiner Entlehnung verstümmelt wurde. Zu dem unter → *kochen* behandelten *lat.* Verb coquere „kochen; zur Reife bringen" gehört ein Adjektiv praecoquus „vorzeitig Früchte tragend", das in der Verbindung *vlat.* (persica) praecocia einen „frühreifen Pfirsich" bezeichnete. Name und Sache gelangten durch griech. Vermittlung (*spätgr.* praikókkion) zu den Ara-

bern (*arab.* al-barqūq „die Pflaume") u. von dort mit den Mauren nach Spanien (*span.* albaricoque) und Westeuropa. Uns erreichte der Name über Frankreich (*frz.* abricot, *Mehrz.*: abricots) und die Niederlande (*niederl.* abrikoos).

April *m*: Der Name des vierten Monats des Kalenderjahres, *ahd.* abrello, *mhd.* aberelle, abrille, beruht wie z. B. entspr. *it.* aprile, *frz.* avril und *engl.* April auf *lat.* Aprīlis (mēnsis). Die weitere Herkunft des *lat.* Wortes ist nicht sicher geklärt.

apropos „nebenbei bemerkt, übrigens": Das seit dem 17. Jh. zunächst mit der eigtl. Bed. „zur Sache, zum behandelten Gegenstand" bezeugte Adverb ist aus *frz.* à propos „der Sache, der Zeit, dem Gegenstand angemessen" entlehnt.

Aquamarin *m*: Der Name des meerwasserblauen Edelsteins ist eine gelehrte Bildung aus *lat.* 'aqua marīna' „Meerwasser", die in den *roman.* Sprachen bereits für das 16. Jh. bezeugt ist (beachte z. B. gleichbed. *it.* acquamarina und *frz.* aigue-marine).

Aquarell *s*: Die im *Dt.* seit dem Anfang des 19. Jh.s gebuchte Bezeichnung für die Technik, in Wasserfarben zu malen, und konkret für das in Wasserfarbe gemalte Bild beruht wie entspr. *frz.* aquarelle auf gleichbed. *it.* acquerella (älter: acquarella). Das *frz.* Wort mag dabei auf die Form unseres Fremdwortes eingewirkt haben. Das *it.* Subst. selbst gehört als Abl. zu *it.* acqua < *lat.* aqua „Wasser" (vgl. *Aquarium*). – Beachte in diesem Zusammenhang noch einige andere aus dem *It.* stammende Fachwörter aus dem Gebiet der Malerei und der Zeichenkunst, wie →Fresko, →Profil u. →Skizze, die den Einfluß Italiens in diesem Bereich widerspiegeln.

Aquarium *s* „Wasserbehälter zur Pflege und Zucht von Wassertieren und Wasserpflanzen": Eine gelehrte Neubildung des 19. Jh.s zu *lat.* aquārius „zum Wasser gehörig". – Die zugrunde liegende Stammwort *lat.* aqua „Wasser", das etymolog. mit *dt.* →Aue verwandt ist, erscheint auch in den FW →Aquamarin, →Aquarell und →Aquavit.

Äquator *m*: Die Bezeichnung für den größten Breitenkreis, der die Erdkugel in zwei „gleiche" Halbkugeln teilt, erscheint als geographischer Terminus seit dem 16. Jh. Es handelt sich bei diesem FW um eine gelehrte Entlehnung aus *lat.* aequātor „Gleichmacher". Zu *lat.* aequāre „gleichmachen" und weiter zu *lat.* aequus „gleich" (vgl. *egal*).

Aquavit *m*: Das FW kam im 16. Jh. in der Apothekersprache als gelehrte Bezeichnung für „Branntwein" auf. Es ist von *lat.* 'aqua vītae' genommen und bedeutet demnach eigtl. „Lebenswasser" (im *Frz.* entspricht 'eau-de-vie'). Heute versteht man unter 'Aquavit' einen bestimmten, charakteristisch gewürzten Trinkbranntwein.

Ar *s* (auch: *m*): Das Wort bezeichnet ein Flächenmaß von 100 qm. Es wurde im 19. Jh. aus gleichbed. *frz.* are aufgenommen. Das *frz.* Wort selbst beruht auf *lat.* ārea „freier Platz, Fläche". – Siehe auch: Hektar.

Ära *w* „Zeitabschnitt; Amtszeit": Im 18. Jh. aus *spätlat.* aera „gegebene Zahlengröße (als Ausgangspunkt einer Berechnung); Zeitabschnitt, Epoche" entlehnt. Das *lat.* Wort stellt einen alten Neutr. Plur. von *lat.* aes (aeris) „Erz, Kupfererz" (etymolog. verwandt mit dt. →ehern) dar, der als Femin. Sing. aufgefaßt wurde.

Arabeske *w* „Ornament in arab. Art, ranken-, blattförmige Verzierung": Im 18. Jh. als Terminus der bildenden Kunst aus gleichbed. *frz.* arabesque entlehnt, das seinerseits aus entspr. *it.* arabesco, einer Bildung zu *it.* arabo „arabisch", stammt. Die Kunst der Pflanzenornamentik nach antikem Vorbild wurde von den Arabern zu einer neuen Blüte gebracht. Danach lebte sie auch in Europa mit der Renaissance wieder auf.

Arbeit *w*: Das *gemeingerm.* Wort *mhd.* ar[e]beit, *ahd.* ar[a]beit, *got.* arbaiþs, *aengl.* earfoðe, *aisl.* erfiði ist wahrscheinlich eine Bildung zu einem im *germ.* Sprachbereich untergegangenen Verb mit der Bed. „verwaist sein, ein zu schwerer körperlicher Tätigkeit verdingtes Kind sein", das von *idg.* *orbho-s „verwaist; Waise" abgeleitet ist (vgl. *Erbe*). Eng verwandt ist die *slaw.* Wortgruppe von *poln.* robota „Arbeit" (s. den Artikel Roboter). Das *gemeingerm.* Wort bedeutete ursprünglich, im *Dt.* noch bis in das *Nhd.* hinein, „schwere körperliche Anstrengung, Mühsal, Plage". Den sittlichen Wert der Arbeit als Beruf des Menschen in der Welt hat Luther mit seiner Lehre vom allgemeinen Priestertum ausgeprägt. Er folgte dabei Ansätzen zu einer Wertung der Arbeit, wie sie sich in der Ethik des Rittertums und in der mittelalterlichen Mystik finden. Dadurch verlor das Wort Arbeit weitgehend den herabsetzenden Sinn „unwürdige, mühselige Tätigkeit". Es bezeichnete nun die zweckmäßige Beschäftigung und das berufliche Tätigsein des Menschen. Das Wort bezeichnet außerdem das Produkt einer Arbeit. – Abl.: **arbeiten** (*mhd.* ar[e]beiten, *ahd.* ar[a]beiten „[sich] plagen, [sich] quälen, angestrengt tätig sein", entspr. *got.* arbaidjan, *aisl.* erfiða), dazu **Arbeiter** *m* (*mhd.* arbeiter „Tagelöhner, Handwerker"; seit dem 19. Jh. besonders Standesbezeichnung des Lohnarbeiters in Industrie und Landwirtschaft); **arbeitsam** „fleißig; reich an Arbeit" (*mhd.*, *ahd.* arbeitsam „mühsam, beschwerlich").

Archäologie *w* „Altertumskunde (als Wissenschaft von den alten Kulturen und ihren Kunstdenkmälern)": Gelehrte Entlehnung des 18. Jh.s aus *gr.* archaiología „Erzählungen aus der alten Geschichte". Zu *gr.* archaîos „ursprünglich; altertümlich; alt" und *gr.* lógos „Wort, Rede; Kunde, Wissenschaft usw." (vgl. *Logik*). – Dazu: A r c h ä o l o g e *m* „Altertumsforscher, -kenner" (aus *gr.* archaiológos „Altertumsforscher").

Arche *w*: Das Wort gelangte früh mit den römischen Händlern zu den Germanen. Aus *lat.* arca „Kasten, Lade, Geldkasten" (zu *lat.* arcānus „verschlossen, geheim" u. arcēre „verschließen, in Schranken halten"; s. exerzieren, Exerzitien) wurde *got.* arka, *ahd.* arka, archa, *mhd.* arke, arche, *mnd.* arke, *engl.* ark, *schwed.* ark. Die Bedeutung „Geldkasten" hält sich bei dem Wort bis ins *Mhd.* Im *Nhd.* lebt es nur in der bibl. Bed. (Arche Noah) fort, die aus der Vulgata in die Luthersche Bibel überging. In den Mundarten hat sich das Wort in verschiedener Bedeutung und Schreibweise (als Truhe, Fischkasten, Mühlengerinne, auch Haufen) erhalten.

Architekt *m* „Baumeister": Das in dieser Form seit dem 16. Jh. bezeugte FW führt über gleichbed. *lat.* architectus auf *gr.* architéktōn „Oberzimmermann, Baumeister" zurück. Dessen Bestimmungswort gehört zu *gr.* árchein „der erste sein, Führer sein", archós „Anführer, Oberhaupt" (vgl. *Archiv*). Über das Grundwort vgl. den Artikel *Technik*. – Dazu: A r c h i t e k t u r *w* „Baukunst; Baustil" (16. Jh., aus gleichbed. *lat.* architectūra); a r c h i t e k t o n i s c h „baulich, baukünstlerisch, den Gesetzen der Baukunst entsprechend" (17. Jh.; aus gleichbed. *spätlat.* architectonicus < *gr.* archi-tektonikós).

Archiv *s* „Aufbewahrungsort für [amtliche] Dokumente; Urkundensammlung; Zeitschriftensammlung": Das in dieser Form seit dem Anfang des 17. Jh.s bezeugte FW wurde im Bereich der Kanzleisprache aus *spätlat.* archivum (Nebenform von archīum) „Aufbewahrungsort für amtliche Urkunden und Dokumente" entlehnt. Das *lat.* Wort selbst beruht auf *gr.* archeîon „Regierungs-, Amtsgebäude". Stammwort ist das *gr.* Verb árchein „der erste sein; anfangen, beginnen; regieren, herrschen", das u. a. auch im Bestimmungs- oder Grundwort von FW wie →Architekt, →Anarchie, →Hierarchie, →Monarch, Monarchie erscheint, ferner verdunkelt in der Vorsilbe →Erz... und in den LW →Arzt und →Arznei. – Abl.: A r c h i v a r *m* „Archivbeamter" (*nlat.* Bildung; 18. Jh.).

Arena *w* „Kampfbahn, Sportplatz; Manege": Im 18. Jh. aus *lat.* [h]arēna „Sand, Sandbahn; Kampfplatz im Amphitheater" entlehnt. Die Zugehörigkeit des *lat.* Wortes ist unsicher.

arg „schlimm, böse, schlecht": Das *altgerm.* Adjektiv *mhd.* arc, *ahd.* arg, *niederl.* erg, *aengl.* earg, *schwed.* arg wurde in den alten Sprachzuständen in der Bed. „ängstlich, feige; geil, wollüstig; (moralisch) schlecht" verwendet. Es gehört wahrscheinlich im Sinne von „bebend, zitternd, erregt" zu der

idg. Wurzelform *ergh- „[sich] heftig bewegen, erregt sein, beben" und ist dann z. B. verwandt mit *gr.* orcheîsthai „beben; hüpfen, springen; tanzen" (s. Orchester). Die Substantivierung A r g *s* (*mhd.* arc, *ahd.* arg „Böses, Schlechtigkeit") ist heute nur noch in ‘ohne Arg' und ‘kein Arg' gebräuchlich, beachte dazu die Bildung a r g l o s (18. Jh.). Abl.: ä r g e r n (s. d.); v e r a r g e n „übelnehmen" (*mhd.* verargen „arg werden"). Zus.: A r g l i s t „Hinterlist, Hinterhältigkeit" (*mhd.* arclist), dazu a r g l i s t i g (*mhd.* arclistec); A r g w o h n „Mißtrauen" (*mhd.* arcwān, *ahd.* argwān „schlimme Vermutung, Verdacht"; zum zweiten Bestandteil vgl. *Wahn*), dazu a r g w ö h n e n (*mhd.* arcwǣnen, *ahd.* argwānen) und a r g w ö h n i s c h (*mhd.* arcwǣnec, *ahd.* argwānīg).

ärgern „erzürnen, reizen": Das Verb *mhd.* ergern, argern, *ahd.* argerōn ist von dem Komparativ des unter →*arg* behandelten Adjektivs abgeleitet und bedeutet demnach eigtl. „schlimmer, böser, schlechter machen". Abl.: Ä r g e r *m* (18. Jh.); ä r g e r l i c h (*mhd.* ergerlich); Ä r g e r n i s *s* (*mhd.* ergernis).

Argument *s* „Beweisgrund, Beweismittel": Im 16. Jh. aus gleichbed. *lat.* argūmentum (eigtl. „was der Erhellung und Veranschaulichung dient") entlehnt. Stammwort ist *lat.* arguere „erhellen; beweisen". – Abl.: a r g u - m e n t i e r e n „etwas als Argument anführen; beweisen, begründen" (nach gleichbed. *lat.* argūmentārī); A r g u m e n t a t i o n *w* „Beweisführung" (aus gleichbed. *lat.* argūmentātiō).

Argusaugen *Mehrz.* „scharfe, wachsame Augen": Die Bez. geht auf die altgriech. Sage vom hundertäugigen Riesen Argos (*lat.* Argus) zurück, der im Auftrag der Göttin Hera die in eine Kuh verwandelte Geliebte des Zeus, Jo, zu bewachen hatte.

Arie *w* „Sologesangstück mit Instrumentalbegleitung (bes. in Oper u. Oratorium)": Das seit Anfang des 17. Jh.s bezeugte FW bedeutete zunächst allg. „Weise, Melodie". Die heutige spezielle Bedeutung bildete sich erst im 18. Jh. heraus. Das Wort beruht wie *frz.* air „Lied, Weise; Arie" auf gleichbed. *it.* aria.

Arithmetik *w* „Zahlenlehre, das Rechnen mit Zahlen": Die seit dem 16. Jh. bezeugte Bezeichnung führt über *lat.* arithmētica auf *gr.* arithmētikḗ (téchnē) „Rechenkunst" zurück. Das zugrunde liegende Adj. *gr.* arithmētikós „zum Rechnen gehörig" gehört zu *gr.* arithmeîn „zählen, rechnen" und weiter zu *gr.* arithmós „Zahl". – Abl.: a r i t h m e t i s c h (16. Jh.).

Arkade *w* „Bogen auf zwei Pfeilern oder Säulen", meist in der *Mehrz.* gebraucht im Sinne von „fortlaufende Bogenreihe zwischen zwei Räumen, Bogengang": Als Fachwort der Baukunst im 18. Jh. aus gleichbed. *frz.* arcade entlehnt, das seinerseits auf *it.* arcata

„Arkade" beruht. Zu *it.* arco (< *lat.* arcus)
„Bogen, Schwibbogen; Bogengewölbe".

Arktis *w*: Die geogr. Bezeichnung der Nordpolgegend ist eine gelehrte Neubildung zu *lat.* arcticus < *gr.* arktikós „arktisch". Stammwort ist *gr.* árktos „Bär" (< *idg.* *r̥k̑-to-s) in seiner speziellen Bed. „Großer Bär" (= Nordgestirn). – Die auf der Erdkugel „gegenüberliegende" Südpolgegend heißt entsprechend **Antarktis** *w*, nach *lat.* antarcticus < *gr.* antarktikós; vgl. die Vorsilbe *anti...*

arm: Das *gemeingerm.* Adjektiv *mhd.*, *ahd.* arm, *got.* arms, *aengl.* earm, *schwed.* arm gehört wahrscheinlich im Sinne von „verwaist" zu der *idg.* Wortgruppe von → *Erbe.* Das Adjektiv wurde zunächst im Sinne von „vereinsamt, bemitleidenswert, unglücklich" verwendet. An diese Bedeutung schließen sich an → barmherzig und → erbarmen; beachte auch die Verwendung von ‚arm' im christlichen Sinne, z. B. ‚arme Seele', ‚armer Sünder'. Im Sinne von „besitzlos" wurde ‚arm' im *Westgerm.* Gegenwort zu ‚reich'. – Abl.: verarmen (*mhd.* verarmen, für älteres armen, *ahd.* armēn „arm werden oder sein"); ärmlich (*mhd.* ermelich, *ahd.* armalīh „dürftig; unglücklich"); Armut *w* (*mhd.* armuot[e], *ahd.* armuotī, mit dem Suffix, mit dem auch → Einöde und → Heimat gebildet sind); armselig (15. Jh., von einem im *Nhd.* untergegangenen Substantiv *mhd.* armsal „Armut, Elend").

Arm *m*: Die *gemeingerm.* Körperteilbezeichnung *mhd.*, *ahd.* arm, *got.* arms, *engl.* arm, *schwed.* arm beruht mit verwandten Wörtern in anderen *idg.* Sprachen auf einer Bildung zu der *idg.* Wz. *ar[ə]- „fügen, zupassen", vgl. z. B. *lat.* armus „Oberarm, Schulterblatt; Vorderbug bei Tieren" und *aind.* īrmá-ḥ „Arm; Vorderbug bei Tieren". Die Bed. „Arm" hat sich demnach aus „Fügung, Gelenk, Glied" entwickelt. – Die vielfach weitergebildete und erweiterte *idg.* Wz. *ar[ə]-, *rē- bezog sich urspr. wahrscheinlich auf das Stapeln, Zurechtlegen und Zusammenfügen der Bauhölzer, dann auch auf geistiges Zurechtlegen, Zählen und Berechnen. Zu ihr gehören ferner aus anderen *idg.* Sprachen z. B. *gr.* ararískein „zusammenfügen; verfertigen; einrichten", árthron „Gelenk, Glied" (s. Arthritis), harmonía „Fügung; Fuge; Bund; Ordnung" (s. Harmonie) und wohl auch arithmós „Zählung, [An]zahl" (s. Arithmetik), weiterhin *lat.* arma *Mehrz.* „Ausrüstung, Gerätschaft, Waffen" (s. Armee), artus und articulus „Gelenk, Glied" (s. Artikel), ars, Genitiv artis „Geschicklichkeit, Kunst" (s. Artist) und ratus „berechnet" (s. Rate), ratiō „Berechnung" (s. Ration und rational), rītus „religiöser Brauch" (s. Ritus). Aus dem *germ.* Sprachbereich gehören zu dieser Wurzel außer ‚Arm' die Sippen von → Rede (s. d. über raten, ¹gerade, hundert) und → Reim sowie die unter → anberaumen

und → Art behandelten Wörter. – Von ‚Arm' abgeleitet ist → Ärmel. Eine junge Bildung ist umarmen „in die Arme nehmen" (17. Jh.). An den übertragenen Gebrauch von ‚Arm' schließen sich z. B. die Zus. Flußarm und Hebelarm an.

Armaturenbrett *s* „Schaltbrett (bes. in Kraftfahrzeugen)": Neubildung des 20. Jh.s. Das Bestimmungswort geht zurück auf *lat.* armātūra „Ausrüstung". Zu *lat.* arma „Gerätschaften" (vgl. *Armee*).

Armbrust *w*: Der Name der mittelalterlichen Schußwaffe geht zurück auf *mhd.* armbrust, das im 12. Jh. durch volksetymologische Umbildung nach ‚Arm' und ‚Brust' aus *mlat.* arbalista entstand. Das *mlat.* Wort, auf dem *frz.* arbalète „Armbrust" beruht, geht zurück auf lat. arcuballista, eine Zusammensetzung aus *lat.* arcus „Bogen" (vgl. *Arkade*) und *lat.* ballista „Wurfmaschine" (vgl. *ballistisch*). Die arcuballista war im Altertum eine Art Bogenschleuder, die als Handwaffe getragen oder auf Rädern fortbewegt werden konnte. Im Mittelalter setzte sie sich, obwohl zunächst vom Rittertum verpönt, als Waffe zum Schießen von Bolzen, Pfeilen, Stein- und Bleikugeln durch. Seit dem 15./16. Jh. wurde die Armbrust durch die Feuerwaffen verdrängt.

Armee *w* „Streitmacht, Heer": Im Anfang des 17. Jh.s als militär. Terminus aus gleichbed. *frz.* armée entlehnt. Das zugrunde liegende Verb *frz.* armer „bewaffnen" beruht auf gleichbed. *lat.* armāre. Stammwort ist das *lat.* Subst. arma (Neutr. Plur.), das zunächst allgemein „Gerätschaften" bedeutet, dann im speziellen Sinne „Kriegsgerät, Waffen". Mit beiden Bedeutungen spielt das mit *dt.* → Arm etymolog. verwandte Wort in Fremdwörtern eine Rolle, mit der urspr. Bed. in → Armaturenbrett, mit der speziellen Bed. „Waffen" noch in → Alarm, → Lärm und → Gendarm.

Ärmel *m*: Das *westgerm.* Substantiv *mhd.* ermel „Ärmel", *ahd.* armilo „Armring; Armfessel", *mnd.* ermel „Ärmel", *aengl.* earmella „Ärmel" ist eine Bildung zu der unter → Arm behandelten Körperteilbezeichnung und bezeichnet also das, was den Arm bedeckt oder am Arm getragen wird. Anders gebildet ist die *nord.* Sippe um *schwed.* ärm „Arm". – Die Redensart ‚etwas aus dem Ärmel schütteln' „etwas mühelos, scheinbar unvorbereitet ausführen" bezieht sich darauf, daß die Ärmel der spätmittelalterlichen Kleidungsstücke oft sehr weit waren und als Taschen dienten.

Aroma, Arom *s* „Wohlgeruch, -geschmack": Im 19. Jh. aus *gr.-lat.* árōma „Gewürz" entlehnt. Die weitere Herkunft ist unsicher. – Die Bedeutungsentwicklung zu „Wohlgeruch" vollzog sich zuerst im abgeleiteten Adj. **aromatisch** „würzig, wohlriechend",

Arrak

das schon im 16. Jh. aus *lat.* arōmaticus
< *gr.* arōmatikós übernommen wurde.

Arrak *m* „Reisbranntwein": Die im Deutschen seit dem 17. Jh. zuerst in Norddeutschland bekannte Bezeichnung führt über gleichbed. *frz.* arak (rack) auf *arab.* araq „Schweiß; eine Art starken Branntweins" zurück. Die Araber bezeichneten mit diesem Wort einen aus Ostindien bekannten, aus gegorenem Reis, Zucker und Kokosnüssen hergestellten Schnaps.

arrangieren „anordnen, zusammenstellen; vorbereiten", auch im speziellen Sinne von „ein Musikstück für Instrumente bearbeiten": Im Anfang des 18. Jh.s aus *frz.* arranger „in Ordnung bringen, einrichten, zurechtmachen" entlehnt, einem Kompositum von *frz.* ranger „ordnungsgemäß aufstellen" (vgl. *Rang*). – Dazu: **Arrangement** *s* „Anordnung, Zusammenstellung" (auch im musikal. Sinn); im 18./19. Jh. aus gleichbed. *frz.* arrangement; **Arrangeur** *m* „wer ein Musikstück einrichtet und instrumentiert" (20. Jh., aus gleichbed. *frz.* arrangeur).

Arrest *m* „Haft; Nachsitzen": Im 16. Jh. – zunächst als juristischer Terminus verwendet, später vorwiegend in der Militär- und Schulsprache – entlehnt aus *mlat.* arrestum „Verhaftung", das zu *vlat.* *arrestāre (< *ad-restāre) „dableiben; dableiben machen" gehört (vgl. *ad...* und *Rest*). – Über *frz.* arrêter (< *vlat.* *arrestāre) erreichte uns im 18. Jh. das Verb **arretieren**, wozu im 20. Jh. das technische Fachwort **Arretierung** „Sperrvorrichtung (an Geräten)" gebildet wurde.

arrivieren „vorwärtskommen, Erfolg haben": Im 19. Jh. aus *frz.* arriver „ankommen; (ein Ziel) erreichen" entlehnt. Dies geht auf *vlat.* *arrīpāre (< *ad-rīpāre) „das Ufer erreichen" zurück. Stammwort ist *lat.* rīpa „Ufer" (vgl. *ad...* und *Revier*).

arrogant „anmaßend": Im 18. Jh. mit dem Subst. **Arroganz** *w* „Anmaßung" entlehnt aus *lat.* arrogāns (arrogantis) bzw. arrogantia, möglicherweise durch *frz.* Vermittlung. Das zugrunde liegende *lat.* Verb ar-rogāre (< *ad-rogāre) bedeutet eigtl. etwa „(Fremdes) für sich beanspruchen", dann übertr. „sich anmaßen". Über weitere etymologische Zusammenhänge vgl. den Artikel *regieren*.

Arsch *m* (vulgär für:) „Gesäß": Das *altgerm.* Wort *mhd.*, *ahd.* ars, *niederl.* aars, *engl.* arse, *schwed.* ars beruht mit verwandten Wörtern in anderen *idg.* Sprachen auf *idg.* *orso-s „Hinterer" (eigtl. wohl „Erhebung, hervorragender Körperteil"), vgl. z. B. *hethit.* arraš „Hinterer" und *gr.* órros „Hinterer". – In der niederen Umgangssprache wird das Wort Arsch mit seinen Ableitungen und Zusammensetzungen überaus häufig verwendet, beachte z. B. die Abl. **verarschen** *ugs.* für „sich mit jemandem einen

Spaß erlauben", die Zus. **Arschbetrüger** *ugs.* scherzh. für „zu kurzes Kleidungsstück, das das Gesäß nicht bedeckt", **Arschgeige** *ugs.* für „Mensch, der nichts leistet oder dumm ist, Versager", **arschklar** *ugs.* für „völlig einleuchtend", **Arschkriecher** *ugs.* für „dienender, unterwürfiger Mensch", **Arschlecker** *ugs.* für „Schmeichler", **Arschpauker** *ugs.* für „Lehrer" (s. den Artikel Pauke), ferner z. B. Wendungen wie 'Schütze Arsch' soldatensprachl. für „einfacher Soldat", 'Arsch mit Ohren' *ugs.* für „ausdrucksloses oder häßliches Gesicht; widerlicher Mensch" und 'jemandem den Arsch [bis zum Stehkragen] aufreißen' *ugs.* für „jemandem Ordnung beibringen, drillen, heftig zurechtweisen".

Arsen *s*: Der Name des chem. Elementes ist aus der älteren Bezeichnung 'arsenic' (16. Jh.) hervorgegangen. Diese Form lebt in dem FW Arsenik *s* unmittelbar fort, das im modernen Sprachgebrauch eine äußerst giftige Arsenverbindung bezeichnet. Der Name führt über *spätlat.* arsenicum (*lat.* arrhenicum) „Arsenik" auf *gr.* arsenikón (arrhenikón) „Arsenik" zurück, das selbst wohl ein orientalisches LW ist, aber im antiken Sprachgefühl als zu *gr.* arsenikós „männlich; stark" gehörig empfunden wurde (wegen der „starken" Giftwirkung des Stoffes).

Arsenal *s* „Zeughaus, Gerät- und Waffenlager": Im 16. Jh. aus gleichbed. *it.* arsenale entlehnt, das selbst auf *arab.* dār aṣ-ṣinā'a „Arsenal" (eigtl. „Haus des Handwerks") zurückgeht.

Art *w*: Die *nhd.* Form geht zurück auf *mhd.* art „Herkunft, Abstammung; angeborene Eigentümlichkeit, Natur, Wesen, Beschaffenheit; Art und Weise", dessen weitere Herkunft nicht sicher ist. Einerseits kann *mhd.* art identisch sein mit *mhd.* art „Ackerbau; [Pflug]land; Ertrag" und auf *ahd.* art „Pflügen, Ackerbau" beruhen, vgl. *ahd.* artōn „pflügen, den Boden bestellen; wohnen; bleiben, dauern" und *aengl.* eard „[bebautes] Land, Wohnplatz, Heimat", *aisl.* qrd „Ertrag, Ernte". Diese *germ.* Sippe ist z. B. verwandt mit *lat.* arāre „pflügen" und *gr.* aróein „pflügen". Andererseits kann *mhd.* art zu der unter →*Arm* dargestellten *idg.* Wurzel gehören und eng verwandt sein mit *aengl.* eard „Fügung, Schicksal; Lage" und *norw.* eind „einfach, unvermischt". – Um 'Art' gruppieren sich die Bildungen **artig** „wohlerzogen", früher auch „anmutig, hübsch; höflich" (*mhd.* ertec „angestammte gute Beschaffenheit habend") und **arten** „in die Art schlagen, veranlagt sein" (*mhd.* arten „abstammen; eine Beschaffenheit haben oder annehmen; gedeihen"), beachte die zusammengesetzten Verben und Präfixbildungen **abarten** „aus der Art schlagen, abweichen" (17. Jh., für *lat.* dēgenerāre), daraus rückgebildet **Abart** *w*

34

„abweichende Art" (18. Jh., in der Bed. „Entartetes"; dazu a b a r t i g); a u s a r t e n „Maß und Form verlieren" (17. Jh., für *lat.* dēgenerāre); e n t a r t e n „seine Art verlieren, aus der Art schlagen" (*mhd.* entarten).

Arterie *w* „Schlagader": Entlehnt aus gleichbed. *lat.* artēria < *gr.* artēría (< *aυertēría). Zu *gr.* aeírein „anbinden, aufhängen", mit einer ähnlichen Bedeutungsentwicklung wie im verwandten → *Aorta.*

Arthritis *w* „Gelenkentzündung": Als Krankheitsbezeichnung aus *gr.* arthrîtis (nósos) „Gliederkrankheit; Gicht" entlehnt. Zu *gr.* árthron „Glied, Gelenk" (etymolog. verwandt mit *dt.* → *Arm*).

Artikel *m*: *Lat.* articulus „kleines Gelenk; Glied; Abschnitt; Teilchen", eine Verkleinerungsbildung zu *lat.* artus „Gelenk; Glied" (vgl. hierüber das FW *Artist*), gelangt in *spätmhd.* Zeit in die deutsche Kanzleisprache mit der Bed. „Abschnitt eines Schriftstücks, eines Vertrages". In der Kaufmannssprache entwickelt das Wort seit dem 17. Jh. nach entspr. *frz.* article die neue Bed. „Handelsgegenstand, Ware". In der Sprachlehre schließlich wird ‚Artikel' vom 18. Jh. an zur festen Bezeichnung des Geschlechtswortes (etwa im Sinne von „Rede-, Satzteilchen"). – Aus einem von *lat.* articulus abgeleiteten Verb *lat.* articulāre „gliedern; deutlich (gegliedert) aussprechen" stammt unser seit dem 16. Jh. bezeugtes Verb **artikulieren** „betont und deutlich aussprechen". Dazu das Subst. A r t i k u l a t i o n *w* „gegliederte Aussprache; Lautbildung" (Sprachw., nach *spätlat.* articulātiō „gehörig gegliederter Vortrag").

Artillerie *w*: Das im Deutschen seit dem Anfang des 17. Jh.s bezeugte FW erscheint zunächst mit der Bed. „Geschütz". Später bezeichnete das Wort auch speziell die schwere Waffengattung, deren Truppeneinheiten mit schweren Geschützen ausgerüstet sind. Entlehnt ist das Wort aus *frz.* artillerie „Geschütz; Gesamtheit des schweren Kriegsmaterials; Artillerie", das seinerseits von einem etymolog. nicht sicher gedeuteten Verb *afrz.* artill[i]er „mit Kriegsgerät bestücken, ausrüsten" abgeleitet ist. – Abl.: A r t i l l e r i s t *m* „Soldat der Artillerie" (18. Jh.).

Artischocke *w*: Der seit dem 16. Jh. bezeugte Name der zu den Korbblütlern gehörenden Zier- und Nutzpflanze, deren fleischiger Blütenboden als Feingemüse verwendet wird, geht wie entspr. *frz.* artichaut auf *nordit.* articiocco „Artischocke". Die weitere Herkunft des Wortes ist umstritten.

Artist *m* „Schaukünstler (von halsbrecherischer Geschicklichkeit)": Das FW erscheint zuerst im 16. Jh. mit einer allg. Bed. „Künstler". Es ist in diesem Sinne unmittelbar aus gleichbed. *mlat.* artista entlehnt. Die heute übliche spezielle Bed. des Wortes

kommt erst im 19. Jh. unter dem Einfluß von entspr. *frz.* artiste auf. – *Mlat.* 'artista gehört als Abl. zu *lat.* ars (artis) „Geschicklichkeit; Kunst; Wissenschaft", das ebenso wie *lat.* artus „Gelenk; Glied" (s. Artikel) urverwandt ist mit *dt.* → *Art.* – Abl.: a r t i s t i s c h „von besonderer [körperlicher] Geschicklichkeit; waghalsig" (19. Jh.).

Arznei *w*: Zu dem LW *ahd.* arzāt (vgl. *Arzt*) gehören *ahd.* gi-arzātōn „ärztlich behandeln" u. *mhd.* arzātīe „Heilmittel, Heilkunst". Das von dem LW abgeleitete Zeitwort geriet unter den Einfluß des heimischen Zeitwortes für „heilen": *ahd.* lāchinōn. Daraus entstanden die *ahd.* Formen gi-arzinōn, erzinōn, *mhd.* erzenen „heilen". In Analogie hierzu wurde *mhd.* arzātīe von arzenīe, erzenīe abgelöst, woraus *frühnhd.* arz[e]nei wurde.

Arzt *m*: Das Wort wurde im 9. Jh. als *ahd.* arzāt (*mhd.* arzet, arzāt) aus *spätlat.* archiāter < *gr.* arch-íātros „Oberarzt" (vgl. *archi...* und *...iater*) entlehnt. Es war Titel der Hofärzte antiker Fürsten, zuerst bei den Seleukiden in Antiochia. Mit den römischen Ärzten kam es zu den fränk. Merowingern. Von den Königshöfen ging der Titel auf die Leibärzte geistlicher und weltlicher Großer über und wurde schon in *ahd.* Zeit allgemeine Berufsbezeichnung. Dadurch wurde die *germ.* Bezeichnung des Heilkundigen verdrängt: *ahd.* lāchi, *got.* lēkeis, eigtl. „Besprecher" (s. auch *ahd.* lāchinōn unter → *Arznei*). Volkstümlich ist das Wort Arzt nicht geworden, wohl aber das im 15. Jh. entlehnte → Doktor. – Abl.: ärztlich (*mhd.* arzātlich); v e r a r z t e n (*mdal.* u. *ugs.* für:) „[Als Arzt] behandeln" (20. Jh.).

As *s*: Das Wort bezeichnete urspr. die „Eins" auf Würfeln, später auch auf Spielkarten. Weil das As in den meisten Kartenspielen die höchste [Trumpf]karte ist, nennt man heute im übertragenen Sinn z. B. auch einen besonders gelungenen Aufschlagball im Tennis oder auch einen hervorragenden Spitzensportler ‚As'. Das Wort wurde in *nhd.* Zeit als Terminus des Würfelspiels aus *frz.* as (assis) „das Ganze als Einheit" (als Münzname u. a.) übernommen, das seinerseits auf *lat.* as (assis) „das Ganze als Einheit" (als Münzname u. a.) beruht.

Asbest *m* bezeichnet eine mineralische Faser, die zu unverbrennbaren Gewebe verarbeitet wird. Dazu die Zus. A s b e s t a n z u g „feuerfester Schutzanzug": Gelehrte Entlehnung des 17. Jh.s aus *gr.-lat.* á-sbestos (líthos) „Asbeststein". Zugrunde liegende *gr.* Adj. á-sbestos „unauslöschlich, unzerstörbar" ist eine mit Alpha privativum (vgl. *²a...*) gebildete Abl. von *gr.* sbénnȳmi „ich lösche, lösche aus usw.".

Asche *w*: Das altgerm. Wort *mhd.* asche, *ahd.* asca, *niederl.* as, *engl.* ash, *schwed.* aska gehört mit dem andersgebildeten *got.* azgō „Asche" zu der unter → *Esse* dargestellten *idg.* Wortgruppe. – Abl.: e i n ä s c h e r n „in Asche legen, verbrennen" (17. Jh., von der

Nebenform Ascher, s. u. Aschermittwoch; seit etwa 1900 speziell für die Feuerbestattung gebraucht, beachte dazu Einäscherung *w* im Sinne von ,,Leichenverbrennung, Kremation"). Zus.: Aschenbecher (Ende des 19. Jh.s; nach der früher üblichen becherähnlichen Form des Gefäßes); Aschenbrödel *s* (mhd. aschenbrodele *m* ,,Küchenjunge", eigtl. ,,einer, der in der Asche wühlt", vgl. *brodeln*. Im Volksmärchen bezeichnet 'Aschenbrödel' den jüngsten von drei Brüdern, der untätig in der Herdasche liegt und sich später als der stärkste und klügste erweist, im Grimmschen Märchen bezeichnet es die jüngste, zur Küchenarbeit gezwungene Tochter. – *Landsch.* ist auch Aschenputtel gebräuchlich (vgl. *buddeln*); Aschermittwoch (15. Jh., *spätmhd.* aschermittwoche für *mhd.* aschtac; das Bestimmungswort ist eine Nebenform der heute allein üblichen *Mehrz.* Aschen, s. o. einäschern und vgl. *mhd.* aschervar ,,aschenfarben". Der erste Tag des vorösterlichen Fastens ist so benannt, weil der Priester an diesem Tage den gläubigen Gläubigen ein Aschenkreuz auf die Stirn zeichnet. Die Asche gilt als Sinnbild der Vergänglichkeit, Trauer und Buße).

äsen ,,fressen" (vom Wild). Das Verb (mhd. ǣʒen) ist von dem unter → *Aas* behandelten Substantiv in dessen alter Bed. ,,Speise, Futter" abgeleitet. Um das Verb gruppieren sich die weidm. Ausdrücke Äser *m*, ¹Geäse *s* ,,Maul (beim Wild)" und Äsung *w*, ²Geäse *s* ,,Nahrung des Wildes".

Askese *w* ,,streng enthaltsame Lebensweise; Bußübung": Gelehrte Entlehnung des 18. Jh.s aus *gr.* áskēsis ,,(körperliche u. geistige) Übung; Lebensweise". Zu *gr.* askeīn ,,sorgfältig tun; verehren; üben". – Dazu : Asket *m* ,,in Askese lebender Mensch; Büßer" (18. Jh., aus *gr.* askētēs > *mlat.* ascēta ,,wer sich in etwas übt") mit dem abgeleiteten Adj. asketisch ,,entsagend, enthaltsam" (19. Jh.).

Aspekt *m* ,,Betrachtungsweise, Gesichtspunkt; Aussicht": Im 18. Jh. zunächst als astronom. Terminus (,,Stellung der Gestirne am Himmel") bezeugt, später im allg. Sprachgebrauch. Das Wort ist aus *lat.* aspectus (eigtl. ,,das Hinsehen") entlehnt, das zu aspicere (< **ad-specere*) ,,hinsehen" gehört. Das Grundwort *lat.* specere ,,schauen" ist urverw. mit → *spähen*. Vgl. im übrigen das LW → *Spiegel*, unter dem die *lat.* Sippe dieses Stammes behandelt ist.

Asphalt *m* (Straßenbelag): Im 19. Jh. über *frz.* asphalte aus *lat.* asphaltus < *gr.* ásphaltos ,,Asphalt, Erdharz" entlehnt. Das *gr.* Wort ist urspr. ein substantiviertes, mit Alpha privativum (vgl. ²*a...*) gebildetes Verbaladjektiv von *gr.* sphállesthai ,,zu Fall kommen, beschädigt werden" und bedeutet demnach eigtl. ,,unzerstörbar". Das urspr. vornehmlich im Mauerbau verwendete Material

ist also nach seiner starken Bindeeigenschaft benannt. – Eine junge Abl. ist asphaltieren.

Aspik *m* (*östr.*: *s*) ,,Sülze": Im 19. Jh. aus gleichbed. *frz.* aspic entlehnt, dessen weitere Zugehörigkeit nicht gesichert ist.

Aspirant *m* ,,Bewerber, Anwärter": Im 18. Jh. aus gleichbed. *frz.* aspirant entlehnt. Das zugrunde liegende Verb *frz.* aspirer ,,anhauchen, einatmen; streben, trachten, sich bewerben" beruht auf *lat.* aspīrāre (< **ad-spīrāre*) ,,hinhauchen, zuhauchen; (übertr.:) sich einer Person oder Sache nähern; etwas anstreben", einem Kompositum von *lat.* spīrāre ,,hauchen, blasen" (vgl. *Spiritus*).

Assel *w*: Die Herkunft des erst seit dem 16. Jh. bezeugten Namens des Krebstieres ist nicht sicher geklärt. Vielleicht beruht er auf *lat.* asellus ,,Eselchen", einer Verkleinerungsbildung zu *lat.* asinus ,,Esel", beachte *it.* asello ,,Assel". Vgl. zu diesem Benennungsvorgang *gr.* onískos ,,Assel" zu *gr.* ónos ,,Esel". Das Krebstier wäre dann nach seiner grauen Farbe als ,,Eselchen" benannt. – Zur genaueren Bestimmung dienen die Zus. Keller-, Mauer-, Wasserassel.

Assessor *m* ,,Anwärter der höheren Beamtenlaufbahn": Im 15./16. Jh. zunächst als jurist. Terminus mit der Bed. ,,Beisitzer am Gericht" aus *lat.* assessor entlehnt. Zu *lat.* asse-dēre ,,dabeisitzen" (< **ad-sedēre*). – Das Stammwort *lat.* sedēre ,,sitzen", das urverwandt ist mit *dt.* → *sitzen*, liegt auch in den FW → *possessiv* und → *präsidieren* vor.

assimilieren: Das im 18. Jh. aus *lat.* assimilāre (assimulāre) ,,ähnlich machen, angleichen" (vgl. *simulieren*) entlehnte FW bedeutet in allgemeiner Stube ,,angleichen, anpassen". In der Sprachwissenschaft bezeichnet es den Vorgang der Lautangleichung beim Aufeinandertreffen verschiedener Konsonanten, in der Biologie gewisse Stoffwechselvorgänge im Organismus. – Das dazugehörige Substantiv Assimilation *w* ,,Angleichung" (aus *lat.* assimilātiō ,,Ähnlichmachung") wird den Bedeutungen des Verbs entsprechend in allgemeinem und in fachsprachlichem Sinne verwendet.

assistieren ,,beistehen, unterstützen": Im 17. Jh. aus gleichbed. *lat.* as-sistere entlehnt, einem Kompositum von *lat.* sistere ,,hinstellen; sich hinstellen, sich stellen" (vgl. *stabil*). – Dazu: Assistent *m* ,,Gehilfe, [wissenschaftlicher] Mitarbeiter" (16. Jh., zunächst im allg. Sinne ,,Helfer, Freund"; aus *lat.* assistēns, -tentis, dem Part. Präs. von assistere); Assistenz *w* ,,Beistand, Mithilfe" (*mlat.* assistentia), beachte auch die Zus. Assistenzarzt. – *Lat.* sistere erscheint auch in dem FW → *existieren*.

assoziieren, sich ,,sich [genossenschaftlich] zusammenschließen": Als kaufmänn. Terminus seit dem 17. Jh. bezeugt. Das Wort ist aus gleichbed. *frz.* s'associer entlehnt, das seinerseits auf *lat.* associäre „beigesellen; vereinigen, verbinden" beruht (vgl. *sozial*). – Dazu: Associé *m* (ältere Bez. für:) „Geschäftsteilhaber, Gesellschafter" (18. Jh.; aus gleichbed. *frz.* associé); Assoziation *w* „genossenschaftl. Zusammenschluß" (in neuerer Zeit aus gleichbed. *frz.* association). Letzteres gilt daneben als Fachterminus in der modernen Psychologie im Sinne von „Verknüpfung von Vorstellungen".

Ast *m*: Das *altgerm.* Wort *mhd., ahd.* ast, *got.* asts, *mniederl.* ast beruht mit verwandten Wörtern in anderen *idg.* Sprachen auf *idg.* *ozdo-s „Ast, Zweig", vgl. z. B. *gr.* ózos „Ast, Zweig" und *armen.* ost „Ast, Zweig". Das *idg.* Wort ist eine alte Zusammensetzung und bedeutet eigtl. „was [am Stamm] ansitzt". Der erste Bestandteil ist *idg.* *ō „nahe an etwas heran, zusammen mit", der zweite Bestandteil gehört zu der *idg.* Wz. *sed- „sitzen" (vgl. *sitzen*; s. auch den Artikel Nest). – Im heutigen Sprachgebrauch bezeichnet ‚Ast' auch einen Knorren oder Auswuchs im Holz. An diesen Wortgebrauch schließt sich die *ugs.* Verwendung von ‚Ast' im Sinne von „Buckel" an, beachte z. B. ‚einen Ast haben', ‚sich einen Ast lachen' und das abgeleitete Verb asten (*ugs.* für „schwer tragen", eigtl. „buckeln" (20. Jh.). Abl.: Geäst *s* (18. Jh.); verästeln, sich (18. Jh.).

Aster *w*: Die Zierpflanze aus der Familie der Korbblütler ist nach ihrem „sternförmigen" Blütenstand benannt. Der Name kommt im 18. Jh. in gelehrter Entlehnung aus *gr.-lat.* astér „Stern; Sternblume" auf. *Gr.* astér (daneben *gr.* ástron „Stern" in den FW → Astrologie und → Astronomie) ist mit *dt.* → Stern urverwandt.

Ästhetik *w* „Lehre vom Schönen": *Nlat.* aesthetica, im 18. Jh. als philosophischer Begriff nach dem Vorbild der klass. griech. Philosophie neu belebt, entspricht. *gr.* aisthetiké (techné), die „Wissenschaft vom sinnlich Wahrnehmbaren bzw. von der Sinneswahrnehmung" bezeichnet, mit einer im Altertum schon vorangedeuteten Begriffsverengung zum „sinnfällig Schönen", das dem klass. Altertum (im Gegensatz zum Häßlichen) als allein wirklich galt. *Gr.* aisthetikós „wahrnehmbar" gehört zum Verb aisthánesthai „wahrnehmen". Damit urverwandt ist *lat.* audīre „hören" (s. Audienz, Auditorium). Als gemeinsame *idg.* Wurzel gilt *au-, *aṷei- „sinnlich wahrnehmen, auffassen". – Neben den unmittelbaren Abl. ästhetisch „schön, ausgewogen" und Ästhet *m* „überfeinerter Freund des Schönen" (aus *gr.* aisthetés „Wahrnehmender") gehört auch das mediz. Fachwort → Anästhesie hierher.

Asthma *s* „erschwertes Atmen in Anfällen heftiger Atemnot" (Med.): Gelehrte Entlehnung des 16. Jh.s aus *gr.* ásthma „schweres,

kurzes Atemholen; Beklemmung". Das *gr.* Subst. ist wohl eine thma-Bildung zum Stamm *an[ə]- „atmen, hauchen" in *gr.* ánemos „Wind" u. in den unter →*animieren* genannten Wörtern. – Dazu das Adj. asthmatisch „an Asthma leidend, kurzatmig" (nach gleichbed. *gr.* ásthmatikós).

Astrologie *w* „Sternkunde (als Lehre vom Einfluß der Gestirne auf irdisches Geschehen)": Gelehrte Entlehnung des 16. Jh.s aus *gr.-lat.* astro-logía „Astrologie; Astronomie". Zu *gr.* ástron „Stern" (vgl. *Aster*) u. *gr.* lógos „Wort; Kunde, Wissenschaft" (vgl. *Logik*). – Dazu: Astrologe *m* „Sterndeuter" (16. Jh.; aus *gr.* astro-lógos > *lat.* astrologus „Sternkundiger; Sterndeuter"). – Gegenüber der Astrologie bezeichnet die **Astronomie** *w* als „Stern- und Himmelskunde" die rein wissenschaftliche, mathematische Beschäftigung mit den Himmelskörpern. Das FW, das im 16. und 17. Jh vielfach noch im Sinne von „Astrologie" gebraucht wurde, beruht auf *gr.-lat.* astro-nomía „Sternkunde" (über das Grundwort vgl. den Artikel ...*nomie*). Dazu: Astronom *m* „Wissenschaftler auf dem Gebiet der Astronomie" (aus *gr.* astro-nómos > *spätlat.* astronomus „Sternkundiger"); astronomisch „die Astronomie betreffend" (*gr.* astro-nomikós > *spätlat.* astronomicus, „sternkundlich"), in der Umgangssprache häufig auch übertr. gebraucht im Sinne von „unermeßlich groß, riesig".

Asyl *s* „Zufluchtsstätte; Heim für Obdachlose": Im 18. Jh. aus *lat.* asylum < *gr.* ásylon „Freistätte, Zufluchtsort" (eigtl. „Unverletzliches") entlehnt. Zu *gr.* a- „un-" (vgl. ²*a*...) und *gr.* sylon „Plünderung; Raub, Beute".

Atelier *s* „Künstlerwerkstatt": Im Anfang des 19. Jh.s aus *frz.* atelier „Werkstatt" entlehnt. Das *frz.* Wort (*afrz.* astelier) bedeutete urspr. „Haufen von Holzspänen" und bezeichnete danach speziell den Arbeitsraum des Zimmermanns (in dem Holzspäne anfallen). Es handelt sich bei dem Wort um eine Abl. von *afrz.* astele „Splitter, Span", das auf gleichbed. *spätlat.* astella (für *lat.* assula, astula) beruht. Dies ist ein Diminutiv zu *lat.* asser „Stange, Balken".

Atem *m*: Das *westgerm.* Wort *mhd., ahd.* ātum, *niederl.* adem, *aengl.* ǣdm ist verwandt mit *aind.* ātmán- „Hauch; Seele". Die weiteren Beziehungen sind dunkel. – Die Nebenform (mit *mdal.* Lautung) Odem *m*, die durch Luthers Bibelübersetzung Verbreitung fand, ist nur im religiösen Bereich üblich. – Abl.: atmen (*mhd.* ātemen, *ahd.* ātamōn).

Atheismus *m* „Gottesleugnung": Das seit dem Ende des 16. Jh.s bezeugte FW ist eine *nlat.* Bildung zu *gr.* á-theos „ohne Gott, gottlos, Gott leugnend" (*gr.* a- „un-", vgl. ²*a*..., und *gr.* theós „Gott"). – Der Anhänger des Atheismus heißt entspr. Ath e ist m (Anfang 17. Jh.).

Äther m 1. „strahlender, blauer Himmel", 2. „Betäubungsmittel": Nach altgriech. Vorstellung bestand der Luftraum über der Erde aus zwei verschiedenen Luftzonen, aus einer unteren, niederen Schicht, die durch neblig-wolkige und dicke Luft gekennzeichnet ist (gr. āēr; als Bestimmungswort in FW wie aerodynamisch) und aus einer himmelsfernen, äußerst feinen und klaren Luftzone, die zugleich als Wohnsitz der unsterblichen Götter galt. Diese letztere heißt nach dem in südlichen Gegenden besonders hell und strahlend erscheinenden Firmament, mit dem sie identifiziert ist, gr. aithér „das Glühende, Brennende". Über lat. aethēr im 17./18. Jh. ins Deutsche entlehnt, wurde dieses Wort oft poetisch als Synonym für „Sternenhimmel, Firmament" gebraucht. In etwas willkürlicher Übertragung benannte man später damit auch ein „leicht flüchtiges" Betäubungsmittel. – Das abgeleitete Adj. ä therisch verdankt seine Entstehung den Alchimisten, die es im urspr. Sinne des Grundwortes verwendeten: ätherisches (d. i. „besonders fein glühendes") Feuer. Von da gelangte es gleichfalls in die Dichtersprache, einerseits im Sinne von „himmlisch", andererseits in den theologischen Bereich in Fügungen wie 'ätherischer Leib' (d. i. „engelhaft, entrückt, nicht greifbar"). Entspr. bedeutet es im heutigen Sprachgebrauch etwa „zart, gebrechlich". – Das den Wörtern zugrunde liegende gr. Verb áithein „brennen, glühen" hat idg. Entsprechungen in lat. aestus „Glut, Hitze", aestās „sommerlich warme Jahreszeit". Als gemeinsame idg. Wurzel gilt *ai-dh- „brennen, glühen".

Athlet m „Sportsmann, Wettkämpfer; Kraftmensch": Im 18. Jh. über lat. athlēta aus gr. āthlētḗs „Wettkämpfer" entlehnt. – Dazu das Adjektiv athletisch „sportlich; durchtrainiert" (bereits im 17. Jh. mit der allgemeinen Bedeutung „kräftig, gesund" (aus lat. āthlēticus < gr. āthlētikós „athletisch") und das Subst. A thletik w „sportlicher Wettkampf" (aus gleichbed. lat. āthlētica, ergänze: ars), das jedoch nur noch in den Zus. Leicht- und Schwerathletik lebt.

Atlantik m „Atlantischer Ozean": Das nach dem altgriech. Gott Atlās (vgl. unten ¹Atlas) benannte Gebirge Atlas in Libyen (Afrika), auf dem nach antiken mytholog. Vorstellungen der Himmel ruhte, lieferte den Namen des entlang der Westküste Afrikas sich erstreckenden Meeres, gr. Atlantikón pélagos, lat. Atlanticum mare (bzw. Atlanticus ōceanus). Dieser Name wurde in die modernen Sprachen entlehnt (beachte entspr. engl. Atlantic), und zwar nunmehr zur Bezeichnung für das gesamte zwischen Afrika, Europa u. Amerika sich ausdehnende Weltmeer.

¹**Atlas** m „Kartenwerk": Die Bezeichnung begegnet zum erstenmal als Titel eines im Jahre 1595 von dem Geographen Mercator herausgegebenen Landkartenwerkes. Sie ist vom Namen des gr. Gottes Atlās genommen, der nach antiken mytholog. Vorstellungen die Erdkugel auf seinen Schultern trug. – Siehe auch Atlantik.

²**Atlas** m bezeichnet ein seidenartiges Gewebe mit hochglänzender Oberfläche. Das FW erscheint im Dt. bereits im 15. Jh. Es beruht letztlich auf arab. aṭlas „kahl; glatt", das in Verbindung mit Wörtern für Seidenstoffe eine glatte, minderwertige Seide bezeichnete und danach auch selbständig in diesem Sinne gebraucht wurde.

Atmosphäre w „Lufthülle"; übertr.: „Fluidum, Umwelt, Stimmung"; in der Physik Bez. für die Einheit des Luftdrucks: Das Wort ist eine gelehrte Neubildung des 17. Jh.s zu gr. atmós „Dunst" und gr. sphaīra „Scheibe, Kugel; Erdkugel" (vgl. Sphäre).

Atoll s: Die im Deutschen seit dem 19./20. Jh. übliche Bezeichnung für eine ringförmige Koralleninsel stammt vermutlich aus der südwestind. Drawidasprache Malayalam, wo aḍal „verbindend" bedeutet. Ins Dt. gelangte das Wort durch Vermittlung von gleichbed. engl. atoll > frz. atoll.

Atom s ist die Bezeichnung für das früher als „unteilbar" angesehene Grundteilchen der Materie. Das FW, das häufig in Zus. wie A tomkern, A tomphysik, A tombombe (alle im 20. Jh. gebildet) gebraucht wird, beruht auf einer gelehrten Entlehnung des 18. Jh.s aus gr. átomos > lat. atomus „der letzte unteilbare Urstoff der Materie", dem substantivierten Femininum des gr. Adj. á-tomos „ungeschnitten; unteilbar". Das Adj. ist eine ablautende Präfixbildung (vgl. ²a...) zu gr. témnein „schneiden" (etymolog. verwandt u. a. mit lat. tondēre „scheren, abschneiden", vgl. Tonsur). – Abl.: a tomar „Atom[waffen] betreffend" (20. Jh.; nlat. Bildung).

Attaché m „Gesandter ohne Botschafterrang": Als Terminus der Diplomatensprache im 19. Jh. aus gleichbed. frz. attaché übernommen. Das frz. Wort selbst ist das substantivierte Part. Perf. Pass. von frz. attacher „festmachen, anbinden, anknüpfen; zuweisen, zuordnen". Es bezeichnet demnach eigtl. den einem Gesandten zugewiesenen Hilfsbeamten.

attackieren „angreifen, zusetzen": Das heute nur noch im übertragenen Sinne gebrauchte Verb wurde im 17. Jh. als militär. Terminus aus frz. attaquer „angreifen" entlehnt. Das etwa gleichzeitig übernommene, dazugehörige Subst. A ttacke w „Kavallerieangriff; (allg.:) Angriff, Anfall" (frz. attaque) hat seinen militär. Sinn nicht bewahrt.

Attentat s „Mordanschlag": LW des 16. Jh.s aus lat. attentātum „Versuchtes". Das Wort wurde zunächst nur allg. im Sinne von „versuchtes Verbrechen" verwendet. Seit dem 19. Jh. hat es durch den Einfluß von *frz.* attentat nur noch die Bedeutung „Mordanschlag auf einen polit. Gegenspieler". Das zugrunde liegende Verb *lat.* attentāre, attemptāre (< *ad-temptāre) „antasten" enthält die *idg.* Wurzel *temp- „dehnen; (seine Aufmerksamkeit) anspannen", eine Erweiterung von gleichbed. *ten- (vgl. *tendieren*). Dazu das abgeleitete Subst. A t t e n t ä t e r *m* (19. Jh.), das volksetymologisch an 'Täter' angelehnt ist.

Attest *s* „[ärztliche] Bescheinigung; Zeugnis": Eine seit dem 18. Jh. bezeugte, aber erst im 19. Jh. allgemein üblich gewordene Kurzform für älteres 'Attestat'. Quelle des Fremdwortes ist *lat.* attestātum, das substantivierte Part. Perf. Pass. von *lat.* at-testārī „bezeugen, bestätigen" (vgl. *Testament*).

Attraktion *w* „zugkräftige Darbietung, Glanznummer, Schlager": Das seit dem 19. Jh. bezeugte FW erscheint zuerst in der Sprache des Zirkuswesens und erlangt von dort her allgemeine Geltung. Es ist aus gleichbed. *engl.* attraction (eigtl. „Anziehung, Anziehungskraft") entlehnt. Das *engl.* Wort selbst führt über *frz.* attraction „Anziehung, Anziehungskraft" auf *spätlat.* attractiō „das Ansichziehen" zurück. Zu *lat.* at-trahere „an sich ziehen, anziehen", einem Kompositum von *lat.* trahere (tractum) „ziehen, schleppen" (vgl. das LW *trachten*). – Zum gleichen Kompositum (*lat.* at-trahere) gehört das FW **attraktiv** „anziehend, hübsch, elegant" (heute meist in Fügungen wie 'eine attraktive Frau'). Es erscheint im 18. Jh. mit der allg. Bed. „anziehend" und beruht auf gleichbed. *frz.* attractif < *spätlat.* attractīvus.

Attrappe *w* „täuschend ähnliche Nachbildung (z. B. von Waren in Schaufenstern)": Im 19. Jh. aus gleichbed. *frz.* attrape entlehnt. Das *frz.* Subst. ist von *frz.* attraper „fangen; anführen, täuschen, foppen" abgeleitet und bedeutet demnach eigtl. „Falle", dann „Scherz, Neckerei" u. in unserem Sinne etwa „Blickfang". *Frz.* attraper ist eine Präfixbildung zu *frz.* trappe „Falle, Schlinge", das seinerseits aus gleichbed. *afränk.* *trappa stammt (vgl. *trappen*).

Attribut *s* „Beifügung, Gliedteil" (Sprachw.), auch allg. übertr. im Sinne von „Kennzeichen, charakteristische Beigabe einer Person, bes. in der bildenden Kunst)": Gelehrte Entlehnung des 18. Jh.s aus gleichbed. *lat.* attribūtum, dem substantivierten Part. Perf. Pass. von *lat.* at-tribuere „zuteilen, zuweisen, verleihen; beilegen, beifügen". Über das einfache Verb *lat.* tribuere „teilen, zuteilen" vgl. *Tribut*. – Abl.: a t t r i b u t i v „beifügend" (junge *nlat.* Bildung).

atzen (weidmänn. für:) „die Jungen füttern", von Raubvögeln: Das heute nur noch in der Weidmannssprache gebräuchliche Verb

(*mhd.* atzen, *ahd.* āz[z]en „speisen, füttern, nähren") ist Veranlassungswort zu dem unter →*essen* behandelten Verb und bedeutet demnach eigtl. „essen machen". Abl.: A t z u n g *w* weidmänn. für „Fütterung, Nahrung der jungen [Raub]vögel", bisweilen auch *ugs.* scherzh. für „Essen" (*mhd.* atzunge „Speise, Fütterung, Futter"). Siehe auch den Artikel *ätzen*.

ätzen „durch Säuren oder Laugen auflösen, entfernen oder zerstören; durch Säure einzeichnen oder mustern": Das *gemeingerm.* Verb *mhd.* etzen, *ahd.* ezzen, *got.* [fra]atjan, *aengl.* ettan, *aisl.* etja ist das Veranlassungswort zu dem unter →*essen* behandelten Verb und bedeutet demnach eigtl. „essen lassen". Es wurde in den älteren *germ.* Sprachzuständen im Sinne von „verzehren lassen, füttern, grasen lassen, weiden" verwendet. Im *Dt.* wurde das Verb Ende des 15. Jh.s zum technischen Fachwort, wobei der fachsprachliche Gebrauch von der Anschauung ausgeht, daß sich die Säure gewissermaßen in das Metall hineinfrißt (vgl. den Artikel *beizen*). Eine nicht umgelautete Nebenform ist →*atzen*.

Au, A u e *w* „Niederung, Flußlandschaft, Wiese", (*landsch.* auch für:) „Insel": *Mhd.* ouwe, *ahd.* ouw[i]a „Land im oder am Wasser, Halbinsel, Insel; Wasser", *afries.* ei-„Insel-" (s. Eiland; *aengl.* ieg „Insel", *schwed.* ö „Insel" beruhen auf der Substantivierung eines Adjektivs mit der Bed. „zum Wasser gehörig, am Wasser befindlich". Das zugrunde liegende *germ.* *a[3]wjō „Insel, Au", das also eigtl. „die zum Wasser Gehörige" bedeutet, ist abgeleitet von einem im *Nhd.* nur noch in Flußnamen bewahrten *gemeingerm.* Wort für „Wasser, Gewässer": *mhd.* ahe, *ahd.* aha, *got.* aƕa, *aengl.* ēa, *schwed.* å „Wasser, Gewässer, Flußlauf" (vgl. die *dt.* Flußnamen Ach, Aach, Brigach, Salzach, Fulda). Damit ist außergerm. z. B. verwandt *lat.* aqua „Wasser, Gewässer, Fluß" (s. Aquarium und Aquarell). – Das Wort Au[e] kommt heute außer im dichterischen Sprachgebrauch gewöhnlich nur noch in Orts-, Landschafts- und Inselnamen vor, beachte z. B. Goldene Aue, Isarauen, Reichenau. – Eine Kollektivbildung zu 'Au[e]' ist vermutlich →*Gau*.

auch: In dem *gemeingerm.* Wort (Adv. und Konj.) *mhd.* ouch, *ahd.* ouh, *got.* auk, *aengl.* ēac, *schwed.* och, *ock* sind wahrscheinlich zwei urspr. verschiedene Wörter zusammengefallen: 1. eine adverbiell erstarrte Kasusform eines im *Dt.* untergegangenen Substantivs mit der Bed. „Zunahme, [Ver]mehrung", vgl. *aengl.* ēaca „Zunahme; Vermehrung; Vorteil; Wucher", *aisl.* auki „Vermehrung; Zuwachs; Nachkommen" und weiterhin *got.* aukan „vermehren"; 2. eine z. B. mit *gr.* aũ „wieder, abermals, hingegen" und *lat.* aut „oder", autem „aber" verwandte Partikel. Der doppelte Ursprung läßt sich noch

an den verschiedenen Verwendungen des *gemeingerm.* Wortes in den alten Sprachzuständen erkennen, einerseits hinzufügend im
Sinne von „und, auch", andererseits be-
gründend im Sinne von „denn, nämlich"
und entgegensetzend im Sinne von „aber,
dagegen". Im heutigen *dt.* Sprachgebrauch
wird 'auch' nur noch hinzufügend verwendet.
Audienz *w* „feierlicher Empfang bei hohen
politischen oder kirchlichen Würdenträgern":
Das seit etwa 1500 in der Hof- und Regie-
rungssprache übliche FW, das auf *lat.* au-
dientia „Gehör, Aufmerksamkeit" zurückgeht, entwickelte seine spezielle Bed. aus
Wendungen wie 'audientiam bitten bzw.
geben'. – Das dem *lat.* Subst. zugrunde liegende Verb *lat.* audīre (< *auis-dh-īre*)
„hören", das auch in unserem FW → Auditorium erscheint, ist urverwandt u. a. mit
gr. aisthánesthai „wahrnehmen" (vgl.
Ästhetik).
Auditorium *s* „Hörsaal, Zuhörerschaft": Im
16. Jh. aus gleichbed. *lat.* audītōrium entlehnt. Zu audītōrius „Zuhörer", audīre
„hören" (vgl. *Audienz*).
Auerhahn *m*: Die *nhd.* Form des Vogelnamens geht zurück auf *mhd.* ūrhan, das
unter dem Einfluß von *mhd.* ūr[e], *ahd.* ūro
„Auerochse" (vgl. *Auerochse*) aus *mhd.*
orhan umgebildet worden ist. Das Bestimmungswort dieser verdeutlichenden Zusammensetzung *mhd.* or-, *ahd.* orre- (in orrehuon
„Auerhenne") entspricht *schwed.*, *norw.*
orre, *aisl.* orri „Birkhahn". Dieser Vogelname ist z. B. verwandt mit *gr.* ársēn
„männlich" und *apers.* aršan- „Mann,
Männchen" und bedeutet – wie auch das
eng verwandte *schwed.* orne „Zuchteber" –
eigtl. „männliches Tier, Männchen". Man
benannte also zuerst den männlichen Vogel,
weil sich dieser in der Größe und in der Farbe
des Gefieders vom weiblichen Vogel unterscheidet und für den Jäger von größerem
Interesse ist.
Auerochse *m*: Die seit *ahd.* Zeit gebräuchliche Zusammensetzung *mhd.* ūrochse, *ahd.*
ūrohso steht verdeutlichend für das im *Nhd.*
untergegangene *altgerm.* Wort für „Auerochse": *mhd.* ūr[e], *ahd.* ūro, *aengl.* ūr, *aisl.*
ūrr. Gleichfalls verdeutlichende Zusammensetzungen sind z. B. 'Lindwurm', 'Murmeltier' und 'Schmeißfliege' (s. d.). – Das *altgerm.* Wort ist wahrscheinlich im Sinne von
„Befeuchter, [Samen]spritzer" mit der *nord.*
Sippe von *aisl.* ūr „Feuchtigkeit, feiner Regen" und weiterhin z. B. mit *lat.* ūrīna
„Harn" (s. Urin) verwandt. Vgl. zu diesem
Benennungsvorgang den Artikel Ochse. –
Seit dem 18. Jh. ist neben 'Auerochse' auch
eine erneuerte altdeutsche Form Ur *m* gebräuchlich.
auf: Das *altgerm.* Wort (Adv. und Präp.)
mhd., *ahd.* ūf, *niederl.* op, *engl.* up, *schwed.*
upp gehört mit ablautend *got.* iup „aufwärts"

und den unter → ¹ob, →obere und →offen
behandelten Wörtern zu *idg.* *up[o]-, *eup-
„von unten an etwas heran oder hinauf". In
anderen *idg.* Sprachen sind z. B. verwandt
gr. hypó „unten an etwas heran, unter" und
lat. sub „unter", die in zahlreichen aus dem
Gr. und *Lat.* entlehnten Wörtern als erster
Bestandteil stecken (s. hypo... und sub...).
Im Sinne von „über das Maß hinausgehend"
gehören hierher wahrscheinlich auch die
unter →übel und →üppig behandelten Adjektive. Zu *up[o] gehört ferner *idg.* *upé-
r[i] „über, oberhalb", auf dem die Wortgruppe von →über beruht. – Als Adverb ist
'auf', das mit zahlreichen Verben unfeste
Zusammensetzungen bildet, im heutigen *dt.*
Sprachgebrauch durch 'hinauf', 'herauf' und
'aufwärts' zurückgedrängt. – Siehe auch den
Artikel Summe.
Aufenthalt *m* „Bleiben, Verweilen; Ort des
Verweilens, Wohnort; Unterbrechung, Verzögerung": Die *nhd.* Form geht zurück auf
mhd. ūfenthalt „Aufrechthaltung, Beistand;
Unterhalt; Bleibe", das zu *mhd.* ūf-enthalten
„aufrechthalten, beistehen; Unterhalt gewähren; zurückhalten" gehört (vgl. *halten*).
Aufruhr *m* „Empörung, Tumult, Erhebung":
Die seit dem 15. Jh. bezeugte Zusammensetzung enthält als Grundwort das unter
→Ruhr behandelte Substantiv in dessen
älterer Bed. „heftige Bewegung". Abl.:
Aufrührer *m* (15. Jh.); **aufrührerisch**
(18. Jh., für älteres aufrührig, aufrührisch).
aufsässig „widersetzlich, aufrührerisch":
Der zweite Bestandteil des seit dem 16. Jh.
bezeugten Adjektivs gehört zu der Wortgruppe von →sitzen (vgl. *mhd.* sāze „Rast-
[ort], Wohnsitz; Lage, Stellung; Lauer;
Nachstellung, Hinterhalt" und die heute
veraltete Verwendung des zusammengesetzten Verbs aufsitzen im Sinne von „sich
widersetzen, feindlich sein").
aufwiegeln „zur Meuterei oder Empörung
anstiften, verhetzen": Das seit dem 16. Jh.
bezeugte zusammengesetzte Verb enthält
als 2. Bestandteil eine Intensivbildung zu
dem unter →bewegen behandelten einfachen
Verb (*mhd.* wegen, *ahd.* wegan), vgl. *mhd.*
wigelen „schwanken". Es bedeutet demnach eigtl. „kräftig in Bewegung setzen".
Auge *s*: Das *gemeingerm.* Wort *mhd.* ouge,
ahd. ouga, *got.* augō, *engl.* eye, *schwed.* öga
gehört mit verwandten Wörtern in den meisten anderen *idg.* Sprachen zu der *idg.* Wz.
*okʷ- „sehen; Auge", vgl. z. B. *russ.* óko
„Auge", *lat.* oculus „Auge" (s. okularen
und Okular) und *gr.* ópsesthai „sehen werden", ómma „Auge", optikós „zum Sehen
gehörig" (s. Optik und Panoptikum). Falls
die *idg.* Wurzel urspr. verbal war und „sehen" bedeutete, ist das Auge als „Seher" benannt worden. – Im übertragenen Gebrauch
bezeichnet 'Auge' im *Dt.* Dinge, die mit der
Form eines Auges Ähnlichkeit haben, speziell

augenförmige Öffnungen und Tupfen, beachte z. B. die Zus. Bullauge (s. Bulle), Hühnerauge (s. d.), Pfauenauge (s. Pfau). Vor allem wird es übertragen im Sinne von „[geschlossene] Pflanzenknospe, Keim", „Punkt auf dem Würfel" und „Fetttropfen auf einer Flüssigkeit" verwendet. Die große Bedeutung des Gesichtssinnes für den Menschen spiegelt sich sprachlich in einer Fülle von Verbindungen und Redewendungen wider, beachte z. B. 'im Auge haben', 'unter die Augen kommen', 'ein Auge zudrücken', 'einem Sand in die Augen streuen', 'aus den Augen, aus dem Sinn'. Abl.: ä u g e l n „mit den Augen zublinzeln, Blicke tauschen" (*mhd.* ougeln *s* subst. Infinitiv „Liebäugeln", sonst „mit Augen versehen"); ä u g e n „vorsichtig oder scharf blicken", gewöhnlich vom Wild (17. Jh.; dagegen *mhd.* öugen „vor Augen bringen, zeigen", s. den Artikel ereignen). Zus.: A u g - a p f e l (*mhd.* ougapfel, *ahd.* ougapful; auch übertragen im Sinne von „Liebstes" gebraucht); A u g e n b l i c k (*mhd.* ougenblic „[schneller] Blick der Augen", seit dem 14. Jh. dann auch „ganz kurze Zeitspanne"); A u g e n w e i d e (s. ²Weide).

August *m*: Der Name für den achten Monat des Kalenderjahres, *ahd.* a[u]gusto, *mhd.* ougest[e], beruht wie z. B. entspr. *frz.* août auf gleichbed. *lat.* (mēnsis) Augustus. Der Monat wurde von den Römern zu Ehren des Kaisers Octavian nach dessen Beinamen Augustus „der Erhabene" benannt. Im Deutschen wurde der fremde Name gegenüber der einheimischen Bezeichnung 'Erntemond' von der Kanzleisprache des 16. Jh.s durchgesetzt.

Auktion *w* „Versteigerung": Im 16. Jh. als kaufmännischer Terminus aus gleichbed. *lat.* auctiō (eigtl. „Vermehrung", dann „Steigerung, nämlich des Preises") entlehnt. Zu *lat.* augēre (auctum) „wachsen machen; vergrößern, vermehren usw." (vgl. *Autor*). – Abl.: a u k t i o n i e r e n „versteigern" (17. Jh., dafür zuerst meist 'verauktionieren'; nach gleichbed. *lat.* auctiōnārī); A u k t i o n a t o r *m* „Versteigerer" (18. Jh., aus gleichbed. *spätlat.* auctiōnātor).

Aula *w* „Festsaal (in Hochschulen)": Im 17. Jh. aus *lat.* aula „eingehegter Hofraum; bedeckte Halle (im röm. Haus)" entlehnt, das seinerseits aus *gr.* aulḗ „äußerer oder innerer Hof; Wohnung" stammt.

aus: Das *gemeingerm.* Adverb *mhd.*, *ahd.* ūz, *got.* ūt, *engl.* out, *schwed.* ut beruht mit verwandten Wörtern in anderen *idg.* Sprachen auf *idg.* *ŭd- „auf etwas hinauf, aus etwas hinaus", vgl. z. B. *aind.* úd-, út- „empor, hinaus" und *lit.* ùž- „empor, hinauf, zu". Auf ein weitergebildetes *ŭd-s geht die unter dem Präfix →*ur*... behandelte *germ.* Wortgruppe zurück (s. auch den Artikel er...). Im *Westgerm.* entwickelte sich das Ad-

verb auch zur Präposition. Im heutigen *dt.* Sprachgebrauch ist das Adverb 'aus', das mit zahlreichen Verben unfeste Zusammensetzungen bildet, als selbständiges Wort nur noch selten gebräuchlich, beachte z. B. 'aus und ein gehen'. Das in der Sprache des Sports verwendete A u s *s* „Raum außerhalb des Spielfeldes" (20. Jh.) ist LÜ vom *engl.* out. – Von 'aus' abgeleitet sind die unter →außen und →außer behandelten Wörter.

ausbaldowern (*ugs.* für:) „auskundschaften": Das im 19. Jh. aus der Gaunersprache übernommene Wort gehört zu *rotwelsch* Baldower „Auskundschafter, Anführer bei einem Diebesunternehmen", das *jidd.* baal „Herr, Mann" und dowor „Sache" enthält und demnach eigtl. „Herr (Mann) der Sache" bedeutet.

Ausbund *m*: Das seit dem 16. Jh. bezeugte Wort, das heute nur noch im übertragenen Sinne von „Höchstes, Bestes, Muster, Inbegriff" verwendet wird, stammt aus der Kaufmannssprache und bezeichnete urspr. das an einer Ware nach außen Gebundene, d. h. das beste Stück einer Ware, das dem Käufer zur Schau gestellt wird (vgl. *binden*).

ausmergeln „entkräften, schwächen": Das seit dem 16. Jh. gebräuchliche Verb gehört zu dem unter →³*Mark* (*mhd.* marc, -ges „Innengewebe") behandelten Substantiv und bedeutet demnach eigtl. „das Mark auszehen". Auf die Bedeutung des Verbs wirkte wahrscheinlich das mediz. Fachwort *lat.* marcor „Schlaffheit" ein. Später wurde 'ausmergeln' im Sprachgefühl mit dem unter →*Mergel* „Ton-Kalkstein" behandelten Wort verbunden. Diese Verknüpfung lag nahe, weil eine häufige Mergeldüngung den Boden allmählich auslaugt und verdirbt. – Neben 'ausmergeln' ist auch gleichbed. a b - m e r g e l n gebräuchlich.

ausmerzen „als untauglich aussondern, beseitigen": Die Herkunft des seit dem 16. Jh. gebräuchlichen Verbs ist unklar. Das Verb wurde urspr. in der Sprache der Schafzüchter gebraucht, und zwar im Sinne von „die zur Zucht untauglichen Schafe aus einer Herde aussondern", wovon der übertragene Wortgebrauch ausgeht. – Durch volksetymologische Anlehnung an den Monatsnamen März wurde 'ausmerzen' früher als „die Schafe im März aussondern" verstanden.

ausrotten „völlig vernichten": Das seit dem 15. Jh., zuerst in der Form ausrutten bezeugte zusammengesetzte Verb gehört zu dem heute nicht mehr gebräuchlichen einfachen Verb rotten „völlig vernichten", das eigtl. „roden, mit der Wurzel beseitigen" bedeutet (vgl. *roden*).

Aussatz *m* „Lepra": Die nhd. Form geht auf gleichbed. *mhd.* ūzsaz zurück, das aus dem Adjektiv *mhd.* ūzsetzic, älter ūzsetze, *ahd.* ūzsāzeo „aussätzig" zurückgebildet ist. Das

Adjektiv gehört zu dem unter →*setzen* behandelten Verb und bedeutet demnach eigtl. „ausgesetzt, abgesondert". Die von der Lepra befallenen Kranken mußten abseits von den menschlichen Siedlungen wohnen. – Das Adjektiv aussätzig (*mhd.* ūʒsetzic, s. o.) wurde im *Nhd.* an die Schreibung des Substantivs angeglichen.

Ausschuß *m*: Das seit dem 15. Jh. bezeugte Substantiv ist eine Bildung zu dem heute nur noch sondersprachlich gebräuchlichen zusammengesetzten Verb ausschießen „aussondern" (*mhd.* ūʒschieʒen „auswerfen; aussondern; ausschließen; keimen, knospen", vgl. *schießen*). Es bezeichnete zunächst die aus einer größeren Versammlung ausgesonderte Anzahl von Menschen, seit dem 17. Jh. dann auch die als minderwertig oder unbrauchbar ausgesonderte Ware.

außen: Das *gemeingerm.* Wort (Adv. und Präp.) *mhd.* ūʒen, *ahd.* ūʒan[a], *got.* ūtana, *aengl.* ūtan[e], *schwed.* utan ist von dem unter →*aus* behandelten Wort abgeleitet. Zus.: Außenseiter *m* (Ende des 19. Jh.s, LÜ des *engl.* Sportausdrucks outsider „Pferd, auf das nicht gewettet wird", dann auch „Sportler, der mit wenig Siegesaussichten an den Start geht" und „Abseitsstehender, Eigenbrötler").

außer: Das *altgerm.* Wort (Präp. und Adv.) *mhd.* ūʒer, *ahd.* ūʒar, *asächs.* ūtar, *aengl.* ūtor, *aisl.* ūtar ist von dem unter →*aus* behandelten Wort abgeleitet. Im heutigen Sprachgebrauch wird „außer", das früher räumliche Geltung hatte und sowohl die Lage als auch die Richtung angab, gewöhnlich nur noch übertragen im Sinne von „abgesehen von, mit Ausnahme von" verwendet. Abl.: äußere (*mhd.* ūʒere, *ahd.* ūʒaro, vgl. *engl.* outer, utter, *schwed.* yttre; die Adjektivbildung hat sekundären Umlaut nach dem Superlativ ʼäußerstʼ), dazu äußerlich (*mhd.* ūʒerlich, beachte Äußerlichkeit *w*); äußern, [sich] „aussprechen, vortragen, [sich] zeigen" (*mhd.* ūʒern reflexiv „aus der Hand, aus dem Besitz geben, verzichten", vgl. *engl.* to utter „äußern"), dazu Äußerung *w* (*mhd.* ūʒerunge „Aussprache, Rede; Entfernung, Ausweisung") und die Präfixbildungen entäußern, sich und veräußern.

ausstatten „mit etwas versehen, ausrüsten, [groß] aufmachen": Das seit dem 17. Jh. bezeugte zusammengesetzte Verb gehört zu dem in *frühnhd.* Zeit untergegangenen einfachen Verb statten, *mhd.* staten „wozu verhelfen, zufügen", das – wie auch das unter →*gestatten* behandelte Verb – von *mhd.* state, *ahd.* stata „rechter Ort, Gelegenheit" abgeleitet ist (vgl. *stehen*).

Auster *w*: Der im 16. Jh. vom *Niederd.* ins *Hochdt.* gelangte Name der eßbaren Meeresmuschel, *niederd.* ūster, *frühnhd.* Uster, wurde aus dem *Niederl.* entlehnt. Das niederl. Wort selbst, (*m*)*niederl.* oester, führt wie entspr. *afrz.* oistre > *frz.* huître (aus dem *Afrz.* stammt *engl.* oyster) über *roman.* ostrea < *lat.* ostreum „Auster" auf gleichbed. *gr.* óstreon zurück. Zum Stamm von *gr.* ostéon „Knochen, Bein", *gr.* óstrakon „harte Schale; Scherbe" (s. Estrich). Die Auster ist also nach ihrer hartknochigen Schale benannt.

autark „[wirtschaftlich] unabhängig": Junge Entlehnung aus *gr.* aut-árkēs „sich selbst genügend; unabhängig". Zu *gr.* autós „selbst" (vgl. *auto...*) u. *gr.* arkeĩn „abwehren; helfen; ausreichen, genügen".

authentisch „(nach einem sicheren Gewährsmann) glaubwürdig u. zuverlässig verbürgt; echt": In der Kanzleisprache des 16. Jh.s aus *spätlat.* authenticus „zuverlässig verbürgt; urschriftlich, eigenhändig (von Schriften)" entlehnt, das seinerseits aus *gr.* authentikós „zuverlässig verbürgt" stammt. Zu *gr.* auth-éntēs „Urheber, Ausführer" (urspr. vielleicht „wer mit eigener Hand etwas vollbringt"). Dessen erstes Glied ist *gr.* autós „selbst; eigen" (vgl. *auto...*). Das zweite Glied ist nicht sicher gedeutet.

auto..., Auto..., (vor Selbstlauten und vor h:) aut..., Aut...: Aus dem *Gr.* stammendes Bestimmungswort von Zus. mit der Bed. „selbst, eigen, persönlich, unmittelbar", in FW wie →Autodidakt, →Autogramm, →autark, → authentisch u. a. Quelle ist *gr.* autós „selbst; eigen; persönlich usw.".

Auto *s* „Kraftfahrzeug": Kurzform für die im 19./20. Jh. entstandene hybride Neubildung Automobil *s* (wörtl.: „Selbstbeweger"). Zu *gr.* autós „selbst" (vgl. *auto...*) und *lat.* mōbilis „beweglich" (vgl. *mobil*).

Autodidakt *m* „wer sich durch Selbstunterricht gebildet hat": Gelehrte Entlehnung des 18. Jh.s aus *gr.* auto-dídaktos „selbstgelehrt". Zu *gr.* autós „selbst" (vgl. *auto...*) und *gr.* didáskein „lehren, unterrichten" (vgl. *didaktisch*).

autogen „selbst hervorbringend", vornehmlich in den Fügungen: -es Schweißen (unmittelbare Verschweißung zweier Werkstücke ohne Zuhilfenahme artfremden Bindematerials), -es Training (Beherrschung des Leibes durch Selbstversenkung, d. h. heilendes Wirkenlassen der körpereigenen Kräfte). Autogen geht zurück auf *gr.* auto-genḗs „selbst erzeugt, selbst hervorgebracht". Zu *gr.* autós „selbst" (vgl. *auto...*) u. *gr.* génos „Geschlecht, Abstammung usw.".

Autogramm *s* „eigenhändig geschriebener Namenszug": Junge Neubildung des 20. Jh.s zu *gr.* autós „selbst, eigen" (vgl. *auto...*) und *gr.* gráphein „schreiben", grámma „das Geschriebene; der Buchstabe" (vgl. *Graphik*). – Dazu die Zus. Autogrammjäger.

Automat *m* „selbsttätige Vorrichtung; Verkaufs-, Bearbeitungsapparat": Das FW erscheint zuerst im 16. Jh. in der noch nicht eingedeutschten Pluralform ʼautomataʼ,

später auch im Sing. als 'Automaton'. Die eingedeutschte Form setzt sich erst im 18. Jh. unter dem Einfluß von entspr. *frz.* automate durch. Das Wort ist substantiviert aus dem *gr.* Adj. autó-matos ,,sich selbst bewegend, aus eigenem Antrieb, von selbst". Dessen Bestimmungswort ist *gr.* autós ,,selbst" (vgl. *auto...*). Über das Grundwort vgl. den Artikel *Manie*. – Abl.: a u t o m a t i s c h ,,selbsttätig; zwangsläufig" (19. Jh., nach gleichbed. *frz.* automatique); a u t o m a t i s i e r e n ,,einen Betrieb auf vollautomatische Fabrikation umstellen" (20. Jh., nach gleichbed. *frz.* automatiser).

autonom ,,nach eigenen Gesetzen lebend, selbständig, unabhängig": Gelehrte Entlehnung des 19. Jh.s aus gleichbed. *gr.* autónomos (vgl. *auto...* und *...nom*). Das dazugehörige Subst. **Autonomie** *w* ,,Recht auf Unabhängigkeit, Selbstgesetzlichkeit" (aus gleichbed. *gr.* autonomía) erscheint am Anfang des 18. Jh., in latinisierter Form als 'Autonomia' schon am Ende des 16. Jh.s.

Autor *m* ,,Urheber; Verfasser eines Werkes der Literatur, Musik, Kunst usw.": Das seit dem 15. Jh. zunächst als 'auctor' bezeugte FW geht auf *lat.* auctor ,,Urheber; Schöpfer, Autor" zurück, das wörtlich etwa ,,Mehrer, Förderer" bedeutet. Stammwort ist *lat.* augēre (auctum) ,,wachsen machen, mehren, fördern; vergrößern; erhöhen, verherrlichen" (etymolog. verwandt mit *dt.* →²*wachsen*). – Hierher: **autorisieren** ,,ermächtigen, bevollmächtigen" (16. Jh., nach *mlat.* auctōrizāre ,,sich verbürgen; Vollmacht geben"); **Autorität** *w* ,,die zwingende Macht des Überlegenen; Ansehen; angesehene, maßgebliche Persönlichkeit" (15. Jh.; aus gleichbed. *lat.* auctōritās). Dazu zwei *nlat.* Bildungen jüngster Zeit, die Adj. a u t o r i t ä r ,,in illegitimer Machtanmaßung handelnd bzw. regierend" (aus gleichbed. *frz.* autoritaire) und a u t o r i t a t i v ,,in legitimer Vollmacht handelnd; maßgebend, entscheidend". – Siehe auch Auktion usw. und oktroyieren.

avancieren: Das FW erscheint zuerst im 17. Jh. als militär. Terminus mit der Bed. ,,vorrücken". Die heute übliche übertr. Bed. ,,aufrücken; befördert werden" kommt im 18. Jh. hinzu. Entlehnt ist das Wort aus gleichbed. *frz.* avancer, das seinerseits auf einem *vlat.* Verb *abantiāre ,,vorwärtsbringen" beruht. Zu *spätlat.* ab-ante ,,vor - weg" (daraus z. B. *frz.* avant ,,vor", s. Avantgarde).

Avantgarde *w* ,,Vorhut": Das aus gleichbed. *frz.* avant-garde entlehnte FW erscheint im Deutschen zunächst als militär. Terminus im Verlauf des Dreißigjährigen Krieges. In diesem Sinne ist es heute veraltet. Es lebt jedoch noch im übertr. Sinne als Bezeichnung für die Vorkämpfer einer Idee, einer Richtung usw. – Abl.: A v a n t g a r d i s t *m* ,,Vorkämpfer" (20. Jh.) mit dem dazugehörigen Adj. a v a n t g a r d i s t i s c h ,,vorkämpferisch" (20. Jh.).

Aversion *w* ,,Abneigung": Im 17. Jh. aus gleichbed. *frz.* aversion entlehnt, das seinerseits auf *lat.* āversiō ,,das Abwenden; das Sichabwenden; (*spätlat.*:) Abscheu" beruht. Zu *lat.* ā-vertere ,,abwenden", einem Kompositum von *lat.* vertere (versum) ,,wenden, drehen" (vgl. *Vers*).

axial ,,in der Achsenrichtung verlaufend": *Nlat.* Bildung neuester Zeit zu dem mit *dt.* →*Achse* urverwandten *lat.* Subst. axis ,,Achse (am Wagen); Erdachse; Pol".

Axiom *s* ,,(ohne Beweis anerkannter, geforderter) Grundsatz": Im 17. Jh. entlehnt aus gleichbed. *lat.* axiōma, aus *gr.* axíōma (eigtl.: ,,was für wichtig erachtet wird"). Zu *gr.* axióein ,,würdigen; verlangen" ist *gr.* axiós ,,würdig, wert", das über eine Vorform *áktios ,,ein entspr. Gewicht habend, wichtig" zu einer idg. Wurzel *aĝ- ,,wiegen, wägen" gehört, einer Sonderentwicklung von *ag- ,,treiben" (vgl. *Achse*), etwa im Sinne von ,,die Arme der Waage in Schwingung bringen". Vgl. hierzu die Entsprechungen im *Lat.* unter den FW →Examen, →exakt.

Axt *w*: Das *gemeingerm.* Wort *mhd.* ackes, ax[t], *ahd.* ackus, *got.* aqizi, *engl.* axe, *schwed.* yxa hängt mit *gr.* axínē ,,Axt, Beil" und *lat.* ascia (aus *acsia) ,,Zimmermannsaxt" zusammen. Wahrscheinlich handelt es sich um ein altes Wanderwort kleinasiatischen Ursprungs.

Azalee *w*: Der Name der Zierpflanze ist eine gelehrte *nlat.* Bildung zu dem Femininum des *gr.* Adjektivs azaléos ,,trocken, dürr" (Femin.: azalḗē). Die Pflanze ist vermutlich so benannt worden, weil sie ,,trockenen" Nährboden bevorzugt.

Azur *m* ,,Himmelsblau; hochblauer Farbton": Im Anfang des 18. Jh.s aus *frz.* azur ,,Lapislazuli; Himmelsblau; blauer Farbton" entlehnt. Das *frz.* Wort seinerseits führt über *mlat.* azzurum ,,[Himmels]blau" auf *arab.* lāzaward (< *pers.* lāğwärd) ,,Lasurstein; lasurfarben" zurück, das auch die Quelle für unser FW →*Lasur* ist. Das anlautende l- des *arab.* Wortes ist in den *roman.* Sprachen abgefallen (beachte entspr. *it.* azzurro und *span.* azul), weil es fälschlich als *arab.* Artikel angesehen wurde. – Dazu: a z u r n ,,himmelblau" (18. Jh.) und gleichbed. a z u r b l a u (18. Jh.).

B

babbeln (*ugs.* für:) „schwatzen“: Das seit dem 16. Jh. bezeugte Verb ist (so auch *niederl.* babbelen „schwatzen, klatschen“, *engl.* to babble „stammeln; schnattern, schwatzen“ und *schwed.* babbla „schwatzen, plappern“) lautnachahmenden Ursprungs. Elementarverwandt ist z. B. *mlat.* babellare „lallen, stammeln“. Ähnliche Lautnachahmungen oder kindersprachliche Lallwörter sind z. B. *gr.* bárbaros „ausländisch; (von der Sprache) unverständlich; roh, ungebildet“, eigtl. „stammelnd“ (s. Barbar), *lat.* balbus „lallend, stammelnd“, *russ.* balabólit' „schwatzen“. Siehe auch die Artikel Baby, Base, Bube, Buhle.

Baby *s* „Säugling; Kleinkind“: Im 19. Jh. aus gleichbed. *engl.* baby entlehnt, das wahrscheinlich aus der Lallsprache der Kinder stammt (vgl. die Artikel Bube und babbeln). Zus.: B a b y d o l l *s* (duftiger Damenschlafanzug mit kurzen Höschen, so benannt nach der weiblichen Titelfigur eines Films. Der Name ist eine *engl.-amerik.* Phantasiebildung und bedeutet wörtlich „Puppenkind“; B a b y s i t t e r *m* „Säuglingshüter“ (20. Jh.; zu *engl.* to sit = →*sitzen*).

Bach *m*, *mdal.* auch *w*: Die Herkunft des *altgerm.* in zahlreichen Gewässer- und Siedlungsnamen steckt, ist unklar. Vielleicht sind *mhd.* bach, *ahd.* bah, *niederl.* beek, *aengl.* bece, *schwed.* (andersgebildet) bäck „kleines fließendes Gewässer“ verwandt mit *mir.* būal „fließendes Wasser“ (aus *bhog-lā).

Bachstelze *w*: Der seit dem 14. Jh. bezeugte Vogelname (*mhd.* bachstelz) bezieht sich auf die stelzende Gangart des wasserliebenden Vogels (vgl. *Bach* und *Stelze*). Entsprechendes gilt für den im *oberd.* Bereich auftretenden Namen Wasserstelz[er] (*ahd.* waʒʒerstelza). Dem im *Niederd.* heimischen Namen Wippstert *m* (vgl. *wippen* und *Sterz*) liegt die Vorstellung vom ständig wippenden Schwanz des Vogels zugrunde.

Backbord *s* „linke Schiffsseite (von hinten gesehen)“: Das Wort wurde im 18. Jh. aus *niederl.* (-mnd.) ba[c]kbōrt aufgenommen. Zum Bestimmungswort (*niederl.* back „Rücken“) vgl. ²*Backe*. Zum Grundwort vgl. ²*Bord*. In der alten Schiffahrt hatte der Mann am Steuerruder, das sich damals an der rechten hinteren Schiffsseite befand, diese Seite im Rücken.

¹**Backe** *w*, (*südd.:*) B a c k e n *m* „Wange, Kinnbacke“: Das nur *dt.* Wort lautet *mhd.* backe, *mnd.* backe, *ahd.* backo. Vielleicht ist *gr.* phagónes „Kinnbacken“, phageín „essen“

(zu *idg.* *bhag- „zuteilen, als Anteil erhalten“) urverwandt, so daß die Kinnbacke als „Esser“ benannt worden wäre. – Zus.: B a c k [e n] z a h n (*mhd.* baczan, *ahd.* back[o]zan[d]); B a c k p f e i f e (19. Jh., bes. *nordostd.* Dem Wort liegt wohl die Vorstellung zugrunde, daß es beim Schlag an der Backe pfeift; möglich ist auch Umdeutung aus „gebackene Feige“, vgl. Ohrfeige).

²**Backe** *w* „Rückenstück“, nur in Hinter-, *ugs.* Arschbacke: *mhd.* [ars]backe, bache, *ahd.* bahho „Schinken, Speckseite“ ist eine Ableitung von *ahd.* bah „Rücken“, die an das unverwandte ¹Backe angelehnt wurde. Die Herkunft des *ahd.* Substantivs bah (entsprechend gleichbed. *engl.* back, *schwed.* bak) ist ungeklärt.

backen: Das *altgerm.* Verb *mhd.* bachen, *ahd.* bahhan, backan, *niederl.* bakken, *engl.* to bake, *schwed.* baka ist eng verwandt mit *gr.* phõgein „rösten, braten“ und gehört zu der Wortgruppe von →*bähen*. Das älteste Backen (s. Brot, Fladen) war ein Rösten. Übertragen galt ‘backen’ früher *landsch.* vom Ziegelbrennen (Backstein, s. u.) und von der Töpferei (*niederrhein.* Pottbäcker, *nassauisch* Kannenbäcker), intransitiv bedeutet es auch „kleben“ (der Schnee backt; dazu wohl →*Batzen*). Abl.: B ä c k e r *m* (*mhd.* becker); G e b ä c k *s* (15. Jh., in der Bed. „auf einmal Gebackenes“; später „feines Backwerk“). Zus.: B a c k f i s c h (eigentlich der junge, nur zum Backen geeignete Fisch; seit dem 16. Jh. zeitweise der unreife Student [mit Anlehnung an *nlat.* baccalaureus „Gelehrter des untersten Grades“], bes. aber das halbwüchsige Mädchen); B a c k s t e i n „Ziegelstein“ (*mnd.* backstēin); a l t b a c k e n „trocken“, von Gebäck (16. Jh.; das 2. Part. von ‘backen’ steht in der Zus. ohne ge-); h a u s b a c k e n (auch für:) „bieder, schwunglos“ (16. Jh., von grobem, hausgebackenem Brot); Z w i e b a c k (s. d.).

Bad *s*: Die *altgerm.* Substantivbildung *mhd.* bat, *ahd.* bad, *niederl.* bad, *engl.* bath, *schwed.* bad gehört zu der Wortgruppe von →*bähen* „feucht erhitzen“. In ON wie Baden, Wiesbaden steht der alte Dativ der Mehrz. „zu den Bädern“ als LÜ für *lat.* Aquae. Abl.: b a d e n (ebenfalls *altgerm.*: *mhd.* baden, *ahd.* badōn, *niederl.* baden, *engl.* to bathe, *schwed.* bada), dazu: etwas a u s b a d e n (übertr. für:) „die Folgen tragen“ (eigtl. „das von andern angerichtete Bad bis zu Ende aushalten“); B a d e r *m* veralt. für: „Barbier, Heilgehilfe“ (*mhd.* badǣre bezeichnet den Inhaber einer Badestube, der auch zur Ader ließ, Schröpfköpfe setzte und die Haare schnitt).

Bagage *w*: Das seit dem 16. Jh. bezeugte FW stammt aus der Soldatensprache und bedeutete ursprünglich „Gepäck, Troß". Heute ist es veraltet und lebt eigtl. nur noch als Scheltwort für „Gesindel", eine Bedeutungsentwicklung, die der von →Pack analog ist. Das vorausliegende *frz.* bagage ist von *frz.* bagues „Gepäck" abgeleitet, dessen weitere Herkunft unsicher ist.

Bagatelle *w* „unbedeutende Kleinigkeit": Im 17./18. Jh. entlehnt aus *frz.* bagatelle < *it.* bagatella, einer Verkleinerungsbildung von *lat.* bāca „Beere", das wohl aus einer *voridg.* Mittelmeersprache stammt. Abl.: b a g a t e l - l i s i e r e n „verniedlichen" (19./20. Jh.).

baggern „Erdreich maschinell abtragen": Das Wort ist seit dem 18. Jh. bezeugt, und zwar zunächst im *Niederd.* Es wurde aus *niederl.* baggeren „[ein Wasserbett] ausschlammen" entlehnt, das seinerseits zu bag-ger „Bodenschlamm" gehört. Weiteres ist unsicher. – Abl.: B a g g e r *m* (18. Jh.).

bähen „feucht erhitzen", (*südd.*, *östr.*:) „[Brot] leicht rösten": *Mhd.* bæhen, *ahd.* bāen „wärmen, mit erweichenden Umschlägen heilen" gehört zur *idg.* Wz. *bhē-, *bhō- „wärmen, rösten", die mit t-Suffix auch in → *Bad* und mit g erweitert in → *backen* (s. auch Batzen) fortwirkt.

Bahn *w*: Das auf das *dt.* und *niederl.* Sprachgebiet beschränkte Wort (*mhd.* ban[e], *mnd.* bāne, *niederl.* baan) gehört wahrscheinlich zu der *germ.* Wortgruppe von *got.* banja „Schlag; Wunde" und bedeutete demnach urspr. etwa „Waldschlag, Durchhau im Walde". Beachte dazu das zu 'schneiden' gehörige 'Schneise' und die Wendung '[sich] Bahn brechen'. Weiter bezeichnet 'Bahn' als „glatter, vorgezeichneter Weg" eine Lauf- oder Rennstrecke, den Weg der Gestirne oder eines Geschosses und dgl.; als „gerade Strecke" bezeichnet es breite Tuch- oder Papierstreifen (nach gleichbedeutendem *niederl.* baan). 'Bahn' heißt auch kurz die Eisen- und die Straßenbahn. Abl.: b a h n e n (bes. 'einen Weg bahnen'; *mhd.* banen). Zus.: Bahnhof (Mitte des 19. Jh.s für älteres Eisenbahnhof); B a h n s t e i g (2. Hälfte des 19. Jh.s für das FW Perron); E i s e n - b a h n (s. d.).

Bahre *w*: Das *westgerm.* Wort *mhd.* bāre, *ahd.* bāra, *niederl.* baar, *engl.* bier gehört zu dem im *Nhd.* untergegangenen *gemeingerm.* Verb *ahd.* beran „tragen" usw. (vgl. *gebären*). Es bedeutet also eigtl. „Trage". Abl.: a u f - b a h r e n „auf eine Totenbahre legen" (*mhd.* ūfbāren). Zus.: T r a g b a h r e (*mhd.* tragebāre; verdeutlichend für 'Bahre' wegen dessen spezieller Bed. „Totenbahre").

Bai *w* „Meeresbucht": Im 15. Jh. durch *niederl.* Vermittlung aus *frz.* baie < *span.*

bahía < *spätlat.* baia entlehnt. Das Wort ist vermutlich *iber.* Ursprungs.

Bakterie *w*: Zu einer gemeinsamen *idg.* Wurzel *bak-* „Stab, Stock" gehören gleichbedeutend *gr.* baktēría (Nebenform: baktḗrion) und *lat.* baculum. Aus ersterem wurde über *lat.* bactērium im 19. Jh. das medizinische FW Bakterie zur Bezeichnung gewisser stäbchenförmiger Krankheitserreger entwickelt. Letzteres hingegen ist Quelle für das entspr. Fachwort → Bazillus, in dem sich der Vorgang, einen Erreger nach seiner Gestalt zu benennen, wiederholt. – Abl.: b a k t e r i e l l „durch Bakterien hervorgerufen" (20. Jh.).

Balance *w* „Gleichgewicht": In der Artistensprache des 18. Jh. aus *frz.* balance entlehnt, das wie → *Bilanz* auf *vlat.* *bilancia zurückgeht. Abl.: b a l a n c i e r e n „[sich] im Gleichgewicht halten": aus *frz.* balancer (18. Jh.).

bald: Das *westgerm.* Adverb *mhd.* balde, *ahd.* baldo, *mniederl.* boude, *aengl.* bealde gehört zu einer *germ.* Adjektivbildung mit der Bedeutung „kühn" (vgl. *mhd.* balt, *ahd.* bald „kühn", *niederl.* boud „dreist, verwegen, keck", *engl.* bold „kühn", *schwed.* båld „stolz, kühn"), die im Sinne von „aufgeschwellt, hochfahrend" zu der unter → ¹*Ball* genannten *idg.* Wz. zu stellen ist. Zu der *germ.* Adjektivbildung gehören auch PN wie Balduin, Leopold, Theobald, die ihrerseits zum Muster namenartiger Scheltnamen wie 'Raufbold, Trunkenbold, Witzbold' wurden, wobei -bold zu einem leeren Suffix erstarrte. Der Bedeutungsübergang von „kühn" zu „schnell, eilig" fällt in die *mhd.* Zeit (vgl. die gleiche Entwicklung bei → *schnell*). Im *Nhd.* wandelt sich der Sinn zu „in kurzer Zeit, bald darauf". – Abl.: B ä l d e *w* (nur in: 'in Bälde', 17. Jh.; *mhd.* belde, *ahd.* beldī „Kühnheit" ging mit dem Adjektiv unter); b a l d i g (*spätmhd.* baldec).

Baldachin *m* „(mit kostbarem [Seiden]stoff bespannter) Traghimmel": Die durch ihre prachtvollen Seidenstoffe berühmte Stadt Bagdad heißt in einer älteren Form *it.* Baldacco; davon ist *it.* baldacchino abgeleitet, das im Anfang des 17. Jh.s als Baldachin übernommen wurde.

Balg *m*: Das *gemeingerm.* Wort bezeichnete als Ganzes abgezogene Haut kleinerer Säugetiere (*nhd.* auch von Vögeln), die als Lederbeutel, Luftsack u. a. diente. *Mhd.* balc, *ahd.* balg, *got.* balgs, *aengl.* bielg „Ledersack" (*engl.* belly „Bauch", bellows „Blasebalg"), *schwed.* bälg „Balg" entsprechen *außergerm.* Wörtern wie *gall.* bulga „Ledersack" (s. Budget) und *pers.* bāliš „Kissen" (vgl. ¹*Ball*). Eng verwandt ist im *germ.* Sprachbereich das unter → *Polster* behandelte Wort. – Als ziemlich mildes Scheltwort meint 'Balg' heute ein ungezogenes Kind (schon *mhd.* balc steht veräcltlich für „Leib", s. auch: Wechselbalg; die Menschenhaut wird als etwas Verächtliches abgetan). – Abl.: Balgen m „Auszug des photogr. Apparats" (Neubildung nach der gelegentlich schwachen Mehrz. [Orgel]balgen statt -bälge); sich balgen „raufen" (17. Jh.), dazu Balgerei w und katzbalgen (16. Jh.). Zus.: Blasebalg (mhd. bläsebalc, ahd. bläsbalg).

Balken m: Das westgerm. Wort mhd. balke, ahd. balko, niederl. balk, engl. balk steht im Ablaut zu der nord. Sippe von schwed. bjälke „Balken". Aus dem Germ. (Langobard.) entlehnt ist it. balcone „gestützter Gebäudevorbau" (s. Balkon). Außergerm. ist z. B. verwandt gr. phálagx „Balken; Stamm; Schlachtreihe" (s. Phalanx). Diese Wörter gehören wohl mit dem unter → Bohle behandelten Wort zu der idg. Wortgruppe von → ¹Ball. – Abl.: Gebälk s (spätmhd. gebelke „Stockwerk im Fachwerkbau").

Balkon m „nicht überdachter Gebäudevorbau": Das Substantiv wurde im 18. Jh. aus frz. balcon < it. balcone entlehnt. Das it. Wort selbst ist germ. Ursprungs und gehört wohl im urspr. Sinne von „Balkengerüst" zu dem unter Balken behandelten, ins Roman. gelangten germ. Wort (ahd. balko = langobard. *balko).

¹Ball m „runder Körper": Das Substantiv mhd., ahd. bal „Ball, Kugel", niederl. bal „Ball" (engl. ball „Ball, Kugel" ist LW aus frz. balle „Kugel", das selbst wieder aus dem Afränk. stammt) gehört mit dem andersgebildeten schwed. boll „Ball" und dem weitergebildeten engl. ballock „Hoden" (eigtl. „Bällchen") zu der idg. Wz. *bhel- „schwellen, strotzen, [auf]blasen, quellen, sprudeln". ˈBall ist also „der geschwollene, aufgeblasene Körper". Zu dieser vielfach weitergebildeten und erweiterten Wurzel gehören ferner die Wörter → bald (dessen zugehöriges Adjektiv die Grundbedeutung „aufgeschwellt, hochfahrend" hatte), → Balg (eigtl. abgezogene Haut, die durch Füllung prall wird), wohl auch → Bauken „dickes, langes Vierkantholz", das FW → Ballon (das zu der ins Roman. gelangten Sippe von ¹Ball gehört), sicher auch Bohle „dickes Brett", → ¹Bulle (der nach seinem Zeugungsglied benannt ist) und schließlich im außergerm. Bereich z. B. gr. phallós „männliches Glied". Zu einem Bedeutungsübergang zu „knospen, sprießen" beruht die Wortgruppe um → blühen mit → Blume, → ¹Blüte (eigtl. „Zustand des Blühens") und → Blatt (eigtl. [Aus]geblühtes) sowie lat. flōs „Blume" (s. ¹Flor „Blumenflüte"), lat. folium „Blatt" (s. Folie) und gr. phýllon „Blatt" (s. Chlorophyll). Zur Bedeutung „blasen" stellt sich die Wortgruppe um → blähen mit → blasen und → Blatter „Pocke, Bläschen", zur Bedeutung „quellen, sprudeln" → Blut (eigtl. „Fließendes"). Eine Nebenform zu ˈBall ist

→ Ballen. – Abl.: ballen „zum Ball machen" (mhd. ballen).

²Ball m „Tanzfest": Im 17. Jh. aus frz. bal entlehnt. Das frz. Substantiv gehört zu einem ausgestorbenen Zeitwort baller „tanzen", das wohl über gleichbed. spätlat. ballāre auf gr. ballízein zurückgeht. Dies stellt sich entweder zu einer idg. Wurzel *bal- „herumwirbeln; sich drehen" oder auch zu gr. bállein „werfen, schleudern" (vgl. ballistisch). – Verwandt sind die FW → Ballade, → Ballett; nicht dagegen → ¹Ball „Spielball".

Ballade w „episch-dramatisches Gedicht": Im 16. Jh. – zunächst in der Bed. „Tanzlied" – aus frz. ballade < it. ballata entlehnt; zu it. ballare (< spätlat. ballāre) „tanzen". Die im 18. Jh. aufkommende moderne Bedeutung bildet sich unter dem Einfluß von engl. ballad (< frz. ballade), das eine volkstümliche Erzählung in Liedform bezeichnet. Über weitere Zusammenhänge vgl. den Artikel ²Ball.

Ballast m „tote Last; Überflüssiges": Das im 17. Jh. aus dem Niederd. ins Hochd. aufgenommene Wort war urspr. ein Seefahrtsausdruck und bezeichnete die Sandlast, die zur Erhaltung des Gleichgewichts in den untersten Raum des Schiffes geladen wurde. Mnd. ballast (zweite Hälfte des 14. Jh.s), niederl. ballast, engl. ballast, schwed. ballast gehen auf eine Zusammensetzung mit dem unter → Last genannten Substantiv zurück, deren erstes Glied nicht sicher gedeutet ist. Die heutige Form des Wortes entstand vielleicht durch Lautangleichung aus der schwed. und älter dän. Form barlast (um 1400), deren erstes Glied mit dem Adjektiv → bar identisch sein könnte. Die urspr. Bedeutung von „Ballast" wäre dann „bloße, reine Last (ohne Handelswert)" gewesen.

Ballen m: Das Wort mhd. balle, ahd. ballo ist die schwach gebeugte Nebenform von → ¹Ball, von dem es sich in der Bedeutung gelöst hat. Es wird heute gewöhnlich im Sinne von „Rundung und Schwielenpartie an Händen und Füßen" und im Sinne von „zusammengeschnürtes größeres Frachtstück" verwendet.

Ballett s „Bühnentanz; Tanzgruppe": Im 17. Jh. aus it. balletto entlehnt. Das it. Wort ist eine Verkleinerungsbildung zu ballo „rhythmische Körperbewegung, Tanz". Das zugrunde liegende Verb it. ballare entspricht frz. baller in → ²Ball. – Abl.: Balletteuse w „Balletttänzerin" (französierende Bildung des 20. Jh.s).

ballistisch „die Flugbahn eines Körpers betreffend": Gelehrte Neubildung zu lat. ballista (< gr. *ballistēs) „Wurf-, Schleudermaschine". Dazu das Substantiv Ballistik w „Lehre von der Bewegung geschleuderter oder geschossener Körper". – Zugrunde liegt das gr. Verb bállein „werfen, schleudern usw.", dessen etymologische Zugehörigkeit nicht sicher zu ermitteln ist. – Die Wortfamilie von *gr.* bállein ist in unserem Fremd- und Lehnwortschatz mit zahlreichen Ableitungen und Zusammensetzungen vertreten. Hierher gehören: *gr.* dia-bállein ,,durcheinanderwerfen'' in → diabolisch und im LW → Teufel (teuflisch usw.); *gr.* em-bállein ,,hineinwerfen'' in → Embolie und → Emblem; *gr.* para-bállein ,,neben etwas hinwerfen; vergleichen; sich nähern'' in → Parabel, → parlieren (*frz.* parler), → Parlament, Parlamentär, Parlamentarier, parlamentarisch, → Parole, → Polier, → Palaver, palavern; *gr.* sym-bállein ,,zusammenwerfen, vergleichen; übereinkommen, vereinbaren'' (s. Symbol, symbolisch, Symbolik); *gr.* pro-bállein ,,vorwerfen, hinwerfen; aufwerfen'' (s. Problem, problematisch); schließlich noch die hybride Bildung *lat.* arcu-ballista ,,Bogenschleuder'' im LW → Armbrust und vielleicht auch *gr.* ballizein ,,werfen; sich drehen, tanzen'' in → ²Ball ,,Tanzfest'', → Ballade, → Ballett, Balletteuse, → Ballerina.

Ballon *m* ,,mit Gas oder Luft gefüllter Ball; Glaskolben'': Im 18. Jh. aus gleichbed. *frz.* ballon entlehnt, das seinerseits auf *it.* pallone ,,großer Ball'' beruht, einer Vergrößerungsbildung zu *it.* palla ,,Kugel, Ball''. Das Wort ist *germ.* Ursprungs (< *langobard.* *palla) und gehört zu dem unter → ¹*Ball* behandelten *germ.* Wort.

Balsam *m* ,,Linderung[smittel], Labsal'': *Mhd.* balsam[e], balsem, *ahd.* balsamo sind aus *lat.* balsamum ,,Balsamstrauch (bzw. der aus ihm gewonnene heilende, harzige Saft)'' entlehnt. Das *lat.* Wort geht auf *gr.* bálsamon, *hebr.* bāsām ,,Balsamstaude; Wohlgeruch'' zurück. Abl.: [ein]balsamieren ,,z.B. Leichen''. Unmittelbar verwandt ist → Bisam.

Bambus *m* (trop. Rohrgras): Im 17. Jh. über *niederl.* bamboes aus *malai.* bambu entlehnt.

banal ,,alltäglich, abgedroschen'': Das Wort wurde im 19. Jh. aus *frz.* banal entlehnt. Dies ist eine Abl. von *afrz.* ban ,,Bann'' und bedeutet zunächst soviel wie ,,gemeinnützig'', und zwar hinsichtlich der Sachen, die in einem Gerichtsbezirk allen gehörten. Aus der Bedeutung ,,allgemein'' ergab sich über die Deutung ,,ohne besonderen Eigenwert'' der heutige Sinn. *Afrz.* ban ist LW aus *afränk.* *ban, der Entsprechung von *ahd.* ban in → *Bann*. Abl.: Banalität ,,Gemeinplatz'' (latinisiert nach *frz.* banalité).

Banane *w*: Der Name dieser tropischen Südfrucht entstammt einer Eingeborenensprache Port.-Guineas in Westafrika und wurde durch die Portugiesen (*port.* banana) den anderen Europäern vermittelt.

Banause *m* ,,Mensch mit unzulänglichen, flachen Ansichten in geistigen und künstlerischen Dingen'': Im 19. Jh. aus *gr.* bánausos ,,Handwerker; gemein, niedrig'' entlehnt. Weiteres ist unsicher. Abl.: banausisch.

¹**Band** (als ,,[Gewebe]streifen'' und ,,Fessel'': *s*, als ,,Buch'': *m*): *Mhd.*, *ahd.* bant ,,Band, Fessel'', *niederl.* band ,,Streifen, [Ein]band, Reifen'', *schwed.* band ,,Streifen, Schlinge, [Ein]band'' wie auch die andersgebildeten *got.* bandi ,,Band, Fessel'' und *aengl.* bend ,,Band, Binde, Fessel'' gehören zu dem unter → *binden* behandelten Verb. *Außergerm.* sind z. B. verwandt *aind.* bandhá-ḥ ,,Binden, Band'' und *awest.* banda- ,,Fessel''. In der Wendung ,,außer Rand und Band'' ist das Faßband gemeint (s. Rand). Für die Bed. ,,Fessel'' gilt die *Mehrz.* Bande (oft bildlich), sonst Bänder. 'Band' ,,Buch'' (*Mehrz.* Bände) steht im 17. Jh. zuerst für ,,Einband'', dann für ,,Eingebundenes''. – Abl.: Bendel (s. d.); bändigen (s. d.).

²**Band** *w* ,,Musikkapelle'': Im 19./20. Jh. aus gleichbed. *engl.-amerik.* band entlehnt, das eigtl. ,,Verbindung, Vereinigung (von Personen)'' bedeutet und selbst auf *frz.* bande zurückgeht (vgl. ¹*Bande*). – Zus.: Jazzband.

Bandage *w* ,,Wund-, Stützverband'': Im 18. Jh. aus *frz.* bandage entlehnt, einer Ableitung von bande ,,Band'' (vgl. ¹*Bande*). Abl.: bandagieren ,,eine Bandage anlegen'' (19. Jh.).

¹**Bande** *w* ,,Rand, Einfassung'': Im 18. Jh. aus gleichbed. *frz.* bande (*afrz.* bende) entlehnt, das eigtl. ,,Band, Binde'' bedeutet und seinerseits aus einem *westgerm.* *binda- zur Sippe von *nhd.* → *binden* – stammt. Dazu gehören die FW → ²Band und → Bandage, bandagieren, nicht aber das unverwandte Substantiv → ²Bande.

²**Bande** *w* ,,[Gauner]schar'': Im 17. Jh. aus *frz.* bande ,,Truppe, Schar'' (< *aprov.* banda) entlehnt, das vielleicht auf *got.* bandwa ,,Feldzeichen'' zurückgeht. Es würde dann also eigtl. diejenigen bezeichnen, die sich unter einem gemeinsamen Zeichen (Fahne) zusammenrotten. – Näher verwandt sind → Banner und → Banderole, nicht dagegen → ¹Bande und → Bandit.

Banderole *w* ,,[Steuer]band'': Im 19. Jh. in der Bedeutung ,,Fähnchen'' aus *frz.* banderole entlehnt. Das französische Wort geht auf *it.* banderuola, eine Verkleinerungsform von bandiera ,,Fahne'', zu dem unter → *Banner* genannten *roman.* *bandiere gehört. Die heutige Bedeutung entwickelte sich durch falschen Anschluß an die Sippe des unverwandten Verbs → *binden*.

bändigen ,,zähmen, abrichten'': Das seit dem 17. Jh. bezeugte Verb ist abgeleitet von dem Adjektiv *frühnhd.* bändig ,,[am Bande] festgebunden, leitbar'', von Hunden (*mhd.* bendec; vgl. ¹*Band*). Dieses Adjektiv ist im heutigen Sprachgebrauch bewahrt in unbändig (*mhd.* unbendec ,,durch kein Band gehalten'', von Hunden).

Bandit *m* ,,[Straßen]räuber, Gauner'': Das Wort wurde im 17. Jh. aus *it.* bandito (eigtl. ,,Geächteter'') entlehnt, das zu *it.* bandire

„verbannen" gehört, einer Kreuzung wohl von gleichbed. *afränk.* *bannjan (zur Sippe von →*Bann*) und einem *roman.* Abkömmling des in →²*Bande* vorliegendem *westgerm.* *banda, *got.* bandwa „[Feld]zeichen".

bang[e] „ängstlich": Das Wort ist aus be-ange entstanden. *Mhd.* ange, *ahd.* ango ist altes Adverb zu dem unter →*eng* behandelten Adjektiv. 'Bang[e]' ist also soviel wie „beengt". Das Wort war ursprünglich nur im *Niederd.* und *Mitteld.* beheimatet. Seit Luthers Bibelübersetzung geht es in die Schriftsprache ein, und zwar zunächst nur als Adverb, seit dem 17. Jh. auch als Adjektiv. – Abl.: Bange *w* „Angst" (nur in: 'keine Bange haben'; *mhd.* bange); bangen „ängstlich sein" (18. Jh.; zuvor schon *mhd.* bangen „ängstlich werden; in die Enge treiben").

¹**Bank** *w*: Das *altgerm.* Wort für „[Sitz]bank" (*mhd.*, *ahd.* banc, *niederl.* bank, *engl.* bench, *schwed.* bänk) ist eng verwandt mit der *nord.* Sippe von *aisl.* bakki „Erhöhung, Hügel, Flußufer" und bedeutet demnach ursprünglich wahrscheinlich „Erhöhung". Auf die soziale Gleichstellung aller, die auf einer Bank sitzen, bezieht sich die Redensart 'durch die Bank', während 'auf die lange Bank schieben' die Aktentruhen der alten Gerichte meint. Eine Ableitung von Bank ist →*Bankert*. Siehe auch die Artikel ²*Bank* und Bänkelsänger.

²**Bank** *w* „Geldinstitut": Unser Bankwesen wurde seit dem Mittelalter von Italien her stark beeinflußt. Die seit dem 15. Jh. von dorther eindringenden Fachwörter legen davon Zeugnis ab. Aus der großen Zahl dieser FW seien genannt: →*Kasse*, →*Prokura*, →*Konto*, →*Saldo*, →*Bilanz*, →*Diskont*, →*Skonto*; →*brutto*, →*netto*. Auch unser Wort ²Bank „Geldinstitut" gehört zu dieser Reihe. Es ist seinem Ursprung nach identisch mit →¹*Bank* „Sitzbank", dessen *germ.* Vorformen früh ins *Roman.* entlehnt wurden (*it.* banca, banco). Aus dem *It.* wurde das Wort mit der dort entwickelten Bedeutung „langer Tisch des Geldwechslers" im 15. Jh. rückentlehnt, einer Bedeutung, die noch in *mhd.* wehselbanc vorliegt. Die Schreibung schwankt anfangs zwischen Formen wie banc, Bancho, Bancko. Erst im 17./18. Jh. bildet sich die endgültige Form, nicht zuletzt unter dem Einfluß von *frz.* banque (woraus *engl.* bank), das auch für den Genuswechsel des Wortes bestimmend war. – *Frz.* Einfluß zeigt auch die im 18. Jh. aufkommende Bedeutung „Spielbank". – Zus.: Bankkonto; Banknote „von einer Notenbank ausgegebener Geldschein" (18. Jh.); zuerst im *Engl.* als banknote bezeugt. Vgl. noch: Bankier und Bankrott. Über weitere Zusammenhänge vgl. den Artikel ¹*Bank*.

Bänkelsänger *m*: Das seit dem 18. Jh. gebräuchliche Wort (Bänkel *mdal.* Verkleine-rungsbildung zu ¹*Bank*, deshalb im 18. Jh. auch Bänkleinsänger) ist vielleicht eine Lehnbildung nach *it.* cantambanco (canta in banco „singe auf der Bank"). Zugrunde liegt der Tatbestand, daß umherziehende Sänger die ersten fliegenden Blätter, die Vorläufer unserer Zeitung, auf einer kleinen Bank stehend dem Publikum erläuterten.

Bankert *m* (veralt., noch verächtlich für:) „uneheliches Kind": *Frühnhd.* bankart, *mhd.* banchart meint eigtl. das auf der Schlafbank der Magd (vgl. ¹*Bank*), nicht im Ehebett des Hausherrn gezeugte Kind. Der im *Nhd.* abgeschliffene zweite Wortteil ist das in vielen PN auftretende Grundwort -hard (vgl. *hart*), das auch sonst als bloße Endung verwandt wird und hier wohl in Anlehnung an das LW Bastard fest wurde.

¹**Bankett** *s* „Festmahl": Im 15./16. Jh. aus *it.* banchetto „kleine Bank" entlehnt, das dort die kleinen Beisetztische bezeichnete, die bei einem festlichen Diner um die Tafel herum aufgestellt wurden und dem Festmahl selbst den Namen gaben. *It.* banchetto ist Verkleinerungsbildung zu dem unter →²*Bank* genannten banco. Über weitere Zusammenhänge vgl. ¹*Bank*.

²**Bankett** *s* „erhöhter Randstreifen einer Kunststraße": Im 19. Jh. aus *frz.* banquette „Fußsteig" entlehnt, einer zuerst im *Norm.* bezeugten Ableitung von *frz.* banc „Bank". Die ursprüngliche Bedeutung von banquette ist demnach „bankartiger Erdaufwurf (als Einfassung)". *Frz.* banc geht auf *afränk.* *bank zurück, das mit *ahd.* bank in →¹*Bank* „Sitzbank" identisch ist.

Bankier *m* „Bankinhaber; Bankkaufmann": Das Wort ist im 17. Jh. noch in der Form Banquier bezeugt, die für früheres Banquer oder Bankir steht. Mehr noch als *it.* banchiere ist offenbar *frz.* banquier Quelle dieses Fremdwortes. Das zugrunde liegende *frz.* banque geht seinerseits auf *it.* banca zurück. Über weitere Zusammenhänge vgl. ²*Bank*.

Bankrott, Bankerott *m* „finanzieller Zusammenbruch": Im 16. Jh. aus *it.* banca rotta (banco rotto) entlehnt, das eigtl. „zerbrochener Tisch (des Geldwechslers)" bedeutet, gleichwohl aber eher bildlich als konkret zu verstehen ist; denn die These, man habe dem zahlungsunfähigen Geldwechsler seinen Wechseltisch öffentlich zerschlagen, ist nirgends bezeugt. – Über *it.* banca und banco vgl. ²*Bank*. Das Adjektiv *it.* rotta (rotto) geht auf *lat.* rupta (ruptus) zurück; vgl. *Rotte*. – Abl.: bank[e]rott „zahlungsunfähig" (17. Jh.); Bankrotteur *m* „Zahlungsunfähiger" (19. Jh.; mit französ. Endung für älteres Bankrottierer).

Bann *m* „Ausschluß aus der [kirchl.] Gemeinschaft", (früher auch:) „Gerichtsbarkeit, Rechtsbezirk": Das *altgerm.* Wort (*mhd.*, *ahd.* ban „Gebot, Aufgebot", *niederl.*

ban, *engl.* ban, *schwed.* bann) gehört zu dem starken Verb *ahd.* bannan, *mhd.* bannen „unter Strafandrohung ge- oder verbieten" (s. u.). Dies ist mit *aind.* bhánati „spricht", mit *gr.* phánai und *lat.* fārī „[feierlich] sagen, sprechen" verwandt. Zugrunde liegt die *idg.* Wz. *bhā- „sprechen". Das im Ablaut zu *gr.* phánai (in →Prophet und →Blasphemie, blamieren) stehende Subst. *gr.* phōnē „Stimme" ist Ausgangspunkt für die FW um →Phonetik. *Lat.* fārī erscheint in den Wortgruppen um →fatal (bes. famos, Fabel, Fee, infantil, Konfession, Professor). Auf dem *germ.* Wort wiederum beruhen die über das *Frz.* zu uns gekommenen FW →banal und →Banner und das aus dem *It.* entliehene FW →Bandit. – Im *dt.* Mittelalter war 'Bann' ein wichtiges Rechtswort. Aus den Bedeutungen „Gebot" und „Verbot" entwickelte sich das „Aufgebots" zu Gericht und Krieg (z. B. Heerbann), der „Gerichtsbarkeit" (z. B. Blutbann) und der „grundherrlichen Gewalt" in einem bestimmten Bezirk (z. B. Wildbann „königliches Jagdrecht"); auch der Bezirk selbst konnte 'Bann' heißen. Vor alledem ist in der Neuzeit fast allein der Begriff des Kirchenbanns übriggeblieben, der mit dem Wort seit *ahd.* Zeit verbunden ist. Er beruht auf der obrigkeitlichen Strafgewalt. Die Formel 'in Acht und Bann' (s. ¹Acht) bedeutet den vollständigen Ausschluß aus der weltlichen und kirchlichen Gemeinschaft. Die kath. Kirche hat das Wort Bann jedoch durch Exkommunikation (s. d.) ersetzt. Von den Zusammensetzungen sind heute noch wichtig: Bannmeile „Schutzbezirk um ein öffentliches Gebäude (*mhd.* banmīle war auf 1 Meile im Umkreis ausgedehnte Bezirk, in dem das Markt- und Zunftrecht einer Stadt galt; s. Weichbild); Bannwald „Schutzwald gegen Lawinen" (in dem kein Holz geschlagen werden darf; *mhd.* banwalt war „Herrschaftswald"); Bannware (im 19. Jh. für Konterbande).

bannen: Das unter →Bann genannte früher starke Verb erscheint seit dem 15. Jh. in schwacher Beugung, weil es als Ableitung von 'Bann' empfunden wurde. Es bedeutet in rechtlichem Sinne nur noch „in den [Kirchen]bann tun", meist aber – heute bildlich – „durch Zauberkraft vertreiben oder festhalten". Dabei wirkt die alte Bedeutung von 'Bann' „feierliches Gebot" nach. Dazu das Präfixverb verbannen (*mhd.* verbannen „ge- oder verbieten; durch Bann verstoßen, verfluchen", *ahd.* farbannan „den Augen entziehen"; *nhd.* nur in der Bed. „verstoßen, des Landes verweisen").

Banner *s* „Heerfahne": Mhd. banier[e] ist aus (a)*frz.* banière entlehnt, das unter Einfluß von *afrz.* banir „öffentlich ankündigen" (zur Sippe von →*Bann*) über eine *roman.* Vorform *bandiere „Ort, wo die Fahne auf-

gestellt wird" zurückgeht auf *westgerm.* *banda „Zeichen", die Entsprechung von *got.* bandwa in ²*Bande.* Dazu: Panier *s* „Wahlspruch; (veralt. für:) Banner": Eine im 15. Jh. aufkommende Nebenform (panier) zu dem oben aufgeführten *mhd.* banier[e]. Näher verwandt ist →Banderole; über weitere Zusammenhänge vgl. ²*Bande.*

bar „unbedeckt, bloß, nackt; offenkundig, deutlich; entblößt, frei von; sofort verfügbar (von Geld)": Das *altgerm.* Adjektiv für „unbedeckt, nackt" *mhd.*, *ahd.* bar, *niederl.* ba[a]r, *engl.* bare, *schwed.* bar beruht mit verwandten Wörtern in anderen *idg.* Sprachen auf *idg.* *bhoso-s „nackt", vgl. z. B. die *baltoslaw.* Sippe von *russ.* bosój „barfuß". – Im Sinne von „sofort verfügbar" wird das Adjektiv im *Dt.* seit *mhd.* Zeit verwendet, beachte dazu die Abl. Barschaft *w* (14. Jh.). Zus.: barfuß (*mhd.* barvuoz, entspr. *engl.* barefoot; eigtl. ein adjektivisch gebrauchtes Substantiv, das „bloße Füße besitzend" bedeutet; heute steht es nur aussagend, dazu die Abl. barfüßig (*spätmhd.* barvüezic); analog ist barhaupt „mit bloßem Kopf" gebildet (*spätmhd.* barhoubet).

¹Bar *s* (Maßeinheit des Luftdruckes): Gelehrte Ableitung von *gr.* báros „Schwere, Gewicht" (s. auch baro...). Das zugrunde liegende Adjektiv *gr.* barýs „schwer", das auch in →Bariton und →Isobare vorliegt, ist urverwandt mit *lat.* gravis „schwer" (vgl. *gravitätisch*).

²Bar *w* „Schanktisch; Trinkstube": Im 19. Jh. aus *engl.* bar entlehnt, das wie das vorausliegende *afrz.* (= *frz.*) bar zunächst nur „Stange" bedeutete, dann eine aus mehreren Stangen bestehende „Schranke" bezeichnete, wie sie z. B. in Wirtsstuben charakteristisch war, um Gastraum und Schankraum zu trennen. Über *afrz.* barre vgl. den Artikel *Barre.*

Bär *m:* Die *germ.* Bezeichnungen für den Bären *mhd.* ber, *ahd.* bero, *niederl.* beer, *engl.* bear, *aisl.* bjǫrn beruhen auch im *norw.* ON Björndal „Bärental"), daneben *aisl.* ber- in der Zus. →Berserker bedeuten eigtl. der „Braune". Aus der Furcht heraus, das gefährliche Tier durch die Nennung seines wahren Namens zu reizen oder zum Erscheinen zu veranlassen, ersetzten die Germanen den alten *idg.* Bärennamen (s. Arktis) durch einen verhüllenden Ausdruck. Die Häufigkeit des Bären in älteren Zeiten, seine Beliebtheit als Jagdbeute und seine Stellung als König der Wälder spiegeln sich sprachlich in zahlreichen Orts- und Personennamen wider. Auch im Volksglauben, im Märchen, in Sprichwörtern und Redensarten spielt der Bär eine Rolle, beachte z. B. 'das Fell des [noch nicht erlegten] Bären verkaufen', 'einen Bären aufbinden' „prahlen; [be]lügen". Im Tiermärchen heißt der

Bär Braun, auch [Meister] Petz (Koseform des männlichen PN Bernhard). Seit dem 17. Jh. bedeutet 'Bär' auch „Rammklotz" (entsprechende Übertragungen von Tiernamen s. unter Bock, Wolf, Kran u. a.). Gemäß *griech.-röm.* Tradition wird das Wort ferner als Name des Sternbildes verwendet. – Zus.: **bärbeißig** „grimmig, verdrießlich" (17. Jh.; eigtl. „bissig wie der Bärenbeißer" [ein zur Bärenjagd gebrauchter Hund]); **Bärlapp** (eine Farnart; 16. Jh.; eigtl. „Bärentatze"; der zweite Wortteil geht auf *ahd.* lappo „flache Hand, Tatze" zurück; vgl. *Luv*).

Baracke w „Holzbude": Im 17. Jh. als „Feldhütte der Soldaten" aus *frz.* baraque, *span.* barraca entlehnt. Ursprünglich bezeichnete das Wort vielleicht eine Art „Lehmhütte" und gehört dann zu *span.* barro „Lehm". Weiteres ist unsicher.

Barbar m „ungesitteter Rohling": Das Substantiv (*spätmhd.* barbar) ist aus *lat.* barbarus < *gr.* bárbaros entlehnt. Das *gr.* Wort ist mit *aind.* barbara-ḥ „stammelnd" identisch und bezeichnet ursprünglich den fremden Ausländer, der mit der einheimischen Sprache und Gesittung nicht vertraut war und darum als „roh und ungebildet" galt. Das Wort gehört als Lallbildung zu der in verschiedenen Varianten auftretenden *idg.* Wurzel *baba-, bar-bar-; vgl. hierüber unser Zeitwort → *babbeln*. Abl.: **barbarisch** „roh, unmenschlich" (17. Jh.); **Barbarei** w „Roheit, Wildheit" (*spätmhd.*), aus *lat.* barbaria. – *Gr.* bárbaros ist auch Ausgangspunkt für das Adjektiv → *brav*.

Barbier m „Bartpfleger" (veraltet), *mdal.* noch Balbier[er]: Mhd. barbier (*spätmhd.* barbierer) wurde durch *roman.* Vermittlung (*it.* barbiere, *frz.* barbier) aus *mlat.* barbārius „Bartscherer" entlehnt, einer Ableitung von *lat.* barba „Bart" (urverwandt mit *dt.* → *Bart*). Abl.: **barbieren** (*spätmhd.*) „den Bart pflegen" (veraltet), dafür *mdal.* noch **balbieren**.

Barett s (flache Kopfbedeckung als Amtstracht): Das Wort wurde im 15. Jh. aus *mlat.* barretum, birretum entlehnt (zu *lat.* birrus „kurzer Umhang mit Kapuze", das wahrscheinlich *gall.* Herkunft ist).

Bariton m „mittlere Männerstimme": Im 17. Jh. aus *it.* baritono entlehnt, das ein substantiviertes Adjektiv auf *gr.* barýtonos „voll tönend" zurückgeht und die Stimmlage zwischen Baß und Tenor bezeichnet. *Gr.* barýtonos gehört zu barýs „schwer" und tónos „Spannung; Ton"; vgl. ¹*Bar* und ¹*Ton*.

Barke w „kleines Boot": Kopt. barī „Nachen, Floß", das über *gr.* bâris *lat.* barca (Zwischenstufe: *bārica) ergab, wurde weiter entlehnt zu *aprov.* barca, *afrz.*, *pik.* barque und erreichte uns in *mhd.* Zeit durch *niederl.* Vermittlung als barke. Es bezeichnete dort ein kleines Küstenfahrzeug in vornehmlich süd-

lichen Gewässern. In *nhd.* Zeit wird das Wort über *engl.-niederl.* bark als Bark w neuentlehnt, und zwar in der Bedeutung „mehrmastiges Segelvollschiff".

Bärme w (*nordd.* für:) „[Bier]hefe": Das im 17. Jh. aus dem *Niederd.* aufgenommene Wort ist ein *westgerm.* Substantiv (*mnd.* berme, barm[e], *niederl.* berm[e], *engl.* barm „Hefe") und beruht wie *lat.* fermentum „Gärungsstoff, Sauerteig" (s. Ferment) auf einer Weiterbildung der *idg.* Wz. *bher[ə]- „quellen, [auf]wallen, sieden" (die Bärme wird zuerst als Schaum auf der gärenden Flüssigkeit sichtbar; s. auch Hefe). Zu dieser vielfach erweiterten und weitergebildeten Wurzel gehören zahlreiche weitere Ausdrücke im Bereich der Nahrungsmittelbereitung, die alle von der Beobachtung des Aufwallens und Brodelns beim quellenden oder siedenden Wasser ausgehen, so z. B. aus dem *germ.* Sprachbereich die unter → *braten*, → *Brodem*, → *brühen* und → *Brei* behandelten *germ.* Wörter sowie die Wortgruppe von → *brauen* (mit brodeln und Brot). *Außergerm.* sind z. B. verwandt *gr.* phrýgein „rösten, dörren, braten" und *lat.* frīgere „rösten, dörren" (s. Frikadelle). Zu der vielfach erweiterten und weitergebildeten Wurzel gehören ferner aus dem *germ.* Sprachbereich die unter → *Brunnen* (eigtl. „quellendes Wasser") und → *brennen* behandelten Sippen (die heftig bewegten Flammen wurden dem siedenden Wasser verglichen).

barmherzig: Mhd. barmherze[c], *ahd.* barmherzi sind in Anlehnung an *ahd.* ir-barmēn (s. *erbarmen*) umgebildet aus *ahd.* armherz[īg] (vgl. *arm* und *Herz*). Dies stammt aus *got.* armahaírts, einer LÜ der *got.* Kirchensprache von *lat.* misericors „mitleidig" (eigtl.: „wer ein Herz für die Unglücklichen hat"). Abl.: **Barmherzigkeit** w (*mhd.* barmherzekeit für älteres barmherze, *ahd.* armherzī, *got.* armahaírtei, nach *lat.* misericordia).

baro..., Baro... (Bestimmungswort von Zusammensetzungen mit der Bedeutung „Schwere"): Aus *gr.* báros „Schwere"; zu barýs „schwer"; vgl. ¹*Bar*.

barock „von kraftvoll verschwenderisch gestalteter Formenfülle (im Kunststil des 17. und 18. Jh.s betreffend)"; auch im Sinne von „verschnörkelt, überladen": Im 18. Jh. aus gleichbed. *frz.* baroque (eigtl. „schief, unregelmäßig") entlehnt. Das *frz.* Wort hat die Bedeutung „das Barock betreffend" von dem *it.* Adjektiv barocco übernommen. Beide Wörter gehen auf *port.* barocco zurück. Dies diente ursprünglich nur als Adjektiv zur Charakterisierung einer unregelmäßigen Perlenoberfläche. Von hier aus nahm es die allgemeine Bed. „schief, unregelmäßig" an. Die weitere Herkunft des Wortes ist nicht eindeutig geklärt. – Abl.: **Barock** s oder m.

Barometer s „Luftdruckmesser": Eine gelehrte Neubildung des 18. Jh.s zu *gr.* báros „Schwere" (barýs „schwer") und *gr.* métron „Maß" (vgl. ¹*Bar* und *Meter*).

Baron m „Freiherr": Im 16./17. Jh. aus *frz.* baron entlehnt, das auf *afränk.* *baro „Lehnsmann, streitbarer Mann" zurückgeht. Dies gehört mit *aisl.* berja „schlagen, töten", berjask „sich schlagen, kämpfen" zur *germ.* Sippe von →*bohren*. Abl.: **Baronesse** w „Freifräulein" (nur *dt.*, im 18. Jh. **Baronessin**); **Baronin** w „Freifrau" (19. Jh.).

Barre w „[Quer]stange, Riegel": Das seit *mhd.* Zeit bezeugte Substantiv stammt aus *frz.* barre und weiter aus *galloroman.* *barra, das auch den FW →*Barriere*, →*Barrikade*, →*Embargo* zugrunde liegt. Die weitere Herkunft ist umstritten. – Abl. und Zus.: **Barren** m, schon *frühnhd.* bezeugt mit der Bed. „Stange, Metallstange", seit Jahn Name eines Turngerätes und später auch Bezeichnung der handelsüblichen Stangenform von Edelmetallen; **Barlauf** m, Name eines ursprünglich ritterlichen Laufspiels – *mhd.* 'die barre loufen' (<*afrz.* corre as barres „zu den Grenzpfählen laufen" = *frz.* jouer aux barres) –, von Jahn in die Turnsprache eingeführt.

Barriere w „Schranke, Sperre, Schlagbaum": Im 17./18. Jh. aus *frz.* barrière, einer Kollektivbildung zu barre „Stange" entlehnt (vgl. *Barre*).

Barrikade w „[Straßen]sperre": Im 18./19. Jh. aus *frz.* barricade entlehnt. Die Tatsache, daß für Straßensperren oft Fässer und Tonnen verwendet wurden, mag den volksetymologischen Anschluß des *frz.* Wortes an *frz.* barrique „Faß, Tonne" bewirkt haben. Es beruht jedoch unmittelbar auf *it.* barricata, dessen Stammwort barricare „verrammeln" eine Weiterbildung von dem in →*Barre* vorliegenden *galloroman.* *barra „sperriger Balken" ist. Abl.: **[ver]barrikadieren** „verrammeln" (19. Jh.; nach *frz.* barricader).

barsch: Das im 17. Jh. aus dem *Niederd.* ins *Hochd.* übernommene Adjektiv geht zurück auf *mnd.* barsch „scharf, streng (vom Geschmack), ranzig", das im Sinne von „scharf, spitz" zu der Wortgruppe von →*Barsch* gehört. Seit dem 18. Jh. wird 'barsch' übertragen im Sinne von „unfreundlich, grob" verwendet.

Barsch m: Der *westgerm.* Fischname *mhd.* *ahd.* bars, *niederl.* baars, *engl.* barse gehört mit verwandten Wörtern in anderen *idg.* Sprachen zu der vielfach weitergebildeten und erweiterten *idg.* Wz. *bhar- „Spitze, Stachel, Borste, starr Emporstehendes". Der Raubfisch ist wohl nach seinen auffallend stachligen Flossen benannt. Zu dieser *idg.* Wurzel gehören auch die Sippen von →*Borste* und →*Bürste* und wahrscheinlich das unter →*Bart* behandelte Wort. Ferner aus dem *germ.* Sprachbereich das Adjektiv →*barsch*,

vgl. dazu *aisl.* barr „rauh, scharf" und *ahd.* barrēnti „starr aufgerichtet, eigensinnig".

Bart m: Das *westgerm.* Wort *mhd.*, *ahd.* bart, *niederl.* baard, *engl.* beard ist verwandt mit *lat.* barba „Bart" (s. Barbier) und mit der *baltoslaw.* Sippe von *russ.* borodá „Bart, Kinn". Es gehört wahrscheinlich im Sinne von „Borste[n]" zu der *idg.* Wortgruppe von →*Barsch*. – Im übertragenen Gebrauch bezeichnet das Wort Dinge, die mit einem Bart Ähnlichkeit haben, beachte z. B. die Zus. Schlüsselbart und die Abl. ¹**Barte** w „Beil" (*mhd.* barte, *ahd.* barta), die auch als Grundwort in →*Hellebarde* steckt. Auf die Ähnlichkeit der aus Fischbein bestehenden Hornplatten im Oberkiefer der Bartenwale mit Barthaaren bezieht sich ²**Barte** w „Fischbein", das aber wahrscheinlich aus dem *Niederl.* stammt, vgl. *niederl.* baard, *Mehrz.* baarden „Bart; Fischbein". Abl.: **bärtig** (für älteres bärtich, *mhd.* bartoht).

Basalt m: Im 18. Jh. aus *lat.* basaltēs entlehnt, einer handschriftlich bezeugten Verschreibung für richtiges basanītēs. Dies stammt aus *gr.* basanítēs „[harter] Probierstein". Zugrunde liegt gleichbed. *gr.* básanos, ein wohl ägyptisches FW (*ägypt.* baḫan bezeichnet ein sehr hartes und deshalb zur Goldprüfung verwendetes Schiefergestein), das den Griechen durch die Lyder vermittelt wurde.

Basar m (früher für:) „Jahrmarkt; Kaufhaus", heute nur noch im Sinne von „Warenverkauf auf Wohltätigkeitsveranstaltungen" gebraucht: Im 19. Jh. – wohl über *frz.* bazar – aus *pers.* bāzār „Markt" entlehnt.

¹**Base** w „Kusine": Das auf das *dt.* Sprachgebiet beschränkte Wort (*mhd.* base, *ahd.* basa) stammt – wie auch gleichbed. *mitteld.*, *niederl.* wase – wahrscheinlich aus der Lallsprache der Kinder. Zu der urspr. Bedeutung „Vaterschwester" (Ggs. Muhme, s. d.) tritt im 15. Jh. „Mutterschwester"; später wird die Bezeichnung, ähnlich der Entwicklung bei Vetter (s. d.), auf alle entfernten weiblichen Verwandten ausgedehnt.

²**Base** siehe Basis.

Basis w „Grundlage; Ausgangspunkt": Ursprünglich ein Wort der Baukunst und als solches im 16. Jh. aus *gr.-lat.* básis entlehnt. Dies gehört als Substantiv zum Stamm des mit → *kommen* urverwandten Verbs *gr.* baínein „gehen, treten" und bedeutet eigtl. „Gegenstand, auf dem etwas stehen kann", vor allem „Sockel, Fundament". – Abl.: ²**Base** w (chem. Bezeichnung für Metallhydroxide, die gleichsam „Ausgangspunkt" sind für verschiedene chem. Prozesse; dazu das Adjektiv **basisch** „wie eine ²Base reagierend" (chem.). Beide Wörter sind Neubildungen des 19. Jh.s; **basieren** „sich gründen auf, beruhen auf" (19. Jh.; nach gleichbed. *frz.* baser). – Vgl. auch die hierher gehörende Zus. →Akrobat. Über weitere Zusammenhänge vgl. *kommen.*

baß (veralt. für:) „besser, weiter; sehr": Die Komparativbildung *mhd., ahd.* baz gehört zusammen mit *aengl.* bet und *aisl.* betr zu der *idg.* Wz. *bhăd- „gut" und ist der Form nach der umlautlose Adverbbildung zu dem ebenfalls komparativischen umgelauteten Adjektiv →besser. 'Baß' ist unregelmäßiger Komparativ zu dem Adverb →wohl, wie 'besser' unregelmäßiger Komparativ zu dem Adjektiv →gut ist. In den *germ.* Sprachen gibt es zahlreiche Verwandte unseres Wortes, z. B. *aisl.* bati „Besserung, Nutzen", *mnd.* bate „Vorteil, Nutzen", *aengl.* batian „besser werden, heilen", *niederl.* baten „nützen". Ablautend gehören →Buße und →büßen zur gleichen Familie. Im *Nhd.* ist 'baß' allmählich durch 'besser' verdrängt worden und erscheint mit der jungen Bed. „sehr" nur noch scherzhaft in Wendungen wie 'er war baß erstaunt' und in der Zus. fürbaß „weiter, vorwärts" (z. B. 'rüstig fürbaß schreiten') aus gleichbed. *mhd.* vürbaz, *ahd.* furbaz.

Baß *m*: Die musikalische Bezeichnung der „tiefsten Stimmlage" stammt wie →Tenor, →Bariton, →Alt, →Sopran, →Falsett aus dem *It.* Sie wurde im 15. Jh. aus *it.* basso „tief" übernommen, dem ein undurchsichtiges *spätlat.* Adjektiv bassus „dick; niedrig" vorausliegt. Abl.: Bassist *m* „Sänger mit Baßstimme" (16. Jh.).

Bassin *s* „Wasserbecken": Das seit dem 18. Jh. bezeugte FW gehört zu einer Reihe von Fachwörtern der Gartenbaukunst, die teils aus dem *Frz.* (wie →Fontäne, →Allee, →Kaskade), teils aus dem *It.* (wie →Grotte), teils auch durch *niederl.* Vermittlung (wie → Rabatte, → Spalier) entlehnt wurden. Bassin stammt aus *frz.* bassin (< *afrz.* bacin), das seinerseits auf *vlat.* *baccīnum zurückgeht. Siehe auch Becken.

Bast *m*: Das *altgerm.* Substantiv *mhd., ahd.* bast, *niederl.* bast, *engl.* bast, *schwed.* bast ist dunklen Ursprungs. Der Bast ist die innere Schicht der Pflanzenrinde. In alter Zeit dienten bes. der Linden- und Ulmenbast zum Flechten und Nähen. Das abgeleitete Verb *mhd., ahd.* besten „mit einem Bastfaden binden, schnüren", lebt vermutlich in →basteln fort. In der Jägersprache bezeichnet 'Bast' die samtartige Haut um das werdende Hirschgeweih oder Rehgehörn.

Bastard *m* „uneheliches Kind": Das seit *mhd.* Zeit belegte Substantiv (*mhd.* bast[h]art) beruht auf gleichbed. *afrz.* bastard (= *frz.* bâtard), das neben gleichbed. *afrz.* 'fils (bzw. fille) de bast' steht. Das *frz.* Wort selbst, dessen weitere Herkunft ungesichert ist, war ursprünglich ein fester Terminus des Feudalwesens zur Bezeichnung für das von einem Adligen in außerehelicher

Verbindung gezeugte, aber von diesem rechtlich anerkannte Kind.

Bastei *w* „Bollwerk": Ein Wort des Festungsbaues, das im 14./15. Jh. aus *it.* bastia entlehnt wurde (dazu als Vergrößerungsbildung *it.* bastione im FW →Bastion). Letzte bekannte Quelle des Wortes ist *afrz.* bastir „herrichten, fertigstellen" (= *frz.* bâtir „bauen") bzw. ein davon abgeleitetes Substantiv *afrz.* bastie.

basteln: Das Verb erscheint erst seit dem 18. Jh. in der Schriftsprache, ist aber in *oberd.* und *mitteld.* Mundarten seit langem verbreitet und zuerst im 15. Jh. als *bayr.* pästlen bezeugt. Es bedeutet „kleine Handarbeiten machen, ohne Handwerker zu sein" und wurde früher bes. von unzünftiger Handwerksarbeit gebraucht. Vielleicht ist es eine Weiterbildung zu dem von → Bast abgeleiteten Verb *mhd., ahd.* besten „binden, schnüren".

Bastion *w* „Bollwerk": Im 17. Jh. über *frz.* bastion aus *it.* bastione entlehnt, einer Vergrößerungsbildung zu dem unter →Bastei genannten Substantiv.

Bataillon *s* (Truppenabteilung): Im 17. Jh. aus *frz.* bataillon, einer Vergrößerungsform von *it.* battaglia (= *frz.* bataille) „Schlacht; Schlachthaufen" entlehnt. Voraus liegen *vlat.* battália, *lat.* battuália „Fechtübungen". Das zugrunde liegende Verb *lat.* battuere (battere) „schlagen, klopfen" gilt als *gall.* LW. Es ist noch in den FW →Batterie, →debattieren, →Rabatt (usw.) vertreten.

Batterie *w* „mit mehreren Geschützen bestückte militärische Grundeinheit; Stromquelle": Im 16./17. Jh. aus *frz.* batterie entlehnt, das als Kollektivableitung von battre „schlagen" eigtl. „Geschlage" bedeutet. Mit unserem Fremdwort verbindet sich also die Grundvorstellung „Zusammenwirken mehrerer Elemente zu einer Krafteinheit". *Frz.* battre geht über *lat.* battere auf *lat.* battuere zurück (vgl. *Bataillon*).

Batzen *m* „Klumpen; frühere Münze, (*schweiz.* noch für:) Zehnrappenstück": Das Substantiv *frühnhd.* batze[n] „Klumpen" ist eine Bildung zu dem heute veralteten Verb batzen „klebrig, weich sein, zusammenkleben". Es ist möglich, daß dieses Verb über *back[e]zen aus →*backen* (in der Bed. „kleben") entstanden ist. Der Name der Münze geht auf die Bezeichnung der Dickpfennige (s. Groschen) zurück, die zuerst im 15. Jh. in Salzburg und Bern geprägt und nach ihrem Aussehen benannt wurden. Abl.: patzig (s. d.).

Bau *m*: Das *altgerm.* Wort *mhd., ahd.* bū, *niederl.* bouw, *aengl.* bū, *schwed.* bo gehört zu der unter →*bauen* dargestellten *idg.* Wortgruppe. Die Grundbedeutung aller genannten Formen ist „Wohnung, Wohnstätte", die heute noch in den Zus. 'Fuchs-,

Dachsbau' lebendig ist. Die Bed. ,,Feldbau, Bestellung" ist schon *ahd.*, vgl. auch die Zus. Ackerbau, Gartenbau, Weinbau. Seit *mhd.* Zeit wird es als Verbalsubstantiv des *trans.* Verbums →bauen empfunden und bedeutet sowohl ,,das Bauen [eines Hauses]" wie das in Arbeit befindliche und fertige Gebäude; vgl. die Zus. Einbau, Ausbau, Hausbau, Maschinenbau. Die *Mehrz.* Bauten (für älteres Baue, Bäue) gehört zu dem *veralt.* Kanzleiwort Baute *w*, das im 18. Jh. aus *niederd.*, *mnd.* bū[we]te *w* ,,Bebauung; Bau" übernommen wurde. – Zus.: baufällig (15. Jh.; zuerst von verwahrloster Feldfrucht); Bergbau (s. d.); Raubbau (s. d.).

Bauch *m*: Die *altgerm.* Körperteilbezeichnung *mhd.* būch, *ahd.* būh, *niederl.* buik, *aengl.* būc, *schwed.* buk gehört wahrscheinlich im Sinne von ,,Geschwollener" zu der unter →*Beule* dargestellten *idg.* Wortgruppe. Abl.: bauchig ,,bauchartig gewölbt" (17. Jh. für *mhd.* bucheht); bäuchlings ,,auf dem Bauch liegend" (*mhd.* biuchelingen). Zus.: Bauchredner (zuerst im 16. Jh. als Bauchrednerin, LÜ von *spätlat.* ventriloquus).

bauen: Das *altgerm.* Verb *mhd.* buwen, *ahd.* buan, *niederl.* bouwen, *aengl.* buan, *schwed.* bo gehört mit dem ablautenden *got.* bauan und verwandten Wörtern in anderen *idg.* Sprachen zu der *idg.* Wz. *bheu- ,,wachsen, gedeihen, entstehen, werden, sein, wohnen", vgl. z. B. *gr.* phýesthai ,,werden, wachsen", *gr.* phýsis ,,Natur" (s. die FW Physik, physisch), *lat.* fuisse ,,gewesen sein", *lat.* futūrus ,,künftig" (s. Futur), *aind.* bhávati ,,ist, wird", *lit.* būti ,,sein". Im *germ.* Sprachbereich sind verwandt die unter →Bau, →²Bauer und →³Bauer (vgl. Nachbar) behandelten Substantive sowie die Einzahlformen 'bin' und 'bist' des Hilfszeitwortes →sein. Die obengenannte *idg.* Wurzel war urspr. wahrscheinlich identisch mit der unter →Beule dargestellten *idg.* Wz. *b[h]eu- ,,[auf]blasen, schwellen". Die Bedeutungen ,,wachsen, gedeihen, entstehen, werden, sein, wohnen" haben sich demnach aus der Bedeutung ,,schwellen, strotzen" entwickelt. – Die alte Bed. ,,wohnen" reicht im *Dt.* zwar mit bestimmten Wendungen bis ins 18. Jh., wird aber seit *mhd.* Zeit ersetzt durch die heutigen Bedeutungen ,,das Land bestellen" (z. B. den Acker [be]bauen, Korn, Gemüse, Wein bauen) und ,,Häuser errichten". Bald konnten auch Schiffe, Schränke, Maschinen, Geigen u. a. 'gebaut' werden, wie man *ugs.* heute sein Examen, einen Anzug oder einen Unfall baut. 'Schön (stark, schwach) gebaut' wird dann auch vom menschl. und tier. Körper gesagt. Die übertragenen Wendungen 'auf jemanden bauen', 'auf Sand bauen' sind biblischen Ursprungs. Übertragene Bedeutungen haben bes. auch die Zus. ab-, auf-, vorbauen und unterbauen entwickelt (vgl. erbauen). – Abl.: ¹Bauer *m*

,,Erbauer" (in Zus. wie Ackerbauer, Geigenbauer; *mhd.* būwære ,,Pflüger; Erbauer"); baulich (*spätmhd.* būlich ,,zum Bauen geeignet", būwelich ,,fest gebaut"; heute vom Sprachgefühl meist zu →Bau gezogen), dazu Baulichkeit *w* ,,Gebäude" (um 1800); Gebäude (s. d.). Zus.: Baumeister (*spätmhd.* būmeister ,,beamteter Leiter der städt. Bauten"; daher auch heute noch nicht nur Berufsbezeichnung, sondern auch Beamtentitel).

¹Bauer siehe bauen.

²Bauer *s* ,,Käfig": Zu der unter →bauen dargestellten Wortgruppe gehört das *altgerm.* Substantiv *mhd.* būr ,,Vogelkäfig", *ahd.* būr ,,Haus; Kammer; Zelle", *engl.* bower ,,Laube; Gemach", *schwed.* bur ,,Arrest[zelle]; Käfig; Kasten". Es erscheint noch mit verschiedenen Nebenformen in *dt.* ON wie Buren, Wesselburen, Benediktbeuern und ist auch in den Wörtern →³Bauer und →Nachbar enthalten. In *mhd.* būr ,,Vogelkäfig" ist das Substantiv bereits auf seine heutige Bedeutung eingeschränkt.

³Bauer *m* ,,Landmann": Das Substantiv ist nicht vom Zeitwort bauen abgeleitet, sondern gehört zu *ahd.* būr ,,Haus" (vgl. ²*Bauer*). Mhd. būr[e], gebūr[e], *ahd.* gebūro bed. ,,Mitbewohner, Nachbar, Dorfgenosse" (noch jetzt steht *niederl.* buur ,,Nachbar" neben boer ,,Bauer"). Die alte Form ist (wie Gefährte und Geselle, s. d.) mit kollektivem →ge- gebildet, sie liegt auch FN wie Gebauer, Gebühr zugrunde. Erst die soziale Entwicklung im Mittelalter machte 'Bauer' zur Berufs- und Standesbezeichnung und ließ in der Anschauung der anderen Stände (bes. Adel und Bürgertum) den Nebensinn ,,grober, dummer Mensch" entstehen. In der ländlichen Sozialordnung bezeichnet 'Bauer' den vollberechtigten Hofbesitzer im Gegensatz zum Häusler oder Kätner. Abl.: bäuerlich (*mhd.* gebiurlich, būrlich ,,bauernmäßig"); bäurisch (*mhd.* [ge]biurisch ,,bäurisch, einfach", teilweise schon mit dem tadelnden Sinn, der oft mit der Endung -isch verbunden ist); verbauern ,,zum Bauer, bäurisch werden" (18. Jh.); Bauernschaft ,,Gesamtheit der Bauern" (*mhd.* būrschaft). Siehe auch den Artikel Nachbar.

Baum *m*: Das *westgerm.* Wort *mhd.*, *ahd.* boum, *niederl.* boom, *engl.* beam bezeichnete sowohl das lebende Gewächs wie den zu mancherlei Zwecken (als Schranke, Deichsel, Stange am Webstuhl usw.) einzeln verwendeten Baumstamm. Die Herkunft des Wortes ist ungeklärt. (*Idg.* Bezeichnungen für ,,Baum" sind unter →Teer und →Wiedehopf behandelt.) – Abl.: bäumen, (auch:) aufbäumen, sich ,,sich aufrichten, steigen" (urspr. wohl als Jägerwort vom steigenden Bären gebraucht, dann in der Wappenkunde und allgemein vom Pferd; so

schon *mhd.* sich boumen). Zus.: B a u m -
s c h u l e „Pflanzgarten" (17. Jh.); B a u m -
w o l l e (*mhd.* boumwolle; wohl nach der
Überlieferung Herodots von wolletragenden
indischen Bäumen; in Wirklichkeit ist die
Pflanze ein Strauch; andere Namen s. unter
Bombast und Kattun); S c h l a g b a u m (*mhd.*
slahboum „bewegl. Schranke"); S t a m m -
b a u m (s. Stamm).

baumeln: Das seit dem 17. Jh. bezeugte Verb
ist entweder von → *Baum* abgeleitet und
bedeutet dann eigtl. „an einem Baum hängend sich hin und her bewegen", oder es
beruht auf der *sächs.-thüring.* Nebenform
'baumeln' des urspr. lautmalenden Verbs
b a m m e l n *ugs.* für „schaukeln".

Bausch *m* „lockerer Knäuel, Wulstiges":
Mhd. büsch „Knüttel, Knüttelschlag (der
Beulen gibt); Wulst" gehört mit den unter
→ Busen, → böse, → Pausback und → pusten
behandelten Wörtern zu der *idg.* Wort-
gruppe von → Beule. – Die Wendung 'in
Bausch und Bogen' gehört der neueren
Rechts- und Kaufmannssprache an und
meinte urspr. wohl die Abmessung von
Grundstücken ohne Rücksicht auf auswärts
(Bausch) oder einwärts (Bogen) laufende
Grenzstücke; dafür im 14.–18. Jh. 'im
Bausch' = „im ganzen genommen (vgl. den
Artikel Pauschale). Abl.: b a u s c h e n, sich
„aufschwellen" (*mhd.* biuschen, büschen
„schlagen, klopfen"; in der jetzigen Bedeutung wohl durch das *frühnhd.*, heute untergegangene Verb 'bausen' „schwellen" stark
beeinflußt), dazu a u f b a u s c h e n „aufblähen,
übertreiben" (Anfang des 19. Jh.s); b a u -
s c h i g (19. Jh.; im 16. Jh. bauschecht).

Bazillus *m* „stäbchenförmiger Krankheitserreger": Im 19. Jh. nach *lat.* bacillus (ba-
cillum) „Stäbchen" benannt, einer Verkleinerungsbildung zu *lat.* baculum „Stock,
Stab". Über weitere Zusammenhänge vgl.
Bakterie. – Zus.: B a z i l l e n t r ä g e r.

be...: *Mhd.* be-, *ahd.* bi- sind die zum ton-
losen Verbalpräfix gewordene Präp. → *bei*.
Ihnen entsprechen *got.* bi-, *niederl.* be-, *engl.*
be-. Daneben bestand *ahd.* ein betontes Präfix
bi- bei Substantiven und Adjektiven (s.
Beichte, bieder). Das Verbalpräfix bezeichnete zunächst rein räumlich die Richtung
eines Vorgangs, z. B. befallen (*ahd.* bifallan
bed. „hinfallen"), bespucken, dann allgemeiner die (zeitlich begrenzte) Einwirkung auf
eine Sache oder Person, z. B. begießen, bebauen, beleuchten, beschimpfen, belachen,
bekämpfen. Diese kann bis zur vollen Be-
wältigung gehen, z. B. bedecken, besteigen.
Damit wurde be- zu einem auch heute noch
oft gebrauchten Hilfsmittel, aus intrans.
Verben transitive zu machen, vgl. z. B. beleuchten, belachen, bekämpfen. Ferner
drückt be- das Versehen mit einer Sache oder
das Zuwenden einer Fähigkeit aus, z. B. bekleiden, beflügeln, beaufsichtigen (zu den

Substantiven Kleid, Flügel, Aufsicht), auch
das Bewirken eines Zustandes, z. B. beengen,
bereichern, besänftigen (zu den Adjektiven
eng, reich, sanft). In vielen Fällen hat sich
die Bedeutung der Verben von der ihrer
Grundwörter stark entfernt; teilweise sind
diese auch untergegangen (s. beginnen, beleidigen u. a.). Einige Bildungen mit be- sind
nur als Partizipien gebräuchlich (begütert,
bejahrt, beleibt). In → bleiben und → bange
ist der Vokal des Präfixes ausgefallen.

beben: Die *germ.* Verben *mhd.* biben, *ahd.*
bibēn, *asächs.* bibōn, *aengl.* bĭfian, *aisl.* bĭfa
beruhen auf einer reduplizierenden Bildung
zu der *idg.* Verbalwurzel *bhŏi-, *bhī- „zittern, sich fürchten", vgl. *aind.* bibhēti
und bhayatē „fürchtet sich". Das e der *nhd.*
Form dringt im 16. Jh. durch Luthers Bibelübersetzung durch; es ist wahrscheinlich
niederd. Ursprungs (*mnd.* bēven). Von den
mdal., bes. *niederd.* Iterativbildungen bebern,
belbern, bibbern ist bibbern in die *hochd.*
Umgangssprache gedrungen (19. Jh.). Abl.:
e r b e b e n (*ahd.* irbibēn, *mhd.* erbibᴇn).

Becher *m*: *Mhd.* becher, *ahd.* behhari ist LW
wie auch Bütte, Kanne, Kelch. Zugrunde
liegt *mlat.* bicārium „Becher, Kelch, Hohlmaß", das auch ins *It.* (*it.* bicchiere „Trinkbecher, -glas") und *Frz.* (*afrz.* bichier), von
dort ins *Engl.* (*engl.* pitcher „Krug") gedrungen ist. Weitere Beziehungen des *mlat.*
Wortes sind unsicher. Zus.: A s c h e n b e c h e r
(s. d.). Abl.: b e c h e r n *ugs.* für „zechen"
(18. Jh.).

Becken *s*: *Mhd.* becken, *ahd.* beckĭn ist LW
aus *vlat.* *baccīnum* „Becken" (s. auch Bassin). Das Becken ist ein flaches, offenes
[Wasch]gefäß; aus Messing geschlagen war es
Handwerkszeug der Barbiere. In übertragenem Sinne heißt so auch ein Musikinstrument, in der Erdkunde ein weites Tal (z. B.
das Neuwieder Becken), in der Anatomie der
Knochengürtel im unteren Teil des Rumpfes.
Siehe auch den Artikel Pickelhaube.

Bedacht *m* „Bedenken, Überlegung": *Mhd.*
bedāht ist Verbalsubstantiv zu *mhd.* bedenken „über etwas nachdenken" (vgl. *denken*).
Abl.: b e d ä c h t i g „überlegend, langsam"
(*mhd.* bedǣhtic); b e d a c h t s a m (16. Jh.).

bedingen: Das Präfixverb hatte ursprünglich
dieselbe Bedeutung wie das einfache Verb
→ dingen (vgl. *Ding*; *mhd.* bedingen „werben,
durch Verhandlung gewinnen"), später die von
„vereinbaren, bestimmen", wofür heute 'sich
a u s b e d i n g e n' gilt (schon *mhd.* ūzbedingen).
Aus der Rechtssprache gehört hierher noch
die 'bedingte', d. h. durch rechtliche Bedingungen eingeschränkte Strafaussetzung;
in übertragenem Sinne können auch Lob und
Zustimmung 'bedingt' sein. Sonst aber bedeutet 'bedingen' „zur Folge haben" und
'bedingt sein' „von Voraussetzungen abhängig sein"; dieser zuerst in der philosophischen Fachsprache des 18. Jh.s auftretende

Sinn ist von der entspr. Bedeutungserweiterung bei Bedingung beeinflußt. Dies Verbalsubst. erscheint im 16. Jh. als „rechtliche Abmachung", später auch als „Voraussetzung". Dazu das grammat. Fachwort Bedingungssatz (im 17./18. Jh. Bedingungsrede). Auch unbedingt ist aus dem rechtlichen über den philosoph. in den allgemeinen Sprachgebrauch übergegangen, es bedeutete zunächst „ohne Vorbehalt, unangefochten", dann „absolut, unbeschränkt", schließlich „unter allen Umständen".

bedürfen: Das Verb mhd. bedürfen, bedurfen, ahd. bidurfan „nötig haben" hat die Grundbedeutung des einfachen → dürfen bis heute bewahrt. – Abl.: Bedürfnis s (15. Jh. bedurfnusse; es bedeutete früher auch „Mangel, Dürftigkeit", heute „Verlangen; Verlangtes" und wird wie ‘Notdurft' [s. Not] auch verhüllend gebraucht); bedürftig (spätmhd. bedurftic, Abl. eines erst im 16. Jh. bezeugten Substantivs bedurft „Bedürfnis"); Bedarf m (im 17. Jh. aus mnd. bedarf „Notdurft, Mangel", einer Bildung zum Präsensstamm von ‘bedürfen'; stammt aus der Kanzlei- und der Handelssprache). – Siehe auch den Artikel bieder, unbedarft.

Beefsteak s „kurzgebratenes Rindslendenstück": Das Bestimmungswort des aus dem Engl. entlehnten Wortes beef „Rind" geht über afrz. boef, buef (frz. bœuf) auf lat. bōs „Rind" (vgl. Posaune) zurück. Über das Grundwort vgl. Steak.

Beere w: Mhd. bere, auf dem die nhd. Form beruht, ist eigtl. eine mitteld. starke Pluralform zu dem Singular ‘daz ber', die im 16. Jh. nicht mehr als solche verstanden und – wie → Träne als Singular aufgefaßt wurde. Zu dieser Form wurde dann im 17. Jh. ein neuer schwacher Plural ‘Beeren' gebildet. Mhd. ber, ahd. beri, engl. berry, schwed. bär zeigen r-Formen, die zu s-Formen wie got. weina-basi, ‘Weinbeere', niederl. bes „Beere", niederd. mdal. Besing m „Heidelbeere" in grammatischem Wechsel stehen. Diese germ. Wörter für „Beere" gehören vielleicht zu aengl. basu „purpurn", das mit mir. basc „rot" verwandt ist. Demnach wäre die Beere als „die Rote" benannt worden.

Beet s: Das Wort wird im Schriftdeutschen erst seit dem 17. Jh. formal von → Bett unterschieden, mit dem es ursprünglich identisch war: mhd. bette, ahd. betti bedeutet sowohl „Liegestatt" wie „Feld- oder Gartenbeet". In oberd. Mundarten gilt ‘Bett' bis heute für „Beet". Auch niederl. und engl. bed vereinen beide Bedeutungen. Der Vergleich des aufgelockerten erhöhten Landstückes mit einem Polsterlager war Anlaß zu der Bedeutungsübertragung. Dieselbe Auffassung zeigt lat. pulvīnus „Polster; Gartenbeet".

befangen: Das 2. Partizip zu dem heute veralteten Präfixverb ‘befangen' „umfassen,

umzäunen, einengen" (mhd. bevāhen, ahd. bifāhan; vgl. fangen) wird in der mhd. Klassik als Adjektiv gebraucht für „in etw. verwickelt, unfrei, schüchtern"; in der neueren Rechtssprache bedeutet es danach „nicht frei, voreingenommen". Dazu Befangenheit w (18. Jh.; jetzt bes.: ‘einen Richter wegen B. ablehnen'); unbefangen „ungezwungen, unparteiisch, frei" (18. Jh.); Unbefangenheit (18. Jh.).

befehlen: Das Präfixverb mhd. bevelhen „übergeben, anvertrauen, übertragen", ahd. bifelahan „übergeben, anvertrauen; begraben" enthält ein heute untergegangenes einfaches Verb, das in got. filhan „verbergen" und aisl. fela „verbergen, übergeben", noch erhalten ist und auch dem Präfixverb → empfehlen zugrunde liegt. Es gehört zu der unter → Fell behandelten idg. Wz. und bedeutete urspr. „der Erde übergeben, begraben", dann allgemeiner „zum Schutz anvertrauen, übergeben". Aus mhd. Wendungen wie ‘ein amt bevelhen', ‘ein Amt anvertrauen, übertragen' hat sich erst im Nhd. der heutige Sinn „gebieten" entwickelt, anfänglich in höflicher Sprache wie unser auftragen. Nur im religiösen Bereich ist der Sinn „anvertrauen" erhalten: ‘seine Seele Gott befehlen'. – Abl.: Befehl m (spätmhd. bevel[ch] „Übergabe, Obhut" folgt der Bedeutungsentwicklung des Zeitwortes), dazu befehligen (18. Jh., nach obd. befelch, befehlich „Befehl") und Befehlshaber (spätmhd. bevelhhaber „Bevollmächtigter", so noch im 18. Jh. neben der jüngeren Bed. „Kommandeur".

befinden: Das Präfixverb mhd. bevinden, ahd. bifindan wurde wie auch das einfache Verb → finden schon früh für geistiges Finden im Sinne von „erfahren, kennenlernen, [be]merken, wahrnehmen" gebraucht. Die heutige Bedeutung „nach Untersuchung dafür halten" (‘etwas für gut befinden') schließt sich daran an. Das Reflexives ‘sich befinden' bedeutet eigtl. „bemerken, daß man an einer Stelle ist", jetzt nur noch „anwesend sein" (wie frz. se trouver). Dazu Befund m „[ärztliche] Feststellung" (18. Jh.); befindlich „anwesend" (so seit dem 18. Jh., früher für „erweislich, wahrnehmbar").

befürworten: Das seit dem 19. Jh. bezeugte Wort ist eine kanzleisprachliche Bildung, die zu einem jetzt nicht mehr gebräuchlichen Substantiv ‘Fürwort' „gutes Wort zu jemandes Gunsten" (17. Jh.; heute Fürsprache, s. d.) gebildet wurde.

begehren: Mhd. [be]gern, ahd. gerōn ist abgeleitet von dem Adjektiv mhd., ahd. ger „begehrend, verlangend" (vgl. gern und Gier). Dazu gehört das heute veraltete Substantiv Begehr m oder s (mhd. beger „Begehren, Bitte"), von dem begehrlich (mhd. begerlich) abgeleitet ist.

Begier[de] w: Die Substantivbildung mhd. [be]girde, ahd. girida gehört zu dem im Nhd. untergegangenen Adjektiv mhd., ahd. ger, daneben mhd. gir, ahd. giri „begehrend, verlangend" (vgl. Gier und weiterhin gern). Abl.: begierig (mhd. begirec, begirdec).

beginnen: Die westgerm. Präfixbildung mhd. beginnen, ahd. biginnan, niederl. beginnen, engl. to begin enthält ein im germ. Sprachbereich nur in Zusammensetzungen gebräuchliches altgerm. Verb, dessen Herkunft dunkel ist, vgl. got. duginnan „beginnen", aengl. onginnan „beginnen", niederl. ontginnen „urbar machen". Abl.: Beginn m (mhd. begin, ahd. bigin).

begleiten: In diesem im 17. Jh. zuerst bezeugten Verb sind zwei ältere Verbformen zusammengeflossen: 1. mhd. beleiten, ahd. bileiten „leiten, führen" (im 17. Jh. aussterbend); 2. geleiten, mhd. geleiten, ahd. gileiten (vgl. leiten). Die niederl. Form begeleiden läßt auf eine (allerdings nicht bezeugte) Vorform *begeleiten schließen. Die alte Bedeutung „führen" ist abgeschwächt zu „mitgehen" (vielfach übertr.), in der Musik zu „ergänzend mitspielen" (entspr. dem frz. accompagner, it. accompagnare).

Begonie w (Zierpflanze): Die Pflanze wurde von dem frz. Botaniker Plumier im 17. Jh. entdeckt und zu Ehren des damaligen Generalgouverneurs von San Domingo, Bégon, benannt.

behäbig: Um 1800 in der Bed. „wohlhabend" (so noch schweiz.) für älteres [ge]häbig, eine Ableitung von Habe „Besitz" (vgl. haben); erst später entwickelte sich die heutige Bed. „beleibt, geruhsam".

behaftet: Das im heutigen Sprachgefühl auf 'haften' bezogene Wort ist eigtl. das 2. Part. des untergegangenen Verbs mhd. be-heften, ahd. bi-heften „zusammenheften, einschließen, festhalten" (vgl. heften). Spätmhd. behaftet hat älteres behaft, ahd. bihaft – daneben auch behaftet – ersetzt.

behagen: Mhd. [be]hagen „gefallen, behagen", niederl. behagen „gefallen, behagen", aengl. ge-, onhagian „gefallen, passen", aisl. hagar „es paßt, ziemt sich" gehören zu einem starken germ. Verb *hagan „schützen, hegen", das auch ahd. im 2. Part. gihagin „gehegt, gepflegt" und mhd. im 2. Part. behagen „frisch, freudig" bewahrt ist. Außergerm. Beziehungen des Wortes sind nicht gesichert. Die Grundbedeutung wäre demnach „sich geschützt fühlen" gewesen. Abl.: behaglich (älter behäglich, mhd. behegelich „wohlgefällig").

behaupten: Zu mhd. houbet in seiner Bed. „Oberhaupt, Herr" (vgl. Haupt) gehört [sich] houbeten „als Haupt anerkennen; sich als Haupt ansehen". Dazu tritt spätmhd. behoubeten „bewahrheiten, bekräftigen", ein Wort der Gerichtssprache, das eigtl. „sich als Herr einer Sache erweisen" bedeu-

tet. Seit dem 17. Jh. erscheint die heutige abgeschwächte Bed. „eine Meinung aussprechen".

behelligen: In dem seit dem 17. Jh. gebräuchlichen Verb steckt das mhd. Adjektiv hel „schwach, matt", das eigtl. „ausgetrocknet" bedeutet. Es gehört zu der unter → schal behandelten idg. Sippe. Von mhd. hel abgeleitet ist mhd. hellec „ermüdet, erschöpft" und davon das Verb helligen „ermüden", das dann durch die Präfixbildung behelligen ersetzt wird. Deren Bedeutung „bemühen, beschwerlich fallen" ist heute zu „stören, belästigen" abgeschwächt. Beachte auch die Wendung 'jemanden unbehelligt lassen'.

behende: Das mhd. Adjektiv behende „passend, geschickt, schnell" war urspr. Adverb und entstand aus bîhende „bei der Hand" (vgl. Hand); ähnlich heißt es noch nhd. 'schnell bei der Hand'. Abl.: Behendigkeit w (mhd. behendecheit, zum abgeleiteten Adjektiv behendec).

Behörde w: Das seit dem 18. Jh. bezeugte Kanzleiwort gehört zu älter nhd. behören, mhd. behôren „zugehören, zukommen" (vgl. hören) und bedeutete urspr. „das [Zu]gehörige", später „der Ort, die [Amts]stelle, wohin etwas zuständigkeitshalber gehört".

bei: Das altgerm. Wort (Adv., Präp.) mhd., ahd. bî, got. bi, niederl. bij, engl. by geht zurück auf idg. *bhi, das aus *ambhi, *n̥bhi „um - herum" entstanden ist (vgl. um). Wie in 'bei' so ist auch in → beide der erste Teil des idg. Wortes abgefallen. In → be- ist das Wort tonloses Präfix geworden. Im Dt. ist 'bei' eigentlich Adverb mit der Bed. „nahe", tritt aber als solches schon seit dem Ahd. fast nur in Zus. auf (z. B. dabei, herbei nebenbei, vorbei, beisammen); in unfest zusammengesetzten Verben bezeichnet es so die nahe Lage (beiliegen, beistehen u. a.) oder die Richtung in unmittelbare Nähe (beitreten, beikommen u. a.). Dazu treten Ableitungen wie Beistand (zu beistehen) und echte Zus. wie Beiwagen. Als Präp. bezeichnet 'bei' zunächst die räumliche Nähe (bei Tisch, bei der Stadt), dann die begleitenden Umstände, woraus sich mancherlei übertr. Bedeutungen ergaben, z. B. bei Tage (= während), bei solchem Lärm (= wegen), bei aller Verehrung (= trotz). Wie hier mit dem Dativ stand 'bei' früher auch mit dem Akk. zur Bezeichnung der Richtung (heute nur mdal., z. B. bei mich „zu mir"). In Schwüren (bei Gott! bei meiner Ehre!) wird urspr. die Gottheit als anwesend gedachter Zeuge gerufen.

Beichte w: Die nhd. Form Beichte hat sich über mhd. bigiht, zusammengezogen bîht[e] aus ahd. bigiht, bijiht entwickelt, das mit dem Nominalpräfix ahd. bi- (vgl. be-) und ahd. jiht „Aussage, Bekenntnis" (vgl. Gicht) gebildet ist. Das ahd. Substantiv jiht ist eine Nominalbildung zum Verb ahd. jehan, mhd.

jehen, *asächs.* gehan „sagen, bekennen" (aus dem über *afrz.* gehir unser →genieren stammt). Das innerhalb des *germ.* Sprachbereichs nur im *Dt.* bezeugte Verb gehört mit verwandten Wörtern in anderen *idg.* Sprachen zu der *idg.* Wz. *iek- „[feierlich] sprechen, reden", vgl. z. B. *aind.* yácati „fleht, fordert" und *lat.* iocus „Scherz[rede]" (s. Jux). – Abl.: beichten (*mhd.* bīhten, bigeten); Beichtiger *m* „Beichtvater" (*mhd.* bīhtegäre bedeutet auch Beichtkind; zu *mhd.* bīhtegen „beichten", das von *mhd.* bīhtec „beichtend" abgeleitet ist).

beide (Zahlw.): *Mhd., ahd.* beide, bēde, *niederl.* beide, *engl.* both, *schwed.* bāda sind zusammengerückt aus einem einsilbigen Wort mit der Bedeutung „beide" (*aengl.* bā, bū, *got.* bai, ba „beide") und den hinweisenden Fürwort (späteren Artikel). *Ahd.* bēde ist aus *bē de, beidiu aus *bei diu entstanden; die Formen haben sich dann später vermischt. Der erste Bestandteil geht zurück auf *idg.* *bhō[u]-, das aus *ambhō[u] „beide" entstanden ist, worauf z. B. *gr.* ámphō „beide" und *lat.* ambō „beide" beruhen (vgl. um). – Als Zahlwort ist 'beide' Kollektiv und bed. „alle zwei". Die sächl. Einzahlform beides (*mhd.* beidez) wird erst *frühnhd.* häufiger.

Beifall *m*: Das seit dem 16. Jh. bezeugte Wort mit der Bedeutung „Anschluß an eine Partei; Zustimmung" ist wohl als Gegenwort zu 'Abfall' gebildet (vgl. *fallen*). Abl.: beifällig „zustimmend" (17. Jh.).

beige „sandfarben": Das Adjektiv ist aus *frz.* beige entlehnt. Die weitere Herkunft ist unbekannt.

Beil *s*: Das auf das *dt.* und *niederl.* Sprachgebiet beschränkte Wort *mhd.* bīhel, zusammengezogen bīl, *ahd.* bīhal, *niederl.* bijl ist im *germ.* Sprachbereich verwandt mit *aisl.* bīldr „Pfeilspitze, Aderlaßmesser", *schwed.* plogbill „Pflugschar", im *Außergerm.* z. B. mit *air.* biáil „Beil", *russ.* bit' „schlagen" (s. Peitsche), *gr.* phītrós „Stamm, Holzscheit". Zugrunde liegt die *idg.* Wz. *bhei[ǝ]-, *bhī- „schlagen", zu der auch die Sippe von →beißen gehört.

Bein *s*: Die Herkunft des *altgerm.* Wortes für „Knochen" (*mhd., ahd.* bein, *niederl.* been, *engl.* bone, *schwed.* ben) ist dunkel. – Die naheliegende Übertr. auf die Schenkel ist schon *ahd.* und *aisl.* (heute *dt., engl.* und *skand.*). In einigen Mundarten, z. B. *schwäb.* heißt das Bein allerdings 'Fuß', umgekehrt wird z. B. im *Ostmitteld.* der Fuß 'Bein' genannt. In Wendungen wie 'durch Mark und Bein', 'Fleisch und Bein', 'Stein und Bein' (s. Stein) ist die alte Bed. „Knochen" erhalten, ebenso in vielen, bes. anatomischen Zusammensetzungen, z. B. Nasen-, Hüft-, Jochbein. – Abl.: beinern „aus Knochen" (16. Jh.; für *mhd.* beinīn); Gebein *s* „Gesamtheit von Knochen" (*mhd.* gebeine,

ahd. gibeini). Zus.: Eisbein (s. d.), Elfenbein (s. d.); Fischbein (s. Fisch), Überbein (s. d.). Siehe auch Rauhbein.

Beispiel *s*: *Mhd., ahd.* bī-spel „belehrende Erzählung, Gleichnis, Sprichwort" bedeutet eigtl. „nebenbei Erzähltes", zu *ahd.* bī (vgl. *bei*) und *mhd., ahd.* spel „Erzählung". Das Wort ist volksetymologisch an 'Spiel' (s. d.) angelehnt worden, zuerst in *spätmhd.* bīspil (ebenso das verw. Kirchspiel unter →Kirche). Unter dem Einfluß von 'Exempel' (s. d.) hat 'Beispiel' seit dem 16. Jh. die heutige Bed. „Muster, [warnendes] Vorbild" entwickelt. Das *gemeingerm.* Wort ist ein alter Fachausdruck der Dichtkunst und meint die bedeutungsvolle Rede: *got.* spill „Sage, Fabel", *aengl.* spell, *aisl.* spjall „Erzählung, Rede" (*engl.* spell bed. wie auch das *aisl.* Wort, „Zauberspruch", gospel aus *aengl.* gōdspell „gute Botschaft, Evangelium"). *Außergerm.* Beziehungen sind nicht gesichert.

beißen: Das *gemeingerm.* Verb *mhd.* bīzen, *ahd.* bizzan, *got.* beitan, *engl.* to bite, *schwed.* bita „beißen; schneiden, verwunden" gehört mit verwandten Wörtern in anderen *idg.* Sprachen zu *idg.* *bheid- „hauen, spalten", einer Erweiterung der unter →Beil dargestellten *idg.* Wz. (vgl. z. B. *aind.* bhinátti „spaltet", *lat.* findere „spalten". Zu dem *gemeingerm.* Verb gehören das Veranlassungswort →beizen (eigtl. „beißen machen") und das Adjektiv →bitter (eigtl. „beißend"). Siehe auch den Artikel Boot. – Abl.: Biß *m* (*mhd.* biz, biz, *ahd.* biz); bissig (*frühnhd.* für *mhd.* bīzec, das noch in 'bärbeißig' fortlebt, s. Bär); Bissen *m* „was man auf einmal abbeißt" (*mhd.* bizze, *ahd.* bizzo, entspr. *engl.* bit, *schwed.* beta); dazu bißchen, *landsch.* bissel „ein wenig" (eigtl.: „kleiner Bissen"; 16. Jh.); Gebiß (s. d.); Imbiß (s. d.).

Beistrich: In der Form Beystrichlein zuerst von dem Grammatiker Gg. Schottel 1641 als Ersatzwort für Komma (s. d.) gebraucht, aber erst seit dem 19. Jh. üblicher geworden (vgl. *Strich*).

beizen: Das *altgerm.* Verb *mhd.* beizen, beizen, *ahd.* beizen, *mniederl.* be[i]ten „absteigen", *engl.* to bait „weiden lassen, das Pferd unterwegs füttern, einkehren", *schwed.* beta „weiden, grasen" ist Veranlassungswort zu →beißen. Die urspr. Bedeutung ist also „beißen lassen, beißen machen". Auch die heute kaum miteinander zu vereinenden Bedeutungen „mit dem Greifvogel jagen" und „mit scharfer Flüssigkeit behandeln" gehen darauf zurück. Das erste gehört als Jagdausdruck bezog sich urspr. auf die Hetzjagd mit Hunden, dann auf die Beizjagd mit Falken u. a. Greifvögeln, die in Mitteleuropa seit dem 7. Jh. bekannt war und ihre Blüte unter arabischem Einfluß in der ritterlichen Kultur der Stauferzeit erreichte. Eigentlich war es der jagende Vogel, den man das Wild „beißen ließ", später 'beizt man mit dem Falken [auf] Vögel'. Den gleichen Wechsel des syntaktischen Objekts zeigt das Verb im Sprachgebrauch der mittelalterlichen Färberei (mit Alaun, *ahd.* beiza, beizistein, s. u.); vgl. die entspr. Entwicklung bei →ätzen. Heute wird 'beizen' in diesem Sinne für die verschiedensten technischen Verrichtungen gebraucht. – Abl.: Beize *w*, „Beizjagd; techn. Beizmittel" (*mhd.* beize hat beide Bed., *ahd.* beiza „Lauge, Alaun").

bekannt: Das heutige Adjektiv ist eigtl. das 2. Part. von *mhd.* bekennen „[er]kennen". In der jungen Wendung 'mit jemandem oder etwas bekannt sein' ist die gegenseitige Kenntnis zweier Personen voneinander gemeint, danach die Vertrautheit mit einer Sache. Abl.: Bekannte *m* (*frühnhd.* Substantivierung wie 'Verwandte', mit dem es oft zusammen steht); Bekanntschaft *w* (17. Jh.; auch als Kollektivum wie 'Verwandtschaft' gebraucht); bekanntlich (*mhd.* bekantlich „erkennbar"; im heutigen Sinn aus der *nhd.* Kanzleisprache).

bekehren: Das Präfixverb *ahd.* bikēren, *mhd.* bekēren (vgl. *bei* und ¹*kehren* „wenden") ist LÜ von *lat.* convertere „umwenden, umkehren" (s. Konvertit). Es wurde zunächst auch im kirchlichen Sprachgebrauch ganz konkret als „jemanden umkehren" verstanden (entspr. ist *schwed.* omvända „bekehren" eigtl. „umwenden"). Die Übertragung auf weltliche Sinnesänderung beginnt schon im *Mhd.* Abl.: Bekehrung *w* (*mhd.* bekērunge, für älteres bekērde, *ahd.* bikērida).

bekennen: Die Präfixbildung *mhd.* bekennen, *ahd.* bikennan bedeutete urspr. „[er]kennen" (vgl. *kennen*), wovon noch das Adjektiv →bekannt zeugt. Der heute allein gültige Sinn „gestehen, als Überzeugung aussprechen", eigtl. „bekannt machen" geht von der mittelalterl. Rechtssprache aus und ist von den Mystikern im 14. Jh. in religiösem Sinn (wie *lat.* cōnfitērī, s. Konfession) ausgeprägt worden. Abl.: Bekenner *m* (14. Jh.; kirchl. für *lat.* confessor); Bekenntnis *s* (*mhd.* bekantnisse, bekentnisse bedeutet u. a. auch „Geständnis, Zeugnis, Glaube"; der heutige Gebrauch ist von „Konfession" beeinflußt, das sich zu „Bekenntnisgruppe" entwickelt hat).

beklommen „ängstlich, bedrückt": Das Wort ist eigtl. das in adjektivischen Gebrauch übergegangene 2. Part des untergegangenen starken Verbs *mhd.* beklimmen „umklammern" (vgl. klimmen). Die *mhd.* Form lautete „beklummen"; im älteren *Nhd.* trat „beklemmt" an die Stelle; 'beklommen' wird seit dem 18. Jh. gebräuchlich.

bekommen: Das Verb *mhd.* bekomen, *ahd.* biqueman, *got.* biquiman „überfallen", *niederl.* bekomen „bekommen, erhalten", *aengl.*

becuman „zu etwas kommen, gelangen" ist eine *altgerm.* Präfixbildung aus →be- und →kommen, die vielfältige Bedeutungen entwickelt hat. Im *Dt.* entwickelte sich über „hervorkommen, wachsen" die Bedeutung „gedeihen, anschlagen" (vgl. den Trinkspruch 'Wohl bekomm's!'), im *Engl.* die Bedeutung „werden" (to become). Die heutige Bed. „erhalten" hat das Verb zuerst im *Mhd.* Dazu die auch übertr. gebrauchten Zus. abbekommen, herausbekommen. Abl.: bekömmlich (erst im 19. Jh. für „zuträglich"; älteres bekommlich, *mhd.* bekom[en]lich war „zukommend, passend, bequem"). Siehe auch bequem.

belangen: Das Verb *mhd.* belangen, *ahd.* bilangēn ist eine Präfixbildung zu dem unter 'langen' behandelten Verb (s. lang). Es bedeutete zunächst „erreichen, sich erstrecken", dann „betreffen", wofür heute anbelangen steht (entspr. *niederl.* [aan]belangen, *engl.* to belong). Die jurist. Bed. „vor Gericht ziehen" eigtl. „mit der Klage erreichen" erscheint im 15. Jh. – Aus dem Verb rückgebildet ist Belang *m*, „Bedeutung", (*Mehrz.*:) „Interessen", das im 18. Jh. in die *nhd.* Kanzleisprache eindringt.

Belche *w* (*landsch.* für:) „Bläßhuhn": Der altertümliche, am Bodensee gebräuchliche Name des Bläßhuhns geht zurück auf *mhd.* belche, *ahd.* belihha, belihho. Damit verwandt sind *lat.* fulica, fulix „Bläßhuhn" und *gr.* phalerís „Bläßhuhn". Den einzelsprachl. Bildungen liegt die *idg.* Wz. *bhel- „(weiß, bläulich, rötlich) schimmern[d], leuchten[d], glänzen[d]" zugrunde. Der schwarze Wasservogel ist nach seiner weithin sichtbaren weißen Stirnplatte benannt. So heißen auch zwei Berge im Schwarzwald und in den Vogesen nach ihrem kahlen, hellen Gipfel 'Belchen'. Die *idg.* Wurzel erscheint in fast allen *idg.* Sprachen, so in *gr.* phalós „weiß", *lit.* bãlas „weiß", älter *russ.* bélyj „weiß" (vgl. die *slaw.* ON Belgrad und Białystok). Sie zeigt mannigfache Erweiterungen. So gehen z. B. auf *idg.* *bh[e]leg- „glänzen" zurück das Verb →blecken (zu dem sich 'blaken' und das nasalierten Formen um blinken, blank stellen), ebenso *gr.* phlégma „Brand, Entzündung, Schleim" (s. Phlegma), *gr.* phlox „Flamme" (s. den Blumennamen Phlox), *lat.* flagrare „brennen" (s. flagrant und das LW Flamme). Aus *bhlendh-, „fahl, rötlich; undeutlich schimmernd" entstand →blind (dazu blenden, Blendling und blond), aus *bhlēi-, *bhlī- „glänzen" der Metallname →¹Blei (s. dort über Blech, bleich, Blick, blitzen und den Fischnamen ²Blei). Als unmittelbare Farbbezeichnungen sind schließlich →blau und →blaß (dazu Blesse) zu nennen.

belieben: Eine verstärkende Bildung des 16. Jh.s zu →*lieben*, die dann in höflicher Sprache für „Gefallen finden, mögen" gebraucht wurde. Dazu das verselbständigte Part. beliebt. Abl.: beliebig (im 17. Jh. „angenehm", später zu dem substantivierten Belieben s „Neigung, Gefallen" gestellt).

bellen: *Mhd.* bellen, *ahd.* bellan (starkes Verb) „bellen (vom Hund)", *engl.* to bell „röhren (vom Hirsch)", *aisl.* belja „brüllen (von Kühen)", *norw.* belje „brüllen, schreien" sind lautnachahmenden Ursprungs und sind z. B. [elementar]verwandt mit *lit.* bildéti „dröhnen, klopfen, poltern" und *russ.* boltát' „pochen, klopfen; schwatzen". Beachte auch die unter →poltern und →bölken behandelten ähnlichen Lautnachahmungen.

Belletrist *m* „Unterhaltungsschriftsteller": Neubildung des 18. Jh.s zu *frz.* belles-lettres „schön[geistig]e Wissenschaften". Das Bestimmungswort ist *Mehrz.* von belle „schön" und das Grundwort *Mehrz.* von *frz.* lettre „Buchstabe"; [Druck]schrift; (*Mehrz.*:) Literatur (vgl. *Letter*). Abl.: Belletristik *w* „schöngeistige Literatur"; belletristisch „die Belletristik betreffend".

bemänteln „[Böses] verdecken, beschönigen": Das Wort ist zuerst in den Streitschriften der Reformationszeit bezeugt; dabei wurde der gute Sinn der *kirchenlat.* Redensart 'pallio christianae dilectionis tegere' „mit dem Mantel der christlichen Nächstenliebe zudecken" einseitig ins Tadelnde gewandt; vgl. *Mantel.*

Bendel *m* oder *s* „schmales Bändchen, Schnur": *Mhd.* bendel, *ahd.* bentil „Band, Binde" ist eine Verkleinerungsbildung zu dem unter → ¹Band behandelten Wort. Zur Bildung beachte das Verhältnis von 'Stengel' zu 'Stange'. Eine junge Verkleinerungsbildung ist (bes. *schweiz.*:) Bändel, zu dem sich anbändeln *ugs.* für „mit einer Person Streit oder eine Liebelei anfangen" stellt (19. Jh.).

bene..., Bene... (Bestimmungswort von Zusammensetzungen mit der Bedeutung „gut; wohl"): Aus *lat.* bene, dem Adverb von bonus „gut" (vgl. *Bon*).

Bengel *m* „[ungezogener] Junge": *Mhd.* bengel „derber Stock, Knüppel" (entspr. *mniederl.* benghel) hat seit *frühnhd.* Zeit die heutige Bed. angenommen (ähnl. wie 'Flegel', s. d.). Es entspr. dem *engl. mdal.* bangle „Knotenstock" und ist als „Stock zum Schlagen" von einem *ahd.* und *mhd.* nicht bezeugten Verb abgeleitet, das als *niederd.* bangen, *engl.* to bang, *aisl.* banga „klopfen", mit verschärftem Stammauslaut als *schweiz.* banggen „stoßen" erscheint und wohl lautmalend ist.

Benzin *s* „Treibstoff; Lösungsmittel": Gelehrte Ableitung des 19. Jh.s von *mlat.* benzoë, dem Namen eines aus Sumatra stammenden Harzes, das ursprünglich Ausgangsstoff für die Benzingewinnung war. Voraus

liegt *it.* bengiuì, das aus *arab.* lubān ğāwī (unter Ausfall der Anfangssilbe) entstanden ist. Das *arab.* Wort bedeutet „javanischer Weihrauch", wobei Sumatra offensichtlich mit Java verwechselt wurde.

bequem: *Mhd.* bequǣme, *ahd.* biquāmi, ähnlich *aengl.* gecwǣme ist Verbaladjektiv zu dem unter →kommen behandelten Verb und hat dessen alten kw-Anlaut bewahrt. Die Grundbedeutung ist „zukommend, passend, tauglich" (wie in *got.* gaqimiþ „es ziemt sich", s. auch das nahverwandte bekommen). Die heutigen Bedeutungen „angenehm; träge, faul" haben sich erst seit dem 18. Jh. entwickelt. – Abl.: bequem, sich „sich fügen, herbeilassen" (18. Jh.); Bequemlichkeit *w* (*mhd.* bequǣmelicheit „gute Gelegenheit, Annehmlichkeit", von dem heute untergegangenen Adjektiv *mhd.* bequǣmelich „passend").

bereit: Die auf das *Dt.* beschränkte Adjektivbildung *mhd.* bereit[e] „bereit, fertig, bereitwillig", *ahd.* bireiti „gerüstet, fertig" gehört wohl zu dem unter →reiten behandelten Verb in dessen alter Bedeutung „fahren". Es bedeutete also urspr. „zur Fahrt gerüstet" (ähnlich steht 'fertig' neben 'fahren'). Verwandt sind mit anderem Präfix z. B. *mnd.* gerēde „bereit, fertig", *got.* garaiþs „angeordnet" sowie die präfixlosen Formen *engl.* ready „bereit, fertig" und *aisl.* reidr „fahrbar, bereit"; in *außergerm.* Sprachen *ir.* rēid „eben" (eigtl. „fahrbar") und *kymr.* rhwydd „leicht, frei" (eigtl. „fahrtbereit"). – Abl.: bereiten (*mhd.* bereiten „bereitmachen, rüsten"); bereits (17. Jh.; für älteres adverbielles bereit, das im *Spätmhd.* aufgetreten war; dazu s das s trat in Analogie zu 'flugs', 'rechts' hinzu); Bereitschaft *w* (*mhd.* bereitschaft „Ausrüstung, Gerätschaft"; die Bed. „Bereitsein" ist erst *nhd.*, ganz jung der kollektive Sinn „Polizeiabteilung"). Siehe auch ruhmredig unter *Ruhm* und *Reede.*

Berg *m*: Das *gemeingerm.* Wort *mhd.* berc, *ahd.* berg (*got.* in bairgahei „Gebirgsgegend"), *engl.* barrow „[Grab]hügel", *schwed.* berg „Hügel, Berg" beruht mit verwandten Wörtern in anderen *idg.* Sprachen auf *idg.* *bherĝos- „Berg", vgl. z. B. *armen.* berj „Höhe" und *russ.* béreg „Hügel, Ufer". Das *idg.* Substantiv gehört zu der Wurzelform *bhereĝh- „hoch, erhaben", einer Erweiterung der unter → gebären dargestellten *idg.* Wurzel. Zu der genannten Wurzelform gehören z. B. noch *aind.* bṛhánt- „hoch, groß, erhaben, hehr", *lat.* fortis „kräftig, tapfer", eigtl. „hochgewachsen" (s. die FW-Gruppe um Fort), ferner *air.* Brigit (Name einer Heiligen und Frauenname, eigtl. „die Hohe, die Erhabene"; beachte den weibl. PN Brigitte) und ON wie Bregenz und Burgund („die Hochragende", ältester Name von Bornholm, dem Stammland der ostgerm.

bergen

Burgunden). Im Ablaut zu 'Berg' steht das unter →Burg behandelte Wort. Wahrscheinlich gehört auch →bergen in diesen Zusammenhang, falls es urspr. „in einer Fluchtburg verwahren" bedeutete (s. d. über borgen). *Dt.* Berg, -berg tritt in vielen ON auf und ist dabei von den Namen mit Burg (s. d.) oft nicht zu trennen. Eine Sonderbedeutung gewann 'Berg' in Fachwörtern des Bergbaus (s. u.), wo es die Lagerstätten von Erzen und sonstigen Mineralien, aber auch das taube Gestein dazwischen meint, und in der Flußschiffahrt, wo Bergfahrt die Fahrt stromaufwärts bezeichnet. – Abl.: bergig (*mhd.* bergeht); Gebirge (s. d.). Zus.: Bergbau (im 17. Jh. für älteres Bergwerk, s. u.); Bergfried (s. d.); Bergknappe (*mhd.* bercknappe „Hauer im Bergwerk"; vgl. *Knappe*); Bergmann (14. Jh.,bercman, *Mehrz.* bercliute); Bergwerk (*mhd.* bercwerc „Tätigkeit im Berg, wie das dazu nötige Bauwerk unter Tage". Die ältesten Stollen wurden in die Berghänge hineingetrieben. Das Wort erhielt sich wie die andern mit 'Berg-' gebildeten Fachwörter, auch als später der Steinkohlenbergbau im Flachland begann).

bergen „in Sicherheit bringen": Das *gemeingerm.* Verb *mhd.* bergen, *ahd.* bergan, *got.* baírgan, *aengl.* beorgan, *schwed.* berga ist z. B. verwandt mit *lit.* bìrginti „sparen" und der *slaw.* Sippe um *russ.* beregéč „hüten, bewahren". Es gehört wahrscheinlich im Sinne von „auf einer Fluchtburg unterbringen, in Sicherheit bringen" zu dem unter →Berg behandelten Wort. Im Ablaut zu 'bergen' steht die Sippe von →borgen. Präfixbildung: verbergen (*mhd.* verbergen, *ahd.* firbergan „verstecken", dann „verheimlichen"). In den Zusammensetzungen Halsberge (s. Hals) und Herberge (s. d.) ist ein von 'bergen' abgeleitetes, nur in Zusammensetzungen erhaltenes Substantiv *mhd.* -berge, *ahd.* -berga „schützender Ort, schützender Teil" enthalten.

Bergfried *m* „Hauptturm einer mittelalterlichen Burg": Die Herkunft des Wortes, *mhd.* perfrit, bervrit, bercvrit, ist dunkel. Die älteste bezeugte Bedeutung ist „hölzerner Belagerungsturm". Die heutige Bedeutung ist im *Mhd.* noch selten und hat sich wahrscheinlich schon damals durch volksetymologische Anlehnung an *mhd.* berc „Berg" und *mhd.* vride „Schutz, Sicherheit" entwickelt.

berichten: *Mhd.* berihten „recht machen, einrichten, unterweisen", das zu dem unter →richten behandelten Verb gehört, ist in der ersten Bedeutung durch berichtigen (s. richtig) abgelöst worden, während die letzte sich zu „Kunde von etwas geben, mündlich oder schriftlich darlegen" entwickelt hat. Abl.: Bericht *m* (*mhd.* beriht „Belehrung, Einrichtung, gütliche Beilegung"; die heutige Bedeutung ist dem Verb

gefolgt); dazu Berichterstatter *m* (19. Jh.).

Bernstein *m*: Das in *frühnhd.* Zeit aus dem *Niederd.* übernommene Wort geht auf *mnd.* bern[e]stein (13. Jh.) zurück, das zu *mnd.* bernen „brennen" gehört und demnach eigtl. „Brennstein" bedeutet (vgl. *brennen*). Das an den deutschen Küsten, bes. im ostpreuß. Samland gefundene tertiärzeitliche Baumharz fiel durch seine Brennbarkeit auf. Es war im Norden seit der Steinzeit als Schmuckstein bekannt und gelangte durch den Handel seit dem 3. Jahrtausend in den europäischen Süden. Sein *griech.* Name élektron ist in unserem FW →elektrisch enthalten, sein *germ.* Name *glasaz in *dt.* →¹Glas.

bersten: *Mnd.*, *mitteld.* bersten „brechen" gelangte durch Luthers Bibelübersetzung in die Schriftsprache. Es steht – wie gleichbed. *niederl.* barsten, *engl.* to burst – mit Umstellung des r neben *mhd.* bresten, *ahd.*, *asächs.* brestan (erhalten in dem Wort Gebresten), *schwed.* brista. *Außergerm.* Beziehungen sind nicht gesichert. Verwandt ist das unter →prasseln behandelte Verb.

berüchtigt „in schlechtem Rufe stehend": Das Adjektiv ist eigtl. das 2. Part. des im 17. Jh. untergegangenen Verbs berüchtigen „in üblen Ruf bringen, verklagen", das in die *frühnhd.* Gerichtssprache aus *mnd.* berüchtigen „ein Geschrei über jemanden erheben" (s. d.) übernommen wurde. Die genannten Wörter gehören zu dem unter →anrüchig behandelten Wort. Siehe auch ruchbar.

berücken: Das seit dem 16. Jh. bezeugte Verb stammt aus der Sprache der Fischer und Vogelsteller und bedeutet eigtl. „mit einem Netz über das zu fangende Tier rücken, mit einem Ruck das Netz zuziehen" (vgl. *rücken*). Aus der Bed. „(listig) fangen" entwickelte sich in der Barockzeit die heute übliche Bed. „betören, bezaubern".

berufen: Die Präfixbildung (*mhd.* beruofen) zu dem unter →rufen behandelten Verb wird heute in drei verschiedenen Bedeutungen gebraucht: 1. Personen werden in ein Amt berufen (eigtl. „herbeigerufen, eingeladen"), Versammlungen [ein]berufen. In diesem Sinn verwendet Luther das Wort in der *dt.* Bibel, wenn vom Ruf Gottes an den Menschen die Rede ist (s. u. Beruf). 2. Aus der Gerichtssprache stammt 'sich auf jemanden oder etwas berufen', das eigtl. den Sinn von „appellieren" hat, wofür heute „Berufung einlegen" gilt. 3. Die Bed. „beschreien" geht auf die Form der öffentlichen Anklage im mittelalterlichen Recht zurück (s. Gerücht), enthält aber auch die abergläubische Vorstellung, daß unbedachtes Reden Unglück bringe (dazu das häufig gebrauchte Part. unberufen). – Abl.: Beruf *m* (*mhd.* beruof „Leumund"; die *nhd.* Bedeutung hat

Luther geprägt, der es in der Bibel zunächst als „Berufung" durch Gott für *gr.* klēsis, *lat.* vocātiō gebrauchte, dann auch für Stand und Amt des Menschen in der Welt, die schon Meister Eckart als göttlichen Auftrag erkannt hatte. Dieser ethische Zusammenhang von Berufung und Beruf ist bis heute wirksam geblieben, wenn das Wort jetzt auch gewöhnlich nur die bloße Erwerbstätigkeit meint).

beschaffen „geartet": Das Adjektiv ist eigtl. das in adjektivischem Gebrauch übergegangene 2. Part. (*mhd.* beschaffen) zu dem starken *mhd.* Verb beschaffen „erschaffen" (vgl. *schaffen*). Gebraucht wird es heute in den Verbindungen 'gut, schlecht, so usw. beschaffen'. Dazu B e s c h a f f e n h e i t *w* „Zustand" (*mhd.* beschaffenheit „Schöpfung"; die heutige Bedeutung im 17. Jh.).

beschäftigen: Das seit dem 17. Jh. bezeugte Verb enthält ein Adjektiv, das *mhd.* in der *mitteld.* Form scheftic „geschäftig, tätig, emsig", *mnd.* als gleichbed. bescheftig belegt ist und zu →schaffen „arbeiten" gehört. Abl.: B e s c h ä f t i g u n g *w* (18. Jh.).

¹bescheiden: Das zu →scheiden „trennen" gebildete *mhd.* bescheiden hat in der mittelalterlichen Rechtssprache die Bedeutungen „zuteilen" und „Bescheid geben" entwickelt. Zur ersten gehört die Wendung 'mein bescheidener Anteil', die heute als „geringer Anteil" verstanden wird. Die zweite lebt noch in der Kanzleisprache (z. B. 'jemanden abschlägig bescheiden'), sie meint eigtl. die Mitteilung eines richterlichen Entscheids, dann auch „belehren, unterweisen". Das reflexive 'sich bescheiden' „zufrieden sein, sich zufriedengeben, sich begnügen" bedeutete urspr. „sich vom Richter bescheiden lassen". Das ehemalige starke Part. ²b e s c h e i d e n entwickelte sich in der Bedeutung entsprechend dem Verb: Urspr. war es „[vom Richter] bestimmt, zugeteilt, festgesetzt", dann wurde es von Personen gebraucht, die sich bescheiden ließen, sich zu bescheiden wußten und deshalb als „besonnen, einsichtsvoll, verständig, klug" galten. Heute wird es im Sinne von „genügsam, einfach, anspruchslos" verwendet. Dazu B e s c h e i d e n h e i t *w*, das im *Mhd.* noch „Verstand, Verständigkeit" war. Eine Rückbildung zu ¹bescheiden ist B e s c h e i d *m* (*mhd.* bescheit, bescheide „Bestimmung, Bedingung), heute fast nur in 'Bescheid geben, wissen' und in 'Bescheid tun' „antwortend zutrinken", das eigtl. die Entgegnung auf einen Trinkspruch meint.

bescheren „zu Weihnachten schenken": Das nur im *Dt.* gebräuchliche Wort (*mhd.* beschern „zuteilen, verhängen") wurde früher meist von Gott und dem Schicksal gesagt (z. B. 'das hat mir Gott beschert). Der heutige Sinn (seit dem 18. Jh.) ergab sich, weil die Weihnachtsgeschenke den Kindern als Ga-

ben des Christkinds dargestellt wurden. *Mhd.* beschern ist eine Präfixbildung zu *mhd.* schern, *ahd.* scerjan „ab-, zuteilen", *aengl.* scierian „zuteilen, bestimmen", die ihrerseits von dem unter → ¹*Schar* behandelten Substantiv abgeleitet sind (beachte bes. *aengl.* scearu „Anteil").

beschließen: *Mhd.* besliezen, *ahd.* bisliozan bedeutete urspr. „zu-, ver-, einschließen" (vgl. *schließen*; dazu noch Beschließer *m* „Aufseher"), dann „beenden". Daraus entstand schon *nhd.* die heutige Bed. „festsetzen", eigentl. „zum Schluß der Gedanken kommen" (s. auch entschließen). — Abl.: Beschluß *m* (*mhd.* beslu̯zz „Ab-, Verschluß, 'Ende" erhält im 15. Jh. die heute vorherrschende Bed. „Entscheidung").

beschweren: Das Präfixverb *mhd.* beswǣren, *ahd.* biswāren „schwerer machen, belasten, drücken; belästigen, betrüben" gehört zu dem unter →schwer behandelten Adjektiv. Reflexiv bedeutet es seit dem 14. Jh. „sich (über Drückendes) beklagen". Abl.: B e s c h w e r d e *w* (*mhd.* [be]swǣrde „Bedrückung, Betrübnis; *ahd.* swārida „drückende Last"; seit dem 15. Jh. Rechtswort für „Klage, Berufung"; vgl. die *Mehrz.* B e s c h w e r d e n bezeichnet *nhd.* auch körperliche Schmerzen und Störungen); b e s c h w e r l i c h (16. Jh.).

beschwichtigen: Das Ende des 18. Jh.s ins *Hochd.* übernommene *niederd.* beswichtigen, älter [be]swichten „zum Schweigen bringen" entspricht (mit *niederd.* -cht- für *hochd.* -ft-) *mhd.* [be]swiften „stillen, dämpfen", *ahd.* giswiftōn „still werden"; das vorausliegende Adjektiv *mhd.* swifte „ruhig" ist vielleicht verwandt mit *got.* sweiban „aufhören" und *aisl.* svífask „sich fernhalten". Weitere Beziehungen sind ungeklärt.

Besen *m*: Die Herkunft des *westgerm.* Wortes *mhd.* bes[e]me, besem, *ahd.* bes[a]mo, *niederl.* bezem, *engl.* besom ist unklar. — Im *Dt.* wird 'Besen' seit dem 16. Jh. auch übertragen gebraucht, zunächst für eine Magd, dann für ein einfaches Mädchen und schließlich für ein zänkisches oder boshaftes Weib.

besonder: Das *mhd.* Adjektiv sunder „abgesondert, eigen, ausgezeichnet" (vgl. *sonder*) wird seit *spätmhd.* Zeit durch den Zus. besunder, *nhd.* besonder abgelöst, die nur attributiv gebraucht wird (ein besonderer Wein). Auf die Bildung dieser Zusammensetzung hat das ältere Adverb *mhd.* besunder eingewirkt, das aus bī (= bei) sunder entstanden ist und seit dem 16. Jh. mit genitivischem -s b e s o n d e r s lautet. Abl.: B e s o n d e r h e i t *w* (18. Jh.; zum Adjektiv).

besser (Komparativ), best (Superlativ): Die Vergleichsformen von 'gut' (s. d.) werden in allen *germ.* Sprachen mit Wörtern des unter →*baß* behandelten Stammes *bhad*-gebildet: *mhd.* bezzer, best (bezzist), *ahd.*

bezziro, bezzisto, *got*. batiza, batista, *engl*. better, best (s. Bestseller), *schwed*. bättre, bäst. Die Wendung 'zum besten geben' bedeutet eigtl. den besten Preis eines Wettbewerbs, z. B. eines Preisschießens; dagegen ist bei 'einen zum besten haben' (necken) wohl eher der „beste Mann" gemeint, der einen Spaß verstehen muß. – Abl.: b e s s e r n (*mhd*. bezzern, *ahd*. bezziron; beachte dazu auf-, aus-, verbessern), dazu B e s s e r u n g *w* (*mhd*. bezzerunge, *ahd*. bezzirunga; im mittelalterlichen Recht auch „Entschädigung, Buße").

bestätigen: Das Verb *mhd*. bestætigen „festmachen, bekräftigen" gehört zu dem unter →*stet* behandelten Adjektiv stetig (vgl. *ahd*. stätigōn).

bestatten: *Mhd*. bestaten ist verstärktes einfaches *mhd*. staten „an seinen Ort bringen", dem *mhd*. stat „Ort, Stelle, Stätte" zugrunde liegt (vgl. *Statt*), und wird bereits verhüllend für „begraben" gebraucht. Das Verb ist amtlicher und feierlicher Ausdruck geworden, bes. seit dem Wiederaufkommen der Feuerbestattung im 19. Jh. – Abl.: B e s t a t t u n g *w* (*mhd*. bestatunge „Begräbnis").

bestechen: Als Präfixbildung zu →*stechen* mit der Grundbed. „um oder in etwas stechen" war schon *mhd*. bestechen Fachwort der Bergleute für „durch Stechen prüfen, untersuchen"; daraus leitet sich wohl die seit dem 15. Jh. belegte heutige Bedeutung her, die dann eigtl. „mit Gaben vorfühlen, sondieren" wäre. Noch einmal übertragen, bedeutet das Wort seit dem 18. Jh. „für sich einnehmen". Abl.: b e s t e c h l i c h (18. Jh.).

Bestie *w* „wildes Tier; Unmensch": *Mhd*. bestie stammt wie *frz*. bête (*afrz*. beste) aus *lat*. bēstia, das ohne überzeugende Anknüpfung ist. – Die im *Niederd*. seit dem Ende des 16. Jh.s bezeugte Form Beest *s* „Untier", die durch *afrz*. beste vermittelt wurde, lebt besonders in der Umgangssprache als B i e s t *s*. Dies wird teilweise als derbes Schimpfwort im Sinne von „Ekel", teilweise auch als Kosewort für ein „widerspenstiges Weibchen" (= „süßes Luder") gebraucht. Abl.: b e s t i a l i s c h „tierisch; roh" (16. Jh.; aus *lat*. bēstiālis); B e s t i a l i t ä t *w* „Unmenschlichkeit, Grausamkeit" (16./17. Jh.; aus *nlat*. bēstiālitās).

bestimmen: Die Grundbedeutung des Verbs *mhd*. bestimmen war „mit der Stimme [be]nennen, durch die Stimme festsetzen" (vgl. *stimmen*). Sie entwickelte sich schon früh weiter zu der allgemeinen Bedeutung „anordnen". Die Bedeutung „nach Merkmalen abgrenzen, definieren" stammt aus der philosoph. Fachsprache des 18. Jh.s. Dazu das selbständige Partizip b e s t i m m t „fest abgegrenzt, entschieden", auch adverbiell für „ganz gewiß" (um 1800).

bestricken: Das Verb *mhd*. bestricken, *ahd*. bistricchan war urspr. ein Jagdausdruck und bedeutet eigtl. „mit Stricken oder in einem Strick fangen" (vgl. *Strick*). Aus der Bed. „fangen, fassen" entwickelte sich dann in *mhd*. Zeit die heute übliche Bed. „betören, bezaubern" (vgl. zur Bedeutungsgeschichte den Artikel berücken). Heute ist vor allem das 1. Partizip b e s t r i c k e n d „betörend, bezaubernd" gebräuchlich.

Bestseller *m* „Verkaufsschlager (meist von Büchern)": Im 20. Jh. aus gleichbed. *engl*. best seller (eigtl. „was sich am besten verkauft") entlehnt. *Engl*. best entspricht *nhd*. best (vgl. *besser*), während seller von *engl*. to sell „verkaufen" abgeleitet ist.

bestürzen: Das Verb *mhd*. bestürzen, *ahd*. bisturzan ist eine Präfixbildung zu →*stürzen* und bedeutete urspr. „umstürzen, umwenden, bedecken". Daraus entwickelte sich die übertragene Bedeutung „außer Fassung bringen, verwirren". Heute sind die beiden Partizipien b e s t ü r z e n d und b e s t ü r z t am gebräuchlichsten. Abl.: B e s t ü r z u n g *w* (17. Jh.).

Bete *w* „rote Rübe": Der Name des Wurzelgemüses (*ahd*. bieza, *mhd*. bieze) beruht auf *lat*. bēta „Bete", das früh in die *germ*. Sprachen gelangte (beachte entspr. *niederl*. biet, *engl*. beet und *schwed*. beta). Die heutige Form des Wortes ist *niederd*. (seit dem 18. Jh. bezeugt).

beten: Der Germane kannte das Beten nicht. Seit der Christianisierung wurde der Begriff durch das vorhandene Verb → *bitten* gedeckt. Nur das *Deutsche* hat durch Ableitung von *ahd*. beta „Bitte" einen Unterschied geschaffen: *ahd*. betōn, *mhd*. beten, *mnd*. bēden. – Abl.: B e t e r *m* (*mhd*. betære, *ahd*. betāri).

beteuern: Das Verb *mhd*. betiuren „zu kostbar dünken" ist von dem unter →*teuer* behandelten Adjektiv abgeleitet (vgl. bedauern unter ²dauern). Auf dem Wege über „wertvoll machen" erreicht es den Sinn „(hoch und teuer) versichern".

Beton *m*: Das aus *lat*. bitūmen „Erdharz, Erdpech" stammende *frz*. Substantiv béton, das in moderner Bedeutung ein sehr hartes und bindfestes Baumaterial (ein Gemisch aus Zement, Wasser und Sand) bezeichnet, wurde im 19. Jh. als FW ins *Nhd*. übernommen. Daneben lebt *lat*. bitūmen, das wahrscheinlich *kelt*. LW ist und zur *idg*. Sippe von →*Kitt* gehört, in unveränderter Form als FW Bitumen *s* „natürlicher Asphalt" fort. Abl.: b e t o n i e r e n (20. Jh.; aus *frz*. bétonner).

betrachten: Die Präfixbildung *mhd*. betrahten, *ahd*. bitrahtōn bedeutete wie das einfache Verb →*trachten* zunächst „bedenken, erwägen, streben". Erst in *frühnhd*. Zeit entwickelte sich über „nachdenklich ansehen" die heute übliche Bedeutung „an-

sehen, beschauen" (s. aber Betrachtung).
Abl.: Betracht *m* (nur noch 'in Betracht
kommen, ziehen', 'außer Betracht bleiben';
Kanzleiwort des 18. Jh.s wie gleichzeitiges
'in Anbetracht', doch gab es schon *mhd.*
betrahte „Erwägung, Absicht"); beträchtlich (im 15. Jh. in der Bedeutung „mit
Überlegung", im 16. Jh. „was Beachtung
verdient"; die heutige Bedeutung „erheblich" seit dem 18. Jh.); Betrachtung *w*
(*mhd.* betrahtunge „Trachten nach etwas;
Versenkung, innere Anschauung").

Bett *s*: Das *gemeingerm.* Wort für „Lagerstatt, Schlafstelle" *mhd.* bet[te], *ahd.* betti,
got. badi, *engl.* bed, *schwed.* bädd beruht auf
einer Bildung zu der *idg.* Verbalwurzel
*bhed- „stechen, graben", zu der z. B. *lat.*
fodere „graben" und die *baltoslaw.* Sippe von
russ. bodát' „[mit den Hörnern] stoßen"
gehören. Es bedeutete demnach urspr. „in
die Erde eingewühlte Lagerstatt; Grube
zum Schlafen" und ist eng verwandt mit der
kelt. Sippe um *gall.* bedo- „Graben, Kanal".
Mit 'Bett' identisch ist das unter →Beet
behandelte Wort. – Den Germanen war die
heutige Form des Bettes unbekannt. Sie
schliefen ein warmes im Stroh und Fellen
gepolsterten Lager am Boden; später diente
dann auch die Bank zum Schlafen. Der Gebrauch des beweglichen Bettes der Mittelmeervölker verbreitete sich bei den Germanen erst im späteren Mittelalter. Doch hatte
man über dem Stroh schon früh Tücher und
Federbetten, (*ahd.* bettiwāt, fedarbetti), so
daß das Wort seit alters auch die Feder-
kissen bezeichnen kann. Das Wort wird im
Dt. auch übertragen gebraucht, beachte
z. B. die Zus. Flußbett und Nagelbett. –
Abl.: betten (*mhd.* betten, *ahd.* bettōn
„das Bett richten"), dazu Bettung *w*
(heute meist techn. für „feste Unterlage").
Zus.: bettlägerig (17. Jh.); Bettstelle
(18. Jh.).

betteln: Das *dt.* und *niederl.* Verb (*mhd.*
betelen, *ahd.* betalōn, *niederl.* bedelen) ist
eine Iterativbildung zu dem unter →bitten
behandelten Verb und bedeutet demnach
eigtl. „wiederholt bitten". Abl.: Bettel *m*
„geringfügiges Zeug" (*mhd.* betel „das
Betteln"; seit dem 17. Jh. in der heutigen
Bedeutung, eigtl. „Erbetteltes, Almosen");
Bettler *m* (*mhd.* betelǣre, *ahd.* betalāri).

beugen: Das *altgerm.* Verb *mhd.* bougen,
ahd. bougen, *mniederl.* bōgen, *aengl.* bīegan,
schwed. böja ist das Veranlassungswort zu
dem unter →biegen behandelten Verb und
bedeutet demnach eigtl. „biegen machen".
Es ist im *dt.* Sprachgebrauch von 'biegen'
nicht klar geschieden und hat meist die Bed.
„herunterbiegen", reflexiv „sich unterwerfen". In der Grammatik verdeutscht es seit
dem 17. Jh. das FW flektieren, wie 'Beugung'
das FW Flexion). – Abl.: Beuge *w* (*mhd.*
biuge; als „Krümmung" nur noch selten in

Arm-, Schenkel-, Leistenbeuge; Rumpf- und
Kniebeuge bezeichnen Turnübungen). Zus.:
verbeugen, sich „sich höflich verneigen"
(so seit dem 18. Jh., älter *nhd.* nicht von
'verbiegen' unterschieden), dazu Verbeugung *w* (18. Jh.); vorbeugen (16. Jh.; die
übertr. Bed. „im voraus verhindern"
stammt aus schon früh verblaßtem militärischen Gebrauch für „den Weg versperren").

Beule *w*: Das *westgerm.* Wort *mhd.* biule,
ahd. būlla, *niederl.* buil, *aengl.* byle bedeutete
urspr. „Schwellung" und bezeichnete demzufolge zunächst eine durch Schlag, Stoß
oder Entzündung erzeugte Schwellung.
Übertragen wird das Wort im *Dt.* auch im
Sinne von „Schlagstelle in Metall" verwendet, beachte dazu die Verben ausbeulen
und verbeulen. Im Ablaut zu dem *westgerm.* Wort stehen *isl.* beyla „Buckel, Höcker"
und *got.* ufbauljan „aufblasen". Die genannte
germ. Wortgruppe gehört zu der vielfach
weitergebildeten und erweiterten, urspr. lautnachahmenden *idg.* Wz. *bh[e]u-, *b[e]u-
„[auf]blasen, schwellen", zu der sich aus dem
außergerm. Sprachbereich z. B. *lat.* bucca
„aufgeblasene Backe" stellt (vgl. das LW
Buckel). Aus dem *germ.* Sprachbereich gehören ferner zu dieser Wurzel →Beutel
„Säckchen", →Pocke „Blatter" und wahrscheinlich auch →Bauch; dann →Pausback,
→böse (eigtl. „aufgeblasen"), →pusten,
→Bausch (mit Pausche und pauschal),
→Busen und wohl auch →Busch (mit Böschung).

Beute *w*: Die *nhd.* Form geht auf *mhd.*
biute „Beute" zurück, das aus dem *Mnd.*
übernommen ist. *Mnd.* būte „Tausch,
Wechsel; Verteilung; Anteil, Beute" war
ein Ausdruck des mittelalterl. Handels. Er
ist eine Bildung zu dem *mnd.* būten, *mnd.*
ūten „ausgeben", *ahd.* ūzōn „ausschließen").
Es gelangte mit dem Substantiv in die *nord.*
Sprachen (*aisl.* bȳta, *schwed.* byta „tauschen, wechseln", *aisl.* bȳti „gegenseitige
Schuldforderung") und seit dem 14. Jh. in
das *Mittel-* und *Oberd.*, nun meist auf Krieg
und Plünderung bezogen (*mhd.* biuten
„Kriegsbeute machen, rauben"). Das Verb
lebt im *Nhd.* fort als erbeuten (im 16. Jh.
schweiz.) und ausbeuten (16. Jh.; dazu das
gleich alte Ausbeute *w* „Ertrag" und im
19. Jh. das politische Schlagwort Ausbeuter *m*). Dazu tritt Freibeuter *m*
„Seeräuber" (*mnd.* vrībūter „Schiffsführer
mit Vollmacht zum Kapern; Seeräuber",
zu vrībūte „freigegebene Kriegsbeute";
entspr. *niederl.* vrijbuiter).

Beutel *m*: *Mhd.* biutel, *ahd.* būtil, *niederl.*
bui[de]l „Beutel, Tasche, [kleiner] Sack"
sind engverwandt mit *isl.* budda „[Geld]-

beutel" und *engl.* bud „Knospe" und gehören mit diesen im Sinne von „Aufgeschwollenes" zu der unter →Beule dargestellten Wortgruppe. Unser Geldbeutel war urspr. ein Säckchen. In der mittelalterlichen Tracht diente der Beutel als Gürteltasche wie später der militärische Brotbeutel. 'Beutel' heißt auch das Mehlsieb des Müllers (schon *mhd.*) und der Hodensack mancher Tiere (s. Bocksbeutel). Jung ist die Bez. Beuteltier, Beutler *m* für eine urtümliche Säugetierart bes. Australiens. – Abl.: beuteln (*mhd.* biutelin „Mehl im Beutel sieben", danach *frühnhd.* übertr. für „tüchtig durchschütteln"; mit Beziehung auf den Geldbeutel auch „beim Spiel Geld abnehmen"; ein ausgeweiteter Stoff beutelt sich). Zus.: Beutelschneider veraltet für: „Taschendieb" (*mhd.* biutelsnīder; jetzt übertr. für jemanden, der zu hohe Rechnungen schreibt); Windbeutel „hohles Gebäck", *ugs.* für „leichtfertiger, windiger Mensch" (18. Jh.).

bevor: Die Konjunktion ist wahrscheinlich aus der *mhd.* Fügung ...[be]vor, ē... „(es geschah) vorher, ehe ..." entstanden, indem 'bevor' in den Gliedsatz übertrat und 'ehe' verdrängte. Im 17. Jh. heißt es noch 'ehe und bevor ihr fahren werdet'. Als Adverb (dafür heute →zuvor) ist *mhd.* bevor, *ahd.* bifora aus bī fora „vorn, voraus" zusammengerückt (ähnl. *asächs.* biforan, *engl.* before; vgl. *bei* und *vor*) und gilt so noch in *nhd.* bevorstehen.

¹bewegen „veranlassen": Die Präfixbildung *mhd.* bewegen „bewegen", *mhd.* sich bewegen „sich zu etwas entschließen", *ahd.* biwegan „bewegen, abwägen" gehört zu dem einfachen starken Verb *mhd.* wegen „sich bewegen; Gewicht haben", *ahd.* wegan „bewegen, wiegen", das im *Nhd.* mit anderer Bedeutung in →wägen (s. d. über erwägen, verwegen, wiegen, Gewicht, Wucht, Waage, wagen) bewahrt ist. Diesem einfachen starken Verb entsprechen im *germ.* Sprachbereich *got.* (ga)wigan „bewegen", *aengl.* wegan „bewegen; wägen, messen" (*engl.* to weigh „wiegen, wägen"), *aisl.* vega „schwingen, heben; wiegen". Sie beruhen mit verwandten Wörtern in anderen *idg.* Sprachen auf der *idg.* Wurzel *u̯eĝh- „sich bewegen, schwingen, fahren, ziehen", vgl. z. B. *aind.* váhati „er fährt, zieht, führt heim", *aind.* vahítra-m „Fahrzeug, Schiff", *lat.* vehere „fahren, führen" und *lat.* vehiculum „Wagen" (s. die FW-Gruppe um Vehikel). Aus dem *germ.* Sprachbereich stellen sich zu dieser Wurzel ferner die unter →Weg, →Woge, →Wagen und →Wiege behandelten Wörter. Zu dem obengenannten *gemeingerm.* starken Verb gehört als schwach gebeugtes Veranlassungswort *mhd.* wegen, *ahd.* wegen „in Bewegung setzen", *got.* wagjan „schütteln", *aengl.* wecgan „[sich] bewegen,

treiben" und – als Präfixbildung – ²bewegen „die Lage von etwas oder jemandem ändern; übertr.: geistig oder seelisch erregen". ¹Bewegen und ²bewegen laufen schon seit *ahd.* Zeit ohne scharfe Trennung nebeneinander her. Erst im *Nhd.* wird die heutige Differenzierung erreicht. Die Grundbedeutung der Bewegung enthalten auch die *dt.* Iterative →wackeln, →watscheln und →aufwiegeln. – Abl.: beweglich (*mhd.* bewegelich, zu ²bewegen). Siehe auch den Artikel unentwegt.

bewenden: Von der Präfixbildung *mhd.* bewenden, *ahd.* biwenten „hin-, um-, anwenden" (vgl. *wenden*) ist heute nur noch der Infinitiv gebräuchlich in der Fügung 'es dabei bewenden (svw. gut sein) lassen', substantiviert in 'es mag dabei sein Bewenden haben' (svw. bleiben). Veraltet ist das Part. bewandt (*mhd.* [so] bewant „[so] beschaffen"), dazu Bewandtnis *w* (17. Jh.), nur noch in: 'damit hat es folgende, seine eigene Bewandtnis'.

bewußt: Das seit dem 16. Jh. bezeugte Adjektiv ist eigtl. das 2. Part. der heute nicht mehr gebrauchten Präfixbildung *frühnhd.* bewissen „sich zurechtfinden", *mnd.* bewēten „auf etwas sinnen, um etwas wissen". Die *mitteld.* und *mnd.* Form bewūst hat sich gegenüber der normalen Form bewist durch Luthers Bibelübersetzung durchgesetzt. – Zus.: schuldbewußt (18. Jh., aus 'sich einer Schuld bewußt') selbstbewußt, dazu Selbstbewußtsein (zuerst in der philosophischen Fachsprache des 18. Jh.s); Bewußtsein *s* (im 18. Jh. philosophisch, dann als Gegenwort zu 'Ohnmacht' bald allgemein gebraucht); bewußtlos „ohne Bewußtsein" (zu dem heute veralteten Substantiv *frühnhd.* bewußt „Wissen, Kenntnis", also eigtl. „ohne [sein] Wissen"); unbewußt (*frühnhd.* unbewist, *mnd.* unbewust „unbekannt, nicht wissend", im 18. und 19. Jh. philosoph. vertieft); Unterbewußtsein (im 19. Jh. als Begriff der Psychologie gebildet).

bezichtigen „beschuldigen": Das seit dem 16. Jh. – neben heute veraltetem 'bezichten' – bezeugte Verb gehört zu *mhd.* bezīht, bizīht „Beschuldigung", *ahd.* bizīht „Verdachtszeichen", einer Bildung zu *mhd.* bezīhen, *ahd.* bizīhan „beschuldigen" (vgl. *zeihen*).

Bezirk *m* „[Verwaltungs]gebiet": Das seit *spätmhd.* Zeit bezeugte Substantiv (*spätmhd.* bezirc „Umkreis, Bezirk") trat als Präfixbildung an die Stelle des älteren Substantivs *mhd.* zirc „[Um]kreis, Bezirk", das (bereits in *ahd.* Zeit) aus *lat.* circus „Kreis, Kreislinie, Kreisbahn" (vgl. *Zirkus*) entlehnt wurde.

bi..., Bi... (Bestimmungswort von Zusammensetzungen mit der Bed. „zwei, doppel[t]"):

Aus gleichbed. *lat.* bi... (*alat.* dui...); zu *idg.*
*dui- „zwei" (vgl. *Duo*).

Bibel *w* „die Heilige Schrift": Der aus der
ägyptischen Papyrusstaude gewonnene und
zu Papierrollen verarbeitete Papyrusbast
wurde im alten Griechenland vornehmlich
aus der phönizischen Hafenstadt Byblos
(heute Jebaïl) importiert. Nach ihr nannten
die Griechen das verarbeitete Rohmaterial
selbst býblos. Das davon abgeleitete byblíon,
dessen -y- an das -i- der folgenden Silbe
assimiliert wurde zu biblíon „Papierrolle,
Buch" (nach diesem Vorbild entstand klass.
bíblos), wurde in der *Mehrz.* biblía „Bücher"
ins *Kirchenlat.* zur Bezeichnung der „Heiligen Bücher (des Alten und Neuen Testaments)" entlehnt. Die eigenartige Betonung
auf der vorletzten Silbe bewirkte dann, daß
das Wort (urspr. ein Neutr. Plur.) bei der
Übernahme ins *Mhd.* als Femin. Sing. gefaßt wurde „die biblie, später: bibel): die
Bibel als „das Buch". Abl.: b i b l i s c h. –
Dazu gehören noch: →biblio..., → ¹Fibel.

Biber *m*: Der *altgerm.* Name des im Wasser
lebenden Nagetieres *mhd.* biber, *ahd.* bibar,
niederl. bever, *engl.* beaver, *aisl.* björr ist
z. B. verwandt mit *lat.* fiber „Biber" und
russ. bobr „Biber" und beruht mit diesen
auf *idg.* *bhebhru-s „Biber", einem substantivierten Adjektiv mit der Bedeutung
„glänzend, hellbraun", vgl. *aind.* babhrú-ḥ
„rotbraun" (vgl. *braun*). Der Biber ist also
nach seiner Farbe als „der Braune" benannt
worden. Auf die alte Verbreitung des heute
in Deutschland fast ausgerotteten Pelztieres
weisen zahlreiche Orts- und Flußnamen hin,
z. B. *gall.* Bibracte, *dt.* Biberach, Bebra,
Bever, aber Bober. 'Biber' wird auch der
kurzgeschorene Pelz des Tieres genannt und
danach ein Baumwollflanell (früher bestimmte Wolltuche). Zus.: B i b e r g e i l *s*
„Drüsenabsonderung des Bibers" (*mhd.*
bibergeil, zu Geile „Hode" [vgl. *geil*]; man
hielt die Drüsen fälschlich für die Hoden-
säcke des Tieres; B i b e r s c h w a n z „flacher
Dachziegel" (16. Jh.).

biblio..., Biblio... (Bestimmungswort zu
Zusammensetzungen mit der Bed. „Buch"):
Aus gleichbed. *gr.* biblíon (vgl. *Bibel*).

Bibliograph *m* „Verfasser einer Bibliogra-
phie": Aus *gr.* biblio-gráphos „Bücher-
schreiber" entwickelt. **Bibliographie** *w*
„Bücherverzeichnis": Aus *gr.* biblio-graphía
„Bücherschreiben" gebildet. Über weitere
Zusammenhänge vgl. *biblio...* und *Graphik*.
Abl.: b i b l i o g r a p h i s c h „bücherschreibend;
bücherkundlich".

Bibliothek *w* „Bücherei": Im 16. Jh. aus *lat.*
bibliothēca < *gr.* bibliothḗkē (eigentlich:
„Büchergestell") entlehnt. Über weitere Zusammenhänge vgl. *biblio...* und *Theke.* –
Dazu: B i b l i o t h e k a r *m* „[wissenschaftl.]
Verwalter einer Bücherei" (18. Jh.; aus *lat.*
bibliothēcārius).

bieder, (altertümelnd auch:) b i d e r b : Das
auf das *dt.* Sprachgebiet beschränkte Adjektiv *mhd.* bider, biderbe, *ahd.* bitherbi ist aus
dem Präfix →be- und dem Stamm des
unter →dürfen behandelten Verbs gebildet.
Aus der Grundbedeutung „dem Bedürfnis
entsprechend" wurde „brauchbar, nützlich",
von Personen „tüchtig, brav, wacker". Im
Nhd. erst im 17./18. Jh. wieder aufgenommen, wird das Adjektiv heute fast nur noch
ironisch gebraucht. Abl.: a n b i e d e r n, sich
„plump um Vertrauen werben" (19. Jh.);
B i e d e r k e i t *w* (im 18. Jh. neugebildet, ohne
Anschluß an *mhd.*, *ahd.* biderbecheit „Tüchtigkeit"). Zus.: B i e d e r m a n n (*mhd.* biderb
man, biderman „unbescholtener, Ehren-
mann"; es blieb im Gegensatz zum Adjektiv
auch *nhd.* stets gebräuchlich, hat aber seit
dem 19. Jh. einen ironischen Klang);
B i e d e r m e i e r *s* „[Kunst]stil der Zeit 1815
bis 1848" (1853 als '[Gottlieb] Biedermaier'
Deckname der Verfasser von „biedermänni-
schen" Gedichten in den Fliegenden Blättern,
seit den 90er Jahren Bezeichnung des ge-
diegen-bürgerlichen Stils der Vormärzjahre).

biegen: *Mhd.* biegen, *ahd.* biogan, *got.*
biugan stehen im Ablaut zu gleichbed. *niederl.*
buigen, *engl.* to bow, *schwed.* buga und gehören mit diesen zu der *idg.* Wz. *bheug[h]-
„biegen". In anderen *idg.* Sprachen sind
z. B. verwandt *aind.* bhujáti „er biegt,
schiebt weg" und *air.* fid-bocc „hölzerner
Bogen". Aus dem *germ.* Sprachbereich gehören hierher auch die unter →Bogen,
→Bügel und →Bucht behandelten Wörter.
Das Veranlassungswort zu 'biegen' ist
→beugen (eigtl. biegen machen); eine Intensivbildung ist →bücken. – Abl.: Biege
„Krümmung" (17. Jh.); biegsam (17. Jh.).

Biene *w*: Die *germ.* Bezeichnungen der Biene
mhd. bin[e], *ahd.* bini, *niederl.* bij, *engl.*
bee, *schwed.* bi sind z. B. verwandt mit
air. bech „Biene", *russ.* pčelá „Biene", *lit.*
bitė „Biene". Die starken Abweichungen
dieser Formen – auch der *germ.* Formen
untereinander – beruhen nicht nur auf verschiedener Stammbildung, sondern sicher
auch auf tabuistischen Entstellungen. Die
Biene war früher ein wichtiges Jagdtier, das
wegen des Honigs hochgeschätzt war und
durch Nennung des richtigen Namens nicht
vertrieben werden durfte. Durch die große
Bedeutung der Bienenwirtschaft in früheren
Zeiten hat sich auch ein reicher Fachwort-
schatz entwickelt, von dem Wörter wie
Imme, Drohne, Wabe, Weisel (s. d.) allgemein bekannt sind. Zus.: B i e n e n k o r b
(*mhd.* binen-, bînkorp ist vielleicht Umbildung des älteren bînenkar, *ahd.* binikar, s.
Kar); B i e n e n s t o c k (*spätmhd.* binestoc ist
eigtl. der ausgehöhlte Klotz des Waldbie-
nenzüchters, s. Stock).

Biennale *w* „zweijährliche Veranstaltung"
(z. B. F i l m b i e n n a l e) : Im 20. Jh. aus *it.*

Bier

biennale entlehnt, das auf *lat.* biennālis (biennäle) – zu *lat.* biennium ,,Zeitraum von zwei Jahren" – zurückgeht; zu *lat.* bi... ,,zwei" (vgl. *bi*...) und *lat.* annus ,,Jahr" (vgl. *Annalen*).

Bier *s*: Die Herkunft des *westgerm.* Wortes *mhd.* bier, *ahd.* bior, *niederl.* bier, *engl.* beer ist unklar. Vielleicht ist es aus *vlat.* biber ,,Trank" (zu *lat.* bibere ,,trinken") entlehnt. Unser heutiges mit Hopfen gebrautes Bier wurde um 600 zuerst in den Klöstern hergestellt und hat das ungehopfte *germ.* Bier (s. Ale) verdrängt. So mag mit der neuen Brauweise auch das neue Wort aufgekommen sein. *Frz.* bière, *it.* birra wurden erst im 16. Jh. aus dem *Dt.* entlehnt. Zus.: Bierseidel (s. Seidel).

bieten: Das *gemeingerm.* Verb *mhd.* bieten ,,[an]bieten, darreichen; gebieten", *ahd.* biotan ,,bekanntmachen; entgegenhalten, darreichen; erzeigen, erweisen", *got.* (ana-)faúr)biudan ,,(ent-, ver)bieten", *aengl.* bēodan ,,bieten, darbieten, ankündigen, zeigen", *schwed.* bjuda ,,[an]bieten, antragen; gewähren" beruht mit verwandten Wörtern in anderen *idg.* Sprachen auf der *idg.* Wz. *bheudh- ,,erwachen, bemerken, geistig rege sein, aufmerksam machen, warnen, gebieten". *Außergerm.* sind z. B. verwandt *aind.* bōdhati ,,er erwacht" (dazu der Name Buddhas, der ,,Erweckten"), *gr.* pynthánesthai ,,erfahren, wahrnehmen", *lit.* bùdinti ,,wecken". Zu der *idg.* Wurzel gehören aus unserm *germ.* Sprachbereich noch die unter →Bote und →Büttel behandelten Wörter.–Zus. und Präfixbildungen: aufbieten (*mhd.* ūfbieten ,,[zeigend] in die Höhe heben, bekanntmachen", auch ,,[zur Heeresfolge] auffordern"), dazu Aufgebot *s* ,,öffentl. Bekanntmachung" (z. B. eines Brautpaares; 16. Jh., für *mhd.* ūfbōt); entbieten (bes. in 'Grüße entbieten'; *mhd.* enbieten, *ahd.* inbiotan ,,wissen lassen"); erbieten, sich (*mhd.* erbieten, *ahd.* irbiotan ,,anbieten, darreichen", heute in der Bed. ,,sich bereit erklären"), dazu ehrerbietig (15. Jh.; aus *mhd.* ēre erbieten) und erbötig (*frühnhd.*, Ableitung von *frühnhd.* Verbalsubstantiv erbot ,,Anerbieten"); gebieten (*mhd.* gebieten, *ahd.* gibiotan, verstärkt einfaches 'bieten', das ebenfalls ,,befehlen" bedeuten konnte, dazu Gebiet (s. d.) und Gebot (s. d.); verbieten (*mhd.* verbieten, *ahd.* farbiotan; vgl. *got.* faúrbiudan, *engl.* to forbid, dazu Verbot *s* (*mhd.* verbot).

Bigamie *w* ,,Doppelehe": Das Wort wurde im 16. Jh. aus *mlat.* bigamia entlehnt, das zum Adjektiv *kirchenlat.* bi-gamus ,,zweifach verheiratet" gehört. Dies ist eine Mischbildung aus dem gleichbed. *gr.* Adjektiv dí-gamos und *lat.* →*bi*... Das Grundwort gehört zu *gr.* gameīn ,,heiraten". Dazu Bigamist *m* ,,wer eine Doppelehe führt".

bigott ,,übertrieben fromm; scheinheilig": Im 18. Jh. aus gleichbed. *frz.* bigot entlehnt, dessen Herkunft umstritten ist. Voraus liegt vielleicht *aengl.* bī god (entspr. *nhd.* ,,bei Gott"), eine alte *engl.* Schwurformel. Nicht weniger wahrscheinlich ist Entlehnung aus einem *span.* (hombre de) bigote ,,(Mann mit) Knebelbart". Die moderne Bedeutung wäre dann von dem ernsten und finsteren Gesichtsausdruck übertragen, den ein Knebelbart bewirkt. Abl.: Bigotterie *w* ,,abgöttische Frömmigkeit; Scheinheiligkeit" (17. Jh.; aus *frz.* bigoterie).

Bikini *m* ,,zweiteiliger Badeanzug": Phantasiebezeichnung nach dem gleichnamigen Südseeatoll, das zur Zeit des Aufkommens zweiteiliger Badeanzüge zufällig durch die dort erfolgten Atomversuche weltbekannt wurde.

Bilanz *w* ,,vergleichende Gegenüberstellung von Gewinn und Verlust; Schlußabrechnung": Wort der Kaufmannssprache, im 17. Jh. aus *it.* bilancio ,,[Gleichgewicht der] Waage" entlehnt. Dies geht wie entspr. *frz.* balance (s. Balance) auf *vlat.* *bilancia (zu *lat.* bi-lanx ,,zwei Waagschalen habend") zurück. Dessen Grundwort *lat.* lanx ,,Schüssel; [Waag]schale" (urspr. ,,ausgebogener Gegenstand") gehört zur *idg.* Sippe von →*Elle*.

Bild *s*: Die Herkunft des nur *dt.* und *niederl.* Wortes ist unklar. *Mhd.* bilde ,,Bild, Gestalt, Beispiel", *ahd.* bilidi ,,Nachbildung, Abbild; Muster, Beispiel, Vorlage; Gestalt, Gebilde", *niederl.* beeld ,,Gemälde, Bild[säule], Figur" hängen vielleicht zusammen mit dem unter →billig und →Unbill behandelten Wörtern sowie dem nur noch *landsch.* gebräuchlichen Bilwiß *m* ,,Kobold, Zauberer" (*mhd.* bilwiz, eigtl. ,,Wundersames wissend") und gehen mit diesen von einem *germ.* Stamm *bil-, ,,Wunderkraft, Wunderzeichen" aus. Die ursp. Bedeutung wäre dann im *asächs.* bilidi ,,Wunder[zeichen]" bewahrt. Die Bed. ,,Gestalt" lebt verdunkelt noch in dem heute herabsetzend gebrauchten Mannsbild und Weibsbild (*mhd.* mannes, wības bilde). Meist bezeichnet 'Bild' jetzt das Werk des Malers und Graphikers, seltener des Bildhauers (s. u.), übertr. gilt es z. B. in den literar. Begriffen Lebens-, Zeit-, Stimmungsbild. – Abl.: bilden (s. d.); bildhaft ,,wie ein Bild, anschaulich" (19. Jh.); bildlich (*mhd.* bildelich, *ahd.* bildlīcho ,,im Bilde [gesprochen]"); Bildnis *s* (*mhd.* bildnisse); Gebild[e] *s* (*mhd.* gebilde, ,,äußere Gestalt, Sternbild", *ahd.* gebilide, ein altes Kollektiv zu 'Bild'; das Wort wurde im 18. Jh. in der Bed. ,,[Ab]bild" wieder aufgenommen, seitdem aber mehr an 'bilden' angelehnt). Zus.: Bildhauer (im 15. Jh. bei *mhd.* nach mhd. ein bilde houwen ,,eine Plastik gestalten"); Bildfläche (die Wendung 'auf der Bildfläche erscheinen'

66

wurde im 19. Jh. zuerst technisch vom Entwickeln einer photographischen Platte oder einer geätzten Druckplatte gebraucht); Bildstock „[Säule mit] Heiligenbild" (*spätmhd.* bildestoc; ähnlich ist Bildsäule „Statue", 16. Jh. zu verstehen); bildschön (im 18. Jh. zuerst *oberd. ugs.*; eigtl. „schön wie ein Heiligenbild", hat es älteres ‚engelschön' verdrängt), danach im 19. Jh. bildhübsch; Urbild (im 17. Jh. LÜ für *gr.-lat.* archetypus, später Ersatzwort für Original, Idee, Ideal); Vorbild (*mhd.* vorbilde, *ahd.* forebilde).

bilden: Als Ableitung von dem unter → *Bild* behandelten Substantiv erscheinen *ahd.* biliden „einer Sache Gestalt und Wesen geben" und *ahd.* bilidōn „eine Gestalt nachbilden". *Mhd.* ‘bilden' vereinigt beide Bedeutungen und gilt bes. von handwerklicher und künstlerischer Arbeit (dazu *nhd.* ‘die bildenden Künste'), aber auch von Gott als Schöpfer wie später vom Schaffen der Natur und (reflexiv) vom Werden natürlicher Formen. Als pädagogische Begriffe treten ‘bilden' und ‘Bildung' (s. u.) erst im 18. Jh. auf, jedoch vorbereitet durch die mittelalterliche Mystik (s. ein-, ausbilden); dazu das verselbständigte Partizip gebildet, substantiviert der Gebildete (18. Jh.). – Abl.: Bildner *m* (älter auch Bilder; *mhd.* bildenære, bildære, *ahd.* bilidāri „schaffender Künstler"; heute z. B. in Maskenbildner); bildsam (im 18. Jh. für „plastisch, formbar"); Bildung *w* (*mhd.* bildunge, *ahd.* bildunga „Schöpfung, Verfertigung", auch „Bildnis, Gestalt"; im 18. Jh. folgt das Wort der Entwicklung von ‘bilden' zum pädagog. Begriff, verflacht aber vielfach zur Bezeichnung bloßen Formalwissens; dazu im 19. Jh. Bildungslücke, -philister). Zus.: ausbilden (*spätmhd.* in der Mystik ūzbilden „zu einem Bild ausprägen", *nhd.* im Anschluß an ‘bilden' „durch Unterricht techn. oder körperlich vervollkommnen"); einbilden (*mhd.* īnbilden „[in die Seele] hineinprägen", ebenfalls ein Mystikerwort, dann „vorstellen", im *Nhd.* reflexiv sich „sich vorstellen, wähnen"), dazu eingebildet „sich selbst überschätzend" (18. Jh., eigtl. 2. Part.), Einbildung *w* (*mhd.* īnbildunge „Einprägung, Phantasie", *nhd.* „irrige Vorstellung"), Einbildungskraft „Phantasie" (im 17. Jh. LÜ für *lat.* vīs imāgīnātiōnis; es hat bis heute den guten Sinn von ‘einbilden' bewahrt).

Billard *s* (Kugelspiel): Im 18. Jh. aus *frz.* billard entlehnt, das urspr. „krummer Stab" bedeutete und zu bille „Holzpflock" gehört. Kreuzung mit einem unverwandten gleichlautenden bille „Kugel" ergab dann (zunächst als jeu de billard „Billardspiel") die heutige Bedeutung.

Billett *s* (veraltend für:) „Berechtigungskarte": Im 15./16. Jh. zunächst in der Militärsprache als „[Quartier]schein" aus *frz.* billet (de logement) entlehnt. Das vorausliegende *afrz.* billette ist ein durch bille „Kugel" entstelltes *afrz.* bullette „Beglaubigungsschein". Dies gehört als Ableitung von bulle „Wasserblase; Siegelkapsel" zu *lat.* bulla mit der in → ² *Bulle* angedeuteten Bedeutungsentwicklung.

billig: Das Adjektiv *mhd.* billich, *ahd.* billīh gehört wohl zu dem unter → *Bild* behandelten Stamm und bedeutete danach urspr. etwa „wunderkräftig, wirksam", woraus sich dann die Bed. „recht, passend, angemessen, gemäß" entwickelte. Beachte dazu *mhd.* un-bil „ungemäß" (s. den Artikel Unbill). Im 17. Jh. wurde das Wort in der Endung an die Adjektive auf -ig angeglichen. In der Verbindung „recht und billig" bedeutet ‘recht', was durch Gesetze begründet ist, ‘billig', was nach natürlichem Rechtsempfinden „angemessen" ist. Dazu die Verneinung unbillig (*mhd.* unbillich „unrecht, unschicklich, gewalttätig"). Die heutige Bed. „wohlfeil" entstand im 18. Jh. aus „dem Wert angemessen"; ein „billiger Preis" war ein „dem Wert der Ware angemessener Preis". Da billige Ware oft minderwertige Ware ist, konnte ‘billig' auch gleichbed. mit „minderwertig" werden. – Abl.: billigen (*mhd.* billichen „für angemessen erklären"), dazu die *nhd.* Zus. zubilligen „zugestehen" und mißbilligen „tadeln" (17. Jh.), während die Präfixbildung verbilligen (19. Jh.) „wohlfeiler machen" bedeutet.

bimmeln: Das seit dem 17. Jh. im Hochd. bezeugte Verb (im *Niederd.* schon *mnd.* bimmelen) ist lautmalenden Ursprungs und ahmt den hellen Ton kleiner Glocken nach, beachte das Schallwort bim ! (vgl. die Nachahmung des Glockengeläuts ‘bim, bam, [bum]!'; dazu der *ugs.* Ausruf ‘heiliger Bimbam!'.

Bimsstein *m*: Das seit dem 16. Jh. gebräuchliche Wort ist eine verdeutlichende Zusammensetzung für das einfache Bims *m*, *mhd.* bümez, *ahd.* bumiz, das aus *lat.* pūmex (Genitiv pūmicis) „helles, schaumiges vulkanisches Gestein" entlehnt ist. Das *lat.* Wort bed. eigtl. „Schaumstein" und gehört zu *lat.* spūma „Schaum" (vgl. *abgefeimt*). – Abl.: bimsen, eigtl. „mit Bimsstein glätten, reiben" (z. B. Pergament, Holz), in der Soldatensprache für „putzen, schleifen, scharf exerzieren", *ugs.* für „prügeln".

binden: Das *gemeingerm.* Verb *mhd.* binden, *ahd.* bintan, *got.* bindan, *engl.* to bind, *schwed.* binda beruht mit verwandten Wörtern in anderen *idg.* Sprachen auf der *idg.* Wz. *bhendh- „binden", vgl. z. B. *aind.* badhnáti, bandhati, „er bindet, fesselt". Zu dem *gemeingerm.* Verb gehören auch die alten Bildungen → Band → Bund sowie das LW → ¹ Bande „[Rand]streifen" (s. dort über Bandage und ² Band „Musikkapelle"). Dem Verb bleibt die Grundbedeutung des

Bindens und Zusammenfügens auch bei übertr. Anwendung erhalten. Sie wird in allgemein gebräuchlichen Zus. wie an-, auf- (s. d.), um-, zu-, vor-, fest-, losbinden näher bestimmt; fachsprachl. ist z. B. abbinden (Zement oder eine Ader), unterbinden (Adern oder Nervenstränge; übertr. für „verhindern"), einbinden (Bücher; dazu Einband); weitere Zus. s. unten. – Abl.: Binde w (mhd. binde, ahd. binta; vgl. engl. bind; eigtl. „Bindendes"; z. B. Leib-, Arm-, Halsbinde; dazu ugs. 'hinter die Binde gießen' für „trinken"); Binder m (mhd. binder „Faßbinder"; heute meist Bezeichnung für Geräte wie Mähbinder oder für einen querliegenden Mauerstein; [Selbst]binder ist auch eine Krawattenart); Bindung w (mhd. bindunge „Verknüpfung"; heute auch in Schibindung; Leinen-, Köper-, Atlasbindung usw.); Gebinde s (mhd. gebinde „Band"; nhd. seit dem 18. Jh. Maßbez. für Zusammengebundenes, z. B. Garn oder ein Faß Wein). – Zus. und Präfixbildungen: anbinden (mhd. anabintan; die nhd. Redensart 'mit einem anbinden' für „Streit anfangen" kommt vielleicht aus der Fechtersprache: die Klingen werden 'gebunden', d. h. gekreuzt; gleicher Herkunft mag 'kurz angebunden' für „barsch, abweisend" sein), dazu Angebinde s „Geschenk" (17. Jh.; es wurde früher dem Beschenkten an den Arm gebunden); aufbinden (mhd. ũfbinden; die Bed. „einem etwas weismachen", eigtl. „eine Last aufdrängen", drastisch 'einen Bären aufbinden', entstand im 17. Jh. als Lehnbildung für lat. imponere „weismachen"; Ausbund (s. d.); entbinden (mhd. enbinden, ahd. intbintan; vgl. got. andbindan „losbinden"; so noch in den Wendungen 'vom Eid, von einer Pflicht entbinden'; der Ausdruck 'entbunden werden' für „gebären" ist schon mhd. und bezieht sich auf das Abbinden der Nabelschnur des Neugeborenen); verbinden (mhd. verbinden „fest-, zusammenbinden, Wunden zubinden", ahd. farbintan); dazu Verbindung w (spätmhd. verbindunge; heute auch „student. Korporation"); verbindlich (16. Jh.; heute meist für „höflich", doch haben Wendungen wie 'verbindliche [meist: bindende] Zusage' und die Abl. Verbindlichkeit w [Mehrz.: „kleinere Schulden"] den alten Sinn „verpflichten" bewahrt, ebenso die Verneinung unverbindlich [18. Jh., für älteres unverbündlich]); Verband m (im 18. Jh. zuerst als „Wundverband" und technisch im Schiffsbau; erst im 19. Jh. für „Organisation, Körperschaft"); Verbund m (mhd. verbunt „Bündnis"; das Wort wurde in der techn. Sprache des 20. Jh.s wohl neu zurückgebildet aus dem 2. Part. 'verbunden', zuerst in Zus. wie Verbundglas, Verbundmaschine, neuerdings selbständig als Bezeichnung für die ergänzende Zusammenar-

beit [Verbundwirtschaft] von Kraftwerken und Fabriken).

Binse w: Der westgerm. Name der grasähnlichen Sumpfpflanze mhd. bin[e]z, ahd. binuz, asächs. binut, engl. bent[grass] ist dunklen Ursprungs. Die heutige Einzahlform ist aus der frühnhd. Mehrz. bintze, bintzen entstanden. Die ugs. Redensart 'in die Binsen (d. h. verloren) gehen' (19. Jh.) bezieht sich wohl auf die Entenjagd (die Binse bezeichnete landsch. auch das Schilfrohr). Zus.: Binsenwahrheit „Selbstverständliches" (eigtl. „binsenglatte" Wahrheit; im 19. Jh. wohl nach lat. nodum in scirpo quaerere „einen Knoten [d. h. nicht vorhandene Schwierigkeiten] an der Binse suchen").

bio..., Bio... (Bestimmungswort von Zusammensetzungen mit der Bed. „Leben", wie in →Biographie und →Biologie): Aus gleichbed. gr. bíos, das zur idg. Sippe von →keck gehört. Als Grundwort erscheint bíos in → Amphibie.

Biograph m „Verfasser einer Lebensbeschreibung": Junge Bildung des 18. Jh.s zu gr. bíos „Leben" (vgl. bio...) und gráphein „schreiben" (vgl. Graphik). Das Wort ist zuerst im Frz. als biographe bezeugt. Das Substantiv **Biographie** w „Lebensbeschreibung" (18. Jh.) geht dagegen auf spätgr. biographía zurück.

Biologie w „Lehre von der belebten Natur": Gelehrte Bildung des 19. Jh.s zu gr. bíos „Leben" (vgl. bio...) und gr. lógos „Wort; Wissenschaft" (vgl. hierzu das FW Lexikon). – Dazu biologisch (19. Jh.) und Biologe m (20. Jh.).

Birke w: Die germ. Benennungen der Birke mhd. birke, ahd. birihha, niederl. berk, engl. birch, schwed. björk sind z. B. verwandt mit aind. bhūrjá-ḥ „eine Art Birke" und russ. beréza „Birke" (beachte den historisch bekannten Flußnamen Beresina, eigtl. „Birkenfluß"). Diese Wörter gehören zu der Wurzelform *bher[ə]ĝ- „glänzen, leuchten; glänzend, leuchtend" (s. braun), vgl. z. B. ahd. beraht, mhd. berht „glänzend", got. baírhts „hell, glänzend", engl. bright „strahlend, leuchtend", schwed. bjärt „grell". Die Birke ist also nach ihrer leuchtendweißen Rinde benannt. Zus.: Birkhuhn s (jagdbares Waldhuhn, das im Winter von Birken- und Erlenkätzchen lebt; mhd. birk-, ahd. birchuon).

Birne w: Im Gegensatz zum Namen des Apfels ist der germ. Name der Birne nicht bewahrt: Mhd. bir[e], ahd. bira beruht auf vlat. pira, das erst nach der Lautverschiebung von Mönchen in Süddeutschland übernommen wurde und auf lat. pirum „Birne" zurückgeht. Das Nordwesten des germ. Sprachgebiets übernahm dagegen schon zur Römerzeit das vlat. Wort; das zeigen niederl. peer, engl. pear. Frz. poire und it. pera gehen ebenfalls auf das vlat. Wort zurück. Das n der schwach gebeugten Mehrzahlform (mhd. bir[e]n) trat im 17. Jh. in den Nominativ über (birn), das auslautende e ist sekundär. – Zus.: Birnbaum (*mhd.* birboum, *ahd.* biraboum).

bis: Die *nhd.* Form geht auf *mhd.* biჳ (bitze) zurück, das wahrscheinlich aus *ahd.* bī ze „dabei zu" (vgl. *bei* und *zu*) entstanden ist. Urspr. steht das Wort als Adverb neben Präpositionen, die eine Richtung bezeichnen, wie in *nhd.* bis zu, bis an, auf, nach usw. durch Ausfall der zweiten Wörter wird es selbst Präposition mit dem Akkusativ. Als Konjunktion ist es aus der Fügung 'bis daß' hervorgegangen. Zus.: bislang bes. *nordd.* für: „bisher, bis jetzt" (gekürzt aus älter *nhd.* bissolang, bis so lange); bisweilen „manchmal" (16. Jh.; vielleicht wurden gleichbed. *mhd.* bī wīlen und ze wīlen zu *bizwīlen vermischt; vgl. *Weile*).

Bisam m (wohlriechender Saft aus dem Beutel des asiatischen Bisamtieres, auch das Tier selbst oder dessen Pelz): *Mhd.* bisem, *ahd.* bisam[o] stammen aus *mlat.* bisamum, das unmittelbar auf *hebr.* bāsām zurückgeht (vgl. *Balsam*).

Bischof m: Die den *germ.* Sprachen gemeinsame Bezeichnung des kirchlichen Würdenträgers (*mhd.* bischof, *ahd.* biscof, *niederl.* bisschop, *engl.* bishop, *schwed.* biskop) beruht auf einer frühen Entlehnung aus *kirchenlat.* episcopus „Aufseher; Bischof". Die *germ.* Formen (mit Abfall des anlautenden e- und Erweiterung des p- zu b-) weisen auf *roman.* Vermittlung hin (beachte z. B. entspr. *it.* vescovo, *afrz.* vesque gegenüber *afrz.* evesque > *frz.* évêque), während *got.* aípiskaúpus unmittelbar aus *gr.* epí-skopos „Aufseher" (im N. T.:) geistlicher Leiter einer Gemeinde, Bischof" stammt aus, auch die Quelle des *kirchenlat.* Wortes ist. Über weitere etymologische Zusammenhänge vgl. den Artikel *Skepsis*. – Abl.: bischöflich (*mhd.* bischoflich). Zus.: Erzbischof m (*mhd.* erze-bischof, *ahd.* erzibiscof, entspr. z. B. *engl.* archbishop, aus *kirchenlat.* archiepiscopus „Erzbischof" (über das Bestimmungswort vgl. den Artikel *Erz...*); Bistum s „Sprengel, Diözese; Amtsbezirk eines Bischofs" (*mhd.* bis[ch]tuom für bischoftuom, *ahd.* biscoftuom).

Biskuit m „Feingebäck aus Mehl, Eiern und Zucker": Im 17. Jh. (zunächst mit der speziellen Bed. „feiner Zwieback") aus *frz.* biscuit „Zwieback; Biskuit" entlehnt, das seinerseits auf *lat.* bis coctum „zweimal Gebackenes" beruht. Zu *lat.* coquere „kochen, sieden, braten, backen usw." (vgl. das LW *kochen*).

bitten: Das *gemeingerm.* Verb *mhd.*, *ahd.* bitten, *got.* bidjan, *aengl.* biddan, *schwed.* bedja hängt wahrscheinlich zusammen mit *mhd.* beiten, *ahd.* beiten „zwingen, drängen, fordern", *got.* baidjan „zwingen", *aengl.* bǣdan „zwingen, bedrängen, verlangen", *aisl.* beiða „nötigen, zwingen". Diese *germ.*

Wortgruppe ist verwandt mit *gr.* peíthesthai „sich überreden lassen", *lat.* fīdere „vertrauen" (s. *fidel*), *lat.* foedus „Bündnis" (s. *Föderation*), *abulgar.* bĕditi „zwingen" und gehört wahrscheinlich im Sinne von „jemanden oder sich selbst (durch ein Versprechen, einen Vertrag u. dgl.) binden" zu einer Wz. *bheidh- „binden, winden, flechten", zu der z. B. auch *lat.* fiscus „Geldkorb, Kasse", eigtl. „geflochtener Korb" (s. *Fiskus*) gehört. Um 'bitten' gruppieren sich im *Dt.* die Bildungen →beten, →Gebet und →betteln. – Abl.: bitte (bei höflicher Aufforderung in *nhd.* Zeit verkürzt aus 'ich bitte'); Bitte w (*spätmhd.* bitte steht für *mhd.* bete „Bitte, Gebet, Befehl" wie *ahd.* bita neben häufigerem beta [s. beten]; *got.* entspr. bida „Gebet, Aufforderung"; der religiöse Sinn des *dt.* Wortes erscheint z. B. in den Bitten des Vaterunsers), dazu Fürbitte (*mhd.* vürbete, -bite, bes. in der kath. Heiligenverehrung). Zus.: Bittgang (19. Jh., auch für Prozession, *mhd.* dafür bite vart, bete vart); Bittschrift (17. Jh., für *lat.* supplicātiō); Bittsteller m (18. Jh., Ersatzwort für: Supplikant).

bitter: Das *altgerm.* Adjektiv *mhd.* bitter, *ahd.* bittar, *niederl.* bitter, *engl.* bitter, *schwed.* bitter steht im Ablaut dazu zu *got.* baitrs „bitter" und gehört mit diesem zu der Wortgruppe um →beißen. Die Adjektivbildung bedeutete demnach urspr. „beißend, scharf (vom Geschmack)". Abl.: Bitterkeit w (*mhd.* bitterkeit); bitterlich (*mhd.* bitterlich, Adj. und bitterlīche, Adv.); Bitternis w (19. Jh.); erbittern (*mhd.* erbittern als Ersatz für einfaches *mhd.* bittern „bitter sein, bitter machen", nur übertr. gebraucht als „in Zorn versetzen"), dazu Erbitterung w (17. Jh., als vorübergehender Gemütszustand); verbittern (*spätmhd.* verbittern, heute nur übertr. „in tiefen, lang anhaltenden Groll versetzen, vergällen"), dazu Verbitterung w (16. Jh.; urspr. „Erbitterung" dann entspr. dem Verb als dauernder Gemütszustand).

bizarr „seltsam; wirrförmig": Das seit dem 17. Jh. bezeugte Adjektiv stammt aus *frz.* bizarre < *it.* bizzarro und ist vermutlich *italienischen* (*etrusk.*?) Ursprungs.

blähen: Das *westgerm.* Verb *mhd.* blǣjen, blǣwen, *ahd.* blājan „blasen, [auf]blähen, *engl.* to blow „blasen, wehen" ist eng verwandt mit den unter →blasen und →Blatter behandelten Wörtern und gehört mit diesen zu der unter →¹Ball dargestellten Wortgruppe. *Außergerm.* ist z. B. *lat.* flāre „blasen" eng verwandt.

blamieren „bloßstellen, beschämen", auch reflexiv gebraucht: im 17. Jh. aus *frz.* blâmer „tadeln" entlehnt, das über *vlat.* blastēmāre auf *lat.* blasphēmāre „lästern, schmähen" < *gr.* blasphēmeĩn zurückgeht (vgl. *Blasphemie*). – Dazu: blamabel „beschä-

blank

mend" (19. Jh.; aus *frz.* blâmable); Bla-mage *w* „Beschämung; Schande" (französierende Neubildung des 18./19. Jh.s).

blank: *Mhd.* blanc „blinkend, weißglänzend, schön", *ahd.* blanch „blank", *niederl.* blank „blank, glänzend, weiß", *schwed.* black „fahl, falb" gehören mit den unter →blinken behandelten Wörtern zu der Wortgruppe von →blecken. Das Adjektiv wurde mit anderen Farbbezeichnungen wie blau, blond, braun (s. d.) ins *Roman.* entlehnt, vgl. *frz.* blanc „weiß; rein, sauber" (daraus *engl.* blank) und *it.* bianco „weiß, blank, hell; unbeschrieben" (s. blanko). Im *Nhd.* wird 'blank' auch im Sinne von „sauber, rein" und „bloß, entblößt" gebraucht, beachte die *ugs.* Wendung 'blank sein' „ohne Geld sein". Dazu die Zus. Blankvers „reimloser fünffüßiger Jambus" (nach *engl.* blank verse).

blanko „leer, unbeschrieben", bes. in Zus. wie Blankoscheck, Blankovollmacht „unbeschränkte Vollmacht": Ein Wort des Geld- und Rechnungswesens, das im 17. Jh. aus *it.* bianco (= *frz.* blanc „weiß") entlehnt und in der Form an das Adjektiv *ahd.* (= *nhd.*) →blank angeglichen wurde.

blasen: Das *gemeingerm.* Verb *mhd.* blāsen, *ahd.* blāsan „blasen, hauchen, schnauben", *got.* (uf)blēsan „(auf)blasen", *niederl.* blazen „blasen, anfachen", *schwed.* blåsa „blasen" ist eng verwandt mit den unter →blähen und →Blatter behandelten Wörtern und gehört zu der Wortgruppe von →¹Ball. Abl.: Blase *w* (*mhd.* blāse, *ahd.* blāsa „Harnblase"); Gebläse (s. d.).

blasiert „hochnäsig, uninteressiert": Im 18./19. Jh. aus *frz.* blasé „abgestumpft" entlehnt. Dies ist urspr. ein naturwissenschaftlicher Fachausdruck mit der Bed. „(von Flüssigkeiten) übersättigt". Die Herkunft des zugrunde liegenden Verbs *frz.* blaser „abstumpfen, abnützen" ist dunkel. Vielleicht ist es *germ.* Ursprungs.

Blasphemie *w* „[Gottes]lästerung": Im 16. Jh. aus *lat.* blasphēmia, *gr.* blasphēmía „Schmähung" entlehnt. Das zugrunde liegende Verb *gr.* blasphēmeīn „schmähen, lästern", das auch die Quelle für *frz.* blâmer (s. blamieren) ist, gehört – bei unklarem Bestimmungswort – zur Sippe von *gr.* phánai „sagen, reden" (vgl. *Phonetik*). Dazu das Adjektiv blasphemisch „[gottes]lästernd", nach *gr.* blásphēmos „schmähend, lästernd".

blaß: Das auf das *dt.* Sprachgebiet beschränkte Adjektiv (*mhd.* blas „kahl; gering, nichtig") gehört mit den unter →Blesse behandelten Wörtern zu der vielfach weitergebildeten und erweiterten *idg.* Wz. *bhel- „leuchten[d], glänzen[d]" (vgl. *Belche*). Es bedeutete demnach urspr. „blank". Die heutige Bed. „bleich" ist seit dem 14. Jh. von Ostpreußen her allgemein geworden. Dazu die *nhd.* Verben er- und verblassen

und das Substantiv Blässe *w* „Blaßheit" (17. Jh.).

Blatt *s*: Das *altgerm.* Wort *mhd.*, *ahd.* blat, *niederl.* blad, *engl.* blade, *schwed.* blad gehört im Sinne von „Aufgeblühtes" zu der unter →blühen dargestellten Wortgruppe. Die schon *mhd.* Bed. „Blatt im Buche" ist von *lat.* folium beeinflußt (s. Folio). Das Wort bezeichnet auch andere dünne und flache Dinge, so die Klinge bei Schwert, Messer, Axt, Säge usw., weidmänn. die Gegend des Schulterblatts beim Wild (beachte Blattschuß; 19. Jh.). – Abl.: blättern „Blätter bilden (von Schiefer, Teig u. ä.); Papierblätter umschlagen" (*mhd.* bleteren). Beachte auch die Zus. Blättermagen „dritter Magen der Wiederkäuer" (nach den blattartigen Falten) und Blätterteig.

Blatter *w* „Pocke (meist *Mehrz.*: Pockenkrankheit)": *Mhd.* blātere, *ahd.* blāt[t]ara „Wasser-, Harnblase; Pocke", *niederl.* blaar „Blatter", *engl.* bladder „,[Harn]blase, Blatter", *schwed.* blāddra „Blase" sind eng verwandt mit den unter →blasen und →blähen behandelten Wörtern und gehören zu der unter →¹Ball dargestellten Wortgruppe.

blau: Das *altgerm.* Farbadjektiv *mhd.* blā, *ahd.* blāo, *niederl.* blauw, *aengl.* *blǣw (in blǣ-hǣwen „hellblau"), *schwed.* blā ist z. B. eng verwandt mit *lat.* flāvus „goldgelb, blond" und gehört mit anderen verwandten Wörtern zu der unter →Belche dargestellten *idg.* Wz. *bhel- „schimmern[d], leuchten[d], glänzen[d]". 'Blau' ist wie andere *germ.* Farbenbezeichnungen in die *roman.* Sprachen entlehnt worden: *it.* biaro „blau", *frz.* bleu „blau" (daraus *engl.* blue; s. die Artikel blümerant, Blue jeans, Blues). Die heutige Farbvorstellung 'blau' hat sich erst im *Germ.* herausgebildet; selbst *ahd.* blāo kann gelegentlich noch *lat.* flāvus „gelb" übersetzen. Die Abstufungen der Farbe werden im *Dt.* durch Zusammensetzungen näher bestimmt wie hell-, dunkel-, schwarz-, graublau, himmel-, wasser-, veilchen-, stahlblau u. a. In übertr. Sinne meint 'blau' unbestimmte Ferne (ins Blaue träumen, reisen), geheimnisvollen Zauber (blaue Blume) und das Betrunkensein (wohl nach dem Schwindelgefühl der Betrunkenen, beachte die schon im 16. Jh. bezeugte Wendung 'es wird mir blau (heute: schwarz) vor den Augen' „ich werde ohnmächtig"). Der 'blaue Brief' hat seinen Namen von den Umschlägen preußischer Kabinettsschreiben im 19. Jh. 'Blaues Blut' ist im 19. Jh. übersetzt worden aus *span.* sangre azul, das die vornehmsten (urspr. westgot.) Familien der *span.* Adels bezeichnete (bei denen die blauen Adern durch die helle Haut scheinen). Zum 'blauen Montag' s. Montag. – Abl.: Bläue *w* (*mhd.* blǣwe); blauen „blau werden, sein" (17. Jh.); bläuen „blau färben" (*mhd.* blǣwen; vgl. aber 'bleuen'); bläulich (älter *nhd.* blälich,

70

in der jetzigen Form 18. Jh.). Zus.: B l a u - b a r t „Frauenmörder" (um 1800 nach dem *frz.* Märchen des 17. Jh.s vom Ritter Barbe-Bleue); B l a u b u c h „dokumentarische Darstellung zur auswärtigen Politik" (um 1850 nach *engl.* blue book, das seit dem 17. Jh. alle Parlamentsdrucksachen nach der Farbe ihrer Umschläge bezeichnete; in Deutschland ist das Weißbuch häufiger); b l a u m a - c h e n „feiern" (eigtl. „den blauen Montag feiern", s. Montag); B l a u s t r u m p f scherzh. für „gelehrtes Frauenzimmer" (im 18. Jh. als L Ü für *engl.* blue-stocking, den Spottnamen für die Teilnehmerinnen eines Londoner schöngeistigen Zirkels um 1750, bei dem der Botaniker B. Stillingfleet in blauen Garnstrümpfen statt der üblichen schwarzseidenen erschien. Der *dt.* Ausdruck wurde erst um 1830 durch die Schriftsteller des Jungen Deutschlands populär; ein älteres B l a u s t r u m p f „Polizeidiener, Verleumder" [17./18. Jh.] war damals gerade abgestorben).

Blech *s*: Die Bezeichnung für die aus Metallen hergestellten [dünnen] Platten (*mhd.* blech, *ahd.* bleh) bedeutet eigtl. „Glänzendes" und gehört mit den eng verwandten Sippen von →blicken und →bleich zu der unter → *Blei* dargestellten Wortgruppe. Urspr. bezeichnete 'Blech' demnach wahrscheinlich das Goldblech, während es im heutigen Sprachgebrauch gewöhnlich im Sinne von „Eisenblech" verwendet wird. Schon im *Mhd.* überwiegt die Vorstellung des Dünnen, Flachgehämmerten. *Rotw.* Blech „Geld" erscheint um 1500 als Bezeichnung kleiner Münzen. Dazu das *ugs.* Verb b l e c h e n „zahlen" (im 18. Jh. studentisch). Die Bed. „Unsinn, dummes Gerede" (19. Jh.) geht von der Wertlosigkeit des Eisenblechs aus. – Abl. b l e c h e r n „aus Blech" (17. Jh., für älteres bleich).

blecken (in der Wendung 'die Zähne blekken'): Das nur *dt.* Verb *mhd.* blecken, *ahd.* blecchen „[sich] entblößen; sehen lassen" bedeutet eigtl. „glänzen machen" und ist das Veranlassungswort zu einem *urgerm.* *blikan „glänzen". Dazu stellen sich im *germ.* Sprachbereich die nasalierten Formen →blinken und →blank. *Außergerm.* sind z. B. verwandt *gr.* phlégein „brennen" (s. Phlegma und Phlox) und *lat.* flagrare „flammen" (s. flagrant und Flamme). Die ganze Wortgruppe gehört zu der unter →Belche dargestellten *idg.* Wz. *bhel- „schimmern[d], leuchten[d], glänzen[d]".

Blei *s*: Die *germ.* Bezeichnungen des weichen, schweren Metalls (*mhd.* blī, *ahd.* blīo, *mniederl.* blī, *schwed.* blī) beruhen auf einer substantivierten Adjektivbildung zu der *idg.* Wurzelform *bhlēi- „schimmern, leuchten, glänzen". Das Metall ist demnach als „das [bläulich] Glänzende" benannt worden. Zu dieser Wurzelform gehören auch die unter →bleich (eigtl. „glänzend"), →Blech (eigtl.

„Glänzendes"), →blicken (eigtl. „leuchten, anstrahlen") und →blitzen (eigtl. „schnell oder wiederholt aufleuchten") behandelten Wörter. Der ganzen Wortgruppe liegt die unter →Belche dargestellte *idg.* Wurzel zugrunde. Vgl. auch die Artikel Lot und Plombe. – Abl.: b l e i e r n „aus Blei"; übertr. für „bleischwer" (16. Jh., für älteres bleien, *mhd.* blījīn, *ahd.* blīīn). Zus.: B l e i s t i f t *m* (im 17. Jh. in Nürnberg Bleystefft als Klammerform für Bleyweißtefft; der Name blieb, als man im 18. Jh. zu Graphitminen mit Tonzusatz überging; gegossene Bleigriffel benutzte man schon im Mittelalter, Bleischeiben im Altertum); B l e i w e i ß *s* (als Farbstoff verwendetes Bleikarbonat, *spätmhd.* blīwīz).

bleiben: Das Verb *mhd.* belīben, *ahd.* bilīban, *got.* bileiban, *aengl.* belīfan ist eine alte Präfixbildung zu einem im *germ.* Sprachbereich untergegangenen-starken Verb *līban „haften, klebrig sein", das zu der unter →Leim dargestellten *idg.* Wurzel gehört. 'Bleiben' bedeutet also eigtl. „klebenbleiben". Die Präfixbildung wird im *Nhd.* nicht mehr als solche empfunden, da das e der *ahd.* Form geschwunden ist. Im *germ.* Sprachbereich sind ferner verwandt die Sippe von →leben und der zweite Bestandteil der Zahlwörter →elf, →zwölf und die PN Detlef und Olaf. – Abl.: Bleibe *w* „Aufenthaltsort, Herberge" (seit 1900 bes. in der Jugendbewegung). Zus.: freibleibend kaufmänn. für „unverbindlich" (19. Jh.); unterbleiben (*frühnhd.* für „unterlassen werden", während im *Mhd.* belīben genügte; vgl. *unter*); verbleiben (*mhd.* ver[b]līben ist meist verstärktes 'bleiben', auch noch „ausbleiben"), dazu Verbleib *m* kanzleisprachlich für „Aufenthaltsort" (19. Jh.).

bleich: Das *altgerm.* Adjektiv *mhd.* bleich, *ahd.* bleih, *niederl.* bleek, *aengl.* blāc, *schwed.* blek hatte urspr. die Bed. „glänzend". Diese Bed. ist noch im *Aengl.* bewahrt. Das Wort ist eng verwandt mit dem *altgerm.* starken Verb, das in →verbleichen und →erbleichen bewahrt, aber sonst untergegangen ist, sowie mit den unter →Blech (eigtl. „Glänzendes") und →blicken (urspr. „leuchten, anstrahlen") behandelten Wörtern und gehört mit diesen zu der unter →Blei dargestellten *idg.* Wurzelform. – Abl.: b l e i c h e n „bleich machen" (*mhd.* bleichen bed. auch „bleich werden"); B l e i c h e *w* (*mhd.* bleiche „Blässe; [Platz zum] Bleichen von Leinwand").

blenden: Das *westgerm.* Verb *mhd.* blenden, *ahd.* blenten, *mniederl.* blenden, *aengl.* blendan ist das Bewirkungswort zu dem unter →blind behandelten Adjektiv und bedeutet demnach eigtl. „blind machen". Es meint urspr. die Strafe des Augenausstechens, heute meist vorübergehendes Blenden durch übermäßiges Licht und wird in diesem Sinne oft übertr. gebraucht, ebenso das Part.

blendend. – Abl.: Blende w (16. Jh., in der Bed. ,,trügerisch glänzendes Mineral ohne Erzgehalt", dann ,,Vorrichtung zum Abblenden einer Lampe oder optischen Linse, Nische, Attrappe"); dazu die bergmänn. Zus. Horn-, Pech-, Zinkblende u.a.; Blender m ,,Mensch von bestechendem Wesen ohne inneren Wert" (19. Jh., zuerst von Rennpferden mit trügerischen äußeren Eigenschaften). Zus.: abblenden ,,mit einer Blende bedecken" (20. Jh.); verblenden ,,Geist oder Sinne trüben", auch ,,[Mauerwerk] verkleiden" (mhd. verblenden; in beiden Bedeutungen konnte früher auch einfaches 'blenden' stehen, das in der Befestigungskunst im Sinn des heutigen 'tarnen' gebraucht wurde).

Blesse w ,,weißer [Stirn]fleck bei Tieren; Tier mit solchem Fleck": Die heute übliche Form trat an die Stelle der nicht umgelauteten Form frühnhd. Blasse, mhd. blasse, ahd. blassa ,,weißer Stirnfleck", vgl. mnd. bles[se] ,,Blesse" und weiterhin niederl. bles ,,Blesse", schwed. bläs ,,Blesse". Diese Wörter sind eng verwandt mit dem unter →blaß behandelten Adjektiv. – In der Zus. Bläßhuhn hat sich die etymologisierende Schreibung mit ä durchgesetzt. Siehe auch den Artikel Belche.

bleuen (ugs. für:) ,,schlagen": Das vom Sprachgefühl irrigerweise meist zu 'blau' gestellte Zeitwort (häufiger ist verbleuen) hat mit den 'blauen' Flecken nichts zu tun. Es handelt sich vielmehr um ein germ. Verb mhd. bliuwen, ahd. bliuwan ,,schlagen", got. bliggwan ,,schlagen, prügeln", niederl. blouwen ,,Flachs brechen; die Arme umeinanderschlagen, um warm zu werden". Die außergerm. Beziehungen dieses Verbs sind unklar. – Abl.: Bleuel m veraltet für ,,hölzerner [Wäsche]schlegel" (mhd. bliuwel, ahd. bliuwil), dazu mit hyperkorrektem p Pleuel m, Pleuelstange ,,Schub- oder Kolbenstange bei Motoren und Dampfmaschinen" (19. J.). Zus.: einbleuen ,,durch Schläge beibringen" (im 16. Jh. einblewen; meist bildlich gebraucht).

Blick m: Das heute im Sinne von ,,kurzes Hinsehen, Augenausdruck" verwendete Wort bedeutete urspr. ,,Aufleuchten, heller Lichtstrahl". Mhd. blic ,,Glanz, Blitz; Blick der Augen", ahd. blich ,,schnelles Glanzlicht, Blitz", niederl. blik ,,Blick; (älter:) Lichtstrahl" gehören zu dem Verb **blicken**: mhd. blicken ,,glänzen; einen Blick tun", ahd. blicchen ,,glänzen, strahlen", niederl. blikken ,,glänzen, funkeln; blicken". Die heutige Bedeutung ,,sehen, schauen" hat sich demnach aus ,,leuchten, [an]strahlen" entwickelt. Das Verb ist eng verwandt mit den unter →bleich (urspr. ,,glänzend") und →Blech (eigtl. ,,Glänzendes") behandelten Wörtern (vgl. Blei).

blind: Das gemeingerm. Adjektiv mhd., ahd. blint, got. blinds, engl. blind, schwed. blind

bedeutete urspr. wohl ,,undeutlich schimmernd, fahl" und gehört wahrscheinlich zu der vielfach weitergebildeten und erweiterten idg. Wz. *bhel- ,,schimmernd, leuchtend, glänzend" (vgl. Belche). Außergerm. ist z. B. eng verwandt die baltoslaw. Wortgruppe von lit. blandùs ,,unrein, trüb, düster". – Zu dem gemeingerm. Adjektiv gehört das Bewirkungswort →blenden (eigtl. ,,blind machen"). Im Ablaut zu 'blind' steht wahrscheinlich germ. *blundaz ,,blond" (vgl. blond). – Abl.: blindlings (17. Jh., vgl. mnd. blindelinge, ahd. blindilingōn). Zus.: Blinddarm (frühnhd. LÜ für mlat. intestinum coecum, wobei blind ,,ohne Öffnung" bedeutet, wie in 'blinde Tasche, blinde Tür'; das Wort bezeichnet meist nicht den eigtl. Blinddarm, sondern den Wurmfortsatz oder Appendix); Blindschleiche w ,,fußlose Eidechsenart mit sehr kleinen Augen" (mhd. blintslīche, ahd. blintslīhho, eigtl. ,,blinder Schleicher"; vgl. schleichen).

blinken ,,glänzen, funkeln": Das im 16. Jh. aus dem Niederd. übernommene Verb geht zurück auf mnd. blinken ,,glänzen", das verwandt ist mit niederl. blinken ,,schimmern, blinken", engl. to blink ,,blinken; blinzeln, schimmern", schwed. blinka ,,schimmern; blinzeln". Das Verb gehört mit dem unter →blank behandelten Adjektiv zu der Sippe von →blecken. Siehe auch den Artikel blinzeln. – Abl.: Blinker m ,,Blinklicht an Fahrzeugen; metallener Köderfisch" (20. Jh.).

blinzeln: Das auf dem dt. Sprachgebiet beschränkte Verb (mnd. blinzeln) ist eine Iterativbildung zu dem im 19. Jh. veralteten gleichbed. blinzen (mhd. blinzen ,,zwinkern"), das wahrscheinlich im Sinne von ,,schimmern, flimmern" mit der Sippe von →blinken zusammenhängt.

blitzen: Das auf dem dt. Sprachgebiet beschränkte Verb mhd. blitzen, bliczen, ahd. blecchazzen gehört zu der unter →Blei (eigtl. ,,[bläulich] Glänzendes") dargestellten Wortgruppe. Es ist eine Intensiv-Iterativ-Bildung und bedeutet demnach eigtl. ,,schnell oder wiederholt aufleuchten". – Abl.: Blitz m (mhd. blitze, blicz[e], blikize ersetzt das ältere blic ,,Blitz, Blick" in der ersten Bedeutung), dazu Blitzableiter (18.Jh.), Blitzlicht (Photographie; 20.Jh.). Zus.: abblitzen ugs. für ,,abgewiesen werden" (bildlich seit dem 19. Jh. eigtl. vom Versagen des Pulvers auf der Pfanne bei den alten Gewehren).

Block m: Die heute übliche Form stammt aus dem Niederd. und geht zurück auf mnd. blok ,,Holzklotz oder -stamm; Kloben des Flaschenzugs". Sie hat sich seit dem 17. Jh. gegenüber der nur noch oberd. mdal. bewahrten Form Bloch (mhd. bloch, ahd. bloh[h] ,,Klotz, Bohle") durchgesetzt. Im germ. Sprachbereich entsprechen mniederl. bloc ,,Block, Balken, Klotz, Klumpen" (daraus entlehnt *frz.* bloc ,,Klotz" [s. blockieren]) und *schwed.* block ,,Klotz, Block". Die weiteren *außergerm.* Beziehungen sind unklar. Die *dt.* Rechtssprache kennt den Block des Scharfrichters und den zweiteiligen Block, in den die Füße Gefangener geschlossen wurden. Jung ist die Bed. ,,Papierblock" (Zeichen-, Notiz-, Fahrscheinblock usw.). Hier und bei der im 19. Jh. aus dem *Amerik.* übernommenen Bed. ,,städt. Straßenviereck" wird die *engl.* Mehrz. Blocks gebraucht. Übertr. bezeichnet 'Block' einen festen Zweckverband von politischen Parteien oder von Staaten. – Zus.: B l o c k f l ö t e (*mnd.* blokfloite, -pīpe war eine einteilige, unzerlegbare Flöte; das heutige Instrument ist wohl nach dem im Mundstück eingelassenen scharfkantigen Block benannt); B l o c k - h a u s (*mnd.* blok-, *spätmhd.* blochhus ,,militärisches Vorwerk aus Baumstämmen"; im 19. Jh. als Bezeichnung des nordamerikanischen Siedlerhauses neu aufgenommen aus *engl.* blockhouse; s. a. blockieren); B l o c k - s t e l l e ,,Bahnstellwerk zur Überwachung eines Gleisabschnitts, der nach Einfahrt eines Zuges geblockt oder blockiert wird" (19. Jh.).

Blockade *w* ,,Sperre, Einschließung": Im 17. Jh. mit *roman.* Endung zu →*blockieren* gebildet.

blockieren ,,[ab]sperren": Im 17. Jh. aus *frz.* bloquer (zu bloc ,,Klotz") entlehnt, aber wegen seiner Grundbedeutung ,,mit einer Befestigungsanlage versehen" wohl stark von blocus ,,Festung" beeinflußt, das über eine *mdal.* Zwischenstufe blocquehuis auf *mniederl.* blochuus ,,Blockhaus" zurückgeht. *Frz.* bloc selbst ist LW aus *mniederl.* bloc ,,Klumpen, Klotz", der Entsprechung von *mhd.* bloch, *mnd.* blok (*vgl.* Block). Siehe auch Blockade.

blöd[e]: *Mhd.* blœde ,,gebrechlich, schwach, zart, zaghaft", *ahd.* blödi ,,unwissend, scheu, furchtsam", älter *niederl.* blood ,,schüchtern, feige", *aengl.* blēad ,,sanft, furchtsam, schlaff", *schwed.* blöd[ig] ,,weich, empfindsam" gehören wohl zu der unter →*bloß* dargestellten Wortgruppe. Die Bedeutung des Adjektivs ist erst im *Nhd.* auf ,,geistesschwach"; (*ugs.* für:) ,,dumm, albern" eingeschränkt worden. – Abl.: b l ö d e l n *ugs.* für ,,blöde tun oder reden" (19. Jh.); e n t b l ö - d e n, sich (17. Jh., im Sinne von ,,die Scheu abtun und sich erkühnen"; daneben schon die heute allein gültige Form 'sich nicht entblöden' mit verstärkter, doppelter Verneinung); v e r b l ö d e n ,,geistesschwach werden" (*mhd.* verblœden ,,einschüchtern"). Zus.: b l ö d s i n n i g ,,schwachsinnig, verrückt" (17. Jh.), dazu die Rückbildung Blödsinn (18. Jh.).

blöken: Das im 17. Jh. ins *Hochd.* übernommene *niederd.* blöken (*mnd.* blēken) ist lautnachahmenden Ursprungs, vgl. die [elemen-

tar]verwandten Nachahmungen des Schaflautes *gr.* blēchásthai ,,blöken" und *russ.* blekotát' ,,blöken".

blond ,,goldgelb" (besonders von der Haarfarbe): Im 17. Jh. aus gleichbed. *frz.* blond (= *it.* biondo) entlehnt, aber vereinzelt schon im *Mhd.* als blunt bezeugt. Wegen der zahlreichen *frz.* Farbadjektive, die *germ.* Ursprungs sind (beachte z. B. *frz.* blanc, bleu, gris, brun = *dt.* blank, blau, grau, braun) liegt auch für *frz.* blond Entlehnung aus dem *Germ.* nahe (vgl. *blind*). – Abl.: B l o n d e *w* ,,blonde Frau; Glas Weißbier"; B l o n d i n e *w* ,,blonde Frau" (17./18. Jh.; aus *frz.* blondine); b l o n d i e r e n ,,(die Haare) blondfärben, aufhellen" (20. Jh.).

¹**bloß** (Adj.): *Mhd.* blōʒ ,,nackt, unbedeckt; unbewaffnet; unvermischt, rein, ausschließlich", *ahd.* blōʒ ,,stolz", *niederl.* bloot ,,nackt, bloß", *aengl.* blēat ,,elend, armselig", *schwed.* blöt ,,weich, aufgeweicht, naß" sind vermutlich mit *gr.* phlýdarós ,,matschig" und *lat.* fluere ,,fließen, strömen" verwandt. Die urspr. Bed. ,,feucht, naß, aufgeweicht" wäre demnach im *Nord.* bewahrt, während sich in den anderen *germ.* Sprachen über ,,weich[lich], schwach" die Bed. ,,elend, nackt usw." entwickelten. Mit 'bloß' ist wohl das unter →*blöde* behandelte Adjektiv verwandt, das urspr. ,,schwach" bedeutete. – Das seit dem 15. Jh. bezeugte Adverb ²bloß ,,nur" hat sich aus der Verwendung des Adjektivs im Sinne von ,,rein, ausschließlich" entwickelt. Abl.: B l ö ß e *w* ,,Nacktheit, bloße Stelle; Waldlichtung" (*mhd.* blœʒe; die Wendung 'sich eine Blöße geben' stammt aus der Fechtersprache); e n t b l ö ß e n (verstärkend neben älter *nhd.* blößen, *mhd.* [en]blœʒen). Zus.: b l o ß s t e l l e n (*nhd.* Zusammenrückung; wohl aus der Fechtersprache).

Blue jeans *Mehrz.* ,,enganliegende blaue Baumwollhose": Im 20. Jh. aus dem *Engl.- Amerik.* entlehnt. Über das *engl.* Adjektiv blue ,,blau" vgl. *dt.* →*blau*. Das Grundwort *engl.* jean ,,Baumwolle" geht vielleicht auf *frz.* Gênes, den Namen der norditalienischen Stadt Genua zurück, die zu den Hauptausfuhrhäfen für Baumwolle gehörte.

Blues *m* ,,langsamer Tanz im Jazzrhythmus": Im 20. Jh. aus *amerik.* blues entlehnt. Dies bezeichnet urspr. die mit starker innerer Bewegung vorgetragenen schwermütigen, in der Darstellung oft burlesk derb anmutenden Volksweisen nordamerikanischer Neger. Man vermutet deshalb in blues eine Kurzform von 'blue devils', was eigtl. ,,blaue Teufel" bedeutet und die dämonischen Gaukelbilder benennt, die einem Menschen in ekstatischer Verzücktheit erscheinen. Gleichwohl scheint für die moderne Bedeutung von blues hier zuletzt auch die Vorstellung von einer ,,blauen (= sentimentalen) Stunde" eine Rolle zu spielen.

3 Etym.

blühen: Die *westgerm.* Verben *mhd.* blüejen, blüen, *ahd.* bluojan, bluowen, *niederl.* bloeien, *engl.* (starkes Verb:) to blow gehören mit den unter →Blatt, →Blume und →¹Blüte behandelten Wörtern zu der unter →¹*Ball* dargestellten, vielfach weitergebildeten und erweiterten *idg.* Wz. *bhel- in der Bedeutungswendung „schwellen, knospen, blühen". *Außergerm.* sind z. B. eng verwandt *lat.* flōs „Blume", *lat.* flōrēre „blühen" (s. die FW-Gruppe um ¹*Flor*), *lat.* folium „Blatt" (s. Folie) und *gr.* phýllon „Blatt" (s. Chlorophyll).

Blume *w:* Das *gemeingerm.* Wort *mhd.* bluome, *ahd.* bluoma, bluomo, *got.* blōma, *niederl.* bloem, *schwed.* blomma gehört zu der unter →blühen dargestellten Wortgruppe. Zur Bildung vgl. z. B. das Verhältnis von „Same" zu „säen". Das Wort steckt in zahlreichen zusammengesetzten Pflanzennamen, beachte z. B. Sonnen-, Ringel-, Glockenblume, bildl. etwa in Eisblume. In übertragenem Gebrauch wird 'Blume' im Sinne von „das Feinste, Beste einer Sache" verwendet, beachte auch die „Blume (der Duft) des Weines". Blume „Bierschaum im vollen Glas" geht wohl auf einen alten Trinkbrauch zurück, der den Schaum bei geschicktem Austrinken als Flocken oder Blümchen im Glase hängen ließ. Abl.: geblümt (2. Part. zu älterem blümen, *mhd.* blüemen „mit Blumen schmücken" [z. B. geblümtes Tuch], übertr. als 'geblümter Stil' der Rede unter Einfluß von *lat.* flōsculus „,[Rede]blümchen" (s. Floskel); verblümt (16. Jh.), „was 'durch die Blume', also in bildlichen Andeutungen gesagt wird"; Ggs.: unverblümt „geradeheraus"; 16. Jh.). Zus.: Blumenkohl (16. Jh.; Lehnübertragung aus *it.* cavolfiore „Kohlblume"; s. Karfiol).

Bluse *w:* Der im 19. Jh. aufgekommene Name des weiblichen Kleidungsstückes aus dem *Frz.* entlehnt worden. Frz. blouse, dessen Herkunft nicht gesichert ist, begegnet zuerst während der Franz. Revolution mit der auch heute noch gültigen eigtl. Bed. „[Fuhrmanns]kittel, Arbeiterkleid".

Blut *s:* Das *gemeingerm.* Wort *mhd.*, *ahd.* bluot, *got.* blōþ, *engl.* blood, *schwed.* blod gehört wahrscheinlich im Sinne von „Fließendes" zu der unter →¹*Ball* behandelten *idg.* Wz. – Nach altem Glauben ist das Blut der Sitz des Lebens (beachte z. B. die Zus. Blutrache [17. Jh.] und Blutschuld [16. Jh.]) sowie Träger des Temperaments (beachte z. B. 'heißes, kaltes Blut') und der Rasse (beachte z. B. die Zus. blutsverwandt [16. Jh.], dazu Blutsverwandtschaft, ferner Blutschande [16. Jh.], Vollblut und Halbblut [s. d.]). Übertragener Gebrauch des Wortes bezieht sich meist auf die Farbe, beachte z. B. Blutbuche (16. Jh.) und blutrot (*mhd.* bluotrōt). Das Wort wird auch verstärkend gebraucht, beachte

z. B. blutjung (18. Jh.). – Abl.: bluten (*mhd.* bluoten, *ahd.* bluotēn), dazu Bluter *m* „Mann, der zu schwer stillbaren Blutungen neigt" (19. Jh.); blutig (*mhd.* bluotec, *ahd.* bluotag); Geblüt (s. d.). Zus.: Blutegel (s. Egel); blutrünstig (s. d.).

Blüte *w:* Die heutige Form hat sich im 17. Jh. aus der *Mehrz.* (*mhd.* blüete) von *mhd.* bluot „Blühen, Blüte" entwickelt, das zu der unter →blühen dargestellten Wortgruppe gehört. Zur Bildung beachte z. B. das Verhältnis von 'Saat' zu 'säen'. Das Wort bezeichnete urspr. den Zustand des Blühens (z. B. in Baumblüte), dann zunächst kollektiv, die blühenden Pflanzenteile (so in botanischem Sinn als Vorstufe der Frucht) bes. an Bäumen und Sträuchern. Übertragen wird es, auf Glanzzeiten kulturellen und wirtschaftlichen Lebens angewandt.

blutrünstig „blutgierig, schauerlich": Die *nhd.* Form hat sich über *spätmhd.* blutrünstec aus *mhd.* bluotruns[ic] „blutig wund" entwickelt. Dieses Adjektiv ist abgeleitet von *mhd.* bluotruns[t] „Blutfluß, blutende Wunde", eigtl. „Rinnen des Blutes". Der zweite Bestandteil gehört zu dem unter →rinnen behandelten Verb; beachte *oberd.* *mdal.* Runse *w* „Rinne (an Berghängen)".

Bö *w* „heftiger Windstoß, Schauer": *Niederl.* bui erscheint seit dem 15. Jh. als *niederd.* bui, buy, mit eingedeutschter Schreibung böi und wird im 19. Jh. in der jungen *niederd.* Form bö *hochd.* Die weitere Herkunft des *niederl.* Wortes ist unklar. Abl.: böig (19. Jh.).

Bob *m* „Rennschlitten": Kurzform für Bobsleigh, das im 20. Jh. aus dem *Amerik.* entlehnt wurde. Das Grundwort sleigh ist die *engl.* Entsprechung zu *dt.* →*Schlitten*, während das Bestimmungswort von dem *engl.* Zeitwort to bob „ruckartig bewegen" abgeleitet ist.

Bock *m:* Das *altgerm.* Wort *mhd.*, *ahd.* boc, *niederl.* bok, *engl.* buck, *schwed.* bock ist eng verwandt mit der *kelt.* Sippe von *ir.* boc „Ziegenbock" und weiterhin z. B. mit *pers.* buz „Ziege[nbock]". Zugrunde liegt *idg.* *bhuĝo-s „Ziegenbock". Urspr. bezeichnete das Wort also den Ziegenbock, dann auch das Männchen anderer Tiere, beachte z. B. Schaf- und Rehbock. Im übertragenen Gebrauch bezeichnet 'Bock' ein vierbeiniges Gestell (s. u. bockbeinig), seit dem 18. Jh. auch den erhöhten Kutschersitz, seit dem 19. Jh. ein Turngerät. Erst *nhd.* ist die Bed. „Fehler", die wohl auf einen alten Schützenbrauch zurückgeht (Bock als Trostpreis für den schlechtesten Schützen, daher 'einen Bock schießen'). Zu 'Bock' gehören die Bildungen →Bückling (nach dem Geruch) und Buxe *nordd.* für „Hose" (*mnd.* bükse, zusammengezogen aus *buckhose „Hose aus Bockleder"). – Abl.: bockig „bockig sein" (*mhd.* bocken „stoßen wie ein Bock"); böckeln, böckseln *mdal.* für „nach Bock

riechen" (*frühnhd.* böckelen, bockenzen);
b o c k i g „widersetzlich", (von Ziegen auch:)
„nach dem Bock verlangend" (älter *nhd.*
bockicht, böckisch). Zus.: b o c k b e i n i g
„störrisch", eigtl. „mit gespreizten Beinen
wie ein Bock" (18. Jh., zunächst *bayr.*);
B o c k b i e r (s. d.); B o c k s b e u t e l (17. Jh.
„Hodensack eines Bockes"; die heutige Bed.
„bauchig-breite Flasche für Frankenwein"
nach der Ähnlichkeit mit dem Hodensack);
B o c k s h o r n (im *Mhd.* ein Pflanzenname,
wie *nhd.* Bockshornklee; die Redensart 'ins
Bockshorn jagen, älter auch zwingen' für
„Angst machen, einschüchtern" ist im
15. Jh. zuerst belegt; sie geht vielleicht auf
das alte →Haberfeldtreiben zurück, bei dem
der Gerügte in ein Bocksfell gezwängt wurde;
'-horn' wäre dann aus unverstandenem *mhd.*
hame „Hülle" in *ahd.* *bockes hamo „Bocksfell" umgedeutet; vgl. *Hemd*).
Bockbier *s* (eine Art starken [bayrischen]
Biers): Im 19. Jh. wurde älteres *bayr.* Aim-
bock, Oambock zu B o c k *m* gekürzt (daraus
um 1850 *frz.* bock „[Glas] Bier"). Das Mundartwort ist eine Umdeutung der Herkunfts-
bezeichnung Ain- oder Einbeckisch Bier
(16. Jh.), ampokhisch pier (17. Jh.). Die
Stadt Einbeck in Niedersachsen führte seit
dem späten Mittelalter ein berühmtes Hop-
fenbier aus, das später auch in Bayern getrunken wurde. – Zus.: B o c k w u r s t *w*
(19. Jh., urspr. eine in München zur Bock-
bierzeit um Fronleichnam genossene Wurst-
art).
Boden *m*: Die *germ.* Bildungen *mhd.* bodem,
ahd. bodam, *niederl.* bodem, *engl.* bottom,
schwed. botten beruhen mit verwandten Wörtern in anderen *idg.* Sprachen auf *idg.* *bhudh-
m[e]n „Boden", vgl. z. B. *aind.* budhná-h
„Grund, Boden", *gr.* pythmén „Boden, Fuß
eines Gefäßes" und *lat.* fundus „Boden eines
Gefäßes, Grund" (s. die FW-Gruppe um
Fundus). Dazu stellt sich B o d d e n *m* „flacher Strandsee, Meeresbucht" mit der urspr.
Bedeutung „Grund eines [flachen] Gewässers". Nur *dt.* ist die vom bebauten
Erdboden her übertragene Bed. „auf Stützen erhöhte Bretterlage" (Fuß-, Heu-, Dachboden im Haus, dazu Bodenkammer), an die
sich vielleicht →Bühne anschließen läßt.
Zus.: b o d e n l o s (*mhd.* bodem-, *ahd.* bodo-
melōs; meist übertr. für „unermeßlich":
bodenlose Gemeinheit); b o d e n s t ä n d i g
(im 17. Jh. „am Boden stehend", heute
übertr. für „fest verwurzelt, einheimisch").
Bofist, Bovist *m*: Der Name des Bauchpilzes,
dessen reife Sporen unter einem Fußtritt
stäubend entweichen, bedeutet eigtl. „Füch-
sinfurz". Der erste Bestandteil von *spätmhd.*
vohenvist ist *mhd.* vohe „Füchsin" (beachte
F ä h e *w* weidmänn.für„Füchsin"),der zweite
Bestandteil ist *mhd.* vist „Bauchwind". Das
spätmhd. vohenvist wurde *mitteld.* und niederd. dissimiliert zu bō-, pōvist, die *landsch.*

zu Buben- oder Pfauenfist umgedeutet und
wegen der alten v-Schreibung als Fremdwort
mißverstanden wurden. Gleichbed. *niederl.*
wolfsveest stimmt zu *frz.* vesse-de-loup,
span. pedo de lobo u. a. *roman.* Namen; vgl.
auch den *nlat.* wissensch. Namen Lycóperdon
eigtl. „Wolfsfurz".
Bogen *m*: Das *altgerm.* Wort *mhd.* boge, *ahd.*
bogo, *niederl.* boog, *engl.* bow, *schwed.* bâge
gehört zu dem unter →biegen behandelten
Verb und bedeutet demnach eigtl. „Biegung,
Gebogenes". Siehe auch die Zus. Ellen-, Regenbogen und den Artikel Bausch.
Boheme *w* „ungezwungenes Künstlerleben":
Im 19. Jh. aus *frz.* bohème, *mlat.* bohemus
„Böhme" entlehnt. In übertragener Bedeutung bezeichnet das *mlat.* Wort den „Zigeuner", offenbar weil die Zigeuner über „Böhmen" nach Westeuropa eingewandert sind.
Das „Zigeunerleben" der freischaffenden
Pariser Künstler wird schließlich für eine
typische innere und äußere Lebenshaltung
in wilder Unbekümmertheit bezeichnend.
Dazu: Bohemien *m* „schöpferisch tätiger
Lebenskünstler" (aus *frz.* bohémien).
Bohle *w*: *Spätmhd.* bole „Brett", *mnd.* bōle,
bolle „dickes Brett", *mniederl.* bolle „Baumstamm", *schwed.* bål „Rumpf" sind wohl mit
dem unter →Balken behandelten Wort verwandt und gehören im Sinne von „dickes
Brett" zu der Wortgruppe von →¹*Ball*. Vgl.
auch Bollwerk.
Bohne *w*: Die Herkunft des *altgerm.* Namens der Nutzpflanze *mhd.* bōne, *ahd.* bōna,
niederl. boon, *engl.* bean, *schwed.* bōna ist
nicht sicher geklärt. Vielleicht gehört er zu
der unter →Beule dargestellten *idg.* Wz.
*bh[e]u- „[auf]blasen, schwellen". Er be-
zeichnete bis zum 16. Jh. die dicke Bohne
(Puff-, Saubohne), die demnach nach dem
äußeren Eindruck der Aufgeblasenheit, Ge-
schwollenheit benannt worden wäre. Die
Busch- oder Stangenbohne kam erst im16.Jh.
aus Amerika zu uns. Die *ugs.* Redensart
'nicht die Bohne' für „gar nichts; keines-
wegs" bezieht sich auf die Wertlosigkeit der
einzelnen Bohne, 'grob oder dumm wie
Bohnenstroh' auf die als ärmlicher Stroher-
satz gebrauchten Stengel der Saubohne.
bohnern: Das urspr. *nordostd.* Verb ist eine
Iterativbildung zu gleichbed. [m]*niederl.*
bōnen, beachte gleichbed. *nordwestd.* bohnen.
Das *mnd.* Verb, dem *niederl.* boenen „bohnern; scheuern" entspricht, bedeutet eigtl.
„glänzend machen" und gehört mit verwandten Wörtern in anderen *idg.* Sprachen zu der
idg. Wz. *bhā- „glänzen, leuchten", vgl.
z. B. *aind.* bhāti „leuchtet", *aind.* bhāna-m
„das Leuchten", *gr.* phainesthai „leuchten,
[er]scheinen" (s. die FW-Gruppe um Phänomen mit Phantom, Phantasie usw., Fanal),
gr. phásis „Erscheinung, Aufgang eines Gestirns" (s. Phase), *gr.* phōs „Licht, Helle"
(s. Phosphor und die unter photo- genannten

Wörter). – Abl.: Bohner *m* „Gerät zum Bohnern" (19. Jh., Abl. zu *niederd.* bōnen oder Kürzung aus 'Bohnerbesen'). Siehe auch den Artikel Beere.

bohren: Das *altgerm.* Verb *mhd.* born, *ahd.* borōn, *niederl.* boren, *engl.* to bore, *schwed.* borra gehört mit verwandten Wörtern aus anderen *idg.* Sprachen zu der *idg.* Wz. *bher-„mit scharfem oder spitzem Werkzeug bearbeiten", vgl. z. B. *gr.* pharóein „pflügen" und *lat.* forāre „bohren". Zu dieser Wurzel stellt sich auch die *germ.* Wortgruppe von *aisl.* berja „schlagen, dreschen; töten" (s. Baron, eigtl. „kämpfender, streitbarer Mann"), die näher verwandt ist mit *lat.* ferire „schlagen, stoßen" und *russ.* borót' „bezwingen, überwältigen". Auf die zahlreichen Weiterbildungen und Erweiterungen dieser Wz. geht *lat.* friāre „zerreiben" (s. frivol) zurück; im *germ.* Sprachbereich die Wortgruppe um →Brett (s. d. über Bord, Bordell, Pritsche u. a.), eigtl. „[aus einem Stamm] Geschnittenes", und →Brosame (eigtl. „Zerriebenes, Zerbröckeltes"). – Abl.: Bohrer *m* (15. Jh.); verbohrt „starrköpfig" (19. Jh.; 2. Part. des Zimmermannsworts verbohren „falsch bohren").

Boiler *m* „Warmwasserspeicher": Das Substantiv wurde im 20. Jh. aus *engl.* boiler entlehnt. Dies gehört zu *engl.* to boil „aufwallen machen; erhitzen", das über *mengl.* boilen auf *afrz.* boillir (= *frz.* bouillir) < *lat.* bullīre zurückgeht; Stammwort ist *lat.* bulla „Wasserblase" (vgl. ²*Bulle*).

Boje *w* „verankerter Schwimmkörper (als Seezeichen)": Das Substantiv wurde im 16. Jh. aus *niederd.* boye übernommen, das zu *mniederl.* bo[e]ye, *afrz.* boie (= *frz.* bouée) gehört. Das *afrz.* Wort mag aus *afränk.* *bōkan „Zeichen" entlehnt sein und dann zur Sippe von →*Bake* gehören. Abl.: ausbojen „mit Seezeichen versehen".

bölken „schreien, brüllen" (bes. von Rindern): Das dem *Oberd.* urspr. fremde Verb (*mitteld.* bülken 15. Jh., *mnd.* bolken) ist lautnachahmenden Ursprungs, vgl. die [elementar]verwandten Wörter *niederl.* balken „schreien" (vom Esel), bulken „brüllen, blöken", *engl.* to belch „rülpsen, aufstoßen". Beachte auch die unter →bellen und →poltern behandelten ähnlichen Lautnachahmungen.

Bollwerk *s*: *Mhd.* bolwerc, *mnd.* bōlwerk, *mniederl.* bolwerc ist eine Zusammensetzung aus dem unter →Bohle behandelten Wort und dem Substantiv 'Werk'. Es bezeichnete also einen aus starken Bohlen errichteten Schutzbau. Aus dem *Dt.* entlehnt ist *frz.* boulevard „breite [Ring]straße" (s. Boulevard).

Bolz[en] *m* „Pflock; kurzer, dicker Pfeil": Das *altgerm.* Wort *mhd.*, *ahd.* bolz, *niederl.* bout, *engl.* bolt, *schwed.* bult ist verwandt mit der *balt.* Sippe von *lit.* bélsti

„pochen, klopfen", baldas „Stößel" und mit dieser lautnachahmenden Ursprungs.

bombardieren „[mit Bomben] beschießen": Im 17. Jh. aus *frz.* bombarder entlehnt. Dies gehört zu bombarde (eigtl.: „Steinschleudermaschine"), einer Ableitung von bombe (vgl. *Bombe*). Abl.: Bombardement *s* „Beschießung [mit Bomben]" (17./18. Jh.; aus *frz.* bombardement).

Bombast *m* „[Rede]schwulst, Wortschwall": Im 18. Jh. aus *engl.* bombast entlehnt, das zunächst ein zum Auswattieren von Jacketts verwendetes Baumwollgewebe bezeichnete. Die Bedeutungsübertragung auf übertrieben umständliches und schwülstiges Sprechen geht davon auch von der Vorstellung eines aufgebauschten Wamses aus. – Voraus liegen *afrz.* bombace, *spätlat.* bombax (bambagium), *gr.* pámbax (bambákion), *pers.* pánbäk, pánbä, alle mit der Bed. „Baumwolle". Abl.: bombastisch „schwülstig; hochtrabend" (19. Jh.). – Gleicher Herkunft ist unser LW → Wams. Nicht verwandt ist → Bombe (usw.).

Bombe *w* „Sprengkörper": Im 17. Jh. über *frz.* bombe, *it.* bomba aus *lat.* bombus „dumpfes Geräusch", *gr.* bómbos entlehnt. Das *gr.* Wort ist schallnachahmenden Ursprungs und hat zahlreiche Entsprechungen in anderen *idg.* Sprachen, z. B. in unseren Schallwörtern bim, bam, bum, zu denen auch die Verben →bimmeln, →bummeln und →baumeln gehören. – Abl.: Bomber *m* „Bombenflugzeug" (20. Jh.); ausbomben, ausgebombt (20. Jh.). Als Inbegriff des „Wirkungsvollen und Gewaltigen" erscheint 'Bombe' in den Abl. und Zus. bombig, bombensicher, bombenfest, Bombenerfolg, Sexbombe, die alle im 20. Jh. entstanden sind. – Vgl. noch bombardieren und Bombardement.

Bon *m* „Gutschein": Im 18./19. Jh. als kaufmänn. Terminus aus gleichbed. *frz.* bon entlehnt, dem substantivierten Adjektiv *frz.* bon „gut", das seinerseits auf gleichbed. *lat.* bonus beruht. – Zu *frz.* bon gehören auch die FW Bonbon (s. d.) und Bonmot (s. d.).

Bonbon *s* „Zuckerzeug": Im 18. Jh. aus *frz.* bonbon entlehnt, einer der Kindersprache entstammenden Wiederholungsform zu *frz.* bon „gut" (vgl. *Bon*). – Dazu: Bonbonniere *w* „Bonbonschachtel": Im 18./19. Jh. aus *frz.* bonbonnière entlehnt.

Bonmot *s* „treffende, geistreiche Wendung": Im 17./18. Jh. aus *frz.* bon mot entlehnt; zu *frz.* „gut" (vgl. *Bon*) und *frz.* mot „Wort" (< *lat.* muttum „Muckser"; vgl. das FW *Motto*).

Bonze *m* „Parteigröße" (mit verächtlichem Nebensinn): Im 18. Jh. über *frz.* bonze, *port.* bonzo aus *jap.* bōzu „Priester" entlehnt.

Boot *s*: Das im 16. Jh. aus der *niederd.* Seemannssprache übernommene Wort geht zurück auf *mnd.* bōt, das – wie auch *niederl.*

boot – aus *mengl.* bot entlehnt ist (vgl. *engl.* boat). Voraus liegt *aengl.* bāt, ,,Boot, Schiff'', dem die gleichbed. *aisl.* beit, bātr, *schwed.* bāt entsprechen. Das Wort gehört wahrscheinlich zu der unter →*beißen* behandelten Sippe, so daß als Grundbed. wohl ,,ausgehauener Stamm'' (s. Einbaum) anzunehmen ist. Die gleiche Bedeutungsentwicklung zeigen die Wörter →Schiff und →Nachen. Seemännisch bezeichnet 'Boot' meist das Beiboot eines größeren Schiffes, in Zus. wie Motor-, Schnell-, Torpedo-, Untersee-, Minensuchboot ein selbständiges kleineres Fahrzeug. – Abl.: **ausbooten** ,,mit dem Boot von Bord bringen'', *ugs.* für: ,,aus einer Stellung oder Gemeinschaft entfernen'' (19. Jh.). Zus.: **Bootsmann** ,,als Deckoffizier eingesetzter älterer Seemann; Dienstgrad im Feldwebelrang'' (*mnd.* bōsman ,,Matrose'', später zu bōt[es]man verdeutlicht).

Bor *s* (chem. Grundstoff): *Pers.* burāh ,,borsaures Natron'' wurde über *arab.* baurāq im *Mlat.* als bōrax entlehnt. Dies lebt einmal in unveränderter Form im FW Borax *m* zur Bezeichnung eines als Waschmittel benutzten borhaltigen Minerals weiter. Zum anderen entwickelte sich daraus über *spätmhd.* buras und *frühnhd.* borros unser LW Bor.

¹Bord *s* ,,[Wand-, Bücher]brett'': *Mnd.* bōrt, *asächs.* bord ,,Brett, Tisch'' ist in der *niederd.* Form Bord *hochd.* geworden. Ihm entspr. *got.* [fōtu]baúrd ,,[Fuß]bank'', *engl.* board ,,Brett, Tisch'', *schwed.* bord ,,Tisch''. Das *gemeingerm.* Wort steht im Ablaut zu →*Brett*. Vgl. den Artikel Bordell.

²Bord *m* ,,Schiffsplanken, [Schiffs]rand'': Das *altgerm.* Wort *mhd.*, *ahd.* bort, *niederl.* boort, *engl.* board, *schwed.* bord war urspr. identisch mit dem unter →¹Bord behandelten Subst., vermischte sich aber früh mit nicht verwandtem *ahd.* brort, *aengl.* breord ,,Rand''. In der Wendung 'an Bord' steht es übertr. für ,,Schiff, Luftfahrzeug''. *Schweiz.* ist Bord *s* ,,Rand, [Ufer]böschung''. Verwandt sind →Borte und bordieren. – Zus.: **Backbord** (s. d.); **Dollbord** (s. Dolle); **Steuerbord** (s. Steuer).

Bordell *s* ,,Dirnenhaus'': Das Wort wurde im 15./16. Jh. durch *niederl.* Vermittlung (*mniederl.* bordeel) aus dem *Roman.* entlehnt (vgl. z. B. *altprov.*, *frz.* bordel und *it.* bordello). Die *roman.* Wörter, die urspr. ,,Bretterhüttchen'' bedeuten, gehören als Verkleinerungsformen zu einem in *afrz.* borde, *altprov.* borda und prov. barda bewahrten Wort mit der Bedeutung ,,Hütte; Bauernhof'', das seinerseits auf das unter →¹Bord behandelte *germ.* Wort zurückgeht.

bordieren: Im 16. Jh. entlehnt aus *frz.* border ,,umranden, einfassen'', zu bord ,,Rand, Borte'', das aus *afränk.* *bord ,,Rand'' stammt (vgl. ²*Bord*). Dazu: **Bordüre** *w* (17. Jh.; aus *frz.* bordure).

borgen: Das *altgerm.* Wort *mhd.* borgen, *ahd.* bor[a]gēn, *niederl.* borgen, *engl.* to borrow, *schwed.* borga steht im Ablaut zu dem unter →*bergen* behandelten Verb. Es bedeutete urspr. ,,auf etwas achthaben, schonen, jemanden mit Zahlung verschonen''. Zu 'borgen' gebildet ist →*Bürge*. – Abl.: **Borg** (nur noch in 'auf Borg kaufen'; *mhd.* borc *m* ,,Geliehenes'').

borniert ,,geistig beschränkt'': Im 18. Jh. entlehnt aus dem Part. Perf. von *frz.* borner ,,beschränken'' (eigtl. ,,mit einem Grenzzeichen versehen''). Dies ist abgeleitet von *frz.* borne (< *afrz.* bosne, bodne) ,,Grenzstein, Ziel'' (wozu auch *frz.* abonner im FW →*abonnieren* gehört), das wohl *gall.* Ursprungs ist. Abl.: **Borniertheit** *w* ,,Beschränktheit''.

¹Börse *w* ,,Geldbeutel'': Im 18. Jh. aus *niederl.* (geld)beurs entlehnt, das wie *frz.* bourse auf *spätlat.* bursa (< *gr.* býrsa) ,,Fell, Ledersack'' zurückgeht. Über weitere Zusammenhänge vgl. den Artikel →*Bursche*. **²Börse** *w* ,,Markt vertretbarer Güter'': Im 16. Jh., zunächst in der Form Börs, aus *niederl.* beurs entlehnt, das urspr. ein Gebäude bezeichnete, in dem sich Kaufleute zu Geschäftszwecken regelmäßig trafen. Die ersten Zusammenkünfte dieser Art sollen vor dem Haus einer angesehenen Brügger Kaufmannsfamilie namens 'van der Burse' stattgefunden haben. Diesen Namen führt nan wegen dreier im Hauswappen der Familie erscheinender ,,Geldbeutel'' auf das unter ¹*Börse* (s. o.) angegebene *niederl.* beurs zurück. – Abl.: **Börsianer** *m* ,,Börsenspekulant'' (19. Jh.; mit *lat.* Endung gebildet).

Borste *w*: Die heutige weibliche Form geht über *mhd.* borste zurück auf *ahd.* bursta. Diese Form – wie auch das gleichbed. bursti (s. Bürste) – ist eine Nebenform der starken Maskulinums (Neutrums) *mhd.* borst, *ahd.* burst, dem *aengl.* byrst und *schwed.* borst entsprechen. Das Wort gehört im Sinne von ,,Emporstehendes'' mit verwandten Wörtern in anderen *idg.* Sprachen zu der unter →*Barsch* dargestellten *idg.* Wurzel, vgl. z. B. *aind.* bhṛṣṭi-ḥ ,,Zacke, Ecke, Kante'' und *russ.* boršč ,,Roterübensuppe'' (urspr. Bez. der spitzblättrigen Pflanze Bärenklau). – Abl.: **borstig** (*mhd.* borstoht dazu **widerborstig** (im 15. Jh. wider borstig, *mnd.* wedderborstich, eigtl. ,,struppig'' [von Tieren], dann übertr. für ,,störrisch, widerspenstig'').

Borte *w*: *Mhd.* borte, *ahd.* borto ,,Rand, Besatz'' ist wie gleichbed. *aengl.* borda, schwache Nebenform zu dem unter →²*Bord* behandelten Wort; s. auch bordieren.

Böschung *w* ,,Abdachung'': Ein Fachwort der Festungsbaukunst, das zuerst im 16. Jh. auftritt und schon damals schräge Flächen aller Art bezeichnete. Ursprünglich sind jedoch die mit dicht und niedrig gehaltenem

Strauchwerk befestigten Abhänge mittelalterlicher Festungswälle gemeint, die selbst
Kanonenschüsse aushalten konnten. Böschung gehört danach zu *aleman.* Bosch[en]
,,Strauch'' aus *mhd.* bosch (vgl. *Busch*).
Das dazugehörige Verb b ö s c h e n, meist
a b b ö s c h e n ,,abschrägen'' ist erst seit
dem 18. Jh. bezeugt.

böse: *Mhd.* bœse ,,gering, wertlos; schlecht,
schlimm, böse'', *ahd.* bōsi ,,hinfällig, nichtig,
gering, wertlos, böse'', *niederl.* boos ,,böse,
schlecht, schlimm'' sind im *germ.* Sprachbereich eng verwandt mit der *nord.* Sippe
von *norw.* baus ,,stolz, heftig'' (eigtl. ,,auf-
geblasen, geschwollen'') und weiterhin mit
den unter →Bausch →Busen, →Pausback
und →pusten behandelten Wörtern (vgl.
Beule). Das Adjektiv ,,böse'' bedeutete demnach urspr. etwa ,,aufgeblasen, geschwollen''.
– Abl.: e r b o s e n ,,erzürnen'' (*mhd.* [er]-
bōsen, *ahd.* bōsōn ,,schlecht werden oder
handeln''); b o s h a f t (16. Jh., für älteres
boshaftig); B o s h e i t *w* (*mhd., ahd.* bōsheit
bedeutet auch ,,Wertlosigkeit''). Zus.:
B ö s e w i c h t (*mhd.* bœsewiht, zusammengerückt aus 'der bœse wiht', *ahd.* pōse wiht;
vgl. *Wicht*).

Boß *m* ,,Chef'': Im 20. Jh. aus *amerik., engl.*
boss entlehnt, einem LW aus *niederl.* baas
,,Meister''.

Botanik *w* ,,Pflanzenkunde'': Im 17. Jh.
aus *nlat.* (scientia) botanica < *gr.* botanikḗ
(epistḗmē) aus *gr.* botanikós
,,pflanzlich'' ist von botánē ,,Weide,
Futterpflanze'' abgeleitet. – Abl.: b o t a -
n i s c h ,,pflanzenkundlich'' (nach *gr.* botanikós); B o t a n i k e r *m* ,,Pflanzenkundler''
(18./19. Jh.; für älteres Botanicus bzw.
Botanist); b o t a n i s i e r e n ,,Pflanzen sammeln'' (18. Jh.; nach gleichbed. *gr.* botani-
zein).

Bote *m*: Das *altgerm.* Wort *mhd.* bote, *ahd.*
boto, *niederl.* bode, *aengl.* boda, *aisl.* boði
,,Bote, Verkünder, Herold'' ist eine Bildung
zu dem unter →bieten behandelten Verb in
dessen Bedeutung ,,wissen lassen, befehlen''.
Abl. B o t s c h a f t *w*, (*mhd.* bot[e]schaft, *ahd.*
botoscaft; im 16./17. Jh. auch für ,,Ge-
sandter''), dazu B o t s c h a f t e r *m* (im 16. Jh.
,,Bote'', dann ,,Leiter einer Gesandtschaft'';
seit dem 18. Jh. Titel der Staatsgesandten
wie *frz.* ambassadeur). Zus.: V o r b o t e
(*mhd.* vorbote, *ahd.* foraboto ,,Vorläufer und
Ankündiger eines Herrn'', meist in religiösem Sinne; das Wort wird auch übertragen
gebraucht, beachte z. B. Vorboten des
Frühlings.

Böttcher *m*: Der bes. *nordd.* Handwerkername wurde erst vom *mhd.* Sprachgefühl
mit dem in Norddeutschland urspr. nicht
heimischen Wort →Bottich verknüpft.
Mhd. bōdeker, bōddeker ist wahrscheinlich
mit dem früher bei *niederd.* Handwerkernamen auftretenden -ker-Suffix abgeleitet

aus *mnd.* bōde, bödde ,,hölzerne Wanne'', das
dem *hochd.* →*Bütte* entspricht.

Bottich *m*: In dem Wort *mhd.* botech[e],
botige, *ahd.* potega haben sich vermutlich
roman. Abkömmlinge von *gr.-lat.* apothēca
,,Abstellraum, Magazin'' (vgl. z. B. *mlat.*
potecha ,,Abstellraum, Vorratslager'' und
span. bodega ,,Weinkeller'') und *vlat.* buttis
,,Faß'' (vgl. z. B. *mlat.* butica und *it.* botte
,,Faß'') miteinander vermischt. Siehe auch
die Artikel Böttcher und Bütte.

[1]Bouclé *s* ,,gekräuseltes, lockenartiges
Garn'': Das Substantiv ist aus dem Part.
Perf. Pass. von *frz.* boucler ,,ringeln'',
einer Ableitung von *frz.* boucle ,,Ring, Schleife''
entlehnt. Das vorausliegende *lat.* buceula
,,Bäckchen'', eine Verkleinerungsbildung zu
bucca ,,aufgeblasene Backe'' (vgl. *Buckel*),
entwickelte im *Afrz.* eine wohl von der
Rundung der Wange her übertragene Bedeutung ,,Schildknauf'', die die spätere,
verallgemeinernde Bed. ,,Öse, Schleife'' vorbe-
reitete. – **[2]Bouclé** *m* ,,Haargarnteppich'': Aus
frz. tapis bouclé ,,mit Kräuselgarn gewebter
Teppich''.

Bouillon *w* ,,Fleischbrühe'': Im 18. Jh. aus
frz. bouillon entlehnt, Das zugrunde liegende
Verb *frz.* bouillir ,,wallen, sieden'' geht auf
gleichbed. *lat.* bullīre (eigtl. ,,Blasen werfen'') zurück, das seinerseits von *lat.* bulla
,,Blase'' (vgl. *²Bulle*) abgeleitet ist.

Boulevard *m* ,,breite [Ring]straße'': Entlehnt aus *frz.* boulevard (aus *mniederl.* bolwerc, das *dt.* →*Bollwerk* entspricht). Die
Ringstraßen verlaufen oft im Zuge alter
Stadtbefestigungen.

Bourgeoisie *w* ,,(wohlhabendes) Bürgertum'': Im 19. Jh. aus *frz.* bourgeoisie entlehnt (zu bourgeois ,,Bürger''). Das zugrunde liegende Substantiv *frz.* bourg ,,Burg;
Marktflecken'' stammt aus *afränk.* *burg,
das zu dem unter →*Burg* behandelten *germ.*
Wort gehört.

Bowle *w* ,,alkohol. Mischgetränk''; auch
Name des Gefäßes, in dem dieses Getränk
aufgetragen wird: Im 18. Jh. aus *engl.* bowl
(< *aengl.* bolla) ,,[Punsch]napf'' entlehnt.

Box *w* ,,Behälter; Unterstellraum; Pferde-
stand'': Junge Entlehnung aus *engl.* (*aengl.*)
box, das auf *vlat.* buxis (= *lat.* pyxis) ,,aus
Buchsbaumholz hergestellte) Büchse'' (vgl.
Buchs) zurückgeht und somit formal und in
der Bedeutung unserem LW →*Büchse*
entspricht. – Zus.: B o x k a l f *s* ,,Kalbsleder''
(aus gleichbed. *engl.* box calf, das urspr. die
,,kästchenförmige'' Narbung auf der Unterseite von Kalbsleder bezeichnete).

boxen: Im 18. Jh. aus gleichbed. *engl.* to box
entlehnt, Anknüpfung ist un-
sicher. – Abl.: B o x e n *s* ,,Faustkampf'';
B o x e r *m* ,,Faustkämpfer''; auch übertragen
gebraucht als Name einer Hunderasse.

Boykott *m* ,,Ächtung; Abbruch bestehender
[wirtschaftl.] Beziehungen'': Im 19. Jh. aus

gleichbed. *engl.* boycott entlehnt. Hinter diesem Wort steht der zur Gattungsbezeichnung gewordene Name eines irischen Hauptmanns und Gutsverwalters, der von der irischen Landliga geächtet wurde. – Das entspr. Verb *engl.* to boycott ist die Quelle für unser Zeitwort boykottieren ,,ächten, in Verruf erklären".

Brache *w* ,,unbestellter Acker": Das Substantiv *mhd.* brāche, *ahd.* brāhha ist eine Bildung zu dem unter →*brechen* behandelten Verb und bedeutete urspr. ,,das Brechen", dann speziell ,,erstes Umbrechen des Bodens", vgl. *mniederl.* brāke ,,Stück, Brocken; Bruch; Brechwerkzeug" und *aengl.* brǣc ,,Bruch; Zerstörung; Streifen ungepflügten Landes". In der alten Dreifelderwirtschaft blieb ein Drittel der Flur nach der Ernte des Sommerkorns als Stoppelweide liegen und wurde erst im folgenden Juni gepflügt und zur Aufnahme der Winterfrucht vorbereitet. Der Juni heißt deshalb auch Brachet *m*, Brachmonat, -mond (*mhd.* brāchōt, eigtl. ,,Zeit des Brachens", *mhd.*, *ahd.* brāchmānōt). Das Pflügen hieß brachen (*mhd.* brāchen, *ahd.* brāhhōn), das Feld 'Brache' oder Brachfeld (*mhd.* brāchfelt; heute für: ,,unbestellter Acker"). Aus der *mhd.* Fügung 'in brāche ligen' hat sich das Adjektiv brach ,,unbenutzt, unbebaut" entwickelt (17. Jh.), das in brachliegen auch übertr. gebraucht wird. Der Brachvogel (*mhd.* brāchvogel, *ahd.* brāhfogal, eine Art Schnepfenvogel) ist so benannt, weil er sich gerne auf Brachen aufhält.

Brachialgewalt *w* ,,rohe Gewalt": Das Bestimmungswort ist das von *lat.* bracchium ,,Arm" abgeleitete Adjektiv *lat.* bracchiālis ,,den Arm betreffend". Das Wort meint also eigtl. ,,Gewaltanwendung unter Zuhilfenahme der Arme". Über *lat.* bracchium vgl. das LW Brezel.

Brand *m*: Das *altgerm.* Wort *mhd.*, *ahd.* brant, *niederl.* brand, *engl.* brand, *schwed.* brand ist eine Bildung zu dem im *Nhd.* untergegangenen starken Verb *mhd.* brinnen, *ahd.* brinnan (vgl. *brennen*). Es bedeutete zunächst ,,Feuerbrand, Feuersbrunst", dann ,,das Brennen von Tonwaren, Kalk, Ziegeln", auch ,,Brandzeichen" (z. B. bei Pferden) und entwickelte zahlreiche übertragene Bedeutungen, z. B. als Bezeichnung einer Pflanzenkrankheit. Zus.: Brandbrief (*spätmhd.* brantbrief [15. Jh.] bezeichnete einen Branddrohbrief ähnlich dem Fehdebrief, wie er bis ins 19. Jh. vorkam. Die heutige *ugs.* Bed. ,,dringlicher Brief", eigtl. ,,Bettelbrief um Geld" [18. Jh., stud.], geht von behördlichen Schreiben aus, die zum Sammeln freigebrannte berechtigten und vielfach mißbraucht wurden); brandmarken (eigtl. ,,ein [schändendes] Zeichen einbrennen" heute meist übertragen für ,,öffentlich bloßstellen, anprangern" gebraucht; im 17. Jh. zu älterem brandmerk, -mark ,,Brandmal" gebildet); brandschatzen,, [durch Branddrohung] erpressen" (im 14. Jh. brantschatzen; vgl. Schatz), dazu Brandschatzung *w* ,,Zahlung zum Loskauf von Plünderung und Brand" (14. Jh.); Brandsohle (18. Jh.; die innere Schuhsohle wird aus geringerem Leder gemacht, in dem meist das Brandzeichen der Tiere sitzt). Siehe auch Brandung.

Brandung *w*: Die heutige Form ist im 18. Jh. zum erstenmal bezeugt und steht für älteres Branding (17. Jh.), das aus dem *Niederl.* (*niederl.* branding) entlehnt ist. Dieses Substantiv ist abgeleitet von dem *niederl.* Verb branden, das eine unter dem Einfluß des Substantivs *mniederl.* brant ,,Brand, Feuer" gebildete Nebenform zu dem unter →*brennen* behandelten Verb ist. Die Brandung wird also mit der Bewegung der Flammen oder mit einer kochenden Masse verglichen. Vermutlich zu 'Brandung' erst gebildet ist branden, das im 18. Jh. zuerst in dichterischer Sprache von den Meereswellen und später auch übertragen gebraucht wird.

Branntwein *m*: Die seit dem 13. Jh. nach morgenländischem Vorbild zuerst aus Wein und Weinrückständen, dann auch aus Getreide destillierte Flüssigkeit heißt *mhd.* gebranter wîn, im 16. Jh. zusammengerückt brantewîn (aus entspr. *mnd.* brandewîn, *niederl.* brandewijn stammt *engl.* brandy). *Brennen* (s. d.) bedeutet hier ,,durch Erhitzen verdampfen". Anfänglich war der Branntwein nur äußerlich angewandtes Heilmittel; s. auch Weinbrand. – Zus.: Franzbranntwein (im 17. Jh. ein geringer ,,französischer Branntwein", heute künstlich hergestelltes Einreibemittel).

braten: Das *westgerm.* starke Verb *mhd.* brāten, *ahd.* brātan, *niederl.* braden, *aengl.* brǣdan gehört mit den unter →*Brodem* und →*brühen* behandelten Wörtern zu der Wortgruppe von →*Bärme*. Außerhalb. ist z. B. eng verwandt *lat.* fretum ,,Wallung, Hitze", *lat.* fretāle ,,Bratpfanne" und *aisl.* brāð ,,schmelzen, teeren". Nicht verwandt ist das Substantiv Braten. – Zus.: Bratspieß (s. ¹Spieß).

Braten *m*: Die Herkunft des *altgerm.* Substantivs *mhd.* brāte, *ahd.* brāto ,,schieres Fleisch, Weichteile", *mniederl.* brāde ,,Wade, Muskel, Faser", *aengl.* brǣd ,,Fleisch", *aisl.* brāð ,,Fleisch" ist ungeklärt. Das Wort hat nichts mit →*braten* zu tun, erhielt aber im *Mhd.* durch Anlehnung an dieses Verb die Bedeutung ,,gebratenes Fleisch". In →*Wildbret* ist die urspr. Bedeutung noch bewahrt; dagegen ist die Zus. Bratwurst (*mhd.*, *ahd.* brātwurst, eigtl. ,,Fleischwurst") wieder an 'braten' angelehnt. Das n der *nhd.* Form 'Braten' ist aus den schwach gebeugten obliquen Kasus in den Nominativ übergetreten. – Zus.: Bratenrock (Ende des

18. Jh.s scherzhafte Bezeichnung für den festlichen Männerrock, den späteren Gehrock; ein Bratenwams für Gastmähler kennt schon das 17. Jh.).

Bratsche w: Im 17. Jh. gekürzt aus Bratschgeige, das aus *it.* viola da braccio „Armgeige" entlehnt ist (entspr. *it.* viola di gamba in →Gambe). Über das vorausliegende Substantiv *lat.* bracchium „Arm" vgl. *Brezel.* Abl.: B r a t s c h e r , B r a t s c h i s t m „Bratschenspieler".

brauchen: Das *altgerm.* Verb *mhd.* brūchen, *ahd.* brūhhan, *got.* brūkjan, *mniederl.* brūken, *aengl.* brūcan ist verwandt mit *lat.* fruī „genießen", *lat.* frūctus „Ertrag, [Acker]frucht" (s. Frucht) und *lat.* frūx, -gis „[Feld]frucht" (s. frugal). Die Grundbedeutung ist „Nahrung aufnehmen, verwenden", aus der sich die allgemeineren Bedeutungen „an-, verwenden; nutzen, genießen" entwickelten. Die heutige Bedeutung „nötig haben" tritt im 17. Jh. auf, und zwar zuerst in verneinten Sätzen (etwas nicht brauchen = ohne seine Anwendung handeln können), und führte zu „nicht müssen" (du brauchst nicht zu kommen). – Abl.: B r a u c h m (*mhd.* brūch, *ahd.* brūh, „Nutzen, Gebrauch", seit dem 16. Jh. bes. „Sitte, Gewohnheit [einer Gemeinschaft]"), dazu B r a u c h t u m s (volkskundl. Fachwort des 20. Jh.s) und N i e ß b r a u c h (s. genießen); b r a u c h b a r „tauglich" (17. Jh.). Zus. und Präfixbildungen: g e b r a u c h e n (*mhd.* gebrūchen, *ahd.* gibrūhhan verstärkte einfaches „brauchen", „verwenden" und hat es jetzt weitgehend ersetzt), dazu G e b r a u c h m (*mhd.* gebrūch, *nhd.* zeitweise auch für „Gewohnheit") und g e b r ä u c h l i c h (im 18. Jh. für älteres bräuchlich); m i ß b r a u c h e n „falsch oder böse gebrauchen" (*mhd.* missebrūchen, *ahd.* misbrūhhan; vgl. miß...), dazu M i ß b r a u c h m (16. Jh.); m i ß b r ä u c h l i c h (17. Jh.); v e r b r a u c h e n „zu Ende [ge]brauchen" (*frühmhd.* verbrūchen, dann aber erst seit dem 15. Jh. wieder bezeugt), dazu V e r b r a u c h m und V e r b r a u c h e r m (im 18./19. Jh. für Konsumtion, Konsument).

Braue w: Mhd. brā „Braue, Wimper", *ahd.* bra[wa] „Braue, Wimper, Lid", *asächs.* braha „Braue", *aengl.* brǣw „Braue, Augenlid", *aisl.* brā „Wimper" hängen mit *got.* brahv in 'in brahva augins', „im Augenblick", eigtl. „im Aufleuchten des Augen" zusammen. Verwandt sind im *germ.* Sprachbereich z. B. *mhd.* brehen „plötzlich und stark aufleuchten, funkeln" und *aisl.* braga „glänzen, flimmern". Die gesamte *germ.* Wortgruppe gehört zu der unter →braun dargestellten *idg.* Wz. Die urspr. Bed. von 'Braue' läßt sich nicht mit Sicherheit ermitteln, weil bereits in den älteren Sprachzuständen die Bedeutungen „Braue" und „Lid [mit Wimpern]" nebeneinander hergehen. Schon das

Ahd. unterschied darum die ubarbrā „[obere] Braue" von der unter- oder wintbrā (s. Wimper). Wahrscheinlich bezeichnete das Wort urspr. das Lid als „das Zwinkernde, Blinzelnde".

brauen: *Mhd.* briuwen, brūwen, *ahd.* briuwan, brūwan, *niederl.* brouwen, *engl.* to brew, *schwed.* brygga „brauen" sind *germ.* Verbbildungen zu der unter →Bärme „Bierhefe" genannten *idg.* Wurzelform *bh[e]reu- „aufwallen", die vielfach in Bezeichnungen des Gärens und gegorener Speisen und von Getränken erscheint. Vgl. z. B. *lat.* dēfrutum „eingekochter Most" und *thrak.* brytos „Gerstenbier", weiterhin die unter →Brot und →brodeln genannten *germ.* Wörter. Da zum Bierbrauen würzende Zutaten (bes. Hopfen) gehören, wird das Verb „brauen" schon in *mhd.* Zeit auch auf die Herstellung anderer Getränke übertragen (heute *ugs.* z. B. bei Punsch, Kaffee, Arznein). Abl.: B r a u e r m (*mhd.* brouwer); B r a u e r e i w „Bierherstellung, Brauhaus" (17. Jh.).

braun: Das *altgerm.* Farbadjektiv *mhd.*, *ahd.* brūn, *niederl.* bruin, *engl.* brown, *schwed.* brun beruht auf einer Bildung zu der *idg.* Wz. *bher- „(weiß, rötlich, braun) schimmern[d], leuchten[d], glänzen[d]", vgl. *gr.* phrýnē „Kröte", eigtl. „die Braune". Zu dieser vielfach weitergebildeten und erweiterten *idg.* Wurzel gehören ferner die Tiernamen →Bär (eigtl. „der Braune") und →Biber (eigtl. „der Braune"), der Baumname →Birke (nach der leuchtendweißen Rinde), der PN Bruno und das unter →Braue (eigtl. „das Zwinkernde, Blinzelnde") behandelte Wort. Das *altgerm.* Adjektiv wurde früh ins *Roman.* entlehnt, vgl. *frz.* brun, *it.*, *span.* bruno (s. brünett). – Abl.: B r ä u n e w (*mhd.* briune „braune [Gesichts]farbe"; seit dem 16. Jh. volkstümlich für „Diphtherie, Angina" nach der braunroten Entzündung); b r ä u n e n „braun machen" (*mhd.* briunen); b r ä u n l i c h (im 16. Jh. bräunlich). Zus.: B r a u n k o h l e w (18. Jh.).

brausen: Das auf das *dt.* und *niederl.* Sprachgebiet beschränkte Verb *mhd.* brūsen, *niederl.* bruisen ist entweder lautnachahmenden Ursprungs oder gehört zu der Wortgruppe von →brausen. Abl.: B r a u s m nur noch in der Wendung 'in Saus und Braus [= verschwenderisch] leben' (*mhd.* brūs „Lärm"; vgl. *niederl.* bruis „Schaum, Gischt"); B r a u s e w „Wasserverteiler der Gießkanne, Dusche" (im 18. Jh. aus *niederd.* bruse; in der Bedeutung „Limonade" aus 'Brauselimonade' gekürzt [20. Jh.]). Zus.: B r a u s e k o p f m „Mensch mit überschäumendem Temperament" (Ende des 18. Jh.s).

Braut w: Das *gemeingerm.* Wort *mhd.*, *ahd.* brūt, *got.* brūþs „Schwiegertochter", *engl.* bride, *schwed.* brud ist dunklen Ursprungs. Im *Dt.* wurde es seit dem 16. Jh. auch im

Sinne von „Verlobte" gebräuchlich und verdrängte *mhd.* gemahel aus dieser Bedeutung (s. Gemahl). *Ugs.* kann es auch die Geliebte bezeichnen. – Abl.: **bräutlich** (*mhd.* brūtlich, *ahd.* brūtlīh). Die zahlreichen Zusammensetzungen beziehen sich vor allem auf die Vermählung (Brautmesse, -kranz, -schleier, -stuhl, -bett, -nacht usw.), dann auch auf die Verlobungszeit (Brautschau, -stand, -zeit).

Bräutigam *m*: Die *altgerm.* Zusammensetzung *mhd.* briutegome, *ahd.* brūtigomo, *niederl.* bruidegom, *aengl.* brȳdguma (*engl.* bridegroom nach groom „Jüngling"), *schwed.* brudgum enthält als ersten Bestandteil das unter →**Braut** behandelte Wort, der zweite Bestandteil ist das im *Nhd.* untergegangene *gemeingerm.* Wort für „Mann": *mhd.* gome, *ahd.* gomo (verwandt z. B. mit *lat.* homō „Mann, Mensch"; s. Humus). 'Bräutigam' bezeichnet heute den Verlobten am Hochzeitstag und in der Zeit davor.

brav „wacker, tüchtig; ordentlich, artig": Im 17. Jh. aus gleichbed. *frz.* brave entlehnt. Voraus liegt *it.* bravo (= *span.* bravo) „wakker; unbändig, wild" (s. auch →**bravo**!, →**Bravour**, **Bravouös**), das auf *vlat.* *brabus* (< *lat.* barbarus) „fremd; ungesittet" zurückgeht. Über weitere Zusammenhänge vgl. *Barbar.*

bravo! „trefflich!", **bravissimo!** „ausgezeichnet!": Das unter brav (s. o.) genannte Adjektiv *it.* bravo wurde – wie auch das superlativische bravissimo – in der *it.* Oper zum stürmischen Beifallsruf der Zuschauer an die gefeierten Sänger. Von daher in die Allgemeinsprache übernommen, gelangten die beiden Wörter im 18. Jh. zu uns. Abl.: **Bravo** *s* „Beifallsruf".

Bravour *w* „Schneid", besonders auch in Zus. wie **Bravourstück** „Glanzleistung": Im 18. Jh. aus *frz.* bravoure < *it.* bravura „Tüchtigkeit, Tapferkeit" entlehnt. Über das zugrunde liegende Adjektiv *it.* bravo vgl. *brav.* Abl.: **bravourös** „schneidig, meisterhaft" (19. Jh.; aus *frz.* bravoureux, -euse).

brechen: Das *altgerm.* starke Verb *mhd.* brechen, *ahd.* brehhan, *got.* brikan, *niederl.* breken, *engl.* to break gehört mit verwandten Wörtern in anderen *idg.* Sprachen zu der *idg.* Wz. *bhreĝ- „brechen, krachen", vgl. z. B. *lat.* frangere „.[zer]brechen" (s. die FW-Gruppe um Fragment). Um das Verb 'brechen' gruppieren sich die ablautenden Substantive →**¹Bruch**, →**Brocken** und →**Brache** und wahrscheinlich das unter →**prägen** behandelte Verb. Aus einem im *Hochd.* untergegangenen ablautenden Verb stammt →**Pracht**. Schließlich gehört als alte Entlehnung ins *Roman.* auch das FW →**Bresche** hierher. – Das starke Verb war urspr. transitiv, wurde dann auch intransitiv gebräuchlich und erscheint in bekannten Redensarten,

wie z. B. 'eine Lanze für jemanden brechen' (eigtl. beim Turnier), 'Streit (eigtl. eine Latte) vom Zaun brechen', 'etwas (voreilig, ohne Sorgfalt) übers Knie brechen'. Vom Magen wird '[sich er]brechen' seit dem 14. Jh. gesagt. – Abl.: **Breche** *w* „Werkzeug zum Brechen"(z. B. Flachsbreche, *mhd.* breche); **Brecher** *m* „Sturzsee" (19. Jh.; LÜ von *engl.* breaker, älter ist *niederd.* bräcker). – Zus. und Präfixbildungen: **aufbrechen** (*mhd.* ūfbrechen; die Bed. „sich erheben, fortgehen" meint eigtl. „das Lager aufbrechen", ähnlich wie das bildliche 'seine Zelte abbrechen'), dazu **Aufbruch** *m* (*mhd.* ūfbruch); **ausbrechen** (*mhd.* ūzbrechen, *ahd.* ūzbrehhan); **einbrechen** (*mhd.* īnbrechen, *ahd.* īnbrehhan), dazu **Einbrecher** *m* (16. Jh.) und **Einbruch** *m* (*mhd.* īnbruch „Eingriff, Eindringen, Einbruch"); **gebrechen**, nur in 'es gebricht [mir] an etwas' (*mhd.* gebrechen „mangeln, fehlen; zerbrechen", *ahd.* gibrehhan „zerbrechen", vgl. *got.* gabrikan „zerbrechen"), dazu **Gebrechen** *s* „[körperl.] Mangel" (*mhd.* gebrechen für älteres gebreche) und **gebrechlich** „hinfällig" (*mhd.* gebrechlich); **verbrechen** (*mhd.* verbrechen, *ahd.* farbrechan, eigtl. wie 'zerbrechen' ein verstärktes 'brechen' mit der Bed. „zerstören, vernichten"; in der Rechtssprache wurde vom Brechen des Friedens, eines Eides oder Gesetzes gebraucht, seit dem 18. Jh. nur noch mit allgemeinem Objekt: etwas verbrechen; scherzh. Übertragungen wie 'ein Gedicht verbrechen' sind ganz jung), dazu **Verbrechen** *s* „.[schweres] Vergehen" (17. Jh.), **Verbrecher** *m* (13. Jh.; beide Wörter wurden früher auch bei leichten Übertretungen gebraucht), **verbrecherisch** (18. Jh.); s. a. **unverbrüchlich** unter ¹**Bruch**.

Brei *m*: Das *westgerm.* Wort *mhd.* brī[e], *ahd.* brīo, *niederl.* brij, *aengl.* brīw gehört im Sinne von „Sud, Gekochtes" zu der unter →**Bärme** dargestellten *idg.* Wurzel. Abl.: **breiig** (18. Jh., für älteres breiicht).

breit: Das *gemeingerm.* Adjektiv *mhd.*, *ahd.* breit, *got.* braiþs, *engl.* broad, *schwed.* bred ist dunklen Ursprungs. Es bezeichnete urspr. ganz allgemein die Ausdehnung (so noch in 'weit und breit', bildlich in der Wendung 'die breite Masse'), dann die Querausdehnung eines Gegenstandes (breite Straße), in der oft zusammengeschriebenen formelhaften Maßbezeichnungen 'eine Handbreit', 'einen Fingerbreit' u. ä. stand es früher mit dem Genitiv (*mhd.* z. B. eines hāres breit). Jung sind die *ugs.* Ausdrücke 'sich breitmachen' „anmaßend sein", 'breittreten' „wortreich darlegen oder verbreiten", 'breitschlagen' „überreden" (dies wohl aus der Metallverarbeitung). – Abl.: **Breite** *w* (*mhd.* breite, *ahd.* breitī, vgl. *got.* braidei; seit *mhd.* Zeit auch für „Ackerfläche"; die geogr. Bed. „Polhöhe eines Ortes" geht von der Vorstellung der – auf den Karten waagerechten – Breitenkreise aus. die die Erdkugel sozusagen 'der Breite nach' teilen); **breiten** „auseinanderdehnen" (*mhd.*, *ahd.* breiten, vgl. *got.* usbraidjan; heute meist durch aus und verbreiten ersetzt ['verbreitern 'dagegen ist „breiter machen"]), dazu **unterbreiten** „ein Schriftstück vorlegen" (19. Jh., aus der *östr.* Kanzleispr.). Zus.: **Breitseite** (eines Schiffes, danach das zusammengefaßte Feuer der Geschütze einer Schiffsseite; 19. Jh.).

¹Bremse *w*: „Hemmvorrichtung": Die heutige Form geht zurück auf *spätmhd.* bremse „Nasenklemme", das aus dem *Mnd.* (*mnd.* premese „Nasenklemme") entlehnt ist. Das *mnd.* Wort gehört zu *mnd.* präme „Zwang, Druck", prämen „drücken", deren Herkunft ungeklärt ist. 'Bremse' bezeichnete zunächst eine Vorrichtung zum Klemmen, speziell die Nasenklemme zur Bändigung störrischer Pferde, seit dem 17. Jh. auch eine Vorrichtung zum Hemmen in Bergwerken und Mühlen. Seit dem 19. Jh. verbindet man mit dem Wort meist den Begriff der Radbremse am Pferde-, Eisenbahn- und Kraftwagen. – Abl.: *bremsen* (im 14. Jh. premsen „zwängen, bändigen", später von der Radbremse gebraucht).

²Bremse *w*: Die Bezeichnung für „Stechfliege" wurde im 17. Jh. aus dem *Niederd.* ins *Hochd.* übernommen. *Niederd.* bremse, *ahd.* brimissa, *niederl.* brems, *schwed.* broms gehören zu dem im *Nhd.* untergegangenen starken Verb *mhd.* bremen, *ahd.* breman „brummen" (vgl. *brummen*). Zu diesem Verb gebildet ist auch *ahd.* bremo, *mhd.* breme „Stechfliege", das *oberd.* und *mitteld. mdal.* als Breme *w* bewahrt ist. Das Insekt ist also nach dem brummenden Geräusch benannt, das es beim Fliegen verursacht.

brennen: Das *gemeingerm.* Verb *mhd.* brennen, *ahd.* brennan, *mnd.* (mit r-Umstellung) bernen (s. Bernstein), *got.* (in-, ga)brannjan, *engl.* to burn, *schwed.* bränna ist das Veranlassungswort zu dem im *Nhd.* untergegangenen starken Verb *mhd.* brinnen, *ahd.* brinnan „brennen, leuchten", *got.* brinnan „brennen", *aengl.* beornan, *schwed.* brinna „brennen". Im *Nhd.* hat 'brennen' die Bedeutungen des starken Verbs mit übernommen. Das *gemeingerm.* starke Verb, zu dem die unter →Brand und →Brunst behandelten Wörter gebildet sind, gehört zu der unter →Bärme dargestellten *idg.* Wz. *bher[ə]-* „quellen, [auf]wallen, sieden" und bezeichnet demnach eigtl. das heftige Züngeln der Flammen. Abl.: **brenzeln** (s. d.). – Zus.: **abgebrannt** (16. Jh. „wem das Haus abgebrannt ist", danach gaunersprachlich und studentisch für „verarmt, ohne Geld"; s. a. Brandbrief); **durchbrennen** (eigtl. von hindurchdringendem Feuer; in der Bed. „[den Gläubigern] davonlaufen" um 1840 student.); **Branntwein** (s. d.); **Brenn-**

punkt (einer optischen Linse; 17. Jh., LÜ für *lat.* punctum ūstiōnis).

brenzeln „verbrannt riechen": Das seit dem 16. Jh. bezeugte Verb ist eine Verkleinerungsbildung zu *frühnhd.* brenzen „verbrannt riechen", das von dem unter →*brennen* behandelten Verb abgeleitet ist. Abl.: **brenzlig** „angebrannt", *ugs.* für „verdächtig, bedenklich" (im 17. Jh. in der Form brenzelicht).

Bresche *w*: Das seit etwa 1600 bezeugte Substantiv ist eigtl. ein militärisches Fachwort des Festungs- und Belagerungskampfes. Es bezeichnete urspr. die aus einer Festungsmauer herausgeschossene Öffnung, als Ersatzwort für *frühnhd.* 'lucke'. Heute wird das Wort vorwiegend übertragen gebraucht im Sinne von „gewaltsam gebrochene Lücke; Durchbruch" (militär. und allg.). Beachte dazu die Redewendungen 'eine Bresche schlagen' und 'in die Bresche springen'. Quelle des Wortes ist *frz.* brèche „Bresche", das seinerseits aus dem *Germ.* stammt und wohl auf einen zur Sippe von *dt.* →¹*brechen* gehörenden *afränk.* *breka* „Bruch" beruht.

Brett *s*: Das *westgerm.* Wort *mhd.* bret, *asächs.* bred, *aengl.* bred gehört im Sinne von „[aus einem Stamm] Geschnittenes" zu der unter →bohren behandelten Wortgruppe. Eng verwandt sind →¹Bord (dazu Bordell) und →²Bord (dazu bordieren, Borte). Eine andere Bildung ist →Pritsche. Übertr. gilt 'Brett' für das Brettspiel, dazu die Redensart 'einen Stein im Brett haben' für „gut mit jemandem stehen". Das Schwarze Brett war im Wirtshaus die Schuldtafel, wo 'angekreidet' wurde (s. Kreide), in den Hochschulen heißt so seit dem 17. Jh. die Anschlagtafel. – Abl.: **Brett[e]l** *s* (*oberd.* für „Schneeschuh"; daher im Wintersport Bretter „Schier"); **Brettl** *s* „Kleinkunstbühne" (Ende des 19. Jh.s, wohl nach der Bez. der Bühne als 'Bretter'); **brettern** (Adj., 15. Jh.).

Brevier *s* „Gebetbuch (kath. Geistlicher); Sammlung bedeutsamer Buchstellen": Im 15. Jh. in der Form breviere aus *lat.* breviārium „kurzes Verzeichnis, Auszug" entlehnt. Über das zugrunde liegende Adjektiv *lat.* brevis „kurz" vgl. das LW Brief.

Brezel *w*: Mhd. prēzel, prēzile, brēzel, *ahd.* brez[i]tella, brecedela, pricella gehen wahrscheinlich auf eine Verkleinerungsbildung zu *lat.* bracchium „[Unter]arm" zurück, dessen roman. Folgeform etwa in *it.* bracciatello „Brezel" faßbar wird. Diese Herleitung wird vom Sachlichen her durch die Form der Brezel gestützt, die an verschlungene „Arme" erinnert. – *Lat.* bracchium, das auch den Fremd- und Lehnwörtern →Brachialgewalt und →Bratsche zugrunde liegt, ist selbst LW aus *gr.* brachíōn „[Ober]arm". Dies ist wohl Komparativform von dem mit *lat.* brevis „kurz" (s. Brief, Brevier usw.) urverwandten

Adjektiv *gr.* brachýs „kurz" und bedeutet dann eigtl. „kürzeres Stück (des Armes)".

Bridge *s*: Der Name des in der Welt weitverbreiteten Kartenspiels wurde im 20. Jh. aus dem *Engl.* entlehnt. Die Vorgeschichte von *engl.* bridge (älter: biritch) ist dunkel. Die übliche Verbindung mit dem gleichlautenden *engl.* bridge „Brücke" hat nur volksetymologische Bedeutung. Zugrunde liegt etwa die Vorstellung, daß der Erstansagende seinem Partner gleichsam eine „Brücke" baut, indem er ihn durch sein Angebot über die eigene Spielstärke unterrichtet.

Brief *m*: Mit der Buchstabenschrift, die die Germanen durch die Römer kennenlernten – die kulturgeschichtlichen Zusammenhänge sind unter →schreiben aufgezeigt –, strömte eine Fülle von fremden Bezeichnungen aus dem *Lat.* in unseren Sprachbereich. Auch das LW Brief gehört in diesen Zusammenhang. *Mhd.;ahd.* brief, briaf gehen mit entspr. *asächs.*, *afries.*, *aisl.* brēf zurück auf *vlat.* brēve (scriptum) „kurzes (Schreiben), Urkunde", das für *klass. lat.* breve – Neutrum von brevis „kurz" – steht. Lange Zeit lebte das Wort vorwiegend in der Kanzleisprache und galt dort in der urspr. Bedeutung „offizielle schriftliche Mitteilung, Urkunde", wie sie noch heute erhalten ist in den Zus. Schuldbrief, Freibrief, Frachtbrief, in dem Kompositum verbriefen „urkundlich garantieren" und in der Wendung 'Brief und Siegel' geben. Die heute übliche gemeinsprachliche Bedeutung entwickelte sich in *mhd.* Zeit, ausgehend von der schon älteren Zus. Sendbrief. Für die zahlreichen mit Brief (in moderner Bedeutung) gebildeten Zusammensetzungen seien beispielhaft erwähnt: Briefschaften (18. Jh.), Briefkasten (19. Jh.; aber schon *mhd.* im Sinne von „Archiv"), Briefmarke (19. Jh.), Brieftaube (18. Jh.), Briefträger (18. Jh.; aber schon im 14. Jh. mit der Bed. „Gerichtsdiener, der amtliche Briefe zustellt"), Briefwechsel (17. Jh.). Die Abl. brieflich stammt aus dem 17. Jh. – Über die etymologischen Zusammenhänge von *lat.* brevis, das auch den FW →Brevier und →Brimborium zugrunde liegt, vgl. das LW →Brezel.

Brigade *w* (größere Truppenabteilung): Im 17. Jh. aus *frz.* brigade < *it.* brigata „streitbarer [Heer]haufen" entlehnt. Das zugrunde liegende Substantiv *it.* briga „Streit" ist ohne sichere Deutung.

Brikett *s* „geformte Preßkohle": Im 19. Jh. aus gleichbed. *frz.* briquette entlehnt, einer Ableitung von *frz.* brique „Ziegelstein", dem das Brikett in seiner äußeren Form gleicht. Voraus liegt *mniederl.* bricke, das eigtl. „abgebrochenes Stück" bedeutet und zur Sippe von *dt.* →brechen gehört.

Brille *w*: Für die Linsen der ersten um 1300 entwickelten Brillen verwandte man geschlif-

fene Berylle (*mhd.* berillus, berille, barille), nach dem man deren optische Eigenschaft, Gegenstände stark zu vergrößern, erkannt hatte. Danach nannte man zunächst das einzelne Augenglas *spätmhd.* b[e]rille *m*. Aus der gleichlautenden Mehrzahlform wurde dann der Singular zur Bezeichnung der beiden Augengläser zurückgebildet. Der Name wurde auch beibehalten, als man später dazu überging, die Linsen aus Bergkristall bzw. aus dem wesentlich billigeren Glas zu schleifen. – Der Name des meergrünen Halbedelsteins Beryll *m*, der wahrscheinlich auch *frz.* briller „glänzen (wie ein Beryll)" zugrunde liegt (s. brillieren, brillant, Brillant, Brillanz, Brillantine), geht vermutlich auf den Namen der südindischen Stadt Belūr (früher: Vēlūr) zurück. Er wurde den Europäern durch *lat.* bēryllus < *gr.* bḗryllos (< *mind.* vēruliya < vēḷuriya) vermittelt.

brillieren „glänzen, sich hervortun": Im 18. Jh. entlehnt aus gleichbed. < *frz.* briller < *it.* brillare, das wahrscheinlich mit einer urspr. Bed. „glänzen wie ein Beryll" zu *lat.* bēryllus, Beryll" gehört. Über weitere Zusammenhänge vgl. den Artikel Brille. – Aus dem Part. Präs. von *frz.* briller stammt unser FW brillant „glänzend, hervorragend" (18. Jh.), das substantiviert zur Bezeichnung des „geschliffenen Diamanten" (schon im *Frz.*) wird: Brillant *m* (18. Jh.). Zur gleichen Wortfamilie gehören noch: Brillanz *w* „Glanz; Feinheit" (19. Jh.; aus *frz.* brillance); Brillantine *w* „Haarpomade" (19./20. Jh.; aus *frz.* brillantine „die (dem Haar) Glanz Verleihende").

bringen: Die Herkunft des *altgerm.* Verbs *mhd.* bringen, *ahd.* bringan, *got.* briggan, *engl.* to bring ist nicht sicher geklärt. Vielleicht ist es mit der *kelt.* Sippe von *kymr.* he-brwng „bringen, geleiten, führen" verwandt. – Abl.: Mitbringsel *s* „kleines Reisegeschenk" (19. Jh.; zu 'mitbringen'). Zus.: umbringen (*mhd.* umbebringen „abwenden, verderben lassen, ums Leben bringen").

Brise *w* „Fahrwind, Lüftchen": Im 18. Jh. als Seemannswort aus *frz.* brise entlehnt, einem in allen *roman.* und *german.* Sprachen verbreiteten Wort, dessen Ursprung nicht gesichert ist.

Brocken *m*: Das auf das *dt.* und *niederl.* Sprachgebiet beschränkte Substantiv (*mhd.* brocke, *ahd.* brocc[h]o, *niederl.* brok) ist eine Bildung zu dem unter →brechen behandelten Verb und bedeutet eigtl. „Abgebrochenes". Abl.: brocken „in kleine Stücke brechen; Brocken in etwas hineintun" (*mhd.* brocken, *ahd.* brocchōn), dazu bröckeln (18. Jh.), bröck[e]lig (im 17. Jh. in der Form bröcklet).

brodeln „aufwallen, sieden": Das nur im Dt. bezeugte Verb (*spätmhd.* brodelen) ist abgeleitet von *mhd.*, *ahd.* brod „Brühe"

(vgl. *engl.* broth „Suppe, Brühe" und *aisl.*
brod „Brühe"). Verwandt sind die unter
→brauen und →Brot behandelten Wörter;
s. auch den Artikel brutzeln. Eine andere
Bed. „aufwühlen" zeigt 'brodeln' in der
Abl. Aschenbrödel (s. Asche).

Brodem *m* „[heißer] Qualm, Dampf": Die
auf das *dt.* Sprachgebiet beschränkte Substantivbildung (*mhd.*, *mnd.* brādem, *ahd.*
brādam) ist eng verwandt mit *engl.* breath
„Atem", *aengl.* brǣd „Dampf, Dunst, Gestank" und weiterhin mit den unter →bra-
ten und →Brut behandelten Wörtern (vgl.
Bärme).

Brokat *m* „mit Gold- oder Silberfäden durch-
wirktes Seidengewebe": Im 17./18. Jh. aus
gleichbed. *it.* broccato entlehnt. Das zugrunde liegende Verb *it.* broccare „durchwirken" (eigtl. „hervorstechen machen")
gehört zu dem unter →*Brosche* genannten
galloroman. *brocca „Dorn, Spitze".

Brom *s*: Das im 19. Jh. von einem *frz.* Chemiker entdeckte Element wurde seines
scharfen, erstickenden Geruchs wegen nach
gr. brōmos (> *lat.* brōmus) „Gestank" benannt.

Brombeere *w*: Mhd. brāmber, *ahd.* brām-
beri ist zusammengesetzt aus einem im *Nhd.*
untergegangenen Substantiv *mhd.* brāme,
ahd. brāma „Dornstrauch" und dem Substantiv →Beere. Der erste Teil der Zusammensetzung ist noch lebendig in *niederd. mdal.*
Bram „[Besen]ginster", ihm entsprechen
niederl. braam „Brombeere", *engl.* broom
„Ginster, Besen". Das Wort bezeichnete
urspr. wohl den Stechginster.

Bronchien, **Bronchen** *Mehrz.* (mediz. Bezeichnung der „Luftröhrenäste"): Aus gleichbed. *gr.-lat.* bronchia entlehnt. Zugrunde
liegt das etymologisch nicht sicher gedeutete
Substantiv *gr.* brógchos „Luftröhre, Kehle".
Dazu das Adjektiv bronchial „die Bronchien betreffend" – bekannt vor allem durch
die Zus. Bronchialkatarrh – und das
Substantiv Bronchitis *w* „Luftröhrenka-
tarrh", beide gelehrte Neubildungen.

Bronze *w* (Metallmischung; Farbton): Im
17. Jh. in der Form Bronzo aus gleichbed. *it.*
bronzo entlehnt. Später über entspr. *frz.*
bronze neu entlehnt. Die Vorgeschichte des
roman. Wortes ist dunkel. Abl.: bronzen
„aus Bronze; bronzefarben".

Brosame *w* (meist *Mehrz.*); Die auf das *dt.*
und *niederl.* Sprachgebiet beschränkte Substantivbildung (*mhd.* brōs[e]me, *ahd.* brō-
s[a]ma, *mniederl.* brōsem[e]) gehört mit
aengl. brosnian „zerfallen" und *aengl.* brys-
an (*engl.* to bruise) „zerquetschen" zu der
unter →bohren behandelten Wortgruppe.
Das Wort bezeichnete demnach urspr. etwa
„Zerriebenes, Zerbröckeltes". *Außergerm.* ist
z. B. *lat.* frūstum „Stückchen, Brocken" verwandt. Abl.: Brösel *m* oder *s*, Brös[e]-
lein *s* (im 17. Jh. für *mhd.* brōsemlĭn), dazu
bröseln „krümeln" (16. Jh.).

Brosche *w* „Anstecknadel": Im 19. Jh. aus
frz. broche „Spieß, Nadel" entlehnt. Voraus
liegt *galloroman.* *brocca „Spitze" – wozu
auch *it.* broccare „durchwirken" in →Brokat
gehört. Das Wort ist *gall.* Ursprungs (*gall.*
*brokkos „Spitze"). – Dazu gehören noch:
broschieren „durch Rückstich heften, in
Papier binden" (18. Jh.; aus *frz.* brocher
„aufspießen; durchstechen"); broschiert
„geheftet, gebunden"; Broschur *w* 1. „Tätigkeit des Broschierens", 2. = Broschüre
(20. Jh.); **Broschüre** *w* „broschiertes Schriftwerk (geringeren Umfangs)": Im 18. Jh. aus
gleichbed. *frz.* brochure entlehnt.

Brot *s*: Das *altgerm.* Wort *mhd.* brōt, *ahd.*
prōt, *niederl.* brood, *engl.* bread, *schwed.* bröd
bezeichnete zunächst nur die durch ein
Treibmittel (Sauerteig, Hefe) aufgelockerte
Form des Nahrungsmittels „Brot", wie sie
in Europa seit der Eisenzeit bekannt ist.
Germ. *brauđa- „Brot" gehört zu der unter
→brauen behandelten *idg.* Wortgruppe und
ist eng verwandt mit *ahd.* brod „Brühe" und
engl. broth „Brühe" (s. brodeln). Es bedeutet demnach eigtl. „Gegorenes" und bezog
sich urspr. wohl auf den durch die warme
Sauerteiggärung getriebenen Teig. Schon im
Ahd. wurde aber die Bez. „Brot" auch auf die
ältere (bereits jungsteinzeitliche) Form der
Brotnahrung übertragen, auf den festen
Fladen aus ungesäuertem Teig. Für ihn hatte urspr. das unter →Laib behandelte *gemeingerm.* Wort gegolten, das nun von 'Brot'
zurückgedrängt wurde. In weiterem Sinne
bedeutet 'Brot' überhaupt „Nahrung, Lebensunterhalt" (beachte Wendungen wie
'sein Brot verdienen', 'das Gnadenbrot essen'
und das Adjektiv brotlos „ohne Lebensunterhalt; nichts einbringend" (18. Jh.).
Abl.: Brötchen *s* „kleines' brotförmiges
Gebäck, Semmel" (18. Jh.).

¹**Bruch** *m*: Das Substantiv *mhd.* bruch, *ahd.*
bruh ist zu dem unter →brechen behandelten Verb gebildet und bezeichnete urspr. den
Vorgang des Brechens, dann auch das Ergebnis und weiterhin den Ort, wo etwas gebrochen wird, beachte die Zus. Steinbruch
(15. Jh.). Neben zahlreichen Zusammensetzungen wie Deich-, Stimm-, Friedensbruch
stehen Bildungen aus zusammengesetzten
Verben wie Ab-, Aus-, Zusammenbruch.
Einen Riß im Körper meint 'Bruch' in Leis-
ten-, Nabelbruch, ein Zerbrechen in Bein-,
Armbruch usw. (nach *lat.* frāctūra).Als mathematischer Begriff ist 'Bruch' Lehnübertragung nach *lat.* numerus frāctus „gebrochene Zahl" (16. Jh.; dazu die Redensart 'in die
Brüche gehen', die urspr. „nicht aufgehen"
bedeutet). – Abl.: brüchig (*mhd.* brüchic);
unverbrüchlich (das Rechtswort *mhd.*
unverbrüchelichen, unverbruchlich gehört zu
dem erst in *nhd.* Zeit bezeugten, heute ver-

alteten Substantiv Verbruch [zu verbrechen, s. brechen] und bedeutet „was nicht gebrochen werden kann"). Zus.: Bruchstück (17. Jh., für *lat.* frägmentum, s. Fragment).

²Bruch *m* (auch: *s*) „Sumpfland": *Mhd.* bruoch, *ahd.* bruoh „Sumpfland, Moor", *niederl.* broek „Moorboden, nasses Uferland", *engl.* brook „Bach" sind dunklen Ursprungs. Das *westgerm.* Wort steckt in zahlreichen ON, beachte z. B. Bruchsal, Brüssel, Grevenbroich. Abl.: bruchig „sumpfig" (*spätmhd.* bruochec).

Brücke *w*: Die älteste Form der Brücke in *germ.* Zeit war der Knüppeldamm in sumpfigem Gelände. Die Flüsse wurden in Furten oder auf Fährbooten überquert, kleinere Gewässer auch auf bohlenbelegten Stegen. So sind *mhd.* brücke, brucke, *ahd.* brucca, *niederl.* brug, *engl.* bridge, *schwed.* brygga nahe mit →Prügel „Holzscheit, Knüppel" verwandt und gehören zu einer *idg.* Wz. *bhrēu-, *bhrū- „Balken, Knüppel". Zu dieser Wurzel gehört auch die *nord.* Sippe von *schwed.* bro „Brücke" und *außergerm.* z. B. *gall.* brīva „Brücke". Kunstvolle Holzbrücken, ähnlich den heutigen Pionierbauten, waren die römischen Militärbrücken. Auf die Bauweise deuten Wendungen wie 'eine Brücke schlagen bzw. abbrechen'. Auch die steinerne Bogenbrücke brachten erst die Römer nach Deutschland. Bekannte ON sind z. B. Brügge, Innsbruck, Zweibrücken. – Zus.: überbrücken (16. Jh.). Zus.: Brückenkopf *m* „militär. gesicherte Stellung vor einer Flußbrücke" (*nhd.*, entspr. *frz.* tête de pont).

Bruder *m*: Die *gemeingerm.* Verwandtschaftsbezeichnung *mhd.*, *ahd.* bruoder, *got.* brōþar, *engl.* brother, *schwed.* broder beruht mit Entsprechungen in anderen *idg.* Sprachen auf *idg.* *bhrāter- „Bruder, Blutsverwandter", vgl. z. B. *gr.* (*ionisch*) phrḗtēr „Bruder", *lat.* fräter (beachte das FW fraternisieren) und *russ.* brat „Bruder". – Abl.: brüderlich (*mhd.* bruoderlich, *ahd.* bruodarlīh); Bruderschaft *w* „religiöse Vereinigung" (*mhd.* bruoderschaft, *ahd.* bruodarscaf); erst *nhd.* ist Brüderschaft *w* „brüderliches Verhältnis (z. B. in 'Brüderschaft trinken')"; Gebrüder *Mehrz.* „Gruppe leiblicher Brüder" (*mhd.* gebruoder, *ahd.* gibruoder); verbrüdern, sich (17. Jh.; *mhd.* dafür 'sich gebruodern').

brühen: Das nur im *Dt.* und *Niederl.* bezeugte Verb (*mhd.* brüen, brüejen „brühen, sengen, brennen", *niederl.* broeien „brühen") gehört wie →brauen und →Brodem zu der unter →*Bärme* dargestellten Wortgruppe. Zu 'brühen' in der allgemeinen Bed. 'erwärmen" stellt sich die Substantivbildung →Brut. Beachte abgebrüht *ugs.* für „unempfindlich, teilnahmslos" (19. Jh.); übertragen gebrauchtes 2. Part. von 'abbrühen' „zur Reinigung mit heißer Flüssigkeit übergie-

ßen") und die Präfixbildung verbrühen „mit heißem Wasser verbrennen" (*mhd.* verbrüejen). – Abl.: Brühe *w* (*mhd.* brüeje „heiße Flüssigkeit").

brummen: Das Verb *mhd.*, *spätahd.* brummen steht im Ablaut zu *mhd.*, *mnd.* brimmen „brummen, brüllen" und *mnd.* brammen „brummen, schreien, klagen", vgl. außerhalb des *Dt.* z. B. *niederl.* brommen „brummen, summen, surren" und *schwed.* brumma „brummen, murren". Diese Verben sind lautnachahmenden Ursprungs und elementarverwandt mit *mhd.* bremen, *ahd.* breman „brummen, brüllen" (s. ²Bremse), *aengl.* breman „brüllen" und weiterhin z. B. mit *lat.* fremere „brummen, brüllen, tosen". In der *ugs.* Bed. „im Gefängnis sitzen" (19. Jh.) war 'brummen' zuerst gaunerspr. und studentisch.– Abl.: brummeln (15.Jh.); brummig (im 17. Jh. brummicht); Brummer *m* „Schmeißfliege" (19. Jh., für älteres Brumme *w*). Zus.: aufbrummen *ugs.* für „[eine Strafe] auferlegen" (19. Jh.).

brünett „bräunlich, von brauner Haarfarbe, von dunklem Teint": Das seit dem Anfang des 18. Jh.s bezeugte Farbadjektiv ist aus gleichbed. *frz.* brunet (-ette) entlehnt. Dies gehört zu *frz.* brun „braun", das selbst aus dem *Germ.* stammt (vgl. braun). – Früher als das Adjektiv erscheint im *Dt.* das abgeleitete Substantiv Brünette *w* „Frau von brauner Haarfarbe bzw. von dunklem Teint" (17. Jh.; aus gleichbed. *frz.* brunette).

Brunnen *m*: Das *gemeingerm.* Wort *mhd.* brunne, *ahd.* brunno, *mnd.* born mit r-Umstellung, s. unten Born), *got.* brunna, *aengl.* brunna, *schwed.* brunn ist eng verwandt mit der Wortgruppe von →brennen und gehört mit dieser zu der unter → *Bärme* dargestellten *idg.* Wz. *bher[ə]- „aufwallen, sieden", vgl. z. B. aus anderen *idg.* Sprachen *gr.* phréar „Brunnen". Eine Bedeutungsparallele ist *mhd.* sōt „Brunnen" zu 'sieden'. Das auslautende n der heutigen Nominativform ist von den ehemals schwachen obliquen Fällen herübergenommen. Eine Form mit Umstellung des r hat sich in Born *m* erhalten (heute nur noch *mitteld.* und *niederd. mdal.* und in dichterischer Sprache). Bronn[en] (mit *nhd.* o statt *mhd.* u vor nn) wird seit dem 18. Jh. in dichterischer Sprache gebraucht.

Brunst *w*: *Mhd.*, *ahd.* brunst „Brand, Glut", *got.* (ala)brunsts „Brandopfer", *mniederl.* bronst „Glut" gehören zu dem im *Nhd.* untergegangenen *gemeingerm.* Verb *mhd.* brinnen, *ahd.* brinnan „brennen" (vgl. brennen). Die alte Bedeutung lebt noch in Feuersbrunst (17. Jh.). Seit *mhd.* Zeit wird das Wort übertragen auf geistige und sinnliche Erregung, bes. auch auf die Paarungszeit der Tiere. Abl.: brünstig „entbrannt" (schon *mhd.* brünstec gilt nur übertr.). Zus.: Inbrunst (*mhd.* inbrunst war in der Mystik die „innere Glut" des Menschen vor Gott), dazu inbrünstig (mhd inbrünstec „heiß verlangend").

brüsk „barsch, rücksichtslos": Im 18. Jh. aus gleichbed. frz. brusque entlehnt, das zunächst wie das vorausliegende it. brusco „stachlig, rauh" bedeutet, und zwar im konkreten Sinne. Abl.: brüskieren „vor den Kopf stoßen" (18. Jh.; aus frz. brusquer).

Brust w: Mhd., ahd. brust, got. brusts (Mehrz.), mit r-Umstellung niederl. borst stehen im Ablaut zu gleichbed. engl. breast, schwed. bröst. Diese germ. Wörter sind eng verwandt mit mhd. briustern „aufschwellen", asächs. brustian „knospen" und bezeichneten demnach urspr. die beiden weiblichen Brüste (als Schwellungen). Die gesamte germ. Wortgruppe gehört zu der Wurzelform *bhreus- „schwellen, sprießen", vgl. aus anderen idg. Sprachen z. B. russ. brjúcho „Unterleib, Wanst" und air. brū „Bauch", bruinne „Brust"; aus dem Kelt. stammt die Bezeichnung des Brustpanzers nhd. Brünne (mhd. brünne, ahd. brunna, brunia, got. brunjo, aisl. brynja). – Abl.: brüsten, sich (mhd. brüsten) ; Brüstung w „brusthohe Schutzwand" (18. Jh.).

Brut w: Das westgerm. Wort mhd. bruot, mnd. brōt, niederl. broed, engl. brood ist eine Bildung zu dem unter →brühen behandelten Verb in dessen älterer allgemeiner Bedeutung „erwärmen". Zur Bildung beachte z. B. das Verhältnis von 'Glut' zu 'glühen' und 'Naht' zu 'nähen'. Das Wort bezeichnete zunächst das Beleben durch Wärme, dann auch das ausgebrüteten Wesen selbst und wurde von Anfang an auf Vögel angewandt, bald auch auf die aus Eiern schlüpfenden Jungen anderer Tiere. So gewann es übertr. die abschätzige Bed. „Gezücht" (z. B. Schlangenbrut). – Abl.: brüten (mhd. brüeten, ahd. bruoten; vgl. niederl. broeden, engl. to breed „aushecken, erzeugen, erziehen").

brutal „roh, gewalttätig": Im 16./17. Jh. aus spätlat. brūtālis „tierisch; unvernünftig" entlehnt. Das zugrunde liegende Adjektiv lat. brūtus „schwerfällig; roh", das mit einer vlat. Nebenform *bruttus auch in it. brutto „roh" (s. brutto) erscheint, ist urspr. wohl ein oskisches Dialektwort. Es ist mit lat. gravis „schwer" verwandt (vgl. gravitätisch). – Abl. Brutalität w „Roheit" (16./17. Jh.; aus mlat. brūtālitās).

brutto „ohne Abzug (vom Rohpreis, Rohgewicht usw.)": Im 16. Jh. als Kaufmannswort aus it. brutto „roh" entlehnt, bezeichnet es zunächst nur das rohe Gesamtgewicht einer Ware mit Verpackung, im Gegensatz zu →netto. Später wurde das Wort auch auf andere Zusammenhänge übertragen. It. brutto stammt aus vlat. *bruttus (< lat. brūtus) „schwer[fällig], roh" (vgl. brutal). Als Bestimmungswort erscheint brutto häufig in Zus. wie Bruttolohn, Bruttoregistertonne.

brutzeln, brotzeln (ugs. für) „mit leisem Geräusch braten": Das seit dem 16. Jh. bezeugte Verb ist eine Intensivbildung zu →brodeln.

Bube m „gemeiner, verächtlicher Mensch": Mhd. buobe „Knabe, Diener; zuchtloser Mensch", dem mnd. böve „gewalttätiger Mensch, Spitzbube, Räuber" und niederl. boef „Schelm, [Spitz]bube" entsprechen, stammt wahrscheinlich aus der Lallsprache der Kinder wie z. B. auch engl. baby „Säugling, Kleinkind" und schwed. mdal. babbe „kleiner Junge" (s. auch den Artikel Buhle). Die heutige abwertende schriftsprachliche Bedeutung ist bes. durch die 'bösen Buben' der Lutherschen Bibel gefestigt worden. Dagegen bewahrt die gekürzte oberd. Form Bub südd., schweiz., östr. für „Junge, Knabe" noch die urspr. Bedeutung, beachte die Bedeutungsparallele aengl. cnafa „Knabe" – engl. knave „Schurke". Abl.: Büberei w „gemeine, verächtliche Tat" (mhd. buoberīe); bübisch „gemein, verächtlich, schurkisch" (spätmhd. büebisch); Bubi m (oberd. Koseform, meist als Name), dazu Bubikopf m „kurze weibliche Haartracht" (20. Jh.). Zus.: Lausbub m scherzh. für „ungezogener Junge"; oberd., bes. seit Ludwig Thoma bekannt); Spitzbube m (im 16. Jh. für „Falschspieler", zu →spitz in seiner früheren Bed. „überklug, scharfsinnig"; heute meist scherzh.), dazu Spitzbüberei w, spitzbübisch (16. Jh.).

Buch s: Mhd. buoch, ahd. buoh ist erst in der Bed. „geschriebenes Pergamentbuch" zur sächl. Einzahl geworden. Älter ist die Mehrz. ahd. buoh, got. bōkōs „Schrift, Buch" (Mehrz. zu bōka „Buchstabe"), aengl. bēc, aisl. bœkr. Sie bezeichnete urspr. die zusammengehefteten Buchenholztafeln, auf denen man – wohl nach dem Vorbild der röm. Wachstäfelchen – schrieb. Baum und Buch werden mit demselben Wort benannt (vgl. Buche), ähnlich wie z. B. auch für lat. liber „Buch", eigtl. „Bast" zutrifft (s. a. die Artikel Bibel und Kodex). Mit 'Buch' sind im germ. Sprachbereich niederl. boek „Buch", engl. book „Buch", schwed. bok „Buch" verwandt. In der weiteren Entwicklung bezeichnete 'Buch' alle Arten gehefteter oder gebundener Papierlagen (auch ein Papiermaß von 24 – 25 Bogen), heute bes. das gedruckte Buch, aber auch Schreibbücher (z. B. Tage-, Haupt-, Kirchenbuch). – Abl.: ¹buchen kaufmänn. für „in ein Rechnungsbuch eintragen" (18. Jh., wohl nach engl. to book, niederl. boeken; dazu als Lehnbedeutung aus dem Engl. „einen Schiffs- oder Flugzeugplatz bestellen"); Bücherei w (17. Jh., LÜ aus niederl. boekerij, das selbst für älteres Libererey aus lat. librāria eingetreten war). Zus.: Bücherwurm (eigtl. eine in Büchern lebende Larve, seit dem 17. Jh. scherzhaft auf den versponnenen Gelehrten übertr.); Buchhalter m „kaufmänn. Rechnungsführer" (im 16. Jh. zusammengebildet aus der Wendung ‘die Bücher halten', die seit dem 15. Jh. das *it.* tenere i libri übersetzt); Buchmacher m „Vermittler von Rennwetten" (2. Hälfte des 19. Jh.s; LÜ nach *engl.* bookmaker. Buchstabe (s. d.).

Buche w: Die *germ.* Bezeichnungen für die [Rot]buche *mhd.* buoche, *ahd.* buohha, *got.* boka (aber nur in der Bed. „Buchstabe"), *aengl.* bōc (daneben bēce, *engl.* beech), *schwed.* bok sind z. B. verwandt mit *lat.* fāgus „Buche", *gr.* phēgós „Eiche" und *russ.* buz „Holunder". Allen diesen Wörtern liegt *idg.* *bhā[u]g-s „Buche" zugrunde. Da die Buche urspr. nur in einem bestimmten Gebiet wuchs, wurde das *idg.* Wort in Ländern, in denen die Buche nicht heimisch war, als Bezeichnung für andere Bäume verwendet. Abl.: ²buchen „aus Buchenholz" (*mhd.* buochīn, *ahd.* buohhīn). Zus.: Buchecker „Buchenfrucht" (im 15. Jahrhundert *niederd.* und *mitteld.*, s. *Ecker*); Buchfink (*spätmhd.* buochvinke); Hage-, Hainbuche (s. *Hag*).

Buchs m: Der Name der beliebten Zier- und Nutzpflanze (*mhd.* buhs, *ahd.* buhsboum) geht auf *lat.* buxus zurück, das früh auch in anderen *germ.* Sprachen (z. B. *engl.* box „Buchs") und im *Roman.* (*it.* bosso, *frz.* buis) erscheint. Das Wort stammt wie *gr.* pýxos (oder durch dieses vermittelt) aus einer unbekannten Mittelmeersprache. Das Holz des Buchsbaumes war schon im Altertum sehr geschätzt und wurde besonders zur Herstellung von (oft walzenförmig gedrehten) Dosen und Kästchen verwendet. So findet sich *gr.* pyxis „Dose aus Buchsbaumholz" und, daraus entlehnt, gleichbed. *lat.* pyxis. Aus dessen *vlat.* Nebenform buxis (puxis) entwickelten sich u. a. *frz.* boîte „Büchse, Dose", *engl.* (*aengl.*) box „Behältnis" (s. Box, Boxkalf), *it.* bussola „Kästchen", ferner unsere LW →Büchse und Buchse.

Büchse w „Dose; Handfeuerwaffe": *Mhd.* bühse, *ahd.* buhsa. In *vorahd.* Zeit zuerst in der Bedeutung „Arzneibüchse" mit anderen Wörtern der Heilkunst wie →Arzt und →Pflaster aus *vlat.* buxis (< *lat.* pyxis) „Dose aus Buchsbaumholz" entlehnt (vgl. *Buchs*). Die urspr. Form solcher Büchsen war zylindrisch. Davon zeugt auch die später von dem Wort Büchse entwickelte Bed. „[Hand]feuerwaffe" (benannt nach dem zylinderförmigen Rohr oder Lauf). Ähnliches gilt von dem jungen, im Anfang des 20. Jh.s aufkommenden Substantiv Buchse w „Hohlzylinder zur Aufnahme eines Zapfens; Steckdose", einer in *oberd.* Mundarten üblichen, nicht umgelauteten Form von Büchse.

Buchstabe m: Mit der *altgerm.* Zus. *mhd.* buochstap, -stabe, *ahd.* buohstap, *niederl.* boekstaaf, *aengl.* bōcstæf, *schwed.* bokstav sollte das zum Bücherschreiben gebrauchte lateinische Schriftzeichen von der in Holz, Stein und dgl. geritzten germanischen Rune unterschieden werden. So hat ‘Buch', der erste Bestandteil der Zusammensetzung, hier schon die Bed. „Pergamentband" (vgl. *Buch*). Der zweite Bestandteil ist identisch mit dem unter →*Stab* behandelten Substantiv; dieses hatte zunächst die Runenzeichen nach ihrem senkrechten Hauptstrich benannt. Nach dem Untergang der Runenschrift blieb für ‘Buchstabe' die allgemeine Bed. „Schriftzeichen". Abl.: buchstabieren (16. Jh., für älteres buchstaben, *mhd.* buochstaben); buchstäblich (18. Jh., meist für „wörtlich, tatsächlich").

Bucht w: Das im 17. Jh. aus dem *Niederd.* in die *hochd.* Schriftsprache übernommene Wort geht zurück auf *mnd.* bucht „Biegung, Krümmung", vgl. *niederl.* bocht „Biegung, Krümmung, Bucht", *engl.* bight „Bucht", *aisl.* bōt „Bucht, kleiner Meerbusen". Das Substantiv ist eine Bildung zu dem unter →*biegen* behandelten Verb. Mnd. bucht, *mniederl.* bocht bedeutet auch „Einfriedung (Pferch, Verschlag) für Tiere" (noch *nordd.* in Schweine-, Kälberbucht), wobei wohl der Begriff „Winkel" zugrunde liegt. – Abl.: ausbuchten „bogenförmig ausschneiden" (19. Jh.), dazu Ausbuchtung w; einbuchten (19. Jh., wie ausbuchten; *ugs.* auch für „einsperren", zu ‘Bucht' „Verschlag").

Buckel m: Das Substantiv geht zurück auf *mhd.* buckel, das den halbrund erhabenen Metallbeschlag in der Mitte des Schildes bezeichnete und aus gleichbed. *afrz.* bo[u]cle (s. *Bouclé*) entlehnt ist. Das vorausliegende *lat.* buccula „Bäckchen" ist eine Verkleinerungsbildung zu bucca „aufgeblasene Backe", das zu der unter →*Beule* behandelten *idg.* Wurzel gehört. Erst im 15. Jh. wird ‘Buckel' auf den menschlichen Höcker übertragen, seit dem 16. Jh. gilt es *ugs.* für „Rücken". – Abl.: buckeln „Metall treiben; *ugs.* für: einen Buckel machen, auf den Buckel tragen" (in der 1. Bed. schon *mhd.* buckeln), dazu katzbuckeln „übertrieben höflich sein" (19. Jh.); bucklig (*spätmhd.* buckeleht „höckerig").

bücken: Das seit *mhd.* Zeit bezeugte Verb (*mhd.* bücken) ist eine Intensivbildung zu dem unter →*biegen* behandelten Verb, vgl. die ähnlich gebildeten *mnd.* bucken „sich neigen, sich bücken" und *niederl.* bukken „bücken". Zur Bildung beachte z. B. das Verhältnis von ‘schmiegen' zu ‘schmücken'. – Abl.: ¹Bückling m (*frühnhd.* bücking „sich bückender Mensch" wird [wie Diener, s. d.] auf die höfliche Verbeugung übertragen und seit dem 17. Jh. mit dem geläufigeren -ling gebraucht; heute nur abwertend).

¹Bückling siehe bücken.

²Bückling m „geräucherter Hering": Das schon in *spätmhd.* Zeit übernommene *mnd.* bückinc ist, wie auch *mniederl.* bucking, eine Ableitung von dem unter → *Bock* behandelten Wort. Der geräucherte Hering ist nach seinem unangenehmen Bocksgeruch benannt worden. Die heute übliche Form – mit der geläufigeren Nachsilbe '-ling' – findet sich schon im 15. Jh.

Buddel, Buttel w *(ugs.* für:) „Flasche": Mit dem Import von Flaschenweinen aus Frankreich erreichte uns im 17./18. Jh. *frz.* bouteille „Flasche", das sich einerseits im FW B o u t e i l l e w bis heute unverändert gehalten, andererseits eine *niederd.* Form buddel entwickelt hat. Das *frz.* Wort, das auch *engl.* bottle zugrunde liegt, geht auf *spätlat.* but[t]icula „Fäßchen", die Verkleinerungsform von *vlat.* buttis „Faß", zurück. Dies ist wahrscheinlich LW aus dem *Gr.* und hängt irgendwie mit dem unter → *Bütte* genannten Substantiv *gr.* bytínē „Weinflasche" zusammen.

buddeln *(ugs.* für:) „im Sand wühlen, graben": Das seit dem 19. Jh. bezeugte Verb ist eine Nebenform des unter → Pudel genannten Verbs 'pudeln' „im Wasser plätschern" und wohl von Berlin her in die *nordd.* und *mitteld.* Umgangssprache eingedrungen. Siehe auch Aschenputtel.

Bude w: *Mhd.* buode „Hütte, Gezelt, Bude", *mnd.* bōde „kleines Haus, [Verkaufs-, Arbeits]bude, Zelt", *mniederl.* boede „kleines Haus, Bude, Zelt, Schuppen, Faß", *schwed.* bod „Laden, Geschäft, Schuppen" gehören zu dem unter → bauen behandelten Verb. *Außergerm.* eng verwandt sind *air.* both „Hütte" und *lit.* bùtas „Haus". Die Bed. „[Studenten]zimmer" (zuerst *nordd.* im 18. Jh.) hat zu scherzh. Zus. geführt wie Budenangst (des allein sitzenden Studenten) und Budenzauber (Durcheinanderbringen der Sachen, bes. auch ausgelassenes Fest auf der Bude).

Budget s „[Staats]haushaltsplan": Im 18. Jh. aus *engl.* budget entlehnt, später in der Aussprache an *frz.* budget angelehnt, das selbst aus dem *Engl.* stammt. *Engl.* budget bedeutete urspr. wie das vorausliegende *afrz.* bougette (Verkleinerungsbildung zu bouge „Ledersack") „Balg, Lederbeutel". Auf den „Finanzsäckel" des Staates übertragen, bezeichnete es dann die [in einem Staat] vorhandenen Geldmittel, über die in einem Haushaltsplan verfügt werden kann. – Quelle für *frz.* bouge ist ein mit *nhd.* → *Balg* urverwandtes Substantiv *gall.-lat.* bulga „lederner [Geld]sack". Abl.: budgetieren „einen Haushaltsplan aufstellen" (20. Jh.).

Büfett, *(östr.* auch: Büffet, Buffet) s „Anrichte, Geschirrschrank; Schanktisch": Im 18. Jh. aus *frz.* buffet entlehnt. Weitere Herkunft unbekannt.

Büffel m: Der Name des kurzhaarigen Horntieres wurde in *spätmhd.* Zeit aus gleichbed. *frz.* buffle entlehnt. Das *frz.* Wort seinerseits führt über entspr. *it.* bufalo auf *lat.* būbalus (Nebenform būfalus) „afrikan. Gazelle; Auerochs; (seit dem 7. Jh. n. Chr.) Büffel" und weiter auf *gr.* boúbalos „afrikan. Gazelle; Büffel" zurück. Vermutlich zu *gr.* boũs „Rind" (als „rinderartiges" Tier), wobei die Bildung allerdings unklar ist. – Das Verb **büffeln** „hart und angestrengt lernen, pauken", das im 16. Jh. aufkam und durch die Studentensprache verbreitet wurde, gehört vielleicht unmittelbar als Intensivbildung zu *gr.* buffen „schlagen, stoßen" und wurde erst sekundär an 'Büffel' angeschlossen (im Sinne von „wie ein Büffel arbeiten", beachte auch das im 19. Jh. analog gebildete Verb 'ochsen' unter *Ochse)*.

Bug m: Das *altgerm.* Wort *mhd.* buoc „Obergelenk des Armes oder Beines, Achsel; Biegung", *ahd.* buog „Oberarm, Schulter[blatt]", *niederl.* boeg „Schiffsbug", *aengl.* bōg „Arm; Schulter; Ast", *schwed.* bog „Schulter, Keule; Schiffsbug" beruht mit verwandten Wörtern in anderen *idg.* Sprachen auf *idg.* *bhāghú-s „Ellbogen, Unterarm", vgl. z. B. *aind.* bāhú-ḥ „Arm, Vorderfuß" und *gr.* péchys „Ellbogen, Unterarm". Alt ist im *Germ.* die Übertragung auf den Ast als Arm des Baumes, die noch in *engl.* bough „Zweig" und dem *dt.* Zimmermannswort 'Bug' „Strebe im Gebälk" erscheint, alt aber auch die Bed. „Schiffsbug", die wohl von der Vorstellung des Schiffes als 'Wogenroß' ausging, beachte auch bugsieren. Vom heutigen Sprachgefühl wird 'Bug' mit 'biegen' verbunden. Zus.: Bugspriet seemänn. für „über den Bug hinausragende Segelstange" (17. Jh., aus *mnd.* bōchsprēt, *niederl.* boegspriet; vgl. *Spriet).*

Bügel m: Das seit dem 16. Jh. bezeugte Wort gehört zu dem unter → *biegen* behandelten Verb wie auch *mnd.* bögel „Ring, Reif" und *niederl.* beugel „Bügel", vgl. auch die ältere Bildung *mhd.* bügele w „Steigbügel". Das im 17. Jh. zuerst bezeugte Bügeleisen heißt wohl so nach seinem bügelförmigen Griff; dazu bügeln „Wäsche oder Kleidung mit dem Bügeleisen glätten" (ebenfalls 17. Jh.).

bugsieren „[ein Schiff] ins Schlepptau nehmen, lenken": Das seit dem 17. Jh. zunächst als 'buxiren', 'büksieren' u. ä. bezeugte Verb, das sich in seiner heutigen Lautgestalt erst seit dem 19. Jh. durchgesetzt hat, wurde im Bereich der Seemannssprache aus gleichbed. *niederl.* boegseeren entlehnt. Das *niederl.* Wort selbst ist unter Anlehnung an das unverwandte Substantiv *niederl.* boeg „Bug" aus älterem boesjaren, boechseerden umgestaltet, das seinerseits über *port.* puxar „ziehen, schleppen" auf *lat.* pulsāre „stoßen; forttreiben" zurückführt. Zu *lat.* pellere (pulsum) ,,schlagen, klopfen; in Bewegung setzen" usw. (vgl. *Puls*).

Buhle *m* (veralt. für:) ,,Geliebter": Das Wort (*mhd.* buole, *mnd.* bōle) stammt aus der Lallsprache der Kinder. Schon in *mhd.* Zeit ist es aus der Anrede des nahen Verwandten zu der des vertrauten Freundes und des Geliebten geworden. Später erhielt es tadelnden Sinn. Erst im 15. Jh. erscheint das Femininum (*spätmhd.* buole), das wie *nhd.* Buhle *w* selten geblieben ist. Abl.: buhlen (*spätmhd.* buolen ,,lieben", später in abfälligem Sinn; in der Wendung 'um etwas buhlen' bedeutet es ,,sich eifrig bemühen, werben"), dazu Buhler *m* ,,Liebhaber" (*mhd.* buolǣre; heute meist in der Zus. Nebenbuhler gebraucht; 17. Jh.) und Buhlerin *w* (15. Jh., erst später abwertend und beschönigend für ,,Dirne"); Buhlschaft *w* (*mhd.* buolschaft ,,Liebesverhältnis").

Bühne *w*: Die Herkunft von *mhd.* büne ,,Bretterbühne, Zimmerdecke", *mnd.* böne ,,bretterne Erhöhung, Empore, Zimmerdecke", *niederl.* beun ,,bretterne Erhöhung, Bretterdiele, Steg; Decke" ist nicht sicher geklärt. Vielleicht hängt das auf das *dt.* und *niederl.* Sprachgebiet beschränkte Wort mit der Sippe von → *Boden* zusammen. Das aus 'Schaubühne' verkürzte Wort 'Bühne' wird im 18. Jh. auf das Podium des Schauspielers eingeschränkt und alsbald auch übertragen für ,,Theater" gebraucht.

Bukett *s* ,,[Blumen]strauß", auch übertragen gebraucht im Sinne von ,,Blume (d. i. Duft) des Weines": Im 18. Jh. aus *frz.* bouquet entlehnt, einer Mundartform von *afrz.* boschet ,,Wäldchen". Das *frz.* Wort bedeutet demnach etwa ,,Strauß von Bäumen". *Afrz.* boschet ist eine Verkleinerungsbildung zu *frz.* bois ,,Holz, Wald", das seinerseits wohl auf *westgerm.* *bosk – zur Sippe von *nhd.* → *Busch* – zurückgeht.

Bulldogge *w*: Im 18. Jh. aus *engl.* bulldog entlehnt, das wie *dt.* Bullenbeißer (18. Jh., *niederl.* bullenbiter) eine durch massigen Körperbau ausgezeichnete Hunderart bezeichnet, die man früher zur Bullenhetze (daher der Name) abrichtete (vgl. [1]*Bulle* und *Dogge*). – Die Eigenschaften des Tieres wurden auch auf die Zugmaschine übertragen, die danach Bulldog (20. Jh.; aus *engl.* bulldog) heißt.

[1]**Bulle** *m*: Das im 17. Jh. aus dem *Niederd.* ins *Hochd.* übernommene Wort geht zurück auf *mnd.* bulle ,,[Zucht]stier", vgl. gleichbed. *niederl.* bul, *engl.* bull, *aisl.* boli. Die Bezeichnung des Stiers gehört mit der unter → *Ball* dargestellten *idg.* Wz. *bhel- ,,schwellen" und ist z. B. eng verwandt mit *gr.* phallós ,,männliches Glied" und *engl.* ball ,,männliches Glied". Der Bulle ist also nach seinem Zeugungsglied benannt. ÷ Zus.: Bullauge seemänn. für ,,rundes Schiffsfenster" (in *nhd.* Zeit aus *niederd.*

bulloog, ähnlich *engl.* bull's-eye ,,rundes Glasfenster" [an Gebäuden und Schiffen] und *niederl.* bulleglas ,,Lichtöffnung im Schiffsdeck"; vgl. *Auge*); Bulldogge (s. d.); Bullenbeißer (s. Bulldogge).

[2]**Bulle** *w* ,,mit Siegelkapsel versehene päpstliche Verordnung", früher auch allgemein im Sinne von ,,versiegelte Urkunde": In *mhd.* Zeit aus gleichbed. *lat.* bulla entlehnt, das zunächst ,,Wasserblase" bedeutet, dann auch verschiedene andere Dinge bezeichnet, deren äußere Form mit einer Wasserblase vergleichbar ist. Mit einer Bed. ,,Kugel" erscheint es in *frz.* bulle (s. Bulletin und Billett). – Auf ein von *lat.* bulla abgeleitetes Verb bullire ,,Blasen werfen, wallen, sieden" gehen die FW → Boiler und → Bouillon zurück.

Bulletin *s* ,,amtl. Bericht": Im 18./19. Jh. zunächst in der Bedeutung ,,Nachrichtenblatt" aus *frz.* bulletin ,,Bericht" entlehnt. Das *frz.* Wort ist eine Ableitung von *afrz.* bulle ,,Wasserblase; [Siegel]kapsel" (nach dem Vorbild von entspr. *it.* bulletino). Die hier vorliegende Bedeutungsentwicklung entspricht der, die sich bei dem vorausliegenden *lat.* bulla in → [2]*Bulle* vollzogen hat.

Bumerang *m* ,,gekrümmtes Wurfholz": Im 19. Jh. über *engl.* boomerang aus einer Eingeborenensprache Australiens entlehnt.

bummeln: Das seit dem 18. Jh. zunächst in der Bed. ,,hin und her schwanken" bezeugte Verb geht vom Bild der beim langsamen Ausschwingen bum, bum! läutenden Glocke aus. Daraus wird in *niederd.* Mundarten des 18. Jh.s ,,schlendern, nichts tun", das bald allgemein *hochd.* wird. – Abl.: Bummel *m* ,,gemütlicher Spaziergang" (19. Jh., zuerst student.); Bummler *m* ,,Nichtstuer" (19. Jh.), dazu Schlachtenbummler soldat. für ,,neugieriger Zivilist auf dem Kriegsschauplatz" (19. Jh.).

Bund *m*, (als ,,Gebundenes") *s*: Das auf das *dt.* und *niederl.* Sprachgebiet beschränkte Wort (*mhd.*, *mnd.* bunt, *niederl.* bond) ist eine Bildung zu dem unter → *binden* behandelten Verb und bedeutet eigtl. ,,Bindendes, Gebundenes". Fachsprachl. bedeutet 'Bund' ,,Faßreifen, Randfassung an Hose oder Hemd, Bindestück an Gittern" usw. Als ,,Gebundenes" wird Bund *s* in bezug auf Stroh, Reisig u. a. gebraucht. Die Bed. ,,Vereinigung", im Mittelalter ausgeprägt, gilt heute bes. von Gruppen mit einer gegenseitiger ,,Bindung" der Mitglieder (Jugendbund, Ehe,- Freundschafts- Staatenbund). Dazu die Zus. Bundesgenosse, -brief, -tag und das student. Bundesbruder (18. Jh.). – Abl.: Bündel *s* (*mhd.*, *mnd.* bündel, *asächs.* bundilīn; vgl. *engl.* bundle ,,Bund *s*, Bündel, Paket"; das Wort ist eine Verkleinerungsbildung und bedeutet eigtl. ,,kleines Bund", wird aber heute nicht mehr als Verkleinerungsbildung empfunden), dazu das Verb b ü n d e l n (18. Jh.); B ü n d n i s *s* (16. Jh.); b ü n d i g (*mhd.* bündec „verbündet"; *frühnhd.* für „verbindend, kräftig"; heute in der Formel ‚kurz und bündig'; in der Baukunst „in gleicher Fläche liegend"); b ü n d i s c h (im 16. Jh. in der Bed. „verbündet", wie *mhd.* bündec; im 20. Jh. als charakterisierendes Beiwort der Jugendbewegung neu belebt). Zus. und Präfixbildungen: B u n d s c h u h (*mhd.* buntschuoch; der altgerm. Fellschuh mit Knöchelbändern gehörte im Mittelalter zur Tracht des einfachen Mannes und wurde so zum Standeszeichen; im 15. Jh. gebrauchten aufständische Bauern einen Bundschuh als Feldzeichen, später als gemaltes Fahnenbild; so bezeichnet das Wort schließlich die Aufstandsbewegung der Bauern); v e r b ü n d e n , sich (*mhd.* verbünden „verbinden, einen Bund schließen"; *nhd.* ist bes. das Part. 'verbündet' als Ersatz für 'alliiert' üblich).

Bungalow *m* „Flachbau": Im 20. Jh. über *angloind.* bungalow entlehnt aus *hind.* banglā, einer Bezeichnung für die von Europäern in Indien bewohnten einfachen, einstöckigen Wohnhäuser.

Bunker *m*: Das seit dem 19. Jh. im Sinne von „Behälter zur Aufnahme von Massengut" – so vor allem in Zus. wie K o h l e n b u n k e r – bezeugte FW ist aus *engl.* bunker entlehnt, dessen weitere Herkunft unsicher ist. Im ersten Weltkrieg nahm das Wort die Bedeutung „Betonunterstand" an, beachte z. B. die Zus. L u f t s c h u t z b u n k e r .

bunt: *Mhd.* bunt „schwarz-weiß gefleckt" bezieht sich zuerst auf Pelze (dazu *mhd.* bunt „zweifarbiges Pelzwerk", *niederl.* bont „Pelzwerk", *niederl.* bont „bunt"), es gewinnt aber im 14. Jh. die heutige Bedeutung. Im *Ahd.* unbezeugt, beruht 'bunt' vielleicht auf *lat.* punctus „gestochen" (vgl. *Punkt*) und wurde zuerst in den Klöstern für Stickereien gebraucht. Siehe auch kunterbunt.

Bürde *w*: Die *germ.* Substantivbildungen *mhd.* bürde, *ahd.* burdī, *got.* baurþei, *engl.* burden, *schwed.* börda gehören im Sinne von „Getragenes" zu der unter → gebären dargestellten *idg.* Wz. *bher[ə]- „tragen". Abl.: b ü r d e n (*mhd.* bürden „zu tragen geben", heute nicht mehr gebraucht), dazu die Zusammensetzungen a u f b ü r d e n (17. Jh.) und ü b e r b ü r d e n (17. Jh.).

Burg *w*: Das *gemeingerm.* Wort *mhd.* burc, *ahd.* bur[u]g „Burg, Stadt", *got.* baúrgs „Turm, Burg; Stadt", *aengl.* burg „Burg, Stadt", *schwed.* borg „Burg" steht wahrscheinlich im Ablaut zu dem unter → *Berg* behandelten Wort und bedeutete demnach urspr. „[befestigte] Höhe". *Frz.* bourg „Marktflecken" (s. Bourgeoisie) ist aus dem *Afränk.* entlehnt. Das *germ.* Wort tritt zuerst in erdkundlichen Namen auf. So heißt der 'Teutoburger' Wald nach einer germ. „Volksburg" (zu *ahd.* diot „Volk"; s.

deutsch). Wie diese großen, mit Erdwällen befestigten Fluchtburgen nannten die Germanen auch die ummauerten Römerstädte und -kastelle 'Burg' (z. B. Augsburg, Regensburg oder die Saalburg im Taunus). Seit der Karolingerzeit gab es außerdem befestigte Herrenhöfe, was zum Begriff der Ritterburg geführt hat. Burgen all dieser Art konnten zu mittelalterl. Städten werden (z. B. Würzburg, Nürnberg, s. unter → Berg), so daß *mhd.* burc schließlich „Stadt" bedeutete (dazu → Bürger). Auf diese Entwicklung hat auch *lat.* burgus „Kastell, Wachtturm" eingewirkt, das über *gr.* pýrgos „Turm" möglicherweise ebenfalls aufs *Germ.* zurückgeht. – Zus.: B u r g f r i e d e [n] (*mhd.* burcvride war der vertragliche Friede innerhalb der Erbengemeinschaft einer Burg, auch der Schutzbereich eines Fürstenhofs oder einer Stadt; danach die heutige Bed. „Friedensabkommen unter polit. Parteien").

Bürge *m* „Gewährsmann": Das *westgerm.* Substantiv *mhd.* bürge, *ahd.* burgeo, *mnd.* börge, *aengl.* byrga gehört zu dem unter → borgen behandelten Verb und bezeichnete urspr. „jemand, der bei einem Verleihgeschäft für das Verliehene bürgte". Abl.: b ü r g e n (*mhd.* bürgen, *ahd.* purigōn „appellieren, sich berufen").

Bürger *m*: Die heutige Form geht über *mhd.* burger, burgǣre zurück auf *ahd.* burgāri. Dieses ist wahrscheinlich eine Umbildung einer dem *aengl.* burgware „Bürger" entsprechenden Zusammensetzung, und zwar nach den mit dem Suffix *ahd.* -āri (*nhd.* ...er) gebildeten Wörtern. Der erste Bestandteil ist das unter → *Burg* behandelte Wort, der zweite entspricht *aengl.* -ware, *aisl.* -veri und gehört zu dem unter → wehren behandelten Verb. Es bedeutete urspr. „Verteidiger", dann „Bewohner", vgl. die *germ.* Völkernamen Baioarii „Bewohner des Bojerlandes, Bayern" und Ampsivarii „Emsanwohner". 'Bürger' bedeutete demnach urspr. „Burgverteidiger", dann „Burg-, Stadtbewohner", im rechtl. Sinne seit dem 12. Jh. das vollberechtigte Mitglied eines [städt.] Gemeinwesens. – Abl.: b ü r g e r l i c h (*spätmhd.* bürgerlich); B ü r g e r t u m *s* (um 1800 für → Bourgeoisie). Zus.: B ü r g e r m e i s t e r (*mhd.* burgermeister, plattere die *mdal.* noch erhaltene Form burgemeister, deren erstes -er- vor dem zweiten zu -e -dissimiliert wurde).

Büro *s* „Arbeits-, Amtszimmer": Im 17./18. Jh. aus *frz.* bureau entlehnt, das als Abl. von *afrz.* bure bzw. burel wie diese urspr. einen „groben Wollstoff" bezeichnete, wie er u. a. zum Beziehen von [Schreib]-tischen verwendet wurde, dann den „Schreibtisch" selbst und schließlich, weil der Schreibtisch als wesentliches Zubehör eines Arbeitszimmers gilt, die „Schreibstube". – Voraus liegt ein etymologisch undurchsichtiges Substantiv *vlat.* *būra (< *lat.* burra) „zottiges Gewand; Wolle". – Als Bestimmungswort erscheint Büro u. a. in Büroklammer (20. Jh.), ferner in den willkürlichen Wortschöpfungen Bürokrat *m* (19. Jh.) und Bürokratie *w* (18./19. Jh.; entlehnt aus *frz.* bureaucrate bzw. bureaucratie), die nach dem Vorbild von Wortpaaren wie → Demokrat, Demokratie gebildet worden sind. Abl.: bürokratisch.

Bursch *m*: An den Universitäten des Mittelalters gab es gemeinschaftliche Wohn- und Kosthäuser für Studenten, die nach franz. Vorbild zumeist auf Stiftungen beruhten. Sie hießen *mlat.* bursa, was urspr. „Ledersack, Beutel", dann „[gemeinsame] Kasse" bedeutete (vgl. ¹Börse). Das aus diesem Wort entlehnte *mhd.* burse *w* „Beutel, Kasse" erscheint seit dem 15. Jh. als Name solcher Studentenhäuser und der darin wohnenden Gemeinschaften (danach noch *nhd.* Burse „Studentenheim"). Als *frühnhd.* Form galt (wie bei Hirsch, Barsch, s. d.) 'die Bursch[e]', das bis ins 17. Jh. in gleicher Bedeutung fortlebte, dann aber, als *Mehrz.* gefaßt, Anlaß zu einer neuen *Einz.* 'der Bursch' gab. Dieses Wort löste als Ehrenname der Studenten ältere Bezeichnungen wie 'bursgesell', 'bursant' u. ä. ab. Auch bei Handwerkern und Soldaten galt es solche Gemeinschaften, so daß 'Bursch' heute *landsch.* jeden jungen Mann bezeichnen kann oder auch den Handwerksgesellen als Metzger-, Bäckerbursch[e] usw. Die zweisilbige Form Bursche wird außerdem allgemein für „Kerl" gebraucht. Studentisch gilt 'Bursch' heute für das vollberechtigte Mitglied einer Verbindung nach Abschluß der Fuchsenzeit. Abl.: Burschenschaft *w* (im 18. Jh. Bez. der Studentenschaft an nordd. Universitäten; Anfang des 19. Jh.s Name der neuen gesamtstudentischen Gemeinschaft, die die Trennung der Landsmannschaften überwinden wollte; heute Bez. für bestimmte Korporationen; dazu Burschenschafter *m* (erste Hälfte des 19. Jh.s); burschikos „burschenhaft ungezwungen, formlos; flott" (18. Jh., scherzh. student. Bildung mit der *gr.* Adverbendung -ikós).

Bürste *w*: Die heutige Form geht zurück auf *mhd.* bürste, das eigtl. die verselbständigte Mehrzahl des unter → Borste (*mhd.* borst, *ahd.* burst) behandelten Wortes ist und demnach „Gesamtheit der Borsten" bedeutet. – Abl.: bürsten (*mhd.* bürsten). Zus.: Bürstenbinder (15. Jh.).

Bürzel *m*: Das seit dem 16. Jh. bezeugte Substantiv ist eine Bildung zu dem nur noch *oberd.* bewahrten Verb borzen „hervorstehen", einer Abl. von *mhd.*, *ahd.* bor „Höhe" (vgl. *empor*). Es bezeichnet den hervorstehenden Steiß des Geflügels, weidmänn. auch den Schwanz von Dachs und Wild-

schwein (letzteres auch als 'Pürzel'). Abl.: purzeln (s. d.).

Busch *m*: Das *altgerm.* Wort *mhd.* busch, *ahd.* busk, *niederl.* bosch, *engl.* bush, *schwed.* buske gehört wohl zu der unter → Beule behandelten *idg.* Wz. *bh[e]u- „blasen, schwellen" in der Bedeutungswendung „aufgetrieben, dick, dicht sein". Aus dem *Germ.* entlehnt ist *afrz.* bos, *frz.* bois „Wald, Baum, Holz" (s. Bukett). Aus der Jägersprache stammt die Redensart 'auf den Busch klopfen' (für: „ausforschen"; eigtl., um das Wild aufzuscheuchen). Abl.: buschig (*spätmhd.* buscheht); Büschel *s* (*mhd.* büschel, Verkleinerungsbildung, eigtl. „kleiner Busch"); Gebüsch *s* (*mhd.* gebüsche, Kollektivbildung). Zus.: Buschklepper „Strauchdieb, [berittener] Wegelagerer" (17. Jh.; zu → Klepper, das in älterer Sprache auch „Reiter" bedeuten kann). Siehe auch den Artikel Böschung.

Busen *m* „weibliche Brust": Das *westgerm.* Wort *mhd.* buosem, buosen, *ahd.* buosam, *niederl.* boezem, *engl.* bosom gehört zu der unter → Beule dargestellten *idg.* Wz. *bh[e]u-, [auf]blasen, schwellen". Eng verwandt ist z. B. die Sippe von → Bausch. Zus.: Busenfreund (18. Jh.); Meerbusen (17. Jh.; Lehnbildung nach *lat.* sinus).

Bussard *m*: Der seit dem 16. Jh. bezeugte Name des Tagraubvogels ist aus *frz.* busard „Weihe, Bussard" entlehnt, das seinerseits mit Suffixwechsel umgestaltet ist aus gleichbed. *afrz.* bu[i]son (daraus bereits im 13. Jh. *mhd.* būsant „Bussard"). Letzte Quelle des Wortes ist *lat.* būteō (-ōnis) „Mäusefalke, Bussard". – Vor der Entlehnung der *frz.* Namens galt im *Dt.* für den Vogel die alte einheimische Bezeichnung *ahd.* mūsāri, *mhd.* mūs-ar, mūsǣre, *mnd.* mūser „Mäuseaar" (entspr. *aengl.* mūsere).

Buße *w*: Das *gemeingerm.* Wort *mhd.* buoz[e], *ahd.* buoz[a], *got.* bota, *engl.* boot, *schwed.* bot gehört zu der unter → baß „besser" dargestellten Wurzel. Es bedeutete urspr. „Nutzen, Vorteil", so noch im *Got.* und im *Engl.* Im *Ahd.* konnte es auch „Heilung durch Zauber" bedeuten. In der *dt.* Kirchensprache bezeichnete *ahd.* buoza die Genugtuung des Sünders gegenüber Gott und trat statt des zuerst verwendeten *ahd.* hriuwa „Reue" für *lat.* poenitentia als Bezeichnung des Bußsakraments ein. Luther vertiefte den Begriff wieder als „Schrecken und gläubige Reue" im Sinn des *gr.* Grundworts metánoia „Sinnesänderung". Rechtlich bezeichnet 'Buße' heute eine Entschädigung oder Sühnezahlung (Geldbuße); s. a. büßen.

büßen: Das *gemeingerm.* Verb *mhd.* büezen „bessern, wiedergutmachen, vergüten", *ahd.* buozen „[ver]bessern, wiedergutmachen, wiederherstellen, ersetzen", *got.* bōtjan

,,bessern, nützen", *aengl.* bœtan ,,bessern, heilen, wiedergutmachen", *aisl.* bœta ,,büßen, heilen, schenken" gehört mit dem unter →Buße behandelten Substantiv zu der unter →*baß* ,,besser" dargestellten *idg.* Wurzel. Das Verb wird entspr. dem Substantiv, jedoch nicht amtlich gebraucht (kirchl. gilt 'Buße tun', jurist. 'eine Strafe verbüßen'). Die alte Bedeutung ,,[aus]bessern" zeigen noch die Bildung Lückenbüßer (16. Jh., seit dem 19. Jh. Fachwort der Zeitungssprache) und die Zus. einbüßen ,,verlieren" (eigtl. ,,zusetzen", im 15. Jh. als Handwerkerwort ein püßen ,,einflicken"), dazu Einbuße (,,Verlust", früher ,,Ersatz").

Büste *w* ,,aus Stein, Erz, Bronze oder anderem Material gearbeitetes Brustbild": Das FW erscheint zuerst im Anfang des 18. Jh.s als 'Buste' bzw. 'Busto'. Es ist unmittelbar aus gleichbed. *it.* busto entlehnt. Die heute übliche Form, die sich von der zweiten Hälfte des 18. Jh.s an durchsetzt, beruht auf gleichbed. *frz.* buste, das ebenfalls aus dem *It.* stammt. – Im 19. Jh. übernimmt das Wort Büste von *frz.* buste die zusätzliche, im *Frz.* durch Bedeutungsverengung entwickelte spezielle Bed. ,,weibliche Brust", die besonders auch in der Zus. Büstenhalter (20. Jh.) lebendig ist. – Die Herkunft des *it.* Substantivs busto ist nicht gesichert.

Butike *w* ,,Kramladen; Kneipe": Im 17. Jh. aus *frz.* boutique (*afrz.* botique) entlehnt, das – wahrscheinlich durch Vermittlung von *aprov.* botica – auf *gr.* apothēkē (> *lat.* apothēca) ,,Abstellraum, Magazin" zurückgeht (vgl. *Apotheke*). Die volkstümliche Nebenform Budike ist an 'Bude' angelehnt.

Bütte, (*oberd* :) **Butte** *w*: ,,offenes Daubengefäß, Wanne": *Mhd.* büt[t]e, büten, *ahd.* butin[na] ist entlehnt aus *mlat.* butina ,,Flasche, Gefäß", das auf gleichbed. *gr.* bytinē (pytinē) zurückgeht. Im *Mnd.* entspr. bǒde[ne], bödde, büdde (dazu wahrscheinlich →Böttcher), im *Aengl.* byden ,,Bütte, Tonne". Mit dem *gr.* Stammwort hängt wahrscheinlich auch *vlat.* buttis ,,Faß" (s. Bottich und Buddel) zusammen. Die

Bütte dient als Tragfaß, z. B. bei der Weinlese, bei den Papiermachern enthält sie den Brei, aus dem früher mit Handsieben der Papierbogen geschöpft wurde (daher noch das handgeschöpfte Bütten[papier] mit faserigem Rand). Im *rhein.* Karneval dient urspr. ein offenes Faß als Kanzel für den Büttenredner. Der Verfertiger von Bütten heißt in Franken und Ostmitteldeutschland Büttner *m* (*mhd.* bütenǣre); das Wort steht dem *nordd.* Böttcher nahe, s. d.

Büttel *m*: Das *westgerm.* Substantiv *mhd.* bütel, *ahd.* butil, *niederl.* beul, *aengl.* bydel ist eine Bildung zu dem unter →*bieten* behandelten Verb in dessen alter Bedeutung ,,bekanntmachen, wissen lassen". Es bezeichnete den vorladenden Gerichtsboten, später vielfach den Häscher oder den Scharfrichter.

Butter *w*: Die *westgerm.* Bezeichnung des aus Milch hergestellten Speisefettes (*mhd.* buter, *ahd.* butera, *niederl.* boter, *engl.* butter) ist über *vlat.* *butira, *butura entlehnt aus *lat.* būtyrum, das selbst wiederum aus *gr.* boú-tyron ,,Kuhquark" übernommen ist. Gleicher Herkunft sind z. B. *frz.* beurre und *it.* burro. – Abl.: buttern ,,Butter machen" (im 15. Jh. außbuttern), dazu hinein-, zubuttern ugs. für ,,Geld zuschießen" (urspr. ,,Speisen mit Butter verbessern"). Zus.: Buttermilch (*mhd.* butermilch).

Butzen *m* ,,Klumpen, Unreinigkeit, Kerngehäuse des Obstes, Kerzenschnuppe": Das bes. *südwestd.* Wort, zuerst im 15. Jh. belegt, gehört wohl mit *niederd.* butt ,,stumpf, plump" zu dem im *Nhd.* untergegangenen Verb *mhd.* bǒzen, *ahd.* bǒzan ,,schlagen, stoßen, klopfen" (vgl. Amboß) und bedeutet eigtl. ,,abgeschlagenes, kurzes Stück". Wahrscheinlich verwandt ist der zweite Bestandteil von →Hagebutte (*mhd.* butte ,,Hagebutte"). Abl.: putzen (s. d.). Zus.: Butzenscheibe ,,runde, in der Mitte schlackenartig verdickte Glasscheibe" (19. Jh.; dafür *mhd.* schībe; vgl. *Scheibe*), dazu Butzenscheibenlyrik (ironische Bildung P. Heyses 1884 für die altertümelnde Dichtung des späten 19. Jh.s).

C

Vgl. auch **K, Sch** und **Z**

Camembert *m* (vollfetter Weichkäse): Der Käse ist nach einer Kleinstadt in der Normandie benannt, in deren Umgebung der eigentliche französische Camembert hergestellt wird.

Camp *s* ,,[Feld-, Gefangenen]lager": Das Substantiv wurde im 20. Jh. aus gleichbed. *engl.* camp entlehnt, das über *frz.* camp, *it.*

campo auf *lat.* campus ,,Feld" zurückgeht (vgl. *Kampf*). Dazu: campen ,,im freien Feld lagern; zelten" (20. Jh.; aus *engl.* to camp); Camping *s* ,,Leben auf Zeltplätzen" (20. Jh.).

Cape *s* ,,ärmelloser Umhang": Das Wort wurde im 20. Jh. aus *engl.* cape ,,Mantelkragen; Umhang" entlehnt. Dies gehört zu afrz., aprov. capa, vlat. cappa „Mantel mit Kapuze" (vgl. *Kappe*).

Cello *s* (Streichinstrument): Der Name des Instrumentes ist aus Violoncello gekürzt. Er wurde wie die meisten musikalischen Fachwörter aus Italien übernommen (18./19. Jh.). *It.* violoncello „kleine Baßgeige" ist Verkleinerungsform von violone, das seinerseits eine Vergrößerungsbildung von viola „Bratsche" ist (vgl. *Violine*). Abl.: Cellist *m* „Cellospieler", gekürzt aus Violoncellist.

Chamäleon *s*: Der Name der baumbewohnenden Eidechse ist *gr*. Ursprungs. *Gr.* chamai-léōn (> *lat.* chamaeleōn) bedeutet wörtlich „Erdlöwe" – zu chamaí „auf der Erde" und léōn „Löwe" (vgl. *Löwe*). Der Name ist wohl eine ironische Anspielung auf den furchtsamen Charakter des Tieres.

Champignon *m*: Der seit dem 17. Jh. bezeugte Name des Edelpilzes stammt aus *frz*. champignon. Dies ist mit Suffixwechsel umgestaltet aus *afrz*. champegnuel (< *vlat*. *campāniolus) und bezeichnet eigtl. „den auf dem freien Felde Wachsenden (Pilz)". Über die zugrunde liegenden Substantive *lat.* campānia „flaches Feld", *lat.* campus „Feld" vgl. das LW *Kampf*.

Champion *m* „Meister" (Sport): Im 19. Jh. aus *engl*. champion entlehnt, aber schon im 18. Jh. zuweilen in *frz*. Aussprache bezeugt. *Engl.* champion geht über *afrz*. champion zurück auf das von *lat.* campus „[Schlacht]feld" (vgl. *Kampf*) abgeleitete Substantiv *galloroman.* campiō „Kämpfer". Abl.: Championat *s* „Meisterschaft" (20. Jh.; aus *frz*. championnat).

Chance *w*: Im 19. Jh. aus *frz*. chance (< *afrz*. cheance) entlehnt, das schon früher unser LW → ¹Schanze „Glückswurf" ergeben hatte (s. auch Mummenschanz und zuschanzen). *Frz.* chance bezeichnete urspr. wie das vorausliegende *vlat*. *cadentia „Fall" (s. auch Kadenz) den glücklichen „Fall" der Würfel beim Glücksspiel, woraus sich dann die allgemeine übertragene Bed. „glücklicher Umstand" entwickelte. Stammwort ist das *lat.* Verb cadere „fallen", das daneben noch mit einigen anderen Ableitungen und Zusammensetzungen in unserem Fremdwortschatz vertreten ist. Hierher gehören: *lat.* cāsus „Fall" (s. Kasus), *lat.* cadāver „der gefallene (tot daliegende) Körper" (s. Kadaver, Kadavergehorsam), ferner das Intensivum *vlat.* *cāsicāre „fallen" (in → Kaskade), schließlich *mlat.* de-cadentia „Zerfall" (s. Dekadenz, dekadent) und *lat.* oc-cidere „niederfallen; untergehen" (s. Okzident).

Chanson *s*: Das im 18. Jh. aus *frz*. chanson entlehnte Wort hält zunächst noch ganz dessen einfache Bedeutung „[Volks]lied" fest. Unter dem Einfluß des Kabaretts wird es dann zur Bezeichnung eines den Zeitgeist persiflierenden, frechen, geistreichen rezitativischen Liedes. *Frz.* chanson geht zurück auf *lat.* cantiō(nem) „Gesang"; zu canere „singen" (vgl. *Kantor*).

Chaos *s* „ungeformte Urmasse der Welt; Auflösung aller Werte; Durcheinander": Ein urspr. aus der Vulgata bekanntes FW, das wie das vorausliegende *gr*. cháos zunächst nur die „klaffende Leere [des Weltraums]" bezeichnet. Die modernen Bedeutungen hingegen weisen zurück auf die bei Hesiod und später im *Lat.* bei Ovid vorliegende Ausdeutung des Begriffs auf „die in unermeßlicher Finsternis liegende, gestaltlose Urmasse". – *Gr.* cháos, das auch Quelle für unser LW → Gas ist, gehört zur *idg.* Sippe von → gähnen. Abl.: chaotisch „ungeordnet, wirr" (17./18.Jh.; *nlat*. Bildung).

Charakter *m* 1. „dem Menschen eingeprägte innere Form"; 2. „gestaltete Eigenart einer Sache"; 3. „die einer künstlerischen Äußerung eigentümliche Geschlossenheit der Aussage": Im 15. Jh. aus *lat.* charactēr < *gr*. charaktḗr entlehnt und anfangs noch ganz in deren Grundbedeutung „eingebranntes, eingeprägtes [Schrift]zeichen" verwendet. Die Bedeutungsübertragung auf die gleichsam in die Seele „eingeritzten" Eigenschaften des Menschen vollzog sich zwar schon im *Gr.*, wird aber erst im 17. Jh. neu entwickelt, vorbereitet durch *frz*. caractère. *Gr.* charaktḗr gehört zu charássein „spitzen, schärfen, einkerben, einritzen". Abl.: charakterisieren „in seiner Eigenheit darstellen" (17. Jh.; nach *gr*. charaktērízein, *frz*. caractériser, mit der oben aufgezeigten Bedeutungsentwicklung; charakteristisch „eigentümlich, bezeichnend" (18.Jh.; nach *gr*. charaktēristikós); Charakteristik *w* „Kennzeichnung, treffende Schilderung"; Charakteristikum *s* „bezeichnendes, hervorstechendes Merkmal" (*nlat*. Bildung).

Charge *w* „Amt, Rang; (militär.:) Dienstgrad": Im 17. Jh. aus gleichbed. *frz*. charge entlehnt, das als Ableitung von charger „beladen" eigtl. „Last" bedeutet, dann übertragen etwa „Bürde eines Amtes". Voraus liegt *vlat.* carricāre „beladen" (zu *lat.* carrus „Wagen"; vgl. *Karre*). Abl.: Chargierte *m* „Vorsitzender einer stud. Verbindung" (im 19. Jh. für älteres Chargenträger).

Charme *m*, (eingedeutscht:) S c h a r m „Anmut, Liebreiz, Zauber": Im 18. Jh. aus gleichbed. *frz*. charme entlehnt, das seinerseits auf *lat.* carmen „Gesang, Lied, Gedicht; Zauberspruch, Zauberformel" beruht. Das *lat.* Substantiv gehört wohl zum Stamm von *lat.* canere „singen" (vgl. *Kantor*). – Früher als das Substantiv erscheint im *Dt.* das dazugehörige Adjektiv c h a r m a n t, (eingedeutscht:) s c h a r m a n t „anmutig, liebenswürdig, bezaubernd" als FW (Ende 17. Jh.; aus gleichbed. *frz*. charmant, dem Part. Präs. von *frz*. charmer < *spätlat*. carmināre „bezaubern").

Charta w „[Verfassungs]urkunde, Staatsgrundgesetz": Aus *lat.* charta „Papier, Brief; Urkunde" (vgl. *Karte*).

Charter m „Urkunde; Freibrief; Frachtvertrag": Im 19. Jh. aus gleichbed. *engl.* charter entlehnt. Dies geht über *afrz.* chartre auf *lat.* chartula „kleine Schrift, Briefchen" zurück, eine Verkleinerungsform von charta (vgl. *Karte*). Abl.: **chartern** „(Schiff oder Flugzeug) mieten" (19./20. Jh.; aus gleichbed. *engl.* to charter).

Chassis s „Fahrgestell (bei Kraftfahrzeugen); Montagerahmen (z. B. von Rundfunkgeräten)": Im 19. Jh. aus *frz.* châssis „Einfassung, Rahmen" entlehnt. Das zugrunde liegende Substantiv *frz.* châsse „Kästchen, Einfassung" geht auf *lat.* capsa „Behältnis" zurück. Vgl. hierüber das LW *Kasse*.

Chauffeur m „[Kraftwagen]fahrer": Im 20. Jh. aus *frz.* chauffeur (urspr. „Heizer") entlehnt. Dies gehört zu *frz.* chauffer „warm machen, heizen", das auf gleichbed. *vlat.* *calefāre (für *lat.* cal[e]facere) zurückgeht; vgl. *Kalfakter*. Abl.: **chauffieren** „einen Kraftwagen steuern".

Chaussee w „Landstraße": Im 18. Jh. aus *frz.* chaussee entlehnt, das auf *galloroman.* (via *calciāta „mit [Kalk]stein gedeckte Straße" zurückgeht. Über das zugrunde liegende Substantiv *lat.* calx vgl. das LW *Kalk*.

Chef m „Leiter; Geschäftsführer", auch als Bestimmungswort von Zus. wie **Chef**redakteur: Im 17. Jh. – zunächst im militär. Sinne von „Anführer, Vorgesetzter" – aus *frz.* chef „[Ober]haupt" entlehnt, das über *galloroman.* *capum auf gleichbed. *lat.* caput zurückgeht. Über weitere Zusammenhänge vgl. *Kapital*.

Chemie w „Stoffkunde": Das bis um 1800 in der Form Chymie auftretende Wort ist wohl aus →*Alchimie* zurückgebildet. Abl.: **Chemikalien** Mehrz. „chemische Stoffe"; **Chemiker** m; **chemisch**.

...chen: Die verkleinernde Kraft der *germ.* Suffixe -ka, -ko (*ahd.* -hha, z. B. in *ahd.* fulicha „Füllen") und -īn (in *mnd.* kūk-en „Küken") ist früh verblaßt, was zu den verstärkten Doppelbildungen *asächs.* -kīn, *mnd.* -ken, *mitteld.* -chin, -chen geführt hat, die zuerst bes. in der Dichtung auftreten: *asächs.* skipikīn „Schiffchen", *mnd.* vürken „Feuerchen", *mitteld.* bruoderchīn „Brüderchen". Seit dem 17. Jh. hat sich das *mitteld.* -chen (früher auch -gen geschrieben) gegenüber dem früher weiter verbreiteten -lein (s. d.) in der Schriftsprache durchgesetzt. Wörter wie Mädchen, Kaninchen, bißchen werden nicht mehr als Verkleinerungen empfunden, da das Grundwort fehlt oder nicht erkannt wird.

Chiffon m (dünnes Seidengewebe): Im 19. Jh. entlehnt aus *frz.* chiffon „Lumpen, Fetzen; durchsichtiges Gewebe". Zu *frz.* chiffe „minderwertiges Gewebe", das auf *arab.* šiff „durchsichtiger Stoff, Gaze" zurückgeht.

Chiffre w „Kennwort, Geheimzeichen": Im 17./18. Jh. aus *frz.* chiffre (*afrz.* cifre) entlehnt (vgl. *Ziffer*). Abl.: **chiffrieren** „verschlüsseln" (18. Jh.; aus *frz.* chiffrer); **dechiffrieren** „entschlüsseln" (18. Jh.; aus *frz.* déchiffrer).

Chinin s „fiebersenkendes Heilmittel": Wesentlicher Bestandteil des Chinins ist das Alkaloid des Chinarindenbaumes, der in Peru beheimatet ist und von den Ureinwohnern quina bzw. quinaquina genannt wurde. Hieraus wurde im *It.* china, dessen Ableitung chinina uns im 19. Jh. als Chinin erreichte.

chir[o]..., Chir[o]... (Bestimmungswort von Zusammensetzungen mit der Bed. „Hand", wie in →Chirurg usw.): Zugrunde liegt *gr.* cheir „Hand".

Chirurg m „Facharzt für Chirurgie": Im 18./19. Jh. aus *lat.* chīrūrgus < *gr.* cheirourgós „Wundarzt" entlehnt. Eigtl. bedeutet das Wort „Handwerker" (zu *gr.* cheir „Hand" vgl. *chir[o]...* und érgon „Tätigkeit, Werk"; vgl. *Energie*) und bezeichnet demnach den Arzt, der Krankheiten mit der Geschicklichkeit seiner Hände in operativen Eingriffen behandelt (anders der →Internist). Entsprechend heißt die „Wundheilkunde" *gr.* cheirourgía (> *lat.* chīrūrgia) und das die Tätigkeit des Chirurgen beschreibende Adjektiv *gr.* cheirourgikós (> *lat.* chīrūrgicus). Beide Wörter erscheinen gleichfalls als Fremdwörter: **Chirurgie** w (schon im 15./16. Jh.) und **chirurgisch** (16. Jh.).

Chitin s „hornähnlicher Stoff (im Panzer der Gliederfüßer)": *Nlat.* Bildung zu *gr.* chitōn „[Unter]kleid, Brustpanzer", einem zur Sippe von →*Kattun* gehörenden *semit.* LW (*aram.* kithuna, *hebr.* kethōneth).

Chlor s: Das zu den chem. Grundstoffen gehörende Gas wurde im 19. Jh. wegen seiner Farbe nach *gr.* chlōrós „gelblichgrün" (urverwandt mit → *gelb*) benannt. Abl.: **chloren, chlorieren** „mit Chlor behandeln" (20. Jh.); **chlorig** „chlorhaltig" (20. Jh.). Als Bestimmungswort erscheint das Wort Chlor in mehreren Zusammensetzungen.

Chloroform s (Betäubungsmittel): Eine im 19. Jh. in Frankreich entwickelte chemische Verbindung, die nach den Stoffen benannt ist, die bei der Erstherstellung eine entscheidende Rolle gespielt haben, nämlich *Chlor*kalk und Ameisensäure, deren wissenschaftlicher Name acidum *formīcicum* ist. Formīcicus ist eine *lat.* Ableitung von *lat.* formīca „Ameise". Abl.: **chloroformieren** „mit Chloroform betäuben" (20. Jh.).

Chlorophyll s „Blattgrün": Gelehrte Neubildung aus *gr.* chlōrós „gelblichgrün" (s. *Chlor*) und *gr.* phýllon „Blatt" (dies zur Sippe von →*blühen*).

Cholera w (Infektionskrankheit): Eine im 19. Jh. aus Asien eingeschleppte Seuche, die wegen der Ähnlichkeit der Symptome mit dem Namen einer schon den alten Griechen bekannten Krankheit bezeichnet wurde. *Gr.* choléra (> *lat.* cholera), das auch die Quelle für unser LW → ¹Koller (s. auch Kohldampf) ist, bedeutet „Gallenbrechdurchfall". Das Wort ist abgeleitet von *gr.* cholé „Galle" – urverwandt mit entspr. *nhd.* →¹*Galle* –, das als Grundwort auch in →melancholisch erscheint.

cholerisch „jähzornig, aufbrausend": Neubildung zu *gr.-lat.* choléra (vgl. *Cholera*), das, wie auch →¹Koller und *frz.* colère „Zorn" zeigen, im *Mlat.* eine Bedeutung „galliges Temperament, Zornausbruch" entwickelt hat. *Gr.* cholé „Galle" in seiner synonymen Stellung für „Zorn" dürfte hierbei einen wesentlichen und unmittelbaren Einfluß ausgeübt haben. Im übrigen weist die Bedeutungsentwicklung auf die mystische Lehre des Mittelalters hin, die letztlich auf den *gr.* Arzt Hippokrates zurückgeht und nach der den vier Grundtemperamenten (cholerisch, → melancholisch, →phlegmatisch, →sanguinisch) vier verschiedene Mischungen der Elemente (heiß, kalt, trocken, feucht) und danach vier Körpersäfte entsprechen. Die Mischung heißtrocken beim cholerischen Temperament zielt auf die Vorstellung des von der Gallenflüssigkeit überschwemmten und gleichsam überhitzten und verbrannten Blutes. Abl.: Choleriker *m* „Mensch von reizbarem, jähzornigem Temperament".

Chor *m* „Sängerschar; erhöhter Kirchenraum": *Gr.* chorós „Tanz, Reigen", das über *lat.* chorus ins *Dt.* entlehnt wurde, entwickelte im *Ahd.* aus einer erweiterten Bed. „singende und tanzende Schar" ein in den sakralen Bereich übertragenes chōr „gemeinsamer Gesang der Geistlichen in der Kirche" (s. auch Choral). Im *Mhd.* (kōr) bezeichnete das Wort zum einen einerseits den „Chorraum" (als den Ort, an dem der Chor sich aufstellt), andererseits allgemein jede „Sängerschar". – *Gr.* chorós ist nicht sicher gedeutet. Vielleicht gehört es mit einer urspr. Bed. „eingehegter Tanzplatz" zur *idg.* Wurzel *g̑her-* „greifen, [ein]fassen", die auch unserem Substantiv →*Garten* zugrunde liegt.

Choral *m* „Gemeindegesang in der Kirche; Kirchenlied": Im 17. Jh. aus *mlat.* (cantus) chorālis „Chorgesang" (zu *lat.* chorus, vgl. *Chor*) entlehnt.

¹Christ, Christus *m* „der Gesalbte": Der Beiname Jesu von Nazareth geht auf *mhd.*, *ahd.* Krist zurück, das im Zuge der arianischen Mission aus dem *Got.* zu uns gelangte. Daneben ist die *lat.* Vollform Christus gebräuchlich. Beiden Wörtern liegt das *gr.* Adjektiv chrīstós „gesalbt" (zu *gr.* chríein

„bestreichen; salben") zugrunde, das substantiviert eine Übersetzung von *hebr.* māschīach „Messias" ist. Zus.: Christbaum, Christkind (16. Jh.), Christmette (*spätmhd.*), Christstolle[n]. **²Christ** „der Gläubige in der Nachfolge Christi": Das Wort ist aus *frühnhd.* kriste, *mhd.* kristen, dem substantivierten *mhd.* Adjektiv kristen „christlich" verkürzt. Die volle Form ist in Christenheit (*mhd.* kristenheit) und Christentum (*mhd.* kristentuom) bewahrt. Das Adjektiv christlich hingegen zeigt die gleiche Kürzung gegenüber *mhd.* kristenlīch. *Mhd.* kristen (< *ahd.* kristāni) geht wie *frz.* chrétien auf *lat.* Chrīstiānus (woraus *gr.* Chrīstiānós) „christlich" zurück. Über das zugrunde liegende Adjektiv *gr.* chrīstós „gesalbt" s. o. unter ¹*Christ*. Abl.: christianisieren „zum Christentum bekehren", nach *lat.* chrīstiānizāre „sich zum Christentum bekennen" (woraus *gr.* chrīstiānízein).

Chrom *s*: Der Name dieses Metalls entstand um 1800 in Frankreich und wurde von dort (*frz.* chrome) übernommen. Er ist von *gr.-lat.* chrōma „Farbe" abgeleitet und bezieht sich auf die augenfällige Schönheit der Farben, die Chrom in Verbindungen zeigt. – *Gr.* chrōma bedeutet zunächst nur „Haut", dann auch „Hautfarbe" und allgemein „Farbe" (so auch im FW →Chromosomen).

Chromosomen *Mehrz.* (naturwissenschaftliche Bezeichnung für die die Erbfaktoren tragenden Zellkernfäden): Das Wort ist eine gelehrte Neubildung zu *gr.* chrōma „Farbe" (vgl. *Chrom*) und *gr.* sōma „Körper". Die sich daraus ergebende wörtliche Bed. „Farbkörper" bezieht sich auf die Tatsache, daß die Chromosomen durch bestimmte Färbung sichtbar gemacht werden können.

Chronik *w* „Aufzeichnung geschichtlicher Ereignisse nach ihrer Zeitfolge": *Mhd.* krōnik[e] geht auf gleichbed. *lat.* chronica, *gr.* chronikà (biblía) zurück. Über das zugrunde liegende Substantiv *gr.* chrónos „Zeit" vgl. *chrono...* – Der Verfasser einer Chronik heißt Chronist *m* (schon *frühnhd.*; *nlat.* Bildung).

chronisch „langsam verlaufend; langwierig" (von Krankheiten), aber auch allgemein im Sinne von „gewohnheitsmäßig": Im 18. Jh. als medizinisches Fachwort aus *lat.* (morbus) chronicus „chronische Krankheit" entlehnt. Voraus liegt das von *gr.* chrónos „Zeit" (vgl. *chrono...*) abgeleitete Adjektiv *gr.* chronikós „zeitlich [lang]".

chrono..., **Chrono...** (Bestimmungs- bzw. Grundwort von Zus. mit der Bed. „Zeit", wie in →chronologisch, →Chronometer, →synchron, synchronisieren): Zu gleichbed. *gr.* chrónos, das ohne sichere Anknüpfungen im *Idg.* ist. – Beachte den FW →Chronik, Chronist und →chronisch, die letztlich auch zu *gr.* chrónos gehören.

chronologisch „zeitlich geordnet": Zu *gr.* chronología „Zeitrechnung" (vgl. *chrono...* und *Logik*).

Chronometer *s* „Zeit-, Taktmesser": Neubildung des 18./19. Jh.s zu *gr.* chrónos „Zeit" (vgl. *chrono...*) und *gr.* métron „Maß" (vgl. *Meter*).

City *w* „Geschäftsviertel (in Großstädten), Innenstadt": Im 19. Jh. aus *engl.* city „[Haupt]stadt" entlehnt. Dies geht über *afrz.* (= *frz.*) cité zurück auf *lat.* cīvitās (cīvitātem) „Bürgerschaft; Gemeinde; Staat". Über das zugrunde liegende Substantiv *lat.* cīvis „Bürger" vgl. *zivil*.

clever „beweglich, wendig, von schnellem Reaktionsvermögen": Das Adjektiv wurde im 20. Jh. aus gleichbed. *engl.* clever entlehnt. Die weitere Herkunft des Wortes ist unbekannt. Abl.: C l e v e r n e s s *w* „Wendigkeit, Tüchtigkeit" (aus *engl.* cleverness).

Clique *w* „Sippschaft, Klüngel": Im 18. Jh. aus gleichbed. *frz.* clique, einer Ableitung von dem lautmalenden *afrz.* Zeitwort cliquer „klatschen" entlehnt. Die Grundbedeutung von *frz.* clique wäre demnach „das Klatschen" bzw. „die beifällig klatschende Masse".

Clou *m*: „Höhepunkt, Kernpunkt": Das Wort wurde im 20. Jh. aus gleichbed. *frz.* clou (eigtl. „Nagel") entlehnt. Der Bedeutungsübertragung, die sich wohl in der *frz.* Umgangssprache vollzogen hat, liegt etwa die Vorstellung zugrunde, daß der Clou einer Sache das Ganze befestigt und zusammenhält wie ein Nagel. – *Frz.* clou geht auf *lat.* clāvus „Nagel, Pflock" zurück, das zusammen mit *lat.* clāvis (n *Klavier*) zu der unter → *Klause* dargestellten Sippe von claudere „schließen" gehört.

Clown, K l a u n *m* „Spaßmacher": In der Zirkussprache des 19. Jh.s aus *engl.* clown entlehnt, das urspr. die Charakterrolle des „Bauerntölpels" im alten *engl.* Theater bezeichnete und insofern wohl auf *frz.* colon, *lat.* colōnus „Bauer; Siedler" zurückgeht. Zugrunde liegt *lat.* colere (vgl. *Kolonie*).

Cockpit *s* „Kabinenvorraum auf Jachten; vertiefter Sitzraum auf Segelbooten, Plicht; Führer-, Pilotenkabine in Flugzeugen": Junges LW aus gleichbed. *engl.* cockpit. Dies bedeutet wörtlich „Hahnengrube" (zu *engl.* cock „Hahn", vgl. *Cocktail*, und pit, *aengl.* pytt „Grube"; vgl. *Pfütze*). Das Wort bezeichnet also eigtl. eine vertiefte Einfriedung für Hahnenkämpfe. Die modernen Bedeutungen sind davon übertragen.

Cocktail *m* „alkoholisches Mixgetränk": Junges LW aus gleichbed. *amerik.* cocktail. Dies bedeutet wörtlich „Hahnenschwanz". Der Bedeutungsübertragung liegt ein Vergleich mit der Buntheit eines Hahnenschwanzes zugrunde. Das Grundwort *engl.* tail „Schwanz" ist verwandt mit → *Zagel*, während das Bestimmungswort *engl.* cock „Hahn" (s. auch Cockpit) lautnachahmenden Ursprungs ist und zu der unter → *kokett* entwickelten Sippe gehört. Zus.: C o c k t a i l p a r t y „Party, bei der Cocktails gereicht werden"; C o c k t a i l k l e i d „kurzes Nachmittags- oder Abendkleid, wie man es zu Cocktailparties trägt".

Conférence *w* „Ansage (z. B. in Kabaretts)": Im 20. Jh. aus *frz.* conférence „Vortrag", der Entsprechung unseres Fremdwortes ‘Konferenz’ (s. *konferieren*), entlehnt. Abl.: C o n f é r e n c i e r *m* „Ansager, Unterhaltungskünstler" (aus gleichbed. *frz.* conférencier).

Copyright *s* „Verlagsrecht": Das *engl.* Wort bedeutet eigtl. „Vervielfältigungsrecht". Das Bestimmungswort entspricht unserem FW → *Kopie.* Das Grundwort right ist mit unserem *ndd.* Wort → *Recht* verwandt.

Couch, K a u t s c h *w* „Liegesofa": Im 20. Jh. aus *engl.* couch entlehnt. Dies geht auf *afrz.* (= *frz.*) couche „Lager", eine Ableitung von coucher „hinlegen; lagern" (< *lat.* col-locāre). Über weitere Zusammenhänge vgl. *kon...* und *lokal*.

Coup *m* „Schlag, Streich; kühnes, auf einen Überraschungserfolg angelegtes Unternehmen": Im 18. Jh. aus gleichbed. *frz.* coup entlehnt, das über *vlat.* colpus, colap[h]us „Faustschlag, Ohrfeige" auf gleichbed. *gr.* kólaphos zurückgeht. Die weitere Herkunft des Wortes ist unsicher.

Coupon, K u p o n *m* „Abschnitt (auf Wertpapieren); Stoffrest": Im 18. Jh. aus *frz.* coupon entlehnt; zu couper „schneiden" (vgl. *kupieren*).

Courage *w* „Beherztheit, Mut": In der Soldatensprache des 16. Jh.s aus gleichbed. *frz.* courage entlehnt, einer Ableitung von *frz.* cœur „Herz". Dies geht auf galloroman. cor (coris) „Herz" zurück, das für *klass.*-*lat.* cor (cordis) steht. Das *lat.* Wort ist urverw. mit *dt.* → *Herz.* Abl.: c o u r a g i e r t „beherzt, mutig".

Cousin *m*: Die im 17. Jh. aus dem *Frz.* übernommene Verwandtschaftsbezeichnung schränkte den Geltungsbereich des ererbten Wortes → *Vetter* ein. Heute drängt allerdings das Wort ‘Vetter’, vor allem in der Hochsprache, das Wort ‘Cousin’ wieder zurück. Dagegen konnte sich C o u s i n e *w*, das im 18. Jh. entlehnt wurde, gegenüber → *Muhme* und → *Base* voll durchsetzen. *Frz.* cousin – entspr. die weibliche Form cousine – geht auf *vlat.* *cōsīnus zurück, eine aus *klass.*-*lat.* cōn-sobrīnus (< *cōn-suesrīnos) „Geschwisterkind (von mütterlicher Seite)" gekürzte Koseform. Das zugrunde liegende Substantiv *lat.* soror (< *suesōr) „Schwester" – woraus gleichbed. *frz.* sœur entstand – ist mit *dt.* → *Schwester* urverwandt.

Cowboy *m* „amerik. Rinderhirt": Im 20. Jh. mit den Erzählungen und Filmen über den

Wilden Westen Amerikas aus *amerik.* cowboy (wörtlich: ,,Kuhjunge") entlehnt (vgl. *Kuh* und *Boy*).

Creme, K r e m *w* ,,Sahne; schaumige Süßspeise; Salbe": Im 18. Jh. aus gleichbed. *frz.* crème (*afrz.* craime, cresme) entlehnt. Dies ist eine Kreuzung von *gall.-lat.* crāma ,,Sahne" und *gr.-lat.* chrīsma ,,Salbe" (daraus *frz.* chrême ,,Salböl"). Die von dem FW Creme in jüngster Zeit entwickelte leicht ironische Bed. ,,gesellschaftliche Oberschicht" ist von der fetten Sahneschicht auf der Milch übertragen.

Croupier *m* ,,Gehilfe des Bankhalters (im Glücksspiel)": Im 18./19. Jh. aus gleichbed. *frz.* croupier entlehnt. Dies bedeutet als Ableitung von *frz.* croupe ,,Hinterteil" (vgl.

Kruppe) eigtl. ,,Hintermann", dann übertr. etwa ,,unauffälliger Helfer".

Curry *m* (auch: *s*) ,,Gewürzmischung (in Pulverform)": Entlehnt aus *angloind.* curry, das urspr. eine mit verschiedenen scharfen Gewürzen gekochte Speise bezeichnete, dann auch eine Zusammenstellung solcher Gewürze überhaupt. Voraus liegt *tamil.* kari ,,Tunke".

Cutaway, (Kurzform:) C u t *m* ,,Herrenschoßrock": Entlehnt aus *engl.* cutaway (coat) ,,abgeschnittener Rock". Zu *engl.* to cut ,,schneiden" (vgl. *Cutter*)

Cutter *m* ,,Schnittmeister" (Film- und Tontechnik): Aus gleichbed. *engl.* cutter entlehnt (s. auch Cutaway und Kutter). Das zugrunde liegende Verb *engl.* to cut ,,schneiden" ist ohne sichere Deutung.

D

¹da: Das gemeingerm. Ortsadverb *mhd.* dā[r], *ahd.* dār (entspr. *niederl.* daar, *engl.* there und mit Kürzung des Vokals *got.* þar, *schwed.* där) gehört zum Stamm des Demonstrativpronomens →*der.* Das auslautende r schwindet schon im *Mhd.,* hat sich aber in Zusammensetzungen vor anlautendem Vokal gehalten: daran, darin, darüber usw.

²da: Das mit ¹da im *Nhd.* zusammengefallene Zeitadverb *mhd.* dō, *ahd.* dō, thō, *asächs.* thō, *aengl.* đā gehört ebenfalls zum Stamm von →*der.* Wahrscheinlich war es weibl. Akkusativ der Einzahl des Artikels (*got.* þō), neben dem ein zugehöriges Substantiv weggefallen ist, und bedeutete etwa ,,die [Zeit]" (wie in *nhd.* 'diesen Morgen fuhr er ab'). Üblich ist es noch in der Wendung 'von da an' und zur Fortführung einer Erzählung (da kam ich ..., da sagte er ...).

Dach *s*: Das altgerm. Wort *mhd.* dach, *ahd.* dah, *niederl.* dak, *engl.* thatch, *schwed.* dak gehört zu der Wortgruppe von →*decken.* Es ist eng verwandt z. B. mit *gr.* tégos ,,Dach, Haus" und mit der *kelt.* Sippe von *kymr.* to ,,Dach" und bedeutet eigtl. ,,das Deckende". Das deckende, schützende Dach ist eine Urform des Hauses, wie sie z. B. noch die wandlosen Schafställe der Lüneburger Heide zeigen. So kann das Wort sinnbildl. für ,,Haus" stehen (ein gastliches Dach; unter Dach und Fach bringen, s. Fach). Schon *mhd.* ist der übertragene Gebrauch für ,,Bedeckung, Oberstes, Schirmendes" (dazu Obdach [s. *ob*] und *nhd.* Dachverband, -gesellschaft) und für ,,Schädeldecke", wozu die *ugs.* Redensart 'jemandem eins aufs Dach geben' und scherzh. D a c h - s c h a d e n ,,geistiger Defekt" gehören. Dagegen stammt 'einem aufs Dach steigen' für

,,tadeln, strafen" aus altem Rechtsbrauch: dem Pantoffelhelden konnte noch im 18. Jh. von den Nachbarn das Dach abgedeckt werden. – Zus.: D a c h r e i t e r ,,kleiner Turm auf dem First" (18. Jh.); D a c h s t u h l ,,Stützgebälk des Daches" (16. Jh.; vgl. *Stuhl*).

Dachs *m*: Die Herkunft des *germ.* Tiernamens *mhd., ahd.* dahs, *niederl.* das, *norw.-dän.* [svin]toks ,,[Schweine]dachs" ist unklar. Das Tier kann nach seiner Baukunst benannt worden sein, dann wäre das Wort z. B. verwandt mit *aind.* tákṣati ,,zimmert, verfertigt", tákṣan-z ,,Zimmermann" und *gr.* téktōn ,,Zimmermann" (vgl. die Wortgruppe um Technik). Der Tiername kann aber auch zu der unter →*dick* dargestellten Wortgruppe gehören, so daß der Dachs als ,,Dickling" benannt worden wäre. Zus.: D a c h s h u n d (s. Dackel); F r e c h d a c h s *ugs.* für ,,frecher junger Mensch" (20. Jh.; ähnlich 'junger Dachs').

Dackel *m*: Der zum Aufsuchen von Fuchs und Dachs im Bau gebrauchte Erdhund heißt D a c h s h u n d (*spätmhd.* dahshunt). Als *oberd.* Kurz- und Koseform zu 'Dachshund' ist 'Dackel' seit dem Ende des 19. Jh.s belegt. Älter sind das jetzt veraltete *oberd.* Dächsel (erste Hälfte des 18. Jh.s) und das *nordd.* T e c k e l *m* (zweite Hälfte des 18. Jh.s), das heute bes. bei Züchtern und Jägern gilt.

Dahlie *w*: Die zur Familie der Korbblütler gehörende Zierpflanze wurde im 18. Jh. zu Ehren des schwedischen Botanikers und Linné-Schülers A. Dahl benannt.

Damast *m* ,,[Seiden]gewebe": *Frühnhd.* damasch, damast, *mnd.* damask stammen aus *it.* damasco damasto, das ein aus der Stadt *Damaskus* in Syrien stammendes feines Gewebe bezeichnet. Abl.: **damasten** „aus Damast".

Dambock *m*, **Damhirsch** *m*, **Damwild** *s*: Diese Bezeichnungen sind verdeutlichende Zusammensetzungen, wie z. B. auch Windhund, Lindwurm (s. d.). Als das alte Wort für die Wildart *mhd.* tāme, *ahd.* tām[o] „Damhirsch" unüblich wurde, verdeutlichte man es mit bekannten Wörtern, von denen Bock, Hirsch, Wild (s. d.) die heute üblichsten sind. Das Bestimmungswort ist entlehnt aus *lat.* dāma, das urspr. allgemein rehartige Tiere, erst später das Damwild bezeichnete und vielleicht selbst wieder auf einer Entlehnung aus dem *Kelt.* beruht, vgl. *air.* dam „Ochse", dam allaid „Hirsch", eigtl. „wilder Ochse".

Dame *w*: Das um 1600 aus *frz.* dame „Herrin, Frau, Ehefrau" entlehnte Wort galt von Anfang an nur in der gehobenen Sprache. Der Volkssprache ist es bis heute ungeläufig, wenn auch nicht unbekannt. Während es im 17. Jh., als Pendant zu →Kavalier, die feingebildete Geliebte, die Herzensdame, die „Herrin" bezeichnete, wurde es wenig später zum festen Titel der Frau in Hof- und Adelskreisen. Erst seit dem Ende des 18. Jh.s wurde es auch in der Sprache der bürgerlichen Gesellschaft heimisch, wo es →Frau und →Frauenzimmer teilweise ersetzte. Die abwertende Bedeutung von 'Dame', wie sie noch heute in der Verkleinerungsform **Dämchen** zum Ausdruck kommt, reicht auch schon bis 17. Jh. zurück. Sie hat sich vielleicht, ähnlich wie bei →Mätresse, das in gewissem Sinne Synonym war, als Euphemismus entwickelt. *Frz.* dame, das in Verbindung mit dem Possessivpronomen (gleich monsieur und mademoiselle) als madame zur feststehenden Anredeform für die reife, vor allem verheiratete Frau wurde, etwa im Sinne unserer 'gnädigen Frau', geht wie entspr. *it.* donna und *span.* doña auf *lat.* domina „[Haus]herrin" zurück. Dies ist die weibliche Form zu *lat.* dominus „[Haus]herr". Über weitere Zusammenhänge vgl. *dominieren.*

dämlich (*ugs.* für:) „dumm, albern": Das seit dem 18. Jh. bezeugte *mitteld.* und *niederd.* Wort gehört zu dem seit dem 16. Jh. belegten Verb *niederd.* dämeln „nicht recht bei Sinnen sein". Verwandt ist z. B. *bayr.-schwäb.* damisch, dem älteres, heute untergegangenes 'dämisch' entspricht, ferner im *außergerm.* Sprachbereich z. B. *lat.* tēmētum „berauschendes Getränk", tēmulentus „berauscht", *mir.* tām „Krankheit, Tod" und *russ.* tomitʼ „quälen, bedrücken".

Damm *m*: Älter *nhd.* Tamm (*mhd.* tam „Flut-, Seedamm") hat unter dem Einfluß der nordd. Wasserbaukunst seit dem 17. Jh. *niederd.* Anlaut angenommen. Dem *mnd.* dam entsprechen gleichbed. *niederl.* dam, *engl.* dam, *schwed.* damm. Das *gemeingerm.*

Wort (s. u. dämmen) hat keine sicheren *außergerm.* Beziehungen. – Abl.: **dämmen** „eindämmen, stauen" (*mhd., ahd.* temmen, *mnd.* demmen, *got.* [faúr]dammjan „eindämmen, verhindern", *engl.* to dam, *schwed.* dämma).

Dämmerung *w*: *Mhd.* demerunge, *ahd.* demerunga ist eine Bildung zu dem im *Nhd.* untergegangenen *mhd.* demere, *ahd.* demar „Dämmerung". Von diesem Wort ist auch das Verb **dämmern** (17. Jh.) abgeleitet, aus dem **Dämmer** *m* poet. für „Dämmerung" (18. Jh.) rückgebildet ist. Mit dem *ahd.* Wort sind die unter →finster und →diesig behandelten Adjektive verwandt. Es bezeichnete urspr. die Abenddämmerung als Einbruch der Nacht, dann auch den Tagesanbruch. Zusammen mit *außergerm.* Wörtern wie *air.* temel „Finsternis", *russ.* témrivo „Finsternis", *lat.* temere „blindlings", tenebrae „Finsternis" geht es auf die *idg.* Wz. *tem[ə]- „dunkel" zurück. – Zus.: **Götterdämmerung** (s. d.).

Dämon *m* „[böser] Geist" (Mittelwesen zwischen Gott und Mensch): Das Substantiv wurde im 17./18. Jh. aus *lat.* daemōn< *gr.* daímōn entlehnt. Dies gehört wohl mit einer vermutlichen Grundbed. „Verteiler, Zuteiler (des Schicksals)" zu *gr.* daíesthai „[ver]teilen" und steht dann – wohl zusammen mit *gr.* dēmos „Gebiet, Gau; Volk" (eigtl. „Abteilung"), s. hierzu demo..., Demokratie usw. – im größeren Zusammenhang der *idg.* Sippe von *nhd.* →*Zeit.* Abl.: **dämonisch** „von einem [bösen] Geist beherrscht; unheimlich", nach gleichbed. *lat.* daemonicus< *gr.* daimonikós.

Dampf *m*: Das *westgerm.* Substantiv *mhd.* dampf, tampf, *ahd.* damph, *niederl.* dam, *engl.* damp ist eine Bildung zu dem im *Nhd.* untergegangenen starken Verb *mhd.* dimpfen „dampfen, rauchen" und bedeutete urspr. „Dunst, Nebel, Rauch". Zu diesem Verb gehören das Veranlassungswort →dämpfen (eigtl. „dampfen machen") und die Adjektivbildung →dumpf (eigtl. „durch Rauch beengend"), vielleicht auch das unter →Duft behandelte Wort. Diese *germ.* Wortgruppe beruht mit verwandten Wörtern in anderen *idg.* Sprachen auf der vielfach weitergebildeten und erweiterten *idg.* Wz. *dhem[ə]- „stieben, rauchen, wehen", vgl. z. B. *aind.* dhámati „weht, bläst" und *mir.* dem „dunkel, schwarz". Zu dieser Wurzel gehört aus dem *germ.* Sprachbereich auch das unter →dunkel (eigtl. „dunstig, neblig") behandelte Adjektiv. – Abl.: **dampfen** „Dampf von sich geben, mit Dampf fahren" (in der ersten Bed. im 17. Jh. für älteres 'dämpfen' und *mhd.* dimpfen, s. o.), dazu **Dampfer** *m* (*niederd.* Damper entstand im 19. Jh. als LÜ von *engl.* steamer) und **Dampfschiff** (Anfang des 19. Jh.s für *engl.* steamship); **dampfig** (*mhd.*

dampfec); **dämpfen**: Das Verb *mhd.* dempfen, *ahd.* demphan ist das Veranlassungswort zu dem im *Nhd.* untergegangenen starken Verb *mhd.* dimpfen „dampfen, rauchen" (vgl. *Dampf*) und bedeutet demnach eigtl. „dampfen machen, (ein Feuer) rauchen machen", weiter „durch Rauch ersticken", dann übertr. „schwächen, mäßigen". Im *Nhd.* wird es als Ableitung von 'Dampf' empfunden und bedeutet daher auch „mit Dampf kochen oder behandeln". – Abl.: Dämpfer *m* (18. Jh., z. B. bei Musikinstrumenten; daher *ugs.* „einen Dämpfer aufsetzen' für „mäßigen").

Dank *m*: Das *gemeingerm.* Substantiv *mhd.*, *ahd.* danc, *got.* þagks, *engl.* thanks (*Mehrz.*), *schwed.* tack ist eine Bildung zu dem unter →*denken* behandelten Verb. Es bedeutete urspr. also „Denken, Gedenken" und bezeichnete dann das mit dem [Ge]denken verbundene Gefühl und die Äußerung dankbarer Gesinnung. – Abl.: dank (Präp.; erst im 19. Jh. aus der Wendung 'Dank sei [ihm] ...'); danken (*mhd.* danken, *ahd.* danchōn, vgl. *engl.* to thank, *schwed.* tacka), dazu danke! (erst *nhd.* verkürzt aus 'ich danke') und abdanken (älter *nhd.* 'jemandem abdanken' war „ihn mit Dank verabschieden", was in *schweiz.* Abdankung „Leichenfeier" fortlebt; im 17. Jh. wurde 'ein Amt abdanken' für „zurücktreten" gebraucht); dankbar (*mhd.* danebære, *ahd.* danebāri „Geneigtheit hervorbringend, angenehm").

darben: *Mhd.* darben, *ahd.* darbēn, *got.* (ga)þarban, *aengl.* dearfian, *schwed.* tarva stehen im Ablaut zu dem unter →*dürfen* (urspr. „brauchen, nötig haben") behandelten Verb.

Darling *m* „Liebling": Im 20. Jh. aus gleichbed. *engl.* darling entlehnt. Das zugrunde liegende Adjektiv *engl.* dear „lieb, wert" ist verwandt mit *dt.* →*teuer*.

Darm *m*: Die *altgerm.* Körperteilbezeichnung *mhd.* darm, *ahd.* dar[a]m, *niederl.* darm, *aengl.* dearm, *schwed.* tarm gehört zu der unter →*drehen* dargestellten *idg.* Wz. *ter[ə]- „reiben, drehen, bohren". *Außergerm.* entspricht z. B. *gr.* tórmos „Loch", vgl. auch *gr.* trámis „Damm zwischen Scham und After". Das *altgerm.* Wort bedeutete demnach urspr. „[Arsch]loch". Die einzelnen Abschnitte des Darmes werden als Mast-, Grimm-, Blind-, Zwölffingerdarm usw. unterschieden (s. die einzelnen Stichwörter).

Darre *w*: Die Bezeichnung für „Trocken- oder Röstvorrichtung" (*mhd.* darre, *ahd.* darra) gehört zu der Wortgruppe von →*dürr*. Im *germ.* Sprachbereich ist *schwed.* landsch. tarre „Trockenvorrichtung für Obst, Flachs, Hopfen u. ä." verwandt, *außergerm.* z. B. *gr.* tarsiá „Darre, Horde".

Dasein *s*: Der substantivierte Infinitiv des *nhd.* Verbs dasein „gegenwärtig, vorhan-

den sein" bedeutete im 17./18. Jh. zunächst „Anwesenheit". Im 18. Jh. wurde es als Ersatz für das FW →Existenz in die philosophische Fachsprache aufgenommen und dann auch dichterisch im Sinne von „Leben" verwendet. Das Schlagwort 'Kampf ums Dasein' (1860) übersetzt Darwins 'struggle for life'.

Dativ *m* (Wemfall): Aus *lat.* (cāsus) datīvus „Gebefall"; zu *lat.* dare „geben" (vgl. *Datum*).

Dattel *w* (Südfrucht): In *spätmhd.* datel (daneben die humanistische Form dactel) begegnen sich (ebenso wie in entspr. *niederl.* dadel) gleichbed. *it.* dattilo und *span.* dátil, die mit dem Südfruchthandel des ausgehenden Mittelalters zu uns gelangten und das schon in *ahd.* Zeit unmittelbar dem *Lat.* bzw. *Vlat.* entlehnte dahtilboum „Dattelbaum" ablösten. Voraus liegen *lat.* dactylus< *gr.* dáktylos „Dattel". Das *gr.* Wort ist zunächst wohl nicht identisch mit dem gleichlautenden Wort für „Finger". Es scheint eher *semit.* Ursprungs (*arab.* daqal „Dattel") und dann volksetymologisch an dáktylos „Finger" angeglichen zu sein, wohl wegen der Ähnlichkeit der Dattelpalmenblätter mit den gespreizten Fingern der Hand oder wegen der Ähnlichkeit der länglichen Dattel mit einem Finger.

Datum *s* „Zeitangabe, Zeitpunkt": Das *lat.* Verb dare „geben", das urverwandt ist mit gleichbed. *gr.* didónai (über dessen Wortfamilie vgl. Dosis), hat im weiteren Sinne auch die Bedeutung „ausfertigen; schreiben" (so besonders auch in der Fügung 'litterās dare' „einen Brief schreiben"). Entspr. erscheint das Part. Perf. Pass. *lat.* datum „gegeben, ausgefertigt" in der deutschen Kanzleisprache seit dem 13. Jh. als regelmäßige Einleitungsformel (mit Zeitangabe) auf Urkunden und Briefköpfen – dafür vereinzelt auch die Übersetzung: 'gegeben am ... (im ...)'. Später löste sich das Wort aus dieser Formel heraus und wurde zum selbständigen Substantiv. Abl.: dato (kaufmänn. für „heute"), mit *lat.* Flexion gebildet; datieren „mit Zeitangabe versehen" (16. Jh.; nach *frz.* dater). Von Interesse sind in diesem Zusammenhang verschiedene Komposita und Nominalbildungen aus der Sippe von *lat.* dare, die in Fremd- und Lehnwörtern bei uns eine Rolle spielen. Hierzu gehört: *lat.* (cāsus) datīvus „Gebefall" (s. Dativ), ferner wohl *lat.* mandāre „in die Hand geben, anvertrauen" (s. Mandant, Mandat), commendāre (> *vlat.* *commandāre) „anvertrauen, empfehlen; befehlen" (s. kommandieren, Kommandant, Kommandeur, Kommando); *lat.* reddere (> *roman.* *rendere) „zurückgeben; ergeben" (s. Rente, Rentner, rentieren, rentabel), trādere „übergeben" (s. Tradition, traditionell), schließlich noch *lat.* dōnum „Gabe, Geschenk", wozu *spätlat.* perdōnāre „völlig schenken" > *frz.* pardonner „verzeihen" gehört (s. Pardon).

¹dauern „währen, bestehen bleiben": Die heutige Form geht zurück auf *mhd.* tūren, dūren „dauern, Bestand haben; aushalten", das im 12. Jh. aus *mnd.*, *mniederl.* dūren „währen, bleiben, Bestand haben; sich ausstrecken" übernommen wurde. Dieses ist wie *frz.* durer im 11. Jh. aus *lat.* dūrāre „[aus]dauern, währen; aushalten" entlehnt. Das erste Partizip d a u e r n d wird heute adjektivisch im Sinne von „beständig, fortwährend" gebraucht. Abl.: D a u e r *w* (*spätmhd.* dūr); d a u e r h a f t „beständig" (17. Jh.; für *frühnhd.* dauerhaftig).

²dauern „leid tun": Das seit *mhd.* Zeit bezeugte, von Anfang an unpersönlich gebrauchte Verb (*mhd.* tūren) gehört zu dem unter →*teuer* behandelten Adjektiv und bedeutete urspr. „[zu] teuer dünken, [zu] kostbar vorkommen". Im 16. Jh. entwickelte sich der Sinn „leid tun, Mitleid erregen". Die Präfixbildung b e d a u e r n geht auf *mhd.* betūren zurück, das verstärkend für einfaches tūren stand; erst im 17. Jh. beginnt der heutige persönliche Gebrauch des Verbs, der oft nur der höflichen Form dient: ʻ[ich] bedaure sehr'. Dazu das Adjektiv b e d a u e r l i c h „beklagenswert" (17. Jh.).

Daumen *m*: Das *altgerm.* Wort *mhd.* dūme, *ahd.* thūmo, *niederl.* duim, *engl.* thumb, *schwed.* tumme beruht auf einer Bildung zu der *idg.* Verbalwurzel *tēu-, tū- „schwellen" und bedeutet demnach eigtl. „der Dicke, der Starke" (im Gegensatz zu den anderen Fingern). Zu dieser vielfach weitergebildeten und erweiterten *idg.* Wurzel gehören z. B. *aind.* túmra-h „dick, kräftig", *lat.* tumēre „geschwollen, aufgeblasen sein", *lat.* tumor „Geschwulst", *lat.* tumultus „Unruhe, Getöse" und *lit.* tumēti „dick werden", ferner die unter →Dolle (eigtl. „[dicker] Pflock"), →Dünung (eigtl. „das Anschwellen") und →tosen (eigtl. „anschwellend rauschen, brausen") behandelten Wörter sowie der erste Bestandteil des Zahlwortes →tausend (eigtl. „vielhundert"). – Abl.: Däumling *m* (*frühnhd.* deum[er]ling bezeichnete zunächst den kleinen Daumen, dann auch einen übergezogenen Daumenschutz, bildl. einen sehr kleinen Menschen oder Kobold).

Daune *w*: Die Flaumfedern der nordischen Eiderente wurden seit dem Mittelalter aus den nordischen Ländern nach Deutschland eingeführt. So ist *mnd.* dūn[e] (14. Jh.) wie *engl.* down entlehnt aus gleichbed. *aisl.* dūnn „Flaumfeder, Daune" (vgl. *Dunst*). Im 17. Jh. erscheint *niederd.* Dune zuerst mit *hochd.* Lautung -au-. Zus.: E i d e r d a u n e (um 1700 als Edderdune entlehnt aus *isl.* ǣdardūnn, das als LW auch im *Engl.*, *Frz.* und *Niederl.* erscheint; der erste Bestand-

teil ist *isl.* ǣdur (mit ei- gesprochen), *aisl.* ǣdr, das nicht sicher erklärt ist.

de..., De... 1. Vorsilbe, die eine Abtrennung oder Loslösung bezeichnet, oft aber auch nur verstärkenden Charakter hat, wenn das Grundwort selbst schon eine Trennung ausdrückt. 2. In der Bedeutung verblaßte Vorsilbe vor Verben, die deren Ableitung von einem Nominalstamm kennzeichnet, z. B. *lat.* dē-clārāre „klarmachen" – zu *lat.* clārus „klar" (s. deklarieren): Aus gleichbed. *lat.* dē, das zur *idg.* Sippe von → *zu* gehört.

debattieren: „lebhaft erörtern; wortgemein werden": Im 17. Jh. aus *frz.* débattre entlehnt, dessen Grundbedeutung „schlagen" hier auf den Ablauf einer heftigen Diskussion übertragen ist, im Sinne von „(den Gegner) mit Worten schlagen". Das vorausliegende Verb *galloroman.* *debattere ist ein mit verstärkendem → *de...* gebildetes Kompositum von *vlat.* battere (= *lat.* battuere) „schlagen". Über weitere Zusammenhänge vgl. *Bataillon.* – Dazu: D e b a t t e *w* „Wortschlacht" (im 18. Jh. rückgebildet aus der auf *frz.* débats [zu débattre] zurückgehenden *Mehrz.* Debatten).

Debüt *s* „erstes Auftreten": Das seit dem 18. Jh. bezeugte FW entstammt der Bühnensprache. Es ist aus *frz.* début entlehnt. Dies ist mit einer Grundbed. „Anspiel; Anfang" aus der Fügung „jouer de but",,auf das Ziel hin spielen" hervorgegangen. *Frz.* but ist nicht sicher gedeutet. – Dazu: d e b ü t i e r e n „erstmals öffentlich auftreten" (18. Jh.; aus *frz.* débuter); D e b ü t a n t *m* „erstmalig Auftretender, Anfänger" (aus *frz.* débutant).

Deck *s*: Das im 17. Jh. in die *hochd.* Schriftsprache übernommene *niederd.*[-*niederl.*] dek „Schiffsdeck" gehört zu *niederd.* decken „be-, ver-, zudecken", *niederl.* dekken „decken" (vgl. *decken*). ʻDeck' bezeichnet also die den Schiffskörper von oben deckenden Planken. Ebenfalls im 17. Jh. aus dem *Niederd.* übernommen ist V e r d e c k *s* (*mnd.* vordecke „Überdecke, Behang, Deckel"), das heute meist auf die Bedachung von Landfahrzeugen bezogen wird. – Abl.: D o p p e l d e c k e r *m* (20. Jh.; wohl nach dem Vorbild älterer Schiffsbezeichnungen wie Zwei-, Dreidecker, die seit dem 18. Jh. belegt sind; entspr. Hoch-, Tiefdecker usw. nach dem Ansatz der Tragflächen.

decken: Das *altgerm.* Verb (Iterativ-Intensiv-Bildung) *mhd.* decken, *ahd.* decken, dec-chen, *niederl.* dekken, *engl.* to thatch, *schwed.* täcka gehört mit verwandten Wörtern in anderen *idg.* Sprachen zu der *idg.* W.z. *[s]teg-, „decken", vgl. z. B. *gr.* stégein, „[be]decken", *lat.* tegere „[be]decken" (s. Detektiv und protegieren), *lat.* tēgula „Dachziegel" (s. Ziegel und Tiegel), *lat.* toga „Obergewand" (s. Toga). Zu dieser Wurzel gehört auch die Wortgruppe von →Dach (eigtl. „das Deckende"). Im *Dt.* wird ʻdecken' allgemein im

Sinne von „bedecken, verhüllen, schützen", in der Tierzucht für „geschlechtlich vereinigen", bes. bei Pferden, und kaufmänn. im Sinne von „sicherstellen" gebraucht; beachte die Wendungen 'seinen Bedarf decken, sich eindecken'. Zu 'decken' sind gebildet Decke *w* (*mhd.* decke, *ahd.* decchī) und Deckel *m* (15. Jh.; mit dem l-Suffix der Gerätenamen gebildet); s. auch Deck. – Abl.: Deckung *w* (19. Jh.; jetzt meist als militär. Fachwort für „Schutzwehr"). – Präfixbildungen und Zus.: Abdecker *m* (seit dem 16. Jh. für „Schinder", zu *frühnhd.* abdecken „ein gefallenes Tier aus der Decke (= Fell, Haut) schlagen, abhäuten"); Deckmantel (s. Mantel); entdecken (s. d.); Gedeck *s* (*mhd.* gedeck, *ahd.* gidekī „Decke, Bedeckung", die Bed. „Eß- und Trinkgerät für eine Person" zuerst im 18. Jh. nach *frz.* couvert „Tischzeug"); Verdeck (s. Deck).

dedizieren „widmen, schenken": Im 15. Jh. aus *lat.* dēdicāre „kundgeben, dartun, erklären" entlehnt, das in der Sakralsprache die Bedeutung „(einer Gottheit) weihen; widmen" angenommen hat. Das zugrunde liegende Verb *lat.* dicāre „feierlich verkünden, weihen" ist eine Intensivbildung zu dīcere „sagen" (vgl. *diktieren*). Abl.: Dedikation *w* „Widmung, Geschenk" (im 16. Jh. aus *lat.* dēdicātiō entlehnt).

Defätismus *m* „Miesmacherei": *Nlat.* Bildung des 20. Jh.s zu *frz.*défaite „Niederlage, Schlappe". Das zugrunde liegende Verb *frz.* défaire „vernichten" geht auf *vlat.* *dis-facere zurück. Über weitere Zusammenhänge vgl. *dis* und *Fazit*. – Dazu: Defätist *m* „Miesmacher".

defekt „schadhaft": Im 17. Jh. aus *lat.* dēfectus „geschwächt; mangelhaft", dem Partizipialadj. von dē-ficere (vgl. *Defizit*) entlehnt. Das entspr. Substantiv Defekt *m* „Fehler, Schaden" (16. Jh.) stammt aus gleichbed. *lat.* dēfectus (Subst.).

defensiv „abwehrend, verteidigend": Im 16. Jh. aus *mlat.* dēfēnsīvus entlehnt, das von *lat.* dēfendere „wegstoßen, abwehren" abgeleitet ist. Das einfache Verb *fendere „stoßen" ist nicht bezeugt. Es kommt dagegen noch in dem Kompositum *lat.* offendere „anstoßen, angreifen" vor (s. offensiv). – Das Substantiv Defensive *w* erscheint im 16./17. Jh. Es ist eine substantivierte Form, die vielleicht durch *frz.* défensive vermittelt wurde.

definieren „begrifflich bestimmen": Im 15./16. Jh. als philosophisches Fachwort aus *lat.* dēfīnīre (eigtl. „abgrenzen") entlehnt. Zu →*de*... und *lat.* fīnis „Grenze" (vgl. *Finale*). – Dazu: Definition *w* „Begriffsbestimmung" (*frühnhd.*; aus *lat.* dēfīnītiō); definitiv „abschließend, bestimmt, endgültig" (18. Jh.; aus *lat.* dēfīnītīvus, eigtl. „die Grenzen genau absteckend").

Defizit *s* „Mangel, Verlust": Im 18. Jh. aus *frz.* déficit entlehnt, das seinerseits auf *lat.* dēficit „es fehlt" beruht. Zu gleichbed. *lat.* dē-ficere „sich losmachen, abnehmen, fehlen" (vgl. *Fazit*); s. auch defekt, Defekt.

deformieren „verunstalten, entstellen": Entlehnt aus *lat.* dē-fōrmāre „verformen, verbilden, verunstalten" (vgl. *de*... und *Form*). Dazu das Substantiv *lat.* dēfōrmātiō „Verformung" in Deformation *w* „Verformung; Mißbildung".

deftig: Der vorwiegend in der Umgangssprache seit dem 17. Jh. gebräuchliche Ausdruck für „tüchtig, stark, kräftig, solide" stammt aus *fries.-niederl.* deftig „stattlich, würdevoll", früher „belangreich, gewichtig", das im *germ.* Sprachbereich verwandt ist z. B. mit *got.* ga-daban „eintreffen, passen", *got.* ga-dōfs „schicklich", *aengl.* gedæfte „mild, sanft", *aengl.* gedafen „passend, geeignet". *Außergerm.* ist z. B. verwandt die *slaw.* Sippe von *russ.* dóbryj „gut".

¹Degen *m* (dicht. und altertüml. für:) „[junger] Held, Krieger": *Mhd.* degen „Krieger, Held; männliches Kind, Knabe", *ahd.* thegan „Gefolgsmann; Knabe", *aengl.* degn „Diener, Gefolgsmann; Held, Krieger; Schüler, Jünger", *aisl.* þegn „Mann, freier Diener" sind verwandt mit *aind.* tákman-, „Abkömmling, Kind" und *gr.* téknon „Kind" und gehören mit diesen zu der *idg.* Verbalwurzel *tek- „zeugen, gebären", vgl. z. B. *gr.* tíktein „zeugen, gebären". 'Degen' bezeichnete also urspr. das männliche Kind. Seit dem Ende des Mittelalters nicht mehr im Gebrauch, wird das Wort im 18. Jh. von den Dichtern neu belebt.

²Degen *m* „Stichwaffe": Das seit dem 15. Jh. bezeugte Wort (*spätmhd.* degen) ist entlehnt aus *ostfrz.* degue (*frz.* dague) „langer Dolch", das seinerseits auf unerklärtes *provenz.* daga „Dolch" zurückgeht. Es bezeichnete zunächst den Dolch, seit dem 16. Jh. dann die längere Form der Waffe, wie sie noch heute als Sportdegen und student. Schläger üblich ist. Zus.: Haudegen (s. hauen); Schweizerdegen *m* „Schriftsetzer, der auch drucken, 'Drucker, der auch setzen kann" (seit 1740 in der Druckersprache bezeugt; nach dem zu Hieb und Stich gleich gut geeigneten kurzen Hiebmesser der Schweizer Söldner des 16./17. Jh.s).

degenerieren „entarten, sich zurückbilden": Im 16. Jh. aus gleichbed. *lat.* dēgenerāre entlehnt (vgl. *de*... und *Genus*). Das Wort war zunächst allgemein gebräuchlich, dann nur noch im biologisch-medizinischen Sinne.

degradieren „(im Rang) herabsetzen": In *mhd.* Zeit aus *mlat.* dēgradāre entlehnt. Zu *lat.* dē „von – weg" (vgl. *de*...) und gradus „Schritt; Stufe; Rang" (vgl. *Grad*).

dehnen: Das *gemeingerm.* Verb *mhd.*, *ahd.* den[n]en, *got.* (uf)þanjan, *aengl.* dennan, *schwed.* tänja gehört mit verwandten Wörtern in anderen *idg.* Sprachen zu der vielfach weitergebildeten und erweiterten *idg.* Wz. *ten- „dehnen, ziehen, spannen", vgl. z. B. *gr.* teinein „dehnen, strecken, spannen", *gr.* tónos „[An]spannung, Spannkraft; Klang [der Stimme]" (s. die FW-Gruppe um ²Ton „Laut"), *lat.* tendere „spannen, anziehen, dehnen" (s. tendieren) und *lat.* tempus „Zeit[spanne]" (s. Tempo). Aus dem *germ.* Sprachbereich gehören ferner zu dieser Wurzel die unter →dünn (eigtl. „lang ausgedehnt"), →Deichsel (eigtl. „Zugstange") und →gedunsen (eigtl. „ausgedehnt, angefüllt") behandelten Wörter. Verwandt sind auch die unter →gedeihen, →dicht, →¹Ton „Erde", →Tang dargestellten Wortgruppen, die auf einem Bedeutungsübergang von „[sich] zusammenziehen" zu „gerinnen; dicht, fest werden; stark werden, gedeihen" beruhen. Siehe auch den Artikel Ding.

Deich *m*: Die *nhd.* Form geht zurück auf *spätmhd.* dīch, das im 15. Jh. aus *mnd.* dīk „Deich" übernommen wurde, vgl. *niederl.* dijk „Deich" und *aengl.* dīc „Deich, Graben, Damm, Wall" (s. den Artikel *Teich*). Zus.: Deichgraf, -hauptmann *nordd.* für „Vorsteher eines Deichbezirkes" (im 13. Jh. *mnd.* dīkgrēve; s. Graf).

Deichsel *w*: Die Zugvorrichtung am Wagen heißt *mhd.* dīhsel, *ahd.* dīhsala, *niederl.* dissel, *aengl.* dīxl, *aisl.* þīsl. Die Formen sind mit Ersatzdehnung der Stammsilbe entwickelt aus *germ.* *þinh-slō „Zugstange", einer Bildung zu der erweiterten Wz. *tengh- „ziehen; dehnen, spannen" (vgl. *dehnen*). – Abl.: deichseln *ugs.* für „etwas Schwieriges zustande bringen" (19. Jh.; eigtl. „einen Wagen an der Deichsel rückwärts lenken").

deka..., Deka...: Aus dem *Gr.* stammendes Bestimmungswort zu Zusammensetzungen mit der Bed. „zehn"). *Gr.* déka ist urverwandt mit gleichbed. *lat.* decem und *nhd.* →zehn.

Dekadenz *w* „Verfall, Entartung": Im 17. Jh. aus *frz.* décadence, *mlat.* dēcadentia entlehnt (vgl. *de...* und *Chance*). – Abl.: dekadent „verfallen, entartet" (20. Jh.; aus *frz.* décadent).

Dekan *m* 1. „evang. Geistlicher als Vorsteher eines Kirchenkreises"; 2. „Vorsteher einer Fakultät": Im 15./16. Jh. aus *lat.* decānus „Führer von 10 Mann" (zu decem „zehn"; vgl. *Dezi...*) entlehnt, das im *Kirchenlat.* die Bedeutung „Vorsteher von 10 Mönchen" und dann allgemein „Vorsteher eines Domkapitels" angenommen hat. Abl.: Dekanat *s* „Amt, Bezirk eines Dekans" (17./18. Jh.; aus *mlat.* decānātus).

deklamieren „vortragen": Im 16. Jh. aus *lat.* dēclāmāre „laut aufsagen" entlehnt. Dies ist ein mit verstärkendem →*de...* gebildetes Kompositum von *lat.* clāmāre „laut rufen". Über weitere Zusammenhänge vgl. den Artikel *klar*.

deklarieren „erklären": *Mhd.* declarīren, aus *lat.* dēclārāre (vgl. *de...* und *klar*). – Abl.: Deklaration *w* „Erklärung" (15. Jh.; aus *lat.* dēclārātiō).

deklinieren „beugen": Ein grammatischer Terminus, der zusammen mit dem entspr. Substantiv Deklination *w* „Beugung" und Adjektiv deklinabel „beugbar" aus dem *Lat.* stammt. *Lat.* dē-clīnāre (davon abgeleitet dēclīnātiō und dēclīnābilis) bedeutet wörtlich „abbiegen". Es ist ein Kompositum von dem zur *idg.* Sippe von →*lehnen* gehörenden Verb *lat.* *clīnāre „neigen, biegen".

dekolletiert „tief ausgeschnitten" (von Damenkleidern): Im 19. Jh. aus *frz.* décolleté(e) (wörtl. Bed. „ohne Halskragen; mit entblößtem Nacken"), dem Part. Perf. von décolleter „den Hals, den Nacken entblößen" entlehnt. Substantiviert erscheint das Partizip in FW Dekolleté *s* „tiefer Ausschnitt". *Frz.* décolleter ist mit verneinendem *dé...* (< *lat.* dis, vgl. *dis...*) abgeleitet von *frz.* collet „Halskragen", einer Verkleinerungsbildung zu *frz.* col „Hals". Voraus liegt *lat.* collum „Hals" (urverw. mit *dt.* →*Hals*).

dekorieren „[aus]schmücken, verzieren": Im 16. Jh. aus *lat.* decorāre entlehnt, in der Folge aber von entspr. *frz.* décorer beeinflußt. *Frz.* Einfluß zeigt auch das dazugehörige Substantiv Dekoration *w* „Schmuck, Ausstattung" (16. Jh.; aus *spätlat.* decorātiō). Die anderen Ableitungen hingegen Dekorateur *m* „Ausstatter" (19. Jh.), dekorativ „durch Aufmachung und Ausschmückung ansprechend" (19. Jh.) und Dekor *m* „Verzierung, Ausschmückung" (19. Jh.) stammen unmittelbar aus dem *Frz.* (*frz.* décorateur, décoratif, décor[e]). *Lat.* decorāre „zieren, schmücken" ist denominative Ableitung von *lat.* decus (decoris) „Zierde", das seinerseits zur Wortfamilie von decēre „zieren; sich ziemen" gehört (vgl. *dezent*).

Dekret *s* „Beschluß, Verordnung": In *mhd.* Zeit aus *lat.* dēcrētum, dem substantivierten Part. Perf. Pass. von dēcernere „entscheiden", entlehnt. Über weitere Zusammenhänge vgl. *Dezernent*.

delegieren „abordnen": Im 16. Jh. aus gleichbed. *lat.* dē-lēgāre entlehnt. Das Grundwort *lat.* lēgāre „als Legaten abordnen" ist rückgebildet aus dem Substantiv lēgātus „mit gesetzlicher Vollmacht Beauftragter, Gesandter", das seinerseits von *lat.* lēx (lēgis) „Gesetz, Bestimmung" abgeleitet ist (vgl. *legal*). – Dazu: Delegierte „der (die) Abgeordnete" (17. Jh.); Delegation *w* „Abordnung" (18. Jh.; aus *lat.* dēlēgātiō „Anweisung" entlehnt, in der Bedeutung durch das Verb delegieren bestimmt).

delikat „auserlesen fein, lecker (vor allem von Speisen); (bis an die Grenze des Schicklichen) ergötzlich, heikel": Im 17. Jh. aus gleichbed. *frz.* délicat entlehnt, das auf *lat.* dēlicātus „reizend, fein; luxuriös; schlüpfrig" zurückgeht. – Abl.: D e l i k a t e s s e w ,,Leckerbissen; Zartgefühl" (17. Jh.; aus gleichbed. *frz.* délicatesse; dies nach *it.* delicatezza).

Delikt *s* ,,Vergehen, Straftat": Im 19. Jh. aus *lat.* dēlictum ,,Verfehlung", dem substantivierten Part. Perf. Pass. von dēlinquere ,,ermangeln, fehlen", entlehnt. Das Part. Präs. Akt. *lat.* dēlinquēns ,,fehlend" erscheint in unserem FW **Delinquent** *m* ,,Übeltäter" (16. Jh.). *Lat.* dē-linquere bedeutet eigtl. etwa ,,hinter dem erwarteten Verhalten zurückbleiben". Über das Grundwort linquere ,,zurücklassen" vgl. das FW *Reliquie.*

Delirium *s* ,,Bewußtseinstrübung mit Wahnvorstellungen": Medizinisches Fachwort, im 17. Jh. aus *lat.* dēlīrium ,,Irresein" entlehnt. Das zugrunde liegende Adjektiv *lat.* dēlīrus ,,wahnsinnig" ist von dēlīrāre ,,wahnsinnig sein, verrückt sein" abgeleitet, das sich aus der Fügung ,,dē līrā (īre) ,,von der Furche (= geraden Linie) abweichen; den normalen Weg verlassen" entwickelt hat. *Lat.* līra ,,Furche" ist urverwandt mit *mhd.* leis[e] ,,Spur" in → *Geleise.*

Delle *w*: Der *landsch.* Ausdruck für ,,leichte Vertiefung" (*mhd.* telle ,,Schlucht") beruht auf einer alten Bildung zu dem unter → *Tal* behandelten Wort, vgl. *mniederl.* delle ,,Niederung, Tal", *engl.* dell ,,Tal, Schlucht". Es bezeichnet heute Vertiefungen im Gelände, in einem Hut, Ausbeulungen in Blech u. ä.

Delphin *m*: Der Name des zu der Familie der Zahnwale gehörenden fischähnlichen Meeressäugetiers, *mhd.* delfīn, ist aus gleichbed. *lat.* delphīnus entlehnt, das seinerseits auf *gr.* delphīnos, der Genitivform von *gr.* delphís ,,Delphin", beruht. Der Name ist letztlich eine Bildung zu *gr.* delphýs ,,Gebärmutter", so daß der Delphin vermutlich nach seinem gebärmutterähnlichen Körperbau benannt worden ist.

Delta *s*: Der Name des vierten Buchstabens im griech. Alphabet, *gr.* délta (Zeichen: *Δ*), der auf *hebr.* dāleth zurückgeht, wurde schon im *Gr.* zur übertragenen Bezeichnung für den zwischen den Nilarmen liegenden deltaförmigen Teil Unterägyptens. In dieser Bedeutung erscheint 'Delta' bei uns im 16. Jh. als FW. Seit dem 19. Jh. bezeichnet es dann allgemein jede deltaförmige Flußmündung.

Demagoge *m* ,,Volksaufwiegler, polit. Hetzer, Wühler": Im 18. Jh. aus gleichbed. *gr.* dēmagōgós entlehnt, das urspr. allgemein ,,Volksführer, Staatsmann" bedeutete. Es ist eine Zusammensetzung aus dēmos ,,Volk" (vgl. *demo...*) und agōgós ,,führend". Letzteres gehört zu ágein ,,führen, treiben" (vgl. *Achse*). Dazu: D e m a g o g i e *w* ,,gewissenlose politische Hetze" (17. Jh.; aus *gr.* dēmagōgía); d e m a g o g i s c h ,,Hetzpropaganda treibend" (nach *gr.* dēmagōgikós).

Dementi *s* ,,Widerruf, Berichtigung": Im 18. Jh. aus *frz.* (donner un) démenti entlehnt. *Frz.* démenti gehört zu *frz.* démentir ,,ableugnen". Dies ist ein durch dé... (aus *lat.* dis; vgl. *dis...*) verstärktes mentir ,,lügen", das auf *lat.* mentīrī zurückgeht. Dessen Grundbedeutung ist etwa ,,sich etwas ausdenken", entspr. dem zugrunde liegenden Substantiv *lat.* mēns ,,Denktätigkeit, Verstand, Gedanke" (vgl. ``Mentalität``). Dazu: d e m e n t i e r e n ,,widerrufen, berichtigen" (19. Jh.; aus *frz.* démentir).

demo..., Demo..., (vor Selbstlauten:) d e m..., D e m... (Bestimmungswort von Zusammensetzungen mit der Bed. ,,Volks...", wie in → Demokrat, Demokratie, demokratisch, → Demagoge, demagogisch): Aus *gr.* dēmos ,,Gebiet; gemeines Volk" – das sich – wohl mit einer eigtl. Bed. ,,Abteilung" – zur Wortfamilie von *gr.* daíesthai ,,[ver]teilen" stellt. Über weitere Zusammenhänge vgl. *Dämon.*

Demokratie *w* ,,Regierungsform, bei der die Regierung den politischen Willen des Volkes repräsentiert": Im 17. Jh. aus *mlat.* dēmocratia < *gr.* dēmokratía ,,Volksherrschaft" entlehnt. Zu *gr.* dēmos ,,Volk" (vgl. *demo...*) und krátos ,,Kraft, Macht" (krateîn ,,herrschen"). Letzteres gehört zur *idg.* Sippe von *nhd.* → *hart.* – Dazu: D e m o k r a t *m* ,,Anhänger der Demokratie" (18. Jh.; aus *frz.* démocrate); d e m o k r a t i s c h ,,freiheitlich (auf den Grundlagen der Demokratie)".

demolieren ,,abreißen, zerstören": Urspr. ein Militärwort, das im 17. Jh. – vielleicht durch *frz.* Vermittlung (*frz.* démolir) – aus *lat.* dēmōlīrī ,,herabwälzen, niederreißen, zerstören" entlehnt wurde. Dies gehört zu dē (vgl. *de...*) und mōlīrī ,,mit Anstrengung in Bewegung setzen". Zugrunde liegt wohl *lat.* mōlēs ,,Last, Masse" (vgl. *Mole*).

demonstrieren ,,beweisen, vorführen; eine Massenversammlung veranstalten (bes. um seine [polit.] Meinung offen kundzutun)": Im 16. Jh. aus *lat.* dēmōnstrāre ,,hinweisen, deutlich machen" entlehnt. Dies ist durch → *de...* verstärktes mōnstrāre ,,zeigen". Zugrunde liegt *lat.* mōnstrum ,,Mahnzeichen" (vgl. *Monstrum*). – Abl.: D e m o n s t r a t i o n *w* ,,Beweis, eingehende Darlegung, Vorführung; Massenkundgebung" (als politisches Schlagwort seit 18./19. Jh.s – wohl durch *engl.* Vermittlung – aus *lat.* dēmōnstrātiō entlehnt); d e m o n s t r a t i v ,,hinweisend; absichtlich, drohend" (18. Jh.; aus *lat.* dēmōnstrātīvus; Demonstrativ *s*, Demonstrativpronomen ,,hinweisendes Fürwort".

Demut *w*: Zu den Wörtern der frühen christlichen Mission in Oberdeutschland gehört (wie z. B. auch ,,barmherzig"; s. d.) das Adjektiv *ahd.* dio-muoti ,,dienstwillig", zu dem das Substantiv *ahd.* diomuotī (*mhd.* diemüete, diemuot) ,,dienende Gesinnung, Demut" gebildet ist. Der zweite Bestandteil ist von dem unter → *Mut* behandelten Wort abgeleitet, der erste gehört zum Stamm des unter →*dienen* behandelten Verbs und entspricht *got.* þius „Knecht", steht aber begrifflich eher dem *urnord.* þewar „Gefolgsmann" nahe, so daß die Wiedergabe des *lat.* humilitās an einen Begriff des *germ.* Gefolgschaftswesens anknüpfte. Die *nhd.* Form mit -e- ist vom *Niederd.* beeinflußt. – Abl.: demütig (*mhd.* diemüetec, *spätahd.* diemuotic ersetzt das ältere obengenannte Adjektiv); demütigen (*mhd.* diemüetigen).

dengeln „die Sense mit dem Dengelhammer schärfen": Das heute nur noch in der landwirtschaftlichen Fachsprache gebräuchliche Verb (*mhd.* tengelen „hämmern, klopfen") gehört zu *ahd.* tangol „Hammer" und *mhd.* tengen „schlagen" (entspr. *schwed.* dänga „prügeln", *engl.* to ding „schlagen"). Die weitere Herkunft dieser *germ.* Wortgruppe ist nicht sicher geklärt.

denken: Das *gemeingerm.* Verb *mhd.*, *ahd.* denken, *got.* þagkjan, *engl.* to think (*aengl.* dencan), *schwed.* tänka gehört mit der Sippe von →*dünken* zu der *idg.* Wz. *teng-, „empfinden, denken", vgl. z. B. *alat.* tongēre „kennen, wissen". Die alten Bildungen →Dank und →Gedanke zeigen noch den *germ.* Stammvokal. *Mhd.* dāht „Denken" ist nur noch in Zus.: wie →Andacht und Be-, Verdacht (s. u.) erhalten. Das Präteritum dachte und das Partizip gedacht sind durch Ausfall des n und Ersatzdehnung entstanden (*mhd.* dāhte, *ahd.* dāhta, *got.* þāhta aus *þanhta; s. a. dünken). Abl.: Denker *m* (18. Jh.; LÜ für *frz.* penseur); denkbar (18. Jh.). – Präfixbildungen und Zus.: bedenken (*mhd.* bedenken, *ahd.* bidenchan „über etwas nachdenken" heißt seit dem 13. Jh. auch „begaben, beschenken", z. B. in einem Testament, dazu Bedenken *s* „zweifelnde Überlegung" (kanzleispr. im 15. Jh.), bedenklich (16. Jh.), Bedacht (s. d.); Denkmal (16. Jh.; Lehnübertragung für *gr.* mnēmósynon „Gedächtnishilfe"; vgl. [2]*Mal*; die Bed. „Erinnerungszeichen", „Gedenkstein oder -bild" und „Schrift-, Bild-, Bauwerk der Vorzeit" hat sich seit dem 18. Jh. entwickelt, z. T. in Anlehnung an *lat.* monumentum; Denkzettel (das rechtssprachl. *mnd.* denkcēdel „Urkunde, schriftl. Nachricht, Vorladung" gebraucht Luther zur Übersetzung von *gr.* phylaktḗrion „jüd. Gebetsriemen mit Gesetzessprüchen" und für „Notizblatt"; im 16. Jh. hängte man Schülern Schandzettel mit ihren Schulvergehen an, woraus der heutige Sinn „körperliche Strafe [zur Erinnerung]" stammt); gedenken (*mhd.* gedenken, *ahd.* gadenchan „an etwas denken" entwickelte im *Mhd.* auch die Bed. „eingedenk sein, sich erinnern"), dazu Gedächtnis (s. d.); nachdenken (15. Jh.), dazu nachdenklich (17. Jh.); verdenken „übelnehmen" (*mhd.* verdenken „,[zu Ende] denken,

erwägen, sich erinnern"; in älterer Sprache auch für „Übles von jemandem denken, ihn in Verdacht haben", dazu Verdacht, s. d.).

denunzieren „anzeigen, verpfeifen, verpetzen": Im 15./16. Jh. aus *lat.* dē-nūntiāre „ankündigen; anzeigen" entlehnt (vgl. *de...* und *Nuntius*). Aus dem Part. Präs. Akt. *lat.* dēnūntiāns stammt das Substantiv Denunziant *m* „Angeber" (17./18. Jh.).

Depesche *w* „Eilbotschaft": Im 17. Jh. aus *frz.* dépêche entlehnt. Zu dépêcher „beschleunigen" (eigtl.: „Hindernisse aus den Füßen räumen"), einer Gegenbildung mit dé... (< *lat.* dis; vgl. *dis*) zu empêcher „verhindern" (eigtl.: „Fußschlingen legen"), das auf gleichbed. *spätlat.* impedicāre zurückgeht. Zugrunde liegt *lat.* pedica „Fußschlinge"; dies zu *lat.* pēs „Fuß" (vgl. *Pedal*).

deponieren „hinterlegen": Im 16. Jh. aus *lat.* dēpōnere „ablegen, niederlegen" entlehnt, einem Kompositum von *lat.* pōnere „setzen, stellen, legen" (vgl. *Position*). Dazu das FW →Depot.

Deportation *w* „Verbannung, Verschleppung": Im 16. Jh. aus *lat.* dēportātiō (zu dēportāre; s. u.) entlehnt. Dazu: deportieren „verbannen, verschleppen" (17. Jh.; aus *lat.* dēportāre „fortbringen", einem Kompositum von *lat.* portāre „tragen"; vgl. *Porto*).

Depot *s* „Niederlage, Sammelstelle, Lager": Im 19. Jh. aus *frz.* dépôt (< *lat.* dēpositum) entlehnt. Über das zugrunde liegende Verb *lat.* dēpōnere vgl. *deponieren*.

Depp *m* (*ugs.* für:) „ungeschickter Mensch, Dummkopf": Das in neuerer Zeit aus *oberd.* Mundarten aufgenommene Wort (*bayr.-östr.* auch Tepp, Tapp, *frühnhd.* tapp) gehört wohl zur Sippe von →*tappen* und meint eigtl. den, der „täppisch" geht und zugreift. Vgl. das ebenfalls *ugs.* Tapp *m* „täppischer Bursche" (um 1700 Hans Taps).

deprimieren „bedrücken, entmutigen": Im 19. Jh. aus gleichbed. *frz.* déprimer (< *lat.* dēprimere „niederdrücken") entlehnt, einem Kompositum von *lat.* premere „drücken" (vgl. *Presse*). Abl.: deprimiert „niedergeschlagen"; Depression *w* „Niedergeschlagenheit" (19. Jh.; aus *frz.* dépression „Niederdrücken, Senkung" < *lat.* dēpressiō); depressiv „gedrückt" (20. Jh.; aus *frz.* dépressif „niederdrückend").

deputieren „abordnen": Das Wort ist seit dem 16. Jh. bezeugt. Es geht auf *lat.* dē-putāre „etwas zuschneiden, bestimmen" zurück (über das Grundwort *lat.* putāre vgl. das FW *amputieren*). Diese eigtl. Bedeutung des Wortes ist in dem Substantiv Deputat *s* „Gehalts- oder Lohnanteil (in Form von Sachleistungen)" erhalten, das gleichfalls im 16. Jh. entlehnt wurde, und zwar aus *lat.* dēputātum „Zugeschnittenes, Zugeteiltes", dem Part. Perf. Pass. von

deputāre. Die spezielle Bedeutung von 'deputieren', die zunächst in dem Substantiv **Deputation** w ,,Abordnung" (16. Jh.; aus *mlat.* dēputātiō) erscheint, geht aus von *lat.* dēputātus ,,wem etwas zugeschnitten, zugewiesen ist" in dessen im *Spätlat.* entwickelter Bed. ,,Repräsentant staatlicher Autorität". Aus *lat.* dēputātus stammt auch unser FW **Deputierte** m ,,Abgeordnete" (16. Jh.; vermittelt durch *frz.* député).

der, die, das: Wie viele andere *idg.* Sprachen haben auch die *germ.* den bestimmten Artikel aus einem hinweisenden Fürwort entwickelt. Dem *mhd., ahd.* der, diu, daʒ, *asächs.* the, thiu, that entspricht als Pron. *niederl.* die, die, dat, *engl.* that, als Artikel *niederl.* de, *engl.* the. Im *Got., Aengl.* und *Aisl.* wird nur das Neutrum von diesem Stamm gebildet, der mit verwandten Wörtern im *Gr.* (tó ,,das"), *Lat.* (is-te ,,dieser") und anderen Sprachen auf den *idg.* Pronominalstamm *to-, Neutr. *tod zurückgeht.

derb: Das nur im *Dt.* erhaltene *altgerm.* Adjektiv (*mhd., ahd.* derp, *asächs.* therƀi, *aengl.* deorf, *aisl.* þjarfr) hatte bis ins 18. Jh. die Bed. ,,ungesäuert" (eigtl. ,,steif, fest"). Es bezeichnete das flache, feste Fladenbrot (*mhd.* derbeʒ brōt) im Gegensatz zum lockeren Sauerteigbrot und gehört zu der unter →*starr* behandelten *idg.* Wortgruppe. An der Entwicklung seiner heutigen allgemeineren Bed. ,,grob, kräftig; gemein" hat ein anderes *germ.* Adjektiv Anteil, das in *asächs.* derƀi ,,kräftig, böse", *aengl.* dearf, ,,kühn" und *aisl.* djarfr ,,kühn" erscheint und zur Sippe von →*verderben* gehört. In *mnd.* derve ,,ungesäuert, fest; tüchtig" waren beide Wörter lautlich zusammengefallen. Daher wird der heutige Sinn von *nhd.* 'derb' zuerst in der *nordd.* Sprache des 17. Jh.s greifbar und hat sich von dorther ausgebreitet.

Derby s ,,Pferderennen": *Engl.*, nach dem 12. Earl of Derby benannt, der solche Rennen im Jahre 1780 begründete.

Deserteur m ,,Fahnenflüchtiger": Im 17. Jh. aus *frz.* déserteur (< *lat.* dēsertor[e]; zu dēserere, s. u.) entlehnt. – **desertieren** ,,fahnenflüchtig werden": Im 17. Jh. aus *frz.* déserter entlehnt, das als Ableitung von désert ,,verlassen" eigtl.' ,,verlassen machen, einsam zurücklassen" bedeutet. Voraus liegt *lat.* dēsertus, urspr. Part. Perf. Pass. von dēserere ,,abreihen, abtrennen; verlassen", einem Kompositum mit *lat.* serere ,,aneinanderreihen, -fügen" (vgl. *Serie*).

Despot m ,,Gewaltherrscher; herrischer Mensch": Im 16. Jh. aus *gr.* despótēs entlehnt, das wahrscheinlich aus der Fügung *dem-s poti-s ,,Herr des Hauses" hervorgegangen ist. Über weitere Zusammenhänge vgl. *ziemen* und *potent*. Abl.: **despotisch** ,,herrisch" (17. Jh.).

Dessert s ,,Nachtisch": Im 18. Jh. entlehnt aus *frz.* dessert, (älter:) desserte. Zu desservir ,,die Speisen abtragen", einer Gegenbildung mit de... (< *lat.* dis; vgl. *dis...*) zu servir ,,dienen, aufwarten, servieren" (vgl. *servieren*). Der ,,Nachtisch" folgt der abgeschlossenen Hauptmahlzeit erst dann, wenn die Speisen ,,abgetragen" .sind.

destillieren ,,flüssige Stoffe durch Verdampfung reinigen und trennen": In dieser Form seit dem 16. Jh. für älteres distillieren. Dies ist aus *vlat.* dīstillāre (*lat.* dēstillāre) ,,herabträufeln" entlehnt. Zu →*de...* und *lat.* stīlla ,,Tropfen", das mit gleichbed. stīria (vielleicht als Verkleinerungsbildung dazu), *gr.* stílē zu *idg.* *stāi-, stĭ- ,,verdichten" gehört (vgl. *Stein*).Abl.:**Destillation** w (Hauptwort zu destillieren): Aus *lat.* dēstillātiō ,,das Herabträufeln"; **Destillat** s ,,Destillationsprodukt".

Detail s ,,Einzelheit, Einzelteil": Im 18. Jh. aus *frz.* détail in allgemeiner Bedeutung entlehnt. Das Wort war jedoch schon vorher als Terminus der Kaufmannssprache übernommen worden, woran noch die Wendung en détail ,,im kleinen, im Einzelverkauf" erinnert, ebenso die Zus. **Detailhandel** ,,Einzelhandel". *Frz.* détail ist von détailler ,,abteilen, in Einzelteile zerlegen" abgeleitet, das seinerseits durch de... (< *lat.* dis; vgl. *dis...*) verstärktes tailler ,,schneiden, zerlegen" ist (vgl. *Taille*). Dazu: **detaillieren** ,,im einzelnen darlegen" (18. Jh.; aus gleichbed. *frz.* détailler).

Detektiv m ,,Geheimpolizist": Im 19. Jh. aus *engl.* detective (policeman) entlehnt. Das zugrunde liegende Verb *engl.* to detect ,,aufdecken, ermitteln" geht zurück auf *lat.* dē-tegere (dē-tēgī, dē-tēctum) ,,aufdecken, enthüllen". Das einfache Verb *lat.* tegere ist urverwandt mit *dt.* →*decken*.

detonieren ,,laut krachen, explodieren": Im 19. Jh. entlehnt aus *frz.* détoner, *lat.* dētonāre ,,herabdonnern", einem Kompositum mit *lat.* tonāre ,,donnern" (urverw. mit *dt.* →*Donner*). Abl.: **Detonation** w ,,Explosion" (19. Jh.).

Deut m: In der Fügung ,,keinen, nicht einen Deut (für ,,fast gar nichts") lebt der Name einer alten holländ.-niederrhein. Kleinmünze fort, die bis ins 19. Jh. Geltung hatte. Die Münzbezeichnung *niederl.* duit, *mniederl.* duyt ist verwandt mit *aisl.* þveiti ,,Münze" und gehört zu *aisl.* þveita ,,schlagen, hauen", *aengl.* đwītan ,,[ab]schneiden". Als ,,abgehauenes Stück" erinnert der Münzname an die Frühzeit des friesisch-nordgerm. Handels, in der zerschnittenes Edelmetall (Hacksilber) als Zahlungsmittel galt.

deuten: *Mhd., ahd.* diuten ,,zeigen, erklären, übersetzen; ausdrücken, bedeuten", *niederl.* duiden ,,zeigen, erklären, auslegen", *aengl.* (ge)điedan ,,übersetzen", *schwed.* tyda ,,aus-

105

legen, erklären, hinweisen" beruhen auf einer Ableitung von dem *germ.* Substantiv *þeudō- „Volk" (vgl. *deutsch*). Die Grundbedeutung dieses Verbs war wohl „für das (versammelte) Volk erklären, verständlich machen". Daraus entstand einerseits der Sinn „aus einer fremden Sprache übersetzen", der schon in *Mhd.* zu „ausdeuten, auslegen" gewandelt wurde, andererseits der Sinn „ausdrücken" (von einem Wort oder Zeichen gesagt), für den heute 'bedeuten' (s. u.) gilt. Die Bed. („mit dem Finger) zeigen" meint eigtl. eine erklärende Handbewegung. Abl.: deuten „kleinlich auslegen" (16. Jh.); ...deutig (nur in *nhd.* Zus. wie ein-, mehr-, vieldeutig; beachte bes. zweideutig, das im 17. Jh. als Übersetzung von *lat.* aequivocus „doppelsinnig, mehrdeutig" auftrat und über „absichtlich unklar" im 18. Jh. die Bed. „schlüpfrig, zotig" entwickelte); deutlich „leicht zu erkennen oder zu verstehen" (als Adverb *mhd.* diut[ec]līche[n]; seit dem 16. Jh. Adjektiv), dazu verdeutlichen (18. Jh.); Deutung *w* (*mhd.* diutunge „Auslegung, Bedeutung"). Zus. und Präfixbildungen: andeuten „zu verstehen geben; knapp oder unvollständig ausführen" (16. Jh.); bedeuten (*mhd.* bediuten „andeuten, verständlich machen, anzeigen", sich bediuten „zu verstehen sein, bedeuten", heute „ausdrücken, den Sinn haben" und „von Wichtigkeit sein"), dazu das adjektivische Part. bedeutend „wichtig, hervorragend" (18. Jh., eigtl. „auf etwas hinweisend; bezeichnend") sowie die Ableitungen bedeutsam „bedeutungsvoll" (Ende des 18. Jh.s) und Bedeutung *w* „Sinngehalt; Wichtigkeit" (*mhd.* bediutunge „Auslegung").

deutsch: Im Gegensatz zu anderen Bezeichnungen dieser Art ist das Wort deutsch nicht von einem Volks- oder Stammesnamen abgeleitet, sondern geht auf ein altes Substantiv der Bed. „Volk, Stamm" zurück (s. u.). Das Adjektiv *mhd.* diut[i]sch, tiu[t]sch, *ahd.* diutisc, *niederl.* duitsch „deutsch" (aus dem →Niederl. stammt *engl.* Dutch „holländisch") ist seit dem 10. Jh. bezeugt und steht neben einem ähnlich gebildeten, schon im 8. Jh. belegten *mlat.* theodiscus „zum Volk gehörig, volksgemäß" (*mlat.* 'theodisca lingua' war die amtliche Bezeichnung der altfränkischen Volkssprache im Reich Karls d. Gr.). Die beiden Adjektive sind mit Hilfe des Suffixes -isc (*nhd.* -isch) zu dem später untergegangenen *gemeingerm.* Substantiv *mhd.* diet, *ahd.* diot[a], *got.* þiuda, *aengl.* đeod, *aisl.* þjōđ „Volk" gebildet, das auch im ersten Glied *germ.* PN wie Dietrich, Dietmar erscheint und außerdem der Sippe von →Deuten zugrunde liegt. Das Substantiv ist z. B. urverwandt mit *air.* tūath „Volk, Stamm, Land" und *lit.* tautà „Volk, Nation", Tautà „Deutschland". Das Verhältnis von *mlat.*

theodiscus zu *ahd.* diutisc ist im einzelnen umstritten. Auf jeden Fall aber spiegelt sich in der Geschichte des Wortes 'deutsch' die Herausbildung des deutschen Sprach- und Volksbewußtseins gegenüber den romanischen und romanisierten Teilen der Bevölkerung in Frankreich und gegenüber dem Lateinischen. In der Auseinandersetzung zwischen West- und Ostfranken ist das Wort 'deutsch' zur Gesamtbezeichnung der Stammessprachen im Osten des Frankenreichs, dem späteren Deutschland, geworden. Abl.: verdeutschen „ins Deutsche übersetzen" (im 15. Jh. vertütschen, dafür *mhd.* diutschen „auf deutsch sagen, erklären"); Deutschtum *s* „deutsche Eigenart" (Anfang des 19. Jh.s, zuerst ironisch gebraucht, ersetzt es dann das ältere 'Deutschheit'), dazu mit abschätzigem Sinn Deutschtümelei *w* (1. Hälfte des 19. Jh.s). Zus.: Deutschland (seit dem 15. Jh. neben der Fügung 'das deutsche Land', *mhd.* daz tiutsche lant, *Mehrz.* tiutschiu lant).

Devise *w* „Wahlspruch, Losung": Das seit dem Ende des 17. Jh.s bezeugte FW ist aus *frz.* devise entlehnt. Dies ist urspr. ein Terminus der Wappenkunst. Es bezeichnet zunächst die „abgeteilten" Felder eines Wappens, dann auch den in einem solchen Feld stehenden „Sinnspruch", woraus sich schließlich die allgemeine Bedeutung entwickelte. *Frz.* devise ist abgeleitet von deviser „einteilen", das auf *vlat.* *dēvisāre (dīvīsāre) zurückgeht. Über das zugrunde liegende Verb *lat.* dīvidere „teilen" vgl. *dividieren*.

Devisen *Mehrz.* „Zahlungsmittel in ausländischer Währung" (19. Jh.): Zu Devise (s. o.), mit unklarer Bedeutungsentwicklung.

devot „unterwürfig, demütig": Im 17. Jh. aus gleichbed. *lat.* dēvōtus entlehnt. Dies gehört zu dēvovēre „geloben, weihen, sich aufopfernd hingeben", vovēre „geloben; weihen" (vgl. *Votum*).

Dezember *m*: Der 12. Monat des Jahres, der früher Christmonat, Heilig-, Winter-, Hart-, Schlacht- oder Wolfmonat hieß, wurde seit dem 16. Jh. mit dem *lat.* Namen bezeichnet. *Lat.* (mēnsis) December, das mit unklarer Wortbildung von decem „zehn" (vgl. *Dezi...*) abgeleitet ist, steht urspr. für den zehnten Monat des römischen Jahres, das bis ins zweite vorchristliche Jahrhundert von März bis Februar währte. Später galt das Wort dann entspr. für den zwölften Monat.

dezent „schicklich; zurückhaltend; zart, gedämpft": Im 18. Jh. nach *frz.* décent aus *lat.* decēns (decentis) „geziemend, schicklich" entlehnt. Zugrunde liegt das *lat.* Verb decēre „zieren; sich ziemen", das mit decus (decoris) „Zierde, Schmuck; Würde" (s. dekorieren, Dekorateur usw.), dīgnus „würdig, wert" (s. indigniert) zu einer *idg.* Wurzel *deḱ- „[auf]nehmen, annehmen, empfangen; begrüßen, Ehre erweisen" gehört, wobei als vermittelnde Bedeutung etwa „gern aufnehmen" anzusetzen ist (was man gern aufnimmt, ist „willkommen, genehm, passend, würdig, schicklich usw."). Ferner gehören hierher das ablautende Kausativ *lat.* docēre „einen etwas annehmen machen, lehren" (hierzu doctus „gelehrt", doctrīna „Lehre", documentum „das zur Belehrung, Erhellung Dienliche; Beweis; Urkunde"; s. im einzelnen: dozieren, Dozent, Doktor, Doktrin, Dokument usw.). Aus anderen *idg.* Sprachen sind u. a. als verwandt zu erwähnen *gr.* dékesthai (déchesthai) „annehmen, empfangen" und das dazugehörige Iterativ *gr.* dokeúein, dokeīn „ansehen; meinen; scheinen" (formal identisch mit *lat.* docēre, s. o.). Wichtig sind die Nominalbildungen *gr.* dóxa „Ansicht, Meinung" (s. orthodox, paradox) und *gr.* dógma „Meinung; Beschluß; Lehrsatz" (s. Dogma, dogmatisch).

Dezernat *s* „Geschäftsbereich eines Dezernenten": Das seit dem 19. Jh. bezeugte FW stammt aus der Kanzleisprache. Es ist hervorgegangen aus der 3. Pers. Sing. Konj. Präs. von *lat.* dēcernere „entscheiden" (vgl. *Dezernent*), etwa in Formeln wie 'decernat Herr X' „es soll Herr X entscheiden". Damit mag der Chef einer Behörde einzelne Vorgänge an die entsprechenden Sachbearbeiter zur Entscheidung weitergeleitet haben. Die Betonung des Wortes auf der Schlußsilbe deutet darauf hin, daß es später irrtümlich als Part. Perf. Pass. aufgefaßt wurde, das richtig in →Dekret vorliegt. – Ähnlich entstanden die FW →Imprimatur, →Inserat, →Referat.

Dezernent *m* „Sachbearbeiter (bei Behörden und Verwaltungen)": Im 18. Jh. aus *lat.* dēcernēns, dem Part. Präs. Akt. von dēcernere „entscheiden", entlehnt (s. auch Dezernat und Dekret). Das zugrunde liegende einfache Verb *lat.* cernere (crēvī, crētum) „sondern, scheiden", das zur *idg.* Sippe von →¹*scheren* gehört, erscheint u. a. noch in folgenden für uns interessanten Komposita: *lat.* dis-cernere „absondern; unterscheiden" (s. diskret, Diskretion), *lat.* discrīmen „trennender Zwischenraum" (s. diskriminieren), *lat.* sē-cernere „aussondern, ausscheiden" (s. Sekret), dazu sēcrētus „abgesondert, geheim" (s. Sekretär, Sekretärin, Sekretariat). Ferner stellen sich zu *lat.* cernere die Iterativbildung *lat.* [con-]certāre „etwas zur Entscheidung bringen; wetteifern" (s. Konzert, konzertant, konzertieren) und das Adjektiv *lat.* certus „entschieden, bestimmt, gewiß, sicher" (s. auch Zertifikat).

Dezi... (Bestimmungswort von Zus. mit der Bed. „Zehntel", wie in →Dezimeter): Entlehnt aus *frz.* déci, *lat.* decimus „zehnte". Dies ist das entspr. Ordnungszahlwort zum Grundzahlwort *lat.* decem „zehn", das urver-

wandt ist mit *dt.* →zehn. Folgende Ableitungen von *lat.* decem bzw. decimus sind noch von Interesse: *lat.* decānus „Führer von 10 Mann" (s. Dekan), *lat.* (mēnsis) December (s. Dezember), *lat.* duodecim „zwölf" (s. Dutzend), *lat.* decimāre „den 10. Mann zur Bestrafung herausnehmen" (s. dezimieren). Vgl. noch das FW dezimal.

dezimal „auf die Grundzahl 10 bezogen", bes. in Zus. wie Dezimalbruch und Dezimalsystem: Im 18. Jh. aus gleichbed. *mlat.* decimālis entlehnt; zu *lat.* decem „zehn" (vgl. *Dezi...*).

Dezimeter *m* „¹/₁₀ m": Im 19. Jh. aus *frz.* décimètre entlehnt (vgl. *Dezi...* und *Meter*).

dezimieren „große Verluste beibringen, aufreiben": Im 17./18. Jh. im urspr. Sinne von „jeden zehnten Mann herausziehen und mit dem Tode bestrafen" entlehnt aus gleichbed. *lat.* decimāre; zu *lat.* decimus „zehnte", decem „zehn" (vgl. *Dezi...*).

¹di... siehe dia...

²di..., Di... (Vorsilbe mit der Bedeutung „zwei[fach]"): Aus gleichbed. *gr.* dís, das in Zusammensetzungen vor Konsonanten als di... erscheint. *Gr.* dís geht wie *lat.* bis auf *idg.* *dụis „zweimal" zurück; zu *dụō(u) „zwei" (vgl. *zwei*).

dia..., Dia..., (vor Selbstlauten:) ¹di..., Di...: Aus dem *Gr.* stammende Vorsilbe mit der Bedeutung „auseinander; durch, hindurch, zwischen". *Gr.* diá ist etymolog. verwandt mit der *dt.* Vorsilbe →zer...

diabolisch „teuflisch": Im 18. Jh. bezeugt, wohl schon früher entlehnt aus gleichbed. *lat.* diabolicus < *gr.* diabolikós; zu diábolos (vgl. *Teufel*).

Diadem *s* „Stirnband, -reif, Krone": Im 17. Jh. aus gleichbed. *lat.* diadēma < *gr.* diádēma entlehnt. Dies ist von *gr.* dia-deīn „umbinden" abgeleitet und bedeutet demnach wörtlich „Umgebundenes". Urspr. galt das Wort speziell zur Bezeichnung des blauen, weiß durchwirkten Bandes um den Turban der Perserkönige.

Diagnose *w* „[Krankheits]erkennung": Im 18./19. Jh. aus *frz.* diagnose < *gr.* diágnōsis „unterscheidende Beurteilung, Erkenntnis" entlehnt. Das zugrunde liegende Verb *gr.* dia-gi-gnōskein „durch und durch erkennen, beurteilen" ist ein Kompositum von gi-gnōskein „erkennen", das zur *idg.* Sippe von →*können* gehört. – Das Kompositum *gr.* pro-gi-gnōskein „im voraus erkennen" erscheint im FW →Prognose. Von den zahlreichen zum Stamm von *gr.* gi-gnō-skein gebildeten Substantiven ist *gr.* gnōmōn „Kenner, Beurteiler; Richtschnur" von besonderem Interesse, weil es wahrscheinlich die Quelle ist für *lat.* nōrma „Richtschnur, Regel" (vgl. hierzu den Artikel *Norm*). – Abl.: diagnostizieren „eine Diagnose stellen".

diagonal „schräg", substantiviert: Diagonale *w* „Schräge": Im 18./19. Jh. aus *spätlat.* diagōnālis (wörtl. Bed. „durch die Winkel führend") entlehnt. Das *lat.* Adjektiv ist eine Neubildung zu *gr.* diá „durch" (vgl. *dia...*) und *gr.* gōnía „Ecke, Winkel", das verwandt ist mit *gr.* góny (= *lat.* genu) „Knie" und somit zur *idg.* Sippe von *nhd.* → *Knie* gehört.

Diakon *m* „Pfarrhelfer, Krankenpfleger (vornehmlich in der Inneren Mission)": *Mhd.* diäken, seit der Reformation relativisiert, ist entlehnt aus *kirchenlat.* diāconus, *gr.* diákonos „Diener", das wohl von *gr.* diākoneīn „dienen" abgeleitet ist. Dazu: Diakonie *w* „Dienst '(in der christlichen Nächstenliebe)", aus *lat.* diāconia, *gr.* diākonía „Dienst"; Diakonisse, Diakonissin *w* „evang. Kranken- und Gemeindeschwester" (19. Jh.; aus *kirchenlat.* diāconissa „[Kirchen]dienerin").

Dialekt *m* „Mundart": Im 17. Jh. aus *lat.* dialectos, *gr.* diálektos „Ausdrucksweise" entlehnt. Zugrunde liegt das Verb *gr.* dia-légesthai „sich unterreden; sprechen". Über weitere Zusammenhänge vgl. den Artikel *Lexikon.* Hierher auch: **Dialektik** *w* „Kunst der Gesprächsführung" (16. Jh.): Ein philosophischer Terminus der auf gleichbed. *lat.* (ars) dialectica, *gr.* dialektikḗ (téchnē) zurückgeht. Dazu: dialektisch 1. „mundartlich", 2. „die Dialektik betreffend", 3. „spitzfindig" (16. Jh.; aus *lat.* dialecticus, *gr.* dialektikós).

Dialog *m* „Zwiegespräch, Wechselrede": Im 18. Jh. aus gleichbed. *frz.* dialogue < *lat.* dialogus < *gr.* diálogos (eigtl.: „Unterredung, Gespräch") entlehnt. Zu *gr.* dia-légesthai (vgl. *Dialekt*).

Diamant *m* (der härteste Edelstein): *Mhd.* diamant, dīemant aus *frz.* diamant, *vlat.* adiamãs (adiamante). Dies gehört mit unklarer lautlicher Entwicklung zu *lat.* adamãs < *gr.* adámãs. Dessen eigtl. Bedeutung dürfte „Unbezwingbarer" sein. Insofern liegt wohl eine mit a-privativum (vgl. *²a...*) gebildete Ableitung von *gr.* damnánai „bezwingen" vor, das zu *idg.* *dema-, domagehört (vgl. *zähmen*). Abl.: diamanten „aus Diamant".

Diapositiv, (Kurzform:) Dia *s* „durchsichtiges → *Positiv*": Dem Bestimmungswort liegt *gr.* dia-phaínesthai „durchschimmern" zugrunde.

Diät *w* „gesunde Ernährungs- und Lebensweise; Schonkost": Im 15./16. Jh. als medizinischer Terminus aus gleichbed. *lat.* diaeta < *gr.* díaita (Grundbed. etwa „[Lebens]einteilung") entlehnt. Abl.: diät „der richtigen Ernährung entsprechend". Vgl. aber *Diäten.*

Diäten *Mehrz.* „Tagegelder (der Abgeordneten)": Das Wort ist wohl eine Kürzung aus Diätengelder, dessen Bestimmungswort im 18. Jh. aus *frz.* diète „tagende Versammlung" entlehnt ist. Voraus liegt *mlat.* dīēta, diaeta „festgesetzter Tag, Termin, Versamm-

lung", eine Ableitung von *lat.* diēs „Tag" (vgl. *Journal*). Diese Deutung erscheint vom Semantischen her wahrscheinlicher als eine Ableitung von *gr.* díaita < *lat.-mlat.* diaeta (vgl. *Diät*), etwa im Sinne von „Lebensunterhalt".

dicht: Das *altgerm.* Adjektiv *mhd.* dīhte „dicht", *mnd.* dicht[e] „dicht, fest; stark, zuverlässig", *aengl.* đīht „dick, stark", *aisl.* þēttr „dicht, dick, fett" gehört zu der unter → *gedeihen* dargestellten *idg.* Wortgruppe. Die heutige Form 'dicht' mit kurzem i gegenüber *frühnhd.* deicht (*mhd.* dīhte mit langem I) stammt aus dem *Mnd.* Aus der wahrscheinlichen Grundbed. „fest, undurchlässig" (so z. B. in wasser-, luftdicht und in ¹dichten, s. u.) ist die heute vorherrschende „eng gedrängt, nahe" entstanden (z. B. dichtes Gebüsch, dichtbevölkert, dicht beim Haus). Abl.: Dichte *w* (17. Jh., heute bes. physikal. Fachwort); ¹dichten „dicht machen" (im 16. Jh. seemänn., dann allgemein verwendet), dazu ¹Dichtung *w* (techn.).
¹dichten siehe dicht.
²dichten: Die *nhd.* Form geht über *mhd.* tihten zurück auf *ahd.* dihtōn, tihtōn „schriftlich abfassen, ersinnen", das aus *lat.* dictāre „zum Nachschreiben vorsagen, vorsagend verfassen" (vgl. *diktieren*) entlehnt ist. Neben der allgem. Bed. „im Schriftwerk verfassen", die sich bis ins 17. Jh. erhält, zeigt schon *mhd.* tihten den heutigen Sinn „Verse machen". – Abl.: Dichter *m* (*mhd.* tihtǣre) erscheint erst im 12. Jh. Das Wort blieb selten, bis es im 18. Jh. als Ersatz für das verflachte 'Poet' neu belebt wurde), dazu dichterisch (17. Jh.) und Dichterling *m* „schlechter Dichter" (17. Jh.); ²Dichtung *w* (*spätmhd.* tihtunge „Diktat, Gedicht" wird erst *nhd.* zur Bezeichnung der Dichtkunst und des dichterischen Werks; Gedicht *s* (*mhd.* getiht[e] „schriftl. Aufzeichnung", auch „Erfindung, Betrug"; seit dem 13. Jh. begegnet der heutige Sinn „[lyrisches] Dichtwerk", der im Gegensatz zu Lied und Spruch noch heute meist das Schreiben voraussetzt).

dick: Das *altgerm.* Adjektiv *mhd.* dic[ke], *ahd.* dicki, *asächs.* thikki, *engl.* thick, *schwed.* tjock ist verwandt mit der *kelt.* Sippe von *air.* tiug „dick". Die weiteren Beziehungen sind unklar. Das Wort bedeutete früher sowohl „dicht" wie „dick". Die erste Bed. ist heute noch in Fügungen wie 'durch dick und dünn' und 'dicke Luft' erhalten und zeigt sich bis zum 15. Jh. auch in dem Gebrauch des Adverbs *ahd.* dicco, *mhd.* dicke für „häufig, oft"; s. auch Dickicht. In dem heute ausschließlich brauchen „umfänglich, massig" hat sich 'dick' im *Nhd.* gegen 'groß' (s. d.) durchgesetzt. So steht es gern in Wortpaaren wie 'dick und fett', 'dick und satt' und Bildungen wie Dickkopf, faustdick; zu dickfellig s. *Fell. Ugs.* ist 'dick[e]tun' für

„sich wichtig machen". Abl.: Dicke *w* „Dicksein" (*mhd.* dicke, *ahd.* dicki); Dickicht *s* „dichtes Gebüsch, Dornen" (Jägerwort des 17. Jh.s, wohl nach dem Muster von 'Röhricht' gebildet), jetzt in der Bedeutung unterschieden von Dickung *w* „dicht geschlossener Jungbaumbestand" (15. Jh., heute weidmänn.).

didaktisch „lehrhaft": Im 18. Jh. aus *gr.* didaktikós entlehnt. Das zugrunde liegende Verb *gr.* didáskein „lehren" – wohl Bewirkungszeitwort zu *gr.* daénai „lernen" – erscheint noch in →Autodidakt.

Dieb *m*: Die Herkunft des *gemeingerm.* Wortes *mhd.* diep, diup, *ahd.* diob, thiob, *got.* þiubs, *engl.* thief, *schwed.* tjuf ist nicht sicher geklärt. Vielleicht gehört es im Sinne von „Sichniederkauernder" zu der *idg.* Wz. *teup-, „sich niederkauern, sich verbergen"; vgl. z. B. *lit.* tū̃pti „sich hinhocken", *lett.* tupt „hocken". – Abl.: diebisch (15. Jh., für *mhd.* dieplich). Zus.: Tagedieb (17. Jh., eigtl. „wer dem lieben Gott den Tag stiehlt"; *mnd.* dachdēf); Diebstahl *m* (*mhd.* diupstāle, diepstāl *w*; urspr. keine Zus. mit dem maskulinen 'Dieb', sondern mit dem im *Nhd.* untergegangenen Femininum *mhd.* diube, *ahd.* diub[i]a „Diebstahl" [das *frühnhd.* noch als 'Deube' erscheint] und dem gleichbed. *ahd.* stāla *w*, das zu →*stehlen* gehört).

Diele *w* „[Fußboden]brett; Hausflur, Vorraum der Wohnung": Die *germ.* Substantivbildungen *mhd.* dil[le], *ahd.* dilla „Brett, Bretterwand, -boden in Schiffen und Häusern", *niederl.* deel „Diele, Brett; Tenne", *aengl.* đille „Planke", *schwed.* tilja „Diele, Bühne" gehören zu einem *germ.* Wort mit der Bed. „Boden", das in *aisl.* þel „Grund, Boden" bewahrt ist. Dieses Substantiv gehört mit verwandten Wörtern in anderen *idg.* Sprachen zu der *idg.* Wz. *tel-, „Fläche, Boden"; vgl. z. B. *aind.* tala-m „Fläche, Ebene", *lat.* tellūs „Erdboden", *lit.* tìlès *Mehrz.* „Bodenbretter (im Kahn)". Die Bed. „Hausflur" (auch in Eis-, Tanzdiele und *oberd.* *mdal.* Heudiele „Heuboden") geht vom Begriff des bretternen Fußbodens aus, in Norddeutschland auch von der ebenerdigen, lehmgestampften Längsdiele (*niederd.* Dele) des niedersäch. Bauernhauses, die als Tenne und Herdraum diente und im Bürgerhaus oft zum Wohnraum wurde. – Abl.: dielen „mit Brettern belegen" (*mhd.* dillen, *ahd.* dillōn).

dienen: Das *altgerm.* Verb *mhd.* dienen, *ahd.* dionōn, *niederl.* dienen, *schwed.* tjäna ist abgeleitet von einem *germ.* Substantiv mit der Bed. „Diener, Gefolgsmann", das in *got.* þius „Knecht", *urnord.* þewaʀ „Diener, Lehnsmann" bewahrt ist und als erster Bestandteil in der unter →*Demut* behandelten Zusammensetzung erscheint. Dieses *germ.* Substantiv bedeutet eigtl. „Läufer" und gehört zu der *idg.* Verbalwurzel *tek̑-, „laufen", vgl. z. B. *aind.* tákti „eilt", *aind.* takvá-ḥ

„eilend, rasch", als Substantiv „Läufer", *lit.* tekė́ti „laufen, fließen, rinnen" und *lett.* teksnis „Aufwärter". Die Grundbed. von 'dienen' ist also „Knecht sein" (wie in *lat.* servire neben servus). Sie hat sich jedoch mit der Einstellung zu Dienst und Dienstleistung vielfach gewandelt. In der Anwendung auf Sachen bedeutet es „gebraucht werden, nützen". – Abl.: Diener *m* (*mhd.* dienǣre; die Bed. „Verbeugung" ist im 18. Jh. aus der Höflichkeitsformel 'gehorsamster Diener' entstanden), dazu dienern „Verbeugungen machen" (19. Jh.); dienlich „nützlich" (16. Jh.); Dienst *m* (*mhd.* dien[e]st, *ahd.* dionōst, vgl. *asächs.* thionōst, *aengl.* đeonost), dazu dienstbar (*mhd.* dienestbǣre), dienstlich (*mhd.* dienestlich „dienstbeflissen"; der heutige Sinn erst im 17. Jh.). Präfixbildungen: verdienen „durch Dienstleistung oder Berufsarbeit erwerben" (*mhd.* verdienen, *ahd.* ferdionōn; schon *mhd.* auch für „einen Lohn oder eine Strafe wert sein"; 'sich verdient machen' „Anspruch auf Anerkennung erwerben" ersetzt seit dem 18. Jh. älteres 'sich verdienen'), dazu Verdienst *m* „Erwerb, Gewinn" oder *s* „durch Tätigkeit erworbener Wert" (*spätmhd.* verdienst, *mnd.* vordēnst) und verdienstlich (18. Jh.).

Dienstag *m*: Die Namen unserer Wochentage sind Lehnübersetzungen. Die urspr. babylonische siebentägige Woche hatte, z. T. durch Vermittlung der Juden, bei Römern und Griechen Eingang gefunden, wobei die Wochentage nach den Göttern der sieben alten Planeten benannt wurden (Sonne, Mond, Mars, Merkur, Jupiter, Venus, Saturn). Die Germanen lernten diese Namen im 4. Jh. kennen und bildeten sie mit den Namen der entspr. *germ.* Götter um (s. die Artikel für die einzelnen Wochentage). Der Name Dienstag hat sich vom Niederrhein her ausgebreitet. *Mnd.* dinges-, dinsdach, *mniederl.* dinxendach geht zurück auf den in einer *fries.-röm.* Inschrift des 3. Jh.s genannten Gott Mars Thingsus, den „Thingbeschützer" (vgl. *Ding*). Das Wort ist Nachbildung der *lat.* Martis diēs (*frz.* mardi, *it.* martedì). Der *germ.* Gott, um den es sich hier handelt, ist der urspr. Himmelsgott *ahd.* Ziu, *aengl.* Tīw, *aisl.* Tyr (der Name ist urverwandt mit *gr.* Zeus; vgl. *Zier*), der später zum Kriegsgott wurde und deshalb dem röm. Mars gleichgesetzt werden konnte. Der Name dieses Gottes ist noch in anderen Bezeichnungen des Wochentages erhalten; z. B. in *aleman.* Zißtig (*mhd.* zīestac, *ahd.* ziostag), *engl.* Tuesday (*aengl.* tīwesdæg), *schwed.* tisdag (*ält.* tȳsdagr). Entspr. ist *bayr.* Ertag „Dienstag" als Wort der *got.* Mission aus *gr.* Άρεōς hēméra „Tag des Ares (= Mars = Ziu) entlehnt. Die genannten *oberd.* Mundartwörter sind erst seit dem 17. Jh. von 'Dienstag' verdrängt worden.

diesig: Der Ausdruck für „neblig, dunstig, trüb" wurde erst Ende des 19. Jh.s aus der Sprache der nordd. Küstenbewohner ins *Hochd.* übernommen. *Niederd.* dīsig (beachte *mnd.* dīsinge „Nebelwetter"), *niederl.* dijzig „neblig", *schwed.* disig „dunstig, trüb, diesig" gehören zu der Wortgrúppe von → *Dämmerung.*

Dietrich *m* „Nachschlüssel": *Spätmhd.* dieterich (um 1400), *mnd.* diderīk, auch diez (16. Jh.) und *mnd.* dīrker sind scherzhafte Übertragungen des Vornamens auf den sonst *mhd.* diep-, miteslüzzel, *ahd.* aftersluzzil genannten Hakenschlüssel. Die gleiche Übertragung finden wir z. B. auch bei dem Vornamen Klaus (rhein. Klas „Nachschlüssel, Dietrich") und bei dem *engl.* Namen James, dessen Koseform jemmy „Brecheisen" bedeutet.

diffamieren „in Verruf bringen, verleumden": Im 18./19. Jh., wohl durch Vermittlung von *frz.* diffamer aus gleichbed. *lat.* diffāmāre entlehnt (vgl. *dis...* und *famos*). Abl.: Diffamie *w* „Verleumdung".

Differenz *w* „Unterschied; Meinungsverschiedenheit": *Spätmhd.*, aus *lat.* differentia „Verschiedenheit"; zu dif-ferre (vgl. *differieren*). Abl. und Zus.: differenzieren „unterschiedlich behandeln; Differentialrechnung anwenden"; ¹Differential *s* „unendlich kleine Differenz" (*nlat.* Bildung); dazu: Differentialrechnung; ²Differential *s* = Differentialgetriebe (Getriebe bei Kraftwagen, das den in Kurven auftretenden „Unterschied" in der Drehzahl zwischen Außen- und Innenrad ausgleicht).

differieren „abweichen, verschieden sein": Im 16. Jh. (vielleicht durch Vermittlung von *frz.* différer) aus gleichbed. *lat.* dif-ferre (transitive Grundbedeutung: „auseinandertragen") entlehnt (vgl. *dis...* und *offerieren*). Dazu noch → *Differenz* usw.

diktieren „(zum Nachschreiben) vorsprechen; vorschreiben, aufzwingen": Im 15. Jh. aus gleichbed. *lat.* dictāre, dem Intensivum von dīcere „sagen, sprechen", entlehnt. Aus dem Part. Perf. Pass. *lat.* dictātum „Diktiertes" stammt das Substantiv Diktat *s* „Niederschrift, Nachschrift; Machtspruch" (18. Jh.). Daneben *lat.* dictātor im FW Diktator *m* „unumschränkter Gewalthaber, Gewaltmensch" (16. Jh.) – wozu als Adjektiv diktatorisch „gebieterisch, willkürlich" (16. Jh.; nach *lat.* dictātōrius) gehört –, ferner *lat.* dictātūra in Diktatur *w* „unumschränkte Gewaltherrschaft" (*frühnhd.*). – *Lat.* dīcere (eigtl. Bed. „mit Worten auf etwas hinweisen"), das urverwandt ist mit *nhd.* → *zeihen*, ist auch Stammwort für folgende Lehn- und Fremdwörter: Diktionär, dedizieren, Dedikation, Indikativ, Indiz, Prädikat, predigen, Prediger, Index (s. die einzelnen Artikel). Vgl. noch das LW ²dichten.

Diktionär *s* „Wörterbuch": Im 19. Jh. aus *frz.* dictionnaire, *mlat.* dictiōnārium entlehnt. Dies gehört zu *lat.* dictiō „das Sagen, der Ausdruck". Über das Stammwort *lat.* dīcere vgl. *diktieren.*

Dilemma *s* „Zwangslage": Im 19. Jh. aus *lat.* dilēmma < *gr.* di-lēmma „Doppelfang, Zwiegriff" entlehnt. Dieser urspr. der Logik zugehörige Terminus bezeichnet eigtl. eine Art „Fangschluß", der eine Entscheidung nur innerhalb von zwei gleich unangenehmen Möglichkeiten eines Alternativsatzes (entweder – oder) zuläßt. Stammwort ist *gr.* lambánein „nehmen, ergreifen".

Dilettant *m* „Laie mit fachmännischem Ehrgeiz": Das seit dem 18. Jh. bezeugte FW bezeichnete zunächst nur den nicht beruflich geschulten Künstler bzw. den Kunstliebhaber aus Zeitvertreib und Spielerei. Später wurde die Bedeutung allgemeiner. Das Wort ist aus gleichbed. *it.* dilettante entlehnt. Das zugrunde liegende Verb *it.* dilettare geht auf *lat.* dēlectāre zurück und bedeutet wie dieses „ergötzen, amüsieren". Stammwort ist *lat.* lacere „verlocken" bzw. das Intensiv lactāre „locken, ködern", das zusammenhängt mit *lat.* laqueus „Strick als Schlinge" (daraus unser LW → *Latz*). Die vermittelnde eigtl. Bedeutung von lacere wäre dann etwa „in eine Schlinge locken, bestricken". – Abl.: dilettantisch „laienhaft, oberflächlich".

Dill *m:* Der *altgerm.* Pflanzenname *mhd.* tille, *ahd.* tilli (daneben tilla), *niederl.* dille, *engl.* dill, *schwed.* dill ist unbekannter Herkunft. Er wird heute fast nur für das bekannte Küchenkraut gebraucht. Der Anlaut d ist *niederd.* wie in Damm, Dohle u. a.

Dimension *w* „Ausdehnung, Ausmaß, Bereich": Im 17. Jh. (vielleicht durch *frz.* Vermittlung) aus *lat.* dīmēnsiō „Ausmessung, Abmessung, Ausdehnung" entlehnt. Zugrunde liegt *lat.* dī-mētīrī „nach allen Seiten hin abmessen". Über weitere Zusammenhänge vgl. *dis...* und *Mensur*. – Abl.: dimensional „die Ausdehnung betreffend" (*nlat.* Bildung); dreidimensional „räumlich, plastisch".

Diner *s* „Mittagessen, Festmahl": Im 18. Jh. aus *frz.* dîner, einem substantivierten Infinitiv, entlehnt. Das *frz.* Zeitwort dîner (*afrz.* disner) bedeutet zunächst allgemein „eine Hauptmahlzeit zu sich nehmen". Verschiedene Zeiten und Gewohnheiten bedingen den unterschiedlichen Zeitpunkt für die Einnahme der Hauptmahlzeit. So bedeutet dîner bald „Mittagessen", bald „Abendessen". Während sich nun bei uns für Diner die Bedeutung „Mittagsmahl" fast, bezeichnet das gleichfalls auf *afrz.* disner (s. o.) zurückgehende *engl.* FW Dinner *s* die zur „Abendzeit eingenommene Hauptmahlzeit". Dem *frz.* Wort voraus liegt *vlat.* *disieiūnāre „zu fasten aufhören"; zu *lat.*

110

dis (vgl. *dis...*) und iēiūnus „nüchtern, hungrig". Die weitere Herkunft des Wortes ist unsicher. Dazu: di nieren „zu Mittag essen; speisen" (18./19. Jh.; aus dem *frz.* Zeitwort dîner, s. o.).

Ding *s*: Das heute im Sinne von „Gegenstand, Sache" allgemein verwendete Wort stammt aus der *germ.* Rechtssprache und bezeichnete urspr. das Gericht, die Versammlung der freien Männer. Als „Gericht" galt *ahd.* thing, ding, *mhd.*, *mnd.* dinc bis zum Ausgang des Mittelalters. In *schwed.* ting „Gericht", *norweg.* storting, *dän.* folketing „Parlament" und der historisierenden *nhd.* Form Thing lebt die alte Bedeutung bis heute fort. Jedoch zeigte sich im *Dt.* von Anfang an wie bei *engl.* thing und *schwed.* ting die Bed. „Sache, Gegenstand" (eigtl. Rechtssache, Rechtshandlung", beachte die ähnliche Entwicklung von →Sache und *frz.* chose). *Germ.* *þinga-z* „Volksversammlung", das auch in →Dienstag enthalten ist, gehört wahrscheinlich zu der unter →dehnen behandelten *idg.* W. *ten-* „dehnen, ziehen, spannen", und zwar entweder im Sinne von „Zusammenziehung (von Menschen), Zusammenkunft, Versammlung" oder aber im Sinne von „Flechtwerk, Hürde, eingefriedeter Platz (für Volksversammlungen)", was auf einem Bedeutungsübergang von „dehnen, ziehen, spannen" zu „winden, flechten" beruhen würde. Der alte rechtliche Sinn von 'Ding' erscheint teilweise noch in den Wortgruppen um 'dingen' (s. u.) und →verteidigen, der heutige in Bildungen wie →allerdings und den jüngeren neuer-, schlechter-, platterdings. *Ugs.* bezeichnet 'Ding' (Mehrz. Dinger) unbedeutende oder geringe Sachen, auch Kinder und junge Mädchen. – Abl.: dingen (s. d.); dinglich „eine Sache betreffend" (z. B. 'dingliches Recht', 18. Jh.); Dings[da] *m*, *w* oder *s ugs.* für „unbestimmter oder unbekannter Mensch, Ort oder Gegenstand" (im 16. Jh. aus dem partitiven Genitiv in Wendungen wie 'ein stück dings', *mhd.* 'vil dinges' verselbständigt). Zus.: dingfest (die Wendung 'dingfest machen' „verhaften" ist erst im 19. Jh. belegt, gehört aber zu Ding „Gericht" wie das veraltete Gegenwort dingflüchtig, *mhd.* dincfluhtic „wer sich dem Gericht entzieht").

dingen „in Dienst nehmen": Das *altgerm.* urspr. schwache Verb *mhd.* dingen, *ahd.* dingōn „vor Gericht verhandeln", *niederl.* dingen „dingen; markten, abhandeln", *aengl.* dingian „bitten, verlangen; sich vertragen, beschließen", *schwed.* tinga „bestellen; mieten" ist eine Ableitung von dem unter →Ding behandelten Substantiv. Es erhielt im 17. Jh. starke Formen, von denen nur das 2. Part. gedungen üblich blieb, während das Prät. dang meist auf die Präfixbildung 'er bedang [sich aus]' beschränkt blieb. Die *mhd.* Nebenbed. „vertraglich ge-

gen Lohn in Dienst nehmen" ist heute die einzige des seltenen Verbs. Zus. und Präfixbildungen: abdingen (*mhd.* abedingen „vereinbaren, abmachen", heute bes. „[vom Preis] abhandeln"), dazu die Adjektive [un]abdingbar (20. Jh.); bedingen (s. d.).

Dinkel *m*: Die bes. im schwäb.-aleman. Gebirgsland angebaute Weizenart (auch Spelt genannt, s. d.) heißt *mhd.* dinkel, *ahd.* dinchel, thincil. Die Herkunft des nur *hochd.* bezeugten Wortes ist unbekannt.

Diphthong *m* „Zwielaut" (Gebilde aus zwei verschiedenen Selbstlauten): Im 15./16. Jh. entlehnt aus *lat.* diphthongus, *gr.* dí-phthoggos, einem substantivierten Adjektiv (eigtl.: „zweifach tönend") das zu dis „zweimal" (vgl. ²*di...*) und phthóggos „Ton, Laut", phthéggesthai „tönen" gehört.

Diplom *s* „[Ehren]urkunde, Zeugnis": Im 18. Jh. für älteres Diploma, das auf *lat.* diplōma, *gr.* dí-plōma zurückgeht. Das Wort bedeutet eigtl. „zweifach Gefaltetes", woraus dann die Bed. „Handschreiben auf zwei zusammengelegten Blättern; Urkunde" entsteht. Das zugrunde liegende Adjektiv *gr.* di-plóos „zweimal gefaltet" entspricht genau *lat.* duplus im LW →doppelt. Über das Präfix *gr.* ²*di...*, über den zweiten Wortbestandteil vgl. den Artikel *falten*.

Diplomat *m* (Staatsmann im auswärtigen Dienst, der durch „Beglaubigungsschreiben" seiner Regierung akkreditiert ist): Im 19. Jh. aus *frz.* diplomate entlehnt, einer Rückbildung aus diplomatique „urkundlich" (insbesondere von den politischen Noten im zwischenstaatlichen Verkehr), *nlat.* diplōmaticus; zu *lat.* diplōma „Urkunde" (vgl. Diplom). Nach der politischen Wendigkeit, die von einem Diplomaten verlangt wird, bezeichnet man neuerdings einen Menschen auch allgemein als Diplomaten, wenn er sich im Umgang mit seinen Mitmenschen durch ein klug berechnendes, aber nach allen Seiten zu Kompromissen geneigtes Wesen auszeichnet. Diese Bedeutung ist besonders auch in den folgenden Ableitungen lebendig: Diplomatie *w* (19. Jh.; aus *frz.* diplomatie); diplomatisch (18. Jh.; aus *frz.* diplomatique).

direkt „gerade, unmittelbar": Im 16. Jh. aus *lat.* dīrēctus „gerade, ausgerichtet" entlehnt. Dies gehört zu *lat.* dīrigere „ausrichten" (vgl. *dirigieren*).

Direktion *w* „Richtung, Anweisung; [Geschäfts]leitung": Im 16. Jh. aus *lat.* dīrēctiō „das Ausrichten" entlehnt. Dies gehört zu *lat.* dīrigere (vgl. *dirigieren*).

Direktive *w* „Weisung, Verhaltungsregel": Das seit dem 19. Jh. bezeugte FW ist wahrscheinlich zurückgebildet aus der Zus. Direktivnorm. Zugrunde liegt ein von *lat.* dīrigere (vgl. *dirigieren*) abgeleitetes Adjektiv (*nlat.* *dīrectīvus* „richtungweisend").

Direktor *m* „Leiter, Vorsteher": Im 17. Jh. aus *lat.* dīrēctor entlehnt; zu *lat.* dīrigere (vgl. *dirigieren*). – Dazu als *nlat.* Bildungen: **Direktorium** *s* „Vorstand, leitende Behörde" (19. Jh.); **Direktrice** *w* „Leiterin" (18. Jh.; aus *frz.* directrice < *nlat.* dīrēctrīx).

dirigieren „leiten": Im 16. Jh. aus *lat.* dīrigere „ausrichten; leiten" (< dis-regere) entlehnt (vgl. *dis...* und *regieren*). Aus dem Part. Präs. Akt. *lat.* dīrigēns stammt das Substantiv **Dirigent** *m* „[Chor]leiter, Kapellmeister" (19. Jh.). – Zu *lat.* dīrigere gehören zahlreiche Ableitungen und Nominalbildungen, die in entspr. FW eine Rolle spielen. Vgl. im einzelnen: Adresse, adrett, direkt, Direktion, Direktive, Direktor, Directrice, Dirigent, Dreß, dressieren.

Dirne *w*: Das auf das *dt.* und *niederl.* Sprachgebiet beschränkte Wort *mhd.* dierne, *ahd.* thiorna, *mnd.* dērne, *niederl.* deern[e] geht zurück auf *germ.* þewerno „Jungfrau", das zu der unter → ¹Degen (urspr. „männliches Kind") behandelten *idg.* Wurzel gehört. Die *nord.* Sippe von *schwed.* tärna „Mädchen, Maid" stammt aus dem *Mnd.* Die alte Bedeutung „Jungfrau, Mädchen" ist noch in den Mundarten bewahrt, beachte z. B. *nordd.* Deern und *bayr.-östr.* Dirndl (s. u.). In *mhd.* Zeit wurde das Wort dann auch im Sinne von „Dienerin, Magd" verwendet und gelangte schließlich im 16. Jh. zu der heutigen Bedeutung „Hure". Abl.: **Dirndl** *s bayr.-östr.* für „junges Mädchen" (im 19. Jh. literarisch), dazu **Dirndl[kleid]** „trachtenartiges Kleid" (1. Hälfte des 20. Jh.s).

dis..., Dis..., (vor f:) **dif...,** oft auch gekürzt zu **di..., Di...**: Vorsilbe, die eine Trennung, eine Unterbrechung oder auch den Gegensatz zu dem im Grundwort Ausgedrückten bezeichnet. Aus gleichbed. *lat.* dis- (eigtl. Bed. „entzwei") – urverwandt mit →*zer...* –, das im *Frz.* als dés... (dé...) erscheint. Daraus *dt.* des..., Des..., in FW wie Desaster „Unstern".

Diskothek *w* „Schallplattensammlung": Neuwort des 20. Jh.s aus *gr.* dískos „Scheibe" (vgl. *Diskus*) und thḗkē „Behältnis" (vgl. *Theke*). Das Wort ist nach dem Vorbild von Zusammensetzungen wie →Bibliothek gebildet.

diskret „verschwiegen, zurückhaltend; abgesondert": Im 16./17. Jh. entlehnt aus *frz.* discret, *mlat.* discrētus, das entspr. seiner Zugehörigkeit zu *lat.* dis-cernere zwei Grundbedeutungen entwickelt hat, „abgesondert" und „fähig, unterscheidend wahrzunehmen". Aus der letzteren ergibt sich die Erweiterung zu „verschwiegen, zurückhaltend", etwa als Folge des „abständigen Betrachtens" der Dinge. – Dazu die Gegenbildung **indiskret** „nicht verschwiegen, taktlos, zudringlich" (18. Jh.); ferner das Substantiv **Diskretion** *w* „Verschwiegenheit, taktvolle Zurückhaltung": Im 16. Jh. –

nach *frz.* discrétion – aus *lat.* discrētiō „Absonderung; Unterscheidung" entlehnt. – *Lat.* dis-cernere ist durch →*dis...* verstärktes cernere „sondern, scheiden" (vgl. *Dezernent*).

diskriminieren „herabsetzen, herabwürdigen": Im 19. Jh. aus *lat.* discrīmināre „trennen, absondern". Diskriminieren bedeutet demnach eigtl. etwa „jmdn. von anderen absondern, ihn unterschiedlich behandeln und damit in den Augen der anderen herabsetzen". Zugrunde liegt *lat.* discrīmen „Trennendes, Unterschied"; zu discernere (vgl. *Dezernent*). Nicht hierher gehört dagegen wohl *lat.* crīmen in →*kriminell*.

Diskus *m* „Wurfscheibe" (Sportgerät): Im 19. Jh. aus gleichbed. *lat.* discus (daraus früher auch unser LW →Tisch) < *gr.* dískos entlehnt.

diskutieren „erörtern, besprechen": Im 16. Jh. entlehnt aus *lat.* discutere „zerschlagen, zerteilen, zerlegen" in dessen übertragener Bed. „eine zu erörternde Sache zerlegen", wie im einzelnen durchgeführt. Grundverb ist *lat.* quatere „schütteln, erschüttern; stoßen; beschädigen" – dazu als Intensivbildung *lat.* quassāre „schütteln, erschüttern; zerschmettern", *vlat.* *quassiāre „zerbrechen" > *span.* cascar (s. Kasko) –, das urverwandt ist mit *dt.* →*schütten*, schütteln. – Abl.: **diskutabel** „erwägenswert; strittig" (19./20. Jh.; aus *frz.* discutable < *nlat.* discutābilis), dazu als Gegenbildung **indiskutabel** „nicht der Erörterung wert"; **Diskussion** *w* „Erörterung, Aussprache" (17./18. Jh.; aus gleichbed. *lat.* discussiō).

disponieren „planen, verfügen, einteilen": Im 16. Jh. aus gleichbed. *lat.* dis-pōnere entlehnt (vgl. *dis...* und *Position*). Dies bedeutet eigtl. „auseinanderstellen" – nämlich „in einer bestimmten Ordnung aufstellen". Abl.: **disponiert** „aufgelegt, gestimmt"; dazu als Gegenbildung **indisponiert** „nicht in der rechten Verfassung, unpäßlich". Aus dem Part. Präs. Akt. von *lat.* dispōnere stammt das Substantiv **Disponent** *m* „Planer, Verfügender" (19. Jh.). Das Nomen *lat.* dispositiō „Anordnung" erscheint in unserem FW **Disposition** *w* „Planung, Verfügung; [innere] Verfassung" (16. Jh.).

Disput *m* „Wortwechsel, Streitgespräch": Im 17. Jh. aus *frz.* dispute entlehnt. Das zugrunde liegende Verb *frz.* disputer stammt wie entspr. *dt.* **disputieren** „Streitgespräche führen, seine Meinung vertreten" (13. Jh.) aus *lat.* dis-putāre „nach allen Seiten erwägen" (wörtlich: „auseinanderschneiden"). Die Bedeutungsentwicklung ist ähnlich wie bei dem unverwandten →diskutieren. Über weitere Zusammenhänge vgl. *dis...* und *amputieren*.

Dissertation *w* „wissenschaftliche Arbeit zur Erlangung der Doktorwürde": In dieser Bedeutung seit dem 18. Jh., vorher allgemein

„gelehrte Abhandlung". Das Wort ist aus *lat.* dissertātiō „Erörterung" entlehnt. Zugrunde liegt *lat.* dis-sertāre „auseinandersetzen, entwickeln", ein Intensiv zu *lat.* dis-serere. Über weitere Zusammenhänge vgl. *dis...* und *Serie.*

Dissonanz *w* „Mißklang; Unstimmigkeit": Als musikalischer Terminus in *spätmhd.* Zeit aus gleichbed. *spätlat.* dissonantia entlehnt; zu dis-sonare „mißtönen" (vgl. *dis...* und *sonor*).

Distanz *w* „Abstand": Im 16. Jh. wie *frz.* distance aus gleichbed. *lat.* dīstantia entlehnt. Zugrunde liegt *lat.* dī-stāre „auseinanderstehen". Über weitere Zusammenhänge vgl. *dis...* und *stabil.* Zu *frz.* distance stellt sich als Ableitung das Verb distancer „einen Abstand zwischen sich und andere bringen", das zuerst im Pferderennsport galt. Daraus entlehnt im 20. Jh. **distanzieren** „[im Wettkampf] hinter sich zurücklassen,überbieten", auch reflexiv gebraucht im Sinne von „eine Person oder Sache meiden, von ihr abrücken".

Distel *w*: Der *altgerm.* Pflanzenname *mhd.* distel, *ahd.* distil[a], *niederl.* distel, *engl.* thistle, *schwed.* tistel gehört zu der unter →Stich dargestellten *idg.* Wz. „Stich-,stechen"; spitz". Die Pflanze ist also nach ihren Stacheln benannt. Zus.: Distelfink (*mhd.* distelvinke, *ahd.* distilfinko, so benannt, weil sich der Vogel vorwiegend von Distelsamen ernährt)

Distrikt *m* „Bezirk": Das Wort bezeichnete ursprünglich als Terminus des Feudalwesens etwa den „Zwingbezirk", innerhalb dessen dem Lehnsherrn die freie Ausübung der Gerichtsbarkeit gegenüber den Hörigen zustand. Es wurde im 16. Jh. aus *spätlat.* dīstrictus „Umgebung der Stadt" entlehnt, das zu dī-stringere „auseinanderziehen, -dehnen; von allen Seiten zusammenschnüren, einengen" gehört (vgl. *dis...* und *strikt*). In jüngster Zeit wurde das Wort neu aus *engl.-amerik.* district entlehnt.

Disziplin *w* 1. „Zucht, Ordnung"; 2. „Wissenszweig": Im 14./15. Jh. aus *lat.* disciplīna „Schule; Wissenschaft; schulische Zucht" entlehnt. Das zugrunde liegende Substantiv *lat.* discipulus „Lehrling, Schüler" gehört wohl zu einem nicht bezeugten Kompositum von *lat.* capere (vgl. *kapieren*), *lat.* *dis-cipere „(geistig) zergliedern, um zu erfassen". Abl.: disziplinarisch „streng"; diszipliniert „an Zucht und Ordnung gewöhnt".

Diva *w* „gefeierte Künstlerin": Modernes FW, das seit dem 19. Jh. bezeugt ist und heute bes. in der Zus. Filmdiva lebt. Das vorausliegende *it.* diva bedeutet eigtl. „Göttliche". Es bezeichnet die abgöttisch verehrte Künstlerin. Zugrunde liegt *lat.* dīva (dīvus) „göttlich", das zum Stamm von *lat.* deus (*alat.* deivos) „Gott" gehört.

Dividende *w* (der auf eine Aktie entfallende „Anteil" vom Reingewinn): Im 18. Jh. aus

frz. dividende, *lat.* dīvidendum „das zu Teilende" entlehnt. Dies gehört zu *lat.* dividere „teilen" (vgl. *dividieren*).

dividieren „teilen": In *spätmhd.* Zeit aus *lat.* dī-videre „auseinandertrennen, teilen" entlehnt. Dessen Grundwort *videre ist als einfaches Verb nicht bezeugt. Es gehört zusammen mit *lat.* vidua „Witwe" – dazu viduus „waise"–zur *idg.* Sippe von *nhd.* →Witwe. Verschiedene Ableitungen von *lat.* dīvidere spielen in FW unseres Wortschatzes eine Rolle. Vgl. im einzelnen: ¹Division, ²Division, Dividende, Devise, Devisen, Individuum (*lat.*,in-dīviduus „unteilbar"), individuell, Individualismus, Individualist usw. ¹**Division** *w* „Teilung" (Math.): Im 15. Jh. aus gleichbed. *lat.* dīvīsiō entlehnt; zu dīvidere „teilen" (vgl. *dividieren*). ²**Division** „Heeresteil": Im 18. Jh. aus *frz.* division (eigtl.: „Abteilung"), *lat.* dīvīsiō entlehnt (s. o.).

Diwan *m* „Sofa": Im 18./19. Jh. durch *roman.* Vermittlung (*frz.* divan, *it.* divano) aus *türk.* dīvān entlehnt, das zunächst den mit Polsterbänken oder Sitzkissen ausgestatteten Empfangsraum in den Häusern vornehmer Türken bezeichnet, dann auch solche Polsterbänke selbst. Voraus liegt *pers.* dīwān „Schreib-, Amtszimmer; [Sitz des] Staatsrat[es]". Das Wort gehört zu *pers.* däbīr „Schreiber" und bedeutete urspr. „Sammlung beschriebener Blätter", dann auch „Gedichtsammlung". Letztere Bedeutung wurde bei uns durch Goethes „West-östlichen Diwan" (1819) bekannt.

Dobermann *m*: Der bekannte Wach- und Polizeihund heißt eigtl. Dobermannpinscher nach dem Hundezüchter Dobermann, der die Rasse um 1890 in Apolda durch Kreuzung aus Pinscher und deutschem Schäferhund entwickelte.

Docht *m*: Die heutige Form hat sich durch Verdumpfung von ā zu o aus *mhd.*, *ahd.* tāht entwickelt. Das Wort, dem *aisl.* þāttr „Draht, Faden, Docht" entspricht, bedeutet eigtl. „Zusammengedrehtes" und ist z. B. verwandt mit *lat.* texere „weben, flechten" (s. Technik).

Dock *s* „Anlage zum Trockenstellen und Ausbessern von Schiffen": Das im *Hochd.* zuerst im 18. Jh. als Dok *s*, Docke *w* bezeugte Wort ist aus dem *Niederl.* oder *Engl.* entlehnt worden. *Niederl.* dok, *mniederl.* doc[ke], *engl.* dock, älter dok, docke sind seit dem 16. Jh. bezeugt; das zufällig früher bezeugte *mnd.* docke (15. Jh.) bezieht sich nur auf Schiffsanlagen in London. Der Ursprung des Wortes ist ungeklärt. Beachte die Zus. Schwimmdock (Ende des 19. Jh.s, vorher 'schwimmendes Dock' nach *engl.* floating dock) und Trockendock (19.Jh.,nach *engl.* dry dock).

Dogge *w* (Hunderasse): Im 17. Jh. über das *Niederd.* aus *engl.* dog „Hund" entlehnt, nachdem das Wort bereits im 16. Jh. in der

Form dock[e] herübergekommen war. Die weitere Herkunft des Wortes ist unbekannt. Beachte noch die Zus. →Bulldogge und →Bulldog.

Dogma *s* „Kirchenlehre; [Glaubens]satz; Lehrmeinung": Im 18. Jh. aus *gr.-lat.* dógma „Meinung, Lehrsatz" – zu *gr.* dokeúein, dokeĩn „meinen, scheinen" – entlehnt. Über weitere Zusammenhänge vgl. den Artikel *dezent.* Abl.: d o g m a t i s c h „lehrhaft; streng [an Glaubens-, Lehrsätze] gebunden" (18. Jh.; nach *lat.* dogmaticus, < *gr.* dogmatikós).

Dohle *w*: Die heute übliche Form stammt aus dem *Mitteld.* (*Thüring.*) und erlangte im 16. Jh. gemeinsprachl. Geltung. *Mhd.* tahele, tāle (beachte *mdal.* Dahle) ist eine Verkleinerungsbildung zu gleichbed. *mhd.* tahe, *ahd.* taha, vgl. *engl.* daw „Dohle". Der kleine Rabenvogel ist nach seinem eigentümlichen Lockruf benannt.

Doktor *m* (höchster akadem. Grad, Abk.: Dr.; *ugs.* auch für „Arzt"): Im 15. Jh. aus *mlat.* doctor „Lehrer" – zu *lat.* docēre „lehren" (vgl. *dozieren*) – entlehnt. Die Bed. „Arzt" erscheint schon im 16. Jh. zur Unterscheidung des durch Hochschulstudium ausgebildeten vom ungelehrten Heilkundigen. Abl.: d o k t e r n, h e r u m d o k t e r n *ugs.* und scherzhaft, zuweilen auch abfällig für „den Arzt spielen; ohne ärztliche Beratung zu heilen versuchen"; d o k t o r i e r e n „an der Doktorschrift arbeiten; die Doktorwürde erlangen" (aus *mlat.* doctōrāre); D o k t o r a n d *m* „wer doktoriert"; D o k t o r a t *s* „Doktorwürde" (aus *mlat.* doctōrātus).

Doktrin *w* „Lehrsatz, Lehrmeinung": Das seit dem 17. Jh. bezeugte FW stammt wie entspr. *frz.* doctrine aus *lat.* doctrīna „Lehre"; zu *lat.* docēre „lehren" (vgl. *dozieren*). – Zu *frz.* doctrine gehört als Ableitung das Adjektiv doctrinaire „an einer Lehrmeinung starr festhaltend", das zum politischen Schlagwort im Sinne von „fanatisch" wird. Daraus im 19. Jh. *dt.* d o k t r i n ä r.

Dokument *s* „Urkunde, Schriftstück; Beweis": Im 17. Jh. aus *lat.* documentum „Beweis" – zu *lat.* docēre „[be]lehren" (vgl. *dozieren*) –, in dessen *mlat.* Bed. „beweisende Urkunde" entlehnt. Die eigtl. Bedeutung von *lat.* documentum ist „das zur Belehrung über eine Sache bzw. zur Erhellung einer Sache Dienliche". Abl.: d o k u m e n t i e r e n „beurkunden; beweisen" (19. Jh.); d o k u m e n t a r i s c h „urkundlich, belegbar" (19./20. Jh.).

Dolch *m*: Der seit dem Anfang des 16. Jh.s bezeugte Name der zweischneidigen kurzen Stichwaffe ist unbekannter Herkunft. Vielleicht handelt es sich um ein altes heimisches Wort für „Messer", das nach einem aus *lat.* dolō „Stockdegen, Dolch" entlehnten Wort umgestaltet worden ist.

Dolde *w* „büscheliger Blütenstand": Das nur im *Dt.* bezeugte Wort *mhd.* tolde, *ahd.* toldo „Pflanzen-, Baumkrone", das auch zu →Tolle „Haarbüschel" geführt hat, ist vielleicht mit *ahd.* tola „Stiel der Weintraube" verwandt. Weitere Beziehungen sind ungewiß. Der Botaniker unterscheidet die echten, von einem Punkt ausstrahlenden Dolden der Doldenblütler (z. B. wilde Möhre) von den ungleich gestielten Schein- oder Trugdolden anderer Pflanzen (z. B. Holunder).

Dollar *m* (Währungseinheit in den USA, in Kanada und Äthiopien): Im 19. Jh. aus *amerik.-engl.* dollar entlehnt, das selbst aus *niederd., niederl.* dāler (= *nhd.* →Taler) stammt.

Dolle *w* „Ruderpflock": Die paarweise im Bootsrand steckenden Pflöcke (heute meist Eisengabeln) zum Halten der Riemen heißen *mnd., niederl.* dol, *engl.* thole, *schwed.* tull. *Außergerm.* ist u. a. *gr.* tȳlos „Wulst, Schwiele, Pflock, Nagel" verwandt. Diese Wörter gehören zu der unter →*Daumen* behandelten Wz. *tū̆- „schwellen".

Dolmetscher *m* „berufsmäßiger Übersetzer": *Mhd.* tolmetsche stammt aus *ung.* tolmács, *osmanisch-türk.* tilmač „Mittelsmann (zur Verständigung zweier Parteien)". Letzte Quelle des Wortes ist gleichbed. talami der Mitannisprache in Kleinasien. Abl.: [ver]d o l m e t s c h e n „übersetzen".

Dom *m* „Hauptkirche": Im 17. Jh. aus *frz.* dôme entlehnt, aber schon im 16. Jh. in Zus. wie Domkirche bezeugt. Das *frz.* Wort geht über *it.* duomo zurück auf *kirchenlat.* domus (ecclēsiae) „Haus (der Christengemeinde)". Dies ist eine Übersetzung von *gr.* oîkos tēs ekklēsíās. *Lat.* domus „Bau, Haus", das identisch ist mit entspr. *gr.* dómos und *aind.* dámaḥ, gehört zu der unter →*ziemen* entwickelten Sippe von *idg.* *dem- „bauen, fügen". Von Interesse sind einige aus *lat.* domus entwickelte Nominalbildungen und deren Ableitungen, soweit sie in unserem Fremdwortschatz eine Rolle spielen: *lat.* dominus „Hausherr, Herr" – dazu *lat.* domināri „Herr sein, [be]herrschen", dominium „Herrschaftsgebiet" –, entspr. *lat.* domina „Hausherrin, Hausfrau, Herrin" – dazu *mlat.* dom[i]nicella „Frauchen" –, ferner *lat.* domicilium „Wohnstätte, Wohnsitz". Vgl. hierzu im einzelnen die Artikel: ¹Domino, ²Domino, dominieren, Domäne, Dame, Madam, Madonna, Primadonna.

Domäne *w* „staatliches Gut; Spezial[wissens]gebiet": Im 17. Jh., zunächst mit der Bed. „Gut in landesherrlichem Besitz", aus *frz.* domaine (< *lat.* dominium „Herrschaftsgebiet") entlehnt. Über die weiteren Zusammenhänge vgl. *Dom.*

dominieren „vorherrschen; beherrschen, überlegen sein": Im 16. Jh. aus gleichbed. *lat.* domināri (vgl. *Dom*) entlehnt.

¹Domino *m* „Herrenkostüm im Karneval": *It.* domino „Herr" (< *lat.* dominus; vgl.

Dom), die landläufige Bezeichnung für den
geistlichen Herrn wie auch für seine Winter-
kleidung, wird (vielleicht über *frz.* domino)
im 18. Jh. als Name für ein Maskenkostüm
übernommen. – ²**Domino** *s* (Anlegespiel): Zu
→¹*Domino*, vielleicht weil der Gewinner sich
'Domino' „Herr" nennen durfte.

Dompteur *m* „Tierbändiger", entspr. **Dompteuse** *w* „Tierbändigerin": Im 20. Jh. aus
frz. dompteur (bzw. dompteuse) entlehnt.
Zugrunde liegt das Verb *frz.* dompter „zähmen", das auf gleichbed. *lat.* domitāre, eine
Intensivbildung zu dem mit *dt.* →*zähmen*
urverwandten Verb *lat.* domāre, zurückgeht.
Donner *m*: Das *altgerm.* Wort *mhd.* donner,
ahd. donar, *niederl.* donder, *engl.* thunder,
aisl. þōrr war zugleich der Name des Donnergottes (s. Donnerstag). Es gehört mit *mhd.*
dunen, *aengl.* dunian „donnern" und verwandten Wörtern in anderen *idg.* Sprachen
zu der lautnachahmenden Wz. *[s]ten-, vgl.
z. B. *lat.* tonāre „donnern" (s. detonieren
und Tornado) und *aind.* tányati „es donnert,
rauscht, dröhnt". Im *germ.* Sprachbereich
stellt sich auch →*stöhnen* zu dieser Wurzel.
Abl.: d o n n e r n (*mhd.* donern, *ahd.* donarōn;
junge *ugs.* Übertragungen sind a u f g e d o n -
n e r t „geschmacklos aufgeputzt" und v e r -
d o n n e r n „verurteilen", beide zuerst im
19. Jh. belegt). Zus.: D o n n e r k e i l (im 16. Jh.
für den Blitzstrahl, daher auch als Fluch,
und für die versteinerten Enden urzeitlicher
Kopffüßer, der Belemniten, die der Volksglaube als mit dem Blitz niedergefahrene
Keile ansah).
Donnerstag *m*: Auch der Name des fünften
Wochentages ist eine *germ.* Lehnübersetzung
nach dem *Lat.* (s. den Artikel Dienstag).
Mhd. donerstac, *ahd.* Donares tag, *niederl.*
donderdag, *aengl.* đunresdæg wurde mit dem
Namen des *germ.* Donnergottes Donar gebildet, den man mit dem Juppiter tonāns der
Römer gleichsetzte (vgl. *Donner*; entspr.
schwed. torsdag und *engl.* Thursday enthalten *aisl.* þōrr „Thor, Donar).Der Tag heißt
lat. Jovis diēs „Jupiters Tag" (beachte auch
it. giovedì, *frz.* jeudi). Ein anderer Name ist
das *mdal. bayr.-östr.* Pfinztag (*mhd.* pfinztac),
das als *got.* Missionswort auf *gr.* pémptē
hēméra „fünfter Tag" zurückgeht. Zus.:
Gründonnerstag (s. grün).
doof (*ugs.* für:), „dumm, einfältig, beschränkt":
Das Wort ist eigtl. die *niederd.* Entsprechung
von *hochd.* →*taub* (beachte *mnd.* dōf „taub",
dōve „Tauber, Einfältiger"). Der Taube gilt
wegen seiner mangelnden Verständigungs-
möglichkeit als dumm. Das Wort ging
seit etwa 1900 von Berlin aus in die allgemeine Umgangssprache über.
dopen „durch [verbotene] Reizmittel zu
sportlichen Höchstleistungen aufputschen":
Im 20. Jh. aus gleichbed. *engl.* to dope entlehnt. Aus dem substantivierten Part. Präs.
engl. doping stammt entspr. D o p i n g *s*. Das

zugrunde liegende Substantiv *engl.* dope
„zähe Flüssigkeit; Narkotikum; aufpeit-
schendes Getränk" geht auf *niederl.* doop
„Soße" zurück. Dies gehört zur Sippe von
nhd. →*taufen*.
doppelt: *Frz.* double, das die FW →Double,
→Dublee und →Dublette ergeben hat, wurde
im 15. Jh. am Niederrhein als dobbel, dubbel
entlehnt. Gleichzeitig erscheint dort dubbe-
len, *nhd.* d o p p e l n (nach *frz.* doubler), aus
dessen 2. Part. 'gedoppelt' das Adjektiv
später sein -t erhielt (nicht in Zus., s. u.).
Heute ist als Verb verdoppeln (18. Jh.)
üblicher. Das all diesen Wörtern zugrunde
liegende *lat.* Adjektiv du-plus „zweifältig"
ist gebildet aus duo „zwei" und dem Stamm
*pel- „falten" (wie *dt.* Zweifel; vgl. ferner
Duo und *falten*; s. a. Diplom). – Abl.: D o p -
p e l *s* „zweite Ausfertigung" (Ende des
19. Jh.s postamtl. für Duplikat, s. d.). Zus.:
Doppeldecker, s. Deck; Doppelgänger
m (1796 bei Jean Paul „wer sich selbst an
einem andern Ort [gehen] sieht", heute verallgemeinert zu „einem andern zum Verwechseln ähnlicher Mensch"). D o p p e l -
p u n k t (Mitte des 17. Jh.s für *lat.* cōlon, das
eigtl. „Redeglied", im 16. Jh. aber „Tren-
nungszeichen zwischen Satzgliedern" bedeutete und zuerst in der 1. Hälfte des
16. Jh.s als 'zwen punct' umschrieben wurde;
s. Semikolon).
Dorf *s*: Das *gemeingerm.* Wort *mhd.*, *ahd.*
dorf, *got.* þaurp, *engl.* thorp, *aisl.* þorp bezeichnet, abgesehen vom *Got.*, wo es „Acker"
bedeutete, eine bäuerliche Siedlung, vielfach
auch einen Einzelhof. Verwandte Wörter
wie *kymr.* tref „Wohnung", *lit.* trobà „Haus"
und *lat.* trabs „Balken" machen eine Grundbed. „Balkenbau, Haus" wahrscheinlich,
die sich je nach der Siedlungsform wandeln
konnte. – Abl.: d ö r f i s c h „bäurisch" (im
16. Jh. für *mhd.* dörpisch; s. Tölpel); d ö r f -
l i c h (16. Jh.); D ö r f l e r *m* (16. Jh.).
Dorn *m*: Das *gemeingerm.* Wort *mhd.*, *ahd.*
dorn, *got.* þaúrnus, *engl.* thorn, *schwed.* torn
beruht auf einer Bildung zu der unter →*starren* dargestellten *idg.* Wz. *[s]ter-, „starr, steif
sein". *Außergerm.* sind z. B. verwandt *gr.*
térnax „Kaktusstengel" und *russ.* térn
„Schlehdorn"). Abl.: d o r n i g (*mhd.* dornec,
ahd. dornac).
dorren „dürr werden": Zu dem unter →*dürr*
behandelten Adjektiv gehören die Verben
mhd. dorren, *ahd.* dorrēn „dürr werden" und
(anders gebildet) *aisl.* þorna und *got.* gaþaúrsnan.
Üblicher als 'dorren' ist das perfektive
v e r d o r r e n (*mhd.* verdorren, *ahd.* fardorrēn).
Siehe auch dörren.
dörren „dürr machen": Das *altgerm.* Verb
mhd. derren, *ahd.* derran, darran, *mniederl.*
derren, *aengl.* (ā)đierran, *aisl.* þerra ist das
Veranlassungswort zu dem in *got.* (ga-)
þaírsan „verdorren" erscheinenden starken
Verb. Die *nhd.* Form mit ö gegenüber der

älteren mit e beruht auf Anlehnung an das o in 'dorren'. Dörrfleisch *landsch.* für „magerer Speck", Dörrgemüse, -obst enthalten nicht das Verb, sondern eine *mitteld.* Form von →*dürr* (dort Weiteres über die *idg.* Sippe).

Dorsch *m*: *Mnd.*, *mniederl.* dorsch ist als Bezeichnung des jungen Kabeljaus (s. d.) entlehnt aus *aisl.* þorskr, das wahrscheinlich zur Sippe von →*dürr* gehört. Der Dorsch wird nämlich getrocknet (s. Stock- und Klippfisch).

Dose *w* „Büchse, Schachtel": Das im 17. Jh. vom Niederrhein aus schriftsprachlich gewordene Subst. geht zurück auf *mnd.-mniederl.* dose „Behälter zum Tragen, Lade, Koffer" (daraus entspr. *niederl.* doos). Die weitere Herkunft des Wortes ist dunkel.

dösen „gedankenlos dasitzen; halb schlafen": Das erst im 19. Jh. aus dem *Niederd.* aufgenommene *ugs.* Wort (dafür *mhd.*, *frühnhd.* dösen „schlummern") entspr. dem *engl.* to doze „schläfrig sein" und steht neben dem etwas früher entlehnten Adjektiv dösig „schläfrig, stumpfsinnig", aus *mnd.* dösich (entspr. *aengl.* dysig „töricht, blödsinnig"). Die Wörter gehören wie das bedeutungsverwandte →Dusel zu der unter →*Dunst* behandelten Sippe.

Dosis *w* „zugemessene [Arznei]gabe; kleine Menge": Medizinisches Fachwort, im 16. Jh. aus *gr.-mlat.* dósis „Gabe" entlehnt. Das Verb dosieren „die gehörige Dosis zumessen" erscheint im 19./20. Jh. durch Vermittlung von *frz.* doser (zu *frz.* dose < *mlat.* dosis). – Zugrunde liegt das *gr.* Verb didónai „geben" (beachte auch das Verbaladjektiv *gr.* dotós in →Anekdote), das zur *idg.* Sippe von *lat.* dare „geben" (vgl. *Datum*) gehört.

Dotter *m* und *s* „Eigelb": Das *westgerm.* Wort *mhd.* toter, *ahd.* totoro, *niederl.* doo[ie]r, (andersgebildet:) *aengl.* dydring ist wohl verwandt mit *norw.* mdal. dudra „zittern" (nach der gallertigen Beschaffenheit) und weiter mit der unter →*Dunst* behandelten *idg.* Wortgruppe. Von den verschiedenen Pflanzennamen mit 'Dotter' als Bestimmungswort heißt jedenfalls die Sumpfdotterblume (im 15. Jh. doderblum) nach ihren gelben Blüten.

Double *s* „Ersatzmann, der für den eigtl. Darsteller gefährliche Rollenpartien spielt" (Film); auch im Sinne von „Doppelgänger": Im 19. Jh. aus *frz.* double „doppelt; Doppelgänger" entlehnt (< *lat.* duplus); vgl. *doppelt*.

dozieren „lehren, lehrhaft vortragen": Im 16. Jh. aus gleichbed. *lat.* docēre (docui, doctum) entlehnt. Über weitere Zusammenhänge vgl. den Artikel *dezent*. – Dazu: Dozent *m* „Hochschullehrer" (18. Jh.), aus dem Part. Präs. *lat.* docēns entlehnt; ferner →Doktor, →Doktrin, →Dokument.

Drache *m* „Lindwurm": Der Name des Fabeltiers, *ahd.* trahho, *mhd.* trache (entspr. *engl.* drake, *schwed.* drake) beruht auf einer alten Entlehnung aus gleichbed. *lat.* dracō, das seinerseits aus *gr.* drákōn „Drache" stammt. Das Fabeltier begegnete den Germanen zuerst in römischen Kohortenzeichen. – Im weiteren Sinne wird das Wort auch übertragen gebraucht, und zwar mit der Nebenform Drachen *m*, einerseits für „zänkisches Weib" (beachte die Zus. Hausdrachen), andererseits als Bezeichnung für ein Kinderspielzeug (Papierdrachen). Siehe auch Dragoner und drakonisch.

Dragee *s* oder *w* „überzuckerte Frucht; Arzneipille mit Überzug aus Zuckerglasur": Im 19./20. Jh. aus *frz.* dragée entlehnt, das – bei allerdings ungeklärter lautlicher Entwicklung – wohl auf *gr.-lat.* tragémata „Naschwerk" zurückgeht. Das zugrunde liegende Verb *gr.* trốgein „nagen, naschen" stellt sich zur *idg.* Sippe von *dt.* →*drehen*. Abl.: dragieren „zu Dragees machen".

Dragoner *m* (früher für:) „leichter Reiter": Im Verlauf des Dreißigjährigen Krieges aus gleichbed. *frz.* dragon entlehnt. Urspr. war dies der Name einer Handfeuerwaffe, „feuerspeiender Drache" etwa, mit der die franz. Kavalleristen ausgerüstet waren. Zugrunde liegt *gr.* drákōn (> *lat.* dracō) „Drache" (vgl. *Drache*).

Draht *m*: Das *altgerm.* Wort *mhd.*, *ahd.* drāt, *niederl.* draad, *engl.* thread, *schwed.* tråd ist eine Partizipialbildung zu dem unter →*drehen* behandelten Verb und bedeutet eigtl. „Gedrehtes". *Außergerm.* verwandt ist z. B. *gr.* trĕtos „durchbohrt". Das Wort bezeichnet bis in die Neuzeit, wie heute noch *engl.* und *nord.*, den „gedrehten Faden" (Pechdraht ist der Nähfaden des Schuhmachers). Der Metalldraht, der gezogen, nicht gedreht wird, heißt aber schon im *Mhd.* so, zuerst wohl als Goldfaden in Geweben. Die *ugs.* Fügung „auf Draht sein" „schnell, geschäftstüchtig sein" (20. Jh.) hat wohl technischen Ursprung. Seit den 70er Jahren des 19. Jh.s gilt Draht... als Ersatzwort für Telegraphen..., so in Drahtanschrift, -nachricht und im Verb drahten „telegraphieren"; heute geht der Funkverkehr meist drahtlos. Weitere Abl.: drahtig „sehnig, straff" (20. Jh.). Zus.: Drahtzieher *m* (im 15. Jh. „Drahtmacher"; seit dem 18. Jh. im politischen Schlagwort für „geheimer Hintermann", nach den Marionettenspielern).

drakonisch „sehr streng": Im 18. Jh. bezeugt; nach dem Namen des altgriech. Gesetzgebers Drakon gebildet, dessen im Jahre 624 v. Chr. den Athenern gegebene Gesetze sehr hart und grausam waren. Der Name Drakon ist identisch mit *gr.* drákōn „Lindwurm" im LW →*Drache*.

drall „derb, stramm": Das *niederd.* Adjektiv bedeutet eigtl. „fest gedreht" (so in *mnd.*

drall) und ist eine Bildung zu dem unter →*drillen* behandelten Wort. Gleicher Herkunft ist **Drall** *m*, das im *Nhd.* als techn. Fachwort die Drehung im Garn und Zwirn, die Windung der Züge in Feuerwaffen (seit dem 18. Jh.) und danach die Drehung des fliegenden Geschosses bezeichnet.

Drama *s* „Schauspiel", auch übertr. gebraucht im Sinne von „aufregendes bzw. trauriges Geschehen": Im 17. Jh. aus *gr.-lat.* drãma entlehnt (Grundbed.: „Handlung, Geschehen"). Zugrunde liegt *gr.* drãn „tun, handeln" (dazu als Adjektiv *gr.* drãstikós „wirksam", s. drastisch). Abl.: **dramatisch** „aufregend, spannend" (17. Jh.; nach *gr.-lat.* drãmatikós); **Dramatik** *w* „erregende Spannung"; **Dramatiker** *m* „Schauspieldichter"; **dramatisieren** „übertrieben aufregend darstellen" (19. Jh.). Zus.: **Dramaturg** *m* „literarischer Berater des Bühnenleiters" (19. Jh.); aus *gr.* drãmatourgós „Schauspielmacher, -dichter" entlehnt (das Grundwort gehört zu *gr.* érgon „Werk", vgl. *Energie*). Dazu: Dramaturgie *w* „Gestaltung eines Dramas; Tätigkeit des Dramaturgen" (aus *gr.* drãmatourgía).

Drang *m*: Neben →*dringen*, das in den älteren Sprachzuständen auch transitiv gebraucht wurde, gab es früher das Verb *ahd.* drangōn, *mhd.* drangen „,[sich] drängen". Das spät belegte Substantiv *mhd.*, *mnd.* dranc „Gedränge, Bedrängnis" kann ablautend zu 'dringen' oder als Rückbildung zu diesem 'drangen' gehören. Seine heutige Bed. „innerer, geistig-seelischer Trieb" erhielt 'Drang' erst im 18. Jh., es wurde dann zum literarischen Schlagwort (s. Sturm). – Neben 'Drang' in seiner alten Bedeutung steht **Drangsal** *w* (*spätmhd.* drancsal „Bedrängung, Nötigung", wohl unmittelbar aus *mhd.* drangen abgeleitet), dazu **drangsalieren** „quälen" (19. Jh.). Auch **Gedränge** *s* (*mhd.* gedrenge, *ahd.* gidrengi) ist zum gleichen Verb gebildet. Dagegen ist **drängen** erst im *mhd.* Zeit als Veranlassungswort zu →*dringen* entstanden (*mhd.* drengen „dringen machen") und hat das starke Verb aus dem transitiven Gebrauch verdrängt. An diesen Gebrauch erinnern noch **aufdringlich** und **zudringlich** (18. Jh., zu veraltetem transitivem auf-, zudringen). Abl.: **drängeln** (19. Jh.).

drastisch „sehr wirksam; derb": Das seit dem 18. Jh. bezeugte Adjektiv galt zunächst nur im medizinischen Bereich zur Bezeichnung „kräftiger, hochwirksamer" Arzneimittel, seit dem 19. Jh. dann auch allgemein. Es ist aus gleichbed. *gr.* drãstikós entlehnt (zu *gr.* drãn „tun, handeln, [be]wirken"; vgl. *Drama*).

drechseln: Das nur im *Dt.* vorkommende Verb *mhd.* drëhseln, drehseln ist von dem Handwerkernamen *mhd.* drëhsel, *ahd.* drãhsil „Drechsler" (s. u.) abgeleitet. Diesem

liegt ein untergegangenes Verb zugrunde (beachte *aengl.* drãestan „drehen, [zer]drükken, zwingen"), das mit *lat.* torquẽre „drehen, winden" (s. die Fremdwörter Tortur und Retorte) und verwandten Wörtern in anderen *idg.* Sprachen zu der unter →*drehen* dargestellten *idg.* Wurzel gehört. 'Drechseln' gilt nur von Arbeiten in Holz, Horn und Bein. Übertragen ist es schon *mhd.* „kunstvoll verfertigen", wohl nach *lat.* tornãre versus „Verse drechseln", heute bes. in der Wendung 'Phrasen drechseln'. – Abl.: Drechsler *m* (*mhd.* drẽhseler, drehseler, *ahd.* thrãslári hat die alte Bildung auf -el abgelöst).

Dreck *m*: Das *gemeingerm.* Substantiv *mhd.*, *ahd.* drec, *niederl.* drek, *aengl.* dreax „Fäulnis, Kehricht", *schwed.* träck „Kot" gehört wie *gr.* stérganos „Kot, Mist" und (mit anderem Auslaut) *lat.* stercus „Kot, Mist, Dünger" zu der vielfach weitergebildeten und erweiterten *idg.* Wz. *[s]ter- „Mist; besudeln, verwesen". Die meist vergessene alte Bed. „Exkremente" (noch in Mäusedreck u. ä. Zus.) läßt das Wort vielfach noch anstößig erscheinen, doch steht es meist als kräftiger Ausdruck für „Schmutz", z. B. in den Redensarten 'die Karre aus dem Dreck ziehen', 'Dreck am Stecken haben' (d. h. „nicht sauber dastehen". Schon *mhd.* ist die übertragene Bed. „Wertloses". – Abl.: **dreckig** (im 16. Jh. für älteres dreckich[t]; zu 'dreckig lachen' s. schmunzeln).

drehen: Das *westgerm.* Verb *mhd.* drãe[je]n, drëhen, *ahd.* drãen, *niederl.* draaien, *aengl.* drãwan (*engl.* to throw „werfen") beruht mit verwandten Wörtern in anderen *idg.* Sprachen auf der *idg.* Wz. *ter[ə]- „drehen, [drehend] reiben, bohren", vgl. z. B. *lat.* terere „reiben", *gr.* teírein „reiben" und *gr.* tórnos „Dreheisen, Zirkel" (s. die FW-Gruppe um Turnus). Zu der vielfach weitergebildeten und erweiterten Wurzel gehören ferner im *germ.* Sprachbereich z. B. die Verben →drohen, →drücken und →dringen (alle mit der von „reiben" abgeleiteten Grundbedeutung des Drängens), die Sippen von →drillen (dazu drall und drollig) und →drechseln (dazu die Gruppe um 'zwerch' „quer" und die FW um Torte) mit der Grundbedeutung des Drehens, schließlich auch → Darm, ursprünglich „[Arsch]loch". Im *außergerm.* Bereich stellt z. B. *gr.* trõgein „nagen, naschen" zu dieser Wurzel (s. Dragée). Das *dt.* Verb drehen bezeichnet zunächst verschiedene handwerkliche Verrichtungen wie Drechseln, Töpfern, Seil- und Garn drehen (dazu → Draht). Kurbeln werden gedreht (daher noch 'einen Film drehen' und 'Drehbuch'), wer sich beeilt, 'dreht auf' (ursprünglich konkret auf das Ventil der Dampfmaschine bezogen). Aus der Gaunersprache stammt 'ein Ding drehen' für „etwas (ein Verbrechen) geschickt ausfüh-

drei

ren". Die Bedeutung „wenden" ist z. B. seemänn.: abdrehen „den Kurs ändern, ausweichen", beidrehen „durch ein Wendemanöver stoppen". Abl.: Dreh *m* ugs. für „Drehung; Finte, List, gute Gelegenheit" (junge Rückbildung); drehbar (19. Jh.); Dreher *m* (im 15. Jh. für „Drechsler", jetzt für den Metallarbeiter an der Drehbank).

drei: Das *gemeingerm.* Zahlwort *mhd.*, *ahd.* drī, *got.* þreis, *engl.* three, *schwed.* tre geht mit Entsprechungen in den meisten anderen *idg.* Sprachen auf *idg.* *treies „drei" zurück, vgl. z. B. *lat.* trēs „drei" und *gr.* treîs „drei" (s. dazu die Vorsilbe tri... mit FW). Die *idg.* Wz. *trei- liegt auch dem Ordnungszahlwort →dritte zugrunde. Die im *Ahd.* noch klar getrennten Geschlechter drī, drīo, driu werden *nhd.* nicht mehr unterschieden. Flexion ist nur teilweise üblich, die Nominativform dreie, *mhd.* drīe, wie bei allen Einern nur in volkstümlicher Sprache. Seit ältesten Zeiten kommt der Dreizahl als kleinster Vielheit große Bedeutung zu. Sie begegnet immer wieder in Mythologie, Märchen, Recht und Volksbrauch. Das Christentum hat diese Schätzung durch die Dreieinigkeitslehre noch verstärkt. So wurzelt das Sprichwort ʻAller guten Dinge sind drei' tief in der Überlieferung. Siehe auch die Artikel Dreizack und Drilling. – Von Abl. und Zus. seien genannt: Dreier *m* (alte Scheidemünze, *spätmhd.* drīer; auch für die Ziffer oder die Zensur Drei); dreißig (mhd. drīzec, *ahd.* drīzuc; das -ß- erklärt sich aus der Verschiebung des *germ.* t nach Vokal zur Spirans ʒ, nicht zur Affrikata z, vgl. ...zig); dreizehn (*mhd.* drīzehn, *ahd.* drīzehan; als Unglückszahl schon vorchristlich); Dreieck (im 16. Jh. rückgebildet aus dem *mhd.* Adjektiv drīecke, -eckeht; älter und lange Zeit üblicher ist Triangel, s. d.); Dreieinigkeit *w* (bei *mhd.* Mystikern drīeinecheit) und Dreifaltigkeit *w* (*mhd.* drīvaltecheit) sind jüngere Lehnübertragungen für *kirchenlat.* trinitas, dazu dreieinig (im 15. Jh. drīeinec) und das schon ältere dreifaltig (*mhd.* drīvalt[ec]; vgl. ...falt); Dreimaster *m* „Schiff mit drei Masten" (1774; im 19. Jh. auf den dreispitzigen Hut [der Seeoffiziere] übertragen, der dann etwa gleichzeitig auch Dreispitz *m* heißt).

dreist: Das *niederd.* Adjektiv (*mnd.* drīste, drīstich „beherzt, kühn, frech" vgl. *niederl.* driest „dreist", *aengl.* drist[e] „dreist, kühn, schamlos") kam im 17. Jh. über das *Ostmitteld.* in die *nhd.* Schriftsprache. *Oberd.* gilt dafür ʻkeck' in tadelndem Sinn ʻfrech'. Das *westgerm.* Adjektiv ist wahrscheinlich eine Bildung zu der unter →dringen behandelten Wurzelform *trenk-„stoßen, drängen". Abl.: Dreistigkeit *w* (*mnd.* dristicheit).

dreschen: Zu dem *gemeingerm.* Verb *mhd.* dreschen, *ahd.* dreskan, *got.* þriskan, *engl.*

thrash, *schwed.* tröska „dreschen" gehören frühe *roman.* Lehnwörter wie *it.* trescare „tanzen", tresca „Springtanz". Die Germanen entfernten also die Getreidekörner durch Trampeln aus den Ähren, während man in den Mittelmeerländern und im Orient das Vieh darüber führte. Erst später erscheint der römische Dreschflegel, den die Germanen dann übernahmen (s. Flegel). Das *gemeingerm.* Verb ist wahrscheinlich lautnachahmenden Ursprungs und [elementar]verwandt mit *lit.* su-trēškinti „entzweischlagen" und *russ.* tresk „Krachen, Knistern". Schon im *Mhd.* wird ʻdreschen' übertr. für „prügeln" gebraucht (dazu ugs. verdreschen). Bildlich gesprochen sind Wendungen wie ʻleeres Stroh (oder Phrasen) dreschen', ʻSkat dreschen'. Abl.: Drescher *m* (*spätmhd.* drescher); Drasch *m* ugs. für „lärmende Geschäftigkeit" (18. Jh., eigtl. „das Dreschen"); Drusch *m* „Dreschen, Ausgedroschenes" (18. Jh.; landwirtsch. Fachwort). Zus.: abgedroschen „wertlos, oft vorgebracht" (im 18. Jh. bildl., wohl nach gleichbed. *lat.* verba trīta „abgenutzte, abgedroschene Worte").

Dreß *m* „[Sport]kleidung": Junges FW des 20. Jh.s. Das vorausliegende Substantiv *engl.* dress „Aufmachung" ist substantiviert aus to dress „herrichten, aufmachen", das auf *frz.* dresser (vgl. *dressieren*) zurückgeht.

dressieren „abrichten, einschulen": Im 18. Jh. als Jagdausdruck – vor allem im Sinne von „Hunde abrichten" – aus *frz.* dresser „aufrichten; aufmachen; abrichten" entlehnt, das auch die Quelle für *engl.* to dress „aufrichten, aufmachen" ist (s. Dreß). Voraus liegt ein von *lat.* dī-rigere „ausrichten" (vgl. *dirigieren*) abgeleitetes Verb *vlat.* *directiāre (s. auch Adresse und adrett). Abl.: Dresseur *m* „Abrichter, Tierlehrer" (19. Jh.; aus *frz.* dresseur); Dressur *w* „Abrichtung" (19. Jh.; mit *lat.* Endung gebildet).

dribbeln „den Ball durch kurze Stöße vortreiben": Im 20. Jh. zusammen mit anderen Fachausdrücken der Fußballersprache (vgl. hierüber den Artikel ʻfoul') aus dem *Engl.* entlehnt. *Engl.* to dribble.– dazu das substantivierte Part. Präs. *engl.* dribbling in unserem FW Dribbling *s* – gehört als Intensivbildung zu to drip und bedeutet wie dieses eigtl. „tröpfeln", dann beim Fußballspiel entspr. etwa „den Ball tröpfchenweise vortragen". *Engl.* to drip stellt sich mit dem Substantiv drop „Tropfen" (s. Drops) zur *germ.* Wortgruppe um →triefen (Tropfen).

Drift *w* (seemänn. für:) „vom Wind bewirkte Strömung; Abtreiben des Schiffes vom Kurs": Das Wort ist zuerst bezeugt als *mnd.* drift und gehört wie *hochd.* Trift zu →treiben. Abl.: driften (seemänn. für:) „treiben".

118

drillen: Das im *Hochd.* zuerst im 16. Jh. bezeugte Verb beruht auf einer Weiterbildung der unter →drehen behandelten *idg.* Wurzel. Das anlautende d ist *niederd.* Ablautbildungen dazu sind →drall und →drollig. Aus der Grundbed. „[herum]drehen" haben sich verschiedene techn. Anwendungen ergeben, z. B. der Drillbohrer (urspr. durch eine Schnur, später durch eine auf und ab bewegte Schraubenmutter angetrieben). In der Soldatensprache ist 'drillen' seit dem 17. Jh. „exerzieren", eigtl. „herumwirbeln". Dazu die Rückbildung Drill *m* (19. Jh.). In der jungen Bed. „in Reihen säen" ist 'drillen' aus einem nicht sicher erklärten *engl.* to drill entlehnt. Die Drillmaschine wurde in England 1731 erfunden.

Drillich *m*: Mhd. dril[l]ch ist das substantivierte Adjektiv *mhd.* dril[l]ch, *ahd.* drilĺih „dreifach", eine Bildung zu dem unter →drei behandelten Wort. Der Stoff ist nach seinen dreifachen Fäden benannt. Das *mhd.* Adjektiv gewann die Bedeutung „dreifädig" in Anlehnung an *lat.* trilix „dreifädig" (zu *lat.* licium „Faden").

Drilling *m*: Nach dem Muster von →Zwilling[e] werden seit dem 17. Jh. auch drei gleichaltrige Geschwister Drillinge genannt (älter *nhd.* Dreiling; vgl. *drei*). Entsprechend heißt seit dem 19. Jh. auch das dreiläufige Jagdgewehr Drilling.

dringen: Das *altgerm.* starke Verb *mhd.* dringen, *ahd.* dringan, *niederl.* dringen, *aengl.* dringan, *aisl.* þryngva steht im grammatischen Wechsel zu *got.* þreihan „drängen". Es bedeutete, wie die verwandten Verben →drücken und →drohen, urspr. „stoßen, drängen" und beruht auf einer Wurzelform *trenk-, die vermutlich zu der unter →drehen behandelten Wurzel *ter[ə]- „drehen, reiben, bohren" gehört. Zu der Wurzelform stellen sich auch das unter →dreist behandelte Adjektiv und *außergerm.* z. B. *lat.* truncare „verstümmeln" (s. tranchieren). Reste des alten transitiven Gebrauchs (dafür jetzt →drängen) sind die verselbständigten Partizipien dringend (z. B. 'dringend bitten', 'dringender Verdacht'; sonst auch für „eilig") und gedrungen „fest, massiv" (bes. vom Körperbau) sowie die Abl. dringlich (15. Jh., wie 'dringend' gebraucht). Siehe auch den Artikel Drang.

dritte: Das *gemeingerm.* Ordnungszahlwort *mhd.* drit[t]e, *ahd.* dritt[i]o, *got.* þridja, *engl.* third, *schwed.* tredje ist wie *lat.* tertius und verwandte Wörter anderer idg. Sprachen (z. B. *gr.* trítos) zu der unter →drei behandelten Wurzel gebildet. Abl.: drittens (17. Jh.). Zus.: Drittel *s* (*mhd.* dritteil; vgl. *Teil*), dazu dritteln (17. Jh., neben älterem dritteilen).

Droge *w* „(tierischer oder pflanzlicher) Rohstoff": Im 16./17. Jh. aus *frz.* drogue entlehnt, das wahrscheinlich zu *ahd.* →trocken gehört, und zwar als Entlehnung aus dessen *niederd.* Form droge in der Fügung droge-fate „trockene Fässer" – nämlich „Packfässer mit Trockenware" – ; das Wort dürfte dann irrtümlich als Warenbezeichnung des Inhalts solcher Fässer verstanden worden sein. Abl.: Drogerie *w* „Drogenhandlung" (16. Jh.; aus *frz.* droguerie); Drogist *m* „Drogenhändler" (16./17. Jh.; aus *frz.* droguiste).

drohen: Die heutige Form geht zurück auf *mhd.* drōn, eine durch Kontraktion oder durch Anlehnung an das Substantiv *mhd.* drō „Drohen, Drohung" entstandene Nebenform von *mhd.* dro[u]wen, dröuwen, *ahd.* drouwen „drohen". Die umgelautete Form hat das heute veraltete *nhd.* dräuen ergeben. Das Verb gehört zu der Wurzelform *treu- der unter →drehen dargestellten *idg.* Wurzel. Im *germ.* Sprachbereich ist z. B. verwandt *aengl.* drēan „drohen, bedrängen, plagen", im *außergerm.* z. B. *gr.* trýein „aufreiben". Abl.: Drohung *w* (*ahd.* drōunga; *mhd.* sind nur dröuwunge und drō belegt).

Drohne *w*: Die heutige Form ist im 17. Jh. aus dem *Niederd.* ins *Hochd.* gelangt (*mnd.* drōne, dräne). Daneben steht mit anderer Ablautstufe *mhd.* trene, *ahd.* treno, das mit verwandten Wörtern in anderen *idg.* Sprachen auf der lautnachahmenden *idg.* Wz. *dher-, *dhrēn- „brummen, murren, lärmen" beruht. Im *germ.* Sprachbereich gehört das unter →dröhnen behandelte Verb zu dieser Wurzel, im *außergerm.* sind z. B. *gr.* thrốnax „Drohne", tenthrḗnē „Hornisse", thrēnos „Totenklage" verwandt. Schon *frühnhd.* ist die Anwendung des Wortes auf den faulen Nutznießer fremder Arbeit; so wurde 'Drohne' im 19. Jh. sozialpolitisches Schlagwort. Dem männlichen Geschlecht der Drohne trägt das in der Imkersprache übliche Drohn *m* Rechnung.

dröhnen: Das im 17. Jh. aus dem *Niederd.* ins *Hochd.* übernommene Verb geht zurück auf *mnd.* drönen „mit Erschütterung lärmen". Damit verwandt sind im *germ.* Sprachbereich gleichbed. *niederl.* dreunen und *isl.* drynja „brüllen", ferner *got.* drunjus „Schall". Diese Wortgruppe ist lautnachahmenden Ursprungs (vgl. *Drohne*). Im *Dt.* gilt das Verb bes. vom dumpfmetallischen Klang (Geschütz, Glocken).

drollig: Das Wort wurde im 17. Jh. aus dem *Niederd.* ins *Hochd.* übernommen. Das *niederd.* Wort ist aus *niederl.* drollig entlehnt, das eine Abl. von *niederl.* drol „Knirps, Spaßmacher" ist und eigtl. „rundgedrehter Kegel" bedeutet. Es steht im Ablaut zu dem unter →drillen behandelten Wort. Auch das gleichbed. *frz.* drôle stammt aus dem *Niederländischen*.

Dromedar *s* „einhöckeriges Kamel": In *mhd.* Zeit durch Vermittlung von *afrz.*

dromedaire (= *frz.* dromadaire) aus *lat.*
dromedārius (camēlus) ,,Rennkamel, Renner" entlehnt. Dies ist Ableitung von *gr.-lat.*
dromás ,,laufend". Zugrunde liegen *gr.*
drameín ,,laufen", *gr.* drómos ,,Lauf" (vielleicht zur *idg.* Sippe von *dt.* →*zittern*).

Drops *m* (meist *Mehrz.*) ,,Fruchtbonbon":
Im 19. Jh. aus dem *Engl.* entlehnt. *Engl.*
drop ist identisch und bedeutungsgleich mit
nhd. → *Tropfen*, so daß diese Bonbons also
nach ihrer Tropfenform benannt sind.

Droschke *w* ,,Mietkutsche": Im 17./18. Jh.
aus *russ.* drožki ,,leichter Wagen" entlehnt.

¹Drossel *w*: Die heutige, zuerst im 15. Jh.
bezeugte Form ist *niederd.-mitteld.* Ursprungs
(*ahd.* [*rhein.*,] drosla, *mnd.* drösle). Die im
Mhd. und *Ahd.* übliche Form ist *mhd.*
droschel, *ahd.* drōsca[la] (vgl. *engl.* thrush),
daneben auch *mhd.* trostel, vgl. *engl.*
throstle, *schwed.* (mit Ablaut) trast. Die
Fülle der Formen läßt lautnachahmenden
Ursprung des Vogelnamens vermuten. Urverwandt sind z. B. gleichbed. *lat.* turdūs,
lit. strazdas und *russ.* drozd.

²Drossel *w* (weidmänn. für:) ,,Luftröhre des
Schalenwildes": *Spätmhd.* drozzel ist eine
Weiterbildung zu *mhd.* drozze, *ahd.* drozza
,,Kehle, Gurgel" (wie gleichbed. *engl.*
throttle neben throat steht). Entsprechende
gleichbed. Bildungen mit s-Anlaut sind
mhd. strozze, *asächs.* strota, *niederl.* strot.
Alle diese Wörter gehören zu der unter
→*strotzen* behandelten Wortgruppe und
beziehen sich auf die Festigkeit und Prall-
heit der Luftröhre. Heute gilt das Wort
Drossel nur in einigen *dt.* Mundarten, bes.
aber weidmänn. für die Luftröhre des Schalenwildes. Sehr wahrscheinlich heißt auch der
Märchenkönig Drosselbart nach einem Bart
an seiner Kehle. Abl.: drosseln ,,die Kehle
zudrücken" (15. Jh., dafür heute meist
'würgen'; seit Ende des 19. Jh.s in techn.
Fachspr. ,,[Gas und Dampf] absperren,
bremsen"); erdrosseln ,,durch Drosseln
töten" (17. Jh.).

drucken: Die Kunst des Buchdrucks hat
sich im 15. Jh. zuerst in Oberdeutschland
ausgebildet, so daß die umlautlose *oberd.*
Form von →*drücken* schnell zum Fachwort
wurde. Das Abdrücken von Platten (Holz-
schnitten) oder Lettern auf Papier oder
Stoff war im Gegensatz zum Schreiben das
wesentliche Kennzeichen des neuen Ver-
fahrens. Abl.: ¹Druck *m* (wie → ²Druck,
aber *frühnhd.* auf den Druckvorgang und
sein Ergebnis bezogen; dazu fachsprachl.
Zus. wie Ab-, Auf-, Nachdruck, Hoch-,
Tief-, Steindruck, Schön- und Widerdruck
[d. h. auf Vorder- und Rückseite]); Drucker
m (15. Jh.); Druckerei *w* (16. Jh., auch für
das Handwerk gebraucht). Zus.: Druck-
sache (um 1850 ,,gedruckter Bogen", so
z. B. noch für die Arbeitsvorlagen der

Parlamente; heute bes. postalisches Fachwort).

drücken: Das *altgerm.* Verb *mhd.* drücken,
ahd. drucchen, *niederl.* drukken, *schwed.*
dryccan, *schwed.* trycka ist eine Intensivbildung zu einem noch in *aisl.* þruga ,,dro-
hen, unterdrücken" (*schwed.* truga ,,nöti-
gen") erscheinenden *germ.* Verb. Es gehört
mit der Grundbed. ,,reiben, bedrängen" zu
der unter →*drehen* behandelten Wortgruppe.
Es wird schon im *Mhd.* auf geistigen und
seelischen Druck übertragen, ohne seinen
eigtl. Sinn zu verändern. 'Sich drücken'
,,heimlich verschwinden" wird urspr. weidm.
vom Hasen gesagt, der sich duckt (dazu
das *ugs.* Drückeberger *m*, das wie 'Schlauberger' scherzhaft einen Einwohnernamen
nachbildet). Abl.: ²Druck *m* (*mhd.*, *ahd.*
druc; heute bes. techn. Fachwort als Luft-,
Wasser-, Über-, Unterdruck usw.), dazu
Eindruck *m* (für die ,,geistige Einwirkung"
im 18. Jh. neu belebt aus *mhd.* īndruc,
einer LÜ der Mystiker für *lat.* impressiō);
Drücker *m* ,,Gerät zum Drücken" (17. Jh.);
drucksen *ugs.* für ,,zaudern, gehemmt
reden oder handeln" (im 18. Jh. als Iterativbildung zu drucksen, drücken gebildet). Zus.:
ausdrücken (*mhd.* ūz drücken, im 16. Jh.
nach dem Vorbild von *lat.* exprimere auf
Sprachliches, im 18. Jh. auch auf das Mienenspiel übertragen und dann allgemein
vom künstlerischen Gestalten, wie *frz.*
exprimer), dazu Ausdruck *m* (im 18. Jh.
nach *frz.* expression neu gebildet, jedoch
schon *spätmhd.* als ūzdruc bei Mystikern)
und ausdrücklich (16. Jh.).

Drüse *w*: Das auf das *dt.* und *niederl.* Sprachgebiet beschränkte Wort *mhd.*, *ahd.* druos
,,Drüse, Schwellung, Beule", *niederl.* droes
,,Kropf; Entzündung von Drüsenorganen
beim Pferd" ist ungedeutet. Die heutige
Form ist urspr. der umgelautete Plural
(*mhd.* drües, *ahd.* druosi). Die alte, nicht
umgelautete Form setzt sich fort in *nhd.* Druse
(seit dem 16. Jh. bergmänn. Bezeichnung
für kristallbesetzte Höhlungen im Gestein,
später auch Bezeichnung einer katarrhali-
schen Pferdekrankheit).

du: Das *gemeingerm.* Personalpronomen der
2. Person *mhd.*, *ahd.* dū, *got.* þu, älter *engl.*
thou, *schwed.* du geht mit *lat.* tu, *gr.* tý, sý
und entsprechenden Wörtern fast aller *idg.*
Sprachen auf *tū zurück. Der Dativ
dir (*mhd.*, *ahd.* dir) und der Akkusativ
dich (*mhd.* dich, *ahd.* dih) sind durch Ablaut (*idg.* *te-) und mit Suffixen gebildet. In
der Anrede ist 'du' gegenüber 'Sie' seit langem
auf den vertrauten und kameradschaftlichen
Verkehr beschränkt. Abl.: duzen (*mhd.*
duzen, dutzen), dazu Duzbruder (16. Jh.).
Siehe auch siezen unter →*sie*.

Dübel *m* ,,Zapfen, Holzpflock": *Mhd.* tübel,
ahd. [gi]tubili, *engl.* dowel, *niederl.* deuvik,
schwed. dubb stellen sich zu einem nur in

Resten erhaltenen Verb mit der Bed. „schlagen" (z. B. *ostfries.* duven, *südniederl.* doffen). Außerhalb des *Germ.* ist *gr.* týphos „Keil" vergleichbar. Abl.: dübeln „mit Holznägeln befestigen, Holzkeile einschlagen". Die Formen mit ö (Döbel, döbeln) sind *niederd.* (*mnd.* dȫvel, dȫvelen).

Dublee *s* „Metall mit Edelmetallüberzug": Im 20. Jh. aus *frz.* doublé „gedoppelt" entlehnt. Dies gehört zu doubler „doppeln", das wie *it.* doppiare auf *spätlat.* dupläre zurückgeht. Über weitere Zusammenhänge vgl. *doppelt*.

Dublette *w* „doppelt Vorhandenes, Doppelstück, -treffer": Im 18. Jh. aus gleichbed. *frz.* doublet entlehnt; zu *frz.* double (< *lat.* duplus) „doppelt" (vgl. *doppelt*).

ducken: *Mhd.* tucken, tücken „eine schnelle Bewegung [nach unten] machen" ist eine Intensivbildung zu →*tauchen*. Es hat sich im 18. Jh. in der *oberd.-niederd.* Mischform ducken durchgesetzt und wird bes. vom schnellen Niederbeugen bei Gefahr, transitiv auch für „demütigen" gebraucht.

Duckmäuser *m*: *Spätmhd.* duckelmūser „Schleicher, Heuchler" (15. Jh.) gehört zu dem seltenen Verb *mhd.* tockelmūsen „Heimlichkeit treiben", in dem *mhd.* mūsen „Mäuse fangen, schleichen" und ein in *bayr.* duckeln „mit heimlichem Betrug umgehen" (zu →ducken) erhaltenes Verb zusammengezogen sind.

dudeln „schlecht musizieren": Das seit dem 17. Jh. bezeugte Verb ist entweder lautnachahmend (vgl. den *frühnhd.* Tanznamen Tutelei *m* und das Schallwort dudel[dum]dei), oder es gehört zu der Instrumentenbezeichnung **Dudelsack**. Dieses als Sackpfeife (*spätmhd.* sacphīfe) schon dem Mittelalter bekannte, urspr. wohl indische Blasinstrument heißt *poln., tschech.* dudy, *serb.* duduk, was auf *türk.* duduk zurückgeht. Im 17. Jh. erscheinen die *dt.* Bezeichnungen Dudei, Dudelbock, polnischer Bock, Dudelsack, von denen das letzte sich schließlich durchgesetzt hat.

Duell *s* „Zweikampf": Im 17. Jh. aus älter *lat.* duellum „Krieg" für *klass.-lat.* bellum (s. rebellieren und Krawall) entlehnt. Die Bedeutung „Zweikampf" entstand durch volksetymologischen Anschluß an das sicher unverwandte *lat.* Zahlwort duo „zwei". Das reflexive Verb duellieren (sich) „einen Zweikampf austragen" (17. Jh.) stammt aus *mlat.* duelläre.

Duett *s* „Musikstück für zwei Gesangsstimmen; Zwiegesang": Im 18. Jh. aus gleichbed. *it.* duetto entlehnt; zu *it.* due „zwei" (vgl. *Duo*).

Dufflecoat *m* „dreiviertellanger Sportmantel": Neubildung des 20. Jh.s. Über das Grundwort *engl.* coat, das auch in →Petticoat und →Trenchcoat erscheint, vgl. ¹Kotze. Dem Bestimmungswort liegt der Name der belg. Stadt Duffel zugrunde.

Duft *m:* Das auf das *dt.* Sprachgebiet beschränkte Wort *mhd.* tuft, *ahd.* duft „Dunst, Nebel, Tau, Reif" ist vielleicht aus *dumft, *dunft entstanden und würde dann als Verbalsubstantiv zu *mhd.* dimpfen „dampfen" gehören (vgl. *Dampf*). Es kann aber auch, wie *aisl.* dupt, *schwed.* duft „Staub", zur Sippe von →*Dunst* gehören. Die alten Bedeutungen „Dunst, Nebel, Tau, Reif" sind nur noch *mdal.* bewahrt. Schriftsprachlich wird 'Duft' seit dem 18. Jh. im Sinne von „feine Ausdünstung, feiner Geruch" verwendet. Abl.: duften (*mhd.* tuften, tüften „dampfen, dünsten"), dazu *ugs.* verduften „unauffällig verschwinden" (19.Jh.); duftig (*frühnhd.*; heute meist für „leicht, schwebend, zart").

Dukaten *m:* Der Name der alten Goldmünze, die von 1559–1857 in Deutschland geprägt wurde (in Österreich sogar bis ins 20. Jh.), wurde im *spätmhd.* Zeit aus dem *It.* entlehnt. *It.* ducato (daraus entspr. *frz.* ducat) beruht auf *lat.-mlat.* ducātus „Herzogtum" (zu *lat.* dux „Führer", daraus bezeugt it. duca „Herzog"). Das *lat.* Wort erscheint zuerst im Jahre 1140 auf Münzen, die der König Roger II. von Sizilien als Herzog von Apulien schlagen ließ. Von dieser Aufschrift her wird das *it.* Wort zum Münznamen, zuerst 1284 in Venedig.

dulden: Das Verb (*mhd., ahd.* dulten) ist eine *südwestdt.* Neubildung des 8. Jh.s zu dem Verbalabstraktum *ahd.* [gi]dult (s. u.), das seinerseits zu dem im *Dt.* untergegangenen gleichbed. gemeingerm. Verb *mhd.* doln, *ahd.* dolēn, *got.* þulan, *engl.* to thole, *schwed.* tåla gehört. Dies ist verwandt mit *lat.* tolerāre „[er]tragen" (s. die FW um →tolerieren), *gr.* tlēnai „ertragen", *gr.* télos „Auferlegung; Zahlung, Steuer" (s. ²Zoll, „Abgabe") und geht auf die *idg.* Wz. *tel[ə]- „aufheben, wägen; tragen; dulden" zurück. In seinem ersten, christlichen Sinn ist 'dulden' durch „erdulden' und „erleiden' abgelöst worden und bedeutet heute meist „ohne Widerspruch zulassen" (s. a. leiden). Abl.: Dulder *m* (2. Hälfte des 18. Jh.s, zuerst für Christus gebraucht); duldsam (17. Jh.), dazu Duldsamkeit *w* (im 18. Jh. für Toleranz, s. d.; heute bes. in der Verneinung mit Un... gebräuchlich). Als selbständige Bildung zu *ahd.* dolēn (s. o.) hat sich Geduld *w* (*mhd.* [ge]dult, *ahd.* [gi]dult, entspr. *asächs.* githuld, *aengl.* gedyld) eng an dulden angeschlossen und bedeutet heute bes. „Langmut, Ausharren"; dazu geduldig (*mhd.* gedultec, *ahd.* gidultig); gedulden (*mhd.* gedulden, *ahd.* gidulten werden wie dulden gebraucht; jetzt gilt im Anschluß an das Substantiv nur 'sich gedulden' „ergeben abwarten").

dumm: Das *gemeingerm.* Adjektiv *mhd.* tump „töricht, unerfahren, stumm", *ahd.* tumb „stumm, taub, töricht", *got.* dumbs

,,stumm", *engl.* dumb ,,stumm", *schwed.* dum ,,dumm" (älter: ,,stumm") geht von der Grundbed. ,,stumm", eigtl. wohl ,,verdunkelt, mit stumpfen Sinnen" aus. Demnach stellt sich das Wort wie → taub und → toben zu der unter → *Dunst* dargestellten Wortgruppe. Die schon *ahd.* Bed. ,,töricht" erscheint im *Mhd.* teilweise als ,,unerfahren, unverständig" (vgl. *nhd. ugs.* Dummerchen *s* ,,unerfahrenes Kind"); heute überwiegt der tadelnde Sinn, verstärkt in *ugs.* sau-, strohdumm (19. Jh.). Abl.: Dummheit *w* (*mhd.* tumpheit); Dümmling *m* ,,törichter Mensch" (*spätmhd.* tumbelinc; im Volksmärchen der jüngste, ,,dumme" Bruder, dem alles gelingt); verdummen ,,dumm werden oder machen" (*mhd.* vertumben). Zus.: Dummkopf (18. Jh.); Dummerjan, Dumm[r]ian *m* (17. Jh., für *frühnhd.* 'dummer Jan'; der zweite Bestandteil ist die *niederd.* Kurzform 'Jan' des PN Johannes).

dumpf: Das erst im *Nhd.* bezeugte Adjektiv ist wohl verkürzt aus dem älteren dumpfig ,,schimmlig, muffig" (15. Jh.; entspr. *niederl.* dompig), einer Abl. von dem älter *nhd.* Substantiv dumpf ,,Schimmel", das auch ,,Atemnot, Asthma" bedeuten konnte. Die Wörter stehen im Ablaut zu → *Dampf.* Aus der Grundbed. ,,durch Rauch beengend, feucht, modrig" hat sich über ,,engbrüstig" der Sinn ,,heiser, hohl" entwickelt, während dumpfig ganz bei der alten Bedeutung geblieben ist.

Düne *w*: Das im 17. Jh. aus dem *Niederd.* ins *Hochd.* übernommene Wort geht auf *mnd.* dūne, *mniederl.* dūne zurück. Die *nhd.* Form folgt der älteren *niederl.* Aussprache mit ü (*niederl.* duin). Das Wort gehört mit *aisl.* dȳja ,,schütteln" im Sinne von ,,(vom Wind) Aufgeschüttetes" zu der unter → *Dunst* dargestellten *idg.* Wurzel *dheu-, ,,stieben".

Dung *m*: Nach Tacitus und Plinius hatten die Germanen unterirdische Vorratsräume und Webkammern, die gegen die Winterkälte mit Mist bedeckt wurden. Sie heißen *ahd.* tung, *mhd.* tunc (vgl. *aengl.* dung ,,Gefängnis", *aisl.* dyngja ,,Frauengemach; Haufen"). Das Wort Dung (*mhd.* tunge *w*, *ahd.* tunga, [*a*]*engl.* dung, *schwed.* dynga) bedeutet also eigtl. ,,das Bedeckende" und gehört wohl zu der Wz. *dhengh- ,,drücken, bedecken", die z. B. in *air.* dingid ,,unterdrückt" und *lit.* deñgti ,,bedecken" erscheint. Abl.: düngen (*mhd.* tungen), dazu Dünger *m* (*spätmhd.* tunger; jetzt bes. auch für künstl. Düngemittel).

dunkel: Die *germ.* Adjektivbildungen *mhd.* tunkel, *ahd.* tunkal, *niederl.* donker, *aisl.* døkkr gehören im Sinne von ,,dunstig, neblig" zu der unter → *Dampf* dargestellten *idg.* Wurzel. Der d-Anlaut setzte sich erst im 18. Jh. völlig durch. – Abl.: Dunkel *s* (das

Femininum *mhd.* tunkel, *ahd.* tunkali ,,Dunkelheit" wurde *nhd.* durch das substantivierte Adj. ersetzt); dunkeln ,,dunkel werden" (*mhd.* tunkeln, *ahd.* tunkalēn), dazu verdunkeln (*mhd.* vertunkeln). Zus.: Dunkelmann (um 1795 als LÜ für *lat.* vir obscurus; die 'Epistolae obscurorum virorum', d. h. ,,Briefe unberühmter Männer", eine satirische Streitschrift deutscher Humanisten um 1516, geißelten, angeblich von scholastischen Theologen verfaßt, die Unbildung und Rückständigkeit des damaligen Wissenschaftsbetriebs. Erst zu Anfang des 19. Jh.s wurden jene ,,Unbekannten" als ,,Finsterlinge und Bildungsfeinde" im heutigen Sinn des Wortes aufgefaßt.

dünken: Das *gemeingerm.* Verb *mhd.* dünken, dunken, *ahd.* dunchen, *got.* þugkjan, *engl.* to think (*aengl.* ðyncan), *schwed.* tycka steht im Ablaut zu dem unter → *denken* behandelten Verb und bedeutete urspr. ,,den Anschein haben, vorkommen", im *Got.* auch ,,meinen". Die *nhd.* Nebenformen deucht, Prät. deuchte, Part. gedeucht sind aus dem *mhd.* Konj. Prät. diuhte entstanden und setzen das alte Prät. *mhd.* dūhte, *ahd.* dūhta, Part. gedūht fort. Schon im 13. Jh. begegnen die heute herrschenden Formen dünkte, gedünkt. – Abl.: Dünkel *m* (seit dem 16. Jh. *mhd.* dunc ,,Bedünken, Meinung", seit dem 17. Jh. in der heutigen Bed. ,,eingebildeter Stolz"); dazu dünkelhaft (18. Jh.).

dünn: Das Gegenwort zu dick und dicht (s. d.) *mhd.* dünne, *ahd.* dunni, thunni, *asächs.* thunni, *engl.* thin, *schwed.* tunn ist z. B. verwandt mit *lat.* tenuis ,,dünn, fein, zart" und *aind.* tanví ,,dünn, zart, schmächtig, unbedeutend". Es geht zurück auf das *idg.* Adjektiv *tenu-s ,,dünn", das zu der unter → *dehnen* behandelten Wz. *ten- gebildet ist und demnach eigtl. ,,lang ausgedehnt" bedeutet. Abl.: Dünne *w* (*mhd.* dünne, *ahd.* dunnī).

Dunst *m*: *Mhd.* dunst, tunst ,,Dampf, Dunst", *ahd.* tun[i]st ,,Sturm" geht wie *mnd.* dust, dūst ,,[Mehl]staub" und *engl.* dust ,,Staub" auf ein *westgerm.* Substantiv zurück, das wahrscheinlich ,,Staub, Staubwind" bedeutete. Die Bedeutungen ,,Staub" und ,,Dampf" sind auch heute nicht scharf getrennt: *nhd.* Dunst bezeichnet nicht nur eine Lufttrübung, sondern auch eine feine Mehlsorte und als [Vogel]dunst (17./18. Jh.) das feinste Schrot für die Vogeljagd. Die Wendung 'blauen Dunst vormachen' ,,betören, etwas vorspiegeln" erscheint im 16. Jh. Diese Beziehung auf geistiges ,,Vernebeln" zeigen auch die mit 'Dunst' nahe verwandten unter → dösen, → Dusel und → ²Tor ,,Dummkopf" behandelten *germ.* Wörter. Andere dagegen, z. B. → Tier und → Düse (aus *aslaw.* duša ,,Atem") enthalten urspr. die Bed. ,,hauchen, atmen; Lebewesen". Der ganzen Gruppe liegt eine s-Erweiterung der *idg.* Wz. *dheu-, *dheu̯- „stieben, wirbeln, blasen; rauchen, dampfen; in heftiger Bewegung sein" zugrunde. Diese Wurzel ist, vielfach erweitert und weitergebildet, in den meisten *idg.* Sprachen vertreten, (vgl. z. B. *aind.*dhū-má-ḥ, *lat.* fūmus „Rauch", *gr.* thȳmós „Geist, Mut", ähnlich *ahd.* toum „Dampf, Rauch" und tūmōn „sich im Kreis drehen", das *nhd.* →taumeln vorausliegt). Aus dem *germ.* Sprachbereich gehören hierher die unter →Daune (eigtl. „Aufgewirbeltes"), →Düne (eigtl. „Aufgeschüttetes") und →¹Tau „niedergeschlagene Luftfeuchtigkeit" (s. auch Duft) behandelten Wörter, weiter die Sippe von →toll (eigtl. „getrübt, geistig schwach"). Auch →Tod und →tot lassen sich als Bildungen zu einem Verb mit der Bed. „betäubt werden, hinschwinden" hier anschließen. Ähnliche Bedeutungen zeigt die Wortgruppe um die erweiterte Wurzelform *dheubh- „rauchen; neblig, verdunkelt" mit den auf Geist und Sinne bezogenen Wörtern →taub, →toben, →dumm. Zu ihr stellt sich wohl auch der Vogelname → Taube (nach der dunklen Farbe) und das Substantiv →Duft, dessen Bedeutung sich mit der von „Dunst" nahe berührt. Die erweiterte Wurzelform *dheudh- „durcheinanderwirbeln, schütteln" liegt den unter →verdutzt „verwirrt" und →Dotter (eigtl. „der Zitternde") behandelten Wörtern zugrunde. – Ableitungen von 'Dunst' sind: dunsten, dünsten „Dunst verbreiten" (*mhd.* dunsten, dünsten, beachte üzdunsten, *nhd.* ausdünsten; erst *nhd.* gilt 'dünsten' für „im Dunst gar machen"), dazu verdunsten (17. Jh.); dunstig (*mhd.* dunstec „dampfend", *ahd.* dunistig „stürmisch"). Zus.: Dunstkreis (17. Jh., Lehnübertragung für 'Atmosphäre'; jetzt nur noch bildlich gebraucht); Vogeldunst (s. o.).

Dünung *w* „Seegang nach dem Sturm": Das heutige Substantiv mit dem Stammvokal ü hat sich im 19. Jh. durchgesetzt. Frühere rivalisierende Formen wie Deining, Dienung u. a. sind aus dem *Niederl.* in die *dt.* Seemannssprache eingedrungen: niederl. deining älter deyninghe, das zu dem Verb *niederl.* deinen „auf und nieder wogen" gehört (vgl. *fries.* thīnen „schwellen"). Unser Wort geht wahrscheinlich zurück auf *niederd.* dunen, dünen „schwellen, auf und nieder wogen" (18. Jh.). Die *dt.* wie die *niederl.* Wörter beruhen auf der unter →Daumen dargestellten *idg.* Wurzel.

Duo *s* „Musikstück für zwei verschiedenartige Instrumente", auch Bezeichnung der beiden ausführenden Solisten: Im 19. Jh. aus *it.* duo „Duett" – dazu *it.* duetto (s. Duett) – entlehnt. It. duo ist die ältere Form von due „zwei", das auf *lat.* duo „zwei" zurückgeht (urverwandt mit *nhd.* →zwei). Lat. duo erscheint als Bestimmungswort in *lat.* duplus (s. doppelt, Double, Dublee usw.) und in

duplex (s. Duplikat, Duplizität). Ferner gehört zu *lat.* duo das Präfix →bi... Im *Frz.* wurde *lat.* duo zu deux.

düpieren „vor den Kopf stoßen; verwirren, verblüffen": Das Verb wurde im 18. Jh. aus *frz.* duper „narren, täuschen" entlehnt, einer Abl. von *frz.* dupe „Narr, Tropf".

Duplikat *s* „Zweitausfertigung, Zweitschrift, Abschrift": Gelehrte Entlehnung des 18. Jh.s aus *lat.* duplicātum „zweifältig, verdoppelt", dem Partizipialadjektiv von *lat.* duplicāre „zweifältig machen, verdoppeln". Dies ist abgeleitet von *lat.* duplex „doppelt zusammengelegt, doppelt". Dessen Bestimmungswort ist *lat.* duo „zwei" (vgl. Duo). Die Zugehörigkeit des zweiten Wortbestandteils -plex, der auch in verschiedenen anderen *lat.* Wörtern erscheint, so in simplex „einfach" (s. simpel), triplex „dreifach", multiplex „vielfach" (s. multiplizieren), ist umstritten. Dem Sprachgefühl zufolge gehört er zum Wortstamm der unter →kompliziert genannten *lat.* Wörter plectere „flechten", plicāre „[zusammen]falten". Allein dadurch das Nebeneinander von *lat.* duplex, *gr.* diplax „zweischichtig, doppelt" und *umbrisch* tuplak „zweizackige Gabel" ist es wahrscheinlich, daß *lat.* -plex etymologisch zu *lat.* plaga „Fläche" (= *gr.* pláx) zu stellen ist (vgl. den Artikel *flach*) und sich erst sekundär mit dem Wortstamm von *lat.* plectere vermischt hat. – Vgl. noch das gleichfalls zu *lat.* duplex gehörende FW →Duplizität.

Duplizität *w* „Doppelheit, doppeltes Auftreten": Im 19. Jh. aus gleichbed. *lat.* duplicitās entlehnt, das zu *lat.* duplex „doppelt zusammengelegt, doppelt" gehört (vgl. *Duplikat*).

Dur *s* (musikal. Bezeichnung der „harten Tonart", im Gegensatz zu →Moll): Der seit dem 17. Jh. bezeugte Name (aber schon *mhd.* bedeute „der Ton h") geht auf das *lat.* Adjektiv dūrus „hart" zurück. Der charakteristische Unterschied zwischen Dur und Moll besteht nämlich in der großen Terz, die als „harter Dreiklang" empfunden wurde.

durch: Das *westgerm.* Wort (Präp. und Adv.) *mhd.* dur[ch], *ahd.* dur[u]h, *niederl.* door, *engl.* th[o]rough steht im Ablaut zu *got.* þairh „durch". *Außergerm.* sind z. B. verwandt *aind.* tiráḥ „durch, über, abseits" und *lat.* trāns „jenseits, über – weg", das in zahlreichen aus dem *Lat.* entlehnten FW als erster Bestandteil steckt (s. trans...). Siehe auch den Artikel Thriller. Für das Adverb 'durch' steht schriftsprachl. gewöhnlich 'hindurch' (s. hin) oder auch die Verdoppelung 'durch und durch'. Als Präp. mit dem Akk. gab 'durch' im *Ahd.* meist *lat.* per wieder; es kann wie dieses den Weg oder Zeit im Sinn eines Hindurchgehens bezeichnen, woraus sich schon *ahd.* die Übertragung auf eine vermittelnde Person oder Sache ergab (Gott

spricht durch den Mund der Propheten;
durch Leid gereift). Hier konkurrieren z. T.
'mit' und 'von' (s. d.). Mit Verben bildet
'durch' unfeste, aber auch feste Zus., die sich
oft nahe berühren (dúrchbohren, durch-
bóhren). Zus.: d u r c h a u s (*frühnhd.* als
Raumadverb für ,,hindurch und hinaus",
seit dem 18. Jh. übertr. für ,,ganz und gar,
unbedingt); d u r c h w e g ,,ohne Ausnahme"
(18. Jh.).

Durchlaucht *w*: Die *mitteld.* Form des 2. Partizips von *mhd.* durchliuhten ,,durchstrah-
len" (vgl. *leuchten*), durchlüht, erscheint seit
dem 15. Jh. als LÜ von *lat.* perillustris ,,sehr
strahlend, sehr berühmt" und wird im 16. Jh.
substantiviert zum Titel fürstlicher Personen (jetzt meist für den Fürstenrang im
engeren Sinne); s. a. erlaucht. – Abl.: d u r c h -
l a u c h t i g (*mhd.* durchliuhtec ,,durchstrah-
lend, helleuchtend", *nhd.* als durchlaucht-
igst, Adjektiv zum Titel Durchlaucht).

Durchschnitt *m*: Das seit dem 16. Jh. bezeugte Substantiv ist eine Bildung zu dem zusammengesetzten Verb durchschneiden (vgl.
schneiden). Es wurde zunächst im Sinne von
,,Durchschneidung [zweier Linien], Durchmesser" gebraucht, dann (im 17. Jh.) als
,,zeichnerische Darstellung eines durch-
schnitten gedachten Gebäudes, Schiffes und
dgl.". Die übertragene Bed. ,,Mittelwert"
(18. Jh.) stammt wohl aus der Arithmetik:
Die Durchschnittszahl mehrerer Größen
wird zum Maßstab der Leistung gemacht,
die dann d u r c h s c h n i t t l i c h (19. Jh.), aber
auch über oder unter dem Durchschnitt sein
kann. Ganz jung sind leicht abwertende
Zus. wie Durchschnittsmensch, -b i l -
d u n g u. ä.

durchtrieben: Das Wort ist das in adjektivischen Gebrauch übergegangene 2. Partizip
von *mhd.* durchtríben ,,mit etwas durchdringen, -setzen" (vgl. treiben), das schon im
13. Jh. den tadelnden Sinn ,,listig, gerissen"
annimmt. Siehe auch abgefeimt.

dürfen: Das *gemeingerm.* Verb (Präteritopräsens) *mhd.* durfen, dürfen, *ahd.* durfan,
got. þaurban, *aengl.* ðurfan, *aisl.* þurfa bedeutete urspr. ,,brauchen, nötig haben", wie
es die Ableitungen →dürftig und →bedür-
fen und das verwandte →darben noch zeigen (s. auch bieder). *Außergerm.* Beziehungen sind nicht gesichert. Reste der alten
Bedeutung sind noch in Wendungen wie 'du
darfst nicht erschrecken', 'ich darf nur bitten' (um etwas sofort zu bekommen) erhalten. Aus dem verneinten Gebrauch hat sich
schon im 16. Jh. der heutige Sinn ,,die Erlaubnis haben" entwickelt.

dürftig: Das Adjektiv *mhd.* dürftic, *ahd.*
durftic, *asächs.* thurftig ,,bedürftig" ist abgeleitet von dem Verbalsubstantiv *mhd.*, *ahd.*
durft, *asächs.* thurft, *got.* þaurfts ,,Bedürf-
nis, Not", das im *Dt.* nur noch in →Notdurft
erhalten ist. In der alten Bedeutung ist

'dürftig' jetzt durch 'bedürftig' (s. bedürfen)
ersetzt. Der Sinn ,,ärmlich, unzureichend"
zeigt sich bereits im *Mhd.*

dürr: Das *gemeingerm.* Adjektiv *mhd.* dürre,
ahd. durri, *got.* þaúrsus, *aengl.* dyrre, *schwed.*
torr gehört mit verwandten Wörtern in anderen *idg.* Sprachen zu der *idg.* Wz. *ters-
,,austrocknen, verdorren; dürsten, lechzen;
dörren", vgl. z. B. *gr.* térsesthai ,,trocken
werden", *lat.* torrēre ,,dörren, rösten"
(s. Toast), *lat.* torr[id]us ,,ausgetrocknet,
dürr" und *lat.* terra ,,Erde", eigtl. ,,die
Trockene (s. die FW um →Terrain). Zur
germ. Familie von 'dürr' gehören →dorren,
→Durst, →Darre, dörren und wohl auch
→Dorsch. Im *Dt.* hat sich aus der Grundbed.
,,trocken, ausgedörrt" der Sinn ,,hager,
mager" entwickelt (dazu die Steigerungen
klapper-, spindeldürr). – Abl.: D ü r r e *w*
,,Trockenheit" (*mhd.* dürre, *ahd.* durrī).

Durst *m*: Das *gemeingerm.* Substantiv *mhd.*,
ahd. durst, *got.* þaúrstei, *engl.* thirst, *schwed.*
törst gehört zu der unter →*dürr* dargestellten Wortsippe. Es steht neben dem *altgerm.*
Verb d ü r s t e n (*mhd.* dürsten, dursten, *ahd.*
dursten, *niederl.* dorsten, *engl.* to thirst,
schwed. törsta). Abl.: d u r s t i g (*mhd.* durstec,
ahd. durstac), dazu mit Umlaut b l u t d ü r -
s t i g (16. Jh.).

Dusche *w* ,,Brause, Brausebad": Das Wort
wurde am Ende des 18. Jh.s als medizinischer Terminus aus *frz.* douche ,,Gießbad,
Brausebad" entlehnt und wurde erst im
19. Jh. gemeinsprachlich. *Frz.* douche selbst
beruht auf entspr. *it.* doccia ,,Wasserrinne;
Gießbad", das seinerseits vermutlich von *it.*
doccione ,,(Wasser)leitungsröhre" abgeleitet
ist. Quelle des Wortes ist *lat.* ductiō (ductiō-
nem) ,,das Ziehen, das Führen" mit seiner
spätlat. aufgekommenen übertr. Bed. ,,die
Ableitung, die Wasserleitung". – Stammwort
ist das mit *dt.* →*ziehen* etymologisch verwandte Verb *lat.* dūcere (ductum) ,,ziehen;
leiten; führen", das einige Komposita
in unserem Fremdwortschatz vertreten ist.
Siehe hierzu im einzelnen die FW produzieren, reduzieren und Viadukt. – Von dem
Substantiv Dusche ist das Verb d u s c h e n
,,ein Brausebad nehmen" (19. Jh.; nach
entspr. *frz.* [se] doucher) abgeleitet.

Düse *w*: Das seit dem 16. Jh. (zuerst in der
Form t[h]üsel) bezeugte Wort ist aus *tschech.*
duše ,,Inneres eines Rohres, Rohr" entlehnt
und bezeichnete zunächst die Mündung des
Blasebalgrohres. Später wurde es auf das
verengte Saug- oder Ausstoßrohr der modernen Technik übertragen. Die Grundbedeutung des *tschech.* Wortes ist ,,Seele" (vgl.
aslaw. duša ,,Atem, Seele" und den Artikel
Tier). Es hat wie sein *dt.* Gegenstück ,,Seele"
die Bed. ,,Inneres, Kern", bes. ,,Inneres eines
Rohres" entwickelt.

Dusel *m*: Das im 16. Jh. aus dem *Niederd.*
ins *Hochd.* übernommene Wort gehört mit

mnd. dūsinge „Betäubung", *ahd.* tūsig „einfältig", *norw.* dusa „duseln", *niederl.* dwaas „töricht" und den unter →dösen behandelten Wörtern zu den mannigfachen Ausdrükken für geistige Verwirrung in der Sippe von →*Dunst* (s. auch dumm und ²Tor). Die *ugs.* Bed. „Glück (des Betrunkenen oder Träumers)" geht im 19. Jh. von Norddeutschland aus. Dasselbe Wort ist *ugs.* Dussel *m* „Dummkopf, Schlafmütze". Abl.: duseln „träumen, still vor sich hin gehen" (16. Jh.), dazu Duselei *w* (bes. in Gefühls-, Humanitätsduselei, 19. Jh.); dusselig, dußlig „dumm, schlafmützig" (17. Jh.); beduselt *ugs.* für „betrunken" (17. Jh.; zu 'Dusel' „Rausch").

düster: Das *westgerm.* Adjektiv *mnd.* düster, *asächs.* thiustri, *niederl.* duister, *aengl.* diestre ist urverwandt mit der *slaw.* Sippe von *russ.* tusk „Nebel, Finsternis". Es wurde im 16. Jh. aus dem *Niederd.* ins *Hochd.* übernommen. Eine *mdal.* Nebenform duster erscheint *ugs.* in zappenduster „sehr dunkel", übertragen „ganz schlimm". Abl.: Düster *s* (18. Jh.); Düsternis *w* (*mnd.* düsternis[se]); düstern dicht. für „dunkel werden" (*mnd.* düsteren), dazu verdüstern (16. Jh.).

Dutzend *s* „Anzahl von 12": *Mhd.* totzan, totzen stammt aus *afrz.* dozeine (= *frz.* douzaine). Zugrunde liegt das Zahlwort *frz.* douze „zwölf", das auf *lat.* duo-decim „zweizehn, zwölf" zurückgeht (vgl. *Duo* und *Dezi...*).

dynamisch „energiegeladen, voll innerer Spannkraft": Im 19. Jh. nach *gr.* dynamikós „mächtig, kräftig, stark, wirksam" zu *gr.* dýnamis „Vermögen, Kraft" gebildet. Zugrunde liegt das etymologisch nicht sicher gedeutete Verb *gr.* dýnasthai „vermögen, können", wozu auch *gr.* dynástēs „Machthaber", dynasteía „Herrschaft" (s. Dynastie) gehört. Aus der Fügung *gr.* dynamikḗ (téchnē) (> *lat.* dynamicē) entwickelte sich das Substantiv Dynamik *w* „Lehre von der Bewegung bzw. Kraft". Dessen allgemeine Bedeutung „Schwung-, Triebkraft" geht allerdings von dem Adjektiv dynamisch aus. Beachte noch die folgenden Neubildungen Dynamit und Dynamo.

Dynamit *s* „Sprengstoff": Gelehrte Neubildung des 19. Jh.s zu *gr.* dýnamis „Kraft" (vgl. *dynamisch*).

Dynamo *m* (Stromerzeuger): Eine im 19. Jh. in England gebildete Kurzform aus Dynamomaschine, für dynamo-elektrische Maschine, zur Bezeichnung eines Gerätes, das „Arbeitskraft" in elektrischen Strom umwandelt. Zugrunde liegt *gr.* dýnamis „Kraft" (vgl. *dynamisch*).

Dynastie *w* „Herrschergeschlecht, Herrscherhaus": Das Substantiv wurde im 16. Jh. aus *gr.* dynasteía „Herrschaft" entlehnt. Dies gehört zu dynasteúein „herrschen", dynástēs „Machthaber" (daraus unser FW Dynast), dýnasthai „vermögen (vgl. *dynamisch*).

dys..., Dys... (Vorsilbe mit der Bedeutung „von der Norm abweichend; miß..., schlecht, krankhaft"): Aus gleichbed. *gr.* dys..., dy...

E

Ebbe *w*: Das um 1600 aus dem *Niederd.* ins *Hochd.* übernommene Wort geht zurück auf *mnd.* ebbe, dem *afries.* ebba, *mniederl.* ebbe, *engl.* ebb entsprechen. Das *westgerm.* Wort gehört im Sinne von „Rückgang, Zurückfluten" zu der unter →ab dargestellten *idg.* Präposition mit der Bedeutung „weg, zurück". − Abl.: ebben (*mnd.* ebben), heute häufiger ab-, verebben (19. Jh., in übertragener Bedeutung).

eben: Das *gemeingerm.* Adjektiv *mhd.* eben, *ahd.* eban, *got.* ibns, *engl.* even, *schwed.* jämn bedeutet von Anfang an „gleich" (*dt.* nur noch in Zus.) und „gleich hoch, flach". Weitere Beziehungen des Wortes sind nicht gesichert. Als Adverb (*mhd.* ebene, *ahd.* ebano) hat sich 'eben' ähnlich wie 'gerade', 'gleich' und 'genau' entwickelt. Nhd. steht es bes. in demonstrativen Zus. wie ebenda, ebendenselbe, ebendarum, ebenso. Verblaßt besagt es wie →halt, daß etwas Unabänderliches hinzunehmen sei (das ist eben so). Als Zeitadverb meint 'eben' schon *mhd.* gleichzeitiges oder unmittelbar vorangehendes Geschehen. − Abl.: Ebene *w* (*mhd.* ebene, *ahd.* ebanī, eigtl. „Ebenheit, Gleichheit"; im 16. Jh. mathem. Fachwort für *lat.* planum; s. a. neben); ebnen (*mhd.* ebenen, *ahd.* ebanōn, vgl. *got.* ga-ibnjan). Zus.: Ebenbild (*mhd.* ebenbilde, wohl nach *lat.* cōnfigūrātiō „ähnliche Bildung"); ebenbürtig (*mhd.* ebenbürtic „von gleicher Geburt"); ebenfalls „übereinstimmend" (17. Jh., für älteres ebenes Falls); Ebenmaß *s* (*mhd.* ebenmāz[e] „Gleichmaß, Ebenbild", *ahd.* ebanmāza), dazu ebenmäßig(*mhd.* ebenmǣze[c]).

Ebenholz *s*: Der Name des sehr harten und dauerhaften Holzes ist eine verdeutlichende Zus. *Mhd.*, *spätahd.* ebēnus „Ebenbaum, Ebenholz" ist entlehnt aus gleichbed. *lat.* ebenus, das seinerseits über *gr.* ébenos auf *ägypt.* hbnj „Ebenholz" zurückführt.

Eber *m*: Das männl. Schwein hat einen *altgerm.* Namen, der *mhd.* eber, *ahd.* ebur, *niederl.* ever, *aengl.* eofor lautet, während *aisl.* jofurr nur als dichterische Bezeichung des Fürsten vorkommt. Im *außergerm.* Sprachbereich sind z. B. gleichbed. *lat.* aper und *lett.* vepris verwandt. Der Name des Tieres erscheint oft in PN (beachte z. B. Eberhard). Heute gilt die Bezeichnung bes. für den zahmen Zuchteber, der wilde Eber heißt weidmänn. → Keiler.

Eberesche *w*: Der im *Dt.* erst spät bezeugte Baumname hat nichts mit dem Eber zu tun. Vielmehr wird man *spätmhd.* eberboum (15. Jh.), *frühnhd.* eberasch, -esche, ab[e]resch[e] an das in *kelt.* ON und PN überlieferte *gall.* eburos ,,Eibe‟ anschließen können, das auf ein *idg.* Farbadjektiv zurückgeht (vgl. *Erpel*). Namengebend wären dann bei beiden Bäumen die roten Beeren gewesen, nach denen die Eberesche auch Vogelbeerbaum (s. d.) heißt. Zum Grundwort vgl. *Esche*.

echauffiert ,,erhitzt, aufgeregt‟: Urspr. zweites Part. zu dem im 17. Jh. bezeugten Verb echauffieren [sich] ,,[sich] erhitzen‟. Dies stammt aus *frz.* [s']échauffer, das auf *vlat.* *excalefāre (= *lat.* ex-calefacere) zurückgeht (vgl. *Kalfakter*).

Echo *s* ,,Widerhall‟: Im 16. Jh. aus gleichbed. *gr.-lat.* ēchō entlehnt; zu *gr.* ēchē ,,Schall‟. Abl.: echoen ,,widerhallen; wiederholen‟. Zus.: Echolot ,,Instrument zur Messung von Meerestiefen auf Grund von Schallwellen‟ (vgl. *Lot*). – *Gr.* ēchē erscheint auch in dem abgeleiteten Verb *gr.* kat-ēchēin ,,entgegentönen; mündl. unterrichten‟ (s. *Katechismus*).

echt: Das als Wort der Rechtssprache im 16. Jh. aus dem *Niederd.* ins *Hochd.* übernommene Wort geht zurück auf *mnd.* echt ,,recht, recht, gesetzmäßig‟, dem *mniederl.* echt entspricht. Es ist zusammengezogen aus *mnd.* ehacht, dem *mhd.*, *ahd.* ēhaft ,,gesetzmäßig‟ entspricht. (Zum Lautwandel s. Gracht). Dieses Adjektiv ist abgeleitet von dem Substantiv *mhd.* ē, *ahd.* ēwa ,,Recht, Gesetz; Ehe[vertrag]‟ (vgl. *Ehe*). Heute ist ,echt‟ meist zur Gegenwort zu ,,falsch, künstlich, nachgemacht‟. – Abl.: Echtheit *w* (18. Jh.).

Ecke *w*, (*südd.*, *östr.*:) Eck *s*: Das *altgerm.* Substantiv *mhd.* ecke, egge, *ahd.* ecka, *niederl.* eg[ge], *aengl.* ecg (*engl.* edge), *schwed.* egg gehört mit verwandten Wörtern in zahlreichen anderen *idg.* Sprachen auf die *idg.* Wz. *ak̑-, *ok̑- ,,scharf, spitz, kantig‟ zurück, vgl. z. B. *lat.* aciēs ,,Schärfe, Schneide, Schlachtreihe‟, *lat.* acētum ,,Essig‟ (s. Essig), *lat.* acuere ,,schärfen‟ (s. akut), *gr.* akis ,,Spitze, Stachel‟, *gr.* ákros ,,spitz‟ (s. die FW mit → akro..., z. B. Akrobat), *gr.* oxýs ,,scharf‟ (s. Oxyd). Im *germ.* Sprachbereich stellen sich zu dieser Wurzel z. B. → *Ahorn* (nach den spitz eingeschnittenen Blättern),

→ *Ähre* (nach den spitzen Grannen) und → *Egge* (als Gerät mit Spitzen). Wahrscheinl. sind auch das Zahlwort → *acht* und der Vogelname → *Elster* aus der gleichen Wurzel herzuleiten. Von der Vorstellung der Straßenecke geht *ugs.* 'um die Ecke bringen' für ,,töten‟ aus. An die im 13. Jh. geschwundene *germ.* Bed. ,,Spitze oder Schneide von Schwert und Speer, (auch:) Schwert‟ erinnern nur noch die PN mit Eck[e]-, z. B. Eck[e]hard. – Abl.: eckig (älter *nhd.* eckiht, *mhd.* eckeht); ecken (*spätmhd.* ecken; veralt. für ,,Ecken bilden; anstoßen‟), dazu noch *ugs.* anecken ,,Anstoß erregen‟ (19. Jh.). Zu 'Dreieck' s. den Artikel drei.

Ecker *w* ,,Eichen-, Buchenfrucht‟ (heute fast nur noch in:)Buchecker:*Mhd.*ecker[n], *mnd.* eckeren sind Umlautformen für *mhd.* ackeran, *mnd.* ackeren ,,Eichel, Buchel, Eichelmast‟, zu denen *niederl.* aker, *engl.* acorn, *schwed.* mdal. akarn ,,Eichel‟ und *got.* akran ,,Frucht, Ertrag‟ gehören. Die *germ.* Wörter gehören vielleicht mit *ir.* āirne ,,Schlehe‟, *kymr.* aeron ,,Baumfrüchte‟, *russ.* jágoda ,,Beere‟ u. a. zu einer *idg.* Wz. *ōg-, *əg-,,wachsen; wilde Frucht‟. Bucheckern und Eicheln waren vor alters wichtige Baumfrüchte, weil sie als Waldweide für die Schweineherden dienten (Eichelmast). Man kann 'Ecker' deshalb auch zu → *Acker* in seiner ältesten Bed. ,,unbebautes (Weide)land‟ stellen. Eckern (*Mehrz.*) als Bezeichnung der Spielkartenfarbe ist eigtl. die alte Einzahl *mhd.* eckern in der Bedeutung ,,Eichel‟.

edel: Das *westgerm.* Adjektiv *mhd.* edel[e], *ahd.* edili, *mnd.* ēdel, *aengl.* ædele ,,adlig, vornehm‟ ist von dem unter → *Adel* behandelten Substantiv abgeleitet und wurde seit dem Mittelalter zunehmend auf geistige und seelische Eigenschaften übertragen. Zus.: Edelmut (17. Jh.), dazu edelmütig (18. Jh.); Edelstein (*mnd.* edelstein verdeutlicht *mhd.*, *ahd.* stein, das – wie noch im *Nhd.* – oft für 'Edelstein' steht); Edelweiß *s* (*tirol.*, 18. Jh.).

Efeu *m*: Der Name der Kletterpflanze, früher zu Recht mit ph geschrieben, lautet *mhd.* ep-, ebehöu, *ahd.* ebihouwi. Letztere Form ist wohl aus unverstandenem *ahd.* ebowe, ebe-we, ebah umgebildet und volksetymologisch an → *Heu* angelehnt worden. *Ahd.* ebah ist verwandt mit *mhd.* īfig, *engl.* ivy ,,Efeu‟; weitere Beziehungen sind nicht gesichert. Im *Hochd.* hat mißverstandenes ph schon im 17. Jh. zur Schreibung mit f geführt, die 1901 amtlich wurde.

Effekt *m* ,,Wirkung, Erfolg‟, auch in Zus. wie Theaterschanzerei, Knalleffekt, effektvoll: Im 16. Jh. aus gleichbed. *lat.* effectus entlehnt; zu *lat.* efficere (< ex-facere) ,,hervorbringen, bewirken‟ (vgl. ¹*ex*... und *Fazit*). Dazu das Adj. effektiv ,,wirklich, tatsächlich‟ (17. Jh.; aus *lat.* effectīve, dem Adverb zu effectīvus „[be]wirkend"). Im *Frz.* wurde *lat.* effectus zu effet. Dies erscheint einmal im 20. Jh. bei uns im FW **Effet** *m* „Wirkung, Eindruck; Drall", zum anderen ist es Vorbild für den banktechnischen Terminus **Effekten** *Mehrz.* „Habseligkeiten; Wertpapiere" (17. Jh.), bes. in Zus. wie **Effektenbörse**. Das Wort ist latinisiert nach Effekt (s. o.).

egal „gleich; gleichgültig": Im 17./18. Jh. aus *frz.* égal entlehnt, das seinerseits auf *lat.* aequālis „gleich" zurückgeht. Das zugrunde liegende Adjektiv *lat.* aequus „eben, ausgeglichen", das etymologisch nicht sicher gedeutet ist, erscheint mit einer Ableitung aequāre „gleich machen" auch in unserem LW →eichen, ferner in den FW →adäquat und →Äquator. – Abl.: **egalisieren** „ausgleichen, gleichziehen" (19. Jh.; aus *frz.* égaliser).

Egel *m*: *Mhd.* egel[e], *ahd.* egala bezeichnet einen Ringelwurm, der wegen seiner medizin. Verwendung seit dem 16. Jh. gewöhnlich **Blutegel** heißt. Das Wort ist wohl verwandt mit *gr.* échis „Schlange" (vgl. den Artikel *Igel*). Der Blutegel wäre dann urspr. als „kleine Schlange, Wurm" aufgefaßt worden. Das Geschlecht hat im *Nhd.* unter dem Einfluß von 'Igel' vom Femininum zum Maskulinum gewechselt. Nach dem Blutegel ist um 1800 der ebenfalls saugende, aber biologisch unverwandte **Leberegel** benannt worden (älter: Leberwurm).

Egge *w*: Der Name des Ackergerätes *frühnhd.* eg[g]e (15. Jh.) ist rückgebildet aus dem Verb **eggen** (*mhd.* eg[g]en, *ahd.* egen, ecken), das selbst aus dem alten Namen des Geräts abgeleitet ist: *mhd.* egede, *ahd.* egida, *asächs.* egida, *aengl.* egeđe. Diese Wörter sind urverwandt mit gleichbed. *lit.* ekẽčios, *akymr.* ocet und *lat.* occa und gehören mit diesen zu *idg.* *ok̑etā „Egge", dem wiederum die unter →*Ecke* dargestellte Wz. *ak̑-, *ok̑- „scharf, spitz" zugrunde liegt. Die 'Egge' wäre demnach urspr. als „Gerät mit Spitzen" benannt worden. Man nimmt als Urform des Geräts zusammengebundene gespaltene Fichtenstämmchen mit ihren Aststummeln an, wie sie in Schweden noch im 19. Jh. gebraucht wurden.

Egoismus *m* „Selbstsucht, Eigenliebe", **Egoist** *m* „selbstsüchtiger Ichmensch": Im 18. Jh. aus *frz.* égoïsme bzw. égoïste relativisiert. Beide Wörter sind gelehrte Neubildungen zu dem *lat.* Personalpronomen ego „ich", das mit entspr. *dt.* →*ich* urverwandt ist. – Dazu das Adjektiv **egoistisch** „selbstsüchtig". Als Bestimmungswort erscheint *lat.* ego ferner in der gelehrten Zus. **egozentrisch** „ichbefangen, ichbezogen, das eigene Ich in den Mittelpunkt stellend"; vgl. *zentrisch*.

Ehe *w*: Aus dem umfassenden Sinn „Recht, Gesetz" des *westgerm.* Wortes *mhd.* ē, ēwe, *ahd.*, *afries.* ēwa, *aengl.* ē[w] hat sich im *Ahd.* und *Aengl.* die Bed. „Ehe[vertrag]" abgesondert, die eine der wichtigsten Institutionen des rechtl. und sozialen Lebens heraushebt. Diese Bedeutung ist im *Nhd.* allein erhalten (doch beachte den Artikel echt). Ob das *westgerm.* Wort eins ist mit *mhd.* ē[we], *ahd.* ēwa „Ewigkeit" (vgl. *ewig*), so daß es „seit undenklichen Zeiten geltendes Recht" bedeuten würde, oder ob es als „Gewohnheitsrecht" mit *aind.* ēvaḥ- „Lauf, Gang, Gewohnheit, Sitte" zu der unter →*eilen* behandelten Sippe gehört, läßt sich nicht entscheiden. Abl.: **ehelich** (*mhd.* ēlich; *ahd.* ē[o]līh ist nur „gesetzmäßig"), dazu **ehelichen** „heiraten" (*spätmhd.* ēlichen) und **verehelichen** (16. Jh.). Zus.: **ehebrechen** (*mhd.* ēbrechen), dazu **Ehebrecher** *m* (*mhd.* ēbrechēre) und **Ehebruch** *m* (*spätmhd.* ēbruch).

eher: Das *altgerm.* komparativische Adverb *mhd.* ē[r], *ahd.* ēr, *got.* airis, *niederl.* eer, *aengl.* ǣr gehört zu einem im *Dt.* untergegangenen Positiv, der noch in *got.* air „früh" und *aisl.* ār „früh" bewahrt ist. Dessen eigtl. Bed. „am Morgen" zeigen das verwandte *gr.* ēri „morgens" und das *awest.* ayarǝ „Tag". Der Superlativ →erst dient im *Westgerm.* als Ordnungszahl zu 'eins'. *Nhd.* eher ist nicht unmittelbar aus *mhd.* ēr, sondern aus *frühnhd.* ehe, *mhd.* ē durch Anlehnung an den adjektivischen Komparativ *mhd.* ērer- „der frühere" entstanden.

ehern „bronzen, (auch:) eisern, (übertr.:) hart, ewig während": Das *westgerm.* Adjektiv *mhd.*, *ahd.* ērīn, *afries.* ērǝn, *aengl.* ǣren ist abgeleitet von dem im *Nhd.* untergegangenen *gemeingerm.* Substantiv *mhd.*, *ahd.* ēr „Erz", *got.* aiz „Erz[münze]", *engl.* ore „Erz", *aisl.* eir „Erz, Kupfer" und gehört mit verwandten Wörtern in anderen idg. Sprachen zu *idg.* *ajos- „Kupfer, Bronze", das vielleicht urspr. „das brandfarbige (Metall)" bedeutete. Verwandt sind z. B. *lat.* a[h]ēnus „aus Bronze, ehern" und *awest.* ayaṅhaēna „eisern". Das *idg.* Substantiv ist der einzige Metallname *idg.* Alters. Es bezeichnete bei den Ostindogermanen bes. das Eisen (vgl. z. B. *aind.* áyas, *awest.* ayaṅh- „Eisen"), bei den Italikern und Germanen bes. Kupfer und Bronze, vgl. z. B. *lat.* aes „Kupfer, Bronze" (s. *Ära*).

Ehre *w*: *Mhd.* ēre „Ehrerbietung, Ansehen, Ruhm, Sieg, Herrschaft, Ehrgefühl, ehrenhaftes Benehmen", *ahd.* ēra „[Ver]ehrung, Scheu, Ehrfurcht, Ansehen, Berühmtheit, Würde, Hochherzigkeit", *niederl.* eer „Ehre, Ansehen, Verehrung", *aengl.* ār „Ehre, Würde, Ruhm, Achtung, Verehrung, Besitz, Einkommen; Gnade, Mitleid", *aisl.* eir (andersgebildet) „Gnade, Milde, Hilfe" gehören mit verwandten Wörtern aus anderen *idg.* Sprachen zu der *idg.* Wz. *ais- ,,ehrfürchtig sein, verehren". Zu der mit -d- erweiterten Wurzel stellen sich z. B. *gr.* aídesthai ,,scheuen, verehren", *gr.* aidōs ,,Scheu, Ehrfurcht" und *aind.* ī́ḍḗ ,,verehre, preise, flehe an", aus dem *germ.* Sprachbereich *got.* aistan ,,sich scheuen". Die Ehre ist zumeist äußeres Ansehen (Ruhm, Freisein von Schande), was auch die früher häufige Mehrz. ausdrückt (noch in 'zu Ehren', 'ehrenhalber', 'mit Ehren bestehen' u. ä. Fügungen). Als 'innere Ehre' (Selbstachtung) erscheint sie vereinzelt schon *ahd.* bei Notker. – Abl.: ehren (*mhd.* ēren, *ahd.* ērēn); ehrbar (*mhd.* ērbǣre ,,ehrenhaft handelnd" wurde später zum bürgerlichen Titel); ehrlich (*mhd.* ērlich, *ahd.* ērlīh war ,,ehrenwert, ansehnlich, vortrefflich" und bezog sich vor allem auf das ständische Ansehen, von dem bestimmte 'unehrliche' Berufe wie Henker und Schinder, aber z. B. auch Schäfer und Müller ausgeschlossen waren; jetzt ist 'ehrlich' meist Gegenwort zu diebisch, betrügerisch u. ä.). Zusammengebildet ist ehrerbietig (s. bieten). Zus.: Ehrenmann (um 1500 *schweiz.* und *oberd.*, vielleicht LÜ für *lat.* vir honestus); Ehrenpreis *s* oder *m* (Name verschiedener Heilpflanzen, im 15. Jh. *schweiz.* erenbris); ehrenrührig ,,die Ehre angreifend" (als Rechtswort *frühnhd.* neben ehr[en]rührend); Ehrenwort (seit Anfang des 18. Jh.s im heutigen Sinn, vorher für ,,Kompliment"); ehrfürchtig (16. Jh.; s. Furcht), dazu die Rückbildung Ehrfurcht (17. Jh.); Ehrgeiz (s. Geiz); ehrwürdig (*mhd.* ērwirdic, dazu der geistl. Titel [Euer] Ehrwürden (16. Jh.).

Ei *s*: Das *gemeingerm.* Wort *mhd., ahd.* ei, *krimgot.* ada, *aengl.* ǣg, *schwed.* ägg geht mit verwandten Wörtern in anderen *idg.* Sprachen zurück auf *idg.* *ōi̯o]m ,,Ei", vgl. z. B. *gr.* ōión ,,Ei" und *lat.* ōvum ,,Ei" (s. oval). Dieses *idg.* Wort ist eine Bildung zu *idg.* *aṷei- ,,Vogel" – vgl. z. B. *lat.* avis ,,Vogel" – und bedeutete demnach urspr. ,,das zum Vogel Gehörige". Vom Vogelei her ist das Wort früh auf die Eier anderer Tiere (Reptilien, Insekten usw.) und in der Biologie schließlich auf die weibl. Keimzelle von Mensch, Tier und Pflanze übertragen worden. – Abl.: eiern *ugs.* für ,,nicht rund laufen" (von Rädern; 20. Jh.). Zus.: *Nordd.* Eierkuchen (*spätmhd.* eierkuoche, *mnd.* eyerkōke) entspricht *südd.* →Pfannkuchen ,,Omelett"; Eierstock (seit dem 16. Jh. für gleichbed. *mlat.* ōvārium); Eiertanz (um 1800; eigtl. ein kunstvoller Tanz zwischen ausgelegten Eiern, wie er in Italien und Oberdeutschland vorkam; übertragen meint es das gewundene Herumdrehen um heikle Dinge; dazu die schon *frühnhd.* *ugs.* Redensart 'er geht wie auf Eiern', d. h. behutsam oder mit schmerzenden Füßen).

Die verwertbaren Teile des Eis werden mit substantivierten Farbadjektiven bezeichnet (doch s. Dotter): Eigelb (19. Jh., älter *nhd.* Eiergelb); Eiweiß (im 18. Jh. für *frühnhd.* eier-weiß, ähnl. *mnd.* eyeswit[te]; seit dem 19. Jh. chem. Fachwort).

Eibe *w*: Der *altgerm.* Baumname *mhd.* īwe, *ahd.* īwa, *niederl.* ijf, *engl.* yew, *aisl.* ȳr beruht mit verwandten Wörtern in anderen *idg.* Sprachen auf einer Bildung zu dem *idg.* Farbadjektiv *ei- ,,rötlich, bunt", vgl. z. B. *gall.* ivos ,,Eibe" und die *baltoslaw.* Sippe von *russ.* íva ,,Weide". Die Eibe galt als zauber- und geisterbannend und steht deshalb oft auf Friedhöfen. – Abl.: eiben ,,aus Eibenholz" (*mhd.* īwīn).

Eibisch *m*: Das heilkräftige Malvengewächs verdanken wir den alten Klostergärten. *Mhd.* ībesche, *ahd.* ibisca ist entlehnt aus *lat.* ibiscum, einem wohl *kelt.* Wort der Poebene, von dem wahrscheinlich auch gleichbed. *gr.* ibískos stammt.

Eiche *w*: Der nur im *Got.* nicht bezeugte *altgerm.* Baumname lautet *mhd.* eich[e], *ahd.* eih, *niederl.* eik, *engl.* oak, *schwed.* ek. *Außergerm.* Beziehungen etwa zu *gr.* aigílōps (eine Eichenart) und *lat.* aesculus ,,Bergeiche", sind nicht gesichert. Der mächtige, Jahrhunderte überdauernde Baum war den Germanen heilig. Er war wie die Linde Gerichtsbaum. Zum deutschen Sinnbild wurden Eiche und Eichenlaub seit dem 18. Jh. Groß war der wirtschaftl. Wert des Holzes für den Haus- und Schiffsbau, der Rinde für die Gerberei (s. Lohe), der Eichelmast für die alte Schweinezucht (s. a. Ecker). – Abl.: Eichel *w* ,,Eichenfrucht" (*mhd.* eichel, *ahd.* eihhila; das l-Suffix bezeichnet hier die Zugehörigkeit; seit dem 16. Jh. ist Eichel[n] oder Eckern, s. Ecker, auch Bezeichnung einer deutschen Spielkartenfarbe); dazu Eichelhäher (18. Jh., nach der Hauptnahrung); [1]eichen ,,aus Eiche" (*mhd.* eichīn, *ahd.* eihhīn). Zus.: Eichhorn (s. d.).

[1]**eichen** siehe Eiche.

[2]**eichen** ,,das gesetzliche Maß geben oder prüfen": *Spätmhd.* īchen, eichen, *mnd.* īken, *niederl.* ijken ist urspr. ein Fachwort des Weinbaus für das Ausmessen und Zeichnen der Gefäße. Es ist trotz der späten Bezeugung wahrscheinlich schon vor der *hochd.* Lautverschiebung als *afränk.* *īkōn in Nordgallien entlehnt worden aus *spätlat.* [ex]aequāre (misūrās) ,,(die Maße) ausgleichen", ebenso wie gleichbed. *afrz.* essever. Mit ähnlicher Bedeutung hat *lat.* sīgnare ,,zeichnen" (s. signieren) von Südgallien her *aleman.* sinnen ,,eichen" ergeben, das aber *mdal.* blieb. – Abl.: Eicher *m* ,,Eichmeister" (*spätmhd.* īcher).

Eichhorn, -hörnchen *s*: Das erste Glied des *altgerm.* Tiernamens (*mhd.* eichorn, *ahd.* eihhorno, *niederl.* eekhoorn, *aengl.* āc-weorna, *schwed.* ekorre) wurde schon sehr früh an das unter →Eiche behandelte Wort angelehnt, ist aber wohl eher zu der *idg.* Wz. *aig-* „sich heftig bewegen" zu stellen, vgl. z. B. *aengl.* ācol „erschrocken", *aisl.* eikinn „rasend" und *russ.* igrát' „spielen, sich tummeln". Das zweite Glied ist z. B. verwandt mit *lit.* vèveris, *tschech.* veverka, *pers.* varvarah „Eichhorn", *lit.* vaiveris „männl. Iltis oder Marder" und *lat.* vīverra „Frettchen". Es wurde im *Dt.* seit dem 11. Jh. an das unter →Horn behandelte Wort angelehnt. Das hat im 19. Jh. zur Benennung der Nagetiergruppe als 'Hörnchen' geführt; ähnlich entstand 'Echse', s. Eidechse.

Eid *m*: Das wichtige *gemeingerm.* Rechtswort *mhd.* eit, *ahd.* eid, *got.* aiþs, *engl.* oath, *schwed.* ēd ist wahrscheinlich aus dem *Kelt.* entlehnt (beachte *air.* ōeth „Eid", *kymr.* an-udon „Meineid"). Von frühem *kelt.* Einfluß auf die Germanen zeugen auch staatsrechtliche Ausdrücke wie Amt, Geisel, Reich (s. d.). Die Grundbedeutung des Wortes ist dunkel. Es kann, als Handlung gesehen (feierlicher Eidgang, beachte *schwed.* edgång „Eidesleistung" und die Grundbedeutung von →leisten), zu *gr.* oîtos „Schicksal", eigtl. „Gang" gehören (vgl. *eilen*) oder als „bedeutsame Rede, Eidesformel" zum Stamm von *gr.* aî-nos „Lob". Als Verb dient seit alters →schwören, erst seit dem späten Mittelalter ver- und beeid[ig]en. Abl.: eidlich (17. Jh.). Zus.: Eidgenosse (*mhd.* eitgenōz[e] „durch Eid Verbündeter, Verschworener"; seit 1315 amtliche Bezeichnung der Mitglieder der Schweizer Eidgenossenschaft); Meineid (s. d.).

Eidechse *w*: Der *westgerm.* Tiername *mhd.* egedehse, eidehse, *ahd.* egidehsa, *mniederl.* ēghedisse (*niederl.* hagedis), *aengl.* aðexe ist eine kaum durchschaubare Zus. Das erste Glied *agi-* könnte mit *gr.* óphis „Schlange" (aus *ogʷhis; vgl. *Unke*) verwandt sein, im zweiten sieht man *ahd.* *dehsa, *mhd.* dehse „Spindel". Durch falsche Abtrennung des zweiten Gliedes entstand im 19. Jh. Echse *w* als zoologischer Sammelname für eine Unterordnung der Kriechtiere, beachte den gleichen Vorgang bei Falter und Hörnchen (s. Eichhorn).

Eifer *m*: Das Substantiv findet sich zuerst in Luthers Bibelübersetzung, wo es *lat.* zēlus wiedergibt und die Bedeutung „freundlicher Neid, lieblicher Zorn", auch „Zorn Gottes" hat. Daraus ist der heutige Sinn „heftiges Bemühen um eine gute Sache" geworden. Die älteren Wörter eifern (15. Jh.), Eiferer (14. Jh.) und eifrig (16. Jh.), die den Begriff der Eifersucht in Liebe und Ehe wiedergaben, schlossen sich dann der Bedeutung von 'Eifer' an. Den alten, auf die Liebe bezogenen Sinn gibt das 16. Jh. der verdeutlichenden Zus. Eifersucht. Dazu eifersüchtig (17. Jh.). Vielleicht hängt die ganze

Sippe mit *ahd.* eivar „scharf, bitter" und *aengl.* āfor „herb, scharf" zusammen.

eigen: Das *altgerm.* Adj. *mhd.* eigen, *ahd.* eigan, *niederl.* eigen, *aengl.* āgen (*engl.* own), *schwed.* egen ist das früh verselbständigte 2. Part. eines im *Dt.* untergegangenen *gemeingerm.* Verbs mit der Bed. „haben, besitzen" (vgl. z. B. *ahd.* eigan, *got.* aigan, *schwed.* äga) und bedeutet demnach eigtl. „in Besitz genommen, besessen". Eine *altgerm.* Ableitung lebt in →Fracht fort. *Außergerm.* ist z. B. *aind.* īśē „besitzt" verwandt. In der alten Bedeutung wird 'eigen' heute nur noch in der Zus. leibeigen (s. Leib) gebraucht. Sonst ist es jetzt „zugehörig" (sein eigenes Haus) und steht auch umschreibend für „selbst, selbständig" (mit eigener Hand; auf eigenen Füßen). Daraus haben sich die Bed. „besonder; eigentümlich, seltsam" entwickelt (ein eigenes Zimmer; ein ganz eigener Mensch). All dies spiegelt sich auch in den zahlreichen Abl. und Zus. sowie in mehreren Adjektiven auf -ig wie eigenhändig, -mächtig, -nützig, -sinnig, -willig, die aus entspr. syntakt. Fügungen zusammengebildet sind (aus 'mit eigenen Händen' usw.). Im einzelnen seien genannt die Abl.: Eigen *s* „Besitztum" (*gemeingerm.* Substantivierung *mhd.* eigen, *ahd.* eigan, usw.; das heute seltene Wort steckt auch in jetzt als adjektivisch empfundenen Fügungen wie 'zu eigen haben, geben', 'es ist sein eigen'); Eigenheit *w* „[charakterliche] Besonderheit" (*mhd.* eigenheit; in der Geniezeit um 1770 neu belebt); eigens „besonders" (18. Jh.); Eigenschaft *w* „Wesensmerkmal" (so *nhd.*; *mhd.* eigenschaft, *ahd.* eiginscaft ist meist „Eigentum"), dazu Eigenschaftswort (2. Hälfte des 18. Jh.s); eigentlich (*mhd.* eigenlich bedeutete „[leib]eigen", als Adv. eigenlīche auch schon „ausdrücklich, bestimmt"; heute ist es „ursprünglich, wirklich, genaugenommen"); Eigentum *s* (*mhd.* eigentuom war bes. „freies Besitzrecht"), dazu Eigentümer *m* (15. Jh.) und eigentümlich (*frühnhd.* „als Besitz eigen"; jetzt bes. „eigentümlich gesagt, s. d.); eignen (s. d.). – Zus.: Zusammengebildet ist Eigenbrötler *m* „Sonderling" (im 19. Jh. aus *südwestdt.* Mundarten übernommen, wo es den für sich lebenden Junggesellen bezeichnete, der sein Brot selber bäckt; schon *mhd.* einbrœtec „wer sein eigen Brot ißt"); Eigenheim (20. Jh.); Eigenlob (*frühnhd.* eigen lob „Selbstlob"); Eigenname (im 17. Jh. LÜ für *lat.* nōmen proprium; s. Name).

eignen: Das *gemeingerm.* Verb *mhd.* eigenen, *ahd.* eiginēn, *got.* (ga)eiginōn, *engl.* to own, *schwed.* ägna bedeutet als Ableitung von →eigen „in Besitz nehmen, haben, geben", wie es noch in *nhd.* Zus. sich aneignen, zu-, über-, enteignen zeigen. Das heute allein gebräuchliche 'sich zu oder für etwas eignen', 'geeignet sein' wird seit etwa 1800 für 'sich

129

qualifizieren' gebraucht. Einfaches eignen „passend sein, sich ziemen" ist schon *frühnhd.* Abl.: Eigner *m* „Besitzer" (17. Jh.; jetzt, außer in Schiffseigner, veraltet); Eignung *w* (älter *nhd.* für „Widmung"; jetzt für „Geeignetsein"). Nicht verwandt ist 'ereignen' (s. d.).

Eiland *s* „Insel": Dem *mhd.* ouwe „Wasser, Strom, [Halb]insel, wasserreiches Wiesenland" (vgl. *Au*) entsprechen *mnd.* ō[ge], ōch, oie „Insel" (in den Inselnamen Langeoog, Wangeroog[e], Greifswalder Oie) und mit Umlaut *afries.* ei (in: Nordern-ey), *aisl.* ey, *dän.* ø (in: Hiddensee aus Hiddens-ø), *aengl.* īeg. Im *Afries.* wurde ei durch eiland „Inselland" verdeutlicht; daraus wurde *mniederl.*, *mnd.* eilant übernommen. Aus dem *Niederd.* gelangte das Wort im 17. Jh. ins *Hochd.*

eilen: Das auf das *dt.* und *niederl.* Sprachgebiet beschränkte Verb (*mhd.* īlen, *ahd.* īlen, īllan, *niederl.* ijlen) beruht mit verwandten Wörtern in anderen *idg.* Sprachen auf der *idg.* Wz. *ei- „gehen", vgl. z. B. *gr.* iénai „gehen", *gr.* íon „das Gehende" (s. Jon), *lat.* īre (s. die FW-Gruppe um → Abiturient) und *russ.* itti „gehen". Zu dieser vielfach weitergebildeten und erweiterten Wurzel gehört auch die unter → Jahr (eigtl. „Gang, Umlauf") behandelte Substantivbildung, ferner der *lat.* Göttername Janus, eigtl. „Durchgang" (s. Januar) und vielleicht auch das unter → Eid (falls urspr. „Eidgang") behandelte Wort. Auf der alten Zus. (*idg.* u̯i-itós, eigtl. „auseinandergegangen") beruht das unter → weit dargestellte Wort. Siehe auch den Artikel Ehe. − Abl.: Eile *w* (*mhd.* īle, *ahd.* īla); eilends (15. Jh.); eilig (*mhd.* īlec, *ahd.* īlīc). Zus.: Eilbote (18. Jh., für *frz.* courier); Eilbrief (von F. L. Jahn gebildet, 1875 amtlich für „Expreßbrief"); eilfertig „beflissen" (17. Jh., s. fertig); Eilzug (19. Jh., zuerst gleichbed. mit Schnellzug, seit etwa 1930 amtlich unterschieden).

Eimer *m*: Mit dem zweihenkligen römischen Vorratskrug aus Ton wurde auch seine Bez. *lat.* amp[h]ora (vgl. dazu → Ampel) ins *Germanische* entlehnt und ergab *ahd.* amber, *aengl.* amber (beachte den entspr. Vorgang bei Becher, Kanne, Pfanne u. a. Gefäßnamen). Auf einen [Holz]kübel mit nur einem Henkel übertragen, wurde das fremde Wort an das Zahlwort →[1]ein und *ahd.* beran „tragen" angelehnt (zu dessen *idg.* Sippe *lat.* amphora allerdings gehört; vgl. *gebären*); *ahd.* eim-, einber[i], daraus *mhd.* einber, eimer. 'Eimer' war damit Gegenwort zu → Zuber geworden. *Ugs.* 'im Eimer sein' für „verloren sein" meint den Abfalleimer.

[1]ein: Das *gemeingerm.* Zahlwort *mhd.*, *ahd.* ein, *got.* ains, *aengl.* ān, *schwed.* en geht mit gleichbed. *lat.* ūnus, *gr.* oínē „Eins auf dem Würfel" und entsprechenden Wörtern anderer *idg.* Sprachen auf *idg.* *oi-no-s „eins',

zurück, eine Bildung zum Pronominalstamm *e-, *i- (vgl. *er*). Das Zahlwort ist, ähnlich wie *lat.* ūnus in den *roman.* Sprachen, schon im *Ahd.* geworden (das *Engl.* unterscheidet den Artikel a[n] vom Zahlwort one), zum unbest. Pronomen dagegen erst im *Mhd.* (nhd. einer, eine, eines; die einen − die andern). Über die zahlreichen Zus. und Zusammenbildungen mit [1]ein s. die folgenden Stichwörter, aber auch die Artikel elf und nein, ebenso 'allein' unter dem Artikel all. − Abl.: einen (*mhd.* einen, *ahd.* einōn, heute meist 'einigen', s. [1]einig), dazu vereinen (*mhd.* vereinen; zu 'vereinigen' s. [1]einig) und die Rückbildung Verein *m* (*oberd.* im 18. Jh. für *frühnhd.* vereine *w* „Vereinigung, Übereinkommen"), nicht aber vereinbaren (s. d.); Einer *m* „Einmannboot" (20. Jh.); Einheit *w* (15. Jh.); [1],[2]einig (s. d.); eins (Zahlw., verselbständigt aus dem Neutr. *mhd.* ein[e]z, *ahd.* einaz; daraus entstand *frühnhd.* die Wendung 'eins sein, werden' für „gleichen Sinnes" und das verneinte Adverb uneins, „uneinig"); einsam (s. d.); Ein[s]er *m* „die Ziffer Eins" (18. Jh.); einst (s. d.); Eintel *s* „Ganzes" (19. Jh., mathemat. Fachwort); einzeln (s. d.); einzig (s. d.).

[2]ein (Adverb): *Mhd.*, *ahd.* īn „ein, hinein, herein" ist gedehnt aus älterem in. Über die weiteren Zusammenhänge vgl. den Artikel *in*. Anders als die Präp. 'in' bezeichnet 'ein' immer eine Richtung, so in zusammengerückten Adverbien wie herein, hinein, d[a]rein, [quer]feldein oder in Fügungen wie jahrein, jahraus. Mit 'aus' kann es auch selbständig stehen (z. B. 'nicht ein noch aus wissen'). Meist bildet es unfeste Zus. mit Verben, die ein Hineinbringen (z. B. einbauen, eintreten) oder umfassen (z. B. einzäunen, einfangen) ausdrücken und haben auf diese Weise viele übertragene Bedeutungen ausgebildet. Beispiele s. unter den folgenden Stichwörtern. In einigen Fällen bedeutet ein..., „darin" und hat dann *mhd.* in... ersetzt (z. B. Eingeweide, Einwohner).

einfach: Das erst im 15. Jh. mit ...fach (vgl. *Fach*) gebildete Adjektiv hat neben der Bed. „einmal, nicht doppelt, nicht zusammengesetzt" schon im 16. Jh. den Sinn von „schlicht, gering", später den von „leicht zu verstehen". Abl.: Einfachheit *w* (18. Jh.).

Einfalt *w*: Aus dem *gemeingerm.* Adjektiv *mhd.*, *ahd.* einvalt, *got.* ainfalþs, *aengl.* ānfeald, *aisl.* einfaldr „einfach" (vgl. ...falt unter *Falte*) ist im Got. (ainfalþei *w*) und *Ahd.* (einfalti, *mhd.* einvalte) ein Substantiv mit der Bed. „Einfachheit; Schlichtheit (des Herzens)" abgeleitet worden. Das alte Adjektiv wurde schon im *Mhd.* zurückgedrängt durch die neue Bildung einvaltec, -veltec, *nhd.* einfältig. Substantiv und Adjektiv haben den Sinn des Schlichten,

Arglosen bis ins *Nhd.* erhalten, jedoch herrscht jetzt, ähnlich wie bei albern (s. d.), die abschätzige Bed. „Dummheit, dumm" vor. Zus.: Einfaltspinsel (im 18. Jh. studentisch; vgl. ¹*Pinsel*).

Einfluß *m*: *Mhd.* învluʒ ist eine LÜ der Mystiker für *lat.* influxus und wird wie das *lat.* Wort nur bildlich für das wirkende Hineinfließen göttlicher Kräfte in den Menschen gebraucht. Es gilt heute nur in übertragenem Sinne und steht ohne Beziehung neben dem selten gebrauchten Verb einfließen (dies bes. in '[im Gespräch] eine Bemerkung oder Andeutung einfließen lassen'). Siehe auch Fluß.

Eingeweide *s*: *Frühnhd.*, *mhd.* ingeweide steht verdeutlichend für *mhd.* geweide. Das nur *dt.* Wort stammt wohl aus der alten Jägersprache: die Eingeweide des Wildes wurden den Hunden vorgeworfen (vgl. ²*Weide* „Speise"). Dazu die Jägerwörter ausweiden „die Eingeweide entfernen" (*mhd.* [ūʒ]weiden) und weidwund „im Eingeweide verletzt" (15. Jh., zuerst vom Menschen, seit dem 18. Jh. vom Wild gebraucht).

einheimsen: Das seit dem 17. Jh. bezeugte Verb, das heute im wesentlichen *ugs.* für „an sich nehmen, als Gewinn einbringen" gebraucht wird, ist aus →²*ein*- und *mhd.* heimsen „heimbringen" (vgl. *Heim*) zusammengesetzt.

einhellig: *Spätmhd.* einhellec „übereinstimmend" ist weitergebildet aus *mhd.*, *ahd.* einhel, dem die Fügung *mhd.* enein hellen, *ahd.* in ein hellan „übereinstimmen" zugrunde liegt. Der eigtl. Sinn ist „zusammenklingend" (vgl. das unter →²*ein* behandelte Wort und das unter →*Hall* dargestellte, im *Nhd.* untergegangene Verb *mhd.* hellen, *ahd.* hellan „schallen, ertönen"; ähnl. hat sich später Einklang entwickelt). Dazu das Gegenwort mißhellig (*spätmhd.* missehellec aus missehel, *ahd.* missahel[li] „nicht übereinstimmend, uneins", zu missahellan „mißlauten; nicht zusammenstimmen") mit Mißhelligkeit *w* (meist *Mehrz.*) „Unstimmigkeiten, Streit" (im 15. Jh. missehellecheit).

Einhorn *s*: *Mhd.* einhürne (auch: einhorn) „Einhorn", *ahd.* einhurno „Einhorn, Nashorn" ist – wie *aengl.* ānhyrne „Einhorn, Nashorn" – LÜ von *lat.* ūnicornis „einhörnig", (substantiviert:) „Rhinozeros" und gleichbed. *gr.* monókerōs, die mehrfach im Alten Testament erscheinen. Die mittelalterliche Vorstellung von dem einhörnigen, pferdegestalten Fabeltier ist durch den altchristlichen Physiologus, ein legendenhaftes Tierbuch, geprägt.

¹**einig** (Adj.): *Mhd.* einec, einic, *ahd.* einac, *asächs.* ēnag, ähnl. *got.* ainaha bedeuteten „einzig, allein" (vgl. ¹*ein*). Die *nhd.* Bed. „mit gleichem Sinn und Willen zusammenstehend" begegnet zuerst im 16. Jh. Abl.:

einigen „in eins verbinden" (*mhd.* einegen, einigen), dazu vereinigen (*mhd.* vereinigen); Einigkeit *w* (*mhd.* einecheit, *ahd.* einigheit „Einzigheit, Einsamkeit"; *mhd.* auch schon im heutigen Sinn). Zus.: handelseinig (19. Jh.; für älteres [des] Handels einig).

²**einig** (unbestimmtes Zahlw.): *Mhd.* einic, *ahd.* einîc „irgendein" ist das weitergebildete Zahlwort ein (vgl. ¹*ein*) und hat im *Nhd.* um 1700 die neue Bed. „nicht viel", in der Mehrzahl „wenige" entwickelt, in der es etlich[e] zurückdrängte: einiges Geld, einige Leute. Dazu einigermaßen (Adv., um 1700 in der genitiv. Fügung einiger Maßen „ziemlich"; vgl. *Maß*).

einmal: Das seit dem 16. Jh. bezeugte Adverb ist schon im 16./17. Jh. aus dem Akkusativ 'ein Mal' 'zusammengerückt worden. Vordem herrschten genitivische oder präpositionale Fügungen (*mhd.* eines māles, zeineme māle; vgl. ¹*Mal*). Das Wort kann ebenso Wiederholungszahlwort (neben zweimal, dreimal usw.) sein wie unbestimmtes Zeitadverb; vgl. dazu ¹*ein*. Abl.: einmalig (17. Jh.). Zus.: Einmaleins *s* (im 16. Jh. Bez. einer Rechentafel).

Einöde *w*: Das *westgerm.* Substantiv ist erst in der *mhd.* Form einœde an →Öde angelehnt worden. Älteres *mhd.* einœte, einöte, *ahd.* einōti *s*, *asächs.* ēnōdi, *aengl.* ānad „Einsamkeit; einsamer Ort" sind Ableitungen von dem unter →¹*ein* behandelten Wort mit dem Suffix *germ.* *-oduz, *-oþus (= *lat.* -atus; s. a. Armut, Kleinod, Heimat). Der ältere Sinn lebt fort in *bayr.* Einöd *w*, Einödhof *s* „inmitten seiner Felder einzeln liegender Bauernhof").

einsam: Die *frühnhd.* Ableitung zu *mhd.* ein „allein" (vgl. ¹*ein*) wurde bes. durch Luthers Bibelübersetzung verbreitet. Abl.: Einsamkeit *w* (im 15. Jh. für *lat.* sōlitūdō).

Einsiedler *m*: *Spätmhd.* einsideler ist unter Anlehnung an das Verb 'siedeln' weitergebildet aus *mhd.* einsidele, *ahd.* einsidilo (*nhd.* veraltet Einsiedel *m*), einer Lehnübertragung von *gr.-lat.* mon-achus (s.Mönch), zu der auch ON wie Einsiedeln „bei den Einsiedlern" gehören. Zu weiterem vgl. siedeln. Abl.: Einsiedelei *w* (17. Jh.; zu Einsiedel).

einst: *Mhd.* ein[e]st, *ahd.* eines, einêst, *aengl.* ǣnes (*engl.* once) „[irgend]einmal" ist der mit -t weitergebildete Genitiv von →¹*ein*. Es bezeichnet gewöhnlich die entfernte Vergangenheit oder Zukunft. Abl.: einstig (19. Jh.). Zus.: einstmals (17. Jh.; *mhd.* eines māles); einstweilen (18. Jh.; vgl. *Weile*); der[mal]einst (16. Jh.).

Eintracht *w*: Das zunächst nur *mittel-* und *niederd.* Wort erscheint im 14. Jh. in der Rechtssprache als *mnd.* ēndracht, *mhd.* eintraht „Übereinstimmung, Vertrag". Voraus liegt *mnd.* ēndrāgen, älter över ēn drāgen (*mhd.* über ein tragen) „übereinkommen,

-stimmen" (vgl. ¹ein und tragen). Abl.: eintrāchtig (mnd. ēndrachtich, -drechtich, mhd. [mitteld.] eintrehtec). Auch das Gegenwort Zwietracht w geht seit 1300 vom mittel- und niederd. Gebiet aus: mnd. twidracht (mhd. zwitraht) ist abgeleitet aus mnd. twēdrāgen, entwey drāgen (mhd. enzwei tragen) „sich entzweien, uneins sein". Dazu zwieträchtig (mnd. twidrachich, -drechtich, mhd. zwitrehtec). Die ganze Wortgruppe wird vom nhd. Sprachgefühl zu trachten gestellt.

Einzahl w: Das Wort wurde um 1807 von Campe vorgeschlagen als Ersatz für lat. [numerus] singulāris, ebenso Mehrzahl für lat. [numerus] plūrālis. Ältere Verdeutschungen wie einzele Zahl, mehrere Zahl (1641 bei Schottel), Mehrheit, Vielheit (18. Jh.) haben sich nicht halten können.

einzeln: Das Adjektiv lautet älter nhd. und mhd. einzel (so noch in der jungen Substantivierung Einzel s „Einzelspiel im Tennis" und in Wörtern wie Einzelfall, -teil, -heit, ver-einzel-n). Das Adverb ist schon mhd. (mitteld.) als ēnzelen bezeugt. Die nur im Dt. vorkommenden Wörter sind ebenso wie →einzig weitergebildet aus mhd. einez, ahd. einaz „einzeln", einer Ableitung aus dem Zahlwort →¹ein.

einzig: Mhd. einzec ist ähnlich wie einzel (vgl. einzeln) gebildet und wird erst in der neueren Schriftsprache scharf von diesem getrennt. Es hat →¹einig aus dessen alter Bed. „alleinstehend" verdrängt.

Eis s: Das altgerm. Wort mhd., ahd. īs, niederl. ijs, engl. ice, schwed. is ist urverwandt mit awest. isu- „eisig", afghan. asai „Frost" u. ä. Wörtern anderer idg. Sprachen, ohne daß sich weitere Anknüpfungen finden. In der jungen Bed. „Speiseeis" (18. Jh.) ist Eis LÜ von frz. glace. Abl.: eisig (mhd. īsec); loseisen ugs. für „mühsam freimachen" (18. Jh., eigtl. vom Loslösen eines Schiffes aus dem Eis). Zus.: Eisbahn (s. Bahn); Eispickel (s. ¹Pickel); Grundeis „Bodeneis in Gewässern" (mhd. gruntīs, seit dem 17. Jh. bildl. gebraucht für aufbrechende Unruhe, beachte die Wendung 'ihm geht der Arsch mit Grundeis', heute derb ugs. für „er hat Angst".

Eisbein s: Die nordd. Bezeichnung des Gerichts, das südd. Schweinsfüße oder -haxen, pfälz. Eisknochen heißt, meint das Schienbein des Schweines mit den ansitzenden Fleischteilen. Aus den gespaltenen Röhrenknochen großer Schlachttiere wurden in germ. Zeit (in Skandinavien bis in die Neuzeit) Knochenschlittschuhe hergestellt. Sie heißen mdal. schwed. islägġor (Mehrz.), norw. islegg (zu lägg, legg, aisl. leggr „Bein, Knochenröhre"). 'Eisbein' als Speise bedeutet demnach eigtl. „zum Eislauf geeigneter Knochen" (vgl. Bein).

Eisen s: Der gemeingerm. Name des Schwermetalls (mhd. ise[r]n, ahd. īsa[r]n, got. eisarn, engl. iron, schwed. järn) entspricht der kelt. Sippe von air. īarn. Der Name war also Germanen und Kelten gemeinsam. Wahrscheinlich liegt ein illyr. Wort zugrunde, denn die älteste europ. Eisenkultur in der Hallstattzeit (8. Jh. v. Chr.) war illyrisch. Abl.: eisern (mhd. īser[n]īn, īsern, ahd. īsarnīn, got. eisarneins). Zus.: Eisenbahn (eiserne Geleise statt früherer Holzschienen gab es im Bergbau seit dem 18. Jh., zuerst in England. Nach Erfindung der Hochdruck-Dampfmaschine zu Anfang des 19. Jh.s allmählich auch der Öffentlichkeit nutzbar gemacht, heißt das neue Verkehrsmittel seit etwa 1820 Eisenbahn [wie frz. chemin de fer, it. ferrovia, schwed. järnväg, etwas anders engl. railway „Schienenweg", railroad „Schienenstraße"; vgl. Bahn], und dieser Name wurde auch beibehalten, als man nicht mehr Eisen-, sondern Stahlschienen verwendete); Eisenhut „blaublühende Staude" (16. Jh., nach der helmartigen Form der Blüten benannt).

eitel: Das westgerm. Adjektiv mhd. ītel, ahd. ītal, niederl. ijdel, engl. idle hat keine sicheren Verwandten. Die im Mhd. und mdal. noch erhaltene Grundbed. „leer, ledig" hat einerseits „nichts als, unvermischt" ergeben ('eitel Gold', wofür jetzt 'lauter Gold' gilt), andererseits den Sinn „gehaltlos, nichtig" (biblisch 'es ist alles ganz eitel"), woraus die jetzige Hauptbed. „eingebildet, selbstgefällig" wurde. Ein PN wie Eitelfriedrich bed. „nur Friedrich" im Ggs. zu Doppelnamen wie Georg Friedrich, Friedrich Wilhelm u. ä. Danach erscheint Eitel gelegentlich auch als selbständiger Name. Abl.: Eitelkeit w (mhd. ītelkeit „Nichtigkeit, leerer Hochmut"); vereiteln „wirkungslos, zunichte machen" (so erst seit dem 18. Jh.; mhd. verītelen war „schwinden, kraftlos werden").

Eiter m: Das allgerm. Wort (mhd. eiter, ahd. eit[t]ar, niederl. etter, aengl. ātor, schwed. etter) ist nächstverwandt mit mhd., ahd. eiz (noch oberd. mdal. Eiß) „Eitergeschwulst" und geht mit gr. oidáein „schwellen" und vielleicht mit der slaw. Sippe von russ. jad „Gift" sowie verwandten Wörtern anderer idg. Sprachen auf die idg. Wz. *oid- „schwellen, Geschwulst" zurück. Abl.: eitrig (mhd. eiterec, ahd. eitarīg „giftig", die heutige Bed. seit dem 16. Jh.); eitern (mhd. eitern „vergiften", die heutige Bedeutung seit dem 16. Jh.).

¹Ekel m „Abscheu" (eigtl. „was zum Erbrechen reizt"); ekel „Ekel erregend", (veralt. für:) „wählerisch": Beide Wörter erscheinen erst im 16. Jh. als mitteld. e[c]kel (mnd. ēkel „Greuel"), ihre Herkunft und das Verhältnis zu oberd. heikel (s. d.) sind ungeklärt. Dazu ²Ekel s (ugs. für:) „ekelhafter Mensch" (18. Jh.); ekeln „Ekel erregen oder empfinden" (16. Jh.; *mnd.* ēkelen); **ekelhaft**, **ek[e]lig** (17. Jh.).

eklatant „aufsehenerregend, auffallend, offenkundig": Im 17./18. Jh. aus *frz.* éclatant, dem Part. Präs. von éclater (*afrz.* esclater) „bersten, krachen; verlauten, ruchbar werden", entlehnt. Die weitere Herkunft ist unsicher. Aus dem von éclater abgeleiteten Substantiv *frz.* éclat stammt unser FW **Eklat** *m* „Glanz, Aufsehen" (17. Jh.).

Ekstase *w* „[religiöse] Verzückung; höchste Begeisterung": Im 16. Jh. aus *kirchenlat.* ecstasis < *gr.* ék-stasis „das Aussichheraustreten, die Begeisterung, Verzückung" entlehnt. Dazu das Adjektiv **ekstatisch** „außer sich, verzückt, schwärmerisch" (18. Jh.; nach gr. ekstatikós). Das zugrunde liegende Verb *gr.* histánai „setzen, stellen, legen" ist urverwandt mit *dt.* → *stehen*.

ekto..., **Ekto...** (Vorsilbe von naturwissenschaftlichen Fachwörtern mit der Bedeutung „außen, außerhalb"): Aus gleichbed. *gr.* ektós; zu ex (vgl. ²*ex*...).

Elan *m* „Schwung, Begeisterung": Im 19. Jh. aus gleichbed. *frz.* élan entlehnt, das postverbal zu *frz.* s'élancer „vorschnellen, sich aufschwingen" gehört. Zugrunde liegt *frz.* lancer „schleudern" (vgl. *lancieren*).

elastisch „federnd, dehnbar": Das seit dem 17./18. Jh. bezeugte Fachwort der Technik ist eine gelehrte Neubildung zu *gr.* elastós (elatós) „getrieben; dehnbar, biegbar", dem Verbaladjektiv von gr. elaúnein „treiben, ziehen". Dazu als Substantiv **Elastizität** *w* „Spannkraft, Biegsamkeit" (17./18. Jh.).

Elch *m*: Das Tier trägt einen *germ.* Namen: *mhd.* elhe, elch, *ahd.* el[a]ho, *aengl.* eolh, ähnl. *schwed.* älg. Auch die ältesten sprachlichen Zeugnisse, *lat.* alcēs und *gr.* álkē sind *germ.* Lehnwörter. *Außergerm.* sind *russ.* los' „Elch" und *aind.* ŗśya-ḥ „Antilopenbock" urverwandt. Der Elch war in Deutschland noch im Mittelalter weit verbreitet. Später war er auf den Nordosten, bes. Ostpreußen, beschränkt. So konnte sich im 16. Jh. als neue Bezeichnung des Tieres *frühnhd.* elen[d] einbürgern (*nhd.* Elen *m* oder *s*), verdeutlicht **Elentier**, das aus *alit.* ellenis (*lit.* élnis) „Hirsch" entlehnt ist und mit gleichbed. *russ.* olén' und verwandten Wörtern anderer *idg.* Sprachen auf *idg.* *elen- „Hirsch" zurückgeht.

Elefant *m*: *Mhd.* elefant, *ahd.* elpfant, elafant. Daneben schon im *Ahd.* helfant in volksetymologischer Verknüpfung mit *helfen* (der Elefant als nützliches Arbeitstier). Die Germanen erhielten durch den Elfenbeinhandel vom Südosten her schon früh Kunde von diesem Tier, das sie allerdings viel später als seinen Namen kennenlernten. Benannt ist es nach seinen (elfenbeinernen) Stoßzähnen. So weisen denn auch die vorausliegenden Formen *lat.* elephantus < *gr.* eléphas (Genetiv: eléphantos) zurück auf

ägypt. āb[u], *kopt.* eb[o]u „Elfenbein; Elefant", das zugleich Quelle ist für *lat.* ebur „Elfenbein". Vgl. noch die Artikel Elfenbein und Element.

elegant „auserlesen fein, geschmackvoll", auch substantiviert gebraucht **Elegant** *m* im Sinne von „Modegeck, Stutzer": Im 18. Jh. aus *frz.* élégant < *lat.* ēlegāns „wählerisch, geschmackvoll" entlehnt. *Lat.* ēlegāns ist Nebenform von ēligēns, dem Part. Präs. Akt. von ē-ligere (<ex-legere) „auslesen, auswählen". Über weitere Zusammenhänge vgl. den Artikel *Legion*. Dazu das Substantiv **Eleganz** *w* „Geschmack, Feinheit; Gewähltheit (bes. im Vortrag)"; im 16. Jh. als rhetorischer Terminus aus *lat.* ēlegantia entlehnt. Die spätere allgemeine Bedeutung steht unter Einfluß von *frz.* élégance. – Aus *lat.* ē-ligere oder *vlat.* *ex-legere stammt auch *frz.* élire „auslesen" (s. Elite).

Elegie *w* „wehmütiges Gedicht, Klagelied": Im 16. Jh. aus gleichbed. *lat.* elegīa < *gr.* elegeía entlehnt. Das Wort bezeichnete urspr. allgemein jedes in Distichen abgefaßte Gedicht, später bedeutete es dann auch „Klagelied". Zugrunde liegt *gr.* élegos „Trauergesang mit Flötenbegleitung", das vermutlich kleinasiatischer Herkunft ist. – Abl.: **elegisch** „klagend, wehmütig" (18. Jh.).

elektrisch: Das seit dem 18. Jh. bezeugte Adjektiv ist hervorgegangen aus *nlat.* ēlectricus, das zu *lat.* ēlectrum < *gr.* élektron „Bernstein" gebildet ist. Die geheimnisvolle Kraft, die manche Stoffe nach Reibung auf andere ausüben, wurde bis ins 18. Jh. nur beim →Bernstein beobachtet. In der Folge wurden dann allgemein nach dessen griech. Namen (élektron) bestimmte Anziehungs- und Abstoßungskräfte von verschieden geladenen Elementarteilchen bzw. das Kraftfeld zwischen ihnen und ihre Bewegung gegeneinander benannt (beachte z. B. die Fügung 'elektrischer Strom'). Neben den Ableitungen **Elektrizität** *w* (18. Jh.; nach *frz.* électricité) und **elektrisieren** „elektrische Ladung erzeugen oder übertragen; den Körper mit elektr. Stromstößen behandeln (Med.)" – auch übertr. im Sinne von „aufrütteln, begeistern" – stehen zahlreiche Zus., in denen *gr.* élektron als Bestimmungswort erscheint, so in Elektrolyse, Elektroingenieur und Elektrotechnik. Von besonderem Interesse sind ferner zwei gelehrte Neubildungen des 20. Jh.s: **Elektrode** *w* „Übergangsstelle des elektr. Stromes von einem Medium in ein anderes"; Grundwort ist *gr.* hodós „Weg" (vgl. *Periode*), das auch in den entspr. Fachwörtern →Anode und →Kathode erscheint; **Elektron** *s* „negativ geladenes Elementarteilchen".

Element *s* „Grundstoff; Urstoff; Grundbestandteil": Im 13. Jh. aus gleichbed. *lat.* elementum entlehnt, dessen Herkunft nicht gesichert ist. Wegen der wahrscheinlichen

Grundbedeutung (des meist in der *Mehrz.*) auftretenden Wortes) ,,Buchstaben (Schriftzeichen; Laute) als Grundbestandteile des [gesprochenen] Wortes", der die anderen Bedeutungen als Lehnübersetzungen von *gr.* stoicheîa folgen, vermutet man Entlehnung von *lat.* elementum aus *gr.* eléphanta (Akk. von eléphas ,,Elfenbein; Elefant") über eine Zwischenstufe *elepantum ,,elfenbeinerner Buchstabe" (vgl. *Elefant*). – Abl.: elementar,,grundlegend; urwüchsig; naturbedingt" (17. Jh.; aus gleichbed. *lat.* elementārius).

elend: *Mhd.* ellende ,,fremd, verbannt; unglücklich, jammervoll" (entsprechend *aengl.* ellende ,,fremd") ist verkürzt aus *ahd.* elilenti, *asächs.* eli-lendi ,,in fremdem Land, ausgewiesen". Der Ausschluß aus der Rechtsgemeinschaft des eigenen Volkes wird als schweres Unglück empfunden; so ist 'elend' heute noch ein kräftiger Ausdruck. Im ersten Teil des Wortes hat sich der sonst untergegangene *germ.* Pronominalstamm *alja- ,,ander" erhalten, der dem *lat.* alius (vgl. *alias*) entspricht. Der zweite Teil ist eine Ableitung von dem unter →*Land* behandelten Wort. Das Substantiv Elend *s* ist aus dem Adjektiv entstanden (*mhd.* ellende ,,anderes Land, Verbannung; Not, Trübsal", *ahd.* elilenti, *asächs.* elilendi ,,Fremde"), die alte Bedeutung hat es z. T. bis ins 18. Jh. festgehalten. Jung sind *ugs.* Wendungen wie 'das graue, heulende Elend kriegen'. Abl.: elendig[lich] ,,jämmerlich" (*mhd.* ellende[lîchen]).

Eleve *m* ,,Schauspiel-, Ballettschüler; Forst-, Landpraktikant": Im 19. Jh. aus *frz.* élève ,,Schüler" entlehnt. Das zugrunde liegende Verb *frz.* élever bedeutet zunächst wörtlich ,,heraus-, emporheben", dann übertragen u. a. auch ,,aus der Unwissenheit herausheben, unterweisen". Voraus liegt *vlat.* *exlevāre, das für *klass.-lat.* ēlevāre ,,herausheben" steht. Über das Stammwort *lat.* levis ,,leicht" vgl. *leger*.

elf: Das *gemeingerm.* Zahlwort *mhd.* eilf (so noch im 19. Jh.), einlif, *ahd.* einlif, *got.* ainlif, *engl.* eleven, *schwed.* elva ist eine Zus. aus →¹*ein* und dem unter →*bleiben* behandelten Stamm *germ.* *lîb- mit der Bed. ,, Überbleibsel, Rest", d. h., elf ist eine Zahl, die sich ergibt, wenn man zehn gezählt hat und eins übrigbleibt (das zu zehn noch hinzugezählt werden muß). Entsprechend werden im *Lit.* alle Zahlen von 11–19 mit -lîka gebildet (das zur Sippe von →*leihen*, urspr. ,,lassen" gehört): vienúolika, dvý-, trýlika usw.; s. a. zwölf. – Abl.: elfte (Ordnungszahl; *mhd.* ei[n]l[i]fte, *ahd.* einlifto).

Elf *m*, **Elfe** *w*: Unsere heutige Vorstellung von den Wald- und Blumenelfen stammt aus der Dichtung des 18. Jh.s und der Romantik. Das Wort Elf wurde im 18. Jh. entlehnt aus *engl.* elf (bei Shakespeare), *aengl.* ælf. Eigtl. sind die Unterirdischen gemeint, niedere Naturgeister des *germ.* Volksglaubens, die unseren Zwergen entsprechen, von der Kirche aber früh als böse Dämonen und Gespenster mit dem Teufel zusammengebracht wurden. So ist schon das entsprechende *ahd.* alb, alp, (*mhd.* alp, *nhd.* ² A l p *m*) die Bezeichnung des Nachtmahrs, der die Schlafenden drückt (Alpdrücken, Alptraum), während *aisl.* alfr, *schwed.* alf die Bed. ,,Elf" festhalten. In der Religionswissenschaft heißen die *germ.* Geister Alben, Elben (*Mehrz.*; *mhd.* elbe[n]), das zugehörige Adjektiv ist elbisch (z. B. 'ein elbisches Wesen'; *mhd.* elbisch ,,alpartig; von Elben sinnverwirrt"), während neben 'Elf' im heutigen Sinn elfisch steht (*engl.* elfish ,,geisterhaft, neckisch"). In der alten Bedeutung erscheint schon *ahd.* alb nur noch in Namen, von denen der des Zwergkönigs Alberich am bekanntesten ist (zu -rich ,,Herrscher" vgl. *Reich*). Von ihm ist *frz.* Oberon (*afrz.* Alberon) abgeleitet. Siehe auch den Artikel Alraun. Die Herkunft des *germ.* Wortes ist ungeklärt.

Elfenbein *s*: Die Stoßzähne des Elefanten wurden den *germ.* Völkern, wie ehemals den Griechen, früher bekannt als das Tier selbst. So kann *ahd.* helfant (vgl. *Elefant*) ebenso ,,Elfenbein" wie ,,Elefant" bedeuten. Die Zus. *ahd.* helfantbein ,,Elefantenknochen" (vgl. *Bein*) diente der Unterscheidung (entspr. *aengl.* elpen-, ylpenbān, *niederl.* elpenbeen), sie wurde seit dem 10. Jh. zu helfan-, *mhd.* helfenbein vereinfacht und hielt sich in dieser Form bis ins 18. Jh. Die Lutherbibel setzte die nach dem *Lat.* berichtigte heutige Form ohne h durch. – Abl.: elfenbeinern (18. Jh., *mhd.* helfen-, *ahd.* helfantbeinîn).

eliminieren ,,ausscheiden, beseitigen": Im 18./19. Jh. über gleichbed. *frz.* éliminer aus *lat.* ēlīmināre ,,über die Schwelle setzen, aus dem Haus treiben; entfernen" entlehnt. Zu *lat.* līmen ,,Schwelle".

Elite *w* ,,Auslese der Besten": Im 18. Jh. aus gleichbed. *frz.* élite entlehnt. Zu *frz.* élire (<, *vlat.* *exlegere) ,,auslesen" (vgl. *elegant*).

Elixier *s* ,,Heiltrank, Lebenssaft": Wort des Alchimistenlateins (wie →Alchimie, →hermetisch), im 13. Jh. als elixīrium entlehnt aus *arab.* al-iksîr ,,der Stein der Weisen". Das *arab.* Wort bedeutet eigtl. etwa ,,trockene Substanz mit magischen Eigenschaften". Es geht seinerseits auf *gr.* xêrion ,,Trockenes (Heilmittel)" (zu *gr.* xêrós ,,trocken") zurück. Zus.: Lebenselixier ,,Verjüngungsmittel".

Elle *w*: Der Unterarm vom Ellbogen bis zur Mittelfingerspitze ist ein natürliches Längenmaß wie Fuß und Klafter (s. d.). In dieser Bedeutung stehen daher *mhd.* elne, elle, *ahd.* elina, *got.* aleina, *engl.* ell, *schwed.* aln. Die Grundbedeutung ,,Unterarmknochen" ist heute allein noch vorhanden. Mit dem *gemeingerm.* Wort urverwandt sind z. B. *lat.* ulna, *gr.* ōlénē „Ellbogen", *air.* uile „Winkel", *ajnd.* aratni-ḥ „Ellbogen". Den Bildungen liegt die *idg.* Wz. *el-, *elĕi- „biegen" zugrunde. Der Unterarm ist also, ähnlich wie bei dem gleichfalls verwandten Wort →Glied, nach dem zunächstliegenden Gelenk benannt. Die gleiche Wurzel begegnet weitergebildet in →Bilanz und Balance (zu *lat.* lanx „[gebogene] Schüssel"). Vielleicht gehört auch →ledig hierher. Zus.: Ellbogen, Ellenbogen (*mhd.* el[l]enboge, *ahd.* el[l]inbogo); ellenlang „übermäßig lang" (*mhd.* ellenlanc).

Eller *w:* Als *niederd.* Name der →Erle hat *mnd.* eller, elre die alte Form des Baumnamens bewahrt: *ahd.* elira, *asächs.* elora, ähnlich *aengl.* alor (*engl.* alder), *aisl.* ọlr (*schwed.* al) aus *germ.* *alizō, *aluz-. Verwandte Wörter zeigen das *Lat.* (alnus) und die *kelt.* und *baltoslaw.* Sprachen. Dies sind mannigfache Erweiterungen und Weiterbildungen einer *idg.* Wz. *el-, *ol- „glänzend, schimmernd", die bes. für rötliche und bräunliche Farben gebraucht wurde und auch im Namen der →Ulme fortlebt. Das Holz der Eller wird beim Schlagen orangerot. Eine Ableitung des Baumnamens ist der Fischname →Elritze.

Ellipse *w:* Zu *gr.* leípein „[zurück]lassen", das *gr.* Sippe von *dt.* →leihen gehört, stellt sich als Kompositum el-leípein „darin zurücklassen; zurückstehen; mangeln, fehlen". Das davon abgeleitete Substantiv *gr.* élleipsis „Mangel" wird im 18. Jh. über *lat.* ellípsis ins *Dt.* entlehnt zu Ellipse, und zwar einerseits als sprachwissenschaftl.-rhetorischer Ausdruck zur Bezeichnung einer Redefigur („Auslassung von Satzteilen"), andererseits in der Mathematik als Name eines Kegelschnitts, des sogenannten Langkreises, dem durch seine unvollständige Rundung die Eigenschaft der Vollkreises „fehlt". Abl.: elliptisch „ellipsenförmig; unvollständig" (17. Jh.; aus *nlat.* ellipticus < *gr.* elleiptikós „mangelhaft").

Elritze *w:* Der kleine Karpfenfisch heißt im 16. Jh. *ostmitteld.* Elderitz, Elritz, im 15. Jh. *westmitteld.* erlitz, *mhd.*, *ahd.* erling. Die Namen sind Ableitungen von →*Eller* und →*Erle.* Der Fisch hält sich gerne unter Erlen am Ufer von Gewässern auf.

Elster *w:* Die heutige Form des Vogelnamens (*mhd.* agelster, alster, elster, *ahd.* ag-alstra) ist nur eine von vielen verwandten Mundartformen. So ist z. B. *ahd.* ag-astra über *mnd.* [h]ēgester zu *nordd.* Heister, Häster und *westfäl.* Ekster geworden (dazu die Externsteine bei Detmold). Ein drittes *ahd.* ag-aza liegt den *germ.* LW *frz.* agace und *it.* gazza und dem *schwäb. mdal.* Hetze „Elster", die Verkleinerungsbildung *agazala dem *hess.-pfälz.-elsäss.* Atzel zugrunde. Diese Fülle weitergebildeter und wieder vereinfachter Formen beruht auf einem noch unerklärten *aengl.* agu, *ahd.* aga „Elster". Es bleibt ganz ungewiß, ob man dieses Wort wegen des langen, spitzen Schwanzes der Elster zur Sippe von →Ecke stellen darf. Doch beachte *schwed.* skata „Elster", das zu *mdal.* skate „Spitze, Schwanz" gehört.

Eltern *Mehrz.:* *Mhd.* altern, eltern, *ahd.* eltirōn (neben altirōn „die Älteren"), *mniederl.* ouderen (*niederl.* ouders), *aengl.* eldran ist der substantivierte Komparativ zu →alt. Die Schreibung mit E- blieb erhalten, weil der Begriff „alt" gegenüber der Vorstellung „Vater und Mutter" verblaßte.

Email *s* und **Emaille** *w* „Schmelzüberzug": Das Wort wurde mit der Technik der französischen Miniaturmalerei im 18. Jh. aus *frz.* émail entlehnt. Zugrunde liegt der Stamm des *nhd.* →schmelzen in *afränk.* *smalt, das früh ins *Roman.* übernommen wurde (*mlat.* smeltum, *it.* smalto; *afrz.* *esmalt, esmal „Schmelzglas"). Abl.: emaillieren „mit Schmelz überziehen" (im 17./18. Jh. aus *frz.* émailler).

emanzipiert „frei, ungebunden; entfraulicht": Part. Perf. zu dem heute seltenen, im 17. Jh. aus *lat.* ēmancipāre entlehnten Zeitwort emanzipieren: Der urspr. im römischen Patriarchat begründete Sinn von *lat.* ēmancipāre „(einen erwachsenen Sohn bzw. einen Sklaven) aus der väterlichen Gewalt zur Selbständigkeit entlassen" wurde bei uns einerseits eingeschränkt auf die Bestrebungen der Frau, aus der Rolle des „Nur-Frau-Seins" (mit allen Beschränkungen der aktiven Teilnahme am gesellschaftlichen und öffentlichen Leben) auszubrechen und volle Gleichberechtigung neben dem Mann zu erlangen. Andererseits gilt auch die allgemeine Übertragung auf die innere Befreiung aus den Fesseln des Herkommens, der Weltanschauung, von Vorurteilen usw. *Lat.* ē-mancipāre bedeutet wörtlich „aus dem Mancipium geben". Das Mancipium - < *man-capium, zu *lat.* manus „Hand" (vgl. *manuell*) und capere „ergreifen" (vgl. *kapieren*) – galt bei den Römern als feierlicher Eigentumserwerb durch „Handauflegen". – Das dazugehörige Substantiv Emanzipation *w* erscheint im 18. Jh. (aus *lat.* ēmancipātiō).

Embargo *s* „(von einer Regierung verhängte) Ausfuhrsperre": Das Wort ist zuerst im 19. Jh. bezeugt, und zwar mit der Bed. „Beschlagnahme (bes. von Schiffsfrachten)", wie sie zuweilen noch heute vorkommt. Es ist aus gleichbed. *span.* embargo entlehnt, dem das *span.* Verb embargar „in Beschlag nehmen; behindern" zugrunde liegt. Dies geht auf *vlat.* *imbarricāre „in Sperrschranken legen" zurück. Über das Grundwort *galloroman.* *barra „[Sperr]balken" vgl. den Artikel *Barre.*

Emblem *s* „Kennzeichen, Sinnbild": Im 17./18. Jh. aus gleichbed. *frz.* emblème entlehnt, das auf *lat.* emblēma < *gr.* émblēma „Eingesetztes; eingelegte Metallarbeit mit Symbolgehalt" zurückgeht. Über das zugrunde liegende Verb *gr.* em-bállein „hineinwerfen; darauflegen, einlegen" vgl. den Artikel *ballistisch.*

Embolie *w* „Verstopfung eines Blutgefäßes durch einen in die Blutbahn geratenen Fremdkörper" (Med.): Eine im 19. Jh. gebildete gelehrte Ableitung von *gr.* em-bolḗ „Hineinwerfen", hier speziell im Sinne von „das Eindringen eines Pfropfes". Zugrunde liegt *gr.* embállein „hineinwerfen", ein Kompositum von *gr.* bállein „werfen" (vgl. *ballistisch*).

Embryo *m,* (*östr.* auch:) *s* „im Anfangsstadium der Entwicklung befindlicher Keim; die noch ungeborene Leibesfrucht": Gelehrte Entlehnung *nhd.* Zeit aus *gr.* émbryon > *lat.* embryo „Neugeborenes (Lamm); ungeborene Leibesfrucht". Zu *gr.* en „in; darin" (vgl. *en...*) und *gr.* brýein „sprossen, treiben".

emigrieren „(aus politischen oder religiösen Gründen) auswandern": Im 18. Jh. aus *lat.* ē-migrāre entlehnt. Das einfache Verb *lat.* migrāre „wandern" gehört zu der unter →*Meineid* entwickelten *idg.* Sippe. Aus dem Part. Präs. Akt. *lat.* ēmigrāns stammt unser Substantiv **Emigrant** *m.*

eminent „hervorragend, außerordentlich": Im 18. Jh. relativisiert aus gleichbed. *frz.* éminent, das auf *lat.* ēminēns, das Part. Präs. Akt. von ē-minēre „heraus-, hervorragen" zurückgeht. Das zugrunde liegende Verb *lat.* *minēre ist als Verbum simplex nicht bezeugt. Es erscheint aber noch in anderen Komposita, so in *lat.* prōminēre „vorspringen, hervorragen" (s. prominent, Prominenz). *Lat.* *minēre ist abgeleitet von dem mit *lat.* mōns „Berg" (vgl. *montan*) verwandten Substantiv minae „hochragende Mauerzinnen; (übertr.) Drohungen", wozu auch das *lat.* Verb minārī „drohen" stellt. Aus der Bauernsprache stammt das transitive *vlat.* mināre „das Vieh durch drohende Schreie vor sich her treiben; führen, treiben", das in *frz.* mener „führen" (s. promenieren, Promenade) erscheint. – Abl.: **Eminenz** *w* „Hoheit" (als Titel von Kardinälen), im 16./17. Jh. aus *lat.* ēminentia „das Hervorragen".

Emir *m* (Titel oriental. Fürsten): Im 18. Jh. aus *arab.* amīr „Befehlshaber" entlehnt. Zu *arab.* amara „befehlen", das auch unserem FW →*Admiral* zugrunde liegt. Abl.: **Emirat** *s* „orientalisches Fürstentum".

empfangen: Als Präfixbildung aus →*fangen* und →*ent...* bezeichnen *mhd.* enphāhen, ent-vāhen, *ahd.* intvāhan urspr. das tätige An- und Aufnehmen eines Entgegenkommenden (wie in 'Gäste empfangen', 'Empfangschef' u. ä.), jetzt meist die einfache Hinnehmen einer Sache (Wohltaten, die Taufe empfan-

gen). Schon *ahd.* ist die Sonderbed. „schwanger werden". Abl.: **Empfang** *m* (*mhd.* en-, anphanc, *ahd.* antfanc); **empfänglich** (*mhd.* enphenclich „aufnahmebereit; annehmbar, angenehm", *ahd.* antfanclīh); **Empfängnis** *w* (*spätmhd.* enphencnisse „Einnahme, Belehnung", *ahd.* intfancnissa; seit Luther im heutigen Sinn).

empfehlen: Das Verb *mhd.* enphelhen, enphelen, *mnd.* en[t]fēlen „zur Bewahrung oder Besorgung übergeben" ist eine Präfixbildung zu dem unter →*befehlen* behandelten, untergegangenen einfachen Verb (vgl. auch den Artikel *ent...*). Das Verb hat im Gegensatz zu 'befehlen' seine Bedeutung bewahrt (z. B. „ich empfehle ihn deiner Fürsorge"), ist heute aber meist zu einem werbenden Hinweis abgeschwächt.

empfinden: Das *westgerm.* Verb *mhd.* enphinden, ent-finden, *ahd.* intfindan „fühlen, wahrnehmen", *mniederl.* ontvinden „erkennen", *aengl.* onfindan „entdecken, wahrnehmen" ist eine Präfixbildung aus →*ent...* und →*finden.* Im *Dt.* gilt es heute meist von seelischen Gefühlen: Schmerz, Reue, Freundschaft empfinden. Abl.: **empfindlich** (*mhd.* enphintlich, *ahd.* inphintlich „der Empfindung zugänglich", *nhd.* auch für „schmerzhaft": eine empfindliche Strafe), dazu **Empfindlichkeit** *w* (*mhd.* enphintlīcheit „Wahrnehmung"); **empfindsam** „zartfühlend" (im 18. Jh. nach *engl.* sentimental Schlagwort der literarischen Richtung der Empfindsamkeit); **Empfindung** *w* (*spätmhd.* enphindunge).

Emphase *w* „Nachdruck, Eindringlichkeit; Übertreibung (in der Aussage)": Im 18. Jh. aus gleichbed. *frz.* emphase < *gr.-lat.* émphasis (eigtl. „Verdeutlichung") entlehnt. Zu *gr.* emphaínein „darin sichtbar machen, aufzeigen" (vgl. *en...* und *Phänomen*). – Dazu: **emphatisch** „eindringlich; übertrieben" im 17./18. Jh. nach *frz.* emphatique < *gr.* emphatikós „bezeichnend, nachdrücklich".

empirisch „auf Erfahrung, Beobachtung beruhend": Im 18./19. Jh. aus gleichbed. *gr.* em-peirikós entlehnt. Dies gehört zum Adjektiv *gr.* ém-peiros „erfahren, kundig", das sich mit seiner eigtl. Bed. „im Versuch, im Wagnis seiend" zu *gr.* peīra „Versuch, Wagnis" stellt (vgl. *Pirat*).

empor (Adv.): *Mhd.* enbor[e], embor aus *ahd.* in bor „in die Höhe" (dazu →*Bürzel,* purzeln) enthält das Substantiv *mhd., ahd.* bor „oberer Raum, Höhe", das zum *idg.* Verbalstamm *bher- „heben, tragen" gehört (vgl. *gebären*). Die *frühnhd.* Form embor ergibt *nhd.* empor. – Dazu: **Empore** *w* „erhöhter Sitzraum [in Kirchen]" (im 18. Jh. für älteres Emporkirche, Porkirche, *spätmhd.* borkirche „oberer Kirchenraum", zu *mhd.* bor; s. o.). Zus.: **Emporkömmling** *m* (18. Jh.; Ersatzwort für →*Parvenü,* aber erst in den Freiheitskriegen durchgedrungen).

Engel

---

empören: *Mhd.* enbœren „erheben", *spät-ahd.* anebōren „sich auflehnen" gehören mit *mhd.* bör „Trotz" zur *idg.* Wz. *bher- „heben, tragen" (vgl. *gebären*), hängen aber mit dem in →empor enthaltenen bor „Höhe" nur mittelbar zusammen. Die Bed. „erheben" läuft im 19. Jh. aus, hat aber zur heutigen Nebenbed. „erregen" geführt: 'empörte Wogen'. Die Bed. „sich auflehnen" wurde durch Luthers Bibelübersetzung gefestigt.

emsig: Das auf das *Dt.* beschränkte Adjektiv (*mhd.* emz̧ec, *ahd.* emaz̧z̧ig, emiz̧z̧ig „beständig, fortwährend, beharrlich") ist eine Ableitung von einem im *Ahd.* noch erhaltenen Adjektiv emiz̧ „beständig". Verwandt im *germ.* Sprachbereich ist z. B. *aisl.* ama „belästigen, plagen", *außergerm.* z. B. *aind.* áma-ḫ „Andrang, Ungestüm" und *gr.* omoíios „plagend". Als Grundbed. ist demnach „unablässig, drängend" anzusetzen. Abl.: Emsigkeit *w* (*spätmhd.* emzīcheit).

en..., En..., (vor Lippenlauten assimiliert zu:) em..., Em...: Aus dem *Gr.* stammende Vorsilbe, die ein Verharren „in" etwas oder einen erfolgreichen Abschluß bezeichnet. *Gr.* en ist identisch mit gleichbed. *lat.* in und *nhd.* →in. Alle beruhen auf *idg.* *en.

Ende *s*: Das *gemeingerm.* Substantiv *mhd.* ende, *ahd.* enti, *got.* andeis, *engl.* end, *schwed.* ända gehört mit der Grundbed. „vor einem Liegendes" zu der unter ¹*ant...* „entgegen" behandelten *idg.* Sippe. Verwandte Bildungen sind z. B. *gr.* antíos „gegenüberliegend", *lat.* antiae „Stirnhaare", *aind.* ántya-ḫ „der letzte". Als „äußerster Punkt" wird 'Ende' schon früh auch zeitlich verstanden. Vielfach bezeichnet es zugleich das äußerste Stück, z. B. 'ein Ende Brot', 'ein Endchen Licht'. Nach seinen Geweihenden heißt der Hirsch Sechs-, Achtender usw. Räumliche Ausbreitung zeigt 'an allen Ecken und Enden' für „überall". Abl.: enden (*mhd.* enden, *ahd.* entōn), dazu beenden (18. Jh.; urspr. Kanzleiwort) und verenden „sterben (von erkrankten, angeschossenen Tieren)" (*mhd.* verenden, *ahd.* farentōn „ein Ende nehmen", der heutige Sinn erst seit dem 18. Jh.); endigen (15. Jh.; zu *spätmhd.* endec „zu Ende kommend"), dazu beendigen (18. Jh.; urspr. Kanzleiwort); endlich „am Ende kommend, zuletzt" (*mhd.* endelich), dazu unendlich „endlos ausgedehnt" (auch als bloße Verstärkung; *mhd.* unendelich war „endlos, unvollendet, unnütz, schlecht", *ahd.* unentilîh „unbegrenzt"); Endung *w* (*spätmhd.* für „Beendigung"; als grammatischer Begriff im 17. Jh. eingeführt).

Endivie *w* (Salatpflanze): *Mhd.* enduvie, *mnd.* endivie, durch *roman.* Vermittlung (*mlat.*, *it.* endivia, *frz.* endive) entlehnt aus *lat.* intubus (intubum) bzw. aus *spätlat.* intiba, *vlat.* *endiba. Letzte Quelle des Wortes

ist wohl *ägypt.* tōbi „Januar", woraus *gr.* tybí „Januar" geworden ist. Das davon abgeleitete *gr.* entýbion (éntybon), das den Namen der Pflanze den europ. Sprachen vermittelte, bedeutet demnach eigtl. „im Januar wachsende Pflanze".

endo..., Endo... (Vorsilbe von zusammengesetzten Fachwörtern aus dem Bereich der Medizin und der Naturwissenschaft mit der Bed. „innen, innerhalb", wie in endogen „im Innern entstehend"): Aus gleichbed. *gr.* én-don (Adv.).

Energie *w* „die Fähigkeit, Arbeit zu verrichten" (Phys.); „Tatkraft" (allg.): Im 18. Jh. durch Vermittlung von *frz.* énergie aus *spätlat.* energīa, *gr.* en-érgeia „wirkende Kraft" entlehnt. Zugrunde liegt das von *gr.* érgon „Werk, Wirken" abgeleitete Adjektiv *gr.* en-ergós „einwirkend". Als Grundwort erscheint *gr.* érgon, das mit *dt.* →*Werk* urverwandt ist, auch in den FW →Allergie, allergisch, →Chirurg, Chirurgie und →Liturgie. – Abl.: energisch „tatkräftig, entschlossen" (18. Jh.; nach *frz.* énergique).

eng: Das *gemeingerm.* Adjektiv *mhd.* enge, *ahd.* engi, *got.* aggwus, *aengl.* enge, *norw.* ang gehört mit seinem in *nhd.* →bange erhaltenen Adv. *mhd.* ange, *ahd.* ango zu der *idg.* Wz. anĝh- „eng; einengen, zusammendrücken oder -schnüren". Urverwandt sind zahlreiche Wörter ähnlicher Bedeutung im *Lat.*, *Gr.*, *Kelt.*, *Baltoslav.* und *Aind.*, z. B. *gr.* áĝchein „erdrosseln" (s. Angina), *ágchi* „nahe bei", *lat.* angere „beengen", angiportus „enges Gäßchen". Aus einer Weiterbildung der Wurzel entstanden *dt.* →*Angst*, *lat.* angustiae „Enge, Klemme" und *aind.* áṁhas- „Angst, Bedrängnis". Die Bedeutung der Wortgruppe umfaßt also schon früh körperliche wie seelische Einengung, wie es der Gebrauch von *dt.* eng noch heute zeigt. Abl.: Enge *w* (*mhd.* enge, *ahd.* engi; räumlich z. B. in Landenge); engen veralt. für „be-, einengen" (*mhd.*, *ahd.* engen, *got.* [ga]aggwjan), dazu die heute üblichen be-, ein-, verengen (17. Jh.).

engagieren 1. „verpflichten, unter Vertrag nehmen (besonders von Künstlern)"; 2. „(eine Dame) zum Tanz auffordern": Im 17./18. Jh. aus *frz.* engager „in Gage nehmen" entlehnt (vgl. ¹*in...* und *Gage*). Dazu das Substantiv Engagement *s* „Anstellung[svertrag] eines Künstlers" (17./18. Jh.; aus *frz.* engagement).

Engel *m*: Die den *germ.* Sprachen gemeinsame Bezeichnung für die im christlichen Glauben als Boten Gottes benannten Mittelwesen zwischen Gott und Mensch (*mhd.* engel, *ahd.* engil, *got.* aggilus, *niederl.* engel, *aengl.* engel, *schwed.* ängel) beruht auf einer frühen Entlehnung aus *gr.* ággelos „Bote; (N. T.:) Bote Gottes". Zu den Westgermanen gelangte das Wort vermutlich durch *got.* Vermittlung im Zuge der arianischen Mission, während es die Nordgermanen wohl

137

unmittelbar durch angelsächs. oder deutsche Missionare erreichte. – Zus.: Erzengel (*mhd.* erz-engel, aus *kirchenlat.* archangelus, *gr.* arch-ággelos „Erzengel"; vgl. *Erz...*). Siehe auch Evangelium usw.

Engerling *m*: Die Maikäferlarve teilte früher ihren Namen mit anderen Maden (so ist weidmänn. Engerling noch die Larve der Dasselfliege). *Mhd.* enger[l]inc, *ahd.* engiring „Made" ist abgeleitet von gleichbed. *mhd.* anger, enger, *ahd.* angar, das wie *lit.* ankštara „Dassellarve", *lett.* anksteri „Maden, Engerlinge" wahrscheinlich zur Sippe von → *Unke* gehört.

en gros „im großen" (Gegensatz: en détail), besonders auch in Zus. wie Engroshandel „Großhandel": Die seit dem 17. Jh. gebräuchliche, aus dem *Frz.* kommende Wendung (vgl. ¹*Gros*) stammt aus der Kaufmannssprache.

Enkel *m* „Kindeskind": *Frühnhd.* enikel, *mhd.* eninkel, *spätahd.* eninchilî ist eine Verkleinerung zu dem unter → *Ahn* behandelten Wort. Der Enkel galt vielen Völkern als der wiedergeborene Großvater, wie es auch *germ.* Sitte war, ihm den Namen und damit Kraft und Glück des [verstorbenen] Großvaters zu geben (z. B. wechselten so bei den Karolingern die Namen Pipin und Karl). Im *Dt.* hat Enkel das ältere → *Neffe* aus dieser Bedeutung verdrängt. – Zus.: Urenkel (*mhd.* ureniklîn, Gegenbildung zu → *Urahn*; vgl. *ur-*).

Enklave *w* und **Exklave** *w*: Beides polit. Fachwörter, die bei verschiedenem Standpunkt das gleiche bezeichnen, nämlich ein fremdstaatliche „Insel" gleichsam auf eigenem bzw. eine eigenstaatliche auf fremdem Staatsgebiet. Enklave wurde im 19. Jh. entlehnt aus *frz.* enclave (zu enclaver „festnageln" < *vlat.* *in-clāvāre, weiter zu → ¹*in...* und *lat.* clāvus „Pflock, Nagel", vgl. *Clou*). Das Wort bezeichnet also eigentlich ein „festgenageltes Gebiet". Exklave wurde im 20. Jh. analog hinzugebildet.

en masse „in Masse, haufenweise": Im 19. Jh. aus dem *Frz.* entlehnt (vgl. *Masse*).

enorm „außerordentlich; ungeheuer": Im 18. Jh. nach *frz.* énorme aus *lat.* ē-nōrmis „von der Norm abweichend; unverhältnismäßig groß" entlehnt (vgl. ¹*ex...* und *Norm*).

en passant „im Vorbeigehen, beiläufig": Die seit dem 17. Jh. bezeugte, aus dem *Frz.* stammende Wendung galt lange Zeit nur im speziellen Sinn von „auf der Durchreise". Erst im 19. Jh. kommt die heute übliche Bedeutung auf. *Frz.* passant ist Part. Präs. von passer (vgl. *passieren*).

Ensemble *s* „Künstlergruppe; Zusammenstellung modisch aufeinander abgestimmter Kleidungsstücke (Frauenmode)": Im 18. Jh. aus *frz.* ensemble „zusammen" entlehnt, das auf *lat.* in-simul „zusammen, miteinander" zurückgeht (vgl. *simulieren*).

ent..., Ent...: Die Vorsilbe *mhd.* ent-, *ahd.* int- bezeichnet Gegensatz oder Trennung und steht vor Verben und Ableitungen aus Verben (z. B. führen – entführen – Entführung); sie ist das Gegenstück zu dem betonten ant- der nominalen Zus., von dem sie sich als stets unbetonte Partikel lautlich geschieden hat. Voraus liegt *germ.* *and[a]- „entgegen; von etwas weg" (vgl. ¹*ant...*). Der Begriff des Trennens hat sich aus dem des Dagegenwirkens entwickelt. Nicht hierher gehören Wörter wie entbehren, entgegen, entlang, entzwei und Verben des Beginnens wie entflammen, entstehen; bei ihnen hat sich altes in- mit ent-, int- vermischt, deren -t- im *Ahd.* und *Mhd.* oft abfiel. Wie umgekehrt -t- als Gleitlaut an in-, en- antreten konnte. Vor f ist ent- zu emp- angeglichen worden, s. empfangen, empfehlen, empfinden.

entbehren: Das Verb *mhd.* enbern, *mnd.* en[t]bēren, *ahd.* inberan ist eine Verneinung des im *Nhd.* untergegangenen Verbs *ahd.* beran „tragen" (vgl. *gebären*) und hat aus „nicht [bei sich] tragen" den Sinn „ermangeln, vermissen" entwickelt. Die unbetonte Vorsilbe ist die abgeschwächte Verneinungspartikel ni, ne (vgl. *nein*) und wurde erst nachträglich an das häufige Verbalpräfix ent- angelehnt.

entdecken: *Mhd.* endecken, *ahd.* intdecchan ist, anders als *niederl.* ontdekken, in seiner alten sinnlichen Bedeutung seit dem 17. Jh. durch „aufdecken" und „entblößen" abgelöst worden. Übertragen steht es schon *ahd.* von erkannten Lügen, seit dem *Mhd.* gilt „jemandem etwas entdecken" für „mitteilen". Der heute vorherrschende Sinn „Unbekanntes, Verborgenes auffinden" (bes. von Ländern, Sternen, wissenschaftl. Tatsachen) hat sich erst seit dem 16. Jh. entwickelt.

Ente *w*: Der *germ.* Vogelname hat Entsprechungen in vielen *idg.* Sprachen. *Mhd.* ente aus *ahd.* enita steht neben *mhd.* ant, *mnd.* ānt aus *ahd.* anut, denen *aengl.* ened, *schwed.* and entsprechen. Urverwandt sind u. a. *lat.* anas „Ente" und *lit.* ántis „Ente". *Idg.* *anət- bezeichnet die Wildente. Die zahme Ente gewinnt wie die Gans (s. d.) erst später Bedeutung, in Deutschland erst seit der Karolingerzeit. In der Sonderbed. „Zeitungslüge" begegnet Ente erst um 1850 nach dem Vorbild von gleichbed. *frz.* canard. Doch kommt „blaue Enten" für „Lügen" schon im 16. Jh. vor. Die „kalte Ente" erscheint *nordd.* im 19. Jh. als „Ente" „feines Mischgetränk". Das Männchen des Wasservogels heißt Erpel (s. d.) oder Enterich *m* (*mhd.* antreche, *ahd.* anutrehho, *mnd.* āntreke, āndrāke ist im zweiten Teil unerklärt, doch beachte *engl.* drake (13. Jh.), *niederd.* drake „Enterich". Im *Nhd.* an die PN auf -rich angelehnt, regte Enterich ähnliche Bildungen, z. B. Gänserich, Täuberich an.

entern: Das aus dem *Niederd.* ins *Hochd.* gelangte und dort seit dem Ende des 17. Jh.s bezeugte Verb gilt heute einerseits mit seiner historischen Bed. „ein feindliches Schiff erklettern und im Kampf aufbringen", andererseits lebt es in der modernen Seemannssprache mit der neuen Bed. „in die Takelung eines Schiffes klettern". *Niederd.* entern, das seit dem 15. Jh. begegnet, wurde im Bereich der Seemannssprache aus gleichbed. (m)*niederl.* enteren entlehnt. Das *niederl.* Wort selbst führt über *span.* entrar „hineingehen; hineinbringen; überfallen, einnehmen" auf *lat.* intrāre „hineingehen, betreten" zurück. Zu *lat.* intrā „innerhalb, innen" (vgl. *inter...*). Zus.: Enterhaken (Anfang 18. Jh.).

entgegen: Das Adverb *mhd.* engegen, *ahd.* ingegin, -gagan ist aus den unter →*in* und →*gegen* behandelten Wörtern gebildet. Durch Anlehnung an das unverwandte Präfix ent- (s. d.) entstand die *nhd.* Form.

entlang: Die Präposition wurde erst im 18. Jh. aus dem *Niederd.* übernommen. *Mnd.* en[t]lanc gehört wie gleichbed. *engl.* along (aus *mengl.* on long) zu den unter →*in* und →*lang* behandelten Wörtern (s. a. ent...). Das Wort ist zusammengerückt aus Fügungen wie *mnd.* bi dīke [in] lanc „beim Deich [ent]lang" oder den wech [in] lanc (mit adverbialem Akk. der Erstreckung) „den Weg [ent]lang" (in *niederd.* Umgangssprache bleibt ent... meist weg; s. auch längs unter →*lang*). Heute steht entlang gewöhnlich mit dem Akkusativ.

entlegen: Das Adjektiv ist eigtl. das zweite Partizip des veralteten Verbs entliegen, *mhd.* entligen „fern liegen" (vgl. *liegen*).

entre..., Entre...: Aus dem *Frz.* stammende Vorsilbe mit der Bedeutung „zwischen, unter". *Frz.* entre geht zurück auf gleichbed. *lat.* inter (vgl. *inter...*).

entrinnen: Das auf das *dt.* Sprachgebiet beschränkte Verb (*mhd.* entrinnen, *ahd.* intrinnan) ist eine Präfixbildung zu dem unter →*rinnen* behandelten Wort in dessen alter Bed. „rennen, laufen". Zum Präfix vgl. den Artikel ent...

entschließen, sich: *Mhd.* entsliezen, *ahd.* intsliozan „aufschließen" (vgl. *schließen*) gewann *frühnhd.* die Bed. „entscheiden", genauer „zur Entscheidung gelangen", wobei es sich als Verb des Beginnens von dem perfektiven →*beschließen* unterscheidet. Dazu entschlossen „von festem Vorsatz, tatkräftig" (16. Jh.; eigtl. zweites Part.). Abl.: Entschluß *m* (17. Jh.).

entsetzen: Als *dt.* Präfixbildung zu dem unter →*setzen* behandelten Verb ist *mhd.* entsetzen, *ahd.* intsezzen Veranlassungsverb zu dem untergegangenen *mhd.* entsitzen, *ahd.* intsizzan „aus dem Sitz, aus der ruhigen Lage kommen; furchtsam entweichen" (beachte schon *got.* andsitan „scheuen"; vgl. auch den Artikel ent...). *Mhd.* entsetzen be-

deutete daher „aus dem Besitz bringen, berauben", reflexiv „sich scheuen, fürchten". Die zweite Bedeutung hat sich im *Nhd.* zu „Schrecken, Grauen empfinden" verstärkt. Im gleichen Sinne erscheinen seit dem 16. Jh. der substantivierte Infinitiv Entsetzen *s* sowie die Adjektive entsetzt (eigtl. zweites Part.) und entsetzlich. Als militärisches Fachwort bedeutete schon *mhd.* entsetzen „von einer Belagerung befreien", es war damit Gegenwort zu *mhd.* besetzen in dessen Bed. „belagern"; dazu um 1600 Entsatz *m* „Befreiung[sheer]".

enttäuschen: Das erst nach 1800 als Ersatz für die aus dem *Frz.* übernommenen Fremdwörter detrompieren und desabusieren aufgekommene Wort bedeutet eigtl. in positivem Sinne „aus einer Täuschung herausreißen, eines Besseren belehren" (vgl. *ent...*). Es wird aber unter dem Einfluß von →*täuschen* für die unangenehme Zerstörung guter Erwartungen gebraucht.

entwerfen: *Mhd.* entwerfen bedeutete urspr. „ein Bild gestalten"; es war ein Fachwort der Bildweberei, bei der das Weberschiffchen hin und her in die aufgezogene Gewebekette geworfen wird (beachte auch „hinwerfen" in der Bed. „skizzieren"). Aber bereits im *Mhd.* gilt 'entwerfen' auch für literarisches und geistiges Gestalten. Der Sinn des Vorläufigen kommt erst durch den Einfluß von *frz.* projeter „planen" (eigtl. vor-werfen) hinzu. Abl. Entwurf *m* „vorläufige Skizze" (17. Jh.).

entwöhnen: Das Verb *mhd.* entwenen, *ahd.* intwennen hat seine besondere Bedeutung „ein Kind von der Muttermilch entwöhnen" bis heute bewahrt. Es ist Gegenwort zu dem unter →*gewöhnen* behandelten Verb (vgl. dort *engl.* to wean „ein Kind an andere Nahrung als die Muttermilch gewöhnen"). Seit *mhd.* Zeit wird 'entwöhnen' auch im allgemeinen Sinne gebraucht.

entzücken: In der mittelalterl. Mystik wurden die Verben *mhd.* enzücken und verzücken, der sonst „eilig wegnehmen, rauben" bedeuteten (vgl. *zücken*) für die andächtige geistige Entrückung (Ekstase) gebraucht. Während verzücken und sein zweites Part. verzückt diesen Sinn bis heute bewahrt haben, wird entzücken in der Barockzeit auf die Seligkeit der Liebe übertragen und verblaßt dann bald zum allgemeinen Ausdruck angenehmen Empfindens. Neben der Passivform 'von etwas entzückt sein' wird bes. das erste Partizip entzückend als Adjektiv in diesem Sinne verwendet.

epi..., Epi..., (vor Selbstlauten und h:) ep..., Ep..., eph..., Eph...: Aus dem *Gr.* stammende Vorsilbe mit der Bedeutung „[dar]auf, darüber; über - hin; hinzu". Gleichbed. *gr.* epí ist etymolog. verwandt mit der unter →*After* behandelten *germ.* Präposition.

Epidemie *w* „ansteckende Massenerkrankung, Seuche": Der gelehrte Name für die volkstümlichen Bezeichnungen Plage und Seuche hat sich im 18. Jh. bei uns eingebürgert, ist aber in *mlat.* Form (epidēmia) schon seit dem Beginn des 16. Jh.s in deutschen Texten bezeugt. Voraus liegt *gr.* epidēmíā nósos „im ganzen Volk verbreitete Krankheit". Über das Grundwort *gr.* dēmos „Gebiet; Volk" vgl. *demo...* Abl.: epidemisch „seuchenartig auftretend" (17. Jh.).

Epigone *m* „schwacher, unbedeutender Nachfolger berühmter Vorgänger (bes. in Literatur und Kunst)": Im 19. Jh. in der Mehrzahlform Epigonen aus *gr.* epí-gonoi „Nachgeborene" entlehnt, womit speziell die Söhne der sieben großen Heerführer im ersten Thebanischen Krieg, später auch die Nachfolger Alexanders des Großen bezeichnet wurden. *Gr.* epí-gonoi gehört zu gígnesthai „werden, entstehen" (vgl. *Genus*).

Epilepsie *w* „Fallsucht (mit meist plötzlich einsetzenden Krampfanfällen)": Die Epilepsie gehört (wie die Cholera und Diarrhöe) zu den schon den altgriech. Ärzten bekannten und ihnen benannten Krankheiten. *Gr.* epilēpsíā „Anfassen; Anfall" wurde über *lat.* epilēpsia, *frz.* épilepsie im 18. Jh. übernommen. Zugrunde liegt das *gr.* Zeitwort epi-lambánein „anfassen, befallen". – Dazu als Adjektiv epileptisch (nach *lat.* epilēpticus < *gr.* epi-lēptikós) und als Substantiv Epileptiker *m*.

Epilog *m* „Nachwort, Nachruf, Nachspiel": Im 18. Jh. wie *frz.* épilogue aus gleichbed. *lat.* epilogus < *gr.* epí-logos entlehnt (vgl. *epi...* und *Logik*).

Episode *w* „unbedeutende Begebenheit": Im 18. Jh. aus *frz.* épisode entlehnt, einem Bühnenwort, das auf *gr.* ep-eis-ódion zurückgeht. *Gr.* epeisódion, das etwa mit „Hinzukommendes" wiederzugeben ist, wurde in der altgriech. Tragödie zum festumrissenen Terminus für die zwischen die einzelnen Chorlieder eingeschobenen Dialogteile. Da der Chor der Hauptträger der Handlung war, wurden die hinzukommenden Dialogteile der handelnden Personen als „unwesentliche Nebensache" empfunden. Das Grundwort in *gr.* ep-eis-ódion ist *gr.* hodós „Weg" (vgl. *Periode*).

Epoche *w* „[bedeutsamer] Zeitraum, -abschnitt": Im 18. Jh. über *mlat.* epocha aus *gr.* epochē entlehnt. Dessen Grundbedeutung ist etwa mit „das Anhalten" wiederzugeben. Die moderne Bedeutung geht aus von einer übertragenen Bed. „Haltepunkt in der Zeitrechnung (der in ein Neues hinüberleitet)". *Gr.* epochē ist abgeleitet von ep-échein „hin-, fest-, anhalten". Über das Stammwort vgl. den Artikel *hektisch*. – Dazu die Wendung 'Epoche machen' im Sinne von „durch herausragende Leistung (z. B. Erfindung) eine neue Phase der Entwicklung einleiten", – beachte auch das adjektivisch gebrauchte Part. Präs. epochemachend –, die seit

dem 18. Jh. als LÜ von *frz.* faire époque bezeugt ist. Eine junge *nlat.* Ableitung von Epoche begegnet in dem Adjektiv epochal „aufsehenerregend, bedeutend" (20. Jh.).

Epos *s* „erzählende Dichtung; Heldengedicht": Im 18. Jh. aus *gr.*(-*lat.*) épos „Wort; Rede, Erzählung; Heldendichtung" entlehnt, das zu der unter →*erwähnen* entwikkelten Wortfamilie gehört. Abl.: episch „breit erzählend" (18. Jh.; aus *lat.* epicus < *gr.* epikós); Epik *w* „erzählende Dichtkunst"; Epiker *m* „epischer Dichter".

er, es: Das Pronomen der 3. Person *ahd.*, *mhd.* er, ez, *got.* is, ita geht wie *lat.* is, id (in →*identisch*) auf den *idg.* Pronominalstamm *e-, *i- zurück, der weitergebildet auch das Zahlw. → ¹ein ergeben hat. Vom gleichen Stamm sind der Dativ ihm, ¹ihr und der Akk. ihn gebildet (*ahd.* imu, -o, iru; in[an]), ebenso der Gen. ihrer in Einz. und Mehrz. und das Possessivpron. ²ihr (*ahd.* ira, iro, *mhd.* ir). Nicht verwandt sind sie und ¹sein (s. d.). Als Anrede war Er im 18. Jh. gegenüber Personen geringeren Standes üblich.

er...: *Mhd.* er-, *ahd.* ar-, ir-, er- ist das in unbetonter Stellung bei Verben abgeschwächte Präfix →*ur...* Wie dieses bedeutet es eigtl. „heraus, hervor", dann aber auch „zum Ende hin" und bezeichnet daher übertragen das Einsetzen eines Geschehens oder die Erreichung eines Zweckes. Es bildete neue Verben, vor allem zu vorhandenen (blühen – erblühen, steigen – ersteigen), oder zu Adjektiven (erblassen, „blaß werden", erschweren „schwer machen"), vereinzelt auch zu anderen Wortarten (z. B. sich ermannen; erwidern). Heute nehmen die Verben mit erkaum noch zu.

erbarmen: Das Verb *mhd.* [er]barmen, *ahd.* [ir]barmēn stammt – wie auch 'barmherzig' (s. d.) – aus der *got.* Kirchensprache, vgl. *got.* [ga]arman „sich erbarmen", das eine LÜ von *lat.* miserēri (zu miser „arm, elend"; vgl. *arm*) ist. Als eins der zentralen Worte der christl. Liturgie (Kyrie eleison! = Herr, erbarme dich!) erhielt das Verb im *Ahd.*, um Verwechslung mit *ahd.* armēn „arm sein, werden" zu vermeiden, die Vorsilbe ab-, „weg": *ahd.* *ab-armēn (eigtl. „von Not befreien"; vgl. *aengl.* ofearmian „sich erbarmen"). Durch Verschiebung der Sprechsilbengrenze kam -bzum Stamm und -a- fiel ab. So konnte als neue Vorsilbe er- antreten. Das einfache Verb hat sich erhalten als barmen *nordd.*, *ostd.* für „jammern, klagen".

erbauen: *Mhd.* erbūwen bedeutet „anbauen, durch Anbau gewinnen (z. B. Feldfrüchte); aufbauen; ausrüsten". Die erste Bedeutung lebt vereinzelt bis ins 18. Jh. Der bildliche Gebrauch knüpft schon im *Mhd.* und besonders in Luthers Bibelübersetzung an die Bed. „aufbauen" an. Daraus hat der Pietismus des 18. Jh.s den heutigen abstrakten Sinn „durch fromme Gedanken erheben" entwickelt. Abl.: erbaulich (17. Jh.; zuerst für „heilsam, nützlich", dann in religiösem Sinn und ironisch).

¹**Erbe** s „Hinterlassenschaft": Der Ursprung dieses bei Germanen und Kelten schon früh bezeugten Rechtsbegriffes liegt in der Vorstellung des verwaisten schutzlosen Kindes. Das *gemeingerm.* Substantiv *mhd.* erbe, *ahd.* erbi, *got.* arbi, *aengl.* ierfi, *schwed.* arv „Erbschaft" ist urverwandt mit gleichbed. *air.* orbe, *lat.* orbus „beraubt", *gr.* orphanós „verwaist", *armen.* orb „Waise" und *aind.* árbha-ḥ „klein, schwach"; subst. „Kind" und geht zurück auf die *idg.* Wz. *orbho- „verwaist; Waise". Die urspr. Bedeutung ist also „Waisengut". Zu derselben Wurzel werden gewöhnlich →Arbeit (eigtl. „schwere körperl. Arbeit eines verwaisten Kindes") und →arm (eigtl. „verwaist") gestellt. Abl.: ²**Erbe** *m* (*gemeingerm.* und *kelt.* bezeugt: *mhd.* erbe, *ahd.* arbeo, erb[e]o, *got.* arbja, *aengl.* ierfa, *aisl.* arfi entsprechen gleichbed. *air.* orbe; beachte auch die Übereinstimmung der alten Rechtswörter *got.* ga-arbja und *air.* com-arbe „Miterbe"), dazu Anerbe *m* „bäuerlicher Alleinerbe" (im 16. Jh. *nordd.*; *mnd.* anerve „nächster Erbe", auch „Miterbe"); erben (zu ¹Erbe; *mhd.*, *ahd.* erben, vgl. *aengl.* ierfan, *aisl.* erfa), dazu beerben (*mhd.* beerben) und vererben (*mhd.* ver-erben); erblich (15. Jh.; *mhd.* als Adv. erbelīchen); Erbschaft *w* (*mhd.* erbeschaft, jetzt üblicher als ¹Erbe). Zus.: Erblasser *m* (16. Jh.; urspr. für den ohne Testament Verstorbenen, zu *mhd.* daz̧ erbe lān); Erbschleicher *m* (im 17. Jh. als Lehnübertragung von *lat.* hērēdipeta); Erbsünde (*mhd.* erbesünde, LÜ von *lat.* peccātōrium hērēditārium).

erbleichen: In dem *nhd.* Wort leben zwei *mhd.* Verben fort: das schwache *mhd.* erbleichen „bleich werden, sterben" ist Abl. von →bleich, das starke *mhd.* erblīchen „erblassen, verbleichen" gehört zu dem unter →verbleichen genannten einfachen starken Verb *mhd.* blīchen „glänzen". Im *Nhd.* hat sich noch das starke 2. Part. „erblichen" in der Bed. „gestorben" erhalten, die übrigen Formen beugen heute schwach.

Erbse *w*: Der Name der Hülsenfrucht *mhd.* areweiz̧, arwiz̧, erbeiz̧, *ahd.* araweiz̧, -wiz̧, *niederl.* erwt, *schwed.* ärt ist verwandt mit *lat.* ervum „Wicke" und *gr.* órobos, erébinthos „Kichererbse". Zugrunde liegt wahrscheinlich ein *voridg.* Wort des östl. Mittelmeers. Zus.: Erbswurst (Suppenkonserve aus gepreßtem Erbsenmehl; zuerst beim dt. Heer 1870/71).

Erde *w*: Das *gemeingerm.* Substantiv *mhd.* erde, *ahd.* erda, *got.* aírþa, *engl.* earth, *schwed.* jord beruht mit verwandten Wörtern in anderen *idg.* Sprachen auf *idg.* *er[t-, -ų-] „Erde", vgl. z. B. *gr.* ērā „Erde" (éraze „zur Erde"), *aisl.* jorfi „Sand[bank]" und *kymr.* erw „Feld". Auch *ahd.* ero „Erde" stellt sich zu dieser Wurzel. Im eigtl. Sinn bezeichnet das Wort die Erde als Stoff (nasse, schwarze, gebrannte Erde usw.; dazu die Abl. →irden, irdisch) wie als Boden (z. B. 'auf der Erde liegen', 'zu ebener Erde wohnen'; dazu Erdgeschoß, s. Parterre). Weiter ist 'Erde' im Ggs. zu 'Himmel' das vom Menschen bewohnte Festland (s. u. Erdkreis) und wird schließlich zum Namen unseres Planeten. Abl.: erden „elektr. Geräte mit der Erde verbinden" (20. Jh.); erdig „Erde enthaltend, erdartig" (15. Jh.; jetzt bes. vom Geschmack mancher Weine); beerdigen (17. Jh.). Zus.: Erdapfel (seit dem 17. Jh. *landsch.* für „Kartoffel", wie sonst auch Erd-, Grundbirne; *mhd.* ertapfel, *ahd.* erḏaphul war u. a. Melone oder die Gurke); Erdbeere (*mhd.* ertber, *ahd.* ertberi, da sie an der 'Erde wächst'; Erdkreis „bewohnte Erde" (nach der antiken Vorstellung des flachen 'orbis terrarum'; im 16. Jh. erdenkreis); Erdkunde (Lehnübertragung des 18. Jh.s für →Geographie); Erdnuß (früher für Knollengewächse, *ahd.* erdnuz̧; seit dem 18. Jh. für die tropische Ölfrucht, deren Samenhülsen sich in den Boden bohren); Erdöl (18. Jh.; Lehnübertragung für →Petroleum); Erdreich (*mhd.* ertrîche, *ahd.* ertrîhhi „bewohnte Erde" im Ggs. zu Himmelreich; der jetzige Bed. „Erdboden, Erde als Stoff" schon *spätmhd.*).

ereignen, sich: Älter *nhd.* eräugnen (bis ins 18. Jh.) ist Nebenform zu älter *nhd.* eräugen, ereigen (*mhd.* [er]öugen, *ahd.* [ir]ougen „vor Augen stellen, zeigen"; vgl. *Auge*) und hat aus „sich zeigen" die heutige Bed. „geschehen" entwickelt. Das Wort wurde unrichtig an 'eignen' (s. eigen) angelehnt, weil einige Mundarten äu zu ei entrundet hatten. Abl.: Ereignis *s* (18. Jh.; für älteres Eräugnung, Ereignung; *ahd.* arougnessi „Sichzeigen" war untergegangen).

Eremit *m* „Einsiedler": Im 16. Jh. aus *lat.* bed. *lat.* erēmīta < *gr.* erēmítēs entlehnt. Das zugrunde liegende Adjektiv *gr.* erēmos(érēmos) „leer, einsam, verlassen" ist ohne sichere Anknüpfungen. Im *Frz.* wurde *lat.* erēmīta zu ermite. Das davon abgeleitete Substantiv *frz.* ermitage erscheint bei uns im FW Eremitage *w* „Einsiedelei" (17. Jh.), das lautlich an Eremit angeglichen wurde.

erfahren: *Mhd.* ervarn, *ahd.* irfaran bedeutete urspr. „reisen; durchfahren, durchziehen; erreichen", wurde aber schon früh im heutigen Sinn gebraucht als „erforschen, kennenlernen, durchmachen". Besonders wird das zweite Part. erfahren seit dem 15. Jh. als Adjektiv für „klug, bewandert" gebraucht. Dazu gehört Erfahrenheit *w* (15. Jh.), während Erfahrung *w* (*mhd.* ervarunge) als Verbalsubstantiv im Sinne von „Wahrnehmung, Kenntnis" verwendet wird (*mhd.* auch „Durchwanderung, Erforschung").

ergötzen: Älter *nhd.*, *mhd.* ergetzen, *ahd.* irgetzen war Veranlassungswort zu *mhd.* ergezzen, *ahd.* irgezzan „vergessen" (vgl. *vergessen*). Es bedeutete also „vergessen machen, entschädigen, vergüten", woraus sich seit dem 15. Jh. der Sinn „sich erholen, [sich] erfreuen" entwickelte. Heute gilt 'ergötzen' bes. von heiterem Vergnügen ('zum Ergötzen der Zuschauer...'). Abl.: ergötzlich (im 16. Jh. ergetzlich „angenehm").

erhaben: *Mhd.* erhaben, das alte 2. Part. von 'erheben' „in die Höhe heben", hat sich in adjektivischem Gebrauch erhalten (sonst *nhd.* erhoben). Es bedeutete zunächst „emporragend" (z. B. von Bergen; heute noch im Fachwort 'erhabene Arbeit' für „Relief") und entwickelte dann, bes. seit dem 18. Jh., die übertragene Bed. „vornehm, hochstehend", die vor allem im sittlichen und ästhetischen Bereich gebraucht wird.

Erika *w* „Heidekraut": Der Name der auf der ganzen Erde verbreiteten, meist in Form von kleinen Sträuchern vorkommenden Pflanze mit immergrünen Blättern beruht auf einer gelehrten Entlehnung (in *nhd.* Zeit) aus *gr.* ereíkē > *lat.* erícē „Heidekraut". Während in der botanischen Fachsprache die urspr. Betonung des Wortes auf der vorletzten Silbe bewahrt ist, bürgerte sich in der Volkssprache (durch Anlehnung des Wortes an den PN Erika) die heute allgemein übliche Anfangsbetonung ein.

erinnern: Zum *ahd.* Adjektiv innaro (vgl. *in*) gehört das Verb *mhd.* [er]innern, *ahd.* innarōn mit der Grundbed. „machen, daß jemand einer Sache inne wird". Die Bedeutung des Verbs reicht im *Nhd.* von „[sich] ins Gedächtnis zurückrufen" bis zu „aufmerksam machen" und „mahnen". Abl.: Erinnerung *w* (15. Jh.).

erkennen: Als Präfixbildung zu dem unter →*kennen* behandelten Wort bedeutet *mhd.* erkennen, *ahd.* irchennan „innewerden, geistig erfassen, sich erinnern". Von der gleichen Grundbedeutung geht die zugehörige Nominalbildung →*Urkunde* aus. In der Rechtssprache ist 'erkennen' seit dem 13. Jh. „entscheiden, urteilen, bekanntmachen" (z. B. 'das Gericht erkannte auf Freispruch'), wozu neben den Zus. ab- und zuerkennen das heute sehr häufige anerkennen gehört (im 16. Jh. wohl nach *lat.* agnoscere gebildet). Die verhüllende biblische Wendung 'ein Weib erkennen' für „beschlafen" ist LÜ von *lat.* cognoscere fēminam und geht letztlich auf den *hebr.* Urtext zurück. Abl.: erkenntlich (im 14. Jh. für „kenntlich", im 17. Jh. für „[dankbar] anerkennend", bes. in der Wendung 'sich erkenntlich zeigen'), dazu Erkenntlichkeit *w* (17. Jh.; auch für „kleine Gebühr"). [1]Erkenntnis *w* (*mhd.* erkantnisse *w* oder *s* „Erkennung, Erkennen, Einsicht"); [2]Erkenntnis *s* „richterliches Urteil" (erst im 18. Jh. von [1]Erkenntnis unterschieden).

Erker *m* „Vorbau": *Mhd.* erker[e], ärkēr ist wohl LW aus *nordfrz.* arquière „Schützenstand, Schießscharte" (eigtl. „Mauerausbuchtung"), das seinerseits auf *mlat.* *arcuārium „bogenförmige Ausbuchtung" (zu *lat.* arcus „Bogen"; vgl. *Arkaden*) zurückgeht.

erlangen: Das Verb *mhd.* erlangen „erreichen" ist eine perfektive Bildung zu dem unter →*lang* behandelten Verb 'langen' „sich ausstrecken".

erlauben: Das Verb *mhd.* erlouben, erlöuben, *ahd.* irlouben, *got.* uslaubjan gehört wie glauben (s. d.) zu der unter →*lieb* behandelten Wortgruppe. Im *Nhd.* hat sich – gegen Luthers erleuben – die *oberd.* Form ohne Umlaut durchgesetzt. Eine alte Bildung zu 'erlauben' ist →*Urlaub*. Siehe auch Verlaub. Abl.: Erlaubnis *w* (15. Jh.).

erlaucht: Die *mitteld.* Form des 2. Partizips von *mhd.* erliuhten „erleuchten, aufleuchten" (vgl. *leuchten*), erluht, erscheint seit dem 15. Jh. als LÜ von *lat.* illustris „strahlend, berühmt", das seit spätröm. Zeit als Hoftitel gebraucht und so noch im Mittelalter verwendet wurde (wie →*Durchlaucht* für perillustris). Das Wort gilt noch heute für „hochstehend, edel", auch in geistigem Sinne. Der Titel [Seine, Ihre] Erlaucht *w* erscheint seit dem 16. Jh. und steht besonders den Reichsgrafen zu.

Erle *w*: Der *hochd.* Name des Baumes (*mhd.* erle, *ahd.* erila) ist durch Umstellung aus älterem elira entstanden (vgl. *Eller*). Abl.: erlen „aus Erlenholz" (*mhd.*, *ahd.* erlīn). Zus.: Erlkönig (1778 von Herder durch falsche LÜ von *dän.* elle[r]konge „Elfenkönig" gebildet und durch Goethes Ballade bekanntgeworden).

Ernst *m*: Das *westgerm.* Substantiv *mhd.* ernest, *ahd.* ernust „Kampf; Festigkeit, Aufrichtigkeit", *niederl.* ernst „Ernst", *aengl.* eornost „Ernst, Eifer, Kampf", *engl.* earnest „Ernst" gehört zu der unter →*rinnen* dargestellten *idg.* Wz. *er[e]- „[sich] bewegen, erregen" und bedeutete demnach etwa „Kampf[eseifer]", woraus sich „Festigkeit im Kampf" und weiter „Festigkeit im Willensentschluß" entwickelte. *Außergerm.* ist z. B. *awest.* arǝnu- „[Wett]kampf" näher verwandt. Das Adjektiv ernst ist erst in *frühnhd.* Zeit (16. Jh.) entstanden, aus Wendungen wie 'es ist mir Ernst'. Abl.: ernsthaft (*mhd.* ernesthaft „kampfbereit, ernst", *ahd.* ernusthaft); ernstlich (*mhd.* ernestlich „wohlgerüstet, streitbar; wahrhaft", *ahd.* ernustlīh).

Ernte *w*: Die *nhd.* Form geht zurück auf die *mhd.* Nebenform ernde „Ernte", die sich aus der Mehrzahl von *ahd.* arnōt „Ernte[zeit]" (vgl. *aengl.* ernd „Kornernte") entwickelt hat. Das *ahd.* Wort ist eine Bildung zu dem Verb *ahd.* arnōn „ernten". Dieses Verb wiederum ist abgeleitet von dem im *Nhd.* untergegangenen *gemeingerm.* Substantiv *mhd.* erne (gegenüber der oben genannten Nebenform ernde die übliche Form!), *ahd.* ar[a]n, *got.* asans, *aengl.* ern, *schwed.* and. Diese Wörter gehen alle von einer Grundbed. „Erntezeit, Sommer" aus. *Außergerm.* ist z. B. die *slaw.* Sippe von *russ.* ósen' „Herbst" verwandt. – Abl.: **ernten** (16. Jh.; für *mhd.* arnen, ernen, *ahd.* arnōn).

erobern: *Spätmhd.* erobern (*mnd.* eröveren, eroveren) hat *mhd.* [ge]oberen, *ahd.* [ga]obarōn ersetzt. Als Abl. von →*obere* bedeutete es zunächst „erlangen, gewinnen" (eigtl. „der Obere werden"). Erst im 16. Jh. wurde es auf die militärische Bedeutung eingeengt. Aus dieser weiter entwickelte sich der *nhd.* übertr. Gebrauch (z. B. den Markt, die Freiheit, ein Mädchen erobern). Abl.: **Eroberung** *w* (*mnd.* eröveringe „Ertrag, Gewinn; Erwerbung"; jetzt bes. in '[moralische] Eroberungen machen').

erörtern „durchsprechen, darlegen": Das seit dem 16. Jh. bezeugte Verb ist eine Lehnübertragung von *lat.* dētermināre „abgrenzen, festlegen, bestimmen" (s. Terminus) und wurde zunächst in der Rechtssprache im Sinne von „verhandeln" gebraucht. Es ist eine Bildung zu der *Mehrz.* Örter von →*Ort* in dessen alter Bed. „äußerstes Ende, Ecke, Rand, Grenze" (vgl. *spätmhd.* örtern „genau untersuchen).

erotisch „die sinnliche Liebe betreffend": Im 18. Jh. über *frz.* érotique aus gleichbed. *gr.* erōtikós entlehnt. Das zugrunde liegende Substantiv *gr.* érōs „Liebe[sverlangen]" ist nicht sicher gedeutet. – Dazu das Substantiv **Erotik** *w* „raffinierte Liebeslust; Sinnlichkeit".

Erpel *m*: Die *nordd.* Bez. des Enterichs (*mnd.*, *mniederl.* erpel) stammt von den mittelalterlichen flämischen Siedlern in Brandenburg. Die Jägersprache übernahm das Wort für die männliche Wildente. Es ist verwandt mit *ahd.* erph, *aengl.* eorp, *aisl.* jarpr „dunkelfarbig" und scheint eine Koseform des zu *ahd.* erph gehörigen PN *asächs.* Erpo, *ahd.* Erpho (eigtl. „der Braune") zu sein, ähnlich wie Gänserich und Ganser noch jetzt in *niederd.* Mundarten Gerd und Aleid (Gerhard und Adelheid) heißen. Die *germ.* Wortgruppe geht zurück auf *idg.* *erebh- „dunkelrötlich, bräunlich", zu dem u. a. auch *gr.* orphnós „finster", *gall.* eburos, *Eibe" (mit ausgestoßenem erstem -r-; s. Eberesche) und der Vogelname →*Rebhuhn* gehören.

erpicht: Die jetzt *ugs.* Wendung 'auf etwas erpicht sein' für „gierig verlangen" ist seit Ende des 16. Jh.s bezeugt (bis ins 18. Jh. auch als 'verpicht sein') und bedeutet soviel wie „(mit Pech) festgeklebt sein" (ähnlich wie 'versessen sein', s. sitzen). Im eigtl. Sinn wird verpichen „mit Pech verkleben oder überziehen" (*mhd.* verpichen, zu →*Pech*) bes. für das Dichtmachen von Booten, Fässern und dgl. gebraucht.

erquicken: Das Präfixverb *mhd.* erquicken, *ahd.* irquicchan enthält ein einfaches Verb, das von dem unter →*keck* behandelten Adjektiv in dessen urspr. Bedeutung „lebendig" abgeleitet ist. Es bedeutete demnach svw. „lebendig machen, wieder beleben".

erschüttern: Das Verb ist eine *frühnhd.* Intensivbildung zu einem im *Nhd.* untergegangenen Verb *mhd.* erschütten, *ahd.* irscutten, einer verstärkenden Präfixbildung zu dem unter →*schütten* behandelten Verb in dessen alter Bed. „schütteln". Das einfache schüttern „beben, zittern" (15. Jh.) ist intransitiv. 'Erschüttern' wird häufig übertragen gebraucht, bes. auch für tiefe seelische Bewegung. Daher stehen die Partizipien **erschütternd** und **erschüttert** oft als Adjektive in diesem Sinn: 'eine erschütternde Nachricht'; 'er schwieg erschüttert'. Dazu die Abl. **unerschütterlich** (18. Jh.).

erst: Die *westgerm.* Ordnungszahl *mhd.* ēr[e]st, *ahd.* ērist, *niederl.* eerst, *aengl.* ǣrest ist eigtl. der Superlativ zu dem unter →*eher* behandelten, im *Dt.* untergegangenen Positiv. Sie bezeichnete urspr. den zeitlich ersten, dann auch den ersten im Rang. Die Fügung 'der erste beste' (auch: erstbeste) steht kurz für 'der erste ist (wahllos) der beste'. Statt 'zum ersten', 'fürs erste' stehen gewöhnlich die Adverbien **zuerst** (*mhd.* zērist, *ahd.* zi ērist) und **vorerst** (18. Jh.; für älter *nhd.* fürerst), aber auch 'erst erstens (18. Jh.). Als sekundärer Komparativ wurde im 17. Jh. **erstere** zur Bezeichnung des „Erstgenannten" gebildet. Zu den Abl. gehören noch **erstlich** (16. Jh.) und **Erstling** *m* „zuerst Hervorgebrachtes", jetzt bes. „erstes Kind" (biblisch).

ersticken: *Mhd.* ersticken, *ahd.* irsticken bedeutet eigtl. wohl „mit dem Atem stekkenbleiben" (vgl. *stecken*). Als Veranlassungswort stand daneben *mhd.* erstecken „vollstopfen, ersticken machen". Diese Verben haben sich im 18. Jh. miteinander vermischt. Siehe auch Stickstoff.

Eruption *w* „[vulkanischer] Ausbruch": Im 19. Jh. als geologisches Fachwort aus *lat.* ēruptiō „das Hervorbrechen, der Ausbruch" (zu ē-rumpere „hervorbrechen") entlehnt (vgl. ¹*ex...* und *Rotte*).

erwähnen: Das in dieser Form seit dem 17. Jh. belegte Wort (dafür *mhd.* ge-wähnen, *ahd.* gi-wahan[en] „sagen, berichten, gedenken") hat nichts mit 'wähnen' (s. d.) zu tun. Es ist gleichbed. *niederl.* gewagen der Rest einer größeren *west-* und *nordgerm.* Sippe (vgl. z. B. *aengl.* wōm[a] „Lärm", *aisl.* ōmun „Laut, Stimme"), die auf die *idg.* Wz. *u̯ek⁹- „sprechen" zurückgeht. In den *außergerm.* Sprachen sind z. B. verwandt *gr.* épos (aus u̯épos) „Wort" (s. Epos) und *lat.* vōx „Stimme", *lat.* vocāre „rufen" (s. die FW-Gruppe um →*Vokal*). Abl.: **Erwähnung** *w* (17. Jh.).

143

Erz *s*: *Mhd.* erze, arze, *ahd.* aruzzi, arizzi, aruz, *asächs.* arut ist verwandt mit dem Bestimmungswort der *nord.* Münzbezeichnung *aisl.* ørtog. Die Herkunft des Wortes ist nicht sicher geklärt. Vielleicht handelt es sich um ein altes Wanderwort kleinasiatischen Ursprungs, vgl. *sumer.* urdu „Kupfer". In seiner Hauptbed. als „metallhaltiges Gestein, rohes Material" erscheint 'Erz' in den Zus. Erzader (s. Ader), Blei-, Kupfer-, Manganerz usw. sowie in den Namen des mitteld. Erzgebirges und des Erzberges bei Eisenerz (Steiermark). Daneben bedeutete es „Bronze" (*frühnhd.* auch „Kupfer") und hat in dieser Bedeutung die nicht verwandte Metallbezeichnung *mhd.* ēr (s. ehern) verdrängt. Dazu das seltene Adjektiv erzen „aus Erz" (im 16. Jh. ertzin).

Erz...: Zu *gr.* árchein „der erste sein, an der Spitze stehen; regieren; anfangen, beginnen" (vgl. *Archiv*) gehört *gr.* arch[i] - als Bestimmungswort von Zus. mit der Bed. „Ober..., Haupt..., Vorsteher, Führer, Meister usw.", wie z. B. in *gr.* archi-téktōn „Baumeister" (s. Architekt) und *gr.* archiātros „Oberarzt" (s. d. LW Arzt). In solchen Zus., vornehmlich aus dem kirchlichen Bereich, wurde das *gr.* Wort über gleichbed. *kirchenlat.* archi-(arci-) früh ins *Dt.* entlehnt (*ahd.* erzi-, *mhd.* erze-, erz-). Zu den frühsten zusammengesetzten LW dieser Art gehören Erzbischof (s. Bischof), Erzengel (s. Engel) und verdunkelt →Arzt. Seit dem 15. Jh. begegnet das Bestimmungswort dann auch in Zus. aus dem weltlichen Sprachbereich, so z. B. in Erzherzog (15. Jh.; LÜ von *mlat.* archidux). In neuerer Zeit schließlich ist das Bestimmungswort zum bloßen Präfix verblaßt. Es hat daher nur verstärkenden und steigernden Charakter in Neubildungen wie Erzgauner, Erzlügner, ferner auch in adjektivischen Bildungen wie erzdumm, erzfaul u. a.

erzählen: In der *germ.* Wortfamilie von →*zählen* hat sich mehrfach aus der Bed. „aufzählen, zu Ende zählen" der Sinn „berichten, Bericht" ergeben (beachte z. B. *engl.* to tell „zählen, erzählen", tale „Erzählung" und *niederd.* vertellen „erzählen"). So werden auch *mhd.* zel[le]n und erzel[le]n nicht nur für „[auf]zählen" gebraucht, sondern auch für „berichten, mündlich mitteilen". Im *Nhd.* hat nur 'erzählen' diese Bedeutung bewahrt. Abl.: Erzähler *m* (18. Jh.); Erzählung *w* (*frühnhd.* erzelunge „Aufzählen"; jetzt auch für eine einfachere Art epischer Dichtung).

Esche *w*: Die *altgerm.* Bezeichnung des Laubbaumes *mhd.* asch, esche, *ahd.* asc, *niederl.* esch, *engl.* ash, *schwed.* ask beruht mit verwandten Wörtern in anderen *idg.* Sprachen auf *idg.* *os-k-, *ōsen-, *ōsi- „Esche", vgl. z. B. *armen.* haçi „Esche", *gr.* oxýē „Buche, Speerschaft", *lit.* úosis „Esche"

und *russ.* jásen' „Esche". - Die *nhd.* Form 'Esche' ist eigtl. die umgelautete Mehrzahl *mhd.* esche von *mhd.* asch. Die botanisch nicht verwandte →Eberesche heißt nach ihren eschenähnlich gefiederten Blättern. Abl.: eschen „aus Eschenholz" (*mhd.* eschīn, *ahd.* eskīn).

Esel *m*: Der *altgerm.* Tiername (*mhd.* esel, *ahd.* esil, *got.* asiluṣ, *niederl.* ezel, *engl.* eosol) beruht auf einer sehr frühen Entlehnung aus *lat.* asinus „Esel" (oder aus der gleichbed. Verkleinerungsform *lat.* asellus). Das *lat.* Wort ist selbst ein LW und stammt vermutlich aus einer kleinasiat. Sprache im Süden des Schwarzen Meeres. - Wie die meisten Tiernamen wird auch 'Esel' als Scheltwort gebraucht im Sinne von „Einfaltspinsel, Dummkopf" (so schon *lat.* asinus und entspr. *mhd.* esel). Daher das abgeleitete Substantiv Eselei *w* „Dummheit" (*mhd.* eselīe). Zus.: Eselsbrücke „bequemes Hilfsmittel für den Einfältigen und Trägen zum besseren Verständnis einer Sache oder zur leichteren Überwindung einer Schwierigkeit" (in der Schulsprache des 18. Jh.s aufgekommen als LÜ von *mlat.* 'pōns asinōrum', einem Ausdruck der scholast. Philosophie, der auch in entspr. *frz.* 'pont aux ânes' fortwirkt); Eselsohr „eingeknickte Ecke einer Buchseite" (17. Jh.; nach einem Vergleich mit dem umgeklappten Ohr eines Esels).

Eskorte *w* „Geleit; Gefolge": Als militär. Fachwort im 17./18. Jh. aus *frz.* escorte entlehnt. Das davon abgeleitete Verb *frz.* escorter erscheint als FW bei uns erst im 18./19. Jh. als eskortieren „Geleitschutz geben, geleiten". - *Frz.* escorte geht zurück auf *it.* scorta „Geleit", das zu *it.* scorgere „geleiten" gebildet ist. Voraus liegt *vlat.* *ex-corrigere „ausrichten; beaufsichtigen" (vgl. [1]ex... und korrigieren).

Espe *w*: Die *altgerm.* Bezeichnung des Laubbaumes *mhd.* aspe, espe, *ahd.* aspa, *niederl.* esp, *engl.* asp, *schwed.* asp beruht mit verwandten Wörtern in anderen *idg.* Sprachen auf *idg.* *apsā „Espe", vgl. *russ.* osína „Espe", *lett.* apse „Espe" und das aus einer *idg.* Sprache als LW übernommene *türk.* apsak „Pappel". Die *nhd.* Form mit -ps- und -sp- ist *germ.* Die *nhd.* Form mit e ist wohl von dem umgelauteten Adjektiv espen (*mhd.* espīn) beeinflußt. Weil die Blätter des Baumes sich im kleinsten Windhauch bewegen (daher auch der Name Zitterpappel), sagt man von einem Ängstlichen: 'er zittert wie Espenlaub'.

Espresso *m* „starker, schnell zubereiteter Kaffee", auch Bezeichnung von Lokalen, in denen dieser Kaffee verabreicht wird: Junges FW, im 20. Jh. aus *it.* (caffè) espresso entlehnt. *It.* espresso bedeutet wörtlich „ausgedrückt". Es geht zurück auf *lat.* expressus. Die Bedeutungsentwicklung zu

„schnell" ist etwa ähnlich wie in →*Expreß*. Denn *it.* caffè espresso bezeichnet urspr. einen auf „ausdrücklichen" Wunsch eigens zubereiteten Kaffee.

Esprit *m* „Geist, Witz": Im 18. Jh. aus gleichbed. *frz.* esprit entlehnt, das auf *lat.* spīritus „[Lebens]hauch; Geist" zurückgeht (vgl. *Spiritus*).

Esse *w*: Das Substantiv *mhd.* esse, *ahd.* essa „Herd des Metallarbeiters" (entspr. *schwed.* ässja „[Schmiede]esse") beruht mit verwandten Wörtern in anderen *idg.* Sprachen auf der *idg.* Wz. **ās-* „brennen, glühen", vgl. z. B. *aind.* ása-ḥ „Asche, Staub", *lat.* āra „Brandaltar" und *lat.* ārea „freier Platz, Fläche", eigtl. „ausgebrannte, trockene, kahle Stelle" (s. Ar). Zu der erweiterten *idg.* Wurzel stellen sich im *germ.* Sprachbereich z. B. *dt.* →Asche, im *außergerm.* z. B. *gr.* azaléos „trocken, dürr, entflammend" (s. Azalee). – Erst in neuerer Zeit ist das Wort *landsch.* (*ostmitteld.*) auf den Rauchabzug übertragen worden, der sonst Schornstein, Kamin, Schlot usw. heißt. Der Zus. Essenkehrer „Schornsteinfeger" (18. Jh.).

essen: Das *gemeingerm.* Verb *mhd.* eʒʒen, *ahd.* eʒʒan, *got.* itan, *engl.* to eat, *schwed.* äta beruht mit verwandten Wörtern in anderen *idg.* Sprachen auf der *idg.* Wz. **ed-* „kauen, essen", vgl. z. B. *lat.* edere „essen", *gr.* édmenai „essen" und *lit.* ésti „essen". Zu dieser Wurzel gehören auch das unter →Zahn (eigtl. „der Kauende") behandelte Wort und die unter →Aas angeführten Substantivbildungen. Um „essen" gruppieren sich im *germ.* Sprachbereich noch die Präfixbildung →fressen und die Veranlassungswörter →atzen und →ätzen (eigtl. „essen machen"). Abl.: eßbar (15. Jh.); Essen *s* (*mhd.* eʒʒen, *ahd.* eʒʒan); Mitesser (s. unter *mit*).

Essenz *w* „Wesen, Wesentliches; konzentrierter Auszug (aus pflanzl. oder tier. Stoffen)": In *spätmhd.* Zeit als essenzje entlehnt aus *lat.* essentia „Wesen", das – als LÜ von *gr.* ousía „Seiendheit, Wesen" – von *lat.* esse „sein, wesen" abgeleitet ist. Die übertr. Bed. „konzentrierter Auszug" entwickelte sich in der Sprache der Alchimisten. *Lat.* esse, das mit unserem Hilfszeitwort →sein urverwandt ist, liegt auch folgenden FW zugrunde: →Interesse (usw.), →Präsens (usw.), →repräsentieren, →prost! (usw.).

Essig *m*: Der Weinessig kam schon früh mit der römischen Weinkultur zu den Germanen. *Lat.* acētum „Essig", das mit *lat.* acer „scharf" zu der unter →Ecke behandelten Sippe gehört, ergab *got.* akeit, *asächs.* ēkid, *aengl.* ēced „Essig", während *ahd.* eʒʒih, *mhd.* eʒʒich, *mnd.* ētik auf ein umgestelltes *atēcum zurückgehen. – Erst *nhd.* ist der übertragene Gebrauch in 'zu Essig werden', 'es ist Essig damit' für „zunichte werden, geworden sein". Zus.: Essigmutter „Bodensatz, Hefe im Essig" (16. Jh.; ähnl. *niederl.* aʒi-

jumoer, *engl.* mother of vinegar; trotz des Gleichklangs mit Mutter wohl eher zu →*Moder*).

Estrich *m* „[Stein]fußboden": *Mhd.* est[e]rich, *mnd.* est[e]rik, *ahd.* esterih, astrih gehen zurück auf *mlat.* astracum, astricum „Pflaster", das seinerseits wohl LW aus *gr.* óstrakon „Scherbe; harte Schale" ist (vgl. hierüber *Auster*).

etablieren „einrichten; begründen", häufiger reflexiv im Sinne von „sich niederlassen": Im 17. Jh. aus *frz.* établir (eigtl. „festmachen") entlehnt, das auf *lat.* stabilīre „befestigen" zurückgeht. Über das zugrunde liegende Adjektiv *lat.* stabilis „feststehend, fest" vgl. *stabil*. – Dazu das Substantiv Etablissement *s* „Einrichtung; Niederlassung" (18. Jh.; aus *frz.* établissement).

Etage *w* „Stockwerk": Das seit dem 17./18. Jh. bezeugte Wort wurde zusammen mit anderen Bezeichnungen aus dem Bereich des Wohnungsbaus wie →Salon, →Vestibül, →Parterre, →Parkett aus dem *Frz.* entlehnt. *Frz.* étage, das urspr. etwa „Aufenthalt; [Zu]stand; Rang" bedeutete – die moderne Bed. resultiert aus einer Bedeutungsverengung von „Rang" zu „unterschiedliche Höhenlage" –, geht zurück auf *vlat.**staticum „Standort", das von *lat.* status „Stand, Zustand, Standort usw." abgeleitet ist (vgl. *Staat*). Aus dem von *frz.* étage abgeleiteten Substantiv étagère „Gestell aus übereinander angebrachten Brettern" stammt unser FW Etagere *w* „[Bücher]gestell" (veralt.).

Etappe *w*: Urspr. ein militär. Terminus, der das „Versorgungsgebiet hinter der Front" bezeichnet. Im 18. Jh. aus *frz.* étape entlehnt, dessen Grundbedeutung entspr. dem vorausliegenden *mniederl.* stapel (= *nhd.* →Stapel) „Warenniederlage, Handelsplatz (der Kaufleute)" ist. Hieraus entwickelte sich die militär. Bedeutung „Versorgungs-, Verpflegungsplatz" für die vorbeiziehenden Truppen.

Etat *m* „[Staats]haushaltsplan": Im 18. Jh. aus *frz.* état „Staat; Staatshaushalt" (Grundbed. „Zustand, Beschaffenheit") entlehnt, das auf *lat.* status (vgl. *Staat*) zurückgeht.

Ethos *s* „Ganzheit der moralischen Gesinnung": Entlehnt aus *gr.*(-*lat.*) ēthos „Gewohnheit, Herkommen; Gesittung, Charakter". Dies steht dehnstufig neben *gr.* éthos „Sitte, Brauch". Zugrunde liegt *idg.* **syédhos* „Eigenart, Eigenheit", das zum Reflexivstamm *idg.* **sue-* (**seue-*) gehört. Über weitere Zusammenhänge vgl. den Artikel *sich*. Abl.: ethisch „sittlich" (17./18. Jh.), aus *lat.* ēthicus < *gr.* ēthikós „sittlich, moralisch". Dazu das Substantiv Ethik *w* „Moralphilosophie, Sittenlehre" (17. Jh.); aus *lat.* ethicē, (rēs) ēthica < *gr.* ēthikḗ.

Etikett *s* und **¹Etikette** *w* „Zettel mit [Preis]-aufschrift, Schildchen": Die weibliche Form ist seit dem 17./18. Jh. bezeugt, während die sächliche erst im 19. Jh. erscheint. Entlehnt wurde das Wort aus gleichbed. *frz.* étiquette. Dessen urspr. Bed. „Einkerbung, Markierung an einem in die Erde gesteckten Pfahl" weist zurück auf ein altes Verb *afrz.* estiquier, estiquer „feststecken", das aus *mniederl.* stikken (= *nhd.* →sticken) stammt und somit zur Sippe von →*Stich* gehört. Abl.: **etikettieren** „mit Etikett versehen, beschildern, (Waren) auszeichnen" (19. Jh.; nach *frz.* étiqueter). Mit **¹Etikette** urspr. identisch ist das im 17. Jh. aus *frz.* étiquette entlehnte Substantiv **²Etikette** *w* „[Hof]sitte, Förmlichkeit, feiner Brauch". Die übertr. Bed. des *frz.* Wortes ergab sich aus der Tatsache, daß das Zeremoniell der bei Hof geübten gesellschaftlichen Formen auf einem „Zettel" genau festgelegt und beschrieben war.

Etui *s* „Futteral, Schutzhülle; [Schmuck]-kästchen": Im 18. Jh. aus gleichbed. *frz.* étui (< *afrz.* estui; zu *afrz.* estuier, estoier „in eine Hülle legen, einschließen") entlehnt. Die weitere Herkunft ist unsicher.

Etymologie *w* „Wissenschaft vom Ursprung der Wörter": Im 16. Jh. aus *gr.-lat.* etymología entlehnt, das wörtlich „Untersuchung des wahren (ursprünglichen) Sinnes eines Wortes" bedeutet. Bestimmungswort ist *gr.* étymos „wahrhaft, wirklich", dazu *gr.* étymon „die wahre Bedeutung (eines Wortes), das Stammwort". Über das Grundwort vgl. *Logik.* Dazu: **Etymologe** *m* „Kenner, Forscher auf dem Gebiet der Etymologie" (19. Jh.; aus *gr.-lat.* etymo-lógos); **etymologisch** „die Etymologie betreffend" (17./18. Jh.; nach *lat.* etymologicus < *gr.* etymologikós).

eu..., Eu... (Vorsilbe mit der Bed. „wohl, gut, schön, reich", wie in euphemistisch, Euthanasie, euphorisch): Aus gleichbed. *gr.* eū.

Eukalyptus *m* (austral. Baum, der u. a. das als Heilmittel bekannte Eukalyptusöl liefert): Der Name ist eine gelehrte Bildung des 18. Jh.s zu *gr.* eū „wohl, schön" (vgl. *eu...*) und *gr.* kalýptein „verhüllen", er bedeutet also eigtl. „der Wohlverhüllte". Der Baum wurde benannt nach dem „haubenartig geschlossenen" Blütenkelch, der sich beim Aufblühen deckelförmig ablöst. *Gr.* ka-lýptein gehört zu *idg.* *kel-, bergen, verhüllen" und ist urverwandt mit *lat.* celāre (in →okkult) und mit *nhd.* →*hehlen*.

Eule *w*: Die *germ.* Bezeichnungen für die Eule *mhd.* iule, iuwel, *ahd.* ūwila, *niederl.* uil, *engl.* owl, *schwed.* uggla sind lautnachahmenden Ursprungs und gehen von der Nachahmung des eigentümlichen Rufes dieses Vogels aus. Siehe auch den Artikel Uhu. Nach seinem Aussehen heißt der Flederwisch 'Eule', *niederd.* ūle, wovon *niederd.*

ulen „fegen, reinigen". Auch der Name des Narren Eulenspiegel gehört wohl hierher: *niederd.* Ulenspēgel wird als Satzname „Feg (mir) den Spiegel" gedeutet, wobei Spiegel (s. d.) scherzhaft für „Hinterteil" steht. Der Vogelname dagegen erscheint in *nordd.* **Eulenflucht, Ulenflucht** *w* „Abenddämmerung" (wenn die Eulen fliegen; vgl. ¹*Flucht*).

Eunuch *m* „(entmannter) Haremswächter": Im 18. Jh. aus *lat.* eunūchus < *gr.* eun-ūchos „Kämmerer" (eigtl. „Betthalter, -schützer") entlehnt. Bestimmungswort ist das etymologisch ungeklärte Substantiv *gr.* eunē „Lager, Bett". Das Grundwort gehört zu échein „haben, halten" (vgl. *hektisch*).

euphemistisch „verhüllend, beschönigend" (z. B. einschlafen für sterben): Im 18./19. Jh. gebildet zu *gr.* euphēmeīn „gut reden, Unangenehmes mit angenehmen Worten sagen". Über das Bestimmungswort vgl. *eu...* Das Grundwort *gr.* phēmē „Kunde, Ruf; Stimme, Sprache, Wort" stellt sich zu *gr.* phánai „sagen, sprechen", das zu der unter →*Bann* entwickelten *idg.* Sippe gehört.

Euter *s*: Das *westgerm.* Wort *mhd.* iuter, ūter, *ahd.* ūtar[o], *niederl.* uier, *engl.* udder steht im Ablaut zu der *nord.* Gruppe von *schwed.* juver. Diese *germ.* Wortsippe beruht mit verwandten Wörtern in anderen *idg.* Sprachen auf *idg.* *eudh-, *oudh- „Euter", vgl. z. B. *aind.* ūdhar „Euter" und *gr.* oūthar „Euter". Dieses *idg.* Wort gehört wohl zu einer Verbalwurzel mit der Bed. „schwellen" (vgl. z. B. *russ.* údit', „anschwellen, reifen") und bedeutet demnach eigtl. „Schwellendes".

evakuieren „[vorübergehend] aussiedeln": Im 18. Jh. aus *lat.* ē-vacuāre „leer machen, räumen" entlehnt. Über das zugrunde liegende Adjektiv *lat.* vacuus „leer" vgl. *vakant.*

Evangelium *s* („Frohbotschaft" von der Ankunft des Erlösers; Bezeichnung der Geschichte Jesu in den vier ersten Büchern des Neuen Testaments): Das schon in *ahd.* Zeit (*ahd.* evangēljō, *mhd.* evangēlje) aus *kirchen-lat.* euangelium < *gr.* eu-aggélion entlehnte Wort hat seit der Reformationszeit wieder die *lat.* Lautung angenommen. *Gr.* eu-aggélion bezeichnet eigtl. „das, was ein Freudenbote (*gr.* eu-ággelos) mit sich bringt" (vgl. *eu...* und *Engel*). Gemeint ist die Verkündigung des Reiches Gottes, das der prophezeite Messias in Erfüllung von Gottes Wort auf Erden errichtet. Im angelsächsischen Sprachbereich wird dies sinngemäß mit *aengl.* godspel (*engl.* gospel) „Gottes Wort" wiedergegeben. Das abgeleitete Adjektiv **evangelisch** (aus *kirchenlat.* euangelicus < *gr.* eu-aggelikós) geht in seiner heutigen konfessionellen Bedeutung auf Luther zurück, die nicht nur das Neue Testament, sondern die ganze Bibel Evangelium war, so daß er unter evangelischem Christentum die ausschließliche Abhängigkeit vom überlieferten und wörtlich zu nehmenden Bibeltext verstand (im Gegensatz zu →katholisch). Hierzu noch: **Evangelist** *m* „Verkünder, Verfasser des Evangeliums (Lukas, Matthäus, Markus, Johannes); [Wander]prediger" (*mhd.*; aus *kirchenlat.* euangelista < *gr.* eu-aggelistés); **Evangelisation** *w* „Verkündigung des Evangeliums" (20. Jh.; *nlat.* Bildung).

eventuell „möglicherweise, vielleicht": Im 18. Jh. aus gleichbed. *frz.* éventuel entlehnt, das auf *mlat.* ēventuālis zurückgeht. Dazu das Substantiv **Eventualitäten** *Mehrz.* „Möglichkeiten, Zufälligkeiten". Zugrunde liegt *lat.* venīre „kommen" (vgl. *Advent*) bzw. das Kompositum *lat.* ē-venīre „herauskommen, eintreffen, sich ereignen".

ewig: Das auf das *Dt.* und *Niederl.* beschränkte Adjektiv *mhd.* ēwic, *ahd.* ēwig, *niederl.* eeuwig ist abgeleitet von dem unter →*Ehe* behandelten, im *Dt.* untergegangenen Substantiv *mhd.* ē[we], *ahd.* ēwa „Ewigkeit" (beachte *niederl.* eeuw „Jahrhundert, Zeitalter"), das verwandt ist mit *got.* aiws „Zeit, Ewigkeit", *aisl.* ǣvi „Zeit, Ewigkeit", *lat.* aevum „Zeit, Ewigkeit, Leben" und *gr.* aiṓn „[Lebens]zeit, Ewigkeit". Diese Substantivbildungen beruhen auf der *idg.* Wz. *aiu̯-, *aju̯-„Lebensdauer, -kraft". Aus dem *germ.* Sprachbereich stellen sich noch hierher die unter →je und →nie behandelten Wortgruppen. Abl.: **Ewigkeit** *w* (*mhd.* ēwicheit, *ahd.* ēwigheit); **ewiglich** (*mhd.* ēwiclich, -līche; *nhd.* nur in religiösem Sinne und aussagend gebraucht).

¹ex..., **¹Ex...**, (vor einigen Mitlauten:) e..., E..., (vor f meist angeglichen zu:) ef..., Ef...: Vorsilbe, die einen Ausgangspunkt, die Entfernung von etwas oder einen Abschluß bzw. eine Vollendung bezeichnet. Die zugrunde liegende Präp. und Vorsilbe *lat.* ex „aus, heraus" hat eine genaue Entsprechung in *gr.* ex (s. *²ex...*). – Weiterbildungen von *lat.* ex erscheinen in →extern, →extra und →extrem, Extremität.

²ex..., **²Ex...**, (vor Konsonanten:) ek..., Ek...: Vorsilbe mit der Bed. „[her]aus". Die zugrunde liegende Präp. *gr.* ex „aus, heraus" ist urverwandt mit entspr. *lat.* ex (vgl. *¹ex...*). Zu *gr.* ex stellt sich als Weiterbildung *gr.* éxō „außerhalb" (s. exo... und exotisch, Exot).

exakt „genau, sorgfältig": Im 17. Jh. aus *lat.* exāctus „genau zugewogen, wohlerwogen" entlehnt. Zu *lat.* ex-igere (ex-ēgī, ex-āctum) „heraustreiben; abmessen, abwägen, untersuchen". Über weitere Zusammenhänge und über die Bedeutungsentwicklung vgl. den Artikel *Examen*.

exaltiert „aufgeregt, überspannt": Im 18. Jh. aus *frz.* exalté, dem Part. Perf. Pass. von exalter „erheben; erhitzen, erregen",

entlehnt. Voraus liegt *lat.* ex-altāre „erhöhen". Über das Stammwort *lat.* altus „hoch; tief" vgl. *Alimente*.

Examen *s* „Prüfung": Im 16. Jh. aus gleichbed. *lat.* exāmen (< *eks-ag-s-men „das Heraustreiben") entlehnt. Dem Wort liegt eine schon *idg.* Sonderanwendung der unter → *Achse* entwickelten Wz. *a̯g- „treiben, führen" vor für „wägen", die auch im *Gr.* nachgewiesen werden kann (s. Axiom). Als vermittelnd kann man wohl eine Bed. „in Schwingung bringen (nämlich die Waage)" ansetzen. In Zus. mit ex- (wie oben) gelten entspr. als Grundbed. etwa „Herausschwingen (der Waage aus der Ruhelage)" oder „Ausschlag (des Züngleins an der Waage)", woraus sich dann übertr. Bed. wie „Abwägen, Untersuchen" entwickeln konnten. – Das dazugehörige Verb *lat.* exāmināre „abwägen, untersuchen" wurde bereits im 14. Jh. als examinieren „prüfen" entlehnt. – *Lat.* exigere und das dazugehörige Part. Perf. Pass. ex-āctus in unserem FW →exakt zeigen die gleiche Entwicklung. Über die *idg.* Zusammenhänge vgl. *Achse*.

Exekution *w* „Vollstreckung (eines Urteils); Hinrichtung": Seit dem 15. Jh. bezeugte Wort stammt aus der Kanzleisprache, wo es zunächst nur im allgemeinen Sinne von „Ausführung einer Anordnung" galt. Die Bed. „Hinrichtung" erscheint erst im 17. Jh. Das Wort ist aus *lat.* ex(s)ecūtiō „Ausführung, Vollstreckung" entlehnt, das von exsequī „verfolgen; einer Sache nachgehen, sie ausführen" abgeleitet ist (vgl. *¹ex...* und *konsequent*). Dazu seit dem 18./19. Jh. **exekutieren** „vollstrecken; hinrichten"; **exekutiv** „ausführend" (< *nlat.* execūtīvus), substantiviert zu **Exekutive** *w* „vollziehende Gewalt im Staat".

Exempel *s* „Beispiel", auch im Sinne von „abschreckendes Beispiel", so besonders in der Wendung 'ein Exempel statuieren': In *mhd.* Zeit wie *frz.* exemple aus *lat.* exemplum (< *ex-em-lom) entlehnt, das man mit einer urspr. Bed. „(aus verschiedenen gleichartigen Dingen) als Muster Herausgenommenes" zu *lat.* emere „nehmen" (Kompositum: eximere „herausnehmen") stellt. Abl.: **Exemplar** *s* „Einzelstück" (16. Jh.), schon *mhd.* in der Bed. „Muster, Modell" bezeugt: Voraus liegt *lat.* exemplar „Abbild, Muster". Das dazugehörige Adjektiv *lat.* exemplāris „beispielhaft, musterhaft" liefert im 16. Jh. **exemplarisch**, beachte auch die Fügung 'exemplarische Strafe' „abschreckende Strafe". Von Interesse sind in diesem Zusammenhang verschiedene Komposita von *lat.* emere, soweit sie in entspr. FW eine Rolle spielen: *lat.* prōmere „hervornehmen", dazu prōmptus „zur Stelle, bereit" (s. prompt und Impromptu), *lat.* sūmere „an sich nehmen, verbrauchen", dazu resūmere „wieder vornehmen" (s.

exerzieren

resümieren, Resümee) und cōnsūmere „verwenden, verbrauchen" (s. konsumieren, Konsument und Konsum); ferner *lat.* praemium (< *prae-emium, *prai-emiom) „Belohnung, Preis, Gewinn, Beute" (s. Prämie, prämieren), das urspr. „vorweg Genommenes" bedeutete und den Anteil der einem besiegten Feind abgenommenen Siegesbeute bezeichnete, der vorweg der Gottheit als Opfer bestimmt war.

exerzieren „üben" (meist im militär. Sinn): Im 16. Jh. aus gleichbed. *lat.* ex-ercēre entlehnt, einem Kompositum von *lat.* arcēre „verschließen, bewahren" (vgl. *Arche*). Die semantischen Beziehungen sind allerdings völlig verwischt. Man vermutet, daß exercēre urspr. etwa „aus einem eingehegten Raum (beachte *lat.* arx „Burg") herausführen und zur Betätigung antreiben" bedeutet hat. – Zu *lat.* exercēre stellt sich als Substantiv exercitium „Übung", dessen *Mehrz.* exercitia unser FW Exerzitien „geistl. Übungen (zur inneren Einkehr)" (16./17. Jh.) geliefert hat.

Exil *s* „Verbannung[sort]": Im 18. Jh. aus gleichbed. *lat.* exilium entlehnt (zu *lat.* exul, exsul „in der Fremde weilend, verbannt").

existieren „vorhanden sein, dasein; bestehen": Im 17./18. Jh. aus *lat.* ex-sistere „heraus-, hervortreten, zum Vorschein kommen, vorhanden sein" entlehnt. Über weitere Zusammenhänge vgl. *assistieren*. – Aus dem Part. Präs. Akt. *lat.* ex-sistēns stammt das Adjektiv existent „vorhanden; wirklich". Dazu: Existenz *w* „Dasein (als Wirklichkeit); Auskommen" (17. Jh.), als philos. Terminus entlehnt aus *spätlat.* ex(s)istentia „Dasein". Als *nlat.* Bildungen erscheinen im 20. Jh.: Existentialismus *m* „Existenzphilosophie" und Existentialist *m* „Anhänger des Existentialismus", letzteres oft auch abfällig gebraucht zur Bezeichnung der Anhänger einer extravaganten Lebensführung.

exklusiv „ausschließend, nur wenigen zugänglich; sich absondernd": Im 19. Jh. aus gleichbed. *engl.* exclusive entlehnt, das auf *mlat.* exclūsīvus zurückgeht. Zugrunde liegt *lat.* exclūdere „ausschließen", ein Kompositum von *lat.* claudere „schließen" (vgl. *Klause*).

exkommunizieren „aus der (kathol.) Kirchengemeinschaft ausschließen": Im 16. Jh. aus *kirchenlat.* ex-commūnicāre entlehnt. Über das zugrunde liegende Adjektiv *lat.* commūnis „allen gemeinsam" vgl. *Kommune*. – Dazu das Substantiv Exkommunikation *w* „Kirchenbann" (16. Jh.; aus *kirchenlat.* excommūnicātiō).

Exkurs *m* „Abschweifung; einer [wissenschaftl.] Abhandlung beigefügte kürzere Ausarbeitung, Anhang": Philologisches Fachwort, im 19. Jh. aus *lat.* ex-cursus „Auslauf, Ausflug; Streifzug" entlehnt. Von dem zugrunde liegende Verb *lat.* ex-currere

„herauslaufen" (vgl. *Kurs*) ist auch *lat.* excursiō „das Herauslaufen; der Streifzug" abgeleitet, das über *frz.* excursion im 18. Jh. als **Exkursion** *w* „Ausflug (zu Studienzwekken), Lehrfahrt" entlehnt wird.

exo..., Exo... (Vorsilbe vor allem von naturwissenschaftl. Fachwörtern mit der Bed. „außerhalb, außen, von außen her"): Aus gleichbed. *gr.* éxō, einer Weiterbildung von *gr.* ex „aus, heraus" (vgl. ²*ex*...). Zu *gr.* éxō stellt sich das Adjektiv exōtikós „außerhalb (des eigenen Landes bzw. Kulturkreises) befindlich", das in → exotisch, Exot erscheint.

exotisch „fremdländisch, überseeisch, fremdartig": Im 18. Jh. aus *lat.* exōticus < *gr.* exōtikós „ausländisch" entlehnt (vgl. *exo*...). Dazu das Substantiv Exot *m* „Angehöriger ferner Länder" (19./20. Jh.).

Expander *m* „Muskelstrecker" (Sportgerät): Das Wort wurde im 20. Jh. aus dem *Engl.* entlehnt. *Engl.* expander ist von to expand „ausdehnen, strecken" abgeleitet, das auf gleichbed. *lat.* ex-pandere zurückgeht (vgl. *Expansion*).

Expansion *w* „Ausdehnung; Ausbreitung (eines Staates)": Im 19. Jh. zunächst als physikal. Terminus (beachte die Zus. Expansionskraft) aus *frz.* expansion < *lat.* expānsiō „Ausdehnung, Ausstreckung" entlehnt. Das zugrunde liegende Verb *lat.* ex-pandere „ausbreiten, auseinanderspannen", von dem auch unser FW → Expander ausgeht, ist ein Kompositum von *lat.* pandere (pandī, pānsum, passum) „auseinanderspannen" (vgl. ¹*ex*... und *Paß*). Abl.: expansiv „sich ausdehnend".

expedieren „abfertigen, befördern, versenden": Im 15. Jh. aus *lat.* ex-pedīre „losmachen, entwickeln, aufbereiten" entlehnt. Der mit der Abfertigung und mit dem Versand von Waren beauftragte Kaufmann heißt Expedient *m* (19. Jh.; aus *lat.* expediēns). Entspr. wird die „Abfertigung und der Versand (von Gütern)" mit dem FW Expedition *w* (16. Jh.; aus *lat.* expeditiō) bezeichnet, das daneben auch im Sinne von „Unternehmen, Forschungsreise" gebraucht wird. Beachte in diesem Zusammenhang auch die über das *It.* entlehnten FW → Spediteur, → Spedition. Zu *lat.* ex-pedīre „los-machen" – eigtl. „aus der Fußfessel" – verbindet man üblicherweise mit *vlat.* *pedis „Fußfessel" – neben gleichbed. *lat.* pedica in → Depesche –, das von *lat.* pēs (pedis) „Fuß" (vgl. *Pedal*) abgeleitet ist. Als Grundbed. von *lat.* ex-pedīre wäre demnach etwa „aus der Fußfessel herausbringen" (= „frei machen") anzusetzen.

Experiment *s* „[wissenschaftlicher] Versuch; [gewagtes] Unternehmen": Im 17. Jh. aus *lat.* experimentum „Versuch, Probe; Erfahrung" entlehnt (zu *lat.* ex-perīrī „versuchen, erproben"; s. auch *Experte*). Das zugrunde liegende Verb *lat.* *perīrī, das nur in Kom-

148

posita bezeugt ist, so z. B. 'in *lat*. comperīre „genau erfahren" und opperīrī „erwarten", gehört zu der unter →*Gefahr* dargestellten Wortgruppe. – Abl.: experimentell „auf Experimenten beruhend" (19./20. Jh.; mit französierender Endung gebildet); experimentieren „Versuche anstellen" (18. Jh.; nach *frz*. expérimenter < *mlat*. experimentāre).

Experte *m* „Sachverständiger": Im 19. Jh. nach *frz*. expert „erfahren, sachkundig; Experte" aus *lat*. expertus „erprobt, bewährt" entlehnt. Über das zugrunde liegende Verb *lat*. experīrī „versuchen, erproben" vgl. *Experiment*.

explodieren „zerknallen, bersten": Im 19. Jh. mit Bedeutungsübertragung aus *lat*. ex-plōdere (< ex-plaudere) „klatschend heraustreiben, ausklatschen" entlehnt (vgl. ¹*ex*... und *plausibel*). Dazu das Substantiv Explosion *w* „Zerknall, Sprengschlag" (18. Jh.; aus *lat*. explōsiō „das Herausklatschen"). Als *nlat*. Bildungen erscheinen im 19./20. Jh. die Adjektive explosibel, explosiv „leicht explodierend, explosionsgefährlich".

Exponent *m* 1. „repräsentativer Vertreter in exponierter Stellung"; 2. „Hochzahl" (Math.): Im 19. Jh. aus *lat*. expōnēns (im Sinne von *lat*. expositus „herausgestellt"), dem Part. Präs. Akt. von *lat*. ex-pōnere „herausstellen; aussetzen, preisgeben" entlehnt (vgl. ¹*ex*... und *Position*). – Aus *lat*. expōnere stammt auch das seit dem 18. Jh. bezeugte Verb exponieren „aussetzen, preisgeben", das vor allem in dem adjektivisch gebrauchten Part. Perf. Pass. exponiert „(Angriffen) ausgesetzt, gefährdet" lebt.

Export *m* „Ausfuhr (von Waren)": Die Fachwörter unserer Handelssprache, soweit sie Lehn- oder Fremdwörter sind, zeigen seit dem späten Mittelalter vorwiegend ital. Einfluß. Vom Ende des 18. Jh.s an dringen auch aus England Handelswörter in unsere Sprachschatz ein, so →Partner, →Safe, →Scheck u. a. Zu diesen gesellen sich →Import und Export. – Etwas früher als das Substantiv wurde das Verb exportieren entlehnt. *Engl*. to export – davon abgeleitet the export – geht seinerseits auf *lat*. ex-portāre „heraus-, hinaustragen" zurück (vgl. ¹*ex*... und *Porto*). Das Substantiv Exporteur *m* „Exportkaufmann" wurde später mit französ. Endung (entspr. *frz*. exportateur) hinzugebildet.

Expreß *m* „Schnellzug" (veraltend): Im 19. Jh. aus 'Exprebzug' gekürzt, das seinerseits eine Übersetzung von *engl*. express train ist. Das hier als Bestimmungswort auftretende, heute veraltete Adjektiv expreß, das allerdings noch in Zus. wie Exprebgut lebt, geht zurück auf *lat*. expressus „ausgedrückt, ausdrücklich" (zu *lat*. ex-

primere „ausdrücken"; vgl. ¹*ex*... und *Presse*). Das Wort Expreßzug bezeichnete demnach urspr. wohl einen Zug mit „ausdrücklich und genau" festgelegter Route bzw. Abfahrts- und Ankunftszeiten, woraus sich im modernen Sprachgebrauch der Begriff des „Schnellzugs" entwickelt hat. Die gleiche Bedeutungsentwicklung zeigt auch *it*. espresso (s. Espresso).

Expressionismus *m* (Kunstrichtung des 20. Jh.s, in welcher die im →Impressionismus begonnene Auflösung der äußeren Formen weitergetrieben ist in Richtung auf ein Hervorholen wesenhafter „Ausdrücklichkeit" vor allem seelischen Erlebens): Das Wort ist eine *nlat*. Bildung zu *lat*. expressiō „Ausdrücken, Ausdruck", ex-primere „ausdrücken" (vgl. ¹*ex*... und *Presse*). Dazu das Adjektiv expressionistisch.

exquisit „ausgesucht, erlesen": Im 17./18. Jh. aus gleichbed. *lat*. exquīsītus entlehnt. Zu ex-quīrere (< ex-quaerere) „aussuchen", einem Kompositum von *lat*. quaerere „[unter]suchen, fragen".

extensiv „ausgedehnt, in die Breite gehend" (Gegensatz: intensiv, s. Intensität): Im 18. Jh. aus *spätlat*. extēnsīvus entlehnt (zu *lat*. ex-tendere „ausdehnen, ausspannen"; vgl. ¹*ex*... und *tendieren*).

extern „äußerlich; auswärtig, fremd": Im 19. Jh. aus *lat*. externus entlehnt. Dies gehört zu *lat*. exterus „außen, außen befindlich", einer komparativischen Weiterbildung von *lat*. ex „[her]aus" (vgl. ¹*ex*...). – Aus einem urspr. Lokativ exterā parte „im äußeren Teil" entwickelte sich das Adverb (bzw. die Präp.) *lat*. extrā „außerhalb" (s. extra). – Abl.: Externe *m* oder *w* „Schüler[in], der [die] nicht im Internat wohnt oder die Abschlußprüfung an einer Schule ablegt, er [sie] nicht besucht hat"; Externat *s* „Lehranstalt, deren Schüler außerhalb der Schule wohnen", junge Gegenbildung zu Internat (s. intern). – Beachte noch die superlativische Bildung *lat*. extrēmus „äußerste" in →extrem.

extra (Adv.) „außerdem, nebenbei, besonders", auch als Bestimmungswort in Zus. wie →extravagant: Im 16. Jh. aus *lat*. extrā (ordinem) „außer (der Ordnung, der Reihe)" aufgenommen. *Lat*. extrā (Adv. und Präp.) „außerhalb, außerdem; über-hinaus" ist aus einem alten Lokativ exterā parte „im äußeren Teil" entstanden (vgl. *extern*).

Extrakt *m* „Auszug (aus Stoffen, Büchern usw.); wesentlicher Bestandteil": Urspr. ein Alchimistenwort, mit Genuswechsel entlehnt aus *lat*. extractum „Herausgezogenes", dem substantivierten Part. Perf. Pass. von ex-trahere „herausziehen" (vgl. ¹*ex*... und *trachten*).

extravagant „überspannt, verstiegen, übertrieben": Im 18. Jh. aus *frz*. extravagant „ab-, ausschweifend" < *mlat*. extrāvagāns

149

entlehnt (zu extrā-vagārī „ausschweifen"; vgl. *extra* und *vage*). Dazu als Substantiv Extravaganzen *Mehrz.* „Ausschweifungen; närrische Ungereimtheiten" (18. Jh.; nach *frz.* extravagances).

extrem „äußerst; übertrieben": Im 17. Jh. aus *lat.* extrēmus „äußerste" entlehnt. Dies ist mit Superlativsuffix zu exterus „außen, außen befindlich" (vgl. *extern*) gebildet. Abl.: Extrem *s* „äußerster Standpunkt, Spitze; Übertreibung"; Extremitäten *Mehrz.* „Gliedmaßen" (Med.), im 18. Jh. aus *lat.* extrēmitātēs (corporis) „die äußersten (Enden des Körpers)" entlehnt.

exzellent „hervorragend, ausgezeichnet": Im 16. Jh. aus *frz.* excellent entlehnt, das auf *lat.* excellēns, das Part. Präs. Akt. von ex-cellere „hervorragen", zurückgeht. Das nur in Komposita bezeugte Grundwort *lat.* *-cellere stellt sich zu der unter →*kulmi-*

nieren dargestellten Wortgruppe. – Dazu das Substantiv Exzellenz *w* „Erhabenheit, Herrlichkeit" (als Anrede an hochgestellte Persönlichkeiten im diplomatischen Verkehr), im 16. Jh. aus *frz.* excellence < *lat.* excellentia.

exzentrisch „überspannt, verschroben": Im 18. Jh. übertr. aus einer urspr. mathemat.-physikal. Bedeutung „verschiedene Mittelpunkte bzw. Bewegungen habend" (von Kreisen bzw. Planetenbahnen); daher dann „unregelmäßig,(von der Mitte) abweichend". *Nlat.* excentricus steht für *spätlat.* eccentricus (vgl. ¹*ex...* und *Zentrum*).

Exzeß *m* „Ausschreitung, Ausschweifung": Im 16. Jh. aus gleichbed. *lat.* excessus entlehnt; zu *lat.* ex-cēdere „herausgehen" (hier übertr. etwa im Sinne von „den Rahmen des Schicklichen verlassen"). Über das Stammwort *lat.* cēdere „gehen, weichen" vgl. *Prozeß*.

F

Fabel *w*: Das schon *mhd.* bezeugte Wort wurde durch *frz.* Vermittlung (*afrz., frz.* fable) aus *lat.* fabula „Erzählung, Sage" entlehnt. Bis ins 18. Jh. galt 'Fabel' ausschließlich in dieser allgemeinen Bed., wie sie noch erhalten ist in den Ableitungen fabelhaft „unglaublich, phantastisch" (18. Jh.) und fabeln „Geschichtchen ersinnen und erzählen" (*mhd.*). Erst im 18. Jh. erscheint dann nach dem Vorbild der Tierfabeln Äsops die heute gültige spezielle Bed. „lehrhafte (erdichtete) Erzählung"; beachte z. B. die Wendung 'Fabula docet' „die Fabel lehrt" (d. h. „die Moral von der Geschichte ist ..."). Zu *lat.* fābula, das sich mit einer Grundbed. „Rede, Gerücht" zur Wortfamilie von *lat.* fārī „sprechen" stellt (vgl. *fatal*), gehört als *lat.* fābulārī „sprechen, schwatzen, plaudern, phantasieren", das im 15./16. Jh. unser gleichbed. Verb fabulieren lieferte.

Fabrik *w* „gewerblicher, mit Maschinen ausgestatteter Produktionsbetrieb": Das FW erscheint in *dt.* Texten zuerst im 17. Jh. mit seiner eigtl. Bed. „Herstellung; Herstellungsart". Die moderne Bedeutung kommt im 18. Jh. auf. Das Wort ist in beiden Bedeutungen entlehnt aus *frz.* fabrique, das seinerseits auf *lat.* fabrica „Künstler-, Handwerksarbeit; Werkstätte" beruht. Stammwort ist *lat.* faber (fabrī) „Handwerker, Künstler". – Dazu noch: fabrizieren „herstellen, fertigen; machen" (16. Jh.; wie entspr. *frz.* fabriquer aus *lat.* fabricāre „verfertigen, zimmern, bauen, herstellen"); Fabrikant *m* „Besitzer einer Fabrik, Großhersteller" (17. Jh.; nach

gleichbed. *frz.* fabricant); Fabrikation *w* „Verfertigung, fabrikmäßige Herstellung" (Ende 18. Jh.; aus gleichbed. *frz.* fabrication < *lat.* fabricātiō „Verfertigung, Bauen, Herstellung"); Fabrikat *s* „Fabrikationsprodukt, in einer Fabrik hergestelltes Erzeugnis" (*nlat.* Bildung des ausgehenden 18. Jh.s).

Facette *w* „eckig geschliffene Fläche (von Edelsteinen und Glaswaren)": Im 18. Jh. aus gleichbed. *frz.* facette, einer Verkleinerungsbildung zu *frz.* face „[Vorder]seite, Außenfläche", entlehnt. Dies geht auf *vlat.* *facia zurück, das für *klass.* -*lat.* faciēs „Gestalt, Angesicht" steht. Über weitere Zusammenhänge vgl. den Artikel *Fazit*.

Fach *s*: Das *westgerm.* Substantiv *mhd.* vach „Fischwehr, Stück, Teil, Abteilung einer Wand, Mauer usw.", *ahd.* fah „Mauer", *niederl.* vak „Fach, Abgeteiltes, Beet", *aengl.* fæc „Fach, Zwischenraum; Einteilung; Zeit[raum]" beruht mit verwandten Wörtern in anderen *idg.* Sprachen auf der *idg.* Wz. *pǎk-, *pǎg- „festmachen, [zusammen]fügen, binden, flechten", vgl. z. B. *lat.* pacīscī „einen Vertrag festmachen, ein Übereinkommen treffen", *lat.* pangere „festmachen, einschlagen" (s. die FW-Gruppe um →*Pakt*) und die *slaw.* Sippe von *russ.* paz „Fuge, Nute". Aus dem *germ.* Sprachbereich stellen sich noch zu dieser Wurzel z. B. die unter →*fangen* und →*fügen* (ablautend) behandelten Wortgruppen sowie *aengl.* fæger „schön, passend, angenehm" (s. *fair*) und *got.* fagrs „passend, geeignet". – In älterer Zeit bezeichnete 'Fach' vielfach das geflochtene Fischwehr in Flüssen (beachte ON wie

Fachbach, Fachingen, Vaake). Im *Mhd.* bezeichnet es auch das mit Flechtwerk ausgefüllte Zwischenfeld in einer aus Ständern und Querbalken errichteten Wand, die danach *nhd.* Fachwerk heißt. Von dieser Bauweise her ergibt sich wohl die Bed. „abgeteilter Raum" (die in *aengl.* fæc „Zeitspanne" und *mnd.* vāken, *niederl.* vaak „oft" auch auf die Zeit bezogen wurde). Auch die erst im 18. Jh. aufgekommene übertragene Bed. „Spezialgebiet in Handwerk, Kunst und Wissenschaft" schließt an die konkrete Vorstellung der Fächer in einem Schrank oder Regal an, die heute noch lebendig ist. Dazu gehört die Zus. Fachmann (19. Jh., eigtl. „Mann vom Fach") sowie jüngere Bildungen wie Facharbeiter, -arzt, -schule, Fachschaft; s. a. fachsimpeln. Das Adjektivsuffix ...fach, *spätmhd.* in zwi-, manecvach, *frühnhd.* in einfach (s. d.) belegt, ist wohl älterem -valt (s. Falte) nachgebildet.

fachen: Das nur *dt.*, heute meist nur noch in 'anfachen' und 'entfachen' gebrauchte Verb erscheint im 18. Jh. für älteres 'fochen' „blasen" (15. Jh.), eine Entlehnung aus *mlat.* focāre „entflammen" (zu *lat.* focus „Feuerstätte"; vgl. *Foyer*). Abl. fächeln „[kühlende] Luft zuwehen" (17. Jh.; auch für fächern, s. Fächer).

Fächer *m*: Der Fächer kam im 17. Jh. unter der *frz.* Bezeichnung 'éventail' (zu *frz.* vent „Wind") nach Deutschland, erhielt hier aber noch im selben Jahrhundert den Namen des ähnlichen federbesteckten Feueranfachers der Küche. *Frühnhd.* focher, focker „Blasebalg, Feuerwedel" (entlehnt aus *mlat.* focārius „Heizer, Küchenjunge", zu *lat.* focus „Herd", vgl. *Foyer*) wurde, wohl in Anlehnung an →fachen, im 18. Jh. durch die heutige Form Fächer verdrängt. Abl.: fächern „den Fächer bewegen" (18. Jh.; das Part. 'gefächert' bedeutet „nach Fächerart entfaltet"), dazu Fächerung *w* (übertr. für: „Aufgliederung, Entfaltung").

fachsimpeln „(zur Unzeit) Fachgespräche führen": In der Studentensprache des 19. Jh.s zum Zeitwort simpeln, versimpeln „beschränkt, einfältig werden" gebildet (vgl. *Fach* und *simpel*).

Fackel *w*: Mhd. vackel, *ahd.* faccala ist entlehnt aus gleichbed. *vlat.* facla, das auf *lat.* facula, einer Verkleinerungsbildung zu *lat.* fax „Fackel", beruht (vgl. *Foyer* und *fæcele* „Fackel"). Die Abl. fackeln erscheint erst im 14. Jh. als vackelen „unstet brennen wie eine Fackel", *nhd.* meist in der Wendung 'nicht lange fackeln', für „schnell handeln" (18. Jh.).

fad[e] „geschmacklos, läppisch" (im konkreten und übertragenen Sinne): Im 18. Jh. aus gleichbed. *frz.* fade ($<$ *galloroman.* *fatidus) entlehnt.

Faden *m*: Das Substantiv mhd. vadem (abgeschwächt auch schon vaden), *ahd.* fadum

beruht auf der *idg.* Wz. *pet- „[die Arme] ausbreiten, umfassen, sich erstrecken". Ihm entsprechen *asächs.* faðmos (*Mehrz.*) „die ausgespannten Arme", *aengl.* fæðm „ausgebreitete Arme, Umarmung, Klafter, Faden", *aisl.* faðmr „Umarmung, Schoß, Faden". In *engl.* fathom, *schwed.* famn und *dt.* seemänn. Faden gilt das Wort noch heute für ein Längenmaß. Es bedeutete demnach urspr. „soviel Garn, wie man mit ausgespanntem Arm mißt", dann das „Garn" selbst. Aus dem *germ.* Sprachbereich stellt sich →Fuder ablautend zu der Wurzel, *außergerm.* verwandt sind z. B. *lat.* pandere „ausbreiten" (s. Patent und die LW und FW um →Passus), *lat.* patēre „sich erstrecken, offenstehen" und *gr.* patánē „Schale, Schüssel" (s. das LW Pfanne). *Nhd.* Faden gilt allgemein für die gedrehte Faser zum Nähen, Weben, Binden, übertr. für Metallfäden, die Staubfäden der Pflanzen u. a. An das Spinnen schließt bildl. Gebrauch an: der Lebensfaden (von der Parze zerschnitten) reißt, der Faden des Gesprächs geht verloren usw. Ein 'roter Faden' zieht sich als Kennzeichen durch alles Tauwerk der britischen Kriegsmarine. Abl.: fädeln (18. Jh., älter fädmen, mhd. vedemen „fädeln, reihen", ahd. fadamōn „nähen"), heute meist als einfädeln (17. Jh., übertr. für „etwas geschickt in Gang bringen"). Zus.: fadenscheinig „dürftig, leicht durchschaubar" (*frühnhd.* fadenschein; eigtl. von abgenutztem Gewebe, dessen Fäden erscheinen).

Fagott *s* (Holzblasinstrument): Im 17. Jh. aus *it.* fagotto entlehnt. Weiteres ist unsicher.

fähig: Das seit dem 15. Jh. bezeugte Adjektiv (dafür *spätmhd.* gevæhic) ist von dem unter →fangen behandelten Verb abgeleitet. Seine Grundbedeutung war „imstande, etwas zu empfangen oder aufzunehmen". Im *Frühnhd.* wird es so von Gefäßen gebraucht, in der Rechtssprache auch für „berechtigt". Heute tritt dieser Sinn nur noch in Zus. wie aufnahme-, rechts-, erbfähig, denen zahlreiche jüngere Bildungen mit aktiver (trag-, geh-, lebensfähig) wie passiver Bedeutung (streich-, abzugs-, transportfähig) gefolgt sind, in denen das Adjektiv fast zum Suffix verblaßt ist. Als selbständiges Wort wird 'fähig' seit langem nur von Lebewesen im Sinne des geistigen Erfassens und Begreifens gebraucht, es bedeutet daher „imstande, veranlagt (sein, etwas zu tun)", attributiv „begabt, tüchtig". In diesem Sinne ist befähigen (Anfang des 19. Jh.s) „fähig machen", und das Substantiv Fähigkeit *w* (*frühnhd.* fehikeit „Fassungskraft, Inhalt") bedeutet nur noch „Imstandesein, Vermögen".

fahl: Das *altgerm.* Adjektiv mhd. val, valwer (daraus auch falb, s. d.), ahd. falo, engl. fallow, aisl. fǫlr beruht mit verwandten Wörtern in anderen *idg.* Sprachen auf *idg.*

*polu̯os „fahl", einer Bildung zur Wz. *pel-
„grau, weißlich, scheckig", vgl. z. B. *gr.* po-
liós „grau", *lat.* palli-dus „blaß" und *lit.* pal̄-
vas „blaßgelb". Zu dieser Wurzel ge-
hört wahrscheinlich auch der Tiername
→Falke.

fahnden: Das erst im 18. Jh. belegte und
wahrscheinlich aus dem *Niederd.* ins *Hochd.*
übernommene Verb geht zurück auf *mnd.*
vanden, *asächs.* fandon „auf-, besuchen",
das eine Bildung zu dem unter →finden behandelten Verb ist, vgl. *ahd.* fantōn „untersuchen", *aengl.* fandian „versuchen, prüfen, untersuchen". Auf Aussprache und Gebrauch des *nhd.* Wortes hat wohl älter
nhd. fahen (s. fangen) eingewirkt. Abl.:
Fahndung *w* (19. Jh.).

Fahne *w*: Das *gemeingerm.* Wort *mhd.* van[e],
ahd. fano, *got.* fana, *aengl.* fana, *aisl.* [gunn]-
fani hat die Grundbed. „Tuch" (die noch in
ahd. Zus. wie halsfano „Halstuch" erscheint).
Es führt mit den urverwandten Wörtern *lat.*
pannus „Tuch, Lappen" und *gr.* pēnos „Gewebe" auf *idg.* *pān- „Gewebe". Die Bed.
„Feldzeichen, Banner" hat sich wohl früh
durch Kürzung der Zus. *ahd.* gundfano eigtl.
„Kampftuch" (daraus *it.* gonfalone „Banner") ergeben und seit *mhd.* Zeit allein
erhalten (*nhd.* Fähnchen „leichtes, billiges Kleid" ist eine junge Bedeutungsübertragung). Im Gegensatz zu „Flagge"
(s. d.) ist „Fahne" gewöhnlich das Fah-
nentuch samt der Stange. Übertragen sind
u. a. die Bedeutungen „Schwanz von Fuchs
und Eichhorn" (weidmänn.), „Korrek-
turabzug des Buchdruckers", ebenso „Atem
des Betrunkenen" (scherzh.). Als Fähnlein *s* wurde in der Landsknechtszeit
(16./17. Jh.) eine Truppeneinheit ähnl. der
heutigen Kompanie bezeichnet. Der Fähn-
rich heißt *ahd.* faneri, *mhd.* venre; *frühnhd.*
venrich ist wie das ältere 'Wüterich' den PN
auf -rich nachgebildet.

Fähre *w*: Das Substantiv *mhd.* ver[e], *niederl.*
veer, *schwed.* färja ist wahrscheinlich abgeleitet von dem im *Nhd.* untergegangenen,
gemeingerm. schwachen Verb *mhd.* vern, *ahd.*
ferian, *got.* farjan, *aengl.* ferian, *schwed.* färja
„zu Schiffe fahren, übersetzen". Dessen
Grundbed. zeigt *aengl.* ferian „tragen, bringen, sich begeben". – Es ist eigtl. Veranlassungswort zu →fahren „sich bewegen", ist
aber sehr früh auf die Schiffahrt eingeschränkt worden. Die Zus. Fährmann hat
seit dem 17. Jh. älteres Ferge *m* (*mhd.*
verje, *ahd.* ferjo, zu *ahd.* far „Überfahrtsstelle") abgelöst, das dann im 19. Jh. wieder
bei Dichtern vorkommt.

fahren: Das *gemeingerm.* Verb *mhd.* varn,
ahd. faran, *got.* faran, *engl.* to fare, *schwed.*
fara geht zurück auf *idg.* *per- „hinüberführen, -bringen, -kommen, übersetzen,
durchdringen" (vgl. *ver*...). In anderen *idg.*

Sprachen sind z. B. verwandt *gr.* perän
„durchdringen" und *lat.* portäre „tragen"
(s. die FW-Gruppe um →Porto). Als Nominalbildungen gehören u. a. hierher *gr.* póros
„Durch-, Zugang, Furt" (s. Pore) und die
unter →Furt genannten Wörter. Zu 'fahren' stellen sich ferner die Bildungen
→Fahrt und →Fuhre mit ihren Abl. (z. B.
fertig), während →Fähre zu einem ab-
gegangenen abgeleiteten Verb gehört.
Schließlich ist als Veranlassungswort zu
fahren →führen zu nennen. – 'Fahren' bezeichnete urspr. jede Art der Fortbewegung wie gehen, reiten, schwimmen, im Wagen fahren, reisen. Das zeigen noch Ausdrükke wie 'fahrendes Volk', 'fahrende Habe'
(Mobiliar); der Senn 'fährt zu Berge', der
Fuchs 'aus dem Bau'. Im neueren *Deutsch*
versteht man aber unter 'fahren' die Fortbewegung auf Wagen, Schiffen, mit der
Bahn, dem Flugzeug u. a. Aus dem alten
Sprachgebrauch heraus wurde 'fahren'
auch auf schnelle Bewegungen (z. B. des
Blitzes, der Hand) übertragen. Verblaßt
ist die Vorstellung einer Bewegung in der
mhd. und *mnd.* Nebenbed. „sich benehmen,
leben, sich befinden". Von da ist der übertragene Gebrauch von 'gut oder übel mit jemandem fahren' ausgegangen. Siehe auch die
Artikel Hoffart und Wohlfahrt. Alle genannten Bedeutungsschattierungen zeigen sich
heute noch in den verbalen Zus. und Präfixbildungen: die Grundbedeutung z. B. in
widerfahren übertr. für „begegnen" (z. B.
von Glück, Unrecht, Ehre) und →erfahren,
der heutige Sinn in ab-, vor-, aus-, an-, überfahren usw., die schnelle Bewegung in auffahren „zornig werden", zusammenfahren
„erschrecken", herum-, zurückfahren u. ä.
Abl.: Fahrer *m* (älter nur in Zus. wie
Land-, Seefahrer; in der jungen Bed.
„Chauffeur" gekürzt aus Kraft[wagen]fah-
rer); fahrig „unruhig, haltlos, zerfahren"
(im 19. Jh. schriftsprachl.; beachte *frühnhd.*
ferig „hurtig", *mhd.* ferec, „fahrtbereit");
fahrlässig (eigtl. „fahrenlassend", zu *mhd.*
varn lāzen „gehenlassen, vernachlässigen";
seit dem 15. Jh. in der Rechtssprache,
ebenso Fahrlässigkeit *w*); Vorfahr *m*
(meist *Mehrz.*; *mhd.* vorvar, *mnd.* vörfäre ist
mit der alten Bildung -var, and. -faro, *aisl.*
-fari „Fahrender" gebildet, das Wort bedeutete bis ins 19. Jh. allgemein „Vorgänger", z. B. im Amt, doch ist die heutige Bed.
„Ahne" schon alt); entspr. Nachfahr *m*
(*mhd.* nächvar, „Nachfolger", jetzt „Enkel").
Substantivische Zus. sind z. B.: Fahrgast
(19. Jh.); Fahrrad (1889 für Veloziped;
s. Rad); Fahrstuhl „Aufzug" (17. Jh. für
„Aufzug", im 19. Jh. auf den elektr. →Lift
übertragen); Fahrzeug (im 17. Jh. entlehnt aus *niederd.* fahrtüg, *niederl.* faartuij
„Schiff"; seit dem 19. Jh. auch für „Fuhrwerk").

Fahrt w: Das *altgerm.* Subst. *mhd.*, *ahd.* vart, *niederl.* vaart, *aengl.* fierd, *schwed.* färd ist eine Bildung zu dem unter →*fahren* behandelten Verb. Beachte auch die Zus. Himmelfahrt, Wallfahrt, Hoffart, Wohlfahrt. Abl.: **Fährte** w „Spur [des Wildes]" (weidmänn. bes. vom Schalenwild; das Wort ist erst *nhd.* aus Flexionsformen von *mhd.* vart [verte] entstanden); s. auch fertig, Gefährt, Gefährte.

Faible s „Schwäche" (im Sinne von „Vorliebe"): Im 19. Jh. aus dem substantivierten Adjektiv *frz.* faible „schwach" entlehnt, das auf *lat.* flēbilis „beweinenswert, kläglich" zurückgeht. Das zugrunde liegende Verb *lat.* flēre „weinen" ist vielleicht urverwandt mit →*plärren*.

fair „anständig, sportlich sauber; ehrlich": *Engl.* Wort, im 19. Jh. entlehnt. *Engl.* fair (< *aengl.* faeger „passend, angenehm, schön") stellt sich zu der unter →*Fach* entwickelten *germ.* Wortfamilie. – Dazu das Substantiv **Fairness** w „[sportliches] ehrenhaftes Verhalten" (aus gleichbed. *engl.* fairness).

Fakir m „mohammedan. Büßer, Asket; Gaukler": Das seit dem 19. Jh. bezeugte FW geht zurück auf *arab.* faqīr „arm", das in alle europ. Sprachen zur Bezeichnung des „Bettelmönchs" entlehnt wurde. Die von 'Fakir' entwickelte Bed. „Gaukler" resultiert aus dem Verhalten besonders der indischen Fakire, die oft als wandernde Wundertäter auftreten und sich damit gerade in den Augen der Europäer verdächtig machen.

Faksimile s „Nachbildung einer handschriftlichen Vorlage": Das seit dem Anfang des 19. Jh.s bezeugte FW – im *Engl.* dagegen schon im 17. Jh. nachgewiesen! – ist substantiviert aus *lat.* fac simile „mache ähnlich!". – Dazu: **faksimilieren** „ein Faksimile herstellen".

faktitiv „bewirkend", substantivisch **Faktitiv** s „Bewirkungszeitwort, Veranlassungsverb": *Nlat.* Bildung zu *lat.* factitāre, dem Intensivum von *lat.* facere „machen, tun, bewirken." (vgl. *Fazit*).

Faktor m „Vervielfältigungszahl; mitbestimmende Ursache, Umstand": Das in diesem Sinne seit dem 18. Jh. bezeugte Wort ist bereits im 16. Jh. mit der auch heute noch üblichen Bed. „Geschäftsführer" (heute besonders „Werkmeister einer Buchdruckerei") vorhanden. Es geht zurück auf *lat.* factor „Macher, Verfertiger usw.", das von *lat.* facere „machen, tun" (vgl. *Fazit*) abgeleitet ist. Dazu: **Faktorei** w (16. Jh.).

Faktotum s „Mädchen für alles": Das seit dem 16. Jh. bezeugte Wort ist eine substantivische Neubildung aus der *lat.* Wendung fac tōtum „mach alles!" (vgl. *Fazit* und *total*).

Faktum, **Fakt** s „Tatsache; Ereignis": Im 17. Jh. aus *lat.* factum „gemacht, getan, geschehen" substantiviert, dem Part. Perf. Pass. von *lat.* facere „machen, tun usw." (vgl. *Fazit*). Dazu die Wendung de facto „tatsächlich (bestehend)" – Gegensatz: 'de jure' „von Rechts wegen, rechtlich gesehen" – und das Adjektiv **faktisch** „tatsächlich" (18. Jh.).

Faktur, **Faktura** w „[Waren]rechnung, Lieferschein": Das seit dem 17. Jh. bezeugte Handelswort ist aus *it.* fattura entlehnt und nach dem vorausliegenden Substantiv *lat.* factūra „das Machen, die Bearbeitung" relativisiert. Zugrunde liegt *lat.* facere „machen, tun usw." (vgl. *Fazit*). Abl.: **fakturieren** „Warenrechnungen aufstellen" (19. Jh.); **Fakturist** m (20. Jh.).

Fakultät w (Bezeichnung für einen der Hauptwissenschaftszweige an Universitäten und Hochschulen): Im 16. Jh. aus *lat.* facultās „Fähigkeit; (körperl. und geistiges) Vermögen, Möglichkeit" entlehnt, das im *Mlat.* nach *gr.* dýnamis die zusätzliche Bed. „Wissens-, Forschungsgebiet" entwickelt hat. Über weitere Zusammenhänge vgl. den Artikel *Fazit*. Abl.: **fakultativ** „nach freiem Ermessen" (19. Jh.; aus *frz.* facultatif, *nlat.* facultativus).

falb: Das neben →*fahl* aus *mhd.* val, valwer entwickelte *oberd.* Adjektiv gilt jetzt fast nur von der Haarfarbe gelblicher Pferde (substantiviert der Falbe) und ist frei von dem in 'fahl' mitschwingenden Gefühlswert (beachte das 'fahle Pferd' des Todes in der Offenbarung Johannis). Zum Nebeneinander der Formen vgl. gelb und gehl.

Falke m: Die Herkunft des Vogelnamens (*mhd.* valk[e], *ahd.* falc[h]o) ist nicht sicher geklärt. Vielleicht beruht das Wort auf *vlat.* falco und stellt sich dann als „Sichelträger" zu *lat.* falx „Sichel" (wegen der Klauen und des Schnabels). Wahrscheinlicher ist aber *germ.* Ursprung. Das Wort wäre dann mit dem aus Kranich, Storch, Lerche u. a. Vogelnamen bekannten k-Suffix zum Stamm des Farbadjektivs →*fahl* gebildet. Der Falke würde demzufolge nach dem graubraunen Gefieder benannt sein. Dafür scheint auch das Vorkommen der PN Falco bei Westgoten, Langobarden und Franken zu sprechen. Die Hochblüte der Falkenbeize in Europa fällt in die Ritterzeit (12./13. Jh., s. auch den Artikel beizen); damals wird z. B. *aisl.* falki „Falke" aus *mniederl.* falce entlehnt. Abl.: **Falkner** m, **Falkenier** „Jäger, der Falken zur Beize abrichtet" (*mhd.* valkenēre, *mlat.* falconārius, *frz.* fauconnier); dazu **Falknerei** w „Kunst mit Falken zu jagen".

fallen: Das *altgerm.* Verb *mhd.* vallen, *ahd.* fallan, *niederl.* vallen, *engl.* to fall, *schwed.* falla ist verwandt mit *armen.* p'ul „Einsturz" und der *balt.* Sippe von *lit.* pùlti „fallen".

Wichtige Präfixbildungen und Zusammensetzungen mit 'fallen' sind: auffallen „[un]angenehm] bemerkbar machen" (18. Jh., eigtl. „auf jemanden fallen"), dazu auffallend, auffällig (19. Jh.); ausfallen (mhd. ūzvallen „vorfallen"), nhd. auch „wegfallen; geraten"; im 18. Jh. Fachwort der Fechter für „vorstoßen", auch militärisch für den Vorstoß aus einer belagerten Festung, wo jetzt 'einen Ausfall machen' gesagt wird), dazu ausfallend, ausfällig werden „mit Worten unsachlich angreifen" (19. Jh.); durchfallen (die ugs., urspr. stud. Bed. „eine Prüfung nicht bestehen" geht auf den mittelalterl. Schwank vom 'Schreiber im Korbe' zurück, bei dem ein Mädchen seinen Liebhaber durch ein Fenster hochzog, um ihn dann durch den schadhaften Boden fallen zu lassen; s. Korb), dazu Durchfall m (im 18. Jh. für die Krankheit wie frühnhd. 'durchfällig werden'; jetzt auch für das Durchfallen bei Prüfungen, Wahlen, im Theater usw.); einfallen (mhd. īnvallen war „einstürzen, zusammenfallen, einbrechen", auch „sich ereignen"; von Gedanken wird zuerst mnd. invallen um 1500 so gebraucht), dazu Einfall m (mhd. īnval; in der Bed. „plötzlicher Gedanke" schon bei mhd. Mystikern); gefallen (s. d.). – Abl.: Fall m (mhd., ahd. val; die nhd. Bed. „Geschehnis" [bes. Krankheits-, Rechtsfall] geht von der Vorstellung des Würfelfalls aus [beachte Glücks-, Unglücksfall, → Unfall], ist aber beeinflußt von gleichbed. lat. casus „Fall" und frz. cas „Fall". Auch die grammat. Bed. „Beugefall" [17. Jh.] schließt an lat. casus an [s. Kasus], dazu falls „im Falle, daß" (17. Jh.; eigtl. Gen. von 'Fall', beachte Adverbien wie allen-, keinesfalls, bestenfalls); Falle w (mhd. valle, ahd. falla, urspr. ein Zuggerät mit Falltür; ugs. 'Falle' „Bett" tritt mdal. und soldatensprachl. im 19. Jh. auf); fällen (mhd. vellen, ahd. fellan; vgl. niederl. vellen, engl. to fell, schwed. fälla; altgerm. Veranlassungswort zu 'fallen'; nhd. bes. in „Bäume fällen", übertr. 'ein Urteil fällen'); fällig „zum Fallen kommend" (mhd. vellec, ahd. fellic; nhd. bes. von Zahlungen und in Zusammenbildungen wie baufällig, fuß-, kniefällig, augen-, straffällig, abgeleitet in bei-, rückfällig); Gefälle s (mhd. gevelle „Fall, Sturz; Schlucht; guter Würfelfall, Glück", ahd. gefelli „Einsturz" ist Kollektivbildung zu 'Fall'; vom mhd. Sprachgefühl zu 'fallen' gezogen, bedeutet es jetzt bes. „Abfallen einer Straße oder eines Wasserlaufs"). Zus.: Fallbeil (literar. im 17. Jh.; Anfang des 19. Jh.s Ersatzwort für frz. guillotine); Fallreep s (niederd. falreep war im 17. Jh. ein Tau, an dem der Seemann sich vom Schiffsbord ins Boot 'fallen', d. h. gleiten ließ; der Name blieb, als das Tau durch eine Leiter und später durch eine Treppe ersetzt wurde; zum Stammwort vgl. ¹Reif); Fallschirm (um 1800), dazu Fallschirmjäger (1939).

falsch: Mhd., mnd. valsch „treulos, unehrenhaft; unecht, trügerisch" ist unter Einfluß von mniederl. valsc umgebildet aus afrz. fals (frz. faux, s. Fauxpas), das seinerseits auf lat. falsus „falsch, irrig, unwahr" zurückgeht (s. Falsett). Das lat. Adjektiv gehört zu lat. fallere „täuschen" (vgl. fehlen). Im Dt. gilt falsch, wie auch die Ableitungen zeigen, vielfach von menschl. Eigenschaften, bes. aber von verfälschten Dingen (Münzen, Schmuck usw.). Substantiert ist Falsch m in 'ohne Falsch' (mhd. āne valsch). Abl.: Falschheit w (mhd. valschheit „Untreue, Unredlichkeit"); fälschlich (mhd. valsch-, velschlich „betrügerisch"); Zus.: Falschmünzer m (seit dem 16. Jh. neben 'falscher Münzer'), ebenso Falschspieler (17. Jh.). Schon ahd. ist das Verb **fälschen** belegt (ahd. [gi]falscōn, [gi]felscen „für falsch erklären, widerlegen" ist entlehnt aus mlat. falsi[fi]cāre; mhd. velschen bedeutete meist „verfälschen, täuschen, verleumden"), dazu Fälscher m (mhd. valschāre, velscher „Verleumder, Betrüger, Falschmünzer") und Fälschung w (18. Jh., bes. für gefälschte Urkunden und Kunstwerke).

Falsett s „Fistelstimme": Die typischen Bezeichnungen der verschiedenen menschlichen Stimmlagen wie → Bariton, → Baß, → Tenor, → Sopran, → Alt stammen aus dem It., so auch 'Falsett'. Das vorausliegende Substantiv it. falsetto bezeichnet die im Verhältnis zur jeweils normalen Stimmlage des Sängers (bzw. auch Instrumentes) „falsche" [Sing]stimme. Das Wort ist abgeleitet von dem auf lat. falsus (vgl. falsch) zurückgehenden Adjektiv it. falso „falsch".

Falte w: Die heutige Form beruht auf einer mhd. Nebenform valte zu mhd. valt, dem ahd. falt, aengl. feald „Mal" und schwed. fåll „Saum" entsprechen. Das germ. Substantiv ist eine Bildung zu dem unter → falten behandelten Verb. Es ist schon früh zur Zus. mit Zahlwörtern gebraucht worden, die ein Vielfaches bezeichnen. So entstand das gemeingerm. Adjektivsuffix ...falt (mhd. -valt, ahd. -falt, got. -falþs, engl. -fold, aisl. -faldr), das nhd. nur noch dichterisch in 'mannigfalt' vorkommt, sonst aber durch die Weiterbildung ...faltig, ...fältig (mhd. -valtec, -veltec) abgelöst wurde: dreifältig (s. drei), vielfältig (s. viel); s. auch Einfalt. Erst frühnhd. (16. Jh.) ist das Adjektiv faltig „Falten habend oder werfend".

falten: Das gemeingerm. Verb mhd. valten, ahd. faldan, got. falþan, engl. to fold schwed. fålla gehört zu der idg. Wz. *pel- „falten", vgl. z. B. aisl. fel „Falte" und weiterhin die Artikel doppelt (Double), Simpel, Zweifel. Verwandt ist wahrscheinlich auch die unter → flechten behandelte Wortgruppe. Zu 'falten' gehört das Substantiv →Falte mit seinen Ableitungen. Zus.: **Falt stuhl** (*mhd.* valtstuol, *ahd.* faltistuol; vgl. *niederl.* vouwstoel, *engl.* faldstool; auf einer *afränk.* Entsprechung des Wortes beruht →Fauteuil).

Falter *m*: Diese Bezeichnung des Schmetterlings hat nichts mit 'falten' zu tun. Sie ist im 18. Jh. verselbständigt worden aus älteren, teils *mdal.* Formen wie *oberd.* Zweifalter, *aleman.* Fïfalter. Diesen liegt *mhd.* vïvalter, *ahd.* fïfaltra zugrunde, dem *asächs.* fïfoldara, *aengl.* fïfealde, *norw.* fïfreld entsprechen. Das Wort gehört zum Stamm des unter →*flattern* behandelten Verbs, der zum Ausdruck der schnellen Bewegung verdoppelt wurde. Der Falter ist demnach der ,,Flügelschwinger''. Die gleiche Vorstellung und Bildung zeigt das urverwandte *lat.* pā-pil-iō ,,Falter'' (*frz.* papillon).

falzen: *Mhd.* valzen, velzen ,,krümmen, ineinanderbiegen'', *ahd.* [ga]falzen ist eine Intensivbildung zu →*falten* (wie blitzen zu blicken) mit der Grundbed. ,,fest zusammenlegen''. Dazu die Rückbildung **Falz** *m* (*mhd.* valz ,,Fuge, Schwertrinne'') und die Zus. **Falzbein** ,,beinernes Glättmesser'' (17. Jh.).

Familie *w* ,,Gemeinschaft der in einem fortdauernden Eheverhältnis lebenden Eltern und ihrer Kinder'', gelegentlich auch im weiteren Sinne von ,,Gruppe der Blutsverwandten'' (Sippe'' gebraucht, aber eigtl. nur in Zus. wie Familienname, Familienrat, Familientag u. a.: Zu *lat.* famulus ,,Diener'' (vgl. *Famulus*) stellt sich als Kollektivbildung *lat.* familia ,,Gesamtheit der Dienerschaft; Gesinde''. Der Begriff wurde in der patriarchalischen Ordnung weiter gefaßt. Ihr war 'familia' die gesamte Hausgenossenschaft von Freien und Sklaven, die dem 'pater familiās' anvertraut war. – Bis zur Entlehnung von *lat.* familia im 16. Jh. wurde der Begriff Familie durch die Formel 'Weib und Kind' oder durch die Wörter 'Haus' oder (älter) 'hïwische' (s. Heirat) abgedeckt. – Abl.: **familiär** ,,eng verbunden, vertraut; allzu vertraulich'' (im 17. Jh. mit französierender Endung [beachte *frz.* familier] aus älterem familiar entwickelt, das auf *lat.* familiāris ,,zur Familie gehörig, vertraut, vertraulich'' zurückgeht).

famos ,,prächtig, großartig'': Ein Studentenwort des 19. Jh.s, das schon früher in der Gerichtssprache im Sinne von ,,berüchtigt'' bezeugt ist. Die Verallgemeinerung erfolgte nach *frz.* fameux ,,berühmt''. Entlehnt ist das Wort im 17. Jh. aus *lat.* fāmōsus ,,viel besprochen (im guten oder im bösen)'', das zu fāma ,,Gerede'', fārī ,,sprechen'' gehört (vgl. *fatal*). – Hierher noch die FW→ diffamieren und →infam.

Famulus *m* ,,Medizinstudent während seiner prakt. Ausbildung'': Das seit dem 16. Jh.

bezeugte Wort galt anfangs noch allgemein im Sinne von ,,akademischer Gehilfe (eines Hochschullehrers)'', später wurde es dann mehr und mehr auf den mediz. Bereich eingeschränkt. Es ist aus *lat.* famulus ,,Diener, Gehilfe'' (< *alat.* famul) entlehnt, wozu als Kollektivbildung *lat.* familia ,,Gesamtheit der Dienerschaft'' gehört (s. Familie). Die weitere Herkunft des Wortes ist nicht geklärt. Abl.: **famulieren** ,,als Famulus tätig sein'' (19. Jh.; nach *lat.* famulārī ,,Diener sein'').

Fan *m* ,,überschwenglich begeisterter Anhänger'', besonders auch in Zus. wie Jazz-Fan: Im 20. Jh. aus gleichbed. *engl.* fan entlehnt. Dies ist eine Kurzform von fanatic (vgl. *fanatisch*).

Fanal *s* ,,[Feuer-, Flammen]zeichen'': Im 18./19. Jh. aus *frz.* fanal ,,Leuchtfeuer, Feuerzeichen'', gleichbed. *it.* fanale entlehnt, das seinerseits – vielleicht durch *arab.* Vermittlung – auf *gr.* phānós ,,Leuchte, Fackel'' zurückgeht (zu dem in *gr.* phaínesthai ,,leuchten, glänzen; erscheinen'' vorliegenden Verbalstamm pha-n- ,,leuchten''; vgl. *Phänomen*).

fanatisch ,,eifernd, sich rücksichtslos einsetzend, schwärmerisch'': Das seit dem 16. Jh. bezeugte Adjektiv wurde wie entspr. *frz.* fanatique und *engl.* fanatic (s. auch Fan) aus gleichbed. *lat.* fānāticus entlehnt. Bis ins 19. Jh. galt es allerdings ausschließlich im Sinne von ,,religiös schwärmerisch''. Erst dann entwickelte sich unter Einfluß von *frz.* fanatique die heute gültige allgemeine Bedeutung, und zwar zunächst im Bereich der Politik. – *Lat.* fānāticus ist ein Sakralwort und bedeutet eigtl. ,,von der Gottheit ergriffen und in rasende Begeisterung versetzt''. Es gehört wie *lat.* prō-fānus ,,vor dem heiligen Bezirk liegend, ungeheiligt, gemein, ruchlos'' (s. profan) zu dem mit *lat.* fēriae ,,dem Gottesdienst bestimmte geschäftsfreie Tage, Feiertage'' (vgl. *Feier*) verwandten Substantiv *lat.* fānum (< *fas-no-m) ,,der Gottheit geweihter Ort, Tempel''. – Dazu noch: **Fanatiker** *m* ,,Eiferer ,,[Glaubens]-schwärmer'' (18. Jh.); **Fanatismus** *m* ,,blinde, hemmungslose Begeisterung'' (19. Jh.; *nlat.* Bildung nach *frz.* fanatisme).

Fanfare *w* ,,Blasinstrument; Trompetensignal'': Im 18. Jh. aus gleichbed. *frz.* fanfare entlehnt, dessen Herkunft nicht gesichert ist.

fangen: Die *nhd.* Präsensformen des Verbs bestehen erst seit dem 16. Jh. Sie haben ihr -n- nach *lat.* Vorbild (*mnd.* vangen) aus dem Prät. und dem 2. Part. übernommen. Das *gemeingerm.* starke Verb, urspr. reduplizierend (vgl. *got.* faífáh ,,er fing''), lautete *mhd.* va[he]n, *ahd.* fāhan, *got.* fāhan, *aengl.* fōn, *schwed.* få und gehört zu der unter →*Fach* behandelten Sippe. Seine Grundbedeutung ist ,,greifen, fassen''. – Um das Verb gruppieren sich die Ableitungen Ge-

fangene *m* usw. (*mhd.* gevangen *m*), Gefangenschaft *w* (*mhd.* gevangenschaft)
und Gefängnis *s* (*mhd.* [ge]vancnisse, [ge]-
vencnisse ,,Gefangennahme, -schaft", im
15. Jh. für den Ort des Gefangenseins), ferner die Präfixbildungen und Zus. →anfan-
gen, →empfangen, →umfangen und [sich]
verfangen (*mhd.* [sich] vervähen ,,zusam-
menfassen, sich festfangen") mit dem Adjektiv verfänglich (*mhd.* vervenclich ,,taug-
lich, wirksam", seit dem 17. Jh. im heutigen
Sinne). Abl.: Fang *m* (*mhd.* vanc; beachte
Zusammensetzungen wie Rauchfang
[15. Jh.] und Windfang [*mhd.* wintvanc];
weidmänn. 'den Fang geben' ist seit dem
16. Jh. das Töten des verletzten Wildes mit
der blanken Waffe; ebenfalls weidmänn. ist
Fang als ,,Maul des Raubwildes; Raubvogel-
klaue, vgl. *engl.* fang ,,Reißzahn, Hauer");
Fänger *m* (16. Jh.; meist in Zus. wie Tier-
fänger, Fliegenfänger; s. auch Hirschfänger).
Farbe *w*: *Mhd.* varwe, *ahd.* farawa, *niederl.*
verf ist eine Substantivbildung zu dem im
Nhd. untergegangenen Adjektiv *mhd.* var,
varwer, *ahd.* faro, farawēr ,,farbig". Dieses
Adjektiv gehört zu der *idg.* Wz. *perk̑- ,,ge-
sprenkelt, bunt", zu der sich z. B. auch das
unter →Forelle behandelte Wort sowie *gr.*
perknós ,,buntfarbig, dunkel[fleckig]" und
aind. pŕ̥śni-ḥ ,,gefleckt, bunt" stellen. Urspr.
bezeichnete 'Farbe' nur die Eigenschaft
eines Wesens oder Dinges, erst in *mhd.* Zeit
auch den pflanzlichen oder mineral. Farbstoff (bes. die Schminke). Seit alters ist die
Farbe Erkennungszeichen. So kann die
Mehrz. Farben auch für ,,Wappen, Fahne"
stehen (z. B. 'die deutschen Farben'). Dagegen meint 'Farbe bekennen' ,,sich bestimmt erklären" eigtl. die ausgespielte
Farbe des Kartenspiels, die der Gegenspieler
'bedienen' muß. Abl.: ...farben (z. B. in
gold-, rosen-, fleischfarben; älter *nhd.* -farb
hatte *mhd.* var ,,farbig, aussehend nach"
fortgesetzt und wurde dann nach Mustern
wie golden, seiden umgebildet); färben
(*mhd.* verwen, *ahd.* farawen ,,ein Aussehen
geben, färben", *mhd.* auch ,,schminken"),
dazu Färber *m* (*mhd.* verwēre; der Schön-
färber färbte mit hellen, der Schwarzfärber
mit dunklen Farben; daher noch Schönfärberei *w* für ,,zu günstige Darstellung");
farbig (älter *nhd.* farbicht; jetzt auch in
Zus. häufiger als ...farben; von der Hautfarbe steht es seit etwa Mitte des 19. Jh.s für
engl. coloured); farblich ,,die Farbe betreffend" (19. Jh.).
Farce *w* ,,Posse": Im 16./17. Jh. aus gleichb-
bed. *frz.* farce entlehnt, das später (im
18. Jh.) auch in seiner Grundbed. ,,Fleisch-
füllsel" als Fachwort der Gastronomie
übernommen wurde. Zur Bedeutungsübertragung vergleiche man die Funktion des
alten Possenspiels mit der Zweckbestimmung von ,,Fleischfüllsel". Denn Possen-

spiele wurden oft zwischen die einzelnen
Akte eines ernsten Schauspiels eingeschoben,
um mit ihren komischen, burlesken Gags
die Zwischenpausen ,,auszufüllen". – *Frz.*
farce geht zurück auf *vlat.* *farsa, das zu *lat.*
farcīre ,,hineinstopfen" gehört (s. auch Infarkt, Herzinfarkt). Zu *lat.* farcīre gehört
wohl auch *lat.* frequēns ,,häufig, zahlreich" (s. Frequenz), vermutlich in einem
urspr. Sinne von ,,gestopft voll".
Farm *w* ,,landwirtschaftl. Großbetrieb (bes.
in den USA); Hof für Geflügel- oder Pelz-
tierzucht": Im 19. Jh. aus *engl.-amerik.*
farm entlehnt, das urspr. ein gegen ,,festen
Preis" verpachtetes Landgut bezeichnet
und auf *afrz.* (= *frz.*) ferme zurückgeht. Dies
ist eine Ableitung von *frz.* fermer, ,,zumachen,
schließen", das hier im Sinne von ,,bindend
vereinbaren" steht. Über das vorausliegende
Verb *lat.* firmāre ,,festmachen, sichern"
vgl. *firm.* Abl.: Farmer *m* (19. Jh.; aus
amerik. farmer).
Farn *m*: Der *westgerm.* Pflanzenname *mhd.*,
ahd. farn, *niederl.* varen, *engl.* fern ist z. B.
verwandt mit *aind.* parṇá-m ,,Flügel, Feder,
Blatt". Die Pflanze ist also nach ihren feder-
artigen Blättern benannt worden. *Nhd.* gilt
meist Farnkraut (15. Jh.).
Fasan *m* (Hühnervogel): Der Fasan wurde
den Deutschen (wie Vogel →Strauß und
der →Pfau) durch die Römer bekannt. *Lat.*
(avis) phäsiänus, das selbst auf *gr.* (órnis)
Phāsiānós ,,Vogel, der in der Gegend des
Flusses Phasis (am Schwarzen Meer) lebt"
zurückgeht, wurde vor 800 entlehnt zu
ahd. *fasiân und verdeutlichend als fasihōn,
fasihuōn ,,Fasanhuhn" wiedergegeben. An
dessen Stelle trat im 12. Jh. die auf dem
entspr. *afrz.* (*frz.*) faisan beruhende Form
fasān. Abl.: Fasanerie *w* ,,Fasanengehe-
ge" (im 18. Jh. nach *frz.* faisanderie gebildet).
Fasching *m*: Die *südd.*, urspr. *bayr.-östr.*
Bezeichnung der Fastnacht (s. d.) und der
ihr vorausgehenden Festzeit erscheint im
13. Jh. als vaschanc, vastschang. *Mhd.*
*vast-schanc bedeutet eigtl. ,,Ausschenken
des Fastentrunks" (vgl. *fasten* und *Schank*).
Das auch als Freudenruf 'oho, vaschang!'
bezeugte Wort wurde dann im 17. Jh. an
die Wörter auf -ing angeglichen.
Faschismus *m*: Nach dem 1. Weltkrieg
wurde in Italien von Mussolini ein (revolutio-
närer) Kampfbund mit antidemokratischen,
antiparlamentarischen Zielen gegründet, der
sogenannte 'Fascismo'. Nach dessen Vorbild bezeichnete man später jede ähnliche
Bewegung totalitären und nationalistischen
Charakters mit dem aus it. Fascismo entlehnten Substantiv Faschismus. *It.* Fascismo ist abgeleitet von *it.* fascio ,,[Ruten]-
bündel", das seinerseits auf gleichbed. *lat.*
fascis zurückgeht. Das Rutenbündel mit
Beil war nämlich Symbol altröm. Herrscher-

gewalt und wurde als solches von den Anhängern des Fascismo, den Faschisten (*it.* fascista = „Faschist") übernommen und als Abzeichen getragen. – *Lat.* fascis „[Ruten]bündel" ist etymologisch nicht sicher gedeutet.

faseln „wirr reden, plappern": Das nur *dt.* Verb erscheint erst im 17. Jh. neben einfachem fasen „irrereden". Im *germ.* Sprachbereich sind vielleicht verwandt *mnd.* väse „Torheit, Unsinn" (16. Jh.), *norw.* fesja „Geschwätz", *aisl.* arga-fas „dummer Streich". Die weitere Herkunft dieser Wörter ist nicht geklärt. Dazu Faselei *w*, Faseler *m* und Faselhans *m* (18. Jh.).

Faser *w*: *Spätmhd.* vaser „Franse" ist eine Weiterbildung des *westgerm.* Wortes mhd. väse „loser Faden, Franse, Saum", *ahd.* faso, fasa, *niederl.* vēse, *aengl.* faes[n] (*nhd.* Fase ist jetzt veraltet, doch beachte noch die Verkleinerungsbildungen Fäschen, Fäslein). Als „im Winde wehender Faden" gehört das Substantiv mit verwandten Wörtern in anderen *idg.* Sprachen zur *idg.* Wz. *pēs- „blasen, wehen", vgl. z. B. *aisl.* fǫnn „Schneewehe" und *russ.* pásmo „Garnsträhne"). Abl.: faserig (im 17. Jh. faséricht); zerren „Fasern ausziehen, absondern" (17. Jh.), auch als zerfasern (im 16. Jh. zerfäsern). Zus.: fasernackt „nackt bis auf die letzte Faser" (im 17. Jh. fasennackt, jetzt gewöhnl. verstärkt zu splitterfasernackt, s. Splitter).

Faß *s*: Das *westgerm.* Substantiv *mhd.*, *ahd.* vaz, *niederl.* vat, *engl.* vat beruht mit verwandten Wörtern in anderen *idg.* Sprachen auf *idg.* *pēd-, *pŏd- „Gefäß, Behälter", vgl. z. B. *lit.* púodas „Topf". Aus dem *germ.* Sprachbereich stellt sich z. B. → ²Fessel „Band" (eigtl. wohl „Geflochtenes") zu dieser Wurzel. ,Faß' bedeutete demnach urspr. „geflochtenes, umwundenes Behältnis" (die älteste Töpferei schmierte Ton über rundgeflochtene Körbe). Die Grundbedeutung bleibt noch lange ganz allgemein „Behältnis" (vgl. *schwed.* fat „Gefäß" und *mhd.* vaz, das auch „Kleidertruhe, Sarg" bedeutete). Nachklänge sind Salz-, Tintenfaß u. a. Von ,Faß' abgeleitet ist →fassen (mit Gefäß, Fetzen, u. a.). Zus.: Faßbinder *landsch.* für „Böttcher, Küfer, Büttner" (*mhd.* [vaz]binder; vgl. binden).

Fassade *w* „Vorderseite; Ansicht": Im 18. Jh. aus *frz.* façade entlehnt, das selbst auf *it.* facciata zurückgeht, eine Abl. von *it.* faccia „Vorderseite". Voraus liegt *vlat.* *facia, das für *klass.-lat.* faciēs „Mache, Aufmachung; Gestalt, Aussehen usw." steht (vgl. hierüber den Artikel *Fazit*).

fassen: Das *altgerm.* Verb *mhd.* vazzen, *ahd.* fazzōn „ergreifen, fangen; einfassen; zusammenpacken, aufladen; kleiden, schmücken", *niederl.* vatten „fassen, ergreifen; verstehen", *aengl.* fatian „holen, [ein Weib] heimführen", *aisl.* fata „den Weg finden" läßt als Abl. von

→*Faß* „Gefäß" die Grundbed. „in ein Gefäß tun" erkennen, die auch in der Wendung 'der Krug faßt 2 Liter' noch deutlich wird. Von hier aus verstehen sich die übertragenen Bedeutungen von [auf-, er]fassen „geistig begreifen", verfassen (s. u.), abfassen „in schriftl. Form bringen", sich mit etwas befassen „beschäftigen". Aus der *mhd.* Bed. „kleiden" (s. Fetzen) stammt *nhd.* 'sich fassen' mit dem Part. gefaßt „bereit, gesammelt", eigtl. „gerüstet". Auch edle Steine werden gefaßt, und das Substantiv Fassung *w* (*mhd.* vazzunge „Gefäß, Bekleidung, Schmuck") kann ebensogut das geistige Bereitsein wie das Werk des Juweliers oder die Bemalung einer Plastik bezeichnen. Weitere Ableitungen und Präfixbildungen: faßlich „begreifbar, der Fassungskraft angemessen" (17. Jh.), ähnlich faßbar (19. Jh.), unfaßbar (17. Jh.); verfassen (*mhd.* vervazzen „in sich aufnehmen; etwas vereinbaren"; in der Rechtsspr. „schriftlich niederlegen"; die jetzige Bed. „gestaltend niederschreiben" erst bei Luther), dazu Verfasser *m* (17. Jh.; gekürzt aus Schriftverfasser „Autor") und Verfassung (14. Jh.; *mhd.* vervazzunge „schriftl. Darstellung, Vertrag"; seit dem 18. Jh. im Sinne von „Staatsgrundgesetz" und von „Zustand, Bereitschaft [eines Menschen]").

Fasson *w* „Form, Muster; [Zu]schnitt": Im 16. Jh. aus gleichbed. *frz.* façon entlehnt, das auf *lat.* factiō (*factiōnem*) „das Machen; die Eigenart, etwas zu tun" zurückgeht (vgl. *Fazit*). Zus.: Fassonschnitt (Bezeichnung für einen besonderen Haarschnitt).

fasten: Das *gemeingerm.* Verb *mhd.* vasten, *ahd.* fastēn, *got.* [ga]fastan, *engl.* to fast, *schwed.* fasta ist abgeleitet von dem unter →fest behandelten Adjektiv und bedeutete im *Got.* zunächst „[fest]halten, beobachten, bewachen". Wahrscheinlich ist der wichtige christliche Begriff der Enthaltsamkeit zuerst von der ostgot. Kirche in dieses Wort gelegt worden (zuerst im Sinne von „an den [Fasten]geboten festhalten") und hat sich von da schon im 5. Jh. zu den anderen *germ.* Stämmen und den Slawen (*aslaw.* postiti „fasten") ausgebreitet. Abl.: ¹Fasten *s* (substantivierter Infinitiv, *mhd.* vasten); ²Fasten *Mehrz.* „Fastenzeit" (*mhd.* vasten, *ahd.* fasta). Siehe auch die Artikel Fasching und Fastnacht.

Fastnacht *w*: Der Tag vor Aschermittwoch heißt als „Vorabend der Fastenzeit" um 1200 *mhd.* vastnaht (Nacht in der Bed. „Vorabend"). Im etwa später bezeugten *mhd.* vas[e]naht (dem heute *oberd.* und *mittelrhein.* Fas[e]nacht entsprechen) ist die Aussprache erleichtert. Offen bleibt, ob ein z. B. in *frühnhd.* faseln „gedeihen, fruchtbar sein" (noch *rhein.*, *oberd.* *mdal.*) enthaltener Stamm mit der Bed. „Fruchtbarkeit" hereingespielt hat, vgl. die *rhein.*

faszinieren

Formen Fasabend, Fas[t]elabend. Die Fastnacht ist, wie vielgestaltiges ländliches Brauchtum in fast allen *dt.* Landschaften zeigt, als altes Vorfrühlings- und Fruchtbarkeitsfest gefeiert worden, lange bevor sie im 12. Jh. durch die Kirche auf die Zeit vor den Fasten begrenzt wurde.

faszinieren „entzücken, bezaubern": Im 18. Jh. aus *lat.* fascināre „beschreien, behexen" entlehnt, dessen Vorgeschichte nicht eindeutig geklärt ist. Dazu das Substantiv **Faszination** *w* „Bezauberung" (aus *lat.* fascinātiō „Beschreiung, Behexung").

fatal „verhängnisvoll; peinlich": Im 16. Jh. aus *lat.* fatālis „vom Schicksal bestimmt; verderbenbringend" entlehnt, das von *lat.* fātum „Schicksalsspruch" abgeleitet ist. Dies gehört zu der unter →*Bann* dargestellten *idg.* Wortsippe von *bhā-, „sprechen", die im *Lat.* durch fā-rī „sprechen, feierlich sagen" und die dazugehörigen Ableitungen und Weiterbildungen vertreten ist. Neben den schon genannten Wörtern fātum und fātālis sind von Interesse: *lat.* fāma „Gerücht", dazu fāmōsus „berüchtigt" (s. hierzu die FW famos, diffamieren, infam); *lat.* fābula „Rede, Gerede, Erzählung" (s. Fabel); *vlat.* Fāta „Schicksalsgöttin; Fee", das den Wörtern →Fee, →gefeit (feien) und →Fata Morgana zugrunde liegt; *lat.* īnfāns „was noch nicht sprechen kann, Kind" (s. infantil, Infanterie); ferner das „bekennen" mit den Komposita cōnfitērī „eingestehen" (s. Konfession), prōfitērī „öffentl. erklären" (s. Professor, Profession, Professur, professionell, Profi). – Unmittelbar von *lat.* fātālis abgeleitet sind die *nlat.* Bildungen des 20. Jh.s: Fatalismus *m* „Schicksalsglaube, völlige Ergebung in die Macht des Schicksals", Fatalist *m* „wer sich dem Schicksal ausgeliefert fühlt", fatalistisch.

Fata Morgana *w* „Sinnestäuschung auf Grund von Luftspiegelungen; Gaukelbild": Seit dem 18./19. Jh. bezeugt und aus dem *It.* entlehnt. Es ist dort eigtl. der Name einer geheimnisvollen „Fee Morgana" (*it.* fata ist identisch mit →*Fee*), auf die der Volksglaube jene Naturerscheinung zurückführt, die in der Straße von Messina besonders häufig zu beobachten ist.

fauchen (*südd.* und *östr.*:) pfauchen: *Mhd.* pfūchen stellt sich zu der Interjektion pfūch, die den drohenden Laut der Katze u. a. Tiere wiedergibt. Im *Nhd.* hat sich der *ostmitteld.* f-Anlaut durchgesetzt.

faul: Das *gemeingerm.* Adjektiv *mhd.* vūl, *ahd.* fūl, *got.* fūls, *engl.* foul, *schwed.* ful bedeutet eigtl. „stinkend, modrig". Es beruht auf einem *idg.* Verbalstamm *pŭ- „faulen, stinken", dem wohl ein lautmalendes *pu „pfui!" zugrunde liegt. Unerweitert erscheint der Stamm z. B. in *aisl.* fūi „Fäulnis", fūinn „verfault", weitergebildet in →*Fotze*. Als

Schelte des Trägen (schon *mhd.*) ist faul urspr. schärfer gemeint als heute, wie noch *ugs.* stinkfaul zeigt. Den Sinn „verdorben, schlecht" hat es in „faule Witze", „fauler Kunde'. Eine Sonderbedeutung zeigt das *engl.* Sportwort →foul. Abl.: Fäule *w* (*mhd.* viule, *ahd.* fūlī; positiv in *nhd.* Edelfäule [der Weintrauben]); faulen (*mhd.* vūlen, *ahd.* fūlēn); faulenzen „träge sein" (16. Jh., *ostmitteld.*; eigtl. „faulig schmecken, riechen" wie *mhd.* vūlezen), dazu Faulenzer *m* (16. Jh.); faulig (*nhd.* für *mhd.* vūl-lich); Faulheit *w* (*mhd.* vūlheit); Fäulnis *w* „Zustand des Faulens" (*mhd.* vūlnis, *ahd.* fūlnussi). Zus.: Faulbaum (*ahd.* fūlpoum, nach dem fauligen Geruch der Rinde); Faulpelz (im 16. Jh. *schweiz.*); Faultier (das südamerikan. Säugetier heißt *nhd.* im 17. Jh. 'das faul Thier' nach gleichbed. *span.* perezoso [eigtl. „das Träge, Schwerfällige"]; vom Menschen erst im 19. Jh.).

Faun *m* „lüsterner Mensch": Seit dem 18. Jh. eingedeutscht aus *lat.* Faunus, dem Namen eines weissagenden Feld- und Waldgottes, der dem *griech.* Pan (s. panisch) angeglichen wurde und dessen charakteristische Züge eines bocksfüßigen, geilen Waldschrecks annahm. Das *lat.* Wort Faunus ist ohne überzeugende Etymologie. Abl.: faunisch „lüstern", nach *lat.* Faunius. – Hierher noch das Substantiv **Fauna** *w* „Tierwelt [eines bestimmten Gebietes]": Die Frau oder Schwester des Gottes Faunus (s.o.) heißt *lat.* Fauna. Sie hat entspr. die Funktion einer die Fruchtbarkeit von Feld und Vieh – und der Tiere überhaupt – fördernden Göttin. Ihr Name erscheint seit dem 18. Jh. allegorisch als Titelstichwort auf zoologischen Büchern, woraus sich dann die synonyme Bezeichnung für „Tierwelt" entwickelt hat.

Faust *w*: Das nur im *Westgerm.* bezeugte Wort *mhd.* vust, *ahd.* fūst, *niederl.* vuist, *engl.* fist ist verwandt mit der *slaw.* Sippe von *russ.* pjásť „flache Hand", älter „Faust". Vielleicht verbinden die Wörter zu dem unter →fünf behandelten Zahlwort und bedeuten eigtl. „Fünfzahl der Finger". Abl.: Fäustel *m* „schwerer Bergmannshammer" (16. Jh.); fausten „mit der Faust stoßen" (*oberd.* im 18. Jh., aber schon *ahd.* fustōn; jetzt bes. beim Handballspiel); Fäustling *m* „Fausthandschuh" (*mhd.* viustelinc, *ahd.* fūstiling). Zus.: faustdick (18. Jh.; erst später bildlich gebraucht); Faustpfand „Pfand, das der Gläubiger in die Faust bekommt" (18. Jh.); Faustrecht „Recht des Stärkeren" (im 16. Jh. für die Austragung von Streitigkeiten ohne Richter).

Fauteuil *m* „Armstuhl, Lehnstuhl": Im 18. Jh. aus *frz.* fauteuil entlehnt, das sich aus älterem faldestueil, faldestoel entwickelt hat und urspr. einen bequemen „zusammenklappbaren Sessel" bezeichnete. Letzte Quelle ist *afränk.* *faldistōl „Faltstuhl".

158

Fauxpas *m* „Taktlosigkeit, gesellschaftl. Verstoß": Im 18. Jh. aus *frz.* faux pas „Fehltritt" entlehnt (vgl. *falsch*).

Favorit *m* „Günstling, Liebling; Wettkämpfer mit den größten Erfolgsaussichten", dazu als weibl. Form **Favoritin** : Schon im 16./17. Jh. entlehnt aus *frz.* favori (favorite) „beliebt; Günstling", das auf *it.* favorito „Begünstigte" zurückgeht. Populär wird das Wort jedoch erst im 20. Jh. durch seine sportl. Bedeutung, die wohl zuerst im Pferderennsport erscheint und von *engl.* favourite ausgeht. – *It.* favorito gehört zu favorire „begünstigen", das seinerseits von *it.* favore „Gunst" abgeleitet ist. Dies geht zurück auf *lat.* favor „Gunst" (zu *lat.* favēre „gewogen sein, begünstigen"). Dazu: **favorisieren** „begünstigen; zum Favoriten erklären" (17. Jh.; aus *frz.* favoriser).

Faxe *w* „dummer Spaß" (meist *Mehrz.*: Faxen): *Mdal.* Fack[e]s, Faksen (18. Jh.) ist gekürzt aus „Fickesfackes" „Possen", einer Ableitung zu 'fickfacken' „hin und her laufen" (s. ficken), das bes. auf die Possenreißer der Jahrmärkte angewendet wurde. Abl.: **Faxenmacher** *m* (18. Jh.).

Fazit *s* „Ergebnis; Schlußfolgerung": Das seit dem 16. Jh. bezeugte Wort stammt aus dem Rechnungswesen bzw. der Kaufmannssprache. Es ist substantiert aus *lat.* facit „es macht ...", der 3. Pers. Sing. Präs. Akt. von *lat.* facere „machen, tun", das zu der unter → *tun* dargestellten *idg.* Wortsippe gehört. – Zu *lat.* facere (fēcī, factum) stellen sich zahlreiche Ableitungen und Komposita, die in unserem Fremdwortschatz eine Rolle spielen. Vom Partizipialstamm fact(um) gehen aus die FW →Faktum, Fakt, faktisch, de facto, → faktitiv, → Faktor, Faktorei, →Kalfakter, →Faktur[a], Fakturist, fakturieren, →Manufaktur, →Feature, ferner das auf *lat.* facticius „künstlich zurechtgemacht" zurückgehende LW →Fetisch (Fetischismus, Fetischist). Der Präsensstamm von *lat.* facere erscheint im Adjektiv *lat.* facilis (älter: facul) „machbar, ausführbar; leicht zu tun, leicht" – dazu als Gegenbildung *lat.* difficilis „schwer zu tun, schwierig" – und in dem davon abgeleiteten Substantiv *lat.* facultās „Fähigkeit (etwas zu tun), Vermögen; Möglichkeit", das im *Mlat.* nach *gr.* dýnamis die zusätzliche Bed. „Wissens-, Forschungsgebiet" entwickelte (s. Fakultät, fakultativ). Der Imperativ von facere, *lat.* fac „mache!", ist Bestimmungswort in den FW → Faktotum und →Faksimile. Von besonderem Interesse sind ferner die Nominalbildungen *lat.* factiō „das Machen, Treiben; das Recht oder die Eigenart, etwas zu machen" (s. Fasson, Fassonschnitt und fesch) und *lat.* faciē (= *vlat.* *facia) „Mache, Aufmachung; Gestalt, Form; Aussehen, Gesicht" (s. Fassade und Fa-

cette). Von den zahlreichen Komposita sind zu erwähnen: *lat.* af-ficere „hinzutun, versehen mit; Eindruck machen, in eine Stimmung versetzen" (s. affektiert, Affekt), *lat.* cōn-ficere „fertigmachen, zustande bringen, zubereiten" (s. Konfekt, Konfektion, Konfetti, Konfitüre), *mlat.* contrā-facere „nachmachen, nachbilden" (s. Konterfei, konterfeien), *lat.* dē-ficere „sich losmachen; abnehmen, fehlen, mangeln" (s. Defizit, defekt, Defekt), *vlat.* *dis-facere (> *frz.* défaire) „abmachen, vernichten" (s. Defätismus, Defätist), *lat.* ef-ficere „hervorbringen, bewirken" (s. Effekt, effektiv, Effet), *vlat.* *cale-fāre (= *lat.* cale-facere) „warm machen, einheizen" (s. Kalfakter, Chauffeur, chauffieren, echauffiert), *lat.* inficere „hineintun; vergiften, anstecken" (s. infizieren, Infektion, infektiös, desinfizieren), *lat.* perficere „durch und durch machen, fertig machen, zustande bringen, vollenden" (s. perfekt, Perfektion, Perfekt, Imperfekt, Plusquamperfekt), *lat.* prō-ficere „fortmachen, vorwärtskommen; Erfolg haben, gewinnen" (s. Profit, profitieren), *lat.* suf-ficere „daruntermachen, hinzufügen; hinlänglich zu Gebote stehen, genügen" (s. süffisant). Beachte schließlich noch die in diesen Zusammenhang gehörenden FW → Affäre, → Offizier und → offiziell.

Feature *s* „(für Funk oder Fernsehen aufgemachter) Dokumentarbericht": Im 20. Jh. aus *engl.* feature (*mengl.* feture) „Aufmachung" entlehnt, das über *afrz.* faiture auf *lat.* factūra „das Machen, die Bearbeitung" zurückgeht (vgl. *Fazit*).

Februar *m*: Der zweite Monat des Jahres heißt bis zum 16. Jh. → Hornung oder Sporkel. Diese werden durch den gelehrten Namen Februar verdrängt, der *östr.* auch als Feber *m* erscheint (wie Jänner zu → Januar). Das vorausliegende *lat.* (mēnsis) Februārius „Reinigungsmonat" benennt den letzten Monat des mit dem 1. März beginnenden altröm. Jahres nach dem Reinigungs- und Sühneopfern, die in seiner zweiten Hälfte für die Lebenden und Abgeschiedenen veranstaltet wurden. Zugrunde liegt *lat.* februāre „reinigen", februum „Reinigungsmittel".

fechten: Das *westgerm.* Verb *mhd.* vehten, *ahd.* fehtan, *niederl.* vechten, *engl.* to fight ist wahrscheinlich verwandt mit *lat.* pectere „kämmen", *gr.* péktein „kämmen" und *lit.* pèšti „rupfen, zausen" (vgl. *Vieh*), hat also seine Bedeutung wie →raufen (urspr. „[sich] an den Haaren reißen") entwickelt. Die allgemeine Bedeutung „kämpfen, streiten" ist erst im *Nhd.* auf den Kampf mit der blanken Waffe begrenzt worden (heute bes. als Sport). Die ritterliche Fechtkunst, heute noch studentischer Brauch, haben seit dem ausgehenden Mittelalter die Handwerkerbruderschaften gepflegt. Später zeigten wandernde Handwerksburschen für Geld ihre Künste, und so erscheint im 17. Jh. *rotw.* fechten für 'betteln', später auch Fechtbruder für „Bettler". Abl.: Fechter *m* (*mhd.* vehter „Kämpfer"); Fuchtel (s. d.), fuchtig (s. d.); Gefecht *s* (*mhd.* gevehte, *ahd.* gifeht; heute noch militär. für „kleinere Kampfhandlung"). Zus.: anfechten „bestreiten; beunruhigen" (*mhd.* anevehten „gegen jemanden kämpfen; beunruhigen; jemandem etwas abgewinnen"; *ahd.* anafehtan „[an]kämpfen, schlagen"); ausfechten (schon im 16. Jh. übertr.).

Feder *w*: Das *altgerm.* Substantiv *mhd.* veder[e], *ahd.* fedara, *niederl.* veder, *engl.* feather, *schwed.* fjäder beruht (ebenso wie das andersgebildete, unter →Fittich behandelte Wort) mit verwandten Wörtern in anderen *idg.* Sprachen auf den *idg.* Wz. *pet- „auf etwas los- oder niederstürzen, hinschießen, fliegen", vgl. z. B. *gr.* pterón „Feder, Flügel", *gr.* pétesthai „fliegen", *gr.* píptein „fallen" (s. Symptom), *lat.* penna (*petna) „Feder" (s. Pennal), *lat.* petere „losgehen, zu erlangen suchen" (s. Appetit). – Da große Vogelfedern mit ihrem hohlen Kiel seit dem frühen Mittelalter zum Schreiben dienten, nannte man auch die im 16. Jh. erfundene, aber erst im 19. Jh. durchgängig verwendete metallene Schreibfeder. Für die Benennung elastischer Metallstäbe oder -blätter (Uhr-, Sprung-, Spiral-, Blattfeder usw., in bildl. Gebrauch Triebfeder) war im 17. Jh. wohl die Biegsamkeit der Vogelfeder der Anlaß. Abl.: federn „elastisch schwingen" (19. Jh.; doch kennt schon das 18. Jh. Federkraft für „Elastizität"; *mhd.* videren, *ahd.* fideran „mit Federn versehen" lebt im Adj. gefiedert und in botan. Fachwörtern wie Fiederblatt fort). Zus.: Federfuchser *m* „Schreiberling" (18. Jh.; vgl. *fuchsen*); Federlesen *s* (in: 'nicht viel Federlesens [d. h. Umstände] machen'; *spätmhd.* vederlesen, -klüben „Schmeichelei" meint eigtl. das beflissene Wegklauben angeflogener Federn vom Kleid vornehmer Personen).

Fee *w*: Der seit dem 18. Jh. bezeugte Name der Märchengestalt ist aus *frz.* fée „Fee, Zauberin" übernommen. Aus dem *Afrz.* war schon einmal um 1200 *mhd.* fei[e] „Fee" entlehnt worden, das jedoch in *frühnhd.* Zeit wieder verlorenging und nur noch in dem zu Fee gehörenden veralt. Verb feien (s. gefeit) nachwirkt. Quelle des *frz.* Wortes ist *vlat.* Fāta „Schicksalsgöttin, Fee", das zu *lat.* fātum „Schicksal" (vgl. *fatal*) gehört.

fegen: Das *landsch.* Wort für „(mit dem Besen) kehren" ist bes. *niederd.*, aber auch *südwestd.* und *schweiz.*; doch gilt es im Süden meist für „scheuern, (naß) wischen". *Mhd.*, *mnd.* vegen „fegen, putzen" ist ablautend verwandt mit *mniederl.* vāgen, *aisl.* fāga „reinigen, glänzend machen, schmücken". *Außergerm.* verwandt sind z. B. *lit.*

puõšti, „schmücken" und *lett.* pùost „reinigen, säubern, putzen". Zus.: Fegefeuer (*mhd.* vegeviur ist LÜ von *kirchenlat.* Ignis pūrgātōrius).

Fehde *w*: Das heute nur in bildl. Wendungen wie 'mit jemandem in Fehde liegen', 'jemandem Fehde ansagen' für persönliche Streitigkeiten gebrauchte Wort ist durch die Ritterdichtung des 18./19. Jh.s wieder bekannt geworden. *Mhd.* vēhede, *ahd.* [gi]fēhida, *niederl.* veede, *aengl.* fǣhd[u] „Feindschaft, Streit" ist eine *westgerm.* Bildung zu dem im *Nhd.* untergegangenen Adjektiv *mhd.* gevēch, *ahd.* gifēh „feindselig", *aengl.* fāh „feindlich; geächtet" (beachte auch *engl.* foe „Feind" und den Artikel →feige). Dieses Adjektiv beruht zusammen mit dem wohl verwandten *lit.* piktas „böse, zornig" auf der *idg.* Wz. *peik-, *poik- „feindselig". Die mittelalterl. Fehde war als Privatkrieg urspr. ein zulässiges Rechtsmittel und an die Einhaltung bestimmter Formen gebunden. So ist außer dem Fehdebrief (*mhd.* vēhedebrief) noch der zur Herausforderung geworfene Fehdehandschuh bekannt (die Zus. entstand erst im 18. Jh.; der Brauch ist schon *mhd.* bezeugt). Wer den Kampf verlor, mußte oft Urfehde schwören (*mhd.* urvēhe[de] „eidlicher Verzicht auf Rache", eigtl. „Heraustreten aus dem Fehdezustand"; vgl. *ur*...). Das Verb befehden (*spätmhd.* bevēhden, *mhd.* vēheden) hatte sich besser gehalten als das Substantiv und wurde mit diesem neu belebt.

fehlen: *Mhd.* vēlen, vēlen ist wie *niederl.* falen und *engl.* to fail entlehnt aus *(a)frz.* fa[il]lir „verfehlen, sich irren". Dieses geht auf das etymologisch nicht sicher erklärte *lat.* fallere „täuschen" zurück, zu dem auch *lat.* falsus „falsch, irrig, unwahr" (s. falsch) gehört. Das *mhd.* Verb bedeutete wie das *frz.* „mit der Lanze verfehlen, vorbeischießen", „irren, trügen" und „fehlschlagen, mangeln". Das verfehlte Ziel stand im Genitiv, später im Dativ mit an, woraus das unpersönl. 'es fehlt [mir] an...' wurde. (Beachte auch 'weit gefehlt!' für „falsch".) *Frühnhd.* tritt die übertragene Bed. „sündigen" auf. Heute steht im eigtl. Sinn 'etwas oder jemanden verfehlen' (schon *mhd.* vervēlen), dazu Verfehlung *w* „Vergehen" (17. Jh.). Etwas später als das Verb wurde *mhd.* vēl[e] (*nhd.* Fehl *m*) aus *afrz.* faille entlehnt; es kommt heute selbständig nur noch in der Fügung 'ohne Fehl', d. h. „Fehler" vor. In Zus. wie fehlbitten, -gehen, -greifen, -schießen ist es eigtl. Akkusativ. Die *nhd.* Substantive Fehlgeburt, Fehlbitte, -griff, -schuß, -tritt sind Ableitungen aus solchen Verben. Auch das Adv. fehl (in 'er ist fehl am Ort') stammt aus dem Substantiv. Erst um 1500 erscheint Fehler *m*, zunächst in der Bed. „Fehlschuß" (Ggs.: Treffer), seit dem 18. Jh. wie heute als „Versehen" (Schreib-,

Rechenfehler) und „bleibender Mangel".
Die Adjektive fehlbar „schuldig" (17. Jh.,
noch *schweiz.*) und unfehlbar „nicht irrend;
sicher" (17. Jh.) übersetzen *mlat.* fallībilis
und infallībilis.

Feier *w*: Von *lat.* fēriae „Festtage, geschäftsfreie Feiertage, Ruhetage", das in *frühnhd.*
Zeit unser FW →Ferien lieferte, wurde im
Spätlat. der Singular fēria „Festtag, Feiertag;
Fest" rückgebildet. Darauf beruht unser in
ahd. Zeit entlehntes Substantiv ‚Feier'
(*mhd.* vīre, *ahd.* fīr[r]a „Festtag; Feier").
Das *lat.* Substantiv fēriae (*alat.* fēsiae) entstammt dem Bereich der Sakralsprache und
bedeutete urspr. „die für religiöse Handlungen bestimmten Tage". Es gehört mit den
verwandten Wörtern *lat.* fēstus „die für
die religiösen Handlungen bestimmten Tage
betreffend; festlich, feierlich" (s. das LW
Fest und die dazugehörigen FW) und *lat.*
fānum „heiliger, der Gottheit geweihter Ort;
die für die religiöse Feier bestimmte Kult-
stätte" (s. die FW fanatisch, Fanatiker,
Fanatismus, Fan und profan) zu einer Nominalwurzel *fēs-, *fas-„religiöse Handlung",
die keine sicheren Entsprechungen im Außeritalischen hat. – Abl. und Zus.: feierlich
(*mhd.* vīrlich); feiern (*mhd.* vīren, *ahd.*
fīrōn „einen Festtag begehen, feiern", nach
gleichbed. *mlat.* fēriāre gebildet); Feiertag
(*mhd.* vīre-tac, *ahd.* fīratag); Feierabend
(*spätmhd.* vīr-ābent bedeutete urspr. „Vorabend eines Festes" und wurde dann auf
„Ruhezeit nach der Arbeit am Abend"
umgedeutet; s. hierzu Abend).

feig[e]: Die Grundbedeutung des *altgerm.* Adjektivs (*mhd.* veige, *ahd.* feigi, *niederl.* veeg,
aengl. fǣge, *aisl.* feigr) war „dem Tode verfallen, unselig, verdammt". Erst im 15. Jh.
entwickelte sich, zuerst im *Mnd.* und *Ostmitteld.*, die Bed. „(vor dem Tode) verzagt,
zaghaft, ängstlich", die sich dann im *Nhd.*
durchsetzte. Vielleicht gehört das *germ.* Adjektiv zur Sippe von →Fehde: der Friedens-
brecher verfällt der Blutrache und Ächtung
und damit dem Tode (beachte *ahd.* gifēh
„feindselig", *aengl.* fāh „feindlich, geächtet",
vgl. Fehde). Abl.: Feigheit *w* (*mhd.* veicheit
„Unheil, Unseligkeit"; die Bedeutung hat
sich in *nhd.* Zeit im Anschluß an das Adjektiv
gewandelt); Feigling *m* (um 1800).

Feige *w*: Der Name der trop. Südfrucht, *mhd.*
vīge, *ahd.* fīga, beruht auf einer durch *aprov.*
figa (daraus auch entspr. *frz.* figue) vermittelten Entlehnung aus *lat.* fīcus (bzw. *vlat.*
fīca) „Feigenbaum; Feige". Das *lat.* Wort
selbst hängt irgendwie zusammen mit *gr.*
sýkon „Feige". Beide stammen vermutlich
(unabhängig voneinander) aus einer *voridg.*
mittelmeerländischen oder kleinasiat. Sprache. – Zus.: Feigenblatt (*mhd.* vīgen-blat;
seit Luthers Bibelübersetzung übertragene
Bezeichnung für „keusche Verhüllung der

[weiblichen] Schamteile"); Ohrfeige (s.
unter Ohr).

feil: Die *nhd.* Form des Adjektivs geht über
mhd. veile zurück auf *ahd.* feili „käuflich",
dessen Zusammenhang mit gleichbed. *ahd.*
fali und der *nord.* Sippe von *schwed.* fal
„käuflich" wegen des abweichenden Vokalismus unklar ist. Die letzteren Wörter sind
sicher verwandt mit *gr.* pōleīn „verkaufen",
lit. peĩnas „Verdienst" und *russ.* polón
„Beute" und stellen sich zu der *idg.* Wz.
*pel- „verkaufen, verdienen". Das Adjektiv
‚feil' ist heute veraltet; feste Verbindungen
wie ‚feile Dirne', ‚feiler Sklave' stammen aus
der alten Dichtersprache. Gebräuchlicher
sind noch die Zus. feilhalten (*nhd.* für
älteres feil haben, *mhd.* veile hān; s. auch
Maulaffen) und wohlfeil (*mhd.* wol veile,
wolveil „leicht zu kaufen, billig; häufig").
Abl. und Zus.: feilschen „kleinlich um etwas
handeln" (*mhd.* veils[ch]en).

Feile *w*: Die Herkunft der *altgerm.* Gerätebezeichnung *mhd.* vīle, *ahd.* fīla, *niederl.* vijl,
engl. file, *aisl.* fēl ist nicht geklärt. Urspr.
war das Werkzeug wohl ein Reib- und Glätt-
holz. Als die Germanen die eiserne Flach-
feile zur Römerzeit kennenlernten, übertrugen sie den Namen auf sie. – Abl.: feilen
(*mhd.* vīlen, *ahd.* fīlon; auch übertr. für
„Verse und Prosa formal und stilistisch
glätten"), ebenso ausfeilen (*mhd.* ūzvīlen);
Feilenhauer „Feilenmacher" (nach dem
Aushauen der Riefen; *spätmhd.* vīlenhou-
wer).

fein: Das den heutigen *germ.* Sprachen gemeinsame Adjektiv (*mhd.* fīn, *niederl.* fijn,
engl. fiñe, *schwed.* fin) beruht auf Entlehnung
aus *afrz.* (= *frz.*) fin „fein, zart", das seinerseits aus einem zu *lat.* fīnis „Ende, Grenze"
(vgl. *Finale*) gehörenden *galloroman.* fīnus
„Äußerstes; Bestes" hervorgegangen ist.
Diese übertragene Bedeutung ist auch schon
für *lat.* fīnis in klass. Zeit bezeugt. – Abl.:
Feinheit *w* (15. Jh.); feinern „feiner
machen" (18./19. Jh.); vom Komparativ
‚feiner' abgeleitet, gegenüber *mhd.* fīnen
„fein machen"), dafür heute die Präfixbildung verfeinern. Siehe auch Finesse und
raffiniert und den dazugehörigen FW.

Feind *m*: Das *gemeingerm.* Substantiv *mhd.*
vīant, vīnt, *ahd.* fīand, *got.* fijands, *engl.* fiend,
schwed. fiende ist (ähnlich wie Freund und
Heiland) ein erstarrtes erstes Partizip mit
der Grundbed. „der Hassende". Das vorausliegende, im *Mhd.* untergegangene Verb *ahd.*
fīēn „hassen" (entspr. *got.* fijan, *aengl.* fīon,
aisl. fjā) führt mit verwandten Wörtern im
Aind., *Gr.* und *Lat.* (z. B. *lat.* patī „erdulden,
leiden", s. Passion) auf die Wz. *pē[i]-,
„schädigen, weh tun, schmähen". Das abgeleitete Verb ‚feinden' (*spätmhd.* vinden) ist
heute nur noch in anfeinden (16. Jh.) und
verfeinden, sich (17. Jh.) gebräuchlich.
Abl.: feindlich (*mhd.* vī[e]ntlich, *ahd.*

fïantlïh; meist von der Gesinnung gesagt);
Feindschaft w (mhd. vï[e]ntschaft, ahd.
fïantscaft). – Nach dem Muster anderer Bildungen auf ...selig (s. selig) erscheint *frühnhd.* **feindselig** (16. Jh., urspr.
„verhaßt", dann „gehässig"), dazu **Feind-**
seligkeit w „feindlicher Sinn" (*Mehrz.*:
„Kampfhandlungen").

feist: Das urspr. *oberd.* Adjektiv mhd. vei-
z[e]t, ahd. feiz[z]it ist – wie das urspr. nur
niederd. Gegenstück →**fett** – eigtl. das
2. Partizip eines im *Nhd.* untergegangenen
Verbs mhd. veizen, aengl. fǣtan, aisl. feita
„fett machen". Dieses Verb ist abgeleitet
von dem gleichfalls im *Nhd.* untergegangenen Adjektiv mhd. veiz[e], mnd. veit, schwed.
fet „fett". Zugrunde liegt eine Erweiterung
der idg. Wz. *pē[i]- „strotzen, fett sein,
schwellen, quellen". Abl.: **Feiste** w, **Feist-**
heit w „Fettheit" (*mhd.* veiz[e]te, vei-
zetheit).

feixen (*ugs.* für:) „grinsend lachen": Im
19. Jh. abgeleitet von *nordd.* Feix m „Unerfahrener, Dümmling", das wohl eine stud.
Scherzbildung des 17. Jh.s ist.

Feld s: Das *westgerm.* Substantiv mhd. veld,
ahd. feld, *niederl.* veld, *engl.* field geht zusammen mit den verwandten Wörtern *aisl.* fold
„Erde, Weide" und *asächs.* folda „Boden"
auf eine idg. Wz. *pel[ə]-„platt, eben, breit;
ausbreiten, breitschlagen" zurück. Eine
andere *germ.* Bildung zur gleichen Wurzel
ist →**Flur** (eigtl. „flachgestampfter Boden").
Im *außergerm.* Sprachbereich sind z. B. verwandt *aslaw.* polje „Feld "(im Landesnamen
Polen), *lat.* palma „flache Hand; Palme"
(s. Palme), *lat.* plānus „glatt, eben, flach"
(s. die FW-Gruppe um →plan), *gr.* plános,
planḗs „umherirrend" (eigtl. von der Herde,
die sich über die Weide ausbreitet; s. auch
Planet; auf das wurzelverwandte *aisl.* flana
„umherlaufen" geht →flanieren zurück). Im
Sinne von „breitschlagen, aufstreichen" gehören auch *gr.* plássein „aus weicher Masse
bilden" und émplastron „Pflaster" hierher
(s. die unter →Plastik und →Pflaster behandelten Wörter). Zu dieser vielfach weitergebildeten und erweiterten idg. Wurzel gehören auch die Wortgruppen von
→**flach**, →**fluchen** (eigtl. „[auf die Brust]
schlagen"; s. dort über Plage, flackern,
Flagge, Fleck usw.) und →**Fladen** „flacher
Kuchen" (s. dort über Flunder, Flöz, platt,
Platz, Pflanze usw.). – Aus der Bedeutung
„offene Fläche, Ackerfeld", mit der „Feld"
heute bes. als Gegenwort zu ʻWaldʼ steht,
ergab sich einerseits die Bed. „Schlachtfeld", die noch heutigen militär. Fachwörtern wie Feldküche, -post, -wache zugrunde
liegt (weitere s. u.), andererseits die Bed. „abgeteiltes Ackerstück", übertr. „Unterteilung
eines Spielbretts, Wappenschilds" und dgl.
(schon *mhd.*). Auf der Vorstellung des begrenzten Gebietes oder Raumes beruht auch

der Begriff des Kraftfeldes in der Physik
(Ende des 19. Jh.s), während die bildl. Gebrauch für „Betätigungsgebiet, Fach"
(18. Jh.) vom Arbeitsfeld des Bauern ausgeht. Zus.: **Feldherr** (16. Jh.); **Feldhüter**
„Flurschütz" (*spätmhd.* velthüeter); **Feld-**
marschall (16. Jh., nach *frz.* maréchal de
camp; s. Marschall); **Feldscher** m veraltet
für „Militärarzt" (im 18. Jh. verkürzt aus
frühnhd. Feldscherer [16. Jh.], zu →¹scheren
„schneiden, rasieren"; im alten Heerwesen
war der Bartscherer zugleich Chirurg);
Feldstecher „Doppelfernrohr" (1. Hälfte
des 19. Jh.s, neben älterem ʻStecherʼ
„Opernglas", das urspr. vielleicht scherzhaft
gemeint war); **Feldwebel** m (Unteroffi-
ziersdienstgrad, urspr. ein Verwaltungs-
beamter; im 16. Jh. Feldweibel [so noch
schweiz.]; das Grundwort, mhd. weibel, ahd.
weibil „Gerichtsbote" gehört zu ahd. weibōn
„sich hin und her bewegen"). Siehe auch den
Artikel Gefilde.

Felge w: Der aus Krummhölzern gearbeitete
Kranz des Wagenrades heißt mhd. velge,
ahd. felga, *niederl.* velg, *engl.* felly. Das
westgerm. Wort bedeutet wohl „die Gewendete, Gebogene". Seit Jahn bezeichnet ʻFel-
geʼ auch eine Turnübung am Reck, bei der
die Füße nach Art einer Radfelge den
Schwung geben.

Fell s: Das *gemeingerm.* Substantiv mhd.,
ahd. vel, got. fill, *engl.* fell, schwed. fjäll
bedeutet urspr. „Haut" (von Mensch und
Tier). Es ist verwandt mit *lat.* pellis „Fell,
Pelz, Haut" (s. Pelle und Pelz) und *gr.* pélla
„Haut, Leder". Verwandt ist auch das andersgebildete *aengl.* filmen „Häutchen" (s.
Film). Zugrunde liegt die idg. Wz. *pel-„bedecken, umhüllen", zu deren k-Erweiterung
die Verben →befehlen und → empfehlen
gehören. Erst im *Nhd.* wird das Wort Fell auf
die Bed. „behaarte Tierhaut" eingeschränkt.
Der alte allgemeinere Sinn zeigt sich jetzt
noch u. a. in *ugs.* Wendungen wie ʻdich juckt
wohl das Fellʼ? (du willst wohl Prügel haben?) und ʻein dickes Fell habenʼ für „unempfindlich sein" (dazu das bildl. gebrauchte
Adjektiv dickfellig; 18. Jh.). Dagegen
ist ʻdas Fell über die Ohren ziehenʼ für „betrügen, ausbeuten" (17. Jh.) von der Arbeit
des Schinders her übertragen worden (s.
schinden). Wenn nach einer anderen Redensart ʻden betrübten Lohgerbern die Felle weg-
geschwommen sindʼ, so erinnert das an das
frühere Wässern der gegerbten Häute im
Stadtbach.

Fels, Felsen m: Mhd. vels[e], ahd. felis, felisa
ist verwandt mit *aisl.* fjall, fell, *norw.* fjell
„Fels, Berg" (s. Vielfraß). *Außergerm.* vergleichen sich z. B. *gr.* pélla und *aind.* pāṣāṇá-h
„Stein". Abl.: **felsig** (im 19. Jh. für älteres
felsicht, mhd. felseht).

Feme w: Das „heimliche oder Freigericht"
war eine niederd. bes. westfäl. Einrichtung,

die ihre größte Bedeutung in der friedlosen Zeit des ausgehenden Mittelalters erreichte. *Mnd.* veime, vēme, *mhd.* veime ist im 18. Jh. mit *westfäl.* Lautung neu belebt und durch die Ritterdichtung (Goethe, Kleist) bekanntgeworden. Die Herkunft des Wortes ist ungeklärt. Es ist wohl identisch mit *niederl.* veem „Genossenschaft, Zunft", beachte *mnd.* veime nōt „Femgenosse, Freischöffe". Noch gebräuchlich ist das Verb verfemen „ächten, friedlos machen" (*mhd.* verveimen, *mnd.* vorveimen).

feminin „weiblich; weibisch": Aus gleichbed. *lat.* fēminīnus; zu *lat.* fēmina „Weib" (vgl. hierüber den Artikel *Filius*). Dazu: Femininum *s* „weibliches Geschlecht" (Gramm.; neben →Maskulinum und →Neutrum) aus *lat.* genus fēminīnum.

Fenster *s*: Die festen Wohnstellen der alten Germanen waren in der ältesten Zeit Flechtwerkbauten, später auch Holzhäuser. Daran erinnern alte Bezeichnungen wie →Wand (urspr. „Gewundenes, Geflecht") und →Zimmer (urspr. „Bauholz; Holzbau"). Erst mit dem Vordringen der Römer an Rhein und Donau lernten die Germanen den röm. Stein- und Mauerbau kennen. Zahlreiche *lat.* Bezeichnungen aus diesem Bereich gelangten als Lehnwörter in die *germ.* Sprachen, wo sie bis heute lebendig sind. Zu dieser Gruppe von Lehnwörtern wie →Kalk, →Mauer, →tünchen, →Mörtel, →Ziegel, →Keller, →Kammer, →Pforte, →Pfeiler, →Pfosten u. a. gehört auch das Substantiv Fenster (*mhd.* venster „Lichtluke, Fensteröffnung; Fenster", ebenso *ahd.* fenstar, *niederl.* venster, *aengl.* fenester; *aengl.* fönster stammt unmittelbar aus *mnd.* vinster). Es geht zurück auf *lat.* fenestra „Öffnung für Luft und Licht in der Wand, Fensteröffnung; (seit der Kaiserzeit auch:) Glasfenster", das auch die Quelle für entspr. *frz.* fenêtre ist. Durch das LW 'Fenster' wurden die alten *germ.* Bezeichnungen wie *ahd.* augatora (= *got.* augadaúro; eigtl. „Augentor"), *aisl.* vindauga (eigtl. „Windauge") zurückgedrängt. Letzteres ist allerdings bewahrt in *dän.* vindue und in dem aus dem *Aisl.* entlehnten *engl.* Wort window „Fenster" (*aengl.* fenester konnte sich in der Volkssprache nicht durchsetzen). – Abl.: fensterln „bei der Geliebten nachts durchs Fenster einsteigen" (*südd.*; zuerst im 16. Jh. in der Form 'fenstern' bezeugt).

Ferien *Mehrz.* „einzelne freie Tage; Urlaub": Das seit dem 16. Jh. bezeugte FW ist aus *lat.* fēriae „Festtage, geschäftsfreie Tage, Ruhetage" entlehnt (vgl. das LW *Feier*). Das FW erscheint zunächst im Bereich der Rechtssprache zur Bezeichnung der Tage, an denen keine Gerichtssitzungen abgehalten wurden. Im schulischen Bereich entwickelte sich dann der freiere Gebrauch des Wortes.

Ferkel *s*: Das Substantiv *mhd.* verkel[īn], verhel[īn], *ahd.* farhilī[n] ist eine Verkleinerungsbildung zu *ahd.* far[a]h [junges] „Schwein". Mit diesem Substantiv ist *germ.* Sprachbereich z. B. gleichbed. *engl.* farrow verwandt, *außergerm.* z. B. die gleichbed. *lat.* porcus, *mir.* orc, *lit.* par̃šas, *kurd.* purs. Die ganze Wortgruppe beruht auf *idg.* *porko-s „Schwein", das eine Bildung zu der *idg.* Verbalwurzel *perk- „aufreißen, wühlen" ist und demnach eigtl. „Wühler" bedeutet (vgl. *Furche*). Ähnliche Verkleinerungsbildungen sind z. B. *lat.* porculus, porcellus und *lit.* paršẽlis „Ferkel". Siehe auch den Artikel Porzellan.

Ferment *s* „Gärstoff": Im 18. Jh. aus *lat.* fermentum „Gärung; Gärstoff" entlehnt, das urverwandt ist mit *dt.* →*Bärme*. Abl.: fermentieren „durch Gärung veredeln" (18. Jh.; aus *lat.* fermentāre „gären machen"); Fermentation *w* „Gärung" (*nlat.* Bildung).

fern: Das *gemeingerm.* Adverb *mhd.* ver[re], *ahd.* ferro, *got.* faírra, *engl.* far, *aisl.* fjarri gehört zu der unter →*ver*... dargestellten *idg.* Wz. *per- „über etwas hinausführen". Es ist im *Neuhochdeutschen* von der Bildung *mhd.* verren, *ahd.* ferrana „[von] fern" ersetzt worden, wie auch *schwed.* fjärran „fern" älteres fjär verdrängt hat. *Außergerm.* lassen sich *aind.* párā „fort, weg", *gr.* pérā „darüber hinaus, jenseits" vergleichen. Das Wort ist dann auch zum Adjektiv geworden (*mhd.* verre, *ahd.* ferri). Abl.: Ferne *w* (*frühnhd.*, für älteres *mhd.* virre, *ahd.* ferrī); fernen veraltet für „fern machen, sein" (*mhd.* verren, *ahd.* ferrēn), dazu entfernen (*mhd.* entverren) mit dem adjektivisch gebrauchten Part. entfernt und dem Subst. Entfernung *w* (17. Jh.); ferner (Komparativ des Adverbs, *mhd.* verrer, *ahd.* ferrōr). Zus.: Fernfahrer „Führer von Fernlastzügen" (um 1940; ebenso das *ugs.* Fernlaster *m* „Fernlastzug"); Fernglas (im 17. Jh. zuerst für den 1608 in Holland erfundenen einrohrigen [verre]kijker, dann für das Doppelglas); Fernrohr (17. Jh.). In vielen technischen Wörtern ist Fern... LÜ für *gr.* Tele... (s. d.), bes. im Bereich der als Fernmeldewesen (20. Jh.) zusammengefaßten elektr. Nachrichtenübermittlung, z. B.: Fernschreiber (Anfang des 19. Jh.s für „Telegraph" vorgeschlagen, in der 1. Hälfte des 20. Jh.s für das wirklich schreibende Nachrichtengerät eingeführt), dazu Fernschreiben *s* für die fernschriftlich übermittelte Nachricht; Fernsprecher (Ende des 18. Jh.s für den optischen Telegraphen; 1875 für den Reichspost für „Telephon" eingeführt), dazu Ferngespräch; Fernsehen *s* (Ende des 19. Jh.s gebildet, aber infolge der techn. Entwicklung erst im 20. Jh. allgemein bekannt geworden), dazu das jüngere Verb fernsehen (Mitte des

20. Jh.s) und das Subst. Fernseher (schon 1905 für ein Gerät gebraucht, jetzt auch für den Fernsehteilnehmer).

Ferse w: Die altgerm. Körperteilbezeichnung mhd. verse[ne], ahd. fersana, got. faírzna, niederl. verzenen (Mehrz.), aengl. (andersgebildet) fiersn ist z. B. verwandt mit gleichbed. aind. pârṣṇi-ḥ und gr. ptérnē sowie mit lat. perna (*persnā) „Hinterkeule, Schinken". Zus.: Fersengeld: Die scherzh. Wendung 'Fersengeld geben' „fliehen" erscheint im 13. Jh. und wird frühnhd. als „Bezahlung mit der Ferse" beim heimlichen Verlassen einer Herberge aufgefaßt. Doch ist mhd. versengelt auch für bestimmte Abgaben und Bußen bezeugt und kann sich auf eine Strafe für Flucht vor dem Feinde bezogen haben. 'Fersen oder Fußsohlen zeigen' war schon bei Griechen und Römern Umschreibung für „fliehen".

fertig: Das nur dt. Adjektiv ist abgeleitet von dem unter →Fahrt behandelten Wort. Daher bedeutet mhd. vertec, ahd. fartîg eigtl. „zur Fahrt bereit, reisefertig". Daraus hat sich schon im Mhd. die allgem. Bed. „bereit" entwickelt, die dann zu dem jetzigen Sinn „zu Ende gebracht, zu Ende gekommen" führte (ugs. auch „erschöpft, erledigt"). Dazu fertigbringen „vollbringen, imstande sein" und fertigmachen ugs. für „jemanden erledigen; zurechtweisen". Die mhd. Bedeutung „beweglich, geschickt, gut beschaffen" lebt fast nur noch in der Abl. Fertigkeit w „Geschicklichkeit" (Mehrz.: „Fähigkeiten"; 16. Jh.). Das Verb fertigen bedeutet heute „herstellen"; mhd. vertegen war „reisefertig machen".

fesch „schick, schneidig, flott, elegant": Das seit dem 19. Jh. bezeugte Adjektiv ist aus der Wiener Mundart übernommen, wo es gekürzt ist aus engl. fashionable „modisch, elegant". Zugrunde liegt engl. fashion „Aufmachung, Erscheinung" (mengl. fasoun, facioun), das auf frz. façon (vgl. Fasson) zurückgeht.

¹Fessel w „Teil des Pferdebeines": Mhd. vezzel, fissel ist wie das Kollektiv mhd. vizzeloch, vizlach „Hinterbug des Pferdefußes" eine ablautende Bildung zu →Fuß.

²Fessel w „hemmendes Band": Mhd. vezzel, ahd. fezzil bezeichnete ein Trag- und Halteband für Schwert und Schild. Das Wort gehört wie mnd. vētel „Riemen, Nestel", aengl. fetel „Gürtel", aisl. fetill „Schulterband" zu der unter →Faß besprochenen Sippe und hat wohl die Grundbed. „Geflochtenes". Den heutigen Sinn erhielt Fessel erst im Nhd. durch Vermischung mit mhd. vezzer, ahd. fezzara „Fessel" (entspr. engl. fetter, schwed. fiätter), einem Wort, das zur Sippe von →Fuß gehört (vgl. gr. pédē „Fußfessel", lat. pedica „Fußfessel"). Abl.: fesseln (15. Jh.; mhd. vezzeren, ahd. fezzarōn).

fest: Die germ. Adjektivbildungen mhd. veste, ahd. festi, fasti, niederl. vast, engl. fast, schwed. fast gehen auf idg. *pasto- „fest" zurück, auf dem auch gleichbed. armen. hast und wahrscheinlich auch aind. pastyàm „Behausung" (eigtl. „fester Wohnsitz") beruhen. Im Mhd. bedeutet 'fest' „hart, stark, beständig", nhd. ist es auch Gegenwort zu 'beweglich, flüssig, lose' geworden. Abl.: Feste w (mhd. veste, ahd. festî „Festigkeit, befestigter Ort"; im 18. Jh. für „Festland"; für „Festung" in Namen wie Veste Coburg, Franzensfeste); Festung w (mhd. vestunge ist Abl. von mhd. vesten, ahd. festen, „befestigen"); dafür jetzt festigen „fest machen" und befestigen „festmachen; durch Festungswerke sichern"; beide spätmhd.); Festigkeit w (mhd. vestecheit). Zus.: Festland (im 19. Jh. ve-stecheit). Zus.: Festland (im 19. Jh. für Kontinent).

Fest s: Das seit dem 13. Jh. bezeugte Substantiv (mhd. fest) ist entlehnt aus lat. fēstum „Fest[tag]", dem substantivierten Neutr. des zum Stamm von lat. fēriae „Festtage, Feiertage" (vgl. das LW Feier) gehörenden Adjektivs lat. fēstus „festlich, feierlich". – Auf einer vlat. Form festa „Fest" beruht entspr. frz. fête „Fest", das unsere scherzhaften Bezeichnungen →Fete und →Fez lieferte. – Abl. und Zus.: festlich (Anfang 17. Jh.); Festtag (16. Jh.). – Siehe auch Festival, ferner Festivität (unter →Fete).

Festival s „Festspiel (bes. musikalisches)": Modernes FW, im 20. Jh. aus dem Engl. entlehnt. Gleichbed. engl. festival beruht auf afrz. festival, einer roman. Weiterbildung von lat. fēstivus „festlich" (vgl. Fest).

Fete w (scherzhaft für:) „Fest": Das seit dem 18. Jh. bezeugte Substantiv stammt aus der Studentensprache. Es tritt gleichwertig neben das schon im 17. Jh. vorhandene Studentenwort Festivität w. Während letzteres eine scherzhafte Eindeutschung ist von lat. fēstívitās „Festlichkeit, Festlichkeit" (zu lat. fēstus „feierlich"), ist Fete aus frz. fête „Fest" entlehnt, das auch die Quelle für dt. →Fez ist. – Das frz. Wort seinerseits beruht auf vlat. festa „Fest", dem substantivierten Femininum von lat. fēstus „festlich" (vgl. das LW Fest).

Fetisch m „mit magischer Kraft erfüllter Gegenstand; Götze[nbild]": Im 18. Jh. aus gleichbed. frz. fétiche entlehnt, das seinerseits aus port. feitiço „Zauber[mittel]" – eigtl. Bed. „[Nach]gemachtes, künstlich Zurechtgemachtes" – stammt. Voraus liegt lat. facticius „nachgemacht, künstlich", das zu lat. facere „machen; erbilden" gehört (vgl. Fazit). Abl.: Fetischismus m „Fetischverehrung; krankhafte, gegenstandsbezogene Perversion", eine nlat. Bildung wie das Subst. Fetischist m.

fett: Das urspr. nieder. Adjektiv mnd. vet, niederl. vet, engl. fat ist – wie das urspr. nur *oberd.* Gegenstück →feist – eigtl. das 2. Partizip eines im *Nhd.* untergegangenen *germ.* Verbs (Weiteres s. unter →feist). Seit dem 14. Jh. im *Mitteld.* belegt, hat sich 'fett' in der Schriftsprache durchgesetzt. Die Substantivierung Fett *s* (*mnd.* vet[te] *s, niederl.* vet) bezeichnete schon früh alle fetten Substanzen, tierischer, pflanzl. oder mineral. Herkunft. In der Wendung 'sein Fett kriegen, weghaben' (18. Jh.) sind eigtl. wohl Prügel gemeint. Ungeschickt 'ins Fettnäpfchen treten' („es mit jemandem verderben", 19. Jh.) konnte man früher in Bauernhäusern, wo der Topf mit Stiefelfett neben dem Ofen stand. Abl.: **fetten** (*mnd., spätmhd.* **vetten** „fett machen oder werden"; jetzt meist als ein-, verfetten; **fettig** „fettartig, fettbeschmiert" (16. Jh.), dazu **Fettigkeit** *w* (*mhd.* veticheit; die Mehrz. steht *ugs.* seit der zweiten Hälfte des 19. Jh.s für „fette Nahrungsmittel").

Fetzen *m*: *Mhd.* vetze „Fetzen, Lumpen" (*frühnhd.* auch „Kriegsfahne") schließt sich an die Bed. „kleiden" von *mhd.* vassen an (vgl. *fassen*; beachte *aisl.* fǫt „Kleider", die Mehrz. von fat „Gefäß, Decke"). Abl.: **fetzen**, meist **zerfetzen** „in Fetzen reißen" (beide 16. Jh.).

feucht: Das *westgerm.* Adjektiv *mhd.* viuhte, *ahd.* fūht[i], *niederl.* vocht, *aengl.* fūht geht mit dem urverw. *aind.* páṇka-ḥ „Schlamm" auf eine *idg.* Wz. *pen- „Schlamm, Sumpf, feucht" zurück, vgl. *ahd.* fenna, -I „Sumpf", *got.* fani „Schlamm", *aengl.* fenn „Sumpf, Schlamm", *aisl.* fen „Sumpf" (beachte niederd. Fenn „Sumpf-, Moorland"). Abl.: **Feuchte** *w* (*mhd.* viuthe, *ahd.* fūhtī); **Feuchtigkeit** *w* (*mhd.* viuhtecheit zu weitergebildetem *mhd.* viuhtec „feucht"); **feuchten** (*mhd.* viuhten, *ahd.* fūhten; jetzt meist als an-, be-, durchfeuchten). Zus.: **feuchtfröhlich** „fröhlich beim Zechen" (19. Jh.).

feudal „herrenmäßig, vornehm": Das Adjektiv, dessen heutige Bedeutung erst Ende des 19. Jh.s üblich wurde, gehört urspr. der Rechtssprache an. Es wurde im 17. Jh. als 'feudalisch' „zum Lehnswesen gehörig" aus gleichbed. *mlat.* feudālis entlehnt, einer Abl. von *mlat.* feudum, feodum „Lehngut". Dieses Substantiv ist, wohl unter Einwirkung des *germ.-mlat.* Rechtswortes allodium „Eigengut", umgebildet aus gleichbed. *mlat.* feum (= *it.* fio, *frz.* fief „Lehen"). Zugrunde liegt das unter →*Vieh* behandelte *germ.* Wort für „Vieh; Vermögen" (beachte bes. *got.* faíhu „Vermögen, Geld", *aengl.* feoh „Vieh, Eigentum, Geld").

Feuer *s*: Das *altgerm.* Substantiv *mhd.* viur, *ahd.* fiur (älter fuir), *niederl.* vuur, *engl.* fire, *aisl.* fyrr ist z. B. verwandt mit *gr.* pȳr „Feuer" und *hethit.* paḫḫur „Feuer" und beruht mit diesen auf *idg.* *peṷōr, pūr, Genitiv punés „Feuer". Von den Formen mit

-n- (Genitiv, Lokativ) sind z. B. ausgegangen *got.* fōn „Feuer" und *aisl.* funi „Feuer" sowie die unter →Funke behandelten Wörter. In militär. Sinne bezeichnet 'Feuer' das Schießen mit Feuerwaffen und die einschlagenden Geschosse (z. B. Artilleriefeuer, Sperrfeuer, Feuerüberfall). Abl.: **feuern** (*mhd.* viuren „Feuer machen; glühen"; jetzt meist für „schießen", doch beachte übertr. gebrauchtes an-, befeuern), dazu **Feuerung** *w* (*spätmhd.* viurunge „Feuer", *mnd.* vūringe „Brennstoff"); **feurig** (*mhd.* viurec; oft in übertr. Sinn); **feurio!, feuerjo!** (alter, weithallender Notruf, im 15. Jh. fiuriō, viurä; jetzt ruft man gewöhnlich Feuer!; s. a. mordio). Zus.: **Feuersbrunst** (s. Brunst); **Feuerstein** (*mhd.* viurstein; zum Feuerschlagen, vorgeschichtlich zu Steinwerkzeugen und -waffen benutzt); **Feuertaufe** (im 18. Jh. nach Matth. 3, 11 gebildet als „Taufe mit dem Heiligen Geist", um 1850 übertr. für „Einweihung, erstes Gefecht der Soldaten", jetzt auch allgemein für „erste Bewährung"); **Feuerwehr** (19. Jh.); **Feuerwerk** (*spätmhd.* viurwerc „Brennmaterial" wurde im 16. Jh. zur Bezeichnung von Pulver und Geschützmunition; auch die jetzige Bed. „Abbrennen von Feuerwerkskörpern" ist schon damals bezeugt), dazu **Feuerwerker** (seit dem 18. Jh. Dienstgrad bei der Artillerie; auch „Hersteller von Feuerwerkskörpern"); **Feuerzeug** (*mhd.* viurziuc; s. Zeug).

Feuilleton *s* „literarischer Unterhaltungsteil einer Zeitung": Das im 18./19. Jh. aus *frz.* feuilleton entlehnte Wort bezeichnet eigtl. das unterhaltende „Beiblättchen" einer Zeitung. Formal gehört es zu *frz.* feuille „Blatt", das aus *vlat.* folia zurückgeht (vgl. *Folie*). – Hierzu gehören die seit dem 19. Jh. bezeugten Abl. **Feuilletonist** *m*, **feuilletonistisch**, **Feuilletonismus** *m*.

Fez *m* „Ulk, Spaß" (*ugs.*): In Berliner Mundart gegen Ende des 19. Jh.s bezeugt. Das Wort ist wahrscheinlich aus fêtes, dem Plur. von *frz.* fête „Fest", hervorgegangen (mit ähnlicher Entwicklung wie in →*Fete*).

Fiaker *m* „zweispännige Lohnkutsche", auch Bezeichnung des „Lohnkutschers": Im 18. Jh. aus *frz.* fiacre entlehnt, bald aber nur noch in Österreich und Bayern gebräuchlich, sonst von →Droschke verdrängt. *Frz.* fiacre soll nach einem Pariser Hotel St.-Fiacre benannt sein, in dem im 17. Jh. das erste Vermietungsbüro für Lohnkutschen existierte.

Fiasko *s* „Mißerfolg, Zusammenbruch": Seit dem 19. Jh. bezeugt und zunächst nur in der Bühnensprache gebräuchlich von Theaterstücken, die beim Publikum nicht ankommen. So auch *it.* far fiasco „Flasche machen", woraus unser Wort entlehnt ist. Dies ist vielleicht LÜ von *frz.* bouteille „Flasche", das im Schülerjargon „Schwätzer" bedeutete. *Nhd.* →*Flasche*, dessen *germ.* Vorform *flaskō dem *it.* fiasco zugrunde liegt, weist in seiner *ugs.* Nebenbedeutung „Versager" in die gleiche Richtung.

Fibel *w* „Lesebuch": Das seit dem 15. Jh. bezeugte Wort hat sich in der Kindersprache entwickelt. Es ist entstellt aus →Bibel (die Lesebücher der Abc-Schützen enthielten sehr viele Geschichten aus der Bibel).

Fichte *w*: Der im *germ.* Sprachbereich nur im *Dt.* gebräuchliche Baumname (*mhd.* viehte, *ahd.* fiohta) ist verwandt mit *gr.* peúkē „Fichte", *lit.* pušìs „Fichte" und *mir.* ochtach „Fichte". Im *Niederl.*, *Fries.*, *Engl.* und *Nord.* fehlt der Name, weil der Baum dort in alter Zeit nicht vorkam. Eine Nebenform *ahd.* fiuhta lebt noch in Mundartformen mit -eu-, -ei-, -ü- und in ON, z. B. Feuchtwangen. Abl.: fichten „aus Fichtenholz" (*mhd.* viehtīn).

ficken: Das *mdal.* für „hin und her bewegen, reiben, jucken" gebrauchte Wort, *mhd.* als ficken „reiben", *niederrhein.* im 16. Jh. als vycken „mit Ruten schlagen" bezeugt, ist wohl wie *norw.* fik[l]a „sich heftig bewegen, pusseln" eine lautmalende Bildung. Der obszöne Sinn erscheint zuerst im 16. Jh. Die alte Bedeutung zeigen noch *ugs.* fickerig „unruhig, widerspenstig" und *landsch.* Fickmühle *w* „Zwickmühle". Weiterbildungen sind u. a. fitzen „mit Ruten schlagen" (*frühnhd.* aus *fickezen; noch *mdal.*) und *landsch.* fickfacke[r]n „herumlaufen, Ausflüchte suchen; Böses anstellen" (16. Jh.), dazu Fickfacker *m* „unbeständiger Mensch" (16. Jh.) und Faxe (s. d.).

fidel (*ugs.* für:) „lustig, gut gelaunt, vergnügt": Studentenwort des 18. Jh.s, das scherzhaft entwickelt ist aus älterem fidel „treu". Das vorausliegende *lat.* Adjektiv fidēlis „treu, zuverlässig" (woraus auch *frz.* fidèle) gehört mit *lat.* fidēs „Treue", fīdere „[ver]trauen", foedus „Treubund" (s. Föderation, Föderalismus) zur *idg.* Sippe von →*bitten*.

Fidibus *m* „gefalteter Papierstreifen zum [Pfeife]anzünden": Dieses lateinisch klingende Wort hat keine ernsthafte Etymologie, wie es ja auch einem Scherzwort dieser Art zukommt, das – wie man vermutet – von einem Studenten beim Pfeiferauchen geprägt wurde. Der Horazvers (Oden 1, 36) *Et ture et fidibus iuvat placare ... deos* sei das Scherzobjekt gewesen, indem in der Übersetzung „freundlich stimme die Götter Weihrauch und Saitenspiel" ture et fidibus auf „Tabakrauch und Pfeifenanzünder" bezogen worden sei.

Fieber *s* „krankhaft erhöhte Körpertemperatur": Das Substantiv *mhd.* fieber, *ahd.* fiebar geht auf „Fieber" beruht wie gleichbed. *engl.* fever auf einer Entlehnung aus *lat.* febris „Fieber". Gleicher Herkunft sind die *roman.* Entsprechungen *frz.* fièvre, *it.* febbre.

Abl.: fiebern „Fieber haben" (*spätmhd.* viebern), auch bildl. übertr. gebraucht im Sinne von „vor Eifer und Sehnsucht glühen", bes. auch in der Präfixbildung entgegenfiebern; fieb[e]rig „fieberkrank, fiebernd" (*spätmhd.* fieberic); fieberhaft „wie vom Fieber gepackt, hektisch" (Anfang 18. Jh.).

Fiedel *w*: Die *ugs.*, leicht abschätzige Bezeichnung der Geige galt urspr. für eine Vorform dieses Streichinstruments, die in Europa seit der Karolingerzeit bezeugte, neuerdings wieder gebaute Fidel. Die Herkunft des Wortes *mhd.* videl[e], *ahd.* fidula „Fidel", *niederl.* ve[d]el, *engl.* fiddle „Fiedel, Geige" ist ungeklärt (das als Quelle vermutete *mlat.* vitula „Saiteninstrument" ist erst im 12. Jh. bezeugt). Abl.: fiedeln *ugs.* für „auf der Geige spielen" (entspr. *mhd.* videlen „auf der Fiedel spielen").

fifty-fifty (*ugs.* für:) „halbe-halbe": Ein Wort der amerik. Umgangssprache, im 20. Jh. entlehnt. Es bedeutet eigtl. „fünfzig–fünfzig", d. h. „50% für jeden" (vgl. *fünfzig*).

Figaro *m* (scherzhaft für:) „Friseur": Im 20. Jh. nach der Bühnengestalt aus Beaumarchais' Lustspiel 'Der Barbier von Sevilla', das vor allem durch Mozarts Oper 'Die Hochzeit des Figaro' weltberühmt wurde.

Figur *w* „Gestalt, [geometrisches] Gebilde": In *mhd.* Zeit durch Vermittlung von *afrz.* (= *frz.*) figure aus *lat.* figūra „Gebilde, Gestalt, Erscheinung" entlehnt, das zu *lat.* fingere „formen, bilden, gestalten; ersinnen, erdichten" gehört (vgl. *fingieren*). Abl.: figürlich „bildlich, übertragen" (15. Jh.); figurieren „erscheinen als..., auftreten als..., darstellen" (schon *mhd.* im Sinne von „im Bild darstellen, gestalten"), aus *lat.* figūrāre „bilden, gestalten, darstellen".

Fiktion *w* „Einbildung; Annahme, Unterstellung": Im 17. Jh. aus gleichbed. *lat.* fictiō entlehnt. Über das zugrunde liegende Verb *lat.* fingere „bilden, formen; ersinnen; erheucheln" vgl. *fingieren*. Abl.: fiktiv „erdichtet, nur angenommen" (20. Jh.; *nlat.* Bildung).

Filet *s* „Lendenstück" (von Schlachtvieh und Wild); „Rückenstück" (bei Fischen): Im 18. Jh. aus gleichbed. *frz.* filet entlehnt, das von *frz.* fil „Faden" abgeleitet ist und demnach eigtl. „kleiner Faden" bedeutet. Der Grund für die Bedeutungsübertragung ist nicht ganz klar. Man vermutet ihn in der Tatsache, daß Lendenstücke dieser Art zuweilen zusammengerollt und mit einem Bindfaden umwickelt geliefert wurden. *Frz.* fil geht auf *lat.* fīlum „Faden" zurück, das auch in den FW →Profil und →Filigran erscheint.

Filiale *w* „Zweiggeschäft": Kaufmannswort des 19. Jh.s, das durch *frz.* Vermittlung aus *kirchenlat.* fīliālis „kindlich" – in dessen *nlat.* Bed. „töchterlich abhängig" – entwickelt

166

wurde. Über weitere Zusammenhänge vgl. den Artikel *Filius*.

Filigran *s* „Zierarbeit aus feinen Gold- und Silberfäden": Im 17. Jh. aus *it.* filigrana entlehnt (die Filigranindustrie blühte damals besonders in Florenz und Rom). Das *it.* Wort bedeutet eigtl. etwa „Faden und Korn" und gehört zu *lat.* fīlum (vgl. *Filet*) und grānum (vgl. *Granit*).

Filius *m*: Als scherzhafte Bezeichnung für „Sohn" wird durch die Schüler- und Studentensprache das *lat.* Wort fīlius eingeführt. *Lat.* fīlius „Sohn" (*uritalisch* *fēlios) – dazu *lat.* fīlia „Tochter" mit dem *kirchenlat.* Adjektiv fīliālis „töchterlich [abhängig]" (s. *Filiale*) – stellt man mit einer vermutlichen Urbedeutung „Säugling" zum Stamm von *lat.* fēlāre „saugen". Zum gleichen Stamm gehört auch *lat.* fēmina „Weib, Frau" (s. feminin) mit einer Grundbed. „Säugende" oder „sich saugen Lassende".

Film *m*: Am Ende des 19. Jh.s aus *engl.* film (< *aengl.* filmen) entlehnt, das zur *germ.* Wortgruppe um →*Fell* gehört und eigtl. „Häutchen" bedeutet, dann allg. „dünne Schicht" (so auch in unserem Sprachgebrauch, bes. in Zus. wie Ölfilm). Heute lebt das Wort vor allem im photographischen Bereich. Es bezeichnet hier nicht nur den lichtempfindlichen Zelluloidstreifen, sondern auch die auf solchen Streifen festgehaltenen und zu einer Geschehenseinheit künstlerisch zusammengeschlossenen Bilder (beachte in diesem Zusammenhang Zus. wie Spielfilm, Filmstar und die Ableitungen filmen „einen Film drehen", verfilmen, filmisch).

Filou *m* „Spitzbube, Schlaukopf": Im 17. Jh. aus gleichbed. *frz.* filou entlehnt; dies wohl aus *engl.* fellow „Genosse, Bursche".

Filter *m*: Im 19. Jh. eingedeutscht aus *mlat.* filtrum „Durchseihgerät aus Filz", das aus dem Wortstamm von →*Filz* entwickelt ist. Mit der im 16. Jh. bezeugten Abl. filtrieren (< *mlat.* filtrāre, *frz.* filtrer) steht das Wort in einer sachlichen Reihe mit →destillieren und →kondensieren (Fachsprache der Alchimisten und Apotheker). Das entspr., mit deutscher Endung abgeleitete Zeitwort filtern (seit dem 19./20. Jh.) überträgt das fachsprachliche 'filtrieren' mehr in die Alltags- und Haushaltssprache. – Filtrat *s* „Durchfiltriertes" ist im 20. Jh. entstanden aus *mlat.* filtrātum, Part. Perf. Pass. von filtrāre (s. o.). Siehe auch infiltrieren.

Filz *m*: Der aus Haaren oder Wollfasern zusammengepreßte Stoff heißt *mhd.* vilz, *ahd.* filz, *niederl.* vilt, *engl.* felt. Das *westgerm.* Wort, aus dem *mlat.* filtrum „Durchseihgerät aus Filz" (s. Filter) entlehnt ist, bedeutet eigtl. „gestampfte Masse". Es geht mit verwandten Wörtern in anderen *idg.* Sprachen zurück auf die *idg.* Wz. *pel-„stoßen, schlagen, treiben", vgl. z. B. *lat.*

pellere „stoßend oder schlagend treiben" (s. die FW-Gruppe um →*Puls*). Die *ugs.* Bed. „Geizhals" gewann 'Filz' im 15. Jh., zunächst als Schelte des groben und geizigen Bauern, der nach seiner Lodenkleidung schon *mhd.* vilzgebur hieß. Abl.: filzen (*mhd.* vilzen „zu oder von Filz machen", dazu [sich] verfilzen, bes. von Haaren [*mhd.* verfilzen]; das heutige *ugs.* filzen „nach verbotenen Sachen durchsuchen" wurde zuerst im 19. Jh. von Handwerksburschen gebraucht, die der Herbergsvater auf Reinlichkeit prüfte, es bed. eigtl. „durch-, auskämmen", *rotw.* Filzer ist der Kamm); filzig (im 18. Jh. für älteres filzicht, *mhd.* vilzeht „verfilzt"; schon im 16. Jh. auch für „geizig").

final „zweckbestimmend, zweckbezeichnend" (Sprachw.): Aus *lat.* fīnālis „die Grenze, das Ende betreffend" (hier im Sinne von „Endzweck") entlehnt. Zus.: Finalsatz „Umstandssatz der Absicht". Über weitere Zusammenhänge vgl. *Finale*.

Finale *s* „Schlußteil" (bes. in der Musik als „Schlußsatz eines Tonstücks" und im Sport als „Endkampf, Endspiel, Endrunde"): Als musikal. Fachwort schon im 17. Jh. aus dem *It.* entlehnt, erreicht uns das Wort zum zweiten Mal im 20. Jh. in seiner sportlichen Bedeutung, hier vielleicht durch *frz.* Vermittlung. *It.* finale geht zurück auf *lat.* fīnālis „die Grenze, das Ende betreffend", eine Ableitung von fīnis „Grenze, Ende". – Neben der Neubildung Finalist *m* im Sinne von „Endspielteilnehmer" (*it.* finalista) steht eine Reihe weiterer Fremd- und Lehnwörter aus verschiedenen Sachbereichen, die auf *lat.* fīnis zurückgehen (hierüber s. die einzelnen Artikel. Auf dem Gebiet des Sports noch: Finish. Ferner: Finanzen, Finanz, Finanzamt, finanziell, Finanzier, finanzieren (Geldwesen, Verwaltungssprache): Paraffin, Raffinade, Raffinerie (chem. Industrie); Finesse, raffiniert, Raffinesse, Raffinement (allgemein); definieren, Definition, definitiv, final, Infinitiv (Sprachwissenschaft bzw. Philosophie); schließlich noch die LW fein mit seinen Ableitungen.

Finanzen *Mehrz.* „Geldmittel, Vermögensverhältnisse; Staatshaushalt": Das seit dem 17. Jh. bezeugte FW ist entlehnt aus *frz.* finance(s) „Zahlungen, Geldmittel", das seinerseits auf *mlat.* fīnantia zurückgeht. Dies ist urspr. Neutr. Plur. des Part. Präs., von *mlat.* fīnāre „endigen, zum Ende kommen" und bedeutet demnach eigtl. „was zu Ende kommt; was zu Termin steht". In einer ähnlichen Bedeutungsentwicklung wie bei *gr.* télos „Ende, Ziel", das in der *Mehrz.* télē auch „fällige Zahlungen, Abgaben" bedeutet (s. hierüber das LW →²Zoll) und in dieser Hinsicht als Vorbild gedient haben mag, nahm *mlat.* fīnantia – als Fem. Singular aufgefaßt – die Bed. „fällige Zahlung" an. *Mlat.* fīnāre steht für *klass.-lat.* fīnīre ,,begrenzen, einschließen; endigen, enden", das von *lat.* fīnis ,,Grenze, Ende" (vgl. *Finale*) abgeleitet ist. – Eine junge Rückbildung aus der *Mehrz.* Finanzen ist das Substantiv Finanz *w* ,,Geldwesen; Geldleute", das besonders auch in Zus. wie Finanzamt und Finanzbeamter lebendig ist. Das im 19. Jh. aufkommende Adjektiv finanziell ,,geldlich, wirtschaftlich" ist eine französierende Neubildung. Echte Entlehnungen aus dem *Frz.* liegen dagegen noch vor in Finanzier *m* ,,Finanz-, Geldmann" (18./19. Jh.; aus *frz.* financier) und in finanzieren ,,Geldmittel bereitstellen" (18./19. Jh.; aus *frz.* financer).

finden: Das *gemeingerm.* Verb *mhd.* vinden, *ahd.* findan, *got.* finþan, *engl.* to find, *schwed.* finna gehört mit verwandten Wörtern in anderen *idg.* Sprachen zu der *idg.* Wz. *pent- ,,treten, gehen", vgl. z. B. *lat.* pōns ,,Knüppeldamm, Brücke" (s. Ponton), *gr.* póntos ,,Meer[espfad]", *gr.* pátos ,,Pfad, Tritt' und *aind.* pánthāḥ ,,Weg, Pfad, Bahn". Aus dem *germ.* Sprachbereich stellen sich noch *asächs.* fādi ,,das Gehen", *mhd.* vende, *ahd.* fend[e]o ,,Fußgänger, junger Bursche" zu dieser Wurzel. Die Grundbedeutung von 'finden' ist demnach ,,auf etwas treten, antreffen" (vgl. *lat.* in-venīre ,,finden", eigtl. ,,auf etwas kommen"). Eine Bildung zu 'finden' ist →fahnden. – Zusammensetzungen und Präfixbildungen zu 'finden': abfinden (*mnd.* afvinden bedeutet als Rechtswort ,,jemanden verurteilen; einen Anspruch befriedigen; sich vergleichen"), dazu Abfindung *w* ,,Vergleichszahlung (*mnd.* afvindinge); [sich] befinden (s. d.); empfinden (s. d.); erfinden (*mhd.* ervinden, *ahd.* irfindan ,,herausfinden, gewahr werden" hat diesen Sinn heute nur noch im Adjektiv unerfindlich [*spätmhd.* unervindelich]; jetzt ist es ,,ersinnen", besonders im Bereich der Technik), dazu Erfinder *m*, Erfindung *w* (15. Jh.; beide jetzt wie das Verb verwendet) und erfinderisch (18. Jh.). – Abl.: Finder *m* (*mhd.* vindǣre); Fund *m* (*mhd.* vunt; es bezeichnet das Finden wie sein Ergebnis, in der *Mehrz.* Funde bes. vorgeschichtl. Altertümer), dazu die jungen Zus. Fundbüro, -sache und das übertr. gebrauchte Fundgrube (im 15. Jh. bergmänn.). Ehemals von 'Fund' abgeleitet, dann aber auf 'finden' bezogen sind die folgenden Wörter: Findel... (jetzt nur in Findelhaus, -kind; *frühnhd.* fündel ,,gefundenes Kind" ist Verkleinerungsbildung zu Fund); Findling *m* (*mhd.* vundelinc ,,ausgesetztes, gefundenes Kind" seit dem 15. Jh. auch mit -i-; im 19. Jh. übertr. für ,,erratischer Block"); findig (*mhd.* vündec ,,erfinderisch", seit dem 16. Jh. auch mit -i-), dazu spitzfindig ,,überscharf denkend" (im 16. Jh. spitzfündig, -findig neben dem

Substantiv spitzfünde *Mehrz.* ,,Kunstgriffe, Kniffe") und ausfindig (in 'ausfindig machen' ,,entdecken", im 15. Jh. ausfundig machen, zu älter *nhd.* Ausfund ,,Entdeckung"); in anderer Bedeutung gilt bergmänn. fündig (16. Jh.) für ,,ergiebig", ferner 'fündig werden' (19. Jh.) für ,,Erz entdecken".

Finesse *w* ,,Feinheit; Kunstgriff, Kniff": Im 17. Jh. aus gleichbed. *frz.* finesse entlehnt, das von fin ,,fein; durchtrieben" abgeleitet ist (vgl. *fein*).

Finger *m*: Die *gemeingerm.* Körperteilbezeichnung *mhd.* vinger, *ahd.* fingar, *got.* figgrs, *engl.* finger, *schwed.* finger gehört – wie auch das unter →Faust dargestellte Substantiv – zu dem unter →fünf behandelten Zahlwort und bezeichnete demnach urspr. die Gesamtheit der Finger an einer Hand und dann den einzelnen Finger. Auch die einzelnen Finger selbst hatten schon früh bestimmte Namen. Im *Nhd.* gelten neben Daumen (s. d.) Zeigefinger (15. Jh.), Mittelfinger (*mhd.* mittelvinger), Ringfinger (16. Jh.), Goldfinger (*mhd.*, spätahd.* goltvinger) und kleiner Finger. Abl.: fingern ,,die Finger bewegen, nach etwas greifen" (*mhd.* vingern); Fingerling *m* ,,Schutzhülle" (18. Jh.; *mhd.* vingerlinc ,,Ring"). Zus.: Fingerhut (als Schutz beim Nähen schon *mhd.* vingerhuot; im 16. Jh. wegen der Form ihrer Blüten auf die Heilpflanze übertr.); Fingerzeig *m* (*mhd.* vingerzeic neben vingerzeigen bezeichnete tadelndes oder hinweisendes Fingerdeuten; seit dem 16. Jh. übertr. für ,,Hinweis".

fingieren ,,vortäuschen; unterstellen": Im 16. Jh. aus *lat.* fingere ,,kneten, formen, bilden, gestalten; ersinnen, erdichten, vorgeben" entlehnt, das zu der unter →Teig dargestellten *idg.* Wortsippe gehört. – Aus dem Femin. des substantivierten Part. Perf. Pass. von *lat.* fingere, *lat.* ficta, das im *Spätlat.* auch nasaliert als fīncta erscheint, wird *it.* finta ,,vorgetäuschter Stoß, Scheinstoß", das die Quelle ist für unser FW →Finte. Zu *lat.* fingere stellen sich ferner zwei interessante Nominalbildungen, die in unserem Fremdwortschatz eine Rolle spielen: *lat.* figūra ,,Gebilde, Gestalt" (s. Figur) und *lat.* fictiō ,,das Bilden, die erdichtete Annahme, die Einbildung" (s. Fiktion, fiktiv).

Finish *s* ,,Endkampf, -spurt": Die Vormachtstellung der USA in der Leichtathletik äußert sich in zahlreichen fachsprachlichen LW jüngster Zeit. Zu ihnen gehört auch Finish (in einer Reihe mit →starten, Start, →sprinten, Sprint, →spurten, Spurt u. a.). *Engl.* finish ,,Abschluß" ist substantiviertes to finish ,,enden", das über *afrz.* fenir (= *frz.* finir) auf *lat.* fīnīre (zu fīnis ,,Grenze, Ende") zurückgeht (vgl. *Finale*).

Fink *m*: Der *westgerm.* Vogelname *mhd.* vinke, *ahd.* finc[h]o, *niederl.* vink, *engl.*

finch ist elementarverwandt mit der *nord.* Sippe von *schwed.* spink „Sperling" und *außergerm.* z. B. mit *gr.* spíggos „Fink", *it.* pincione „Fink" und *frz.* pinson „Fink". Diese Namen sind lautnachahmend aus dem als [s]pink, [s]pink verstandenen Ruf des Sperlingsvogels gebildet. Da der Fink auch im Pferdekot pickt, galt er früher als schmutzig. Scheltwörter wie Dreck-, Mist-, Schmutzfink begegnen seit *frühmhd.* Zeit und werden vielfach auf Menschen angewandt. Auch in der Bed. „Freistudent, der keiner Verbindung angehört" (seit Ende des 18. Jh.s) war Fink urspr. verächtlich gemeint. Zu den Zus. Buch- und Distelfink s. Buche und Distel.

finster: Das nur *dt.* Adjektiv *mhd.* vinster, *ahd.* finstar ist wahrscheinlich dissimiliert aus gleichbed. *mhd.* dinster, *ahd.* dinstar und gehört dann mit *mniederl .* deemster, *asächs.* thimm „düster" zur Sippe von →*Dämmer[ung]*. Abl.: Finsternis *w* (*mhd.* vinsternisse, *ahd.* finstarnissi); Finsterling *m* „Dunkelmann, Bildungsfeind" (1788 von Wieland geprägt, im 19. Jh. zum Schlagwort geworden).

Finte *w* „listiger Vorwand, Ausflucht": Urspr. ein Wort der Fechtkunst, das einen nur „vorgetäuschten Stoß" bezeichnet. Es wurde im 16./17. Jh. entlehnt aus *it.* finta (entspr. *frz.* feinte) „List" < *spätlat.* fincta (= *klass.-lat.* ficta), dem substantivierten Part. Perf. Pass. von *lat.* fingere „ersinnen; vortäuschen" (vgl. *fingieren*). Dazu etwa gleichzeitig das Zeitwort fintieren „eine Finte ausführen; vortäuschen".

Firlefanz *m* „Flitterkram; törichtes, dummes Zeug, Possen": Das in dieser Bedeutung seit dem 16. Jh. vorkommende Substantiv beruht auf *mhd.* firli-fanz, das einen lustigen Springtanz bezeichnete. Die weitere Herkunft des Wortes ist nicht sicher geklärt. Der erste Wortbestandteil stammt vielleicht aus *afrz.* virelai „Ringellied" (beachte *mhd.* virlei, das die gleiche Bedeutung hat wie *mhd.* firli-fanz).

firm „fest, sicher, gut beschlagen (in einem Fachgebiet)": Im 18. Jh. aus *lat.* firmus „fest, stark, tüchtig, zuverlässig" entlehnt. Dazu das abgeleitete Verb *lat.* firmāre „festmachen, befestigen; bekräftigen; bestätigen" mit dem gleichbed. Kompositum cōn-firmāre in den FW →firmen, konfirmieren, →Firma, →Farm und →Firmament.

Firma *w* „Betrieb, Unternehmen": Zu *lat.* firmus „stark, fest" (vgl. *firm*) stellt sich das Verb *lat.* firmāre „befestigen; bekräftigen; bestätigen", das gleichlautend im *It.* erscheint. Im Sinne von „eine Abmachung, einen Vertrag durch Unterschrift rechtskräftig machen" wird es in der Handelssprache gebraucht. Das davon abgeleitete Substantiv *it.* firma „bindende, rechtskräftige Unterschrift eines Geschäftsinhabers

unter einen Vertrag bzw. unter eine geschäftl. Vereinbarung" wird schließlich zur Bezeichnung eines geschäftlichen Unternehmens oder seines Aushängeschildes. In diesem Sinne wird das Wort im 18. Jh. ins *Dt.* entlehnt.

Firmament *s* „Himmelsgewölbe": In *mhd.* Zeit aus *spätlat.*firmāmentum,„Befestigungsmittel, Stütze; der über der Erde befestigte Himmel (bildl.)" entlehnt; zu *lat.* firmāre „befestigen", firmus „fest" (vgl. *firm*).

firmen: Durch das Sakrament der heiligen Taufe wird der Mensch in die Gemeinschaft der christl. Kirche aufgenommen. Später bedarf er einer „Bestätigung", einer „Festigung" in dieser Zugehörigkeit. Er wird als Katholik gefirmt oder als Protestant konfirmiert. Beide Wörter, firmen und konfirmieren, gehen auf das gleiche *lat.* Verb [cōn]firmāre „festmachen, bestärken" zurück. Während 'firmen' schon in *ahd.* Zeit (firmōn) entlehnt wurde, erscheint 'konfirmieren' erst im *Mhd.* Zu 'firmen' stellen sich die Abl. Firmung *w* und Firmling *m*. Diesen stehen im evangel. Sprachgebrauch Konfirmation *w* (16. Jh.; aus *lat.* cōn-firmātiō „Bestärkung") und Konfirmand *m* (aus *lat.* cōn-firmandus „der zu Bestärkende") gegenüber. Über das allen zugrunde liegende Adjektiv *lat.* firmus „fest, stark" vgl. den Artikel *firm*.

Firnis *m* „trockener Schutzanstrich (für Metall, Holz u. a.)": Das Substantiv *mhd.* virnīs „Lack; Schminke" beruht wie entspr. *engl.* varnish „Firnis, Lack; Politur" auf (a)*frz.* vernis „Firnis, Lack" (= *it.* vernice). Die weitere Herkunft der *roman.* Wörter ist nicht sicher geklärt. – Abl.: firnissen „mit Firnis bestreichen" (*mhd.* virnīsen).

First *m*: Das *westgerm.* Substantiv *mhd.* virst, *ahd.* first, *mniederl.* verste, *aengl.* fierst bezeichnet den Dachfirst als Oberkante des Daches, eigtl. den waagerechten Firstbaum (Firstpfette) des alten Dachgerüsts. Im Ablaut dazu steht *niederl.* vorst „First". Die *germ.* Wörter enthalten ebenso wie *aind.* pṛ-ṣṭhá-m „Rücken", *awest.* par-šta- „Rückgrat", *lit.* pir̃-štas „Finger" und *gr.* pa[ra]-stás, *lat.* postis (*por-stis) „Pfosten" (s. Pfosten) als ersten Bestandteil *idg.* *pr̥-, *per- „vorwärts, hervor" (vgl. *ver...*). Der zweite Bestandteil gehört zu der *idg.* Wz. *stā- „stehen" (vgl. *stehen*). All diese Wörter bedeuten demnach eigtl. „Hervorstehendes". Siehe auch den Artikel Frist.

Fisch *m*: Das *gemeingerm.* Substantiv *mhd.* visch, *ahd.* fisk, *got.* fisks, *engl.* fish, *schwed.* fisk hat *außergerm.* Entsprechungen nur in *lat.* piscis und *air.* īasc „Fisch". Abl.: fischen (*gemeingerm.* Verb, *mhd.* vischen, *ahd.* fiscōn; vgl. *got.* fiskōn, *engl.* to fish, *schwed.* fiska; entspr. *lat.* piscāri); Fischer *m* (*mhd.* vischære, *ahd.* fiscāri), dazu Fischerei *w* (*mhd.* vischerīe); fischig „nach Fisch riechend" (*mhd.* fischec). Zus.: **Fischbein** (die knochenähnlichen Barten der Bartenwale hießen im 16. Jh. vischbein, wohl gekürzt aus später bezeugtem Walfischbein; vgl. Bein).

Fisimatenten *Mehrz.* „leere Flausen, Ausflüchte; Faxen": Die Herkunft des seit dem 16. Jh. in zahlreichen, z. T. stark voneinander abweichenden Formen bezeugten Ausdrucks ist dunkel.

Fiskus *m* „Staatskasse": Im 16. Jh. aus *lat.* fiscus „Korb; Geldkorb" entlehnt, das seit der Kaiserzeit auch (übertragen) „Staatskasse" bedeutet. Abl.: **fiskalisch** „den Fiskus betreffend", aus *lat.* fiscālis. Zu *lat.* fiscus, das man mit einer urspr. Bed. „der Geflochtene" zu der unter →*bitten* dargestellten *idg.* Sippe stellt, gehört auch das Verb *lat.* cōn-fiscāre „in die Kasse aufheben; in die kaiserliche Schatzkammer einziehen", das um 1500 unser FW **konfiszieren** „[von Staats wegen, gerichtlich] einziehen, beschlagnahmen" lieferte. Dazu das Substantiv **Konfiskation** *w* „[gerichtl.] Beschlagnahme; Einziehung" (17. Jh.; aus *lat.* cōnfiscātiō).

Fistel *w*: Der medizin. Ausdruck für eine anormale (angeborene oder erworbene) röhrenförmige Verbindung zwischen Hohlorganen oder Körperhöhlen und der äußeren oder inneren Körperoberfläche (*mhd.* fistel, *ahd.* fistul „röhrenförmiges, tiefgehendes Geschwür") beruht auf Entlehnung aus *lat.* fistula „röhrenförmiges Geschwür, Fistel". Die Grundbed. von *lat.* fistula ist „Röhre". Sie wurde auf verschiedene „röhrenförmige" Dinge übertragen. So bedeutet *lat.* fistula u. a. auch „(helltönende) Rohrpfeife, Hirtenflöte". Mit dieser Bedeutung ist es die Quelle für das Bestimmungswort der erst *nhd.* (18. Jh.) Zus. **Fistelstimme** „hohe Kopfstimme, helle Eunuchenstimme" (eigtl. „helle Rohrpfeifenstimme").

fit „in bester körperlicher Verfassung": Im 20. Jh. – zusammen mit dem verstärkenden **topfit** – aus dem *Amerik.* entlehnt. Über weitere Sportwörter, die aus dem *Engl.*-*Amerik.* stammen, vgl. den Artikel Sport. Die Etymologie von *engl.*-*amerik.* fit ist dunkel.

Fittich *m* „Flügel": Das heute fast nur dichterisch gebrauchte Wort (*mhd.* vitich, vetach, *ahd.* fettâh, feddâh) gehört zu der unter →*Feder* behandelten Wortgruppe. In der Zus. **Schlafittich** *m*, **Schlafittchen** *s* hat sich eine *frühnhd.* Übertragung des Wortes auf den „Gewandzipfel, Rockschoß" erhalten (im 18. Jh. *niederd.* ʼenen bi der Slafittje kriegen', aus *slach-fitje, -fitken „bei den Schlagfittichen", wie man Gänse fängt). Siehe auch Flittchen.

¹fix „unbeweglich, fest[stehend]; konstant": Das im 16./17. Jh. aus *lat.* fīxus „angeheftet, befestigt, fest", dem Part. Perf. Pass. von

fīgere „anheften" (zur *idg.* Sippe von *nhd.* →*Teich*), entlehnte Adjektiv war zunächst nur in der Alchimistensprache heimisch, wo es den „festen" Aggregatzustand von Stoffen bezeichnete. Später eroberte es sich andere Sachbereiche. So besteht in der Medizin die Fügung ʻfixe Ideeʼ „Zwangsvorstellung" (18. Jh.). Im Geldwesen gilt neben Verbindungen wie ʻfixe Summeʼ hauptsächlich das seit dem 17. Jh. bezeugte Substantiv **Fixum** *s*, heute vor allem im Sinne von „festes Einkommen, Gehalt". Das dazugehörige Verb **fixieren** „eine Summe festsetzen, vereinbaren", das von *lat.* fīxāre „festmachen" ausgeht, lebt daneben in einer heute überwiegenden Bed. „anstarren", die von *frz.* fixer beeinflußt ist. Aber auch in der Technik, vor allem in der Photographie, wird ʻfixierenʼ gebraucht, hier im Sinne von „[licht]beständig machen, haltbar machen". Die Zus. **Fixstern** (17. Jh.) gibt *lat.* fīxa stēlla wieder und bezeichnet den unserem Auge als „feststehend, unbeweglich" erscheinenden Himmelskörper im Gegensatz zum Wandelstern (s. Planet). – **²fix** „geschickt, anstellig, gewandt" gehört der Umgangssprache an. Es hat sich aus ¹fix (s. o.) entwickelt, einmal über eine Bedeutungsreihe „fest – beständig – verläßlich – geschickt", zum andern aber auch, indem es sich aus der Formel ʻfix und fertigʼ herauslöste. – Als Hinterglied erscheint *lat.* fīxus noch in den FW →*Kruzifix*, →*Präfix*, →*Suffix*.

Fjord *m*: Die *skand.* Bezeichnung der schmalen, felsigen Meeresbucht (*schwed.*, *norw.* fjord, *aisl.* fjǫrđr), die ablautend mit →*Furt* verwandt ist, wurde Ende des 19. Jh.s ins *Dt.* entlehnt. Auch gleichbed. *engl.* firth stammt aus dem *Nord.* Siehe auch Förde.

flach: Das urspr. nur *dt.* und *niederl.* Adjektiv *mhd.* vlach, *ahd.* flah, *mnd.*, *niederl.* vlak, zu dem sich Substantive wie *asächs.* flaka „Sohle", *norw.* flak „Scheibe, Eisscholle" und *engl.* fluke „Flunder" stellen, gehört mit verwandten *außergerm.* Wörtern zu der Wurzelform *plāg-, *plāk- „breit, flach; ausbreiten" (vgl. *Feld*). In anderen *idg.* Sprachen ist z. B. *lat.* plaga „Fläche" verwandt, weiter *lat.* placidus „flach, glatt, ruhig", *lat.* placēre „gefallen" (s. die FW-Gruppe um →*Plazet*, *gr.* pláx „[Meeres]fläche", *gr.* plakoûs „flacher Kuchen" (daraus →*Plazenta*, s. auch Duplikat). – Abl.: **Fläche** *w* (*mhd.* vleche; seit dem 15. Jh. mathemat. Fachwort, *nhd.* auch in Zus. wie Grund-, Oberfläche; beachte **oberflächlich** „am Äußerlichen haftend, flüchtig", 18. Jh.), dazu **flächig** „flächenhaft" (19. Jh.).

Flachs *m*: Die wichtige, den Germanen seit der Bronzezeit bekannte Faserpflanze, deren ältester Name → Lein ist, heißt bei den Westgermanen *mhd.* vlahs, *ahd.* flahs, *niederl.*

vlas, *engl.* flax. Das Wort ist eine Bildung zu dem unter →*flechten* behandelten Verbalstamm. Nach der hellen Farbe der Faser wird blondes Haar *nhd.* Flachshaar genannt. Abl.: flächse[r]n „aus Flachs" (*spätmhd.* vlehsīn); flachsen „necken, spotten, scherzen" (das *ugs.* Wort, *rotw.* auch für „schmeicheln, betrügen" gebraucht, geht vielleicht vom *Ostmitteld.* aus, wo es *mdal.* für ‘hecheln’, s. *Hechel*, in allen Bedeutungen gilt).

flackern: Das nur *dt.* und *niederl.* Verb (*spätmhd.* [*rhein.*]. vlackern „flackern, flattern", *niederl.* vlakkeren „flackern", älter „flattern") ist eine Weiterbildung eines in gleichbed. *oberd. mdal.* flacken, älter *niederl.* vlacken bezeugte Verbs. Vgl. auch *aisl.* flakka, *schwed.* flacka „umherstreifen" und das andersgebildete *aisl.* flogra „flattern" (s. *Flagge*). Die Wörter gehen wohl von einer Grundbed. „hin und her schlagen" aus und lassen sich an die unter →*fluchen* dargestellte *idg.* Wortgruppe anschließen.

Fladen *m* „flacher Kuchen; breiiger Kot": Das *altgerm.* Substantiv *mhd.* vlade „breiter, dünner Kuchen; Honigwabe; Kuhfladen", *ahd.* flado „Opferkuchen", *niederl.* vla[de] „Fladen", *mengl.* fla[d]e „flacher Kuchen", *norw. mdal.* fla[d]e „flache Wiese, Feld" geht mit verwandten Wörtern in anderen *idg.* Sprachen auf eine Wurzelform *plāt-, *plād- „breit, flach; ausbreiten" zurück (vgl. *Feld*). Von verwandten *germ.* Wörtern sind zunächst die unter →*Flunder* behandelten Fischnamen zu nennen, ferner das im *Dt.* untergegangene Adjektiv *ahd.* flaz, *asächs.* flat „flach", zu dem die Wörter →*fletschen* und →*Flöz* gehören. Außerhalb des *Germ.* sind z. B. verwandt die Adjektive *gr.* platýs „eben, breit" (s. die unter →*platt* genannten Lehn- und Fremdwörter) und *lit.* platùs „breit"; s. auch den *slaw.* Fischnamen →*Plötze*. Auf ein nasaliertes *lat.* planta „Fußsohle" (eigtl. „die Breite") gehen die unter →*Pflanze* und →²*Plan* „Grundriß, Entwurf" behandelten Wörter zurück.

Flagge *w*: Das zunächst *niederd.*, noch jetzt bes. im Seewesen gebräuchliche Wort wurde um 1600 ins *Hochd.* übernommen. Ihm entsprechen *niederl.* vlag „Schiffsfahne" und gleichbed. *dän.* flag. Zugrunde liegt *engl.* flag „Fahne" (15. Jh.), das erst von den entlehnenden Nachbarsprachen auf die Bezeichnung der Schiffsflagge eingeengt wurde. Das spät bezeugte Wort ist wahrscheinlich verwandt mit *aisl.* flogra „flattern" usw. (vgl. *flackern*). Abl.: flaggen „die Flagge hissen" (18. Jh.; erst später erscheint gleichbed. *engl.* to flag). Zus.: Flaggschiff „Schiff eines Admirals (Flaggoffiziers), das dessen Kommandoflagge führt" (im 18. Jh. Flaggenschiff, -offizier).

flagrant „brennend, schreiend, in die Augen springend": In neuester Zeit über gleichbed. *frz.* flagrant aus *lat.* flagrāns (-antis) „bren-

nend" entlehnt, dem adjektivisch gebrauchten Part. Präs. von *lat.* flagrāre „brennen, lodern, glühen". Dazu die Wendung ‘jmdn. in flagranti ertappen’ „jmdn. auf frischer Tat (wörtlich „beim Brennen") ertappen". – *Lat.* flagrāre gehört zusammen mit *lat.* flamma „Flamme" (s. *Flamme*), *lat.* fulgēre „blitzen; glänzen", fulgur, fulmen „Blitz, Blitzschlag" zu den unter →*blecken* genannten Wörtern.

Flakon *s* oder *m* „,[Riech]fläschchen": Die *germ.* Gefäßbezeichnung *westgerm.* *flaska, *got.* *flaskō (= *nhd.* →*Flasche*) wurde von *röm.* Soldaten als *spätlat.* flasca, flascō entlehnt. Im *Roman.* entwickelten sich daraus u. a. *it.* fiasco (s. *Fiasko*) und *frz.* flacon (*afrz.* *flascon*). Letzteres wurde im 18. Jh. in obiger Bedeutung ins *Dt.* rückentlehnt.

Flamingo *m*: Der Name des langbeinigen Stelzvogels wurde in *nhd.* Zeit aus gleichbed. *span.* flamenco entlehnt (ältere Nebenform: flamengo). Die Herkunft des auch in anderen *roman.* Sprachen vertretenen Wortes (beachte z. B. entspr. *prov.* flamenc, *frz.* flamant „Flamingo") ist nicht sicher geklärt. Vielleicht handelt es sich um eine im *Roman.* mit *germ.* Suffix gebildete Abl. von *lat.* flamma „Flamme". Der Vogel wäre dann nach seinem „geflammten" Gefieder benannt.

Flamme *w*: Das Substantiv *mhd.*, *mnd.* vlamme ist aus *lat.* flamma (< *flag-mā) „Flamme" entlehnt, das zum Stamm von *lat.* flagrāre „brennen, lodern, glühen" (vgl. *flagrant*) gehört. – Abl.: flammen (*mhd.* vlammen), dazu das in adjektivische Funktion übergegangene zweite Part. geflammt „flammenartig gemustert".

Flanell *m* (Gewebe): Im Anfang des 18. Jh.s entlehnt aus gleichbed. *frz.* flanelle < *engl.* flannel, das selbst *kelt.* Ursprungs ist. *Kymr.* gwlân „Wolle", das zugrunde liegt, ist urverw. mit →*Wolle*. – Dazu das Adjektiv flanellen „aus Flanell".

flanieren „müßig umherschlendern": Im 19. Jh. aus gleichbed. *frz.* flâner entlehnt, das auf *aisl.* flana „ziellos herumlaufen" – zur *idg.* Sippe von →*Feld* – zurückgeht. Vermittelt wurde das Wort wohl durch *norm.* Mundarten. Abl.: Flaneur *m* „Müßiggänger, Pflastertreter" (19. Jh.; aus *frz.* flâneur).

Flanke *w*: Als militär. Fachwort im 16./17. Jh. entlehnt aus *frz.* flanc „Seite (eines Festungswerks oder eines in Schlachtordnung aufgestellten Heeres)". Dessen erhaltene Grundbedeutung „Hüfte, Lende, Weiche" erweist die Übertragung aus einer urspr. Körperteilbezeichnung und führt das Wort zurück auf gleichbed. *ahd.* hlanka (entspr. *ahd.* [h]lanka in →*Gelenk*). Zwei abgeleitete Verben stehen bedeutungsmäßig differenziert nebeneinander: flankieren „von der Seite decken, in die (geschützte) Mitte nehmen" und flanken „(einen Ball) von der Seite

(eines Spielfeldes) in die Mitte schlagen".
Während jenes etwa gleichzeitig mit dem
Substantiv übernommen wurde aus *frz.*
flanquer (eigtl.: ,,mit Seitenbefestigungen
versehen") und heute noch seiner militär.
Grundbedeutung nahesteht, ist letzteres eine
Ableitung des 20. Jh.s zu Flanke im Sinne
von ,,Flankenschlag" (Fußball).

Flansch *m*: Das Fachwort für den Metallarbeiter
für das verbreitete Anschlußende von Rohren und die Schenkel der Eisenträger geht
zurück auf *spätmhd.* vlansch ,,Zipfel", das
zur Sippe von →*flennen* (eigtl. ,,den Mund
verziehen") gehört. Beachte *mhd.* vlans verächtl. für ,,Maul", Flanschen *ostmitteld.*
für ,,Maul, klaffender Wundrand", Flantsch
,,Lappen", und Flunsch *niederd.-mitteld.*
für ,,verzogener Mund" (bes. in der Wendung
'einen Flunsch ziehen').

Flasche *w*: Das *altgerm.* Substantiv *mhd.*
vlasche, *ahd.* flaska, *niederl.* flesch, *engl.*
flask, *schwed.* flaska gehört im Sinne von
,,umflochtenes Gefäß" zu der unter
→flechten dargestellten *idg.* Wortsippe. Die
früher aus Holz, Ton, Zinn oder Blech hergestellten Flaschen waren zum Schutz und
besseren Transport mit Geflecht umgeben.
Erst in neuerer Zeit bezeichnet 'Flasche' ein
Glasgefäß (die Weinflasche hieß noch im
19. Jh. Bouteille, s. Buddel). Auf die aus
Blech oder Zinn hergestellte Flasche bezieht
sich Flaschner, die *südwestd.* und *schweiz.*
Bezeichnung des Klempners (*spätmhd.* vla-
schener). Das *germ.* Wort wurde früh in
andere Sprachen entlehnt: *spätlat.* flasco,
flasca (s. Fiasko, Flakon), *serb.* ploska. Die
ugs. (*nordd.*) Bezeichnung des Dummkopfs
und Versagers (bes. im Sport) als 'Flasche'
geht auf die Vorstellung der leeren Flasche
zurück, s. a. Fiasko. Zus.: Flaschenzug
(18. Jh.; die Rollen des Hebegeräts sind zu
'Flaschen' vereinigt, die nach der Form
ihres Gehäuses heißen).

flattern: *Frühnhd.* flatern, *mhd.* vladeren
steht neben den gleichbed. ablautenden
Formen vlederen (in den Wörtern um
→Fledermaus) und vlödern, vlüdern, zu
denen mit ausdrucksbetontem -i- noch vlittern tritt (daraus *nhd.* →flittern ,,glänzen").
Engl. entspricht to flitter, to flutter ,,flat-
tern", *außergerm.* ist u. a. *lett.* pledinât ,,mit
den Flügeln schlagen" verwandt. Alle diese
Wörter gehören zu der Wurzelform *p[e]led-*
in der Bedeutungsanwendung ,,schweben,
fliegen, flattern" (vgl. *viel*, zu der sich auch
nhd. →Falter stellt. Das Verb 'flattern'
wird heute bes. für Vögel, Schmetterlinge,
Fahnen gebraucht, in älterer Sprache gilt es
auch für das flackernde Feuer, Die Bed.
,,unbeständig schwanken" zeigt sich in Bildungen wie flatterhaft (17. Jh.), Flatter-
geist (16. Jh.).

flau: Das zunächst nur *niederd.* Adjektiv
bedeutet im 18. Jh. in *bremischer* Mundart
,,schal, kraftlos"; *mnd.* flau war ,,matt,
schwach, krank". Dieses Wort ist aus
gleichbed. *mniederl.* flau (*niederl.* flauw)
entlehnt, dessen Herkunft nicht gesichert
ist. Wichtig wurde 'flau' als Wort der
niederd. Kaufmanns- und Börsensprache, in
der es schon im 18. Jh. den Sinn des heutigen
,,lustlos, ohne Nachfrage" bekam. In der
Seemannssprache bezieht sich das Adjektiv
etwa seit der gleichen Zeit auf schwachen Wind. Heute gilt *ugs.* 'mir ist flau' für
,,schlecht, übel [im Magen]". Abl.: flauen
veraltet für ,,im Preis sinken" (19. Jh.).
Urspr. Seemannswörter sind abflauen
(Ende des 19. Jh.s) und Flaute *w* ,,Wind-
stille" (19. Jh.; für älteres Flaue ,,Flau-
heit"); sie wurden dann in den kaufmänn.
und allgemeinen Sprachgebrauch übertragen.

Flaum *m* ,,weiche Bauchfeder der Vögel;
erster Bartwuchs; Wollhaar an Pflanzen
und Früchten": Die *nhd.* Form geht über
mhd. pflûme zurück auf *ahd.* pflûma, das
aus *lat.* plûma ,,Flaumfeder" entlehnt ist,
vgl. *mniederl.*plûme, *aengl.*plûm[feder]). Das
Wort ist den Germanen wohl durch die Ausfuhr german. Gänsefedern nach Rom bekannt geworden; es ist aus *plusma entstanden und gehört zu der unter →*Flaus*
behandelten Sippe. *Nordd.* ist Flaum in
der 1. Bedeutung durch Daune (s. d.) verdrängt worden. – Abl.: flaumig (im 18. Jh.
für älteres pflaumicht). Zus.: flaumweich
(*nhd.*, bes. von weichgekochten Eiern), in
der älteren Form pflaum[en]weich (zu
älter *oberd.* Pflaum ,,Flaum" wird es heute
fälschlich an den Namen der Frucht angeschlossen und *ugs.* für ,,schwächlich, nachgiebig" gebraucht).

Flaus, Flausch *m*: *Niederd.* mdal. Fluus[ch],
mnd. vlûs[ch] ,,Wollbüschel, Schaffell" wurde
im 18.Jh. in der Form Flaus[ch] Bezeichnung
eines wollenen Überrocks (jetzt Flausch-
rock), den die hallischen Studenten trugen,
und des dafür verwendeten weichen Woll-
stoffs. Das *niederd.* Wort führt zusammen mit
dem untergegangenen *mhd.* vlius, vlûs
,,Schaffell", mit *niederl.* vlies (s. Vlies)
und verwandten Wörtern in anderen *idg.*
Sprachen auf eine *idg.* Wz. *pleus- ,,aus-
rupfen; gerupfte Wollflocke oder Feder"
zurück, vgl. z. B. *lat.* plûma (*plusma)
,,Feder" (s. Flaum und Plumeau) und *lit.*
plùskos ,,Haarzotten". Als *landsch.* Nebenform besteht **Flause,** Fluse *w* ,,loses Faden-
ende, herumfliegende Wollflocke"; die
Mehrz. Flausen gilt seit dem 18. Jh. übertr.
für ,,Ausflüchte; Launen, närrische Ein-
fälle; Schwierigkeiten", bes. in der Wendung
'Flausen machen'.

flechten: Das *altgerm.* Verb *mhd.* vlehten,
ahd. flehtan, *niederl.* vlechten, *aengl.* fleoh-
tan, *schwed.* fläta beruht zusammen mit *got.*
flahta ,,Haarflechte" und verwandten Wörtern in anderen *idg.* Sprachen auf eine *idg.*

Wz. *plek̑-„flechten, wickeln", die wohl eine Erweiterung der Wz. *pel-„falten" (vgl. *falten*) ist. Näher verwandt ist z. B. *lat.* plectere „flechten" und weiterhin *gr.* plékein „flechten", *lat.* plicare „zusammenwickeln, -falten" (s. die FW-Gruppe um →kompliziert). Aus dem *germ.* Sprachbereich stellt sich noch →*Flachs* zu der genannten Wurzel. Siehe auch den Artikel *Flasche.* Zu 'flechten' gebildet sind verflechten (17. Jh., heute meist für enge wirtschaftl. Verbindung gebraucht) und entflechten (19. Jh., heute meist für die Auflösung enger wirtschaftl. Verbindung gebraucht). Abl.: Flechte *w* (*mhd.* vlehte „Flechtwerk, Geflochtenes". Das Wort bedeutet jetzt gewöhnlich „Zopf". Seit dem 18. Jh. heißen die verflochtenen Algen und Pilzfäden an Rinden und Steinen 'Flechte'; in beiden Fällen führte das Aussehen zur Benennung. *Spätmhd.* ist die Kollektivbildung Geflecht *s*).

Fleck, ¹Flecken *m*: Das nur im *Dt.* und *Nord.* belegte Substantiv *mhd.* vlec[ke], *ahd.* flec[cho], *aisl.* flekkr, *schwed.* fläck bedeutete urspr. sowohl „Lappen, Landstück" wie „andersfarbige Stelle". Dazu tritt im *Mhd.* die Bed. „Eingeweidestück" (noch in *landsch.* Speisebezeichnungen wie Rinder-, Kuttelfleck). Als Grundbedeutung ist wohl „flaches, breitgeschlagenes Stück" anzusetzen, wie denn noch *mhd.* vlec auch „Schlag, breite Wunde" bedeuten kann. Über weitere Zusammenhänge vgl. den Artikel *fluchen.* Heute überwiegt die Bed. „Schmutz- oder Farbfleck", übertr. „sittlicher Makel"; zur alten Bed. „Lappen" gehört →flicken. Als „Stelle, Ort" erscheint 'Fleck' heute bes. in Wendungen wie 'auf demselben Fleck stehen', 'nicht vom Fleck kommen'. Beachte auch ²Flecken *m*, Marktflecken „dörfliche Siedlung mit einzelnen städt. Rechten" (im 14. Jh. marktflecke). Abl.: flecken „Flecken machen", *ugs.* „vorankommen" in 'es fleckt' „geht voran" (*mhd.* vlecken „beschmutzen; schlagen; vom Fleck schaffen, fördern"); beflecken „mit Flecken beschmutzen" (*mhd.* bevlecken, meist übertr.); fleckig „gefleckt, beschmutzt" (*mhd.* vleckic).

Fledermaus *w*: Der *dt.* Tiername *mhd., mnd.* vledermûs, *ahd.* fledarmûs bedeutet „Flattermaus" und ist eine Bildung zu dem Verb *mhd.* vlederen, *ahd.* fledarôn, das im Ablaut zu →*flattern* steht (s. auch Flederwisch und zerflendern). Das meist von Insekten lebende Tier ist keine Maus, aber schon sein älterer *ahd.* Name mûstro, eigtl. „mausähnliches Tier", ist eine sehr altertümliche Ableitung von dem unter →*Maus* behandelten Substantiv.

Flederwisch *m*: Ein zum Putzen benutzter Gänseflügel heißt *mhd.* vederwisch (vgl. *Wisch*), woraus unter Anlehnung an *mhd.* vlederen „flattern" (vgl. Fledermaus) bald vlederwisch „Wisch zum Abfächeln" wurde. Heute ist der Flederwisch gewöhnlich ein Federbüschel mit einem Stiel.

Flegel *m* „ungehobelter Mensch, Lümmel": *Lat.* flagellum „Geißel, Peitsche", das als Verkleinerungsbildung zu gleichbed. *lat.* flagrum gehört, gelangte mit seiner im *Kirchenlat.* entwickelten Bed. „Dreschflegel" früh als LW zu den Westgermanen (*ahd.* flegil, *mhd.* vlegel, *niederl.* vegel, *engl.* flail). Während nun im deutschen Sprachraum das Wort in seiner eigtl. Bedeutung durch die verdeutlichende Zus. Dreschflegel abgelöst wurde, konnte es seine Geltung als Scheltwort behaupten, in welchem Sinne es heute fast ausschließlich gebraucht wird. Die Übertragung vom „Dreschflegel" auf den „Bauern, der den Dreschflegel schwingt" (seit dem 16. Jh. nachgewiesen) und danach weiter auf einen „derben, groben Menschen" allgemein, vollzog sich ähnlich wie bei den Scheltwörtern 'Bengel', 'Besen' u. a. – Abl. und Zus.: Flegelei *w* „derbes, ungehobeltes Benehmen" (17. Jh.); flegelhaft (17. Jh.); flegeln, sich „sich bäurisch, lümmelhaft benehmen" (in diesem Sinne seit dem 18./19. Jh.; zuvor schon *mhd.* vlegelen „dreschen; schlagen, peitschen", später auch transitiv „Flegeleien begehen"); Flegeljahre (18. Jh.; Bezeichnung für die jugendliche Entwicklungszeit, in der man sich wie ein Flegel benimmt).

flehen: Das nur im *Dt., Niederl.* und *Got.* bezeugte Verb (*mhd.* vlêhen, *ahd.* flêhan, flêhôn „schmeichelnd, dringlich bitten", *niederl.* vleien „schmeicheln", *got.* [ga]þlaihan „trösten, freundlich zureden, ermahnen") ist verwandt mit *aengl.* flâh, *aisl.* flâr „trügerisch, hinterlistig, falsch". Die weitere Herkunft dieser *germ.* Wortgruppe ist unklar. Abl.: flehentlich (*mhd.* vlêhenlich ist vom Infinitiv abgeleitet, das t ist junger Gleitlaut wie in eigentlich, hoffentlich u. ä.).

Fleisch *s*: In den *westgerm.* Sprachen bezeichnet *mhd.* vleisch, *ahd.* fleisc, *niederl.* vlees, *engl.* flesh menschliches und tierisches Fleisch allgemein, während *aisl.* flesk[i], *schwed.* fläsk nur „Schweinefleisch, Speck" bedeutet. *Außergerm.* Beziehungen des Wortes sind nicht gesichert. Zu dem abgeleiteten, heute veralteten Verb fleischen (*mhd.* vleischen „im Fleisch verwunden; mit Fleisch versehen; Fleisch, Mensch werden") gehören zerfleischen (16. Jh.; schon *ahd.* zufleiscôn) und eingefleischt (16. Jh.; LÜ von *lat.* incarnâtus „Mensch geworden", schon *mhd.* învleischunge für die „Fleischwerdung, Inkarnation Christi"; jetzt versteht man das Adjektiv als „unveränderlich, unverbesserlich" [wem eine Eigenschaft in Fleisch und Blut übergegangen ist]); Fleischer *m* (*landsch.* Handwerkername: *spätmhd.* vleischer ist wohl gekürzt aus vleischhouwer, -hacker, *nhd. landsch.* Fleischhauer, -hak-

Fleiß

ker; s. a. Schlachter, Knochenhauer, Metzger); fleischern ,,aus Fleisch" (16. Jh.; für *mhd.* vleischin, *ahd.* fleiskīn); fleischig ,,mit viel Fleisch" (z. B. von Händen; *spätmhd.* vleischic ,,fett"); fleischlich ,,leiblich, sinnlich" (in christl. übertr. Sinn, *mhd.* vleischlich, *ahd.* fleischlīch).

Fleiß *m*: Das *westgerm.* Substantiv *mhd.* vlīz, *ahd.* flīz, *niederl.* vlijt, *aengl.* flīt steht neben einem im *Nhd.* untergegangenen starken Verb *mhd.* vlīzen, *ahd.* flīzan ,,streben, trachten, sich bemühen", *aengl.* flītan ,,streiten, zanken", das nur noch in *nhd.* sich befleißen, veraltet für ,,sich bemühen", dem Partizip befleissen ,,eifrig bemüht" und dem Adverb geflissentlich ,,[über]eifrig" (*frühnhd.* geflissenlichen) fortlebt. Die weiteren etymolog. Beziehungen dieser Wortgruppe sind unsicher. Das Substantiv bedeutete urspr. ,,Streit, Wettstreit", hat sich aber schon *ahd.* zu ,,Eifer", *mhd.* auch zu ,,Sorgfalt" entwickelt (dazu die Wendungen 'mit Fleiß' ,,eifrig", jetzt meist ,,absichtlich" und 'viel Fleiß auf etwas verwenden'). Jetzt herrscht die Bed. ,,längeres angespanntes Arbeiten" vor. Abl.: fleißig (*mhd.* vlīzec, *ahd.* vlīzic; das zugehörige Verb *mhd.* vlīzigen lebt in sich befleißigen fort; 16. Jh.).

flektieren ,,beugen" (Gramm.): Im 18. Jh. entlehnt aus *lat.* flectere ,,biegen, beugen", das ohne sichere Anknüpfung ist. – Dazu: Flexion *w* ,,Beugung" (18. Jh.; aus gleichbed. *lat.* flexio). Das Adjektiv flexibel – aus *lat.* flexibilis –, das im 19. Jh. als FW erscheint, ist in der Sprachlehre (Bed. ,,beugbar") weniger üblich; eine größere Rolle spielt es dagegen in der Technik im Sinne von ,,biegsam, elastisch, geschmeidig". – Beachte noch die von dem Kompositum *lat.* re-flectere ,,zurückbeugen" ausgehenden FW →reflektieren, Reflexion, Reflektor, Reflex, reflexiv.

flennen: Das *ugs.*, in allen *dt.* Mundarten verbreitete Wort für ,,heulen, weinen" ist in dieser Bedeutung erst *nhd.* bezeugt (17. Jh.). Urspr. bedeutete es ,,den Mund verziehen" wie das verwandte *ahd.* flannēn. Somit sind →Flansch und Flunsch verwandt. Weitere Beziehungen bleiben ungewiß.

fletschen: *Mhd.* vletschen ,,die Zähne weisen" bedeutet eigtl. ,,den Mund breit ziehen". Es gehört zu *ahd.* flaz ,,flach, breit" und damit zu der unter →*Fladen* behandelten Sippe.

flicken: *Mhd.* vlicken ,,einen Fleck an- oder aufsetzen; ausbessern" ist abgeleitet von →*Fleck* in seiner alten Bed. ,,Lappen". Dazu wird im 18. Jh. Flicken *m* ,,Flicklappen" neu gebildet, das ,,Fleck" aus dieser Bedeutung verdrängt. *Frühnhd.* (15. Jh.) ist Flickwerk ,,schlechte, zusammengeflickte Arbeit".

Flieder *m*: Der *nordd.* Name des →Holunders (*mnd.* vlēder, *asächs.* fliodar, *niederl.* vlier) ist erst seit dem 16./17. Jh. in der *hochd.* Form Flieder bekannt geworden. Ebenfalls in Norddeutschland wurde der Name im 18. Jh. auch auf den über Spanien und die Niederlande aus dem Orient eingeführten Zierstrauch Syringa vulgaris übertragen (spanischer, türkischer Flieder u. ä.). In dieser Bedeutung ist er heute gemeindeutsch. Die Herkunft des Wortes ist unbekannt; gebildet ist es (wie Holunder, Wacholder u. a.) mit dem *germ.* Baumnamensuffix -dr[a] (vgl. *Teer*). Zus.: Fliederbeere ,,Holunderbeere" (bes. in Fliederbeersuppe); Fliedertee ,,Schweißtee aus Holunderblüten".

fliegen: Das *altgerm.* Verb *mhd.* vliegen, *ahd.* fliogan, *niederl.* vliegen, *engl.* to fly, *schwed.* flyga geht von der *lit.* plaũkti ,,schwimmen" auf eine Wz. *pleuk- zurück, die aus *pleu- ,,rinnen, fließen, schwimmen, fliegen" erweitert ist und urspr. wohl ganz allgemein ,,sich [schnell] bewegen" bedeutete (s. auch Flut, fließen). Als alte ablautende Bildungen gehören → ¹Flucht, →Flug, →Flügel und →flügge zu 'fliegen', auch →Flitzbogen ist verwandt. – Abl.: Fliege *w* (*mhd.* vliege, *ahd.* fliege; vgl. *schwed.* fluga; eigtl. ,,die Fliegende"; s. auch Mücke), dazu Fliegenpilz (*nhd.* für älteres Fleugenschwamm, *spätmhd.* muckenswam; früher wurde er in Milch gekocht, um damit Fliegen zu töten); Flieger *m* (Anfang des 19. Jh.s, sportl. für ein Rennpferd auf kurzen Strecken, danach auch im Radsport; nach 1900 für ,,Flugzeugführer").

fliehen: Das *gemeingerm.* Verb *mhd.* vliehen, *ahd.* fliohan, *got.* (mit anderem Anlaut) þliuhan, *engl.* to flee, *schwed.* fly ist etymologisch unerklärt. Zu ihm gehören das unter → ²Flucht behandelte Substantiv mit seinen Ableitungen und Zusammensetzungen sowie die Präfixbildung entfliehen (*mhd.* enphliehen, entvliehen). Siehe auch den Artikel Floh.

Fliese *w*: Die Bezeichnung der Boden- und Wandplatte aus Stein oder Ton wird im 18. Jh. aus dem *Niederd.* aufgenommen. *Mnd.* vlīse ,,Steinplatte" ist verwandt mit *aisl.* flīs ,,Splitter" und gehört zu der unter →*spleißen* ,,spalten" behandelten Wortgruppe.

fließen: Das *altgerm.* starke Verb *mhd.* vliezen, *ahd.* fliozan, *niederl.* vlieten, *engl.* to fleet, *schwed.* flyta gehört mit →Flut und verwandten Wörtern aus anderen *idg.* Sprachen zu der *idg.* Wz. *pleu- ,,rinnen, fließen" (vgl. *viel*), vgl. z. B. *lit.* pláusti ,,waschen", *lit.* plústi ,,strömen, überfließen" und *air.* lūaid- ,,bewegen". Die Bedeutungen des Verbs gehen alle von der Bewegung des Wassers oder vom Schwimmen im Wasser aus. Das zeigen auch die Abl. Floß, flößen, Flosse, flott, Flotte und Fluß (s d. einzelnen Artikel). Zus.: Fließpapier ,,saugfähiges

174

[Lösch]papier'' (16. Jh.; so benannt, weil Tinte und Farbe darauf verfließen).

flimmern: Das seit dem 17. Jh. bezeugte Verb ist eine junge, lautspielerische Bildung zu dem heute nicht mehr gebräuchlichen Verb flammern. Eine ähnliche Bildung zu 'flammen' ist das seit dem 18. Jh. bezeugte, heute veraltete Verb flimmen. 'Flimmern' wird heute bes. vom unruhigen Glänzen der Filmleinwand gebraucht. Dazu die Rückbildung Flimmer m „beweglicher Glanz, Flitter'' (18. Jh.) und die ugs. Zus. Flimmerkiste „Filmtheater'' (1. Hälfte des 20. Jh.s).

flink: Das am Ende des 17. Jh.s aus niederd. flink „glänzend, blank'' ins Hochd. übernommene Adjektiv entwickelt bald die Bed. „gewandt, schnell''. Verwandt sind spätmhd. kupper-vlinke „blinkendes Kupfererz'' und nhd. → flunkern. Weitere Beziehungen der jungen Wortgruppe sind nicht gesichert.

Flinte w: Während des Dreißigjährigen Krieges wurde die alte mit Radschloß und Lunte versehene Büchse durch eine neue, in Frankreich erfundene Form mit zuschnappendem Feuersteinschloß abgelöst. Sie kam wahrscheinlich zuerst aus niederländischen Werkstätten und hieß Flintbüchse oder -rohr, bald verkürzt Flinte. Das Bestimmungswort der Zus. ist das Substantiv mniederl. vlint, mnnd. vlint[stēn], engl. flint „Kiesel, Feuerstein'', dem gleichbed. schwed. flinta, norw. flint entsprechen. Es bedeutete urspr. „Steinsplitter'' und stammt wie ahd. flins, mhd., mnd. vlins „Stein, Kiesel; Fels'' wahrscheinlich aus einer nasalierten Form der Wz. *[s]plei- „spalten'' (vgl. spleißen). Heute ist die Flinte nur Jagdwaffe; an die alte militär. Verwendung erinnert die Redensart 'die Flinte ins Korn werfen' (d. h. ins Kornfeld; also „den Kampf aufgeben, verzagen'').

flirten „den Hof machen, kokettieren'': Im 19. Jh. aus gleichbed. engl. to flirt entlehnt. Die weitere Herkunft ist unsicher. – Dazu das Substantiv Flirt m „Liebelei''.

flittern: Als Nebenform von → flattern erscheint spätmhd. flittern, dem mengl. fliteren, engl. to flitter „flattern'' entsprechen. Seine nhd. Bed. „unruhig glänzen'' hat sich unter dem Einfluß der frühmhd. Rückbildung Flitter m „Metallblättchen, blinkende Blechmünze'' entwickelt. Das Substantiv steht seit dem 18. Jh. auch allgemein für „billiger Putz; gehaltloser Schimmer''; s. auch den folgenden Artikel.

Flitterwochen Mehrz.: Der zuerst im 16. Jh. bezeugte Name für die ersten Ehewochen gehört zu einem wohl lautmalenden mhd. vlittern „flüstern, kichern, liebkosen'', mit dem sich ahd. flitarezzen „schmeicheln'' vergleicht. Die Flitterwochen sind also „Kosewochen''. Erst nach dem Untergang des Verbs wurde das Substantiv vom Sprachge-

fühl mit → Flitter „wertloser, vergänglicher Tand'' verbunden.

Flitzbogen m: Ein zum Stamm von → fliegen gebildetes germ. Wort für „Pfeil'', das noch in mnd. vlēke, mniederl. vlieke erscheint, hat über afränk. *fliugika frz. flêche „Pfeil'' ergeben, das im 16. Jh. als niederl. flits, mniederd. flitse, frühnhd. flitsche, flitze, nhd. Flitz m zurücklehnt wurde. Während das einfache Wort jetzt veraltet ist, hat sich die Zus. mnd. flitsbögen, nhd. Flitzbogen ugs. als Name des Jungenspielzeuges erhalten. Das abgeleitete Verb flitzen bedeutet im 16. Jh. „mit Pfeilen schießen'', seit dem 19. Jh. ugs. „[wie ein Pfeil] sausen, eilen''.

Flocke w: Die Herkunft des altgerm. Substantivs (mhd. vlock[e] „Schnee-, Blütenflocke; Funke; Wollflocke'', ahd. floccho „Wollflocke'', niederl. vlok „Flocke'', engl. flock „Flocke, Büschel'', schwed. flock „Wollflocke'') ist nicht sicher geklärt. Wahrscheinlich hat sich in den germ. Sprachen eine Entlehnung aus lat. floccus „Wollfaser'' mit einem heimischen Wort gemischt, das mit balt. Wörtern wie lett. plaúki „Schneeflocke, Webabfall'', lit. pláukas „Haar'' verwandt ist und wohl zu der Wurzel von → fliegen gehört. Abl.: flocken „Flocken absondern'' (17. Jh.); flockig „flockenförmig'' (17. Jh.).

Floh m: Der altgerm. Name des Insektes mhd. vlō[ch], ahd. flōh, niederl. vlo, engl. flea, aisl. flō ist seit alters volksetymologisch an fliehen (s. d.) angelehnt und als „schnell entkommendes Tier'' gedeutet worden. Der Blick auf außergerm. Namen des Flohs (lat. pūlex, aind. plúṣi-ḥ, gr. psýlla, lit. blusá) zeigt aber, daß wahrscheinlich ein altes idg. Wort in den Einzelsprachen tabuistisch entstellt oder volkspielerisch abgewandelt worden ist. Abl.: flöhen „Flöhe suchen und fangen'' (17. Jh.).

¹Flor m „Blüte, Blumenfülle'': Das schon im 16. Jh. im übertragenen Sinne von „kulturelle Blütezeit; Wohlergehen'' bezeugte Wort – die eigtl. Bed. erscheint erst im 18. Jh. – ist hervorgegangen aus der lat. Wendung 'in flōre esse' „in Blüte stehen''. Das zugrunde liegende Substantiv lat. flōs (flōris) „Blume, Blüte, Knospe'', das zu der unter → blühen dargestellten idg. Wortsippe gehört, ist auch Quelle für entspr. frz. fleur, engl. flower und it. fiore. Zu letzterem stellt sich die Verkleinerungsbildung it. fioretto „Blümchen, kleine Knospe'', das über frz. fleuret unser FW → Florett liefert. – An Ableitungen von lat. flōs sind von Interesse: lat. Flōra (Name einer Frühlingsgöttin) – daraus unser FW → Flora –, lat. flōrēre „blühen'' (s. florieren), lat. flōsculus „Blümchen'' (s. Floskel). Mit 'Flor' nicht verwandt ist → ²Flor.

²Flor m „dünnes, durchsichtiges Gewebe'': Wie die Zus. Trauerflor und die Abl. umflort „verschleiert, getrübt'' zeigen, bezeichnet das Wort urspr. ein vor allem zum

Zeichen der Trauer getragenes, schwarzseidenes Gewebe. Es ist seit dem 16. Jh. bezeugt. Voraus liegt *niederl.* floers, das wohl auf *frz.* velours „Samt" zurückgeht, wegen der Bed. „hauchdünnes Gewebe" aber beeinflußt sein dürfte von *frz.* fleurs „Blumen". Über *frz.* velours vgl. *Velours.* – Nicht verwandt ist → ¹Flor „Blüte".

Flora *w* „Pflanzenwelt eines bestimmten Gebietes": Urspr. ist 'Flora' der Name einer altrömischen Frühlingsgöttin der „Blumen und Blüten", der seit dem 17. Jh. als Titelstichwort von Blumen- und Pflanzenbeschreibungen erscheint und von daher, wie bei → Fauna, übertragen wird. Etymologisch liegt dem Namen *lat.* flōs „Blume" zugrunde (vgl. ¹*Flor*).

Florett *s* „Stoßdegen": Mit anderen Wörtern der Fechtkunst (wie → Finte, → ¹parieren) aus dem *Frz.* oder *It.* entlehnt. Voraus liegt *frz.* fleuret, das im 17. Jh. als Flöret entlehnt und später zu Florett relatinisiert wurde. *Frz.* fleuret ist selbst aus *it.* fioretto „kleine Blume, Knospe" übernommen und an *frz.* fleur „Blume" angeglichen worden. Benannt wurde das Florett nach dem knospenähnlichen Knopf, der bei Fechtübungen auf die Spitze des Stoßdegens gesteckt wurde (vgl. ¹*Flor*).

florieren „blühen" (heute nur noch übertragen gebraucht): Im 16. Jh. aus gleichbed. *lat.* flōrēre entlehnt. Über das zugrunde liegende Substantiv *lat.* flōs „Blume" vgl. den Artikel ¹*Flor.*

Floskel *w* „formelhafte Redewendung, nichtssagende Redensart": Am Ende des 18. Jh.s eingedeutscht aus *lat.* flōsculus „Blümchen" (im Sinne von „Redeblume, schmückender Ausdruck"), einer Verkleinerungsbildung zu flōs „Blume" (vgl. ¹*Flor*).

Floß *s*: *Mhd.* vlōʒ, *ahd.* flōʒ, *mnd.* vlōt „Strömung, Flut; Holz- oder Schiffsfloß" ist eine ablautende Bildung zu → fließen in seiner alten Bed. „schwimmen". Siehe auch flößen, Flotte.

Flosse *w*: *Mhd.* vloʒʒe, *ahd.* floʒʒa ist eine *hochd.* Bildung zu → fließen in seiner alten Bed. „schwimmen". Das Wort hat sich allmählich gegen die jüngeren Bildungen *mhd.* vischvedere, vlōʒvedere (älter *mhd.* Floßfeder) durchgesetzt. Als *ugs.* Bezeichnung der menschlichen Hand erscheint 'Flosse' Ende des 19. Jh.s in der Soldatensprache.

flößen: Das heute gewöhnlich als Ableitung von Floß (s. d.) empfundene Verb zeigt in der Zus. einflößen (auch: in den Mund flößen, *mhd.* in vlœʒen) seinen alten Sinn als Veranlassungswort zu → fließen: *Mhd.* vlœʒen, vlœtzen bedeutet „fließen machen, schwemmen, übergießen". Auch 'Holz flößen' ist eigtl. als „schwimmen machen" zu verstehen. Abl.: Flößer *m* (*spätmhd.* vlœʒer, vlœtzer).

Flöte *w*: Der Name des Musikinstrumentes *frühnhd.* Fleute, *mhd.* vloite ist wie entspr. *niederl.* fluit aus *afrz.* flaüte (= *frz.* flûte) „Flöte" entlehnt. Quelle des *frz.* Wortes, wie auch für entspr. *it.* flauto und *span.* flauta, ist *aprov.* flaüt „Flöte", dessen weitere Herkunft nicht gesichert ist. – Abl.: flöten „die Flöte blasen" (*mhd.* flöuten); Flötist *m* „Flötenspieler" (im 19. Jh. mit *nlat.* Endung gebildet; dafür älter 'Flöter' *mhd.* vloitēre).

flötengehen: Die Herkunft des aus dem *Niederd.* in die Umgangssprache gelangten Ausdrucks für „verlorengehen" (*niederd.* seit dem 16. Jh., dort schriftsprachl. seit dem 18. Jh.) ist unbekannt.

flott: Das Adjektiv wurde im 17. Jh. aus der Seemannssprache ins *Hochd.* übernommen. *Niederd.* 'flot maken' „ein Schiff fahrbereit, schwimmfähig machen" geht auf die *mnd.* Fügung 'ēn schip an vlot bringen' zurück, in der das Substantiv vlot „Schwimmen" bedeutet. Der übertr. Sinn „ungebunden, leicht, flink" erscheint im 18. Jh. zuerst im *Niederd.* und *Niederl.* und ging dann über die hallische Studentensprache ins *Hochd.* über.

Flotte *w* „größerer Schiffsverband": Ein urspr. *germ.* Wort, das zur Sippe von → fließen gehört. Die heimischen Formen *mnd.* vlōte, *mniederl.* vlōte, vloot (entspr. *aengl.* flota, *aisl.* floti) „Floß, Wasserfahrzeug; Flotte") gerieten im 16./17. Jh. unter den Einfluß der aus dem *Roman.* rückentlehnten Formen *it.* flotta, *frz.* flotte, die ihrerseits aus dem *Germ.* entlehnt sind. – Das hierhergehörende Substantiv **Flottille** *w* „Verband kleinerer Kriegsschiffe" wurde im 18./19. Jh. entlehnt aus *span.* flotilla, der Verkleinerungsform von flota, das selbst auf *frz.* flotte zurückgeht.

Flöz *s* „nutzbare Gesteins-, bes. Kohlenschicht": *Frühnhd.* flötz, fletz[e] (16. Jh.) zeigt die bergmänn. Bed. „plattenförmige Lagerstätte" zuerst im Bergbau des Erz- und des Riesengebirges. Das Wort geht zurück auf *mhd.* vletze, *ahd.* flezzi, flazzi „geebneter Boden, Tenne, Lagerstatt" (vgl. *oberd.* Fletz „Hausflur", entspr. *niederd.* Flett), eine Abl. aus dem *altgerm.* Adjektiv *ahd.* flaʒ (*asächs.* flat, *mniederl.* vlat, *schwed.* flat) „flach, breit", das zur Sippe von → Fladen gehört.

fluchen: *Mhd.* vluochen, *ahd.* fluohhōn „fluchen", *niederl.* vloeken „fluchen" zeugen von einer alten, die Verwünschung begleitenden Ausdrucksbewegung. Ihre eigtl. Bedeutung ist nämlich „(mit der Hand auf die Brust) schlagen", wie die entsprechenden Verben *aengl.* flōcan „schlagen" und *got.* flōkan „beklagen" (eigtl. „trauernd an die Brust schlagen") zeigen. Im *außergerm.* Sprachbereich ist *lat.* plangere „schlagen, trauern" verwandt (vgl. auch *lat.* plāga

„Schlag" in der Lehnwortgruppe um →Plage). Die zugrunde liegende Wurzelform *pläk-, *pläg- „schlagen" ist auch in den unter →flackern (mit Flagge) und →Fleck (mit flicken) behandelten Wortsippen enthalten. Sie gehört wahrscheinlich mit der Grundbed. „breitschlagen" zu der unter →Feld dargestellten idg. Wortgruppe. – Das Substantiv Fluch m (mhd. vluoch, ahd. fluoh) ist eine Rückbildung aus dem Verb. Im christlichen Sinne bezeichnen beide Wörter das sündhafte Lästern, werden aber meist für bloße Kraftausdrücke gebraucht. Nur in der Verbindung 'jemandem fluchen' und in dem stärkeren verfluchen (mhd. vervluochen, ahd. farfluohhōn) ist der alte magische Sinn des „Verwünschens" noch spürbar. Das adjektivische Partizip verflucht wird gern zu dem harmlosen ugs. verflixt (19. Jh.) entstellt.

¹Flucht w: Das im 18. Jh. aus niederl. flugt (mnd. vlucht, engl. flight) in der Bed. „zusammen fliegende Vogelschar" ins Hochd. übernommene Substantiv ist eine Bildung zu dem unter →fliegen behandelten Verb (s. auch Eulenflucht). In der übertragenen Bed. „zusammenhängende gerade Reihe" (die etwa an die Flugweise der Wildgänse anschließt) lebt es heute in den Zus. Bauflucht, Zimmerflucht und bes. in Fluchtlinie „Gerade in perspektivischer Darstellung; zulässige Gebäudegrenze an Straßen und Plätzen" (19. Jh.). Abl.: fluchten „in gerade Linie bringen".

²Flucht w: Die westgerm. Bildung zu dem unter →fliehen behandelten Verb lautet mhd. vluht, ahd. fluht, niederl. vlucht, engl. flight. In nhd. Jägersprache ist Flucht (Mehrz. Fluchten) der Sprung des Schalenwildes. Abl.: flüchten (mhd. vlühten, ahd. fluhten war „in die Flucht schlagen"; beim Wild ist 'flüchten, flüchtig werden' „[davon]springen"); flüchtig (mhd. vlühtec, ahd. fluhtic „fliehend"; seit dem 18. Jh. auch „oberflächlich" und „vergänglich", in der Chemie „leicht verdunstend"); dazu sich verflüchtigen (spätmhd. verfluchtigen „fliehen"; in der heutigen übertragenen Bedeutung erst seit dem 18. Jh.); Flüchtling m (17. Jh.); ein Fachwort der Biologie ist Nestflüchter (s. Nest). Eine Zus. ist Zuflucht (mhd. zuovluht „schützender Ort" steht für lat. refugium, wie heute bes. in übertragenem Sinn). Dagegen stellt sich Ausflucht (spätmhd. ūzvluht „Flucht, heimliches Entrinnen [aus der Haft]" zu einem im Nhd. untergegangenen Verb mhd. ūzvliehen. Es war zunächst vor allem ein Wort der Heeres- und Rechtssprache.. Aus der Sonderbed. „Berufung an ein höheres Gericht" ist schon um 1500 der heutige Sinn „[leere] Ausrede" entstanden).

Flug m: Die altgerm. Bildung zu dem unter →fliegen behandelten Verb (mhd. vlue,

ahd. flug, niederl. vlucht, aengl. flyge, aisl. flugr) bezeichnet die Tätigkeit des Fliegens, im Dt. jetzt bes. den techn. Flug des Menschen. Weidmänn. ist 'Flug' eine größere Schar jagdbarer Vögel. Zus. der Fliegersprache sind u. a. An-, Ab-, Blind-, Kunst-, Segel-, Sturzflug. Abl.: flugs (mhd. vluges „im Fluge, eilend", mnd. vluks, vluckes ist der erstarrte Genitiv; die Verkürzung des -u- machte das Wort unkenntlich, so daß es älter nhd. auch flux geschrieben wurde). Zus.: Flugblatt, -schrift (die Ausdrücke 'fliegendes Blatt', 'fliegende Schrift' erscheinen im 18. Jh. wie frz. feuille volante, sie meinen eigtl. den losen Zustand der Zeitungsblätter und Streitschriften im Gegensatz zum gebundenen Buch, dann aber auch ihre schnelle Verbreitung; seit Ende des 18. Jh.s setzen sich dann die Zus. Flugblatt, -schrift durch); Flugzeug (Anfang des 20. Jh.s nach Fahrzeug gebildet); Ausflug (mhd. ūzvluc „erster Flug der Jungvögel und Bienen"; im 18. Jh. für „kleine Reise").

Flügel m: Die verhältnismäßig junge Bildung zu dem unter →fliegen behandelten Verb (mhd. vlügel, mnd. vlögel, niederl. vleugel) bedeutete zunächst „Vogelflügel" und wurde bald auch auf die Windmühlenflügel und später auf bewegliche Geräteteile verschiedener Art übertragen. Im 18. Jh. wird eine Klavierform 'Flügel' benannt. Als „[symmetrische] Seitenteile" sind Bezeichnungen wie Nasen-, Lungen-, Tür- und Gebäudeflügel zu verstehen; bei den Flügeln einer Heeresaufstellung hat gleichbed. lat. ala eingewirkt (dazu im 18. Jh. Flügelmann „Soldat am Flügel einer Truppenlinie"). Abl.: flügeln „Flügel geben, mit den Flügeln schlagen" (17. Jh.); 'geflügelte Worte' war bei J. H. Voß um 1780 LÜ des homerischen épea pteróenta (im Sinne von „schnell eilend") und erhielt durch Büchmann 1864 die Bed. „oft gebrauchtes Zitat", dazu im übertragenen Sinn beflügeln (18. Jh.) und überflügeln (18. Jh., zuerst im Kriegswesen); Geflügel (s. d.).

flügge : Das Adjektiv wurde im 16. Jh. aus dem Niederd. ins Hochd. übernommen. Mnd. vlügge „flugfähig, beweglich, emsig" gehört zu dem gleichbed. westgerm. Adjektiv mhd. vlücke, ahd. flucki, niederl. vlug, aengl. flycge, einer Bildung zu dem unter →fliegen behandelten Verb. 'Flügge' bezeichnet heute vor allem den Zustand des fertig befiederten Jungvogels, übertr. die beginnende Selbständigkeit des Menschenkindes.

Fluidum s: Das FW erscheint zuerst im 18. Jh. als naturwissenschaftlicher Terminus zur Bezeichnung hypothetisch angenommener flüchtiger Stoffe, die als eine Art verdichteter Flüssigkeit angesehen wurden und denen man die Fähigkeit zuschrieb, Eigenschaften oder Wirkungen zu übertragen.

Danach versteht man heute unter Fluidum im allg. übertragenen Sinne jene eine Person oder Sache umgebende eigentümliche Ausstrahlung, die eine bestimmte geistige Atmosphäre schafft. Das FW beruht auf einer gelehrten Entlehnung aus *lat.* fluidus „fließend, flüssig". Zu *lat.* fluere „fließen, strömen" (s. auch Influenza).

Flunder *w*: Der Name des Plattfisches *spätmhd.* vlunder, *mnd.* vlundere ist wahrscheinlich wie gleichbed. *engl.* flounder ein LW aus den *nord.* Sprachen (*schwed.*, *norw.* flundra). Daneben erscheinen andere Formen wie *spätmhd.* vluoder, vlander, *ostpreuß. mdal.* Flinder, *dän.-norw.* flyndre. Die Bezeichnungen gehören alle im Sinne von „flacher Fisch" zu der unter →*Fladen* behandelten Wortgruppe. Siehe auch die Artikel Butt und ²Scholle.

flunkern: Das im 18. Jh. als *niederd.* bezeugte und bald ins *Hochd.* übernommene Verb bedeutet eigtl. wie *niederl.* flonkeren „glänzen, schimmern", hat aber schon damals über „glänzen wollen, aufschneiden" die Bed. „harmlos lügen" entwickelt. Es steht im Ablaut zu *frühnhd.* flinke[r]n „glänzen", *mniederl.* vlinken „blitzen, sich schnell bewegen" und stellt sich damit zu dem unter →*flink* behandelten Wort.

Flur *m* und *w*: Das *altgerm.* Substantiv (im anderen *idg.* Sprachen nur die *kelt.* Sippe von *air.* lār „Boden, Tenne" entspricht, gehört zu der unter → *Feld* dargestellten Wortgruppe. Aus der urspr. Bed. „[flacher, festgestampfter] Boden" (*mnd.* flōr „Diele, Estrich", *niederl.* vloer, *engl.* floor „Fußboden, Tenne", *norw.* flor „Stallboden") hat sich die im *Nhd.* etwa seit 1700 bezeugte Bed. „Vorraum, Gang im Hause" entwickelt, die bes. *nordd.* ist. Im *mitteld.* und *oberd.* Raum entstand dagegen die Bed. „Feldflur" (*mhd.* vluor „Boden[fläche], Saatfeld"), für die seit dem 14. Jh. weibl. Geschlecht üblich wird. Das Wort bezeichnet im landwirtschaftl. Sprachgebrauch die unbewaldete Dorfflur und ihre Unterteilungen (Fluren) und steht dichterisch für „freies Feld". Zus.: **Flurname** (im 19. Jh. als wissenschaftl. Bezeichnung für die oft altertümlichen bäuerlichen Geländenamen geprägt); **Flurschütz** (s. Schütze).

Fluß *m*: Das nur *dt.* Subst. *mhd.* vluz, *ahd.* fluz ist eine Bildung zu dem unter →*fließen* behandelten Verb und bedeutet zunächst „Fließen, Strömung". Erst in *nhd.* Zeit entwickelt sich die heutige Hauptbed. „fließendes Gewässer", daher steht ‚Fluß' kaum in Gewässernamen (die vielmehr mit -ach[e], -bach, -fließ, -wasser u. ä. gebildet werden). Die alte Bedeutung zeigt sich heute noch in fachsprachl. Wörtern wie **Glasfluß** „Email" (18. Jh.) und **Flußspat** „Mineral zur Glas- und Emailherstellung" (im 16. Jh. fluß, beim Erzschmelzen zugesetzt); vgl.

Spat), ferner in teils bildl. gebrauchten Wendungen wie ‚in Fluß geraten, kommen, sein' und in Ableitungen von Präfixverben wie Ab-, Zu-, Ausfluß; s. auch Ein- und Überfluß. .Abl.: flüssig (*mhd.* vlüzzec, *ahd.* fluzzīg).

flüstern: Das lautmalende Wort erscheint zuerst im 15. Jh. als *mnd.* flisteren „leise zischen", bald danach auch in *hochd.* Texten und wird im 18. Jh. gemeinsprachl. Die alte Form mit i hält sich neben der jüngeren gerundeten Form bis ins 19. Jh. Dazu die jungen Zus. **Flüsterpropaganda** und **Flüstertüte** (scherzhaft für „Megaphon").

Flut *w*: Das *gemeingerm.* Substantiv *mhd.* vluot, *ahd.* fluot, *got.* flōdus, *engl.* flood, *schwed.* flod gehört zu dem im *Dt.* untergegangenen Verb *engl.* to flow, *niederl.* vloeien, *aisl.* flōa „fließen" und geht mit der näher verwandten Wortgruppe von →*fließen* auf die Wurzelform *pleu[-]* „fließen, schwimmen, strömen" zurück (vgl. *viel*). In anderen *idg.* Sprachen sind z. B. eng verwandt *gr.* plōein „schwimmen", *gr.* plōtós „schwimmend, fahrbar" und *aind.* plávatē „schwimmt, schwebt, fliegt". – Die urspr. Bedeutung von ‚Flut' ist also „Fließen, Strömung". Sie zeigt sich bes. in der *Mehrz.* Fluten (z. B. ‚die Fluten des Rheins'). Als Gegenwort zu Ebbe (s. d.) tritt *mhd.* bis zuerst im 15. Jh. auf (dazu die Zus. Sturm-, Springflut, in übertr. Sinn Hochflut; s. auch Sintflut). Abl.: **fluten** (*mhd.* vluoten).

Föderation *w* „[Staaten]bund", dafür häufig auch **Konföderation**: Entlehnt aus *lat.* [cōn]foederātiō „Vereinigung". Das zugrunde liegende Substantiv *lat.* foedus (Abmachung auf der Basis gegenseitiger Vertrauens, Bündnis" gehört zum Verbalstamm von *lat.* fīdere „vertrauen" (vgl. *fidel*). – Eine *nlat.* und durch das *Frz.* vermittelte Weiterbildung des 18./19. Jh.s ist vor in: **Föderalismus** *m* „Prinzip bundesstaatl. Ordnung"; dazu das Adjektiv **föderalistisch**.

Fohlen *s*: Die *gemeingerm.* Bezeichnung des jungen Pferdes lautet *mhd.* vol[e], *ahd.* folo, *got.* fula, *engl.* foal, *schwed.* fåle. Sie ist z. B. verwandt mit *gr.* pōlos „Fohlen, Tierjunges". Die Wortgruppe gehört zu der *idg.* Wz. *pōu-* „klein, gering, wenig", die z. B. *engl.* few „wenige", *lat.* paucus, paul[l]us „wenig" (im PN Paulus), putus „Knabe" (s. Putte), *lat.* pullus „jung, Tierjunges", *lat.* puer „Kind" und *gr.* paîs „Kind" (s. die FW-Gruppe um Pädagoge) zugrunde liegt. Im *Dt.* bezeichnet das urspr. *niederd.* Fohlen seit alters das junge Pferd bis zum 3. Lebensjahr. In spr. *südwestd.* →*Füllen* hat es im Geschlecht beeinflußt. Das -n der heutigen Form stammt aus den urspr. schwach gebeugten obliquen Fällen. Abl.: **fohlen** „ein Fohlen zur Welt bringen" (18. Jh.).

Föhn *m*: Der trockene Fallwind heißt in *oberd.* Mundarten *mhd.* fœnne, *ahd.* phōnno.

Als Schweizer Wort wird 'Föhn' seit dem 16. Jh. im *Nhd.* bekannt. Das Substantiv ist eine alte Entlehnung, die über *vlat.* faōnius auf *lat.* favōnius „lauer Westwind, Frühlingswind" zurückgeht. Dieses Wort gehört zu *lat.* fovēre „warm machen, erwärmen". Dazu die Abl. f ö h n e n „föhnig werden, wehen" (*schweiz.* im 18. Jh.) und das Adjektiv föhnig. Dasselbe Wort ist F ö n *m* „elektr. Heißluftdusche" (um 1925) mit dem Verb f ö n e n „[die Haare] mit dem Fön behandeln, trocknen".

Föhre *w*: Die *germ.* Benennungen der Kiefer *mhd.* vorhe, *ahd.* forha, *aengl.* furh, *schwed.* fura, *dän.* fyr ⟨daraus *engl.* fir⟩ beruhen mit verwandten Wörtern in anderen *idg.* Sprachen – wie z. B. *lat.* quercus „Eiche" (s. Kork) – auf *idg.* *perkʷu-s „Eiche". Zur Übertragung von Baumnamen vgl. die Artikel Buche und Tanne. Als verdunkeltes Grundwort ist Föhre wahrscheinlich auch in gleichbed. →¹Kiefer enthalten. Eine *südd.* Mundartform F o r l e *w* „Föhre" ist bes. durch den Namen des schädlichen Schmetterlings F o r l e u l e bekanntgeworden.

folgen: Das *altgerm.* Verb *mhd.* volgen, *ahd.* folgēn, *niederl.* volgen, *engl.* to follow, *schwed.* följa hat keine sicheren *außergerm.* Beziehungen. Die heute noch gültige räumliche Grundbed. „hinterher-, nachgehen" ist einerseits auf zeitliches Nacheinander (z. B. 'am folgenden Tag') und auf die kausale Verknüpfung ('daraus folgt, daß ...'; s. u. erfolgen) übertragen worden, andererseits ergab der alte Rechtsbegriff der Heeresfolge schon in *ahd.* Zeit die Bed. „sich richten nach, beistimmen, gehorchen" (dazu auch: befolgen). Abl.: F o l g e *w* (*ahd.* nur in selbfolga „Partei"; unter den vielerlei Bed. von *mhd.* volge haben sich *nhd.* nur „Reihe; Ergebnis; Folgezeit" erhalten, dazu „Gehorsam" in der Wendung 'Folge leisten', die urspr. die Befolgung einer gericht. Vorladung meint; beachte auch die Präpositionen infolge, zufolge und Zus. wie Erb-, Nach-, Reihenfolge), dazu f o l g l i c h (im 17. Jh. wie schon *ahd.* folglīcho für „nacheinander, später", aber auch schon im heutigen folgernden Sinne für „also, daher") und f o l g s a m (im 17. Jh. im folgernden Sinn, seit dem 18. Jh. für „gehorsam" gebraucht) sowie Zus. folgen schwer (18. Jh.; LÜ für *frz.* gros de conséquences) und folgerichtig (Anfang des 19. Jh.s neben älterem folg recht und Lehnbildung für konsequent); f o l g e r n „als Folge [logisch] ableiten" (im 16. Jh. verächtlich für „Sophisterei treiben", im 18. Jh. philosoph. Fachwort), dazu F o l g e r u n g *w* (18. Jh.); G e f o l g e *s* (im 17. Jh. für „begleitende Personen, Hofstaat"), dazu das rechtsgeschichtl. Fachwort G e f o l g s c h a f t *w* (Anfang des 19. Jh.s). Präfixbildungen: e r f o l g e n (*mhd.* ervolgen, *ahd.* erfolgēn „erreichen, erlangen; sich erfüllen, zuteil werden"; *nhd.*

zuweilen im Sinn der kausalen und zeitlichen Folge, meist aber sinnentleert für „geschehen"), dazu die Rückbildung E r f o l g *m* (17. Jh.; meist „Erreichen des Zieles", aber auch allgemein für „Ausgang, Wirkung") mit den Adjektiven erfolglos, -reich; v e r f o l g e n *mhd.* vervolgen ist verstärktes volgen; *nhd.* meist von feindseligem Nachstellen; doch beachte 'eine Absicht, einen Vorgang verfolgen'), dazu V e r f o l g e r *m* und V e r f o l g u n g *w* (14. Jh.); v e r a b f o l g e n (kanzleispr. im 17. Jh. für älteres '[ab]folgen lassen' „zuteilen").

Folie *w* „[Metall]blättchen": Das seit dem 16. Jh. bezeugte Wort bezeichnete urspr. ein metallenes Glanzblättchen, wie man es als Unterlage für gefaßte Edelsteine verwendete. Es geht wie *frz.* feuille (s. Feuilleton) auf *lat.* folium „Blatt" (*vlat.* folia) zurück (s. auch Folio, Foliant, folieren), das zu der unter →blühen dargestellten *idg.* Sippe gehört.

Folio *s* (Buchformat in der Größe eines halben Bogens): Ein Wort der Buchdruckersprache, das in einer Reihe steht mit Fremdwörtern wie →Oktav, →Format und →Exemplar. Es hat sich im 18. Jh. aus der Fügung 'in Folio' (< *lat.* in foliō „in einem Blatt"; vgl. *Folie*) verselbständigt. Das Wort bezeichnet danach den nur einmal gefalzten Papierbogen gegenüber den kleineren Formaten (s. Oktav), bei denen der Bogen mehrfach gefalzt wird. Abl.: F o l i a n t *m* „Buch in Foliogröße; großes, unhandliches Buch" (17. Jh.); f o l i i e r e n „Bogenseiten beziffern" (19. Jh.).

Folter *w*: Als gerichtliche Untersuchungsmethode gehört die Folter dem römischen, nicht dem german. Recht an. Das Substantiv erscheint zuerst um 1400 als fóltrit, foltren (Dativ). Etwa gleichzeitig tritt das Verb f o l t e r n auf. Die Herkunft der Wörter ist nicht einwandfrei erklärt. Auf ihre Gestalt haben wohl die älteren Lehnwörter Marter, martern eingewirkt. Im 17. Jh. sind 'Folter' und 'foltern' in der Schriftsprache geläufig und werden auch schon übertr. von seelischer Qual gebraucht (dazu die Wendung 'auf die Folter spannen'). Abl.: F o l t e r u n g *w* (16. Jh.).

Fond *m* „Rücksitz (im Auto); Hintergrund": Im 18. Jh. aus *frz.* fond „Grund; Grundstock" entlehnt, das neben gleichbed. fonds steht. Letzteres wurde im 18. Jh. als F o n d s *m* übernommen, das bei uns speziell als Terminus des Geldwesens im Sinne von „Geld-, Vermögensreserve" gilt. Beide Wörter, *frz.* fond und fonds, gehen zurück auf *lat.* fundus „Boden, Grund[lage]" (vgl. *Fundus*), wobei allerdings für *frz.* fonds eine *vlat.* Form fundus *s*! – Akk.: fundus – anzusetzen ist.

Fontäne *w* „mächtiger, aufsteigender [Wasser]strahl (vor allem eines Springbrunnens)": Das seit dem 16./17. Jh. bezeugte, aus *frz.*

179

fontaine „[Spring]brunnen" entlehnte Wort
(jedoch schon *mhd.* fontäne, funtäne „Quelle" als LW aus dem *Afrz.*) gehört zu einer
Reihe von Fremdwörtern aus dem Bereich
der Gartenbaukunst der Renaissancezeit,
die uns teils unmittelbar aus Frankreich
(wie →Bassin und →Kaskaden), teils
durch *niederl.* Vermittlung (wie das Fremdwort →Rabatte) erreichten. Denn diese
von Italien ausgehende Kunst war gerade in
Frankreich und Holland zu hoher Kultur
gelangt. *Frz.* fontaine geht zurück auf *vlat.*
fontāna „Quelle", das zu dem gleichbed.
Substantiv *lat.* fōns (fontis) gehört. Dessen
Vorgeschichte ist dunkel.

foppen: Das seit Ende des 15. Jh.s zunächst
in der Bedeutung „lügen" bezeugte Verb
stammt aus der Gaunersprache. Seine weitere
Herkunft ist dunkel. Im 17. Jh. erscheint es
in der Umgangssprache mit dem heutigen
Sinn „anführen, necken".

forcieren „mit Nachdruck betreiben, voran-
treiben": Im 17. Jh. aus gleichbed. *frz.* forcer
entlehnt, das auf *vlat.* *fortiāre „zwingen"
zurückgeht; weiter zu *vlat.* *fortia „Kraft,
Macht", *lat.* fortis „stark, kräftig, fest" (vgl.
Fort).

fordern: Das nur *dt.* Verb *mhd.* vo[r]dern,
mnd. vorderen, *ahd.* fordarōn ist eine Abl.
von →vorder und bedeutet eigtl. „verlangen, daß etwas oder jemand hervorkommt".
Seit dem 13. Jh. ist es ein typisches Wort der
Rechtssprache für das Beanspruchen von
Leistungen und Gebühren. Mit persönl.
Objekt stehen jetzt an-, auf-, heraus- und
überfordern. 'Herausfordern' meint urspr.
„zum Zweikampf aus dem Hause rufen", wie
es noch im 18. Jh. stud. Brauch war, doch
gilt hierfür schon im 13. Jh. auch einfaches
'fordern'. Abl.: Forderung *w* „[rechtliches]
Verlangen; Geldanspruch; Herausforderung
zum Zweikampf" (*mhd.* vo[r]derunge, *ahd.*
fordrunga).

fördern: *Mhd.* vürdern, *mnd.* vörderen, *ahd.*
furdiren, *aengl.* fyrdran bedeuten eigtl.
„weiter nach vorn bringen". Sie sind abgeleitet von fürder „weiter, ferner". einer
heute veralteten Komparativbildung zu →
fort (*mhd.* vürder, *ahd.* furdir, *engl.* further).
Seit dem 16. Jh. bedeutet 'fördern' bergm.
auch „fort-, wegschaffen" (in 'Erz, Kohle
fördern'). Abl.: förderlich (*mhd.* vürder-
lich). Präfixbildung: befördern (16. Jh.,
früher wie 'fördern' gebraucht, seit dem
18. Jh. für „im Dienst aufrücken lassen",
seit Anfang des 19. Jh.s auch Verdeutschung
von '[Waren] spedieren'), dazu Beförderung *w* „Aufrücken im Dienst; Spedition".

Forelle *w*: Die seit dem 16. Jh. bezeugte
Form des Fischnamens hat sich durch Betonung der Mittelsilbe aus *mhd.* forhele entwickelt, einer Nebenform von *mhd.* forhe[n],
ahd. forhana, entspr. *mniederl.* voorne, *aengl.*
forn[e]. Der *westgerm.* Name der Forelle,

der im Ablaut zu schwed. färna „Weißfisch"
steht, gehört zu der unter →Farbe dargestellten Wz. *perk- „gesprenkelt, bunt", vgl.
z. B. *mir.* erc „gefleckt, dunkelrot", substantiv. „Forelle, Lachs". Der Fisch ist nach den
bunten Tupfen auf seinem Rücken benannt.

Forke *w*: Der nur in Norddeutschland übliche Ausdruck für „Heu-, Mistgabel" geht
zurück auf gleichbed. *mnd.* forke. Quelle des
Wortes ist *lat.* furca „zweizinkige Gabel"
(daraus z. B. auch *frz.* fourche „Gabel"), das
durch römische Händler früh mit der Sache
in den *germ.* Nordwesten gelangte (beachte
die dem *mnd.* Wort entspr. Wörter *niederl.*
vork, *engl.* fork).

Form *w*: In *mhd.* Zeit als forme aus *lat.*
fōrma entlehnt, galt das Wort zunächst nur
in dessen konkreter Grundbed. „äußere Gestalt, Umriß", dann auch im Sinne von
„Modell (zur Herstellung einer bestimmten
Form)". Nach und nach wurden dann die
verschiedenen übertr. Bedeutungen von *lat.*
fōrma übernommen: „Wohlgestalt, Gepräge,
eigentümlicher Charakter, [seelische] Verfassung" – beachte die Wendung 'in Form
sein' –, „charakteristischer Ausdruck, Stil
usw.". Etliche Ableitungen und Zusammensetzungen spiegeln diese Situation wider:
formen „modellieren; gestalten, bilden"
(*mhd.*); ...förmig „von bestimmter Gestalt,
von bestimmtem Ausdruck" (*mhd.*), heute
nur noch als Hinterglied von Zus. wie einförmig und gleichförmig. Aus dem sozialen Bereich, wo das Wort 'Form' etwa der
„Stil" zwischenmenschlicher Kontakte, insbesondere auch die guten oder schlechten
Manieren im Umgang bezeichnet, sind zu
nennen die Adjektive förmlich „gezwungen, steif" (*mhd.* formelich hat die übertr.
Bed. noch nicht) und formlos „ungezwungen" (*mhd.* formelos), ferner die Zus. Umgangsformen. – Zu *lat.* fōrma, das vielleicht LW aus *gr.* morphé „Gestalt" ist
(eventuell durch *etrusk.* Vermittlung), stellen sich zahlreiche Abl. und Komposita, die
in unserem Fremdwortschatz eine Rolle
spielen. Dazu gehören: *lat.* fōrmālis „zur
Form gehörig; äußerlich" (s. formal, For-
malität, Formalismus, formalistisch, formell), *lat.* fōrmāre „formen, gestalten; einrichten, ordnen" (s. formieren, Format, Formation), *lat.* fōrmula „kleine Form, Gestalt;
Norm, Maßstab, Bestimmung" (s. Formel,
Formular, formulieren), *lat.* cōnfōr-
māre „entsprechend (harmonisch) formen,
bilden, gehörig einrichten, anordnen" (s.
konform, Konformismus), *lat.* dē-fōrmāre
„abformen; verformen" (s. deformieren, Deformation), *lat.* īn-fōrmāre „eine Gestalt
geben, formen; durch Unterweisung bilden"
(s. informieren, Information), *lat.* re-fōrmāre
„umgestalten, umbilden, neugestalten" (s.
reformieren, Reformation, Reform, Reformer, Reformator), *lat.* trāns-fōrmāre „um-

formen, verwandeln" (s. Transformator), schließlich noch *lat.* ūni-förmis „einförmig; einfach" (s. Uniform, uniformieren). Beachte auch die Wendung →pro forma.

formal „die Form betreffend, nur äußerlich, unlebendig": Im 18. Jh. wie *frz.* formel, das etwa gleichzeitig unser Adjektiv f o r m e l l „förmlich; unpersönlich, nur zum Schein" lieferte, aus *lat.* förmālis „die Form betreffend, äußerlich, förmlich" entlehnt (vgl. *Form*). Dazu die *nlat.* Bildungen F o r m a l i s - m u s *m* „Überbetonung des rein Formalen" (19. Jh.), f o r m a l i s t i s c h und F o r m a l i s t *m*, ferner das aus *mlat.* förmālitās stammende Substantiv F o r m a l i t ä t *w* „Formsache, Förmlichkeit" (17. Jh.).

Format *s*: Das seit dem 16. Jh. bezeugte FW galt anfangs nur als Fachwort der Buchdruckersprache. Es bezeichnet dort das nach Länge und Breite genormte Größenverhältnis, speziell von Papierbogen. Später entwickelte sich daraus eine allgemeine übertragene Bed. „ausgeprägte Persönlichkeit und das von ihrer Eigenart bestimmte hohe Niveau". Das Wort ist entlehnt aus *lat.* förmātum „das Geformte; das Genormte", dem substantivierten Part. Perf. Pass. von *lat.* förmāre „formen; ordnen" (vgl. *Form*).

Formation *w* „Aufstellung; Gliederung; geordneter (militär.) Verband": Im 17. Jh. aus *lat.* förmātiō „Gestaltung, [An]ordnung" ehtlehnt (zu *lat.* förmāre „formen, gestalten; ordnen"; vgl. *Form*).

Formel *w* „feststehender Ausdruck, Wendung, Redensart; durch mathem. Zeichen dargestellter Satz": Im 16. Jh. als formul entlehnt aus *lat.* förmula „kleine Form, Gestalt; Norm, Maßstab, Bestimmung", der Verkleinerungsform von *lat.* förma (vgl. *Form*). Dazu: F o r m u l a r *s* „Vordruck, Muster" (16. Jh.), substantiviert aus *lat.* förmulārius (-ium) „die vorgeschriebenen [Rechts-, Gerichts]formeln betreffend". Das Verb f o r m u l i e r e n „in die rechte sprachliche Form bringen; abfassen" (19. Jh.) ist aus *frz.* formuler entlehnt, das von *frz.* formule (= *dt.* Formel) abgeleitet ist.

formieren „(Truppen) aufstellen, anordnen": Militär. Fachwort, nach *frz.* former im 17. Jh. entwickelt aus älterem f o r m i e r e n „gestalten, bilden" (*mhd.*), das auf *lat.* förmāre zurückgeht (vgl. *Form*).

forsch „draufgängerisch, schneidig": Ein durch die Studentensprache verbreitetes Wort, das im 19. Jh. aus *niederd.* fors „kräftig" übernommen wurde. Dies ist eine Neubildung zu dem *niederd.* Substantiv forse (woraus *mdal.* F o r s c h e *w* „Nachdruck"), das im 16. Jh. aus *frz.* force „Kraft, Macht" entlehnt wurde. Voraus liegt *vlat.* *fortia *w*, das eigtl. Neutr. Plur. von *lat.* fortis „kräftig, stark, fest" ist (vgl. *Fort*).

forschen: Das urspr. nur im *hochd.* Sprachgebiet gebräuchliche Verb *mhd.* vorschen,

ahd. forscōn „fragen, [aus]forschen" geht wie *lat.* pōscere „fordern, verlangen" (s. postulieren) und *aind.* pr̥ccháti „er fragt" auf die *idg.* Wz. *per[e]k̑-„fragen, bitten" zurück, deren weitere Beziehungen im Artikel *Furche* dargestellt sind. Heute gilt 'forschen', 'erforschen' bes. von wissenschaftl. Arbeit. Abl.: F o r s c h e r *m* (*mhd.* vorschǣre); F o r s c h u n g *w* (*mhd.* vorschunge, *ahd.* forskunga).

Forst *m*: Die Herkunft des Wortes (*mhd.* vorst, *ahd.* forst) ist trotz aller Deutungsversuche unklar. Von Anfang an bezeichnet es den dem König zu Jagd, Holznutzung und Rodung vorbehaltenen Bannwald im Gegensatz zum bäuerlichen Markwald; auch *nhd.* Forst ist vor allem Bezeichnung des Staatswaldes. Abl.: F ö r s t e r *m* (*mhd.* forstǣre, forster, *spätahd.* forstāri); a u f f o r s t e n „neu mit Wald bepflanzen" und d u r c h f o r s t e n „den Baumbestand lichten" (19. Jh.). Zus.: F o r s t m e i s t e r (*mhd.* vorstmeister „Oberförster").

fort: Das *westgerm.* Adverb *mhd.* vort, *asächs.* forth, *niederl.* voort, *engl.* forth „vorwärts, weiter, fortan" stellt sich zu den unter →vor behandelten Wörtern (vgl. *ver*...). In der urspr. Bed. „vorwärts" steht es noch in Zus. wie fortkommen -pflanzen, -schreiten, -setzen und ihren Ableitungen (z. B. →Fortschritt) und in Adverbien wie hinfort „weiterhin", fortan „von jetzt an"; s. auch sofort. Jetzt wird 'fort' meist wie weg (s. d.) gebraucht, z. B. in forteilen, -nehmen, -gehen, die nur noch als „[sich] entfernen" verstanden werden. Der urspr. Komparativ des Adverbs ist fürder (s. unter fördern).

Fort *s* „Festungsanlage": Militärwort, im 16. Jh. aus gleichbed. *frz.* fort entlehnt. Dies ist das substantivierte Adjektiv fort „stark, kräftig, fest", das wie *it.* forte (s. forte, fortissimo) auf gleichbed. *lat.* fortis (*alat.* forctus) – zur *idg.* Sippe von *dt.* →Berg – zurückgeht. Abl. und Zus. von *lat.* fortis erscheinen in den Fremd- und Lehnwörtern →forcieren, →forsch, Forsche und →Komfort.

forte „stark, laut", fortissimo „äußerst kräftig, sehr laut": Musikal. Fachwörter, die wie fast alle entspr. Termini des 17. und 18. Jh.s *it.* Ursprungs sind. *It.* forte (Superlativ: fortissimo) geht auf *lat.* fortis zurück (vgl. *Fort*).

Fortschritt *m*: Das im 18. Jh. als LÜ von *frz.* progrès gebildete Substantiv wird gewöhnlich für „Weiterentwicklung [des Menschen]" und, wie sein *frz.* Vorbild, seit 1830 als polit. Schlagwort gebraucht. Abl.: f o r t - s c h r i t t l i c h (19. Jh.).

Fotze *w*: Der seit dem 15. Jh. bezeugte vulgäre Ausdruck für das weibl. Geschlechtsteil ist eine Ableitung von gleichbed. *mhd.* vut, dem im *germ.* Sprachbereich *engl.* *mdal.* fud und *aisl.* fud- entsprechen. Diese Wörter gehören wahrscheinlich zu der unter

→*faul* dargestellten *idg.* Wz. *pŭ- „faulen, stinken". Als zweiter Bestandteil steckt das Wort in Hundsfott (s. Hund).

foul „regelwidrig": Aus England, dem Mutterland des Fußballsports, wurde im 20. Jh. eine Reihe von Fachbezeichnungen der Fußballersprache entlehnt. Die meisten von ihnen allerdings wurden später durch LÜ ersetzt (beachte z. B. →Aus für out, →abseits für off-side, →Halbzeit für half-time), andere wiederum leben nur noch in der Schweiz oder in Österreich (wie →Goal für „Tor" und Back für „Verteidiger"). Durchgesetzt haben sich neben foul – dazu **Foul** *s* „unsauberes Spiel" und **foulen** „unsauber spielen" – nur noch →dribbeln, Dribbling, →kicken usw. und →stoppen, Stopper. Engl. foul hat die Grundbed. „schmutzig, unrein; häßlich". Es ist identisch mit *dt.* →*faul.*

Foxtrott *m* (moderner Tanz): Im 20. Jh. aus *engl.-amerik.* fox-trot entlehnt, das wörtlich „Fuchsgang" bedeutet. – Dazu: **Slowfox** *m* „langsamer Foxtrott" (20. Jh.; zu *engl.* slow „langsam").

Foyer *s* „Wandelhalle, -gang": Im 18./19. Jh. aus *frz.* foyer entlehnt. Dessen Grundbedeutung ist „Herd, Brennpunkt", entspr. dem vorausliegenden *vlat.* *focārium, das zu *lat.* focus „Feuerstätte, Herd" gehört. Die Bedeutungsentwicklung liegt begründet in der zentralen Rolle, die der Herd als Mittel- und Sammelpunkt häuslichen Lebens spielt. Der Raum, in dem sich der Herd befindet, ist der eigentliche Wohnraum, in dem man zusammenkommt und zusammenlebt. Analog hierzu finden sich im Foyer die Zuschauer und evtl. auch die Schauspieler vor der Aufführungen und während der Pausen zusammen, zur Erholung und Entspannung und zum Gedankenaustausch. – Zu *lat.* focus, das etymologisch nicht geklärt ist, gehören noch die Lehn- und Fremdwörter →fachen, fächeln und →Fächer.

Fracht *w*: Das im 16. Jh. aus dem *Niederd.* ins *Hochd.* übernommene Wort geht zurück auf *mnd.* vracht „Frachtgeld, Schiffsladung", das seinerseits aus dem *Fries.* stammt. Aus dem *Fries.* oder aus dem *Mnd.* stammen auch [m]*niederl.* vracht (daraus *engl.* fraught, freight) und *schwed.* frakt. Das Substantiv hat sich wie entspr. *ahd.* frēht „Verdienst, Lohn" aus *germ.* *fra-aihti entwickelt, einer Bildung aus dem unter →*ver*... behandelten Präfix und dem im *Nhd.* untergegangenen Substantiv *ahd.* ēht, *got.* aihts, *aengl.* ǣht „Eigentum, Habe". Das Wort bedeutete urspr. „Beförderungspreis", dann gegen Bezahlung beförderte Ladung". Abl.: **frachten** (veraltet, dafür jetzt be- und verfrachten; *mnd.* [be-, ver]vrachten „laden, ein Schiff mieten"); **Frachter** *m* „Frachtschiff" (*niederd.* im 20. Jh.).

Frack *m* „Abendanzug": Im 18. Jh. aus *engl.* frock „Rock" entlehnt, das urspr. ein langes Mönchsgewand bezeichnete und seinerseits auf ein nicht sicher gedeutetes *afrz.* (= *frz.*) froc zurückgeht.

Frage *w*: Das auf das *dt.* und *niederl.* Sprachgebiet beschränkte Substantiv *mhd.* vrāge, *ahd.* frāga, *niederl.* vraag gehört mit dem im *Dt.* untergegangenen starken Verb *got.* fraíhnan „fragen", *aengl.* frignan „fragen, erfahren", *aisl.* fregna „fragen, erfahren" zu der *idg.* Wz. *p[e]rek̑- „fragen, bitten". In anderen *idg.* Sprachen sind z. B. verwandt *aind.* praśná-ḥ „Frage, Erkundigung" und *lat.* precārī „bitten" (s. prekär). Über die weiteren Zusammenhänge vgl. den Artikel *Furche.* Abl.: **fragen** (*mhd.* vrāgen, *ahd.* frāgēn, frāhēn; vgl. *niederl.* vragen, *aengl.* frāgian) „fraglich „in Frage stehend; unsicher" (Anfang des 19. Jh.s; ähnlich schon *ahd.* frāgelīcho „in fragender Weise"). Zus.: **Fragezeichen** (LÜ des 16. Jh.s für *lat.* sīgnum interrogātiōnis). Die Zus. **fragwürdig** bedeutet als Lehnübertragung von *engl.* questionable (um 1800) eigtl. „einer Befragung wert", wird aber im Sinn von „zweifelhaft, verdächtig" gebraucht, den auch das *engl.* Wort heute hat.

Fragment *s* „Bruchstück": Im 16. Jh. aus gleichbed. *lat.* frāgmentum entlehnt. Das zugrunde liegende Verb *lat.* frangere (frēgī, frāctum) „brechen", das urverw. ist mit *dt.* →*brechen*, erscheint mit verschiedenen Ableitungen auch in den FW →Fraktion, →Fraktur, →Refrain. – Abl.: **fragmentarisch** „bruchstückhaft, unvollständig" (18. Jh.).

Fraktion *w* „parlamentarische Vertretung einer Partei": Im 19. Jh. aus *frz.* fraction „Bruchteil, Teil" entlehnt, das auf *lat.* frāctiō „das Brechen, der Bruch" zurückgeht (zu *lat.* frangere „brechen", vgl. *Fragment*). Die Bedeutungsübertragung erfolgte vielleicht unter dem Einfluß des heute veralteten, aus *lat.* factiō „Partei" entlehnten Fremdwortes „Faktion" „radikale politische Partei".

Fraktur *w*: Das seit dem 16. Jh. bezeugte FW gilt zunächst nur in der Druckersprache und bezeichnet dort bis heute eine Art „Bruch"schrift, die sogenannte „deutsche Schrift". Es ist wohl verkürzt aus Zus. wie **Frakturbuchstabe**, **Frakturschrift**. Voraus liegt *lat.* frāctūra „Bruch", das zu *lat.* frangere „brechen" (vgl. *Fragment*) gehört. Die gebrochenen, eckigen Formen der Frakturschrift wurden gegenüber den weichen, runden Lateinschrift als derb und grob empfunden. Das kommt anschaulich zum Ausdruck in der im 17. Jh. aufkommenden Redensart 'Fraktur reden' „eine deutliche, grobe Sprache sprechen" – eigtl. „jemandem etwas in Frakturbuchstaben aufschreiben". Einen zweiten Anwendungsbereich findet das FW Fraktur späterhin auch in der medizin. Fachsprache. Es gilt dort im Sinne von „Knochenbruch".

Franc m (franz. Währungseinheit): Die *frz.* Bezeichnung franc – dafür in der Schweiz **Franken** m – hat sich aus der Devise 'Francorum rex', „König der Franken" entwickelt, die den ersten im Jahre 1360 hergestellten Münzen dieser Art aufgeprägt war.

frank „frei, offen": Das im 15. Jh. aus *frz.* franc < *mlat.* Frankus „Franke; (adjektivisch:) fränkisch; frei" entlehnte Adjektiv war vor Anfang an vornehmlich in der Fügung 'frank und frei' üblich, in der es heute noch allein lebendig ist. Die synonyme Stellung von „fränkisch" und „frei" ergab sich aus der histor. Bedeutung der Franken, die als Eroberer und freie Herren galten. Ihr Stammesname, der etymologisch mit unserem Adjektiv →*frech* verwandt ist, nennt sie also „die Kühnen, Dreisten". Er erscheint im Landesnamen 'Frankreich', in Ortsnamen wie 'Frankfurt', ferner in zahlreichen PN wie Frank, Franz, Franziska, schließlich noch in den Fremd- und Lehnwörtern →franko, frankieren, →Franc, Franken.

franko „frei": Das Adjektiv ist wie →Post und →Porto ein Wort des Verkehrswesens *it.* Herkunft. Voraus liegt *it.* franco in der Fügung porto franco „Beförderung frei", das im 17. Jh. mit dem abgeleiteten Verb francare „freimachen" – daraus *nhd.* **frankieren** – entlehnt wurde. Zugrunde liegt der Stammesname der Franken, *mlat.* Frankus (vgl. *frank*).

Franse w: Die seit *mhd.* Zeit bezeugte Bezeichnung für „Fadenbündel als Randbesatz; loser Gewebefaden" (*mhd.* franse) beruht auf einer Entlehnung aus gleichbed. *frz.* frange. Das *frz.* Wort geht auf *vlat.* *frimbia zurück, das aus *lat.* fimbria „Haargekräusel; Tierzotte; Franse" umgestellt ist.

frappieren „überraschen, befremden": Im 18. Jh., etwas früher als das zugehörige Adjektiv **frappant**, aus gleichbed. *frz.* frapper (Part. Präs. frappant) entlehnt, das eigtl. „schlagen, treffen" bedeutet und wohl auf *afränk.* *hrapōn „rupfen, raufen" zurückgeht (vgl. *raffen*).

Fräse w „Hobel-, Feilmaschine": Als Werkzeugname im 19. Jh. aus gleichbed. *frz.* fraise entlehnt. – Dazu die Zus. **Fräsmaschine** (20. Jh.) und das abgeleitete Verb **fräsen** „mit der Fräse arbeiten" (20. Jh.; nach gleichbed. *frz.* fraiser).

Fratze w: Das zuerst bei Luther in der Mehrz. Fratzen für „Possen, albernes Gerede" bezeugte *nhd.* Wort geht vermutlich zurück auf *it.* frasche „Possen" (Mehrz. zu frasca „Laubast [als Schenkenzeichen]", nach dem ausgelassenen Treiben in den Schenken). Die heutige Bed. „verzerrtes, häßliches Gesicht" entstand im 18. Jh. durch Verkürzung der Zus. Fratzengesicht „Pos-

senreißergesicht". Dazu **Fratz** m „unartiges Kind, schelmisches Mädchen" (im 16. Jh. fratz[e] „Laffe, possenhafter Kerl", wohl unmittelbar nach gleichbed. *it.* frasca, das mit dem obengenannten Wort identisch ist).

Frau w: *Mhd.* vrouwe, *ahd.* frouwe sind (wie der *aisl.* Name der Göttin Freyja) weibl. Bildungen zu einem im *Dt.* untergegangenen *germ.* Wort für „Herr", das in *got.* frauja, *asächs.* frōio, *aengl.* friega „Herr" und dem *aisl.* Namen des Gottes Freyr bewahrt ist, mit anderer Bildung auch in gleichbed. *ahd.* frō, *asächs.* frōo, *aengl.* frēa (s. die Wörter um Fron). Die eigtl. Bedeutung des Maskulinums ist „der erste". Es gehört zu *idg.* *prō- „vorwärts, vorn" (vgl. *ver*...); vgl. z. B. die verwandten Bildungen *aind.* púrva-ḥ „der erste, vorderste", *alban.* parë „der erste, vorderste". Ebenso hat auch *dt.* Fürst (s. d.) seine Bedeutung gewonnen. Dieser Herkunft gemäß ist 'Frau' im *Dt.* lange Zeit vor allem die Bezeichnung der Herrin und der Dame von Stand gewesen, wovon heute noch die Gegenüberstellung mit Herr in der Anrede (auch als 'gnädige Frau') ebenso zeugt wie die Bezeichnung Marias als „Unsere [Liebe] Frau'. Auch **Hausfrau** (*mhd.* hūsvrouwe) bedeutet eigtl. „Hausherrin, Gattin". An die ehrende Anrede weibl. Götter und Geister erinnert noch der Name Frau **Holle** (s. ²Holle). Als Standesbezeichnung ist 'Frau' seit dem 17. Jh. von 'Dame' (s. d.) verdrängt worden, andererseits ist es in der Bed. „erwachsene weibl. Person, Ehefrau" an die Stelle von *mhd.* wīp getreten (s. Weib). Abl.: **Fräulein** s (seit dem 12. Jh. bezeichnet *mhd.* vrouwelīn als Verkleinerungsbildung zu vrouwe bes. die Jungfrau vornehmen Standes; die Bez. ist bis ins 18./19. Jh. dem Adel vorbehalten und wird dann auch auf bürgerliche Mädchen ausgedehnt; heute gilt sie allgemein für die unverheiratete Erwachsene); **fraulich** (*mhd.* vrouwelich, „der vrouwe gemäß"; noch jetzt im Gegensatz zu 'weiblich' bes. von den inneren Eigenschaften gebraucht). Zus.: **Frauenzimmer** (*spätmhd.* vrouwenzimmer bezeichnete die Frauengemächer und die Gesamtheit der darin wohnenden weibl. Hausgenossen; die Bezeichnung wird seit Anfang des 17. Jh.s, ähnlich wie Bursche, Rat u. a., auf die einzelne Person übertragen und löst sich damit von der eigtl. Bedeutung. Das Wort gilt seit dem 19. Jh. nur noch verächtlich).

frech: Das *gemeingerm.* Adjektiv lautet *mhd.* vrech „tapfer, kühn; lebhaft; keck", *ahd.* freh „...gierig; begierig, habsüchtig", *got.* (faíhu)friks „geldgierig", *aengl.* frec „gierig", *aisl.* frekr „gierig". Ablautend verwandt sind *mniederl.* vrak „gierig", *aengl.* fræc „gierig, eifrig, kühn" und *schwed. mdal.* frak „schnell, mutig" sowie der Stammesname Franken (in der Wortgruppe um →*frank*); vgl. auch *poln.* pragnąć „gierig verlangen". Den heutigen tadelnden Sinn von „dreist, unverschämt" hat 'frech' erst im *Nhd.* voll ausgebildet. Abl.: F r e c h h e i t *w* (*mhd.* frecheit „Kühnheit"). Zus. F r e c h d a c h s (s. Dachs).

Fregatte *w* (früher für:) „schnellsegelndes, dreimastiges Kriegsschiff; Geleitschiff": Dieses urspr. nur ein „Beiboot" bezeichnende Wort erscheint seit dem 16. Jh., zuerst in *oberd.* Quellen. Gesichert ist nur die *roman.* Herkunft des Wortes (*frz.* frégate, *it.* fregata).

frei: Das Adjektiv *mhd.* vrī, *ahd.* frī, *got.* freis, *engl.* free, *aisl.* (andersgebildet) frjāls gehört mit verwandten Wörtern in anderen *idg.* Sprachen zu der *idg.* Wz. *prāi- „schützen, schonen; gern haben, lieben", vgl. z. B. *aind.* priyá-ḥ „lieb, erwünscht; Geliebte[r], Gatte", *aslaw.* prijati „günstig sein, beistehen". Zu dieser Wurzel stellen sich im *germ.* Sprachbereich z. B. *got.* frijōn „lieben" (s. ²freien und Freund), *got.* freidjan „schonen" (s. Friedhof) und *ahd.* fridu „Schutz, Friede" (s. Friede). Siehe auch den Artikel Freitag. Aus der obengenannten Grundbedeutung der *idg.* Wurzel haben die Germanen 'frei' als Begriff der Rechtsordnung entwickelt: „zu den Lieben gehörig" und daher „geschützt" sind die eigenen Sippen- und Stammesgenosssen, die 'Freunde' (s. d.); sie allein stehen 'frei', d. h. „vollberechtigt" in der Gemeinschaft, im Gegensatz zu den fremdbürtigen Unfreien (Unterworfenen, Kriegsgefangenen). Dieser rechtlich-soziale Begriff wandelte sich im histor. Ablauf durch vielerlei ständische Umschichtungen. Aus ihm ergibt sich der Gedanke der äußeren politischen wie der inneren geistig-seelischen Freiheit und weiter die allgemeine Anwendung des Adjektivs im Sinne von „nicht gebunden, unbelastet, unabhängig, nicht beengt oder bedeckt". Abl.: ¹f r e i e n „frei machen" (*mhd.* vrīen, jetzt nur noch in b e freien [*mhd.* bevrīen] und in →Gefreiter); F r e i h e i t *w* (*mhd.* vrīheit, *ahd.* frīheit „freier Sinn; verliehenes Vorrecht", *mhd.* auch „privilegierter Bezirk, gefreiter Ort", woraus *nhd.* Schloß-, Domfreiheit in der Bed. „offener Platz vor einem Gebäude" wurde); f r e i l i c h (*mhd.* vrīlīche „ungehindert, unbekümmert" gewinnt im 15. Jh., wohl über „unverdeckt, offenbar" den bekräftigenden Sinn „sicherlich, allerdings"). Von den zahlreichen Zus. seien genannt: F r e i b a n k „Verkaufsstelle für nicht vollwertiges Fleisch" (im 16. Jh. *oberd.* für den steuerfreien Verkaufsstand der Landmetzger in der Stadt); F r e i b e u t e r (s. ¹Beute); F r e i b r i e f (im 15. Jh. für „Privileg, Paß"; jetzt nur übertr.); F r e i d e n k e r (im 18. Jh. LÜ von *engl.* freethinker); F r e i g e i s t (im 17. Jh. LÜ von *frz.* esprit libre); F r e i h e r r „Baron" (*spätmhd.* vrīherre, vrīer herre „freier Edelmann", im Gegensatz zum unfreien Minste-

rialen), dazu F r e i f r a u „Baronin" (*spätmhd.* vrīvrouwe); F r e i m a u r e r (im 18. Jh. LÜ für *engl.* free mason, das urspr. den in die Geheimzeichen der Bauhütten [*engl.* lodge, s. Loge] eingeweihten Steinmetzgesellen bezeichnete, seit etwa 1700 aber das Mitglied eines nach Art der Bauhütten organisierten Geheimbundes; entspr. *frz.* franc-maçon); f r e i s p r e c h e n (s. sprechen); F r e i s t a a t (im 18. Jh. für Republik); F r e i t o d verhüllend für „Selbstmord" (Anfang des 20. Jh.s nach Nietzsches 'Vom freien Tode' gebildet); v o g e l f r e i (s. Vogel).

¹freien siehe frei.

²freien „heiraten, um eine Braut werben": Das im 16. Jh. durch Luthers Bibelübersetzung in die *hochd.* Schriftsprache eingeführte Wort (*mnd.* vrīen, vrigen, *mitteld.* vrīen) entspricht entweder *asächs.* friehōn, *got.* frijōn, *aengl.* friogan, *aisl.* frjā „lieben" (vgl. *Freund*) oder ist von *asächs.* frī „Frau, Weib" abgeleitet. Abl.: F r e i e r *m* (im 13. Jh. *mnd.*, *mitteld.* vrīer, zunächst für den vermittelnden Boten, dann für den Bräutigam; dazu seit dem 16. Jh. die Wendung 'auf Freiersfüßen gehen'); F r e i t e *w* „Brautwerbung" (im 14. Jh. *mitteld.* vrīat[e], heute nur in 'auf die Freite gehen').

Freitag *m*: Die *altgerm.* Bezeichnung des sechsten Wochentages *mhd.* vrītac, *ahd.* frīa-, frijetag, *niederl.* vrijdag, *engl.* Friday, *schwed.* fredag ist wie die Namen der anderen Wochentage eine LÜ. Sie ist gebildet mit dem Namen der Göttin Frija (der Gemahlin Wodans [Odins], *ahd.* Frī[j]a, *aisl.* Frigg, eigtl. „die Geliebte"; vgl. *frei*), die die Germanen der röm. Venus gleichsetzten (*lat.* Veneris dies „Tag der Venus" lebt in *frz.* vendredi, *it.* venerdì; s. auch Dienstag). Zus.: K a r f r e i t a g (s. d.).

fremd: Das *altgerm.* Adjektiv *mhd.* vrem[e]de, *ahd.* fremidi, *got.* framaþeis, *niederl.* vreemd, *aengl.* fremede ist eine Ableitung von dem im *Nhd.* untergegangenen gemeingerm. Adverb *fram „vorwärts, weiter; von - weg" (*mhd.* vram, *ahd.* fram, *got.* fram, *engl.* from, *aisl.* fram; vgl. *ver*...) und bedeutete urspr. „entfernt", dann „unbekannt, unvertraut". Abl.: ¹F r e m d e *m* und *w* (*mhd.* vremde; noch in neuerer Zeit oft mit →Gast gleichgesetzt, beachte Fremdenbuch, -heim, -verkehr); ²F r e m d e *w* (*mhd.* vrem[e]de „Entfernung, Trennung, Feindschaft; fremdes Land"); F r e m d l i n g *m* (*mhd.* vremdelinc); zu dem heute veralteten Abl. 'fremden' (*mhd.* vremden „fremd machen, entfremden, fernbleiben") gebildet sind b e f r e m d e n „fremdartig berühren" (15. Jh.), dazu B e f r e m d e n *s* und b e f r e m d l i c h (17. Jh.), ferner das heute als literar. Fachwort bekannte v e r f r e m d e n „unerwartet verändern, distanzieren, verwirren" (im 19. Jh. für „fremd machen, werden"). Zus.: F r e m d k ö r p e r

(nach 1900 medizinisch); Fremdwort (Anfang des 19. Jh.s; dafür im 16. Jh. 'fremdes
Wort').

frenetisch ,,rasend, tobend": Das in dieser
Bedeutung erst im 19. Jh. bezeugte Adjektiv
ist hervorgegangen aus der auch heute noch
häufigen Wendung 'frenetischer Beifall', mit
der *frz.* applaudissements frénétiques übersetzt ist. Von Haus aus ist das Adjektiv jedoch ein medizin. Fachwort im Sinne von
,,wahnsinnig, toll" – so bereits im 18. Jh. in
dt. Texten – und geht zurück auf gleichbed.
lat. phrenēticus < *gr.* phrenētikós. Zugrunde liegt das Subst. *gr.* phrḗn (*Mehrz.*
phrénes) ,,Zwerchfell" bzw. der davon abgeleitete Name einer unspezifischen Ge-
mütskrankheit, *gr.* phrenĩtis (das Zwerchfell
ist nach ältesten griech. Vorstellungen Sitz
und Quelle allen geistig-seelischen Erlebens).

Frequenz *w* ,,Häufigkeit, Dichte (besonders
auch in der Physik von der 'Anzahl' der
Schwingungen pro Zeiteinheit); Besucher-
zahl": In allgemeiner Bedeutung schon im
17. Jh. aus *lat.* frequentia ,,zahlreiches Vorhandensein, Häufigkeit" entlehnt. Das zugrunde liegende Adjektiv *lat.* frequēns
,,häufig, zahlreich" läßt sich vielleicht über
eine Grundbed. ,,gestopft voll" mit *lat.*
farcīre ,,stopfen" (vgl. *Farce*) vereinigen.
Abl.: **frequentieren** ,,häufig besuchen,
ein- und ausgehen" (16./17. Jh.; aus gleichbed. *lat.* frequentāre).

¹Fresko *s* ,,Wandmalerei auf frischem,
feuchtem Kalkputz": Wie zahlreiche andere
Fachwörter aus dem Bereich der bildenden
Kunst (z.B.→Aquarell, →Miniatur, →Skizze)
ist auch dieses Wort *it.* Herkunft. Es ist
zunächst verkürzt aus der Zus. Freskoge-
mälde (18. Jh.), die zurückgeht auf *it.*
pittura a fresco. Im 19. Jh. erscheint als
jüngere Entlehnung aus *frz.* fresque (< *it.*
fresco) gleichbed. **Freske** *w* (*Mehrz.* Fres-
ken). It. fresco ,,frisch" ist wie entspr. *frz.*
frais aus einer *germ.* Vorform unseres Adjektivs →*frisch* hervorgegangen. – **²Fresko** *m*
,,poröses, luftiges, rauhes Kammgarnge-
webe": Phantasiebezeichnung mit ¹Fresko
(s. o.) formal identisch und von diesem
übertragen (20. Jh.).

fressen: Das *altgerm.* Verb mhd. v[e]rezzen,
ahd. frezzan, *got.* fra-itan, *niederl.* vreten,
engl. to fret ,,zerfressen" ist gebildet aus
dem unter →*essen* behandelten Verb und
dem unter →*ver...* dargestellten Präfix. Die
Grundbed. ,,weg-, aufessen, verzehren" gilt
noch in *mhd.* Zeit. Erst im *Nhd.* wird 'fressen' gewöhnlich auf die Nahrungsaufnahme
von Tieren bezogen und *ugs.* im Sinne von
,,gierig essen" verwendet. Abl.: **Fraß** *m*
(*mhd.* vrāz ,,Fressen, Schlemmerei" steht
nhd. derb *ugs.* für ,,schlechtes Essen", in der
alten Bed. noch in Knochenfraß für ,,Karies";
die Bed. ,,Fresser" von *ahd.* frāz, *mhd.* vrāz
zeigt noch →*Vielfraß*), dazu gefräßig

(17. Jh.; für *mhd.* vrǣzec); Fressalien
(*Mehrz.*, *ugs.* für ,,Eßwaren", im 19. Jh.
nach Viktualien gebildet, wohl stud.); Fresse
w (im 17. Jh. derb für ,,Maul"); Fressen *s*
(17. Jh.); Fresser *m* (*mhd.* vrezzer). Zus.
Freßsack ,,Vielfraß" (im 18. Jh. *ugs.*; eigtl.
,,Speisesack des Reisenden").

Frett, Frettchen *s*: Das zum Kaninchenfang
abgerichtete wieselartige Tier war schon den
alten Römern bekannt. Sein Name, der auf
lat. fūro ,,Räuber" (zu *lat.* für ,,Dieb"; vgl.
Furunkel) oder auf *vlat.* *fūrittus (> *it.*
furetto) zurückgeht, erscheint in *frühnhd.* Texten als frett[e], fret-
len (Verkleinerungsform in der *Mehrz.*),
frettel durch Vermittlung von *frz.*, *mniederl.*
furet, *niederl.* fret. Abl.: **frettieren** ,,mit
dem Frettchen Kaninchen fangen" (20. Jh.;
Weidmannssprache).

Freude *w*: *Mhd.* vröude, *ahd.* frewida,
frouwida (ähnlich *niederl.* vreugde) ist eine
Bildung zu dem unter →*froh* behandelten
Adjektiv. Es zeigt dasselbe Suffix wie z. B.
Begierde, Gemeinde, Zierde. Ablautend verwandt sind *schwed.* fröjd ,,Lust", *norw.*
frygd ,,Lebhaftigkeit, Lebenslust", deren
Bedeutung wohl vom *Dt.* beeinflußt ist.
Auf der im *Mhd.* häufig gebrauchten *Mehrz.*
beruht die Fügung 'mit, vor Freuden'. Abl.:
freudig (16. Jh.). Zus.: Freudenmäd-
chen (LÜ des 18. Jh.s für *frz.* fille de joie),
danach auch Freudenhaus ,,Bordell"
(18. Jh.; älter in der Bed. ,,Haus voller
Freude", wie schon *mhd.* vröudenhūs).

freuen: Das nur *dt.* Verb (*mhd.* vröuwen,
ahd. frewan) ist Bewirkungswort zu dem
unter →*froh* behandelten Adjektiv und bedeutet daher eigtl. ,,froh machen". Das gewöhnlich reflexiv für ,,froh sein" gebrauchte
Verb steht transitiv nur bei sachlichem Subjekt: 'das [Geschenk] freut mich'. Sonst gilt,
bei persönl. Subjekt ausschließlich, erfreuen
(*mhd.* ervröuwen) in dieser Verwendung.

Freund *m*: Wie sein Gegenwort Feind (s. d.)
ist auch das *gemeingerm.* Substantiv mhd.
vriunt, *ahd.* friunt, *got.* frijōnds, *engl.* friend,
ähnl. *schwed.* fründe ein erstarrtes Partizip.
Es gehört zu einem in *got.* frijōn ,,lieben" bezeugten *germ.* Verb aus der Sippe des unter
→*frei* behandelten Adjektivs (s. auch
²*freien*). Neben der alten Bed. ,,Blutsver-
wandter, Stammesgenosse" zeigt sich schon
in *germ.* Zeit der Sinn ,,persönlicher Vertrauter, Kamerad". Als Verbbildungen
erscheinen 'sich mit jemandem an-, befreunden' (zu *mhd.* vriunden ,,zum Freund
machen"). Weitere Abl. sind: freundlich
,,liebenswürdig, heiter" (*mhd.* vriuntlich,
ahd. friuntlīh ,,befreundet, nach Freundes-
art; angenehm, lieblich"); Freundschaft
w (*mhd.* vriuntschaft, *ahd.* friuntscaf; urspr.
und noch *mdal.* ,,Gesamtheit der Verwandten", dann ,,Freundesverhältnis"), dazu
freundschaftlich (18. Jh.).

frevel: Das *westgerm.* Adj. *mhd.* vrevel, *ahd.* fravali „kühn, stolz, verwegen. frech", *asächs.* frabol „trotzig", *aengl.* frævel „schlau, frech" ist wahrscheinlich eine verdunkelte Zus. aus der Vorsilbe fra- (vgl. *ver...*) und einem nicht sicher erkennbaren Grundwort. Im *Nhd.* ist 'frevel' durch die Abl. frevelhaft (*spätmhd.* vrevelhaft „vermessen, verwegen") verdrängt worden. Die alte Substantivierung Frevel *m* stimmt in der Bedeutung mit dem Adjektiv überein. Im alten Recht war 'Frevel' vor allem „Übermut, Gewalttat", später bezeichnete es leichte Vergehen und Übergriffe (noch in Feld-, Jagd-, Baumfrevel u. ä. Zus.). Abl.: freveln (*mhd.* vrevelen „gewalttätig sein, notzüchtigen"), dazu Frevler (*mhd.* vreveler); freventlich (Adv.; *mhd.* vrevel-, vrevenliche mit *nhd.* Gleitlaut -t-).

Friede[n] *m*: Das *altgerm.* Substantiv *mhd.* vride, *ahd.* fridu, *niederl.* vrede, *aengl.* frið, *schwed.* frid gehört mit *aind.* prīti-ḥ „Freude, Befriedigung" zu der unter →*frei* behandelten *idg.* Sippe und bedeutet urspr. „Schonung, Freundschaft". Vgl. aus dem *germ.* Sprachbereich *got.* gafriþōn „versöhnen". – Im germ. und alten dt. Recht bezeichnete 'Friede[n]' den Zustand der ungebrochenen Rechtsordnung als Grundlage des Gemeinschaftslebens; dieser konnte für das ganze Land (Land-, Königsfriede) oder für einen bestimmten Bezirk (Burg-, Marktfriede) gelten; noch heute sind Land- und Hausfriedensbruch juristische Begriffe. Im *Mhd.* wurde das Wort auch für „Waffenstillstand" gebraucht; die heutige Hauptbedeutung „völkerrechtlicher Friedensvertrag" hat sich unter dem Einfluß von *lat.* pāx „Friede" (zu pacīscī „übereinkommen", s. Pakt) entwickelt. Als „innere Ruhe, Seelenfrieden" ist unser Wort urspr. religiös gemeint im Sinne des bibl. „Friede auf Erden" (von hier aus ist →Friedhof umgedeutet worden). Eine weitere *ahd.* und *mhd.* Bedeutung ist „Einfriedigung, Zaun"; sie geht von der Einzäunung des unter Schutz gestellten Bezirks (Gericht, Burg, Markt) aus und hat zu den folgenden Verben geführt: befrieden (*mhd.* [be]vriden „Schutz verschaffen, umzäunen", heute selten für „Frieden bringen"); befriedigen (im 15. Jh. befriedigen „beruhigen"; „schützen" neben vridigen „beruhigen"; heute an 'zufrieden' angelehnt, s. u.); einfried[ig]en (*nordd.* im 18. Jh.; ähnl. umfried[ig]en). Weitere Abl. von 'Friede[n]' sind: friedlich (*mhd.* vridelich „geschützt, friedfertig, ruhig"); friedsam (*mhd.* vridesam). Zus.: zufrieden „nicht beunruhigt; befriedigt" (im 16. Jh. zusammengerückt aus Wendungen wie 'zu frieden setzen' „zur Ruhe bringen", denen heutiges zufriedenlassen, -stellen usw. entsprechen; seit dem 18. Jh. auch attributiv Adj.), dazu Zufriedenheit *w* (17. Jh.).

Friedhof *m*: Die Zus. *mhd.* vrīthof, *ahd.* frīthof bedeutete urspr. „eingehegter Raum" und bezeichnete zunächst wie *asächs.* frīdhof den Vorhof eines Hauses oder der Kirche. Mit kirchlicher Weihe wurde dieser Kirchhof zur Begräbnisstätte. *Oberd. mdal.* Freithof setzt die alte Form lautgerecht fort, die sonst an →Friede[n] angelehnt wurde, weil der Begräbnisplatz als ein Ort des Friedens empfunden wurde. Das Bestimmungswort 'Fried-' gehört zu *ahd.* vrīten „hegen", *got.* freidjan „schonen" (vgl. *frei*).

frieren: Das *altgerm.* Verb *mhd.* vriesen, *ahd.* friosan, *niederl.* vriezen, *engl.* to freeze, *schwed.* frysa bedeutet sowohl „Kälte empfinden" wie „gefrieren, zufrieren". Es gehört mit verwandten Wörtern in anderen *idg.* Sprachen zu der *idg.* Wz. *preus- „frieren; brennen" (Kälte und große Hitze erzeugen ähnliche Empfindungen). Aus dem *germ.* Sprachbereich ist *got.* frius „Kälte" verwandt. Außergerm. stellen sich z. B. *lat.* pruīna „Reif, Frost", *lat.* pruna „glühende Kohlen", *lat.* prurīre „jucken" und *aind.* pruṣvá „Reif, Eis" zu dieser Wurzel. Das *nhd.* -r- in 'frieren' ist aus Formen des Präteritums (*mhd.* sie vrurn, gevrorn) verallgemeinert worden; bachte aber die Abl. →Frost.

¹Fries *m* „ornamental ausgestalteter Gesimsstreifen (an antiken oder historischen Bauten); gliedernder, schmückender Wandstreifen": Als Terminus der bildenden Kunst und der Baukunst im 17. Jh. aus gleichbed. *frz.* frise entlehnt. – Ebenfalls im 17. Jh. erreicht uns das FW **²Fries** *m* „krauses Wollzeug, Gewebe", das auf gleichbed. *frz.* frise beruht. Das Verhältnis der beiden *frz.* Homonyme zueinander ist ebenso unsicher wie die weitere Herkunft der Wörter.

Frikadelle *w* „gebratenes Fleischklößchen": Am Ende des 17. Jh.s entlehnt aus *it.* frittatella „Gebratenes" bzw. aus einer *oberit.* Form frittadella, mit Dissimilation des ersten Dentals wie in →Kartoffel. Das daneben seit dem beginnenden 18. Jh. bezeugte FW **Frikandelle** *w* „Fleischklößchen", das allerdings in der exakten Fachsprache der Gastronomie „Schnitte aus gedämpftem Fleisch" bedeutet, zeigt deutlichen Einfluß von *frz.* fricandeau. Dieses bezeichnet in der franz. Küche eine „Schnitte gebratenen oder geschmorten Kalbfleisches" (Kalbsnuß) und ziert seit dem 19. Jh. als FW **Frikandeau** *s* auch die Speisekarten auserlesener deutscher Restaurants. – Die wohl zugrunde liegende *galloroman.* Vorform *frīgicāre ist ein Intensivum zu *lat.* frīgere „rösten, braten", das zur *idg.* Sippe von →*Bärme* gehört. – Zu dieser Gruppe gehören noch die FW →Frikassee und →Pommes frites.

Frikassee *s* „Ragout aus weißem (Hühner- oder Kalb)fleisch": Im 17. Jh. aus gleichbed. *frz.* fricassée entlehnt. Dies gehört zum Verb

186

frz. fricasser, das schon vor dem Substantiv als frikassieren „Frikassee zubereiten" übernommen worden war. Die Grundbedeutung des Verbs ist etwa „kleingeschnittenes Fleisch in einer Soße zubereiten". Wahrscheinlich ist es eine Kreuzung zwischen *frz.* frire „braten, rösten" (aus *lat.* frīgere; vgl. *Frikadelle*) und casser „zerkleinern", das identisch ist mit casser „zerbrechen, vernichten" in → ²*kassieren.*

frisch: Das *westgerm.* Adjektiv *mhd.* vrisch, *ahd.* frisc, *niederl.* versch, *engl.* fresh ist dunklen Ursprungs. Es wurde früh in die *roman.* Sprachen entlehnt, vgl. *frz.* frais und *it.* fresco „frisch" (s. Fresko). Abl.: frischen (*mhd.* vrischen, jetzt nur noch techn. für „Metallschmelzen reinigen" und weidmänn. vom Wildschwein „Junge werfen"; sonst durch auffrischen [18. Jh.] und erfrischen [*mhd.* ervrischen] ersetzt); Frische *w* (*mhd.* vrische), dazu Sommerfrische „kühler Erholungsort" (*tirolisch* im 16. Jh. [sommer]frisch, seit dem 19. Jh. gemeinsprachlich); Frischling *m* „junges Wildschwein" (*mhd.* vrisch[l]inc, *ahd.* frisking „junges [frischgeborenes] Lamm oder Ferkel", bes. als Zins-, *ahd.* auch als Opfertier).

frisieren 1. „die Haare herrichten"; 2. (übertragen:) „etwas in betrügerischer Absicht zurechtmachen, glattmachen": Die moderne Entwicklung der Körper-, Bart- und Haarpflege zeigt seit dem 17. Jh. einen immer stärker werdenden Einfluß der aus Frankreich übernommenen Praktiken. Die verschiedenartigen Bezeichnungen aus diesem Bereich sind demgemäß zumeist Lehnwörter aus dem *Frz.*, so z. B. →Puder, →rasieren, →Pomade, →Perücke. Zu dieser Reihe gehört auch das im 17. Jh. bezeugte Verb frisieren. Es wurde durch Vermittlung von *niederl.* friseren aus *frz.* friser „kräuseln, frisieren" entlehnt (der damaligen Haarmode entsprechend, bestand das Frisieren aus einem Kräuseln der Haare). – Die seit dem 18. Jh. bezeugten Ableitungen Friseur *m*, Frisur *w* und die erst im 20. Jh. aufkommende weibliche Berufsbezeichnung Friseuse *w* sind keine echten Lehnwörter aus dem *Frz.* Es sind vielmehr französierende bzw. *nlat.* Bildungen, denen im *Frz.* die Wörter coiffeur, coiffure und coiffeuse entsprechen. Diese allerdings werden gerade in jüngster Zeit als Fremdwörter im *dt.* Sprachraum immer gebräuchlicher. Es scheint, daß sie besonders in der Sprache der gesellschaftl. Oberschicht die alten, schon ein wenig verbrauchten Bezeichnungen Friseur usw. zurückdrängen können. – Zu erwähnen sind noch zwei Synonyme für Friseur, →Figaro und →Barbier, ersteres scherzhaft gebraucht, letzteres nur *ugs.* und *landsch.*

Frist *w:* Als „festgesetzter Zeitraum" beziehen sich *mhd.* vrist, *ahd.* frist, *mnd.* verst, *aengl.* frist, first und das ähnlich gebildete *schwed.* frist auf einen in der Zukunft liegenden Zeitpunkt, an dem eine Leistung eintreten oder ein bestimmtes Verhältnis aufhören soll. 'Frist' bedeutet demnach wohl eigtl. „das Bevorstehende" und gehört damit zu dem unter →*First* genannten Wortsippe, vgl. *aind.* pura-ḥ-sthitá-ḥ „bevorstehend". Die *germ.* Wörter sind gebildet aus einem Präfix mit der Bed. „vor-" (*idg.* *pres-*, wie in *gr.* présbys „alt", s. Priester) und der Verbalwurzel *stā-* „stehen". In Wendungen wie 'eine Frist geben, bewilligen' entwickelte sich früh die Bed. „Aufschub" (über den eigtl. festgesetzten Zeitpunkt hinaus), die auch in den Zusammensetzungen Gnadenfrist (s. d.) und Galgenfrist (s. d.) erscheint. Abl.: fristen (*mhd.* vristen „aufschieben, bewahren, retten", *ahd.* frist[j]an; jetzt nur in 'sein Leben, sein Dasein fristen' „notdürftig erhalten").

frivol „schamlos, frech; schlüpfrig": Im 18. Jh. aus *frz.* frivole, *lat.* frīvolus entlehnt. Dies drang früher schon in seiner Grundbedeutung „nichtig, unbedeutend" in unsere Gerichtssprache ein, ohne sich jedoch zu halten. Etymologisch gehört es als „zerrieben; zerbrechlich" zu *lat.* friāre „zerreiben" und weiter wie *lat.* fricāre „reiben" in den größeren Zusammenhang der *idg.* Sippe von →*bohren.* Die Bedeutungsentwicklung des Adjektivs vollzog sich im *Roman.*, etwa in folgender Reihe: „zerbrechlich, unbedeutend (von Sachen) – läppisch, uninteressiert, gleichgültig, leichtfertig (von Personen) – unmoralisch, schamlos; schlüpfrig". – Hierzu als Substantiv Frivolität *w* (18. Jh.); aus *frz.* frivolité).

froh: *Mhd.* vrō, *ahd.* frao, frō, *niederl.* vrō sind verwandt mit *aisl.* frār „hurtig" und *mengl.* frow „eilig". Die Bed. „freudig gestimmt, heiter, vergnügt" hat sich demnach über „erregt, bewegt" aus „lebhaft, schnell" entwickelt. *Außergerm.* Beziehungen bleiben unsicher. Eine alte Bildung zu froh ist →Freude, das Bewirkungsverb ist →freuen. Abl.: fröhlich (*mhd.* vrœlich, *ahd.* frawalīh, frōlīh), dazu Fröhlichkeit *w* (*mhd.* vrœlicheit). Zus.: frohlocken (*spätmhd.* vrōlocken „jubeln" ist wohl umgebildet aus *vrō-lecken „vor Freude springen"; vgl. löcken).

fromm: Das unter →*frommen* genannte Substantiv *ahd.* fruma „Nutzen, Vorteil" ergab in Fügungen wie *ahd.* fruma wesan „ein Nutzen sein" ein Adjektiv *ahd.* vrum, vrom „nützlich, brauchbar", (von Personen gesagt:) „tüchtig, trefflich, tapfer, rechtschaffen" (z. B. 'die frommen Landsknechte"). Es wurde so auch von Luther in der Bibel verwendet. Seit dem 15. Jh. zeigt 'fromm' einen religiösen Sinn, der dann durch Umdeutung der Bibelstellen im *Nhd.* allgemein wurde und auch die Nebenbed. „fügsam, artig" be-

einflußte (z. B. in lammfromm). Abl.:
frömmeln „fromm tun" (18. Jh.), dazu
Frömmelei w und Frömmler m; Frömmigkeit w (mhd. vrümecheit, spätahd. fru-
micheit „Tüchtigkeit, Tapferkeit", zum
abgeleiteten Adj. mhd. vrümec, ahd. frumīg).
frommen: Das heute nur noch unpersönlich
gebrauchte Verb mhd. vrumen „nützen,
helfen", ahd. frummen „fördern, vollbringen" ist abgeleitet von dem Subst. ahd.
fruma „Nutzen, Vorteil" (mhd. vrume, nhd.
Fromme m, nur noch in 'zu Nutz und
Frommen'), von dem auch das unter
→fromm behandelte Adjektiv stammt. Es
bedeutet eigtl. – wie aengl. fruma – „Anfang"
und ist verwandt mit got. fruma, aisl. frum-
„erst", engl. former „früher", außergerm.
z. B. mit lit. pìrmas „erster". Über Weiteres
vgl. ver.... Siehe auch den Artikel furnieren.
Fron w: Aus dem Genitiv Mehrz. ahd. fröno
„(Besitz) der Götter" (zu dem unter →Frau
genannten Substantiv ahd. frō „Herr, Gott")
entwickelte sich ein Adjektiv, das mhd. als
vrōn in der zweifachen Bed. „heilig" (Gott und
Christus gehörig) und „herrschaftlich, öffentlich" (einem weltl. Herrn gehörig) erscheint.
Zur ersten Bedeutung stellt sich z. B. →Fron-
leichnam, zur zweiten gehören zahlreiche
alte Zus. wie Fronbote „Gerichtsbote",
Fronhof „grundherrlicher Hof" und
Frondienst „Herrschaftsdienst". Unmittelbar aus dem mhd. Adjektiv abgeleitet ist
das Substantiv mhd. vrōn[e] w „Herrschaft,
Zwingburg, Herrschaftsdienst", das nhd. in
der übertragenen Bed. „schwere, harte Arbeit" fortlebt. Dazu die Verben fronen
„harte Arbeit, Frondienst leisten" und frö-
nen „sich einer Leidenschaft ergeben",
beide nur noch in gehobener Sprache und
erst neuerdings (18. Jh.) unterschieden (mhd.
vrōnen, vrœnen, ahd. frōnen).
Fronde w „scharfe politische Opposition;
Auflehnung": Im 19. Jh. zusammen mit den
Abl. Frondeur m „scharfer polit. Opponent"
und frondieren „scharf opponieren" aus frz.
fronde (frondeur, fronder) entlehnt. Dessen
Grundbedeutung „Schleuder" liegt in dem
abgeleiteten Verb fronder „schleudern" eine
Übertragung zu „angreifen; sich auflehnen".
Auch das Substantiv wurde hiervon betroffen und erhielt, zunächst als Bezeichnung der
polit. Rebellion gegen Mazarin (1649), die
moderne Bedeutung. – Formal liegt wohl
ein vlat. *fundula zugrunde, eine Verkleinerungsbildung zu lat. funda „Schleuder",
dessen Herkunft unsicher ist.
Fronleichnam m: Mhd. vrōnlīcham, der vrōne
līcham (zu mhd. vrōn „göttlich", vgl. Fron)
bezeichnet die Hostie als Leib des Herrn
(vgl. Leichnam) und gilt so heute noch in der
kath. Kirche für das Altarsakrament. Gewöhnlich bezeichnet es jetzt das seit 1264
am zweiten Donnerstag nach Pfingsten gefeierte Fronleichnamsfest.

Front w „Stirnseite; Kampfgebiet; geschlossene Einheit": Im 17. Jh. aus frz. front entlehnt, das seinerseits auf lat. fröns (frontis)
„Stirn, Stirnseite; vordere Linie" zurückgeht. Abl.: frontal „an der Vorderseite befindlich, von vorn kommend" (19. Jh.; nlat.
Bildung. – Lat. fröns liegt auch den FW
→Affront und →konfrontieren zugrunde.
Frosch m: Der altgerm. Tiername lautet
mhd. vrosch, ahd. frosk, niederl. vorsch,
aengl. forsc, frosc, norw. frosk. Ein Zusammenhang mit ähnlichen Bildungen wie aengl.
frogga (engl. frog), aisl. frauki und fraudr
(schwed. frö) ist wahrscheinlich. Die Herkunft des Wortes ist unbekannt.
Frost m: Das Substantiv mhd. vrost, ahd.
frost, niederl. vorst, aengl., schwed. frost ist
eine altgerm. Bildung zu →frieren. Abl.:
frösteln (16. Jh.); frostig (mhd. vrostec
„kalt, frierend", nhd. meist übertr.).
frottieren „(mit Tüchern) abreiben": Im
18./19. Jh. aus gleichbed. frz. frotter entlehnt, dessen Herkunft nicht gesichert ist. –
Dazu das im 20. Jh. mit französierender
Endung gebildete Substantiv Frottee s
oder m „gekräuseltes, rauhes Gewebe".
Frucht w: Ahd. fruht (mhd. vruht) „Feld-,
Baumfrucht" ist aus gleichbed. lat. frūctus entlehnt, das als Substantivbildung zu
lat. fruī „genießen" (daneben frūx „Frucht",
s. frugal) zur Sippe des unter →brau-
chen behandelten Verbs gehört. Von den
fruchttragenden Bäumen her ist 'Frucht' zu
seiner allgemeinen botan. Bedeutung gekommen, die auch auf die tierische und menschliche 'Leibesfrucht' übertragen wurde. Mhd.
fruht steht noch für „Kind", wie das nhd.
Scheltwort Früchtchen s. Die schon mhd.
bildl. Verwendung für „Ertrag, Ergebnis"
schließt an den landwirtsch. Sprachgebrauch,
aber auch an die entsprechende Bedeutung
von lat. frūctus an. Abl.: fruchtbar (mhd.
vruhtbære); fruchtig „nach der Frucht
schmeckend" (wohl junge Neubildung des
Weinhandels; mhd. vrühtec „fruchtbrin-
gend" verschwand im 15./16. Jh.); fruchten
(mhd. vrühten, vruhten „Frucht tragen";
fruchtbar machen"; jetzt „meist übertr. für
„nützen, Erfolg haben"; dazu befruchten
im biologischen und übertr. Sinn [17. Jh.]).
frugal „einfach (aber gesund und nahrhaft)",
heute nur mehr in Fügungen wie „frugales
Mahl', 'frugal speisen": Im 18./19. Jh. entlehnt aus frz. frugal < lat. frūgālis „zu den
Früchten gehörig, fruchtig"; zu lat. frūx
(frugis), vgl. Frucht. Gemeint ist also eigtl.
das ländlich-bäuerliche Mahl (ohne aufwen-
digen Luxus), das aus den nahrhaften
Früchten des Feldes bereitet ist. Heute wird
das Wort oft fälschlich im Sinne von „üppig" verstanden, was auf unrichtige Asso-
ziationen zurückgeführt werden mag, die
sich mit diesem FW und seiner ergänzenden Bed. „gesund, nahrhaft" verbinden.

früh: Die *nhd.* Form geht über *mhd.* vrüe[je] zurück auf *ahd.* fruoji, das eine Adjektivbildung zu dem im *Nhd.* untergegangenen Adverb *mhd.* vruo, *ahd.* fruo ist. Das auf das *dt.* und *niederl.* Sprachgebiet beschränkte Adverb ist z. B. verwandt mit *gr.* prōi „früh", dazu *gr.* „morgendlich", *aind.* prā-tár „früh" und beruht auf *idg.* *prō- „früh, morgens", eigtl. „(zeitlich) vorn, voran" (vgl. *ver...*). 'Früh' gilt noch jetzt besonders von der Tageszeit (dazu das Subst. Frühe *w* [*frühnhd.* frue, *ahd.* fruoī]), es wird aber schon im *Ahd.* zuweilen auf die Jahres- und Lebenszeit übertragen und steht *nhd.* als allgemeines Gegenwort zu spät (s. d.); entsprechend bedeutet der Komparativ früher allgemein „vorher, vormals". Siehe die Artikel Frühling (Frühjahr) und Frühstück.

Frühling *m:* Neben der älteren Bez. →Lenz erscheint *spätmhd.* vrüelinc (vgl. *früh*) im 15. Jh. und hat sich seitdem im *Nhd.* durchgesetzt. Allerdings ist in der Alltagssprache Frühjahr (im 17. Jh. zuerst *mitteld.*) häufiger, bes. für die erste Zeit nach dem Winter, während Frühling mehr die gefühlsmäßige Seite der Jahreszeit betont und auch dichterisch und bildlich gebraucht wird.

Frühstück *s:* *Spätmhd.* vruo-, vrüestücke meint eigtl. das in der Frühe gegessene Stück Brot (wie *mhd.* morgenbrōt; beachte auch *bayr.* Brotzeit „zweites Frühstück"). Abl.: frühstücken (15. Jh.).

Fuchs *m:* Die *westgerm.* Form des Tiernamens *mhd.* vuhs, *ahd.* fuhs, *niederl.* vos, *engl.* fox steht mit männl. s-Suffix (wie bei Luchs, s. d.) neben den weibl. Bildungen *ahd.* voha, *mhd.* vohe „Fuchs, Füchsin" (älter *nhd.* Fohe, Föhe, verdunkelt im Pilznamen Bofist, s. d.), *got.* faúhō „Fuchs", *aisl.* fōa „Fuchs". Heute gilt weidmänn. Fähe *w* für das Weibchen des Fuchses und die übrigen Raubwilds. Verwandt sind z. B. *aind.* púccha-ḥ „Schwanz, Schweif" und *russ.* puch „wolliges Tierhaar". Der Fuchs ist demnach als „der Geschwänzte" benannt worden. Das ist eine verhüllende Bezeichnung, ähnlich wie →Bär; sie hat den *idg.* Namen des Tieres (vgl. *lat.* vulpes, *gr.* alṓpēx) ersetzt, weil die Germanen den listigen Räuber nicht durch Nennung seines Namens 'berufen' wollten (so heißt er *mdal.* noch heute Langschwanz, Holzhund u. ä., im Volksglauben ist er Wettermacher und Hexentier). Als 'Meister Reineke', *mhd.* Reinhart „der Ratskundige", *mniederl.* Reinaerd (daraus *frz.* renard „Fuchs") erscheint der Fuchs seit alters in der Tierdichtung. Der Student im ersten Semester heißt seit dem 17. Jh. 'Fuchs' (beachte auch andere Tiernamen für Studenten, z. B. Mulus, Kamel, Fink). Abl.: fuchsen *ugs.* für „ärgern" (im 19. Jh. stud., es kann aber auch Weiterbildung von *mdal.* fucken „hin und her fahren"

sein), dazu Federfuchser (s. d.); fuchsig „fuchsfarbig verschossen" (18. Jh.). Zus.: Fuchsschwanz „kurze Handsäge" (um 1800 nach der Form des Sägeblattes); nur verstärkend ist fuchs... in fuchs[teufels]-wild (16. Jh.).Nicht nach dem Tier, sondern nach einem deutschen Botaniker des 16. Jh.s heißt eine Zierpflanze Fuchsie *w.*

Fuchtel *w:* *Frühnhd.* fochtel, fuchtel bezeichnete als Bildung zu →*fechten* einen breiten Degen, später auch den Schlag mit der flachen Klinge. Da dieser beim militär. Drill als Strafe üblich war, wurde das Wort zum Sinnbild strenger Zucht: man 'steht unter der Fuchtel', die dann auch ein Korporalstock sein konnte. Abl.: fuchteln (meist: herumfuchteln „mit Stock oder Klinge herumschlagen"; 16. Jh.).

fuchtig (*ugs.* für:) „zornig, aufgebracht": Das bes. *oberd.* und *ostmitteld.* Adjektiv ist wie *schweiz.* fuchten „zanken", Fucht „Streit, hastige [Arm]bewegung" von →*fech*ten abgeleitet.

Fuder *s* „Wagenladung; großes Weinmaß": Das *westgerm.* Substantiv *mhd.* vuoder, *ahd.* fuodar, *niederl.* voer, *engl.* fother steht im Ablaut zu dem unter →Faden (urspr. „ausgespannte Arme") behandelten Wort.

¹Fuge siehe fügen.

²Fuge *w* „mehrstimmiges Tonstück, bei dem ein Thema durch alle Stimmen in [strenger] Wiederholung durchgeführt wird": Das Wort ist in diesem Sinne seit dem 16./17. Jh. bezeugt. Die Bedeutung ist aus der früheren Bed. „Wechselgesang" weiterentwickelt. Formal liegt *lat.-it.* fuga „Flucht" (= *gr.* phygḗ) zugrunde. Die Bezeichnung 'Fuge' geht von der Vorstellung aus, daß die eine Stimme gleichsam vor der folgenden „flieht".

fügen: Das *westgerm.* Verb *mhd.* füegen, *ahd.* fuogen, *niederl.* voegen, *engl.* to fay gehört zu der unter →*Fach* behandelten Gruppe von Wörtern. Aus der Grundbed. „verbinden, ineinanderpassen" haben sich alters viele übertragene Bedeutungen („[sich] anpassen, unterordnen, anschließen" u. ä.) entwickelt, die oft in Zus. wie an-, bei-ein-, [hin]zu-, zusammenfügen ausgedrückt werden. Die umlautlose *oberd.* Form fugen hat im Anschluß an ¹Fuge (s. u.) die handwerkl. Bed. „mit einer Fuge zusammenschließen" bewahrt. Abl.: ¹Fuge *w* (*mhd.* vuoge „Zusammenfügung, Verbindungsstelle"; übertr. „Schicklichkeit, Kunstfertigkeit"; Fug *m* (*nhd.* nur noch in der Wendung 'mit Fug und Recht', *mhd.* vuoc im then *idg.* Sinn von ¹Fuge), dazu Befugnis *w* „Zuständigkeit" (17. Jh.), befugt zu *spätmhd.* sich bevügen „eine Befugnis ausüben"), füglich (*spätmhd.* vuoclich, vüeclich „schicklich, angemessen") sowie Unfug *m* „unschickliches Treiben" (*mhd.* unvuoc); fügsam (seit 17. Jh. „sich unterordnend, vorher „schicklich"); Fügung *w* (*mhd.* vüegunge „Verbindung", nhd. oft verhüllend für „Schicksal", seit dem 17. Jh. grammat. Fachwort für lat. cōnstrūctiō); Gefüge s „,[techn.] Verbindung, Aufbau" (Neubildung des 18. Jh.s, aber schon ahd. als gafōgi belegt); gefüge selten für „fügsam" (mhd. gevüege, ahd. gafuogi; heute meist als gefügig [spätmhd. gefügig „von feiner Sitte"]), dazu die Verneinung ungefüge „unförmig" (mhd. ungevüege, ungevuoge „unartig; plump", ahd. ungafōgi „ungünstig; beschwerlich; riesig"). Zus.: verfügen (s. d.).

fühlen: Das westgerm. Verb mhd. vüelen, ahd. fuolen, niederl. voelen, engl. to feel ist unbekannter Herkunft. Seine Grundbedeutung ist wohl „,tasten"; es wurde dann auf alle körperlichen und im Dt. seit dem 18. Jh. auch auf seelische Empfindungen übertragen. Abl.: fühlbar (17. Jh.); Fühler m „Antenne der Insekten" (18. Jh.); oft bildlich gebraucht); Fühlung w (frühnhd. für „Empfindung"; jetzt nur in 'Fühlung suchen, nehmen' usw., militär. in 'Tuchfühlung haben, halten'); Gefühl s „Tastsinn, seelische Stimmung" (17. Jh.; dafür spätmhd. gevülichkeit, gevülunge neben gevülen „fühlen"). Zus.: fühllos (17. Jh.; wohl mit dem untergegangenen Subst. Fühle w „Gefühl" gebildet), häufiger ist gefühllos (18. Jh.).

Fuhre w: Ähnlich wie Fahrt (s. d.) sind mhd. vuor[e], ahd. fuora, aengl. fōr eine Bildung zu dem unter →fahren behandelten Verb, zunächst mit der Bed. „Fahrt, Reise, Weg", auch „Lebensweise". In der ersten Bedeutung steht es in nhd. Zus. wie Aus-, Ein-, Zu-, Abfuhr, die gewöhnlich auf führen (s. d.) bezogen werden. Schon früh hat aber 'Fuhre' die Bed. „Gefahrenes; Wagenladung" entwickelt, die heute vorherrscht. Zus.: Fuhrmann (mhd. vuorman); Fuhrpark (20. Jh.; s. Park); Fuhrwerk (spätmhd. fürwerc, mnd. vōrwerk ist wohl urspr. „Fuhrdienst"), dazu ugs. fuhrwerken „herumfahren, sich unruhig bewegen (im 19. Jh. stud.).

führen: Als altes Veranlassungswort zu →fahren bedeutet das altgerm. Verb mhd. vüeren, ahd. fuoren, niederl. voeren, aengl. [ge]fēran, schwed. föra eigtl. „in Bewegung setzen, fahren machen", dann „bringen" und „,leiten". Die nhd. Hauptbed. ist „leiten, die Richtung bestimmen". Abl.: Führer m (mhd. vüerer; meist in Zus. näher bestimmt); Führung w (mhd. vüerunge; techn. auch „Lenkvorrichtung"). Zusammensetzungen und Präfixbildungen: aufführen (mhd. ūfvüeren „hinaufbringen", daher 'ein Gebäude aufführen"; als Fachwort des Theaters bezeichnet es im 17. Jh. das Heraufführen der Personen auf die Bühne, danach die Vorführung des Schauspiels; reflexives 'sich [gut, dumm usw.] aufführen' für „benehmen" ist eigtl. „sich jemandem vorstellen; auftreten"), dazu Aufführung w (eines

Theater- oder Musikstückes, auch für „Betragen"; 18. Jh.); ausführen (mhd. ūzvüeren, ahd. ūzvuoren „hinausführen"; es hat im Nhd. außer der kaufmänn. Bedeutung auch die von „zu Ende führen, fertigstellen"), dazu ausführlich (15. Jh., eigtl. „alle Teile herausarbeitend") und Ausführung w „Herstellung; genaue Darlegung" (16. Jh.); verführen (mhd. vervüeren „vollführen, ausüben, weg-, irreführen", ahd. firfuoren „entfernen, wegfahren"; seit dem 18. Jh. nur noch von sittlichem Irreleiten), dazu Verführer m (15. Jh.), verführerisch (17. Jh.).

Fülle w: Das gemeingerm. Substantiv mhd. vülle, ahd. fullī, got. (ufar) fullei, engl. fill, aisl. fylli ist eine Bildung zu dem unter →voll behandelten Adjektiv. Abl.: füllig „,beleibt" (17. Jh.; aus mnd. vüllīk). Zus.: Füllhorn (im 18. Jh. für älteres 'Horn der Fülle', eine LÜ von lat. cornu cōpiae, das das oft in allegorischen Bildern gezeigte überquellende Horn des Erntesegens bezeichnete).

füllen: Das gemeingerm. Bewirkungswort zu →voll lautet mhd. vüllen, ahd. fullen, fulljan, got. fulljan, engl. to fill, schwed. fylla. Die Grundbedeutung ist „vollmachen". Zu 'füllen' stellen sich im Dt. die perfektiven Verben an-, aus-, erfüllen (dies fast nur übertragen gebraucht). Abl.: Füller m (junge Kurzform für Füllfederhalter); Füllsel s (spätmhd. vülsel). Siehe auch Fülle.

Füllen s: Das urspr. nur südwestd. Substantiv (mhd. vüli[n], ahd. fulī[n]) ist eine Verkleinerungsbildung zu dem Stamm des unter →Fohlen behandelten Wortes.

fummeln (ugs. für:) „tasten, reiben; unsachgemäß arbeiten": Das nordd. Wort (spätmnd. fummelen) erscheint im 18. Jh. in hochd. Texten. Es ist wohl eine lautnachahmende Bildung, vgl. gleichbed. schwed., norw. fumla, engl. to fumble und mit der Bed. „knittern", niederl. fommelen.

fundieren „,[be]gründen; untermauern": In mhd. Zeit aus lat. fundāre „,den Grund legen (für etwas)" entlehnt, das von lat. fundus „Boden, Grund[lage]" abgeleitet ist (vgl. Fundus). Zu lat. fundāre gehört das Substantiv fundāmentum „Unterbau, Grundlage", das schon in ahd. Zeit übernommen wurde und unser FW Fundament s lieferte (bis ins 14. Jh. nur im bautechnischen Sinne gebraucht). Dazu als Adjektiv fundamental „grundlegend, bedeutsam" (17. Jh.; aus spätlat. fundāmentālis).

Fundus m „Unterbau; Fonds": Wie entspr. frz. fond (s. Fond, Fonds) aus lat. fundus „Boden, Grund[lage]" entlehnt, das mit dt. →Boden urverwandt ist. Neben dem Stammwort fundus wurden noch einige Ableitungen ins Deutsche entlehnt, vgl. Fundament, fundamental, fundieren, profund.

fünf: Das gemeingerm. Zahlwort mhd. vünv, vunv, ahd. funf, finf, got. fimf, niederl. vijf, *engl.* five, *schwed.* fem ist u. a. verwandt mit *lat.* quinque, *gr.* pénte, pémpe (das wir z. B. aus Pentagon „Fünfeck" und Pentagramm „Fünfstern" kennen; s. auch Pfingsten) und *aind.* páñca (s. Punsch). Zugrunde liegt *idg.* *penk^u̯e „fünf". Die einzelsprachlichen Formen sind z. T. lautlich ausgeglichen worden, im *Lat.* nach dem Anlaut der zweiten, im *Germ.* nach dem der ersten Silbe. Der Vokal der *dt.* Form wurde im *Spätahd.* verdumpft, der Umlaut -ü- stammt aus der gebeugten Form *ahd.* funfi (*nhd. ugs.* fünfe). Zu dem *idg.* Zahlwort gehören aus dem *germ.* Sprachbereich wahrscheinlich auch die unter →Finger und →Faust (eigtl. „Gesamtheit der fünf Finger") behandelten Wörter. Abl.: Fünfer *m* (*spätmhd.* vünfer „Mitglied eines Fünfmännerausschusses"; seit dem 16. Jh. für die Ziffer 5 und für bestimmte Münzen); fünfte (Ordnungszahl; *mhd.* vünfte, *ahd.* finfto, fimfto; s. auch Quinta). Zus.: F ü n f t e l *s* (im 17. Jh. für älteres Fünfteil, *mhd.* vünfteil; vgl. Teil); fünfzehn (*mhd.* vünfzehen, *ahd.* finfzehen; *mdal.* fuffzehn setzt ein *frühnhd.* funffzehen fort); fünfzig (*frühnhd.* auch funffzig, danach *mdal.* fuffzig; *mhd.* vünfzec, *ahd.* fimfzec; vgl. ...zig; beachte auch *engl.* →fifty-fifty).

fungieren „tätig sein, ein Amt verwalten": Im 17. Jh. aus *lat.* fungī „verrichten, vollbringen, durchstehen; verwalten" entlehnt. Dazu die FW →Funktion, Funktionär, funktionieren.

Funke[n] *m*: Das *westgerm.* Substantiv *mhd.* (*mitteld.*) vunke, *ahd.* funcho, *niederl.* vonk, *mengl.* vonke ist aus den mit -n- gebildeten Formen des *idg.* Stammes von →Feuer abgeleitet. Das auslautende n der *nhd.* Nominativform stammt aus den obliquen Fällen. Abl.: f u n k e l n (*mhd.* vunkeln, „Funken geben, blinken" ist eine Iterativbildung zu gleichbed. vunken) dazu f u n k e l n a g e l n e u (im 18. Jh. zusammengezogen aus älterem funkelneu und nagelneu [s. Nagel]); funken (*mhd.* vunken „Funken von sich geben; blinken, schimmern"; 1914 für „drahtlos telegraphieren", eigtl. „durch Funken übermitteln" vorgeschlagen, schon vorher in der Zus. F u n k s p r u c h für „Radiogramm" üblich; in der Soldatenspr. auch für „schießen" und *ugs.* für „funktionieren" gebraucht), dazu seit den zwanziger Jahren R u n d f u n k *m* „Radio" (neben jüngerem Bild-, Draht-, Richtfunk usw.) und die Kurzform F u n k (die auch durch Zus. wie Funkhaus, -turm, -streife, -lotterie gestützt wird) sowie das Adj. funkisch; unmittelbar zu 'funken' gehört F u n k e r *m* „Telegraphist".

Funktion *w* „Tätigkeit, Wirksamkeit; Aufgabe": Im 17. Jh. aus *lat.* fūnctiō „Verrichtung; Geltung" entlehnt, das von *lat.* fungī „verrichten, vollbringen; gelten" abgeleitet ist (vgl. *fungieren*). – Dazu: **Funktionär** *m*

„führender aktiver Beauftragter eines Verbandes" (20. Jh.; nach *frz.* fonctionnaire); **funktionieren** „reibungslos ablaufen, in [ordnungsgemäßem] Betrieb sein" (18./19. Jh.; nach *frz.* fonctionner).

für (Adv., Präp.): *Mhd.* vür, *ahd.* furi „[aus]" (vgl. *aisl.* fyr „vor, für") ist eng verwandt mit dem unter →vor behandelten Wort und wurde wie dieses urspr. räumlich gebraucht. Über die weiteren Zusammenhänge vgl. *ver...* Auf einer substantivierten Superlativform des Adverbs beruht das unter →Fürst behandelte Substantiv. Im *Ahd.* und *Mhd.* steht 'für' mit dem Akk. bei Verben der Bewegung, 'vor' mit dem Dativ (und Gen.) bei Verben der Ruhe. Für die Schriftsprache haben erst die Grammatiker des 18. Jh.s den Gebrauch so geregelt, daß heute 'vor' mit beiden Fällen räumlich und zeitlich, 'für' mit dem Akk. nur übertr. verwendet wird. Resthaft steht 'für' statt 'vor' in Fügungen wie 'Schritt für Schritt', 'Tag für Tag', 'für und für' (= immerfort) und in Zus. wie Fürwitz (s. Vorwitz) und fürbaß (s. baß). Andererseits hat sich 'vorliebnehmen' (s. d.) durchgesetzt. Der übertragene Gebrauch ist bei 'für' schon früh entwickelt. Er meint entweder Bestimmung, Zweck, Schutz ('ein Buch für dich' ist eigtl. „vor dich gebracht", 'ein Mittel für Husten' eigtl. „vor dem Husten gestellt") oder „Stellvertretung" ('für jemand eintreten' ist „[schützend] vor ihn treten"; dazu auch 'für etwas halten', 'für Geld kaufen'). Als Adv. ist 'für' nur in 'für und für' (s. o.) erhalten.

Furche *w*: Das *altgerm.* Wort *mhd.* vurch, *ahd.* fur[u]h, *niederl.* voor, *engl.* furrow, *schwed.* fåra geht zur der *idg.* Wz. *per[e]k̑- „wühlen, aufreißen". Im *germ.* Sprachbereich stellt sich das unter →Ferkel behandelte Wort zu dieser Wurzel, *außergerm.* ist z. B. *lat.* porca „Furche, Ackerstrecke" nahe verwandt. Die Bedeutung der *idg.* Wurzel hat sich über „herumwühlen" weiterentwickelt zu „suchen, ausforschen, fragen, bitten". Das zeigt sich einzelsprachlich z. B. in den Wortgruppen um *dt.* forschen und *lat.* poscere „fordern" (s. forschen) wie um *dt.* Frage und *lat.* precārī „bitten" (s. Frage). Abl.: f u r c h e n (*mhd.* vurhen „Furchen ziehen, pflügen"; heute übertr. gebraucht).

fürchten: Das *altgerm.* Verb *mhd.* vürhten, *ahd.* furhten, furihtan, *got.* faúrhtjan, *mniederl.* vruchten, *aengl.* fyrhtan steht neben dem Substantiv F u r c h t *w* (*mhd.* vorhte, *ahd.* forhta, ähnl. *got.* faúrhtei, *engl.* fright) und einem untergegangenen Adjektiv, das mit der Bed. „Furcht empfindend" als *ahd.* foraht, *got.* faúrhts, *aengl.* forht bezeugt ist. Herkunft und *außergerm.* Beziehungen dieser drei Wörter sind nicht gesichert. Abl. (alle zum Subst.): furchtbar (*mhd.* vorhtebǣre); furchtlos (16. Jh.); furchtsam (*mhd.* vorhtesam, bis ins 18. Jh. auch für „furcht-

bar"); **fürchterlich** (im 18. Jh. für älteres
fürcht-, furchtlich, *mhd.* vorhtlich, *ahd.*
forahtlīch; zur Bildung beachte leserlich,
weinerlich). Eine Abl. auf -ig erscheint in
ehrfürchtig (s. Ehre), gottesfürchtig (s. Gott).
Furie *w*: Zu *lat.* furere „rasen, wüten", das
ohne sichere Beziehungen im *Idg.* ist, stellt
sich als Substantiv *lat.* furia „Wut, Raserei".
Die personifizierte Form *lat.* Furia „rasende
Göttin, Rachegöttin" – meist *Mehrz.* Furiae
„Plagegeister" – wird auch übertragen gebraucht zur Bezeichnung eines wütenden,
rasenden, von einem Dämon besessenen
Menschen. Im Sinne von „wütendes, rasen-
des Weib" erscheint Furie, daraus entlehnt,
im 17./18. Jh. bei uns als FW.
furnieren „(minderwertiges Holz) mit edlem
Blattholz belegen": Im 16. Jh. aus *frz.*
fournir „liefern; mit etwas versehen" entlehnt, das seinerseits auf *afränk.* *frumjan
„fördern, vollbringen" (entspr. *asächs.*
frummian, *ahd.* frummen; vgl. *frommen*) zurückgeht. Abl.: F u r n i e r *s* „Blattholzbe-
lag" (18. Jh.).
Fürst *m*: Mhd. vürste, *ahd.* furisto bedeutet
eigtl. „der Vorderste, Erste, Vornehmste"
und ist der substantivierte Superlativ des
Adverbs *ahd.* furi „vor, voraus" (*ahd.* furist,
engl. first, *schwed.* först „zuerst, erste"; vgl.
für; ähnlich hat auch *ahd.* frō „Herr" entwickelt, s. Frau). In der Bed. „Herrscher"
ist das Wort auf das *dt.* Sprachgebiet beschränkt. Unter den besonderen Verhält-
nissen des mittelalterl. deutschen Reiches
hat es sich im 12. Jh. zur Bezeichnung des
obersten Standes unter dem König entwickelt und wurde Sammelbegriff für alle
Monarchen. Später benennt es außerdem
einen bestimmten vom König verliehenen
Rang zwischen Graf und Herzog. Abl.:
f ü r s t l i c h (*mhd.* vürst[e]lich; heute oft
übertr. für „vornehm, großzügig"); F ü r -
s t e n t u m *s* (*mhd.* vürst[en]tuom „Fürsten-
würde; Land eines Fürsten").
Furt *w* „durchfahrbare Stelle eines Gewässers": Das *westgerm.* Substantiv *mhd.* vurt,
ahd. furt, *mniederl.* vort, *engl.* ford steht
im Ablaut zu *aisl.* fjǫrdr, *norw.*, *schwed.*
fjord „enge Meeresbucht" (s. Fjord). Alle
diese Wörter sind ebenso wie *lat.* portus,
porta „Zugang" (s. die Lehn- und Fremdwörter um Pforte) Substantivbildungen
zu der unter →*fahren* dargestellten *idg.*
Wz. *per- „hinüberführen". Die Furt ist
also als „Übergangs-, Überfahrtsstelle"
benannt worden. Beachte auch gleichbed.
awest. pərətu-š (im Flußnamen Euphrat
„der gut Überschreitbare"). Das *germ.*
Wort erscheint in vielen ON, z. B. *dt.*
Frankfurt, Schweinfurt, Herford, *engl.* Ox-
ford.
Furunkel *m* „Eitergeschwür": Im 16. Jh.
aus gleichbed. *lat.* fürunculus entlehnt, das
als Verkleinerungsbildung zu *lat.* für „Dieb"

gehört und eigtl. „kleiner Spitzbube"
bedeutet. Die außerdem bezeugte Bed.
„Nebenschößling (bes. an Rebstöcken)" legt
nahe, daß das Wort – ähnlich wie bei *dt.*
→Geiz (im Sinne von „schmarotzender
Trieb") – urspr. scherzhaft von Winzern gebraucht wurde, weil die kleineren Neben-
triebe des Rebstockes dem Haupttrieb den
Saft „stehlen". Der Arzt mag dann den Namen übertragen haben, einmal wegen der
äußeren Ähnlichkeit eines Geschwürs mit
dem Auge am Rebstock, zum anderen auch
wegen der Tatsache, daß Geschwüre eine
Blutkonzentration um den Eiterherd bewirken und somit die Körpersäfte gleichsam
„stehlen". Lat. für „Dieb" – dazu *lat.* fūrō
„Räuber" (Tiername), das die Quelle ist für
unser LW →Frett (Frettchen) – stellt sich
als Wurzelnomen zum Verbalstamm von
lat. ferre „tragen" (vgl. *offerieren*), bedeutet
also eigtl. „wer etwas fortträgt". Abl.:
F u r u n k u l o s e *w* „gleichzeitiges Auftreten
mehrerer Furunkel" (20. Jh.; *nlat.* Bildung).
Fürwort *s*: Das Substantiv bedeutete im
16. Jh. „Ausrede, Vorwand", später auch
„Fürsprache" (dazu →befürworten). Im
18. Jh. wurde es als Ersatzwort für „Pronomen" „Stellvertreter des Nomens" neu
geprägt (vgl. *für*; s. auch Vorwort).
Furz *m* (derb *ugs.* für:) „[laut] abgehende
Blähung": Das Substantiv *mhd.* vurz, *spät-*
ahd. furz, *mnd.* vort ist eine Bildung zu dem
starken Verb *mhd.* verzen, *ahd.* ferzan, *mnd.*
verten, dem gleichbed. *engl.* to fart und
schwed. fjärta entsprechen. Dieses *altgerm.*
Verb ist z. B. verwandt mit *aind.* párdate
„furzt", *gr.* pérdesthai „furzen" und *russ.*
perdét' „furzen". Abl.: f u r z e n (*spätmhd.*
vurzen).
Fusion *w* „Verschmelzung" (z. B. mehrerer
wirtschaftl. Unternehmen): Im 19. Jh. zunächst in der konkreten, technischen Bed.
„Schmelzung, Erzguß" gebraucht, dann
übertragen. Das Wort ist aus *lat.* fūsiō „Gießen, Schmelzen" entlehnt. Zu *lat.* fundere
„gießen, fließen lassen", das mit →*gießen*
urverwandt ist. – Eine Ableitung des 20. Jh.s
ist fusionieren „eine Fusion vornehmen
(Wirtsch.)". Siehe auch konfus, Konfusion.
Fuß *m*: Die *gemeingerm.* Körperteilbezeichnung *mhd.* vuoz, *ahd.* fuoz, *got.* fōtus, *engl.*
foot, *schwed.* fot beruht mit verwandten Wörtern in anderen *idg.* Sprachen auf *idg.* *pēd-
„Fuß", vgl. z. B. *gr.* poús, Gen. podós „Fuß"
(s. Podium) und *lat.* pēs, Gen. pēdis „Fuß"
(s. die FW-Gruppe um Pedal). Aus dem
germ. Sprachbereich gehört hierher auch das
unter →¹Fessel behandelte Wort. – Im *Dt.*
bezeichnet 'Fuß' den untersten Teil des
Beines, landsch. auch das ganze Bein (s.
Bein). Abl.: f u ß e n (*mhd.* vuozen „den Fuß
aufsetzen; sich stützen, gründen" wird heute
nur noch in übertr. Sinne gebraucht, *oberd.*
mdal. auch für „gehen"). Von den zahlreichen

Zus. seien genannt: Fußangel (s. Angel); Fußball (LÜ des 18. Jh.s für *engl.* football); Fußgänger (*mhd.* vuozgenger neben *mhd.*, *ahd.* vuozgengel bezeichnete vor allem den 'zu Fuß' gehenden und kämpfenden Krieger, ähnlich wie das *nhd.* Kollektivum Fußtruppe und das ältere Fußvolk, *mhd.* vuozvolc; vgl. *Volk*); Fuß[s]tapfe (*mhd.* vuozstaphe, zu →Stapfe, ergibt schon *spätmhd.* durch falsche Abtrennung die Nebenform vuoz-taphe).

futsch (*ugs.* für:) ,,weg, verloren": Das seit dem 18. Jh. in allen *dt.* Mundarten verbreitete Wort ist wohl lautmalenden Ursprungs. Dazu die scherzhafte Weiterbildung futschikato. Siehe auch pfuschen.

¹Futter *s* ,,Nahrung [der Tiere]": Das *altgerm.* Substantiv *mhd.* vuoter, *ahd.* fuotar, *niederl.* voe[de]r, *engl.* fodder, *schwed.* foder geht ebenso wie das *gemeingerm.*, im *Nhd.* ausgestorbene Verb *mhd.* vuoten, *ahd.* fuottan, *got.* fōdjan, *engl.* to feed, *schwed.* fōda ,,nähren" auf eine *idg.* Wz. *pā[-t]- ,,füttern, nähren, weiden" zurück. Zu ihr gehören u. a. *gr.* pateīsthai ,,essen und trinken" und *lat.* pāscere ,,weiden lassen, füttern" (s. die FW-Gruppe um Pastor). Die Bed. ,,Nahrung für Tiere" ist bei 'Futter' in den neueren Sprachen einheitlich durchgedrungen. Von ¹Futter abgeleitet ist ¹füttern ,,[Tieren] Nahrung geben" (*ugs.* und *mdal.* auch: futtern; *mhd.* vuotern, vüetern, *ahd.* fuotti-

ren); daraus hat sich im *Nhd.* futtern als scherzh. Bez. für ,,tüchtig essen" abgezweigt.

²Futter *s* ,,innere Stoffschicht der Oberbekleidung": Das *altgerm.* Substantiv *mhd.* vuoter, *ahd.* fuotar ,,Unterfutter, Futteral", *got.* fōdr ,,Schwertscheide", *mnd.* vōder ,,Unterfutter, Futteral, Behälter", *aengl.* fōdor ,,Scheide, Behälter" beruht mit verwandten Wörtern in anderen *idg.* Sprachen auf der *idg.* Wz. *pō[i]- ,,Vieh hüten; schützen; bedecken", vgl. z. B. *aind.* pātra-m ,,Behälter". Im *außergerm.* Sprachbereich stellen sich noch *gr.* pōma ,,Deckel", *gr.* poimēn ,,Hirt" und *aind.* pāti ,,schützt, behütet" zu dieser Wurzel. Grundbedeutung unseres Wortes war demnach ,,schützende Hülle, Überzug". Als ,,Schutzhülle" galt *dt.* Futter noch im 18. Jh., zuletzt in Zus. wie Brillen-, Flaschen-, Pistolenfutter. Seit dem 15. Jh. wird es aber aus dieser Bed. durch Futteral *s* verdrängt, eine Entlehnung aus *mlat.* fōtrāle, futrāle, zu fōtrum ,,Überzug", das selbst aus *germ.* Wort stammt. Abl.: ²füttern ,,mit Unterfutter versehen" (*mhd.* vuotern, vüetern).

Futur *s* ,,Zukunft" (Gramm.): Aus gleichbed. *lat.* (tempus) futūrum entlehnt. *Lat.* futūrus ,,sein werdend" ist Part. Fut. zum Verbalstamm fu- (in *lat.* fuisse ,,gewesen sein"). Über weitere etymolog. Zusammenhänge vgl. bauen.

G

Gabe *w*: *Mhd.* gābe, *mnd.* gāve, *niederl.* gave, *schwed.* gåva gehören zu dem unter →geben behandelten Verb. Im heutigen Sprachgebrauch wird 'Gabe' außer im Sinne von ,,Gegebenes, Geschenk" auch im Sinne von ,,angeborene Eigenschaft, Talent" verwendet. Abl.: begaben veralt. für ,,mit Gaben, mit Fähigkeiten ausstatten" (*mhd.* begāben), dazu das in adjektivischen Gebrauch übergegangene zweite Partizip begabt ,,befähigt, talentiert" und Begabung *w* ,,Fähigkeit, Talent", das sich seit dem 18. Jh. an 'begabt' angeschlossen hat, während es davor gewöhnlich im Sinne von ,,Schenkung, Stiftung; Vorrechte" verwendet wurde. – Ab-, An-, Aufgabe usw. stellen sich zu den unter →geben behandelten Zusammensetzungen und Präfixbildungen.

gäbe: Das heute nur noch in der Wendung 'gang und gäbe' gebräuchliche Wort geht zurück auf *mhd.* gābe ,,annehmbar, willkommen, lieb, gut", das als Verbaladjektiv zu dem unter →geben behandelten Verb ge-

hört und eigtl. ,,was gegeben werden kann, was sich leicht geben läßt" bedeutet. Das Wort wurde früher hauptsächlich in der Kaufmannssprache im Sinne von ,,im Umlauf befindlich, üblich" (von Münzen und Waren) verwendet. *Mhd.* gābe entsprechen im *germ.* Sprachbereich *niederl.* gaaf ,,gut erhalten; ganz, unbeschädigt; unverletzt" und die *nord.* Sippe von *schwed.* gäv ,,gangbar, üblich, gebräuchlich; gut, ausgezeichnet".

Gabel *w*: Das *westgerm.* Wort *mhd.* gabel[e], *ahd.* gabala, *mnd.* gaffel[e] (s. u. Gaffel), *niederl.* gaffel, *aengl.* g[e]afol ist verwandt mit der *kelt.* Sippe von *air.* gabul ,,gegabelter Ast; Gabel; Gabelpunkt der Schenkel" und steht wohl im Ablaut zu dem unter →Giebel (urspr. ,,Astgabel") behandelten Wort. – In der Frühzeit war die Gabel nichts anderes als der starke gegabelte Ast und diente als landwirtschaftliches Gerät zum Heben und Wenden des Heus, der Garben, des Mistes oder dgl. Die eiserne Form der Gabel lernten die Germanen im Rahmen der Handelsbeziehungen mit den Römern kennen und übernahmen mit dem Gerät auch das Wort (s. den Artikel Forke). Seit dem Mittelalter tritt die Gabel auch als Tischgerät auf, zunächst zum Vorlegen des Fleisches, seit dem ausgehenden Mittelalter dann auch als Eßgerät. In der Seemannssprache bezeichnet *niederd.* gaffel seit dem 17. Jh. auch die Segelstange mit gabelförmigem Ende. Aus dem *Niederd.* übernommen ist Gaffel *w*, das also die *niederd.* Entsprechung von *hochd.* Gabel ist. Abl. gabeln, sich „gabelförmig auseinandergehen", dazu Gabelung *w* (beachte auch aufgabeln *ugs.* für „finden, auflesen"). Zus.: Gabeldeichsel „Doppeldeichsel des Einspänners" (17. Jh.); Gabelfrühstück (19. Jh., Lehnübertragung von *frz.* déjeuner à la fourchette); Gabelweihe „Weihe mit gabelförmigem Schwanz" (18. Jh.).

gackeln, gackern, gacksen: Die Verben, die *ugs.* auch im Sinne von „unterdrückt lachen, kichern, schwatzen" gebraucht werden, sind lautnachahmenden Ursprungs, und zwar ahmen sie speziell den Laut der Hühner nach. Ähnliche Lautnachahmungen sind *mhd.* gägen, gägern „schnattern", *mhd.* gagzen, *ahd.* gagizōn „gackern", *niederl.* gaggelen „schnattern", *engl.* to gaggle „gackern; schnattern" (vgl. auch die unter 'keckern' behandelten Lautnachahmungen). Außerhalb des *germ.* Sprachbereichs sind z. B. elementarverwandt *lit.* gagéti „schnattern" und *russ.* gogotát' „gackern, schnattern", gágat' „schnattern". Siehe dazu auch die Artikel Geck und Gockel.

gaffen: *Mhd.* gaffen „verwundert oder neugierig schauen" bedeutet eigtl. „mit offenem Munde anstarren, den Mund aufsperren". Die urspr. Bedeutung bewahren die verwandten Wörter im *germ.* Sprachbereich, vgl. *mnd.* gapen „den Mund aufsperren" (s. jappen, japsen „lechzen, nach Luft schnappen"), *niederl.* gapen „gähnen; klaffen; gaffen", *schwed.* gapa „den Rachen aufreißen; schreien; gähnen; klaffen". Diese Wörter gehören wahrscheinlich zu der Wortgruppe von →*gähnen.*

Gag *m* „witziger Einfall": Modisches LW des 20. Jh.s aus dem *Amerik.*, das durch Lustspielfilme bei uns bekannt wurde. Das etymologisch nicht sicher gedeutete *engl.-amerik.* Wort bedeutet eigtl. „Knebel" (zum Verb to gag „knebeln, [ver]stopfen") und zeigt die gleiche Bedeutungsübertragung zu „Füllsel, improvisiertes Einschiebsel" wie das entspr. FW aus der Bühnensprache →Farce.

Gage *w* „Künstlergehalt": LW des 17. Jh.s aus *frz.* gage „Pfand, Unterpfand, Löhnung, Sold". Anfangs noch ganz im militär. Bereich im Sinne von „Entlöhnung" verwendet, wird das Wort seit dem 18. Jh. auch,

wie heute ausschließlich, in der Theatersprache gebraucht, während von den abgeleiteten FW →engagieren und →Engagement ersteres auch allgemeinspr. üblich ist. – Das *frz.* Wort ist selbst *germ.* Ursprungs und geht zurück auf ein altes Rechtswort, *afränk.* *wadi (germ.* *wadja) „Pfand", aus dem sich *nhd.* →*Wette* entwickelt hat.

gähnen: *Mhd.* genen, ginen, *ahd.* ginēn „den Mund aufsperren, gähnen", *aengl.* ginian, gionian „den Mund aufsperren, gähnen" *(engl.* to yawn) stehen neben einem im *Dt.* untergegangenen starken Verb *aengl.* tōgīnan „sich spalten, sich auftun", *aisl.* gína „den Rachen aufsperren, gähnen", ablautend dazu *ahd.* geinōn „gähnen" und *aengl.* gānian „gähnen". Diese *germ.* Wortgruppe gehört mit verwandten Wörtern in anderen *idg.* Sprachen zu der vielfach weitergebildeten und erweiterten *idg.* Wz. *ĝhē- (*ĝhēi-, *ĝhēu-, *ĝhan-) „gähnen, klaffen", die eigtl. den Gähnlaut, das heisere Ausfauchen und ähnliche Schalleindrücke nachahmt. In anderen *idg.* Sprachen sind z. B. verwandt *gr.* cháskein „gähnen, klaffen", chásma „klaffende Öffnung", cháos „leerer Raum, Luftraum, Kluft" (s. Chaos und Gas), *lat.* hiāre und hīscere „gähnen; klaffen, aufgesperrt sein" und *russ.* ziját' „gähnen". Aus dem *germ.* Sprachbereich gehören hierher auch die Sippen von →gaffen (eigtl. „den Mund aufreißen") und → Gaumen (eigtl. „Rachen, Schlund") sowie Geest *w* „hochgelegenes, trockenes Land" (Substantivierung des *niederd.* Adjektivs gēst „trocken, unfruchtbar", eigtl. „klaffend, rissig"), ferner das unter →Geifer behandelte Wort, das auf einem Bedeutungsübergang von „den Mund aufsperren" zu „lechzen, gierig verlangen" beruht. Weiterhin verwandt ist die unter →gehen dargestellte *idg.* Wortgruppe, die auf einem Bedeutungswandel von „gähnen, klaffen" zu „leer sein, mangeln, verlassen, fortgehen" beruht. Hierher gehört auch der *idg.* Name der Gans, die nach ihrem heiseren Ausfauchen mit aufgesperrtem Schnabel benannt ist (vgl. *Gans).* Siehe auch den Artikel vergeuden.

Gala *w* „Festkleidung": Ein Wort, das uns im 17./18. Jh. durch das Wiener Hofzeremoniell vermittelt wurde und das unmittelbar zurückgeht auf gleichbed. *span.* gala. Entsprechendes gilt von dem Substantiv Galan *m* „vornehmer (schön gekleideter) Liebhaber", das aus dem zu *span.* gala gehörigen Adjektiv galan[o] „schön gekleidet, höfisch" entlehnt ist. Letzte bekannte Quelle dieser Wörter scheint ein *afrz.* Substantiv gale „Freude, Vergnügen" zu sein bzw. ein davon abgeleitetes Verb galer „sich amüsieren". Letzteres ist noch im Part. Präs. *frz.* galant „lebhaft; liebenswürdig" (> *span.* galan[o] erhalten; s. hierzu die FW →galant und →Galanterie.

galant „höflich, ritterlich, zuvorkommend, aufmerksam": Für die Bed. „modisch fein gekleidet", die das Adjektiv noch im 17./18. Jh. hatte, gilt Entlehnung aus *span.* galante (< *frz.* galant), das neben älterem galan[o] steht. Die moderne Bed. dagegen zeigt unmittelbaren Einfluß von *frz.* galant „lebhaft, liebenswürdig". Über weitere Zusammenhänge vgl. das Stammwort *Gala.* – Dazu noch das Substantiv **Galanterie** *w* „höfliches, zuvorkommendes Verhalten (gegenüber Frauen)": Im 18. Jh. aus gleichbed. *frz.* galanterie entlehnt.

Galerie *w*: Als Wort der [Garten]baukunst im 16. Jh. aus *it.* galleria (entspr. *frz.* galérie) „langer, bedeckter Säulengang" entlehnt; auch mehrfach übertragen verwendet, so vor allem für einen mit Kunstschätzen reichlich ausgestatteten Saal (Zus.: **Gemäldegalerie**). Stammwort ist wohl der biblische Name Galilea (das heidnische Land, im Gegensatz zu Judäa), mit dem man seit dem 10. Jh., zunächst in Rom, die Vorhallen (von Kirchen) bezeichnete, in denen die Heiden, die sog. Galiläer, herumlungerten. (Die Grundform des Wortes ist erhalten in gleichbed. *engl.* Galilee.)

Galgen *m*: Das *gemeingerm.* Wort *mhd.* galge, *ahd.* galgo, *got.* galga, *engl.* gallows, *schwed.* galge geht mit verwandten Wörtern in anderen *idg.* Sprachen zurück auf *idg.* *g̑halg[h]- „Rute, Stange, Pfahl", vgl. z. B. *armen.* jaⰽk „Zweig, Gerte" und *lit.* žalgà „lange, dünne Stange". In der Frühzeit der Christianisierung des Germanentums wurde 'Galgen' auch als Bezeichnung für das Kreuz Christi gebraucht und in dieser Verwendung erst durch das aus dem *Lat.* entlehnte 'Kreuz' (s. d.) allmählich verdrängt. Außerdem bezeichnet das Wort galgenähnliche Gerüste (z. B. über dem Ziehbrunnen). Auf 'Galgen' im Sinne von „Vorrichtung zum Hinrichten" beziehen sich die Zus. **Galgenfrist** (16. Jh.), **Galgenhumor** (19. Jh.), **Galgenstrick** und *lit.* galgenswengel (*mhd.* galgenswengel, „Dieb, der für den Galgen reif ist"; der Gehängte wird mit dem Schwengel einer Glocke verglichen), **Galgenstrick** (16. Jh.), **Galgenvogel** (16. Jh.).

¹Galle *w*: Das *altgerm.* Wort *mhd.* galle, *ahd.* galla, *niederl.* gal, *engl.* gall, *schwed.* galla gehört zu der unter →*gelb* dargestellten *idg.* Wz. *g̑hel[ə]- „glänzend, [gelblich, grünlich, bläulich] schimmernd, blank". Die Galle ist also nach ihrer gelblichgrünen Farbe benannt. In anderen *idg.* Sprachen sind z. B. verwandt *gr.* chólos, cholé „Galle; Bitteres; Zorn, Wut", dazu choléra „Gallenbrechruhr" (s. ¹Koller, Cholera, cholerisch), und *lat.* fel „Galle; Bitterkeit; Zorn; Neid". Wie bei anderen Völkern, so gilt auch bei uns die Galle als Symbol der Bitterkeit und als Sitz des Zorns, beachte z. B. die verstärkende Zus. **galle[n]bitter** und die Wendung

'mir läuft die Galle über'. Abl.: **gallig** „Galle enthaltend; bitter; schlechtgelaunt" (17. Jh.); **vergällen** „verbittern, ungenießbar machen; denaturieren" (*mhd.* vergellen).

²Galle *w* „krankhafte Schwellung, Geschwulst bei Tieren (bes. bei Pferden)": Das *westgerm.* Wort *mhd.* galle „Geschwulst bei Pferden", *mnd.* galle „wunde Hautstelle", *niederl.* gal „Hautkrankheit", *aengl.* gealla „wunde Hautstelle" hängt wahrscheinlich zusammen mit der *nord.* Sippe von *aisl.* galli „Fehler, Schaden" und ist dann weiterhin verwandt z. B. mit *lit.* žalà „Schaden; Elend". Mit diesem Wort zusammengefallen ist das wohl durch *frz.* Vermittlung aus *lat.* galla „kugelartiger Auswuchs, Gallapfel" (vgl. *Kolben*) entlehnte **Galle** *w* „Auswuchs, Mißbildung an Pflanzen", das heute gewöhnlich nur noch in Gallapfel und Gallwespe gebräuchlich ist, vgl. *niederl.* galappel „Gallapfel" und *engl.* gall „Gallapfel".

Gallert *s*, **Gallerte** *w* „aus tierischen oder pflanzlichen Säften eingedickte Brühe": Die Bezeichnung beruht auf einer mundartlichen Entstellung von *mhd.* galreide „Gallert", das seinerseits (bei noch unklarer lautl. Entwicklung) aus *mlat.* gelatria (dafür älter gelāta) „Gefrorenes; Sülze" entlehnt ist. Zu *lat.* gelāre „gefrieren machen; verdichten, eindicken" (vgl. Gelatine und Gelee).

Galopp *m*: Der seit dem 16. Jh. zuerst als 'Galoppo' bezeugte Ausdruck für „schnelle Gangart, Sprunglauf des Pferdes" beruht auf einer Entlehnung aus gleichbed. *it.* galoppo, das seinerseits aus entspr. *frz.* galop stammt. Die heute übliche, im Anfang des 17. Jh.s aufgekommene, eingedeutschte Form des Fremdwortes steht unter dem Einfluß von *frz.* galop. – Das dem *frz.* Substantiv zugrunde liegende Verb *frz.* galoper „Galopp reiten" (*afrz.* auch „waloper"), das über gleichbed. *it.* galoppare im 16. Jh. unser FW **galoppieren** lieferte, ist aus *afränk.* *wala hlaupan „gut springen" (vgl. *wohl* und *laufen*) entlehnt.

Gamasche *w*: Das im 16./17. Jh. aus *frz.* gamache „lederner Überstrumpf" entlehnte Wort gehört zu den FW, die einen Stoff nach dem Herkunftsland oder -ort bezeichnen (wie → *Damast*). Zugrunde liegt *span.* guadamací „Leder aus der Stadt Ghadames (in Libyen)", das durch *prov.* Vermittlung ins *Frz.* gelangte.

¹Gang *m*: Das *gemeingerm.* Wort *mhd.*, *ahd.* ganc, *got.* gagg, *engl.* gang (s. Gangster und Gangway), *schwed.* gång gehört mit verwandten Wörtern in anderen *idg.* Sprachen zu der *idg.* Wz. *g̑hengh- „die Beine spreizen, schreiten", vgl. z. B. *aind.* jáṅghā „Unterschenkel" und *lit.* žeⰼgti „schreiten". Aus dem *germ.* Sprachbereich gehört zu dieser Wurzel ferner das *gemeingerm.* starke Verb *ahd.* gangan „gehen", *got.* gaggan „gehen", *aengl.* gangan „gehen", *aisl.* ganga „gehen". Mit Formen dieses Verbs wird im *Dt.* das unter →gehen behandelte – nicht verwandte – Verb ergänzt, beachte das Präteritum ging und das zweite Partizip gegangen. Das *gemeingerm.* starke Verb seinerseits ist rückgebildet aus einem *germ.* Iterativum *gangjan, das bewahrt ist in *mhd.* gengen „gehen machen, losgehen" (s. gängeln) und *aengl.* gengan „gehen, reisen, ziehen". – Zu dem starken Verb gehört das Verbaladjektiv gäng (*mhd.* genge, *ahd.* gengi), eigtl. „was gehen oder umlaufen kann", bes. von Münzen und Waren: „Kurs oder Wert habend, üblich". Im heutigen Sprachgebrauch ist 'gäng' durch die junge Nebenform gang ersetzt, beachte die Wendung 'gang und gäbe' (vgl. gäbe). – Das Substantiv Gang bezeichnet heute gewöhnlich das Gehen, den [Ab]lauf, die Bewegung, ferner die Gang- oder Bewegungsart (daher Gänge beim Auto) und das einmalige Gehen zu einem bestimmten Zweck, beachte z. B. die Zus. Spazier-, Wahl-, Waffengang. Außerdem bezeichnet 'Gang' den Ort des Gehens, beachte die Zus. Haus-, Säulen-, Laubengang und 'unterirdischer Gang', und bei der Mahlzeit das einzeln aufgetragene Gericht, die Speisenfolge. Abl.: gangbar „begehbar; üblich, gültig" (*mhd.* [un]gancbǣre), gängig „begehbar, befahrbar; gut laufend; gebräuchlich, üblich" (*mhd.* gengec). Zus. Gangspill (s. Spill); Kreuzgang „Arkadengang in Klöstern und Stiftskirchen", älter auch „Gang mit dem Kreuz, Prozession" (*mhd.* kriuz[e]ganc); Stuhlgang (*mhd.* stuolganc „Gang zum [Nacht]stuhl". – Ab-, Auf-, Ausgang usw. stellen sich zu den Zusammensetzungen mit →gehen.

²Gang *w* „Horde, Rotte, Bande": Junges LW des 20. Jh.s aus *engl.- amerik.* gang, das etymologisch → ¹Gang entspr. und eigtl. „das Gehen, der Gang" bedeutet (wie in →Gangway), dann auch übertr. gebraucht wird für „Zusammengehen, gemeinsames Handeln mehrerer Personen" (vor allem von einer Bande mit verbrecherischen Zielen). – Allgemeiner bekannt wurde das zugehörige FW Gangster *m*, das gleichfalls im 20. Jh. aus dem *Amerik.* entlehnt wurde und einen (meist in einer Gangsterbande organisierten) Schwerverbrecher bezeichnet.

gängeln „ein Kind gehen lehren, am Gängelband führen": Das seit dem 16. Jh. bezeugte Verb ist eine Iterativbildung zu dem im *Nhd.* untergegangenen Verb *mhd.* gengen „gehen machen; losgehen", das zu der Wortgruppe von →Gang gehört. Zus. Gängelband „Band, an dem das Kind gehen lernt" (18. Jh.).

Gangway *w* „Laufgang (bzw. Lauftreppe) zum Betreten oder Verlassen eines Schiffes oder Flugzeugs": Junges LW des 20. Jh.s

aus *engl.* gangway (*aengl.* gangweg) „Gehweg" (vgl. ¹Gang und *Weg*).

Ganove, Ganeff *m*: Wort der Gaunersprache mit der Bed. „Gauner, Spitzbube, Dieb". Quelle ist gleichbed. *jidd.* gannaw.

Gans *w*: Der *altgerm.* Vogelname *mhd.*, *ahd.* gans, *mnd.* gōs, *niederl.* gans, *engl.* goose, *schwed.* gås beruht mit verwandten Wörtern in anderen *idg.* Sprachen auf *idg.* *ĝhans- „[Wild]gans", vgl. z. B. *aind.* haṁsá-ḥ „Gans, Schwan", *gr.* chén „Gans" und *lat.* änser (aus *hanser) „Gans". Das *idg.* Wort gehört zu der den Gähnlaut nachahmenden *idg.* Wz. *ĝhan- (vgl. *gähnen*). Das Tier ist also nach dem heiseren Ausfauchen mit aufgesperrtem Schnabel benannt. Im Altertum wurde die Gans zunächst vielfach nur als Ziervogel oder als heiliges Tier gehalten. Seit dem ausgehenden Altertum gewann die Gans dann wegen ihrer Federn und wegen ihres schmackhaften Fleisches immer mehr an Bedeutung. Abl.: Gänserich *m* (16. Jh., Nachbildung von 'Enterich' vgl. *Ente*; neben schriftsprachlich 'Gänserich' sind *nordd.* Ganter *m* und *südd.* Ganser *m* gebräuchlich, die von *mhd.* ganze, *ahd.* ganzo, ganazzo, *mnd.* gante „Gänserich" ausgehen). Zus.: Gänseblume (16. Jh.); Gänsefüßchen „Anführungszeichen" (18. Jh.); Gänsehaut „vor Schreck oder Kälte schaudernde menschliche Haut" (16. Jh.; nach der Ähnlichkeit mit der Haut einer gerupften Gans); Gänsemarsch „Gang in einer Reihe hintereinander" (19. Jh.); Gänsewein scherzh. für „Wasser" (16. Jh.).

ganz: Das urspr. auf das *hochd.* Sprachgebiet beschränkte Wort (*mhd.*, *ahd.* ganz „heil, unversehrt; vollständig; vollkommen") ist dunklen Ursprungs. Vom *Hochd.* drang das Wort dann nach Norden vor, vgl. *mnd.* ganz, gans und weiterhin *niederl.* gans[ch] und *schwed.* ganska. Abl.: ergänzen „vervollständigen, hinzufügen" (16. Jh.); Ganzheit *w* „Vollständigkeit, Geschlossenheit" (*mhd.* ganzheit); gänzlich „vollständig, völlig" (*mhd.* genzlich, ganzlich).

gar: *Mhd.* gar, *ahd.* garo „bereit gemacht, gerüstet; bereit; vollständig, ganz", *niederl.* gaar „gar", *aengl.* gearu „bereit, fertig; ausgerüstet", *aisl.* gǫrr „bereit; gerüstet" gehen zurück auf *germ.* *garwa-z, das wahrscheinlich aus *ga- (vgl. das Präfix ge...) und *arwa-z „rasch, flink" (vgl. *rinnen*) gebildet ist. – Im heutigen Sprachgebrauch wird 'gar' – von fachsprachlichen Sonderverwendungen wie 'gares Eisen', 'gares Leder' abgesehen – nur noch auf den fertigen Zustand von Speisen bezogen. Das Adverb gar wird im Sinne von „ganz, sehr, vollends" gebraucht (vgl. den Artikel sogar). – Von 'gar' abgeleitet ist das unter →gerben behandelte Verb. – Der Ausdruck Garaus *m*, der heute nur noch in der Wendung 'einem den Garaus machen' „jemanden töten" gebraucht wird, ist hervorgegangen aus dem Ruf 'gar aus!' ,,vollständig aus", mit dem seit dem 15. Jh. in Süddeutschland die Polizeistunde geboten wurde. Der Ausdruck wurde dann auch auf das Tagesende und den das Tagesende angebenden Glockenschlag übertragen.

Garage w: Junges LW des 20. Jh.s aus *frz.* garage ,,Einstellraum, Wagenschuppen" (urspr.: ,,das Ausweichen, die Ausweichstelle"). Wie *frz.* gare ,,Bahnhof" ist auch garage abgeleitet von dem Verb garer ,,in sichere Verwahrung bringen" (bes. auch: ,,ein Schiff an die Anlegestelle bringen"), das *germ.* Ursprungs ist. Voraus liegt wohl ein durch das *Norm.* vermittelte *anord.* Verb vara (< *germ.* *warōn), das dem *ahd.* biwarōn (vgl. *wahren*) ,,bewahren" entspricht.

Garantie w ,,Bürgschaft, Gewähr, Sicherheit": Urspr. ein Wort der Diplomatensprache, das im 17. Jh. – etwa gleichzeitig mit dem Verb **garantieren** ,,verbürgen, gewährleisten" – aus *frz.* garantie (bzw. garantir) entlehnt wurde. Beide sind von dem später selbständig übernommenen Substantiv garant (> *dt.* Garant *m* ,,Gewährsmann, Bürge") abgeleitet, das seinerseits *germ.* Ursprungs ist und wahrscheinlich zurückgeht auf ein Part. Präs. *afränk.* *werēnd, entspr. *ahd.* werēnt (zum Verb *ahd.* werēn ,,gewährleisten, sicherstellen" in →*gewähren*).

Garbe w: Das auf das *dt.* und *niederl.* Sprachgebiet beschränkte Wort (*mhd.* garbe, *ahd.* garba, *niederd.* garve, *niederl.* garf) gehört zu der unter →*grabbeln* dargestellten *idg.* Wurzel und bedeutet eigtl. ,,Zusammengegriffenes, Hand-, Armvoll". Im heutigen Sprachgebrauch wird 'Garbe' auch übertragen verwendet, beachte die Zus. Lichtgarbe und Maschinengewehrgarbe.

Garde w ,,[Leib]wache, Elite-, Kerntruppe; Fastnachtsgarde": Um 1700 aus *frz.* garde entlehnt, aber schon im 15. Jh. vereinzelt am Niederrhein als Bez. von Landsknechtshaufen bezeugt. *Frz.* garde gehört zu garder ,,schützen, behüten, bewachen" das mit entspr. *it.* guardare (guardia), *span.* guardar auf *germ.* *wardōn ,,Sorge tragen, auf der Hut sein" zurückgeht (vgl. *warten*, Warte). – In der Sprache der Schachspieler findet sich zuweilen noch die Befehlsform (von *frz.* garder) gardez!, eigtl. 'gardez la dame' ,,schützen Sie Ihre Dame!". Eine im deutschen Sprachraum erfolgte Neubildung des 18. Jh.s zu Garde ist Gardist *m* ,,Angehöriger einer Garde" (s. auch Avantgardist, avantgardistisch). – Hierher noch die Zus. →Garderobe und →Garderobiere.

Garderobe w, urspr. ,,Kleiderzimmer, Kleiderablage[raum]", dann auch im Sinne von ,,gesamter Kleiderbestand einer Person": Im 17. Jh. aus *frz.* garde-robe (eigtl. ,,Kleiderverwahrung") entlehnt (vgl. *Garde* und *Robe*). – Dazu als französierende Bildung des

das in der Theatersprache heimische FW **Garderobiere** w ,,Garderobenfrau".

Gardine w ,,Fenstervorhang": Das seit dem 16. Jh. im *niederd.* Sprachraum bezeugte und aus *niederl.* gordijn, *frz.* courtine entlehnte Wort bezeichnete urspr. (bis ins 19. Jh.) den ,,Bettvorhang". Das zeigt noch die im 18. Jh. aufgekommene Zus. Gardinenpredigt (entspr. *niederl.* gordijnpreek, *engl.* curtain lecture, beide schon im 17. Jh. belegt), die im urspr. Sinne wörtlich zu verstehen ist als nächtliche Strafrede, mit der die Ehefrau den betrunkenen, vom Wirtshaus heimkehrenden Mann hinter dem 'Bettvorhang' empfing. – *Frz.* courtine geht auf *kirchenlat.* cortīna ,,Vorhang" zurück. Dies ist eine urspr. adjektivische Weiterbildung von *lat.* c[h]ōrs (< co-hors) ,,Einzäunung, Hofraum", nach dem Vorbild von *gr.* aulaia ,,Vorhang" (zu aulē ,,Hofraum"), bedeutet also eigtl. ,,der (als Abschirmung) zum Hofraum Gehörige". Zum gleichen *lat.* Wort cōrs (< co-hors), dessen Stammwort urverw. ist mit →*Garten*, gehören die *roman.* Wörter für ,,Hof[staat]" *it.* corte, *span.* corte, entspr. *frz.* cour, das eine Vorform *vlat.* curs bzw. curtis voraussetzt. Eine Weiterbildung von *it.* corte ist cortigiano ,,Höfling", dazu cortigiana ,,Hofdame" (s. Kurtisane). – Schließlich sei noch die Redensart 'hinter schwedischen Gardinen sitzen' erwähnt, die aus der Gaunersprache übernommen ist. 'Gardinen' steht hier ironisch für ,,Gitterstäbe" am Fenster einer Gefängniszelle, während das Adjektiv 'schwedisch' an gewisse Grausamkeiten der Schweden im Dreißigjährigen Krieg erinnern soll.

gären: Die heute übliche Form gären – gegenüber *mhd.* jesen (daneben gesen sowie auch schon jern, gern), *ahd.* jesan – ist dadurch entstanden, daß das r, das urspr. nur im Präteritum (*mhd.* jāren) auftrat, auch in die anderen Formen drang und daß das anlautende g (im *Mhd.* für j vor folgendem i) unter dem Einfluß der Sippe von 'gar' sich allgemein durchsetzte. Das Verb geht mit verwandten Wörtern in anderen *idg.* Sprachen auf die *idg.* Wz. *jes- ,,[auf]wallen, sieden, brodeln" zurück, vgl. z. B. *aind.* yásyati ,,siedet, sprudelt", *gr.* zéō ,,siede, koche, walle" und *kymr.* ias ,,Kochen, Sieden, Schäumen". – Zu ,,gären" gehören im *germ.* Sprachbereich die unter →*Gischt* behandelten Wörter und das Substantiv Gur w bergmänn. für ,,breiige, erdige Flüssigkeit" (16. Jh., eigtl. ,,aus dem Gestein ausgärende Masse"), beachte die Zus. Kieselgur ,,Bergmehl, Infusorienerde".

Garn s: Das *altgerm.* Wort *mhd.*, *ahd.* garn, *niederl.* g
aren, *engl.* yarn, *schwed.* garn bezeichnete urspr. die aus getrockneten Därmen gedrehte Schnur. Die eigtl. Bed. ,,Darm" zeigen die verwandten Wörter in anderen *idg.* Sprachen, vgl. z. B. *gr.* chordé

,,Darm; Darmsaite" (s. Kordel), *lat.* hernia ,,Darmbruch" (beachte medizin. Hernie ,,Eingeweidebruch") und *lit.* žárna ,,Darm". Auch im *germ.* Sprachbereich ist noch die Bed. ,,Darm" bewahrt, vgl. *aisl.* gǫrn ,,Darm" und *ahd.* mitti[la]garni ,,Eingeweidefett", heute noch *niederd. mdal.* Midder *s* ,,Kalbsmilch". Als der tierische Darm vom Nähen immer seltener verwendet wurde, ging das Wort Garn auf den Faden über, und zwar auf den einfachen Webfaden, während der durch Zusammendrehen verstärkte Faden 'Zwirn' (s. d.) heißt. Bereits im *Mhd.* bezeichnete 'Garn' auch das aus Garn hergestellte Netz, das zum Wild-, Vogel- und Fischfang dient, beachte dazu die Redewendung 'ins Garn gehen' und die Abl. umgarnen ,,betören" (eigtl. ,,mit Netzen umstellen"). Zus.: Seemannsgarn ,,abenteuerliche Geschichten" (19. Jh.; urspr. die Geschichten, die die Matrosen erzählen, wenn sie in ihren freien Stunden auf See aus altem Tau- und Takelwerk Garn spinnen).

garnieren ,,mit Zubehör, Zutaten versehen, einfassen; verzieren, schmücken": Im 17./18. Jh. entlehnt aus gleichbed. *frz.* garnir (urspr.: ,,zum Schutz mit etwas versehen, ausrüsten"). Dies geht wie gleichbed. *it.* guarnire auf *germ.* *warnjan ,,vorsehen" zurück, das zu der unter →*warnen* behandelten Wortgruppe gehört. – Dazu: **Garnison** *w* ,,Besatzung, [Truppen]standort; Truppe":Im 16./17. Jh. aus *frz.* garnison ,,Schutz-, Verteidigungsausrüstung; Besatzung". **Garnitur** *w* ,,Ausstattung, Verzierung; mehrere zu einem Ganzen gehörende Stücke (z. B. Kleidergarnitur); Satz": Im 17. Jh. aus gleichbed. *frz.* garniture.

garstig: Das seit dem 15. Jh. bezeugte Adjektiv ist eine Bildung zu dem im *Nhd.* untergegangenen *mhd.* garst (adjektivisch),,,ranzig, verdorben", (substantivisch) ,,ranziger Geschmack oder Geruch", das mit *ahd.* gersti ,,bitterer Geschmack" und *aisl.* gerstr ,,bitter; mürrisch, unwillig" zusammenhängt. Die weitere Herkunft dieser *germ.* Wortgruppe ist dunkel. – Während 'garstig' noch bis ins 18. Jh. hinein im Sinne von ,,ranzig, verdorben; schmutzig" gebraucht wurde, wird es heute nur noch im Sinne von ,,widerwärtig, ekelhaft, unfreundlich" verwendet.

Garten *m*: *Mhd.* garte, *ahd.* garto ,,Garten", *got.* garda ,,Viehhürde", daneben gards ,,Hof, Haus; Familie", *engl.* yard ,,Hof", *schwed.* gård ,,Hof; Gehöft, Gut; Grundstück" beruhen entweder auf *idg.* *ǵhorto-s oder auf *idg.* *ǵhordho-s (*ǵhordhi-) ,,Flechtwerk, Zaun, Hürde; Umzäunung, Eingehegtes", die als to-Bildung bzw. als dh-Erweiterung zu der *idg.* Wz. *ǵher- ,,umzäunen, einhegen, [um-, ein]fassen" gehören. In anderen *idg.* Sprachen sind z. B.

verwandt *gr.* chórtos ,,Weide; Gehege; Hof", vermutlich auch chorós ,,Tanzplatz; Tanz" (s. Chor), *lat.* hortus ,,Garten" (s. Hortensie), co-hors ,,Hof; Viehhürde; Schar, Kohorte", *kirchenlat.* cortīna ,,Vorhang" (s. Gardine und Kurtisane), *russ.* górod ,,Stadt", urspr. ,,eingehegter Platz" (vielfach in ON, beachte z. B. Nowgorod eigtl. ,,Neustadt"), *tschech.* hrad ,,Burg, Schloß", beachte Hradschin (Name der Burg und eines Stadtteiles von Prag). Zu dieser *idg.* Wurzel gehört aus dem *germ.* Sprachbereich auch die unter →*gürten* behandelte Wortgruppe. – Abl.: **Gärtner** *m* (*mhd.* gartenære ,,Gärtner; Weinbauer; Mietwohner"), dazu **Gärtnerei** *w* (17. Jh.), **gärtnern** ,,Pflanzenbau treiben" (19. Jh.).

Gas *s*: Der Name des luftartigen Stoffes ist eine gelehrte Neuschöpfung des Brüsseler Chemikers J. B. v. Helmont (1577–1644) zu *gr.* cháos ,,leerer Raum; Luftraum" (vgl. *Chaos*). Das anlautende 'G' wurde dabei in *niederl.* Aussprache als stimmhafter Reibelaut gesprochen. Bis ins 18./19. Jh. blieb das Wort fast ausschließlich auf die Fachsprache beschränkt. Erst im 19. Jh. mit dem Aufkommen der Gasbeleuchtung wurde es allgemein üblich.

Gasse *w*: Das *gemeingerm.* Wort *mhd.* gazze, *ahd.* gazza, *got.* gatwō, *schwed.* gata (aus dem *Nord.* stammt *engl.* gate) ist dunklen Ursprungs. Im *Dt.* ist 'Gasse' weitgehend durch 'Straße' (s. d.) zurückgedrängt. Zus.: **Gassenhauer** *m* (16. Jh., urspr. ,,Pflastertreter, Nachtbummler", zu dem unter →*hauen* behandelten Verb in der Bed. ,,treten, laufen", dann auf das von den Nachtbummlern gesungene Lied übertragen).

Gast *m*: Das *gemeingerm.* Wort *mhd.*, *ahd.* gast, *got.* gasts, *aengl.* giest, *schwed.* gäst beruht mit verwandten Wörtern im *Lat.* und *Slaw.* auf *ghosti-s ,,Fremdling", vgl. *lat.* hostis ,,Feind, Gegner", dazu hospes ,,Gastherr; Gast" (s. die Artikel Hospital, Hospiz, Hotel) und die *slaw.* Sippe von *russ.* góst' ,,Gast", dazu gospodín ,,Herr" (übliche Anrede im Russ.). Die Einstellung zum Fremdling, die feindlich aufnehmende wie die feindlich abweisende, spiegelt sich in den Bedeutungsverhältnissen dieser Wortgruppe wider. Auch im *germ.* Sprachbereich wurde 'Gast' in den älteren Sprachzuständen nicht nur im Sinne von ,,Fremdling", sondern auch im Sinne von ,,Feind, feindlicher Krieger" verwendet. Erst seit dem ausgehenden Mittelalter, als das Bürgertum bewußt Gastfreundschaft zu üben begann, erhielt das Wort im *Dt.* seinen ehrenden Sinn. – Abl.: **gastieren** (17. Jh., in der Bed. ,,bewirten"; heute ,,als Gast auftreten"); **gastlich** (*mhd.* gastlich). Zus.: **Gasthaus** (*mhd.*, *ahd.* gasthūs); **Gastspiel** (20. Jh.); **Gaststätte** (20. Jh.); **Gastwirtschaft** (19. Jh.); **Fahrgast** (19. Jh.).

Gatte *m*: *Mhd.* gate „Genosse, Gefährte; Ehegefährte, -mann", daneben gleichbed. ge-gate, *asächs.* gigado „Genosse, Gefährte", *niederl.* gade „Ehemann", *aengl.* [ge]gada „Genosse, Gefährte" gehören im Sinne von „der einem gleichsteht, der derselben Gemeinschaft angehört" zu der Wortgruppe von →*gut* (urspr. „[in ein Baugefüge, in eine Gemeinschaft] passend"). Eng verwandt sind im *germ.* Sprachbereich *ahd.* gatuline „Verwandter, Vetter, Stammesgenosse", *got.* gadiliggs „Vetter", *aengl.* „Verwandter, Genosse". – Zu ‘Gatte’ stellt sich das Verb gatten, sich „sich paaren" (*mhd.* gaten „zusammenkommen, genau zusammenpassen; vereinigen", reflex: „sich fügen, sich zugesellen, sich vereinigen"), beachte dazu Gattung *w* „Artgemeinschaft, Gruppe; Sorte" (15. Jh.) und begatten, [sich] (*mhd.* begaten).

Gatter *s*: *Mhd.* gater, *ahd.* gataro „Gatter als Zaun oder Tor; Pforte aus Gitterstäben (an Burgen)" ist eng verwandt mit den unter →*Gitter* und →*vergattern* behandelten Wörtern und gehört zu der Wortgruppe von →*gut*. Abl.: ergattern *ugs.* für „erhaschen, erwischen" (16. Jh., eigtl. wohl „etwas aus einem Gatter oder über ein Gitter hinweg zu erlangen suchen", beachte auch ausgattern *ugs.* für „ausfindig machen").

Gau *m*: *Mhd.* gou, göu „Land[schaft], Gegend", *got.* gawi, Genitiv gaujis „Land, Umgegend", *niederl.* gouw „Landschaft, Gau", *aengl.* (in ON) -gē „Land[schaft]" gehen wahrscheinlich zurück auf *germ.* *ga-awja „Land am Wasser", eine Kollektivbildung zu dem unter →*Aue* behandelten Wort. – Neben ‘Gau’ ist *oberd. mdal.* die umgelautete Form Gäu (*mhd.* göu) gebräuchlich, beachte die Landschaftsnamen Allgäu.

gaukeln: Das Verb *mhd.* goukeln, *ahd.* goukolōn „Zauberei treiben, Possen reißen" (vgl. gleichbed. *niederl.* goochelen) ist abgeleitet von dem Substantiv *mhd.* goukel, *ahd.* goukal „Zauberei; Taschenspielerei; Posse". Im Ablaut dazu stehen *mhd.* giege[l] „Narr, Tor", giege[le]n „narren", *niederl.* guig „Narr". Die weitere Herkunft dieser Wörter ist unbekannt. – *Mdal.* Nebenformen von ‘gaukeln’ sind gokeln, kokeln vorwiegend *mitteld.* und *nordd.* für „mit Licht oder Feuer spielen; mit dem Stuhl wippen; kopfüber schießen". Abl.: Gaukler *m* (*mhd.* goukelǣre, *ahd.* gouguläri) gauklerisch (16. Jh.); gaukelhaft (18. Jh.); Gaukelei *w* (16. Jh.).

Gaul *m*: Das hochsprachlich im verächtlichen Sinne von „schlechtes Pferd, Mähre", mundartlich dagegen ohne Wertung im Sinne von „Pferd" verwendete Wort geht zurück auf *mhd.* gūl „Pferd", dessen weitere Herkunft unklar ist. Da *mhd.* gūl nicht nur „Pferd", sondern auch „männliches Tier", bes. „Eber" bedeutet, gehört das Wort viel-

leicht im Sinne von „Befeuchter, Samenspritzer" zu der Wortgruppe von →*gießen*. Zum Benennungsvorgang vgl. z. B. die Artikel Ochse und Auerochse.

Gaumen *m*: Die *nhd.* Form geht über *mhd.* goume zurück auf *ahd.* goumo, das im Ablaut steht zu gleichbed. *ahd.* guomo (daneben auch giumo) und weiterhin *engl.* gums *Mehrz.* „Zahnfleisch" und *schwed.* gom „Gaumen". Diese *germ.* Wörter gehören im Sinne von „Rachen, Schlund" zu der unter →*gähnen* dargestellten *idg.* Wortgruppe und sind näher verwandt mit *lit.* gomurỹs „Kehle, Schlund" und *lett.* gāmurs „Kehlkopf, Luftröhre".

Gauner, älter **Jauner** *m*: Der Ausdruck für „Betrüger, Spitzbube" stammt aus dem *Rotwelschen*. Die seit dem 15. Jh. bezeugten *rotw.* Wörter Juonner, Joner „[Falsch]spieler" und junen, jonen „[falsch]spielen" gehen wohl auf *hebr.* jāwān „Griechenland" (eigtl. „Jonier") und *jōwōnen „[falsch]spielen wie ein Grieche" zurück und gelangten mit den in den Türkenkriegen heimatlos gewordenen Griechen in deutschsprachige Gaunerkreise. Abl.: gaunern „falschspielen, betrügen" (18. Jh., beachte be- und ergaunern); Gaunerei *w* (18. Jh.); gaunerisch (18.Jh.).

gautschen „Papier zum Pressen und Entwässern in das Gautschbrett legen" und „Lehrlinge nach altem Buchdruckerbrauch (durch Eintauchen in die Bütte, durch Bespritzen mit Wasser oder dgl.) unter die Gesellen aufnehmen": Das Verb ist vermutlich aus *frz.* coucher „niederdrücken, legen, schichten" (oder aus gleichbed. *engl.* to couch) entlehnt und geriet im *Dt.* unter den Einfluß von *mdal.* gautschen „wiegen, schaukeln", Gautsche „Wiege, Schaukel". – Beachte auch die Zus. Gautschbrief und Gautschfest.

Gaze *w* „weitmaschiges, durchsichtiges Gewebe" (in der Medizin als Verbandsmull verwendet): Das Wort ist wohl *pers.-arab.* Ursprungs (*pers.* qāzz, *arab.* qazz bezeichnen eine Art „Rohseide") und gelangte über *span.* gasa, *frz.* gaze im 17. Jh. ins *Dt.*, zuerst in einer Schreibung Gase. Die herkömmliche Verknüpfung des Wortes mit dem Namen der Stadt Gaza in Palästina scheitert daran, daß für diese Stadt in älterer Zeit keine Textilindustrie nachgewiesen ist.

Gazelle *w* (Name einer Antilopenart der Steppengebiete Nordafrikas und Asiens): Der *arab.* Name des weiblichen Tieres (*arab.* ġazāla) gelangte in *nordafrik.* Aussprache ghazēl ins 16. Jh. durch Vermittlung von *it.* gazzella ins *Dt.* und bezeichnet hier beide Geschlechter.

ge...: Das *gemeingerm.* Präfix *mhd.* ge-, gi-, *ahd.* ga-, gi-, *got.* ga-, *aengl.* ge- (*engl.* z. B. in enough „genug"), *aisl.* g- ist wahrscheinlich aus einer alten Präposition mit der Bed.

,,zusammen, mit" entstanden. Das Präfix drückte zunächst die Vereinigung, das Zusammensein aus, beachte z. B. gerinnen, gemein, Gefährte, und wurde dann hauptsächlich zur Bildung der Kollektiva verwendet, beachte z. B. Gebirge, Gefieder, Gebüsch. Ferner bezeichnet 'ge...' das Ergebnis, des durch das Verb bezeichneten Geschehens, beachte z. B. Geschenk, Gemälde, Gewächs, und auch – vielfach mit verächtlichem Nebensinn – das Geschehen selbst, beachte z. B. Gebrüll, Gerede, Getue. Auch der Beginn oder der Abschluß eines Geschehens wird durch das Präfix ausgedrückt, beachte z. B. gebären, gefrieren, gestehen. Aus diesem Gebrauch entwickelte sich die Verwendung von 'ge...' beim zweiten Partizip, beachte z. B. gesichert, gelungen, geschätzt, und bei der Bildung von Adjektiven wie gesittet, gestirnt, gelaunt. In mehreren Bildungen ist die Bedeutung von 'ge...' heute nicht mehr erkennbar, beachte z. B. gestreng, getreu, geschwind. In einigen Fällen ist der Vokal von 'ge...' geschwunden, beachte z. B. gleich, Glaube, begnügen.

Gebärde w: Das auf das *dt.* Sprachgebiet beschränkte Wort (*mhd.* gebǣrde, *ahd.* gibārida ,,Benehmen, Aussehen, Wesensart") ist eine Bildung zu dem im *Nhd.* untergegangenen Verb *mhd.* gebǣren, *ahd.* gibāren ,,sich verhalten, sich aufführen", das zu der Wortgruppe von →*gebären* gehört (vgl. auch den Artikel gebaren). Abl.: gebärden, sich ,,sich benehmen, sich aufführen" (16. Jh.).
gebaren ,,sich benehmen, sich verhalten": Das *mhd.* gebāren, *ahd.* gibārōn geht auf im Sinne von ,,sich betragen" zu *mhd.* bern, *ahd.* beran ,,tragen" (vgl. *gebären*). Beachte auch den substantivierten Infinitiv Gebaren s ,,Benehmen, Verhalten".
gebären: *Mhd.* gebern, *ahd.* giberan ,,[hervor]bringen, erzeugen, gebären" (entspr. *got.* gabaíran ,,gebären") ist eine ge-Bildung zu dem im *Nhd.* untergegangenen *gemeingerm.* einfachen Verb *mhd.* bern, *ahd.* beran ,,tragen; bringen; hervorbringen; gebären", *got.* baíran ,,tragen; ertragen, leiden; gebären", *engl.* to bear ,,tragen; bringen; ertragen, aushalten; zur Welt bringen, gebären", *schwed.* bära ,,tragen; bringen; ertragen, aushalten". Dieses *gemeingerm.* Verb, das im *Dt.* auch in der Präfixbildung →*entbehren* (eigtl. ,,nicht tragen, nicht bei sich haben") steckt, gehört mit verwandten Wörtern in anderen *idg.* Sprachen zu der *idg.* Wz. *bher[ə]- ,,[sich] heben, [sich] regen, [sich] bewegen", dann auch ,,tragen; bringen, holen; hervorbringen, erzeugen, gebären". Vgl. z. B. *aind.* bhárati ,,trägt", *gr.* phérein ,,tragen; bringen", phértron ,,Bahre", phóros ,,Ertrag, Steuer", phórtos ,,Bürde, Last, Ladung", -pher, -phor ,,tragend, bringend" (s. Pheripherie, Metapher, Phosphor, Ampel, Ampulle, Eimer), *lat.* ferre ,tragen; bringen"

(s. die FW-Gruppen um offerieren, differieren, konferieren, referieren), ferculum ,,Bahre", fertilis ,,fruchtbar" (beachte das fachsprachl. LW Fertilität ,,Fruchtbarkeit"), für ,,Dieb", eigtl. ,,der etwas fortträgt" (s. Furunkel und Frettchen), -fer ,,tragend, bringend" (s. Luzifer). Aus dem *germ.* Sprachbereich gehören zu dieser Wurzel auch die Substantivbildungen →Bahre (eigtl. ,,Trage") und →Bürde (eigtl. ,,was getragen wird"), das Suffix ... bar (eigtl. ,,tragend", beachte z. B. 'fruchtbar' eigtl. ,,Frucht tragend") und ferner die Verben →gebaren (eigtl. ,,sich betragen", s. auch den Artikel Gebärde) und →gebühren (eigtl. ,,sich zutragen, geschehen, zufallen"). Von der urspr. Bed. ,,[sich] heben" gehen die unter →empor und →empören behandelten Wörter aus (s. auch den Artikel Berg). – Eine alte Bildung zu 'gebären' ist das unter →Geburt behandelte Substantiv. Die Zus. Gebärmutter (älter auch 'Bärmutter') ist seit dem 16. Jh. bezeugt.
Gebäude s: *Mhd.* gebūwede, *ahd.* gebūwida ist eine Bildung zu dem unter →*bauen* behandelten Verb und bedeutet eigtl. ,,Bau[en]". Heute bezeichnet 'Gebäude' gewöhnlich ein größeres Bauwerk.
geben: Das *gemeingerm.* Verb *mhd.* geben, *ahd.* geban, *got.* giban, *aengl.* giefan (*engl.* to give ist *nord.* LW), *schwed.* giva geht mit verwandten Wörtern in anderen *idg.* Sprachen auf die *idg.* Wz. *ghabh- ,,fassen, ergreifen" zurück, vgl. z. B. *air.* gaibid ,,ergreift, nimmt", *lit.* gabénti ,,fortbringen" und *lat.* habēre ,,halten, haben, besitzen", dazu habitus ,,Haltung, Aussehen, Kleidung" (s. Habitus), habilis ,,handlich, tauglich" (s. habilitieren), prae[hi]bēre ,,darreichen", praebenda ,,Darzureichendes" (s. Proviant und Pfründe). – Das *gemeingerm.* Verb ist in der Lautung von der Wortgruppe von 'nehmen' beeinflußt worden. Die Bed. ,,darreichen, schenken" hat sich aus ,,fassen, greifen, reichen" entwickelt. Um 'geben' gruppieren sich im *germ.* Sprachbereich die Substantivbildungen →Gift und →Gabe sowie das Verbaladjektiv →gäbe. Zusammensetzungen und Präfixbildungen: abgeben ,,einen Teil von etwas geben, weggeben; überreichen; überbringen; überlassen; zur Verfügung stellen; etwas sein", reflexiv ,,sich mit etwas befassen oder beschäftigen" (*mhd.* ab[e]geben, *ahd.* abageban), dazu Abgabe w; angeben ,,mitteilen, vorbringen; bestimmen; sich wichtig tun, prahlen", dazu Angabe w, Angeber m und angeblich ,,vermeintlich, vorgeblich" (18. Jh.); aufgeben ,,aufzugeben zu tun, erledigen lassen; zur Beförderung geben, absenden; fahrenlassen, preisgeben; vorzeitig abbrechen" (*mhd.* ūfgeben) dazu Aufgabe w; ausgeben ,,fortgeben, vertun; bekanntgeben; aushändigen, verteilen", *ugs.* auch für ,,spendieren" und für ,,Ertrag geben, Gewinn abwerfen" (*mhd.* ūzgeben,

111111111111111111111

ahd. ūzgeban), dazu Ausgabe *w* und ausgiebig „reichlich" (18. Jh.); begeben „in Umlauf setzen" (einen Wechsel oder dgl.), reflexiv „sich ereignen; sich aufmachen, ziehen, gehen; aufgeben, fahrenlassen" (*mhd.* begeben, *ahd.* bigeban), dazu Begebenheit *w* „Ereignis" (17. Jh.); beigeben „hinzufügen, zur Seite stellen; seine Ansprüche herabsetzen, sich bescheiden, sich fügen" (der seit dem 19. Jh. bezeugte Gebrauch im letzteren Sinne bezog sich urspr. wohl auf das Kartenspielen); eingeben „zu trinken geben, einnehmen lassen, einflößen; einreichen" (*mhd.* īngeben), dazu Eingabe *w* und Eingebung *w* „Gedanke, Einfall"; ergeben „zum Resultat haben", gewöhnlich reflexiv „zur Folge haben, zustande kommen; die Waffen strecken, sich beugen; sich hingeben, sich überlassen" (*mhd.* ergeben, *ahd.* irgeban), dazu Ergebung *w*, ferner Ergebnis *s* (um 1800 für 'Resultat'), ergiebig (17. Jh. in der Bed. „sich ergebend"; seit dem 18. Jh. in der heute üblichen Bed. „ertragreich, fruchtbar"), beachte auch das in adjektivischen Gebrauch übergegangene zweite Partizip ergeben „gefügig, in Treue zugetan", dazu Ergebenheit *w* „Demut, Untertänigkeit" (18. Jh.); freigebig „gern schenkend, großzügig" (16. Jh.); hingeben „fortgeben, verschenken", reflexiv „sich ganz und gar widmen, sich opfern" (18. Jh., aber schon *ahd.* hinageban), dazu Hingabe *w* und Hingebung *w*, beachte hingebungsvoll; nachgeben „nicht standhalten, locker, schwankend sein; sich abfinden, zustimmen" (*spätmhd.* nāchgeben), dazu nachgiebig „locker, schwankend, weich; gern bereit, sich dem Willen anderer anzupassen" (18. Jh.); preisgeben (s. d.); übergeben „überreichen, aushändigen, ausliefern", reflexiv „sich erbrechen" (*mhd.* übergeben), dazu Übergabe *w*; umgeben „umringen, umschließen, umhüllen" (*mhd.* umbegeben, *ahd.* umbigeban eigtl. „etwas um etwas herumgeben" als LÜ von *lat.* circumdāre), dazu Umgebung *w* (16. Jh. in der Bed. „das Herumgeben, Umhängen"; seit dem Beginn des 19. Jh.s in der heute üblichen Bed. „Landschaft, die einen Ort, Personenkreis, der jemanden umgibt"); untergeben veraltet für „unter Aufsicht stellen, in den Dienst geben" (*mhd.* undergeben, *ahd.* untargeban), dazu das substantivierte zweite Partizip Untergebene *m* „der einem Vorgesetzten unterstellt ist"; vergeben „austeilen, verschenken; verzeihen; falsch geben, unrichtig austeilen" (*mhd.* vergeben, *ahd.* fargeban); der Wortgebrauch im Sinne von „verzeihen" geht von der Vorstellung aus, daß man für jemandem etwas schenkt, das man von ihm zu beanspruchen hat), dazu Vergebung *w* und vergebens „umsonst, ohne Erfolg, ohne Wirkung" (*spätmhd.* vergeben[e]s, mit sekundärem s für *mhd.* vergebene (s. schenk-

weise, unentgeltlich; umsonst", Adverb zum zweiten Partizip *mhd.* vergeben in der Bed. „geschenkt"), vergeblich „erfolglos, unnütz" (*mitteld.* vergebelich, 15. Jh., wohl Kürzung aus einer Bildung zum ersten Partizip, vgl. *mhd.* vergebenlich); zugeben „hinzufügen, daraufgeben; bedienen (im Kartenspiel); einräumen; gestehen" (*mhd.* zuogeben), dazu Zugabe *w*.

Gebet *s*: Das *westgerm.* Substantiv *mhd.* gebet, *ahd.* gibet, *niederl.* gebed, *aengl.* gebed (beachte *engl.* bead „Perle aus Rosenkranz") ist eine Bildung zu dem unter →bitten behandelten Verb. Im heutigen Sprachgefühl wird 'Gebet' als zu 'beten' gehörig empfunden.

Gebiet *s*: *Mhd.* gebiet[e] „Befehl, Gebot, Gerichtsbarkeit", dann „Bereich, über den sich Befehlsgewalt oder Gerichtsbarkeit erstreckt" ist eine Bildung zu der unter →bieten behandelten Präfixbildung gebieten. Im heutigen Sprachgebrauch wird 'Gebiet' allgemein im Sinne von „Bereich; Fach" verwendet.

Gebirge *s*: Das auf das *dt.* Sprachgebiet beschränkte Wort (*mhd.* gebirge, *ahd.* gibirgi) ist eine Kollektivbildung zu dem unter →Berg behandelten Substantiv und bedeutet eigtl. „Gesamtheit der Berge".

Gebiß *s*: Das auf das *dt.* und *niederl.* Sprachgebiet beschränkte Wort (*mhd.* gebiʒ, *ahd.* gibiʒ, *niederl.* gebit) ist eine Bildung zu dem unter →beißen behandelten Verb. Es bezeichnet im heutigen Sprachgebrauch die Gesamtheit der Zähne und das Mauleisen am Zaum, gewöhnlich aber die künstlichen Zähne.

Gebläse *s*: Das seit dem 16. Jh. bezeugte Wort ist eine Bildung zu dem unter →blasen behandelten Verb und bezeichnet eine Vorrichtung zum Blasen, den Blasebalg und Ventilationsapparat.

Geblüt *s*: *Mhd.* geblüete „Gesamtmasse des Blutes" (bei einem Menschen oder Tier) ist eine Kollektivbildung zu dem unter →Blut behandelten Wort. Im heutigen Sprachbrauch wird 'Geblüt' auf die Abstammungs- oder Verwandtschaftsverhältnisse bezogen, beachte z. B. 'fürstliches Geblüt'. Im *Schweiz.* wird 'Geblüt' im Sinne von „Menstruation" verwendet.

Gebot *s*: Das *westgerm.* Substantiv *mhd.* gebot, *ahd.* gibot, *niederl.* gebod, *aengl.* gebod gehört teils zu der Präfixbildung gebieten und teils zum einfachen Verb bieten (vgl. *bieten*).

gebühren: *Mhd.* gebürn, *ahd.* giburian „sich ereignen, geschehen; widerfahren, zufallen, zukommen", *niederl.* gebeuren „geschehen, sich ereignen", *aengl.* gebyrian „geschehen, sich ereignen; zufallen, zukommen; gehören; angemessen sein", *aisl.* (mit Präfixverlust) byrja „zufallen, zukommen" gehören – etwa im Sinne von „sich zutragen – zu der unter →gebären dargestellten *idg.* Wz. *bher[ə]-

,,heben, tragen". Eng verwandt sind damit *mhd.* bürn, *ahd.* burien ,,heben, in die Höhe halten", *niederl.* beuren ,,[er]heben", *aisl.* byrja ,,beginnen" (eigtl. ,,anheben") und die unter →empor und →empören behandelten Wörter. – Im *Nhd.* wird 'gebühren' nur noch im Sinne von ,,als Recht oder Pflicht zukommen, sich ziemen" verwendet. Abl.: G e b ü h r *w* (*mhd.* gebür[e], *ahd.* giburi, eigtl. ,,was einem zukommt oder zufällt"); bes. gebräuchlich ist heute die *Mehrz.* Gebühren (in der Amtssprache); g e b ü h r l i c h ,,geziemend" (*mhd.* gebürlich).

Geburt *w*: Das *gemeingerm.* Wort *mhd.* geburt, *ahd.* giburt, *got.* gabaúrþs, *aengl.* gebyrd (*engl.* birth ist *nord.* LW), *schwed.* börd ist eine Bildung zu dem unter →*gebären* behandelten Verb und bezeichnet sowohl den Vorgang des Gebärens als auch das Geborene. Abl.: g e b ü r t i g (*mhd.* gebürtich, *ahd.* gibürtig). Zus.: G e b u r t s h e l f e r (18. Jh.); G e b u r t s t a g (*mhd.* geburttac, *ahd.* giburt[i]tag[o], LÜ von *lat.* dies natális); A u s g e b u r t (18. Jh.); N a c h g e b u r t (16. Jh.).

Geck *m*: Das urspr. *niedersächs.* Wort, das seit der ersten Hälfte des 14. Jh.s als *mnd.* geck ,,Narr" bezeugt ist, drang Ende des 14. Jh.s ins *Niederfränk.* und wurde dort zur Bezeichnung der Hofnarren der Bischöfe. Später wurde es dann auf die Narren des rheinischen Karnevals übertragen und gewann daher seine Beliebtheit. – Wie auch *südd.* Gagg, Gaggel, Gagger ,,Narr" so ist auch 'Geck' ein lautnachahmendes Scheltwort für den Narren, der unverständliche Laute ausstößt. Neben dem Substantiv ist auch das Adjektiv g e c k, *rhein.* j e c k ,,närrisch, verrückt" gebräuchlich.

Gedächtnis *s*: *Mhd.* gedæhtnisse ,,das Denken an etwas, Erinnerung", *ahd.* kithêhtnissi ,,das Denken an etwas, Andacht, Hingabe" ist eine Bildung zu dem zweiten Partizip gedacht (*mhd.* gedâht, *ahd.* gidâht) des Präfixverbs gedenken (vgl. *denken*).

Gedanke *m*: Das Substantiv *mhd.* gedanc, *ahd.* gidanc (entspr. *aengl.* geðonc ,,Gedanke") ist eine Bildung zu dem unter →*denken* behandelten Verb. – Zus.: G e d a n k e n f r e i h e i t (18. Jh.; eigtl. ,,Freiheit, Gedanken zu äußern"); G e d a n k e n s t r i c h (18. Jh.).

gedeihen: Das *altgerm.* Verb *mhd.* gedîhen, *ahd.* gedîhan, *got.* gaþeihan, *niederl.* gedijen, *aengl.* geðîon ist eine ge-Bildung zu dem im *Nhd.* untergegangenen einfachen Verb *mhd.* dîhen, *ahd.* thîhan ,,wachsen, gedeihen; austrocknen; fest, dicht werden", *got.* þeihan ,,wachsen, gedeihen", *niederl.* dijen, schwellen", *aengl.* ðîon ,,wachsen, gedeihen, reifen; nützen". Damit eng verwandt sind im *germ.* Sprachbereich die unter →dicht, →Tang und →¹Ton (Sedimentgestein) behandelten Wörter. Diese *germ.* Wortgruppe gehört mit verwandten Wörtern in anderen *idg.* Sprachen zu der Wurzelform *tenk- ,,[sich] zu-

sammenziehen, gerinnen; dicht, fest werden", vgl. z. B. *aind.* tanákti ,,zieht zusammen" und *lit.* tánkus ,,dicht; häufig". Über die weiteren Zusammenhänge vgl. *dehnen*. – Das Substantiv G e d e i h *m* ist heute nur noch in der Wendung 'auf Gedeih und Verderb' gebräuchlich. Siehe auch den Artikel gediegen.

gediegen ,,rein, lauter; solide, anständig, zuverlässig": *Mhd.* gedigen ,,ausgewachsen, reif; fest, hart; trocken, dürr; lauter, rein, gehaltvoll; tüchtig" ist das in adjektivischem Gebrauch übergegangene zweite Partizip von dem unter →*gedeihen* behandelten Verb. Die alte Form des zweiten Partizips (mit grammatischem Wechsel, beachte z. B. das Verhältnis von 'gezogen' zu 'ziehen') hat sich besonders als Fachwort des Bergbaus (beachte z. B. 'gediegenes Metall') gehalten und wird auch übertragen gebraucht. Als zweites Partizip von 'gedeihen' wird heute 'gediehen' verwendet.

gedunsen ,,geschwollen, aufgetrieben": Das Adjektiv ist eigtl. das zweite Partizip zu einem nur noch im *Hessischen* bewahrten Verb dinsen ,,ziehen" (*mhd.* dinsen, *ahd.* dinsan ,,ziehen, zerren; schleppen, tragen", reflexiv ,,sich ausdehnen, sich mit etwas anfüllen", vgl. *got.* at-þinsan ,,heranziehen"). Dieses Verb gehört mit verwandten Wörtern in anderen *idg.* Sprachen – vgl. z. B. *lit.* tęsti ,,ziehen, dehnen, verlängern" – zu der unter →*dehnen* dargestellten Wortgruppe.

Gefahr *w*: *Mhd.* gevâre ,,Nachstellung, Hinterhalt; Betrug" gehört zu dem heute veralteten einfachen Substantiv Fahr *w* ,,Gefahr": *mhd.* vâre ,,Nachstellung; Trachten, Streben; Hinterlist, Falschheit, Betrug; Furcht", *ahd.* fâra ,,Nachstellung, Hinterlist", *mnd.* vâre ,,Gefahr; Furcht" (s. unverfroren), *engl.* fear ,,Furcht". Von diesem Substantiv abgeleitet ist das Verb *ahd.* fâren, *mhd.* vâren ,,nachstellen, [feindlich] nach etwas trachten, streben", das im *Nhd.* in →willfahren bewahrt ist. Diese *germ.* Wortgruppe beruht mit verwandten Wörtern in anderen *idg.* Sprachen auf *idg.* *per- ,,unternehmen, versuchen, wagen", vgl. z. B. *gr.* peîra ,,Versuch, Wagnis" (s. Pirat), émpeiros ,,erfahren, kundig" (s. empirisch) und *lat.* ex-perîrî ,,versuchen, prüfen" (s. Experiment), perîculum ,,Gefahr" (s. Experiment). Über die weiteren Zusammenhänge vgl. *ver...* Abl.: g e f ä h r d e n ,,in Gefahr bringen" (*spätmhd.* gevêrden); g e f ä h r l i c h (*mhd.* gevêrlich ,,hinterlistig; verfänglich"). Siehe auch den Artikel ungefähr.

Gefährt *s*: *Mhd.* gevert[e] ,,Fahrt, Gang, Reise, Weg; Gesinde; Lebensweise, Benehmen, Art; Umstände" ist eine Kollektivbildung zu dem unter →*Fahrt* behandelten Substantiv. Seit dem 17. Jh. ist das Wort im Sinne von ,,Fuhrwerk, Wagen" gebräuchlich.

Gefährte *m*: *Mhd.* geverte, *ahd.* giferto ist eine Bildung zu dem unter →*Fahrt* behandelten Substantiv und bedeutete urspr. „der mit einem zusammen fährt", dann allgemein „Begleiter; Kamerad".

gefallen: *Mhd.* gevallen, *ahd.* gifallan ist eine ge-Bildung zu dem unter →*fallen* behandelten Verb. Die heute übliche Verwendung im Sinne von „zusagen, anziehend wirken; angenehm, hübsch sein" hat sich aus dem Wortgebrauch im Sinne von „zufallen, zuteil werden, bekommen" (urspr. wohl auf das Fallen der Würfel und Lose bezogen) entwickelt. Abl.: gefällig „gefallend, zusagend, angenehm, hübsch; hilfsbereit, dienstwillig" (*mhd.* gevellec, *ahd.* gefellig), dazu Gefälligkeit *w* (*mhd.* gevellekeit). Zus.: Gefallsucht (18. Jh., für ,Koketterie').

Gefäß *s*: *Mhd.* gevǣʒe „Schmuck, Ausrüstung, Gerät, Geschirr", *ahd.* givāʒi „Proviantladung", *got.* gafēteins „Schmuck" gehören zu dem unter →*fassen* behandelten Verb. Im *dt.* Sprachgefühl wurde 'Gefäß' später als Kollektivbildung zu 'Faß' verstanden, wodurch das Wort seine zahlreichen Bedeutungsschattierungen (z. B. „Griff am Degen", „Takelwerk der Schiffe", „Ladung eines Floßes") verlor. In der Naturwissenschaft spielt 'Gefäß' in Zus. wie Blutgefäße, Staubgefäße eine Rolle.

gefeit „geschützt": Das seit dem 19. Jh. gebräuchliche Wort ist das in adjektivische Verwendung übergegangene zweite Partizip von dem heute veralteten Verb feien (*mhd.* veinen „nach Art der Feen durch Zauber schützen"), das von →*Fee* – unter Anlehnung an die ältere Form 'Fei', *mhd.* fei[e] – abgeleitet ist.

Gefieder *s*: *Mhd.* gevider[e] „Federn; Federbett; Federvieh, Geflügel" ist eine Kollektivbildung zu dem unter →*Feder* behandelten Wort und bedeutet eigtl. „Gesamtheit der Federn". Heute wird 'Gefieder' nur noch im Sinne von „Federkleid" gebraucht.

Gefilde *s*: Das heute nur noch in gehobener Sprache gebräuchliche Wort (*mhd.* gevilde, *ahd.* gifildi) ist eine Kollektivbildung zu dem unter →*Feld* behandelten Substantiv und bedeutet eigtl. „Gesamtheit von Feldern".

Geflügel *s*: *Spätmhd.* gevlügel[e] ist eine Kollektivbildung zu dem unter →*Flügel* behandelten Wort und bedeutet demnach „Gesamtheit der flügeltragenden [Haus]tiere, Federvieh".

Gefreite *m*: Das Wort wurde im 16. Jh. nach *lat.* exemptus „ausgenommen" (vom Schildwachstehen) zu dem Verb freien in der Bed. „frei machen, befreien" (vgl. *frei*) gebildet. Der Gefreite war urspr. „der vom Schildwachstehen befreite Soldat".

gegen: Die *altgerm.* Präposition *mhd.* gegen, *ahd.* gegin, gagan, *mniederl.* jeghen, *aengl.* gegn (beachte *aengl.* ongegn, *engl.* again

„wieder"), *aisl.* gegn ist unbekannter Herkunft. Aus der aus *mhd.* gegen zusammengezogenen Form *mhd.* gein ist durch Verkürzung *nhd.* gen bibl. und dicht. für „gegen" entstanden. Das abgeleitete Verb *mhd.* gegenen, *ahd.* gaganen, *mnd.* gēgenen „entgegenkommen, begegnen" (s. Gegner) ist im *Nhd.* untergegangen. Gebräuchlich sind die Präfixbildungen begegnen „treffen" (*mhd.* begegenen, *ahd.* bigaganen), dazu Begegnung *w*, und entgegnen „erwidern, antworten" (*mhd.* engegenen, *ahd.* ingaganen „entgegenkommen, gegenüberstehen"; in der heute üblichen Bedeutung seit etwa 1800), dazu Entgegnung *w*. Abl.: Gegen (s. d.). Zus.: Gegenfüßler *m* (17. Jh.; LÜ von 'Antipode'); Gegensatz (15. Jh., wohl LÜ von *lat.* oppositio; zunächst nur Wort der Rechtssprache in der Bed. „Gegenvorbringung im Rechtsstreit"); Gegenstand (16. Jh.; eigtl. „das Entgegenstehende"; seit dem 18. Jh. als Ersatzwort für →Objekt), dazu gegenständlich (19. Jh., für 'objektiv'); Gegenwart *w* (*mhd.* gegenwart „Anwesenheit"; seit dem 18. Jh. auch als Zeitbezeichnung für 'Präsens'), dazu gegenwärtig (*mhd.* gegenwärtec, *ahd.* geginwertig), vergegenwärtigen, sich „sich vorstellen" (16. Jh., LÜ von *lat.* praesentāre). – Beachte auch das Adverb und Präposition verwendete gegenüber, das im *Nhd.* aus 'gegen' und 'über' zusammengewachsen ist. Die Substantivierung Gegenüber *s* (Anfang des 19. Jh.s) ahmt das *frz.* vis-à-vis nach.

Gegend *w*: *Mhd.* gegende (daneben gegenôte) ist eine Bildung zu der unter →*gegen* behandelten Präposition, und zwar handelt es sich wahrscheinlich um eine LÜ eines *vlat.* *contrāta [regiō] „gegenüberliegendes [Gebiet]" (zu *lat.* contrā „gegen"), vgl. *frz.* contrée „Gegend, Landschaft" und *it.* contrada „Gegend". Aus dem *Afrz.* ist *engl.* country „Land" entlehnt.

Gegner *m*: Als LÜ von *lat.* adversārius „Gegner, Widersacher" tritt seit dem 14. Jh. in niederdeutschen Rechtstexten *mnd.* gēgenēre, jegenēre auf, das eine Bildung zu dem Verb *mnd.* gēgenen, jēgenen „entgegenkommen, begegnen" (vgl. *gegen*) ist. Es bezeichnete zunächst den Gegner im Rechtsstreit, dann den Gegner im allgemeinen und den auszutauschenden Kriegsgefangenen. Seit dem 17. Jh. setzte sich das *niederd.* Wort auch im *Oberd.* durch. Abl.: gegnerisch (18. Jh.).

gehaben: Das Verb, das heute nur noch in dem Abschiedsgruß 'gehab dich wohl!' gebräuchlich ist, ist eine Präfixbildung zu dem unter →*haben* behandelten einfachen Verb. In den älteren Sprachzuständen entsprechen *mhd.* gehaben, *ahd.* gihabēn „halten; sich befinden; haben, besitzen", reflexiv „sich halten, sich benehmen, sich befinden". Beachte dazu den substantivierten Infinitiv Gehaben *s* „Benehmen" und die Bildung Gehabe *s* „Ziererei, eigenwilliges Benehmen" (*mhd.* gehabe).

Gehalt *s* „Besoldung", *m* „Inhalt, Wert", *südwestd.* und *schweiz. m* oder *s* für „Behälter, Behältnis; Schrank, Fach; Aufbewahrungsraum; Zimmer": Etymologisch gesehen handelt es sich um ein und dasselbe Wort, dessen Bedeutungen jedoch in Geschlecht und Mehrzahlbildung geschieden werden. *Mhd.* gehalt „Gewahrsam; innerer Wert" gehört zu dem heute veralteten Präfixverb gehalten (*mhd.* gehalten „festhalten, gefangennehmen; behüten, bewahren; aufbewahren"; vgl. *halten*). Im Sinne von „Inhalt, Wert", eigtl. „was eine Sache enthält", bezog sich 'Gehalt' zunächst auf Metalle und Münzen, heute bes. auf Getränke und Speisen. Die Bed. „Besoldung" kam im 18. Jh. auf und meint eigtl. die Summe, für die man jemanden in Diensten hält oder unterhält.

gehässig: *Mhd.* gehez͜zec „hassend, feindlich gesinnt" ist eine Ableitung von dem gleichbed. Adjektiv *mhd.* gehaz͜ (vgl. *Haß*). Im heutigen Sprachgefühl wird 'gehässig' wegen des umgelauteten a und wegen der anklechenden Bed. „boshaft, gemein" nicht ohne weiteres als zu 'Haß' gehörig empfunden.

Gehäuse *s*: *Spätmhd.* gehiuse „Hütte, Verschlag" ist eine Kollektivbildung zu dem unter →*Haus* behandelten Wort. Seit dem 16. Jh. hat sich 'Gehäuse' allmählich in der Bedeutung von 'Haus' gelöst und wird seitdem gewöhnlich im Sinne von „Behältnis" gebraucht, beachte z. B. die Zus. Uhrengehäuse und Kerngehäuse.

Gehege *s* „umfriedeter [Wald]bezirk" (bes. zur Wildpflege): *Mhd.* gehege, gehage, *ahd.* gahagi[um] „Umfriedung, Einhegung" ist eine Kollektivbildung zu dem unter →*Hag* behandelten Wort. Beachte die Redewendung 'einem ins Gehege kommen' „einem in die Quere kommen, jemanden stören oder belästigen" (eigtl. „in das umfriedete Gebiet eines anderen dringen").

geheim: Das seit dem 15. Jh. bezeugte Adjektiv ist von dem unter →*Heim* behandelten Wort abgeleitet und bedeutete zunächst „zum Haus gehörig, vertraut", beachte dazu die Verwendung von 'geheim' bei Titeln, z. B. Geheimer Rat, eigtl. „vertrauter Rat". Dann wurde das Adjektiv im Sinne von „heimlich; [streng] vertraulich" gebräuchlich. An diesen Wortgebrauch schließen sich z. B. an Geheimdienst, Geheimbund, Geheimlehre und die Abl. Geheimnis*s* (16. Jh.), dazu Geheimniskrämer (18. Jh.), geheimnisvoll (18. Jh.). Das substantivierte Adjektiv ist in dem Adverb insgeheim bewahrt und auch sonst gebräuchlich, beachte z. B. 'im Geheimen'.

gehen: Das *gemeingerm.* Verb *mhd., ahd.* gēn, gān, *krimgot.* geen, *engl.* to go, *schwed.*

gå geht mit verwandten Wörtern in anderen *idg.* Sprachen auf die *idg.* Wz. *g̑hē[i]- „klaffen, leer sein, verlassen, [fort]gehen" zurück, vgl. z. B. *aind.* jáhāti „verläßt; gibt auf" und *gr.* kichémenai „einholen, erreichen, erlangen". Über die weiteren Zusammenhänge vgl. *gähnen.* – Im Präteritum und im zweiten Partizip wird 'gehen' mit Formen von der Wz. *g̑hengh- „die Beine spreizen, schreiten" (vgl. *Gang*) ergänzt. Im *Dt.* bezieht sich 'gehen' nicht nur auf den menschlichen Gang, es bedeutet auch allgemein „sich bewegen, reisen, fahren". Ferner wird es in den Bed. „möglich sein, angebracht sein", „funktionieren" und „sich erstrecken, führen, verlaufen" gebraucht und ist in der Frage nach dem Befinden 'wie geht es?' gebräuchlich. Wichtige Präfixbildungen und Zusammensetzungen mit 'gehen' sind abgehen „wegtreten, fortgehen; verlassen; fehlen; sich lösen, sich lockern, als Absatz finden, verkauft werden; verlaufen" (*mhd.* ab[e]gān, -gēn, *ahd.* abagān, -gēn), dazu Abgang *m* (*mhd.* abeganc); angehen „angreifen; anhauen, um etwas bitten; betreffen; in einen Zustand geraten, anfangen; zu brennen anfangen" (*mhd.* an[e]gān, -gēn, *ahd.* anagān); aufgehen „in die Höhe steigen; sich ausdehnen, schwellen; sichtbar werden; verständlich werden; sich öffnen; sich einer Sache ganz widmen (*mhd., ahd.* ūfgān, -gēn), dazu Aufgang *m* (*mhd., ahd.* ūfganc); ausgehen „fortgehen, das Haus verlassen, bummeln gehen; zu Ende gehen, schwinden, verlöschen; verlaufen, enden; als Ausgangspunkt nehmen" (*mhd., ahd.* ūzgān, -gēn), dazu Ausgang *m* (*mhd., ahd.* ūzganc); begehen „beschreiten; benutzen (einen Weg); feiern, festlich gestalten; ausführen, verüben (*mhd.* begān, -gēn, *ahd.* bigān); eingehen „hineingehen, eintreten; eintreffen, ankommen (von Sendungen); verständlich sein; sich auf etwas einlassen; sich mit etwas befassen; abmachen, abschließen; einlaufen, schrumpfen; verkümmern; sterben" (*mhd., ahd.* īngān), dazu Eingang *m* (*mhd., ahd..* īnganc); entgehen „entkommen; nicht bemerkt werden" (*mhd.* en[t]gān, -gēn, *ahd.* intgān); ergehen „erlassen werden, abgeschickt werden (eine Verordnung, eine Einladung); sich befinden, sich fühlen" (*mhd.* ergān, -gēn, *ahd.* irgān); hintergehen „täuschen, betrügen" (*mhd.* hindergān „von hinten an einen herangehen, überfallen; betrügen"); übergehen „hinübergehen, überlaufen; nicht beachten, auslassen" (*mhd.* übergān, -gēn, *ahd.* ubargān), dazu Übergang *m* (*mhd.* überganc, *ahd.* ubarganc); untergehen „sinken, versinken; zugrunde gehen; besiegt, vernichtet werden" (*mhd.* undergān, -gēn, *ahd.* untargān, -gēn), dazu Untergang *m* (*mhd.* underganc); vergehen „dahingehen, schwinden, umkommen, sterben", reflexiv „gegen Gesetz und Anstand verstoßen, schuldig werden" (*mhd.* vergān, -gēn, *ahd.* firgān, beachte den substantivierten Infinitiv Vergehen *s* „strafwürdige Handlung"); vorgehen „nach vorne gehen, vorwärts gehen; vorausgehen; geschehen, sich ereignen" (*mhd.* vorgān, -gēn, *ahd.* foragān), dazu Vorgang *m* (*mhd.* vorganc), dazu wiederum Vorgänger *m* (*mhd.* vorganger, -genger).

geheuer „vertraut, heimelig": Die *nhd.* Form geht zurück auf *mhd.* gehiure „lieblich, freundlich, hold, nichts Unheimliches an sich habend", eine ge-Bildung zu dem im *Mhd.* untergegangenen *altgerm.* Adjektiv *ahd.* hiuri „freundlich, lieblich", *aengl.* hīere „angenehm, sanft. mild", *aisl.* hȳrr „freundlich; froh; mild". Dieses Adjektiv bedeutet eigtl. „zum Hauswesen, zur Hausgemeinschaft gehörig" und ist eng verwandt mit dem ersten Bestandteil von →Heirat eigtl. „Hausbesorgung" (vgl. *Heim*). – Beachte auch die verneinte Form ungeheuer (*mhd.* ungehiure, *ahd.* un[gi]hiuri „unheimlich, grauenhaft, schrecklich"), substantiviert Ungeheuer *s* (*mhd.* ungehiure „Unhold, gespenstisches Wesen; Scheusal; Drache; Heide"); dazu ungeheuerlich (*mhd.* ungehiurlich „schrecklich, groß, seltsam").

Gehöft *s*: Das aus dem *Niederd.* ins *Hochd.* übernommene Wort ist eine Kollektivbildung zu dem unter →Hof behandelten Substantiv und bezeichnet eigtl. die Gesamtheit der Hofgebäude.

gehören: In dieser ge-Bildung ist im *nhd.* Sprachgebrauch die Bedeutung des einfachen Verbs →hören völlig verblaßt. Im *Mhd.* gi-hœren, *ahd.* gi-hōrian bedeuteten dagegen noch „[worauf]hören, anhören; gehorchen", woraus sich dann die Bed. „zukommen, gebühren, als Eigentum haben" entwickelten. Abl.: gehörig (*mhd.* gehœrec, *ahd.* gahōrig „gehorchend, folgsam"; seit dem 15. Jh. hat sich 'gehörig' in der Bedeutung „gehören" angeschlossen und wird heute auch im Sinne von „sehr, anständig" verwendet), beachte angehörig, dazu Angehörige *m* „Verwandter" (18. Jh.) und zugehörig.

gehorsam: Die *nhd.* Form geht über *mhd.* gehōrsam zurück auf *ahd.* gihōrsam, das eine Lehnübertragung von *lat.* obœdiēns „gehorsam, willfährig" ist, und zwar zur Wiedergabe des den Germanen fremden christlichen Obedienzbegriffes. Das Adjektiv gehört zu dem unter →hören behandelten Verb. Abl.: Gehorsam *m* (*mhd.* gehōrsam[e], *ahd.* gi-hōrsami).

Gehrock *m*: Der seit dem Anfang des 19. Jh.s bezeugte Name des Kleidungsstücks ist wahrscheinlich eine Kurzform von 'Ausgehrock'.

Geier *m*: Der auf das *dt.* und *niederl.* Sprachgebiet beschränkte Vogelname (*mhd.*, *ahd.* gīr, *mnd.* gīre, *niederl.* gier) ist ein substantiviertes Adjektiv und bedeutet eigtl. „der

Gierige" (vgl. *Gier*). Der Geier ist also nach seiner übermäßigen Raubgier und Freßsucht benannt. Von den zahlreichen Benennungen der einzelnen Geierarten beachte z. B. Bart-, Hühner-, Lämmer-, Steingeier. Zus.: Aasgeier (18. Jh.).

Geifer *m* „ausfließender Speichel": Das seit dem 14. Jh. bezeugte Wort (*mhd.* gaifer) ist im *germ.* Sprachbereich z. B. verwandt mit *niederd.* gīpen „den Mund aufreißen; nach Luft schnappen", *niederl.* gijpen „nach Luft schnappen", *aengl.* gīpian „gähnen, klaffen" und *schwed.* gipa „den Mund verziehen" (vgl. *gähnen*). Die alte Bedeutung bewahren also die verwandten Formen. Beachte auch das aus dem *Niederd.* in die Umgangssprache übernommene Gieper, *berlin.* Jieper *m* „Verlangen, Gelüst", dazu giepern, *berlin.* jiepern „lüstern, gierig sein, verlangen". Abl.: geifern (*mhd.* geifern „Speichel ausfließen lassen, vor Wut schäumen").

Geige *w*: Die Herkunft des Namens des dreisaitigen Musikinstrumentes (mit Griffbrett) ist nicht sicher geklärt. Erst seit dem 12. Jh. tritt 'gīga' vereinzelt in den Belegen auf. In *mhd.* Zeit breitet sich 'gīge' im gesamten *dt.* Sprachgebiet aus und drängt das ältere Wort →Fiedel, das heute abwertenden Nebensinn hat, zurück. Trotz der Entlehnung von →Violine im 17. Jh. bleibt 'Geige' das beherrschende Wort, das auch in die *nord.* und in einige *roman.* Sprachen entlehnt worden ist, vgl. z. B. *isl.* gīgja, *frz.* gigue. Gegen die Annahme, die Geige sei nach der Bewegung des Streichbogens benannt worden, sprechen die Bed. der als verwandt angesehenen Bewegungsverben, wie *aisl.* geiga „seitwärts abweichen", *aengl.* for-, ofer-gǣgan „abirren, überschreiten". Das *dt.* Verb geigen (auch in der Bed. „hin und her bewegen") ist von 'Geige' abgeleitet. Sowohl das Substantiv als auch das Verb spielen in Redensarten und Redewendungen eine bedeutende Rolle, beachte z. B. 'der Himmel hängt voller Geigen', 'die erste Geige spielen', 'einem die Wahrheit geigen'.

geil: *Mhd.*, *ahd.* geil „kraftvoll; üppig; lustig, fröhlich", *niederl.* geil „wollüstig", *aengl.* gāl „stolz; übermütig; lustig; lüstern", *aisl.* (weitergebildet) geiligr „stattlich, schön" sind im *germ.* Sprachbereich z. B. verwandt mit *niederl.* gijlen „gären" und *norw.* gil „gärendes Bier". Das *altgerm.* Adjektiv bedeutet also urspr. „in Gärung befindlich, aufschäumend", dann „erregt, heftig". *Außergerm.* ist damit verwandt die *baltoslaw.* Sippe von *lit.* gailùs „jähzornig; scharf, herb, beißend". – Im heutigen Sprachgebrauch wird 'geil' fast ausschließlich im Sinne von „geschlechtlich erregt, brünstig" verwendet, während es als „üppig, wuchernd" (von Pflanzen) als veraltet gilt. Veraltet ist auch das abgeleitete Verb geilen „ausgelassen sein; üppig wachsen" (*mhd.* geilen; vgl. *got.*

gailjan „erfreuen"), beachte aber aufgeilen, [sich], „[sich] geschlechtlich erregen".
Das Substantiv Geile w veralt. für „Geilheit" (mhd. geil[e], ahd. geili) wird heute nur
noch weidmänn. für „Hoden des Wildes"
gebraucht.

Geisel m oder w: Der altgerm. Ausdruck für
„Leibbürge" (mhd. gīsel, ahd. gīsal, mniederl.
ghīsel, aengl. gīs[e]l, aisl. gīsl) stammt wahr-
scheinlich aus dem Kelt., vgl. air. gīall „Geisel", kymr. gwystl „Geisel". Über andere aus
dem Kelt. entlehnte Wörter s. die Artikel
Amt, Reich und Eid. – Das Wort spielt
auch in der Namengebung eine Rolle, beachte
z. B. die PN Gisela und Giselmar.

Geiser m „durch Vulkanismus entstandene
Springquelle": Das seit dem 19. Jh. bezeugte
Wort ist aus gleichbed. isl. geysir entlehnt,
das zu isl. geysa „in heftige Bewegung bringen" gehört (vgl. gießen).

Geiß w: Das gemeingerm. Wort mhd., ahd.
geiz, got. gaits, engl. goat, schwed. get geht
mit lat. haedus „[junger] Ziegenbock" auf
*ghaido-s „Ziege" zurück. Welche An-
schauung dieser Benennung zugrunde liegt,
läßt sich nicht ermitteln. Im Deutschen ist
'Geiß' seit dem 16. Jh. durch 'Ziege' zurückgedrängt worden. Das Wort bezeichnet heute
als Gegensatz zu Bock die weibliche Ziege
und das weibliche Tier von Gemsen, Hirschen und Rehen. Zus.: Geißfuß „Werkzeug, Hebe-, Brecheisen" (nach der Ähnlichkeit mit einem gespaltenen Ziegenhuf benannt; auch Pflanzenname, vgl. 'Geißbart',
'Geißblatt').

Geißel w: Das Wort ist heute weitgehend
durch das slaw. LW →Peitsche zurückgedrängt und wird nur noch in der Bed.
„Züchtigungswerkzeug" und übertragen im
Sinne von „[Land]plage, Strafe" verwendet,
beachte z. B. 'Geißel Gottes' und 'Geißel des
Krieges'. Mhd. geisel, ahd. geis[i]la „Peitsche, Geißel", niederl. gesel „Peitsche,
Geißel" sind im germ. Sprachbereich verwandt mit aisl. geisl „Geißel" (des Ski-
läufers) und beruhen auf germ. *gaislōn
„Stock, Stange", einer Ableitung von germ.
*gaizá- „Speer": nhd. Geer m, mhd., ahd.
gēr, aengl. gār, aisl. geirr. Auch dieses altgerm. Substantiv bedeutet eigtl. „Stock,
Stange" und ist z. B. mit gr. chaîos „Hirtenstab" verwandt. – Abl.: geißeln „züchtigen,
strafen; anprangern" (mhd. geiseln).

Geist m: Das westgerm. Wort mhd., ahd.
geist, niederl. geest, engl. ghost gehört zu
einer Wz. *g̑heis- „erregt, aufgebracht sein,
schaudern", vgl. aus dem germ. Sprachbereich got. us-gaisjan „erschrecken" und
aisl. geiskafullr „voller Entsetzen" und
außerhalb des Germ. z. B. awest. zaēša-
„schauderhaft". Aus der urspr. Bed. „Erregung, Ergriffenheit" entwickelten sich die
Bed. „Geist, Seele, Gemüt" und „überird-
isches Wesen, Gespenst". Im Rahmen der

Christianisierung wirkten auf das Wort lat.
spīritus und gr. pneûma ein (beachte z. B.
spīritus sanctus: Heiliger Geist). In der Neuzeit geriet es unter den Einfluß von frz.
esprit. Im heutigen dt. Wortschatz nimmt
'Geist' mit seinen zahlreichen Abl. und Zus.
eine herausragende Stellung ein. Abl.:
geistig (mhd. geistic; nicht nur als Gegensatz
zu 'leiblich' gebräuchlich, sondern auch in
der Bed. „alkoholisch", z. B. 'geistige Getränke', da 'Geist' auch „Essenz, Alkohol"
bedeutet), dazu vergeistigen, durchgeistigt; geistlich (ahd. geistlīh; LÜ von lat.
spīrituālis), substantiviert Geistliche m
„Priester" (15. Jh.), Geistlichkeit w
(15. Jh.); geisterhaft „gespenstisch" (19.
Jh.). Zus.: Geistesabwesenheit (19 Jh.;
LÜ von frz. absence d'esprit), dazu geistes-
abwesend; Geistesarbeit[er] (18. Jh.);
Geistesblitz (19. Jh.); Geistesfreiheit
(18. Jh.); Geistesgegenwart (18. Jh.; LÜ
von frz. présence d'esprit), dazu geistesge-
genwärtig; geisteskrank (19. Jh.); Gei-
steswissenschaft (19. Jh.); geistlos
(mhd. geistelōs); geistreich (mhd. geistrīch).
Beachte auch die Präfixbildungen begeistern
(17. Jh.; urspr. „beleben, mit Geist erfüllen"),
dazu Begeisterung w (18. Jh.) und entgeistern veralt. für „der Lebenskraft berauben" (17. Jh.), dazu das davor stehende Partizip
entgeistert „überrascht, fassungslos" (17.
Jh.), beachte auch die Zus. herum-, um-
hergeistern „wie ein Gespenst herum-
spuken".

Geiz m: Zu mhd., ahd. gīt[e] „Gier, Habgier"
gehört das Verb mhd. gīten „gierig sein",
dessen gleichbed. Weiterbildung gīt[e]sen,
gīzen im Nhd. zu geizen wird. Das Substantiv Geiz (mhd. gīz) ist entweder zum
weitergebildeten Verb gebildet oder aber
geht auf mhd., ahd. gīt[e] zurück und hat sich
lautlich an 'geizen' angeschlossen. Die urspr.
Bed. „Gier" – erhalten noch in 'Ehrgeiz'
(s. u.) – entwickelte sich über „Gier nach
Reichtum" zu „übertriebener Sparsamkeit".
Dasselbe Wort mdal. Geiz „Nebentrieb,
störender Auswuchs" (bes. am Rebstock),
so benannt, weil er den Pflanzen gleichsam den
Saft aussaugt (vgl. den Artikel Furunkel).
Mit dieser dt. Sippe sind verwandt im germ.
Sprachbereich aengl. gītsian „begehren, verlangen" und außergerm. z. B. lit. geĩsti „wünschen, begehren, verlangen" und russ. ždat'
„warten". Abl.: geizig (15. Jh., für mhd.
gītec, ahd. gītag „,[hab]gierig"). Zus.:
Geizhals (16. Jh.) und Geizkragen (19. Jh.)
für „geiziger Mensch"; Ehrgeiz (16. Jh.),
dazu ehrgeizig (16. Jh.; schon mhd. ēr[en]-
gītec).

Gekröse s: Mhd. gekrœse „kleines Gedärm"
gehört zu der unter →kraus behandelten
Wortgruppe und bedeutet eigtl. „Krauses".
Gelächter s: Mhd. gelehter ist eine Kollektivbildung zu dem im Nhd. untergegangenen

Gelee

altgerm. Substantiv mhd. lahter, ahd. [h]lah-
tar „[lautes] Lachen", engl. laughter „Gelächter", aisl. hlātr „Gelächter", einer Bildung
zu dem unter →lachen behandelten Verb.
Gelage s: Die heute übliche Form hat sich
seit dem 19. Jh. gegenüber den älteren Formen Gelag, Gelach, Geloch durchgesetzt.
Das seit dem 14. Jh. zuerst niederrhein. bezeugte Wort ist eine Bildung zu dem unter
→legen behandelten Verb und bedeutete
urspr. „(zum Essen und Trinken) Zusam-
mengelegtes", dann „Schmaus, Fest".
Gelände s: Mhd. gelende, ahd. gilenti ist eine
Kollektivbildung zu dem unter →Land behandelten Wort.
Geländer s: Spätmhd. gelenter (15. Jh., älter
gelanter, 14. Jh.) ist eine Kollektivbildung zu
dem im Nhd. untergegangenen Substantiv
mhd. lander „Stangenzaun", das zu dem unter →Linde behandelten Baumnamen gehört und eigtl. „Latte, Stange aus Lindenholz" bedeutet.
gelangen „[bis] an einen bestimmten Ort
kommen": Das auf das dt. Sprachgebiet beschränkte Verb (mhd. gelangen, ahd. gilang-
gōn) ist eine ablautende Bildung zu dem unter →gelingen behandelten Verb.
Gelaß s: Das seit dem 18. Jh. im Sinne von
„Raum, Zimmer" gebräuchliche Wort ist
eine Bildung zu dem unter →lassen behandelten Verb und bedeutet eigtl. „Raum, worin man etwas [zurück]lassen kann". Mhd.
gelāz „Erlassung, Verleihung; Bildung, Gestalt; Benehmen" schließt sich dagegen mit
seinen Bedeutungen an die verschiedenen
Verwendungen von 'lassen' an. – Heute wird
'Gelaß' nur noch in gehobener Sprache gebraucht.
gelassen „ruhig, beherrscht, gleichmütig":
Das Adjektiv (mhd. gelāzen) ist das in adjektivischen Gebrauch übergegangene zweite
Partizip von dem im Nhd. untergegangenen
Präfixverb mhd. gelāzen „[er-, ver-, unter]-
lassen; sich niederlassen; sich benehmen"
(vgl. lassen). Es bedeutete in der Sprache der
Mystiker „gottergeben", dann allgemein
„ruhig" (in der Gemütsbewegung). Abl.:
Gelassenheit w (mhd. gelāzenheit).
Gelatine w „Knochenleim, Gallert": Im
19. Jh. eingedeutscht aus nlat. gelatina, einer
Weiterbildung von lat. gelātus „gefroren,
erstarrt" (vgl. Gelee). – Dazu das in der
chem. Industrie gebräuchliche Kurzwort
Gel s „gallertartig ausgeflockter Niederschlag aus kolloider Lösung" (20. Jh.) und
das Verb **gelatinieren** „zu Gelatine erstarren" (20. Jh.).
gelb: Das westgerm. Adjektiv mhd. gel, ahd.
gelo, niederl. geel, engl. yellow steht im Ablaut zu der nord. Sippe von schwed. gul
„gelb" und gehört mit dieser zu der vielfach
weitergebildeten und erweiterten idg. Wz.
*g̑hel[ə]-, *g̑hlē- „glänzend, (gelblich, grün-
lich, bläulich) schimmernd, blank". Außer-

germ. sind z. B. verwandt aind. hári-ḥ „gelb,
goldgelb, blond, grüngelb", gr. chlōrós
„gelbgrün" (s. Chlor), lat. helvus „ho-
niggelb" und russ. zelënyj „grün". Zu dieser
Wurzel gehört auch das unter →Galle behandelte Wort. Die Galle ist nach ihrer gelblichgrünen Farbe benannt. Aus dem germ.
Sprachbereich gehören ferner dazu die Substantivbildungen →Gold (eigtl. „das Gelbliche, das Blanke") und →Glas (urspr. „Bernstein") sowie die Sippen von →Glanz, glänzen, →gleißen (dazu glitzern), →glimmen
(dazu glimmern, Glimmer), →glühen (dazu
Glut) und →glotzen (eigtl. „[an]strahlen").
Auf einem Bedeutungsübergang von „glänzend, blank [sein]" zu „glatt [sein]" beruhen
die unter →glatt (dazu Glatze) und →glei-
ten (dazu glitschen) behandelten Wörter. –
Gegenüber dem hochsprachl. gelb steht
mdal. gehl (zum Lautlichen beachte das Verhältnis von 'falb' zu 'fahl'), dazu mdal.
(sächs.) Gehlchen s „Pfifferling", eigtl.
„Gelbchen". In der Farbensymbolik hat
gelb überwiegend negative Geltung, z. B. als
Farbe der Falschheit und Eifersucht. Abl.:
vergilben (mhd. vergilwen „gelb machen
oder werden"). Zus.: Gelbgießer „Messing-
gießer" (18. Jh. aus niederl. geelgeter entlehnt); Gelbsucht (mhd. gelsuht, ahd. gela-
suht).
Geld s: Mhd. gelt „Bezahlung, Ersatz, Vergütung, Einkommen, Rente; Zahlung;
Schuldforderung; Wert, Preis; Zahlungsmittel", ahd. gelt „Zahlung; Lohn; Vergeltung",
asächs. geld „Opfer; Vergeltung; Zahlung",
got. gild „Steuer, Zins", aengl. gield „Opfer;
Kult; Zahlung, Tribut", aisl. gjald „Lohn;
Strafe; Steuer" gehören zu dem unter
→gelten behandelten Verb. Das gemeingerm.
Wort bedeutete urspr. „kultische oder rechtliche Einrichtung, Abgabe", wurde also zunächst im religiös-rechtlichen Bereich gebraucht. Die Bed. „geprägtes Zahlungsmittel" tritt im Dt. seit dem 14. Jh. auf und setzt
sich seit dem 16. Jh. durch. Die Bed. „Zahlung, Abgabe" ist noch in den Zus. Brücken-,
Schul-, Lehrgeld usw. bewahrt. Groß ist die
Zahl der volkstümlichen Ausdrücke für
„Geld", beachte z. B. Asche, Kies, Kohlen,
Kröten, Moos, Moneten, Pinke, Pulver,
Zaster.
Gelee s „gallertartiger, eingedickter Frucht-
oder Fleischsaft": Im 17./18. Jh. aus gleichbed. frz. gelée entlehnt, das auf vlat. gelāta,
Part. Perf. Pass. von lat. gelāre (gelātum)
„gefrieren machen, zum Erstarren bringen",
zurückgeht. Unmittelbar aus lat. gelāre
stammt (wie it. gelare; dazu gelato „Gefrorenes, Eis") frz. geler „zum Gefrieren bringen; gefrieren; steif werden", das im 20. Jh.
selbständig ins Nhd. als gelieren „zu Gelee
werden" entlehnt wurde. Nlat. und mlat.
Weiterbildungen von lat. gelātus „gefroren;
erstarrt" liegen vor in →Gelatine und

207

→Gallert. – Allen zugrunde liegt *lat.* gelu „Frost, Kälte, Eis", das mit glaciēs „Eis" (s. Gletscher, Glacé) zur *idg.* Sippe des urverwandten Adjektivs →*kalt* gehört.

gelegen: *Mhd.* gelegen, *ahd.* gelegan ist das in adjektivischen Gebrauch übergegangene zweite Partizip von dem unter →*liegen* behandelten Verb. Es bedeutete zunächst „angrenzend, benachbart", dann auch „verwandt" und „passend, geeignet", woraus sich die Bed. „bequem, angenehm" entwickelte. Abl.: Gelegenheit *w* (*mhd.* gelegenheit „Art und Weise, wie etwas liegt, Lage, Stand [der Dinge]; angrenzendes Land"; heute nur noch „günstige Lage, Möglichkeit, Zufall"); gelegentlich (*mhd.* gelegenlich „gelegen, günstig"; heute „bei Gelegenheit").

Geleise, gekürzte Form Gleis *s*: *Mhd.* geleis[e] „Radspur" ist eine Kollektivbildung zu dem im *Nhd.* untergegangenen Substantiv *mhd.* leis[e] „Spur", *ahd.* (wagan)leisa „(Wagen)spur", das mit *lat.* līra „Furche" (s. Delirium) und der *baltoslaw.* Sippe von *russ.* lechá „Furche; Beet" verwandt ist und zu der unter →*leisten* behandelten Wortgruppe gehört. Abl.: entgleisen „aus den Geleisen geraten; sich vorbeibenehmen" (19. Jh.).

Gelenk *s*: *Mhd.* gelenke „Taille" ist eine Bildung zu *mhd.* lanke, *ahd.* [h]lanca „Hüfte, Lende, Weiche". Das Wort bezeichnete also zunächst den biegsamen Teil des Körpers zwischen Rippen und Becken und ging dann auf alle biegsamen Teile des Körpers über. – Mit *mhd.* lanke, *ahd.* [h]lanca (eigtl. „Biegung am Körper, biegsamer Teil") sind z. B. verwandt *aengl.* hlence „Glied einer Kette", hlanc „schlank" (eigtl. „biegsam") und *aisl.* hlykkr „Krümmung". Zugrunde liegt diesen Formen und verwandten Wörtern in anderen *idg.* Sprachen eine Wz. *kleng- „biegen, winden". Aus dem *germ.* Sprachbereich entlehnt ist *frz.* flanc (s. Flanke). Eine verbale Ableitung von *mhd.* lanke ist →*lenken* (urspr. „[um]biegen"). Abl.: gelenk (*mhd.* gelenke „biegsam, beweglich, gewandt"; bes. gebräuchlich in ungelenk); gelenkig (17. Jh.), dazu Gelenkigkeit *w*.

Gelichter *s*: Das Wort wird heute nur noch im verächtlichen Sinne von „Gesindel" gebraucht, während es bis zum 18. Jh. „Menschen übereinstimmender Art, Sippe, Zunft; übereinstimmende Art" bedeutete. *Mhd.* gelihter ist von *ahd.* lehtar „Gebärmutter" (vgl. *liegen*) abgeleitet und bedeutete urspr. „Geschwister", eigtl. „die zur selben Gebärmutter Gehörigen".

gelingen: Das nur *dt.* Verb *mhd.* [ge]lingen, *ahd.* gilingan „glücken, Erfolg haben", *mnd.* lingen „glücken, gedeihen" ist mit der Sippe von →*leicht* verwandt. Es bedeutete urspr. „leicht oder schnell vonstatten gehen". Im Ablaut zu 'gelingen' und 'leicht' stehen *ahd.* lungar „schnell, flink", von dem das Verb →*lungern* abgeleitet ist, und die Sippe von →*Lunge* (eigtl. „die Leichte", weil sie auf dem Wasser schwimmt"). Diese *germ.* Wortgruppe gehört mit verwandten Wörtern in den meisten anderen *idg.* Sprachen zu der Wz. *le[n]gᵘʰ- „leicht (in Bewegung und Gewicht)", vgl. z. B. *lat.* levis „leicht, schnell", levāre „leicht machen" (s. leger). – Das Verb lingen ist außer in 'gelingen' auch in mißlingen bewahrt (*mhd.* misselingen „mißglücken, fehlschlagen"). Siehe auch den Artikel gelangen.

gellen: Das *altgerm.* Verb *mhd.* gellen, *ahd.* gellan, *niederl.* gillen, *engl.* to yell, *schwed.* gälla gehört mit verwandten Wörtern in anderen *idg.* Sprachen zu der *idg.* Wz. *ghel- „rufen, schreien", vgl. z. B. *russ.* gálit'sja „verspotten". Im Ablaut zu 'gellen' steht im *germ.* Sprachbereich die Sippe von *ahd.* galan „singen"; Zaubersprüche singen, zaubern, behexen", beachte dazu den unter →*Nachtigall* (eigtl. „Nachtsängerin") behandelten Vogelnamen und ¹gelt, galt *mitteld.* und *oberd.* für „unfruchtbar, keine Milch gebend". Dieses Adjektiv (*mhd.*, *ahd.* galt, *mnd.* gelde, *aengl.* gielde, *schwed.* gall) ist eigtl. das in adjektivischem Gebrauch übergegangene zweite Partizip von *ahd.* usw. galan „singen, zaubern, behexen" und bedeutet demnach „bezaubert, behext". Nach dem Volksglauben galt das unfruchtbare Vieh als behext.

¹gelt siehe gellen.

²gelt siehe gelten.

gelten: *Mhd.* gelten „zurückzahlen, zurückerstatten, entschädigen; für etwas büßen; eintragen, Einkünfte bringen; zahlen, bezahlen; kosten, wert sein", *ahd.* geltan „zurückzahlen, zurückerstatten; opfern", *got.* fragildan „vergelten", *aengl.* gieldan „zahlen; lohnen; strafen; opfern" (*engl.* to yield), *aisl.* gjalda „bezahlen, vergelten" (*schwed.* gälla) gehen zurück auf *germ.* *ʒeldan „entrichten, erstatten", das sich auf den heidnischen Opferdienst und im rechtlichen Bereich auf die Zahlung von Bußen, Abgaben, Steuern oder dgl. bezog. Die weitere Herkunft des *gemeingerm.* Verbs ist dunkel. Um 'gelten' gruppieren sich die Bildungen →*Geld* (urspr. „kultische oder rechtliche Einrichtung, Abgabe"), →*Gilde* (urspr. „Opfergelage anläßlich einer eingegangenen rechtlichen Bindung") und Gült, Gülte *w* *südd.* für „Grundstücksertrag; Abgabe; Zins; Grundschuld", *schweiz.* für „Grundschuldverschreibung" (*mhd.* gülte, eigtl. „was zu entrichten ist"; vgl. gültig). Präfixbildungen mit 'gelten' sind entgelten (*mhd.* entgelten, *ahd.* intgeltan „wofür zahlen, büßen"), dazu Entgelt *s*, auch *m* (15. Jh.) und unentgeltlich (19. Jh.); vergelten (*mhd.* vergelten, *ahd.* fargeltan „zurückzahlen, zurückerstatten, heimzahlen"), dazu Vergeltung *w*. – Die in Süd-, Südwest- und Mitteldeutschland gebräuchliche Interjektion ²gelt, auch gell, gelle (oft mit Frageton „nicht wahr?") ist eigtl. die verkürzte Form der 3. Pers. Einz. Konjunktiv von 'gelten' und bedeutet eigtl. „es möge gelten".

Gelübde s: „(Gott oder bei Gott gegebenes) Versprechen": Das Substantiv *mhd.* gelüb[e]de, *ahd.* gilubida ist eine Bildung zu dem unter →*loben* behandelten Präfixverb geloben und bedeutet eigtl. „Gelöbnis".

gemach: Das Wort, das heute nur noch als Adverb verwendet wird, ist eine Adjektivbildung zu dem unter →*machen* behandelten Verb und bedeutete urspr. „passend, geeignet, bequem". Diese Bedeutung hat noch *ahd.* gimah, während *mhd.* gemach bereits „bequem, ruhig, langsam" bedeutet. Abl.: **gemächlich** „ruhig, langsam, bedächtig" (*mhd.* gemechlich, *ahd.* gimahlīh), dazu **Gemächlichkeit** w (16. Jh.). Über allmählich s. unter all.

Gemach s: Das Substantiv *mhd.* gemach, *ahd.* gimah ist eine Bildung zu dem unter →*machen* behandelten Verb. Es bedeutete zunächst „Bequemlichkeit", vgl. 'gemach', das urspr. „passend, geeignet, bequem" bedeutete. Diese Bedeutung ist noch bewahrt in Ungemach s „Unbequemlichkeit, Unbehagen". In *mhd.* Zeit wurde 'Gemach' dann auf den Raum, in dem man seine Bequemlichkeit findet, übertragen. Heute wird es in gehobener Sprache und *landsch.* im Sinne von „Zimmer" verwendet.

Gemahl m (auch s, dichterisch für „Gemahlin"): Das Substantiv *mhd.* gemahel[e], *ahd.* gimahalo ist eine Bildung zu dem im *Nhd.* untergegangenen *mhd.* gemahelen, *ahd.* gimahalen „zusammensprechen, verloben" (vgl. vermählen), das zu *mhd.* mahel, *ahd.* mahal „Versammlung[sort],Gericht[sstätte]; Vertrag; Ehevertrag" gehört. Das Wort bezeichnete urspr. den Bräutigam, später dann auch den Ehemann. Das Verloben zweier Menschen war in alter Zeit ein Vertrag, den zwei Sippen vor der Volksversammlung abschlossen. *Ahd.* mahal „Versammlung[sort], Gericht[sstätte], [Ehe]vertrag", *got.* maþl „Versammlungsort, Markt", *aengl.* mædel „Versammlung, Rede", *aisl.* māl „Verhandlung; Rechtssache; Rede" beruhen auf *germ.* *maþla- „Zusammenkunft, Treffen", das zu der *idg.* Wz. *mad- „zusammenkommen, begegnen" gehört, vgl. aus dem *germ.* Sprachbereich z. B. *engl.* to meet „treffen, begegnen", dazu meeting „Treffen, Zusammenkunft". Abl.: Gemahlin w (15. Jh.; ersetzt älteres *mhd.* gemahele, *ahd.* gimahila „Braut; Ehefrau").

Gemälde s: Das Substantiv (*mhd.* gemǣlde, *ahd.* gimālidi) ist eine Ge-Bildung zu dem unter →*malen* behandelten Verb und bedeutet eigtl. „Ge- oder Bemaltes".

gemäß: *Mhd.* gemǣze, *ahd.* gimāzi gehört als Verbaladjektiv zu dem unter →*messen* be-

handelten Verb und bedeutet eigtl. „was sich messen läßt, angemessen". Heute wird 'gemäß' häufig präpositional verwendet und ist zweiter Bestandteil mehrerer Zus., wie z. B. pflichtgemäß, standesgemäß.

gemein: Das *altgerm.* Adjektiv *mhd.* gemein[e], *ahd.* gimeini, *got.* gamains, *niederl.* gemeen, *aengl.* gemǣne, dem außerhalb des *Germ. lat.* commūnis „gemeinsam, gemeinschaftlich" (s. Kommune) entspricht, gehört zu der unter →*Meineid* dargestellten *idg.* Wz. *mei- „tauschen, wechseln". Es bedeutete urspr. „mehreren abwechselnd zukommend", woraus sich die Bed. „gemeinsam, gemeinschaftlich; allgemein" entwickelten. Da das, was vielen gemeinsam ist, nicht wertvoll sein kann, erhielt das Wort den abwertenden Nebensinn „unheilig, alltäglich, gewöhnlich, gemein, niederträchtig". – Das substantivierte Adjektiv Gemeine m bezeichnet den Soldaten des untersten Ranges. Abl.: Gemeinde w (*mhd.* gemeinde, *ahd.* gimeinida; eine andere Bildung ist das gleichbed. *ahd.* gimeinī, das heute noch im *Oberd.* als Gemeine fortlebt); Gemeinheit w (*mhd.* gemeinheit „Gemeinschaft, Gemeinsamkeit"; erst seit dem 17. Jh. in der Bed. „Niederträchtigkeit"); Gemeinschaft w (*mhd.* gemeinschaft, *ahd.* gimeinscaf), dazu gemeinschaftlich (17. Jh.). Zus.: Gemeingeist (18. Jh.; LÜ von *engl.* public spirit); gemeinnützig (16. Jh.); Gemeinplatz (18. Jh.; LÜ von *engl.* commonplace, das seinerseits LÜ von *lat.* locus commūnis ist); Gemeinsprache (17. Jh.); allgemein (s. all).

Gemme w „Edelstein mit tief oder erhaben eingeschnittenen Figuren": Der im Altertum sehr geschätzte und beliebte Stein war mit seinem *lat.* Namen (gemma) schon in *ahd.* Zeit bekannt (*ahd.* gimma, *mhd.* gimme; entspr. *aengl.* gimm: alle mit der Bed. „Edelstein"). Im ausgehenden Mittelalter allerdings ging das Wort verloren. Es wurde im 18. Jh. durch *it.* Vermittlung neu entlehnt, als die bedeutenden ital. Sammlungen antiker Gemmen allgemeiner bekannt wurden. – *Lat.* gemma, das urspr. „Auge oder Knospe am Weinstock" bedeutet, ist etymologisch nicht sicher gedeutet.

Gemse w: Der Name der einzigen in Mitteleuropa noch vertretenen Antilopenart stammt wahrscheinlich aus einer untergegangenen, einstmals in den Alpen gesprochenen Sprache, aus der auch *spätlat.* camox „Gemse" entlehnt ist. Neben *ahd.* gamiẓa, *mhd.* gemeẓe muß auch eine Nebenform *gamuz bestanden haben, die sich über *mhd.* gam[e]z zu *nhd.* Gams m oder w (beachte die Zus. Gamsbart) entwickelte.

Gemüse s: Das im *germ.* Sprachbereich nur im *Dt.* gebräuchliche Wort (*mhd.* gemüese) ist eine Kollektivbildung zu dem unter →*Mus* behandelten Substantiv. Es bedeutete zunächst nur allgemein „Brei, Speise", dann bezeichnete es speziell den Brei aus gekochten Nutzpflanzen und schließlich auch die unzubereiteten Nutzpflanzen.

Gemüt *s*: Das seit *mhd.* Zeit bezeugte Wort (*mhd.* gemüete) ist eine Kollektivbildung zu dem unter →*Mut* behandelten Substantiv und bezeichnete zunächst die Gesamtheit der seelischen Empfindungen und Gedanken, dann auch den Sitz der inneren Empfindungen und Gedanken.

gemütlich: Das angeblich eine typisch deutsche Wesensart bezeichnende Adjektiv geht auf *spätmhd.* gemüetlich zurück, in dem zwei Bildungen zusammengeflossen sind, nämlich die Abl. von *mhd.* gemüete „Gemüt" in der Bed. „das Gemüt betreffend" und die Abl. von *mhd.* gemüete, *ahd.* gimuati adjektivisch „gleichen Sinnes, angenehm, lieb", substantivisch „das Angenehme; Zustimmung" in der Bed. „angenehm, lieb". Abl.: Gemütlichkeit *w* (18. Jh.).

genau: *Mhd.* genou „knapp, eng; sorgfältig" ist eine ge-Bildung zu dem im *Nhd.* untergegangenen *altgerm.* Adjektiv. *Mhd.* nou „knapp, eng; sorgfältig", *niederl.* nauw „eng, knapp; sorgfältig", *aengl.* hnēaw „karg, geizig", *aisl.* hnøggr „geizig". Dieses Adjektiv gehört zu dem im *Nhd.* untergegangenen Verb *mhd.* niuwen, *ahd.* hniuwan „zerreiben, zerstoßen, zerstampfen" (entspr. *aisl.* hnøggwa „stoßen"), das z. B. mit *gr.* knýein „schaben, kratzen" verwandt ist. Es bedeutet demnach eigtl. etwa „drückend, kratzend, schabend". Abl.: Genauigkeit *w* (17. Jh.).

Gendarm *m*: Das vor allem in der Umgangssprache und in Mundarten sehr geläufige FW wurde im 18./19. Jh. aus *frz.* gendarme „Polizeisoldat" (urspr. „bewaffneter Reiter") entlehnt. Dies ist aus dem Plur. gensdarmes (< gens d'armes „bewaffnete Männer") hervorgegangen. Grundwort ist *frz.* armes „Waffen" (< *lat.* arma; vgl. *Armee*), Bestimmungswort gens „Leute, Volk" (< *lat.* gentēs). – Dazu die Kollektivbildung *frz.* gendarmerie in unserem, im 18./19. Jh. entlehnten FW **Gendarmerie** *w* „Einheiten der staatl. Polizei in Landbezirken".

genehm: Das seit *mhd.* Zeit bezeugte Wort (*mhd.* genǣme) gehört als Verbaladjektiv zu dem unter →*nehmen* behandelten Verb und bedeutet eigtl. „was zu nehmen ist, was man gern nimmt". Abl.: genehmigen (18. Jh.; eigtl. „für genehm befinden"), dazu Genehmigung *w* (18. Jh.). Zus.: angenehm (16. Jh.; in den älteren Sprachzuständen dafür *mhd.* annǣme, das in *nhd.* Unannehmlichkeit *w* steckt, *ahd.* nāmi, vgl. *got.* andanēms „angenehm").

General *m* (höchster Offiziersrang): Das seit *mhd.* Zeit bezeugte LW geht zurück auf das *lat.* Adj. generālis „allgemein" (vgl. *Genus*) in Fügungen wie generālis abbās, womit im *Kirchenlat.* das Ober-

haupt eines Mönchsordens bezeichnet wurde. Die militär. Bed. wurde im 15. Jh. vom Deutschen Orden entwickelt. Gleichwohl verdankt sie ihre Weitergeltung dem entscheidenden Einfluß des 16. Jh. übernommenen *frz.* général. Die Zus. Generalleutnant, Generalmajor, Generaloberst usw. erinnern daran, daß das *frz.* Wort selbst aus Wendungen wie capitaine général, lieutenant général entstanden ist, die ihrerseits den oben erwähnten *kirchenlat.* Fügungen nachgebildet sind.

General...: Aus dem *Lat.* stammendes Bestimmungswort von Zus. mit der Bed. „allgemein", ausgenommen die unter →General erwähnten militär. Rangbezeichnungen; vgl. *generell.*

Generation *w* „Gesamtheit aller etwa zur gleichen Zeit geborenen Menschen; Menschenalter": Im 17. Jh. aus *lat.* generātiō „Zeugung[sfähigkeit]; Generation" entlehnt (vgl. *Genus*). Siehe auch regenerieren.

generell „allgemein[gültig]; im allgemeinen": Französisierende Neubildung des 19. Jh.s für älteres general, das nur noch in Zus. lebt wie Generalprobe, Generalversammlung (s. auch General...). Voraus liegt *lat.* generālis „allgemein" (vgl. *Genus*).

genesen: Das *altgerm.* Verb *mhd.* genesen, *ahd.* ginesan, *got.* ganisan, *niederl.* genezen, *aengl.* genesan gehört mit verwandten Wörtern in anderen *idg.* Sprachen zu der *idg.* Wz. *nes-, „davonkommen, am Leben oder gesund bleiben, glücklich heimkehren", vgl. z. B. *aind.* násatē „gesellt sich zu, vereinigt sich mit jemandem" und *gr.* néomai „komme glücklich an, kehre heim", dazu Néstōr (Name eines greisen Königs in der griech. Sage, eigtl. „der immer Wiederkehrende", s. Nestor). – In den alten Sprachzuständen wurde 'genesen' im Sinne von „davonkommen, überleben, errettet werden" gebraucht, beachte das unter →nähren behandelte Veranlassungswort, das eigtl. „davonkommen machen, retten, am Leben erhalten" bedeutet. Die Bedeutungseinengung auf „von einer Krankheit geheilt werden, gesunden" trat im *Mhd.* ein. Abl.: Genesung *w* (17. Jh.).

Genick *s*: *Mhd.* genic[ke] ist eine Kollektivbildung zu dem im *Nhd.* untergegangenen Substantiv *mhd.* necke, das im Ablaut zu dem unter →*Nacken* behandelten Wort steht. Zus.: Nickfänger, älter Genickfänger weidmänn. für „spitzes Messer, mit dem der Jäger den Tieren den tödlichen Stich ins Genick gibt" (18. Jh.).

Genie *s* „höchste schöpferische Geisteskraft; höchstbegabter schöpferischer Mensch": Im Anfang des 18. Jh.s aus *frz.* génie entlehnt, das auf *lat.* genius „Schutzgeist" zurückgeht, in dessen *spätlat.* Bed. „schöpferischer Geist, natürliche Begabung" (vgl. *Genius*). – Hierzu das Adj. genial „schöpferisch, überragend, bahnbrechend", das im 18./19. Jh. aus älterem genialisch gekürzt wurde. Es liegt, wie auch bei dem abgeleiteten Subst. Genialität (18. Jh.) w „schöpferische Veranlagung des Genies" eine rein deutsche Bildung vor, unabhängig von *frz.* génial, das erst wesentlich später bezeugt ist. Zum Adj. genial stellt sich im 18. Jh. als *nlat.* Bildung das Adj. kongenial „geistesverwandt, geistig ebenbürtig".

genieren „belästigen", meist reflexiv sich genieren „sich Zwang antun, gehemmt sein, sich unsicher fühlen": Im 18. Jh. aus gleichbed. *frz.* [se] gêner entlehnt und vor allem in der Volkssprache heimisch geworden, während das zugehörigeAdj. genant „lästig; unangenehm, peinlich; gehemmt", das später aus dem Part. Präs. *frz.* gênant entlehnt wurde, der gehobenen Sprache angehört. – *Frz.* gêner (< *afrz.* gehiner) gehört zum Subst. gêne „Störung, Zwang, Hemmung", *afrz.* gehine, das selbst von einem *afrz.* Verb jehir, gehir „zum Geständnis bringen; gestehen" abgeleitet ist. Voraus liegt ein *afränk.* Veranlassungsverb *jahjan „zum Gestehen bringen" von *ahd.* jehan „gestehen" (vgl. *Beichte*). – Dazu das Adj. ungeniert „ungezwungen" (18. Jh.) als Gegenbildung zu veralt. geniert „gezwungen, verlegen".

genießen: Das *gemeingerm.* Verb *mhd.* [ge]niezzen, *ahd.* [gi]niozan, *got.* [ga]niutan, *aengl.* nēotan, *schwed.* njuta geht mit verwandten Wörtern in anderen *idg.* Sprachen auf die Wz. *neud- „fangen, ergreifen" zurück, vgl. z. B. *lit.* naudà „Nutzen, Vorteil, Gewinn". Die alte Bed. bewahrt im *germ.* Sprachbereich *got.* [ga]niutan „ergreifen, erwischen, erreichen", beachte dazu die Substantivbildung *got.* nuta „Fischer" (eigtl. „Fänger"). Da das, was man fängt, einem gehört, entwickelten sich aus „fangen, ergreifen" die Bed. „innehaben, benutzen, gebrauchen, Freude an etwas haben". Um das *gemeingerm.* Verb gruppieren sich die Bildungen →Genosse (eigtl. „der die Nutznießung einer Sache mit einem anderen gemeinsam hat"), →Genuß, →Nieß... (s. u.), →nütze (eigtl. „was gebraucht werden kann") und die Sippe von →Nutzen. Die Substantivbildung *mhd.* niez, „Benutzung, Genuß", älter *nhd.* Nieß ist bewahrt in Nießbrauch (16. Jh.; LÜ von *lat.* ususfructus „Recht der Nutzung fremden Eigentums") und in Nießnutz (19. Jh.). Abl.: genießbar „unverdorben, eßbar" (17. Jh.; häufiger wird ungenießbar gebraucht); Genießer *m* „Genußmensch" (*mhd.* geniezer).

Genitiv, Genetiv *m* „Wesfall": Aus *lat.* (casus) genitīvus (besser: genetīvus) „Fall, der die Abkunft, Herkunft, Zugehörigkeit bezeichnet"; zur Sippe von *lat.* gignere „hervorbringen" (vgl. *Genus*). Ähnlich wie beim →Akkusativ liegt dem Namen allerdings ein Irrtum bei der Übersetzung von *gr.* genikḗ (ptōsis) zugrunde. Denn das *gr.* Adjektiv genikós, das zu génos „Abstammung, Geschlecht; Gattung" gehört, bedeutet hier nach dem üblichen Sprachgebrauch der stoischen Grammatiker nicht so sehr „die Abstammung betreffend", sondern vielmehr „die Gattung bezeichnend, allgemein". Gemeint ist also eigentlich der „allgemeine Kasus", der im Gegensatz zu den anderen Kasus zu jeder Wortart treten kann.

Genius *m* „Schutzgeist": Ein Terminus aus der röm. Religion und Mythologie, der im 16. Jh. aufgenommen wurde. *Lat.* genius gehört als wohl rein *lat.* Bildung zum Verb gignere (genere) „hervorbringen, erzeugen" (vgl. *Genus*) und bedeutet eigtl. „Erzeuger". Als personifizierte Zeugungskraft war der altröm. Genius die Schutzgottheit des Mannes, die bei seiner Erzeugung und Geburt wirkt und ihn durchs Leben und über den Tod hinaus begleitet. – Im *Spätlat.* entwickelte genius eine übertragene Bed. „Schöpfergeist, natürliche Begabung", die erhalten ist in →Genie, genial, Genialität, kongenial.

Genosse *m*: Das *westgerm.* Wort *mhd.* genōz[e], *ahd.* ginōz[o], *niederl.* genoot, *aengl.* genēat gehört zu der Wortgruppe von →genießen und bezeichnete urspr. einen Menschen, der mit einem anderen die Nutznießung einer Sache gemeinsam hat, oder aber denjenigen, der dasselbe Vieh auf der [gleichen] Weide hat. Es bezog sich also auf den Gemeinbesitz in der Wirtschaftsform der Germanen. Das *westgerm.* Wort ist eine Bildung zu *germ.* *nauta- „Eigentum, [Nutz]vieh": *mhd.* nōz, *ahd.* nōz, *engl.* neat, *schwed.* nöt „[Nutz]vieh, Rinder". – Bis zum Ausgang des 19. Jh.s wurde 'Genosse' im wesentlichen im Sinne von „Gefährte; Gleichgestellter" verwendet. Heute bezeichnet es gewöhnlich das Mitglied einer politischen Partei. Abl.: Genossenschaft *w* „Personenvereinigung zu gemeinschaftlichem Geschäftsbetrieb" (17. Jh.).

Gentleman *m* „Mann von Lebensart und Charakter": Das am Ende des 18. Jh.s aus *engl.* gentleman übernommene Wort entspr. in seiner soziologischen Bedeutung Bezeichnungen wie →Biedermann, Weltmann, galanter Mensch (s. galant), →Kavalier, die alle das gesellschaftliche Mannesideal für ihre Zeit typisch beschreiben. Heute gelten, einander fast gleichwertig, hauptsächlich Kavalier und Gentleman. – *Engl.* gentleman ist LÜ von *frz.* gentilhomme; das Adj. gentle geht dabei zurück auf *frz.* gentil „edel, vornehm" und weiter auf *lat.* gentilis „(edler) Abstammung, Sippe, Art". Stammwort ist *lat.* gēns „Geschlechtsverband, Sippe", das zur Sippe von *lat.* gignere „hervorbringen, erzeugen" gehört und urverwandt ist mit →*Kind*.

genug: Das *gemeingerm.* Wort *mhd.* genuoc, *ahd.* ginuog, *got.* ganōhs, *engl.* enough, *schwed.* nog gehört im Sinne von „ausreichend" zu der *germ.* Wortgruppe von *got.* ganaúhan „reichen". Diese Wortgruppe geht mit verwandten Wörtern in anderen *idg.* Sprachen auf die *idg.* Wz. *[e]neK̃- „reichen, [er]langen; bringen, tragen" zurück, vgl. z. B. *aind.* nákṣati „erreicht, erlangt" und *russ.* nestí „tragen". Abl.: Genüge *w* (*mhd.* genüege, *ahd.* ginuogī); genügen (*mhd.* genüegen, *ahd.* ginuogen mit Entsprechungen in den anderen *germ.* Sprachen), dazu begnügen, sich (*mhd.* begenüegen „zufriedenstellen") und vergnügen (s. d.); ¹genügsam „genügend" (*mhd.* genuocsam); ²genügsam „bescheiden, anspruchslos" (15. Jh., an das Verb genügen angeschlossen). Zus.: genugtun (*mhd.* genuoctun; LÜ von *lat.* satisfacere), dazu Genugtuung *w* (15. Jh.; LÜ von *lat.* satisfactiō).

Genus *s* 1. „Art, Gattung"; 2. „grammatisches Geschlecht (von Haupt-, Eigenschafts- und Fürwörtern)": Aus *lat.* genus „Geschlecht; Gesamtheit der Nachkommenschaft; Art, Gattung", das identisch ist mit *gr.* génos. Beide sind Nominalbildungen zu dem *idg.* Verbalstamm *g̑en- „gebären, erzeugen" und gehören somit einerseits zu dem engeren Bereich der entspr. Verben *lat.* gi-gne-re (vgl. auch: Genius, Genitiv, Ingenieur, Natur, Nation) und *gr.* gí-gne-sthai, andererseits in den weiteren Zusammenhang der *idg.* Sippe von *nhd.* →*Kind*. Unmittelbar zu *lat.* genus (Ablativ: genere), auf das auch *frz.* genre zurückgeht, gehören etliche Ableitungen und Komposita, die in verschiedenen FW eine Rolle spielen: *lat.* generālis „zum Geschlecht, zur Gattung gehörig; allgemein" (s. General, generell), *lat.* generātiō „Erzeugung" (s. Generation), *lat.* dē-generāre „aus der Art schlagen" (s. degenerieren, degeneriert) und entspr. re-generāre (s. regenerieren).

Genuß *m*: Das erst seit dem 17. Jh. bezeugte Substantiv ist eine Bildung zu dem unter →*genießen* behandelten Verb. Abl.: genüßlich „genießerisch" (17. Jh.). Zus.: Genußsucht (Anfang des 19. Jh.s; dazu genußsüchtig).

geo..., Geo... (Bestimmungswort von Zus. mit der Bed. „Erde, Erdboden, Land", wie in →*Geographie*, →*Geologie*, →*Geometrie*, →Geometer): Zu gleichbed. *gr.* gē, dessen Vorgeschichte dunkel ist.

Geographie *w* „Erdbeschreibung, Erdkunde": Im 15./16. Jh. aus *gr.-lat.* geōgraphía entlehnt (vgl. *geo...* und *...graphie*). – Dazu die Bildungen Geograph *m* und geographisch.

Geologie *w* „Lehre von der Entstehung und dem Bau der Erde": Gelehrte Neubildung (vgl. *geo...* und *...logie* unter *...loge*). – Dazu Geologe *m* und geologisch.

Geometrie *w* (Zweig der Mathematik, der sich mit der Darstellung von ebenen und räumlichen Gebilden befaßt): Urspr. „Feldmeßkunst", so noch im Subst. Geometer *m* „Land-, Feldvermesser". Beide wurden im 15./16. Jh. aus *gr.-lat.* geō-metría bzw. geōmétrēs entlehnt (vgl. *geo...* und *...metrie* bzw. *...meter*). – Dazu das Adj. geometrisch (aus *lat.* geō-metricus < *gr.* geō-metrikós).

Gepäck *s*: Das seit dem 16. Jh. gebräuchliche Wort (für älteres gepac) ist eine Kollektivbildung zu dem unter →*Pack* behandelten Substantiv. Es hat sich gegenüber den anderen Ausdrücken für „[Heeres]gepäck", →*Plunder* (in der Landsknechtssprache) und →*Bagage* (in der Soldatensprache), durchgesetzt.

¹**gerade** „durch zwei ohne Rest teilbar": Die Adjektivbildung *mhd.* gerat, *ahd.* girat „gleichzählend, gerade" (von Zahlen) gehört zu der *germ.* Wortgruppe von *got.* raþjō „Zahl", ga-raþjan „zählen" (vgl. Rede). Im heutigen Sprachgefühl wird ¹gerade als mit ²gerade identisch empfunden.

²**gerade** „in unveränderter Richtung verlaufend": *Mhd.* gerade, gerat „schnell; gewandt, schlank aufgewachsen; lang; gleich[artig]", *ahd.* Adv. rado „schnell", *got.* raþs „leicht", *aengl.* ræd „schnell, lebhaft, geschickt" gehören zu der unter →*Rad* dargestellten *idg.* Wz. *ret[h]- „rollen, kullern, laufen". Die in *spätmhd.* Zeit aufkommende Verwendung von 'gerade' im Sinne von „lotrecht, in gerader Richtung verlaufend" geht vom Wortgebrauch im Sinne von „schlank aufgewachsen, lang" (im Gegensatz zu „krumm, verkrüppelt") aus. Heute wird 'gerade' auch in den Bed. „direkt, genau" und „aufrecht, ehrlich, anständig" gebraucht. – Das substantivierte Adjektiv Gerade *w* wird seit dem 19. Jh. in der Geometrie für „gerade Linie" gebraucht. Zusammenrückungen sind geradeaus (19. Jh.) und geradezu (19. Jh.). – Siehe auch den Artikel rasch.

Geranie *w* (Zierstaude), dafür der gelehrte botanische Name Geranium *s*: Die Geranie gehört zur Gattung der Storchschnabelgewächse. Ihr Name ist *gr.-lat.* Ursprungs. Stammwort ist das mit →*Kranich* urverwandte *gr.* géranos „Kranich". Dazu gehört als Ableitung geránion, der Name einer Pflanze, die nach ihren „kranichschnabelförmigen" Früchten benannt ist. Über *lat.* geranion gelangte dann das Wort in die Sprache der Botaniker.

Gerät *s*: *Mhd.* geræte, *ahd.* girāti „Ausrüstung; Vorrat; Hausrat, Werkzeuge; Rat, Beratung; Überlegung" ist eine Kollektivbildung zu dem unter →*Rat* behandelten Wort (vgl. Hausrat unter *Haus* und die Artikel Vorrat und Unrat).

Geräusch *s*: Das zu dem unter →*rauschen* behandelten Verb gebildete Substantiv (*mhd.* geriusche) hat sich in der Bedeutung vom Verb gelöst und bezieht sich auf jede Art von Schalleindrücken und Lärmvorstellungen.

gerben: Das *altgerm.* Verb *mhd.* gerwen, *ahd.* garawen, *mnd.* gerven, *aengl.* gearwian, *schwed.* göra ist von dem unter →*gar* behandelten Adjektiv abgeleitet und bedeutete urspr. „fertigmachen, [zu]bereiten, machen" (so heute noch im *Nord.*). Im *Dt.* bahnte sich bereits in *ahd.* Zeit die Einengung des Wortgebrauchs auf „Leder bereiten" an. Das Verb wurde Fachwort der Handwerkersprache, als das es dann in die Gemeinsprache überging. Auf die Bearbeitung der abgezogenen Häute, besonders auf das Geschmeidigmachen durch Kneten, Klopfen und Walken beziehen sich die Verwendungen von 'gerben' *ugs.*, für „durchprügeln", *mdal.* für „[hinunter]würgen" und *stud.* für „sich erbrechen". Abl.: Ger ber *m* (*mhd.* gerwer, *ahd.* [leder]gerwe).

gerecht: Das Wort, das als ge-Bildung zu dem unter →*recht* behandelten Adjektiv gehört, hat sich erst im *Nhd.* von diesem in der Bedeutung differenziert. *Ahd.* gireht bedeutete dagegen „gerad[linig]", *mhd.* gereht „gerade; recht (im Gegensatz zu links); richtig; passend; tauglich; geschickt". Als zweiter Bestandteil steckt 'gerecht' in Zusammensetzungen wie z. B. maßgerecht, mundgerecht, weidgerecht. Abl.: G e r e c h t i g k e i t *w* (*mhd.* gerehtikeit); G e r e c h t s a m e *w* „[Vor]recht" (15. Jh.).

¹Gericht *s* „zubereitete Speise": Das Substantiv (*mhd.* geriht[e]) ist eine Bildung zu dem unter →*richten* behandelten Verb in dessen Bed. „zubereiten, anrichten".

²Gericht *s* „Rechtsprechung; Gerichtsverfahren; richtende Körperschaft; Gerichtsgebäude": Das Substantiv (*mhd.* geriht[e], *ahd.* girihti) gehört zu dem unter →*recht* behandelten Adjektiv, hat sich aber sekundär an das Verb 'richten' angeschlossen; beachte die Bildungen *got.* garaihtei „Gerechtigkeit" und *aengl.* gerihte „gerade Richtung; Recht; Pflicht". Abl.: g e r i c h t l i c h (15. Jh.); G e r i c h t s b a r k e i t *w* (17. Jh.). Zus.: G e r i c h t s h o f (18. Jh.); G e r i c h t s - v o l l z i e h e r *m* (19. Jh.).

gerieben: Das seit dem 15. Jh. im Sinne von „gerissen, schlau, pfiffig" gebräuchliche Wort ist eigtl. das in adjektivischen Gebrauch übergegangene 2. Partizip von dem unter →*reiben* behandelten Verb.

gering: *Mhd.* [ge]ringe „leicht; schnell, behend; klein, unbedeutend, schlecht", *ahd.* (nur verneint) ungiringi „gewichtig", *mnd.* ringe „leicht; unbedeutend, schlecht; leichtfertig" (daraus *schwed.* ringa „unbedeutend, wenig"), *niederl.* gering „unbedeutend; geringfügig" sind vielleicht verwandt mit *gr.*

rhímpha „leicht; schnell". Die weiteren Beziehungen sind unklar. Zus.: geringfügig (17. Jh.); geringschätzig (15. Jh.).

gerinnen: In diesem Verb drückt das Präfix ge- (s. d.) noch deutlich die Vereinigung, das Zusammensein aus und hebt die ge-Bildung in der Bedeutung vom einfachen Verb →*rinnen* ab. Im *Got.* bedeutet ga-rinnan „zusammenlaufen (von Menschen)", *ahd.* girinnan bezieht sich auf das Zusammenfließen (von Flüssigkeiten) und *mhd.* gerinnen entwickelt die heute allein übliche Bed. „dick werden, erstarren (von Blut, von der Milch oder dgl.)". Abl.: G e r i n n s e l *s* (16. Jh.).

gerissen: Der seit dem 19. Jh. gebräuchliche *ugs.* Ausdruck für „schlau, durchtrieben" ist das in adjektivischen Gebrauch übergegangene zweite Partizip von dem unter →*reißen* behandelten Verb. Der Ausdruck stammt vielleicht aus der Jägersprache und bezog sich dann urspr. auf ein Tier, das oft angefallen und 'gerissen' wurde (aber immer wieder entkommen konnte).

gern: Das *altgerm.* Wort *mhd.* gerne, *ahd.* gerno, *niederl.* gaarne, *aengl.* georne, *schwed.* gärna ist das Adverb zu dem im *Nhd.* untergegangenen *gemeingerm.* Adjektiv *ahd.* gern „eifrig", *got.* (faihu)gaírns „(hab)gierig", *aengl.* georn „begierig; eifrig; ernst", *aisl.* gjarn „begierig". Dieses Adjektiv gehört mit den unter →*Gier* und →*begehren* behandelten Wörtern zu der *idg.* Wz. *g̑her- „sich an etwas erfreuen, nach etwas verlangen, begehren", vgl. z. B. *gr.* charḗnai „sich freuen", cháris „Anmut, Gunst". Zus.: G e r n e g r o ß *m* (16. Jh., eigtl. „einer, der gern groß sein möchte").

Geröll[e] *s*: Das erst seit dem 18. Jh. bezeugte Wort ist eine Bildung zu dem unter →*rollen* behandelten Verb und bezeichnet die an Berghalden oder Flußläufen 'angerollten' Steine.

Gerste *w*: Der Name der Getreideart ist im *germ.* Sprachbereich nur im *Dt.* und *Niederl.* gebräuchlich: *mhd.* gerste, *ahd.* gersta, *niederl.* gerst. Im *Engl.* gilt barley, im *Schwed.* wird korn als Bezeichnung für „Gerste" verwendet. Die Herkunft des Wortes ist unklar. Einerseits kann es sich um ein altes Wanderwort *nichtidg.* Herkunft handeln, andererseits kann 'Gerste' mit *lat.* hordeum „Gerste" verwandt sein und auf einem substantivierten Adjektiv *gherzd[h]ā „die Stachlige, die Grannige" beruhen. Zus.: G e r s t e n k o r n „Vereiterung einer Drüse am Augenlid" (16. Jh.; nach der Ähnlichkeit mit einem Gerstenkorn benannt); G e r s t e n - s a f t (18. Jh., für „Bier").

Gerte *w*: *Mhd.* gerte, *ahd.* gerta „Rute, Zweig, Stab; Meßrute", *mniederl.* gaerde „Rute", *engl.* yard „Längenmaß; s. das FW Yard) beruhen auf einer Ableitung von dem im *Nhd.* untergegangenen *gemeingerm.* Substantiv *mhd.*, *ahd.* gart „Stachel, Treibstek-

Geruch

ken", *got.* gazds „Stachel", *schwed.* gadd „Stachel", das mit *lat.* hasta „Stab, Stange; Speer, Spieß" und *mir.* gat „Weidenrute" verwandt ist. Die verschiedenen Verwendungen von Rute, Stock und Stange in den älteren Kulturzuständen spiegeln sich in den Bed. „Hirtenstab, Treibstecken, Stachel", „Meßrute, Maß" und „Speer; Spieß" wider. Auf die ausgezeichnete Biegsamkeit der Gerte bezieht sich die Zus. gertenschlank.

Geruch *m*: *Mhd.* geruch ist eine Bildung zu dem im *Nhd.* untergegangenen Substantiv *mhd.* ruch „Duft", -ft-) *mhd.* geruofte „Geschrei" entspricht, gehört mit den unter →anrüchig, →berüchtigt und →ruchbar behandelten Wörtern zu der Wortgruppe von →rufen und bedeutete urspr. „Gerufe, Geschrei". Im niedersächsischen Rechtsleben bezeichnete *mnd.* geruchte dann speziell das Not- und Hilfeschrei, das bei der Ertappung eines Verbrechers auf frischer Tat erhoben wurde, und ferner das Geschrei und Gejammere, unter dem vor Gericht Klage erhoben wurde. In dieser rechtlichen Geltung entwickelte 'gerüchte' die Bed. „Ruf, Leumund". Um 1500 drang das Wort in dieser Bedeutung aus dem *Niederd.* ins *Hochd.* Heute ist es nur noch im Sinne von „umlaufendes Gerede" gebräuchlich.

geruhen „sich huldvoll herbeilassen": Das Verb, das in heutigen Sprachgefühl auf 'ruhen' bezogen wird, ist seiner Herkunft nach mit →ruchlos und →verrucht verwandt und gehört vermutlich zu der unter →recht dargestellten *idg.* Wurzel *reĝ- „aufrichten, recken". Die heutige Bedeutung würde sich dann aus „aufrichten, stützen, helfen, für etwas Sorge tragen" entwickelt haben. Mit *mhd.* geruochen, *ahd.* [gi]ruohhen „bedacht, besorgt sein; belieben" sind im *germ.* Sprachbereich verwandt *aengl.* rōecan „sich kümmern, sich sorgen" und *aisl.* rōekja „auf etwas achten, sich kümmern"; *außergerm.* ist eng verwandt *gr.* arégein „helfen, beistehen".

Gerümpel *s*: *Mhd.* gerümpel „Gepolter, Lärm" ist eine Bildung zu dem unter →rumpeln behandelten Verb. Im *Nhd.* bezeichnete das Wort dann zunächst rumpelnd wackelnden oder zusammenbrechenden Hausrat und schließlich ganz allgemein unbrauchbares Zeug.

Gerüst *s*: Das auf das *dt.* Sprachgebiet beschränkte Wort (*mhd.* gerüste, *ahd.* gi[h]rusti) ist eine Bildung zu dem unter →rüsten

behandelten Verb. Es bedeutete zunächst abstrakt „Zu-, Ausrüstung, Bereitung", dann konkret „Rüstung; Kleidung; Gerät; Vorrichtung; Erbautes". Heute bezeichnet es gewöhnlich ein aus Brettern oder Balken errichtetes Gestell.

gesamt: Das Adjektiv ist das in adjektivischen Gebrauch übergegangene zweite Partizip *mhd.* gesam[en]t, *ahd.* gisamanōt von dem im *Nhd.* untergegangenen Verb *mhd.* samenen, *ahd.* samanōn „[ver]sammeln, vereinigen" (vgl. *sammeln*). Abl.: Gesamtheit *w* (18. Jh.).

Gesandte *m*: Das seit dem 16. Jh. bezeugte Wort ist aus der Kürzung von *spätmhd.* gesanter pote „abgesandter Bote" hervorgegangen (vgl. *senden*). Abl.: Gesandtschaft *w* (17. Jh.; wohl dem gleichbed. älter *niederl.* ghesandschap nachgebildet).

Gesang *m*: Das Substantiv *mhd.* gesanc, *ahd.* gisang ist eine ge-Bildung zu dem unter →Sang behandelten Wort, das heute allmählich veraltet. Zus.: Gesangbuch (15. Jh.; heute auch *ugs.* für „Konfession", z. B. in der Wendung 'das richtige Gesangbuch haben').

Gesäß *s*: *Mhd.* gesǣze, *ahd.* gisāzi „Sitz; Wohnsitz; Lager; Belagerung; Lage; Hintern" ist eine Bildung zu dem unter →sitzen behandelten Verb und bedeutet eigtl. „das, worauf man sitzt; Ort, an dem man sich aufhält". Heute wird das Wort nur noch im Sinne von „Hintern" in gebildeter Rede verwendet.

Geschäft *s*: *Mhd.* gescheft[e] „Beschäftigung, Arbeit, Angelegenheit; Anordnung, Befehl; Testament; Abmachung, Vertrag" ist eine Bildung zu dem unter →schaffen behandelten schwach flektierenden Verb. Erst im *Nhd.* ist 'Geschäft' zu einem wichtigen Wort des Handelswesens geworden. Abl.: geschäftig (14. Jh.; *mitteld.* gescheftig „rührig, eifrig"), dazu Geschäftigkeit *w* (16. Jh.); geschäftlich „dienstlich, beruflich" (16. Jh.). Zus.: Geschäftsmann (um 1800; LÜ von *frz.* homme d'affaires); Geschäftsträger (18. Jh.; Lehnübertragung von *frz.* chargé d'affaires).

geschehen: Das *westgerm.* Verb *mhd.* geschehen, *ahd.* giscehan, *niederl.* geschieden, *aengl.* gescēon gehört zu dem einfachen Verb *ahd.* skehan „eilen, rennen, schnell fortgehen", *aengl.* scēon „eilen, laufen, fliegen; vorfallen, sich ereignen", das z. B. verwandt ist mit der *baltoslaw.* Sippe von *russ.* skók „Sprung", skočit' „springen". Die Bed. „sich ereignen" hat sich demnach aus „schnell vor sich gehen, plötzlich vorkommen" entwickelt. Zu 'geschehen' ist das Substantiv →Geschichte (eigtl. „Geschehnis, Begebenheit") gebildet. Zu dem obenerwähnten einfachen Verb gehört als Veranlassungswort das unter →schicken (eigtl. „vonstatten

214

gehen lassen") behandelte Verb. Abl.: Geschehnis s (19. Jh.).

gescheit: Mhd. geschîde „schlau, klug" ist
eine Bildung zu mhd. schîden „scheiden;
deuten, auslegen; entscheiden" (vgl. *scheiden*) und bedeutet eigtl. „[unter]scheidend,
scharf" (vom Verstand und von den Sinnen).
Abl.: Gescheitheit w (18. Jh.).

Geschichte w: Das auf das dt. Sprachgebiet
beschränkte Wort (mhd. geschiht, ahd. gi-
sciht) ist eine Bildung zu dem unter →*geschehen* behandelten Verb und bedeutete
zunächst „Geschehnis, Begebenheit, Ereignis". In mhd. Zeit wurde das Wort dann
auch in den Bed. „Angelegenheit, Sache,
Ding; Eigenschaft, Art, Weise" und im
Sinne von „Folge der Ereignisse" verwendet.
Erst seit dem 15. Jh. tritt 'Geschichte' auch
in den Bed. „Erzählung" und „Bericht über
Geschehenes" auf und wird dem aus lat.
historia entlehnten →Historie[n] gleichgesetzt. – Der Begriff Geschichte erfuhr seine
Vertiefung im 18. Jh., vor allem durch Herder, und seit dieser Zeit wird das Wort auch
im Sinne von „Geschichtswissenschaft" verwendet. Groß ist die Zahl der Zusammensetzungen, in denen 'Geschichte' als zweiter
Bestandteil steckt, beachte z. B. Kurz-,
Liebes-, Natur-, Kultur-, Literatur-, Geistes-
und Vorgeschichte. Abl.: geschichtlich
(17. Jh.).

Geschick s: Mhd. geschicke „Begebenheit;
Ordnung, Aufstellung; Anordnung, Verfügung; Testament; Gestalt; Benehmen" ist
eine Bildung zu dem unter →*schicken* behandelten Verb, das früher auch „geschehen
lassen, bewirken, fügen, ordnen, verfügen,
vormachen" bedeutete. Heute wird das Wort
im Sinne von „Fügung, Schicksal" und – in
Anlehnung an das Adjektiv geschickt (s. d.)
– im Sinne von „Gewandtheit" gebraucht,
beachte z. B. die Wendung 'etwas mit Geschick ausführen'. Zu 'Geschick' mit der
Bed. „Gewandtheit" stellt sich das heute
veraltete Adjektiv geschicklich, von dem
das Substantiv Geschicklichkeit w abgeleitet ist. Zus.: Mißgeschick (18. Jh.).

geschickt „anstellig, gewandt": Das seit
mhd. Zeit gebräuchliche Adjektiv (mhd. ge-
schicket) ist eigtl. das zweite Partizip von
dem unter →*schicken* behandelten Verb.
Die heutige Bedeutung hat sich aus „geeignet, passend" entwickelt, beachte mhd.
schicken (reflexiv) im Sinne von „vorbereitet
sein; geeignet, passend sein".

Geschirr s: Das im germ. Sprachbereich nur
im Dt. gebräuchliche Wort (mhd. geschirre,
ahd. giscirri) ist eine Bildung zu dem unter
→¹*scheren* behandelten Verb und bedeutet
eigtl. „das [Zurecht]geschnittene". Das
Wort bezeichnete in den älteren Sprachzuständen alle Arten von Gefäßen, Geräten
und Vorrichtungen, heute nur noch Haus-
haltsgegenstände aus Porzellan, Steingut

oder dgl. und das Riemenzeug der Zugtiere,
beachte Geschirrmacher „Sattler". Abl.:
schirren (s. d.).

Geschlecht s: Die auf das dt. Sprachgebiet
beschränkte Substantivbildung (mhd. ge-
slehte, ahd. gislahti) gehört zu dem unter
→*schlagen* behandelten Verb und bedeutet
eigtl. „was in dieselbe Richtung schlägt,
[übereinstimmende] Art", beachte z. B. die
Bed. von 'schlagen' in den Wendungen 'aus
der Art schlagen' und 'nach dem Vater
schlagen'. Es wurde zunächst im Sinne von
„Abstammung, [vornehme] Herkunft" und
im Sinne von „Menschen gleicher Abstammung" gebraucht, dann auch im Sinne von
„Gesamtheit der gleichzeitig lebenden
Menschen". Ferner bezeichnet es das natürliche und das grammatische Geschlecht, beachte dazu die Zus. Geschlechtsglied,
Geschlechtsteil (18. Jh.; LÜ von lat.
membrum genitāle oder pars genitālis), Geschlechtstrieb (18. Jh.), Geschlechtsverkehr (20. Jh.) und Geschlechtswort
(17. Jh.; für das aus dem Lat. entlehnte
'Artikel'). Die Verwendung von 'Geschlecht'
wurde seit alter Zeit weitgehend von lat.
genus beeinflußt. Abl.: geschlechtlich
(19. Jh.).

Geschmack m: Mhd. gesmac „Geruch, Ausdünstung; Geschmack; Geschmackssinn"
gehört mit dem im Nhd. untergegangenen
gleichbed. einfachen Substantiv mhd., ahd.
smac (entspr. engl. smack „Geschmack") zu
dem unter →*schmecken* behandelten Verb,
das in den älteren Sprachzuständen auch
„riechen" und allgemein „wahrnehmen,
empfinden" bedeutete. Anders gebildet ist
mhd. [ge]smach, ahd. gismahho „Geruch,
Ausdünstung; Geschmack; Geschmackssinn". Aus dem Mnd. stammt die nord.
Sippe von schwed. smak „Geschmack". –
Die Verwendung von 'Geschmack' im Sinne
von „[Wohl]gefallen; Stil[gefühl]; Schön-
heitssinn" beruht auf Bedeutungsentlehnung
aus frz. [bon] goût oder it. [buon] gusto.
Zus.: geschmacklos (18. Jh.), dazu Geschmacklosigkeit w; geschmackvoll
(18. Jh.).

Geschmeide s: Das auf das dt. Sprachgebiet
beschränkte Wort (mhd. gesmîde, ahd. gi-
smîdi) ist eigtl. eine Kollektivbildung zu dem im
Nhd. untergegangenen Substantiv mhd.
smîde, ahd. smîda „Metall, Schmuck", ahd. smîda „Metall", das zu der unter →*Schmied* dargestellten Wortgruppe gehört. Die Kollektivbildung wurde zunächst im Sinne von „Metall"
gebraucht und bezeichnete dann das aus
Metall geschmiedete Gefäß und Gerät, den
Metallschmuck und die metallene Waffe und
Rüstung. Während in Österreich 'Geschmeide' noch im Sinne von „Metallwaren"
gebräuchlich ist, bezieht sich das Wort in
Deutschland nur noch auf die Erzeugnisse
des Goldschmiedehandwerks. Abl.: ge-

215

schmeidig (*mhd.* gesmīdec; eigtl. „leicht zu schmieden, gut zu bearbeiten", dann „biegsam").

Geschoß *s*: Das zu dem unter →*schießen* behandelten Verb gebildete Substantiv (*mhd.* geschōz, *ahd.* giscoz; entspr. *aengl.* gescot) ist heute nur noch im passivischen Sinne als „das, was geschossen wird" (z. B. Pfeil, Kugel) gebräuchlich, während es in den älteren Sprachzuständen auch aktivisch als „das, womit man schießt" (z. B. Bogen, Armbrust, Geschütz) verwendet wurde. Mit diesem 'Geschoß' identisch sind das heute veraltete Rechtswort Geschoß „Abgabe, Steuer", das sich an 'schießen' in der Bed. „zuschießen, beisteuern" anschließt, und Geschoß „Stockwerk" (häufig in Zus. wie Dach-, Erdgeschoß), das sich in der Bed. nach 'schießen' im Sinne von „aufschießen, in die Höhe ragen" richtet. Im heutigen Sprachgefühl werden Geschoß „Stockwerk" und Geschoß „Pfeil, Kugel" als zwei verschiedene Wörter empfunden. Siehe auch den Artikel ²Schoß.

Geschütz *s*: *Mhd.* geschütze ist eine Kollektivbildung zu dem unter →*Schuß* behandelten Substantiv. Das Wort bezeichnete zunächst die Gesamtheit der Schußwaffen, das Schießzeug, dann speziell die schweren Schußwaffen und schließlich auch die einzelne Kanone.

Geschwader *s*: Die militärische Bez. für eine größere Formation von Schiffen oder Flugzeugen, im *Dt.* seit dem 16. Jh. zuerst mit der Bed. „Reiterabteilung" bezeugt, ist eine Kollektivbildung zu *spätmhd.* swader „Reiterabteilung; Flottenverband", das seinerseits auf einer Entlehnung aus *it.* squadra „Viereck; in quadratischer Formation angeordnete [Reiter]truppe; Abteilung, Mannschaft" beruht. Das dem *it.* Subst. squadra zugrunde liegende Verb *it.* squadrare „viereckig machen; im Viereck aufstellen" geht zurück auf gleichbed. *vlat.* *ex-quadrāre. Zu *lat.* quadrus „viereckig" (vgl. *Quader*).

geschwind: *Mhd.* geswinde „schnell, ungestüm" ist eine ge-Bildung zu dem im *Nhd.* untergegangenen *gemeingerm.* Adjektiv *mhd.* swinde, swint „stark; heftig; ungestüm; rasch; grimmig, böse; streng, hart", *ahd.* swind (nur in PN, beachte z. B. Adalswind), *got.* swinþs „stark", *aengl.* swīd „stark; heftig; streng", *aisl.* svinnr „rasch; klug". Das zugrunde liegende *germ.* *swenþ[i]a- „stark, kräftig" steht im Ablaut zu *germ.* *[ga]sunda- „stark, kräftig", auf dem das unter →*gesund* behandelte Adjektiv beruht. Die außergerm. Beziehungen sind unklar. Abl.: Geschwindigkeit (16. Jh.).

Geschwister *Mehrz.*: Das *westgerm.* Wort *mhd.* geswister, *ahd.* giswestar, *asächs.* giswestar, *aengl.* gesweostor ist eine Kollektivbildung zu dem unter →*Schwester* behandelten Substantiv und bezeichnete zunächst nur die Schwestern, dann auch umfassender die Brüder. Abl.: geschwisterlich (16. Jh.).

Geschworene *m*: Das im heutigen Sprachgebrauch als Bezeichnung für den Laienrichter des Schwurgerichts verwendete Wort ist das substantivierte zweite Partizip von dem unter →*schwören* behandelten Verb. *Spätmhd.* gesworne bezeichnete denjenigen, der geschworen hat und damit eidlich verpflichtet ist.

Geschwulst *w*: Das Substantiv *mhd.*, *ahd.* giswulst ist eine Bildung zu dem unter →*schwellen* behandelten Verb und bedeutet eigtl. „Schwellung".

Geschwür *s*: Das seit dem 16. Jh. bezeugte Wort ist eine Bildung zu dem unter →*schwären* behandelten Verb und bedeutet eigtl. „das, was eitert".

Geselle *m*: Das auf das *dt.* Sprachgebiet beschränkte Wort *mhd.* geselle, *ahd.* gisell[i]o) ist eine Kollektivbildung zu dem unter →*Saal* behandelten Substantiv und bedeutet eigtl. „der mit jemandem denselben Saal (früher: Wohnraum) teilt". Aus dem *Dt.* stammt *niederl.* gezel „Geselle". – Während 'Geselle' in den älteren Sprachzuständen die umfassenden Bedeutungen „Gefährte; Freund; Geliebter; junger Bursche; Standesgenosse" hatte, bezieht es sich heute hauptsächlich auf das Handwerkswesen und bezeichnet den ausgelernten Lehrling. Abl.: gesellen, [sich] (*mhd.* gesellen, *ahd.* gisellen „[sich] zum Gefährten machen"); gesellig (*mhd.* gesellec „zugesellt, verbunden, freundschaftlich"), dazu Geselligkeit *w* (*mhd.* gesellekeit); Gesellschaft *w* (*mhd.* geselleschaft, *ahd.* gisellscaft „Vereinigung mehrerer Gefährten; freundschaftliches Beisammensein; Freundschaft; Liebe; Gesamtheit der Gäste; Handelsgenossenschaft"; seit dem 15. Jh. wird das Wort auch auf die soziale Ordnung der Menschheit bezogen), dazu Gesellschafter *m* (16. Jh.), gesellschaftlich (18. Jh.), Gesellschaftswissenschaft (19. Jh. für 'Soziologie').

Gesetz *s*: Das wichtige Wort des Rechtswesens ist erst in *mhd.* Zeit zu dem unter →*setzen* behandelten Verb in der Bedeutungswendung „festsetzen, bestimmen, anordnen" gebildet. Es bedeutet also, wie z. B. auch 'Satzung' (s. d.), eigtl. „Festsetzung". – *Mhd.* gesetze hat sich gegenüber der gleichbed. Bildung *mhd.* gesetzede, *ahd.* gisezzida und gegenüber *mhd.* ēwe, *ahd.* ēwa „Gesetz; Recht" (s. Ehe) erst allmählich durchgesetzt. Abl.: gesetzlich (15. Jh.). Zus.: Gesetzbuch (14. Jh.); Gesetzgeber (15. Jh.); gesetzwidrig (18. Jh.).

Gesicht *s*: *Mhd.*, *ahd.* gesiht „das Sehen, Anblicken; Gesehenes, Anblick; Erscheinung, Vision; Aussehen, Gestalt; Antlitz", *niederl.* gezicht „Anblick; Blick; Aussicht; Gesicht, Miene", *aengl.* gesihd „das Sehen; Anblick; Erscheinung, Vision" gehören zu dem unter →*sehen* behandelten Verb. Die Bed. „Antlitz", in der das Wort im *Ahd.* und *Mhd.* nur

vereinzelt bezeugt ist, hat sich demnach aus
,,Anblick[en]" oder aus ,,Teil des Kopfes, an
dem sich der Gesichtssinn befindet" ent-
wickelt. Im heutigen Sprachgebrauch wird
'Gesicht' auch auf das geistige Schauen übertragen. Daher bezeichnet man (in Nachahmung des *engl.* second sight) mit dem 'Zweiten
Gesicht' die Fähigkeit, künftige Vorgänge
mit dem geistigen Auge zu schauen. – Zus.:
A n g e s i c h t (*mhd.* angesiht ,,das Anschauen,
Anblicken, Aussehen", dann auch ,,Antlitz";
beachte dazu das Adv. a n g e s i c h t s, 16. Jh.);
G e s i c h t s k r e i s (16. Jh.; Ersatzwort für
'Horizont'); G e s i c h t s p u n k t (16. Jh.; LÜ
von *lat.* punctum visūs; von Dürer auf das
perspektivische Zeichnen bezogen, von Leibniz in Analogie zu *frz.* point de vue auf das
Geistige übertragen).

Gesinde *s* : Das Wort, das heute nur noch selten als Bezeichnung für die [niedere] Dienerschaft eines herrschaftlichen Haushaltes
oder für Knechte und Mägde eines bäurischen Haushaltes verwendet wird, spielte in
älterer Zeit eine bedeutende Rolle im Ge-
folgschaftswesen. *Mhd.* gesinde ,,Gefolge;
Dienerschaft; Kriegsvolk, Truppen", *ahd.*
gisindi ,,Gefolge; Kriegsvolk" (vgl. *aengl.*
gesīd ,,Gefolge") ist eine Kollektivbildung zu
dem im *Nhd.* untergegangenen *gemeingerm.*
Substantiv *mhd.* gesinde, *ahd.* gisind[o] ,,Ge-
folgsmann; Weggenosse; Diener, Hausgenosse", *got.* gasinþ[j]a ,,Weggenosse, Gefährte", *aengl.* gesīda ,,Gefährte", *aisl.* sinni
,,Gefährte". Dieses Substantiv bedeutet
eigtl. ,,der denselben Weg hat, der an derselben Unternehmung teilnimmt" und ist
abgeleitet von dem gleichfalls im *Nhd.* untergegangenen *gemeingerm.* Substantiv *mhd.*
sint, *ahd.* sind ,,Weg, Gang, Reise, Fahrt",
got. sinþs ,,Gang, Mal", *aengl.* sīd ,,Weg,
Gang, Reise, Unternehmung", *aisl.* sinn
,,Gang, Mal" (vgl. *Sinn*). Abl.: G e s i n d e l
(s. d.).

Gesindel *s* ,,Pack, Pöbel": Das erst seit dem
16. Jh. bezeugte Wort ist eine Verkleinerungsbildung zu dem unter → *Gesinde* behandelten Substantiv und bedeutete urspr.
,,kleine Gefolgschaft, Kriegsvölkchen". Im
heutigen Sprachgebrauch wird 'Gesindel'
nicht mehr als Verkleinerungsform empfunden.

gesinnt ,,von einer bestimmten Gesinnung":
Das Adjektiv (*mhd.* gesinnet ,,mit Sinn und
Verstand begabt"), das heute fälschlicher-
weise als zweites Partizip von 'sinnen' emp-
funden wird, ist eine Bildung zu dem unter
→ *Sinn* behandelten Substantiv.

Gesinnung *w* ,,[sittliche] Einstellung, Grundhaltung": Das erst seit dem 18. Jh. bezeugte
Wort gehört zu dem heute nicht mehr gebräuchlichen Verb gesinnen ,,an etwas denken, begehren, verlangen" (vgl. *sinnen*). Seit
dem 19. Jh. wird 'Gesinnung' oft auch im
Sinne von ,,politische Denkweise" gebraucht.

Zus.: g e s i n n u n g s l o s (19. Jh.); Gesin-
n u n g s l u m p [e r e i] (20. Jh.).

Gesöff *s* (*ugs.* für:) ,,schlechtes Getränk":
Das seit dem 17. Jh. bezeugte Wort ist eine
Kollektivbildung zu dem heute nicht mehr
gebräuchlichen 'Soff', einer Nebenform von
dem unter → *Suff* behandelten Substantiv.

Gespann *s* : Das seit dem 16. Jh. bezeugte
Wort ist eine Bildung zu dem unter → *spannen* behandelten Verb und bezeichnet die
zusammen vor einen Wagen gespannten Zugtiere.

Gespenst *s* : Das im *germ.* Sprachbereich nur
im *Dt.* gebräuchliche Wort *mhd.* gespenst[e],
ahd. gispensti ,,[Ver]lockung, [teuflisches]
Trugbild, Geistererscheinung" ist eine Bildung zu dem im *Nhd.* untergegangenen Verb
mhd. spanen, *ahd.* spanan ,,locken, reizen",
vgl. *aengl.* spanan ,,reizen, verlocken, überreden". Dieses Verb, zu dem sich auch das
unter → *abspenstig* behandelte Adjektiv
stellt, gehört im Sinne von ,,anziehen" zur
Wortgruppe von → *spannen*. – Das Gespenst
spielt im *dt.* Volksglauben eine überaus wichtige Rolle und ist ein beliebtes Motiv in der
dt. Literatur. Abl.: g e s p e n s t e r n ,,als Gespenst umgehen" (19. Jh.); g e s p e n s t i g und
g e s p e n s t i s c h (18. Jh.).

Gespinst *s* : Die *nhd.* Form geht über älter
nhd. Gespünst[e] zurück auf *mhd.* gespunst
,,das Spinnen; Gesponnenes", eine Bildung
zu dem unter → *spinnen* behandelten Verb. –
Auf das Geistige übertragen wird 'Gespinst'
im Sinne von ,,Ersonnenes" verwendet, beachte die Zus. H i r n g e s p i n s t (18. Jh.).

Gespräch *s* : *Mhd.* gespræche, *ahd.* gisprāchi
,,sprechen; Sprechvermögen; Rede, Beredsamkeit; Unterredung, Beratung" ist eine
Kollektivbildung zu dem unter → *Sprache*
behandelten Wort. Abl.: g e s p r ä c h i g
(*spätmhd.* gespræchec, für älteres *mhd.* gespræche, *ahd.* gisprāchi ,,beredt").

Gestade *s* : Das Wort, das heute nur noch in
der gehobenen Sprache der Dichtung verwendet wird, ist durch das urspr. *niederd.*
Wort Ufer (s. d.) zurückgedrängt worden.
Mhd. gestat ,,Ufer" ist eine Kollektivbildung
zu dem *altgerm.* Substantiv *mhd.* stat, *ahd.*
stad[o] ,,Ufer" (beachte Staden *südd.* für
,,Ufer[straße]"), *got.* staþs ,,Ufer", *aengl.*
stæd ,,Ufer", andersgebildet *aisl.* stoð ,,Stand,
Stelle; Landeplatz". Dieses *altgerm.* Substantiv gehört mit Bildungen wie Stätte, Stadt
und Stadel zu der Wortgruppe von → *stehen*.

Gestalt *w* : Das im *Nhd.* durch 'gestellt' ersetzte alte zweite Partizip *mhd.* gestalt, *ahd.*
gistalt zu dem unter → *stellen* behandelten
Verb ging früh in adjektivischen Gebrauch
über und bildete im *Mhd.* die Grundlage für
die Substantivbildung gestalt *w* ,,Aussehen;
Beschaffenheit, Art und Weise; Person".
Abl.: g e s t a l t e n ,,formen, bilden; arrangieren" (16. Jh.), dazu G e s t a l t u n g *w* (16. Jh.).
Siehe auch den Artikel verunstalten.

Gestank m: Das seit *mhd.* Zeit bezeugte Wort (*mhd.* gestanc) ist eine Kollektivbildung zu dem heute nur noch *ugs.* im Sinne von „Zank, Streit" gebräuchlichen Substantiv S t a n k m: *mhd.*, *ahd.* stanc „[schlechter] Geruch", entspr. *niederl.* stank „Gestank", *engl.* stench „Gestank" (vgl. *stinken*).

gestatten: Im *Ahd.* existierte neben stat „Ort, Platz, Stelle" (vgl. *Statt*) auch ein Substantiv stata „rechter Ort, günstiger Zeitpunkt, Gelegenheit", das im *Nhd.* in z u s t a t t e n (in der Fügung 'zustatten kommen') und in v o n s t a t t e n (in der Fügung 'vonstatten gehen') bewahrt ist. Von diesem Substantiv abgeleitet ist *ahd.* gistatōn, *mhd.* gestaten „Gelegenheit geben, gewähren, erlauben" (vgl. auch den Artikel ausstatten). Ferner gehört dazu das Adjektiv s t a t t h a f t „zulässig" (*mhd.* statehaft, eital. verneint unstatahaft).

Geste w „Gebärde (als die die Rede begleitende Ausdrucksbewegung des Körpers, bes. der Arme und Hände)": Schon um 1500 in der Wendung 'gesten machen' bezeugt. LW aus *lat.* gestus „Gebärdenspiel des Schauspielers oder Redners", das zum Verb gerere „tragen, zur Schau tragen; sich benehmen" gehört. – Vom gleichen Stammwort gerere, das ohne sichere außeritalische Entsprechungen ist, ist über eine Verkleinerungsbildung gesticulus „pantomimische Bewegung" das Verb gesticulārī „heftige Gebärden machen" abgeleitet (s. gestikulieren, Gestikulation). Die Komposita regerere „zurückbringen, hinbringen; (übertr.:) eintragen, einschreiben" und suggerere „von unten herantragen; unter der Hand beibringen; eingeben" liegen vor in unseren FW →suggerieren, Suggestion, suggestiv und →Register, registrieren, Registratur.

Gestell s: *Mhd.* gestelle „Mühlengestell; Rahmenwerk", *ahd.* gistelli „Stellung; Standort; Zusammengestelltes" ist eine Kollektivbildung zu dem unter →*Stall* behandelten Wort. Im heutigen Sprachgefühl wird 'Gestell' auf das Verb 'stellen' bezogen.

gestern: Die *germ.* Ausdrücke für „am Tage vor heute" *mhd.* gester[n], *ahd.* gestaron, *niederl.* gisteren, *engl.* (in der Zus.) yesterday, *schwed.* (nicht weitergebildet und mit Präp.) i går beruhen mit verwandten Wörtern in anderen *idg.* Sprachen auf *idg.* *ĝh[d]ies- „am anderen Tage" (von heute aus gesehen), vgl. z. B. *gr.* chthés „gestern" und *lat.* heri „gestern", dazu hesternus „gestrig". Aus der Bed. „am anderen Tage" (von heute aus gesehen) konnte sich auch die Bed. „morgen" entwickeln, beachte z. B. *got.* gistra-dagis „morgen". – Abl.: g e s t r i g (*mhd.* gesteric, *ahd.* gesterig). Zus.: v o r g e s t e r n (16. Jh.).

gestikulieren „Gebärden machen": Im 17. Jh. aus gleichbed. *lat.* gesticulārī (vgl. *Geste*). – Dazu das Subst. G e s t i k u l a t i o n w „Gebärdenspiel" (18. Jh.; aus *lat.* gesticulātiō).

Gestirn s: *Mhd.* gestirne, *ahd.* gistirni „[Gesamtheit der] Sterne; Konstellation" ist eine Kollektivbildung zu dem unter →*Stern* behandelten Wort.

gestirnt: Das Adjektiv *mhd.* gestirnet, *ahd.* gistirnōt, das nach Art der zweiten Partizipien gebildet ist, geht nicht von einem Verb aus, sondern ist unmittelbar von dem unter →*Stern* behandelten Substantiv abgeleitet und bedeutet „mit Sternen versehen".

Gestrüpp s: Das erst seit dem 16. Jh. bezeugte Wort ist eine Kollektivbildung zu dem im *Nhd.* untergegangenen Substantiv *mhd.* struppe „Buschwerk, Gesträuch" (vgl. *struppig*).

Gestüt s: Das erst seit dem 16. Jh. bezeugte Wort ist eine Kollektivbildung zu dem unter →*Stute* behandelten Substantiv. Es bezeichnete zunächst die Herkunft von Pferden, dann auch die Anstalt für Pferdezucht.

Gesuch s: Das seit dem 16. Jh. bezeugte Wort ist eine Bildung zu dem unter →*suchen* behandelten Verb und bedeutete zunächst „Streben nach Gewinn". Seit dem 17. Jh. wird es im Sinne von „[an eine Behörde gerichtete] Bitte" verwendet. Dazu existierte eine männliche Substantivbildung *mhd.* gesuoh, *ahd.* gisuoh, die aber „Erwerb; Ertrag; Zinsen; Weide[recht]; Pirsch[jagd]" bedeutete.

gesund: Das *westgerm.* Adjektiv *mhd.* gesunt, *ahd.* gisunt, *niederl.* gezond, *aengl.* [ge]sund (*engl.* sound) steht im Ablaut zu dem unter →*geschwind* behandelten Adjektiv. Abl.: g e s u n d e n (*mhd.* gesunden, *ahd.* gisunten „gesund werden; gesund machen"); G e s u n d h e i t w (*mhd.* gesundheit).

Getränk s: Das seit *mhd.* Zeit bezeugte Wort (*mhd.* getrenke) ist eine Kollektivbildung zu dem unter →*Trank* behandelten Substantiv.

Getreide s: Das auf das *dt.* Sprachgebiet beschränkte Substantiv ist eine Bildung zu dem unter →*tragen* behandelten Verb und bedeutet eigtl. „das, was getragen wird": *mhd.* getregede, getreide „Bodenertrag; Nahrung; Kleidung; Gepäck; Last; Tragbahre" (seit dem 14. Jh. allmählich auf „Körnerfrucht" eingeengt), *ahd.* gitregidi „Ertrag, Einkünfte, Besitz".

Getriebe s: Das seit dem 15. Jh. bezeugte Wort ist eine Bildung zu dem unter →*treiben* behandelten Verb. Es bezog sich zunächst auf die Treibvorrichtung in Mühlen, dann auf das Räderwerk in Uhren und schließlich auf Kraftübertragungsvorrichtungen.

Getto s „Judenviertel": Die Etymologie dieses im 17. Jh. aus *it.* ghetto übernommenen Wortes ist umstritten. Zwei einander ziemlich gleichwertige Versuche verdienen am ehesten Beachtung: 1. Entlehnung aus *hebr.* ghet „Absonderung"; 2. Appellative Bedeutungsentwicklung aus *it.* getto „Gießerei" (zu gettare „gießen"). Für das letztere spricht die Tatsache, daß der erste *it.* Beleg des Wortes für Venedig gesichert ist, wo es bereits im Anfang des 16. Jh.s ein ausgesprochenes Judenviertel in unmittelbarer Nachbarschaft einer Kanonengießerei gab. Es wäre möglich, daß dieser Stadtteil, ehe er den Juden zugewiesen wurde, bereits seinen Namen nach dieser Gießerei trug.

Getümmel s: Das seit dem 15. Jh. bezeugte Wort ist entweder eine Kollektivbildung zu dem im *Nhd.* untergegangenen Substantiv *mhd.* tumel „Lärm, betäubender Schall" oder aber eine Bildung zu dem unter →*tummeln* behandelten Verb.

Gevatter m: Im Rahmen der frühen Missionstätigkeit in Deutschland tritt im 8. Jh. als LÜ von *kirchenlat.* compater „Mitvater (in geistlicher Verantwortung), Taufpate" *ahd.* gifatero (vgl. *Vater*) auf, das sich auf das Verhältnis des Taufpaten zu den Eltern des Täuflings oder zum Täufling selbst, dann auch auf das Verhältnis der Taufpaten untereinander bezog. Im *Mhd.* entwickelte gevater[e] auch die Bed. „Onkel, Freund (der Familie)", und in diesem Sinne ist es im *Nhd.* gebräuchlich, während es als „Taufzeuge" von 'Pate' (s. d.) verdrängt wird. Abl.: Gevatterin w (15. Jh.); Gevatterschaft w (*mhd.* gevaterschaft).

Gewächs s: Das seit *mhd.* Zeit bezeugte Substantiv (*mhd.* gewehse) ist eine Bildung zu dem unter →²*wachsen* behandelten Verb. Es bedeutete zunächst ganz allgemein „Gewachsenes", dann in erster Linie „Pflanze", aber auch „Auswuchs am Körper" und dgl. Zus.: Gewächshaus (17. Jh.).

gewahr: *Mhd.* gewar, *ahd.* giwar „beachtend, bemerkend; aufmerksam, sorgfältig, vorsichtig", *got.* wars „behutsam", *aengl.* [ge]wær „aufmerksam, vorsichtig; bereit" (*engl.* aware), *aisl.* varr „behutsam, vorsichtig, scheu" gehören zu der weitverzweigten Wortgruppe von →*wahren*. Die zugrunde liegende *germ.* Adjektivbildung *wara- „aufmerksam, vorsichtig" steht substantiviert in 'wahrnehmen' (s. d.). – Im heutigen Sprachgebrauch wird 'gewahr' nur noch in der Wendung 'gewahr werden' „erblicken, bemerken" gebraucht. Diese Wendung ist *westgerm.*; beachte *ahd.* giwar werdan, *mniederl.* ghewāre werden, *aengl.* gewær weorðan. – Abl.: gewahren „erblicken, bemerken" (*mhd.* gewarn); Gewahrsam (s. d.).

gewähren „zugestehen, bewilligen, erlauben": Das im *germ.* Sprachbereich nur im *Dt.* gebräuchliche Verb (*mhd.* [ge]wern, *ahd.* [gi]werēn) gehört wahrscheinlich zu der unter →*wahr* dargestellten *idg.* Wz. *u̯er- „Gunst, Freundlichkeit [erweisen]". – Aus dem *Afränk.* stammt *frz.* garant „Gewährsmann" (s. Garantie). Abl.: Gewähr w (*mhd.* gewer, *ahd.* gaweri „Sicherstellung, Bürgschaft"; urspr. Rechtsausdruck, besonders häufig in der Verbindung 'für etwas Gewähr leisten', woraus durch Zusammenrückung gewährleisten entstand).

Gewahrsam m „Haft, Obhut", s „Gefängnis": In Rechtstexten des 14. Jh.s tritt *mhd.* gewarsame „Sicherheit, Aufsicht; Obhut; sicherer Ort" auf, das eine Bildung zu *mhd.* gewarsam „sorgsam, vorsichtig" ist (vgl. *gewahr*). Das Adjektiv gewahrsam ist seit dem 18. Jh. nicht mehr gebräuchlich. Das Substantiv hatte urspr. weibliches Geschlecht, nahm dann im 18. Jh. männliches Geschlecht an, das 'Gewahrsam' in der Bed. „Haft, Obhut" noch heute hat, während sich für die Bed. „Gefängnis" im 20. Jh. das sächliche Geschlecht durchgesetzt hat.

Gewalt w: *Mhd.* gewalt, *ahd.* [gi]walt, *niederl.* geweld, *aengl.* [ge]weald, *schwed.* våld gehören zu dem unter →*walten* behandelten Verb. Von 'Gewalt' abgeleitet ist gewaltig (*mhd.* gewaltec, *ahd.* giwaltig), dazu gewältigen veralt. für „in seine Gewalt bringen; mit etwas fertig werden" (*mhd.* geweltigen), das seit dem 13. Jh. allmählich durch bewältigen (eigtl. „sich einer Sache gewaltig zeigen") und durch überwältigen zurückgedrängt wurde, beachte auch die Bildung vergewaltigen (*spätmhd.* vergewaltigen „Gewalt antun; notzüchtigen"). Abl.: gewaltsam (15. Jh.). Zus.: Gewaltakt (19. Jh.); Gewalthaber (15. Jh.; wie auch das später bezeugte 'Gewaltherrscher' als Ersatz für 'Despot' und 'Tyrann'); gewalttätig (17. Jh.; von 'Gewalttat' abgeleitet).

Gewand s: Das Wort (*mhd.* gewant, *ahd.* giwant), das heute nur noch in gehobener Sprache im Sinne von „Kleidung[sstück]" verwendet wird, ist eine Bildung zu dem unter →*wenden* behandelten Verb. Es bedeutete urspr. „das Gewendete", d. h. „das gefaltete oder in Falten gelegte, aufbewahrte Tuch". Die ältere Bed. „Tuch" lebt noch in den Zus. Gewandschneider „Tuchschneider" und Gewandhaus „Tuchhalle". In älterer Zeit war das Gewandhaus ein städtisches Gebäude, in dem die Tuchballen gelagert und zum Verkauf angeboten wurden. Besonders bekannt ist das im 18. Jh. errichtete Leipziger Gewandhaus, in dessen Räumen Konzerte und Bälle stattfanden. Als Ende des 19. Jh.s in Leipzig ein besonderes Konzerthaus gebaut wurde, nannte man auch dieses 'Gewandhaus' und das dort musizierende Orchester Gewandhausorchester.

gewandt: Das Adjektiv ist eigtl. das zweite Partizip zu dem unter →*wenden* behandelten Verb. Im 17. Jh. ging das zweite Partizip im Sinne von „wendig" in adjektivischen Gebrauch über, bezog sich zunächst auf die Wendigkeit von Schiffen und auf die Beweglichkeit von Tieren, dann auch auf die Geschicklichkeit und Umgangsformen von Menschen. Abl.: Gewandtheit w (18. Jh.).

Gewässer *s*: Das seit etwa 1400 gebräuchliche Wort (*spätmhd.* geweʒʒere) ist eine Kollektivbildung zu dem unter → *Wasser* behandelten Substantiv. Es bezog sich zunächst auf Überschwemmungen und Hochwasser, dann auf Meere, Seen und Flüsse und bezeichnet heute auch einen einzelnen See oder Fluß.

Gewebe *s*: Das Substantiv *mhd.* gewebe, *ahd.* giweb[i] ist eine ge-Bildung zu dem unter → *weben* behandelten Verb. Die einfache Substantivbildung *mhd.* weppe, *ahd.* weppi ist heute nur noch in 'Spinnwebe' (neben 'Spinngewebe') bewahrt (s. den Artikel Spinne). In Zusammensetzungen wird 'Gewebe' oft übertragen gebraucht, beachte z. B. Gewebelehre (für „Histologie"), Gewebeveränderung, Muskelgewebe.

Gewehr *s*: *Mhd.* gewer, *ahd.* giwer ist eine Kollektivbildung zu dem unter → ¹*Wehr* „Befestigung, Verteidigung" behandelten Substantiv und wurde zunächst im Sinne von „Verteidigung, Abwehr, Schutz" verwendet. Während im allgemeinen der Bedeutungswandel der Wörter vom Konkreten zum Abstrakten führt, hat sich bei 'Gewehr' die konkrete Bed. „[Verteidigungs-, Schuß]waffe" erst sekundär entwickelt. In der Jägersprache bezeichnet 'Gewehr' die Hauer des Wildschweins und die Zähne und Klauen von Raubtieren. Zus.: Maschinengewehr (20. Jh.); Seitengewehr (17. Jh. für „Degen, Säbel", älter Seitenwehr, 16. Jh.).

Geweih *s*: Das Wort, das wahrscheinlich aus der Sondersprache der Jäger stammt, bedeutete urspr. „Geäst". Ähnliche weidmänn. Bezeichnungen sind 'Gestänge' oder 'Stangen' (zu *Stange*) und *östr.* 'Gestämme' (zu *Stamm*), beachte auch *mnd.* hertes-twīch „Geweih", eigtl. „Hirschzweig". Wie 'Gehörn' (zu *Horn*) so ist auch 'Geweih' (*mhd.* gewī[g]e) eine Kollektivbildung, und zwar zu einem untergegangenen *ahd.* *wī[a] „Ast, Zweig", das z. B. mit *aind.* vayā „Zweig, Ast", *air.* fē „Rute" und *russ.* veja „Zweig, Ast" verwandt ist.

Gewerbe *s*: Das seit *mhd.* Zeit bezeugte Substantiv ist eine Bildung zu dem unter → *werben* behandelten Verb. *Mhd.* gewerbe „Wirbel; Gelenk; Geschäft, Tätigkeit; Anwerbung (von Truppen)" schloß sich in seinen Bedeutungen eng an das zugrunde liegende Verb *mhd.* werben „kreisen, sich drehen; sich umtun, tätig sein; handeln; [an]werben" an. Heute ist das Wort nur noch im Sinne von „berufsmäßige Beschäftigung um des Erwerbs willen" gebräuchlich. Abl.: gewerblich (19. Jh.). Groß ist die Zahl der Zusammensetzungen, in denen 'Gewerbe' als Grund- oder Bestimmungswort steckt, beachte z. B. Gewerbefreiheit (18. Jh.; LÜ von *engl.* freedom of trade), Gewerbesteuer, Gewerbeschule, Kunstgewerbe, Gaststättengewerbe.

Gewicht *s*: *Mhd.* gewiht[e] ist eine ge-Bildung zu dem im *Hochd.* untergegangenen Substantiv *mnd.* wicht „Gewicht, Schwere", *niederl.* wicht „Gewicht", *engl.* weight „Gewicht", *aisl.* vætt „Gewicht, Schwere". Dieses *altgerm.* Substantiv ist eine Bildung zu dem unter → wägen behandelten Verb (vgl. *bewegen*). Abl.: gewichtig „schwerwiegend, bedeutsam" (15. Jh.). Von den zahlreichen Zusammensetzungen mit 'Gewicht' beachte z. B. Gleichgewicht (17. Jh.), Übergewicht (17. Jh.), Leicht-, Mittel-, Schwergewicht usw.

gewieft (*ugs.* für:) „schlau, durchtrieben": Das Adjektiv ist wahrscheinlich eigtl. das zweite Partizip zu dem im *Nhd.* untergegangenen Verb *mhd.* wifen „winden, schwingen", das zu der Wortgruppe von → *Wipfel* gehört. Ähnliche *ugs.* Ausdrücke für „schlau, raffiniert" sind z. B. 'gerieben', 'gerissen' und 'gewiegt'.

gewiegt (*ugs.* für:) „schlau, durchtrieben": Das seit dem 16. Jh. gebräuchliche Adjektiv ist eigtl. das zweite Partizip zu dem von → *Wiege* abgeleiteten Verb ¹wiegen „[in einer Wiege] schaukeln, schwingen". In etwas 'gewiegt' sein meint also eigtl. darin aufgezogen, groß geworden sein.

Gewinde *s*: Das seit dem 15. Jh. bezeugte Wort ist eine Bildung zu dem unter → ¹*winden* behandelten Verb. Während 'Gewinde' heute nur noch in der Sprache der Technik Geltung hat, bezog es sich früher auch auf die Windungen und das Gewirr von Gängen, Fäden oder dgl.

gewinnen: *Mhd.* gewinnen, *ahd.* giwinnan „durch Anstrengung, Arbeit oder Kampf zu etwas gelangen, schaffen, erringen, erlangen", *got.* gawinnan „sich quälen, leiden", *aengl.* gewinnan „kämpfen, streiten, sich abmühen, sich plagen; erobern, erringen" sind ge-Bildungen zu dem im *Nhd.* untergegangenen einfachen Verb *mhd.* winnen, *ahd.* winnan „kämpfen, streiten; toben; sich anstrengen, sich plagen; leiden, erringen, erlangen", *got.* winnan „leiden", *engl.* to win „gewinnen, erringen, erlangen", *schwed.* vinna „gewinnen, erlangen, gewinnen". Dieses *gemeingerm.* Verb gehört mit verwandten Wörtern in anderen *idg.* Sprachen zu der *idg.* Wz. *uen[ə]- „umherziehen, streifen, nach etwas suchen oder trachten". Diese Wurzel bezog sich urspr. wahrscheinlich auf die Nahrungssuche sowie auf jagdliche und kriegerische Unternehmungen. Aus den Bed. „umherziehen, streifen, nach etwas suchen oder trachten" entwickelten sich aber bereits in der Grundsprache die Bed. „wünschen, verlangen, begehren, lieben, gern haben". An diese Bedeutungswendung schließen sich z.B. an *aind.* vánati „wünscht, begehrt, liebt", vanas- „Verlangen, Lust", *lat.* venus, -eris „Liebe[sgenuß]" (beachte Venus „Göttin der Liebe") und aus dem *germ.* Sprachbereich die

Sippe von→Wunsch und das alte *germ.*Wort für ,,Freund": *mhd.* wine, *ahd.* wini, *aengl.* wine, *aisl.* vinr, das in zahlreichen PN erhalten ist, beachte z. B. Winfried, Erwin, Oswin. – Auf das *Germ.* beschränkt sind die Bedeutungsübergänge von ,,wünschen, verlangen" zu ,,hoffen; erwarten; annehmen" und von ,,lieben, gern haben" zu ,,zufrieden sein, Gefallen finden; sich gewöhnen; bleiben, sich aufhalten". Daran schließen sich an die weitverzweigten Wortgruppen von →Wahn (urspr. ,,Hoffnung, Erwartung, Vermutung"), →gewöhnen, →gewohnt und von →wohnen. Die beiden Sippen von 'gewöhnen' und 'wohnen' haben sich erst allmählich in der Bedeutung differenziert. In den älteren Sprachzuständen bestand zwischen ,,zufrieden sein, Gefallen finden" und ,,bleiben, sich aufhalten" keine scharfe Trennung. Mit 'gewinnen' weiterhin verwandt ist die Wortgruppe von →Wonne. – Abl.: Gewinn *m* (*mhd.* gewin, *ahd.* giwin ,,Kampf, Anstrengung, Plage, Arbeit; Erlangtes, Erwerb, Vorteil, Nutzen"); Gewinnler *m* (16. Jh.; heute nur noch in 'Kriegsgewinnler' gebräuchlich).

gewiß: Das *gemeingerm.* Wort *mhd.* gewis, *ahd.* giwis, *got.* (un)wiss (,,ungewiß"), *niederl.* [ge]wis, *aengl.* [ge]wiss, *schwed.* viss ist eigtl. das alte zweite Partizip *idg.* *u̯id-to-s zu der *idg.* Verbalwurzel *u̯eid- ,,erblicken, sehen" (vgl. *wissen*). Das jetzt gebräuchliche zweite Partizip 'gewußt' ist jüngere Neubildung. *Germ.* *wissa- ,,gewiß", dem z. B. genau *aind.* vitta-ḥ ,,bekannt" entspricht, bedeutete zunächst ,,was gewußt wird", dann prägnant ,,was sicher gewußt wird", woraus sich die Bed. ,,sicher, bestimmt" entwickelte. Abl.: Gewißheit *w* (*mhd.* gewisheit, *ahd.* giwisheit); gewißlich (*mhd.* gewislich, *ahd.* giwisllho); vergewissern, sich ,,sich Gewißheit verschaffen, sich überzeugen" (17. Jh.).

Gewissen *s*: Als LÜ von *lat.* cōnscientia ,,Mitwissen; Bewußtsein; Gewissen", das seinerseits LÜ von *gr.* syneídēsis ist, erscheint im *Ahd.* gewizzenī *w* ,,[inneres] Bewußtsein, [religiös-moralische] Bewußtheit". Das *ahd.* Wort ist der Bildung nach Adjektivabstraktum zum zweiten Partizip *ahd.* gewizzan ,,bewußt" (vgl. *wissen*). Unter den Einfluß des substantivierten Infinitivs setzte sich im *Mhd.* für gewizzen[e] sächliches Geschlecht durch. Der Gewissensbegriff ist in Europa zuerst in Griechenland entwickelt worden. *Gr.* syneídēsis beruht auf der Vorstellung, daß es für jedes sittlich schlechte Verhalten gegenüber Menschen oder Göttern einen Zeugen, nämlich das innere 'Mitwissen', gibt. Seine Vertiefung und Bedeutung erhielt der Gewissensbegriff in der christlichen Ethik und in der mittelalterlichen Philosophie. Die Ausdrücke für ,,Gewissen" sind in den meisten europäischen Sprachen LÜ von

gr. syneídēsis bzw. *lat.* conscientia. Abl.: gewissenhaft (17. Jh.), dazu Gewissenhaftigkeit *w*; gewissenlos (um 1400), dazu Gewissenlosigkeit *w*; Zus.: Gewissensangst (17. Jh.); Gewissensbiß (17. Jh.; LÜ von *lat.* cōnscientiae morsus); Gewissensfrage (17. Jh.); Gewissensehe (17. Jh.; LÜ von *lat.* mātrimōnium cōnscientiae).

Gewitter *s*: Das *westgerm.* Substantiv *mhd.* gewiter[e], *ahd.* giwitiri, *asächs.* gewidiri, *aengl.* gewidere ist eine Kollektivbildung zu dem unter →*Wetter* behandelten Wort. Zur Bildung beachte z. B. das Verhältnis von 'Gebirge' zu 'Berg'. – Das Wort wurde zunächst im Sinne von ,,Witterung, Wetter" gebraucht. Erst seit dem 12. Jh. setzte sich im *Dt.* allmählich die Verwendung im Sinne von ,,schlechtes Wetter, [elektrisch sich entladendes] Unwetter" durch. Abl.: gewittern (17. Jh.).

gewogen ,,zugetan, wohlgesonnen": Das seit dem 16. Jh. bezeugte Adjektiv ist eigtl. das zweite Partizip von *mhd.* [ge]wegen ,,Gewicht oder Wert haben, angemessen sein" (vgl. *wägen*). Es ist in *mitteld.* Form schriftsprachlich geworden, vgl. dazu z. B. *mitteld.* gepflogen, bewogen gegenüber 'gepflegt', 'bewegt'. Abl.: Gewogenheit *w* (17. Jh.).

gewöhnen: *Mhd.* gewenen, *ahd.* giwennen ,,gewöhnen" ist eine ge-Bildung zu dem im *Nhd.* untergangenen einfachen Verb *mhd.*, *ahd.* wenen ,,gewöhnen", *niederl.* wennen ,,gewöhnen", *engl.* to wean ,,ein Kind an andere Nahrung als Muttermilch gewöhnen", *schwed.* vänja ,,gewöhnen". Dieses *altgerm.* Verb gehört mit den unter →gewohnt, →Gewohnheit und →gewöhnlich behandelten Wörtern zu der Wortgruppe von →*gewinnen*. Mit anderen Präfixen gebildet sind →entwöhnen und →verwöhnen. Abl.: Gewöhnung *w* (16. Jh.). Beachte auch die zusammengesetzten Verben angewöhnen (17. Jh.) und abgewöhnen (17. Jh.).

Gewohnheit *w*: Das Substantiv *mhd.* gewon[e]heit, *ahd.* giwonaheit ist eine Bildung zu dem im *Nhd.* untergangenen Adjektiv *mhd.* gewon, *ahd.* giwon ,,der Gewohnheit gemäß, üblich, herkömmlich" (vgl. gewohnt und gewöhnlich).

gewöhnlich: *Mhd.* gewonlich ,,gewohnt; herkömmlich, üblich" ist – wie auch das unter →Gewohnheit behandelte Wort – eine Ableitung von dem alten Adjektiv *mhd.* gewon, *ahd.* giwon ,,üblich, herkömmlich" (vgl. *gewohnt*). In der Umgangssprache wird 'gewöhnlich' auch im Sinne von ,,gemein, niedrig" verwendet, weil das, was allgemein üblich und gebräuchlich ist, wenig Wert besitzt. Beachte auch die Zus. außergewöhnlich und ungewöhnlich.

gewohnt: Das alte Adjektiv *mhd.* gewon, *ahd.* giwon ,,herkömmlich, üblich" bildet die Grundlage für die unter →gewöhnlich und →Gewohnheit behandelten Bildungen sowie für das heute veraltete Verb gewohnen „gewohnt sein" (*mhd.* gewonen, *ahd.* giwonēn „gewohnt sein; wohnen, verweilen"). Seit dem 14. Jh. wurde das Adjektiv *mhd.* gewon durch das zweite Partizip *spätmhd.* gewon[e]t des Verbs 'gewohnen' allmählich verdrängt oder unter dessen Einfluß zu 'gewont' umgestaltet. Über den Zusammenhang von *ahd.* giwon „herkömmlich, üblich" (entspr. *niederl.* gewoon, *aengl.* gewun[a], ablautend die *nord.* Sippe von *schwed.* van „gewohnt, geübt, gewandt") mit →gewöhnen und →wohnen vgl. *gewinnen.*

Gewölbe *s*: Das Substantiv *mhd.* gewelbe, *ahd.* giwelbi ist eine Bildung zu dem unter →*wölben* behandelten Verb. Es bezeichnete zunächst die gewölbte Decke, d. h. die 'camera' im römischen Steinbau, dann auch den mit einer gewölbten Decke versehenen Raum.

Gewürz *s*: Das seit dem 15. Jh. bezeugte Wort, das im heutigen Sprachgefühl auf 'würzen' bezogen wird, ist eine Kollektivbildung zu dem heute noch *mdal.* gebräuchlichen →*Wurz* „Kraut, Pflanze". Es bezeichnet also eigtl. die in der Kochkunst verwendeten Kräuter und Pflanzen.

Gezeiten *Mehrz:. Mhd.* gezīt „Zeit; festgesetzte Zeit; Gebetsstunde; Begebenheit", *ahd.* gizīt „Zeit; Zeitlauf" ist eine Bildung mit verstärkendem ge-Präfix (s. *ge...*) zu dem unter →*Zeit* behandelten Wort. Erst seit dem Anfang des 17. Jh.s setzte sich unter dem Einfluß von *mnd.* getīde „Flutzeit" für 'Gezeiten' die Bed. „Ebbe und Flut" durch.

Gicht *w*: Für die Benennung der Stoffwechselkrankheit ist von der im Volksglauben weitverbreiteten Vorstellung auszugehen, daß Krankheiten durch Beschreien oder Besprechen angezaubert werden können. 'Gicht' bedeutete urspr. „Besprechung, Behexung" und bezog sich zunächst auf alle Arten von Gliederschmerzen, Entzündungen, Krämpfen und Lähmungen. Der Name der Krankheit *mhd.* giht, *ahd.* fir-, gi-giht[e], *mnd.* gicht, jicht (entspr. *niederl.* jicht) ist demnach mit dem zu *ahd.* jehan „sagen, sprechen" gebildeten Subst. *ahd.* jiht, *mhd.* giht „Aussage, Geständnis, Bekenntnis" (vgl. *Beichte*) identisch. Zus.: gichtbrüchig (15. Jh.; zunächst „vom Schlag gelähmt", dann „an der Gicht erkrankt").

Giebel *m*: *Mhd.* gibel, *ahd.* gibil, *niederl.* gevel (daneben *got.* gibla „Giebel, Zinne") stehen im Ablaut zu der *nord.* Sippe von *schwed.* gavel „Giebel". Urverwandt sind *ahd.* gibilla „Kopf" und *ahd.* gebal, *mhd.* gebel „Schädel, Kopf". Diese *germ.* Wortgruppe beruht mit verwandten Wörtern in anderen *idg.* Sprachen auf *idg.* *ĝhebh-[e]l-*

„Giebel", übertragen „Kopf", vgl. z. B. *gr.* kephalḗ „Schädel, Kopf". Das *idg.* Wort bedeutete urspr. wahrscheinlich „Astgabel" und steht wohl im Ablaut zu *idg.* *ĝhobh-[o]l-* „Gabelung des Astes, Astgabel" (vgl. *Gabel*). Der Giebel war urspr. die Stelle des Hausgerüstes, an der die Firstpfette in der Gabelung der Firstsäule ruhte. Beim germanischen Satteldach bezeichnete 'Giebel' die beiden spitz zulaufenden Schmalseiten des Daches, dann auch die dreieckige Wand zwischen den Dachflächen und das Satteldach als Ganzes.

Gier *w*: Das auf das *dt.* Sprachgebiet beschränkte Wort *mhd.* gir[e], *ahd.* girī ist eine Bildung zu dem durch 'gierig' (s. u.) verdrängten alten Adjektiv *mhd.* gir, *ahd.* giri „begehrend, verlangend". Dieses Adjektiv ist abgeleitet von dem gleichbed. Adjektiv *mhd.*, *ahd.* ger (vgl. *gern*). Als zweiter Bestandteil steckt 'Gier' in mehreren Zus., vgl. z. B. Blut-, Geld-, Habgier. – Das Verb gieren „heftig verlangen" (15. Jh.), das im heutigen Sprachgefühl als von 'Gier' abgeleitet empfunden wird, ist dagegen vermutlich eine unabhängige Verbalbildung zu der unter →*gern* dargestellten Wurzel. Das Adjektiv gierig (*mhd.* giric, *ahd.* girīg) ist von dem oben erwähnten Adjektiv *mhd.*, *ahd.* ger „begehrend, verlangend" abgeleitet. Vgl. auch die Artikel Begier[de], Neugier[de] und begehren.

gießen: Das *gemeingerm.* Verb *mhd.* giezen, *ahd.* giozan, *got.* giutan, *aengl.* gēotan, *schwed.* gjuta ist eng verwandt mit der Sippe von *lat.* fundere (fūdī, fūsum) „gießen; schmelzen; schütten" (s. die FW-Gruppe um Fusion) und gehört mit dieser zu der *idg.* Wz. *ĝheu-* „gießen", vgl. z. B. *gr.* chéein „gießen, ausschütten"; ein Trankopfer bereiten", cheũma „Guß; Trankopfer", chēmeía „Vermischung von Flüssigkeiten". Zu dieser Wurzel gehört aus dem germanischen Sprachbereich auch das unter →*Geiser* „durch Vulkanismus entstandene Springquelle" behandelte Wort (s. auch den Artikel Gaul). – Durch alle Phasen der *dt.* Sprachgeschichte ist 'gießen' – wie auch 'fundere' im *Lat.* – als Wort der Metalltechnik bezeugt. An diese Verwendung des Verbs schließen sich an die Bildungen Gießer *m* (16. Jh.) und Gießerei *w* (17. Jh.) sowie die Bedeutungen des Substantivs →*Guß*, beachte auch die Verwendung des zweiten Partizips [an]gegossen. Im *Nhd.* wird 'gießen' oft im Sinne von „begießen, besprengen" und unpersönlich ugs. für „stark regnen" gebraucht. Substantivbildungen zu 'gießen' sind →*Guß* und →*Gosse*. Die zusammengesetzten Verben und Präfixbildungen auf-, aus-, be-, ein-, er-, vergießen usw. schließen sich in der Bedeutung eng an das einfache Verb an, beachte dazu Auf-, Aus-, Erguß. Zus.: Gießkanne (17. Jh.).

Gift *s*: *Mhd.*, *ahd.* gift „das Geben; Gabe; Übergabe; Gift", *got.* fra-gifts „Verleihung", *aengl.* gift „Gabe, Geschenk; Mitgift", *aisl.* gipt „Gabe; Glück" beruhen auf einer Bildung zu dem unter →*geben* behandelten Verb. Die alte Bed. „Gegebenes, Gabe" ist im *Dt.* noch in den Zus. Mitgift „Heiratsgut" (15. Jh., eigtl. „das Mitgegebene") und *schweiz.* Handgift „Schenkung" (eigtl. „Handgabe") erhalten. Die jetzt allein übliche, schon für das *Ahd.* bezeugte Bed. „Gift" ist Lehnbedeutung nach *gr.-lat.* dosis, das eigtl. „Gabe" bedeutet (s. Dosis, Dose), aber auch als verhüllender Ausdruck für „Gift" gebraucht wurde. Ein euphemistischer Ausdruck für „Gift" ist z. B. auch *frz.* poison, eigtl. „Trank" (*lat.* pōtiō). Abl.: giftig (*mhd.* giftec; seit dem 17. Jh. auch in der Bed. „boshaft"). Zus.: Giftmischer (18. Jh.; oft scherzh. für „Apotheker").

Gigant *m* „Riese": In *ahd.* Zeit aus *gr.-lat.* Gigās (Gen.: *gr.* Gígantos, *lat.* Gigantis) entlehnt, woraus auch *frz.* géant „Riese" stammt. Die Giganten der altgriech. Sage sind die riesenhaften Söhne der Gaia. – Das dazugehörige Adj. *gr.* gigantikós wurde erst im 18. Jh. als gigantisch „riesenhaft, außeròrdentlich" übernommen.

Gilde *w*: Das Wort ist entweder eine Ableitung von dem unter →*Geld* behandelten Substantiv oder aber eine unmittelbare Bildung zu dem unter →*gelten* behandelten Verb und bedeutete urspr. wahrscheinlich „Opfergelage anläßlich einer eingegangenen rechtlichen Bindung". In *niederd.* Lautgestalt und mit der sekundären, in den Randgebieten der Nord- und Ostsee entwickelten Bed. „zum gegenseitigen Rechtsschutz geschlossene Vereinigung, Vereinigung von Berufsgenossen" breitete sich ‘Gilde’ seit dem 17. Jh. allmählich im *hochd.* Sprachgebiet aus. Dem *niederd.* Wort, das im *Mnd.* noch in der Bed. „Trinkgelage" verwendet wurde, entsprechen im *germ.* Sprachbereich *mniederl.* gilde „Essen, Gelage; Zunft, Innung" (*niederl.* gilde „Zunft, Innung"), *aengl.* gilde „Mitgliedschaft", *aisl.* gildi „Trinkgelage, Schmaus; Bezahlung" (*schwed.* gille „Innung, Zunft").

Gimpel *m*: Der Vogelname hat sich von Tirol ausgehend seit dem 15. Jh. im *dt.* Sprachgebiet ausgebreitet. *Mhd.* gümpel ist eine Bildung zu dem im *Nhd.* untergegangenen Verb *mhd.* gumpen „hüpfen, springen". Der Vogel ist also nach seinen ungeschickten Sprüngen auf ebener Erde benannt. Da der Gimpel leicht im Garn zu fangen ist, wurde sein Name schon früh als Bezeichnung für einen einfältigen Menschen verwendet.

Ginster *m*: Die *nhd.* Form des Pflanzennamens geht über *mhd.* ginster, genster zurück auf *ahd.* genster, geneste, das aus *lat.* genista „Ginster" entlehnt ist. Das *lat.* Wort,

auf dem z. B. auch *it.* ginestra „Ginster" und *frz.* genêt „Ginster" beruhen, ist dunklen Ursprungs.

Gipfel *m* „höchste Spitze; Höhepunkt": Die Herkunft des seit dem Anfang des 15. Jh.s bezeugten Wortes ist nicht sicher geklärt. Neben den *spätmhd.* Formen gipfel, güpfel findet sich auch gleichbed. *spätmhd.* gipf. Abl.: gipfeln „eine Spitze bilden; einen Höhe- oder Endpunkt erreichen" (Anfang des 19. Jh.s).

Gips *m*: Wie die anderen im Mauerbau verwendeten Baumaterialien (z. B. →Kalk, →Mörtel, →Zement, →Ziegel) hat auch der Gips keinen *germ.* Namen. Sache und Wort wurden in *ahd.* Zeit von den Römern übernommen. Das *lat.* Wort gypsum geht seinerseits auf *gr.* gýpsos „Gips, Zement" zurück, das aus dem *Semit.* stammt. Abl.: gipsen, Gipser, gipsern (Adj.).

Giraffe *w*: Der Name des zur Familie der Paarhufer gehörenden afrikan. Steppentieres geht letztlich auf *arab.* zurāfa (*vulgärarab.* dschrāfa) zurück. Das Wort begegnet zum erstenmal in einem deutschen Text des 13. Jh.s als ‘schraffe’ (unmittelbar aus dem *Vulgärarab.*). Ebenfalls unmittelbar aus dem *Arab.* stammt die in Reisebeschreibungen des 15. und 16. Jh.s vorkommende Form ‘seraph’. Hingegen weist die seit dem 16. Jh. bezeugte Form ‘Giraff’ (zuvor schon im 14. Jh. Geraff), die sich allein durchsetzen konnte und auf der unsere heutige Form ‘Giraffe’ beruht, auf Vermittlung von entspr. *it.* giraffa hin.

Girlande *w* „bandförmiges Laub- oder Blumengewinde": Im 18./19. Jh. aus gleichbed. *frz.* guirlande < *it.* ghirlanda entlehnt. Weiteres ist unsicher.

Giro *s* „Überweisung im bargeldlosen Zahlungsverkehr; Übertragungsvermerk auf einem Orderpapier", bes. in Zus. wie Girobank, Girokasse, Girokonto: Wort der Kaufmannssprache, im 17./18. Jh. aus *it.* giro „Kreis, Umlauf (bes. von Geld oder Wechseln)" entlehnt und anfangs nur von der „Übertragung" eines Wechsels auf einen anderen Namen gebraucht. Voraus liegen *lat.* gyrus, *gr.* gyros „Rundung, Kreis"; zu *gr.* gýrós „gebogen, krumm, rund", das urverw. ist mit →*Keule*.

Gischt *m*, auch *w* „Wellenschaum, Sprühwasser": Die heute übliche Form und die älteren Formen Gäscht und Jescht haben wohl lautmalendes -sch- gegenüber der in *mdal.* Gest und Jest bewahrten alten Lautung. *Mhd.* jest „Schaum, Gischt", *niederl.* gist „Hefe", *engl.* yeast „Hefe" (*aengl.* giest auch „Schaum"), *schwed.* jäst „Hefe" gehören zu der unter →*gären* dargestellten Wortgruppe.

Gitarre *w* (Zupfinstrument): Im 17. Jh. aus *span.* guitarra entlehnt und zuweilen noch im 18. Jh. in der Lautform Guitarra (Guitarre) bezeugt. Dem Namen dieses Instrumentes, der den Spaniern mit der Sache durch die Mauren vermittelt wurde aus *arab.* qītāra, liegt das gleiche *gr.* Wort kithárā zugrunde, aus dem auch unser LW →*Zither* stammt. – Dazu seit dem 19. Jh. die Abl. Gitarrist *m* „Gitarrespieler".

Gitter *s*: Das seit dem Ende des 15. Jh.s bezeugte Wort ist eng verwandt mit →Gatter und →vergattern und gehört zu der unter →*gut* dargestellten Wortgruppe. 'Gitter' ist wahrscheinlich erst aus der Kollektivbildung *spätmhd.* gegiter (zu *mhd.* geter „Gitter, Gatter") hervorgegangen. Abl.: vergittern „mit einem Gitter versehen"(*mhd.* vergitern).

Glacé *m* „glänzendes, changierendes Gewebe", bes. in den Zus. Glacéleder und Glacéhandschuhe: Im 19. Jh. aus *frz.* glacé „Glanz" entlehnt, das urspr. Part. Perf. von glacer „vereisen, erstarren machen" ist und demnach eigtl. „vereist" bedeutet, dann auch übertr. „mit einer (wie Eis) glänzenden Schicht überzogen" (so gleichfalls in der Fügung gants glacés „Handschuhe aus Glanzleder", die Vorbild für unsere Zus. Glacéhandschuhe war). – *Frz.* glacer geht zurück auf das von *lat.* glaciēs „Eis" abgeleitete Verb glaciāre „zu Eis machen; gerinnen machen" (vgl. *Gelee*).

Gladiole *w* (Gartenblume aus der Gattung der Schwertliliengewächse): Die Pflanze trägt ihren *lat.* Namen, *lat.* gladiolus „kleines Schwert" (zu gladius „Schwert"), nach den „schwertförmigen" Blättern und ist als solche schon im Altertum benannt.

Glanz *m*: Das auf das *dt.* Sprachgebiet beschränkte Wort (*mhd.* glanz „Schimmer, Leuchten") ist eine Substantivierung des heute veralteten Adjektivs glanz, *mhd.*, *ahd.* glanz „leuchtend, strahlend, hell". Aus dem *Dt.* entlehnt sind *niederl.* glans „Glanz, Schimmer" und die *nord.* Sippe von *schwed.* glans „Glanz, Schein". Das Verb **glänzen** (*mhd.* glenzen, *ahd.* glanzen), das im heutigen Sprachgefühl als von 'Glanz' abgeleitet empfunden wird, ist eine Bildung zu dem im *Nhd.* untergegangenen starken Verb *mhd.* glinzen „leuchten, schimmern, glänzen", vgl. dazu im *germ.* Sprachbereich z. B. *niederl.* glinsteren „schimmern, glitzern", *engl.* to glint „glänzen", *schwed. mdal.* glinta „glatt sein" (eigtl. „blank sein"). – Die ganze *germ.* Wortgruppe gehört zu der vielfach weitergebildeten und erweiterten *idg.* Wz. *ĝhel-* „glänzend, schimmernd, blank" (vgl. *gelb*).

¹Glas *s*: Das Glas war dem *germ.* Kulturkreis fremd. Als die Germanen das Glas, und zwar zunächst in Form von Perlen und Schmuck, von den Römern kennenlernten, benannten sie es mit ihrem heimischen Wort für „Bernstein". Diese Übertragung der Bezeichnung lag nahe, da auch der Bernstein fast aus-

schließlich in Form von Schmuck gehandelt wurde. Die urspr. Bed. „Bernstein" läßt sich für *ahd.* glas noch in den Glossen belegen, auch das latinisierte *germ.* glaesum und die im grammatischen Wechsel zu 'Glas' stehenden *mnd.* glär und *aengl.* glär bedeuten „Bernstein". *Mhd.*, *ahd.* glas, *niederl.* glas, *engl.* glass (die *nord.* Sippe von *schwed.* glas ist aus dem *Mnd.* entlehnt) gehen auf *germ.* *glasa-z* „Bernstein" zurück, das zu der vielfach weitergebildeten und erweiterten *idg.* Wz. *ĝhel-* „glänzend, schimmernd, blank" gehört (vgl. *gelb*). Der Bernstein ist also nach seinem Glanz oder nach dem gelblichen Farbton benannt. – Im heutigen Sprachgebrauch bezeichnet 'Glas' nicht nur den Grundstoff, sondern auch das aus Glas Hergestellte, z. B. das Trinkgefäß, die Scheibe, die Brille (s. auch den Artikel ²*Glas*). Das abgeleitete Verb 'glasen' ist heute nicht mehr gebräuchlich, dagegen aber die Präfixbildung verglasen (18. Jh.) und das mit *roman.* Endung gebildete glasieren „mit einem glasartigen Überzug versehen" (15. Jh.), beachte dazu das gleichfalls mit *roman.* Endung gebildete Glasur *w* „glasartiger Überzug" (16. Jh.). Abl.: Glaser *m* (*mhd.* glaser, *ahd.* glesere); Glaserei *w* (19. Jh.); gläsern (*mhd.* gleserīn); glasig (16. Jh.; früher auch „gläsern, glasähnlich", heute nur noch „starr, unlebendig", vom Auge).

²Glas *s* (seemänn. für:) „halbe Stunde": Das Wort ist identisch mit →¹*Glas*, das nicht nur das Grundstoff, sondern auch das aus Glas Hergestellte bezeichnet, z. B. Trink-, Fern-, Augen-, Stundenglas. So nannte man früher auch die Sanduhr einfach Glas, woran sich der seemänn. Gebrauch des Wortes im Sinne von „halbe Stunde" anschließt, weil die Sanduhren auf Schiffen halbstündig abliefen. Der Ablauf der Sanduhr mußte angeschlagen oder ausgesungen werden und regelte den Wachdienst auf Schiffen. Nach der *niederl.* Mehrz. Glasen zu urteilen, hat sich das Wort in seemänn. Geltung von den Niederlanden aus verbreitet. Im *Dt.* ist es seit dem 16. Jh. bezeugt.

glatt: *Mhd.* glat „glänzend, blank; eben; schlüpfrig", *ahd.* glat „glänzend", *niederl.* glad „glatt, schlüpfrig", *engl.* glad „fröhlich" (eigtl. „strahlend, heiter"), *schwed.* glad „heiter, fröhlich; angeheitert" gehören zu der vielfach weitergebildeten und erweiterten *idg.* Wz. *ĝhel-* „glänzend, schimmernd, blank" (vgl. *gelb*). Mit dem *altgerm.* Adjektiv sind z. B. eng verwandt *lat.* glaber „blank; glatt; kahl" und *russ.* gládkij „glatt". Abl.: Glätte *w* (*mhd.* glete); glätten (*mhd.* gleten); Glatze (s. d.).

Glatze *w*: Das Wort für „Kahlköpfigkeit" (*frühnhd.* glatze, *mhd.* gla[t]z, entspr. *mnd.* glate) ist eine Bildung zu dem unter →*glatt* behandelten Adjektiv in dessen älterer Bed.

„glänzend, blank". Zus.: Glatzkopf (16. Jh.).

glauben: *Mhd.* gelouben, *ahd.* gilouben, *got.* galaubjan, *niederl.* geloven, *aengl.* gelīefan (mit anderem Präfix *engl.* to believe) gehen zurück auf *germ.* *ga-laubjan „für lieb halten, gutheißen", das zu der weitverzweigten Wortgruppe von →*lieb* gehört. Schon bei den heidnischen Germanen bezog sich 'glauben' auf das freundschaftliche Vertrauen eines Menschen zur Gottheit. Nach der Christianisierung drückte es dann wie *lat.* credere und *gr.* pisteúein das religiöse Verhalten des Menschen zum Christengott aus. Abgeschwächt wird 'glauben' im Sinne von „für wahr halten" und „annehmen, vermuten" gebraucht. Abl.: Glaube *m*, daneben auch Glauben *m* (*mhd.* g[e]loube, *ahd.* gilouba, vgl. *niederl.* gelovf, *aengl.* gelēafa) gläubig (*mhd.* geloubec, *ahd.* giloubīg, wahrscheinlich vom Substantiv Glaube abgeleitet), dazu Gläubiger *m* (15. Jh.) und beglaubigen (17. Jh.); glaubhaft (*mhd.* g[e]loubehaft). Zus.: glaubwürdig (15. Jh.).

Glaubersalz *s*: Das als Abführmittel verwendete Natriumsulfat ist nach dem Chemiker und Arzt J. R. Glauber (1604–1668) benannt.

gleich: Das *gemeingerm.* Adjektiv *mhd.* gelīch, *ahd.* galīh, *got.* galeiks, *aengl.* gelīc (*engl.* like), *aisl.* [g]līkr (*schwed.* lik) ist eine alte Zusammensetzung aus *germ.* *ga- und *līka- „Körper, Gestalt" (vgl. ge... und *Leiche*) und bedeutete urspr. „denselben Körper, dieselbe Gestalt habend". *Außergerm.* entspricht die *balt.* Wortgruppe von *lit.* lýgus „gleich". – Aus der Verwendung von 'gleich' zum Ausdruck der Übereinstimmung von Raum und Zeit entwickelte sich im *Dt.* der adverbielle Wortgebrauch im Sinne von „eben, gerade" (beachte das mit 'so' verstärkte sogleich „sofort"). Abl.: Gleiche *w* (*mhd.* gelīche, *ahd.* gilīhī; heute im allgemeinen durch 'Gleichheit' ersetzt und nur noch in den Zus. Tag- und Nachtgleiche gebräuchlich); gleichen (*mhd.* gelīchen, *ahd.* gilīhhan, gilīhhēn), dazu die Zus. begleichen (19. Jh.); Verdeutschung von 'saldieren' in der Kaufmannssprache) und vergleichen (*mhd.* ver[e]līchen), Vergleich *m* (17. Jh.; erst aus dem Verb rückgebildet); Gleichnis *s* (*mhd.* gelīchnisse, *ahd.* gilīhnissa; eigtl. „das, was sich mit etwas anderem vergleichen läßt"); gleichsam (Zusammenrückung aus 'gleich' und 'sam', vgl. -*sam*; *mhd.* dem gelīche sam); Gleichung *w* (*mhd.* g[e]līchunge „Gleichartigkeit, Ähnlichkeit"; Substantivbildung zum Verb gleichen; heute bes. im Sinne von „Gleichsetzung rechnerischer Werte" gebräuchlich); Gleisner (s. d.). Zus.: Gleichgewicht (17. Jh.; LÜ von *lat.* aequilibrium, *frz.* equilibre); gleichgültig (17. Jh.; zunächst „gleichwertig", dann „unterschieds-

los; unbedeutend; uninteressiert"); dazu Gleichgültigkeit (17. Jh.); gleichmäßig (16. Jh.), daraus rückgebildet Gleichmaß (17. Jh.); gleichmütig (16. Jh.), daraus rückgebildet Gleichmut (17. Jh.); Gleichschritt (18. Jh.); gleichzeitig (18. Jh.).

Gleisner *m* „Heuchler": Das Wort (*mhd.* glīsnēre, gelīchs[e]nǣre), das im heutigen Sprachgefühl auf 'gleißen' bezogen wird, ist eine Bildung zu dem von →*gleich* abgeleiteten Verb *mhd.* gelīchesen, *ahd.* gilīhhisōn „jemandem gleichtun, sich verstellen, heucheln". Abl.: gleisnerisch „heuchlerisch" (17. Jh.).

gleißen: *Mhd.* glīzen, *ahd.* glīz[z]an „schimmern, glänzen", *asächs.* glītan „glänzen, leuchten", *aisl.* glita „glänzen", weitergebildet *aengl.* glitenian „glänzen" sind näher verwandt mit den Sippen von →*glimmen* und →*gleiten* (urspr. wahrscheinlich „blank, glatt sein") und gehören zu der unter →*gelb* dargestellten *idg.* Wurzel. Siehe auch den Artikel glitzern.

gleiten: Das *westgerm.* Verb *mhd.* glīten, *ahd.* glītan, *niederl.* glijden, *engl.* to glide ist wahrscheinlich eng verwandt mit den unter →*gleißen* und →*glimmen* behandelten Wörtern und gehört dann zu der unter →*gelb* dargestellten *idg.* Wurzel. Die Bed. „rutschen, sich schwebend bewegen" hat sich demnach aus „glimmen, gleißen" entwickelt. Intensivbildung zu 'gleiten' ist →glitschen.

Gletscher *m*: Das Wort wurde im 16. Jh. aus *schweizerd.* Mundarten übernommen und erlangte bald danach hochsprachliche Geltung. *Walliserisch* glačer „Gletscher" geht mit gleichbed. *tessinisch* giascei und *frz.* glacier auf *vlat.* *glaciārium „Eis; Gletscher" zurück, das eine Weiterbildung von *vlat.* glacia „Eis" ist. Das Stammwort *lat.* glaciēs „Eis" gehört zu der *idg.* Wortgruppe von →*kalt*.

Glied *s*: Das Substantiv *mhd.* gelit, *ahd.* gilid ist eine ge-Bildung zu dem im *Nhd.* untergegangenen gleichbed. *gemeingerm.* Wort *mhd.* lit, *ahd.* lid, *got.* liþus, *aengl.* lid, *aisl.* liðr, das zu der vielfach weitergebildeten und erweiterten *idg.* Wz. *el- „biegen" gehört (vgl. *Elle*). Verwandt ist das mit anderem Suffix gebildete *aengl.* lim „Glied, Gelenk" (*engl.* limb). Für die Benennung ist also, wie auch für 'Elle' und *engl.* limb, von „Biegung, Gebogenes [am Körper]" auszugehen. 'Glied' bezeichnete dann nicht nur das Gelenk, sondern auch die Arme und Beine im Gegensatz zum Rumpf. Im übertragenen Gebrauch nahm 'Glied' dann auch die Bed. „Teil eines Ganzen (bes. auch einer Sippe); Mitglied", „Verbindungsstück [einer Kette]" und „Reihe [einer militärischen Abteilung]" an. Abl.: gliedern (17. Jh.; beachte auch ein-, aus-, zergliedern), dazu Gliederung *w* (19. Jh.). Zus.: Glied-

maße *w*, meist *Mehrz.* Gliedmaßen (*mhd.*
gelidemǣʒe; eigtl. „Maß, rechtes Verhältnis
der Glieder"); Mitglied *s* (16. Jh.). Siehe
auch den Artikel ledig.

glimmen: *Mhd.* glimmen „glühen", *niederl.*
glimmen „glühen"; glänzen, schimmern,
blinken", *schwed.* glimma „glühen; glänzen"
sind im *germ.* Sprachbereich eng verwandt
mit *mhd.* glīmen „leuchten, glänzen", *asächs.*
glīmo „Glanz", *engl.* gleam „Glanz" und
weiterhin mit den Sippen von →gleißen und
→gleiten. Die ganze Wortgruppe gehört zu
der Wurzelform *ĝhlei- der unter →*gelb*
dargestellten *idg.* Wz. *ĝhel- „glänzend,
schimmernd, blank". – Eine Iterativ-Intensiv-Bildung zu 'glimmen' ist glimmern
(*mhd.* glimmeren „glänzen, leuchten", vgl.
gleichbed. *engl.* to glimmer und *schwed.*
glimra). Zu diesem Verb gehört die seit dem
16. Jh. bezeugte Mineralbezeichnung Glimmer *m*, die sich vom erzgebirgischen Raum
her ausgebreitet hat. – Die Zus. Glimm-
stengel, seit dem Anfang des 19. Jh.s zunächst als Ersatzwort für 'Zigarre' verwendet,
wird heute gewöhnlich nur noch scherzh.
für „Zigarette" gebraucht.

glimpflich: Das Adjektiv *mhd.* gelimpflich,
ahd. gilimpflīh kann eine Ableitung sein von
dem heute veralteten Substantiv Glimpf *m*
„Nachsicht; Fug, Billigkeit" (*mhd.* g[e]limpf,
ahd. gilimpf) oder von dem nicht mehr gebräuchlichen Adjektiv *frühnhd.* glimpf,
mhd. gelimpf „angemessen". Es kann aber
auch unmittelbar gebildet sein zu dem im
Nhd. untergegangenen Verb *mhd.* gelimpfen,
ahd. gilimpfen „rücksichtsvoll, nachsichtig
sein; sich schicklich verhalten; angemessen
sein". Diese Sippe, zu der auch das gleichfalls mit 'ge-' gebildete *schweiz.* glimpfig
„biegsam, geschmeidig" gehört, ist näher
verwandt mit den unter →Lumpen und
→Schlampe behandelten Wörtern und gehört zu der *idg.* Wurzelform *[s]lembh-
„schlaff, locker" (vgl. *Schlaf*). Aus „schlaff,
locker" haben sich einerseits die Bed. „weich,
biegsam", andererseits die Bed. „weich,
zart, rücksichtsvoll, nachsichtig" und weiter
„angemessen, schicklich" entwickelt. – Zu
dem oben erwähnten Substantiv Glimpf,
dem *aengl.* ge-limp „Zufall, Schickung" entspricht, stellt sich Unglimpf *m* „Mangel an
Nachsicht, Strenge; Schimpf" (*mhd.* unge-
limpf), von dem das Verb verunglimpfen
„verunstalten, besudeln, verleumden"
(15. Jh.) abgeleitet ist.

glitschen, „[aus]rutschen, schliddern": Das
seit dem 15. Jh. bezeugte Verb stellt eine Intensivbildung zu dem unter →*gleiten* behandelten Verb dar. Abl.: glitsch[e]rig (18. Jh.);
glitschig (17. Jh.).

glitzern: Das seit dem 15. Jh. bezeugte Verb
ist eine Iterativbildung zu *mhd.* glitzen
„glänzen", das von dem unter →*gleißen*
behandelten Verb abgeleitet ist. Ähnliche,

aber unabhängige Bildungen sind *engl.* to
glitter „glitzern" und *schwed.* glittva „glitzern, flittern".

Globus *m* „die Erdkugel (auch: die scheinbare Himmelskugel) in geographischer
(astronomischer) Darstellung ihrer Oberfläche": Mit *nlat.* Bedeutungsübertragung
aus *lat.* globus „Kugel, Ball, Klumpen" entlehnt und seit dem 15. Jh. bezeugt. *Lat.*
globus gehört mit galla „kugeliger Auswuchs,
Gallapfel" (s. ²Galle), glēba „Klümpchen,
Erdscholle" und glomus „Kloß, Knäuel"
(s. Konglomerat) zu der unter →*Kolben*
dargestellten *idg.* Sippe. – Dazu das Adj.
global „die gesamte Erdoberfläche betreffend", oft auch übertr. im Sinne von
„weltumspannend, umfassend; in groben
Zügen, ungefähr" (*nlat.* Ableitung des
20. Jh.s).

Glocke *w*: Die im 6. Jh. aus Nordafrika nach
Italien eingeführten Glocken fanden auch
im übrigen Europa rasch Verbreitung. Besonders in Irland wurden kunstvolle Glocken
für gottesdienstliche Zwecke hergestellt. Im
Rahmen der Missionstätigkeit irischer
Mönche lernten die Germanen diese Glocken
kennen und übernahmen mit der Sache auch
das Wort. *Mhd.* glocke, *ahd.* glocca, clocca,
mniederl. klokke (daraus dann entlehnt *engl.*
clock „Uhr"), *schwed.* klocka, *aengl.* clucge,
mlat.-roman. clocca (beachte *frz.* cloche)
beruhen auf einem *kelt.* *cloc (= *ir.* clocc)
„Glocke, Schelle", das seinerseits schallnachahmenden Ursprungs ist und mit der
Wortgruppe von →*lachen* urverwandt ist.
Abl.: glockig „glockenförmig" (17. Jh.);
Glöckner *m* (*mhd.* glockenǣre). Zus.:
Glockenblume (15. Jh.; nach der Form
der Blüte benannt); Glockenspeise (*mhd.*
glockenspīse „Glockenmetall, Metallmischung zum Glockenguß"); Glockenstuhl
(18. Jh.).

Glorie *w* „Ruhm, Glanz, Heiligenschein":
In *spätmhd.* Zeit aus gleichbed. *lat.* glōria
entlehnt, dessen Herkunft umstritten ist. –
Dazu seit dem 17. Jh. das Adj. glorreich
„ruhmreich" und die sehr junge Zus. Glo-
rienschein. – Zum gleichen Stammwort
gehören die FW Gloriole *w* „Heiligenschein", glorios „ruhm-, glanzvoll",
glorifizieren „verherrlichen", die auf die
entspr. *lat.* Abl. glōriola (Verkleinerungsbildung), glōriōsus, glōrificere (zu glōria und
facere) zurückgehen.

Glosse *w* „erklärende, deutende, spöttische
Randbemerkung" (auch als polemische
feuilletonistische Kurzform): Urspr. nur ein
Wort der Sprachwissenschaft, das zwar
schon in *mhd.* (glōse) entlehnt wurde
aus *lat.* glōssa, später aber in der Schreibung
an die klass. Lautform angeglichen wurde.
Das *lat.* Wort, das selbst auf *gr.* glōssa
„Zunge, Sprache" zurückgeht, bezeichnete
– nach dem abgeleiteten *gr.-lat.* glōssēma –

zunächst ein „schwieriges, erklärungsbedürftiges Wort", dann auch die in Handschriften zwischen den Zeilen oder am Rand angebrachten „erläuternden Bemerkungen" selbst, woraus sich dann im allg. Sprachgebrauch bei uns die heute übliche Bed. entwickelte. – Dazu das Zeitwort glossieren „mit Glossen versehen" (mhd. glôsieren), aus spätlat. glôssārī. Ferner: Glossar s „Glossensammlung; Wörterverzeichnis (mit Erklärungen)"; aus lat. glôssārium < gr. glôssárion.

glotzen: Das seit mhd. Zeit gebräuchliche Verb (mhd. glotzen), das im germ. Sprachbereich mit engl. to gloat „hämisch blicken, anstarren" und schwed. glutta „gucken" verwandt ist, gehört wahrscheinlich zu der vielfach weitergebildeten und erweiterten idg. Wz. *ghel- „glänzend, schimmernd, blank" (vgl. gelb). Die Bed. „[an]blicken, anstarren" hat sich demnach aus „leuchten, anstrahlen" entwickelt. Zus.: Glotzauge (18. Jh.).

Glück s: Die Herkunft des seit dem 12. Jh. bezeugten Wortes, das sich vom Nordwesten her allmählich im dt. Sprachgebiet ausgebreitet hat, ist dunkel. Über die altgerm. Ausdrücke für „Glück" s. die Artikel Heil und selig. Mniederl. [ghe]lucke (aus dem Niederl. entlehnt engl. luck), mnd. [ge]lucke (daraus entlehnt die nord. Sippe von schwed. lykka), mhd. gelücke „Geschick, Schicksal[smacht]; Zufall; günstiger Ausgang; [guter] Lebensunterhalt" lassen sich mit keiner anderen germ. Wortgruppe in Zusammenhang bringen. Abl.: glücken (mhd. ge[l]ücken „gelingen"; beachte auch beglücken und verunglücken); glücklich (spätmhd. g[e]lück[e]lich „vom Zufall, vom Schicksal abhängig, günstig"). Zus.: glückselig (mhd. glücksælec, s. selig), dazu Glückseligkeit (15. Jh.); Glückskind (16. Jh.; wohl eigtl. „mit einer Glückshaube geborenes Kind" oder Lehnübertragung nach lat. fortunae filius); Glückspilz (18. Jh.; zunächst in der Bed. „Emporkömmling, Parvenü", dann „Glückskind"; nach engl. mushroom „Pilz; Emporkömmling"); Glücksrad (mhd. gelückes rat, gelückrat); Glücksritter „Abenteurer, der auf Glück ausgeht" (18. Jh.). Der Bergmannsgruß 'Glück auf!' (seit dem 17. Jh., vom erzgebirgischen Raum ausgehend, üblich) ist das Gegenstück zu der älteren Grußformel 'Glück zu!'.

Glucke, Klucke w: Das fast im gesamten dt. Sprachgebiet gebräuchliche Wort für „Bruthenne" (mhd. klucke) ist eine Rückbildung aus dem unter →glucken behandelten lautnachahmenden Verb.

glucken: Die germ. Verben mhd. glucken, klucken, niederl. klokken, engl. to cluck, schwed. klukka sind lautnachahmenden Ursprungs. Damit [elementar]verwandt sind z. B. lat. glôcīre „glucken" und lit. žliúgauti „schluchzen". Im germ. Sprach-

bereich ahmt die Laute mehrerer Vogelarten nach, insbesondere die Laute der Henne beim Brüten oder beim Locken der Jungen (vgl. den Artikel Glucke), andererseits ahmt es die Geräusche nach, die beim Gießen aus einer Flasche, beim Trinken, beim Schluckauf oder auch bei leichter Bewegung von Wasser entstehen. Dieselben Bezogenheiten haben auch die beiden Abl. gluckern (16. Jh.) und glucksen (mhd. glucksen, klucksen).

glühen: Das altgerm. Verb mhd. glüe[je]n, ahd. gluoen, niederl. gloeien, engl. to glow, schwed. glo gehört zu der Wurzelform *ĝhlô- der unter →gelb dargestellten idg. Wz. *ĝhel- „glänzend, schimmernd, blank". Zu 'glühen' gebildet ist das Substantiv →Glut. Zus.: Glühbirne (20. Jh., für älteres 'Glasbirne'; wohl nach 'Glühstrumpf' der Gasbeleuchtung); Glühwein (Anfang des 19. Jh.s; für älteres glühender bzw. geglühter Wein, d. h. „heißer oder heißgemachter Wein"); Glühwürmchen (Anfang des 19. Jh.s; Verkleinerungsbildung zu dem seit dem 18. Jh. bezeugten 'Glühwurm'; in den Mundarten leben zahlreiche andere Benennungen, z. B. Johanniskäfer, Johannisfünkchen, Zündwürmlein).

Glut w: Das altgerm. Substantiv mhd., ahd. gluot, niederl. gloed, engl. gleed, schwed. glöd ist eine Bildung zu dem unter →glühen behandelten Verb. Abl.: gluten „glühend leuchten oder brennen" (17. Jh.).

Glypte w „geschnittener Stein, Skulptur": Im 19. Jh. aus gleichbed. gr. glyptḗ (lithos) entlehnt. Zugrunde liegt das mit →klieben urverw. Verb gr. glýphein „ausmeißeln, einschneiden, gravieren". – Dazu: Glyptik w „Steinschneidekunst", aus gleichbed. gr. glyptikḗ (téchnē); ferner die Zus.: Glyptothek w „Sammlung von geschnittenen Steinen oder [antiken] Skulpturen" (nach Vorbildern wie →Bibliothek gebildet) und →Hieroglyphe.

Gnade w: Mhd. g[e]nāde „Rast, Ruhe; Behagen, Freude; Gunst, Huld; [göttliche] Hilfe, [göttliches] Erbarmen", ahd. gināda „[göttliche] Hilfe, [göttliches] Erbarmen", niederl. genade „Gnade", aisl. nāð „Ruhe; Frieden; Schutz; [göttliche] Gnade" (schwed. nåd „Gnade") sind Substantivbildungen zu einem im germ. Sprachbereich nur im Got. bewahrten Verb niþan „unterstützen, helfen", dessen weitere Herkunft unbekannt ist. Die Bedeutungsgeschichte des Wortes Gnade ist im germ. Sprachbereich weitgehend durch den Inhalt des christlichen Gnadenbegriffes bestimmt worden. Der Gnadenbegriff im weltlichen Sinne „Gewährung von Schonung, Milde, Mitleid gegenüber einem Besiegten, einem Verurteilten, einem Untergebenen") war wohl aber bereits vor der Christianisierung bei den Germanen vorgeprägt worden. Die Formel 'von Gottes

Gnaden', die seit dem Mittelalter als Zusatz bei Herrschertiteln erscheint, ist Übersetzung von *lat.* grātiā deī, wie auch 'Euer Gnaden', das früher als Anrede gebräuchlich war, *lat.* tua bzw. vestra clēmentia wiedergibt. Abl.: gnaden „gnädig sein" (heute nur noch in Wendungen wie 'gnade dir Gott' gebräuchlich; *mhd.* genāden, *ahd.* ginādōn), dazu begnaden (*mhd.* begnāden „mit Gnade beschenken; ein Privilegium erteilen; begnadigen; Almosen geben"; seit dem 17. Jh. wurde 'begnaden' allmählich durch 'begnadigen', das sich heute nur noch auf das Erlassen einer Strafe bezieht, ersetzt; gebräuchlich ist dagegen das in adjektivischen Gebrauch übergegangene zweite Partizip begnadet eigtl. „mit Gnadengeschenken ausgestattet"); gnädig (*mhd.* g[e]nǣdec, *ahd.* g[i]nādig „wohlwollend, liebreich, huldvoll, barmherzig"), davon *frühnhd.* begnädigen, das im 17. Jh. durch begnadigen ersetzt wurde (s. o. begnaden). Zus.: Gnadenbild „Heiligenbild, von dem wundertätige Kräfte ausgehen" (16. Jh.); Gnadenbrot (18. Jh.); Gnadenfrist (17. Jh., zuerst religiös); Gnadenstoß (Anfang des 18. Jh.s; eigtl. der Stoß, den der Henker dem auf das Rad geflochtenen Verbrecher in das Herz oder Genick gibt, um ihm weitere Qualen zu ersparen); Gnadenwahl (17. Jh.; Ersatzwort für 'Prädestination').

Gneis *m*: Das seit dem 16. Jh. bezeugte Wort für vorwiegend schieferiges Gestein hat sich vom erzgebirgischen Raum ausgehend über das *dt.* Sprachgebiet ausgebreitet. Aus dem *Dt.* entlehnt sind *frz.* gneiss, *engl.* gneiss, *schwed.* gnejs. Die weitere Herkunft des Wortes ist unsicher. Falls der Gneis nach seinem funkelnden Glanz benannt worden ist, gehört es vielleicht zu der *germ.* Wortgruppe von *mhd.* g[a]neist „Funke".

Gnom *m* „Erdgeist, Kobold; Zwerg": Die Bezeichnung wurde von dem berühmten Arzt und Naturforscher Paracelsus im 16. Jh. geschaffen. Welche Vorstellungen der Benennung zugrunde liegen, ist nicht bekannt.

Gobelin *m* „Wandteppich mit eingewirkten Bildern": *Frz.* LW des 18. Jh.s. Das *frz.* Wort ist wohl urspr. ein Appelativ, das aus dem Eigennamen die Gobelins hervorgegangen ist, dem Namen einer renommierten Teppich- und Kunsttapetenfabrik, die ihrerseits nach einem Färber Gille Gobelin benannt sein soll.

Gold *s*: Der *gemeingerm.* Metallname gehört mit verwandten, aber teils ablautenden, teils mit anderen Suffixen gebildeten Wörtern in anderen *idg.* Sprachen zu der unter →gelb dargestellten *idg.* Wz. *g̑hel- „glänzend, schimmernd, blank", vgl. z. B. *lett.* zelts „Gold" und *russ.* zóloto „Gold". *Germ.* *gulþa-z „Gold", auf das *mhd.* golt, *ahd.* gold, *got.* gulþ, *engl.* gold und *schwed.* guld zurückgehen, bedeutet also „das Gelbliche" oder „das Glänzende, das Blanke". Das Metall ist

also nach seinem Farbton oder nach seinem Glanz benannt. – Die Germanen kannten, wie sich aus den Funden ergibt, das Gold bereits in der frühen Bronzezeit. Neben Kupfer und Bronze war er der beliebteste Grundstoff für die Fertigung von Schmuck. Auch in der Vorstellungswelt der Germanen spielte das Gold als Inbegriff des Reichtums und der Machtfülle eine bedeutende Rolle. Abl.: golden (*mhd.*, *ahd.* guldīn, vgl. *got.* gulþeins, *aengl.* gylden, *aisl.* gullinn), das Adj. golden hat sich Anfang des 18. Jh.s im Vokal an das Subst. 'Gold' angeschlossen; die alte Form, die auch umgelautet als gülden erscheint, beachte z. B. Tausendgüldenkraut, ist noch im →Gulden bewahrt; auch das Verb vergolden, dessen ältere Formen vergulden, vergülden lauten, hat sich an das Substantiv angelehnt; goldig (*frühnhd.* guldig; heute bes. in der Bed. „lieb, wonnig" gebräuchlich). Groß ist die Zahl der Zusammensetzungen, in denen 'Gold' als erster oder als zweiter Bestandteil steckt, beachte z. B. Goldammer (s. Ammer), Goldfinger (s. Finger), Goldfisch (15. Jh.), Goldlack (18. Jh.), Goldstück (17. Jh.), Goldwaage (15. Jh.), Blattgold (17. Jh.).

¹Golf *m* „größere Meeresbucht, Meerbusen": Im 14. Jh. entlehnt aus *it.* golfo < *vlat.* colphus < *gr.* kólpos „Busen, Bausch, Meerbusen, Bucht". Das *gr.* Wort ist wohl urverw. mit →wölben. – Nicht verwandt ist → ²Golf. Zus.: Golfstrom (aus dem Golf von Mexiko kommende Warmwasserströmung des Atlantischen Ozeans).

²Golf *s* (schottisch-engl. Rasenspiel): Im 18. Jh. aus *engl.* golf entlehnt. Die weitere Herkunft ist umstritten. – Nicht verwandt ist → ¹Golf „Meerbusen".

Gondel *w* 1. „langes, schmales venezianisches Ruderboot"; 2. (übertr.:) „Korb am Luftballon; Kabine am Luftschiff": Im 16. Jh. aus *venez.-it.* gondola „kleines Schiffchen, Nachen" entlehnt, dessen Herkunft umstritten ist. – Unmittelbar abgeleitet ist das Verb gondeln „Gondel fahren", das in *ugs.* Übertragung etwa „gemächlich fahren" bedeutet. – In neuerer Zeit wurde auch das abgeleitete *it.* gondoliere als Gondoliere *m* „Gondelführer" übernommen.

Gong *m*: Das Wort gehört zu den wenigen FW *malai.* Ursprungs (wie → Bambus und →Kakadu), die zumeist durch engl. Vermittlung nach Europa gelangten. *Angloind.* gong, das im 19. Jh. ins *Dt.* entlehnt wurde, geht zurück auf *malai.* [g]ung, das ein Schallbecken aus Metall bezeichnet, wie sie von den Eingeborenen auf Java verwendet werden. Abl. und Zus.: gongen „den Gong ertönen lassen"; Gongschlag.

gönnen: Das urspr. zu der Gruppe der Präteritopräsentia gehörige, erst seit dem 16. Jh. schwach flektierende Verb *mhd.* gunnen, günnen, *ahd.* giunnan (entspr. *niederl.* gunnen) ist eine ge-Bildung zu dem einfachen Verb *ahd.* unnan „gönnen; gestatten, gewähren", *aengl.* unnan „gönnen; gestatten; wünschen", *schwed.* unna „gönnen". Die *außergerm.* Beziehungen dieses Verbs sind unklar. – Zu 'gönnen' gebildet ist das Substantiv →Gunst. Abl.: Gönner *m* (*mhd.* gunner, günner), dazu Gönnerschaft *w* (18. Jh.) und Gönnermiene (19. Jh.).

Gör *s*, **Göre** *w*: Das aus dem *Niederd.* stammende, seit dem 17. Jh. bezeugte Wort ist wahrscheinlich eine Bildung zu dem im *Dt.* untergegangenen Adjektiv *gōr „klein", das aber in der Weiterbildung *ahd.* gōrag, *mhd.* gōrec „klein, gering, armselig" bewahrt ist. Das Substantiv bedeutete demnach urspr. „kleines hilfloses Wesen". Allgemein bekannt ist auch die *berlin.* Form des Wortes: Jöhre. – Während die *Mehrz.* Gören gewöhnlich im Sinne von „[kleine] Kinder" gebraucht wird, bedeutet die *Einz.* Gör[e] meist „Mädchen", abwertend „ungezogenes Mädchen".

Gorilla *m*: Das Wort stammt wahrscheinlich aus einer *westafrik.* Eingeborenensprache. Es tritt zuerst im 5. Jh. in einer griechischen Übersetzung eines Reiseberichtes des Karthagers Hanno auf, bezieht sich darin aber auf einen Menschenstamm. Mit diesem Wort benennt der Engländer Savage 1847 die in Gabun entdeckte Menschenaffenart, und in dieser Bed. wird 'Gorilla' in der zweiten Hälfte des 19. Jh.s ins *Dt.* entlehnt.

Gosse *w*: Das auf das *dt.* und *niederl.* Sprachgebiet beschränkte Wort (*mitteld.* gosse, *mnd.* gote, *mniederl.* gote) ist eine Bildung zu dem unter →gießen behandelten Verb. Es bezeichnete früher jede Art von Rinne, in die etwas ausgegossen wird oder in der etwas abfließt. Heute ist 'Gosse' nur noch im Sinne von „Rinnstein" gebräuchlich.

Gott *m*: *Mhd.*, *ahd.* got, *got.* guþ, *engl.* god, *schwed.* gud gehen zurück auf *germ.* *guđa- „Gott", das urspr. sächliches Geschlecht hatte, weil es männliche und weibliche Gottheiten zusammenfaßte. Nach der Christianisierung wurde das Wort im gesamten *germ.* Sprachbereich als Bezeichnung des Christengottes verwendet. Der Ursprung des *gemeingerm.* Wortes ist nicht sicher geklärt. Entweder handelt es sich bei dem Wort um das substantivierte zweite Partizip *idg.* *ĝhutó-m der Verbalwurzel *ĝhau- „[an]rufen", wonach also 'Gott' als „das [durch Zauberwort] angerufene Wesen" zu verstehen wäre. Andererseits kann das *gemeingerm.* Wort im Sinne von „das, dem [mit Trankopfer] geopfert wird" zu der unter →gießen dargestellten *idg.* Wz. *ĝheu- „gießen" gehören. Abl.: vergöttern (von der *Mehrz.* Götter ausgehende Verbalableitung; *frühnhd.* göttern „göttliche Art und Kraft verleihen"; daneben *mhd.* vergoten „göttlich machen"); Gottheit (*mhd.*, *ahd.* got[e]heit); göttlich

(*mhd.* gotelich, *ahd.* gotlīh); Götze (s. d.). Zus.: Götterdämmerung (s. d.); Gottesacker (s. Acker); Gottesdienst (*mhd.* gotsdienst); Gottesfurcht (15. Jh.; LÜ von *lat.* timor deī), dazu gottesfürchtig (17. Jh.; älter dafür gotvorhtec); Gotteshaus (*mhd.* gotshūs, *ahd.* gotes hūs; LÜ von *lat.* templum deī bzw. domus oder casa deī); Gotteslästerung (15. Jh.); gottlob (die *ahd.* Preisformel 'got sī lob' wurde im *Mhd.* zu 'got[e]lob' verkürzt und ging in interjektionelle und adverbielle Geltung über); gqttlos (*mhd.* gotlōs), dazu Gottlosigkeit (16. Jh.); gottvoll (19. Jh.; *frühnhd.* dafür gottesvoll). Siehe auch den Artikel Abgott.

Götterdämmerung *w*: Die seit dem 18. Jh. zuerst bei dem Dichter M. Denis bezeugte Zusammensetzung, die dann durch R. Wagner populär gemacht wurde, ist eine falsche LÜ von *aisl.* ragna rökkr „Götterverfinsterung", das mit *aisl.* ragna rök „Götterschicksal" durcheinandergebracht wurde. Der 'Untergang der Götter' in Verbindung mit dem Weltbrand vor dem Beginn eines neuen Weltzeitalters ist eine eigentümliche Vorstellung der *nord.* Mythologie.

Götze *m*: Zu den zweigliedrigen Männernamen werden im *Dt.* Koseformen gebildet, indem an den ersten Namensteil das Suffix (*ahd.*) -izo angefügt wird. Wie sich z. B. 'Hinz', 'Kunz', 'Petz' zu 'Heinrich', 'Konrad', 'Bernhard' stellen, so gehört 'Götz' als Koseform zu 'Gottfried'. Der Kosename wurde seit dem 15. Jh. Gattungsname und wurde im Sinne von „Dummkopf, Schwächling" gebraucht. Bereits im *Mhd.* wurde 'götz' auch als Koseform zu 'Gott' verstanden und bedeutete „Heiligenbild". In Luthers Bibelübersetzungen tritt das Wort dann in der Bed. „falscher Gott" auf. Zus.: Götzendiener und Götzendienst (16. Jh.); Ölgötze (s. d.).

Gouverneur *m* „Statthalter (einer Kolonie); Befehlshaber (einer Festung)": Im 17. Jh. aus *frz.* gouverneur, *lat.* gubernātor „Steuermann (eines Schiffes); Lenker, Leiter" entlehnt. Zu *lat.* gubernāre „das Steuerruder führen; lenken, leiten", das selbst LW ist aus gleichbed. *gr.* kybernān. Weiteres ist unsicher.

Grab *s*: Das *westgerm.* Wort *mhd.* grap, *ahd.* grab, *niederl.* graf, *aengl.* græf (auch „Graben") ist eine Bildung zu dem unter →graben behandelten Verb. Es bedeutete demnach urspr. „in die Erde grabene Vertiefung", dann speziell „zur Leichenbestattung dienende Grube". Ähnliche Substantivbildungen sind *got.* graba „Graben", *aengl.* grabu „Höhle" und *aisl.* grǫf „Graben; Grube; Grab".

grabbeln „schnell nach etwas greifen; tastend befühlen, herumwühlen": Das nur *ugs.* gebräuchliche Wort stammt aus dem *Niederd.* und gehört als Iterativbildung zu

graben

niederd. grabben „raffen, schnell an sich reißen". In *hochd.* Mundarten entspricht 'grap-
peln', das von 'grappen' „raffen, an sich
reißen, [er]haschen" abgeleitet ist. Zu diesem *hochd. mdal.* grappen gehören die in der
Umgangssprache gebräuchlichen Weiterbildungen grapschen und grapsen „gierig
oder hastig ergreifen, packen". Mit dieser
Sippe sind im *germ.* Sprachbereich verwandt
engl. to grabble „grabbeln, packen", to grasp
„packen, ergreifen" und *schwed.* grabba
„packen". Diese *germ.* Wortgruppe gehört
mit verwandten Wörtern in anderen *idg.*
Sprachen zu der *idg.* Wz. *gh[e]rebh-
„raffen, an sich reißen", vgl. z. B. *aind.*
grabh- „ergreifen, fassen" und *lit.* grabínti,
grabóti „tasten, greifen". Zu dieser Wurzel
gehört auch das unter → Garbe behandelte
Wort. Siehe auch den Artikel graben.

graben: Das *gemeingerm.* Verb *mhd.* graben,
ahd. graban, *got.* graban, *engl.* to grave,
schwed. gräva ist verwandt mit der *baltoslav.*
Sippe von *russ.* grebú, grestí „graben; begraben; harken", grob „Grab; Sarg". Weiterhin besteht wohl Zusammenhang mit den
unter → grabbeln behandelten Wörtern. Um
'graben' gruppieren sich die Bildungen
→ Grab, → Graben und (mit *niederl.* Herkunft)
→ Gracht sowie → Grube (s. auch Grübchen)
und → Gruft. Eine Iterativbildung zu 'graben'
ist → grübeln, das urspr. „wiederholt graben
oder kratzen, herumstochern" bedeutete.
Aus dem *dt.* Sprachbereich stammt *frz.* graver „eingraben, stechen, schneiden", das im
18. Jh. als → gravieren entlehnt wurde. Abl.:
Gräber *m* (*mhd.* grabǽre, *ahd.* bi-grabāri;
heute vorwiegend in Zus. wie Schatz-, Toten-
gräber). Zus.: Grabscheit veralt. für „Spaten" (*mhd.* grabeschît; vgl. *Scheit*); Grabstichel „Werkzeug der Goldschmiede und
Graveure" (15. Jh.). Beachte auch die Zus.
ausgraben, dazu Ausgrabung *w* (seit
dem 18. Jh. bes. als Fachausdruck der Archäologen gebräuchlich) und die Präfixbildung begraben (*mhd.* begraben, *ahd.* bigra-
ban), dazu Begräbnis *s* (*mhd.* begrebnis[se]
„Grabstätte").

Graben *m*: Das Substantiv *mhd.* grabe, *ahd.*
grabo ist eine Bildung zu dem unter → *graben* behandelten Verb.

Gracht *w* „Wassergraben; Kanal[straße]":
Das im 18. Jh. aus dem *Niederl.* entlehnte
Wort ist eine Bildung zu dem unter → *graben*
behandelten Verb. *Niederl.* gracht entspricht
dem heute veralteten *hochd.* Graft („Graben;
Wassergraben; Kanal" (*mhd.*, *ahd.* graft).
Zum *niederd.-niederl.* Wandel von -ft- zu
-cht- vgl. z. B. die Artikel anrüchig, berüch-
tigt, Gerücht, ruchbar, echt, sacht, Nichte,
Schlucht, Schlacht, sichten.

Grad *m* „Stufe, Rang": Im 17. Jh. aus *lat.*
gradus (eigtl. „Schritt") entlehnt. Zu *lat.*
gradi „schreiten". Abl.: ... gradig. Verwandt

sind: → Aggression, → degradieren, → Ingredienzen, → Kongreß, → progressiv.

Graf *m*: Die Geschichte des Wortes ist eng
mit der Geschichte des Grafenamtes und des
Grafenstandes verbunden. *Mlat.* graphio, das
auf den byzantinischen Hoftitel grapheús
(eigtl. „Schreiber", vgl. *Graphik*) zurückgeht,
bezeichnete in frühmerowingischer Zeit einen
Polizei- und Vollstreckungsbeamten, dann,
im Rahmen des Ausbaus des merowingischen
Verwaltungs- und Rechtswesens, einen königlichen Beamten mit administrativen und
richterlichen Befugnissen. Dieses *mlat.*
graphio liegt aller Wahrscheinlichkeit nach
den *westgerm.* Wörtern zugrunde: *ahd.*
gräfio, daneben grāvo, auf das *mhd.* grāve,
nhd. Graf zurückgehen, *mnd.* grēve, *niederl.*
graaf, *aengl.* gerēfa, das noch als zweiter
Bestandteil in *engl.* sheriff steckt. In
der Karolingerzeit wurde das Grafen-
amt in das Lehnswesen einbezogen und
mit der Verleihung von Landbesitz verbunden, und seit dem Ende des 12. Jh.s
bildeten die Grafen infolge der Begrenzung
des Reichsfürstenstandes einen eigenen Adelsstand. – Regional verschieden, konnten seit
dem hohen Mittelalter allerdings auch ge-
wählte oder ernannte Personen ein Grafen-
amt mit niederer richterlicher Gewalt bekleiden. An diese Stellung des Grafen schließen sich Zus. wie Deichgraf, Feldgraf,
Wassergraf an. Abl.: gräflich (*mhd.* grǣf-
lich); Grafschaft *w* (*mhd.* grāveschaft; im
Ahd. dafür gräscaf, gräschaft).

Gral *m*: *Mhd.* grāl „heiliges, wundertätiges
Ding, heiliger Stein", das in der mittelalterlichen *dt.* Gralsliteratur zuerst in Wolfram
von Eschenbachs Parzivaldichtung erscheint,
ist aus *afrz.* graal „heiliges, als Kelch gedach-
tes Gefäß, mit dem Christus die Spendung
des Sakraments vollzog und in dem Joseph
von Arimathia das Blut Christi sammelte"
entlehnt. Die Herkunft von *afrz.* graal, das
außerhalb der *frz.* Gralsdichtungen in der
Bed. „Gefäß" bezeugt ist, läßt sich nicht mit
Sicherheit bestimmen. Am ehesten ist von
einem *lat.* *crātalis „Schüssel, Topf" (Ableitung von *lat.* crātis „Flechtwerk, Geflochtenes") oder aber von *mlat.* gradālis „Stufen-
kelch" auszugehen. Abl. grōlen (s. d.).

gram: Das *altgerm.* Adjektiv *mhd.*, *ahd.* gram,
niederl. gram, *aengl.* gram, *aisl.* gramr steht
im Ablaut zu dem unter → *grimm* behandelten Wort. Wie dies bedeutet es eigtl. „grollend, brummig" und wurde in den älteren
Sprachzuständen in der Bed. „zornig, wütend, wild" verwendet. Im *Nhd.* ist 'gram'
nur noch im Sinne von „unmutig, böse, bedrückt" gebräuchlich. **Gram** *m* „Kummer,
schmerzliche Betrübnis" ist das in *spätmhd.*
Zeit aus der Verbindung 'grame muot' „er-
zürnter Sinn" substantivierte Adjytiv und
bedeutete zunächst „Unmut". Das Verb
grämen, das heute fast ausschließlich refle-

230

xiv gebraucht wird, ist *gemeingerm.*: *mhd.*, *ahd.* grem[m]en, *got.* gramjan, *aengl.* gremmian, *aisl.* gremja. Es ist eine alte Ableitung vom Adjektiv und bedeutete zunächst „zornig, wütend machen, erzürnen". Eine Iterativbildung zu 'grämen' ist das seit dem 17. Jh. bezeugte, bes. *mitteld.* und *niederd.* grämeln „mißmutig sein". Abl.: grämlich „unmutig, mürrisch" (*spätmhd.* grem[e]lich). Siehe auch den Artikel Griesgram.

Gramm *s*: Im 19. Jh. als Bezeichnung für die Einheit des metrischen Gewichtssystems aus *frz.* gramme entlehnt, das auf *gr.-lat.* grámma zurückgeht. Dessen Grundbed. ist „Geschriebenes, Schrift, Schriftzeichen" (vgl. ...*gramm*). Daneben aber wurde es als Bezeichnung eines Gewichts von $^1/_{24}$ Unze gebraucht.

...gramm: Grundwort von zusammengesetzten Hauptwörtern mit der Bed. „Geschriebenes, Schrift". Zugrunde liegt *gr.* grámma „Geschriebenes, Buchstabe, Schrift", das zu *gr.* gráphein „schreiben" gehört (vgl. *Graphik*). Die einzelnen Zus. sind teils alt und schon im *Gr.* bezeugt wie → Programm, teils auch gelehrte Neubildungen wie → Autogramm, → Monogramm, → Stenogramm, → Telegramm. Als Bestimmungswort steht *gr.* grámma in →Grammophon. – Zum gleichen Grundwort gehören ferner die sprachwissenschaftl. FW →Grammatik, grammatisch, Grammatiker, grammatikalisch und schließlich auch →Gramm als Bezeichnung einer Gewichtseinheit (mit schon im *Gr.* belegter Bedeutungsübertragung).

Grammatik *w* (Teil der Sprachwissenschaft, der sich mit den sprachlichen Formen und ihrer Leistung beschäftigt; auch Bezeichnung für ein Lehrbuch der Sprachlehre): Im 16. Jh. entlehnt aus *lat.* (ars) grammatica „Sprachlehre" < *gr.* grammatikḗ (téchnē) „Sprachwissenschaft als Lehre von den Elementen (Buchstabe, Schrift, Satz, Satzbau) der Sprache". Stammwort ist *gr.* grámma „Geschriebenes, Buchstabe, Schrift" (vgl. ...*gramm*). – Dazu: Grammatiker *m* (schon in *ahd.* Zeit entlehnt aus *lat.* grammaticus „Sprachgelehrter" < *gr.* grammatikós); grammatisch (16. Jh.); grammatikalisch (17. Jh.; aus *lat.* grammaticális).

Grammophon *s*: Gelehrte Neubildung des 19. Jh.s zur Bezeichnung eines Gerätes, das eine aufgezeichnete Tonkurve in Töne umsetzt. Als Wortbildungselemente dienten *gr.* grámma „Geschriebenes, Schrift" (vgl. ...*gramm*) und *gr.* phōnḗ „Stimme, Ton, Schall" (vgl. *Phonetik*).

Granat *m* (Halbedelstein): *Mhd.* granāt aus *mlat.* grānātus, das aus dem *lat.* Adj. grānātus „gekörnt" in der Fügung lapis grānātus „körniger, kornförmiger Edelstein" hervorgegangen ist. Stammwort ist *lat.* grānum „Korn" (vgl. *Granit*).

Granatapfel *m*: Die Frucht des im Orient beheimateten Granatbaumes hieß bei den Römern wegen der großen Menge ihrer Samenkerne *lat.* mālum grānātum „kernreicher Apfel" (zu *lat.* grānum „Korn, Kern"; vgl. *Granit*). In *mhd.* Zeit wurde das Wort entlehnt und teilweise übersetzt. – Für gleichbed. *it.* mela granata (melo-granato), das in der Kurzform granata übertr. auch „Geschoß" bedeutet (s. Granate), ist statt mālum *lat.* mēlum oder *vlat.* mēla anzusetzen (über das Verhältnis von *lat.* mālum zu mēlum vgl. Melone). In Norditalien schließlich gilt *lat.* pōmum „Apfel" (*it.* pomo) in der Fügung pomo granato (*mdal.* pom granat), das für *frz.* grenade „Granatapfel; Geschoß" Quelle ist (s. Grenadier).

Granate *w*: LW des 16./17. Jh.s aus *it.* granata, das eigtl. „Granatapfel" bedeutet, dann übertr. auch ein mit einem Granatapfel verglichenes, mit Sprengladung gefülltes Hohlgeschoß bezeichnet (entspr. *frz.* grenade in →Grenadier). Über weitere Zusammenhänge vgl. *Granatapfel.* – Zus.: Handgranate (17. Jh.).

Grand *m* „Großspiel (beim Skat)": Im 19. Jh. aus *frz.* grand jeu „großes Spiel" verselbständigt. Voraus liegt – wie auch für entspr. *span.*, *it.* grande (s. grandios) – *lat.* grandis „groß; großartig; bedeutend, erhaben, vornehm".

grandios „großartig, überwältigend": Im 18. Jh. aus gleichbed. *it.* grandioso entlehnt; zu *it.* grande (vgl. *Grand*).

Granit *m* (Gesteinsart): In *mhd.* Zeit als granīt entlehnt aus *it.* granito (= *mlat.* granitum marmor „gekörntes Marmorgestein"). Das zugrunde liegende Verb *it.* granire „körnen" gehört zu *it.* grano „Korn", das mit entspr. *frz.* grain auf *lat.* grānum „Korn, Kern" zurückgeht. Dieses mit *nhd.* →Korn und →Kern urverwandte Wort ist auch Quelle für die FW →Granat, →Granate, →Granatapfel, →Grenadier, →Filigran. – Abl.: graniten „aus Granit" (18. Jh.).

Granne *w*: *Mhd.* gran[e] „Haarspitze; Barthaar; Borste; Ährenborste; Gräte", *ahd.* grana „Barthaar; Gräte", *aengl.* granu „Schnurrbart", *aisl.* grǫn „Barthaar" und „Tanne" (eigtl. „Nadel[baum]") gehören mit verwandten Wörtern in anderen *idg.* Sprachen zur der *idg.* Wz. *gher[∂]-, *ghrē- „hervorstechen, spitz sein", vgl. z. B. *gall.* grennos „Bart" und die *slaw.* Sippe von *russ.* gran' „Grenze", eigtl. „Ecke, Kante, Rand" (s. Grenze). Zu dieser Wurzel gehören aus dem *germ.* Sprachbereich auch die unter →Grat und →Gräte behandelten Wörter sowie die Sippen von →Gras und →grün, die auf einem Bedeutungswandel von „hervorstechen" zu „keimen, wachsen, grünen" beruhen. – Heute wird 'Granne' hochsprachl. nur noch im Sinne von „Ährenborste" gebraucht, während es *mdal.* auch noch „Schweinsborste" und „Haarspitze, Schnurrhaar" bedeutet. Abl.: grannig „stachlig, borstig" (16. Jh.).

Graphik w (Sammelbezeichnung für Holzschnitt, Kupferstich, Lithographie und Handzeichnung): Im 19. Jh. aus dem *gr.* Adj. graphikós in der Fügung graphikế téchnē „die Kunst zu schreiben, zu zeichnen, zu malen usw." entlehnt. Zugrunde liegt das mit *nhd.* →*kerben* urverwandte Zeitwort *gr.* gráphein „ritzen, einritzen, schreiben", das u, a. auch als Bestimmungswort grapho..., Grapho... in Zus. wie →Graphologe, Graphologie oder als Grundwort ...graph, ...graphie in Zus. wie →Biograph, Biographie, Geograph, Geographie, Kartograph, Kartographie, Stenographie (stenographieren) erscheint. Eine gelehrte Neubildung zu gráphein ist →Graphit, während in unserem LW →Griffel das *gr.* Subst. grapheîon „Schreibgerät" vorliegt. – Als Nominalbildung zu gráphein erscheint *gr.* grámma (< *gráph-ma) „Geschriebenes, Buchstabe, Schrift", das in verschiedenen Zus. eine Rolle spielt (s. hierüber unter →gramm). Unmittelbar zu Graphik gehören als Abl.: Graphiker m (20. Jh.) und graphisch (19. Jh.).

Graphit m (Form des reinen Kohlenstoffs, wie er in Schreibstiften als „Reißblei, Schreibblei" verwendet wird): Gelehrte Neubildung des 18. Jh.s zu *gr.* gráphein „schreiben" (vgl. *Graphik*).

Graphologe m „Forscher und Kenner auf dem Gebiet der Graphologie", **Graphologie** w „Lehre von der Deutung der Handschrift (als Ausdruck des Charakters)": Gelehrte Bildungen des 19.Jh.s zu *gr.* gráphein „schreiben" (vgl. *Graphik*) und lógos „Wort, Kunde, Bedeutung" (vgl. *Logik*). – Dazu als Adj. graphologisch.

Gras s: Das *gemeingerm.* Wort *mhd.*, *ahd.* gras, *got.* gras, *engl.* grass, *schwed.* (weitergebildet) gräs gehört mit der Sippe von →grün zu der Wurzelform *ghrē-, *ghro- „keimen, wachsen, grünen", eigtl. „hervorstechen" (vgl. *Granne*). Außergerm. eng verwandt ist z. B. *lat.* grāmen „Gras" (aus *gras-men). Das *gemeingerm.* Wort bezeichnete also urspr. den frischen Wuchs, das sprießende Grün. Abl.: grasen (*mhd.* grasen „Gras schneiden; weiden", *ahd.* grasōn „Gras schneiden"; beachte auch abgrasen); dazu Graser m weidmänn. für „Zunge von Rot- und Damwild" (18. Jh.); grasig (*mhd.* grasec, *ahd.* grasag „grasbewachsen"). Zus.: Grasaffe (18. Jh.; Spott- und Schimpfwort für einen unreifen Menschen); Grashüpfer (eigtl. für „Heuschrecke" (16. Jh.; vgl. *engl.* grashopper); Grasmücke (*mhd.*, *ahd.* gras[e]muc[ke]; der Name des kleinen, vorwiegend in Gebüsch und Hecken lebenden Singvogels geht auf *ahd.* *grasa-smucka, eigtl. „Grasschlüpferin" zurück; diese Zu-

sammensetzung, deren zweiter Bestandteil zu dem von 'schmiegen' abgeleiteten Intensivum →*schmücken* gehört, wurde aber schon früh als „Gras-Mücke" verstanden).

gräßlich: Das im 14. Jh. ins *Mitteld.* und *Oberd.* vordringende *mnd.* greselīk „schaudererregend" wurde im *mitteld.* und *oberd.* Sprachraum als Ableitung von dem heute nur noch *mdal.* bewahrten graß „zornig, wütend" (*mhd.* graz) empfunden und nach diesem umgestaltet. Das *mnd.* Wort ist im *germ.* Sprachbereich verwandt mit *ahd.* grīsenlīh „gräßlich" und *engl.* grisly „gräßlich". Die weitere Herkunft ist unklar.

Grat m: *Mhd.* grāt „Bergrücken; Rückgrat; Gräte; Spitze, Stachel; Ährenborste", *ahd.* grāt „Rückgrat, *niederl.* graat „Gräte" gehören im Sinne von „Spitze[s], Hervorstechendes" zu der unter →*Granne* dargestellten *idg.* Wurzel. Außergerm. eng verwandt ist die *slaw.* Sippe von *poln.* grot „Pfeilspitze, Wurfspieß". Zus.: Rückgrat s (15. Jh. in der Form ruckegrāt). Siehe auch den Artikel Gräte.

Gräte w: Die *nhd.* Form geht zurück auf gleichbed. *mhd.* grēte w. Dieses Femininum entstand, indem aus *mhd.* grēte, Mehrz. von *mhd.* grāt m „Bergrücken; Rückgrat; Gräte; Spitze, Stachel; Ährenborste" (vgl. *Grat*), eine neue Einzahl gebildet wurde. – Die Bildungen grätig (*mhd.* grētec) und [aus-, ent]gräten gehörten urspr. näher zu 'Grat' und haben sich erst sekundär eng an 'Gräte' angeschlossen.

Gratifikation w „freiwillige Vergütung, Sonderzuwendung, Ehrengabe": Im 19. Jh. aus *lat.* grātificātiō „Gefälligkeit" entlehnt. Zu grāti-ficārī „eine Gefälligkeit erweisen", weiter zu *lat.* grātus „erwünscht, willkommen; gefällig" (vgl. *Grazie*) und facere „machen, tun" (vgl. *Fazit*).

gratis „unentgeltlich": Im 16. Jh. aus dem gleichbed. *lat.* Adverb grātīs entlehnt, das urspr. ein erstarrter Ablativ von grātia „Dank" (vgl. *Grazie*) ist und eigtl. „um den bloßen Dank" (und nicht um Belohnung) bedeutet.

grätschen: Das seit dem 17. Jh. bezeugte Verb ist eine Intensivbildung zu dem heute nicht mehr gebräuchlichen grāten „mit ausgespreizten Beinen gehen, die Beine spreizen" (*mhd.* grēten), das vermutlich lautnachahmender Herkunft ist. Seit dem 19. Jh. ist 'grätschen' – beachte auch Grätsche w (Turnübung) – hauptsächlich als Ausdruck der Turnersprache gebräuchlich.

gratulieren „Glückwünsche darbringen": Im 16. Jh. aus gleichbed. *lat.* grātulārī entlehnt, das zur Sippe von grātus „willkommen", grātia „Gunst; Dank; Anmut" gehört (vgl. *Grazie*). Dazu: Gratulant m (18. Jh.; aus dem Part. Präs. *lat.* grātulāns) und Gratulation w (16. Jh.; aus *lat.* grātulātiō).

grau: Das altgerm. Farbadjektiv mhd. grā, ahd. grāo, niederl. grauw, engl. gray, schwed. grā gehört mit verwandten Wörtern in anderen idg. Sprachen zu der vielfach weitergebildeten und erweiterten idg. Wz. *gher[ə]-*ghrē- „schimmern[d], strahlen[d], glänzen[d]", vgl. z. B. lit. žerēti „im Glanze strahlen", russ. zarjá „Glanz, Röte am Himmel". Zu dieser Wurzel gehört aus dem germ. Sprachbereich auch die Sippe von →greis (urspr. „grau"). Die Bed. „grau" hat sich demnach aus „schimmernd, strahlend, glänzend" entwickelt. Auch die meisten anderen Farbadjektive – vgl. z. B. 'braun' und 'blau' – bedeuteten urspr. „schimmernd, glänzend, leuchtend", was sich daraus erklärt, daß die Indogermanen bei der sprachlichen Erfassung nicht vom Farbton, sondern von Glanz und Schimmer ausgingen. Heute wird der Farbton Grau oft näher bestimmt, beachte z. B. die Zus. asch-, eis-, maus-, schiefer-, taubengrau. Dagegen bezieht sich 'feldgrau' (um 1900; auch substantiviert Feldgrau s) auf die Tuchfarbe der im Felde befindlichen Truppe. – Nach der Farbe der Kleidung heißen die Zisterzienser (auch die Franziskaner) 'Graue Mönche', beachte auch 'Graues Kloster' (Schule in Berlin). Mit der Farbe Grau verbinden sich auch die Vorstellungen von hohem Lebensalter und von längst Vergangenem (beachte z. B. 'graue Vorzeit') sowie von Öde und Elend. Abl.: ¹grauen (mhd. grāwen, ahd. grāwēn; im Sinne von „grau werden" durch 'ergrauen' verdrängt, aber als „dämmern, tagen" auch heute noch gebräuchlich); graulich, auch gräulich (17. Jh.).

¹grauen siehe grau.

²grauen „Furcht, Widerwillen empfinden": Das Verb mhd. grūwen, ahd. (in)grūēn bildet mit den Sippen von →grausen und →Greuel sowie mit den unter →graulen, →grausam und →gruseln behandelten Wörtern eine im germ., bes. im dt. Sprachbereich weiterverästelte Wortgruppe, deren weitere Herkunft unklar ist. – Abl.: Grauen s (16. Jh.; substantivierter Infinitiv), dazu grauenhaft (18. Jh.) und grauenvoll (18. Jh.).

graulen, [sich]: Das vorwiegend in der Umgangssprache gebräuchliche Verb (mhd. grūweln, griuweln „Furcht empfinden") ist eine Bildung zu dem unter →²grauen behandelten Verb.

Graupe w: Das seit dem 16. Jh. bezeugte Wort für „geschälte Gerste" (seltener für „geschälter Weizen") stammt wahrscheinlich aus dem Slaw., vgl. obersorb. krupa, poln. krupa, russ. krupá „Graupe, Grütze; Hagelkorn; schneeiger Hagel". Abl.: graupen „hageln" (16. Jh.; beachte schles. eysgrupe „Hagelkorn", 15. Jh.), dazu graupeln „hageln" (17. Jh.), Graupel w „Hagelkorn" (19. Jh.).

grausam: Das Adjektiv mhd. grū[we]sam „Grauen erregend" gehört zu dem unter →grauen behandelten Verb. Die heute übliche Bed. „hart, unbarmherzig" hat sich erst seit dem 16. Jh. allmählich durchgesetzt.

grausen: Das auf das dt. Sprachgebiet beschränkte Verb mhd. grūsen, griusen, ahd. ir-grū[wi]sōn ist eine Weiterbildung zu dem unter →grauen behandelten Verb. Das Substantiv Graus m (mhd. grūs) „Furcht, Schrecken; Schreckbild") ist durch den substantivierten Infinitiv Grausen s (mhd. grūsen) weitgehend zurückgedrängt. Das Adjektiv graus „schrecklich, grauenerregend" ist erst in nhd. Zeit zu 'Graus' gebildet. Älter sind die Adjektivbildungen grausig (spätahd. griusig) und grauslich (mhd. grūslich, griuslich). Siehe auch den Artikel gruseln.

gravieren „in Metall, Stein [ein]schneiden", dafür häufiger eingravieren: Im 18. Jh. aus gleichbed. frz. graver entlehnt, das urspr. „eine Furche ziehen, einen Scheitel ziehen" bedeutete. Die moderne Bedeutung zeigte sich zuerst in dem abgeleiteten Subst. frz. graveur „Stecher, Metall-, Steinschneider", das im 18. Jh. als Graveur m ins Nhd. gelangte. Im 19. Jh. folgte Gravüre w „Erzeugnis der Gravierkunst (Kupfer-, Stahlstich)", aus frz. gravure. Später auch mit latinisierter Endung Gravur w „Darstellung, Zeichnung auf Metall oder Stein". – Das Stammwort frz. graver ist germ. Ursprungs. Es geht auf eine durch das Niederl. vermittelte mnd. Form graven von nhd. →graben zurück.

gravitätisch „ernst, würdevoll, gemessen": Im 16. Jh. gebildet zu dem heute veralteten Substantiv 'Gravität', das auf lat. gravitās „Würde; würdevolles Wesen" zurückgeht. Zugrunde liegt das lat. Adj. gravis „schwer, gewichtig, drückend", das mit osk.-lat. brūtus „schwer, schwerfällig; roh" (s. brutal und brutto) und mit verwandten Wörtern in anderen idg. Sprachen wie gr. barýs „schwer" (s. ¹Bar), got. kaúrjōs (Nom. Mehrz.) „schwer", aind. gurú-ḥ „schwer; wichtig; ehrwürdig", lett. grūts „schwer" zur idg. Wz. *gu̯er[ə]- „loben, preisen, willkommen heißen". Auf eine tiefstufige Partizipialbildung *gu̯r̥-to-s geht das lat. Adj. grātus „willkommen, angenehm" zurück, das u. a. in der Zus. lat. grāti-ficārī „sich jmdm. willfährig, gefällig zeigen; eine

Grazie w „natürliche Anmut": Im 18. Jh. aus lat. grātia entlehnt, woraus auch frz. grāce, engl. grace stammen. Das frz. Wort war schon um 1700 als Grace übernommen worden, wurde aber später von Grazie verdrängt. Lat. grātia, das eine Fülle von Bed. entwickelt hat, z. B. „Gunst; Dank, Erkenntlichkeit; Anmut, Lieblichkeit", denen allen die Vorstellung von etwas „Verherrlichtem, Gepriesenem" zugrunde liegt, gehört zu einer idg. Wurzel *gu̯er[ə]- „loben,

Gefälligkeit erweisen" vorliegt (s. Gratifikation). Außerdem spielt es eine Rolle in den bes. im modernen diplomatischen Verkehr üblichen Wendungen 'Persona grata' oder 'Persona ingrata'. – Unmittelbar zu grätia gehören das Adj. grätiösus „wohlgefällig, lieblich" (s. graziös) und das Adverb grätis (s. gratis; ferner die personifizierte Mehrz. Grätiae als Name der drei Huldgöttinnen (entspr. gr. Chárites „Charitinnen", zu cháris „Gunst; Dank; Anmut"), wonach im heutigen Sprachgebrauch hübsche junge Damen oft scherzhaft-spöttisch als Grazien bezeichnet werden. – Zu dieser Sippe stellt sich noch lat. grätulārī „Glück wünschen" (s. gratulieren, Gratulant, Gratulation). – Nicht verwandt ist →grazil.

grazil „schlank, zierlich; geschmeidig; schmächtig": Im 19. Jh. aus lat. gracilis „schlank, schmal, mager, dürr; einfach" entlehnt, das nicht sicher gedeutet ist. Es ist jedenfalls nicht mit grätia, grätiösus verwandt (s. Grazie, graziös).

graziös „anmutig": Im 18. Jh. aus frz. gracieux, lat. grätiōsus entlehnt (vgl. Grazie).

greifen: Das gemeingerm. Verb mhd. grīfen, ahd. grīfan, got. greipan, engl. to gripe, schwed. gripa ist verwandt mit der balt. Sippe von lit. griẽbti „ergreifen, packen". Die weiteren Beziehungen sind unklar. – Aus dem Germ. stammt frz. gripper „ergreifen", zu dem als Substantivbildung frz. grippe (s. Grippe) gehört. – Um 'greifen' gruppieren sich die Bildungen →Griff und →Grips, beachte auch greifbar (18. Jh.). Groß ist die Zahl der zusammengesetzten Verben, beachte z. B. abgreifen „abnutzen", ausgreifen „rasch vorwärtsstreben, vorankommen", eingreifen „sich einmischen, dazwischen gehen; etwas vornehmen" (dazu Eingriff m), übergreifen „über etwas hinausgehen, sich ausbreiten" (dazu Übergriff m). Wichtig sind folgende Zusammensetzungen und Präfixbildungen: angreifen (mhd. an[e]grīfen, ahd. anagrīfan „berühren, anfassen; Hand a etwas legen"; seit dem 16. Jh. „feindlich entgegentreten, anfallen, herfallen über" und „die Kräfte aufbrauchen, an der Gesundheit zehren"), dazu Angreifer m (18. Jh.) und Angriff m (mhd. an[e]grif, ahd. anagrif „Berührung, Anfassen; Umarmung"; erst im Nhd. auch „feindliches Entgegentreten"); begreifen (mhd. begrīfen, ahd. bigrīfan „berühren, betasten, anfassen; umfassen, umschließen; in Worte fassen; zusammenfassen; erreichen, verstehen"), dazu begreiflich (mhd. begrīf[e]lich „faßbar; verstehend") und Begriff m (mhd. begrif „Umfang, Bezirk; Zusammenfassung; Umfang und Inhalt einer Vorstellung"; heute bes. im Sinne von „Allgemeinvorstellung" und in der Wendung 'im Begriff sein' gebräuchlich; beachte auch die ugs. Wendung 'schwer von Begriff

sein' „eine mangelhafte Auffassungsgabe besitzen" und begriffsstutzig, 19. Jh.), Inbegriff „Gesamtheit der auf einen Begriff bezogenen Einzelheiten" (18. Jh.); ergreifen (mhd. ergrīfen „packen, fassen; erreichen, erlangen"; im Nhd. auch „in Gemütsbewegungen versetzen", beachte dazu ergreifend „rührend", ergriffen „gerührt" und Ergriffenheit w „Rührung"); vergreifen (mhd. vergrīfen „falsch greifen; einschließen, umfassen"; im Nhd. besonders reflexiv gebraucht im Sinne von „einen Fehlgriff tun; jemand etwas antun"; die Bed. „durch Greifen beseitigen" ist noch im 2. Partizip vergriffen erhalten.

greis: Das Adjektiv (asächs., mnd., mhd. grīs) hat sich allmählich vom Niederd. her über das dt. Sprachgebiet ausgebreitet. Im Niederl. entspricht grijs „grau; alt". Das Adjektiv, das zu der unter →grau dargestellten Wurzel gehört, bedeutete zunächst „grau". Da es besonders häufig auf das vom Alter ergraute Haar bezogen wurde, wandelte sich seine Bedeutung von „grau" zu „alt". In Niederd. ist die Bed. „grau" bewahrt, beachte das dem hochd. greis entsprechende niederd. gries „grau". Aus dem Afränk. entlehnt ist frz. gris „grau", dazu frz. grisette „graues Tuch, Kleidung aus grauem Tuch", dann auch „Näherin, Putzmacherin" (nach der grauen, schlichten Kleidung benannt) und „leichtfertiges Mädchen", beachte das FW Grisette w. Aus dem Frz. (afrz. grisel) stammt engl. grizzle, grizzly „grau", beachte engl. grizzly bear eigtl. „Graubär", aus dem Grislybär entlehnt ist. Abl.: Greis m „alter Mann" (mhd. grīse; substantiviertes Adjektiv, früher schwach flektierend), davon greisenhaft „sehr alt" (19. Jh.); vergreisen „vorzeitig die Art eines Greises annehmen" (19. Jh.).

grell: Mhd. grel „zornig, heftig, brüllend" ist eine Bildung zu dem im Nhd. untergegangenen Verb mhd. grellen „laut schreien, vor Zorn brüllen", vgl. aengl. grellan „erzürnen, die Zähne fletschen". Im Ablaut dazu stehen die unter →Groll behandelten Wörter. Die ganze Wortgruppe ist lautnachahmenden Ursprungs und kann, falls es sich nicht um unabhängige Schallnachahmungen handelt, z. B. verwandt sein mit der Sippe von →grüßen und aind. gharghara-ḥ „rasselnd, gurgelnd". – Im Nhd. bezieht sich 'grell' auch auf Gesichtseindrücke und wird im Sinne von „hell (vom Licht), schreiend (von Farben)" verwendet. Beachte dazu das Verhältnis von 'hell' zu 'hallen'.

Gremium s „beratende oder beschlußfassende Körperschaft": Im 19. Jh. entlehnt aus lat. gremium „Schoß" in dessen spätlat. Bed. „Armvoll, Bündel" (eigtl. „was man im Schoß fassen kann"). Lat. gremium ist verwandt mit lat. grēx „Herde, Haufe", wozu als Präfixverb lat. aggregāre gehört (s. Aggregat). Den lat.

Wörtern liegt eine *idg.* Wurzel **ger-, gere-* „zusammenfassen, sammeln", erweitert **grem-, zugrunde, zu der neben verwandten Wörtern in anderen *idg.* Sprachen auch *gr.* ageírein „[ver]sammeln" gehört mit den abgeleiteten Wörtern agorá „Versammlungsplatz, Markt", agoreúein „auf dem Markt reden" (→Allegorie, →Kategorie).

Grenadier *m* (Infanterist): Urspr. war der Grenadier ein „Handgranatenwerfer", entspr. *frz.* grenadier, woraus das FW im 17./18. Jh. entlehnt wurde. Das zugrunde liegende Subst. *frz.* grenade „Granatapfel[baum]; Granate", das identisch ist mit *it.* granata (wozu entspr. granatiere „Grenadier"), wurde – ähnlich wie dieses (s. Granate) – aus der Fügung *afrz.* pume grenate (> pume grenade) verselbständigt, die ihrerseits *it.* Ursprungs ist (vgl. *Granatapfel*).

Grenze *w*: Das im 13. Jh. aus dem *Westslaw.* entlehnte greniz[e] hat sich von den östlichen Kolonisationsgebieten aus allmählich über das *dt.* Sprachgebiet ausgebreitet und das heimische Wort ²Mark „Grenze, Grenzgebiet" (s. d.) verdrängt. *Poln.* granica „Grenze", *tschech.* hranice „Grenze", *russ.* granica „Grenze" gehören zu der *slaw.* Wortgruppe von *russ.* gran' „Grenze" (vgl. *Granne*). Abl.: grenzen (15. Jh., beachte dazu angrenzen und begrenzen); Grenzer *m* „Grenzwächter, Grenzsoldat" (15.Jh.).

Greuel *m* „Abscheu; Entsetzlichkeit, ungeheuerliches Tat; widerlicher Mensch": Das auf das *dt.* und *niederl.* Sprachgebiet beschränkte Substantiv (*mhd.* griu[we]l, *mnd.* grüwel, *niederl.* gruwel) gehört zu dem unter →grauen behandelten Verb und bedeutete urspr. „Grauen, Schrecken". Abl.: greulich, unter Anschluß an 'graulen' (s. d.) auch graulich „scheußlich, entsetzlich" (*mhd.* griu[we]lich). Zus.: Greueltat (17. Jh.).

Griebe *w*: Das *landsch.* Ausdruck für „[ausgebratenes] Speckstückchen"; „Bläschenausschlag an den Lippen" (*mhd.* griebe, *ahd.* griobo) ist vermutlich näher verwandt mit den unter →Griebs und →grob behandelten Wörtern und gehört dann zu der Wortgruppe von →groß.

Griebs *m* „Kerngehäuse des Obstes": Das seit dem 15. Jh. (in der Form grübiz) bezeugte Wort ist vermutlich mit den unter →Griebe und →grob behandelten Wörtern eng verwandt und gehört dann zu der Sippe von →groß. In *mitteld.* Mundarten wird 'Griebs' auch im Sinne von „Adamsapfel" verwendet. Ähnliche *mdal.* Ausdrücke für „Kerngehäuse" sind z. B. Butzen, Grotzen, Ketsche, Strunk.

Griesgram *m*: Aus dem heute veralteten Verb griesgramen „mürrisch sein", *mhd.* grisgram[m]en, *ahd.* grisgramōn „mit den Zähnen knirschen, murren, brummen" wurde in *mhd.* Zeit das Substantiv grisgram „Zähneknirschen" rückgebildet. Dieses

Substantiv wurde im *Nhd.* dann im Sinne von „mürrische Stimmung, Grämlichkeit" gebräuchlich und bezeichnet seit dem 18. Jh. einen in mürrische Stimmung versunkenen Menschen. Der zweite Bestandteil des zusammengesetzten Verbs gehört zu dem unter →gram behandelten Wort, der erste Bestandteil vermutlich zu der Sippe von *dt. mdal.* grieseln „[vor Kälte, Furcht, Ekel] erschauern", grieselich „schauerlich, grausig", die wohl auf einer Nebenform mit i-Vokalismus beruhen, während „grausen", 'gruseln' u-Vokalismus haben (vgl. *grauen*). Abl.: griesgrämig, griesgrämisch, griesgrämlich (15. Jh. in der Form grisgramig).

Grieß *m* „grobkörniger Sand; zu feinen Körnchen gemahlener Weizen, Reis oder Mais": *Mhd.* grieჳ, *ahd.* grioჳ „Sand, Kies; Sandplatz; sandiges Ufer, Strand; grobgemahlenes Mehl", *asächs.* grit „grobkörniger Sand, Kies; Sandstein", *schwed.* gryt „Steinhaufen" gehören im Sinne von „Zerriebenes, Zerbröckeltes" zu der unter →groß dargestellten *idg.* Wurzel. Abl.: grießeln „körnig werden, bröckeln, rieseln" (18. Jh.); grießig (*mhd.* grieჳec „sandig, körnig"; beachte dazu Grießig *s* „Bienenkot").

Griff *m*: Das *westgerm.* Substantiv *mhd.*, *ahd.* grif, *niederl.* greep, *engl.* grip ist eine Bildung zu dem unter →greifen behandelten Verb. Ähnlich gebildet ist die *nord.* Sippe von *schwed.* grepp „Griff". Im *Dt.* wird 'Griff' auch im konkreten Sinne gebraucht, beachte z. B. die Zus. Messergriff. Weidmänn. bedeutet 'Griff' „Klaue eines Raubvogels". Abl.: griffig „handlich" (*mhd.* griffec). Zus.: Handgriff (17. Jh.; schon *ahd.* hantgrif „Griff mit der Hand"); Kunstgriff (17.Jh.).

Griffel *m*: Der Name des Schreibgerätes *mhd.* griffel, *ahd.* griffil ist wohl eine mit dem Werkzeugsuffix -il gebildete und formal an *ahd.* grīfan „greifen" angelehnte Ableitung von *ahd.* graf „Schreibgerät". Letzteres beruht auf einer Entlehnung aus *lat.* graphium (< *gr.* grapheîon, graphíon) „Werkzeug zum Schreiben (auf Wachstafeln), Metallgriffel". Zu *gr.* gráphein „schreiben" (vgl. *Graphik*).

Grill *m* „Bratrost": LW des 20. Jh.s aus *engl.* grill < *frz.* gril (neben grille) < *lat.* crātīculum (neben crātīcula) „Flechtwerk, kleiner Rost". Das Stammwort *lat.* crātis „Flechtwerk, Hürde" ist urverwandt mit →Hürde. – Dazu das Verb grillen „auf dem Grill braten" (aus *engl.* to grill< *frz.* griller).

Grille *w*: Der Name des Insektes *mhd.* grille, *ahd.* grillo beruht auf einer Entlehnung aus *lat.* grillus „Heuschrecke, Grille", das selbst lautnachahmenden Ursprungs ist. – Seit dem 16. Jh. wird das Wort auch im bildlich übertragenen Sinne „wunderlicher Einfall; Laune" gebraucht. „

Grimasse w „verzerrtes Gesicht, Fratze": Im 17. Jh. aus gleichbed. *frz.* grimace entlehnt, das selbst wohl *germ.* Herkunft ist. Man erwägt als Quelle ein im *Aisl.* und *Aengl.* bezeugtes Wort grīma „Maske, Larve".

grimm: Das *altgerm.* Adjektiv *mhd.* grim[me], *ahd.* grimm, *mniederl.* grim[m], *engl.* grim, *schwed.* grym gehört mit verwandten Wörtern in anderen *idg.* Sprachen zu der lautnachahmenden *idg.* Wz. *ghrem- „tönen, dröhnen, grollen", vgl. z. B. *gr.* chremízein „wiehern" und *russ.* gremét' „donnern, klirren, rasseln", grom „Donner, Gewitter", beachte auch *russ.* po-gróm „Ausschreitung" (daher das FW Pogrom *m* „Ausschreitung, Hetze"). Die Bed. „zornig, wütend, wild" hat sich demnach aus „grollend, brummig" entwickelt. Im Ablaut zu 'grimm' steht im *germ.* Sprachbereich die Wortsippe von →gram. **Grimm** *m* „Zorn, Erbitterung" ist das in *mhd.* Zeit aus der Verbindung 'grimme muot' „zorniger Sinn" substantivierte Adjektiv. – Das Verb **grimmen** (*mhd.* grimmen „vor Wut oder Schmerz mit den Zähnen knirschen, toben, brüllen", vgl. *mniederl.* grimmen, *aengl.* grimman) flektierte urspr. stark und ist eine unmittelbare Bildung zu der oben genannten *idg.* Wurzel. Erst sekundär ist es an 'grimm' und 'Grimm' angeschlossen worden. Neben dem einfachen Verb ist auch ergrimmen (bes. das 2. Partizip ergrimmt) gebräuchlich. Abl.: grimmig (*mhd.* grimmec, *ahd.* grimmīg; Abl. vom Adjektiv). Beachte auch die Zus. Ingrimm (18. Jh.), dazu ingrimmig (18. Jh.), deren erster Bestandteil die unter →in behandelte Präposition ist.

Grimmen *s* „Leibschmerzen, Bauchweh": Das auf das *dt.* Sprachgebiet beschränkte Wort (*frühnhd.* grimmen, *mhd.* grimme, krimme) bedeutet eigtl. „Kneifen, [krampfartiges] Reißen" und gehört zu *mhd.* krimmen und (unter dem Einfluß von *mhd.* grimmen „vor Zorn oder Schmerz wüten", vgl. *grimm*) grimmen „krallen; kratzen; kneifen; reißen". Dieses Verb gehört zu der unter →krumm dargestellten Wortgruppe. Zus.: Grimmdarm (18. Jh.; als Ausgangspunkt und Sitz des Grimmens benannt).

Grind *m* „Schorf, Kruste" (bei [Kopf]hauterkrankungen): *Mhd.* grint „Ausschlag; Schorf; Kopfgrind; Kopf", *ahd.* grint „Ausschlag; Schorf", *mnd.* grint „grobkörniger Sand; grobes Mehl", *niederl.* grint „Kies; Grieß" stellen sich zu einem im *germ.* Sprachbereich nur im *Engl.* bewahrten starken Verb *aengl.* grindan, *engl.* to grind „zerreiben, zermalmen, mahlen". Im Ablaut zu 'Grind' steht das aus dem *Niederd.* stammende Grand *m* „Kies, grobkörniger Sand", dem *schwed.* grand „Staubkörnchen" entspricht, beachte auch *norw.* grande „Sandbank". Diese Sippe gehört zu der unter →Grund

(eigtl. „Zerriebenes, Zermahlenes", dann „grobkörniger Sand") dargestellten Wortgruppe. – Die seit *mhd.* Zeit bezeugte, heute nur noch *mdal.* Verwendung von 'Grind' im Sinne von „Kopf" war zunächst verächtlich und erklärt sich daraus, daß der Kopfgrind in früheren Zeiten eine weitverbreitete Krankheit war. Auch in der Jägersprache wird der Kopf der Hirscharten und des Gamswildes noch 'Grind' genannt. Abl.: grindig „voller Grind" (*mhd.* grintec).

grinsen „höhnisch, spöttisch oder widerlich lächeln": Das Verb ist eine erst *frühnhd.* intensivierende Weiterbildung zu dem heute veralteten grinnen „,[mit den Zähnen] knirschen, keifen" (*mhd.* grinnen). Es wurde früher auch im Sinne von „weinerlich das Gesicht verziehen, weinen" verwendet. Das veraltete 'grinnen' hängt zusammen mit greinen ugs. für „weinen", veralt., aber noch *mdal.* auch für „keifen, zanken" (*mhd.* grīnen, *ahd.* grīnan „lachend oder weinend den Mund verziehen, murren, knurren, brüllen"), beachte das aus dem *Niederd.* stammende grienen ugs. für „spöttisch lächeln, grinsen". Damit verwandt sind im *germ.* Sprachbereich z. B. *engl.* to grin „grinsen" und to groan „stöhnen, jammern" und *schwed.* grina „grinsen, feixen; weinen, heulen", älter auch „nicht dicht schließen, offenstehen".

Grippe w (Infektionskrankheit): Im 18. Jh. aus gleichbed. *frz.* grippe entlehnt, das eigtl. „Grille, Laune" bedeutet. Die Bedeutungsübertragung mag von der Vorstellung ausgegangen sein, daß diese Krankheit den Menschen plötzlich und launenhaft befällt. Das *frz.* Wort ist mit dem danebenstehenden Verb gripper „nach etwas haschen, greifen" *germ.* Ursprungs (vgl. *greifen*). – Im sachlichen Zusammenhang damit steht das synonyme FW →Influenza, das allerdings mehr und mehr – auch in der Fachsprache – von 'Grippe' verdrängt wird.

Grips *m*: Das im wesentlichen in der *nordd.* und *mitteld.* Umgangssprache gebräuchliche Wort für „Verstand, Auffassungsgabe" ist eine Substantivbildung zu dem *mdal.* Verb gripsen „schnell fassen, raffen, mausen, stehlen" und bedeutet eigtl. „Griff, Fassen". Das Verb gripsen, daneben auch gripschen, ist eine Iterativbildung zu dem gleichbed. *mdal.* grippen (vgl. *greifen*).

grob: Das auf das *dt.* und *niederl.* Sprachgebiet beschränkte Adjektiv (*mhd.* grop, *ahd.* g[e]rob, *niederl.* grof) gehört wahrscheinlich zu der unter →groß dargestellten Wortgruppe. Im heutigen Sprachgebrauch wird 'grob' hauptsächlich im Sinne von „nicht fein", übertr. „ungelenk, bäurisch, ungebildet" verwendet. In den älteren Sprachzuständen bedeutete es auch „rauh, uneben" und „massig, schwer, groß". Abl.: vergröbern (18. Jh.); Grobheit (*mhd.* gropheit);

Grobian *m* (15. Jh.; nach Namen wie Cassian, Damian mit *lat.* Endung aus 'grob' abgeleitete Scherzbildung); gröblich (*mhd.* grobelich). Zus.: grobschlächtig (19. Jh.); Grobschmied (17. Jh.).

Grog *m* (heißes Getränk aus Rum, Zucker und Wasser): Das im 18. Jh. aus *engl.* grog entlehnte Wort verdankt seine Entstehung einem Matrosenscherz. Der *engl.* Admiral Vernon, der wegen seines Überrocks aus Kamelhaar (= *engl.* grogram) bei den Matrosen den Spitznamen 'Old Grog' hatte, erließ einen Befehl, nur noch mit Wasser verdünnten Rum an die Matrosen auszugeben. Diese reagierten prompt und nannten das neue, verwässerte Getränk nach dem Spitznamen des Admirals. – Dazu das Adj. *engl.* groggy „betrunken, taumelnd" – eigtl. „vom Grog betrunken" – in unserem, im 20. Jh. entlehnten FW groggy, das bei uns vor allem in der Boxersprache, aber auch allgemeinsprachlich im Sinne von „angeschlagen, taumelnd; zerschlagen" verwendet wird.

grölen: Die im späteren Mittelalter in niederdeutschen Städten veranstalteten lärmenden Turnierfeste der Bürger hießen nach dem Heiligtum der Ritter →Gral. Von diesem Wort ist das seit dem 15. Jh. bezeugte *niederd.* grälen „laut sein, lärmen" abgeleitet, auf das die späteren Formen grä[e]len, grölen zurückgehen.

Groll *m*: Das seit dem 14. Jh. bezeugte Substantiv (*mhd.* grolle „Zorn") steht im Ablaut zu dem unter →grell behandelten Adjektiv. Zu 'Groll' stellt sich das Verb grollen „zürnen; murren; dumpf dröhnen" (*mhd.* grollen, daneben grullen, grüllen „zürnen; höhnen, spotten", vgl. *aengl.* gryllan „wüten, mit den Zähnen knirschen").

¹Gros [*gro*] *s* „Hauptmasse [des Heeres]": Im 17. Jh., zunächst nur im militär. Sinne, aus *frz.* gros „groß, dick" entlehnt, das auf *spätlat.* grossus „dick; dicker Teil; Hauptmasse, Gros" zurückgeht. – Gleicher Herkunft sind: →²Gros, →Grossist, →en gros, Engroshandel, →Groschen.

²Gros [*groß*] *s* „12 Dutzend": Wort der Kaufmannssprache, im 17./18. Jh. durch *niederl.* Vermittlung aus *frz.* grosse (douzaine) „großes (Dutzend)" entlehnt. *Frz.* grosse ist die weibliche Form von gros „groß, dick" (vgl. ¹Gros).

Groschen *m*: Der heute noch als volkstümliche Bezeichnung für „Zehnpfennigstück" erhaltene Name der alten, in Deutschland vom 14. Jh. bis ins 19. Jh. geprägten Silbermünze (*mhd.* grosse) beruht auf einer Entlehnung aus *mlat.* (dēnārius) grossus „Dickpfennig" (zu *lat.* grossus „dick", vgl. ¹Gros). Vorbild für den deutschen Groschen wurde der böhmische Groschen, mit dem sich hier zugleich die von der böhmischen Kanzleisprache im 14. Jh. entwickelte Lautform

grosch[e] (das inlautende –ss– wurde im *Tschech.* zu š = sch) im deutschen Sprachgebiet allmählich durchsetzte.

groß: Das *westgerm.* Adjektiv *mhd.*, *ahd.* grōz, *niederl.* groot, *engl.* great bedeutete urspr. „grobkörnig" und ist eng verwandt mit den unter →Grieß und →Grütze behandelten Wörtern sowie mit dem aus dem *Niederd.* ins *Hochd.* übernommenen Grus *m* „Schutt, Geröll; Kohlenklein" (*mnd.* grūs, vgl. *mhd.* grūz „Sandkorn, Getreidekorn, ¹Grütze", *engl.* grout „grobes Mehl"). Weiterhin verwandt sind im *germ.* Sprachbereich die Sippe von →grob und die unter →Griebe „[ausgebratenes] Fettstückchen" und →Griebs „Kerngehäuse des Obstes" behandelten Wörter. Diese *germ.* Wortgruppe gehört mit verwandten Wörtern in anderen *idg.* Sprachen zu der z. T. auch erweiterten Wurzelform *ghreu- „zerreiben, zermahlen, zerbröckeln" (vgl. z. B. *lit.* grústi „zerstoßen, zerstampfen, pressen". Weiterhin besteht Verwandtschaft mit der unter →Grund dargestellten Wortgruppe. – Durch 'groß' wurde im *Westgerm.* das alte *gemeingerm.* Adjektiv *mekila- „groß" (*mhd.* michel, *ahd.* mihhil, *got.* mikils, *engl.* much, *schwed.* mycken) verdrängt. Dieses Adjektiv ist noch in Namen bewahrt, beachte z. B. Michelstadt eigtl. „Großstadt" und Mecklenburg eigtl. „Großburg". – Abl.: Größe *w* (*mhd.* grœ̄ze, *ahd.* grōzī); vergrößern „größer machen"; Zus.: großartig (19. Jh.); Größenwahn (19. Jh.), dazu größenwahnsinnig; Großherzog (16. Jh.; LÜ von *it.* gran duca und wie dieses bis zum 18. Jh. vorwiegend für die Herrscher von Florenz verwandt); Großhundert „120 Stück" (17. Jh.; bereits die Germanen kannten neben dem dezimalen auch das duodezimale Hundert. Das sogenannte Großhundert hat sich in Deutschland besonders lange im Handel der *nordd.* Küstengebiete gehalten); Großmut (16. Jh.), großmütig (*mhd.* grōzmüetœ „voll Selbstvertrauen"); Großmutter (um 1400; LÜ von *frz.* grand-mère, entspr. ist der Großvater LÜ von *frz.* grand-père; 'Großmutter' und 'Großvater' sind an die Stelle von →Ahn[e] getreten); großsprecherisch (17. Jh.; beachte auch die Bildungen großkotzig, großmäulig, großschnauzig); Großstadt (schon im 16. Jh.; dann aber erst Anfang des 19. Jh.s, wohl rückgebildet aus 'Großstädter' oder 'großstädtisch'); Großvater (s. o. Großmutter).

Grossist *m* „Großhändler": Um 1800 für älteres Grossierer (< *frz.* marchand grossier) gebildet. Stammwort ist *frz.* gros „groß, dick" (vgl. ¹Gros), das in der Kaufmannssprache recht geläufig war, z. B. in der Verbindung →en gros.

grotesk „wunderlich, verzerrt, seltsam": Im 16. Jh. durch Vermittlung von *frz.* grotesque aus *it.* grottesco, einem von grotta (vgl. *Grotte*) abgeleiteten Adj. entlehnt, das zunächst in Fügungen wie grottesca pittura jene seltsamen und phantastischen antiken Wand- und Deckenmalereien bezeichnet, wie man sie in „Grotten" und Kavernen, aber auch in anderen Gebäuden aus röm. Zeit gefunden hat. – Als FW wurde das Adjektiv lange Zeit nur mit Beziehung auf Malereien gebraucht und hat sich erst seit der Mitte des 18. Jh.s allmählich aus seiner fachsprachl. Isolierung gelöst. Seitdem erscheint es nicht nur in seiner ins Allgemeine übertr. Bedeutung, sondern auch im Zusammenhang mit anderen Kunstgattungen, so vor allem substantiviert als **Groteske** *w*: 1. „phantastisch gestaltete Tier- und Pflanzenmotive in der Ornamentik der Antike und der Renaissance"; 2. „närrische, derbkomische, überspannte Erzählung (Lit.)"; 3. „ins Verzerrte gesteigerter Ausdruckstanz".

Grotte *w* „malerische [Felsen]höhle (oft künstlich angelegt oder ausgestaltet)": Im 15. Jh. aus *it.* grotta entlehnt, wozu als Adjektiv auch grottesco gehört (s. grotesk, Groteske). Voraus liegt *vlat.* crupta „Korridor, Kreuzgang; unterirdisches Gewölbe; Grotte, Gruft", das für *klass.-lat.* crypta (< *gr.* kryptē) steht (vgl. *Krypta*).

Grübchen *s*: Das seit dem 18. Jh. bezeugte Wort ist – wie auch das ältere Grüblein *s* (*mhd.* grüebelīn) – eine Verkleinerungsbildung zu dem unter → *Grube* behandelten Wort in dessen Bed. „Vertiefung am Körper".

Grube *w*: Das *gemeingerm.* Wort *mhd.* gruobe, *ahd.* gruoba, *got.* grōba, *niederl.* groeve, *aisl.* grōf ist eine Bildung zu dem unter →*graben* behandelten Verb. Das Wort hat im *Dt.* mehrere Anwendungsbereiche. So bezeichnet 'Grube' im Bergbau den Schacht und die gesamte Schachtanlage, beachte z. B. die Zus. Erz-, Fund-, Kohlen-, Goldgrube und Grubenbau, -gas, -hund („kleiner Kohlenwagen"), -licht, -wasser, im Jagdwesen die Fall- oder Fanggrube, beachte die Redensart 'wer andern eine Grube gräbt, fällt selbst hinein' und die Zus. Wolfsgrube, ferner wird es im Sinne von „Vertiefung am Körper" gebraucht, beachte die Zus. Achsel-, Herz-, Magengrube und auch →*Grübchen*. Die Bed. „Höhle, Versteck" ist noch in der Zus. Mördergrube für „Mörder" bewahrt. Diese Zusammensetzung, die zuerst in Luthers Bibelübersetzung erscheint, lebt heute noch in der Wendung 'aus seinem Herzen keine Mördergrube machen' „seine Meinung nicht verhehlen". Biblisch wird 'Grube' auch im Sinne von „Grab" gebraucht.

grübeln: Das auf das *dt.* Sprachgebiet beschränkte Verb *mhd.* grübelen, *ahd.* grubilōn „[wiederholt] graben, herumstochern, herumbohren; nachforschen, nachdenken"

ist eine Iterativbildung zu dem unter →*graben* behandelten Verb.

Gruft *w*: Unter dem Einfluß von *vlat.* crupta (s. Krypta und Grotte) wurde *ahd.* girophti „Graben", das eine Bildung zu dem unter →*graben* behandelten Verb ist, zu gruft, kruft „unterirdischer Raum; Grabkammer" umgestaltet.

Grummet, Grumt *s* „durch den zweiten Schnitt gewonnenes Heu": Das im wesentlichen *nordd.* und *mitteld.* Wort ist eine verdunkelte Zusammensetzung und bedeutet eigtl. „sprießende Mahd". Der erste Bestandteil von *mhd.* gruo[n]māt, aus dem sich die *nhd.* Form Grummet entwickelt hat, gehört zu *mhd.* grüejen, *ahd.* gruoen „wachsen, sprießen, grünen" (vgl. *grün*), der zweite Bestandteil ist das unter →*Mahd* behandelte Wort.

grün: Das *altgerm.* Adjektiv *mhd.* grüene, *ahd.* gruoni, *niederl.* groen, *engl.* green beachte das FW Greenhorn „Grünschnabel, Neuling"), *schwed.* grön ist eine Bildung zu dem im *Nhd.* untergegangenen Verb *mhd.* grüejen, *ahd.* gruoen „wachsen, grünen", *niederl.* groeien „wachsen, gedeihen", *engl.* to grow „wachsen, gedeihen, zunehmen", *schwed.* gro „wachsen". Das Adjektiv bedeutete demnach urspr. entweder „wachsend, sprießend" oder „grasfarben". Das *altgerm.* Verb ist eng verwandt mit der Wortgruppe um →*Gras* und gehört im Sinne von „hervorstechen, keimen" zu der unter → *Granne* dargestellten *idg.* Wurzel. Zu diesem Verb gehört auch die Substantivbildung G r o d e n *m niederl.* für „[mit Gras bewachsenes] angeschwemmtes Vorland an Deichen" (vgl. *mhd.* gruot „das Grünen, der frische Wuchs"; s. auch den Artikel Grummet). Das Adjektiv grün ist im *Dt.* nicht nur Farbenbezeichnung, es wird oft als Gegensatz zu 'trocken, verwelkt' im Sinne von „frisch, jung, sprießend", andererseits als Gegensatz zu 'rot, reif' im Sinne von „unreif", auch „unerfahren" (beachte die Zus. Grünschnabel) gebraucht. Als Farbe des Frühlings hat sich Grün zur Farbe der Freude, besonders aber zum Symbol der Hoffnung entwickelt. Mit Grün verbindet sich auch die Vorstellung des Angenehmen, beachte die Wendungen 'jemandem [nicht] grün sein' und 'grüne Seite'. – Das substantivierte Adjektiv Grün[e] *s* bedeutet nicht nur „grüne Farbe", sondern auch „frisches Laub, grünes Blattwerk" und „Grasboden, freie Natur", beachte die Wendung 'ins Grüne fahren'. Abl.: grünen (*mhd.* grüenen); grünlich (*mhd.* grüenlich); Grünling *m* (14. Jh.; das Wort bezieht sich auf Pflanzen und Tiere mit vorwiegend grüner Färbung, wird aber auch im Sinne von „unerfahrener Mensch" gebraucht). Überaus groß ist die Zahl der Zus. mit 'grün' bzw. dessen substantivierter Form, beachte z. B. Grünanlagen, Grünfutter, Grünkern, Grünkohl, Grünspecht. Wichtige Zus. sind: Gründonnerstag (*mhd.* grüene donerstac; der „Donnerstag der Karwoche" ist wohl nach dem weitverbreiteten Brauch benannt, an diesem Tag etwas Grünes, bes. Grünkohl zu essen; möglich ist auch die Deutung des Namens als Übersetzung der kirchlich-liturgischen Bezeichnung diēs viridium „Tag der Sündlosen, Tag der Büßer"); Grünspan *m* (15. Jh.; LÜ von *mlat.* viride Hispahum „spanisches Grün"; der aus essigsaurem Kupferoxid hergestellte Farbstoff wurde im Mittelalter aus Spanien eingeführt und hat daher seinen Namen).

Grund *m*: Das *gemeingerm.* Wort *mhd.*, *ahd.* grunt, *got.* grundu(waddjus) „Grund(mauer)", *engl.* ground, *schwed.* grund gehört im Sinne von „grobkörniger Sand, Sandboden, Erde" (eigtl. „Zerriebenes, Gemahlenes") zu der z. T. mit -d- und -dh- erweiterten Wurzelform *ghren- „scheuern, zerreiben, zermahlen", vgl. z. B. *engl.* to grind „zerreiben, zermalmen, mahlen". Zu dieser Wurzelform gehören aus dem *germ.* Sprachbereich auch die unter →Grind behandelten Wörter und aus anderen *idg.* Sprachen z. B. *gr.* chóndros „Krümchen, Korn, Graupe, Knorpel" (s. Hypochonder) und *lit.* gréndu, grẽsti „reiben, scheuern, kratzen". Weiterhin besteht Verwandtschaft mit der unter →groß dargestellten Wortgruppe. – Die Bedeutungen von 'Grund' schillern, wie bereits in den älteren Sprachzuständen, im heutigen Sprachgebrauch außerordentlich stark: „Erde, Erdboden"; „Boden, unterste Fläche"; „Unterlage, Grundlage, Fundament"; „Ursprung; Berechtigung; Ursache"; „Grundstück, Land[besitz]"; „Boden eines Gewässers, Meeresboden, Tiefe"; „Tal"; „Innerstes, Wesen". Die Abl. und Zus. schließen sich in der Bedeutung an die verschiedenen Verwendungsweisen des Substantivs an. Abl.: Grundel, Gründel *w*,,kleiner, auf dem Grunde des Wassers lebender Fisch" (*mhd.* grundel, *ahd.* crundula); gründen „den Grund zu etwas legen, errichten, ins Leben rufen" (*mhd.* gründen, *ahd.* grunden, beachte die Präfixbildungen begründen und ergründen), dazu Gründer *m* (17. Jh.; im ausgehenden 19. Jh. auch im Sinne von „schnellen Reichtum erstrebender, betrügerischer Unternehmer" gebraucht, beachte die Zus. Gründerzeit); grundieren „den Grund herstellen" (18. Jh.; in Anlehnung an ältere malttechnische Bezeichnungen wie 'schattieren' und 'lackieren' mit *frz.* Endung von 'Grund' abgeleitet); gründlich „bis auf den Grund gehend, genau, gewissenhaft" (*mhd.* grüntlich, *ahd.* Adv. gruntlĩhho), dazu Gründlichkeit *w* (18. Jh.); Gründling *m* „kleiner, auf dem Grunde des Wassers lebender Fisch" (15. Jh.). Zus.: Grundbesitz (18.Jh.); Grundbesitzer(17.Jh.); Grund

eis (s. Eis); Grundholde *m* „an Grund und Boden gebundener Höriger" (15. Jh.; vgl. hold); Grundlage (17. Jh.); Grundriß (17. Jh.); Grundsatz (17. Jh.), dazu grundsätzlich; Grundstück (17. Jh.). Siehe auch den Artikel Abgrund.

grunzen: *Mhd.* grunzen, *ahd.* grunnizõn, *engl.* to grunt gehen von einem den Grunzlaut der Schweine nachahmenden 'gru[-gru]' aus und sind z. B. elementarverwandt mit *gr.* grýzein „grunzen" und *lat.* grundīre, grunnīre „grunzen".

Gruppe *w*: Das seit dem Anfang des 18. Jh.s bezeugte FW ist die übliche Bezeichnung für eine Ansammlung mehrerer Individuen oder Gegenstände, die durch gleichgeartete Interessen oder Zwecke, durch die Gleichheit wesentlicher Merkmale oder die Gemeinsamkeit der Zweckbestimmung miteinander verbunden sind. Das Wort gilt also sowohl von Personen (beachte Zus. wie Personengruppe, Gruppenführer u. a.) als auch von leblosen Gegenständen und Dingen (beachte Zus. wie Baumgruppe und Häusergruppe). Entlehnt ist das FW (als Fachwort der bildenden Kunst) aus gleichbed. *frz.* groupe, das seinerseits auf *it.* gruppo „Ansammlung, Schar, Gruppe" beruht. Die weitere Herkunft des Wortes ist umstritten. – Abl.: gruppieren „anordnen, [wirkungsvoll] zusammenstellen" (18. Jh.; meist reflexiv gebraucht).

gruseln: Diese heute übliche Form gruseln, die der Lautgestalt nach unter *niederd.* Einfluß schriftsprachlich geworden ist, beruht auf *mhd.* grūseln, einer Intensivbildung zu *mhd.* griusen, grūsen „Grauen empfinden" (vgl. *Graus* unter grausen).

grüßen: *Mhd.* grüeʒen „anreden, ansprechen; grüßen; herausfordern; angreifen; strafen, züchtigen", *ahd.* gruoʒen „anreden; herausfordern, angreifen", *asächs.* grōtian „anreden; fragen; grüßen", *niederl.* groeten „grüßen; empfehlen", *aengl.* grētan „anreden; grüßen; besuchen; herausfordern; angreifen" (*engl.* to greet „grüßen") gehen auf *westgerm.* *grōtian „zum Reden bringen, sprechen machen" zurück. Das *westgerm.* Verb gehört als Veranlassungswort zu *got.* grētan „weinen", eigtl. „schreien, jammern". Die *germ.* Wortgruppe ist wahrscheinlich lautnachahmenden Ursprungs (vgl. *grell*). – Das Substantiv Gruß *m* (*mhd.* gruoʒ) ist aus dem Verb rückgebildet.

¹Grütze *w* „Getreideschrot, Brei": Das *westgerm.* Wort *mhd.* grütze, *ahd.* gruzzi, *mnd.* grutte, *niederl.* (mit r-Umstellung) gort, *engl.* grit steht im Ablaut zu dem unter →Grieß behandelten Wort und gehört mit diesem zu der Wortgruppe von →groß.

²Grütze *w*: Der *ugs.* und *mdal.* Ausdruck für „Verstand" ist vermutlich identisch mit dem unter → ¹*Grütze* behandelten Wort (Grütze = Verstand im Gegensatz zu Spreu) oder aber ist umgebildet aus älter *nhd.* Kritz ,,Witz, Scharfsinn" (eigtl. ,,Kitzel", vgl. *kritzeln*).

Guerilla *w* ,,Kleinkrieg", so bes. in der Zus. Guerillakrieg; daneben auch (vor allem in der *Mehrz.* Guerillas) im Sinne von ,,Freischärler, Partisanen" gebräuchlich: *Span.* LW, das im 19. Jh. durch die Freiheitskämpfe der Spanier gegen die franz. Fremdherrschaft bei uns bekannt wurde. *Span.* guerilla ist eine Verkleinerungsbildung zu guerra ,,Krieg", das mit *frz.* guerre auf *afränk.* *werra (= *ahd.* werra) ,,Verwirrung, Streit" zurückgeht (vgl. *verwirren*, Wirren).

Gulasch *s*: *Ung.* LW, das im 19. Jh. durch *östr.* Vermittlung aufgenommen wurde. Zugrunde liegt *ung.* gulya ,,Rinderherde" und davon abgeleitetes gulyás ,,Rinderhirt". Danach heißt ein Pfefferfleischgericht, wie es von Rinderhirten im Kessel gekocht wird, gulyás hús, verkürzt: gulyás.

Gulden *m*: Das Wort, das heute nur noch als Bezeichnung der niederländischen Münzeinheit Geltung hat, ist in *mhd.* Zeit aus guldīn pfenni[n]c ,,goldene Münze" verselbständigt worden. 'Gulden' bedeutet also eigtl. ,,der Goldene" (vgl. *golden*).

Gully *m* (auch: *s*) ,,Schlammfang, Senkloch": Junges LW aus gleichbed. *engl.* gully, das wohl zu gullet ,,Schlund" gehört. Voraus liegen *afrz.* goulet (Verkleinerungsbildung zu gole, goule; entspr. *frz.* gueule ,,Kehle"), *lat.* gula ,,Kehle". Das *lat.* Wort ist urverwandt mit →Kehle.

gültig ,,geltend; wirksam": Mhd. gültic ,,im Preis stehend, teuer; zu zahlen verpflichtet" ist abgeleitet von *mhd.* gülte ,,Schuld, Zahlung; Einkommen, Rente, Zins; Wert, Preis" (vgl. *gelten*). Abl.: Gültigkeit *w* (15. Jh.).

Gummi *s*: Das seit *spätmhd.* Zeit bezeugte LW ist *ägypt.* Ursprungs. Es ist über *gr.* kómmi, *lat.* cummi[s], (jünger:) gummi in die europ. Sprachen gelangt (*frz.* gomme, *engl.* gum). – Dazu das im 18./19. Jh. abgeleitete Verb gummieren ,,mit Klebstoff versehen". – Zus.: Gummibaum, Radiergummi.

Gunst *w*: Das auf das *dt.* und *niederl.* Sprachgebiet beschränkte Wort (*mhd.*, *mnd.* gunst, *niederl.* gunst) ist eine Bildung zu dem unter →*gönnen* behandelten Verb. Zur Bildung beachte z. B. das Verhältnis von 'Kunst' zu 'können'. – Abl.: günstig (*mhd.* günstic ,,wohlwollend"), dazu begünstigen (17. Jh.); Günstling *m* (17. Jh.; Übersetzung von *frz.* favori). Beachte auch die Zus. Ab-, Miß-, Ungunst.

Gurgel *w*: Das Wort (*mhd.* gurgel[e], *ahd.* gurgula) ist in *ahd.* Zeit aus *lat.* gurguliō ,,Schlund, Kehle, Luftröhre" (vgl. *Köder*) entlehnt worden und hat die heimische Benennung *ahd.* querchela ,,Gurgel" verdrängt. Abl.: gurgeln (*mhd.* gurgeln).

Gurke *w*: Der Name des Kürbisgewächses wurde im 16. Jh. aus dem *Westslaw.* entlehnt, vgl. *poln.* ogórek, *russ.* oguréc, *tschech.* okurka ,,Gurke". Die *slaw.* Wortgruppe ihrerseits stammt aus *mgr.* ágouros ,,Gurke", das zu *gr.* áōros ,,unreif" gehört. Die Benennung bezieht sich darauf, daß die Gurke grün (unreif) geerntet wird. – Das Wort Gurke, das heute gemeinsprachlich ist, hatte früher nur in Nord-, Ost- und Mitteldeutschland Geltung, während im Westen, Süden und Südwesten des *dt.* Sprachraumes auf *lat.* cucumer ,,Gurke" zurückgehende Formen gebräuchlich waren, beachte z. B. *mdal.* guckummer, gommer, kummer, kümerling.

gurren: Das seit dem 13. Jh. bezeugte Verb (*mhd.* gurren) ist lautnachahmenden Ursprungs, beachte das gleichfalls lautnachahmende *mhd.* kurren ,,grunzen".

Gürtel *m*: Das *altgerm.* Wort *mhd.* gürtel, *ahd.* gurtil[a], *niederl.* gordel, *engl.* girdle, *schwed.* gördel ist eine (Instrumental)bildung zu einem *got.* [bi]gaírdan ,,[um]gürten" bewahrten altn starken Verb (vgl. *gürten*). Abl.: Gürtler *m* veralt. für ,,Gürtelmacher, Schnallenmacher" (*mhd.* gürtelære). Zus.: Gürteltier (19. Jh.).

gürten: *Mhd.* gürten, *ahd.* gurten, *engl.* to gird, *schwed.* gjorda, ablautend *got.* bigaírdan ,,umgürten" gehen mit verw. Wörtern in anderen *idg.* Sprachen auf die dh-Erweiterung der unter →*Garten* dargestellten Wz. *ĝher- ,,umzäunen, einhegen, [um-, ein]fassen" zurück. Bereits die Germanen waren mit der Sitte des Gürtens vertraut. Der Gürtel galt als Inbegriff der Kraft und Herrschaft, später auch als Symbol der ehelichen Treue und Keuschheit. – Das Substantiv Gurt *m* (*mhd.* gurt) ist vom Verb rückgebildet. Siehe auch den Artikel Gürtel.

Guß *m*: Das *westgerm.* Wort *mhd.*, *ahd.* guz, *mnd.* göte, *aengl.* gyte ist eine Bildung zu dem unter →*gießen* dargestellten Verb. Das Substantiv schließt sich im *Dt.* mit seinen Bedeutungen eng an das Verb an. Es bedeutet sowohl ,,Gießen" als auch ,,Gegossenes", ferner *ugs.* ,,starker Regenfall" und als Wort der Metalltechnik ,,zum Gießen flüssig gemachtes Metall" und ,,das durch Gießen Geformte", beachte z. B. die Zus. Gußeisen und Glockenguß.

gut: Das *gemeingerm.* Adjektiv *mhd.*, *ahd.* guot, *got.* gōþs, *engl.* good, *schwed.* god gehört mit den unter →Gitter, →Gatter, →vergattern und →Gatte behandelten Wörtern zu der *idg.* Wz. *ghedh- ,,umklammern, fest zusammenfügen, zupassen", vgl. z. B. aus anderen *idg.* Sprachen aind. á-gadhita-ḥ ,,angeklammert". Das *gemeingerm.* Adjektiv bedeutete demnach urspr. etwa ,,[in ein Baugefüge, in eine menschliche Gemeinschaft] passend". Die Verwendung von 'gut' in den älteren Sprachzuständen deckt sich ungefähr mit derjenigen im heutigen dt.

Sprachgebrauch, also in den Bedeutungen „brauchbar, tauglich; günstig; tüchtig, brav, wacker; wirksam", ferner „anständig, ehrlich" und „gütig, freundlich, hold" usw. – Abl.: G u t *s* (*mhd., ahd.* guot „Gutes; Güte; Vermögen, Besitz; Landgut"; substantiviertes Adjektiv); G ü t e *w* (*mhd.* güete, *ahd.* guotī); v e r g ü t e n (*spätmhd.* vergüeten „ersetzen; auf Zinsen anlegen"), dazu V e r g ü t u n g *w*; b e g ü t e r t „wohlhabend, besitzend" (18. Jh.); g ü t i g (*mhd.* güetec „freundlich"), dazu b e g ü t i g e n „besänftigen" (16. Jh.); g ü t l i c h (*mhd.* güetlich, *ahd.* guotlīh „gut, gütig, freundlich"). Zus.: G u t a c h t e n (16. Jh.); G u t d ü n k e n (*mhd.* guotdunken); G u t h a b e n (19. Jh.); g u t m ü t i g (18. Jh.); g u t w i l l i g (*mhd.* guotwillic, *ahd.* guotwillīg).

Gymnasium *s* (Form der höheren Schule, mit bes. Betonung des altsprachl. Unterrichts): Das Gymnasium in seiner heutigen Form ist aus der alten Lateinschule hervorgegangen und verdankt seinen klass. Namen den Humanisten des 15./16. Jh.s. Als Vorbild für die Benennung galt ihnen die übertr. Verwendung von *gr.* gymnási-on, *lat.* gymnasium im Sinne von „Versammlungsstätte der Philosophen und Sophisten". Urspr. bezeichnete *gr.* gymnásion, das postverbal zu gymnázesthai „mit nacktem Körper Leibesübungen machen" gebildet ist, einen öffentlichen Platz, an dem die männliche Jugend zusammenkam, um sich mit „nacktem" Körper dem freien Spiel [systematischer] körperlicher Übungen (bzw. geistiger Schulung in der Diskussion) hinzugeben. Stammwort ist das mit *lat.* nūdus und *nhd.* →*nackt* urverwandte *gr.* Adj. gymnós „nackt", das mit deutlicherem Bezug zur Grundbed. auch in den FW →Gymnastik, gymnastisch vorliegt. – Zu ‚Gymnasium' gehören als *nlat.* Abl. die FW G y m n a s i a s t *m* „Schüler eines Gymnasiums" (17. Jh.) und g y m n a s i a l „das Gymnasium betreffend" (20. Jh.).

Gymnastik *w* „Körperschulung durch rhythmische Freiübungen": Im 18. Jh. aus gleichbed. *gr.* gymnastikḗ (téchnē) entlehnt. Zu *gr.* gymnázesthai „mit nacktem Körper Leibesübungen machen" (vgl. *Gymnasium*). – Dazu das Adj. g y m n a s t i s c h.

H

Haar *s*: *Mhd., ahd.* hār, *niederl.* haar, *engl.* hair, *schwed.* hår gehen auf *germ.* *hēra- „Haar" zurück, das mit verw. Wörtern in anderen *idg.* Sprachen, z. B. *lit.* šerỹs „Borste", *russ.* šérst' „Wolle", zu einer Wz. *k̂er[s]- „starren, rauh, struppig sein" gehört (vgl. *mnd.* haren „rauh, rissig, trocken sein", *isl.* hara „starren"). – Das Wort bezeichnet nicht nur das einzelne Haar, es wird auch kollektiv im Sinne von „Gesamtheit der Haare, Behaarung", speziell „Behaarung des Kopfes, Kopfhaar" gebraucht. Eine bedeutende Rolle spielt das Haar im Volksglauben (als Symbol der Freiheit, auch der Kraft) und in Redensarten, beachte z. B. 'Haare auf den Zähnen haben', 'kein gutes Haar an jemandem lassen', 'sich in die Haare kriegen'. Abl.: h a a r e n, daneben [1]h ä r e n, [sich] (*mhd.* hāren „die Haare ausraufen", im *Nhd.* dann „Haare verlieren"); [2]h ä r e n (*mhd.* hǣrīn „aus Haaren"); h a a r i g (15. Jh.; beachte auch widerhaarig „widerspenstig"). Zus.: H a a r e s b r e i t e (18. Jh.); H a a r g a r n (20. Jh.); h a a r s c h a r f (18. Jh.); H a a r s p a l t e r e i (19. Jh.); h a a r s t r ä u b e n d (19. Jh.).

haben: Das *gemeingerm.* Verb (*mhd.* haben, *ahd.* habēn, *got.* haban, *engl.* to have, *schwed.* hava) gehört zu der Wortgruppe von →*heben* und beruht auf einem Bedeutungswandel von „fassen, packen" zu „halten, haben". Es ist nicht mit *lat.* habēre „haben" (s. geben) verwandt. Abl.: H a b e *w* (*mhd.* habe, *ahd.* haba „Besitz, Eigentum", aber auch „Halt, Anhalt, Stütze" und „Heft, Griff, Henkel", beachte die Zus. Handhabe), davon h a b - h a f t (*mhd.* habhaft „mit Besitz versehen, begütert"; heute nur noch in der Wendung 'habhaft werden' „erlangen" gebräuchlich). Zus.: H a b e n i c h t s *m* (*mhd.* habenicht; wahrscheinlich substantivierter Satz mit ausgelassenem 'ich'); H a b g i e r (18. Jh.), davon h a b g i e r i g; H a b s e l i g k e i t e n Mehrz. (17. Jh.; früher auch in der Einzahl gebräuchlich; das Wort ist nach Analogie von Armseligkeit, Trübseligkeit usw. gebildet; der zweite Bestandteil dieser Zus. ist nicht 'Seligkeit', sondern geht auf →...sal zurück): H a b s u c h t (18. Jh.), davon h a b s ü c h t i g. Beachte auch die Artikel gehaben und behäbig.

Haberfeldtreiben *s*: Vergehen, die sich nicht gerichtlich verfolgen ließen (z. B. Verstöße gegen das Brauchtum), wurden früher in Bayern und Tirol von einem nächtlichen Rügegericht geahndet, wobei der Schuldige in ein Hemd (urspr. ein Ziegenfell, vgl. Bockshorn) gesteckt und unhergetrieben wurde. Das Wort bedeutet also eigtl. „Ziegenfelltreiben". Die beiden ersten Bestandteile der Zus. Haberfeld „Haferfell" (vgl. Hafer) sind volksetymologisch aus 'Haberfell' „Ziegenfell" (vgl. Habergeiß) entstellt.

241

Habergeiß w „Sumpfschnepfe (Bekassine); Spukgestalt, Korndämon": Der erste Bestandteil ‚Haber-' geht wahrscheinlich auf *idg.* *kapro-s* „[Ziegen]bock" zurück und ist dann verwandt mit *aengl.* hæfer, *aisl.* hafr „Ziegenbock" (beachte *dt. mdal.* Häberling „einjähriger Ziegenbock") und weiterhin z. B. mit *lat.* caper „[Ziegen]bock" (vgl. Kapriole und Kabriolett) und *gr.* kápros „Eber". Im *dt.* Sprachgebiet ging Haber „Ziegenbock" wegen der lautlichen Gleichheit mit Haber „Hafer" (vgl. Hafer) unter. Die verdeutlichende Zus. Habergeiß „Bockgeiß" (vgl. zum Sachl¹chen z. B. Lindwurm, Schmeißfliege) wurde vielfach als „Haferziege" verstanden. – Der Vogel, der auch „[Himmels]ziege" genannt wird, hat seinen Namen nach dem meckernden Laut beim Balzflug. Die Spukgestalt, die auch ‚Klapperbock' oder ‚Schnabbuck' heißt, ist nach ihrer Ähnlichkeit mit einer Ziege bzw. als Monstrum mit Ziegenkopf benannt.

Habicht m: Der *altgerm.* Vogelname *mhd.* habech, *ahd.* habuch, *niederl.* havik, *engl.* hawk, *schwed.* hök, der mit demselben Suffix wie ‚Kranich' und ‚Lerche' gebildet ist, gehört vielleicht zu der unter →*heben* dargestellten *idg.* Wz. *kap-* „fassen, packen" und bedeutet dann eigtl. „Fänger, Räuber" (nämlich der Hühner). Verwandt ist vielleicht die *slaw.* Sippe von *russ.* kóbec „Bienen-, Wespenfalke".

habilitieren, [sich] „die Lehrberechtigung an Hochschulen erwerben": Im 17. Jh. aus *mlat.* habilitāre „geschickt, fähig machen" entlehnt, das zu *lat.* habilis „leicht zu handhaben, geschickt, geeignet, fähig" gehört. Stammwort ist *lat.* habēre (vgl. *Habitus*). – Dazu das Subst. **Habilitation** w „Erwerb der Lehrberechtigung an Hochschulen".

Habitus m „Aussehen, Erscheinungsbild; Anlage; Körperbau": Das im 18. Jh. wohl vor allem in der medizin. Fachsprache aufkommende FW beruht auf *lat.* habitus „Gehabe; Haltung, Verhalten; Erscheinungsbild; Beschaffenheit", das als Abl. zum Verb habēre (habitum) „haben, halten" (mit zahlreichen Bedeutungsübertragungen) gehört. Damit urverwandt ist *dt.* →*geben*. – Neben *lat.* habitus stehen verschiedene Abl. und Komposita von *lat.* habēre, die in verschiedenen FW enthalten sind, so z. B. *lat.* habilis „leicht zu handhaben; geeignet, fähig" (s. habilitieren, Habilitation), prae-[hi]bēre „vorhalten, darreichen, gewähren" (s. Pfründe; Proviant, proviantieren).

Hachse w, Haxe, Hechse, Hesse „unteres Bein [von Kalb oder Schwein, *mdal.* auch von Rind oder Pferd]": Die Herkunft des Wortes (*mhd.* hahse, hehse, *ahd.* hāhsina „Kniebug des Hinterbeines, bes. vom Pferd" ist unklar. Vielleicht ist es mit der *balt.* Wortgruppe von *lit.* kinka „Kniekehle, Hachse" verwandt oder aus *germ.* *hanhse-

nawō „Hangsehne" (als „Sehne, an der die geschlachteten Tiere aufgehängt werden") verstümmelt, beachte *aengl.* hōhsinu „Fersensehne", *aisl.* hāsin „Kniekehle".

Hacke w, Hacken m: Das vorwiegend in Norddeutschland gebräuchliche Wort für „Ferse; Fersenteil am Strumpf; Absatz am Schuh" gehört vermutlich zu der unter →*Haken* behandelten Wortgruppe. Dem seit dem 12. Jh. bezeugten Wort (*spätahd.* hake) entspricht *niederl.* hak „Ferse".

hacken: Das auf das *Westgerm.* beschränkte Verb *mhd.* hacken, *ahd.* hacchōn, *niederl.* hakken, *engl.* to hack gehört wahrscheinlich zu der Wortgruppe von →*Haken* und bedeutete demnach urspr. „mit einem hakenförmigen bzw. mit Haken versehenen Gerät bearbeiten". Abl.: ²Hacke w (*mhd.* hacke „Gerät zum Hacken; Axt"; das Subst. ist aus dem Verb rückgebildet); Häckerling und Häcksel (s. d.). — Hackbrett „Brett oder Bank zum Fleischhacken", nach der äußeren Ähnlichkeit auch „eine Art Saiteninstrument" (15. Jh.); Hackepeter *nordd.*, *berlin.* für „Gericht aus Gehacktem, Tatarbeefsteak" (der zweite Bestandteil ist der appellativisch verwandte PN Peter). Vgl. auch den Artikel hecken.

Häcksel m oder s „klein geschnittenes Stroh [zur Viehfütterung]": Das seit dem 16. Jh. bezeugte Wort gehört als Substantivbildung zu →*hacken* und dgl. gebildet. Im *Mittelд.* und *Niederд.* findet sich für „Schnittstroh" auch die Bezeichnung Häckerling m, die, wie z. B. auch die *mdal.* Bildungen Hacker, Hecker, Hackelsch, Hackersch, gleichfalls zum Verb hacken gehört.

Hader m: *Mhd.* hader „Streit, Zank; Injurienprozeß" gehört zu der *germ.* Sippe von *haþu-„Kampf" (beachte z. B. *ahd.* hadu „Kampf" in PN wie Hadubrand, Hadumar und *nhd.* Hedwig), die mit verwandten Wörtern in anderen *idg.* Sprachen auf *kat[u]-„[Zwei]kampf" zurückgeht, vgl. z. B. *ir.* cáth „Kampf" und *russ.* kotorá „Streit". Abl.: hadern (*mhd.* hadern „streiten, nekken"; heute fast nur noch in der Wendung ‚mit seinem Schicksal oder mit Gott hadern' im Sinne von „unzufrieden sein" gebräuchlich).

Hafen m: Der *niederд.* Ausdruck für „Lande-, Ruheplatz [für Schiffe]" hat sich erst in *nhd.* Zeit im gesamten *dt.* Sprachgebiet durchgesetzt und *hochd.* Bezeichnungen wie ‚Schifflände und ‚Anfurt' verdrängt. *Niederд.* have[n], *mnd.* havene, *engl.* haven (*nord.* LW) und die *nord.* Sippe von *dän.* havn (beachte den ON Kjöbenhavn „Kopenhagen", eigtl. „Kaufmannshafen") gehen auf *germ.* *hab[a]nō zurück, das als Substantivbildung zu der unter →*heben* dargestellten Wz. *kap-„fassen, packen" gehört und demnach urspr. etwa „Umfassung, Ort, wo man etwas be-

Hagel

wahrt oder birgt" bedeutete. - Auch in *dt.*
ON spielt 'Hafen' eine wichtige Rolle, beachte z. B. Bremerhaven, Cuxhaven, Lud-
wigshafen, Friedrichshafen, Auch *frz.* Le
Havre und *span.* La Havana gehen auf das
germ. Subst. zurück und bedeuten „Hafen".
Hafer *m*: Der *altgerm.* Name der bereits seit
der Bronzezeit in Mitteleuropa angebauten
Getreideart (*mhd.* habere, *ahd.* habaro,
niederl. haver, *schwed.* havre) ist vielleicht
eine Ableitung von *germ.* *haḇra-* „Ziegenbock" (vgl. *Habergeiß*) und bedeutet
dann eigtl. „Bockskorn". - Die lautgerechte
Form Haber, die heute noch in *südd.* Mundarten Geltung hat, ist in *nhd.* Zeit durch die
niederd. Form Hafer ersetzt worden.
Haff *s* „durch Nehrungen vom Meer abgetrennte Küstenbucht, Mündungsgewässer":
Mnd. haf „Meer", *aengl.* hæf „Meer" und die
nord. Sippe von *schwed.* hav „Meer" gehen
auf *germ.* *hafa-* „Meer" zurück, das, falls
es nicht aus einer *nichtidg.* Sprache entlehnt
ist, als Substantivbildung zu dem unter
→*heben* dargestellten Verb gehören kann,
etwa als „das sich Hebende, die hohe (< gehobene) See". Das *niederd.* Wort, dem lautlich *mhd.* hap „Hafen" entspricht, nahm in
den Küstengebieten am Südrand der Ostsee
schon seit dem 13. Jh. die Bed. „durch Nehrungen vom Meer abgetrennte Küstenbucht"
an und wurde in dieser Bed. und in *niederd.*
Lautung in *nhd.* Zeit gemeinsprachlich.
...haft: Das *gemeingerm.* Adj. **hafta-* „gefangen", das eigtl. eine Partizipialbildung
zu der unter →*heben* dargestellten *idg.* Wz.
*kap- „fassen, packen" ist und *lat.* captus
„gefangen" und *air.* cacht „Dienerin, Skla-
vin" (eigtl. „Gefangene") entspricht, wurde
schon früh als Suffix verwandt, beachte z. B.
got. auda-hafts „mit Glück behaftet", *ahd.*
sunt-haft „sündig", ēo-haft „gesetzlich".
Weitergebildet erscheint bereits seit *ahd.*
Zeit auch -haftig als Suffix, beachte z. B.
leibhaftig, wahrhaftig, teilhaftig. Vgl. auch
die Artikel haften, heften und heftig.
Haft *w* „Gewahrsam": Das Wort (*mhd.* haft
„Fesselung, Gefangenschaft; Beschlagnahme", daneben hafte; *ahd.* hafta) gehört zu einer Gruppe von Substantivbildungen, die
zu der unter →*heben* dargestellten *idg.* Wz.
*kap- „fassen, packen" gehören, beachte
z. B. *aisl.* hapt „Fessel", *aengl.* hæft *s* „Gefangenschaft, Haft", *w* „Heft, Handhabe"
und *-haft.* Zus.: **Haftbefehl** (19. Jh.; für
älteres 'Haftbrief').
haften: Das Verb (*mhd.* haften, *ahd.* haftēn,
asächs. haftōn) ist wahrscheinlich von dem
unter →*...haft* behandelten *gemeingerm.*
Adj. *mhd.* haft „gefangen; behaftet; von etwas eingenommen; verbunden, verpflichtet",
ahd. haft, *got.* -hafts, *aengl.* hæft, *aisl.* haptr
(subst. „Gefangener") abgeleitet. Die seit
dem 14. Jh. bezeugte rechtliche Bedeutung

„bürgen" hat 'haften' wohl in Anlehnung an
das Subst. Haft entwickelt. Abl.: **Haftung**
(*mhd.* haftunge „Verhaftung; Beschlagnahme; Bürgschaft"). Präfixbildung: **verhaften** (17. Jh.; für älteres *mhd.*verheften „festmachen; verbinden; verpflichten; in Haft
nehmen", beachte auch **verhaftet** im Sinne
von „verwurzelt, verbunden"), dazu **Verhaftung** *w.*
Hag *m*: *Mhd.* hac „Dorngesträuch, Gebüsch;
Umzäunung, Gehege; [umfriedeter] Wald;
[umfriedeter] Ort", *ahd.* hag „Einhegung;
Stadt", daneben *asächs.* hago „Weideplatz",
engl. haw „Gehege; Hof", *schwed.* hage
„Gehege; Weide; Wäldchen, Hain". Die
germ. Wortgruppe geht mit verw. Wörtern im Italischen und Keltischen, vgl. z. B.
kymr. cae „Gehege", *mbret.* kae „Dornen-
hecke, Zaun", *gall.* caio- „Umwallung" (vgl.
Kai), auf **kagh-* „Flechtwerk, Zaun" (ver-
bal „mit einem Zaun umgeben") zurück.
Andere Substantivbildungen zu derselben
Wz. sind →*Hain*, das sich in den Zus. und
ON mit 'Hag' berührt, →*Hecke* und →*Heck.*
Eine Kollektivbildung zu 'Hag' ist →*Gehege.*
Eine Verbalableitung von 'Hag' ist →*hegen*,
urspr. „mit einem 'Hag' umgeben". Auch in
der *dt.* Namengebung spielt die Sippe von
Hag eine bedeutende Rolle, beachte den
PN und ON Hagen und die zahlreichen ON
auf ...hag, ...hagen. Zus.: **Hagebuche**, auch
Hainbuche (*mhd.* hagenbuoche, *ahd.* ha-
ganbuohha, hagebuoche, *niederl.* haagbeuk;
der zu den Birkengewächsen gehörige Laubbaum wird häufig als Hecke angepflanzt;
Stamm und Blätter sind denen der Buche
ähnlich), dazu **hagebüchen** (s. *hanebüchen*);
Hagebutte (15. Jh.; der Name der Frucht
der Heckenrose ist aus einfachem *mhd.*
butte „Hagebutte" verdeutlicht worden;
zum zweiten Bestandteil vgl. *Butzen*); **Hagedorn** „Weißdorn" (*germ.* Pflanzenname: *mhd.*
hagedorn, *asächs.* hagindorn, *engl.* hawthorn,
schwed. hagtorn); **Hagestolz** „[alter] Junggeselle" (*mhd.* hagestalt, -stolz, *ahd.* haga-
stalt „Unverheirateter"; die Zus., deren zweiter Bestandteil -stalt zu der *germ.* Sippe von
got. staldan „besitzen" gehört und in *mhd.*
Zeit volksetymologisch in -stolz umgedeutet
wurde, bedeutet eigtl. „Hagbesitzer", d. h.
„Besitzer eines [umfriedeten] Nebengutes"
im Gegensatz zum Besitzer des Hofes. Da
das Nebengut im allgemeinen zu klein war,
um darauf eine Hausstand zu gründen,
mußte der Hagbesitzer unverheiratet bleiben; später bezeichnete dann das Wort einen
Mann, der über das gewöhnliche Alter hinaus
ledig geblieben war). Auf eine alte Zus. mit
Hag geht auch →*Hexe* zurück.
Hagel *m*: Das *altgerm.* Wort *mhd.* hagel, *ahd.*
hagal, *niederl.* hagel, *engl.* hail, *schwed.* hagel
ist vermutlich mit *gr.* káchlēx „Steinchen,
Kiesel" (Verkleinerungsbildung von einem
*káchlos) verwandt und geht dann auf *idg.*

243

*kaghlo-s „kleiner, runder Stein" zurück. Zum Bedeutungswandel beachte dt. mdal. kieseln „hageln". Abl.: hageln (mhd. hagelen), beachte auch verhageln „zerstören, verderben".

hager: Die Herkunft des urspr. niederl. Adjektivs, das sich seit spätmhd. Zeit allmählich im dt. Sprachgebiet durchgesetzt hat, ist dunkel.

Häher m: Der Vogelname ist lautnachahmenden Ursprungs und bedeutet eigtl. „kik[kik] Macher". Mhd. heher, ahd. hehara, mit grammatischem Wechsel asächs. higara, aengl. higora sind mit aind. kiki-[dīvi-ḥ] „blauer Holzhäher" und gr. kíssa (aus *kikja) „Häher; Elster" verwandt und beruhen auf der Schallnachahmung *kik-. Beachte die Zus. Eichelhäher und Nußhäher.

Hahn m: Das gemeingerm. Wort mhd. hane, ahd. hano, got. hana, aengl. hana, schwed. hane ist eine Substantivbildung zu der idg. Wz. *kan- „singen, klingen, tönen", vgl. z. B. lat. canere „singen, klingen" (s. Kantor, Kantate, Chanson usw.) und gr. ēi-kanós „Hahn" (eigtl. „in der Morgenfrühe singend"). Germ. *hanan- „Hahn" bedeutet also eigtl. „Sänger". Beachte zur Begriffsbildung östr. mdal. Singerl „Hahn". Wegen der Ähnlichkeit mit der Gestalt eines Hahnes spricht man auch vom Wasser-, Zapf-, Gewehr-, Wetterhahn. Der 'rote Hahn'(beachte die Wendung 'einem den roten Hahn aufs Dach setzen') gilt als der Inbegriff des flakkernden Feuers. – Im Ablaut zu germ. *hanan- „Hahn" steht die Sippe von →Huhn. Eine Ableitung von *hanan- „Hahn", nachdem dieses Wort nicht mehr als „Sänger" verstanden wurde, ist →Henne. Zus.: Hahnenfuß (mhd. hane[n]vuoz, ahd. hanefuoz; die 'Pflanze ist nach der Ähnlichkeit ihrer Blätter mit einem Hahnenfuß benannt); Hahnenkamm (16. Jh.; die Pflanze ist nach der Ähnlichkeit ihrer Blüte mit einem Hahnenkamm benannt; das Wort selbst ist LÜ von lat. crista gallī, gr.-lat. alectorolophus); Hahnentritt „Keimscheibe im Hühnerei" (19. Jh.); Hahnrei m „betrogener Ehemann" (15. Jh.; das niederl. Wort, mnd. hanerei, hat sich seit dem 16. Jh. allmählich im dt. Sprachgebiet durchgesetzt; der zweite Bestandteil ...rei bedeutet eigtl. „Kastrat", beachte niederl. ruin „verschnittenes Pferd"; dem verschnittenen Hahn setzte man, um ihn aus der Hühnerschar herauszufinden, die abgeschnittenen Sporen in den Kamm, wo sie fortwuchsen und eine Art von Hörnern bildeten, beachte auch die Wendung 'einem Hörner aufsetzen'; mit Hahnrei wurde zunächst „der Mann, der seinen ehelichen Pflichten nicht nachkommt", dann der „betrogene Ehemann" bezeichnet).

Hai m, oft in der verdeutlichenden Zus. Haifisch: Der Name des Raubfisches wurde im 17. Jh. aus niederl. haai entlehnt. Das niederl. Wort selbst beruht (wie auch schott. hoe „Hai") auf Entlehnung aus gleichbed. isl. hai (< anord. hār „Hai").

Hain m: Das nur noch in der Dichtersprache gebräuchliche Wort für „Wald; Lustwäldchen" beruht auf der seit dem 14. Jh. bezeugten kontrahierten Form mittteld. hain, die auf mhd. hagen, ahd. hagan „Dorngesträuch; Einfriedung, Verhau, umfriedeter Platz" zurückgeht (vgl. Hag). 'Hain' kommt auch in zahlreichen dt. ON vor, beachte z. B. Lichtenhain, Ziegenhain. Zus.: Hainbuche (s. Hag); Hainbund (1804; der 1772 gegründete Göttinger Dichterbund hieß zunächst 'Hain'; der Name bezieht sich darauf, daß Klopstock den Hain zum Sitz und Symbol germanischer Dichtkunst gemacht hatte; 1804 änderte Voß den Namen in Hainbund).

häkeln: Das seit dem Ende des 17. Jh.s bezeugte Verb ist von der Verkleinerungsbildung mhd. hækel „Häkchen" (vgl. Haken) abgeleitet und bedeutete zunächst „[wie] mit Häkchen fassen" (beachte das von 'Haken' abgeleitete 'haken' „[wie] mit einem Haken fassen"). Heute bezieht sich das Wort nur noch auf die Arbeit mit der Häkelnadel. Abl.: Häkelei w „Häkelarbeit".

Haken m: Mhd. hāke[n], ahd. hāko, mnd. hōk, engl. hook, ablautend asächs. hōk, aengl. haca, schwed. hake gehen mit verwandten Wörtern in anderen idg. Sprachen, vgl. z. B. die baltoslaw. Sippe von russ. kógót „Klaue; gekrümmte Eisenspitze", auf die Wz. *keg- „Haken, Spitze, Pflock" zurück. Zu der germ. Wortgruppe von Haken gehören auch die Substantivbildungen →Hechel und →Hecht sowie die Verbalableitung →hacken. Mit 'Haken' bezeichnete man früher auch ein mit einem Haken auf einem Gestell befestigtes Feuergewehr (heute verdeutlicht zu Hakenbüchse) und eine Art von räderlosem Pflug in hakenförmiger Gestalt (heute verdeutlicht zu Hakenpflug). In der Jägersprache bezeichnet 'Haken' die plötzliche Richtungsänderung eines flüchtenden Hasen. Das Wort steht auch in mehreren Zusammensetzungen, beachte z. B. Angelhaken, Kanthaken, Hakennase. Abl.: haken (15. Jh.; beachte die Zus. abhaken, ein- oder aushaken, [sich] unterhaken); häkeln (s. d.).

halb: Das gemeingerm. Adjektiv mhd. halp, ahd. halb, got. halbs, engl. half, schwed. halv geht mit verwandten Wörtern in anderen idg. Sprachen, z. B. lat. scalpere „schneiden, ritzen, kratzen", auf die p-Erweiterung der unter →Schild dargestellten idg. Wz. *[s]kel- „schneiden, spalten, hauen" zurück und bedeutete demnach urspr. „[durch]geschnitten, gespalten". – Eine alte Substantivbildung ist das in nhd. Zeit durch „Hälfte verdrängte Halbe w „Hälfte; Seite" (mhd. halbe, ahd. halba, got. halba, aengl. healf, aisl.

halfa), dessen erstarrte Kasusformen seit *mhd.* Zeit als Adverb und nachgestellte Präposition verwendet wurden und heute noch in ...halb, ...halben, [...]halber bewahrt sind, beachte z. B. deshalb, meinethalben, allenthalben, ehrenhalber. Abl.: Halbheit *w* (18. Jh.); halbieren (*mhd.* halbieren „in zwei Hälften teilen“; das Verb gehört zu den ältesten Mischbildungen mit *roman.* Endung). Zus.: halbamtlich (19. Jh.; für 'offiziös'); Halbbildung (19. Jh.; beachte auch halbgebildet); Halbblut (19. Jh.; LÜ von *engl.* halfblood); Halbgott (*spätmhd.*, *ahd.* halbgot; LÜ von *lat.* semideus); Halbinsel (17. Jh.; Lehnübertragung von *lat.* paeninsula, das genau genommen „Fastinsel“ bedeutet); halbmast (19. Jh.; LÜ von *engl.* halfmast); halbschürig (18. Jh.; das Adj. bezeichnet die in der Qualität schlechtere Wolle von halbjährlich geschorenen Schafen und bedeutet daher auch „minderwertig“); halbseiden (17. Jh.; ugs. für „der Halbwelt angehörig, weichlich [von Männern]“, beachte Halbseidene *m*); Halbstarker (um 1900); Halbwelt (19. Jh.; LÜ von *frz.* demi-monde); Halbzeit (um 1900; LÜ von *engl.* halftime).

Halde *w*: Das auf das *dt.* Sprachgebiet beschränkte Wort (*mhd.* halde, *ahd.* halda „Abhang“) ist eine Substantivbildung zum *germ.* Adj. *halþa- „geneigt, schief, schräg“, das mit verwandten Wörtern in anderen *idg.* Sprachen zu der Wz. *kel- „neigen“ gehört. Auf einer Erweiterung dieser Wurzel (*klei-) beruht die weitverästelte *idg.* Wortgruppe von →¹lehnen. Im Ablaut zu *germ.* *halþa- steht wahrscheinlich die Sippe von →hold (eigtl. „geneigt“). Ferner gehören hierher die Substantivbildung → Helling *niederd.* für „schräger Schiffsbauplatz“ und vermutlich die Sippe von →halt („eben, wohl, ja, schon“, älter „[viel]mehr“ (urspr. wohl „geneigter“). – In der Bergmannssprache bezeichnete 'Halde' früher den Schuttabhang, heute den Kohlen[vorrats]berg.

Hälfte *w*: Das ursprünglich *niederd.* Wort (*mnd.* helfte) hat sich seit *spätmhd.* Zeit im *dt.* Sprachgebiet durchgesetzt und die alte Substantivbildung Halbe (vgl. *halb*) verdrängt.

¹Halfter *w*, auch *m* oder *s* „Zaum ohne Gebiß“: Die auf das *Westgerm.* beschränkte Substantivbildung (*mhd.* halfter, *ahd.* halftra *mnd.* halchter, *engl.* halter) gehört im Sinne von „Handhabe“ zu der p-Erweiterung der unter → *Schild* dargestellten *idg.* Wz. *[s]kel- „schneiden, spalten, hauen“. Abl.: halftern „die Halfter anlegen“ (16. Jh.), beachte auch abhalftern.

²Halfter *w* „Pistolentasche“: Zu der unter →*hehlen* dargestellten *idg.* Wz. *kel- „bergen, verhüllen“ gehört eine Reihe von Substantivbildungen mit der Bed. „Hülle“, so

auch *ahd.* hul[u]ft, *mhd.* hulft „Hülle, Futteral, Decke“, von dem *mhd.* hulfter „Köcher“, älter *nhd.* Hulfter, Holfter, *nhd.* Halfter abgeleitet ist.

Hall *m*: Das in *mhd.* Zeit gebildete Substantiv hal „Schall, Klang“ gehört zu dem von 'hallen' (s. u.) in *frühnhd.* Zeit verdrängten starken Verb *mhd.* hellen, *ahd.* hellan, „schallen, ertönen“. Dieses Verb stellt sich zu der *germ.* Wortgruppe von →*hell*, zu der auch →holen urspr. „schreien, rufen“ gehört. Abl.: hallen (15. Jh., beachte auch verhallen). Siehe auch den Artikel einhellig.

Halle *w*: Das *altgerm.* Wort *mhd.* halle, *ahd.* halla, *niederl.* hal, *engl.* hall, *schwed.* hall gehört zu der unter →*hehlen* dargestellten Wz. *kel- „bergen, verhüllen“, vgl. aus anderen *idg.* Sprachen z. B. die Substantivbildungen *lat.* cella „Kammer“ (s. Keller und Zelle) und *aind.* śālā „Hütte, Haus“. In früheren Zeiten war die Halle im Gegensatz zum Saal ein halboffener geräumiger Bau, dessen Überdachung von Pfeilern oder Säulen getragen wurde und Schutz vor Regen oder Sonne gewährte. Heute bezeichnet 'Halle' im allgemeinen einen geräumigen Bau oder Raum, beachte die Zus. Vorhalle, Bahnhofshalle, Markthalle, Hallenbad.

hallelujah!, allelujah! „lobet den Herrn!“ (aus den Psalmen übernommener gottesdienstlicher Jubelruf): Aus *kirchenlat.* hallelūiā, allelūiā < *hebr.* hallelūjāh „preiset Jahwe!“.

Hallig *w* „kleine, uneingedeichte Insel in der Nordsee“: Die Herkunft des *nordfries.* Wortes ist nicht sicher geklärt. Es kann auf die unter → *schal* dargestellte Wz. *[s]kel- „austrocknen, dörren“ bezogen werden oder aber zu der Wortgruppe von → ²*Holm* „kleine Insel“ gestellt werden.

Hallimasch *m*: Die Herkunft des Namens des eßbaren Blätterpilzes ist dunkel. Vielleicht ist das Wort eine Entstellung aus der *lat.* Bezeichnung des Pilzes armillaria oder aber, weil der reichlich genossene Pilz abführende Wirkung hat, eine Verstümmelung aus 'heil im Arsch' (*bayr.* hal „heil“).

Halluzination *w* „Sinnestäuschung“, **halluzinieren** „einer Sinnestäuschung unterliegen“: Medizinische Fachwörter, die im 19./20. Jh. aus *lat.* [h]al[l]ucinātiō bzw. [h]al[l]ucinārī „gedankenlos sein“ übernommen wurden. Das *lat.* Verb beruht wohl auf einer Entlehnung (mit Angleichung an *lat.* vaticinārī „weissagen, schwärmen“) aus *gr.* alýein „außer sich sein“, das seinerseits vielleicht mit dem Grundwort von *lat.* ambulāre urverw. ist (vgl. *ambulant*).

Halm *m*: Das *altgerm.* Wort für „Stengel, [Stroh]halm“ (*mhd.* halm, *ahd.* hal[a]m, *niederl.* halm, *engl.* ha[u]lm, *schwed.* halm) beruht mit verwandten Wörtern in anderen *idg.* Sprachen auf *idg.* *kolǝmo-s „Halm,

Rohr", vgl. z. B. *lat.* culmus „Halm, Stroh" und *russ.* solóma „Stroh".

Halma s: Name eines nach *gr.* hálma „Sprung" benannten Brettspiels, das in ähnlicher Form schon im Altertum bekannt war. *Gr.* hálma gehört zu hállesthai springen, das urverwandt ist mit *lat.* salīre (vgl. *Salto*).

Hals m: Der Hals ist als „Dreher [des Kopfes]" benannt. Die *gemeingerm.* Körperteilbezeichnung *mhd.*, *ahd.*, *got.* hals, *aengl.* heals *schwed.* hals, der genau *lat.* collus „Hals" (s. ²Kollier) entspricht, gehört zu der *idg.* Wz. *kᵘ̯el- „[sich] drehen, [sich] herumbewegen". Zu dieser Wurzel stellen sich aus anderen *idg.* Sprachen z. B. *gr.* pélein „in Bewegung sein", pólos „Achse, Drehpunkt" (s. Pol), kýklos „Kreis" (s. Zyklus), *lat.* colere „bebauen", colōnus „Landwirt, Bauer" (s. Kolonie und Clown), *poln.* koło „Rad", kolaska „Räderfahrzeug" (s. Kalesche). Abl.: ¹halsen „umarmen" (*mhd.* halsen, *ahd.* halsōn mit Entsprechungen in anderen *germ.* Sprachen; gebräuchlicher als das einfache Verb ist heute umhalsen „um den Hals fallen, umarmen"; beachte auch aufhalsen „aufbürden"); Halsung w weidm. für „Hundehalsband" (18. Jh.). Zus.: Halsabschneider „Wucherer" (19. Jh.); Halsberge „Teil der Rüstung, eine Art Panzerhemd" (*mhd.* halsberge, *ahd.* halsperga, eigtl. „was den Hals birgt"); Halseisen veralt. für „Pranger" (*mhd.* halsīsen); Halsgericht „Gericht für schwere Verbrechen im Mittelalter" (*mhd.* halsgerichte „Befugnis über den Hals, d. h. über Leben und Tod zu richten; hohe Gerichtsbarkeit"); halsstarrig (16. Jh.); lauthals „aus voller Kehle, sehr laut" (20. Jh.; Verhochdeutschung von *niederd.* lūdhals).

¹halsen siehe Hals.

²halsen: Der seemänn. Ausdruck für „ein Schiff vor den Wind wenden" ist eine Ableitung von dem unter →*Hals* behandelten Wort in dessen seemänn. Geltung „vordere, untere Ecke des Segels". Aus dem Verb rückgebildet ist das Substantiv Halse w „Wendung eines Schiffes vor den Wind".

halt: Das in *oberd.* Umgangssprache im Sinne von „eben, wohl, ja, schon" gebräuchliche Adverb beruht auf dem endungslosen Komparativadverb *mhd.*, *ahd.* halt „mehr, vielmehr", beachte mit Endung *mhd.* halter, *got.* haldis, *aisl.* heldr „[viel]mehr". Der Positiv lautet *ahd.* halto „sehr" und gehört wahrscheinlich zu der Sippe von *ahd.* hald „geneigt" (vgl. *Halde*).

halten: Das *gemeingerm.* Verb *mhd.* halten, *ahd.* haltan, *got.* haldan, *engl.* to hold, *schwed.* hålla, das urspr. im Sinne von „Vieh hüten, weiden" verwendet wurde, gehört mit verwandten Wörtern in anderen *idg.* Sprachen zu der *idg.* Wz. *kel- „treiben", vgl. z. B. *aind.* kālayati „treibt (Vieh); beobachtet; trägt; hält" und *gr.* kéllein „trei-

ben". Diese Wurzel war urspr. wahrscheinlich identisch mit der unter →*hell* dargestellten *idg.* Wz. *kel- „rufen, schreien, lärmen", da das Treiben des Viehs oder des Wildes auf der Jagd unter lautem Rufen und Lärmen vor sich ging. – Abl.: Halt m (*spätmhd.* halt „das Halten; Aufenthalt, Ort; Bestand"); Halter m „Haltevorrichtung", *bayr.*, *östr.* mdal. auch „Hirt" (*mhd.* haltǣre „Hirt; Bewahrer; Beobachter; Inhaber; Erlöser", *ahd.* haltāri „Erlöser; Empfänger"; das Wort steckt in mehreren Zus., z. B. Federhalter, Büstenhalter, Statthalter); Haltung w (*mhd.* haltunge „Verwahrung; Gewahrsam; Inhalt; Verhalten, Benehmen"). Das Verb halten steckt in mehreren Zusammensetzungen und Präfixbildungen, beachte z. B. abhalten „hindern" (aber auch 'eine Sitzung abhalten' und 'ein Kind abhalten'); aufhalten „zurückhalten, hemmen", reflexiv „verweilen; sich über etwas abfällig äußern, sich entrüsten" aushalten „Unterhalt gewähren, ernähren; bis zum Ende durchstehen, ausdauern, ertragen"; einhalten „von etwas ablassen, aufhören; aufhalten; beachten, wahren", dazu Einhalt; erhalten „bewahren, am Leben halten; empfangen, erlangen"; mithalten „an etwas teilnehmen". Wichtig sind folgende Zus. und Präfixbildungen: anhalten „festhalten, zum Stillstand bringen; zu etwas nötigen, anleiten; haltmachen; andauern", dazu Anhalter in der *ugs.* Wendung 'per Anhalter fahren', „trampen" (20. Jh.) und Anhaltspunkt „Punkt, an den man sich hält"; behalten „bewahren, in Obhut haben, nicht weggeben; [inne]haben; im Gedächtnis bewahren, nicht vergessen" (*mhd.* behalten, *ahd.* bihaltan; die ältere Bed. „erhalten" ist noch in 'wohlbehalten' bewahrt), dazu Behälter m (15. Jh.) und Behältnis s (15. Jh.); enthalten „als Inhalt haben", reflexiv „enthaltsam sein; nicht weggeben" (*mhd.* enthalten), dazu Enthaltung w (*mhd.* enthaltunge) und enthaltsam (18 Jh.), Enthaltsamkeit w (18. Jh.); unterhalten „die Existenz einer Person oder einer Sache sichern, ernähren; die Zeit vertreiben", reflexiv „sich die Zeit vertreiben, sich erfreuen; ein Gespräch führen" (17. Jh.; von *frz.* entretenir beeinflußt) dazu Unterhalt m (17. Jh.) und Unterhaltung w (18. Jh.); verhalten „hemmen, verlangsamen; unterdrücken, nicht laut werden lassen", reflexiv „sich benehmen" (*mhd.* verhalten, *ahd.* farhaltan), dazu Verhalten s „Betragen, Benehmen" (17. Jh.; subst. Infinitiv), Verhältnis s „Lage, Umstand, Beziehung zwischen zwei Dingen oder Personen" (17. Jh.). Vergleiche auch die Artikel Aufenthalt, Gehalt und Zuhälter.

Halunke m „Nichtswürdiger, Schuft, Spitzbube": Im 16. Jh. aus *tschech.* holomek „nackter Bettler" entlehnt; zu dem mit →*kahl* urverw. Adj. *tschech.* holý „nackt".

hämisch: *Mhd.* hem[i]sch „versteckt, boshaft, hinterhältig" ist eine Weiterbildung von *mhd.* hem „zu schaden trachtend, aufsässig", das wahrscheinlich im Sinne von „verhüllt, versteckt" zu *mhd.* ham[e] „Hülle" (vgl. *Hemd*) gehört. In *frühnhd.* Zeit hat sich 'hämisch' mit 'heimisch' vermischt.

Hammel *m*: Das Wort für „verschnittener Schafbock" (*mhd.* hamel, *spätahd.* hamal) ist eigtl. das substantivierte Adjektiv *ahd.* hamal „verstümmelt", vgl. *ahd.* hamalōn „verstümmeln", *aengl.* hamola „Verstümmelter", hamelian „verstümmeln, lähmen", *aisl.* hamla „verstümmeln". Die *germ.* Wortgruppe geht wohl samt *got.* hamfs „verstümmelt" auf *idg.* *kam[p]- „biegen, krümmen" zurück. Zur Benennung des verschnittenen Schafbockes beachte *frz.* mouton „Hammel" zu *lat.* mutilus „verstümmelt". Zus.: Hammelsprung (19. Jh.; scherzhafte Bezeichnung eines Abstimmungsverfahrens, bei dem alle Abgeordneten den Saal verlassen und ihn hinter ihren Parteiführern durch eine Ja- oder Nein-Tür wieder betreten).

Hammer *m*: Das *altgerm.* Wort *mhd.* hamer, *ahd.* hamar, *niederl.* hamer, *engl.* hammer, *schwed.* hammare bedeutete urspr. „Stein", dann „Werkzeug aus Stein, Steinhammer". Beachte *anord.* hamarr, das nicht nur „Hammer", sondern auch „Stein, Fels[absturz]" bedeutet und in letzterer Bed. in mehreren skandinavischen ON steckt, wie z. B. Hammerfest, Hammarby, Osthammar, ferner die verwandte *slaw.* Wortgruppe von *russ.* kámen' „Stein", zu der auch die ON Kammin, Kamenz, Chemnitz gehören. Die *germ.* und *slaw.* Wörter, die auf *kämen- „Stein" zurückgehen, stehen wohl weiterhin mit *idg.* *akmen-, *aḱmen- „Stein" in Zusammenhang, vgl. z. B. *aind.* áśman- „Stein; Himmel", *gr.* ákmōn „Amboß; Meteorstein; Himmel", *lit.* akmuõ „Stein". Da man sich in alter Zeit den Himmel als Steingewölbe vorstellte, ist vermutlich auch die *germ.* Wortgruppe von → Himmel verwandt. Abl.: hämmern (*mhd.* hemeren).

hämo..., Hämo...: Bestimmungswort von Zus. mit der Bed. „Blut" in Fremdwörtern wie → Hämorrhoiden: Zu *gr.* haĩma „Blut", einem alten Tabuwort ohne sichere außergriechische Entsprechungen.

Hämorrhoiden *Mehrz.* „knotenförmig hervortretende Erweiterungen der Mastdarmvenen": Eine schon den antiken Ärzten bekannte Krankheit, deren *gr.* Name haimorrhoídes (eigtl. „Blutfluß"; zu haĩma „Blut", vgl. *hämo...* und rheĩn „fließen", vgl. Rhythmus) über das *Lat.* im 18. Jh. entlehnt wurde.

hampeln (*ugs.* für:) „zappeln, sich unruhig hin und her bewegen": Die Herkunft des urspr. *niederd.* Wortes ist nicht sicher geklärt. Das Subst. Hampelmann „Puppe, deren Glieder durch Ziehen an einem Faden bewegt werden können", auch „Einfaltspinsel,

Waschlappen" ist seit dem 16. Jh. bezeugt.

Hamster *m*: Der Name des Nagetieres ist in *ahd.* Zeit aus dem *Slavischen* entlehnt worden. *Ahd.* hamustro, das in den Glossen *mlat.* curculiō „Kornwurm; Feldmaus" wiedergibt, geht auf *aslaw.* choměstorъ „Hamster" zurück, beachte *russ.* chomják „Hamster". Die weitere Herkunft des *slaw.* Wortes ist umstritten. Abl.: hamstern „[gesetzwidrig] Vorräte anhäufen" (vereinzelt schon im 19. Jh., häufig erst seit dem 1. Weltkrieg), dazu Hamsterer *m* (20. Jh.).

Hand *w*: Die *gemeingerm.* Körperteilbezeichnung *mhd.*, *ahd.* hant, *got.* handus, *engl.* hand *schwed.* hand gehört wahrscheinlich als ablautende Substantivbildung zu der Sippe von *got.* -hinþan „fangen, greifen" und bedeutet demnach eigtl. „Greiferin, Fasserin". Im *Dt.* ist das Wort in die i-Deklination übergetreten. Der alte u-Stamm ist noch im Dativ Mehrz. -handen bewahrt, beachte abhanden eigtl. „aus den Händen", vorhanden eigtl. „vor den Händen", zuhanden eigtl. „zu den Händen". Der Genitiv Mehrz. des u-Stammes steckt noch in allerhand (s. all), wo 'Hand' die Bed. „Seite; Art" hat, beachte linker, rechter Hand „auf der linken, rechten Seite". Aus einer präpositionellen Verbindung ist auch das Adj. → behende, eigtl. „bei der Hand" zusammengewachsen. Die Hand spielt in zahlreichen *dt.* Redewendungen und Sprichwörtern eine wichtige Rolle. Sie gilt seit altersher als Symbol der Gewalt über etwas, des Besitzes und des Schutzes. Abl.: handeln (s. d.); ...händig, z. B. in zweihändig, vierhändig (16. Jh.); ...händigen, in aushändigen und einhändigen (17. Jh.; beide Wörter stammen aus der *frühnhd.* Kanzleisprache und haben älteres ...henden verdrängt, beachte z. B. *mhd.* behenden „einhändigen"); handlich (*mhd.* hantlich „mit der Hand verrichtet", *ahd.* in unhantlīh „unhandlich"; Hantel (s. d.). Zus.: Handbuch (15. Jh.; LÜ von *lat.* manuale); handfest (*mhd.* hantveste „in feste Hand genommen, gefangen; tüchtig mit der Hand; treu am Glauben haltend"), Handfeste veralt. für „Urkunde" (*mhd.* hantveste „Handhabe, schriftliche Versicherung mit eigenhändiger Unterschrift, Verbriefung von Rechten, Urkunde"); Handgeld „Geld, das bei der Anwerbung in die gelobende Hand gezahlt wird" (17. Jh.); handgemein (18. Jh.); Handgemenge (17. Jh.); handgreiflich (17. Jh.); Handhabe (*mhd.* hanthabe, *ahd.* hanthaba „Handhabung; Griff, Henkel", s. haben), davon handhaben (*mhd.* hanthaben „fest fassen, halten; schützen, erhalten, unterstützen"); Handkuß (17. Jh.); Handlanger (15. Jh.); Handschelle (s. ³Schelle); Handschrift (15. Jh.; früher auch „eigenhändige Unterschrift, eigenhändig unterschriebener Schuldbrief"); Handschuh (*mhd.* hant-

handeln

schuoch, *ahd.* hantscuoh, *mnd.* hantsche; die oft vertretene Ansicht, das Wort sei aus einem *antscuoh „Gegenschuh" umgedeutet, ist verfehlt; zum zweiten Bestandteil s. *Schuh*); **Handstreich** (16. Jh.; bis zum Anfang des 19. Jh.s nur in der Bed. „Handschlag"; dann nach *frz.* coup de main „Überrumpelung, plötzlicher Überfall"); **Handtuch** (*mhd.* hanttuoch, *ahd.* hantuh); **Handwerk** (*mhd.* hantwerc „Werk der Hände, Kunstwerk; Gewerbe; Zunft", *ahd.* hantwerc[h]; entspr. *aengl.* handweorc „Handarbeit, mit der Hand Geschaffenes"), dazu **Handwerker** (*mhd.* hantwerker). Beachte auch die Zus. **Vorhand, Vorder-** und **Hinterhand** und **Oberhand** (*mhd.* oberhant „Übermacht", daneben auch überhant, älter *nhd.* Überhand, heute nur noch in **überhandnehmen**).

handeln: *Mhd.* handeln „mit den Händen fassen, berühren; [be]arbeiten; verrichten, vollbringen, tun; mit etwas verfahren; behandeln; bewirten", *ahd.* hantalōn „befassen, berühren; bearbeiten", *engl.* to handle „handhaben; behandeln; verwalten", *aisl.* hǫndla „mit der Hand berühren, fassen". Das Verb ist von dem unter → *Hand* dargestellten *gemeingerm.* Substantiv abgeleitet. Seit dem 16. Jh. hat 'handeln' auch kaufmännische Geltung und wird im Sinne von „Handel treiben, Geschäfte machen", „verkaufen" und „über den Preis verhandeln, feilschen" gebraucht. Abl.: **Handel** *m* (*spätmhd.* handel „Handlungsweise; Vorgang; Begebenheit, Handelsgeschäft; Handelsobjekt, Ware" und „gerichtliche Verhandlung, Rechtsstreit"; das Substantiv ist aus dem Verb rückgebildet; im heutigen Sprachgefühl werden Handel „Kaufgeschäft" und Handel „Streit", das häufiger in der *Mehrz.* **Händel** gebraucht wird, als zwei verschiedene Wörter empfunden); **Händler** *m* (*gemeingerm.* hand[e]ler „der etwas tut, vollbringt, verrichtet; Unterhändler"; seit dem 16. Jh. „Handelsmann"); **Handlung** *w* (*mhd.* handelunge „Behandlung, Handhabung; Aufnahme, Bewirtung; [gerichtliche] Verhandlung; Kaufhandel; Tun, Tätigkeit"). Zus. und Präfixbildungen: **abhandeln** „über einen Gegenstand in einer Schrift handeln, ein Thema bearbeiten", auch „im Preis drücken", dazu **Abhandlung** *w* (17. Jh.; für *lat.* tractātus); **behandeln** „mit jemand verfahren; sich mit etwas beschäftigen", dazu **Behandlung** *w* (17. Jh.); **mißhandeln** „übel zurichten, schlagen" (*mhd.* missehandeln), dazu **Mißhandlung** *w* (*mhd.* missehandelunge); **unterhandeln** „zu vermitteln versuchen", dazu **Unterhändler** *m* (16. Jh.); **verhandeln** (*mhd.* verhandeln); dazu **Verhandlung** *w*.

Handikap *s* „Benachteiligung, Behinderung": Ein aus der Sportsprache stammendes FW,

das im 20. Jh. aus *engl.* handicap übernommen wurde. Dieses etymologisch nicht sicher gedeutete Subst. bezeichnet urspr. nur ein [Pferde]rennen, bei dem die Gewinnchancen dadurch ausgeglichen werden, daß man leistungsschwächeren Teilnehmern eine Strecken- oder Zeitvorgabe gewährt (eine „Benachteiligung" für die Besseren). Dann aber bedeutet es auch „Hindernis, Benachteiligung" überhaupt. – Dazu das Adj. **gehandikapt** „benachteiligt, behindert", urspr. 2. Part. des kaum gebräuchlichen Verbs **handikapen** (aus *engl.* to handicap) „ein Handikap auferlegen".

hanebüchen: Wie die ältere, heute nur noch vereinzelt gebrauchte Form hagebüchen erweist, ist das Adjektiv von Hagebuche (s. *Hag*) abgeleitet: *mhd.* hagenbüechīn „aus Hagebuche[nholz] bestehend". Seit dem 18. Jh. nahm das Adjektiv *ugs.* die Bed. „grob, derb" an, weil das Holz der Hagebuche auffällig knorrig ist.

Hanf *m*: Der *altgerm.* Name der mit den Nesselgewächsen verwandten Faserpflanze, *mhd.* han[e]f, *ahd.* hanaf, *niederl.* hennep, *engl.* hamp, *schwed.* hampa, stammt aus einer unbekannten ost- oder südosteuropäischen Sprache, vielleicht aus dem Skythischen. Aus dieser Quelle stammen auch *gr.* kánnabis „Hanf" (daraus gleichbed. *lat.* cannabis), die *baltoslaw.* Sippe von *russ.* konopljá „Hanf" und *armen.* kanap' „Hanf". Abl.: **Hänfling** (s. d.).

Hänfling *m*: Der auf das *dt.* Sprachgebiet beschränkte Vogelname (*mhd.* henfelinc) ist von dem unter → *Hanf* behandelten Wort abgeleitet. Der Vogel ist so benannt, weil er sich vorwiegend von Hanfsamen ernährt.

Hängematte *w*: Die im *Dt.* seit dem 17. Jh. bezeugte Bezeichnung für die hängende Schlafstelle (urspr. speziell der Matrosen auf Schiffen) ist aus gleichbed. *niederl.* hangmat (älter: hangmak) entlehnt. Das *niederl.* Wort selbst hat urspr. weder mit dem Zeitwort hängen (*niederl.* hangen) noch mit dem Hauptwort Matte (*niederl.* mat) etwas zu tun. Es ist vielmehr ein LW und führt über gleichbed. *frz.* hamac und *span.* hamaca auf *hait.* (Eingeborenensprache) [h]amaca „Hängematte" zurück. Erst sekundär wurde das nicht verstandene fremde Wort als zu 'hängen' und 'Matte' gehörig gedeutet und diesen Wörtern lautlich angeglichen.

hängen: Das alte *gemeingerm.* starke Verb *hanhan „hängen" (*mhd.* hāhen, *ahd.* hāhan. *got.* hāhan, *aengl.* hōn, *aisl.* hanga), dessen *außergerm.* Beziehungen nicht sicher geklärt sind, hat sich in den jüngeren Sprachzuständen mit den zahlreichen abgeleiteten schwachen Verben (1. *ahd.* hangēn, *mhd.* hangen, *nhd.* *mdal.* und *schweiz.* hangen, 2. *ahd.*, *mhd.* hengen, *nhd.* hängen, 3. *ahd.*, *mhd.*, *nhd.* henken) vermischt. Um das Verb hängen gruppiert sich im *Dt.* eine Reihe von Abl. und Zus.: Hang *m* „Neigung; abschüssige Stelle, Halde" (*spätmhd.* hanc „das Hängen; Neigung"); hangeln „sich im Hang fortbewegen" (Anfang des 19. Jh.s; Wort der Turnersprache); Hangende *s* bergmänn. für „Gesteinsschichten über einer Lagerstätte" (17. Jh.); Hanger *m* seem. für „Tau, an dem der Ladebaum hängt"; Gehänge *s* (*mhd.* gehenge). Zu den zusammengesetzten Verben und Präfixbildungen stellen sich: Abhang „abschüssige Stelle, Halde" (16. Jh.), abhängig (15. Jh.; zunächst „abschüssig, geneigt", dann „zugehörig, botmäßig"); Anhang (*mhd.* an[e]hanc „Angehängtes, Tau; Begleitung; Begleiter"; seit dem 15. Jh. nach *lat.* appendix auch „Anhang eines Buches oder Vertrages"), Anhänger (16. Jh.), anhänglich (18.Jh.; für älteres gleichbed. anhängig), Anhängsel (18. Jh.); Aushang (18. Jh.), Aushängebogen „Reindruckbogen, der in früherer Zeit an der Presse ausgehängt wurde" (18. Jh.), Aushängeschild (18. Jh.); Behang weidmänn. für „Ohr des Hundes"; Überhang (*mhd.* überhanc „Umhang; überhängende Zweige und Früchte von Obstbäumen; Übergewicht"; heute bes. in der Bed. „überhängende Felswand" gebräuchlich); Umhang (*mhd.*, *ahd.* umbehanc „Vorhang, Decke, Teppich"; seit dem 19. Jh. „umgehängtes Kleidungsstück"); Vorhang (*mhd.* vor-, vürhanc „Vorhang"). Beachte auch →Verhängnis. Vgl. ferner die Artikel henken und Henkel.

Hanse *w*: Die Bezeichnung bevorrechtigter Genossenschaften deutscher Kaufleute, die seit dem 12. Jh. auswärtigen Handel trieben, ging im 14. Jh. auf den großen Städtebund über. Das Wort Hanse geht auf *germ.* *hansō- „Schar" zurück, beachte *mhd.* hanse „Kaufmannsgilde, Genossenschaft", *ahd.* hansa „Kriegerschar, Gefolge", *got.* hansa „Schar, Menge", *aengl.* hōs „Schar". Die weitere Herkunft des *germ.* Wortes ist nicht sicher geklärt. Mit dem Untergang des Hansebundes verschwand das Wort aus der lebenden Sprache. Im 19. Jh. wurde es in latinisierter Form Hansa als Bezeichnung wirtschaftlicher Unternehmungen neu belebt, beachte z. B. Lufthansa. Neben dem von 'Hanse' abgeleiteten Adjektiv hansisch ist seit dem 18. Jh. hanseatisch gebräuchlich, das – wie Hanseat *m* (19. Jh.) – auf *mlat.* hanseaticus zurückgeht. Die Zus. Hansestadt ist seit dem 14. Jh. bezeugt. Vgl. auch den Artikel hänseln.

hänseln „necken, foppen": Die Aufnahme in bestimmte Gemeinschaften ging im Mittelalter unter fest vorgeschriebenen Zeremonien vor sich. So hatten auch die Lehrlinge, die in eine Kaufmannsgilde – in eine Hanse – eintraten, verschiedene Mut- und Standhaftigkeitsproben zu bestehen. Das von *mhd.*

hanse „Genossenschaft, Kaufmannsgilde" (vgl. *Hanse*) abgeleitete Verb hansen bedeutete zunächst „[unter gewissen Zeremonien] in eine Kaufmannsgilde aufnehmen", später als das alte Brauchtum verblaßte, „necken, verulken". Im *Nhd.* wurde das Wort, zumal es dem *Oberd.* fremd war, auf den PN Hans in dessen appellativischer Bed. „Narr" bezogen.

Hanswurst *m*: Als Bezeichnung eines dicken, unbeholfenen Menschen, der einer Wurst ähnelt, ist 'Hanswurst' (zunächst getrennt geschrieben Hans Wurst) seit dem Anfang des 16. Jh.s bezeugt. Der Schelt- und Spottname für den Dickwanst wurde dann als Benennung für einen Tölpel und seit dem Ende des 16. Jh.s für den Spaßmacher [im Lustspiel] verwandt. Beachte auch die Abl. Hanswursterei *w* u. Hanswurstiade *w*.

Hantel *w*: *Niederd.* hantel „Handhabe", das zu der Wortgruppe von →*Hand* gehört, wurde Anfang des 19. Jh.s von F. L. Jahn in die Turnersprache zur Bezeichnung des Handturngerätes übernommen. Abl.: hanteln „mit der Hantel arbeiten".

hantieren „handhaben, umgehen mit": Das seit dem 14. Jh. bezeugte Zeitwort (*mnd.* hantēren, *spätmhd.* hantieren „Kaufhandel treiben; handeln, verrichten, tun"), das im Sprachgefühl als zu 'Hand' gehörig empfunden wird, beruht auf Entlehnung aus *mnieder.* hantēren, hantieren (= *niederl.* hanteeren) „umgehen mit jmdm.; Handel treiben; verrichten, tun". Das *niederl.* Wort selbst geht auf (*a*)*frz.* hanter „umgehen mit; häufig besuchen" zurück, dessen weitere Herkunft unsicher ist.

Happen *m* „Bissen": Das erst seit dem 18.Jh. bezeugte, urspr. *niederd.* Wort stammt wahrscheinlich aus der Lallsprache der Kinder. Beachte das Lallwort Papp „Brei" und die Zus. *berlin.* Happenpappen. Abl.: happig „gierig [zubeißend]", ugs. auch „ungewöhnlich stark, arg" (18. Jh.).

Happy-End *s* „unerwartet glücklicher Ausgang einer [Liebes]geschichte": Im 20. Jh. aus *engl.* happy end „glückliches Ende" entlehnt.

Harakiri *s*: Die Bezeichnung für die in Japan geübte Art des Selbstmords durch Bauchaufschneiden wurde im 19.Jh. aus *jap.* harakiri entlehnt (zu *jap.* hara „Bauch" und kiru „schneiden"). Andere FW aus dem *Jap.* s. unter →Jiu-Jitsu, →Kimono, →Mikado.

Harem *m* „von Frauen bewohnter Teil des islam. Hauses", in heutiger Umgangssprache auch übertr. im Sinne von „weiblicher Anhang eines Mannes": Im 18. Jh. aus *türk.* harem, *arab.* ḥaram entlehnt, das eigtl. „verboten" bedeutet und dann für Fremde unzugänglich den „Frauenraum" bezeichnet.

Harfe *w*: Der *altgerm.* Name des Musikinstrumentes *mhd.* harpfe, *ahd.* har[p]fa, *niederl.* harp, *engl.* harp, *schwed.* harpa gehört wahrscheinlich zu der *idg.* Wurzelform *[s]kerb[h]- „[sich] drehen, [sich] krümmen, schrumpfen" (vgl. *schräg*). Das Musikinstrument wäre demzufolge danach benannt, daß es mit gekrümmten Fingern gezupft wird. Die Benennung könnte sich allerdings auch auf die gekrümmte Form der Harfe beziehen. – Zu dieser z. T. auch nasalierten Wurzelform gehören aus dem *germ.* Sprachbereich ferner die unter →rümpfen und →schrumpfen behandelten Wörter (beachte auch die Artikel Rampe und Harpune) und aus anderen *idg.* Sprachen z. B. *lat.* corbis „Korb", eigtl. „Geflochtenes" (s. Korb). – Der *altgerm.* Name des Musikinstruments wurde auch in die *roman.* Sprachen entlehnt, vgl. *frz.* harpe, *it.* arpa, *span.* arpa „Harfe". Abl.: harfen (*mhd.* harpfen „auf einer Harfe spielen"); Harfenist *m* (16.Jh.); Harfner *m* (18.Jh.).

Harke *w*: Der im wesentlichen *nordd.* Name des landwirtschaftlichen Gerätes in Mittel- und Süddeutschland gilt Rechen (s. d.) – gehört zu der weitverästelten *idg.* Sippe der lautmalenden Wz. *[s]ker-, die besonders heisere Töne, scharrende, kratzende und rasselnde Geräusche nachahmt. Das Gerät ist demnach nach dem Geräusch, das es beim Harken verursacht, benannt. *Mnd.* harke „Harke" ist näher verwandt z. B. mit *aisl.* hark „Lärm, Geräusch" und weiterhin mit den Wortgruppen von →Rachen und → →schreien sowie mit den Vogelnamen →Rabe und →Reiher. Abl.: harken (*mnd.* harken, beachte auch beharken *ugs.* für „jemanden zusetzen").

Harlekin *m* „Hanswurst": Der Harlekin ist urspr. eine Narrengestalt der ital. Komödie, deren *it.* Name arlecchino durch *frz.* Vermittlung (*frz.* harlequin, heute: arlequin) am Ende des 17. Jh.s bei uns bekannt wurde. Die Quelle des *it.* Wortes ist die im *Afrz.* bezeugte Fügung maisnie Hellequin „Hexenjagd; wilde, lustige Teufelsschar", deren Herkunft sich nicht sicher deutet ist. – Dazu: Harlekinade *w* „Hanswursterei" (19. Jh.; aus *frz.* arlequinade).

Harm *m*: Das *altgerm.* Wort für „Kränkung, Kummer, Qual" (*mhd.* harm, *ahd.* haram, *engl.* harm, *schwed.* harm) ist wahrscheinlich mit der *baltoslaw.* Wortgruppe von *russ.* sórom „Schande" und mit *pers.* šarm „Scham" verwandt und geht auf *idg.* *ḱormo-s „Qual, Schmach, Schande" zurück. Abl. härmen (*mhd.* hermen „plagen, quälen", *ahd.* harmen mit *germ.* Entsprechungen; beachte auch abgehärmt). Zus.: harmlos (18. Jh.; zunächst „leidlos", dann – nach *engl.* harmless – „unschädlich, ungefährlich"; dazu Harmlosigkeit (19. Jh.).

Harmonie *w* „Übereinstimmung, Einklang; wohltönender Zusammenklang (Mus.); ausgewogen maßvolles Verhältnis der Teile zueinander (Bildkomposition)": Im 16. Jh. –

zunächst als musikal. Fachwort – aus *gr.-lat.* harmonía entlehnt, das urspr. „Fügung, Fuge; Bund; Ordnung" bedeutet und wie *gr.* harmózein „zusammenfügen" zur *idg.* Sippe von →Arm gehört. – Zum gleichen *gr.* Grundwort gehören die Neubildungen →Harmonika, →Harmonium, →Philharmoniker, ferner das Adj. harmonisch „den Gesetzen der Harmonie entspr.; ebenmäßig; stimmig" (16. Jh.; nach *lat.* harmonicus, *gr.* harmonikós) und das Verb harmonieren „gut zusammenpassen, übereinstimmen" (17. Jh.).

Harmonika *w*: Der Name verschiedener Musikinstrumente (wie Hand-, Mund-, Zieharmonika) ist letztlich eine Wortschöpfung Benjamin Franklins aus dem 18. Jh. nach *lat.* harmonicus < *gr.* harmonikós „harmonisch" (vgl. *Harmonie*). Der Name bezieht sich auf die Eigenart der Harmonikas, im Gegensatz zu anderen Instrumenten nur „[harmonische]" Akkorde ertönen zu lassen.

Harmonium *s*: Der Name des orgelartigen Tasteninstruments entstand im 19. Jh. in Frankreich. Er ist eine Neubildung zu *gr.* harmonía (vgl. *Harmonie*) und spielt wohl auf den vollen und harmonischen Klang des Harmoniums an.

Harn *m*: Das auf das *dt.*, urspr. auf das *hochd.* Sprachgebiet beschränkte Wort *mhd.* harn, *ahd.* har[a]n gehört wohl im Sinne von „das Ausgeschiedene" (beachte das Verhältnis von *lat.* excrementum „Ausscheidung, Kot" zu excernere „ausscheiden" und von ‚Scheiße‘ zu ‚scheiden‘) zu der unter →[1]scheren dargestellten *idg.* Wz. *[s]ker- „schneiden". Mit anlautendem s- sind dann verwandt *mnd.* scharn „Dreck, Mist", *aengl.* scearn „Dünger, Mist, Dreck", *schwed.* skarn „Unrat, Auswurf" und *außergerm.* z. B. *gr.* skór „Kot". Beachte auch den Artikel Schierling. Abl.: harnen (*spätmhd.* harnen).

Harnisch *m* „[Brust]panzer": In der Blütezeit des französischen Rittertums wurde *mhd.* harnasch „Harnisch; kriegerische Ausrüstung" aus *afrz.* harnais „kriegerische Ausrüstung" entlehnt. Das *frz.* Wort seinerseits geht wohl auf ein *anord.* (norm.) *hernest „Heeresvorrat" zurück (vgl. *Heer*). Im übertragenen Sinne wird ‚Harnisch‘ in der Wendung ‚in Harnisch bringen‘ eigtl. „in Kriegsbereitschaft bringen" gebraucht. Beachte auch geharnischt, das das 2. Part. des untergegangenen Verbs harnischen ist.

Harpune *w* „[zum (Wal)fischfang benutzter] Wurfspeer mit Widerhaken": Im 17. Jh., zunächst in der Form Harpon, aus *niederl.* harpoen < *frz.* harpon entlehnt, das eigtl. „Eisenklammer" bedeutet und als Werkzeugableitung von *frz.* harpe „Klaue, Kralle" gilt. Das Wort ist *germ.* Ursprungs und gehört wohl zur Sippe von *nhd.* →Harfe. – Dazu seit dem 19./20. Jh. das Verb harpunieren

„mit der Harpune erlegen" (nach *frz.* harponner).

harren: Die Herkunft des erst seit *mhd.* Zeit bezeugten Verbs (*mhd.* harren) ist dunkel. Das einfache Verb ist heute nahezu ausgestorben. Gebräuchlich sind dagegen die Zus. und Präfixbildungen a u s h a r r e n, verharren und beharren, zu dem beharrlich, Beharrlichkeit und Beharrungsvermögen gehören.

harsch: Das urspr. *niederd.* Wort (*mnd.* harsk „rauh, hart, rissig") hat sich seit dem 17. Jh. über das *dt.* Sprachgebiet ausgebreitet. Dem *niederd.* Wort entspricht das *oberd.* Substantiv **Harsch** *m* „hartgefrorener Schnee, Schneekruste". Beachte auch das Verb [ver]harschen „hart, krustig werden [vom Schnee]". Mit dieser Sippe, zu der auch *dt. mdal.* Harst „Harke, Rechen" und wahrscheinlich *oberd. mdal.* H a a r „Flachs" gehören, ist z. B. die *nord.* Wortgruppe von *dän.* harsk „ranzig", älter „rauh, streng, bitter" verwandt (beachte das *nord.* LW *engl.* harsh). Zugrunde liegt eine *idg.* Wz. *kars- „kratzen, reiben, striegeln, krempeln", vgl. z. B. *lat.* carrere „Wolle krempeln".

hart: Das *gemeingerm.* Adjektiv *mhd.* hert[e], *ahd.* herti, *got.* hardus, *engl.* hard, *schwed.* hård gehört mit verwandten Wörtern in anderen *idg.* Sprachen, vgl. z. B. *gr.* kratýs „stark, mächtig", krátos „Stärke, Macht, Herrschaft", krateín „[be]herrschen" (beachte ...krat, ...kratie z. B. in Demokrat, Demokratie), zu der *idg.* Wz. *kar- (weitergebildet *kart-) „hart". – Die *mhd.* Form hart beruht auf *mitteld.* Lautung, die der des Adverbs *mhd.* harte, *ahd.* harto entspricht. Das Adjektiv hart spielte in der *dt.* Namengebung eine überaus bedeutende Rolle, beachte z. B. die PN Bernhard, Eberhard, Gerhard, Richard, Hartmut, Hartwig, Abl.: H ä r t e *w* (*mhd.* herte, *ahd.* hartī); h ä r t e n (*mhd.* herten, *ahd.* herten, beachte auch die Zus. und Präfixbildungen ab-, er-, verhärten); H a r t u n g *m* (heimische Bezeichnung des Januars; beachte älteres Hartmonat „Wintermonat"). Zus.: h a r t n ä c k i g (15. Jh.; zum zweiten Bestandteil vgl. *Nacken*), dazu H a r t nä c k i g k e i t (16.Jh.); H a r t r i e g e l *m* „Laubgehölz, Kornelkirsche" (*mhd.* hartrügele, *ahd.* hart[t]rugil; der Name bezieht sich auf das harte Holz; zum zweiten Bestandteil vgl. *Teer*).

Harz *s*: Das Wort ist auf das *dt.* Sprachgebiet beschränkt: *mhd.* harz, *ahd.* harz[uh] „Harz". Die weitere Herkunft der Bezeichnung des Stoffwechselproduktes verschiedener Pflanzen ist dunkel. Abl.: h a r z e n (*mhd.* herzen „auspichen"); h a r z i g (16. Jh.). Zus.: K u n s t h a r z (20. Jh.).

haschen: Das seit dem 14. Jh. bezeugte *ostmitteld.* Verb hat seit dem 16. Jh. allmählich gemeinsprachliche Geltung erlangt. Das

Wort gehört zu der unter →*heben* dargestellten *idg.* Wz. *kap- „fassen, packen". Früher bedeutete 'haschen' auch „festnehmen, gefangennehmen", beachte das Substantiv H ä s c h e r *m* „Büttel, Gerichtsdiener" (16. Jh.).

Hase *m*: Der *altgerm.* Tiername *mhd.* hase, *ahd.* haso, *niederl.* haas, *engl.* hare, *schwed.* hare ist z. B. verwandt mit *aind.* śaśá-ḥ „Hase" und *apreuß.* sasins „Hase" und beruht mit diesen auf dem substantivierten *idg.* Adjektiv *ḱasen-, *ḱaso- „grau", vgl. z. B. *ahd.* hasan „grau, glänzend", *aengl.* hasu „graubraun". Der „Graue" als Name des Hasen ist wahrscheinlich altes Tabuwort, weil das Tier bei vielen Völkerschaften als dämonisch und unheimlich gilt. Auch im *dt.* Aberglauben spielt der Hase als Seelen- und Hexentier eine Rolle. In Tiererzählungen heißt der Hase [Meister] Lampe (Kurzform des PN Lamprecht) oder Mümmelmann; jägersprachlich gilt 'der Krumme'. Auf die hervorstechende Eigenschaft des Hasen, seine Furchtsamkeit, beziehen sich Zus. wie A n g s t h a s e, H a s e n f u ß, H a s e n h e r z und die Wendung 'das Hasenpanier (s. u.) ergreifen'. In den *dt.* Mundarten wird mit Hase oft das Kaninchen bezeichnet, daher verdeutlichend Feldhase im Gegensatz zu Stallhase. Zus.: H a s e n p a n i e r (16. Jh.; wie der Schwanz des Fuchses 'Standarte', der des Eichhörnchens 'Fahne' heißt, so wurde der Schwanz des Hasen früher 'Panier' genannt; heute gilt 'Blume'); H a s e n s c h a r t e „angeborene Spaltung der Oberlippe" (14. Jh.); D a c h h a s e „Katze" (auch scherzhaft für „Zimmermann") Osterhase (17. Jh.).

Hasel *w*: Der *altgerm.* Name des Laubgehölzes *mhd.* hasel, *ahd.* hasal, *niederl.* hazelaar, *engl.* hazel, *schwed.* hassel ist mit *lat.* corulus „Haselstaude" und der *kelt.* Sippe von *air.* coll „Hasel" verwandt. Das zugrunde liegende *koslo-s „Hasel" ist, da weitere Anknüpfungen fehlen, nicht deutbar. Zus.: H a s e l h u h n (*mhd.* haselhuon, *ahd.* hasalhuon; das Haselhuhn hat seinen Namen daher, weil es sich vorwiegend im Haselgebüsch aufhält); H a s e l m a u s (16. Jh.; die Haselmaus ist danach benannt, weil sie sich vorwiegend von Haselnüssen ernährt); H a s e l n u ß (*mhd.* haselnuz, *ahd.* hasalnuz; vgl. *Nuß*).

Haß *m*: Das *gemeingerm.* Substantiv *mhd.*, *ahd.* haz, *got.* hatis, *aengl.* hete, *schwed.* hat beruht mit verwandten Wörtern in anderen *idg.* Sprachen auf *idg.* *ḱādos-, *ḱədes- „Leid, Kummer, Groll", vgl. z. B. die *kelt.* Sippe von *kymr.* cas „Haß" und *gr.* kêdos „Sorge; Trauer; Leichenbestattung". Im *germ.* Sprachbereich hat sich aus „Groll, Haß" auch die Bed. „Verfolgung" entwickelt (beachte die Bedeutungen von 'hetzen' und 'hassen'). Gleichfalls *gemeingerm.* ist das abgeleitete Verb hassen (*mhd.* hazzen, ahd. hazzēn, -ōn, got. hatan, engl. to hate, schwed. hata), das früher auch im Sinne von „verfolgen" verwendet wurde. Ferner gruppieren sich um 'Haß' die Bildungen →häßlich und →gehässig sowie →hetzen.

häßlich: Das auf das Westgerm. beschränkte Adjektiv mhd. haz̧-, hez̧[z̧e]lich, ahd. haz̧līh, asächs. hetelīk, aengl. hetelic ist von dem unter →Haß dargestellten Substantiv abgeleitet. Das Wort, das im heutigen Sprachgebrauch nicht mehr als zu 'Haß' gehörig empfunden wird, bedeutete in den älteren Sprachzuständen „feindselig, voller Haß, gehässig". Über die Bed. „hassenswert, verabscheuungswürdig" erlangte 'häßlich' in frühnhd. Zeit seine Geltung als Gegensatz zu 'schön'. Abl.: Häßlichkeit w (16. Jh.).

Hast w „(durch innere Erregung oder Unruhe ausgelöste) Eile, Ungeduld": Das im Nhd. seit dem Ende des 16. Jh.s bezeugte Subst. ist aus dem Mnd. aufgenommen. Mnd. hast („Hast, Übereilung") führt über gleichbed. niederl. haast (mniederl. hast[e]) auf afrz. haste (= frz. hâte) „Hast, Eile" zurück, das selbst germ. Ursprungs ist. – Abl.: hasten „voller Ungeduld eilen" (16. Jh.; aus mnd. hasten < mniederl. haesten; seit dem Ende des 18. Jh.s schriftsprachlich); hastig „übereilt, ungeduldig" (schon spätmhd. hasteclīche, Adv.; aus mnd. hastich < mniederl. haestich).

hätscheln: Das seit dem 17. Jh. bezeugte Verb gehört wahrscheinlich mit mdal. hatschen „gleiten, rutschen, streicheln" zusammen, das wohl laut- oder bewegungsnachahmender Natur ist. Beachte die Präfixbildung verhätscheln „verzärteln, verziehen" (19. Jh.).

Haube w: Das altgerm. Wort mhd. hūbe, ahd. hūba, niederl. huif, aengl. hūfe, schwed. huva gehört zu der unter →hoch dargestellten idg. Wortgruppe. Zus.: Haubenlerche (16. Jh.)

Haubitze w „schweres Flach- und Steilfeuergeschütz": Ein militär. Fachwort, das seit dem 15. Jh. (zuerst als 'hauf[e]niz') bezeugt ist. Es wurde im Verlauf der Hussitenkriege (1419–36) aus tschech. houfnice „Steinschleuder" entlehnt.

hauchen: Das seit dem 13. Jh. bezeugte ostmitteld. hūchen, das neben kūchen „hauchen" (vgl. keuchen) steht, ist wahrscheinlich schallnachahmenden Ursprungs. Das Subst. Hauch m ist im 17. Jh. aus dem Verb rückgebildet worden.

hauen: Mhd. houwen, ahd. houwan „,[ab-, nieder-, zer]hauen, schlagen; stechen; behauen, bearbeiten; [ab]schneiden; mähen, ernten", niederl. houwen „hauen; schlagen; hacken", engl. to hew „hauen; hacken; fällen; behauen, bearbeiten", schwed. hugga „hauen, schlagen; stoßen; schneiden; stechen; hacken". Neben diesem starken Verb hauen (hieb, gehauen) existieren ein gleichbedeutendes schwaches Verb hauen (haute,

gehaut): mhd. houwen, ahd. houwōn. Um das altgerm. Verb gruppieren sich die Substantivbildungen →Hieb und →Heu sowie Haue, Hauer und dgl. (s. u.). Die germ. Wortgruppe geht mit verwandten Wörtern in anderen idg. Sprachen, vgl. z. B. mit lat. cūdere „schlagen; stoßen; stampfen; prägen", dazu caudex, cōdex „Baumstamm, Klotz" (s. Kodex) und die baltoslav. Sippe von russ. kováť „hämmern, schmieden", auf idg. *kāu- „hauen, schlagen" zurück. Abl.: [1]Haue w „Hacke" (mhd. houwe, ahd. houwa „Hacke"); [2]Haue w ugs. für „Hiebe, Prügel" (eigtl. Mehrz. von Hau m veralt., noch mdal. für „Hieb", mhd. hou „Hieb; Holzhieb; Schlagstelle im Walde"); Hauer m bergmänn. für „Erzhauer im Bergwerk; Bergmann mit abgeschlossener Ausbildung" (in dieser Bed. auch umgelautet Häuer), weidmänn. für „Eckzahn des Keilers", östr. für „Weinhauer, Winzer", veralt. für „Holzfäller" (mhd. houwer). Zus.: Haudegen (17. Jh.; zunächst „Hiebwaffe", dann übertragen „alter, erprobter Krieger, Draufgänger"); Hauland „eine bestimmte Siedlungsart, zu Ackerland angerodeter Waldboden" (18. Jh.). Beachte auch verhauen ugs. für „durchprügeln", reflexiv für „sich gröblich irren, sich versehen" (mhd. verhouwen „zerhauen; verwunden; beschädigen; ab-, niederhauen; ausholzen; durch Fällen von Bäumen versperren", ahd. firhouwan), dazu Verhau „Sperre" (18. Jh.).

Haufe, Haufen m: Das nur dt. Wort mhd. hūfe, ahd. hūfo „Haufe; Menge; Schar" steht im Ablaut zu dem gleichbed. westgerm. Wort mhd., ahd. houf, niederl. hoop, engl. heap und gehört mit diesem zu der unter →hoch dargestellten idg. Wortgruppe. Eng verwandt sind im germ. Sprachbereich die unter →Hüfte und →hüpfen behandelten Wörter. Außergerm. vergleicht sich z. B. lat. cubāre „liegen", cumbere „sich legen" eigtl. „sich zum Liegen niederbücken" (s. Konkubine). Abl.: häufen (mhd. hūfen, ahd. hūfōn, daneben houfōn; beachte auch die Zus. anhäufen, überhäufen); häufeln „Häufchen machen" (15. Jh.; das Wort ist heute hauptsächlich als landwirtschaftlicher Terminus gebräuchlich); häufig (16. Jh.; das Adjektiv, das im heutigen Sprachgefühl nicht mehr als zu 'Haufen' gehörig empfunden wird, bedeutete zunächst und bis ins 19. Jh. hinein „in Haufen, massenweise vorhanden"; die heutige Bed. „oft, sich oft wiederholend" ist seit dem Ende des 18. Jh.s belegt).

Haupt s: Die gemeingerm. Körperteilbezeichnung mhd. houbet, ahd. houbit, got. haubiþ, engl. head, schwed. huvud ist wahrscheinlich verwandt mit lat. caput „Haupt, Kopf" (s. die Sippe von Kapital) und mit aind. kapúcchala-m „Schale; Haar am Hinterkopf, Schopf", kapā́la-m „Schale; Hirnschale;

Schädel; schalen- oder scherbenförmiger Knochen". Dieser *idg.* Wortgruppe liegt *kaput-* *kapĕlo-* „Kopf" zugrunde, das vermutlich eine Substantivbildung zu der unter →*heben* dargestellten *idg.* Wz. *kap-* „fassen, packen" ist und urspr. „Gefäß, Schale" bedeutete. Zur Benennung des Kopfes als „Gefäß, Schale, Scherbe" beachte das Verhältnis von *nhd.* Kopf zu *ahd.* kopf „Trinkgefäß, Becher", von *aisl.* kollr „Kopf" zu *aisl.* kolla „Topf", von *frz.* tête „Kopf" zu *lat.* testa „Schale; Scherbe" usw. Der Vokalismus der *germ.* Formen, der von demjenigen der *lat.* und *aind.* Formen abweicht, beruht wohl auf Vermischung mit Vertretungen anderer *idg.* Wurzeln, z. B. mit der *germ.* Wortgruppe von Haube (s. d.). Abl.: Häuptel *s südd.*, *östr.* für „Kopf einer Gemüsepflanze"; behaupten (s. d.); enthaupten (*mhd.* enthoubeten „den Kopf abschlagen", beachte gleichbed. *ahd.* houbitōn), dazu Enthauptung (15. Jh.); Häuptling *m* (17. Jh.; das Wort bedeutete zunächst „[Familien]oberhaupt; Anführer"; seit dem Erscheinen von Coopers Indianererzählungen in der 1. Hälfte des 19. Jh.s bezeichnet es speziell das Oberhaupt eines [halb]wilden Stammes"; häuptlings „kopfüber" (18. Jh.). Zus.: Hauptmann (*mhd.* houbetman, *ahd.* houpitman „Oberster; Hauptperson; Anführer"); Hauptquartier (17. Jh.); Hauptsache (*spätmhd.* houbetsache „Rechtsstreit, Prozeß"; in der heutigen Bed. ist das Wort seit dem 16. Jh. bezeugt), dazu hauptsächlich (16. Jh.); Hauptstadt (*mhd.* houbetstat); Hauptwort für „Substantivum" (17. Jh.); überhaupt (s. d.).

Haus *s*: Das gemeingerm. Wort *mhd.*, *ahd.* hūs, *got.* in gudhūs („Gotteshaus"), *engl.* house, *schwed.* hus gehört zu der weitverästelten Wortgruppe der *germ.* Wz. *[s]keu-* „bedecken, umhüllen" (vgl. *Scheune*). Eng verwandt sind im *germ.* Sprachbereich die unter →Hose und →Hort behandelten Wörter. – Das Wort Haus, das heute im allgemeinen ein Gebäude bezeichnet, das Menschen zum Wohnen dient, hat in Zus. umfassenderen Sinn, beachte z. B. Bankhaus, Gewächshaus, Maschinenhaus, Spritzenhaus, Warenhaus. Alt ist auch die Verwendung von 'Haus' im Sinne von „Hauswesen" und von „Familie". Abl.: Häuschen (die Verkleinerungsbildung von Haus ahmt in der Wendung 'aus dem Häuschen sein oder geraten' *frz.* petitesmaisons, den Namen einer Pariser Irrenanstalt nach); hausen (*mhd.* hūsen, *ahd.* hūsōn „wohnen, sich aufhalten; beherbergen; wirtschaften"; seit dem 14. Jh. auch in der Bed. „übel wirtschaften; sich wüst aufführen"; beachte *mhd.* behūsen „mit einem Haus versehen; besiedeln; beherbergen", älter *nhd.* behausen, dazu Behausung *w*

„Obdach, Unterkunft" und unbehaust „keine [feste] Wohnung habend"), dazu Hauser *m bayr.-östr.* für „Haushälter, Wirtschaftsführer"; hausieren „von Haus zu Haus Handel treiben" (15. Jh.; Mischbildung mit *roman.* Endung, wie z. B. glasieren, halbieren, hofieren), dazu Hausierer *m* „von Haus zu Haus ziehender Händler" (16. Jh.); Häusler *m* „Dorfbewohner, der nur ein Haus, aber kein Feld hat" (17. Jh.); häuslich, *schweiz.* hauslich (*mhd.* Adv. hūsliche „ein Haus[wesen] besitzend, ansässig"), dazu Häuslichkeit (16. Jh.), Gehäuse (s. d.). Zus.: hausbacken (s. backen); Hausflur (18. Jh.); Hausfrau (*mhd.* hūsvrou[we] „Herrin im Haus; Gattin"); Haushalt (17. Jh.; das Substantiv ist aus dem Verb haushalten rückgebildet); haushalten (*frühnhd.* haushalten ist aus *mhd.* hūs halten „das Haus bewahren" zusammengerückt), dazu Haushälter (16. Jh.), haushälterisch (18. Jh.); Hausherr (*mhd.* hūsherre „Hausherr; Hausvater; Hausverwalter"); hausmachen (18. Jh.; zunächst im 1. Part. hausmachend „im eigenen Hause hergestellt, für den Hausbedarf gemacht", beachte auch Hausmacherwurst, -leinen und dgl.); Hausmann (*mhd.* hūsman „Hausherr; Hausbewohner; Mietsmann; Burgwart"), dazu Hausmannskost „handfeste Kost" (16. Jh.); Hausrat (*mhd.* hūsrāt „das für einen Haushalt erforderliche Gerät"; zum zweiten Bestandteil s. *Rat*); Hausstand (17. Jh.); Haussuchung (16. Jh.; *mhd.* hūssuochunge bedeutete dagegen „Hausfriedensbruch"); Haustier (18. Jh.); Hauswesen (17. Jh.).

Haut *w*: Die Haut ist als „Hülle" (des menschlichen Körpers) benannt. Das *altgerm.* Wort *mhd.*, *ahd.* hūt, *niederl.* huid, *engl.* hide, *schwed.* hud gehört zu der (mit t erweiterten) *idg.* Wz. *[s]keu-* „bedecken, umhüllen" (vgl. *Scheune*). Eng verwandt sind im *germ.* Sprachbereich die unter →Hode und →Hütte behandelten Wörter. *Außergerm.* vergleichen sich z. B. *gr.* kýtos „Hülle; Haut; Behältnis" und *lat.* cutis „Haut", beachte fachsprachl. Kutis „Lederhaut der Wirbeltiere", Kutikula „äußere Zellschicht der Pflanzen", subkutan „unter der Haut befindlich". – Die Haut spielt in zahlreichen Redensarten und Redewendungen eine Rolle, beachte z. B. 'mit Haut und Haaren', 'aus der Haut fahren', 'seine Haut zu Markte tragen'. Abl.: häuten (*mhd.* [ent-, uz]-hiuten „die Haut, das Fell abziehen"; heute wird das Verb hauptsächlich reflexiv gebraucht), beachte dazu Dickhäuter (19. Jh.). Zus.: Rothaut (19. Jh.; LÜ von *engl.* redskin); Vorhaut (16. Jh.; Lehnübertragung von *lat.* praepūtium).

Hautevolee *w* „vornehme Gesellschaft; die oberen Zehntausend": Im 19. Jh. aus *frz.* (des gens) de haute volée „(Leute) von hohem

Rang" aufgenommen. Zu *frz.* haut „hoch"
und *frz.* volée (eigtl. „Flug").

Havarie w „Seeschaden (eines Schiffes oder
seiner Ladung); Bruch, Unfall (bei Flugzeugen)": Im 17. Jh. durch Vermittlung von
niederl. averij und *niederd.* Haverye aus *frz.*
avarie < *it.* avaria entlehnt, das selbst auf
arab. 'awār „Fehler, Schaden" zurückgeht.
Die heute übliche Form des Wortes setzte
sich im 19. Jh. durch (in Anlehnung an *frz.*
avarie) für älteres 'Haverey', das allerdings
noch im Seerecht als Haverei lebt. – Dazu
das Adj. havariert „[see]beschädigt, verdorben" (20. Jh.).

Hebamme w: Der auf das *dt.* Sprachgebiet
beschränkte Ausdruck für „Geburtshelferin"
geht auf *mhd.* heb[e]amme, eigtl. „Hebe-
Amme", zurück, das eine volksetymologische Umdeutung von *ahd.* hev[i]anna eigtl.
„Hebe-Ahnin" ist (beachte *ahd.* hevan „heben" und *ahd.* ana „Ahnin, Großmutter").

heben: Das *gemeingerm.* Verb *mhd.* heben,
ahd. hevan, heffan, *got.* hafjan, *engl.* to heave
(s. hieven), *schwed.* häva geht mit verwandten
Wörtern in anderen *idg.* Sprachen, z. B. *lat.*
capere „fassen, ergreifen, nehmen; fangen;
erwerben; begreifen, verstehen" (s. die umfangreiche Fremdwörtergruppe von kapieren), auf die *idg.* Wz. *kap- „fassen, packen"
zurück. Während sich in den beiden *germ.*
Wortgruppen von heben und →haben die
Bedeutung gewandelt hat, gehen von der
älteren Bed. „fassen, packen, fangen" aus:
der *germ.* Vogelname → Habicht (eigtl. „Fänger, Räuber"), das Verb →haschen und die
Sippen von →Hafen (eigtl. „Umfassung"),
von →Haft „Gewahrsam" und von → ¹Heft
„Griff, Handhabe". Zu der *idg.* Wz. *kap-
„fassen, packen" gehören auch mehrere
Wörter mit der Bed. „Gefäß", beachte
z. B. Hafen m *südd.* für „Topf" (*mhd.*
haven, *ahd.* havan), *lat.* capsa „Kasten,
Kapsel" (s. Kasse) und ferner *idg.* *kaput-
„Schale" (vgl. Haupt). – Das Verb heben
tritt zur genaueren Bestimmung des Sinnes
oft zusammengesetzt auf, beachte z. B. an-,
auf-, emporheben, weiterhin die Präfixbildung erheben (*mhd.* erheben, *ahd.* irheffan),
dazu Erhebung w (um 1800), erheblich
(16. Jh.; das Wort stammt aus der Kanzlei-
und Rechtssprache) und erhaben (s. d.). Sowohl das einfache Verb wie die Zus. an-
heben haben auch die Bed. „anfangen, beginnen". *Ugs.* steht 'einen heben' für „Alkohol trinken". Abl.: Hebel m (15. Jh.); Heber m „Gerät zum Heben" (16. Jh.); Hefe
(s. d.); Hub (s. d.). Zus.: Hebamme (s. d.);
Behuf (s. d.); Urheber (s. d.).

Hechel w: *Germ.* *hakilō- (*hakulō-) „Hechel",
auf das *mhd.* hechel, *spätahd.* hachele,
mnd. hekele, *engl.* hatchel, *schwed.* häckla
zurückgehen, gehört zu der Wortgruppe von
→Haken. Das in der Flachs- und Hanfauf-
bereitung verwendete Gerät ist nach seinen

scharfen (leicht gekrümmten) Eisenspitzen
benannt. Um die spinnbare Faser vom Werg
zu trennen, werden die gebrochenen Flachs-
und Hanfstengel durch die Eisenspitzen gezogen. Abl.: hecheln (*mhd.* hacheln, hecheln, *asächs.* hekilōn, *schwed.* häckla; heute
wird das Verb, bes. die Zus. durchhecheln,
überwiegend im übertragenen Sinne gebraucht), dazu Hechelei w.

Hecht m: Der *westgerm.* Name des Fisches
mhd. hech[e]t, *ahd.* hechit, hachit, *mnd.*
heket, *aengl.* hacod gehört zu der Wortgruppe von → Haken. Der Hecht ist
entweder nach seinem auffallend spitzen
Maul oder nach seinen scharfen Zähnen benannt, beachte zur Benennung *schwed.*
gädda „Hecht" zu gadd „Stachel", *engl.*
pike „Hecht" zu pike „Spitze, Pike", *frz.*
brochet „Hecht" zu broche „Spieß". – Mit
dem Fischnamen Hecht ist vermutlich identisch Hecht *ugs.* (urspr. studentensprachlich) für „dicker Tabaksqualm". Der Tabaksqualm wäre dann nach seiner hecht-
grauen Färbung benannt worden. Sehr gebräuchlich sind heute in der Sportssprache
Hechtsprung „Kopfsprung" und hech-
ten „einen Kopfsprung machen", beachte
auch weghechten (einen Ball).

¹Heck „Schiffshinterteil": Der Platz des
Steuermannes auf dem hinteren Oberteil des
Schiffes war in früheren Zeiten mit einem
Gitter umgeben, um ihn gegen überkommen-
de Sturzseen zu schützen. Das *niederd.* Wort,
das sich als seemännischer Ausdruck seit
dem 18. Jh. im *dt.* Sprachgebiet durchgesetzt hat, ist identisch mit dem im wesentlichen *nordd.* ²Heck s „Gattertür, Koppel"
und geht auf *mnd.* heck „Umzäunung" zurück, beachte *mhd.* hecke, Hecke; Einzäunung", *niederl.* hek „Gitter[werk]; [Gatter]-
tür", *aengl.* hæcc „Gatter[tür]" (vgl. ¹Hecke
und *Hag*). Mit den Neuerungen im Schiffbau
ging die Bezeichnung des Steuermannsplat-
zes auf das ganze Schiffshinterteil über.

¹Hecke w: Die *westgerm.* Substantivbildung
mhd. hecke, *ahd.* hegga, *niederl.* heg, *engl.*
hedge gehört zu der unter →*Hag* behandelten Wortgruppe. Zus.: Heckenrose
(17. Jh.); Heckenschütze (20. Jh.; Lehnübertragung von *frz.* franc-tireur).

²Hecke siehe hecken.

hecken „Junge zur Welt bringen": *Mhd.*
hecken „sich begatten" [von Vögeln], dem
im *germ.* Sprachbereich lediglich *engl.* to
hatch „hecken; [aus]brüten" entspricht, ist
wahrscheinlich identisch mit *mhd.* hecken,
einer Nebenform von hacken „hacken, hauen"
(vgl. *hacken*). Das Verb würde sich demnach urspr. auf das Hacken, mit dem sich
Küken oder junge Vögel aus dem Ei befreien.
bezogen haben. Weitaus gebräuchlicher als
hecken ist heute das seit dem 15. Jh. bezeugte Zus.: aushecken im Sinne von „aus-
brüten, ausdenken, ersinnen". Abl.: ²Hecke

w veralt. für „Ort, wo Vögel hecken, Fortpflanzung, Begattung" (18. Jh.; das Subst. ist aus dem Verb rückgebildet); Geheck[e] *s* weidm. für „Brut oder Junge des Wasserflugwildes, Wurf des Raubwildes" (16. Jh.). Zus.: Heckpfennig (18. Jh.; nach dem Volksglauben eine Münze, die man nie ausgeben darf und die immer neue Münzen erzeugt).

Hede *w*: Das *niederd.* Wort für den Flachs- oder Hanfabfall, der im *Oberd.* 'Werg' (s. d.) heißt, gehört mit verwandten Wörtern in anderen *idg.* Sprachen zu der *idg.* Wz. *kes- „kratzen, hecheln, kämmen", vgl. z. B. *gr.* késkeon „Werg" und die *slaw.* Sippe von *russ.* čéska „Werg". Das zugrunde liegende *mnd.* hēde, dem *niederl.* hede „Flachsabfall" entspricht, ist im *germ.* Sprachbereich verwandt mit *mnd.* herde „Flachsfaser", *engl.* hards „Werg" und *aisl.* haddr „Kopfhaar der Frau". – Abl.: verheddern (s. d.).

Hederich *m*: Die Bezeichnung verschiedener Ackerunkrautarten (*mhd.* hederich, *ahd.* hederīh, *mnd.* hed[d]erick) ist wahrscheinlich aus *lat.* hederāceus „efeuähnlich" entlehnt und nach dem Pflanzennamen Wegerich umgebildet.

Heer *s*: Das Heer ist als „das zum Kriege Gehörige" benannt worden. *Gemeingerm.* *harja- „Heer" (*mhd.* her[e], *ahd.* heri, *got.* harjis, *aengl.* here, *schwed.* här) geht auf das substantivierte Adj. *idg.* *korⁱo-s „zum Krieg gehörig" zurück, das von *idg.* *koro-s „Krieg, Streit" abgeleitet ist. *Außergerm.* vergleichen sich z. B. *pers.* kār-zār „Schlachtfeld", *gr.* koíranos „Heerführer", *lit.* kāras „Krieg", kãrias „Heer". Bereits in *altgerm.* Zeit spielte das Wort Heer in der Namengebung eine bedeutende Rolle. Es steckt heute noch in zahlreichen *dt.* Vor- und Ortsnamen, beachte z. B. Herbert, Hermann, Diet[h]er, Günt[h]er, Reiner, Werner, Walt[h]er, Herford, Heringen, Hersfeld. Ferner ist es Bestimmungswort in →Herberge, →Herold und →Herzog, beachte auch die Zus. Heerbann (*mhd.* herban, *ahd.* heriban „Aufgebot der waffenfähigen Freien zum Kriegsdienst"), Heerschau (*mhd.* herschouwe „Besichtigung eines Heeres"), Heerstraße (*mhd.* herstrāȝe, *ahd.* heristrāȝa). Eine Verbalableitung ist verheeren (s. d.). Beachte auch den Artikel Harnisch.

Hefe *w*: Der die Gärung bewirkende Stoff ist als „Hebemittel" benannt. Wie sich z. B. *frz.* levain „Hefe" zu lever „heben" stellt, so gehören *mhd.* heve, *ahd.* hevo, *mniederl.* heffe, *aengl.* hæf „Hefe" zu dem unter →heben dargestellten Verb. *Mdal.* Ausdrücke für Hefe sind Bärme (s. d.), Germ und Gest (s. Gischt).

¹Heft *s*: Das Wort *mhd.* hefte, *ahd.* hefti „Griff, Handhabe" ist eine Substantivbildung zu der unter →heben dargestellten Wz. *kap- „fassen, packen".

²Heft siehe heften.

heften: Das *gemeingerm.* Verb *mhd.*, *ahd.* heften, *got.* haftjan, *aengl.* hæftan, *schwed.* häfta ist von dem unter dem Suffix →...*haft* dargestellten *germ.* Adj. *hafta- „gefangen" abgeleitet und bedeutete in den älteren Sprachzuständen „haftend machen, befestigen; festsetzen". Abl.: ²Heft *s* „zusammengeheftete Papierbogen" (18. Jh.; das Subst. ist aus dem Verb rückgebildet); behaftet (s. d.).

heftig: *Mhd.* heftec „haftend; beharrlich, beständig; mit Beschlag belegt", das von dem unter dem Suffix →...*haft* dargestellten Adjektiv abgeleitet ist, wandelte – wohl unter dem Einfluß des unverwandten *mhd.* heifte „ungestüm, heftig" – seine Bed. zu „stark, gewaltig; außerordentlich, wichtig". Im heutigen Sprachgebrauch bedeutet heftig auch „erregt, leidenschaftlich, zornig" und als Adverb „sehr". Abl.: Heftigkeit (15. Jh.).

Hegemonie *w* „Vorherrschaft, Vormachtstellung": Im 19. Jh. aus gleichbed. *gr.* hēgemonía entlehnt. Das zugrunde liegende Verb *gr.* hēgeísthai „vorangehen, führen" gehört mit einer urspr. Bed. „witternd vorangehen, aufspüren" zur *idg.* Sippe von *lat.* sāgíre „ahnen, spüren" und *nhd.* →suchen.

hegen: Das Verb *mhd.* hegen „umzäunen, umschließen; abgrenzen; schonen, pflegen, bewahren", *ahd.* heg[g]an „mit einem Zaun, mit einer Hecke umgeben" ist von dem unter →Hag behandelten Subst. abgeleitet. Abl.: Hege *w* „alle Maßnahmen zur Pflege und zum Schutz des Wildes" (*mhd.* hege, *ahd.* hegī „Umzäunung, Einhegung"); Heger *m* (*mhd.* heger „Hüter eines Geheges, Waldaufseher; eine Art niedriger Lehnsmann". Zus.: Hegereiter veralt. für berittener Forstaufseher" (17. Jh.); Hegering „kleinster jagdlicher Bezirk" (19. Jh.); Hegezeit „Schonzeit des Wildes" (18. Jh.).

hehlen: Das *westgerm.* starke Verb *mhd.* heln, *ahd.*, *asächs.*, *aengl.* helan „bedecken, verbergen, verstecken", das im Ablaut zu den *germ.* Sippen von →hüllen und →Halle steht, geht mit verwandten Wörtern in anderen *idg.* Sprachen auf die Wz. *ĸel- „verhüllen, [ver]bergen, schützen" zurück. *Außergerm.* vergleichen sich z. B. *gr.* kalýptein „umhüllen, verbergen" (s. Eukalyptus), *lat.* *celere in oc-culere „verbergen, verstecken" (s. okkult, Okkultismus), cella „[Vorrats]kammer" (s. die umfangreiche Sippe von Zelle mit Keller, Kellner u. a.), color „Farbe", wohl eigtl. „Hülle, Schutz" (s. kolorieren; Koloratur). Aus dem *germ.* Sprachbereich schließen sich ferner die Substantivbildungen →Helm (eigtl. „[Be]schützer, Schutz"), →Hölle (wohl eigtl. „die Bergende") und →Hülse „umschließende Hülle" an. – Das heute schwach flektierende 'hehlen' war in den älteren Sprachzuständen starkes Verb, beachte das 2. Part. in unverhohlen „unverborgen". Das einfache Verb hehlen, das heute weitgehend von verhehlen „verbergen, verheimlichen" zurückgedrängt ist, bedeutet speziell „einen Diebstahl oder Raub verbergen helfen", woran sich Hehler m (mhd. helǣre) und Hehlerei w (19. Jh.) schließen. Die Substantivbildung Hehl s (mhd. hǣle „Verheimlichung", ahd. hāla „das Verbergen") lebt nur noch in bestimmten Wendungen, z. B. ‘kein[en] Hehl daraus machen'.

hehr: Das heute wenig gebräuchliche Adjektiv (mhd., ahd. hēr „erhaben, vornehm; herrlich; heilig; hochmütig") ist mit aengl. hār „grau; alt" und aisl. hārr „grau" verwandt und hat demnach seine Bed. „erhaben, heilig usw." aus „grau[haarig]; alt" entwickelt. Auch engl. hoar bedeutet nicht nur „grau[weiß], altersgrau", sondern auch „ehrwürdig". Das zugrunde liegende germ. *haira- „grau" gehört mit verwandten Wörtern in anderen idg. Sprachen zu der Wz. *k̑ei-, die hauptsächlich dunkle Farbtöne bezeichnet, vgl. z. B. air. cīar „dunkelbraun" und russ. sēryj „grau". – Der Komparativ von ahd. hēr lautet heriro, auf den →Herr zurückgeht. Ableitungen sind →herrlich, →herrisch, →herrschen und →Herrschaft.

¹Heide m: Die Herkunft dieses für die Kirchensprache wichtigen Wortes ist umstritten. Am ehesten handelt es sich um ein von den Goten aus gr. éthnos „Schar, Haufe, Volk" (beachte Ethnologie „Völkerkunde") entlehntes Wort, das dann zu den anderen germ. Stämmen wanderte. Im Griechischen wird die Mehrz. éthnē im Sinne von „Heiden" gebraucht. Von den Germanen wurde das fremde Wort vermutlich volksetymologisch an die germ. Wortgruppe von →²Heide angeschlossen. Andererseits besteht die Möglichkeit, daß die Bed. „Nichtchrist" im Rahmen der Missionstätigkeit aus dem germ. *haiþiþ „Heide, unbebautes, ödes Land, Waldgegend" abgeleitete, dann substantivierte Adj. *haiþ[a]na- „zur Heide gehörig, die Waldgegend bewohnend, (unzivilisiert)" überging, vielleicht in Analogie zu lat. pāganus „Dorfbewohner, Heide": pāgus „Dorf, Gau, Gegend, Land". Die germ. Wortgruppe bilden mhd. heiden, ahd. heidano, got. haiþnō „Heidin", engl. heathen, schwed. hedning. – In Zus. tritt ‘Heide' oft verstärkend auf, beachte z. B. Heidenangst, Heidengeld, Heidenkrach. Abl.: Heidentum s (mhd. heidentuom, ahd. heidantuom); heidnisch (mhd. heidenisch, ahd. heidanisc).

²Heide w: Mhd. heide, ahd. heida, got. haiþi, engl. heath, schwed. hed gehen auf germanisch. *haiþiþ „unbebautes, wildgrünendes Land, Waldgegend" zurück und sind mit der kelt. Wortgruppe von akymr. „Wald" verwandt. Weitere Beziehungen fehlen. Das

Wort Heide steckt in einigen Zus., beachte z. B. Heidekraut, Heideröschen, Heidschnucke (s. Schnucke), Heidelbeere (s. d.). Vgl. auch die Artikel ³Heide und ¹Heide.

³Heide w: Der in den westgerm. Sprachen verbreitete Name des Heidekrautes (mhd. heide, ahd. heida, niederl. heide, engl. heath) ist identisch mit →²Heide „unbebautes, wildgrünendes Land, Waldgegend". Die Benennung entwickelte sich wahrscheinlich in Sätzen wie ‘die Heide blüht'.

Heidelbeere w: Die Heidelbeere, die im südwestdeutschen Sprachraum auch einfach ‘Heidel' heißt (beachte den ON Heidelberg), ist als „die zur Heide Gehörige, die auf der Heide Wachsende" benannt. Andere Benennungen dieser Beerenfrucht sind z. B. Bick-, Blau-, Mol-, Wald-, Schwarzbeere. Älter als Heidelbeere, [früh]mhd. heidelber, ist die Form mhd. heitber, ahd. heitperi. Zum Verhältnis Heide/Heidel beachte Eiche/Eichel.

heikel „schwierig, mißlich, bedenklich", oberd. auch für „wählerisch [im Essen]": Die Herkunft des erst seit dem 16. Jh. bezeugten, zunächst oberd. Wortes ist unklar. Vielleicht handelt es sich um ein von mhd. hei[g]en „hegen, pflegen" abgeleitetes Adjektiv, das sich mit dem Adj. ekel (s. d.) gekreuzt hat.

heil: Das gemeingerm. Adj. mhd., ahd. heil „gesund; unversehrt; gerettet", got. hails „gesund", engl. whole „ganz; völlig; vollständig; gesund, heil" und hale „frisch, ungeschwächt", schwed. hel „ganz" ist mit der kelt. Sippe von kymr. coel „Vorzeichen" und mit der baltoslaw. Sippe von russ. célyj „ganz; vollständig; groß, bedeutend; heil, unversehrt" verwandt. Das Wort ist vermutlich aus dem kultischen Bereich in die Profansprache gedrungen, beachte kymr. coel „Vorzeichen" und die Bedeutungsverhältnisse des Substantivs Heil. – In nordd. Umgangssprache wird ‘heil' auch im Sinne von „ganz" gebraucht. Beachte dazu verstärkendes ‘heil' in heilfroh „ganz und gar froh".

Heil s: Mhd. heil „Glück; [glücklicher] Zufall; Gesundheit; Heilung, Rettung, Beistand", ahd. heil „Glück", aengl. hǣl „günstiges Vorzeichen, Glück, Gesundheit", aisl. heill „günstiges Vorzeichen, Glück, Gesundheit" beruhen auf einem germ. s-Stamm *hailiz, dessen Bed. nicht sicher bestimmbar ist. Unter dem Einfluß des Christentums nahm das Wort Heil auch die Bed. „Erlösung von den Sünden und Gewährung der ewigen Seligkeit" an, beachte die Zus. Heilslehre, Heilsgeschichte, Heilsordnung, ferner Heilsarmee, das als LÜ von Engl. Salvation Army seit dem Ende des 19. Jh.s auftritt. – Die Verwendung von ‘Heil' bzw. von ‘heil' in Grußformeln, beachte z. B. Heil dir!, Gut Heil!, Weidmanns Heil!, Petri Heil!, reicht bis in germ. Zeit zurück.

Zus.: **heillos** (16. Jh.; eigtl. „ohne Glück, Wohlfahrt oder Gesundheit", daher „elend; scheußlich, verrucht"). **Heiland** *m*: Als LÜ von *kirchenlat.* salvātor, das seinerseits LÜ von *gr.* sōtḗr ist, erscheinen im *Westgerm. ahd.* heilant, *asächs.* hēliand, *aengl.* hǣlend „Erlöser, Retter, Heiland". Das Wort ist das substantivierte 1. Part. von dem unter →heilen dargestellten Verb und ist als Sakralausdruck in der alten Lautung bewahrt. **heilen:** In dem transitiven und intransitiven *nhd., mhd.* heilen sind zwei verschiedene Verbalableitungen von dem unter →heil dargestellten Adjektiv zusammengeflossen: *ahd.* heilen „gesund, heil machen; erretten" (entspr. *got.* hailjan, *engl.* to heal, *aisl.* heila) und *ahd.* heilēn „gesund, heil werden". – Das Verb heilen steckt als Bestimmungswort in mehreren Zus., beachte z. B. **Heilanstalt, Heilquelle, Heilbrunnen** (beachte auch den ON Heilbronn), **Heilpflanze. heilig:** Das *gemeingerm.* Adj. *mhd.* heilec, *ahd.* heilag, *got.* (run.) hailag, *engl.* holy, *schwed.* helig ist entweder von einem Substantiv *germ.* *haila- etwa „Zauber, günstiges Vorzeichen, Glück" abgeleitet oder von dem unter →heil dargestellten Adjektiv weitergebildet. Die frühe Bedeutungsgeschichte des Wortes läßt sich nicht sicher klären. Vielleicht gehen die Bed. „heilig, geweiht, verehrt, göttlich" auf „bezaubert, glückbringend" zurück. – Beachte auch die PN Helga, Helge, Olga. Abl.: **heiligen** (*mhd.* heiligen, *ahd.* heilagōn, *engl.* to hallow, *aisl.* helga); **Heiligtum** *s* (*mhd.* heilectuom, *ahd.* heiligtuom). Zus. **Heiligenschein** (19. Jh.). **Heim** *s*: Das *gemeingerm.* Wort *mhd., ahd.* heim „Haus, Wohnort, Heimat", *got.* haims „Dorf", *engl.* home „Haus, Wohnung, Aufenthaltsort, Heimat", *schwed.* hem „Haus, Wohnung, Heimat", mit dem in anderen *idg.* Sprachen z. B. *gr.* kṓmē „Dorf" und die *baltoslaw.* Sippe von *russ.* sem′já „Familie" verwandt sind, ist eine Substantivbildung zu der *idg.* Wz. *k̑ei- „liegen" und bedeutete demnach urspr. „Ort, wo man sich niederläßt, Lager". Zu dieser Wz. *k̑ei- gehören auch die Wortgruppen von →Heirat (urspr. „Hausbesorgung") und von →geheuer (urspr. „zur Hausgemeinschaft gehörig, vertraut"). Die für *got.* haims bezeugte Bed. „Dorf" hatte früher auch im *dt.* Sprachgebiet Geltung, beachte **Heimbürge** veralt. für „Dorfrichter, Schöffe" (*mhd.* heimbürge, *ahd.* heimburgo „Dorfschulze") und **Heimgarten** *oberd.* veralt. für „Dorfanger". Schon früh erstarrten der Akk. und Dat. von 'Heim' in adverbiellem Gebrauch, beachte **heim** (*mhd., ahd.* heim „nach Hause", entspr. *engl.* home, *schwed.* hem) und **daheim** (*mhd.* dā heime, für älteres *mhd.* heim[e], *ahd.* heime „zu Hause", entspr. *schwed.* hemma). Während das Adv. heim ständig in lebendigem Gebrauch blieb,

fehlt das Subst. Heim vom 16. Jh. bis zur Mitte des 18. Jh.s in den literarischen Belegen. Wohl unter dem Einfluß von *engl.* home wurde dann das Substantiv neu belebt oder das Adverb 'heim' substantiviert. Mit dem Adverb 'heim' sind einige Verben unfeste Zus. eingegangen, beachte z. B. **heimfallen** „zurückfallen eines Gutes an den Besitzer" (16. Jh.; vgl. anheimfallen), dazu **Heimfall** (17. Jh.), **heimgehen** (im übertragenen Sinne auch „sterben", beachte Heimgang), **heimleuchten** (16. Jh.; zunächst „jemanden mit einer Fackel oder dgl. nach Hause geleiten", seit dem 18. Jh. „fortjagen, einem Beine machen"), **heimsuchen** (*spätmhd.* heimsuochen aus *mhd.* heime suochen „in freundlicher oder feindlicher Absicht aufsuchen, überfallen"), dazu **Heimsuchung** *w* (*mhd.* heimsuochunge,, Hausfriedensbruch"), **heimzahlen** „zurückzahlen, vergelten" (19. Jh.), dazu **Heimzahlung.** – Das Subst. Heim spielt in der geographischen Namengebung eine bedeutende Rolle, beachte z. B. die *dt.* ON Mannheim, Rosenheim, Bochum, Dahlem, Locham, die *engl.* ON Birmingham, Nottingham, die *schwed.* ON Varnhem, Gudhem. Eine alte Abl. von 'Heim' ist →Heimat. Abl.: **heimisch** (*mhd.* heimisch, *ahd.* heimisc „zum Heim, zur Heimat gehörig, einheimisch; zahm; nicht wildwachsend", beachte auch einheimisch); **heimlich** (s. d.). Zus.: **Heimtücke** (s. d.); **Heimweh** (16. Jh.; das Wort hat sich, und zwar zunächst als medizinischer Fachausdruck, von der Schweiz ausgebreitet). **Heimwesen** „Hauswesen", *schweiz.* für „Anwesen" (*mhd.* heimwesen). Vergleiche über die Artikel anheim..., anheimeln, einheimsen, geheim und ferner Heimchen. **Heimat** *w*: Das auf das *dt.* Sprachgebiet beschränkte Wort (*mhd.* heimuot[e], *ahd.* heimuoti, heimōti, *mnd.* hēmōde) ist mit dem Suffix -ōti, mit dem z. B. auch Armut und Einöde (s. d.) gebildet sind, von dem unter →Heim dargestellten Substantiv abgeleitet. Abl.: **heimatlich** (18. Jh.). **Heimchen** *s*: An die Stelle der alten *westgerm.* Benennung der Hausgrille *mhd.* heime, *ahd.* heimo, *mnd.* hēme, *aengl.* hāma, die zu der Wortgruppe von →Heim gehört, trat um 1500 'heimchen', das als Verkleinerungsbildung des alten Wortes verstanden werden kann (beachte *mhd.* heimelīn, *ahd.* heimili), falls es sich nicht um eine verdunkelte Zus. handelt, beachte *mhd.* heimamuch, umgestellt aus mūcheime, *ahd.* mūhheimo (erster Bestandteil wohl zu *got.* mūka- „sanft"). **heimlich:** Das von dem unter →Heim dargestellten Substantiv abgeleitete Adj. *ahd.* heimilīch „zum Hause gehörig, vertraut", *mhd.* heim[e]lich „vertraut; einheimisch; vertraulich, geheim; verborgen" wird – wie auch geheim (s. d.) – im heutigen Sprachgefühl nicht mehr als zu 'Heim' gehörig empfunden. Abl.: Heimlichkeit (mhd. heim[e]lĩchkeit „Annehmlichkeit, Freude; Vertraulichkeit; vertraute Gemeinschaft; Heimlichkeit; Geheimnis"); verheimlichen (18. Jh.). Beachte auch die Gegenbildung unheimlich.

Heimtücke w: An die Stelle der seit dem 16. Jh. üblichen Formeln 'haimliche Dück' oder 'hemische Dück' „versteckte List, hinterhältiger Streich" (s. heimlich bzw. hämisch und Tücke) trat im 18. Jh. die Zus. Heimtücke. Das Adj. heimtückisch, früher auch hämtückisch geschrieben, ist seit der 2. Hälfte des 16. Jh.s bezeugt.

Heinzelmännchen s: Die seit dem 16. Jh. bezeugte Zusammensetzung enthält als Bestimmungswort die Koseform Heinzel zu dem männlichen Taufnamen Heinz (Kurzform von Heinrich). Um die nach dem Volksglauben hilfreichen kleinen Hausgeister wohlgesinnt zu stimmen, gab man ihnen schmeichelnde Kosenamen. So nannte man die Hauskobolde auch einfach Heinzel oder Heinzlein.

Heirat w: Die Zusammensetzung mhd., ahd. hīrāt (entspr. aengl. hīrēd) bedeutete urspr. „Hausbesorgung", dann „Ehestand" und schließlich „Eheschließung". Das Grundwort ist das unter → Rat dargestellte Substantiv, das auch in Hausrat, Vorrat, Unrat und Gerät steckt und früher auch „Versorgung, Hilfe, Mittel und dgl." bedeutete. Das Bestimmungswort geht auf germ. *hīwa[n]- „Haus, Hauswesen, Hausgemeinschaft" zurück, beachte z. B. got. heiwafrauja „Hausherr", aengl. hīwan „Haushalt, Familie", ahd. hī[w]o „Hausgenosse, Familienangehöriger, Gatte", hīwiski „Haushaltung, Hausgesinde, Familie". Das germ. Wort, mit dem in anderen idg. Sprachen z. B. lat. cīvis „Bürger" eigtl. „Haus- oder Gemeindegenosse" (s. Zivil) unmittelbar verwandt ist, gehört zu der unter → Heim (eigtl. „Ort, wo man sich niederläßt, Lager") dargestellten idg. Wz. *k̑ei- „liegen". Während die Sippe von 'Heim' auf eine Bildung mit mo-Formans zurückgeht, beruht das Bestimmungswort von 'Heirat' auf einer Bildung mit u̯o-Formans. Abl. heiraten (mhd. hīrāten), beachte auch einheiraten, verheiraten.

heischen: Das westgerm. Verb mhd. [h]eischen, ahd. [h]eiscōn „fordern; fragen", asächs. ēskōn „fordern; fragen", engl. to ask „fragen, bitten" gehört mit verwandten Wörtern in anderen idg. Sprachen, vgl. z. B. die baltoslaw. Sippe von russ. iskát' „suchen, trachten" und aind. iccháti „sucht, wünscht", zu der idg. Wz. *ais- „suchen, trachten nach, verlangen". – Das anlautende h- im Dt. beruht wohl auf Anlehnung an das Verb heischen. Beachte auch den Artikel anheischig.

heiser: Das altgerm. Adj. mhd. heis[er], ahd. heis[i], niederl. hees, aengl. hās, schwed. hēs

bedeutete urspr. „rauh" – diese Bed. hat norw. mdal. haas bewahrt – und gehört weiterhin vielleicht im Sinne von „dürr, trocken" zu der Sippe von → heiß. Abl.: Heiserkeit (15. Jh.; mhd. heiserheit).

heiß: Das altgerm. Adj. mhd., ahd. heiz, niederl. heet, engl. hot, schwed. het ist mit der balt. Sippe von lit. kaitrùs „heiß, brennend, sengend" verwandt. Der germ.-balt. Übereinstimmung liegt mit d-, t-, vielleicht auch mit s- (vgl. heiser) erweitertes *kāi- „heiß; Hitze" zugrunde, beachte von der unerweiterten Wurzel ahd. hei „dürr", gihei „Hitze, Dürre". Eine Substantivbildung ist → Hitze, eine Verbalableitung ist → heizen. Zus.: Heißhunger (17. Jh.), dazu heißhungrig (17. Jh.); Heißsporn (um 1800; LÜ nach engl. hotspur).

heißen: Das gemeingerm. Verb mhd. heizen, ahd. heizzan „auffordern, befehlen; sagen; nennen", got. haitan „befehlen; rufen, einladen; nennen", aengl. hātan „befehlen, heißen; verheißen; nennen", schwed. heta „heißen" gehört wahrscheinlich zu der idg. Wz. *kēi-[d]- „in Bewegung setzen", hat also demnach seine Bed. aus „[an]treiben, zu etwas drängen" entwickelt. Zu dieser Wz. gehören aus anderen idg. Sprachen z. B. gr. kinein „in Bewegung setzen", lat. ciēre „in Bewegung setzen", dazu citus „schnell", citāre „in Bewegung setzen" (s. zitieren). – Die Bed. „genannt werden" hat 'heißen' im passivischen Gebrauch entwickelt. In den Bed. „auffordern, befehlen, nennen" ist das Verb heute wenig gebräuchlich. Abl. Geheiß s (mhd. geheiz[e], ahd. gaheiz[a] „Befehl, Gebot, Verheißung, Gelübde" mit Entsprechungen in den anderen germ. Sprachen). Präfixbildung: verheißen (mhd. verheizen „versprechen; verloben"), dazu Verheißung (15. Jh.). Beachte auch den Artikel heischen.

...heit: Das gemeingerm. Substantiv mhd., ahd. heit „Person; Stand, Rang; Wesen, Beschaffenheit, Art; Geschlecht", got. haidus „Art und Weise", aengl. hād „Person; Stand, Rang; Würde; Amt; Wesen, Natur, Form, Art; Geschlecht, Familie", aisl. heidr „Ehre; Rang; Lohn, Gabe" wurde im Westgerm. schon früh zu einem Mittel der Abstraktbildung und ging daran als selbständiges Wort verloren. Beachte z. B. ahd. got[e]heit „Gottheit", frīheit „Freiheit", asächs. juguthhēd „Jugend", aengl. cildhād (engl. childhood) „Kindheit". Mit dem Suffix ...heit werden vor allem Eigenschafts- und Zustandsbezeichnungen aus Adjektiven und Partizipien gebildet, z. B. Schönheit, Bescheidenheit, Trunkenheit, Vergangenheit. In einigen Bildungen hat ...heit kollektive Bedeutung, z. B. in Christenheit und Menschheit. Eine Nebenform zu ...heit ist ...keit, das sich aus der Ableitung der Adjektive auf -ig (mhd. -ec) entwickelte und dann als selbständiges Suffix fruchtbar wurde, beachte z. B. *mhd.* ēwecheit, ēwekeit „Ewigkeit", trūrecheit, trūrekeit „Traurigkeit", *nhd.* Eitelkeit, Langsamkeit, Tapferkeit. Andererseits entwickelte sich aus dieser Ableitung auch ...igkeit zu einem selbständigen Suffix, beachte z. B. Feuchtigkeit, Müdigkeit, Süßigkeit. – Das *germ.* Substantiv, aus dem das Suffix ...heit hervorgegangen ist, geht mit verwandten Wörtern in anderen *idg.* Sprachen, z. B. *aind.* kētú-ḥ „Lichterscheinung, Helle, Bild", auf eine Wz. *kāi-„scheinen[d], leuchten[d]" zurück, zu der auch die Sippe von →heiter gehört. Die Bed. „Person, Stand, Zustand, Art, Wesen" haben sich demnach aus „Schein, Erscheinung" entwickelt. Auch in der Namengebung spielt das *germ.* Substantiv eine Rolle, beachte z. B. die PN Heidebrecht, Adelheid.

heiter: Die auf das *Westgerm.* beschränkte Adjektivbildung *mhd.* heiter, *ahd.* heitar, *asächs.* hēdar, *aengl.* hādor gehört zu der unter dem Suffix →...heit dargestellten *idg.* Wurzel *kāi-„scheinen[d], leuchten[d]", vgl. z. B. *aind.* citrá-ḥ „hell; deutlich; herrlich". Aus der Bed. „klar, hell, wolkenlos" entwickelte sich im *Dt.* die Bed. „fröhlich", beachte auch aufheitern „klar, wolkenlos werden" und „fröhlich machen, aufmuntern". Das seit dem 19. Jh. bezeugte angeheitert bedeutet dagegen „leicht betrunken, beschwipst". Abl.: Heiterkeit *w* (*mhd.* heiterkeit „Klarheit").

heizen: Das Verb *mhd.*, *ahd.* heizen (heizzen), *mnd.* hēfen, *engl.* to heat, *aisl.* heita ist von dem unter →heiß dargestellten Adjektiv abgeleitet und bedeutete demnach urspr. „heiß machen". Die Zus. einheizen und verheizen werden *ugs.* oft im übertragenen Sinn gebraucht. Abl. Heizer *m* (*mhd.* heizer); Heizung *w* (17. Jh.).

Hektar *s* „Flächenmaß von 100 Ar": Im 19. Jh. als amtl. Bezeichnung aus *frz.* hectare „100 Ar" aufgenommen. Zu → hekto... und →¹Ar.

hektisch „fieberhaft, aufgeregt, von krankhafter Betriebsamkeit, sprunghaft, gehetzt": Ein Wort, das aus der medizin. Fachsprache in die Gemeinsprache übernommen wurde. Das in der modernen Medizin gelegentlich noch im Sinne von „lange in demselben Zustand verharrend; hartnäckig" gebrauchte Wort, ferner die noch üblichen Fügungen 'hektisches Fieber' „chronisches Fieber bei Lungenschwindsucht" und 'hektische Röte' „fleckige Wangenröte des Schwindsüchtigen" erweisen sich der im mittelalterl. Medizin ausgeprägten urspr. Sinn des Wortes: „an chronischer Brustkrankheit leidend, schwindsüchtig". Voraus liegt das *gr.* Adj. hektikós „den Zustand, die Körperbeschaffenheit betreffend; gesteigert; anhaltend, chronisch (bes. von chronischem Fieber)", das – entweder unmittelbar oder mittelbar über das

gr. Subst. héxis „Haltung, Zustand" – zu *gr.* échein (íschein, scheīn) „halten, haben, fest-, anhalten" gehört. Dies steht mit verschiedenen Substantivbildungen und Zusammensetzungen im größeren Zusammenhang der unter →Sieg behandelten *idg.* Sippe. Für uns sind solche Abl. und Komposita von Interesse, die in FW eine Rolle spielen, wie *gr.* schēma „Haltung; Gestalt; Form" (s. Schema, schematisch usw.); ferner *gr.* scholé (eigtl. „das Innehalten in der Arbeit", dann:) „Muße, Ruhe; wissenschaftl. Beschäftigung während der Mußestunden" im LW →Schule (schulen, Schüler); schließlich als Hinterglied in Zus. *gr.* óchos „Halter, Hüter" (s. Eunuch) und oché „das Halten", ep-oché „das Anhalten (in der Zeit), der Haltepunkt" (s. Epoche, epochal usw.).

hekto..., Hekto..., (vor Selbstlauten:)hekt..., Hekt...: Bestimmungswort von Zus. mit der Bed. „hundertfach" (wie in →Hektar, →Hektoliter, →Hektometer) oder übertr. „vielfach" (wie in →hektographieren). Quelle ist das *gr.* Zahlwort hekatón „hundert", das im *frz.* Sprachraum als hekto... erscheint, wie denn auch fast alle Zus. mit hekto... aus dem *Frz.* übernommen sind. *Gr.* hekatón (eigentl. he-katón „ein-hundert") ist urverw. mit *lat.* centum und *dt.*→hundert.

Hektograph *m*: Die Bezeichnung des Vervielfältigungsgerätes ist eine moderne Neuschöpfung des 20. Jh.s zu *gr.* hekatón „hundert" (vgl. *hekto...*) und *gr.* gráphein „schreiben" (vgl. Graphik). Das Wort bedeutet also eigtl. „Hundertschreiber". – Dazu gehört als Verb hektographieren „(mit dem Hektographen) vervielfältigen".

Hektoliter *s* „Flüssigkeitsmaß von 100 Liter": Im 19. Jh. aus *frz.* hectolitre „100 Liter" entlehnt; vgl. *hekto...* und Liter.

Hektometer *s* (*ugs.* auch: *m*): Bezeichnung eines Längenmaßes von 100 m. Das Wort wurde im 19. Jh. aus *frz.* hectomètre übernommen, einer Neubildung zu *gr.* hekatón „hundert" (vgl. *hekto...*) und *frz.* mètre (vgl. Meter).

Held *m*: Die Herkunft des *altgerm.* Substantivs *haliþ-, *haluþ- „[freier] Mann; Krieger; Held" (*mhd.* held, *niederl.* held, *aengl.* hæle[d], *schwed.* hjälte) läßt sich nicht befriedigend deuten. Seit dem 18. Jh. wird 'Held' auch im Sinne von „Hauptperson einer Dichtung" – vermutlich nach dem Vorbild von *engl.* hero – gebraucht, woran sich die Verwendung des Wortes im Sinne von „Person, um die sich alles dreht" anschließt. Abl.: Heldentum *s* (18. Jh.); heldenhaft (17. Jh.); heldisch (16. Jh.). Zus.: Heldenmut (17.Jh.); Heldensage (Anfang des 19. Jh.s); Heldentat (17. Jh.); Heldentod (17. Jh.).

helfen: Das *gemeingerm.* starke Verb *mhd.* helfen, *ahd.* helfan, *got.* hilpan, *engl.* to help, *schwed.* hjälpa ist wahrscheinlich mit der *balt.* Wortgruppe von *lit.* šelpti „helfen, unterstützen, fördern" verwandt. Weitere Beziehungen sind nicht gesichert. Eine Substantivbildung zu 'helfen' ist → Hilfe, zu dem sich 'Gehilfe' und 'behilflich' stellen. Zusammensetzungen und Präfixbildungen mit 'helfen' sind ab- und verhelfen, ferner sich behelfen (*mhd.* behelfen reflexiv „als Hilfe brauchen"), beachte Behelf *m* (*mhd.* behelf „Ausflucht, Vorwand; Zuflucht"; heute fast nur noch in Notbehelf gebräuchlich) und unbeholfen (*mhd.* unbeholfen „nicht behilflich"). Abl.: Helfer *m* (*mhd.* helfǣre, *ahd.* helfāri), dazu Helfershelfer (15. Jh.; zunächst „Mithelfer im Streite, Kampfgenosse", dann „Mithelfer an einem Verbrechen"; zur Bildung beachte z. B. Kindeskind, Zinseszins).

Helium *s* Der Name des Edelgases ist eine gelehrte *nlat.* Bildung des 19./20. Jh.s zu *gr.* hḗlios „Sonne", das urverw. ist mit *lat.* sōl und *nhd.* → Sonne. – Das Gas erhielt seinen Namen, weil seine Spektrallinien mit denen eines früher schon auf der Sonne entdeckten Elements übereinstimmten.

hell: Das auf das *dt.* und *niederl.* Sprachgebiet beschränkte Adjektiv (*mhd.* hel „tönend, laut; licht, glänzend", *ahd.* -hel in Zus., *niederl.* hel ist mit den Wortgruppen von → Hall und von → holen urspr. „[herbei]rufen, schreien" verwandt und gehört zu der *idg.* Wz. *kel[a]-, *klē- „rufen, schreien, lärmen". Es bezog sich also zunächst ausschließlich auf Gehörseindrücke und wurde dann auch auf Gesichtseindrücke übertragen und als Gegensatz zu dunkel empfunden, beachte 'grell' (urspr. „laut schreiend") und 'schreiend' und 'knallig', die auf Farbtöne bezogen werden können. Ferner wird 'hell' übertragen auch im Sinne von „rasch auffassend, scharfsinnig, klug" gebraucht. Das zweisilbige helle, eigtl. die adverbielle Form (*mhd.* helle Adv.), ist heute *ugs.* auch adjektivisch gebräuchlich. – Zu der *idg.* Wz. *kel-, die auch mit anlautendem s- als *skel- (vgl. die FW-Gruppe um Schelle) bezeugt ist, gehören aus anderen *idg.* Sprachen z. B. *gr.* kaleīn „rufen, nennen", *lat.* calāre „ausrufen, zusammenrufen", zu dem sich calendae, eigtl. „das Ausrufen der Nonen" (s. Kalender) und con-cilium „Versammlung; Vereinigung" (s. Konzil) stellen, ferner clārus „laut, schallend; hell, licht, deutlich" (s. die große Wortgruppe von klar), classis „Aufgebot; Heer; Flotte; Abteilung" (s. die Sippe von Klasse) und clāmāre „laut rufen, schreien" (s. die Sippe von Reklame). Auf einer alten Sonderentwicklung aus *kel- „rufen, schreien, lärmen" beruht wahrscheinlich *kel- „treiben" (vgl. halten). Abl.: Helle *w* (*mhd.* helle „Helligkeit"); hellen in aufhellen und erhellen, dichterisch sich hellen für „hell werden" (*mhd.* hellen „aufleuchten"); Helligkeit *w* (16. Jh.). Zus.: helldunkel, auch subst. Helldunkel (18. Jh.);

der im wesentlichen maltechnische Ausdruck ist eine LÜ von *frz.* clair-obscur, das seinerseits LÜ des seit dem 16. Jh. bezeugten *it.* chiaro-scuro ist); hellhörig (19. Jh.); Hellseher (Anfang des 18. Jh.s; LÜ von *frz.* clairvoyant), dazu Hellseherei, hellseherisch und hellsehen; hellsichtig (20. Jh.). Beachte auch den Artikel einhellig.

Hellebarde *w*: Der Name der alten Stoß- und Hiebwaffe, die aus einem langen Stiel mit axtförmiger Klinge und scharfer Spitze besteht, beruht auf *mhd.* helmbarte (helle[n]-barte), dessen Bestimmungswort → ²Helm „Stiel, Handhabe" und dessen Grundwort ¹Barte „Beil" (vgl. Bart) ist. Aus dem *Dt.* stammen *engl.* halberd, *schwed.* hillebard, *frz.* hallebarde usw.

Heller *m*: Die heute nicht mehr gültige Münze ist nach ihrer ersten Prägestätte, der alten Reichsstadt Schwäbisch-Hall, benannt, wo seit etwa 1200 der Haller pfenninc (daraus gekürzt *mhd.* haller, heller) geprägt wurde. Heute lebt das Wort Heller nur noch in einigen Redewendungen, beachte z. B. 'keinen roten Heller haben' und 'auf Heller und Pfennig'.

Helling *w*: Der *niederd.* Ausdruck für „schräge Bahn zum Bau und zum Stapellauf von Schiffen; Schiffsbauplatz" geht auf *mnd.* hellinge, heldinge „Schräge, Abhang" zurück, das zu der Wortgruppe von → Halde gehört.

¹Helm *m*: Das *gemeingerm.* Wort *mhd.*, *ahd.* helm, *got.* hilms, *engl.* helm, *schwed.* hjälm, dem in anderen *idg.* Sprachen z. B. *aind.* śárman- „Schirm, Schutz[dach], Decke" entspricht, ist eine Substantivbildung zu der unter → hehlen dargestellten Wz. *kel- „verhüllen, verbergen". Der Helm ist demnach als „[Be]schützer, Schutz" benannt, Das Wort Helm spielt auch in der Namengebung eine Rolle, beachte z. B. die PN Helmut, Wilhelm, Hjalmar. Im übertragenen Gebrauch bezeichnet Helm das [runde] Dach von Türmen und die Steuerhaube.

²Helm *m* „Stiel von Schlagwerkzeugen, Handhabe": Das Wort (*mhd.* helm, halm[e] „Axtstiel") ist z. B. mit → ¹Holm „Griffstange des Barrens" und mit → ¹Halfter „Zaum" verwandt und gehört zu der unter → Schild dargestellten Wortgruppe. Als Bestimmungswort steckt Helm in Hellebarde (s. d.).

Hemd *s*: Die Benennung des kittelartigen Kleidungsstückes ist eine auf das *Westgerm.* beschränkte Substantivbildung zu der *idg.* Wz. *ḱem- „bedecken, verhüllen". Zu dieser Wurzel gehören aus dem *germ.* Sprachbereich *ahd.* hamo „Hülle", das zweite Bestandteil in → Leichnam eigtl. „Leibeshülle" steckt (beachte auch den Artikel hämisch, urspr. „verhüllt, versteckt"), ferner vermutlich → Hummer im Sinne von „[mit einer Schale] bedecktes Tier" und vielleicht →

Himmel, falls dieses Wort urspr. „Hülle, Decke" bedeutete. – Eine Vorform von *westgerm.* *hamiþia- „(Hülle), Hemd", auf das *mhd.* hem[e]de, *ahd.* hemidi, *niederl.* hemd und *aengl.* hemede zurückgehen, wurde früh von den Kelten entlehnt und von diesen dann von den Römern übernommen, beachte *spätlat.* camisia „Hemd", das *frz.* chemisette „Vorhemdchen" (daher Chemisette) und camisole „Unterjacke" (daher Kamisol) zugrunde liegt. Aus anderen *idg.* Sprachen vergleicht sich z. B. *aind.* šāmúla-m „wollenes Hemd".

hemi..., Hemi...: Aus dem *Gr.* stammendes Bestimmungswort von Zus. mit der Bed. „halb", wie in → Hemisphäre: Quelle ist das gleichbed. *gr.* Präfix hēmi... (dazu als Adj. hḗmisys „halb"), das urverw. ist mit entspr. *lat.* sēmi... (vgl. *semi...*).

Hemisphäre *w* „halbe Erd- oder Himmelskugel": Gelehrte Entlehnung des 18. Jh.s aus *lat.* hēmisphaerium, *gr.* hēmisphaírion „Halbkugel", im Geschlecht an das Grundwort *gr.* sphaĩra „Kugel" (vgl. *Sphäre*) angeglichen. Zum Bestimmungswort vgl. *hemi...*

hemmen: *Mhd.* hemmen „aufhalten, hindern", daneben gleichbed. hamen, *aengl.* hemman „hemmen; verstopfen; schließen", *isl.* hemja „zügeln; zwingen" gehören mit verwandten Wörtern in anderen *idg.* Sprachen, z. B. der *baltoslaw.* Sippe von *russ.* kom „Klumpen", komft', zusammenballen", zu einer Wz. *kem- „mit einem Flechtwerk oder Zaun umgeben, einpferchen, zusammendrücken, pressen", vgl. *gr.* kēmós „geflochtener Deckel der Stimmurne; Fischreuse; Maulkorb" (urspr. „Flechtwerk") und die Sippe von *niederd.* Hamm „umzäuntes Stück Land". In *oberd.* Mundarten bedeutet das Verb hemmen speziell „weidendes Vieh am Fortlaufen hindern", beachte dazu *aisl.* hemill „Beinfessel für weidendes Vieh". – Das 2. Part. gehemmt – davon Gehemmtheit (20. Jh.) – spielt, wie auch 'Hemmung' (s. u.), in der Fachsprache der modernen Psychologie eine wichtige Rolle. Abl. Hemmnis *s* (19. Jh.); Hemmung *w* (17. Jh.), dazu hemmungslos (20. Jh.). Zus.: Hemmschuh „schuhförmige Bremsvorrichtung" (16. Jh.).

Hengst *m*: Die Bed. „unverschnittenes männliches Pferd" hat das Wort erst seit dem 15. Jh. In den älteren Sprachzuständen bedeutete es dagegen „verschnittenes männliches Pferd" oder „[männliches] Pferd" überhaupt, beachte *mhd.* heng[e]st„, Wallach, Pferd", *ahd.* hengist „Wallach", *aengl.* hengest „männliches Pferd", *aisl.* hestr „[männliches] Pferd". Die Herkunft von *germ.* *hangista- (*hanhista-), das diesen Formen zugrunde liegt, ist nicht sicher gedeutet. Vielleicht handelt es sich um einen substantivierten Superlativ „am besten springend, am schnellsten, am feurigsten" zu einem *germ.*

Adj. *hanha-, das sich mit der Wortgruppe von *lit.* šankùs „beweglich, schnell, hitzig" verbinden ließe.

Henkel *m*: Das seit dem 15. Jh. bezeugte Wort ist eine Substantivbildung zum Verb → *henken* in dessen älterer Bed. „hängen machen, aufhängen".

henken: Das Verb *mhd.*, *ahd.* henken „hängen machen, [auf]hängen" ist von dem unter → *hängen* dargestellten Verb abgeleitet. In *mhd.* Zeit nahm das Wort die heute übliche Bed. „an den Galgen hängen, [durch den Strang] hinrichten" an. Abl.: Henker (s. d.); Henker *m* (*mhd.* henker „Scharfrichter", dazu Henkersmahlzeit (16. Jh.; urspr. „das letzte Mahl des Verurteilten vor dem Gang zum Henker", dann „Abschiedsmahl").

Henne *w*: Das *westgerm.* Substantiv *mhd.* henne, *ahd.* henna, *niederl.* hen, *engl.* hen ist eine Ableitung von dem unter → *Hahn* behandelten Wort. Abl.: Hendel *s östr. ugs.* für „[junges] Huhn, Henne".

her: Das Adverb *mhd.* her, *ahd.* hera bezeichnet im allgemeinen die Richtung auf den Standpunkt des Sprechenden zu, während 'hin' (s. d.) die von ihm weg ausdrückt. Zur genaueren Bestimmung des Verhältnisses des Ausgangspunktes einer Bewegung zum Standpunkt des Sprechenden kann 'her' mit anderen Adverbien, mit denen es zusammenwächst, ergänzt werden, beachte herab, -an, -auf, -aus, -bei, -ein, -nieder, -über, -um, -unter, -vor, -zu, die auch in der Zusammensetzung eine Rolle spielen. Vielfach wird 'her' auch mit der Angabe des Ausgangspunktes einer Bewegung gebraucht und drückt dann die Richtung selbst aus, beachte z. B. vom Walde her, von Westen her, von fern her und die sich daran anschließende Verknüpfung mit Ortsadverbien der Ruhe, z. B. dorther, woher. Zeitlich bezieht sich 'her' auf den Zeitpunkt, in dem sich der Sprechende befindet, beachte auch bisher, seither. Als Präfix hat 'her' bisweilen weder räumliche noch zeitliche Geltung, sondern drückt einen Zweck aus, beachte z. B. herrichten, herstellen. – Das Adv. her gehört zu dem *idg.* Pronominalstamm *ke, *k[e]i- „dieser", der auch in →hier und →hin und ferner in → heuer und →heute steckt, beachte z. B. aus dem *germ.* Sprachbereich *engl.* he „er" und *außergerm.* z. B. *lat.* ce „her" (Partikel), cis „diesseits".

Heraldik *w* „Wappenkunde": Im 17./18. Jh. aus gleichbed. *frz.* (science) héraldique (eigtl. „Heroldskunst") entlehnt; dies bezieht sich auf die dem Herold zukommende Aufgabe, bei den Ritterturnieren, die nur dem Adel offenstanden, die Wappen der einzelnen Kämpfer zu prüfen. Stammwort ist demgemäß das unserem Subst. → *Herold* zugrunde liegende *frz.* héraut, in seiner latinisierten Form *mlat.* heraldus (entspr.: ars heraldica). –

herb

Dazu: Heraldiker *m* „Wappenforscher" und heraldisch (18./19. Jh.).

herb: Die Herkunft des seit *mhd.* Zeit in der Form har[e], flektiert har[e]wer bezeugten Adjektives ist unklar. Vielleicht gehört es im Sinne von „schneidend, kratzend, rauh, scharf" zu der unter → ¹scheren dargestellten *idg.* Wz. *[s]ker- „schneiden". Zum Lautwandel beachte z. B. das Verhältnis von *nhd.* mürbe zu *mhd.* mür[w]e und von *nhd.* Farbe zu *mhd.* varwe. Heute bezieht sich 'herb' nicht nur auf Geschmacksempfindungen, sondern wird auch im Sinne von „hart, schlimm, schmerzlich" gebraucht. Abl.: Herbe *w* (*mhd.* herwe); Herbheit *w* (Anfang des 19. Jh.s); Herbigkeit *w* (17. Jh.).

Herberge *w*: Die auf das *dt.* und *niederl.* Sprachgebiet beschränkte Zusammensetzung *mhd.* herberge, *ahd.* heriberga, *niederl.* herberg (Bestimmungswort ist → *Heer*, das Grundwort gehört zum Verb →*bergen*) bedeutete urspr. „ein das Heer bergender Ort". Aus der Bed. „Heer-, Feldlager", die das Wort noch in *mhd.* Zeit hat, entwickelten sich aber schon früh die Bed. „Obdach, Unterkunft (für eine Schar oder einen einzelnen)" und „Haus zum Übernachten für Fremde". Aus dem *Mnd.* stammt *anord.* herbergi „Unterkunft, Herberge", woraus wiederum *engl.* harbour „Hafen" (eigtl. „Zuflucht für Schiffe") entlehnt ist. Auch in die *roman.* Sprachen ist das Wort gedrungen, beachte *frz.* auberge und *it.* albergo „Herberge". Abl.: herbergen „Unterkunft nehmen; Unterkunft gewähren" (*mhd.* herbergen, *ahd.* heribergōn); gebräuchlicher ist heute beherbergen).

Herbst *m*: Die *germ.* Benennung der Jahreszeit zwischen Sommer und Winter *harƀista *harƀusta-, worauf *mhd.* herb[e]st, *ahd.* herbist, *niederl.* herfst, *engl.* harvest und die nord. Sippe von *schwed.* höst beruhn, stellt sich mit verwandten Wörtern in anderen *idg.* Sprachen – z. B. *lat.* carpere „pflücken, rupfen, abreißen" und *gr.* karpós „Frucht, Ertrag" – zu der unter →¹scheren dargestellten *idg.* Wz. *[s]ker- „schneiden". Das Wort bedeutete demnach urspr. „Pflückzeit, Ernte" oder „Zeit der Früchte", falls es sich nicht um einen substantivierten Superlativ „am besten zum Pflücken geeignet[e Zeit]" handelt. – In *süd-* und *südwestd.* Mundarten bedeutet 'Herbst' auch „Traubenlese" oder „Obsternte". Abl.: herbsteln „herbstlich werden", herbsten „herbstlich werden", *mdal.* „Weinlese halten, ernten" (*mhd.* herbesten „Weinlese halten"); herbstlich (16. Jh.); Herbstling *m* „Reizker, Blätterschwamm" (18. Jh.; bereits im 17. Jh., aber in der Bed. „Herbstapfel" und „im Herbst geborenes Vieh" bezeugt). Zus.: Herbstmonat, auch Herbstmond „September" (*mhd.* herb[e]stmānōt, *ahd.* herbistmānōt); Herbstzeitlose (s. Zeitlose).

Herd *m*: Die auf das *Westgerm.* beschränkte Substantivbildung *mhd.* hert, *ahd.* herd, *niederl.* haard, *engl.* hearth gehört mit verwandten Wörtern in anderen *idg.* Sprachen, vgl. z. B. *lat.* carbō „[Holz]kohle" (s. karbo...) und – weitergebildet – cremāre „verbrennen, einäschern" (s. Krematorium), zu der *idg.* Wz. *ker- „brennen, glühen". Auf diese Wurzel geht auch das Grundwort in →Pottharst zurück. – Der Herd, in früher Zeit Mittelpunkt des Hauses, gilt seit alters als Symbol des Hausstandes. Nach der Ähnlichkeit mit einem Herd heißt der dem Vogelfang dienende, mit Garnen und Leimruten versehene Platz Vogelherd. Im übertragenen Sinne steht 'Herd' für „Ausgangspunkt", beachte z. B. die Zus. Krankheitsherd, Eiterherd, Unruheherd.

Herde *w*: Das *gemeingerm.* Substantiv *mhd.* hert, *ahd.* herta, *got.* haírda, *engl.* herd, *schwed.* hjord geht mit verwandten Wörtern in anderen *idg.* Sprachen, z. B. *aind.* śárdha-ḥ „Schar, Herde" und der *baltoslaw.* Sippe von *russ.* čeredá „Reihe[nfolge]", *mdal.* „Herde", auf *idg.* *kerdho-, *kerdho- zurück. Die Deutung des *idg.* Wortes ist umstritten. Vielleicht bedeutete es urspr. „Haufen" oder „Reihe (Rudel) ziehenden Wildes". – Das -d- in *mhd.* Herde beruht auf *niederd.* Einfluß, während die Ableitung →Hirte die reguläre Lautung aufweist. Die Herde gilt als der Inbegriff der einheitlichen Menge, beachte die Zus. Herdenmensch (19. Jh.) und Herdentrieb (20. Jh.).

Hering *m*: Die Herkunft des *westgerm.* Fischnamens *mhd.* hērinc, *ahd.* hārinc, *niederl.* haring, *engl.* herring ist dunkel. Aus dem *Westgerm.* stammt *mlat.* haringus „Hering", das *frz.* hareng und *it.* aringa zugrunde liegt. In den *nord.* Sprachen heißt der Hering *schwed.* sill, *dän.*, *norw.* sild (beachte das entlehnte Sild „in schmackhafte Tunke eingelegter [Herings]fisch"). – Wohl nach der Ähnlichkeit mit der Gestalt des Fisches heißt der Zeltpflock seit etwa 1900 'Hering'.

Hermelin *s*: Der im heutigen Sprachgefühl als fremdes – daher endbetontes – Wort empfundene Tiername (*mhd.* hermelīn, *ahd.* harmilī[n]) ist eigtl. eine Verkleinerungsbildung zur alten *westgerm.* Benennung des Wiesels bzw. Hermelins: *mhd.* harm[e], *ahd.*, *asächs.* harmo, *aengl.* hearma. Damit verwandt ist die *balt.* Sippe von *lit.* šarmuõ „Wiesel, Hermelin, wilde Katze". Der Tiername läßt sich, da weitere sichere Beziehungen fehlen, nicht deuten. – Bereits im *ahd.* Zeit bezeichnete das Wort nicht nur das Tier, sondern auch dessen Pelz. Im Sinne von „Hermelinpelz" hat 'Hermelin' heute männliches Geschlecht.

hermetisch „dicht verschlossen, luft- und wasserdicht", meist adverbiell gebraucht in Fügungen wie 'hermetisch abriegeln, verschließen': Das seit dem 16. Jh. bezeugte FW hat seinen Ursprung in der Sprache der Alchimisten. Als deren geistiger Vater galt der sagenhafte ägypt. Weise Hermes Trismegistos (*gr.* Hermēs tris mégistos ,,dreimal größter Hermes"), der identisch ist mit dem ägypt. Gott Thot und der die Kunst erfunden haben soll, eine Glasröhre mit einem geheimnisvollen Siegel (sigillum Hermētis) luftdicht (hermēticē) zu verschließen.

heroisch ,,heldenmütig, heldisch; erhaben": Im 16. Jh. aus *lat.* hērōicus < *gr.* hērōikós entlehnt. Dies gehört zu *gr.* hērōs ,,Held, Sagenheld, Halbgott", dessen Herkunft umstritten ist.

Herold *m*: Die historische Bezeichnung des mittelalterlichen Hofbeamten, der mit dem Hofzeremoniell betraut war und der insbesondere die Funktion eines Aufsehers bei Turnieren und Festen, ferner eines feierlichen Boten und Verkündigers hatte, ist seit dem 14. Jh. bezeugt (*spätmhd.* heralt). Sie ist aus gleichbed. *afrz.* héralt (*frz.* héraut) entlehnt. Das *frz.* Wort selbst stammt aus dem *Germ.* Es geht auf ein *altgerm.* zusammengesetztes Subst. (*afränk.* *hariwald ,,Heeresbeamter", vgl. *Heer* und *walten*) zurück, das noch in dem nordischen Männernamen 'Harald' enthalten ist. – Siehe auch Heraldik.

Herr *m*: Im ausgehenden Mittelalter kam bei den Römern *mlat.* senior (s. Senior) als Bezeichnung für ,,Herr" auf und trat neben das bis dahin allein gebräuchliche dominus. Dem *mlat.* senior ,,Herr", das auf den substantivierten Komparativ senior ,,älter" (zu *lat.* senex ,,alt") zurückgeht, ist wahrscheinlich *ahd.* hērro ,,Herr" nachgebildet, das seinerseits auf den substantivierten Komparativ hēriro ,,(*älter), ehrwürdiger, erhabener" (zu *ahd.* hēr, vgl. *hehr*) zurückgeht. Im *Mhd.* entwickelte sich in der Anrede und vor Titeln aus hērre die kürzere Form hēr. – Über das *altgerm.* Wort für ,,Herr" s. unter Frau. Abl.: **Herrin** *w* (16. Jh.). Zus.: **Herrenmensch** (19. Jh.); **Herrenreiter** (um 1900; LÜ von *engl.* gentleman rider ,,einer, der nicht berufsmäßig oder gegen Entgelt reitet"; danach dann im 20. Jh. auch auf das Autofahren bezogen, beachte Herrenfahrer); **Herrgott** (*mhd.* herre-got; aus der Anrede herre got zusammengerückt; *südd.* wird Herrgott auch im Sinne von ,,Kruzifix" gebraucht, beachte Herrgottsschnitzer, Herrgottswinkel).

herrisch: Das von *mhd.* hēr ,,erhaben, vornehm; hochmütig; heilig" (vgl. *hehr*) abgeleitete Adj. hēr[i]sch ,,erhaben, herrlich; nach Art eines Herren sich benehmend" geriet – wie auch herrlich, herrschen, Herrschaft (s. diese) – früh unter den Einfluß von Herr.

herrlich: *Mhd.* hērlich, *ahd.* hērlīch ,,erhaben, vornehm; stolz; glanzvoll, prächtig" sind

von dem unter →*hehr* dargestellten Adjektiv abgeleitet. Das Wort wurde schon früh als zu 'Herr' gehörig empfunden. Die Bindung an 'hehr' ging völlig verloren, nachdem ē vor Doppelkonsonanz gekürzt worden war. Abl.: **Herrlichkeit** (*spätmhd.* hērlīcheit); **verherrlichen** (19. Jh.).

Herrschaft *w*: Das Wort (*mhd.* hērschaft, *ahd.* hērscaf[t] ,,Hoheit, Herrlichkeit, Würde; Hochmut; Recht und Besitztum eines Herren; Obrigkeit; oberherrliches Amt und Gebiet; Herrscherfamilie; Herr und Herrin") ist mit dem Suffix -schaft (s. d.) von dem unter →*hehr* dargestellten Adjektiv abgeleitet. Wie →*herrlich* und →*herrschen* geriet auch 'Herrschaft' früh unter den Einfluß von 'Herr'. Abl.: **herrschaftlich** (17. Jh.).

herrschen: Das wie auch Herrschaft (s. d.) und herrlich (s. d.) früh unter den Einfluß von 'Herr' geratene Verb *mhd.* hērschen, hērsen, *ahd.* hērisōn ,,Herr sein, [be]herrschen" geht auf das unter →*hehr* dargestellte Adjektiv zurück, und zwar kann das Verb vom Komparativ als ,,älter, ehrwürdiger sein" oder von einem untergegangenen Substantiv *hairisan- ,,Alter, Ehrwürdigkeit" abgeleitet sein. Abl.: **Herrscher** *m* (*mhd.* herscher, *ahd.* hērisāri). Zus. und Präfixbildung **anherrschen** ,,herrisch anfahren, anschreien" (19. Jh.); **beherrschen** (18. Jh.), dazu **Beherrschung**.

Herz *s*: Das *gemeingerm.* Wort *mhd.* herz[e], *ahd.* herza, *got.* haírtō, *engl.* heart, *schwed.* hjärta geht mit verwandten Wörtern in anderen *idg.* Sprachen, vgl. z. B. *lat.* cor, Gen. cordis ,,Herz" (s. Courage), *gr.* kardía ,,Herz" (beachte mediz.-fachsprachlich Kardio- in Kardiogramm, Kardiologie usw.) und *russ.* sérdce ,,Herz", auf *idg.* *kērd- ,,Herz" zurück. – Seit altersher gilt das Herz als der Sitz der Empfindungen, beachte z. B. die Wendungen 'sich etwas zu Herzen nehmen', 'sein Herz ausschütten' und die Adj. **herzig** (16. Jh.), **herzlich** (*mhd.* herze[n]lich) und **herzlos** (*mhd.* herzelōs). Ferner gilt das Herz auch als Sitz des Mutes, der Entschlußkraft und der Besonnenheit, beachte z. B. die Wendung 'sich ein Herz fassen', die Adj. **herzhaft** (*mhd.* herzehaft ,,mutig; besonnen, verständig") und **beherzt** (*mhd.* beherz[et] ,,mutig") und das Verb **beherzigen** (16. Jh.; zunächst in der Bed. ,,ermutigen; in Rührung versetzen"). Übertragen wird 'Herz' außerdem im Sinne von ,,Innerstes, Bestes, Liebstes" gebraucht. Das Wort steckt ferner in zahlreichen Zusammensetzungen. Auf Herz als Organ beziehen sich z. B. Herzkammer, Herzschlag und Herzverfettung, auf die Herzform z. B. Pfefferkuchenherz, Marzipanherz, auf 'Herz' im übertragenen Sinne z. B. Herzblatt (eigtl. ,,das innerste, zarteste Blatt einer Pflanze"). Abl.: **herzen** ,,liebkosen" (eigtl. ,,ans Herz drücken";

mhd. herzen bedeutete dagegen „mit einem Herz versehen").

Herzog *m: Mhd.* herzoge, *ahd.* herizogo, *asächs.* heritogo, *aengl.* heretoga beruhen wahrscheinlich auf einem *got.* *harjatuga „Heerführer", das in byzantinischer Zeit dem *gr.* stratēlátēs „Heerführer" nachgebildet worden sein muß. Die Lehnübersetzung des *gr.* Wortes ist dann allmählich von den Südgermanen nach Norden gewandert. In karolingischer Zeit entwickelte sich aus der militärischen Stellung des Herzogs das (mit stammesherrschaftlichen Befugnissen ausgestattete) Herzogamt, aus dem dann später der Herzogstand hervorging. – Das Bestimmungswort von 'Herzog' ist das unter →*Heer* dargestellte Substantiv, das Grundwort gehört zu dem unter →*ziehen* behandelten Verb. Abl.: herzoglich (17. Jh.); Herzogtum (*mhd., spätahd.* herzog[en]tuom).

hetzen: *Mhd., ahd.* hetzen „jagen, antreiben", *got.* hatjan „hassen", *aengl.* hettan „verfolgen" gehen auf *germ.* *hatjan zurück, das als Veranlassungswort zu →hassen (vgl. *Haß*) gehört und eigtl. „hassen machen, zum Verfolgen bringen" bedeutet. Während das Verb in *ahd.* und *mhd.* Zeit bes. weidmännische Geltung hatte, wird es heute hauptsächlich im Sinne von „zur Eile antreiben, bis zur Erschöpfung treiben" und „aufwiegeln, Zwietracht säen, üble Propaganda treiben" gebraucht. Auch das aus dem Verb rückgebildete Subst. Hetze *w* (16. Jh.), dem *ahd.* Hatz[e] entspricht, bedeutete zunächst „Hetzjagd; Hundemeute zur Hetzjagd", dann „Eile, Hast" und „Aufwiegelung, üble Propaganda", beachte auch Hetzerei, hetzerisch und verhetzen.

Heu *s:* Das *gemeingerm.* Wort *mhd.* höu[we], *ahd.* houwi, *got.* hawi, *engl.* hay, *schwed.* hö ist eine Substantivbildung zu dem unter →*hauen* dargestellten Verb und bedeutet eigtl. „das zu Hauende" (oder „das Gehauene"). Abl.: heuen *landsch.* für „Heu machen" (*mhd.* höuwen); Heuer *m landsch.* für „Heumacher" (*mhd.* höuwer); Heuet *m* alte *dt.* Bezeichnung für „Juli", *m* und *w südd., schweiz.* für „Heuernte" (*mhd.* höuwet, houwet „Heuernte; Zeit der Heuernte, Juli"). Zus.: Heumonat „Juli" (*mhd.* höumānōt, *ahd.* hewimānōth); Heuschober (15. Jh.; zum zweiten Bestandteil s. Schober); Heuschrecke *w* (*mhd.* höuschrecke; *ahd.* hewiskrekko, houscrecho; das Wort, das früher *m* war, bedeutete eigtl. „Heuspringer"; der zweite Bestandteil gehört zu →schrecken in dessen alter Bed. „[auf]springen"; andere *ugs.* oder *landsch.* Benennungen der Heuschrecke sind Heupferd, Heuschnecke, Grashüpfer, Springhahn und dgl.).

heucheln: Das seit dem 16. Jh. – zunächst in der Bed. „schmeicheln" – bezeugte Verb gehört vermutlich im Sinne von „sich ducken" (beachte *mhd.* hūchen „kauern") zu der Wortgruppe von →*hocken*. Abl. Heuchelei *w* (16. Jh.); Heuchler *m* (16. Jh.); heuchlerisch (16. Jh.).

heuer (*südd.* und *östr.* für:) „in diesem Jahre": Das Zeitadverb (*mhd.* hiure, *ahd.* hiuru) ist aus *ahd.* hiu jāru „in diesem Jahre" hervorgegangen (vgl. *her* und *Jahr*). Ähnlich ist →heute aus *ahd.* hiu tagu „an diesem Tage" entstanden. Abl.: heurig *südd., östr.* für „diesjährig" (*mhd.* hiurec), dazu Heurige *m* „junger Wein im ersten Jahr".

heuern: Die Herkunft des *westgerm.* Verbs *mhd.* hūren „mieten; auf einem Mietpferd reiten; in einem Mietwagen fahren" (vgl. haudern), *mnd.* hūren, *niederl.* huren, *engl.* to hire ist dunkel. Während das Verb im *hochd.* Sprachraum seit dem 16. Jh. allmählich ungebräuchlich wurde, blieb es im *Niederd.* in der Schiffer- und Seemannssprache bewahrt, zunächst im Sinne von „ein Schiff mieten oder pachten" (in dieser Bed. durch chartern ersetzt), dann „eine Mannschaft anwerben", beachte auch die Zus. anheuern, abheuern. Abl.: Heuer *w* „Löhnung [der Schiffsmannschaft]; Anmusterungsvertrag", älter auch „Miete, Pacht" (*mnd.* hūre). Zus.: Heuerling veralt. *nordd.* für „Mietmann, Gutstagelöhner" (*mnd.* hūrlink).

heulen: Das Verb (*mhd.* hiulen, hiuweln), das *ugs.* und *mdal.* auch im Sinne von „weinen, plärren" gebraucht wird, ist von *mhd.* hiuwel, *ahd.* hūwila „Eule" abgeleitet und bedeutet demnach eigtl. „wie eine Eule schreien" (vgl. auch den Artikel Eule).

heute: Das Zeitadverb (*mhd.* hiute, *ahd.* hiutu) ist – vielleicht als LÜ von *lat.* hodiē – aus *ahd.* hiu tagu (Instrumental) „an diesem Tage" hervorgegangen, beachte *aengl.* hēodæg „heute" (vgl. *her* und *Tag*). Ähnlich ist →heuer aus *ahd.* hiu jāru „in diesem Jahr" entstanden. Abl.: heutig (*mhd.* hiutec, *ahd.* hiutīg).

Hexe *w:* Das auf das *Westgerm.* beschränkte Wort (*mhd.* hecse, hesse, *ahd.* hagzissa, hag[a]zus[sa], *mniederl.* haghetisse, *aengl.* hægtes[se], verkürzt *engl.* hag) ist eine verdunkelte Zusammensetzung. Das Bestimmungswort ist wahrscheinlich das unter →*Hag* „Zaun, Hecke, Gehege" dargestellte Substantiv, das Grundwort, das bis heute nicht sicher gedeutet ist, gehört vielleicht mit *norw.* tysja „Elfe" zusammen. Demnach wäre Hexe ein sich auf Zäunen oder Hecken aufhaltendes dämonisches Wesen, beachte *aisl.* tūnrīða „Hexe" eigtl. „Zaunreiterin". Im ausgehenden Mittelalter ging das Wort für einen – dem Volksglauben nach – [bösen] weiblichen Geist auf eine Frau über, die mit dem Teufel im Bunde steht und über magisch-schädigende Kräfte verfügt, beachte dazu die Zus. Hexenprozeß, Hexenverbrennung, Hexenverfolgung und Hexenwahn. Abl.: hexen (16. Jh.), dazu behexen und verhexen; Hexerei *w* (16. Jh.).

Zus.: Hexenmeister (16. Jh.); Hexenschuß (16. Jh.; nach dem Volksglauben beruht die Krankheit Lumbago auf dem Schuß einer Hexe; diese Vorstellung scheint sehr alt zu sein, beachte *aengl.* hægtessan bzw. ylfa gescot „Hexen- bzw. Elbenschuß").

Hieb *m*: Das seit dem 15. Jh. bezeugte Wort ist aus dem starken Verb →*hauen* (hieb, gehauen) rückgebildet. Abl.: Hieber *m* veraltet für „Hiebwaffe" (18. Jh.).

hier: Das *gemeingerm.* Ortsadverb *mhd.* hie[r], *ahd.* hiar, hēr, *got.* hēr, *engl.* here, *schwed.* här ist eine Bildung mit dem Lokativsuffix r zu dem unter →*her* dargestellten *idg.* Pronominalstamm. Die heute veraltete, noch *südd.* und *östr.* gebräuchliche Form hie setzt *mhd.* hie fort, das die reguläre Entwicklung von *ahd.* hiar darstellt. Die Form ohne r-Abfall *mhd.* hier hielt sich, wenn ein Wort mit vokalischem Anlaut folgte, und setzte sich im *Nhd.* allgemein durch.

Hierarchie *w* „strenge Rangordnung (vor allem und urspr. im kirchl. Bereich)": Im 17./18. Jh. aus *gr.* hierarchía „Priesteramt" entlehnt zu *gr.* hierós „heilig; gottgeweiht" (dessen Herkunft umstritten ist) und ...*archie* (s. d.).

Hieroglyphe *w* „Schriftzeichen einer Bilderschrift (bes. der altägypt., altkret., hethitischen)": Das seit dem 18. Jh. bezeugte FW steht für älteres 'hieroglyphische Figuren'. Voraus liegt das *gr.* Adj. hiero-glyphikós in der Fügung hieroglyphikà grámmata, der Bezeichnung für die „heiligen Schriftzeichen" der altägypt. Bilderschrift, wie sie von Priestern auf heiligen Denkmälern eingegraben wurden. Grundwort des zusammengesetzten Adjektivs ist *gr.* glýphein „ausmeißeln, einschneiden, eingravieren" (vgl. *Glypte*), Bestimmungswort das auch in →*Hierarchie* vorliegende, ungedeutete Adj. *gr.* hierós „heilig".

hiesig: Das aus der Kanzleisprache des 17. Jh.s stammende Wort ist wahrscheinlich eine Bildung aus 'hie' (vgl. *hier*) und aus einem nicht bezeugten *mhd.* *wesec (vgl. *Wesen*) und bedeutet demnach eigtl. etwa „hierseiend", Eine analoge Bildung ist das heute veraltete dasig.

hieven: Der seemänn. Ausdruck für „eine Last auf- oder einziehen, [hoch]winden" ist im 19. Jh. aus *engl.* to heave „[hoch-, empor]heben" entlehnt (vgl. *heben*).

Hilfe *w*: Von den drei Substantivbildungen zum Verb →*helfen* 1. *ahd.* helfa, *mhd.* helfe; 2. *ahd.* hilfa, *mhd.* hilfe, *nhd.* Hilfe und im Ablaut dazu 3. *ahd.* hulfa, *mhd.* hülfe, *nhd.* Hülfe hat heute allein 'Hilfe' Geltung. Es wird nicht nur abstrakt, sondern auch im Sinne von „helfende Person" gebraucht, beachte auch die Zus. Aushilfe, Schreibhilfe, Sprechstundenhilfe. Sonst dienen als Bezeichnungen der helfenden Person die Bildungen Helfer (s. helfen) und Gehilfe *m*

(*mhd.* [ge]helfe, *ahd.* [ge]helfo). Das Adj. behilflich (*mhd.* behülfelich) ist von *mhd.* behülfe „Beihilfe" abgeleitet. Zus.: hilflos (*mhd.* helflōs, *ahd.* helfelōs), dazu Hilflosigkeit (18. Jh.); hilfreich (*mhd.* helferīche); Hilfszeitwort (19. Jh.; älter Hülfswort und Hülffwort).

Himbeere *w*: Die Zusammensetzung *mhd.* hintber, *ahd.* hintperi, *asächs.* hindberi, *aengl.* hindber[r]ie enthält als Bestimmungswort das unter →*Hinde* „Hirschkuh" dargestellte Substantiv. Welche Vorstellung der Benennung des Gewächses als „Hirsch[kuh]beere" zugrunde liegt, ist nicht sicher geklärt. Vielleicht bedeutet 'Himbeere' „Gewächs, in dem sich die Hinde (mit ihren Jungen) gern birgt" oder „Beere, die die Hinde gern frißt".

Himmel *m*: Die Deutung des *gemeingerm.* Wortes *mhd.* himel, *ahd.* himil, *got.* himins, *engl.* heaven, *aisl.* himinn ist umstritten. Am ehesten handelt es sich um eine Substantivbildung zu der unter →*Hemd* dargestellten *idg.* Wz. *kem- „bedecken, verhüllen", wonach der Himmel als „Decke, Hülle" benannt worden wäre. Anderseits kann die Benennung des Himmels auf die uralte Vorstellung des Himmels als Steingewölbe zurückgehen. Dann bestünde Verwandtschaft mit der Wortgruppe von →*Hammer* (urspr. „Stein") und weiterhin wohl Zusammenhang mit *aind.* áśman- „Stein; Himmel", *gr.* ákmōn „Amboß; Meteorstein; Himmel" usw. – Abl. himmeln veralt. dichterisch für „zum Himmel streben" (*mhd.* himelen „in den Himmel aufnehmen"); gebräuchlich sind dagegen heute die Zus. anhimmeln und die Präfixbildung verhimmeln); himmlisch (*mhd.* himelisch, *ahd.* himilisc). Zus.: Himmelbett (18. Jh.; die Zus. enthält Himmel im Sinne von „Decke, Baldachin"); Himmelfahrt (*mhd.* himelvart, *ahd.* himilfart), dazu Himmelfahrtsnase *ugs.* für „Stupsnase"; Himmel[s]schlüssel „Schlüsselblume" (*mhd.* himelslüzzel).

hin: Das Adverb (*mhd.* hin[e], *ahd.* hina) bezeichnet im allgemeinen die Richtung vom Standpunkt des Sprechenden weg, während her (s. da) die auf ihn zu ausdrückt. Zur genaueren Bestimmung der Richtung kann 'hin' mit einigen anderen Adverbien, mit denen es zusammenwächst, ergänzt werden, beachte hinab, -auf, -aus, -durch, -ein, -über, -unter, -weg, -zu, die auch in der Zusammensetzung eine Rolle spielen. Häufig wird 'hin' mit der Angabe des Zielpunktes einer Bewegung gebraucht und drückt dann die Richtung selbst aus (unabhängig vom Standpunkt des Sprechenden), beachte z. B. zum Hof hin, zum Meer hin und die daran anschließende Verknüpfung mit Ortsadverbien der Ruhe, z. B. dorthin, wohin. Aus der Verbindung mit bestimmten Verben, z. B. fallen, sinken, stürzen, hat 'hin' die spezielle

Bed. „auf den Boden zu" entwickelt. Zeitlich bezieht sich 'hin' vom Zeitpunkt, in dem sich der Sprechende befindet, entweder auf die Zukunft oder auf die Vergangenheit, beachte lange hin, fürderhin, späterhin und vorhin, letzthin. Ferner gibt 'hin' bisweilen lediglich die Erstreckung bzw. die Dauer an. Vielfach drückt 'hin' auch die Entfernung aus und hat in dieser Verwendung die Bed. „weg, fort" und ferner „verloren, zugrunde, tot" entwickelt. In einigen Fällen, bes. in Zusammensetzungen, hat 'hin' weder räumliche noch zeitliche Geltung und läßt sich in der Bed. schwer fassen, beachte schlechthin, gemeinhin, leichthin, immerhin, ohnehin, umhin. – Das Adverb ist eine Bildung mit n-Suffix zu dem unter →*her* dargestellten *idg.* Pronominalstamm. Eine Weiterbildung von 'hin' – beachte zur Bildung dannen – ist hinnen „von hier weg" (*mhd.* hinnen, *ahd.* hinnan, *asächs.* hinan[a], *aengl.* heonan). – Von den zahlreichen Zusammensetzungen mit 'hin' beachte z. B. hinfällig „schwach, gebrechlich" (*mhd.* hinvellic „hinfallend"), hinlänglich (17. Jh.; zu hinlangen „hin-, ausreichen"), hinrichten (16. Jh.; das Verb bedeutete früher auch „zugrunde richten; verderben"; seit dem 19. Jh. ausschließlich „das Todesurteil an jemandem vollstrecken"); Hinsicht (18. Jh.; vielleicht Lehnbildung nach *lat.* respectus eigtl. „das Hinsehen auf etwas"), dazu hinsichtlich (Anfang des 19. Jh.s).

Hinde, H i n d i n *w* (veralt. für:) „Hirschkuh": Die Hirschkuh ist im Gegensatz zu dem geweihtragenden Hirsch (s. dieses Wort) als „die Horn-, Geweihlose" benannt worden. *Mhd.* hinde, *ahd.* hinta, *niederl.* hinde, *engl.* hind, *schwed.* hind, „Hirschkuh" sind mit *gr.* kemás „junger Hirsch" verwandt und gehen mit verwandten Wörtern in anderen *idg.* Sprachen, z. B. *aind.* šáma-ḥ „junger Hirsch", auf eine Wz. *kem-* „horn-, geweihlos" (bei sonst gehörnten oder geweihtragenden Tierarten) zurück.

hindern: Das *altgerm.* Verb *mhd.* hindern, *ahd.* hintarōn, *niederl.* hinderen, *engl.* to hinder, *schwed.* hindra ist von der unter →*hinter* dargestellten Präposition abgeleitet und bedeutet eigtl. „zurückdrängen, zurückhalten". Ähnliche Bildungen sind z. B. äußern (zu außer) und fordern (zu vorder). Abl.: hinderlich (15. Jh.); Hindernis *s* (*mhd.* hindernisse). Beachte auch die Präfixbildungen behindern, dazu Behinderung, und verhindern.

hinken: Die Bedeutung „lahm gehen" hat sich aus der Vorstellung des Krummen bzw. des Schiefen entwickelt. *Mhd.* hinken, *ahd.* hinkan, *niederl.* hinken, *aengl.* hincian, *aisl.* (*mnd.* LW?) hinka sind mit den Sippen von →Schinken und →Schenkel verwandt und gehören zu der unter →*schenken* dargestellten *idg.* Wz. *[s]keng-* „schief, schräg,

krumm", vgl. mit anlautendem s- z. B. *schwed. mdal.* skinka „hinken" und *gr.* skázein „hinken" usw. – Das in *ahd.* und *mhd.* Zeit starke Verb ist im *Nhd.* in die schwache Flexion übergetreten.

hinter: Die Präposition *mhd.* hinter, *ahd.* hintar, *got.* hindar, *aengl.* hinder, *aisl.* (Adj.) hindri ist eine *gemeingerm.* Komparativbildung zum Stamm *hin[d]-*, von dem auch das Adverb h i n t e n (*mhd.* hinden[e], *ahd.* hintana, *got.* hindana, *aengl.* hindan) abgeleitet ist. *Außergerm.* Entsprechungen sind nicht gesichert. – Aus der Präposition entwickelte sich schon früh ein flektierendes Adjektiv (*ahd.* hintaro, *mhd.* hinter), das substantiviert das Gesäß bezeichnet: *mhd.* hinter, *nhd.* ugs. H i n t e r e *m*, auch H i n t e r n *m*. Groß ist die Zahl der Zusammensetzungen mit hinter (Präp., Adv. und Adj.), beachte z. B. h i n t e r b l e i b e n veralt. für „zurückbleiben", dazu das subst. 2. Part. H i n t e r b l i e b e n e *Mehrz.* (18. Jh.); h i n t e r b r i n g e n „heimlich zukommen lassen, verraten" (17. Jh.); h i n t e r g e h e n (*mhd.* hindergān „einen Feind umgehen und von hinten anfallen, überlisten; betrügen"); H i n t e r g r u n d (18. Jh.); H i n t e r h a l t (*mhd.* hinderhalt „Versteck, Auflauerung; Rückhalt, Stütze"), dazu hinterhältig; H i n t e r l a n d (19. Jh.); H i n t e r l i s t (*mhd.* hinderlist „Nachstellung"), dazu h i n t e r l i s t i g (*mhd.* hinderlistec „nachstellend"); h i n t e r r ü c k s „von hinten" (15. Jh.; beachte *mhd.* hinderrucke „rückwärts" und *Rücken*); H i n t e r t r e f f e n eigtl. „der beim Kampf hinten stehende Teil des Heeres", heute nur noch in der Wendung 'ins Hintertreffen geraten' „im Ansehen sinken" gebräuchlich (18. Jh.); h i n t e r t r e i b e n „zu vereiteln suchen" (17. Jh.); H i n t e r w ä l d l e r (19. Jh.; Lehnübertragung von *engl.* backwoodsman, das die Ansiedler im Westen Nordamerikas jenseits des Alleghenygebirges bezeichnete).

Hiobspost *w* „Unglücksnachricht": Die seit dem 18. Jh. bezeugte Zusammensetzung bezieht sich auf das Alte Testament, Hiob 1, 14–19 (Hiob ist der vom Schicksal schwer geprüfte Mann, der trotz Unglück und Leid am Glauben festhält). Entsprechende Bildungen sind z. B. Kainsmal und Uriasbrief. – Heute ist H i o b s b o t s c h a f t gebräuchlicher, da die alte Bedeutung von Post (s. d.) „Nachricht, Botschaft" verblaßt ist.

Hippe *w*: Der seit *ahd.* Zeit bezeugte Ausdruck für das sichelförmige Messer, das in alter Zeit in der Holzwirtschaft, danach dann im Garten- und Weinbau verwendet wurde, ist in *ostmitteld.* Lautung durch Luthers Bibelübersetzung in die Schriftsprache gedrungen. *Mdal. Heppe* stellt dagegen die lautgerechte Entwicklung aus *mhd.* heppe, hap[p]e, *ahd.* hǎppa dar. Weiterhin gehört das Wort wohl zu der unter →*schaben* dargestellten *idg.* Wortgruppe. – Vereinzelt tritt die Hippe auch als Attribut des Todes auf.

Hirn s: *Mhd.* hirn[e], *ahd.* hirni, *niederl.* hersenen, *mengl.* hernes, *schwed.* hjärna gehen auf *germ.* *hirznia-, *herznan- ,,Hirn'' zurück, das mit den *germ.* Sippen von →Horn, →Hornisse und →Hirsch sowie weiterhin mit →Ren und →Rind verwandt ist und zu der vielfach weitergebildeten und erweiterten *idg.* Wz. *ker[ə]- ,,Horn, Geweih; gehörntes, geweihtragendes Tier; Kopf, Oberstes, Spitze'' gehört. Zu dieser Wurzel stellen sich aus anderen *idg.* Sprachen z. B. *gr.* kárā ,,Kopf, Haupt'' (s. Karotte), kéras ,,Horn'' (s. Karat), kräníon ,,Hirnschale, Schädel'' (s. Migräne), *lat.* cerebrum ,,Hirn'' (beachte fachsprachlich zerebral ,,das Gehirn betreffend'' und den Artikel Zervelatwurst). – Eine auf das *dt.* Sprachgebiet beschränkte Kollektivbildung zu ‘Hirn’ ist Gehirn s. Ein anderer alter Ausdruck für ,,[Ge]hirn'' ist das heute im wesentlichen *nordd.* Bregen (s. d.). Zus.: Hirngespinst (18. Jh.); hirnverbrannt (19. Jh.; LÜ von *frz.* cerveau brûlé). Siehe auch den Artikel hurtig.

Hirsch m: Der *altgerm.* Tiername *mhd.* hirz, *ahd.* hir[u]z, *niederl.* hert, *engl.* hart, *schwed.* hjort ist eine Bildung zu der unter →Hirn dargestellten *idg.* Wurzel und bedeutet eigtl. ,,gehörntes oder geweihtragendes Tier'', vgl. aus anderen *idg.* Sprachen z. B. *lat.* cervus ,,Hirsch'' und die *kelt.* Sippe von *kymr.* carw ,,Hirsch''. Im Gegensatz dazu ist die Hirschkuh als ,,die Horn- bzw. Geweihlose'' benannt worden (s. den Artikel Hinde). – Der Tiername spielte in der Namengebung eine bedeutende Rolle, beachte z. B. die ON Hirsau, Hirzbach, Herten, die FN Hirschel, Hirzel und den alten Stammesnamen Cherusker. Zus.: Hirschfänger (17. Jh.; urspr. ,,Seitengewehr des Jägers, mit dem er dem Hirsch den Fang gibt'', d. h. ,,absticht''); Hirschhorn (im *Nhd.* bezeichnet das Wort auch den aus gebranntem und gestoßenem Hirschhorn hergestellten Stoff, beachte Hirschhornsalz); Hirschkäfer (17. Jh.; der Käfer ist nach seinem geweihförmigen Oberkiefer benannt).

Hirse w: Der auf das *Westgerm.* beschränkte Name der Nutzpflanze *mhd.* hirs[e], *ahd.* hirsi, -o, *asächs.* hirsi, *aengl.* herse gehört vielleicht im Sinne von ,,Brotkorn, Nahrung'' zu der (mit s erweiterten) *idg.* Wz. *ker- ,,wachsen; wachsen machen, nähren; füttern, aufziehen''. Zu dieser Wurzel stellen sich aus anderen *idg.* Sprachen z. B. *lat.* Cerēs ,,Göttin des Wachstums'', creāre ,,zeugen, [er]schaffen'' (s. kreieren), crēscere ,,wachsen, zunehmen'' (beachte musiksprachl. crescendo ,,anschwellend'') und *lit.* šérti ,,füttern''. – Die Hirse spielte in alter Zeit für die Ernährung eine wichtige Rolle. Sie wurde zum Brotbacken verwandt, besonders aber in Breiform gegessen. Zus.: Hirsebrei (15. Jh.).

Hirt[e] m: Das *gemeingerm.* Wort *mhd.* hirt[e], *ahd.* hirti, *got.* haírdeis, *engl.* [shep]herd, *schwed.* herde ist eine Ableitung von dem unter →Herde dargestellten Substantiv. Abl.: hirten *schweiz. mdal.* für ,,das Vieh hüten oder besorgen''. Zus.: Hirtenbrief ,,bischöfliches Sendschreiben, Brief eines geistlichen Hirten'' (18. Jh.).

hissen: Das aus der *niederd.* Seemannssprache stammende Verb ist lautmalenden Ursprungs und ahmt das eigentümliche Geräusch nach, das beim Aufziehen der Segel oder dgl. entsteht. *Niederd.* hissen entspricht gleichbed. *niederl.* hijsen. Aus der *niederd.-niederl.* Seemannssprache drang das Wort in andere Sprachen, beachte z. B. *schwed.* hissa, *frz.* hisser, *it.* issare ,,hissen''. – Statt ‘hissen’ ist seit dem Ende des 19. Jh.s bei der Marine ,,heißen'' (mit *niederl.* Vokal) gebräuchlich.

Historie w ,,Geschichte, Geschichtswissenschaft'': Das schon in *mhd.* Zeit aus *lat.* historia < *gr.* historía entlehnte Wort wird seit dem 18. Jh. immer mehr von dem deutschstämmigen Synonym →Geschichte zurückgedrängt. Das dazugehörige Adj. historisch (16. Jh.; aus *lat.* historicus < *gr.* historikós) hingegen konnte sich voll behaupten, ebenso wie das im 18. Jh. danach gebildete Subst. Historiker m ,,Geschichtsforscher, -wissenschaftler''. Zu ‘Historie’ stellt sich eine in neuester Zeit aufgenommene gemeinsprachliche Verkleinerungsform Histörchen s im Sinne von ,,anekdotenhaftes Geschichtchen'', dann auch ,,Klatschgeschichte, delikate [Liebes]geschichte''. In etwa vergleichbar ist das hierhergehörende, aus dem *Engl.* aufgenommene FW →Story. – Das allen zugrunde liegende Subst. *gr.* historía bedeutet eigtl. ,,Wissen, Kunde; Erforschung und Untersuchung von Ereignissen, ihre Kenntnis und Darstellung'' und gehört – mit deutlichem Anschluß an das Verb historeīn ,,kundig sein, erzählen; erforschen'' – zu *gr.* histōr (< *u̯id-tōr) ,,Wisser, Kundiger''. Dies geht seinerseits zu *gr.* eidénai ,,wissen''. Über weitere Zusammenhänge vgl. den Artikel →Idee.

Hitze w: Das *dt.* und *niederl.* Wort (*mhd.* hitze, *ahd.* hizz[e]a, *niederl.* hitte) ist eine ablautende Substantivbildung zu dem unter →heiß dargestellten Adjektiv. Ähnliche Bildungen sind *engl.* heat ,,Hitze'' und *schwed.* hetta ,,Hitze''. Abl.: erhitzen (*mhd.* erhitzen, zum heute veralteten einfachen Verb hitzen ,,heiß machen''); hitzig (*mhd.* hitzec ,,heiß, leicht erregbar''). Zus.: Hitzkopf (um 1800); Hitzschlag (19. Jh.).

Hobby s ,,Steckenpferd, Liebhaberei'': Im 20. Jh. aus gleichbed. *engl.* hobby entlehnt. Weitere Herkunft ist unsicher.

hobeln: Das erst seit dem 14. Jh. bezeugte, auf das *dt.* Sprachgebiet beschränkte Verb (*mhd.* hobeln, hoveln, *mitteld.* hubeln, hof-

[f]eln, *mnd.* hov[e]len) ist vermutlich eine Ableitung von dem unter →*Hübel* „kleine Erhebung, Hügel" dargestellten Substantiv und bedeutet demnach eigtl. „Unebenheiten beseitigen". Der *altgerm.* Ausdruck dafür war 'schaben' (s. d.). Der Werkzeugname H o b e l *m* (*mhd.* hobel, hovel, *mnd.* hovel) ist aus dem Verb rückgebildet.

hoch: Das *gemeingerm.* Adjektiv *mhd.* hō[ch], *ahd.* hōh, *got.* hauhs, *engl.* high, *schwed.* hög, das seine Bedeutung aus „gewölbt (gebogen)" entwickelt hat, ist näher verwandt mit →Hügel und →Höcker und geht mit verwandten Wörtern in anderen *idg.* Sprachen auf die k-Erweiterung der Wz. *keu- „biegen" zurück. Zu dieser vielfach erweiterten Wurzel gehören aus dem *germ.* Sprachbereich →hocken (eigtl. „sich biegen, sich bücken, sich ducken"), →hüpfen (eigtl. „sich [im Tanze] biegen, sich drehen"), ferner die Sippen von →Haube, →Haufe, →Hocke und →Hübel (eigtl. „Ausbiegung, Wölbung, Buckel, Berg") und die Körperteilbezeichnung →Hüfte (eigtl. „Biegung, gebogener Körperteil, Gelenk"). Das Adj. hoch hat nicht nur räumliche, sondern auch zeitliche Geltung, beachte z. B. 'hoher Nachmittag', 'hohes Alter'. Ferner drückt es den Grad sowie Rang und Würde aus und wird im Sinne von „sittlich hochstehend, erhaben" gebraucht. Abl.: H o c h *s* „Gebiet hohen Luftdrucks" (20. Jh.); höchstens Adv. (16. Jh.; zunächst „im höchsten Grade", dann „im besten Falle; vorausgesetzt"); H ö h e *w* (*mhd.* hœhe, *ahd.* hōhī), dazu A n höhe (18. Jh.; Nachbildung von älterem gleichbed. Amberg, Anberg); Hoheit *w* (*mhd.* hōch[h]eit; beachte auch hoheitlich, hoheitsvoll, Hoheitsgebiet, Hoheitszeichen); erhöhen (*mhd.* erhœhen, *ahd.* irhōhan). Zus.: Hochachtung (16. Jh.), dazu h o c h achtungsvoll (Anfang des 19. Jh.s); Hochaltar „Hauptaltar" (18. Jh.); Hoch a m t „feierliche Messe vor dem Hochaltar" (18.Jh.); Hochgebirge (*mhd.* hōchgebirge); hochherzig (17. Jh.); Hochmeister (*mhd.* hōchmeister „oberster Vorgesetzter eines geistlichen Ritterordens; Vorsteher; großer Gelehrter"); Hochmut (*mhd.* hōchmuot „gehobene Stimmung; edle Gesinnung; Freude; hohes Selbstgefühl; Überheblichkeit, Stolz"), dazu hochmütig (*mhd.* hōchmüetic, *ahd.* hōhmuotīg); hochnäsig „eingebildet" (19. Jh.); hochnotpeinlich (17.Jh.); Hochofen (19.Jh.); Hochschule (*mhd.* hōchschuole); Hochstapler (s. d.); hochtrabend (*mhd.* hōchtrabende; urspr. vom 'hoch' trabenden Pferd, das schwer zu reiten ist, dann übertragen „stolz, eingebildet, hoch hinauswollend"); Hochverrat (Anfang des 18. Jh.s; LÜ von *frz.* haute trahison); Hochwasser „höchster Wasserstand der Flut; Überschwemmung" (18.Jh.); Hochwild „das zur hohen Jagd gehörige

Wild, Edelwild" (18. Jh.); hochwohlgeboren (17. Jh.); Hochwürden (19. Jh.; für älteres Hochwird, *mhd.* der hōwerdege herr „Erzbischof"); Hochzeit (s. d.).

Hochstapler *m*: Das seit dem 18. Jh. bezeugte Wort stammt aus der Gaunersprache und bezeichnete zunächst den 'hoch' (d. h. „vornehm") auftretenden Bettler. Das Grundwort ist eine Substantivbildung zu gaunersprachlich stap[p]eln „betteln, tippeln" (vgl. *stapfen*). Abl.: hochstapeln (19. Jh.); Hochstapelei *w* (19. Jh.).

Hochzeit *w*: Das im heutigen Sprachgefühl nicht mehr als Zusammensetzung mit 'hoch' (s. d.) empfundene Wort geht zurück auf *mhd.* hōchgezīt, verkürzt hōchzīt „hohes kirchliches oder weltliches Fest; höchste Herrlichkeit; höchste Freude; Vermählung[sfeier]; Beilager", beachte *ahd.* diu hōha gizīt „das Fest". Zum Grundwort s. u. Zeit. Abl.: hochzeiten verät. für „Hochzeit machen" (*mhd.* hōchzīten); Hochzeiter *m mdal.* für „Bräutigam" (16. Jh.); hochzeitlich (*mhd.* hōchzīt[ec]lich „festlich").

¹Hocke *w* „zusammengesetzte Garben, Getreide- oder Heuhaufen": Das in den älteren Sprachzuständen nicht bezeugte, aber in den *dt.* Mundarten weitverbreitete Substantiv gehört, wie z. B. auch Hügel (s. d.) und Höcker (s. d.), zu der unter →hoch dargestellten *idg.* Wortgruppe. Mit ¹Hocke ist vermutlich Hucke *w mdal.* für „auf dem Rücken getragene Last", auch „Erhebung" identisch (beachte zum Lautlichen das Verhältnis von hocken zu hucken). Die *ugs.* Wendung 'jemandem die Hucke voll hauen' bedeutet „jemanden verprügeln". Gebräuchlich sind auch aufhucken (-hocken) „eine Last auf den Rücken nehmen" und abhukken „eine Last absetzen". Siehe auch den Artikel huckepack.

²Hocke siehe hocken.

hocken, hucken: Das erst seit dem 16. Jh. bezeugte Verb ist im *germ.* Sprachbereich näher verwandt mit *mhd.* hūchen „kauern" (beachte heucheln) und *aisl.* hūka „kauern" und stellt sich im Sinne von „sich biegen, sich bücken, sich ducken" zu der unter →hoch dargestellten *idg.* Wortgruppe. Abl.: ²Hocke *w* (Anfang des 19. Jh.s; der turnsprachliche Ausdruck ist zu dem Verb rückgebildet); Hocker *m* „eine Art Stuhl, Schemel" (Ende des 19. Jh.s).

Höcker *m*: Das seit *mhd.* Zeit bezeugte, zunächst auf das *hochd.* Sprachgebiet beschränkte Wort (*mhd.* hocker, hoger) gehört, wie auch Hocke (s. d.) und Hügel (s. d.), wahrscheinlich zu der unter →hoch dargestellten Wortgruppe. Abl.: höckerig (älter höckericht, *mhd.* hockereht); höckerig, hockerecht).

Hockey *s*: Der Name des Stockballspiels wurde im 20. Jh. aus *engl.* hockey aufgenommen. Weitere Herkunft ist unsicher. – Zus.: Eishockey.

Hode *m, w,* **Hoden** *m*: Das auf das *dt.* Sprachgebiet beschränkte Substantiv (*mhd.* hode, *ahd.* hodo) gehört, wie auch Haut (s. d.) und Hütte (s. d.), wahrscheinlich zu der t-Erweiterung der unter →*Scheune* dargestellten *idg.* Wz. *[s]keu- ,,bedecken, verhüllen". Vgl. aus anderen *idg.* Sprachen z. B. *kymr.* cwd ,,Hodensack" (eigtl. ,,Hülle").

Hof *m*: Die Vorgeschichte des *altgerm.* Wortes *mhd., ahd.* hof, *niederl.* hof, *aengl.* hof, *aisl.* hof ist nicht sicher geklärt. Wahrscheinlich gehört es zu der unter →*hoch* dargestellten *idg.* Wz. ,,biegen", entweder im Sinne von ,,Erhebung, Anhöhe", da sich in alter Zeit der Hof vielfach auf einer Anhöhe befand (beachte *norw.* hov ,,Anhöhe; heidnischer Tempel" und die Sippen von Hübel und Hügel), oder aber im Sinne von ,,eingehegter Raum". Im letzteren Falle wäre von einem Bedeutungswandel von ,,biegen" zu ,,winden, flechten; Geflecht, Zaun" auszugehen. – In *altgerm.* Zeit bezeichnete das Wort wahrscheinlich zunächst den eingehegten Raum, der ein oder mehrere Gebäude umgibt, dann auch den von einem Gebäude oder von Gebäudeteilen umschlossenen Raum. Dann ging das Wort auch auf das von einem Hof eingeschlossene Gebäude bzw. den Gebäudekomplex über und entwickelte die Bedeutungen ,,Haus, Wohnung; Gehöft, Anwesen, Besitztum, Gut", im *Aengl.* und *Anord.* auch die Bed. ,,Tempel". Die weitere Bedeutungsgeschichte des Wortes im *Dt.* steht zum Teil unter dem Einfluß von *afrz.* court, *frz.* cour, beachte 'Hof' im Sinne von ,,Herrenwohnsitz; Fürstenwohnsitz, Palast, Schloß; der Fürst mit den umgebenden Edlen", ferner die Wendung 'jemandem den Hof machen' (nach *frz.* faire la cour) und die Ableitungen hofieren, höfisch, höflich, Höfling und hübsch. Die Bed. ,,Dunstkreis um Mond oder Sonne" ist für 'Hof' seit dem 15. Jh. bezeugt. Eine Kollektivbildung zu Hof ist →*Gehöft.* Abl.: **hofieren** (*mhd.* hovieren ,,gesellig sein, sich vergnügen; aufwarten, dienen; ein Ständchen bringen; galant sein, den Hof machen"; das Verb ist von *mhd.* hof mit *roman.* Endung abgeleitet); **höfisch** (*mhd.* hövesch ,,hofgemäß, fein, gebildet und gesittet; unterhaltend"; LÜ von *afrz.* corteis, vgl. hübsch); **höflich** (s. d.); **Höfling** *m* (*mhd.* hovelinc). Zus.: **Hofmann** (*mhd.* hoveman ,,Diener am Hofe eines Fürsten; der zu einem Hof gehörige, ein Gehöft bewohnende Bauer"); **Hofmeister** (*mhd.* hovemeister ,,Aufseher über die Hofhaltung eines Fürsten oder eines Klosters; Aufseher über einen Bauernhof, Oberknecht"; im *Nhd.* dann bes. ,,Erzieher"), dazu hofmeistern ,,schulmeistern, rügen" (16. Jh.); **Hofnarr** (16. Jh.); **Hofrat** (*mhd.* hoverät ,,die Räte eines Fürsten"; seit dem

16. Jh. auch auf eine einzelne Person übertragen); **Hofreite** *w* veralt., noch *südd.* für ,,Hofraum; Inventar eines Hofraumes; Landgut" (*mhd.* hovereite); **Hofstaat** (15. Jh.).

Hoffart *w*: Die verdunkelte Zusammensetzung geht zurück auf *mhd.* hôchvart, assimiliert hoffart ,,Art, vornehm zu leben; Hochmütigkeit, edler Stolz; äußerer Glanz, Pracht, Aufwand; Übermut" (vgl. *hoch* und *Fahrt*). Im *Mhd.* hatte das Verb fahren auch die Bed. ,,sich befinden, leben", vgl. die Zus. **Wohlfahrt** ,,Wohlergehen, Leben in Wohlstand". Abl.: **hoffärtig** (*mhd.* hôchvertec ,,hochgesinnt; stolz; übermütig; prachtvoll").

hoffen Das urspr. auf den nördlichen Bereich des *Westgerm.* beschränkte Verb *mhd.* hoffen, *mnd.* hopen, *niederl.* hopen, *engl.* to hope ist vielleicht mit der Wortgruppe von →*hüpfen* verwandt und würde dann urspr. etwa ,,[vor Erwartung] zappeln, aufgeregt umherhüpfen" bedeutet haben. Abl.: **hoffentlich** Adv. (*mhd.* hof[f]entlich Adj. ,,erhoffend, Hoffnung erweckend"; die Abl. geht nicht vom Partizip, sondern vom Infinitiv aus); **Hoffnung** *w* (*mhd.* hoffenunge). Präfixbildung: **verhoffen** weidmänn. für ,,stutzen, sich unruhig umblicken, sichern" (*mhd.* verhoffen ,,stark hoffen; die Hoffnung aufgeben"), dazu **unverhofft** ,,unerwartet" (16. Jh.).

höflich: *Mhd.* hovelich, hoflich ,,hofgemäß, fein, gebildet und gesittet" ist, wie auch die unter →*höfisch* (vgl. *Hof*) und →*hübsch* behandelten Adjektive, von *mhd.* hof im Sinne von ,,Fürstenhof, Hofstaat" (vgl. *Hof*) abgeleitet. Abl.: **Höflichkeit** *w* (15. Jh.).

hohl: Die Herkunft des *altgerm.* Adjektivs *mhd., ahd.* hol, *niederl.* hol, *aengl.* hol (subst. *engl.* hole ,,Loch", *aisl.* holr ist nicht sicher geklärt. Es kann zu der Sippe von →*hüllen* (vgl. *hehlen*) gehören oder aber mit *außergerm.* Substantiven in der Bed. ,,Knochen, Stengel, Stiel" verknüpft werden, falls diese urspr. ,,[Röhrenknochen, Hohlstengel" bedeutet haben. Vgl. z. B. *gr.* kaulós ,,Stengel; Stiel; Federkiel", *lat.* caulis ,,Stengel; Stiel; Strunk; Kohl" (s. Kohl), *lit.* káulas ,,Knochen; Bein; Kern". Abl.: **Höhle** *w* (*mhd.* hüle, *ahd.* huli); **höhlen** (*mhd.* holn, *ahd.* holôn mit Entsprechungen in den anderen *germ.* Sprachen). Zus.: **hohläugig** (16. Jh.); **Hohlspiegel** (18. Jh.); **Hohlweg** (17. Jh.).

Hohn *m*: *Mhd.* hôn *m* ,,Hohn; Schmach" und *ahd.* hôna *w* ,,Hohn; Schimpf, Schmach" sind Substantivbildungen zu einem im *Dt.* untergegangenen *germ.* Adjektiv, das im *Got.* als hauns ,,niedrig; demütig" und im *Aengl.* als hêan ,,niedrig; verachtet; arm, elend" bewahrt ist. Dieses Adjektiv, von dem auch das Verb **höhnen** (*mhd.* hœnen, *ahd.* hônen, *got.* haunjan, *aengl.* hîenan) abgeleitet ist, geht mit verwandten Wörtern in an-

269

deren *idg.* Sprachen – z. B. *gr.* kaunós „schlecht" und *lett.* kàuns „Scham, Schande, Schimpf" – auf eine Wz. *kau- „niedrig; erniedrigen, herabsetzen" zurück. Abl.: höhnisch (*mhd.* hœnisch). Beachte auch den Artikel verhohnepipeln.

Höker *m* „Kleinhändler, Krämer": Das Wort gehört wahrscheinlich im Sinne von „einer, der seine Waren auf dem Rücken schleppt" zu 'Hucke' „auf dem Rücken getragene Last" (vgl. ¹*Hocke*). Weniger gut ist die Verknüpfung mit dem Verb hocken, hukken (s. d.), wonach Höker als „einer, der auf dem Marktplatz hockt" zu verstehen wäre. *Nhd.* Höker, älter Höke geht auf eine Form mit *ostmitteld.* Lautung zurück (gegenüber *mhd.* hocke, hucke „Kleinhändler"). Abl.: höken, hökern „Kleinhandel treiben" (17. Jh.), dazu verhökern „versetzen, verschachern"; Hökerei *w* (17. Jh.).

Hokuspokus *m* (Zauberformel der Taschenspieler, auch übertr. im Sinne von „Gaukelei, Blendwerk"): Zugrunde liegt wahrscheinlich eine im 16. Jh. bezeugte *pseudolat.* Zauberformel fahrender Schüler 'hax, pax, max, deus adimax', deren Anfang verstümmelt wurde und seit dem 17. Jh. – zunächst in England als hocas pocas – in verschiedener Form erscheint, z. B. Hockespockes, Okesbockes, Oxbox, Hokospokos.

hold: Das *gemeingerm.* Adj. *mhd.* holt, *ahd.* hold „günstig, gnädig; ergeben, dienstbar, treu", *got.* hulþs „gnädig", *aengl.* hold „gnädig, günstig, angenehm; treu", *schwed.* huld „gnädig, freundlich" gehört wahrscheinlich im Sinne von „geneigt" zu der unter →*Halde* dargestellten Wortgruppe. Das Adj. hold liegt auch dem Namen der Sagen- und Märchengestalt Frau Holle (s. Holle) und der Bildung Unhold (*mhd.* unholde „der Böse, Teufel", *ahd.* unholdo „böser Geist") zugrunde. Eine Substantivbildung zu 'hold' ist →Huld. Zus.: abhold (*mhd.* abholt „nicht gewogen, abgeneigt").

holen: Das *westgerm.* Verb *mhd.* hol[e]n, *ahd.* holōn, *aengl.* ge-holian steht im Ablaut zu der *germ.* Sippe von *ahd.* halōn „rufen, schreien" und stellt sich im Sinne von „[herbei]rufen" zu der unter →*hell* dargestellten Wortgruppe, zu der auch →Hall, hallen gehören. Das Verb holen, das *mdal.* auch in der Bed. „nehmen" gebräuchlich ist, erscheint auch in mehreren Zusammensetzungen, beachte ab-, auf-, aus-, ein-, nachholen. Wichtige Zus. und Präfixbildungen sind erholen (*mhd.* erholn, *ahd.* irholōn „erwerben, sich erholen"; gutmachen; wieder einbringen; neue Kraft gewinnen"), dazu Erholung *w* (16. Jh.); überholen „einholen und hinter sich lassen; übertreffen; überprüfen, ausbessern, in Ordnung bringen" (18. Jh.), dazu Überholung *w* (19. Jh.); verholen seemänn. für „ein Schiff an eine andere Stelle bringen" (19. Jh.), beachte Verholboje.

Holle in 'Frau Holle': Der Name der Sagen- und Märchengestalt beruht auf dem unter →*hold* dargestellten Adjektiv *mhd.* holt, *ahd.* hold „günstig, gnädig; ergeben, dienstbar, treu". *Ahd.* holda und *mhd.* holde bezeichnen einen [guten] weiblichen Geist, beachte *ahd.* holdo „Geist" (s. Unhold unt. hold), *mhd.* die guoten holden „Hausgeister" und *mhd.* holde „Freundin, Dienerin". Umgestaltung eines älteren, mit *norw.* hulda „Elfe, Waldhexe" verwandten Wortes (vgl. hehlen) nach der Sippe von hold, läßt sich nicht erweisen. In der heutigen Sagen- und Märchenwelt spielt Frau Holle eine unbedeutende Rolle. Allgemein verbreitet ist nur der Volksglaube, daß es schneit, wenn Frau Holle ihre Kissen schüttelt.

Hölle *w*: Das *gemeingerm.* Wort *mhd.* helle, *ahd.* hell[i]a, *got.* halja, *engl.* hell, *aisl.* hel, das in *altgerm.* Zeit den Aufenthalt der Toten bezeichnete, ging nach der Christianisierung der germ. Stämme auf den christlichen Begriff über. In der nordischen Mythologie tritt hel „Totenreich" auch personifiziert auf, beachte Hel als Name der germ. Todesgöttin. Die *germ.* Benennung des Totenreiches gehört zu der unter →*hehlen* dargestellten *idg.* Wz. *kel- „verhüllen, verbergen, schützen" und bedeutet demnach wahrscheinlich „die Bergende", falls für die Vorstellung des Totenreiches nicht von dem „mit einem Zaun oder mit Steinplatten geschützten Sippengrab" auszugehen ist. – In Zus. tritt 'Hölle' verstärkend auf, beachte z. B. Höllenangst, Höllenlärm, Höllenschmerz. Mit 'Hölle' im Sinne von „Ort der Verdammnis" ist identisch 'Hölle' als veralt. und *mdal.* Bezeichnung eines Raumes, in dem man etwas bergen kann, z. B. der Raum zwischen Ofen und Wand, beachte auch *niederd.* Hellegat[t] „Vorrats-, Gerätekammer auf Schiffen". Abl.: höllisch (*mhd.* hellisch; *ugs.* für „stark, heftig"). Zus.: Höllenmaschine (19. Jh.; Lehnübertragung von *frz.* machine infernale); Höllenstein (18. Jh.; LÜ von *nlat.* lapis infernalis, nach der starken Ätzkraft des Silbernitrates).

¹**Holm** *m*: Aus der Sondersprache des Holz- und Verschalungsbaus wurde 'Holm' als Bezeichnung für „Griffstange des Barrens; Längsstange der Leiter" von F. L. Jahn in die Turnersprache eingeführt. Das Wort, das eigtl. ein waagrechtes Holzstück, in das die Zapfen senkrechter Pfähle eingreifen, bezeichnet (beachte *mnd.* holm „Querbalken; Jochträger", ist z. B. mit →²Helm „Stiel, Handhabe" und →¹Halfter „Zaum" verwandt und gehört zu der unter →*Schild* dargestellten *idg.* Wortgruppe.

²**Holm** *m*: Der *niederd.* Ausdruck für „kleine Insel" (*mnd.* holm) gehört mit *engl.* holm „Insel, Werder; üppiges Uferland" und mit der *nord.* Sippe von *schwed.* holme „[kleine] Insel" (beachte den ON Stockholm und den

Inselnamen Bornholm) zu der *idg.* Wz. *kel-,,ragen, sich erheben". Die Bed. ,,Insel" hat sich aus ,,Ragendes, Erhebung" entwickelt, beachte *asächs.* holm ,,Hügel". Aus anderen *idg.* Sprachen vergleichen sich z. B. *gr.* kolōnós ,,Hügel" und *lat.* collis ,,Hügel", ferner *lat.* *-cellere in excellere ,,herausragen" (s. exzellent), columen, culmen ,,Gipfel, Höhepunkt" (s. kulminieren) und columna ,,Säule" (s. Kolumne, Kolonne, Colonel). – Die Zus. Holmgang bezeichnet eine Art von Zweikampf, wie er in alter Zeit in den nordischen Ländern (auf einem Holm) ausgetragen wurde. Siehe auch den Artikel Hallig.

holo..., Holo... (Bestimmungswort von Zus. mit der Bed. ,,ganz, vollständig, unversehrt"): Aus gleichbed. *gr.* hólos, das u. a. urverwandt ist *lat.* salvus ,,heil, gesund" (s. die Fremdwortgruppe um → Salve). – Als Grundwort erscheint *gr.* hólos in den FW → katholisch, Katholik, Katholizismus.

holpern: Die Herkunft des erst seit dem 16. Jh. bezeugten Verbs ist nicht sicher geklärt. Abl.: holperig (18. Jh.; im 16. Jh. dafür hölpericht).

Holunder *m:* Der auf das *dt.* Sprachgebiet beschränkte Pflanzenname (*mhd.* holunder, *ahd.* holuntar) ist, wie z. B. auch Flieder, Wacholder und Rüster, mit dem *germ.* Baumnamensuffix -dr[a]- (vgl. *Teer*) gebildet. Der erste Wortteil ist wohl mit *dän.* hyld, *südschwed.* hyll[e] ,,Flieder" verwandt, beachte auch *mengl.* hildir ,,Flieder". Weitere *außergerm.* Entsprechungen sind nicht gesichert. – In *ahd.* und *mhd.* Zeit war das Wort anfangsbetont. *Mdal.* Nebenformen von Holunder sind z. B. Holder, Holler.

Holz *s:* Das *altgerm.* Wort *mhd.*, *ahd.* holz, *niederl.* hout, *engl.* holt, *schwed.* hult gehört mit verwandten Wörtern in anderen *idg.* Sprachen, z. B. *gr.* kládos ,,Ast; Zweig; Trieb" und *russ.* kolóda ,,Balken; Block; Baumstamm", zu der Wurzelform *keld- ,,schlagen, hauen, brechen, spalten". Zu der unerweiterten, *idg.* Wz. *kel- ,,hauen, spalten, schneiden" (vgl. *Schild*) – stellen sich z. B. *gr.* kláein ,,[ab]brechen", klēros ,,Holzstückchen oder Scherbe als Los" (s. Klerus) und *lat.* *-cellere in percellere ,,zu Boden schlagen, zerschmettern", calamitās ,,Schaden" (s. Kalamität). – Im *Nhd.* ist 'Holz' im wesentlichen Stoffbezeichnung, während im *Engl.* und in den *nord.* Sprachen die Bed. ,,Gehölz, Wäldchen" bewahrt ist. Diese Bed. hat im *Dt.* die Kollektivbildung Gehölz *s* (*mhd.* gehülze). Das Wort Holz spielt auch in der Namengebung eine Rolle, beachte z. B. die Ländernamen Holland und Holstein. Abl.: holzen (*mhd.* holzen, hülzen ,,Holz fällen und aus dem Walde schaffen"; seit dem Anfang des 19. Jh.s, zunächst studentensprachlich, dann *ugs.* für ,,prügeln", in der Fußballersprache ,,roh spielen"; beachte

auch abholzen); Holzer *m* (*mhd.* holzer ,,Holzhauer"; heute in der Fußballersprache ,,roher Spieler"); Holzerei *w* (19. Jh.; zunächst ,,Prügelei", heute in der Fußballersprache ,,rohes Spiel"); hölzern (*mhd.* hulzerīn, holzīn ,,von Holz"); holzig (16. Jh.); Holzung *w* (*mhd.* holzunge ,,Holzschlag"). Zus.: Holzapfel (*mhd.* holzapfel ,,wilder, d. h. im Walde wachsender Apfel"; heute als ,,holziger Apfel" verstanden); Holzschnitt (18. Jh.; das Wort bezeichnete zunächst das in eine Holzplatte eingeschnittene Bild, dann den Abdruck davon; Holzweg (*mhd.* holzwec ,,Waldweg"; Weg, auf dem Holz fortgeschafft wird"; dann, da so ein Weg nicht zur nächsten menschlichen Ansiedlung führt, im Sinne von ,,irrtümlicher Weg" gebraucht, beachte die Wendung 'auf dem Holzweg sein").

homo..., Homo..., (vor Selbstlauten:) hom..., Hom...: Bestimmungswort von Zus. mit der Bed. ,,gleich, gleichartig, entsprechend", in FW wie →Homosexualität und →Homonyme. Quelle ist *gr.* homós ,,gemeinsam; gleich; ähnlich", das mit homoîos ,,gleichartig, ähnlich" (s. homöo...) zur *idg.* Sippe von *nhd.* →*sammeln* gehört.

Homonyme *Mehrz.:* Die seit dem 19. Jh. übliche Bezeichnung für gleichlautende, aber in der Bedeutung [und in der Herkunft] verschiedene Wörter beruht auf einer gelehrten Entlehnung aus gr.-lat. (rhḗmata bzw. verba) homṓnyma; zu *gr.* homṓnymos ,,gleichnamig". Über das Grundwort (*gr.* ónoma ,,Name") vgl. den Artikel *anonym*.

homöo..., Homöo..., (vor Selbstlauten:) homö..., Homö...: Bestimmungswort von Zus. mit der Bed. ,,ähnlich, gleichartig", wie in →Homöopathie, homöopathisch, Homöopath: Latinisiert aus *gr.* homoîos ,,gleichartig, ähnlich". Über weitere Zusammenhänge vgl. *homo...*

Homöopathie *w* ,,Heilverfahren, bei dem der Kranke mit den Mitteln behandelt wird, die beim Gesunden ähnliche Krankheitserscheinungen hervorrufen": Das Wort ist eine Neuschöpfung des 18./19. Jh.s aus *gr.* homoíos ,,ähnlich, gleichartig" (vgl. *homöo...*) und *gr.* páthos ,,Leid, Schmerz; Krankheit" (vgl. *Pathos*). Als Vorbild diente das alte, im Volksglauben verwurzelte Grundsatz 'similia similibus curantur' ,,Gleiches wird durch Gleiches geheilt". – Dazu: homöopathisch; Homöopath *m* ,,wer [als Arzt] homöopathisch behandelt".

Homosexualität *w:* Gelehrte Neubildung des 20. Jh.s zur Bezeichnung eines abnormen, auf Menschen gleichen Geschlechts gerichteten Sexualempfindens. Im nichtwissenschaftlichen, volkstümlichen Sinne gilt Homosexualität ausschließlich für die gleichgeschlechtliche Liebe zwischen Männern, während lesbisch, lesbische Liebe auf das weibl. Geschlecht beschränkt ist. Grundwort – wie

271

auch für das danebenstehende Adj. **homosexuell** – ist *lat.* sexus „Geschlecht" (vgl. *Sexus*, sexuell), das Bestimmungswort stammt von *gr.* homós „gemeinsam, gleich, ähnlich" (vgl. *homo*...).

Homunkulus *m* „künstlich in der Retorte erzeugter Mensch": Das FW ist identisch mit *lat.* homunculus „Menschlein, Männlein, schwaches Geschöpf". Dies ist Verkleinerungsform von *lat.* homo „Mensch", das mit einer urspr. Grundbed. „Irdischer" zur Sippe von *lat.* humus „Erde, Erdboden "(vgl. *Humus*) gehört. Die heutige Bed. besteht seit Goethes Faust.

Honig *m*: Der Honig ist nach seiner Farbe als „der [Gold]gelbe" benannt worden. Das *altgerm.* Substantiv *mhd.* honec, *ahd.* hona[n]g, *niederl.* honing, *engl.* honey, *schwed.* honung ist z. B. mit *gr.* knēkós „gelblich, saflorfarben" und *aind.* kāñcana-ḥ „golden" verwandt und gehört zu idg. *k_nəko- „gelb-[lich], goldfarben". Zus.: Honigmond, älter Honigmonat „Flitterwochen" (18. Jh.; LÜ von *frz.* lune de miel, das seinerseits LÜ von *engl.* honeymoon ist).

Honneurs *Mehrz.* „Ehrenerweisungen", bes. in der Fügung ,die Honneurs machen' im Sinne von „die Gäste gebührend willkommen heißen (bei Empfängen)": Im 18. Jh. aus *frz.* (faire les) honneurs entlehnt. Voraus liegt *lat.* honōrēs, *Mehrz.* von honor „Ehre, Ehrenbezeigung" (vgl. *honorieren*).

Honorar *s* „Vergütung" (bes. für Arbeitsleistung in freien Berufen)": Am Ende des 18. Jh.s eingedeutscht aus *lat.* honōrārium „Ehrengabe, Ehrensold; Belohnung"; zu *lat.* honor „Ehre; vgl. *honorieren*.

Honoratioren *Mehrz.* „angesehene Bürger": Im 18. Jh. aus älterem ,Honoratiores' eingedeutscht, das auf *lat.* honōrātiōrēs „die mehr als andere Geehrten" zurückgeht, Komparativ Mehrz. von honōrātus „geehrt". Stammwort ist *lat.* honor „Ehre"; vgl. *honorieren*.

honorieren „ein Honorar bezahlen; vergüten, belohnen": Im 16. Jh. aus *lat.* honōrāre „ehren, auszeichnen; belohnen" entlehnt. Zugrunde liegt das etymologisch umstrittene Subst. *lat.* honor (*alat.* honōs), dessen urspr. Bed. nicht sicher auszumachen ist. Zu einer Grundbed. „Ehre, Ansehen" (s. auch honorig) gehören verschiedene Übertragungen, die auch in Abl. und in entspr. FW sichtbar werden, u. a. „Ehrenbezeigung" (s. Honneurs), „Ehrenamt, -stellung" (s. Honoratioren), „Ehrengabe, Belohnung" (s. Honorar).

honorig „ehrenhaft, freigebig, großzügig": In der Studentensprache des ausgehenden 18. Jh.s zu *lat.* honor „Ehre" gebildet; vgl. *honorieren*.

Hopfen *m*: Der auf das *dt.* und *niederl.* Sprachgebiet beschränkte Pflanzenname (*mhd.* hopfe, *ahd.* hopfo, *mnd.* hoppe, *niederl.* hop) stellt sich wahrscheinlich zu der Sippe

von *schweiz.* Hupp[en] „buschige Quaste", Huppi „knollen- oder kugelförmiger Auswuchs". Das Wort bezog sich demnach urspr. auf die für das Bierbrauen allein wichtigen weiblichen Zapfen des Hopfens und ging dann auf die Pflanze selbst über. Abl.: hopfen „Bier mit Hopfen versetzen" (16. Jh.).

hoppeln: Das erst seit dem 17. Jh. bezeugte Verb, das heute speziell die eigentümliche Bewegungsart des Hasen bezeichnet, ist eine Iterativbildung zu *mdal.* hoppen (vgl. *hüpfen*).

hopsen: Das erst in *nhd.* Zeit bezeugte Verb ist eine Iterativbildung zu *mdal.* hoppen (vgl. *hüpfen*). Abl.: Hopser *m* „Sprung in die Höhe; eine Art Tanz" (19. Jh.).

horchen: Das auf das *Westgerm.* beschränkte Verb *mhd.* hŏrchen, *spätahd.* hŏrechen, *mnd.* horken, *engl.* to hark ist von dem unter → *hören* dargestellten Verb weitergebildet. Dem *oberd.* Sprachgebiet war ,horchen' in den älteren Sprachzuständen fremd. Erst seit dem 16. Jh. hat es sich allmählich gegenüber *oberd.* losen „hören" (s. d.) durchgesetzt. Das Verb horchen wird, wie auch ,hören', im Sinne von „auf etwas hören, einem Rat oder einer Aufforderung nachkommen" gebraucht. Gewöhnlich steht dafür aber die ge-Bildung gehorchen (*mitteld.* gehŏrchen „zuhören; gehorsam sein"). Abl.: Horcher *m* (17. Jh.).

Horde *w* „umherziehende, wilde Schar": Das seit dem 15. Jh. bezeugte Subst., das zunächst nur umherziehende Tatarenstämme bezeichnete, beruht auf Entlehnung aus *türk.* ordu „Heer" (< *tatar.* urdu „Lager"), das die europ. Sprachen über den Balkan und Polen (beachte *poln.* horda „Horde") erreichte.

hören: Das *gemeingerm.* Verb *mhd.* hēren, *ahd.* hōran, hŏr[r]en, *got.* hausjan, *engl.* to hear, *schwed.* hōra gehört mit verwandten Wörtern in anderen *idg.* Sprachen, vgl. z. B. *lat.* cavēre „sich in acht nehmen" (s. Kaution) und *gr.* akoúein „hören; gehorchen" (s. akustisch), zu der *idg.* Wz. *keu[s]-„worauf achten, merken, bemerken, hören, sehen". Eine mit s- anlautende Wurzelform *skeu- liegt vermutlich der Wortgruppe von → *schauen* zugrunde. – Das Verb hören wird wie das weitergebildete → *horchen* auch im Sinne von „auf etwas hören, einem Rate oder einer Aufforderung nachkommen" gebraucht, beachte auch die Adjektivbildung → *gehorsam*. Die ge-Bildung → *gehören* (dazu gehörig) hat sich in der Bedeutung vom einfachen Verb gelöst. Eine ähnliche Bedeutungsgeschichte wie ,gehören' hat das im *Nhd.* untergegangene Verb behören, zu dem sich die Substantivbildungen → *Behörde* und → *Zubehör* stellen. Auch in der Zus. aufhören (*spätmhd.* ŭfhēren) ist die Bedeutung des einfachen Verbs völlig verblaßt. Die Bed. „beenden, einstellen, nachlassen" hat sich wohl aus „aufhorchend von etwas ablassen" entwickelt. – Enger an das Simplex schließen sich an erhören (*mhd.* erhœren „hören, wahrnehmen; anhören, anhörend erfüllen"), dazu unerhört (*spätmhd.* unerhört; eigtl. „nie gehört, beispiellos"), überhören (*mhd.* überhœren „aufsagen lassen, lesen lassen, befragen; nicht hören; nicht befolgen"), verhören (*mhd.* verhœren „hören, anhören, vernehmen, prüfen; erhören; überhören"), dazu Verhör *s* (*mhd.* verhœre „Vernehmung, Befragung"). Abl.: Hörer *m* (*mhd.* hœrer, hœrære „Zuhörer"; heute wird Hörer auch im Sinne von „Telefonhörer" gebraucht); hörig (*mhd.* hœrec „hörend auf, folgsam; leibeigen"), subst. Hörige *m*; Gehör *s* (*mhd.* gehœr[d]e „das Hören; der Gehörsinn"). Zus.: Hörensagen (15. Jh.; aus der Verbindung 'ich habe es hören sagen' hervorgegangen); Hörrohr (18. Jh.); Hörsaal (18. Jh.).

Horizont *m* „scheinbare Begrenzungslinie zwischen Himmel und Erde; Sichtgrenze; Gesichtskreis (auch im übertr. Sinne)": Im 17. Jh. entlehnt aus *lat.* horizōn (Gen.: horizontis) < *gr.* horízōn (ergänze: kýklos) „Grenzlinie, Grenzkreis, Gesichtskreis"; zu horízein „begrenzen", das mit einer übertr. Bed. „abgrenzen, genau bestimmen" auch im Kompositum aph-orízein (s. Aphorismus, aphoristisch) vorliegt. Stammwort ist *gr.* hóros „Grenze, Grenzstein, Ziel", dessen Etymologie unsicher ist. – Dazu das Adj. horizontal „zum Horizont gehörig, waagrecht" (16. Jh.), das auch substantiviert als Horizontale *w* „waagrechte Gerade" erscheint.

Hormon *s* „körpereigener Wirkstoff (Med.)": Gelehrte Neubildung des 20. Jh.s zu *gr.* hormān „in Bewegung setzen, antreiben, anregen", einer Ableitung von *gr.* hormḗ „Anlauf, Angriff; Antrieb". Dies gehört zur *idg.* Sippe von →Rhythmus und →Strom. – Dazu das Adj. hormonal „die Hormone betreffend" (20. Jh.).

Horn *s*: Das *gemeingerm.* Wort *mhd.*, *ahd.* horn, *got.* haúrn, *engl.* horn, *schwed.* horn ist, wie z. B. auch das verwandte *lat.* cornū „Horn", eine Bildung zu der unter →Hirn dargestellten *idg.* Wz. *k̑er[ə]-, die urspr. das Horn bzw. Geweih auf dem Tierkopf bezeichnete. In früher Zeit wurde das Tierhorn hauptsächlich als Trinkgefäß und als Blasinstrument verwendet. Seit alters bezeichnet das Wort auch aus Horn hergestellte Gegenstände, ferner ist es Stoffbezeichnung und wird auch im Sinne von 'hornförmiges Gebilde' und 'hornartige Masse' gebraucht, beachte z. B. Horn *mdal.* für „Landspitze", Hörnchen „Gebäckart", Pulverhorn, Hornhaut, Hornbrille. Abl.: hornen, hürnen veralt. für „hörnern" (*mhd.* hürnīn, hornen, *ahd.* hurnīn); hörnern (17. Jh.); hornig (16. Jh.); Hornist *m* „Hornbläser" (19. Jh.; beachte schon *got.* haúrnja „Horn-

bläser", haúrnjan „trompeten"). Zus.: Hornblende „eine Art Mineral" (18. Jh.; s. blenden).

Hornisse *w*: Das Insekt ist nach seinen knieförmig gebogenen Fühlhörnern benannt. Der *westgerm.* Name *mhd.* horniz (-uz), *ahd.* hornaz, hurnuz, *mniederl.* hornet, *engl.* hornet ist, wie z. B. auch die verwandten *lat.* crābrō „Hornisse" und *russ.* šéršen' „Hornisse", eine Bildung zu der unter →Hirn dargestellten *idg.* Wurzel und bedeutet demnach eigtl. „gehörntes Tier".

Hornung *m*: Die alte einheimische Benennung des Februars bezieht sich wahrscheinlich auf die verkürzte Anzahl von Tagen dieses Monats im Vergleich zu den anderen elf Monaten und spiegelt somit bereits römische Kalendereinflüsse wider. *Mhd.*, *ahd.* hornunc „Februar" entsprechen im *germ.* Sprachbereich *afries.* horning „Bastard", *aengl.* hornung[sunu] „Bastard", *aisl.* hornungr „Bastard, Kebssohn" (eigtl. „der aus der Ecke Stammende, der im Winkel Gezeugte"), die von dem *gemeingerm.* Wort *hurna- „Horn; Spitze; Ecke" abgeleitet sind (vgl. *Horn*). Der Hornung ist also „der [in der Anzahl der Tage] zu kurz Gekommene".

Horoskop *s* „astrologische Zukunftsdeutung": Ein aus Schillers Piccolomini bekanntes FW, das auf *spätlat.* hōroscopĭum < *gr.* hōro-skopeîon zurückgeht. Es ist dies der Name eines Werkzeugs – eigtl. „Stundenschauer" –, das zur Ermittlung der Planetenkonstellation bei der Geburt eines Menschen diente und eine dementsprechende Schicksalsdeutung ermöglichte. – Das Grundwort von *gr.* hōroskopeîon gehört im Ablaut zu *gr.* sképtesthai „spähen, schauen, betrachten" (vgl. *...skop* und *Skepsis*). Bestimmungswort ist *gr.* hōra „Stunde" (vgl. das LW →*Uhr*).

Horst *m*: Die auf das *Westgerm.* beschränkte Substantivbildung *mhd.*, *ahd.* hurst „Gesträuch, Hecke, Dickicht", *mnd.* horst „Krüppelholz,' niedriges Gestrüpp", *engl.* hurst „Wäldchen, Gehölz; [bewaldeter] Hügel; Sandbank" gehört zu der unter → *Hürde* (eigtl. „Flechtwerk") dargestellten *idg.* Wortgruppe. Beachte die ablautende Bildung *asächs.* harst „Flechtwerk; Lattenrost", *mnd.* harst „Reisig; Gebüsch". – Die heute allein übliche Bed. „Raubvogelnest" stammt aus der *ostmitteld.* Weidmannssprache und ist seit dem 18. Jh. gemeinsprachlich geworden. Abl.: horsten „nisten", von Raubvögeln (18. Jh.).

Hort *m*: Das *gemeingerm.* Substantiv *mhd.*, *ahd.* hort „Schatz; das Angehäufte, Fülle, Menge", *got.* huzd „Schatz", *engl.* hoard „Schatz; Vorrat", *aisl.* hodd „Schatz, Gold" gehört im Sinne von „das Bedeckte, das Verborgene" zu der vielfach weitergebildeten und erweiterten *idg.* Wz. *[s]keu- „bedecken, umhüllen" (vgl. *Scheune*). Mit *germ.* *huzdō-

273

„Hort" näher verwandt sind die Sippen von → Haus und → Hose. – Im *Nhd.* wird 'Hort' – zunächst biblisch, auf Gott bezogen – auch im Sinne von „sicherer Ort, Schutz, Zuflucht" gebraucht. An diese Bedeutung schließt sich die Zus. **Kinderhort** „Obhut für Kinder" (19. Jh.) an, beachte auch **Hortnerin** *w* „Kindergärtnerin". Abl.: **horten** „ansammeln, anhäufen" (20. Jh.).

Hortensie *w* (Zierstrauch): Eine von dem franz. Botaniker Commerson im 18. Jh. entdeckte asiat. Zierpflanze, die von ihm nach seiner Reisegefährtin Hortense Lepaute benannt wurde. Der Vorname Hortense gehört zu *lat.* hortus „Garten" (vgl. *Garten*).

Hose *w*: *Mhd.* hose, *ahd.* hosa „Bekleidung der [Unter]schenkel samt den Füßen", *asächs.* hosa „eine Art Jagdstrumpf", *aengl.* hosa „Strumpf, Bein- oder Fußbekleidung", *aisl.* hosa „Langstrumpf, Hose" gehen auf *germ.* *husōn- zurück, das in altgermanischer Zeit wahrscheinlich die mit Riemen um die Unterschenkel geschnürten Tuch- oder Lederlappen bezeichnete. Das *germ.* Wort gehört im Sinne von „Hülle, Bedeckung" zu der weitverästelten *idg.* Wortgruppe der Wz. *[s]keu- „bedecken, umhüllen" (vgl. *Scheune*) und ist näher verwandt mit den Sippen von → Haus und → Hort. – Bis zum Beginn der Neuzeit bezeichnete 'Hose' im *Dt.* lediglich die Bekleidung der [Unter]schenkel samt den Füßen, während das nicht mehr gebräuchliche **Bruch** *w* (beachte *engl.* breeches) die Bekleidung des Unterleibs samt den Oberschenkeln bezeichnete. Als im 16. Jh. ein Kleidungsstück in Gebrauch kam, das den Unterleib und die Schenkel bis an die Füße bedeckte, ging 'Hose' auf dieses Kleidungsstück über. – Nach der Ähnlichkeit mit der Form einer Hose bzw. eines Hosenbeins spricht man auch von **Wasserhose** (18. Jh.) und **Windhose** (19. Jh.), beachte *engl.* hose, das auch „Schlauch" bedeutet. Zus.: **Hosenmatz** (20. Jh.); **Hosenträger** (19. Jh.).

Hospital *s* „Krankenhaus", dafür veraltend, aber noch *landsch.* auch: **Spital** *s*: Das früher auch im Sinne von „Armenhaus, Altersheim" gebrauchte Wort ist schon im *Ahd.* bezeugt in der verdeutlichenden Zus. hospitālhūs (*mhd.* hospitāl[e]). Es geht wie *frz.* hôtel (s. Hotel, Hotelier) auf das *lat.* Adj. hospitālis „gastlich, gastfreundlich" zurück, das im *Spätlat.* substantiviert erscheint als hospitāle „Gast[schlaf]zimmer". Stammwort ist *lat.* hospēs (hospitis) „Gastfreund", das u. a. auch in unserem aus dem *Engl.* entlehnten FW → Hostess lebt. Mit den Abl. hospitālis „Gastfreundschaft; Herberge" (s. Hospiz) und hospitārī „Gast sein, als Gast bewirtet werden; einkehren" (s. hospitieren) gehört *lat.* hospēs zur Wortfamilie von *lat.* hostis „Fremdling; Feind" und damit zur *idg.* Sippe des urverw. Substantivs

→ *Gast*. Üblicherweise gilt dabei *lat.* hospēs als alte Zus. *hosti-pot-s, „Herr des Fremden, Gastherr", mit genauer Entsprechung in *russ.* gospód' „Herr, Gott", wozu die *russ.* Anrede gospodín „Herr" gehört. Über weitere Zusammenhänge dieser Sippe – besonders über Begriffsbildung usw. – vgl. den Artikel *Gast*.

hospitieren „als Gast zuhören (insbes. von Studenten während ihres Praktikums an [höheren] Schulen)": Gelehrte Entlehnung des 18./19. Jh.s aus *lat.* hospitārī „zu Gast sein, als Gast einkehren"; vgl. *Hospital*. – Dazu **Hospitant** *m* „Gasthörer" (18./19.Jh.).

Hospiz *s* „Beherbergungsbetrieb (mit christl. Hausordnung)": Das Hospiz war urspr. eine christliche Herberge für Reisende, insbesondere für Pilger und Mönche, also eine Art Herbergskloster, wie es z. B. heute noch auf dem St.-Bernhard-Paß existiert. Das Wort wurde im 19. Jh. aus älterem Hospitium eingedeutscht, das *lat.* hospitium „Gastfreundschaft; Bewirtung; Herberge" entspricht; vgl. *Hospital*.

Hostess *w*: Junges LW des 20. Jh.s aus dem *Engl.*, das ganz allgemein etwa „Gastgeberin" bedeutet, aber speziell im Sinne von „Stewardeß; Begleiterin, Betreuerin, Führerin (auf Ausstellungen)" verwendet wird. *Engl.* hostess geht auf *afrz.* [h]ostesse (*frz.* hôtesse) zurück, eine Femininbildung zu entspr. *afrz.* [h]oste (*frz.* hôte) „Gastgeber; Gast". Voraus liegt *lat.* hospēs (Akk.: hospit-em) „Gastfreund"; vgl. *Hospital*.

Hostie *w* „ungesäuertes geweihtes Abendmahlsbrot (in Form einer runden Oblate, die dem Katholiken und Lutheraner bei der Kommunion bzw. Konfirmation gereicht wird)": Das in *mhd.* Zeit aus *lat.* hostia „Opfertier; Opfer, Sühnopfer" entlehnte Wort weist in den sakralen Bereich kultischen Geschehens. In den christl. Wortschatz übernommen, wurde es zur sinnbildl. Bezeichnung für das Opfer Christi, der als „Opferlamm" die Schuld des Menschen vor Gott gesühnt hat. – Die Etymologie von *lat.* hostia ist umstritten.

Hotel *s* „vornehmes Gasthaus": Im 18. Jh. aus *frz.* hôtel (< *afrz.* [h]ostel) entlehnt, das auf *spätlat.* hospitāle „Gast[schlaf]zimmer" zurückgeht; vgl. *Hospital*. – Dazu: **Hotelier** *m* „Hotelbesitzer" (19. Jh.; aus *frz.* hôtelier).

Hub *m*: Das seit dem 17. Jh. im Sinne von „das Heben; das Gehobene" bezeugte Wort, das heute im wesentlichen in technischer Fachsprache gebräuchlich ist (beachte **Hubbrücke**, **Hubraum**, **Hubschrauber**), ist eine Substantivbildung zu → *heben*.

Hübel *m* veralt., aber noch *mdal.* für „kleine Erhöhung, Hügel": Das auf das *dt.* und *niederl.* Sprachgebiet beschränkte Substantiv (*mhd.* hübel, *ahd.* hubil, *asächs.* huvil, *niederl.* heuvel) gehört zu der p-Erweiterung der

unter →*hoch* dargestellten *idg.* Wz. *keu-
„biegen". Zu dieser Erweiterung stellen sich
aus dem *germ.* Sprachbereich wahrscheinlich
die Sippe von Hof (s. d.) und aus anderen
idg. Sprachen z. B. die *baltoslav.* Sippe von
russ. kúpa „Haufen, Menge" und *lat.* cūpa
„Kufe, Tonne" (s. ²Kufe und Kübel; s.
auch den Artikel Kopf). – Von 'Hübel'
abgeleitet ist das Verb →hobeln, eigtl. „Unebenheiten beseitigen".

hübsch: *Afrz.* corteis „hofgemäß, fein, gebildet und gesittet", das eine Ableitung von
afrz. co[u]rt „Hof; Fürstenhof; der Fürst
und die ihn umgebenden Edlen" ist, wurde
im 12. Jh. als kurteis zunächst ins *Mhd.* entlehnt, dann in *mfränk.* hövesch, hüvesch,
mhd. hüb[e]sch nachgebildet. Das von dem
unter '→*Hof* dargestellten Substantiv abgeleitete 'hübsch' wandelte im 16. Jh. seine Bed.
von „hofgemäß, fein, gebildet und gesittet"
zu „schön, angenehm, nett".

huckepack, in der Wendung 'huckepack tragen': Das im wesentlichen kindersprachliche
Wort hat sich seit dem →*Niederd.* ausgehend
dem 18. Jh. im *dt.* Sprachgebiet durchgesetzt. *Niederd.* huckebak ist zusammengesetzt
aus hucken „eine Last auf den Rücken nehmen" (vgl. ¹Hocke) und back „Rücken"
(vgl. ²*Backe*).

Hudel *m* (veralt. *mdal.* für: „Lappen; Lumpen; Lump"): Das erst *spätmhd.* bezeugte
Wort (hudel, daneben auch huder) steht
vielleicht im Ablaut zu der Sippe von →¹*Hader.* Abl.: h u d e l n „nachlässig sein oder
handeln", älter auch „hänseln, plagen"
(16. Jh.; eigtl. wohl „zerfetzen; schlampen");
heute bes. in der Zus. l o b h u d e l n „übertrieben loben" gebräuchlich), dazu H u d e -
l e r *m* „Stümper, Pfuscher" und H u d e l e i *w*
„Stümperei, Pfuscherei".

Huf *m:* Das *altgerm.* Wort *mhd.,* *ahd.* huof,
engl. hoof, *schwed.* hov hat lediglich im *Indo-
iran.* eine Entsprechung: *aind.* śaphá-ḥ
„Huf; Klaue", *awest.* safa- „Huf". Da weitere Anknüpfungen fehlen, ist eine Deutung
des Wortes nicht möglich. – Die Ableitungen -hufig und -hufer kommen nur in Zus.
vor, beachte z. B. harthufig und Paarhufer. Zus.: Hufeisen (*mhd.* huofīsen,
ahd. huofīsin) / Huflattich (*mhd.* huoflete-
che, *ahd.* huoflettihha; die Pflanze ist nach
der Ähnlichkeit mit der Form eines Pferde-
hufes benannt; zum zweiten Bestandteil s.
Lattich) / Hufschmied (*mhd.* huofsmit).

Hufe *w* „ein bestimmtes Acker- bzw. Land-
maß; ehemaliges Durchschnittsmaß bäuerlichen Grundbesitzes, kleiner Hof": Das auf
das *dt.* und *niederl.* Sprachgebiet beschränkte
Substantiv *mhd.* huobe, *ahd.* huoba, *mnd.*
höve, *niederl.* hœve ist mit *gr.* kēpos „Garten, eingehegtes, bepflanztes Land" und
alban. kopshtë „Garten" verwandt. Die weitere Herleitung dieser Sippe ist unklar. –
Das Wort Hufe ist in *mitteld.-niederd.* Lau-

tung hochsprachlich geworden; *südd.,* *östr.*
und *schweiz.* entspricht Hube. Die heute
veraltete Abl. Hufner, Hüfner, *südd.,*
östr. und *schweiz.* Huber, Hubner, Hüb-
ner ist ein gebräuchlicher Familienname.
Ähnlich wie mit dem FN Meier werden mit
dem FN Huber in Süddeutschland Zus. gebildet, beachte z. B. Krafthuber, Ver-
einshuber, Schwindelhuber.

Hüfte *w:* Die *germ.* Körperteilbezeichnung
mhd., ahd. huf, *got.* hups, *engl.* hip gehört im
Sinne von „Biegung (am Körper), gebogener
Körperteil, Gelenk" zu der b-Erweiterung
der unter →*hoch* dargestellten *idg.* Wz. *keu-
„biegen". Vgl. aus anderen *idg.* Sprachen
z. B. *lat.* cubitum „Ellenbogen". Näher verwandt im *germ.* Sprachbereich sind die Sippen von →Haufe (eigtl. „Ausbiegung, Wölbung, Buckel, Berg") und →hüpfen (eigtl.
„sich [im Tanze] biegen"). – Die *nhd.* Form
Hüfte gegenüber *mhd., ahd.* huf geht von der
Mehrzahl aus und hat, wie z. B. Saft und
Werft (s. d.), sekundäres t.

Hügel *m:* Das seit dem Anfang des 16. Jh.s
bezeugte *mitteld.* Wort, das durch Luthers
Bibelübersetzung gemeinsprachliche Geltung
erlangt hat, gehört zu der unter →*hoch* dargestellten Wortgruppe. Es ist eine im Ablaut
zu *frühnhd.* Haug, *mhd.* houc, *ahd.* houg
„Hügel" stehende Verkleinerungsbildung.
Abl.: hügelig (18. Jh.).

Huhn *s:* Im Ablaut zu *gemeingerm.* *hanan-
„Hahn" (vgl. *Hahn*) steht *germ.* *hōnes-
„Huhn", auf das *mhd., ahd.* huon, *asächs.*
hōn, *niederl.* hoen (vgl. auch die *nord.*
Sippe von *schwed.* höns „Huhn") zurück-
gehen. Zus.: Hühnerauge (s. d.).

Hühnerauge *s:* Die erst seit dem Ende des
16. Jh.s bezeugte Zusammensetzung – die
ältere Benennung ist →Leichdorn – ist vermutlich eine LÜ von *mlat.* oculus pullīnus.
Beachte auch die *mdal.* Bezeichnungen
Elsterauge, Krähenauge.

Huld *w:* *Mhd.* hulde, *ahd.* huldī „Gunst,
Wohlwollen, Freundlichkeit, Ergebenheit,
Treue", *aengl.* hyldu „Gunst, Gnade, Freundlichkeit; Treue, Ergebenheit; Schutz", *aisl.*
hylli „Gunst, Zuneigung"sind, wie z. B. Fülle
zu voll und Höhe zu hoch, Abstraktbildun-
gen zu dem unter →*hold* dargestellten Adjektiv. Abl.: h u l d i g e n (15. Jh.; für älteres
mhd. hulden), dazu H u l d i g u n g *w* (15. Jh.).

hüllen: Das *gemeingerm.* Verb *mhd.* hüllen,
ahd. hullan, *got.* huljan, *aengl.* hyllan, *schwed.*
hölja „[ein]hüllen, bedecken, verbergen"
gehört zu der unter →*hehlen* dargestellten
idg. Wortgruppe. Sowohl das einfache Verb
als auch die Zus. und Präfixbildungen ein-,
um- und verhüllen (dazu Verhüllung) werden
hauptsächlich in gehobener Sprache gebraucht. Abl.: H ü l l e *w* (*mhd.* hülle „Umhül-
lung; Mantel; Kopftuch", *ahd.* hulla „Kopftuch"; die seit dem 16. Jh. bezeugte Wendung 'Hülle und Fülle' bedeutete zunächst

Hülse

,,Kleidung und Nahrung" – letzteres aus ,,Füllung des Magens" – und bezog sich auf den allernotwendigsten Lebensunterhalt; seit dem 17. Jh. wurde 'Fülle' in seiner üblichen Bed. verstanden und die ganze Wendung in ,,Überfluß" umgedeutet).

Hülse w: Das auf das *dt.* und *niederl.* Sprachgebiet beschränkte Wort (*mhd.* hülse, *ahd.* hulsa, *niederl.* huls) ist eine Substantivbildung zu der unter →*hehlen* dargestellten *idg.* Verbalwurzel *kel- ,,verhüllen, verbergen". Abl.: enthülsen (um 1800); hülsig (17. Jh.). Zus.: Hülsenfrucht (16. Jh.).

human ,,menschlich, menschenfreundlich; gesittet, gebildet": Im 17. Jh. aus gleichbed. *lat.* hūmānus entlehnt, das mit einer urspr. Grundbed. ,,irdisch" zur Sippe von *lat.* humus ,,Erde, Erdboden" gehört; vgl. *Humus.* – Dazu seit dem 16. Jh. Humanität w ,,edle Menschlichkeit, hohe Gesittung", aus *lat.* hūmānitās, das zugleich wie das Adj. eine Bed. ,,feine, höhere Bildung, wissenschaftl. Erkenntnis" entwickelt hatte. Letztere lebt fort in den Subst. Humanismus m (18./19. Jh.) und Humanist m (18. Jh.). Ausgangspunkt für beide, wie auch für das abgel. Adj. humanistisch (18. Jh.), ist *it.* umanista. Humanismus, Humanist, humanistisch sind vor allem historische Begriffe und beziehen sich auf jene Bewegung, die die Wiederbelebung des klass. Altertums und seiner Bildungsideale anstrebte. Daneben haben diese Wörter aber auch allgemeine Bedeutung. So bedeutet Humanismus auch ,,edle Menschlichkeit", Humanist ,,Kenner der alten Sprachen" und humanistisch 1. ,,von edler Menschlichkeit", 2. (bes. in der Fügung 'humanistisches Gymnasium') ,,die alten Sprachen betreffend".

Humbug m ,,Aufschneiderei, Schwindel, Unsinn": Im 19. Jh. aus gleichbed. *engl.* humbug entlehnt, einem Slangwort unbekannter Herkunft.

Hummel w: Die Benennung der Hummel läßt sich verschieden deuten. Einerseits kann das Insekt nach seinem Summen benannt worden sein. Dann ließen sich *mhd.* hummel, humbel, *ahd.* humbal, *engl.* in humble bee, *schwed.* humla und die verwandte *baltoslaw.* Sippe von *lit.* kamanė und *russ.* šmel' ,,Hummel" auf eine lautnachahmende Wz. *kem- ,,summen" zurückführen, vgl. *mhd.* hummen ,,summen", *engl.* to hum ,,summen, brummen, murmeln, rauschen". Andererseits kann der Name der Hummel als ,,Bewohner des Klumpens (Erdreiches, Mooses)" aufgefaßt werden. Dann würde er zu der unter →*hemmen* dargestellten *idg.* Wurzel gehören, vgl. z. B. *russ.* kom ,,Klumpen", *lit.* kiminaĩ ,,Moos".

Hummer m: Der Name des Schalentieres scheint sich von Skandinavien, an dessen norwegischer Küste seit alters gute Möglichkeiten für den Hummerfang bestehen,

ausgebreitet zu haben. Im *dt.* Sprachgebiet war das Wort zunächst auf das *Niederd.* beschränkt. Seit dem 16. Jh. erlangte es gemeinsprachliche Geltung. *Niederd.* hummer, *isl.* humar, *norw., schwed., dän.* hummer, mit denen wahrscheinlich *gr.* kámmaros ,,eine Art Krebs" verwandt ist, gehören vermutlich im Sinne von ,,gewölbtes oder [mit einer Schale] bedecktes Tier" zu der unter →*Hemd* dargestellten *idg.* Wz. *k̂em- ,,bedecken, umhüllen".

Humor m: Die seelische Gestimmtheit des Menschen ist nach antiken Anschauungen abhängig von verschiedenen, im Körper wirksamen Säften (s. hierzu auch die Bez. der Grundtemperamente: →cholerisch, →melancholisch, →phlegmatisch, →sanguinisch). In der mittelalterl. Naturlehre hießen diese Säfte hūmōrēs ,,Feuchtigkeiten" (zu *lat.* hūmor ,,Feuchtigkeit"), woraus sich allmählich eine allgemeine Bed. ,,Temperament" im Sinne von ,,(schlechte oder gute) Stimmung, Laune" entwickelte. Die Geschichte der heute allein üblichen rein positiven Bed. des Wortes Humor, das formal (in der Endbetonung) an entspr. *frz.* humeur angeglichen ist, weist nach England. Dort entstand im 17./18. Jh. unter dem Namen humour (< *afrz.* humour < *lat.* hūmōr-em) eine besondere Stilgattung, deren Hauptanliegen die Darstellung der verspielten Heiterkeit war, die von komischen Situationen ausging. Das allem zugrunde liegende Subst. *lat.* hūmor (besser: ūmor) ,,Feuchtigkeit" gehört mit ūmēre ,,feucht sein", ūmidus ,,feucht" zu einer *idg.* Sippe, die im *Germ.* nur mit →*Ochse* (eigtl.: ,,Befeuchter, Besamer") vertreten ist. – Abl.: humorig ,,launig, mit Humor" (20. Jh.); Humoreske w ,,kleine humoristische Erzählung" (deutsche Bildung des 19. Jh.s nach Vorbildern wie Burleske und Groteske); Humorist m ,,jmd., der mit Humor schreibt, darstellt, vorträgt usw." (im 18. Jh. aus *engl.* humorist entlehnt); humoristisch (18. Jh.).

humpeln: Das urspr. *niederd.* Verb hat sich seit dem 18. Jh. über das *dt.* Sprachgebiet ausgebreitet. *Niederd.* humpeln, *niederl.* hompelen ,,hinken" sind vielleicht, wie z. B. auch rumpeln und *mdal.* pumpern, lautmalenden Ursprungs oder können zu einer nasalierten Form *kumb[h]- (vgl. *Humpen*) der unter →*hoch* dargestellten *idg.* Wurzel gehören, vgl. die Bedeutungsverhältnisse in der Sippe von hüpfen.

Humpen m: Das erst seit dem 16. Jh., zunächst im *ostmitteld.* Schrifttum bezeugte Wort stammt vermutlich aus der Leipziger Studentensprache. Es gehört wohl zu der Sippe von *niederd.* hump[e] ,,Klumpen, Bukkel", *nordd.* Humpel ,,Unebenheit, Höcker, Buckel", vgl. *engl.* hump ,,Buckel, Höcker", *norw.* hump ,,Bergknollen" und *außergerm.* z. B. *aind.* kumbhá-ḥ ,,Topf, Krug", *gr.*

276

kýmbos „Gefäß, Schale" (s. Zimbel). Es liegt vielleicht eine nasalierte Form *kumb[h]- der unter →*hoch* dargestellten *idg.* Wurzel zugrunde.

Humus *m* „fruchtbarer Bestandteil des Erdbodens": Das FW ist identisch mit *lat.* humus „Erde, Erdboden", das zur gleichbed. *idg.* Nominalwurzel *ĝhdem-, ĝh[d]om- gehört. In anderen *idg.* Sprachen entsprechen z. B. *gr.* chthṓn „Erde" mit dem Adj. chthónios „erdgebunden, unterirdisch", ferner das *gr.* Adv. chamaí „zur Erde hin, auf der Erde" (als Bestimmungswort in →*Chamäleon*). Zur gleichen Wurzel gehört die bereits grundsprachliche Benennung des Menschen als eines „auf der Erde Lebenden, Irdischen", so z. B. in *lat.* homo „Mensch, Mann" (s. Homunkulus), hūmānus „menschlich; menschenwürdig, menschenfreundlich; fein gebildet" (s. human, Humanität, Humanismus, humanistisch) und in *ahd.* gomo „Mensch, Mann" (entspr. *got.* guma, *aisl.* gumi), das nur noch in →*Bräutigam* erhalten ist.

Hund *m*: Der Hund ist wahrscheinlich das älteste Haustier der Indogermanen. *Gemeingerm.* *hunda-* „Hund", das *mhd.*, *ahd.* hunt, *got.* hunds, *engl.* hound, *schwed.* hund zugrunde liegt, geht mit verwandten Wörtern in den meisten anderen *idg.* Sprachen – z. B. *gr.* kýōn „Hund" (s. zynisch) und *lat.* canis „Hund" (s. Kanaille) – auf *idg.* *k̑úu̯ō[n]*, Gen. *k̑unós* „Hund" zurück. – Die Rolle des Hundes kommt sprachlich sehr unterschiedlich zum Ausdruck. Einerseits gilt der Hund seit alters als treuer Begleiter und Diener des Menschen, als Helfer bei der Jagd und als Bewacher und Schützer der Herden und des Eigentums, beachte z. B. die Zus. Hundeblick „treuer Blick", Hofhund, Jagdhund, Schäferhund, Schießhund, eigtl. „Hund, der das angeschossene Wild aufzuspüren hat", Wachhund. Andererseits gilt der Hund als niedere, getretene und geprügelte Kreatur und wird wegen seiner Unterwürfigkeit verachtet, beachte die Abl. hündisch (s. u.), 'Hund' als Schimpfwort und die Zus. Hundesohn, Hundsfott (s. u.), Schweinehund, ferner die Zus. Hundefraß, Hundeleben, Hundelohn. Außerdem steht 'Hund' in Zus. verstärkend für etwas Schlechtes, z. B. in hundsgemein, hundekalt, hundsmiserabel. Die wichtige Stellung, die der Hund im Leben der Menschen einnimmt, spiegelt sich auch in zahlreichen Wendungen und Redensarten wider, beachte z. B. 'auf den Hund kommen', 'vor die Hunde gehen', 'ein ganz dicker Hund'. In der Bergmannssprache bezeichnet 'Hund' – auch in der Form Hunt gebräuchlich – den Förderkarren (beachte zu ähnlichen Übertragungen von Tiernamen z. B. die Artikel Kran und Wolf). Abl.: hündisch „kriecherisch, unterwürfig, gemein" (15. Jh.);

hunzen (s. d.). Zus.: Hundsfott „Schurke, Schuft" (16. Jh.; das heute nicht mehr als gemein empfundene Schimpfwort bezeichnet eigtl. den Geschlechtsteil der Hündin, vgl. zum zweiten Bestandteil den Artikel Fotze; die Zus. bezieht sich auf die Schamlosigkeit der läufigen Hündin), davon hundsföttisch (16. Jh.); Hundstage *Mehrz.* „die Tage vom 24. Juli bis zum 23. August" (15. Jh., *mhd.* hundetac und huntlȋch tage; LÜ von *lat.* diēs canīculārēs; die Tage, an denen es gewöhnlich sehr heiß ist, haben ihren Namen daher, weil sie unter dem Sternbild canīcula, dem Hund des Orion, stehen).

hundert: In *frühmhd.* Zeit wurde das Zahlwort hundert aus *asächs.* hunderod, dem *aengl.* hundred und *aisl.* hundrað entsprechen, entlehnt. Diese Formen beruhen auf einer Zusammensetzung, deren Grundwort *germ.* *raþa-* „Zahl" (vgl. *Rede*) ist. Das Bestimmungswort ist *germ.* *hunda-* „hundert" (*ahd.* hunt, *asächs.* hund, *got.* hunda *Mehrz.*, *aengl.* hund), das mit verwandten Zahlwörtern in den meisten anderen *idg.* Sprachen – z. B. *aind.* śatám, *gr.* hekatón (s. hekto..., Hektar) und *lat.* centum (s. Zentner, Zentimeter, Prozent) – auf *idg.* *k̑m̥tóm* „hundert" zurückgeht. Das *idg.* Zahlwort ist vermutlich eine uralte Bildung zu *dek̑m̥[t]-* „zehn" und bedeutete demnach urspr. „Zehnerdekade, Zehnheit von Zehnern".

Hüne *m*: Das Wort für „Riese, großer, breitschultriger Mann" ist in *niederd.* Lautung – *mhd.* entspricht hiune, *frühnhd.* Heune – seit dem 19. Jh. gemeinsprachlich geworden. Es ist identisch mit *mnd.* hūne, *mhd.* hiune „Hunne; Ungar"; dies geht aus von dem Namen des innerasiatischen Reitervolkes, das im 4. Jh. n. Chr. ins Gotenreich einbrach. Beachte *mlat.* Hun[n]i (daraus *dt.* Hunnen), *spätgr.* Hoȗn[n]oi und hiung-nu in alten *chines.* Quellen. Abl.: hünenhaft (19. Jh.). Zus.: Hünengrab (16. Jh.).

Hunger *m*: Das *gemeingerm.* Substantiv *mhd.* hunger, *ahd.* hungar, *got.* (mit gramm. Wechsel) hūhrus, *engl.* hunger, *schwed.* hunger gehört im Sinne von „Brennen, brennendes Verlangen" zu der *idg.* Wurzelform *kenk-* „brennen" (auch vom Schmerz, Durst, Hunger). Vgl. aus anderen *idg.* Sprachen z. B. *gr.* kánkanos „dürr", *gr.* kénkei „er hungert", *lit.* keñkti „wehtun; schaden". Abl.: hungern (*mhd.* hungern, *ahd.* hungiren, mit Entsprechungen in den anderen *germ.* Sprachen; beachte auch aushungern „durch Hunger zur Übergabe zwingen" und verhungern „an Hunger zugrunde gehen"); hungrig (*mhd.* hungerec, *ahd.* hung[a]rag). Zus.: Hungerkünstler (20. Jh.); Hungerleider (17. Jh.); Hungersnot (*mhd.* hungersnōt); Hungertuch (*mhd.* hungertuoch „Altarvelum, Tuch, mit dem in der Fastenzeit der Altar verhüllt wird"; aus dem Brauch, das Fasten-velum zu nähen, um mit diesem den Altar zu verhüllen und die Gläubigen zur Buße zu mahnen, ging die seit dem 16. Jh. bezeugte Wendung 'am Hungertuch nähen' hervor, später umgedeutet in 'am Hungertuch na-gen').

hunzen veraltet, noch *mdal.* für „wie einen Hund ausschimpfen oder behandeln, schin-den, plagen", auch „verderben", dafür heute verhunzen: Das Verb ist erst in *nhd.* Zeit von →*Hund* abgeleitet. Ähnlich gebildet ist z. B. duzen „jemanden du nennen".

Hupe *w*: Das seit 1898 in der Bed. „Signal-instrument für Kraftfahrzeuge" bezeugte Wort hängt mit *mdal.* Ausdrücken für „Pfeife, Flöte" zusammen, die schallnach-ahmender Herkunft sind. Vgl. z. B. *mdal.* Huppe „kleine, schlechtklingende Pfeife" (19. Jh.), Hub[en] „aus Rinde geschnitzte Pfeife" (18. Jh.). Abl.: hupen (20. Jh.). Zus.: Lichthupe (20. Jh.).

hüpfen: Die *germ.* Wortgruppe der Inten-sivbildung hüpfen (*mhd.* hüpfen, *niederd.* hüp-pen) gehört im Sinne von „sich [im Tanze] biegen, sich drehen" zu der unter →*hoch* dargestellten *idg.* Wz. *keu- „biegen". An-dere Verbalbildungen sind *mhd.* hopfen, hupfen „springen, hüpfen", *nhd.* (veralt.) hupfen, vgl. *engl.* to hop, *schwed.* hoppa, ferner *nhd.*, *mdal.* hoppen, auch huppen „springen, hüpfen; hinken; wippen; schwan-ken", dazu hoppeln (s. d.) und hopsen (s. d.), vgl. auch *engl.* to hobble „hinken, humpeln". Hierher gehört vielleicht weiter-hin als „[vor Erwartung] zappeln, aufge-regt umherhüpfen" die Sippe von →*hoffen*. Abl.: Hüpferling *m* „eine Art Krebs" (18. Jh.).

Hürde *w*: Mhd. hurt „Flechtwerk (als Zaun, Tür, Brücke, Belagerungsmaschine, Falle, Scheiterhaufen)", *ahd.* hurd „Flechtwerk aus Reisern oder Weiden, Hürde", *got.* haúrds „Tür", *aengl.* hyrd „Tür", *aisl.* hurð „Tür-[flügel]" gehören mit verwandten Wörtern in anderen *idg.* Sprachen zu der Wurzelform *ker[ə]-t- „drehen, winden, flechten". Im *germ.* Sprachbereich ist verwandt die Sippe von →*Horst* „Raubvogelnest". *Außergerm.* vergleichen sich z. B. *gr.* kýrtos „Fisch-reuse; Käfig", *lat.* crātis „Flechtwerk aus Ästen oder Ruten, Hürde, Rost" (s. Grill), crassus „dick, derb, groß", eigtl. fest zusam-mengedreht, verflochten" (s. kraß). – Mund-artformen von *nhd.* Hürde sind Hurde und ²Horde „Flechtwerk; Pferch; Lattenge-stell; Rost" (s. d.). Seit dem 19. Jh. wird das Wort Hürde auch im Sinne von Flechtwerk oder Holzgestell als Hindernis beim Pferde-rennen oder Laufen gebraucht, beachte die Zus. Hürdenlauf.

Hure *w*: Die *germ.* Substantivbildung *mhd.* huore, *ahd.* huora, *niederl.* hoer, *engl.* whore, *schwed.* hora gehört zu der Wortgruppe von *ahd.* huor „außerehelicher Beischlaf oder Ehe-bruch", huorōn „außereheliche Beischlaf oder Ehebruch treiben". In anderen *idg.* Spra-chen entsprechen in der Bildung z. B. *lat.* cārus „lieb, teuer, wert" (s. Karitas) und *lett.* kārs „lüstern, begehrlich". Das zugrunde liegende *idg.* *karo-s „lieb; begehrlich" gehört zu der *idg.* Wz. *kā- „begehren, gern haben, lie-ben". – Zum Verb huren (*mhd.* huoren, *ahd.* huorōn) ist Hurerei (15. Jh.) gebildet. Zus.: Hurenhaus (15. Jh.).

hurtig: In der Blütezeit des französischen Rittertums wurde *mhd.* hurt[e] „Stoß, An-prall, stoßendes Losrennen" als Turnieraus-druck entlehnt aus gleichbed. *afrz.* hurt, das eine Rückbildung aus *afrz.* hurter „stoßen" ist (vgl. *frz.* heurter und das entlehnte *engl.* to hurt „verletzen"). Von *mhd.* hurt[e] abgeleitet ist das Adj. hurtec „schnell, ge-wandt", auf das *nhd.* hurtig zurückgeht. – Das *afrz.* hurter seinerseits ist eine Ableitung von einem aus dem *Altnord.* entlehnten hrūtr „Widder" (eigtl. „gehörntes Tier", vgl. *Hirn*) und bedeutete demnach urspr. „wie ein Widder stoßen".

huschen „flüchtig dahingleiten, sich rasch bewegen": Das seit dem 16. Jh. (zunächst in der Lautung hoschen) bezeugte Verb ist von der Interjektion husch! (*mhd.* hutsch!) abgeleitet. Die Interjektion, die wahrschein-lich schallnachahmender Herkunft ist, be-zieht sich auf rasche bzw. flüchtige Bewe-gungen. Sie erscheint auch substantiviert als Husch *m* „schnelle bzw. flüchtige Bewe-gung", älter auch im Sinne von „[Frost]-schauder; geschwinder Schlag, Ohrfeige; Regenschauer", beachte Husche *w* *ost-mitteld.* und *niederd.* für „Regenschauer".

Husten *m*: Germ. *hwōstan- „Husten", auf das *mhd.* huoste, *ahd.* huosto, *niederl.* hoest, *aengl.* hwōsta, *schwed.* hosta zurückgehen, ist eine Substantivbildung zu der das Husten-geräusch nachahmenden *idg.* Wz. *kᵘ̯ās-, be-achte z. B. *aind.* kāsáḥ- „Husten", *kásatē „er hustet" und die *baltoslaw.* Sippe von *russ.* kášel' „Husten". – Dazu stellt sich das Verb hu-sten (*mhd.* huosten, *ahd.* huostōn, *aengl.* hwōstan, *schwed.* hosta). Abl.: hüsteln (18. Jh.).

¹Hut *m*: Die *westgerm.* Benennung des Klei-dungsstückes *mhd.*, *ahd.* huot, *mnd.* hōt, *niederl.* hoed „Hut", *engl.* hood „Haube, Ka-puze" steht im Ablaut dazu der anders gebil-deten Sippe von *schwed.* hatt, *engl.* hat „Hut" und gehört zu der *germ.* Wortgruppe von →*²Hut*. Auf die Ähnlichkeit mit der Form eines Hutes beziehen sich die Zus. Finger-hut (*mhd.*, *ahd.* vingerhuot) und Zucker-hut (18. Jh.).

²Hut *w*: Das *westgerm.* Substantiv *mhd.* huote „Bewachung, Behütung, Obhut, Fürsorge; Wache; Wächter; Nachhut; Distrikt eines Försters oder Waldaufsehers; Nachstellung; Hinterhalt, Lauer", *ahd.* huota „Vorsorge,

Bewachung, Behütung, Obhut", *mnd.* höde „Hut, Obhut", *niederl.* hoede „Hut, Obhut" ist mit dem unter →¹Hut behandelten Wort verwandt und geht auf eine Wz. *kadh-* etwa „schützend bedecken, [be]hüten" zurück. Sichere *außergerm.* Anknüpfungen fehlen. – Zusammensetzungen mit ²Hut sind Obhut (17. Jh.), Nachhut (*mhd.* nāchhuote) und Vorhut (18. Jh.). Um das Verb hüten (*mhd.* hüeten, *ahd.* huotan, *niederl.* hoeden, *engl.* to heed) gruppieren sich die Abl. Hüter *m* (*mhd.* hüetære, *ahd.* huoteri) und die Präfixbildungen behüten (*mhd.* behüeten „bewahren; abhalten, verhindern; sich hüten"), dazu behutsam (16. Jh.), verhüten (*mhd.* verhüeten „behüten, bewahren; aufpassen, auflauern").

Hütte *w*: Die ursprünglich auf das *hochd.* Sprachgebiet beschränkte Substantivbildung (*mhd.* hütte, *ahd.* hutta) gehört zu der weitverzweigten *idg.* Wortgruppe der Wz. *[s]keu-* „bedecken, umhüllen" (vgl. *Scheune*). Näher verwandt sind die Sippen von →Haut und →Hode. Das *hochd.* Wort drang schon früh in den *niederd.* Sprachbereich, beachte *asächs.* hutt[i]a, und wurde aus dem *Niederd.* in die *nord.* Sprachen entlehnt, beachte *schwed.* hytt „Kabine", hytta „Hüttenwerk". Auch *frz.* hutte „Hütte, Baracke", das dem *engl.* hut „Hütte" entlehnt ist, stammt aus dem *Dt.* – Das Wort Hütte, das in den älteren Sprachzuständen auch im Sinne von „Zelt" und „Verkaufsbude" gebraucht wurde, bezeichnete zunächst einen bedeckten Schutzort, einen mit einfachen Mitteln ausgeführten Bau als Zufluchtstätte oder als Aufbewahrungsort. An diese Verwendung des Wortes schließen sich Zus. wie z. B. Bauhütte, Hundehütte und Sennhütte. Auch die Hütte im Bergbau war zunächst eine Art Schuppen, in dem Geräte und Erze aufbewahrt wurden. Bereits in *mhd.* Zeit ging das Wort auf das Gebäude bzw. Werk, in dem die Erze geschmolzen wurden, über, beachte die Zus. Hüttenwerk, Hüttenwesen, Eisenhütte, Glashütte und die Abl. verhütten (19. Jh.), dazu Verhüttung (19. Jh.). In *nhd.* Zeit wird 'Hütte' auch im Sinne von „armselige Behausung" gebraucht.

Hutzel *w*: Die Herkunft des *mdal.* Ausdruckes für „Dörrobstschnitz" (*mhd.* hutzel, hützel „getrocknete Birne, Dörrobst") ist dunkel. Um das Substantiv gruppieren sich hutzelig „runzlig, dürr, welk" (18. Jh.) und hutzeln „wie eine Hutzel einschrumpfen" (18. Jh.; *mhd.* verhützeln) sowie die Zus. Hutzelbrot „mit Hutzeln gebackenes Brot" (18. Jh.). Gebräuchlich sind auch die Zus. Hutzelmännchen und Hutzelweibchen.

Hyäne *w* „katzenartiges Raubtier (Afrikas und Asiens)": Der Name stammt aus *lat.* hyaena < *gr.* hýaina. Schon in *ahd.* Zeit ist

ijēna bezeugt, wofür im *Mhd.* verdeutlichend hientier und später hienna steht. – *Gr.* hýaina ist abgeleitet von dem mit *lat.* sūs und *nhd.* →*Sau* urverw. Subst. *gr.* hỹs „Schwein". Man darf also vermuten, daß die Hyäne wegen ihres borstigen Rückens mit einem Schwein verglichen und danach benannt wurde.

Hyazinthe *w* (zwiebeltragend. Liliengewächs): Der Name dieser im 16. Jh. aus Kleinasien eingeführten Pflanze ist ziemlich willkürlich gewählt. Denn sie ist wohl nicht identisch mit der nicht sicher gedeuteten Pflanze, welche im Altertum mit einem urspr. *voridg.*, wohl ägäischen Wort *gr.* hyákinthos >*lat.* hyacinthus hieß.

Hydra *w*: Name eines Seeungeheuers der altgriech. Sage, das von Herakles getötet wurde. In der modernen Zoologie auch Name eines Süßwasserpolypen. *Gr.* hýdra gehört im Sinne von „Wassertier, -schlange" zu *gr.* hýdōr „Wasser" (vgl. *hydro*...). Zur Begriffsbildung vgl. auch das zur gleichen *idg.* Sippe gehörende →¹Otter.

Hydrant *m* „Zapfstelle zur Wasserentnahme aus Rohrleitungen": Junge Neubildung des 19. Jh.s zu *gr.* hýdōr „Wasser" (vgl. *hydro*...).

hydro..., Hydro..., (vor Selbstlauten:) hydr..., Hydr...: Bestimmungswort von Zus. mit der Bed. „Wasser, Feuchtigkeit". Quelle ist gleichbed. *gr.* hýdōr (Gen. hýdatos), das urverw. ist mit →*Wasser*. – Zum gleichen Stammwort gehören als Abl. oder Neubildungen →Hydra (Name einer Wasserschlange) und →Hydrant.

Hygiene *w* „Gesundheitspflege, -fürsorge, -lehre; Sauberkeit": Im 18. Jh. von dem *gr.* Adj. hygieinós „gesund, der Gesundheit zuträglich" gebildet, das mit hygíeia „Gesundheit" von hygiés „gesund, munter; gut, heilsam" (eigtl.: „gut lebend") abgeleitet ist. Die Wortgruppe gehört zur *idg.* Sippe von →*keck*. – Abl.: hygienisch „der Hygiene entsprechend, gesundheitsdienlich".

Hymne *w* „feierlicher Festgesang, Lobgesang [für Gott], Weihelied": Im 18. Jh. aus *lat.* hymnus < *gr.* hýmnos entlehnt. Dies vergleicht man mit *gr.* hymḗn „Häutchen, feines Band" und stellt es mit diesem unter Annahme einer urspr. Bed. „Band; Gefüge (etwa von Tönen)" zur *idg.* Sippe von →²Saum „Rand". Die Begriffsbildung wäre dann ähnlich wie in *gr.* harmonía (s. Harmonie) und *lat.* sermō (s. Sermon).

hyper..., Hyper...: Vorsilbe mit der Bed. „über, über - hinaus, übermäßig" in *mediz.* und *biol.* Fachsprache auch mit dem Begriff der „Überfunktion", im Gegensatz zu → hypo...: Quelle ist gleichbed. *gr.* hypér, das urverw. mit *lat.* super (vgl. super...) und *nhd.* →*über*.

Hypnose *w* „schlafähnlicher Bewußtseinszustand, Zwangsschlaf": Gelehrte Neubildung des 19. Jh.s zum etwas älteren Adjektiv

hypnotisch „einschläfernd, den Willen lähmend". Dies geht auf *lat.* hypnōticus < *gr.* hypnōtikós „schläfrig; einschläfernd" zurück. Zugrunde liegt das *gr.* Subst. hýpnos „Schlaf", das mit verwandten Wörtern in anderen *idg.* Sprachen, z. B. *lat.* sopor „tiefer Schlaf", sōpīre „einschläfern" und somnus „Schlaf", zur *idg.* Wurzel *s̯u̯ep-, sup- „schlafen" gehört. – Ebenfalls eine Neubildung ist das Verb **hypnotisieren** „in Hypnose versetzen, beeinflussen, willenlos machen". Es ist zuerst im 19. Jh. im *Engl.* als to hypnotize belegt und gelangt von dort im 19./20. Jh. über *frz.* hypnotiser ins *Dt.*, zusammen mit dem abgeleiteten Subst. **Hypnotiseur** *m* (< *frz.* hypnotiseur).

hypo..., Hypo..., (vor Selbstlauten meist:) hyp..., Hyp..., (vor h:) hyph..., Hyph...: Vorsilbe mit der Bed. „unter, darunter", in der mediz. und biol. Fachsprache mit dem Begriff der „Unterfunktion": Quelle ist gleichbed. *gr.* hypó, das urverw. ist mit *lat.* sub (s. sub...) und *nhd.* → *auf.*

Hypochonder *m* „Schwermütiger, eingebildeter Kranker": Das Wort ist wie **Hypochondrie** *w* „Schwermut, Trübsinn"; eingebildetes Kranksein" eine Rückbildung des 18. Jh.s aus dem Adj. hypochondrisch „schwermütig, trübsinnig" (17. Jh.). Dies geht auf *gr.* hypo-chondriakós „am Hypochondrion leidend" zurück. Das Hypochondrion (*gr.* hypo-chóndria) bezeichnet eigtl. „das unter dem Brustknorpel Befindliche", also die gesamten Organe des Unterleibs. Dort im Unterleib war nach antiken Anschauungen Sitz und Ursache von Gemütskrank-

heiten. Die Bedeutungsübertragung ist ähnlich wie bei den FW → hysterisch, Hysterie, die allerdings mehr von weiblichen Krankheiten gelten, während hypochondrisch auf das männl. Geschlecht beschränkt ist. – Stammwort ist *gr.* chóndros „Krümchen, Korn; Knorpel, Brustknorpel", das zur *idg.* Sippe von → *Grund* gehört.

Hypothek *w* „Pfandrecht an einem Grundstück zur Sicherung einer Forderung": Im 16. Jh. eingedeutscht aus gleichbed. *lat.* hypothēca < *gr.* hypo-thḗkē (eigtl.: „Unterlage", übertr.: „Unterpfand"); zu *gr.* hypo-tithénai „darunterlegen, -stellen" (vgl. *hypo...* und *Theke*).

Hypothese *w* „Unterstellung, Voraussetzung, Annahme, unbewiesener Grundsatz": Urspr. ein philos. Fachwort, das im 18. Jh. eingedeutscht wurde aus *gr.-spätlat.* hypóthesis; zu *gr.* hypo-tithénai „[dar]unterstellen" (vgl. *hypo...* und *These*). – Dazu das Adj. **hypothetisch** „nur angenommen, auf einer unbewiesenen Vermutung beruhend, fraglich, zweifelhaft" (17. Jh.); aus *lat.* hypotheticus < *gr.* hypo-thetikós).

hysterisch „überspannt": Im 18. Jh. aus *lat.* hystericus < *gr.* hysterikós entlehnt, das eigtl. „an der Gebärmutter leidend" bedeutet. Bereits den antiken Ärzten galt die Hysterie (*gr.* tà hysterikà páthē) als typische Frauenkrankheit, die man auf krankhafte Vorgänge im Unterleib, in der Gebärmutter (*gr.* hystéra) zurückführte. Unser Subst. **Hysterie** *w* ist eine medizinisch fachsprachliche Neubildung des 18. Jh.s zum Adjektiv.

I

...iater (Grundwort von Zus. mit der Bed. „Arzt", wie in →Psychiater) ... **iatrie**(Grundwort von Zus. im Sinne von „Heilkunde"): Quelle ist *gr.* iatrós „Arzt", das auch in unseren LW →Arzt, →Arzenei vorliegt. Das zugrunde liegende Verb *gr.* iãsthai „heilen" ist nicht sicher gedeutet.

ich: Das *gemeingerm.* Personalpronomen *mhd.* ich, *ahd.* ih, *mnd.* ik, *got.* ik, *engl.* I, *schwed.* jag geht mit Entsprechungen in den anderen *idg.* Sprachen, z. B. *gr.* egṓ[n] und *lat.* egṓ (s. Egoismus), auf *idg.* *eĝom, *eĝ[ō] „ich" zurück. Die obliquen Kasus des Personalpronomens werden von anderen Stämmen gebildet. – Die substantivierte Form des Personalpronomens hat sächliches Geschlecht, beachte z. B. 'das bessere Ich'. Abl.: **Ichheit** (14. Jh.). Zus.: **Ichsucht** (18. Jh.), dazu **ichsüchtig** (18. Jh.).

ideal: Das schon im 17. Jh. in Zus. wie Idealform und Idealbild im Sinne von „muster-

gültig, vorbildlich, vollkommen" bezeugte Adjektiv begegnet seit dem 18. Jh. zunächst in der Form idealisch und nimmt erst im 19. Jh. die daraus gekürzte, heute übliche Form an. Die Bed. „vorbildlich, vollkommen" und „nur in der Vorstellung existierend" erscheinen beide auch in dem substantivierten **Ideal** *s* „Sinnbild der Vollkommenheit, Leitbild, Wunschbild" (18. Jh.). Voraus liegt *lat.* ideālis, das von *gr.-lat.* idéa abgeleitet ist (vgl. *Idee*). – **idealisieren** „die Wirklichkeit verklären, etwas zum erstrebenswerten Ideal erheben": Im 18. Jh. – unter Einfluß von *frz.* idéaliser – zu →Ideal gebildet. Zum Adjektiv →ideal gehören dagegen die Substantivbildungen **Idealismus** *m* und **Idealist** *m.* Die heute übliche Bedeutung dieser Wörter „Streben nach Verwirklichung von Idealen" bzw. „...Mensch, der sich für seine Ideale einsetzt" (auch im übertragenen Sinne von „Schwärmer") führt wie bei 'ideal' und 'Idee' gleichfalls auf die bei →Idee entwickelte eigtl. philosophische und weltanschauliche Bedeutung zurück. Dort ist Idealismus die Lehre (Platons und Plotins) von der Scheinhaftigkeit alles Wirklichen, im Verhältnis zu den Urbildern bzw. die Wissenschaft von den Ideen als dem nur im Denken seienden Wahren. Der Idealist ist der Vertreter dieser Weltanschauung.

Idee *w* „Vorstellung; Leitgedanke; Plan; Einfall": Ein urspr. rein philosophischer Terminus, der in der Lehre des altgriech. Philosophen Platon verwurzelt ist und von dort her in die geistige Welt Europas und in die europäischen Sprachen eingedrungen ist. *Gr.* idéa (> *lat.* idea), das von dem mit *lat.* vidēre „sehen" und *nhd.* →*wissen* urverwandten Verb *gr.* ideīn (< *uideīn) „sehen, erkennen; wissen" abgeleitet ist, bedeutet zunächst „Erscheinung, Gestalt, Beschaffenheit, Form", dann (bei Platon) vor allem „Urbild (als ewig unveränderliche Wesenheit der Dinge, jenseits ihres trügerischen Erscheinungsbildes)." In diesem Sinne erscheint das Wort in den neueren philos. Systemen mit verschiedenen Modifikationen. – Die modernen Bedeutungen „Vorstellung; Leitgedanke; Einfall usw." entwickeln sich – zum Teil unter dem Einfluß von *frz.* idée – im 17. und 18. Jh. Ausgangspunkt ist der aus *gr.-lat.* idéa ableitbare Begriff des nur „geistig Vorgestellten, Gedanklichen". Es ist einerseits der dem schöpferischen Menschengeist vorschwebende „[Leit]gedanke", der zur Verwirklichung in der künstlerischen Aussage drängt, auch der schöpferische Gedanke überhaupt, andererseits allgemein der „Gedanke, Vorstellung" von etwas und der „Plan" zur praktischen Verwirklichung des Gedachten. In der Gemeinsprache entspricht der Gebrauch von Idee im Sinne von „plötzliche Eingebung, Einfall". Die Bed. „ein bißchen" ist der Umgangssprache zuzuordnen. Es handelt sich dabei um eine Übertragung, welche die Vorstellung von etwas als unscheinbar voraussetzt im Verhältnis zur Wirklichkeit. Idee ist hier gleichsam nur der 'Hauch eines Gedankens'. – Stärker noch als bei dem Wort Idee kommen die Bed. „Leitgedanke; Leitbild, Vorbild" zum Ausdruck bei den daraus hervorgegangenen FW →ideal, idealisieren, Idealismus, Idealist, ideell (s. die einzelnen Artikel). – Zu *gr.* ideīn gehören noch verschiedene Nominalbildungen, die von Interesse sind, weil sie in FW eine Rolle spielen: *gr.* eîdos „Aussehen, Gestalt, Beschaffenheit; Gattung; Zustand" (wozu als Hinterglied in Zus. ...eidés, entspr. in FW ...id, ...oīd im Sinne von „die Gestalt von etwas habend; ähnlich"); davon abgeleitet ist die Verkleinerungsform *gr.* eidýlion „Bildchen, Gedichtchen" (s. Idyll, Idylle, idyllisch); *gr.* eídōlon „Bild, Gestalt; Trug-, Götzenbild" erscheint in →Idol. Schließlich

noch das Substantiv *gr.* hístōr „Wisser" (< *uíd-tōr) in den FW →Historie, historisch, Historiker, Histörchen, →Story.

ideell „die Idee betreffend; nur in der Vorstellung vorhanden; geistig": Eine rein deutsche Neubildung des 18./19. Jh.s zu →ideal, nach dem Vorbild von real – reell.

identisch „ein und dasselbe bedeutend; völlig gleich (auch von Personen)": *Nlat.* Bildung des 18. Jh.s zu *spätlat.* identitās „[Wesens]einheit", das schon vorher übernommen wurde als **Identität** *w* „vollkommene Übereinstimmung zweier Dinge oder Personen"; auch im Sinne von „Echtheit", wie noch in der *Östr.* üblichen Zus. **Identitätsausweis** „Personalausweis" (entspr. *frz.* carte d'identité). Zugrunde liegt das *lat.* Demonstrativpronomen idem (< *isdem), eadem, idem „eben der, ein und derselbe", das wohl als ein durch hinweisendes -em verstärktes is (ea, id) „er (sie, es)" anzusehen ist. Urverwandt sind *dt.* →*er, ihr*. – Dazu seit dem 19. Jh. das zusammengesetzte Verb **identifizieren** „etwas genau wiedererkennen; die Identität einer Person feststellen". Über dessen Grundwort *lat.* facere „machen, tun usw." s. unter →*Fazit*.

idio..., Idio...: Bestimmungswort von Zus. mit der Bed. „eigen, selbst; eigentümlich, besonder...". Quelle ist gleichbed. *gr.* ídios (vgl. *Idiot*).

Idiom *s* „die einem einzelnen oder einer Gruppe zukommende Eigenart der Sprechweise, Spracheigentümlichkeit; Mundart": Im 17. Jh. aus *gr.* idíoma, *gr.* idīoma „Eigentümlichkeit, Besonderheit" entlehnt. Zum *gr.* Adj. ídios „eigen, eigentümlich" (vgl. *Idiot*).

Idiot *m* 1. „hochgradig Schwachsinniger"; 2. *ugs.* für: „Dummkopf, Trottel, Tölpel": Das schon im 16. Jh. aus *lat.* idiótēs, idiótēs < *gr.* idíōtēs „Privatmann, gewöhnlicher, einfacher Mensch; ungeübter, unkundiger Laie (im Gegensatz zum gelehrten Kenner), Stümper" entlehnte Wort wurde bis ins 19. Jh. noch ganz im Sinne des *gr.* Wortes gebraucht und nahm erst dann allmählich die heute übliche Bed. an. – Zugrunde liegt das Adj. *gr.* ídios „eigen, privat; eigentümlich", das auch in *gr.* idíōma „Eigentümlichkeit" (s. Idiom) vorliegt, ferner in verschiedenen Zusammensetzungen als Vorderglied (s. idio...). – Dazu nach: **Idiotie** *w* „hochgradiger Schwachsinn", *ugs.* für: „Dummheit, Eselei" (Ersatzwort des 19. Jh.s für älteres **Idiotismus**); **idiotisch** (19. Jh.): aus *lat.* idióticus < *gr.* idiótikós „eigentümlich; gewöhnlich; unwissend, ungebildet", wovon als gelehrte Neubildung des 18. Jh.s **Idiotikon** *s* „Mundartwörterbuch" abgeleitet ist.

Idol *s* „Götzenbild, Abgott; abgöttisch als Ideal verehrter Mensch": Im 18. Jh. entlehnt aus *lat.* Idōlum < *gr.* eídōlon „Gestalt, Bild; Trugbild, Götzenbild". Das Wort gehört zur

Sippe von *gr.* ideĩn „sehen, erkennen, wissen" (vgl. *Idee*).

Idyll *s* „Das Bild friedlichen und einfachen Lebens in (meist) ländlicher Abgeschiedenheit": Im 18. Jh. aus *lat.* īdyllium < *gr.* eidýllion entlehnt, das als Verkleinerungsbildung von *gr.* eĩdos „Bild, Gestalt usw." (vgl. *Idee* eigtl. „Bildchen" bedeutet, dann im übertr. Sinne die bildhaft ansprechende Darstellung von Szenen aus dem ländlichen Leben bezeichnet, wie sie vor allem in der Hirtendichtung geschildert sind. – Dazu das Adj. idyllisch „ländlich, friedlich, einfach" (18./19. Jh.) und das teilweise für 'Idyll' stehende Subst. I d y l l e *w* „Schilderung eines Idylls in Literatur und bildender Kunst" (18. Jh.).

Igel *m*: Der *altgerm.* Name des Igels *mhd.* igel, *ahd.* īgil, *niederl.* egel, *aengl.* īgel, *aisl.* īgull ist, wie z. B. auch *gr.* echĩnos „Igel" und die *baltoslaw.* Sippe von *russ.* ĕž „Igel", eine Ableitung von dem *idg.* Wort für „Schlange". Das von *idg.* *eĝhi- „Schlange" (beachte die Artikel Egel und Unke) abgeleitete und substantivierte Adjektiv bedeutet eigtl. „der zur Schlange Gehörige". Der Igel, der neben Insekten, Schnecken, Fröschen und Mäusen auch Schlangen jagt und vertilgt, ist also als „Schlangenfresser, Schlangentier" benannt worden. – Nach der Schnauzenform wird volkstümlich zwischen H u n d s i g e l und S c h w e i n i g e l (s. d.) unterschieden. Abl.: e i n i g e l n, sich „eine Igelstellung (zur Verteidigung nach allen Seiten) einnehmen" (20. Jahrhundert).

ignorieren „nicht wissen wollen, absichtlich übersehen, nicht beachten": Im 18. Jh. aus *lat.* īgnōrāre „nicht kennen [wollen]" entlehnt, das im Ablaut steht zu *lat.* īgnārus (< in-gnārus) „unwissend", gnārus „einer Sache kundig, wissend". Die Wörter gehören zur Wortfamilie von *lat.* nōscere „erkennen, kennenlernen" (vgl. *nobel*). – Aus dem Part. Präs. īgnōrāns von īgnōrāre stammt das FW I g n o r a n t *m* „Nichtwisser, Dummkopf", das schon im 16. Jh. bezeugt ist. Dazu auch: I g n o r a n z *w* „Unwissenheit, Dummheit" (16. Jh.; aus *lat.* īgnōrantia).

illuminieren „(Häuser, Straßen usw.) festlich erleuchten": Im 18. Jh. über *frz.* illuminer aus *lat.* illūmināre „erleuchten" entlehnt. Das zugrunde liegende Subst. *lat.* lūmen „Licht, Leuchte" stellt sich mit *lat.* lūcēre „leuchten", *lat.* lūx „Licht, Glanz" – dazu *lat.* lūcerna „Leuchte" (s. Luzerne) und *kirchenlat.* Lūcifer „Lichtbringer; Morgenstern" (s. Luzifer) – und *lat.* lūna „Mond" (daraus unser LW →Laune) zu der unter →*licht* dargestellten *idg.* Wz. *leuk- „leuchten". – Abl. I l l u m i n a t i o n *w* „festliche Beleuchtung" (etwa gleichzeitig mit dem Verb übernommen aus *frz.* illumination < *lat.* illūmināti̇̄ō „Erleuchtung, Beleuchtung").

Illusion *w* „eingebildete Wirklichkeit, Wunschbild, Selbsttäuschung": Im 17./18.

Jh. durch *frz.* Vermittlung aus *lat.* illūsiō „Verspottung, Täuschung; eitle Vorstellung" entlehnt; dies gehört zu *lat.* il-lūdere (< in-lūdere) „hinspielen, sein Spiel treiben, verspotten; täuschen". Stammwort ist das etymologisch umstrittene Substantiv *lat.* lūdus „Spiel, Schauspiel; Schule; Kurzweil, Scherz, Spaß", das auch in →Präludium vorliegt. – Von illūdere abgeleitet ist auch das Adj. *lat.* illūsōrius „Zum Verspotten, zum Täuschen geeignet", das im 18. Jh. als i l l u s o r i s c h „nur in der Illusion bestehend, trügerisch; vergeblich" erscheint und zwar relativisiert aus *frz.* illusoire.

illuster „glänzend; vornehm, erlaucht": Im 19. Jh. aus *frz.* illustre < *lat.* illūstris „im Licht stehend, strahlend; berühmt" (< * inlūstris) entlehnt. Zu *lat.* illūstrāre „hell machen, beleuchten" (vgl. *Lüster*). – Die von lūstrāre abgeleiteten Wörter illūstrāre „erleuchten; erhellen, erläutern; ausschmücken" und illūstrātiō „Erhellung; anschauliche Darstellung" erscheinen in *dt.* Texten bereits im 17. bis 18. Jh. als illustrieren und Illustration *w*. Ihre moderne Bedeutung allerdings, im Sinne von „(ein Buch, eine Zeitschrift) mit Bildern schmücken" erlangen sie erst im 19. Jh. mit dem Aufkommen bebilderter Textausgaben. Das gilt besonders für das adjektivisch gebrauchte Partizip illustriert (19. Jh.) und das davon abgeleitete Substantiv Illustrierte *w* (20. Jh.).

Iltis *m*: Der auf das *dt.* Sprachgebiet beschränkte Tiername (*mhd.* iltis, eltes, *ahd.* illi[n]tiso) ist nicht sicher gedeutet. Es handelt sich jedenfalls um eine verdunkelte Zusammensetzung, deren Grundwort vermutlich *germ.* *wis[j]o- „Wiesel" (vgl. *Wiesel*) ist. Allerdings kann das Grundwort mit *aisl.* dīs „weibliches göttliches Wesen" zusammenhängen und erst volksetymologisch an den Namen des Wiesels angeschlossen worden sein. Das Bestimmungswort ist vielleicht *ahd.* elo „gelbbraun" (vgl. *Elch*) oder aber *ahd.* ellenti „fremd" (vgl. *elend*). Im ersteren Falle wäre der Iltis als „gelbbraunes Wiesel", im letzteren Falle als „fremdes Wiesel" benannt worden. – Von den überaus zahlreichen Mundartformen beachte z. B. Elledeis, Eltes, Ilte, Ilske, Ilk, Illink.

imaginär „unwirklich, nur in der Vorstellung vorhanden, nicht wirklich", in der Mathematik auch in der Fügung 'imaginäre Zahl' „durch eine positive oder negative Zahl nicht darstellbare Größe": In beiden Bed. aus *frz.* imaginaire < *lat.* imāgināriüs „zum Bild gehörig, bildhaft; nur in der Einbildung bestehend" entlehnt. Zugrunde liegt das Subst. *lat.* imāgo „Bild, Bildnis, Abbild; Trugbild, Vorstellung", das mit *lat.* imitārī „nachahmen" (s. imitieren) unter *lat.* aemulus „wetteifernd" vereinigt wird, ohne weitere überzeugende Anknüpfungen.

Imbiß *m*: Das Substantiv (*mhd., ahd.* in-, imbíʒ) ist eine Bildung zu dem untergegangenen zusammengesetzten Verb *mhd.* enbíʒen, *ahd.* enbíʒan „essend oder trinkend genießen" (vgl. *in* und *beißen*). In *nhd.* Zeit bezeichnete das Wort zunächst jede beliebige Mahlzeit, dann speziell das zweite Frühstück und schließlich eine außerhalb der Hauptmahlzeiten eingenommene kleinere Mahlzeit.

imitieren „nachahmen": Im 16. Jh. aus gleichbed. *lat.* imitārī entlehnt, das mit *lat.* imāgo „Bild, Bildnis" verwandt ist (vgl. *imaginär*). Dazu: imitiert „nachgemacht, künstlich, unecht (besonders von Schmuck)"; Imitation *w* „[minderwertige] Nachbildung (bes. von Schmuck)", im 16. Jh. aus *lat.* imitātiō „Nachahmung, Nachbildung" entlehnt; Imitator *m* „Nachahmer" (aus gleichbed. *lat.* imitátor).

Imker *m*: Das Wort für den Bienenzüchter stammt aus dem *niederl.-niederd.* Sprachbereich. Erst im 19. Jh. hat es gemeinsprachliche Geltung erlangt und die *hochd.* Ausdrücke 'Bienenvater' und 'Zeidler' zurückgedrängt. *Niederl.-niederd.* imker ist eine Zusammensetzung, deren Bestimmungswort das unter →*Imme* behandelte Substantiv ist, während das Grundwort zu der *germ.* Sippe von *mnd.* kar „Korb, Gefäß" gehört. Und zwar ist das Grundwort eine ja-Bildung (Nomen agentis), beachte das Verhältnis von 'Hirt' zu 'Herde' (vgl. *Kar*).

Imme *w*: Der *landsch.* Ausdruck für „Biene" geht zurück auf *mhd.* imme (imbe, impe) „Bienenschwarm, Bienenstand", *ahd.* imbi „[Bienen]schwarm", beachte *mhd.* imme „[Bienen]schwarm; Biene", *aengl.* ymbe „Bienenschwarm". Erst in *spätmhd.* Zeit entwickelte sich aus dem kollektiven Sinn „Bienenschwarm" die Bed. „Biene". Ähnlich ist die Bedeutungsgeschichte des Wortes Stute (s. d.), das früher „[Pferde]herde" bedeutete. – Die weitere Herkunft des *westgerm.* Substantivs mit der Bed. „[Bienen]schwarm" ist nicht sicher geklärt. Falls die Bed. „Schwarm" aus „Wolke" hervorgegangen ist, könnte es zu der unter →*Nebel* dargestellten Wortgruppe gehören. Siehe auch den Artikel Imker.

immens „unermeßlich [groß]": Im 19. Jh. aus gleichbed. *lat.* im-mēnsus entlehnt. Zu →²*in*... und *lat.* mētīrī „messen". Über weitere Zusammenhänge vgl. *Mensur*.

immer: Das Zeitadverb (*mhd.* immer, iemer, *ahd.* iomēr, *mnd., niederl.* immer) ist eine auf das *dt.* und *niederl.* Sprachgebiet beschränkte Zusammensetzung, deren erster Bestandteil das unter→*je* behandelte Adverb ist, während der zweite Bestandteil der unter →*mehr* dargestellte Komparativ von 'gut' ist. – Das Adverb, das hauptsächlich die Dauer und die Wiederholung ausdrückt und den Komparativ verstärkt, erscheint in mehreren Zusammenrückungen, beachte z. B. immerdar,

immerfort, immergrün, subst. Immergrün (Pflanzenname), immerhin, immermehr, immerzu.

immun 1. „unempfänglich gegenüber Krankheitserregern (Med.)"; 2. gemeinsprachlich im Sinne von „unempfindlich; nicht zu beeindrucken"; 3. „unter dem Rechtsschutz der Immunität stehend (von Abgeordneten und Diplomaten)": Im 18. Jh. entlehnt aus *lat.* im-mūnis „frei; unberührt, rein" (eigtl. : „frei von Leistungen"). Über weitere Zusammenhänge vgl. ²*in*... und *Kommune*. Das dazugehörige Subst. Immunität *w* (aus *lat.* immūnitās „Freisein [von Leistungen]") ist schon Anfang des 18. Jh.s bezeugt, in den modernen, dem Adjektiv entsprechenden Bedeutungen aber erst seit dem 19. Jh. Im polit.-rechtl. Sinne bezeichnet es einmal den persönlichen Rechtsschutz der Parlamentarier vor strafrechtl. Verfolgung, zum anderen auch die Befreiung der Diplomaten von der Gerichtsbarkeit des Empfangsstaates. – Eine junge Neubildung zu immun ist das Zeitwort immunisieren „unempfänglich machen für Krankheiten (z. B. durch Impfung)".

Imperativ *m* „Befehlsform": Aus gleichbed. *lat.* (modus) imperātīvus. Das zugrunde liegende Zeitwort *lat.* imperāre „anordnen, befehlen" gehört wohl zu *lat.* parāre „rüsten, bereiten, schaffen" (vgl. *parat*). – Hierzu die Substantivbildung *lat.* imperium „Befehl, [Staats]gewalt, Herrschaft" in dem FW → Imperialismus.

Imperialismus *m* „Bestrebung einer Großmacht, ihren polit., militär. und wirtschaftl. Macht- und Einflußbereich weiter auszudehnen": Im 19. Jh. relativiert aus *frz.* impérialisme (entspr. *engl.* imperialisme), einer Neubildung zu dem *spätlat.* Adj. imperiālis „die Staatsgewalt betreffend; kaiserlich", das von *lat.* imperium „Befehl, Herrschaft, Staatsgewalt" abgeleitet ist (vgl. *Imperativ*). – Dazu: Imperialist *m* „Vertreter des Imperialismus" (19. Jh.) und imperialistisch (20. Jh.).

impertinent „ungehörig, frech, unverschämt": Das in allgemeiner Bedeutung seit dem 18. Jh. bezeugte Adjektiv stammt aus der Juristensprache, wo es schon im 17. Jh. im Sinne von „nicht zur Sache gehörig, nicht sachdienlich, abwegig" belegt ist. Quelle ist *spätlat.* im-pertinēns „nicht dazu (zur Sache) gehörig". Zu →²*in*... und *lat.* per-tinēre „sich erstrecken, sich beziehen auf etwas" (vgl. *per*... und ¹*Tenor*).

impfen war urspr. ein Fachwort aus dem Bereich des Obst- und Gartenbaues mit der Bed. „ein Pfropfreis einsetzen, veredeln". Es wurde als solches vor der hochdeutschen Lautverschiebung aus gleichbed. *vlat.* impu-tāre entlehnt (*ahd.* impfōn, *mhd.* impfen), das seinerseits wohl LW aus *gr.* em-phyteú-ein „einpflanzen, pfropfen" ist. Gleicher Herkunft ist auch entspr. *frz.* enter „pfropfen". Im 18. Jh. wurde das Zeitwort impfen in die medizin. Fachsprache übernommen mit der übertr. Bedeutung „Krankheitserreger in abgeschwächter Form in die Haut einritzen (bzw. auch in den Körper einspritzen) zum Zwecke der Immunisierung gegen ansteckende Krankheiten". In diesem Sinne erlangte das Wort gemeinsprachl. Geltung. – Abl.: Impfung *w* (*spätmhd.* impfung „Pfropfung"); Impfling *m* „zu Impfender bzw. Geimpfter" (im 16. Jh. „Pfropfreis").

Imponderabilien *Mehrz.* „Unwägbarkeiten, Gefühls- und Stimmungswerte": Im 18. Jh. aufgekommene gelehrte Gegenbildung mit →²in... zu *lat.* ponderābilis „wägbar". Zugrunde liegt *lat.* pondus „Gewicht" (vgl. das LW *Pfund*).

imponieren „Achtung einflößen, [großen] Eindruck machen": Im 18. Jh. aus *lat.* impōnere (< in-pōnere) „hineinlegen; auf etwas stellen; auferlegen (insbes. eine Last)" entlehnt, aber in der Bed. von *frz.* imposer beeinflußt (s. imposant), das gleicher Herkunft ist und nach *frz.* poser (s. Pose) umgestaltet wurde. – Über weitere Zusammenhänge vgl. *Position.*

Import *m* „Einfuhr" (im Gegensatz zu →Export): Am Ende des 18. Jh.s aus *engl.* import entlehnt. Das engl. Wort ist das substantivierte Verb to import „einführen", das über *frz.* importer auf *lat.* importāre (< in-portāre) „hineinbringen; einführen" zurückgeht. Über weitere Zusammenhänge vgl. ¹*in...* und *Porto.* – Unmittelbar aus *lat.* importāre wurde schon im 17. Jh. importieren „Waren aus dem Ausland einführen" entlehnt. Das dazu gehörende Subst. Importeur *m* „Großkaufmann, der gewerbsmäßig Waren aus dem Ausland einführt" ist hingegen eine sehr junge französierende Neubildung des 20. Jh.s, der im *Frz.* importateur entspricht.

imposant „eindrucksvoll, großartig, überwältigend": Im 18. Jh. aus gleichbed. *frz.* imposant entlehnt. Zu *frz.* imposer „eine Bürde auferlegen; Respekt einflößen". Über weitere Zusammenhänge vgl. *imponieren.*

imprägnieren „feste Stoffe mit Flüssigkeiten durchtränken (zum Schutz vor Wasser, Zerfall u. ä.)": Das Wort ist schon im 17./18. Jh. als chem. Terminus bezeugt. Daneben galt es lange Zeit als Fachwort der Gerichtssprache im urspr. Sinne des vorausliegenden *lat.* Verbs im-praegnāre „schwängern". Über das zugrunde liegende Adj. *lat.* praegnās „schwanger, trächtig" vgl. *prägnant.* – Dazu das Subst. Imprägnation *w* (aus *vlat.* impraegnātiō).

Impressionismus *m* (Bezeichnung einer im ausgehenden 19. Jh. aufkommenden Kunstrichtung, die – unter Verzicht auf inhaltliche Ganzheit und feste lineare Umgrenzung – mit fließenden Farben das Spiel des natürlichen Lichts im Augenblickseindruck wiedergeben will. Vgl. zum Sachlichen auch:

Expressionismus): Das Wort stammt aus *frz.* impressionisme, einer Neubildung zu *lat.* impressiō „Eindruck", nach dem Vorbild eines 'Impression' genannten Landschaftsbildes von Monet. – Zugrunde liegt das *lat.* Verb imprimere „eindrücken". Über weitere etymologische Zusammenhänge vgl. *Imprimatur.*

Impressum *s* („Aufdruck" auf Druckschriften mit kurzen Angaben über Erscheinungsort oder -zeit, verantwortliche Herausgeber, Verleger, Drucker usw.): Ein Fachwort der Druckersprache, das identisch ist mit *lat.* impressum „das Eingedrückte, Aufgedrückte", dem Part. Perf. Pass. von im-primere (vgl. *Imprimatur*).

Imprimatur *s* „Druckerlaubnis": Das seit dem Ende des 18. Jh.s bezeugte Fachwort der Druckersprache ist substantiviert aus *lat.* imprimātur „es werde gedruckt", dem üblichen Zensurvermerk, durch den ein Manuskript zum Druck freigegeben wird. Das zugrunde liegende Kompositum *lat.* imprimere (< *in-premere) „hineindrücken, aufdrücken" von *lat.* premere „drücken" liegt auch vor in den FW →Impressum und →Impressionismus. – Über weitere Zusammenhänge vgl. *Presse.*

improvisieren „etwas ohne Vorbereitung, aus dem Stegreif tun": Im 18. Jh. aus *it.* improvvisare entlehnt, das zu improvviso „unvorhergesehen, unerwartet" gebildet ist. Das vorausliegende *lat.* im-prō-vīsus gehört zu →¹*in...* und *lat.* prō-vidēre „vorhersehen" (vgl. *pro...* und *Vision*). – Dazu seit dem 19. Jh. das Substantiv Improvisation *w.*

Impuls *m* „äußerer oder innerer Antrieb, Anstoß": Im 18. Jh. aus *lat.* impulsus entlehnt. Zu *lat.* im-pellere (< in-pellere) „anstoßen, stoßend in Bewegung setzen" (vgl. ¹*in...* und *Puls*). – Dazu seit dem 19. Jh. das Adj. impulsiv „durch Impulse bedingt; lebhaft, rasch handelnd; spontan".

in: Die *gemeingerm.* Präposition *mhd.*, *ahd.* in, *got.* in, *engl.* in, *schwed.* i geht mit Entsprechungen in den meisten anderen *idg.* Sprachen, z. B. *gr.* en „in" (s. ¹en...) und *lat.* in „in" (s. ¹in...) auf *idg.* *en „in" zurück. Zu *idg.* *en stellen sich die Bildungen *entós „[von] innen", vgl. z. B. *lat.* intus „von innen; drinnen" (s. intus), *enter „zwischenhinein" (vgl. unter) und *[e]nei-, Komparativ *nitero- „nieder" (s. die Sippe von *nhd.* nieder). – Die Präposition 'in' gab urspr. Lage, Erstreckung und Bewegung in Raum und Zeit an, woraus sich die vielfältigen übertragenen Verwendungen entwickelten. Im *Dt.* steht 'in' mit dem Dativ und Akkusativ, beachte die Zusammenziehungen im (aus 'in dem') und ins (aus 'in das') sowie die Verbindungen mit dem substantivierten Neutrum des Adjektivs, wie z. B. insgemeinen, im besonderen, im stillen und insbesondere, insgeheim, insgesamt. –

Als Adverb fungierte in *altgerm.* Zeit eine verstärkte Form der *gemeingerm.* Präposition: *got.*, *aengl.*, *aisl.* inn, *ahd.*, *mhd.* in, mit sekundärer Länge *ahd.*, *mhd.* In, auf das *nhd.* ein (in Zus.) zurückgeht, beachte z. B. hinein, herein, d[a]rein (*mhd.* hin In usw.). Auf einer Lokativform dieses Adverbs beruht wahrscheinlich die *germ.* Sippe von *nhd.* inne: *mhd.* inne, *ahd.* inna, -e, -i, *got.* inna, *aengl.* inne, *aisl.* inni. Im heutigen Sprachgebrauch ist 'inne' weitgehend durch die Adverbien 'innen' (s. u.) und 'drin' ersetzt worden. Gebräuchlich ist es in der Verbindung inne werden „gewahr werden" und in den unfesten Zus. inne haben, innehalten, inne wohnen. Eine weitere *germ.* Adverbialbildung liegt vor in *nhd.* innen, *mhd.* innen, *ahd.* innan[a], *got.* innana, *aengl.* innan, *aisl.* innan. Eine komparativische Adjektivbildung ist *nhd.* innere, *schweiz.* auch mit sekundärem t innert: *mhd.* inner „inwendig", als Adverb und Präposition „innen; innerhalb", *ahd.* innaro „inwendig". Dazu gehören die Abl. Innerei *w* „Gekröse, eßbare Tiereingeweide", innerhalb (*mhd.* innerhalp, innerhalbe[n], Adverb und Präposition), innerlich (*mhd.* innerlich) und erinnern (s. d.). – Die Präposition in steckt in zahlreichen Zusammensetzungen, teils erkennbar, wie z. B. in Inbegriff (s. greifen), inbrünstig (s. Brunst), Ingrimm (s. grimm), Insasse (*mhd.* insāſze „Einwohner, Mietwohner"; zum zweiten Bestandteil vgl. *sitzen*), inständig (16. Jh.; Lehnübertragung von *lat.* instans), teils verdunkelt, wie z. B. in empor, entgegen, entzwei (s. diese und beachte auch die Artikel mitten, neben, traun, weg, zwischen), entschlafen eigtl. „einschlafen". In anderen Zusammensetzungen ist 'in' durch die Form 'ein' ersetzt worden, beachte z. B. Eingeweide (*mhd.* ingeweide), Einwohner (*mhd.* inwoner), eingedenk (*mhd.* indenke). Andererseits ist 'in' in einigen Zusammensetzungen an die Stelle von 'inne' getreten, beachte z. B. Inhalt (*mhd.* innehalt, zu 'innehalten' in der Bedeutungswendung „enthalten"), inwendig (*mhd.* innewendec). Von den zahlreichen Zusammenrückungen beachte z. B. indem, indessen, insofern, inwieweit. Siehe auch die Artikel innig, Innung und binnen.

¹In..., **¹In...**, (vor Selbstlauten angeglichen zu:) il..., im..., ir...: Vorsilbe von FW mit der Bed. „ein, hinein". Aus gleichbed. *lat.* in[...], das urverw. ist mit *dt.* →in. Im *Frz.* wurde *lat.* in[...] zu en[...], das gleichfalls als Vorsilbe in FW, die dem *Frz.* entlehnt sind, erscheint. Zur *lat.* Sippe von 'in' gehören auch verschiedene andere Präpositionen, wie inter, intrā, intus; außerdem Adjektive wie intimus usw. Vgl. hierüber den Artikel intus.

²in..., **²In...**, vor (Konsonanten angeglichen zu:) il..., im..., ir...: Vorsilbe mit der Bed.

„un..., nicht, ohne", wie in inkorrekt, illoyal, irregulär. Aus gleichbed. *lat.* in... (< *en...), das urverwandt ist mit →un...

Index *m* 1. „alphabetisches [Stichwort]verzeichnis"; 2. „Kennziffer (zur Unterscheidung gleichartiger Größen)": Das Wort ist identisch mit *lat.* index „Anzeiger; Register, Verzeichnis, Katalog", das zu *lat.* indicāre „anzeigen" gehört. Dessen Stammwort *lat.* dicāre „feierlich verkünden" ist ein Intensivum zu dicere „sprechen, verkünden, reden" (vgl. *diktieren*).

indifferent „unbestimmt, unentschieden; gleichgültig, teilnahmslos": Im 17. Jh. aus gleichbed. *lat.* in-differēns (eigtl.: „keinen Unterschied habend") entlehnt. Zu →²*in...* und *lat.* dif-ferre „sich unterscheiden" (vgl. *differieren*).

indigniert „unwillig, entrüstet": Zu *lat.* indignārī „für unwürdig halten, sich entrüsten", weiter zu →²*in...* und *lat.* dignus „geziemend; würdig", das verwandt ist mit *lat.* decēre „zieren; sich schicken, sich geziemen" (vgl. *dezent*).

Indigo *m* oder *s*: Der älteste und wichtigste organische, heute synthetisch hergestellte Farbstoff (Zus.: Indigoblau) war schon den alten Griechen bekannt. Sie nannten ihn nach seiner ostindischen Heimat *gr.* indikón „das Indische". Über *lat.* indicum gelangte der Name ins *Mhd.* (*mhd.* indich), um jedoch später im *span.* Lautform indigo (17. Jh.) Platz zu machen, die sich endgültig einbürgerte.

Indikativ *m* „Wirklichkeitsform des Zeitworts": Aus gleichbed. *lat.* (modus) indicātīvus (eigtl.: „der zur Aussage, zur Anzeige geeignete Modus"); zu *lat.* in-dicāre „anzeigen, aussagen", dem Intensivum von in-dicere „ansagen, ankündigen". Über die weiteren Zusammenhänge vgl. ¹*in...* und *diktieren*.

indirekt „mittelbar": Im 18. Jh. aus *mlat.* indīrēctus entlehnt. Zu →²*in...* und *lat.* dīrigere „gerade richten" (vgl. *dirigieren*).

Individuum *s* „der Mensch als Einzelwesen, die einzelne Person": Das Wort ist identisch mit *lat.* individuum „das Unteilbare", das als LÜ von *gr.* átomos (s. Atom) mit verneinendem →²*in...* zu *lat.* dīvidere „trennen, zerteilen" gebildet ist; vgl. *dividieren*. – Der in dem Wort zum Ausdruck kommende Wertbegriff, der den Menschen als einzelnen mit allen seinen Wesensgestimmtheiten einer Gemeinschaft bzw. der Masse gegenüberstellt, findet sich noch stärker in den verschiedenen Abl. neuerer Zeit ausgeprägt, so in: individuell „dem Individuum eigentümlich" (von betonter Eigenart" (18. Jh.; aus *frz.* individuel < *mlat.* indīvidūālis), für älteres individual, das nur noch als Bestimmungswort in Zus. wie Individualethik lebt; Individualität *w* „persönliche Eigenart" (18. Jh.; relativisiert aus *frz.* individualité); Individualismus *m* „betonte Zurückhaltung eines Menschen gegenüber einer Gemeinschaft, ihren Gepflogenheiten, Regeln und Ansprüchen" (20. Jh.); Individualist *m* „betont eigenwilliger Mensch; Einzelgänger", auch leicht abwertend im Sinne von „Eigenbrötler" (20. Jh.); individualistisch (20. Jh.).

Indiz *s* „Hinweis, Anzeichen; Umstand, dessen Vorhandensein mit großer Wahrscheinlichkeit auf einen Sachverhalt schließen läßt (Rechtsw.)", so bes. auch in der Zus. Indizienbeweis: Im 19./20. Jh. aus *lat.* indicium „Anzeige; Anzeichen; Beweis" eingedeutscht. Dies gehört unmittelbar zu *lat.* index „Anzeiger" (s. Index) und daher mittelbar zu *lat.* in-dicāre „anzeigen", in-dīcere „ansagen, ankündigen" (vgl. ¹*in*... und *diktieren*).

Industrie *w*: Das FW begegnet im *Dt.* zuerst im 17./18. Jh. mit seiner eigtl. (der Herkunft des Wortes entsprechenden) Bed. „Fleiß, Betriebsamkeit". Seit der Mitte des 18. Jh.s bedeutet es dann speziell „Gewerbefleiß, Gewerbe", wodurch die gegen Ende des 18. Jh.s aufkommende, heute allein gültige kollektivische Bed. „gewerbliche Fabrikation, Produktion materieller Güter" vorbereitet ist. Das Wort ist in allen Bedeutungen aus *frz.* industrie entlehnt, das seinerseits auf *lat.* industria „Fleiß, Betriebsamkeit" beruht. – Abl.: industriell „die Industrie betreffend" (19. Jh.; aus gleichbed. *frz.* industriel), dazu das Subst. Industrielle *m* „Eigentümer eines Industriebetriebes, Unternehmer" (19. Jh.; schon im *Frz.* substantivisch gebraucht); industrialisieren „eine Industrie auf- oder ausbauen" (20. Jh.; aus gleichbed. *frz.* industrialiser).

infam „ehrlos, niederträchtig, schändlich": Ursprünglich ein Rechtswort, das im 17. Jh. – entspr. *frz.* infâme – aus *lat.* in-fāmis „berüchtigt, verrufen" entlehnt wurde. Dies gehört mit verneinendem →²*in*... zu *lat.* fāma „Sage, Gerücht, Ruf". Über weitere Zusammenhänge vgl.: famos und *fatal*.

Infanterie *w* „Fußtruppe": Das seit 1616 bezeugte Fremdwort ist gleichermaßen in den *roman.* Sprachen vertreten – *it.* infanteria, *span.* infantería, *frz.* infanterie –, zuerst aber im *It.* bezeugt, das nicht nur Ausgangspunkt für das *frz.* und *span.* Wort ist, sondern wohl auch als unmittelbare Quelle für unser FW anzusehen ist. Entlehnung aus dem *Span.* erscheint wegen der späten Belege im *Span.* (1605) unwahrscheinlich; *frz.* infanterie dagegen mag in der Form eingewirkt haben. – *It.* infanteria ist Kollektivbildung zu infante (= *span.* infante, *frz.* enfant) in dessen heute veralt. militär. Bed. „Fußsoldat". Dies bedeutet eigtl., entspr. seiner Herkunft aus *lat.* īnfāns (vgl. *infantil*), „kleines Kind", auch „Knabe, Edelknabe". Seine ins Militärische übertr. Bedeutung

verdankt es dem Einfluß von *it.* fante, das gleichfalls auf *lat.* īnfāns zurückgeht, aber nur im übertr. Sinne für „Knabe, [Haus]diener; junger Bursche; Fußsoldat" gebraucht wird. – Dazu: Infanterist *m* (1801).

infantil „kindlich, unentwickelt": Junge Entlehnung des 20. Jh.s aus *lat.* īnfantīlis „kindlich"; zu *lat.* īnfāns „kleines Kind", das auch Quelle für die FW →*Infanterie*, Infanterist ist. – Über weitere etymologische Zusammenhänge vgl. *fatal*.

Infarkt *m* (durch „Verstopfung" eines Gefäßes abgestorbenes Gewebestück), bes. in der Zus. Herzinfarkt: Im 19. Jh. aus *lat.* infarctus (für *lat.* infartus), Part. Perf. Pass. von *lat.* in-farcīre „hineinstopfen", gebildet (vgl. ¹*in*... und *Farce*).

Infektion *w* „Ansteckung (durch Krankheiten); Entzündung (als Folge einer Ansteckung)": Im 16. Jh. aus *spätlat.* Infectio entlehnt. Dies gehört zu *lat.* inficere „anstecken" (vgl. *infizieren*).

infektiös „ansteckend; entzündlich": Im 19. Jh. aus *frz.* infectieux entlehnt. Dies gehört zu *lat.* inficere „anstecken" (vgl. *infizieren*).

infernalisch „höllisch, teuflisch": Im 16. Jh. aus *lat.* īnfernālis „unterirdisch" entwickelt. Zu *lat.* īnfernus „der untere" (vgl infra...). Dieses Adjektiv wurde wie das dazugehörige Substantiv *lat.* Infernum „das Untere; die Unterwelt" tabuistisch gebraucht. Das gilt besonders für die *Romanische*, so für *it.* inferno „Hölle", aus dem im 20. Jh. unser FW Inferno *s* „Hölle (auch im übertr. Sinne)" übernommen wurde.

infiltrieren „einsickern, durchtränken": Im 19. Jh. aus *nlat.* in-filtrāre gebildet (vgl. ¹*in*... und *Filter*). Das mit der *nlat.* Abl. Infiltration *w* vor allem in der Medizin heimische Wort wird seit neuester Zeit auch im politischen Bereich verwendet. Hier bezeichnet es die ideologische Unterwanderung eines Staates (vor allem durch den Kommunismus).

Infinitiv *m* „Grund-, Nennform (des Zeitwortes)": Aus *lat.* (modus) īnfīnītīvus „nicht näher bestimmte Zeitwortform". Zu →²*in*... und *lat.* fīnīre „begrenzen" (vgl. *Finale*).

infizieren „anstecken" (Krankheiten übertragen): Im 16. Jh. aus gleichbed. *lat.* Inficere (eigtl.: „hineintun") entlehnt, einem Kompositum von *lat.* facere (vgl. *Fazit*). Zus.: desinfizieren „keimfrei machen" (19. Jh.). Näher verwandt sind: Infektion, infektiös; über weitere Verwandte vgl. *Fazit*.

Inflation *w* „Geldentwertung (durch starke Vermehrung der umlaufenden Geldmenge)": Im 19. Jh. aus *lat.* Inflātiō „das Sich-Aufblasen; das Aufschwellen" entlehnt und zunächst nur als medizin. Terminus verwendet. Die moderne Bedeutung ist bildlich zu verstehen, etwa im Sinne von „Aufblähung der Währung". Das zugrunde liegende Verb *lat.*

fläre „blasen", das hier als Kompositum **In-fläre** „hinein-, aufblasen" erscheint – als suf-fläre in →souffliieren, Souffleur, Souffleuse –, gehört zur *idg.* Sippe von *nhd.* →¹*Ball* „Spielball".

Influenza *w*: Ein seit dem 18. Jh. häufiges FW für bestimmte Erkältungskrankheiten, das allerdings in neuerer Zeit von dem Synonym →Grippe fast völlig zurückgedrängt ist. Das vorausliegende *it.* influenza bedeutet wörtlich „Beeinflussung, Einfluß". Es meint den Einfluß der Sterne, in deren Konstellationen abergläubische Menschen die Ursache für Krankheiten, Seuchen usw. suchten. Formal gehört *it.* influenza wie *frz.* influence zu *mlat.* influentia, *lat.* in-fluere „hineinfließen" (vgl. *Fluidum*).

informieren „benachrichtigen, Auskunft geben, belehren": Im 15./16. Jh. zusammen mit dem Subst. Information *w* „Nachricht, Auskunft, Belehrung" aus *lat.* In-förmäre (bzw. Informätiō) entlehnt, und zwar in dessen übertr. Bedeutung „durch Unterweisung bilden, unterrichten" (Grundbed.: „eine Gestalt geben, formen, bilden"). Zu →¹*in...* und *lat.* förma „Gebilde, Gepräge, Gestalt" (vgl. *Form*).

infra..., Infra... (Vorsilbe mit der Bed. „unter[halb]"): Aus gleichbed. *lat.* infrä (Adv. und Präpos.), einem urspr. erstarrten Ablativ (*inferäd) des Adjektivs Inferus „der untere", das dem urverwandten →unter „unterhalb" (vgl. *unter*) entspricht. – Zu *lat.* Inferus gehört auch das Adj. Infernus „der untere", das (im *vlat.-roman.* Bereich) substantiviert (Infernum „das Untere") als verhüllendes Wort für „Unterwelt, Hölle" gebraucht wird (s. Inferno, infernalisch). – Zus.: Infrarot.

Ingenieur *m* „auf einer Hoch- oder Fachschule ausgebildeter Techniker": Das FW ist seit dem 16. Jh. bezeugt, anfangs in der Form ingegnier (< *it.* ingegnere), die um 1600 aus der *frz.* Form (*frz.* ingénieur) abgelöst wurde. Als Ersatzwort für Zeugmeister bezeichnete Ingenieur bis ins 18. Jh. ausschließlich den „Kriegsbaumeister", wie denn auch das zugrunde liegende Subst. *lat.* ingenium „angeborene natürliche Beschaffenheit; natürliche Begabung; Scharfsinn, Erfindungsgeist", das zur Sippe von *lat.* gignere „hervorbringen, erzeugen" gehört (vgl. hierüber: *Genus*), im *Mlat.* auch die Bedeutung „Kriegsgerät" entwickelt hatte.

Ingredienzen *Mehrz.* „Zutaten, Bestandteile": Im 17. Jh. als Apothekerwort aus *lat.* ingredientia „das Hineinkommende" entlehnt. Zu *lat.* in-gredī „hineingehen", einem Kompositum von *lat.* gradī „gehen, schreiten" (vgl. *Grad*).

inhalieren „einatmen": Im 20. Jh. aus *lat.* in-häläre (eigtl.: „an-, hineinhauchen") entlehnt (vgl. ¹*in...* und *animieren*).

Initialen *Mehrz.* „Große (meist durch Verzierung und Farbe ausgezeichnete) Anfangsbuchstaben": Aus der im 18. Jh. bezeugten Zus. Initialbuchstaben rückgebildet. Zugrunde liegt das *lat.* Adj. initiälis „am Anfang stehend; anfänglich", das zu *lat.* initium „Anfang", in-īre „hineingehen; beginnen" gehört (vgl. *Initiative*).

Initiative *w* „erster tätiger Anstoß zu einer Handlung; Entschlußkraft, Unternehmungsgeist": Im 18./19. Jh. aus *frz.* initiative entlehnt, einem staatsrechtl. Begriff, etwa im Sinne von „Vorschlagsrecht", wie er noch heute in der Schweiz gilt. Die allgemeine Bedeutung hat sich erst später im 19. Jh. entwickelt. Zugrunde liegt *frz.* initier, das auf *lat.* initiäre „den Anfang machen, einführen, (sakral:) einweihen" zurückgeht; weiter zu *lat.* initium „Eingang, Anfang", in-īre „hineingehen; beginnen" (vgl. ¹*in...* und *Abiturient*). – Lat. in-īre liegt auch vor in →Initialen.

Injektion *w* „Einspritzung (Med.)": Im 19. Jh. aus gleichbed. *lat.* iniectiō (eigtl. „das Hineinwerfen") entlehnt. Zugrunde liegt das *lat.* Verb iacere „werfen, schleudern" (vgl. hierüber: *Jeton*) in Kompositum in-icere „hineinwerfen; einflößen usw.", das etwa gleichzeitig als medizin. Fachwort übernommen wurde: injizieren „einspritzen".

inklusive „einschließlich, inbegriffen" (Präposition): Im 16. Jh. aus *mlat.* inclūsīvē entlehnt, der Adverbform des Adjektivs *mlat.* inclūsīvus „eingeschlossen". Zu *lat.* in-clūdere „einschließen" (vgl. ¹*in...* und *Klause*).

inkognito „unerkannt, unter fremdem Namen", auch substantiviert als **Inkognito** *s* „das Auftreten unter fremdem Namen": Im 17. Jh. aus *it.* incognito < *lat.* in-cōgnitus „nicht erkannt" entlehnt. Zu →¹*in...* und *lat.* cōgnōscere „kennenlernen, erkennen". Über weitere Zusammenhänge vgl. *nobel*.

Inlett *s*: Der Ausdruck für „Stoff, in den die Bettfedern eingenäht werden" stammt aus dem *Niederd.* und erlangte im Rahmen des *nordd.* Leinenhandels gemeinsprachliche Geltung. Das zugrunde liegende *niederd.* Inlät „Inlett" ist eine Bildung zum zusammengesetzten Verb Inläten „einlassen" (vgl. *ein...* und *lassen*), bedeutet also eigtl. „Einlaß".

innig: Das auf das *dt.* und *niederl.* Sprachgebiet beschränkte Adjektiv (*mhd.* innec, *niederl.* innig, *mniederl.* innich) ist von der unter →*in* dargestellten Präposition abgeleitet. Es bedeutete zunächst rein räumlich „innere, innerlich", wurde dann auf Seelisch-Geistiges übertragen und in der religiösen Sphäre im Sinne von „andächtig, inbrünstig", gebraucht. Früher bezeugt als 'innig' ist das Adj. inniglich (*mhd.* innenclich, *ahd.* inniglīh). Abl.: Innigkeit *w* (*mhd.* inneccheit „Innerlichkeit; Andächtigkeit, Inbrünstigkeit; gespannte Aufmerksamkeit").

Innung *w*: Das auf das *dt.* Sprachgebiet beschränkte Substantiv (*mhd.* innunge, *mnd.* inninge) ist eine Bildung zu dem untergegangenen Verb *mhd.* innen, *ahd.* innōn „in einen Verband aufnehmen", das zu der Wortgruppe von →*in* gehört. Das Substantiv bezeichnete zunächst die Aufnahme in einen Verband und ging dann auf den Verband selbst – speziell den Verband von Handwerkern, die Zunft – über.

in petto „beabsichtigt, geplant", fast nur in der Wendung 'etwas in petto haben': Der seit dem 18. Jh. bezeugte Ausdruck stammt aus dem *It.* und bedeutet eigtl. „in der Brust, im Sinn". *It.* petto „Brust" geht auf gleichbed. *lat.* pectus zurück.

Insekt *s* „Kerbtier": Im 18. Jh. aus *lat.* īnsectum eingedeutscht (zu īn-secāre „einschneiden"; vgl. ¹*in*... und *sezieren*), das seinerseits LÜ ist von *gr.* éntomon (zu entémnein „einschneiden").

Insel *w*: *Lat.* īnsula „Insel" gelangte durch *roman.* Vermittlung (beachte entspr. *it.* isola, *afrz.* isle > *frz.* île) früh als LW ins *Dt.* (*ahd.* īsila, *frühmhd.* īsele). Auf einer erneuten Entlehnung unmittelbar aus dem *Lat.* beruht *mhd.* insel[e], das unserem *nhd.* Wort Insel vorausliegt. – Dazu das FW **Insulaner** *m* „Inselbewohner" (18. Jh., aus gleichbed. *lat.* īnsulānus). Siehe auch das FW **isolieren**.

inserieren „eine [Zeitungs]anzeige aufgeben": Das im 16. Jh. aus *lat.* īn-serere „einfügen, einschalten" (vgl. ¹*in*... und *Serie*) entlehnte Verb war bis ins 18. Jh. in der Verwaltungssprache heimisch und galt dort im Sinne „einen ergänzenden, erklärenden Aktenvermerk in Schriftstücken anbringen". Das gleiche ist zu sagen von dem Subst. **Inserat** *s* „[Zeitungs]anzeige", welches im 17. Jh. aus Vermerken wie inserat „er soll einfügen" oder inserātur „es soll noch eingefügt werden" entstanden ist, ähnlich wie bei →Dezernat und →Referat. Beide FW, inserieren und Inserat, wurden erst im 18. Jh. in die Zeitungssprache übernommen.

Insignien *Mehrz.* „Kennzeichen staatl. oder ständischer Macht und Würde (z. B. Krone, Rittersporen usw.)": Im 16. Jh. aus *lat.* īnsīgnia „Abzeichen" entlehnt, dem Neutr. Plur. des Adjektivs īn-sīgnis „durch Abzeichen vor anderen kenntlich; auffallend". Zu ¹*in*... und *lat.* sīgnum „Zeichen" (vgl. *Signum*).

Inspektion *w* „Prüfung, Kontrolle; Aufsichtsbehörde": Das im 16. Jh. aus *lat.* īnspectiō „Besichtigung; Untersuchung" entlehnte FW galt anfangs besonders im Bereich von Kirche und Schule, wie auch das gleichzeitig übernommene Subst. **Inspektor** *m* (aus *lat.* īnspector „Besichtiger; Untersucher"), das heute im Sinne von „Aufseher, Vorsteher, Verwalter" verwendet wird, mehr noch als Rangbezeichnung von Verwaltungsbeamten. Sehr jung ist der Gebrauch der *frz.* Form **Inspekteur** *m.* Es ist dies die Bezeichnung der Dienststellung für die ranghöchsten, aufsichtführenden Soldaten innerhalb der einzelnen Streitkräfte der Bundeswehr, denen der **Generalinspekteur** übergeordnet ist. – Allen zugrunde liegt das *lat.* Verb īn-spicere „hineinblicken, besichtigen, untersuchen" (vgl. *inspizieren*).

Inspiration *w* „Eingebung, Erleuchtung": Im 17. Jh. aus *lat.* īnspīrātiō „das Einhauchen; die Eingebung" entlehnte. Dies gehört zu dem Verb *lat.* īn-spīrāre „hineinblasen, einhauchen; begeistern", das im 18. Jh. selbständig als **inspirieren** „anregen, erleuchten, begeistern" übernommen wurde. – Über das Stammwort *lat.* spīrāre „hauchen, atmen; leben" vgl. *Spiritus*.

inspizieren „be[auf]sichtigen; prüfen": Im 18./19. Jh. aus *lat.* īn-spicere „hineinsehen, besichtigen; untersuchen" entlehnte. Aus dessen Part. Präs. īn-spiciēns stammt das FW der neueren Bühnensprache **Inspizient** *m* „Bühnen-, Spielwart; hinter den Kulissen tätige Hilfskraft des Regisseurs bei Proben und Aufführungen" (19. Jh.). – Daneben stehen die Substantivbildungen *lat.* īnspectiō und Inspector in den FW →Inspektion und Inspektor. Über weitere Zusammenhänge vgl. das LW *Spiegel*.

installieren „technische Anlagen einrichten, einbauen, anschließen", auch reflexiv im Sinne von „sich häuslich niederlassen und einrichten": Im 16. Jh. aus *mlat.* īnstallāre „in eine Stelle, in ein [kirchliches] Amt einsetzen" entlehnt, aber erst in neuester Zeit übertragen verwendet. Das zugrunde liegende Subst. *mlat.* stallus „[Chor]stuhl (als Zeichen der Amtswürde)" geht zurück auf *germ.* *stall- „Stelle, Platz", wie noch in *ahd.* stal (vgl. *Stall*). – Dazu die seit dem 19. Jh. bezeugte *nlat.* Bildung **Installation** *w* „Bestallung, Einsetzung in ein [geistl.] Amt", heute vorwiegend ein technisches Fachwort im Sinne von „Einrichtung, Einbau, Anschluß von techn. Anlagen". Die Abl. **Installateur** *m* „Einrichter, Prüfer von techn. Anlagen, wie Heizung, Wasser, Gas, Licht)" ist eine französierende Neubildung des 20. Jh.s.

Instanz *w* „zuständige Stelle (bes. von Behörden oder Gerichten)": *Mhd.* instancie ist aus *lat.*-*mlat.* īnstantia entlehnt, dessen Grundbedeutung „(drängendes) Daraufstehen" in der Rechtssprache zu „beharrliche Verfolgung einer [Gerichts]sache" eingeengt wurde. Danach wurde die Behörde selber die „zuständige Stelle, vor der man sein Begehren zu Gehör bringt". *Lat.* īnstantia ist abgeleitet von īnstāre „auf etwas stehen". Zu ¹*in*... (s. d.) und stāre (vgl. *stabil*).

Instinkt *m* „angeborene Verhaltensweise und Reaktionsbereitschaft (bes. bei Tieren)", oft übertr. gebraucht im Sinne von „sicheres

Gefühl für etwas": Im 18. Jh. aus *mlat.* Instīnctus nātūrae „Anreizung der Natur, Naturtrieb" entlehnt. Das zugrunde liegende Verb *lat.* īn-stinguere „anstacheln, antreiben" ist ein Kompositum von *lat.* stinguere „stechen; (übertr.:) auslöschen", das zur *idg.* Sippe von → *Stich* gehört. Dazu das Adjektiv **instinktiv** „vom Instinkt geleitet; trieb-, gefühlsmäßig", das seit dem 19. Jh. bezeugt ist und aus *frz.* instinctif übernommen wurde.

Institut *s* „(wirtschaftl.) Unternehmen; Forschungs-, Bildungsanstalt": Im 18. Jh. aus *lat.* īnstitūtum „Einrichtung" entlehnt. Zu *lat.* īn-stituere „einsetzen, einrichten", einem Kompositum von *lat.* statuere „hin-, aufstellen" (vgl. *Statut*). – Zum gleichen Verb (*lat.* instituere) gehört das FW **Institution** *w* „Einrichtung": aus *lat.* īnstitūtiō.

instruieren „in Kenntnis setzen; unterweisen, anleiten": Im 16. Jh. aus *lat.* īn-struere „aufschichten, herrichten; ausrüsten, unterweisen" entlehnt. Zu → ¹*in*... und *lat.* struere „schichten" (vgl. *Struktur*). – Dazu die Abl.: **Instruktior.** *w* „Anleitung, Dienstanweisung, Vorschrift" (16. Jh.; aus *lat.* īnstrūctiō „Herrichtung, Ausrüstung, Unterweisung"); **instruktiv** „lehrreich, aufschlußreich" (18. Jh.), aus *frz.* instructif, zu *frz.* instruire (< *lat.* instruere).

Instrument *s* „Mittel, Gerät, Werkzeug", schon im 16. Jh. entlehnt aus gleichbed. *lat.* īnstrūmentum (eigtl. „Ausrüstung"). – Dazu: **Instrumental** *m* „das Mittel oder Werkzeug bezeichnender Fall", verkürzt aus älterem Instrumentalis (= *nlat.* cāsus īnstrūmentālis); **instrumentieren** „ein Musikstück für Orchesterinstrumente einrichten" (19. Jh.).

intakt „unberührt; unversehrt, nicht schadhaft; voll funktionsfähig": Im 19. Jh. aus *lat.* in-tāctus „unberührt" entlehnt. Zu → ²*in*... und *lat.* tangere „berühren" (vgl. *Tangente*).

integer „unbescholten, makellos": Das Adjektiv erscheint im *lat.* integer (< *en-tag-ros) „unberührt, unversehrt; ganz", das mit verneinendem → ²*in*... zur Sippe von *lat.* tangere „berühren" gehört (vgl. *Tangente*). – Eine besondere Rolle spielen Ableitungen von *lat.* integer, wie *lat.* integrāre „wiederherstellen; ergänzen", *mlat.* integrālis „ein Ganzes ausmachend", *lat.* integrātiō „Wiederherstellung eines Ganzen". Aus ihnen sind die FW **integrieren** (18. Jh.), **Integralrechnung** (17. Jh.) und **Integration** *w* (19./20. Jh.) hervorgegangen.

Intellekt *m* „Erkenntnis-, Denkvermögen; Verstand; rein verstandesmäßiges Denken": Im 16. Jh. eingedeutscht aus *lat.* intellēctus „das Innerwerden, die Wahrnehmung; geistige Einsicht, Erkenntnis; Erkenntnisvermögen; Verstand". Dies gehört zum Verb intellegere (vgl. *intelligent*). – Dazu das Adj. **intellektuell** „bloß geistig, begrifflich; [ein

seitig] verstandesmäßig", das schon im 18. Jh. bezeugt ist und aus *frz.* intellectuel < *lat.* intellēctuālis stammt.

intelligent „einsichtsvoll, [sach]verständig; klug, begabt": Im 18. Jh. aus *lat.* intelligēns, intelligentis (dafür besser: intellegēns) entlehnt. Dies ist Part. Präs. Akt. von intellegere (< *inter-legere) „mit Sinn und Verstand wahrnehmen; erkennen, verstehen; Einsicht gewinnen" eigtl. „dazwischen wählen", d. h. „durch kritische Auswahl charakteristische Merkmale einer Sache erkennen". – Über weitere Zusammenhänge vgl. *inter*... und *Legion*. – Dazu: **Intelligenz** *w* „geistige Fähigkeit; Klugheit", auch im Sinne von „Schicht der wissenschaftlich Gebildeten" (18. Jh.), aus *lat.* intellegentia (intelligentia). – Zu *lat.* intellegere gehören noch die FW → Intellekt, intellektuell.

Intendant *m* „Leiter eines Theaters, einer Rundfunk- oder Fernsehanstalt": Im 18. Jh. aus *frz.* intendant „Aufseher, Verwalter" entlehnt, das auf *lat.* intendēns (intendentis), Part. Präs. von in-tendere „hinstrecken, anspannen; seine Aufmerksamkeit anspannen und auf etwas ausrichten" zurückgeht; vgl. ¹*in*... und *tendieren*. Dazu: **Intendanz** *w* „Amt und Büro eines Intendanten" (18./19. Jh.; aus *frz.* intendance). – Zu *lat.* intendere gehören noch die FW → intensiv, intensivieren, Intensität, Intention.

Intensität *w* „Heftigkeit, Stärke; Wirksamkeit; Eindringlichkeit": *Nlat.* Bildung des 18. Jh.s zu *lat.* intēnsus (s. u.). – **intensiv** „eindringlich; stark; gründlich; durchdringend": Im 18. Jh. aus gleichbed. *frz.* intensif entlehnt, einer Neubildung zu *lat.* intēnsus „gespannt, aufmerksam; heftig". Dies ist Part. Perf. Pass. von in-tendere (vgl. *Intendant*). Dazu: **intensivieren** „verstärken, steigern; gründlicher durchführen" (20. Jh.); **Intensivum** *s* „Zeitwort, das die Intensität eines Geschehens kennzeichnet".

inter..., **Inter...:** Vorsilbe mit der Bed. „zwischen, unter" (örtl. und zeitl.). Wie *frz.* entre (s. entre...) stammt auch inter... aus gleichbed. *lat.* inter. Dies gehört (mit urspr. Komparativsuffix) zur Sippe von *lat.* in „in, hinein usw." (vgl. ¹*in*...). In der Bildung entspricht es genau dem urverwandten unter „zwischen" (vgl. *unter*). – *Lat.* inter ist Ausgangspunkt für verschiedene Abl. und Weiterbildungen. So wird ein Adj. *interus vorausgesetzt für die Komparativ- und Superlativbildungen *lat.* interior „der Innere; enger, tiefer" und *lat.* intimus „innerst, vertrautest" (s. intim, Intimus, Intimität), ferner für das Adj. internus „inwendig; einheimisch" (wie *lat.* externus zu exterus; s. extern) in den FW → intern, Interne, internieren, Internat, Internist. Erstarrte Ablative liegen vor in *lat.* intrā (< *interā) „innerhalb, innen, binnen" (s. intra...) und introⁿ (< *interō[d])

„hinein, inwendig" (s. intro...). Von inträ selbst wiederum ist das *lat*. Verb inträre „hineingehen, betreten" abgeleitet, das z. B. in *frz*. entrer und in unseren LW →entern, Enterhaken weiterlebt. – Unmittelbar zu *lat*. inter gehört noch das Adverb interim „unterdessen, inzwischen" (s. Interim, interimistisch).

Interesse *s*: Das seit dem 15. Jh. bezeugte FW geht zurück auf das *lat*. Kompositum inter-esse „dazwischen-, dabeisein; teilnehmen; von Wichtigkeit sein" (vgl. *inter...* und *Essenz*), das im *Mlat*. substantiviert erscheint als Rechtswort im Sinne von „aus Ersatzpflicht resultierender Schaden". Daraus ergibt sich für das Wort 'Interesse' einerseits die Bed. „Zinsen" (vom Standpunkt eines Schuldners aus, der den Schaden zu tragen hat), andererseits aber auch (vom Standpunkt des Gläubigers aus) die Bed. „Gewinn, Nutzen, Vorteil". Diese letztere Bedeutung hat sich bis heute gehalten, auch allgemeiner im Sinne von „persönliche Belange", so auch in der Fügung 'seine (oder eines anderen) Interessen wahrnehmen'. Die von einer Grundvorstellung „geistige Teilnahme" ausgehende Bed. „Aufmerksamkeit; Neigung" entwickelte sich erst im 18. Jh. unter dem Einfluß von *frz*. intérêt (< *lat*. interest). – Aus dem *Frz*. (*frz*. intéressant) stammt auch der Abl. interessant „die Aufmerksamkeit erregend, fesselnd; bemerkenswert, aufschlußreich; vorteilhaft" (18. Jh.). An Ableitungen sind ferner zu nennen: interessieren „Teilnahme, Aufmerksamkeit erwecken; jmdn. für eine Sache oder Person erwärmen" (17. Jh.), auch reflexiv gebraucht (nach *frz*. s'intéresser); interessiert „in starkem Maße Anteil nehmend, aufmerksam" (am Ende des 16. Jh.s); Interessent *m* „wer sich für etwas interessiert; Teilnehmer; Bewerber" (17. Jh.).

Interim *s* „zwischenzeitliche Regelung, Übergangslösung": Junges politisches Schlagwort, das aus dem *lat*. Adverb interim „unterdessen, inzwischen" (vgl. *inter...*) substantiviert wurde. – Dazu seit dem 18./19. Jh. das Adjektiv interimistisch „vorläufig, einstweilig".

Interjektion *w* „Ausrufe-, Empfindungswort": Im 16. Jh. als grammatischer Terminus aus *lat*. interiectiō „das Dazwischenwerfen; Zwischenwort" entlehnt. Zu →*inter...* und *lat*. iacere „werfen" (vgl. *Jeton*).

Intermezzo *s* „Zwischenspiel (im musikal. Sinne, wie auch übertr.)": Das seit dem 18. Jh. bezeugte FW galt urspr. nur im Bereich der Bühne im Sinne von „komisches Zwischenspiel". Es geht auf gleichbed. *it*. intermezzo zurück, das seinerseits auf *lat*. intermedius „in der Mitte befindlich" beruht (vgl. *inter...* und *Medium*).

intern „innerlich (auch mediz.); im engsten Kreis; persönlich; (*östr*. auch:) im Internat wohnend": Im 18./19. Jh. aus *lat*. internus „inwendig" entlehnt (vgl. *inter...*). – Dazu das substantivierte Adj. Interne *m* oder *w* „Schüler[in] eines Internats". **Internat** *s* „Lehr- und Erziehungsanstalt, in der die Schüler zugleich wohnen und verpflegt werden": Junge Neubildung des 19. Jh.s zu *lat*. internus (s. o.). – Hierzu noch →internieren und →Internist.

internieren „in staatl. Gewahrsam nehmen, in Lagern unterbringen (von Gefangenen oder polit. Häftlingen); (auch im Sinne von:) Kranke isolieren": Im 19. Jh. aus *frz*. interner entlehnt, einer Neubildung zu interne (< *lat*. internus); vgl. *intern*.

Internist *m* „Facharzt für innere Krankheiten": Junge Neubildung des 19./20. Jh.s zu *lat*. internus „innerlich, inwendig" (vgl. *intern*). – Dazu das Adj. internistisch „die innere Medizin betreffend".

Interpret *m* „Ausleger, Erklärer, Deuter (z. B. von Texten)": Im 18./19. Jh. aus *lat*. inter-pres (Gen.: interpretis) „Vermittler; Ausleger, Erklärer, Dolmetscher" entlehnt, einem alten Handelswort, dessen Grundwort ohne überzeugende Etymologie ist. – Früher als *lat*. inter-pres wurde das davon abgeleitete Verb inter-pretārī „auslegen, erklären, dolmetschen" mit dem zugehörigen Subst. inter-pretātiō „Auslegung, Erklärung, Deutung" in den FW interpretieren (16. Jh.) und Interpretation *w* übernommen.

Interpunktion *w* „Zeichensetzung": Im 18. Jh. aus *lat*. interpūnctiō „Scheidung (der Wörter im Satz) durch Punkte" entlehnt. Zu →*inter...* und *lat*. pungere „stechen" (vgl. *Punkt*).

Intervall *s* „Zeitabstand, Zeitspanne, Zwischenraum": Im 18. Jh. – zuerst in der musikal. Bed. „Abstand zwischen zwei Tönen" – aus *lat*. intervallum entlehnt, das mit einer eigtl. Bed. „Raum zwischen Schanzpfählen" zu *lat*. vallus „Schanzpfahl" gehört (vgl. *Wall*) und wohl aus der Fügung inter vallōs hervorgegangen ist.

intervenieren „dazwischentreten, sich einschalten; vermitteln", **Intervention** *w* „Vermittlung, Einspruch": Staatspolitische Begriffe, die eine durch politische Interessen begründete Einmischung in innerstaatliche Angelegenheiten eines fremden Staates bezeichnen. Entlehnt wurden diese Fachwörter im 17. Jh. über *frz*. intervenir, intervention aus gleichbed. *lat*. intervenīre, interventiō (vgl. *inter...* und *Advent*). – Dazu: Intervenient *m* „Eingreifender, Vermittler" (im 19. Jh. hinzugebildet, nach *lat*. interveniēns).

Interview *s* „für die Öffentlichkeit bestimmte Unterhaltung zwischen [Zeitungs]berichterstatter und einer meist bekannten Persönlichkeit über aktuelle Tagesfragen oder sonstige Dinge, die besonders durch die Person des Befragten interessant sind": Junges FW der Journalistensprache, das am Ende des 19. Jh.s aus gleichbed. *engl.-amerik.* interview übernommen wurde, das selbst auf *frz.* entrevue „verabredete Zusammenkunft" zurückgeht. Zugrunde liegt das Verb *frz.* entrevoir „einander (kurz) sehen, sich begegnen, treffen", eine Neubildung zu *frz.* voir „sehen" (< *lat.* vidēre). Über weitere Zusammenhänge vgl. *entre...* und *Vision.* – Abl.: **interviewen** „jmdn. in einem Interview befragen", **Interviewer** *m* „wer ein Interview macht" (beide seit dem Ende des 19. Jh.s bezeugt).

intim „vertraut, eng befreundet; innig; gemütlich (bes. von Räumen)": Seit dem 18. Jh. (zuerst in der Wendung 'intimer Freund') bezeugt. Quelle ist *lat.* intimus „innerst, innigst, vertrautest" (vgl. *inter...*), das in *lat.* Form schon im 16./17. Jh. als Substantiv **Intimus** *m* „Busenfreund" erscheint. – Dazu im 19./20. Jh. **Intimität** *w* „intime Beziehung, Vertraulichkeit".

intra...: Vorsilbe von Adjektiven mit der Bed. „innerhalb; während", wie in intrazellular „im Zellinneren". Quelle ist gleichbed. *lat.* intrā (vgl. *inter...*).

Intrige *w* „Ränkespiel": Im 17. Jh. – zunächst wohl im Bereich von Literatur und Politik – aus *frz.* intrigue entlehnt. Zugrunde liegt das auf *it.* intrigare, *lat.* intrīcāre „verwickeln, verwirren" zurückgehende Zeitwort *frz.* intriguer, das im 18. Jh. selbständig übernommen wurde als **intrigieren** „Ränke schmieden, hinterlistig Verwicklungen stiften". – Dazu seit dem 18. Jh. **Intrigant** *m* „Ränkeschmied, hinterlistiger Drahtzieher" (aus *frz.* intrigant).

intro..., Intro... (Vorsilbe mit der Bed. „hinein, nach innen", wie in introvertiert): Aus gleichbed. *lat.* intrō (vgl. *inter...*).

Intuition *w* „Eingebung, ahnendes Erfassen": Im 18. Jh. aus *mlat.* intuitiō „unmittelbare Anschauung" entlehnt. Zu *lat.* in-tuērī „ansehen, betrachten". – Dazu das Adjektiv **intuitiv** „durch unmittelbare Anschauung (nicht durch Denken) erkennbar; auf Eingebung beruhend", aus *mlat.* intuitīvus.

intus „innen, inwendig", fast nur in der *ugs.* Wendung 'etwas intus haben' im Sinne von „etwas begriffen haben" oder „etwas im Bauch haben, etwas gegessen oder getrunken haben": Urspr. ein Wort der Studenten- und Schülersprache. Im 19. Jh. aus *lat.* intus entlehnt, das mit entsprechendem *gr.* entós zur *idg.* Sippe von *lat.* in (vgl. ¹*in...*) und *nhd.* →*in* gehört.

invalid[e] „dienst-, arbeitsunfähig (auf Grund von Gebrechen)": Das zuerst im 18. Jh. als Subst. Invalide im Sinne von „dienstuntauglicher, ausgedienter Soldat" bezeugte FW geht auf *frz.* invalide < *lat.* in-validus „kraftlos, schwach, hinfällig" zurück. Über

weitere Zusammenhänge vgl. ²*in...* und *Valuta.* – Dazu: **Invalidität** *w* „Erwerbs-, Dienst-, Arbeitsunfähigkeit" (im 19. Jh. aus *frz.* invalidité „Gebrechlichkeit" latinisiert).

Invasion *w* „feindliches Einrücken von Truppen in fremdes Gebiet", aus dem militär. Bereich vielfach übertr. z. B. mediz. „Eindringen von Krankheitserregern": Im 17. Jh. aus *frz.* invasion, *spätlat.* invāsiō „das Eindringen, der Angriff" entlehnt. Zu *lat.* in-vādere „auf einen Ort losgehen, eindringen, angreifen". Das Stammwort *lat.* vādere „gehen, schreiten" ist urverw. mit →*waten.*

Inventar *s* „Vermögens[verzeichnis]": Im 15./16. Jh. als Wort der juristischen Fachsprache aus gleichbed. *lat.* inventārium entlehnt. Etwa gleichzeitig entwickelte sich aus *mlat.* inventūra unser FW **Inventur** *w* „Bestandsaufnahme". – Das zugrunde liegende Verb *lat.* in-venīre „auf etwas kommen, vorfinden; erwerben" erweist für das Subst. eine Grundbed. „das, was zum erworbenen Gut gehört" (vgl. ²*in...* und *Advent*).

investieren „Kapital (langfristig in Sachgütern) anlegen": Die moderne wirtschaftl. Bedeutung des Wortes, das daneben – seit *mhd.* Zeit bis heute – auch im Sinne von „feierlich mit den Zeichen der Amtswürde bekleiden" (= „in ein Amt einführen") gilt, ist jung (Ende 19. Jh.). Sie ist aus der konkreten Bedeutung des vorausliegenden Verbs *lat.* in-vestīre „einkleiden, bekleiden" übertragen. Das betrifft auch die dazugehörige *nlat.* Substantivbildung **Investition** *w* „langfristige Kapitalanlage" (19. Jh.). – Das Subst. **Investitur** *w* „Einweisung in ein niederes geistl. Amt (kath. Pfarramt)" hat die alte Bedeutung erhalten. Es wurde – ebenfalls schon in *mhd.* Zeit – aus *mlat.* investītūra (eigtl.: „Einkleidung") entlehnt und bezeichnete im Mittelalter die feierliche Belehnung mit dem Bischofsamt durch den König. Über weitere Zusammenhänge vgl. ¹*in...* und *Weste.*

Ion *s* „elektrisch geladenes Teilchen von atomarer oder molekularer Größe": Das im 19. Jh. im *Engl.* erfolgte gelehrte Bildung zu *gr.* íon, dem Part. Präs. Neutr. von iénai „gehen" (zur *idg.* Sippe von →*eilen*). Der Name bezeichnet also eigtl. das „wandernde Teilchen", wie es sich z. B. bei der elektrochem. Spaltung chemischer Verbindungen (Elektrolyse) zu den Elektroden hinbewegt.

irden: Das Adjektiv *mhd.*, *ahd.* irdīn, erdīn (entspr. *got.* aírþeins „irden; irdisch") ist von dem unter →*Erde* dargestellten Substantiv abgeleitet. Es bedeutete urspr. „aus Erde bestehend", dann speziell „aus gebrannter Erde, aus Ton gefertigt", beachte die Zus. **Irdengeschirr, Irdenware.** Eine andere Adjektivbildung ist **irdisch** (*mhd.* irdesch, *ahd.* irdisc), das zunächst mit dem 'Adjektiv irden gleichbedeutend war, dann aber – unter dem Einfluß von *kirchenlat.* terrestris – die Bed. „von der Erde stammend, zur Erde gehörig" (speziell im Gegensatz zu 'himmlisch') annahm, beachte die Zus. überirdisch (18. Jh.) und unterirdisch (17. Jh.).

irgend: Das auf das *dt.* Sprachgebiet beschränkte Adverb, das heute fast ausschließlich nur noch in Zusammenrückungen – wie z. B. irgendein, irgendwann, irgendwer, irgendwie, irgendwo – gebräuchlich ist, geht auf *mhd.* i[e]rgen[t] „irgend[wo]" zurück, dem *ahd.* io wergin „je irgend[wo]" zugrunde liegt. Der erste Bestandteil ist das unter →*je* dargestellte Adverb, der zweite Bestandteil (*ahd.* wergin) ist zusammengesetzt aus *ahd.* [h]wār „wo" (vgl. *wo*) und einer Indefinitpartikel *-gin. Das auslautende -d ist, wie auch in 'jemand' und 'niemand', sekundär. Die verneinte Form nirgend geht zurück auf *mhd.* ni[e]rgen[t], dem *ahd.* ni io wergin zugrunde liegt.

Iris w „Regenbogen (Meteor.); Regenbogenhaut des Auges (Med.)", auch Name einer Schwertliliengattung: Aus *gr.* íris (< *ųíris) „Regenbogen", das vielfach auf schillernde, buntfarbene Dinge übertragen wurde. Das *gr.* Wort gehört wohl zur Sippe von *idg.* *ųei-, ųi-, „drehen, biegen"; vgl. hierüber den Artikel →¹*Weide*.

Ironie w „Der verhüllende Spott [als pädagogische Leistung], der das Kleine, das groß, und das Große, das erhaben sein will, zur Selbstverspottung auffordert": Im 18. Jh. aus *lat.* īrōnīa < *gr.* eirōneía „erheuchelte Unwissenheit, Verstellung; Ironie" entlehnt. Dessen Etymologie ist unsicher. – Dazu das Adjektiv ironisch (16. Jh.; aus *lat.* īrōnicus < *gr.* eirōnikós.

irre: *Nhd.* irre „verirrt; verlustig, frei von; ketzerisch; wankelmütig, unbeständig, untreu; erzürnt; ungestüm; uneinig, verfeindet", *ahd.* irri „verirrt; verwirrt; erzürnt", *got.* aírzeis „verirrt, verführt", *aengl.* ierre „irrend; verirrt; verkehrt; ketzerisch; verwirrt; zornig". Das *altgerm.* Adjektiv ist näher verwandt mit der Sippe von *lat.* errāre „umherirren; sich verirren; schwanken; sich irren" und geht mit der unter →*rasen* dargestellten Wortgruppe auf die *idg.* Wurzelform *er[ə]s- „sich [schnell, heftig oder ziellos] bewegen" zurück (vgl. *rinnen*). Der Begriff des Irrens und der Begriff der seelischen Erregtheit beruhen also auf der Vorstellung der heftigen oder ziellosen Bewegung. – Die Bed. „geistesgestört" hat das Adjektiv erst in *nhd.* Zeit entwickelt. An diesen Sinn von 'irr' schließen sich die Bildungen Irre m „Geistesgestörter", w „Geistesgestörte" und die Zus. Irrenanstalt (19. Jh.), Irrenhaus (18. Jh.) an, beachte auch die Zus. Irrsinn (17. Jh.), dazu irr-

sinnig (19. Jh.). In der urspr. Bed. gruppieren sich um das Adjektiv die Bildungen Irre w (*mhd.* irre „Verirrung; Irrfahrt", beachte *got.* aírzei „Verführung"), irren (*mhd.* irren, *ahd.* irrōn, daneben trans. irran; beachte die Zus. beirren und sich verirren), irrig (*mhd.* irrec „zweifelhaft; hinderlich"), Irrtum m (*mhd.* irretuom, *ahd.* irrituom „Irrglaube", dann säkularisiert „Zwistigkeit, Streit, Hindernis, Schaden; Versehen") und die Zus. Irrfahrt (*mhd.* irrevart), Irrgarten (16. Jh.), Irrlehre (17. Jh.), Irrlicht (17. Jh.; vermutlich nach der unruhigen Bewegung benannt); Irrwisch „Irrlicht" (16. Jh.; zum zweiten Bestandteil vgl. *Wisch*).

irritieren „verwirren, beunruhigen, unsicher machen; stören": Im 16. Jh. aus *lat.* ir-rītāre „[auf]reizen, erregen" entlehnt und anfangs noch ganz in dessen Sinne verwendet. Die heutige Bedeutung kommt erst im 19. Jh. durch volksetymologischen Anschluß an das Verb →*irren* auf. – Die *idg.* Zusammenhänge von *lat.* ir-rītāre sind umstritten.

Ischias w (*ugs.* auch: s oder m) „Hüftweh": Ein medizin. Fachwort, das wie andere FW besonderer Art (z. B. Hämorrhoiden, Rheuma) gemeinsprachlich geworden ist. Es stammt aus *lat.* ischias < *gr.* ischiás (nósos) „Hüftschmerz". Das etymologisch nicht sicher gedeutete Stammwort *gr.* ischíon „Hüftgelenk, Hüfte" lebt auch in unserem LW →*Eisbein*.

Isegrim: Der seit dem 10. Jh. bezeugte Männername Isangrīm eigtl. „Eisenhelm" (vgl. *Eisen* und *Grimasse*) wurde in der mittelalterlichen Tierdichtung zum Namen des Wolfes, beachte z. B. 'Lampe' (Kurzform von Lamprecht) und 'Hinz' (Kurzform von Heinrich) als Namen von Hase und Kater in der Tierfabel. Seit dem 18. Jh. wurde der Name des Wolfes – unter volksetymologischer Anlehnung des zweiten Bestandteiles an das Adjektiv grimm – auf einen mürrisch trotzigen Menschen übertragen.

iso..., Iso..., (vor Selbstlauten meist:) is..., Is...: Bestimmungswort von Zus. mit der Bed. „gleich", wie in →Isobare, →Isotop. Quelle ist das etymologisch nicht sicher gedeutete *gr.* Adjektiv ísos (ísos) „gleich" (an Zahl, Größe, Stärke, Bedeutung usw.).

Isobare w (Verbindungslinie zwischen Orten gleichen Luftdrucks): Gelehrte Neubildung zu *gr.* ísos „gleich" (vgl. *iso...*) und báros „Schwere, Gewicht; Druck" (vgl. ¹*Bar*).

isolieren „absondern, vereinzeln; einen Isolator anbringen (Elektr.)": Das besonders in der Partizipialform isoliert „abgesondert, vereinzelt" auftretende Verb wurde am Ende des 18. Jh.s aus *frz.* isoler < *it.* isolare entlehnt. Dies ist von *it.* isola „Insel" (<*lat.* īnsula; vgl. *Insel*) abgeleitet und bedeutet eigtl. „zur Insel machen, etwas von allem anderen abtrennen (wie eine Insel vom Festland)" – Dazu: Isolation *w* und Isolierung *w*; ferner die übertr. Neubildung Isolator *m* „Stoff, der Energieströme schlecht oder gar nicht leitet (und darum nach außen oder innen isoliert)".

Isotop *s*: Wissenschaftl. Bezeichnung für chem. Elemente, die auf Grund verwandter Eigenschaften an der „gleichen Stelle" im periodischen System stehen. Das Wort ist eine gelehrte Neubildung zu *gr.* ísos „gleich" (vgl. *iso*...) und tópos „Platz, Ort, Stelle".

J

ja: Die Herkunft des *gemeingerm.* Adverbs *mhd.*, *ahd.* jǎ, *got.* ja, *engl.* yea (daneben *engl.* yes urspr. „ja so"), *schwed.* ja ist nicht sicher geklärt. Das seit dem Anfang des 17. Jh.s bezeugte Verb bejahen bedeutete zunächst „bewilligen", dann – als Gegenwort zu ‚verneinen' – „ja sagen". Zus.: Jasager (20.Jh.); Jawort (16. Jh.).

Jacht *w*: Das seit dem 16. Jh. bezeugte Wort ist eine Kurzform zu ‚Jachtschiff' (daneben auch ‚Jag[e]schiff'). Die veraltete Schreibung Yacht beruht auf Anlehnung des *dt.* Wortes an *engl.* yacht, das aus zweifelhaft. Die *nord.* Sippe von *schwed.* jaga „jagen" ist aus dem *Mnd.* entlehnt. Im *Engl.* gilt to hunt. Über das *altgerm.* Wort für „jagen" s. den Artikel ²Weide (beachte [aus]weiden, Weidmann, Weidwerk usw.). – Das Verb jagen bedeutet nicht nur „ein Wild verfolgen (um es zu fangen oder zu erlegen)"; auf die Jagd gehen", sondern auch allgemein „verfolgen; hetzen, [ver]treiben" (beachte die Zus. verjagen) und „sich schnell bewegen, rasen". An den letzteren Sinn schließt die im wesentlichen *mitteld.* und *nordostd.* Abl. jachern „japsend [umher]laufen" an. Das Verbalabstraktum zu ‚jagen' ist Jagd *w* (*mhd.* jaget, jagāt), das – ebenso wie das substantivierte Infinitiv Jagen – auch im Sinne von „Jagdrevier" gebräuchlich ist. Dazu stellen sich die Abl. jagdbar (17. Jh.; dafür *mhd.* jagebǣre) und die Zus. Jagdhund (*mhd.* jagethunt, älter jagehunt, *ahd.* jagahunt) und Jagdspieß (*mhd.* jage[t]spiez). Abl.: Jäger *m* (*mhd.* jeger[e]), dazu jägerisch (16. Jh.) und Jägerei *w* (*mhd.* jegerie). Die Zus. Jägerlatein (19. Jh.) bezeichnete zunächst die dem Laien schwerverständliche Sondersprache der Jäger und ging dann auf die Aufschneidereien der Jäger über. – Beachte auch den Artikel Jacht.

jagen: Das auf das *dt.* und *niederl.* Sprachgebiet beschränkte Verb (*mhd.* jagen, *ahd.* jagōn, *mnd.* jagen, *mniederl.* jaghen) hat keine sicheren *außergerm.* Entsprechungen. Die Verknüpfung mit der Wortgruppe von *aind.* yalú-ḥ „rastlos" ist zweifelhaft. Die

Jaguar *m* (südamerik. katzenartiges Raubtier): Der Name dieses Tieres stammt aus der Tupisprache der Eingeborenen Brasiliens (*Tupi* jagwár[a]). Er wurde im 18. Jh. durch *port.* Vermittlung bei uns bekannt.

jäh: Die Herkunft des Adjektivs *mhd.* gǣhe, *ahd.* gāhi ist dunkel. Die heute gemeinsprachliche Form mit j- beruht auf *mdal.* Aussprache des anlautenden g- (beachte ‚jappen' neben ‚gaffen', ‚Jieper' neben ‚Geifer' usw.) und ist seit dem 16. Jh. bezeugt. Die veraltete Form jach, *oberd. mdal.* gach geht auf das Adverb *mhd.* gāch, *ahd.* gāho zurück. Abl.: Jähe *w* (*mhd.* gǣhe „Eile, Ungestüm; steiler Abhang"); jählings (17. Jh.). Zus.: Jähzorn (17. Jh.; mit anlautendem g- bereits 15. Jh.; zusammengewachsen aus jäh und Zorn), dazu jähzornig.

Jahr *s*: Das *gemeingerm.* Substantiv *mhd.*, *ahd.* jār, *got.* jēr, *engl.* year, *schwed.* år geht mit verwandten Wörtern in anderen *idg.* Sprachen – vgl. z. B. *awest.* yārə „Jahr", *gr.* hōra „Jahr[eszeit], Tageszeit, Stunde" (s. Horoskop und Uhr) und *russ.-kirchenslaw.* jara „Frühling" – auf *idg.* *i̯ēro-s zurück. Die Bedeutung des *idg.* Wortes ist nicht sicher bestimmbar. Falls *idg.* *i̯ēro-s eine Substantivbildung zur Wurzelform *i̯ā-, *i̯ē- der Wurzel *ei- „gehen" (vgl. *eilen*) ist, bedeutete es urspr. etwa „Gang (der Sonne?); Lauf, Verlauf". – In *altgerm.* Zeit spielte das Wort eine untergeordnete Rolle, weil der unter ‚Winter' (s. d.) behandelte Name der Jahreszeit früher auch „Jahr" bedeutete und Zeitspannen und Lebensjahre vorwiegend nach Wintern gezählt wurden. Abl.: jähren, sich „ein Jahr her sein" (17. Jh.; *mhd.* jǣren, jāren bedeutete dagegen „mündig, alt werden; alt machen; auf-, hinhalten", beachte auch bejahrt und verjähren); jährig veralt. für „ein Jahr alt", heute nur noch als zweiter Bestandteil in Zus. wie einjährig, minderjährig, volljährig (*mhd.* jǣrec, *ahd.* jārig); jährlich (*mhd.* jǣrlich, *ahd.* jārlīh); Jährling „ein Jahr altes Tier" (*mhd.* jerlinc „einjähriges Fohlen"). Zus.: Jahrbuch (17. Jh.; zunächst *Mehrz.* als Lehnbildung von *lat.* annālēs); Jahrgang (*mhd.* jārganc „Jahreslauf; Ereignisse im Jahre"; in *nhd.* Zeit „was in einem Jahre hervorgebracht wird"); **Jahrhundert** (17. Jh.); **Jahrmarkt** (*mhd.* järmarket, *ahd.* iärmarchat); **Jahreszeit** (17. Jh.). Siehe auch den Artikel heuer.

Jalousie w „aus beweglichen (Holz- oder Metall)latten zusammengesetzter Fensterladen": Im 18. Jh. aus *frz.* jalousie entlehnt. Dessen eigtl. Bedeutung ist „Eifersucht". Es ist von jaloux „eifersüchtig" abgeleitet, das auf *vlat.* *zēlōsus (zu *spätlat.* zēlus < *gr.* zēlos „Eifer[sucht]") zurückgeht. Die Bedeutungsübertragung geht von entspr. *it.* gelosia (= *span.* celosia) aus. Sie trägt der Eigenart solcher Fensterläden Rechnung, bei denen man zwar von innen nach außen hindurchsehen kann, bei denen man aber vor eifersüchtig-neugierigen Blicken von außen sicher ist. Vorbild waren wohl die typischen Fenstergitter, wie man sie zuerst an orientalischen Harems beobachtete.

Jammer m: Das *westgerm.* Adjektiv *ahd.* jāmar, *asächs.* jāmar, *acngl.* geōmor „traurig, betrübt", das wahrscheinlich lautmalender Herkunft ist und sich aus einem Schmerzensruf entwickelt hat, ist im *dt.* Sprachgebiet in *ahd.* Zeit substantiviert worden: *ahd.* jāmar s, dann auch *m, mhd.* jāmer „Traurigkeit, Herzeleid, schmerzliches Verlangen". Abl.: **jämmerlich** (*mhd.* jāmer-, jāmarlich, *ahd.* jāmarlih) dazu **Jämmerlichkeit** (17. Jh.); **jammern** (*mhd.* [j]āmern, *ahd.* āmarōn). Zus.: **Jammerlappen** (20. Jh.; eigtl. „zum Abwischen der Tränen dienendes Tuch"); **jammerschade** (18. Jh.; das prädikative Adjektiv ist aus der Formel 'Jammer und Schade sein' hervorgegangen); **Jammertal** (*mhd.* jāmertal „Erde; Unglück", Lehnbildung nach *lat.* vallis lacrimārum).

Januar m: Seit dem Jahre 153 v. Chr. wurde das röm. Kalenderjahr nicht mehr von März bis Februar, sondern von Januar bis Dezember gerechnet. Demgemäß nannte man den das Jahr eröffnenden Monat (mēnsis) Iānuārius – nach dem altital. Gott Janus, dem Gott der Türen und Tore, symbolisch auch des Eingangs und [Jahres]anfangs –. Mit den anderen röm. Monatsnamen wurde in *mhd.* Zeit auch *lat.* Iānuārius entlehnt – in seiner *vlat.* Form Iēnuārius – zu jenner. Diese Form hat sich in Jänner bis ins 18. Jh. gehalten, wurde aber dann von der in gelehrter Entlehnung neu entwickelten Form Januar (= *frz.* janvier, *engl.* January) in die *oberd.* Mundarten, besonders in den *schweiz.* und *östr.* Sprachraum gedrängt. – Über die etymologischen Zusammenhänge von *lat.* Iānus, das ein personifiziertes *lat.* iānus „Torbogen" (urspr.: „Gang, Durchgang") ist, vgl. den Artikel *eilen*.

jappen, japsen „den Mund aufsperren, lechzen, nach Luft schnappen": Die beiden Verben, die vor allem in der *nordd.* und *mitteld.* Umgangssprache gebräuchlich sind, stellen sich zu *niederd.* gapen „den Mund aufsperren" (vgl. *gaffen*). Das anlautende j- beruht auf *mdal.* Aussprache des anlautenden g- (beachte den Artikel jäh).

Jargon m „saloppe Sondersprache einer [Berufs]gruppe oder Gesellschaftsschicht": Im 18. Jh. aus gleichbed. *frz.* jargon übernommen, das urspr. etwa „unverständliches Gemurmel, Kauderwelsch" bedeutete und wohl zu einer Gruppe von Wörtern lautnachmenden Ursprungs gehört, wie *frz.* gargoter „schmatzend und schlürfend essen oder trinken" (dazu *frz. ugs.* gargote „billige Freßkneipe").

Jasmin m (Zierstrauch mit stark duftenden Blüten): Im 16. Jh. durch *arab.-span.* Vermittlung aus *pers.* jāsämän entlehnt.

jäten: Die Herkunft des auf das *dt.* Sprachgebiet beschränkten Verbs (*mhd.* jeten, geten, *ahd.* jetan, getan, *asächs.* [üt]gedan) ist dunkel. Im Gegensatz zur lautgesetzlichen Entwicklung im *Nhd.* ä durchgedrungen. Die Form mit anlautendem g- herrschte bis ins 18. Jh. vor.

Jauche w: Das im ausgehenden Mittelalter aus dem *Westslaw.* – beachte *sorb.* jucha „Brühe; Suppe; Dungwasser, Jauche" – entlehnte jüche „trübe, stinkende Flüssigkeit, flüssiger Stalldünger" hat sich vom *Ostmitteld.* ausgehend im *dt.* Sprachgebiet durchgesetzt. Die *baltoslaw.* Sippe von *sorb.* jucha gehört mit verwandten Wörtern in anderen *idg.* Sprachen, vgl. z. B. *aind.* yūh „Brühe" und *lat.* iūs „Brühe, Suppe; Saft", zu einer *idg.* Verbalwurzel *jeu- „rühren, vermengen (bei der Speisebereitung)". Zu dieser Wurzel gehört auch die *nord.* Sippe von *schwed.* ost „Käse".

jauchzen: Das auf das *dt.* Sprachgebiet beschränkte Verb (*mhd.* jūchezen) ist von der Interjektion *'juch!'* abgeleitet und bedeutet demnach eigtl. „den Freudenschrei juch! ausstoßen". Beachte zur Bildung das Verhältnis von 'ächzen': 'ach!'. Abl.: **Jauchzer** m (18. Jh.; bereits im 16. Jh., aber im Sinne von „der Jauchzende" bezeugt). Die Nebenformen **juchzen** und **Juchzer** sind im wesentlichen *ugs.* gebräuchlich.

jaulen: Das um 1800 aus dem *Niederd.* ins *Hochd.* übernommene Verb jaulen „jämmerlich wie ein Hund klagen" ist lautmalender Herkunft. Eine ähnliche, aber wohl unabhängige Lautnachahmung ist *engl.* to yowl „heulen, schreien".

Jause w: Der *östr.* Ausdruck für „Zwischenmahlzeit, Vesper" geht auf *mhd.* jūs zurück, das aus *slowen.* jūžina „Mittagessen, Vesper" entlehnt ist. Das *slowen.* Wort gehört mit Entsprechungen in den anderen *slaw.* Sprachen zu der Wortgruppe von *russ.* jug „Süden" und bedeutet also eigtl. „Mittagsmahlzeit". Abl.: **jausen** „eine Jause einnehmen, vespern" (*mhd.* jūsen).

Jazz *m*: Der *angloamerik.* Name dieses aus Negerrhythmen hervorgegangenen und im 20. Jh. von Amerika nach Europa eingeführten Musikstils ist ohne sichere Etymologie. – Abl. und Zus.: jazzen (*ugs.*); Jazzer *m*; Jazzmusik; Jazzband.

je: Das *gemeingerm.* Adverb *mhd.* ie, *ahd.* io, eo, *got.* aiw, *aengl.* ā, *aisl.* ǣ geht auf eine erstarrte Kasusform eines *germ.* Substantivs (i-Stamm) mit der Bed. „Zeit, Lebenszeit, Zeitalter" zurück, das zu der unter →*ewig* dargestellten Wortgruppe gehört, beachte die verwandten Bildungen *ahd.* ēwa „Ewigkeit", *got.* aiws „Zeit, Ewigkeit", *aisl.* ǣvi „Lebensalter, Zeitalter". – Das Adverb je steckt auch in 'immer', 'irgend', 'jeder', 'jeglich', 'jemand' (s. diese Artikel). Beachte auch den Artikel Jelängerjelieber.

jeder: Das alleinstehend und attributiv gebrauchte Pronomen, das im Gegensatz zum zusammenfassenden 'alle' eine Gesamtheit vereinzelt, hat sich aus *mhd.* ieweder, *ahd.* ioweder, eohwedar entwickelt, das aus *ahd.* io, eo „immer" (vgl. *je*) und [h]wedar „wer von beiden", indefinit „irgendeiner von beiden" (vgl. *weder*) zusammengewachsen ist. – Das der gehobenen Sprache angehörige jedermann ist in *mhd.* Zeit aus ieder und man zusammengerückt. Beachte auch die Adverbien jedenfalls (18. Jh.) und jedesmal (17. Jh.).

Jeep „kleiner amerik. Kriegs- oder Geländekraftwagen mit Vierradantrieb": Im 20. Jh. aus *amerik.* jeep entlehnt. Dies ist eine Kurzform, die aus den Anfangsbuchstaben von *General Purpose* (War Truck) „Mehrzweckkriegslastkraftwagen" gebildet wurde.

jeglich: Das im heutigen Sprachgebrauch weitgehend durch jeder (s. d.) zurückgedrängte Pronomen hat sich aus *mhd.* ieclich, älter iegelich, *ahd.* iogilīh entwickelt, das aus *ahd.* io, eo „immer" (vgl. *je*) und gilīh „gleich [welcher], jeder" (vgl. *gleich*) zusammenwachsen ist.

Jelängerjelieber *s*: Der seit dem Anfang des 16. Jh.s – zuerst in der Form Ye lenger ye lieber – bezeugte Pflanzenname bezeichnete zunächst die Roten Nachtschatten, dessen bittere Rinde um so süßer schmeckt, je länger man sie kaut, beachte auch die volkstümliche Benennung 'Bittersüß'. Dann findet sich der Name auch für den Gelben Günsel (weil diese Pflanze immer lieblicher duftet, je länger man daran riecht) und für verschiedene andere Pflanzen, seit dem 19. Jh. speziell für das Geißblatt.

jemand: Das alleinstehend gebrauchte Pronomen, das sich auf irgendeine beliebige, völlig unbestimmte Person bezieht, hat sich aus *mhd.* ieman, *ahd.* ioman, eoman entwickelt, das aus *ahd.* io, eo „immer" (vgl. *je*) und man „Mann, Mensch" (vgl. *Mann*) zusammengewachsen ist. Das auslautende -d ist, wie z. B. auch in 'irgend' und 'weiland', sekundär. – Beachte auch den Artikel niemand.

jener: Das alleinstehend und attributiv gebrauchte Pronomen, das im Gegensatz zu 'dieser' (s. d.) auf etwas Entfernteres hinweist, lautete in den älteren Sprachzuständen *mhd.* „[j]ener, *ahd.* [j]enēr, *got.* jains, *aengl.* geon, *aisl.* (best. Artikel) inn. Zugrunde liegt diesen *germ.* Formen vermutlich der *idg.* Pronominalstamm *eno- „jener", der im *germ.* Sprachbereich wohl unter dem Einfluß des Relativstammes *io- und der Bildung *oino-s (vgl. *ein*) verschiedentlich umgestaltet worden ist. Beachte aus anderen *idg.* Sprachen z. B. die *baltoslaw.* Sippe von *russ.* on „jener". – Das seit dem 16. Jh. bezeugte derjenige ist aus 'derjene' weitergebildet, das aus *spätmhd.* der und jene zusammengerückt ist. Beachte zur Bildung das Verhältnis von 'derselbe' zu 'derselbige'. – Aus *mhd.* jensīt (jene sīte) hat sich *frühnhd.* jenseit, mit sekundärem s (vgl. *Seite*) jenseits entwickelt. Die substantivierte Form Jenseits *s* (um 1800) wird im Sinne von „Leben nach dem Tode" gebraucht.

Jeton *m* „Rechenpfennig, Spielmarke": Im 18./19. Jh. aus gleichbed. *frz.* jeton entlehnt. Dies ist von jeter „werfen" in dessen älterem übertr. Sinn „(durch Aufwerfen der Rechensteine) [be]rechnen" abgeleitet. Voraus liegt *vlat.* *iectāre, das für klass. iactāre „werfen, schleudern" steht. Dies ist ein Intensivum zu *lat.* iacere „werfen", das durch etliche Komposita in zahlreichen FW vertreten ist. Hierzu gehören: ad-icere „hinzuwerfen, -tun" (s. Adjektiv), in-icere „hineinwerfen, einflößen" (s. Injektion, injizieren), inter-icere „dazwischenwerfen, einwerfen" (s. Interjektion), ob-icere „entgegenwerfen, -stellen" (s. Objekt, objektiv, Objektiv), prō-icere „räumlich hervortreten lassen; entwerfen" (s. projizieren, Projektion, Projektor, Projekt), sub-icere „unter etwas werfen; zugrunde legen" (s. Subjekt, subjektiv, Sujet); schließlich noch trā-icere „hindurchwerfen, -bringen" im LW →Trichter (wozu eintrichtern). – Die *idg.* Zusammenhänge sind nicht eindeutig gesichert; formal und semantisch am nächsten steht die Familie von *gr.* hiénai „werfen; senden".

jetzt: Das Adverb hat sich samt seinen heute veralteten Nebenformen itzt und – ohne sekundäres -t – jetzo, itzo aus *mhd.* iezuo (ieze, iezō) entwickelt, das aus den Adverbien ie „immer" (vgl. *je*) und zuo „zu" (vgl. *zu*) zusammengewachsen ist. Abl.: jetzig (*mhd.* iezec). Zus.: Jetztzeit (Anfang des 19. Jh.s).

Jiu-Jitsu, (dafür eindeutschend:) Dschiu-Dschitsu *s*: Der Name dieser in Japan beheimateten Kunst der waffenlosen Selbstverteidigung, deren sportliche Form →Judo heißt, wurde im 20. Jh. aus *jap.* jūjutsu

295

Job

„sanfte Kunst" entlehnt. Zu *jap.* jū „geschmeidig, sanft" und jutsu „Kunst[griff]".
Job *m* „[Gelegenheits]arbeit; Beschäftigung, Stelle": Im 20. Jh. aus gleichbed. *engl.-amerik.* job entlehnt. Die weitere Herkunft ist dunkel.
Joch *s*: Die Benennung des Geschirrs zum Anspannen der Zugtiere ist eine Substantivbildung *idg.* Alters. Das *gemeingerm.* Wort *mhd.* joch, *ahd.* joh, *got.* juk, *engl.* yoke, *schwed.* ok geht mit Entsprechungen in anderen *idg.* Sprachen, z. B. *aind.* yugá-m, *gr.* zygón und *lat.* iugum, auf *idg.**ĭugo-m „Joch" zurück, das eine Bildung zu der mit -g erweiterten Verbalwurzel *ĭeu- „anschirren, zusammenbinden, verbinden" ist. Zu dieser Wurzel stellen sich aus anderen *idg.* Sprachen z. B. *lat.* iungere „verbinden" (s. Junktim, Junta, Konjunktion, Konjunktiv, konjugieren) und *aind.* yōga-ḥ „das Anschirren; Verbindung" (s. Joga). – Schon früh ging das Wort Joch auf die unter einem Joch zusammengespannten Zugtiere über und bezeichnete dann auch ein Feldmaß, eigtl. „so viel Land, wie man mit einem Joch Ochsen an einem Tag pflügen kann". Alt ist auch die Übertragung auf Dinge, die mit der Form eines Jochs Ähnlichkeit haben, beachte *ahd.* joh in der Bed. „Bergrücken, Paß", *mhd.* joch in der Bed. „Querbalken zu einem] Brückenjoch" und die Zus. Jochbein, Bergjoch, Brückenjoch. An 'Joch' im Sinne von „Zwang, Unterdrückung, Knechtschaft" schließt sich unterjochen „unterwerfen, unterdrücken" (18. Jh.) an. Das einfache Verb jochen ist lediglich *mdal.* im Sinne von „in ein Joch spannen" gebräuchlich.
Jockei *m* „berufsmäßiger Rennreiter": Am Ende des 18. Jh.s aus *engl.* jockey entlehnt. Das *engl.* Wort ist Verkleinerungsform zu Jock, der *schott.* Form von *engl.* Jack „Jakob".
Jod *s*: Der gelehrte Name dieses chem. Grundstoffes entstand zu Beginn des 19. Jh.s im *frz.* Sprachraum (*frz.* iode). Er ist – auf Grund des bei Erhitzung von Jod auftretenden veilchenblauen Dampfes – von *gr.* i-ōdēs (<io-eidḗs) „veilchenfarbig" abgeleitet. Bestimmungswort ist *gr.* íon „Veilchen", das in etymolog. Zusammenhang steht mit gleichbed. *lat.* viola; vgl. hierzu das LW Veilchen. Über das Grundwort *gr.* ...eidḗs vgl. Idee.
jodeln: Das von dem eigentümlichen Jodelruf 'jo' abgeleitete Verb stammt aus den *dt.* Alpenmundarten. Es ist schriftsprachlich seit dem Anfang des 19. Jh.s bezeugt. Abl.: Jodler *m* „einer, der jodelt; Jodelruf". Vgl. den Artikel johlen.
Joga *m* (indisches philos. System zur Selbsterlösung durch völlige Beherrschung des Körpers und Befreiung des Geistes): Aus *aind.* yugá-m „Joch (in welches der Körper gleichsam eingespannt wird)" entlehnt, das

mit den gleichbed. Wörtern *lat.* iugum, *gr.* zygón und *nhd.* →*Joch* urverw. ist. – Der Anhänger des Joga heißt Jogi *m*.
Joghurt *m* oder *s* „gegorene Milch": Junges LW aus gleichbed. *türk.* yoğurt.
johlen: Das auf das *dt.* Sprachgebiet beschränkte Verb (*mhd.* jōlen „vor Freude laut singen, grölen", *mnd.* jōlen „jubeln") ist von dem lautmalenden Ruf 'jo' abgeleitet und bedeutet also eigtl. „jo schreien". Aus dem gleichen 'jo' scheint sich auch 'jodeln' (s. d.) entwickelt zu haben.
Joker *m*: Das im 20. Jh. aus dem *Engl.* entlehnte Wort bezeichnet eine Spielkarte mit dem Bild eines Narren, die jede beliebige Karte ersetzen kann. So bedeutet denn auch *engl.* joker wörtlich „Spaßmacher". Es ist abgeleitet von joke „Scherz, Spaß", das wie *frz.* jeu und *nhd.* →*Jux* auf *lat.* iocus zurückgeht.
Jolle *w* „kleines [einmastiges] Boot": Die Herkunft des aus *niederd.* stammenden Wortes (*mnd.* jolle) ist dunkel. *Schwed.* julle, *niederl.* jol (daraus wiederum *engl.* yawl) sind aus dem *Niederd.* entlehnt. Zus.: Jollenkreuzer (20. Jh.).
Jongleur *m* „Geschicklichkeitskünstler": Das Substantiv ist bereits im 18. Jh. bezeugt, während das Zeitwort jonglieren erst im 19./20. Jh. erscheint. Quelle ist *frz.* jongleur (bzw. abgeleitetes jongler), das selbst auf *lat.* ioculātor „Spaßmacher" (vgl. *Jux*) zurückgeht.
Jota *s* „kleinste Kleinigkeit": Aus *gr.* iōta (ι). Dies ist der aus dem *Semit.* stammende Name des 9. Buchstabens im griech. Alphabet, der der kleinste ist und darum in der Bibel als Symbol der Kleinheit gilt.
Journaille *w* „gewissenlos und hetzerisch arbeitende Tagespresse": Französierende Neubildung des 20. Jh.s zu Journal (s. u.).
Journal *s* „Tageszeitung, Zeitschrift": Im 17. Jh. aus *frz.* journal entlehnt und bis ins 18. Jh. im Sinne von „gelehrte Zeitschrift" gebraucht. *Frz.* journal ist entspr. seiner Ableitung von *frz.* jour (= *it.* giorno) „Tag" eigtl. Adjektiv mit der Bed. „jeden einzelnen Tag betreffend". Seit dem 15. Jh. erscheint es dann substantiviert im Sinne von „Nachricht über die täglichen Ereignisse". Quelle für *frz.* jour (<*afrz.* jorn) – wie auch für *it.* giorno – ist *lat.* diurnus „täglich" in seiner *vlat.* Stellung als Subst. bzw. im Neutrum „Tag". Zugrunde liegt das zur *idg.* Sippe von →*Zier* gehörende Subst. *lat.* diēs „Tageslicht, Tag" (wozu auch →*Diäten*) bzw. dessen adverbialer Lokativ diū „bei Tage". – Nlat. Bildungen liegen vor in: Journalist *m* „Zeitungs-, Tagesschriftsteller" (17. Jh.), journalistisch (20. Jh.), Journalistik *w* „Zeitungswesen" (19. Jh.), Journalismus *m* (19. Jh.). Ausgangspunkt ist aber auch hier das *Frz.* und die entspr. Wörtern wie journaliste, journalisme.

296

jovial „froh, heiter; leutselig, gönnerhaft": Das seit dem 18. Jh. bezeugte Adjektiv steht für älteres jovialisch (16. Jh.), das mit entspr. *frz.* jovial, *it.* gioviale auf *lat.* Ioviālis „zu Jupiter (*lat.* auch: Iovis) gehörend" zurückgeht. Für die Bedeutungsübertragung ist die mittelalterliche Astronomie verantwortlich, die nach dem röm. Göttervater benannten Planeten Jupiter als Ursache für menschliche Fröhlichkeit und Heiterkeit ansah und danach den Heiteren mit ioviālis „der im Sternbild des Planeten Jupiter Geborene" bezeichnete. Über weitere Zusammenhänge vgl.: *Zier.* – Dazu das Subst. J o v i a l i t ä t *w* „heitere Gemütsart; Leutseligkeit" (18. Jh.).

jubilieren „frohlocken": Schon im 14. Jh. aus *lat.* iūbilāre „jauchzen, jodeln", entlehnt, das lautmalenden Ursprungs ist und zur Sippe von *nhd.* →*jauchzen* gehört. – Im *Vlat.* erscheint das Subst. iūbilum „das Jauchzen, das Frohlocken" – dafür *kirchenlat.* auch iūbilus zur Bezeichnung des langgezogenen jubelnden Ausklangs eines Kirchengesangs –, das in unserem, seit dem Beginn des 16. Jh.s bezeugten LW ¹J u b e l *m* weiterlebt. Dazu gibt es verschiedene Zus. wie J u b e l r u f, Jubelgeschrei usw. Auch die Verbalbildungen jubeln (15. Jh.) und verjubeln (18./19. Jh.) – letzteres *ugs.* im Sinne von „jubelnd (= sinnlos) verprassen" – gehören hierher. Anders verhält es sich mit dem lautgleichen Subst. ²J u b e l *m*, das noch in Zus. lebt, so in J u b e l j a h r (*mhd.* jūbeljār) „heiliges Jahr mit besonderen Ablässen in der kath. Kirche (alle 25 Jahre)" – wozu die Redensart 'alle Jubeljahre einmal' = selten gehört –, J u b e l f e i e r, Jubelgreis, J u b e l h o c h z e i t, J u b e l p a a r u. ä. Quelle hierfür ist *hebr.* jōbēl „Widderhorn; Freudenschall" (das Widderhorn wurde zu dem alle 50 Jahre gefeierten Halljahr = Erlaßjahr der Juden geblasen), das sich in der Vulgata mit dem oben genannten *vlat.* iūbilum vermischt hat. Als Ergebnis erscheinen denn auch Formen wie *spätlat.* (annus) iūbilaeus (in der schon erwähnten LÜ Jubeljahr), ferner *spätlat.* iūbilaeum „Jubelzeit" im FW J u b i l ä u m *s* „Jubel-, Fest-, Gedenkfeier; Ehren-, Gedenktag" (Ende 16. Jh.); schließlich noch *mlat.* iūbilārius „wer 50 Jahre im gleichen Stand ist", das im 18. Jh. zu J u b i l a r *m* „wer ein Jubiläum begeht; Gefeierter" bzw. zu J u b i l a r i n *w* eingedeutscht wurde.

juch!: Die Interjektion (*mhd.* jūch!), die die ausgelassene Freude ausdrückt, tritt heute gewöhnlich nur noch in Verbindung mit anderen Ausrufen auf, beachte z. B. j u c h h e!, juchhei!, juchheirassa! Von der Interjektion abgeleitet sind die beiden Verben j u c h e n *mdal.* und *ugs.* für „jauchzen, aufkreischen" und →j a u c h z e n. – Neben juch! existiert auch eine Interjektion j u! (*mhd.* jū!), die gleichfalls die Freude ausdrückt. Mit diesen beiden Interjektionen ist wahrscheinlich elementarverwandt z. B. *gr.* iḗ. Auch *lat.* iūbilāre „jauchzen" (s. jubilieren) ist von einer Interjektion *iū abgeleitet.

jucken: Die Herkunft des nur *westgerm.* Verbs (*mhd.* jucken, *ahd.* jucchen, *niederl.* jeuken, *engl.* to itch) ist dunkel. Je nach der Konstruktion kann das Verb jucken die Bed. „einen Juckreiz empfinden", „einen Juckreiz verursachen, kitzeln" oder „kratzen (um den Juckreiz zu beseitigen)" haben. Im Volksglauben spielt der Juckreiz seit alters eine bedeutende Rolle. Beachte z. B. die Auslegungen, daß das Jucken der Hand auf Geldeinnahme, das Jucken der Nase auf [schlechte] Neuigkeiten hinweist.

Judas *m* „[heimtückischer] Verräter": Nach Judas Ischariot, dem Jünger Jesu, der diesen durch einen heuchlerischen Kuß – den sogenannten J u d a s k u ß – verraten hat.

Judo *s* „sportliche Form des →Jiu-Jitsu": Im 20. Jh. aus *jap.* jūdō (eigentl. „geschmeidiger Weg zur Geistesbildung") entlehnt.

Jugend *w*: *Mhd.* jugent, *ahd.* jugund, *nieierl.* jeugd, *engl.* youth beruhen auf einer Substantivbildung zu dem unter →*jung* dargestellten *idg.* Adjektiv. Beachte aus anderen *idg.* Sprachen z. B. die *lat.* Bildung iuventūs „Jugend". Abl.: j u g e n d l i c h (*mhd.* jugentlich, *ahd.* jugendlih). Zus.: Jugendherberge (20. Jh.); Jugendstil (Ende des 19. Jh.s, nach der Münchener Zeitschrift 'Jugend'); J u g e n d w e i h e (20. Jh.).

Jul: Das aus dem *Nordischen* stammende Wort, das heute im wesentlichen in den Zus. Julfest und Julklapp gebräuchlich ist, bezeichnete in *altgerm.* Zeit das heidnische Mittwinterfest und ging nach der Christianisierung auf das Weihnachtsfest über, beachte *norw.*, *schwed.*, *dän.* jul „Weihnachten, Weihnachtsfest". Auch in Nordostdeutschland, wohin das Wort zuerst drang, bedeutete *niederd.* jul „Weihnachtsfest". – Die weitere Herkunft von *aisl.* jōl, dem *aengl.* geohhol, *geol* entspricht, ist dunkel.

Juli *m*: Der 7. Monat des Jahres, der nach altröm. Zählung (Jahresbeginn am 1. März) *lat.* (mēnsis) Quīntīlis „der Fünfte (Monat)" hieß, wurde zu Ehren C. Julius Caesars, der den Kalender reformierte, *lat.* (mēnsis) Iūlius genannt. Der *lat.* Name setzte sich bei uns in der Sprache der Kanzleien und der Humanisten seit dem 16. Jh. für älteres Heumonat durch. Die Eindeutschung ging – wie bei →Juni – vom Genitiv Iūliī aus.

jung: Das *gemeingerm.* Adjektiv *mhd.* junc, *ahd.* jung, *got.* juggs, *engl.* young, *schwed.* ung geht, wie z. B. auch das subst. *lat.* iuvencus „junger Stier; junger Mensch", auf eine Weiterbildung des *idg.* Adjektivs *iu̯en̥- „jung" zurück. Beachte z. B. aus anderen *idg.* Sprachen *aind.* yúvan- „jung" und *lat.*

297

iuvenis „jung", wozu die Komparativbildung iūnior „jünger" (s. Junior) gehört. Eine alte Substantivbildung zu *idg.* *iuuen-.„jung" ist das unter →Jugend behandelte Wort. — Das Adjektiv jung steht zunächst in Opposition zu 'alt' und wird ferner im Sinne von „frisch, neu; unreif, unausgegoren, unerfahren" und zeitlich im Sinne von „letzt, spät" gebraucht. — Die substantivierte Form Junge *m* bildet nicht nur den Gegensatz zu 'der Alte', sondern ist – bes. in *nordd.* und *mitteld.* Umgangssprache – auch im Sinne von „Knabe; Sohn" gebräuchlich. Dagegen hat Junge *s* die Bed. „neugeborenes bzw. junges Tier". Abl.: j u n g e n „Junge werfen" (15. Jh.); v e r j ü n g e n „jung machen", reflexiv auch „nach oben spitz zulaufen, dünner werden" (16. Jh.); für veraltetes j ü n g e n, *mhd.* jungen, *ahd.* jungan „jung machen"); J ü n g e r (s. d.); J ü n g l i n g (s. d.); j ü n g s t (s. d.). Zus.: J u n g b r u n n e n (*mhd.* juncbrunne „verjüngender Brunnen"); J u n g f r a u (*mhd.* juncvrou[we], *ahd.* juncfrouwa „junge Herrin, Edelfräulein," dann „junge, noch unverheiratete Frau [adligen Geschlechts]" und schließlich „junge, unberührte Frau"; s. Jungfer), dazu j u n g f r ä u l i c h „rein, unberührt" (*mhd.* juncvrouwelich); J u n g g e s e l l e (15. Jh.; zunächst in der Bed. „junger Handwerksbursche", dann „[junger] unverheirateter Mann"); J u n k e r (s. d.).

Jünger *m*: Der substantivierte Komparativ (*mhd.* junger, *ahd.* jungiro) von dem unter →*jung* behandelten Adjektiv bezeichnete – nach dem Muster von *mlat.* iūnior: senior – zunächst den Untergebenen, den Lehrling, den Schüler im Gegensatz zum 'Herren' (*ahd.* hērro, eigtl. „der Ältere"; s. d.). Dann wurde das Wort, in Wiedergabe des biblischen discipulus, speziell auf die Schüler Jesu bezogen.

Jungfer *w*: Das Wort, das heute fast nur noch in der Verbindung 'alte Jungfer' gebräuchlich ist, hat sich in *spätmhd.* Zeit – unter Abschwächung des zweiten Bestandteils – aus *mhd.* juncvrou[we] „junge Herrin, Edelfräulein" (s. Jungfrau) entwickelt. Es bezeichnete dann eine junge, noch unverheiratete Frau [adligen Geschlechts], speziell auch ein adliges Fräulein, das einer Fürstin zur Aufwartung dient, beachte die Zus. K a m m e r j u n g f e r, und ferner eine Frau, die die Keuschheit bewahrt, beachte die Abl. e n t j u n g f e r n und die Zus. J u n g f e r n h ä u t c h e n und J u n g f e r n s c h a f t. Abl.: j ü n g f e r l i c h (17. Jh.). Zus.: J u n g f e r n f a h r t (20. Jh.); J u n g f e r n r e d e (19. Jh.; LÜ von *engl.* maidenspeech).

Jüngling *m*: Das auf das *Westgerm.* beschränkte Wort (*mhd.* jungelinc, *ahd.* jungaling, *niederl.* jongeling, *aengl.* geongling) ist mit dem Suffix -ling von dem unter →*jung* dargestellten Adjektiv abgeleitet. Die *nord.*

Sippe von *schwed.* yngling ist dem *westgerm.* Substantiv nachgebildet oder daraus entlehnt.

jüngst: An die Verwendung des unter →*jung* behandelten Adjektivs im Sinne von „neu" schließt sich das Adverb jüngst „neulich, zuletzt" an, das sich aus *mhd.* [ze] jungest, *ahd.* zi jungist „zu neuest" entwickelt hat. – In den Verbindungen 'Jüngstes Gericht' und 'Jüngster Tag' bedeutet der Superlativ „allerletzt".

Juni *m*: Der Name des sechsten Monats geht – wie entspr. *frz.* juin, *engl.* June – auf *lat.* (mēnsis) Iūnius „Monat, welcher der Göttin Juno geweiht ist" zurück. Dieser Name setzt sich seit dem 16. Jh. in der Kanzleisprache durch und verdrängt alte deutsche Namen wie Brachmonat und Heumonat. Die heutige Form bildete sich aus dem Genetiv Iūniī.

Junior *m* „der Jüngere", auch im Sinne von „Jungsportler (vom 18. bis 23. Lebensjahr)": Im 19. Jh. aus *lat.* iūnior „jünger; der Jüngere" entlehnt, einer zur Familie von *lat.* iuvenis „jung" gehörenden Komparativbildung. Über weitere Zusammenhänge vgl. das urverw. Adj. *jung.*

Junker *m*: Das Wort hat sich aus *mhd.* juncherre entwickelt – beachte die entsprechende Entwicklung von *niederl.* jonker aus *mniederl.* jonchēre – und bedeutet also eigtl. „junger Herr". Im Mittelalter bezeichnete es speziell den Edelknaben, den noch nicht zum Ritter geschlagenen jungen Adligen, dann auch den sich auf den Ritterdienst vorbereitenden Knappen. Daran schließt sich die neuzeitliche Verwendung des Wortes an, einerseits im Sinne von „Sohn eines Adligen, bes. eines adligen Gutsbesitzers", dann auch „Adliger, adliger Gutsbesitzer", andererseits im Sinne von „zur Beförderung zum Offizier in die Armee eintretender junger Adliger; Offiziersanwärter". Zus.: J u n k e r t u m (19. Jh.); F a h n e n j u n k e r (17. Jh.).

Junktim *s* „notwendige Verflechtung mehrerer Dinge, die in ihrem Bestand einander bedingen (besonders von Gesetzen, politischen oder wirtschaftlichen Entwicklungen)": Ein noch sehr junges FW. Es ist aus *lat.* iūnctim (Adv.) „vereinigt, verbunden, miteinander" substantiviert und übertragen, das zu *lat.* iungere (iūnxī, iūnctum) „verbinden, verknüpfen" gehört. Dies stellt sich zusammen mit *lat.* iugum „Joch; Gespann" (dazu *lat.* con-iugāre „verbinden" in →konjugieren) zu der unter →*Joch* dargestellten *idg.* Sippe. – Aus dem Part. Perf. Pass. von *lat.* iungere stammt *span.* junto „vereinigt, verbunden", dessen Femininum in unserem FW →Junta lebt. Von Interesse sind ferner zwei Komposita von *lat.* iungere, *lat.* adiungere „verbinden, anknüpfen" und *lat.* con-iungere „verbinden", die den FW →Konjunktion, →Konjunktiv und →Konjunktur zugrunde liegen.

Junta w „Regierung[sausschuß]" (bes. in Südamerika), neuerdings häufig in der Zus. Militärjunta: Im 18./19. Jh. aus *span.* junta „Versammlung, Sitzung, Rat, Kommission" entlehnt. Dies ist substantiviertes Femininum von junto „vereinigt, verbunden", das auf gleichbed. *lat.* iūnctus zurückgeht (vgl. *Junktim*).

Jura *Mehrz.* „die Rechte" (als umfassende Bezeichnung aller zur Rechtswissenschaft gehörenden Begriffe und Vorgänge): Das Wort wurde aus dem *Lat.* übernommen. *Lat.* iūra ist Mehrz. von iūs (< *alat.* ious < *iouos) „Recht als Gesamtheit der Gesetze und Satzungen", das nur spärliche und unsichere Entsprechungen in anderen *idg.* Sprachen hat. Am ehesten stimmt dazu *aind.* yóḥ „Heil!". – Neben den unmittelbar abgeleiteten Neubildungen →Jurist, juristisch, Juristerei gehören zur Sippe von *lat.* iūs noch das Adj. iūstus „gerecht" (mit der Ableitung iūstitia „Gerechtigkeit", s. Justiz, Justizmord), das auch im Sinne von „recht, gehörig, billig; gerade" erscheint – wie besonders im Adverb *lat.* iūstē und in *mlat.* iūstāre „berichtigen, in die gehörige Ordnung bringen" (s. just und justieren) –, ferner die Verbalbildung *lat.* iūrāre „das Recht durch Schwur bekräftigen, schwören" (s. Jury).

Jurist m „Rechtskundiger (mit akademischer Ausbildung)": Im 14. Jh. aus *mlat.* iūrista eingedeutscht. Zu *lat.* iūs (iūris) „Recht". Über weitere Zusammenhänge vgl. *Jura*. – Dazu das Adj. juristisch „rechtswissenschaftlich; das Recht betreffend" (15./16. Jh.) und das im 16. Jh. gebildete Subst. Juristerei w „Rechtswissenschaft", das der Umgangssprache angehört; dafür fachsprachlich Jurisprudenz w (18. Jh., aus *lat.* iūris prūdentia „Rechtsgelehrsamkeit").

Jury w „Schwurgericht; Preisgericht": Das seit dem Anfang des 19. Jh.s bezeugte FW stammt aus dem *Engl.*, wurde aber hauptsächlich durch *frz.* Vermittlung bei uns bekannt. So ist denn auch die Aussprache bis heute schwankend, wenngleich die *frz.* Aussprache [ʃüri] neuerdings bevorzugt erscheint vor der *engl.* [dʒehuri] und vor der eingedeutschten [ĵuri]. *Engl.* jury selbst auf *afrz.* jurée „Versammlung der Geschworenen" zurück, das sich an *frz.* juré „Geschworener", jurer „schwören" und an das vorausliegende *lat.* Zeitwort iūrāre „schwören" anschließt. Über weitere Zusammenhänge vgl. *Jura*.

just (noch selten für:) „eben, gerade; recht": Das seit dem 16. Jh. bezeugte Adverb entspricht *frz.* juste, *engl.* just, *niederl.* juist und geht mit diesen auf *lat.* iūstē „mit Recht, billig, gehörig; gerade" zurück, das Adverb zu iūstus „gerecht; recht, gehörig". Über weitere Zusammenhänge vgl. *Jura*. – Von *lat.* iūstus abgeleitet ist ein *mlat.* Verb iūstāre „berichtigen, in die gehörige Ordnung bringen", das im FW justieren „(Geräte, Maschinen)genau einstellen, einspannen; ausrichten" fortlebt. Das Verb ist zuerst im 16. Jh. im Sinne von „Münzen ausgleichen, berichtigen (hinsichtlich ihres Gewichts)" und von „Maße eichen" belegt.

Justiz w „Gerechtigkeit; Rechtspflege": Im 17. Jh. aus *lat.* iūstitia „Gerechtigkeit; Recht" eingedeutscht, das unmittelbar zu *lat.* iūstus „gerecht; recht" (s. auch: just), mittelbar zur Sippe von *lat.* iūs „Recht" gehört (vgl. *Jura*). – Zus.: Justizmord „Hinrichtung eines auf Grund eines Fehlurteils unschuldig zum Tode Verurteilten" (18. Jh.). Gemeint ist demnach eigtl. ein „Mord, den die Justiz begeht".

Juwel *s* „Edelstein; Schmuckstück", oft übertragen im Sinne von „wertvolles, geschätztes Stück" (besonders von Personen): Das seit dem 15./16. Jh. bezeugte Wort wurde durch Vermittlung von *mniederl.* juweel aus *afrz.* joël „Schmuck" entlehnt, dem im *Nfrz.* joyau entspricht. Beide *frz.* Wörter gehören letztlich zu *lat.* iocus „Spaß, Scherz" (vgl. *Jux*), setzen aber verschiedene Ableitungen aus diesem als Vorformen voraus: *vlat.* *iocellum für *afrz.* joël, *lat.* *iocāle (Adj. *iocālis) für *frz.* joyau, beide etwa in einer Bed. „Scherziges, Kurzweiliges" zu fassen, woraus sich schließlich die moderne Bedeutung ergab. – Abgeleitet ist die Berufsbezeichnung Juwelier m „Goldschmied, Schmuckhändler" (18. Jh.), dafür älter: jubelierer (zu Jubel, einer früheren Nebenform von Juwel).

Jux m (*ugs.* für:) „Scherz, Spaß": Das seit dem 18. Jh. bezeugte Wort stammt aus der Studentensprache. Es ist aus gleichbed. *lat.* iocus entlehnt. Dies gehört – wohl mit einer urspr. Bed. „Rederei, Geschwätz" – zur *idg.* Sippe des *ahd.* Verbs jehan „[aus]sagen; gestehen" (vgl. *Beichte*). – Das abgeleitete Zeitwort juxen (*ugs.*) „scherzen, Spaß machen" ist jüngeren Datums. – Neben dem Stammwort *lat.* iocus, das auch in *frz.* jeu „Spiel, Spaß" und in *engl.* joke (s. Joker) erscheint, stehen die Ableitungen *lat.* ioculātor „Spaßmacher" – näher zu ioculus „Späßchen" – und *iocālis „spaßig, kurzweilig", erstere in den FW →Jongleur, jonglieren, letztere in →Juwel, Juwelier.

K

¹**Kabarett** s „zeit- und sozialkritische Klein-kunstbühne": Am Ende des 19. Jh.s aus *frz.* cabaret entlehnt, dessen urspr. Bedeutung wohl mit „Schenke, Trinkstube" zu fassen ist. Daneben besteht eine Bedeutung „Trink-, Teegeschirr", die in ²**Kabarett** s „drehbare Speiseplatte, Fächerschüssel" (19./20. Jh.) fortlebt. Die Vorgeschichte des *frz.* Wortes ist dunkel. – Im 20. Jh. stellt sich zu ¹Kaba-rett die Abl. **Kabarettist** m „Künstler an einer Kleinkunstbühne".

Kabel s: Das Subst. ist seit dem 13. Jh. be-zeugt. Bis ins 19. Jh. gilt es ausschließlich mit der Bed. „Ankertau, Schiffsseil", in der es aus *frz.* câble entlehnt worden ist. Erst seit dem 19. Jh. wird das Wort auch im speziellen technischen Sinn von „übersee-ische Telegraphenleitung; isolierte Strom-leitung" gebraucht. Schließlich nannte man auch die über ein solches Telegraphenkabel vermittelten Nachrichten einfach 'Kabel' (zuvor in Zus. wie 'Kabeltelegramm'). Dazu das abgeleitete Verb **kabeln** „ein Übersee-telegramm über Kabel aufgeben" (gegen Ende des 19. Jh.s nach gleichbed. *engl.* to cable gebildet). – Die genaue Herkunft des *frz.* Substantivs câble ist nicht gesichert.

Kabeljau m: Der Name des zur Familie der Dorsche gehörenden Speisefischs, der in ge-trockneter Form →Stockfisch, getrocknet und gesalzen →Klippfisch genannt wird, gelangte im 16. Jh. aus *mniederl.* cabbeliau (= *niederl.* kabeljauw) über *mnd.* kabelow, kabbelouw ins *Frühnhd.* – Die Herkunft des *niederl.* Wortes, das zuerst im 12. Jh. in der latinisierten Form cabellauwus vorkommt, ist ganz unsicher. Es stammt auf jeden Fall nicht aus *span.* bacallao oder *port.* bacalhau „Stockfisch", die erst viel später als das *niederl.* Wort bezeugt sind (eher ist eine um-gekehrte Entlehnung denkbar). Gleichwohl hängt das *niederl.* Wort mit dem *span.-port.* Wort und mit *frz.* cabillaud „Kabeljau" (13. Jh.) irgendwie zusammen.

Kabine w: Das Subst. erscheint zuerst am Anfang des 17. Jh.s mit der auch noch üblichen Bed. „Wohn- und Schlafraum auf Schiffen für Offiziere und Passagiere". Es ist in diesem Sinne aus gleichbed. *engl.* cabin entlehnt. Im übertr. Sinne bezeichnet man heute als 'Kabine' u. a. auch den Führersitz bestimmter Flugzeugtypen, ferner einen kleinen Umkleideraum (z. B. in Badeanstal-ten). Auf die Form des Wortes Kabine hat in neuster Zeit das entspr. *frz.* Subst. cabine „Koje; Kajüte; Kabine" eingewirkt, das selbst aus dem *Engl.* stammt. – *Engl.* cabin

seinerseits führt über *mengl.* caban[e], *afrz.* (= *frz.*) cabane „Hütte; Koje; Zelt", gleich-bed. *aprov.* cabana auf *spätlat.* capanna „Hütte (der Weinbergshüter)" zurück. Weitere Herkunft ist unsicher.

Kabinett s: Das seit dem 16./17. Jh. bezeugte, aus *frz.* cabinet entlehnte FW erscheint zu-erst mit der urspr. Bedeutung des *frz.* Wor-tes „kleines Gemach, Nebenzimmer". In der Folge werden verschiedene übertragene Bedeutungen des Wortes aus dem *Frz.* über-nommen, wie „abgeschlossener Beratungs-und Arbeitsraum eines Fürsten oder Mini-sters" und „engster Beraterkreis eines Für-sten". An die letztere schließt sich die heute gültige Bedeutung von 'Kabinett' im Sinne von „Kreis der die Regierungsgeschäfte eines Staates wahrnehmenden Minister" an. Die Bed. „Zimmer zur Aufbewahrung von Sammlungen", die für 'Kabinett' schon im 16./17. Jh. bezeugt ist, lebt heute noch in Zus. wie Raritätenkabinett (17. Jh.), Wachsfigurenkabinett (19. Jh.) und Kabinettstück „besonders gelungenes Prachtstück; Kunststück" (18. Jh.; bezeich-net eigtl. ein auserlesenes Stück, wie es für eine Sammlung geeignet wäre). – *Frz.* cabi-net ist wahrscheinlich eine alte Verkleine-rungsform zu dem etymolog. nicht geklärten Subst. *afrz.* cabine „Spielhaus", das nicht identisch ist mit dem aus dem *Engl.* über-nommenen *nfrz.* Subst. cabine „Kajüte, Koje" (s. das FW Kabine).

Kabuse, Kabüse w: Der vorwiegend in *nordd.* Mundarten gebräuchliche Ausdruck für „enge Kammer; kleine Hütte; schlechte Wohnung" stammt aus der *niederd.* Schiffer-sprache: *mnd.* kabûse „Bretterverschlag auf dem Schiffsdeck, der zum Kochen und Schla-fen dient", vgl. *mniederl.* cabûse „Schiffs-küche, Vorratskammer". Die weitere Her-kunft des Wortes, das vielleicht eine ver-dunkelte Zusammensetzung mit *niederd.* hûs „Haus" ist, ist dunkel. Vgl. den Artikel Kombüse.

Kachel w: Die *nhd.* Form des Wortes geht über *mhd.* kachel[e] auf *ahd.* chachala zu-rück. In den ältesten Sprachzuständen be-deutete das Wort bis in die *mhd.* Zeit hinein ausschließlich „irdener Topf; irdenes Gefäß". Daraus entwickelte sich dann die heute gül-tige Bed. „Ofenkachel, Fliese". Quelle des Wortes ist eine *vlat.* Nebenform *caccalus von *lat.* caccabus „Tiegel, Pfanne", das selbst LW ist aus *gr.* kákkabos „dreibeiniger Kessel". - Zus.: Kachelofen (*spätmhd.* kacheloven).

kacken: Das seit dem 15. Jh. bezeugte Verb ist ein – auch in *nichtidg.* Sprachen verbreitetes – Lallwort der Kindersprache. Elementarverwandt sind z. B. *lat.* cacāre „kacken" und *russ.* kákat' „kacken", beachte auch *ung.* kakalni „kacken". Abl.: Kacke *w* (17. Jh.).

Kadaver *m* „toter [Tier]körper; Aas": Im 16. Jh. aus gleichbed. *lat.* cadāver entlehnt, das mit einer urspr. Bed. „gefallener (tot daliegender) Körper" zu *lat.* cadere „fallen" gehört. Über die etymolog. Zusammenhänge vgl. den Artikel *Chance.* – Dazu die Zus. Kadavergehorsam „blinder, willenloser Gehorsam unter Aufgabe der eigenen Persönlichkeit" (19. Jh.).

Kadenz *w* „das Abfallen der Stimme (am Ende eines Satzes, eines Verses); Akkordfolge als Abschluß eines Tonsatzes": Im 16. Jh. aus *it.* cadenza (< *vlat.* cadentia „das Fallen") entlehnt. Über das Stammwort *lat.* cadere „fallen" vgl. den Artikel *Chance.*

Kader *m* „erfahrener Stamm (eines Heeres, einer Sportmannschaft)": Im 19. Jh. aus gleichbed. *frz.* cadre entlehnt, das eigtl. „Rahmen, Einfassung" bedeutet. Voraus liegt *it.* quadro (< *lat.* quadrus) „viereckig; Viereck; Kader" (vgl. *Quader*).

Kadett *m* „Zögling einer für Offiziersanwärter bestimmten Erziehungsanstalt": Im 18. Jh. aus *frz.* cadet „Offiziersanwärter" entlehnt, das auf *gaskognisch* capdet „kleines Haupt, (kleiner) Hauptmann" (= *aprov.* capdel) zurückgeht und urspr. speziell die von der Erbfolge ausgeschlossenen, nachgeborenen Söhne gaskognischer Edelleute bezeichnete, die als Offiziere ('cadets') in den königlichen Dienst traten (daher dann auch die übertr. Bed. von *frz.* cadet „zweitgeboren, jünger"). Später bezeichnete das *frz.* Wort dann auch allgemein die jungen Adligen, der als „Offiziersanwärter" in den militär. Dienst eintritt. – *Aprov.* capdel ist hervorgegangen aus *lat.* capitellum „Köpfchen", einer Verkleinerung von *lat.* caput „Kopf; Spitze; Oberhaupt". Über etymologische Zusammenhänge vgl. den Artikel *Kapital.*

Kadi *m:* Der „Richter" heißt im vorderen Orient *arab.* qāḍīn. Mit den beliebten oriental. Erzählungen von 'Tausendundeinenacht' wurde das Wort im 17./18. Jh. entlehnt. Später wurde es von der Umgangssprache als scherzhafte Bezeichnung des Richters aufgenommen. – Aus *arab.* (mit Artikel) al-qāḍī stammt auch *span.* alcalde „Dorfvorsteher", in unserem FW Alkalde *m.*

Kadmium *s:* Der Name des chem. Grundstoffes beruht auf einer gelehrten *nlat.* Bildung *lat.* cadmēa, cadmīa < *gr.* kadmía, kadmeía „Zinkerz".

Käfer *m:* Der Käfer ist wahrscheinlich nach seinen kauenden Mundwerkzeugen als „Nager" benannt worden. *Mhd.* kever, *ahd.* chevar, daneben cheviro, *niederl.* kever,

engl. chafer sind auf das *Westgerm.* beschränkte Substantivbildungen zu einem untergegangenen Verb mit der Bed. „kauen, nagen", vgl. z. B. *mhd.* ki-fe[r]n „kauen, nagen" (s. *²Kiefer*). Die bekanntesten Zus. mit 'Käfer' als Grundwort sind Hirschkäfer (s. d.), Maikäfer (s. d.) und Mistkäfer (s. d.).

Kaff *s* (*ugs.* für:) „armselige Ortschaft, langweiliges, kleines Nest": Das aus der Gaunersprache stammende Wort geht vermutlich auf *zigeunerisch* gāw „Dorf" zurück; allerdings hat es sich offensichtlich an das in der Bedeutung nahestehende Substantiv →Kaffer „Blödling" angeschlossen.

Kaffee *m:* Die letzte sicher zu ermittelnde Quelle für den Namen des anregenden Getränks ist *arab.* qahwa, das sowohl „Wein" wie auch „Kaffee" bedeuten konnte. Venezianische Kaufleute brachten als erste den Kaffee mit seinem *arab.* Namen im 16./17. Jh. aus der Türkei (*türk.* kahve) nach Italien (*it.* caffè) und von dort weiter nach Südwesteuropa (beachte z. B. entspr. *frz.* café, *span.* café). Auf unabhängiger Entlehnung beruhen hingegen wohl entspr. *niederl.* koffie und *engl.* coffee (s. auch Koffein). Aus dem *Engl.* oder *Niederl.* stammt *russ.* kófe. Uns erreichte das Wort im 17. Jh. aus *frz.* café, das in unverändertem Lautform erhalten ist in dem jüngeren, erst im 19. Jh. aufgenommenen FW Café *s*, dem Ersatzwort für die ältere, teilweise noch in Österr. übliche zusammengesetzte Bezeichnung Kaffeehaus (18. Jh.; älter nach *engl.* 'Coffeehaus', für Hamburg im 17. Jh. bezeugt). – In der Zus. Kaffeebohne steckt als Grundwort *arab.* bunn „Kaffeebohne", das volksetymolog. zu 'Bohne' umgedeutet wurde.

Kaffer *m* (*ugs.* für:) „dummer, blöder Kerl": Das seit dem Beginn des 18. Jh.s bezeugte Wort hat nichts mit dem gleichlautenden Namen des afrik. Volksstamms zu tun. Es stammt vielmehr aus dem Rotwelschen und geht auf *jidd.* kapher „Bauer" zurück.

Käfig *m:* Das *westgerm.* Subst. (*mhd.* kevje „Vogelbauer, Käfig", *ahd.* chevia, *niederl.* kevie) beruht auf Entlehnung aus *lat.* cavea „Käfig, Behältnis". – Gleichen Ursprungs ist das aus dem *niederl.* Sprachbereich aufgenommene FW →Koje.

Kaftan *m:* Name eines langen Obergewandes, wie es früher zur typischen Tracht der Ostjuden gehörte. Das Wort geht letzten Endes auf *pers.-arab.* khaftān „[militär.] Obergewand" zurück, das in neuerer Zeit durch Vermittlung von *türk.* kaftan, *slaw.* kaftan bei uns eindrang, nachdem schon im 17. Jh. das *türk.* Wort in seiner Bed. „langes Ehrenkleid (vornehmer Türken)" über *frz.* caftan entlehnt worden war.

kahl: Das *westgerm.* Adjektiv *mhd.* kal, *ahd.* chalo, *niederl.* kaal, *engl.* callow ist nicht, wie vielfach angenommen, aus *lat.* calvus „kahl, glatzköpfig" entlehnt, sondern mit der *baltoslaw.* Sippe von *russ.* gólyj ,,kahl, nackt, bloß" verwandt. Beachte noch aus dem *Slaw.* - *Tschech.* holý ,,nackt", das dem FW →Halunke zugrunde liegt. Abl.: K a h l - h e i t *w* (15. Jh.).

Kahn *m*: Das urspr. nur *mitteld.* und *niederd.* Wort wurde im 16. Jh. durch Luthers Bibel- übersetzung hochsprachlich und hat heute gemeinsprachliche Geltung. *Mitteld.*, *mnd.* kane ,,Boot, kleines Wasserfahrzeug" gehört wahrscheinlich zu der *nord.* Sippe von *dän.* kani ,,Schüssel" und bedeutete dann urspr. ,,[muldenförmiges, trogartiges] Gefäß". *Außergerm.* entspricht vermutlich *mir.* gann ,,Gefäß". - Umgangssprachlich wird Kahn auch im Sinne von ,,Bett" und ,,Gefängnis" gebraucht.

Kai *m* ,,gemauerter Uferdamm": Im 17. Jh. aus *niederl.* kaai entlehnt, das wie gleichbed. *engl.* quay auf *frz.* quai zu- rückgeht. Das Wort ist *kelt.* Ursprungs, vgl. *kymr.* cae ,,Gehege", *mbret.* kae ,,Dor- nenhecke, Zaun", *gall.* caio- ,,Umwallung" (verwandt mit *dt.* →Hag).

Kaiser *m*: Das *altgerm.* Subst. (*mhd.* keiser, *ahd.* keisar, *got.* kaisar, *niederl.* keizer, *aengl.* cāsere) ist vermutlich das älteste *lat.* LW im Germanischen. Es geht auf den Beina- men des römischen Diktators C. Julius Cae- sar zurück, der von den Germanen als Gattungsname für 'Herrscher' übernommen wurde. Die Entlehnung fällt in eine Zeit (bereits vor Christi Geburt), in der das ae im *Lat.* noch diphthongisch gesprochen wurde (das *got.* kaisar kann indessen auch auf dem aus dem *Lat.* entlehnten *gr.* Kaísar beruhen). Das Wort lebt in diesem Sinne nicht in den *roman.* Sprachen, die stattdessen für ,,Herr- scher" *lat.* imperātor übernommen haben (vgl. z. B. *frz.* empereur ,,Kaiser"). Be- achte in diesem Zusammenhang auch die *slaw.* Sippe von *russ.* car' ,,Zar, Kaiser" (dar- aus unser FW Zar *m* für den ehemaligen Herrschertitel bei Russen, Serben und Bul- garen), entspr. *bulg.* car, deren Quelle ein *aslaw.* *čĕsarь ,,Kaiser" ist, das seinerseits wohl unmittelbar aus *got.* kaisar stammt. - Vgl. auch den Artikel Kaiserschnitt.

Kaiserschnitt *m*: Bei dem römischen Schrift- steller Plinius findet sich der wohl legendäre Versuch einer Deutung des altröm. Namens 'Caesar' (vgl. das LW *Kaiser*). Danach soll der erste Träger dieses Namens bei der Ge- burt aus dem Leib seiner Mutter herausge- schnitten worden sein (zu *lat.* caedere, cae- sum ,,schlagen, hauen; herausschneiden"). Auf Grund dieser Legende prägte man in der mittelalterlichen Medizin für die operative Entbindung (die notwendig wird, wenn der natürliche Geburtsvorgang aus irgendwel- chen Gründen nicht möglich ist) die Bezeich- nung *mlat.* 'sectio caesarea" ,,cäsarischer Schnitt". Dieser Terminus lebt in den moder-

nen europäischen Sprachen fort (vgl. z. B. entspr. *engl.* 'Caesarian section' und *frz.* 'césarienne'). Im Deutschen kamen dafür die Lehnübersetzungen 'kaiserlicher Schnitt' (18. Jh.) und 'Kaiserschnitt' (17. Jh.) auf, von denen sich die letztere durchsetzte.

Kajak *m* (auch: *s*) ,,ein- oder mehrsitziges Sportpaddelboot": Im 17. Jh. aus der Eskimo- sprache entlehnt, wo das Wort ein einsitziges Männerboot bezeichnet (im Gegensatz zum Umiak, dem mehrsitzigen, offenen Weiber- boot).

Kajüte *w* ,,Wohnraum des Kapitäns eines Schiffes; Gästekabine auf Handelsschiffen": Das aus der *nordd.* Seemannssprache ins *Hochd.* übernommene Substantiv geht auf *mnd.* kajüte ,,Wohnraum an Bord eines Schiffes" zurück, dessen weitere Herkunft trotz aller Deutungsversuche unsicher ist.

Kakadu *m* (Name einer Papageienart Indi- ens und Australiens): Im 17. Jh. aus *niederl.* kakatoe entlehnt, das *malai.* Ursprungs ist.

Kakao *m*: Der Name der tropischen Frucht des Kakaobaumes und des aus ihr bereiteten Getränks ist seit dem Ende des 16. Jh.s be- zeugt. Er ist wie u. a. auch →Mais, →Scho- kolade, →Tabak und →Tomate *mittelame- rik.* Ursprungs (*aztekisch* cacuatl) und wur- de den Europäern durch *span.* cacao ver- mittelt.

Kakerlak *m* ,,Küchenschabe": Das seit dem 16. Jh. bezeugte Wort stimmt in der Lau- tung zu *niederl.* kakerlak – woraus *frz.* can- crelat stammt –, das allerdings wesentlich später belegt ist. Man vermutet Zusammen- hang mit dem u. a. auch im *Engl.* als cock- roach vertretenen, gleichbedeutenden *span.* cucaracha. Alles weitere ist unsicher.

kako..., Kako...: Bestimmungswort von Zus. mit der Bed. ,,schlecht, übel, miß...". Quelle ist das gleichbed. *gr.* Adj. kakós, dessen wei- tere Herkunft dunkel ist.

Kaktus *m*: Gelehrte Entlehnung des 18. Jh.s aus *gr.* káktos (> *lat.* cactus), das seinerseits etymologisch nicht gedeutet ist. – Daneben die Form K a k t e e *w*.

Kalamität *w* ,,[schlimme] Verlegenheit, Übelstand, Notlage" (*ugs.*): Im 17. Jh. aus *lat.* calamitās ,,Schaden, Unglück" entlehnt, das wohl mit einer urspr. Bed. ,,Schlag" zu der unter →Holz dargestellten Sippe der *idg.* Wz. *kel- ,,schlagen, hauen" gehört.

Kalauer *m* ,,fauler [Wort]witz": Die seit 1858 bezeugte Bezeichnung ist wohl eine Umfor- mung von *frz.* calembour ,,Wortspiel" nach dem Namen der niederlausitzischen Stadt Calau. Abl.: k a l a u e r n ,,Kalauer machen" (20. Jh.).

Kalb *s*: Die Vorgeschichte des *gemeingerm.* Wortes für ,,neugeborenes bzw. junges Rind" ist nicht mit Sicherheit zu klären. *Mhd.* kalp, *ahd.* chalp, *got.* kalbō, *engl.* calf, *schwed.* calv stehen im Ablaut zu der Sippe von *dt. mdal.* Kilber ,,weibliches Lamm" (*ahd.* chilburra) und stellen sich – dem Anlaut nach – zu der unter→*Kolben* dargestellten *idg.* Wz. *gelbh- „[sich] ballen, klumpig werden, schwellen" (mutmaßliche Bedeutungsentwicklung: „Schwellung" zu „Mutterleib, Leibesfrucht"). Dagegen gehört das Wort – der Stammbildung und der Bedeutung nach – besser zu *idg.* *gᵘelbh- „Gebärmutter; Mutterleib; Leibesfrucht; Junges", vgl. z. B. *aind.* gárbha-ḥ „Mutterleib; Leibesfrucht". Abl.: Kalbe *w* „junge Kuh" (*mhd.* kalbe, *ahd.* chalba; *got.* kalbō); kalben „ein Kalb werfen" (*mhd.* kalben; vgl. *engl.* to calve, *schwed.* calva); kalbern, kälbern „herumalbern, Späße treiben" (16. Jh.; eigtl. „wie ein junges Kalb umhertollen").

Kaleidoskop *s* „Guckkasten mit bunten Glassteinchen, die sich beim Drehen zu verschiedenen Mustern und Bildern ordnen", auch übertr. im Sinne von „lebendig-bunte Bilderfolge": Gelehrte Neubildung des 19. Jh.s zu *gr.* kalós „schön", eîdos „Gestalt, Bild" und skopeîn „betrachten, schauen", nach dem Vorbild von FW wie Mikroskop. Das Wort bedeutet also eigtl. etwa „Schönbildschauer".

Kalender *m* „Zeitweiser durchs Jahr": Im 15. Jh. aus gleichbed. *spätmlat.* calendārius (für *mlat.* calendārium) entlehnt. Zu *lat.* calendae (*dēr* erste Tag des Monats; (übertragen:) Monat".

Kalesche *w* „leichte vierrädrige Kutsche": Im 16./17. Jh. – anfangs auch in den Formen Kolesse, Kalesse – aus *tschech.* kolesa, *poln.* kolaska „Räderfahrzeug" entlehnt. Zu *poln.* koło „Rad", das zur *idg.* Sippe von →*Hals* gehört.

Kalfakter, Kalfaktor *m*: Das im 16. Jh. in der Schülersprache aufgekommene, aus *mlat.* cal[e]factor „Warmmacher" entlehnte Wort bezeichnete urspr. den mit dem Einheizen der Öfen betrauten Schüler, Hausmeister usw. Von da ging das Wort in den gemeinsprachl. Gebrauch über und wurde zur volkstümlichen, leicht abwertenden Bezeichnung für jemanden, der niedere Hilfsdienste verrichtet. In Mundartbereichen gilt es daneben auch übertragen im Sinne von „Nichtstuer, Schmeichler, Aushorcher". *Mlat.* cal[e]factor ist abgeleitet von *lat.* cal[e]facere „warm machen, einheizen", das auch die Quelle ist für die FW →Chauffeur, chauffieren, →echauffiert. Über weitere Zusammenhänge vgl. den Artikel *Fazit*.

Kaliber *s* „lichte Weite von Rohren; Durchmesser", in der Umgangssprache auch übertr. im Sinne von „Art, Schlag": Als militär. Fachwort zu Beginn des 17. Jh.s aus *frz.* calibre entlehnt, das seinerseits aus *arab.* qālib „Schusterleisten; (allgemein:) Form, Modell" stammt. Voraus liegt – wie auch für *türk.* kal'p „Form, Modell" (> *russ.* kalyp „Gießform") – das *gr.* Subst. kālopódion „Schusterleisten" (eigtl.: „Holzfüß-

chen"), Verkleinerung von kāló-pous „Holzfuß". – Dazu:...kalibrig in Zus. wie klein-kalibrig.

Kalif *m* (ehemaliger morgenländischer Herrschertitel): Schon in *mhd.* Zeit aus *arab.* ḥalīfa „Nachfolger, Stellvertreter (insbesondere des Propheten Mohammed)" entlehnt.

Kalk *m*: Das *westgerm.* Subst. (*mhd.* kalc „Kalk; Tünche", *ahd.* kalk, *niederl.* kalk, *aengl.* cealc „Kalk; Tünche" > *engl.* chalk „Kreide") beruht auf früher Entlehnung aus *lat.* calx (calcem) „Spielstein; Kalkstein, Kalk", das irgendwie verwandt ist mit *gr.* chálix „kleiner Stein, Kies; Kalkstein, ungebrannter Kalk" (vielleicht auch aus diesem entlehnt). Der den Germanen eigene Baustoff war der →Lehm. Den Kalk lernten sie erst von den Römern kennen, und zwar zusammen mit anderen Ausdrücken aus dem Bereich des Stein- und Mauerbaues (vgl. zum Sachlichen den Artikel Fenster). – Beachte in diesem Zusammenhang die zu *lat.* calx gehörende Verkleinerungsform *lat.* calculus „Steinchen; Spielstein, Rechenstein", das Ausgangspunkt für unsere FW →kalkulieren, Kalkül, Kalkulation, Kalkulator ist. Siehe auch Chaussee. – Abl. von Kalk: kalken (*mhd.* kelken, *ahd.* im zweiten Part. gichalct); kalkig (18. Jh.; älter 'kalkicht').

kalkulieren „[be]rechnen, veranschlagen; überlegen, meinen": Ein Wort der Kaufmannssprache, im 16. Jh. aus *lat.* calculāre (> *frz.* calculer) „mit Rechensteinen rechnen, berechnen" entlehnt. Das zugrunde liegende Subst. *lat.* calculus „Steinchen, Rechenstein; Rechnung, Berechnung", das als Verkleinerungsform zu *lat.* calx „Spielstein; Kalk[stein]" gehört (vgl. hierüber das LW Kalk), erscheint in dt. Texten des 17. Jh.s als die Calculus und Kalkul im Sinne von „Berechnung". In neuerer Zeit wird es jedoch abgelöst von dem aus *frz.* calcul (postverbal zu calculer) entlehnten Subst. Kalkül *m* „Berechnung, Überschlag". – Abl.: Kalkulation *w* „Kostenermittlung, [Kosten]voranschlag" (17. Jh.; aus *spätlat.* calculātiō „Berechnung"); Kalkulator *m* „Angestellter des betriebl. Rechnungswesens" (19. Jh.; aus *spätlat.* calculātor „Rechner, Rechnungsführer").

Kalorie *w* „Wärmeeinheit, Maßeinheit für den Energieumsatz des Körpers": Junge gelehrte Neubildung des 20. Jh.s zu *lat.* calor (calōris) „Wärme, Hitze, Glut", das zu calēre „warm, heiß sein, glühen" (urverw. mit *dt.* →*lau*) gehört. – Beachte in diesem Zusammenhang noch die FW →Kalfakter, →Chauffeur, chauffieren, →echauffiert (denen das *lat.* Kompositum cal[e]facere „warm machen, einheizen" zugrunde liegt), ferner →nonchalant, Nonchalance (zu *afrz.* chaloir „sich erwärmen für etwas" < *lat.* calēre).

303

kalt: Das *gemeingerm.* Adjektiv *mhd., ahd.* kalt, *got.* kalds, *engl.* cold, *schwed.* kall ist eigtl. das in adjektivische Funktion übergegangene 2. Partizip eines im *Dt.* untergegangenen starken Verbs, vgl. z. B. *aengl.* calan, *aisl.* kala „abkühlen, frieren". Im Ablaut dazu steht die unter →kühl behandelte Sippe. Die gesamte *germ.* Wortgruppe gehört mit verwandten Wörtern in anderen *idg.* Sprachen – vgl. z. B. *lat.* gelāre „gefrieren" (s. Gelee) – zu einer Wz. *gel- „abkühlen, [ge]frieren", die vermutlich mit *idg.* *gel- „[sich] ballen, klumpig werden" (s. *Kolben*) urspr. identisch war. – Abl.: Kälte *w* (*mhd.* kelte, *ahd.* chaltī); erkalten (*mhd.* [er]kalten, [ir]kaltēn „kalt werden"); erkälten (*mhd.* [er]kelten „kalt machen"), dazu Erkältung *w* (18. Jh.). Zus.: kaltblütig (18. Jh.); Kaltschale „kalt servierte süße Suppe" (17. Jh.; zusammengerückt aus 'kalte Schale', vgl. *niederl.* koldeschael); Kaltschmied (*mhd.* kaltsmit, *ahd.* chaltsmid „Schmied, der ohne Feuer arbeitet, Kupferschmied").

Kamel *s*: Der Name des zu den wiederkäuenden Paarhufern gehörenden Wüsten- und Steppentieres geht auf *gr.* kámēlos „Kamel" zurück, das selbst *semit.* Ursprungs ist (beachte *arab.* ǧamal „Kamel"). Die frühsten Belege des Wortes im Deutschen (*mhd.* kembel, kem[m]el, kamel) weisen auf unmittelbare Entlehnung (im Verlauf der Kreuzzüge) aus *gr.-mgr.* kámēlos hin (mit byzantinischer Aussprache des *gr.* ē als i). Die heute übliche Form des Wortes (seit dem Anfang des 16. Jh.s) beruht auf gelehrter Angleichung an (*gr.-*) *lat.* camēlus.

Kamelie *w* (Zierpflanze): Im 19. Jh. zu Ehren des Brünner Jesuitenpaters und Missionars Jos. Kámel benannt, der diese Blume aus Japan nach Europa brachte.

Kamera *w* „photographisches Aufnahmegerät": Das seit dem 19. Jh. bezeugte Substantiv ist aus 'Camera obscura' (wörtl. „dunkle Kammer") gekürzt, dem im 17. Jh. aufkommenden Namen jenes optischen Instrumentes, aus dem sich der moderne Photoapparat entwickelt hat und das nach der hinter dem Objektiv gelegenen „lichtdichten Kammer" (= *lat.* camera; vgl. *Kammer*) benannt ist.

Kamerad *m*: Zu *it.* camera, das wie *dt.* →*Kammer* auf *lat.* camera „Gewölbe, gewölbte Decke eines Zimmers; Raum mit gewölbter Decke" zurückgeht, stellt sich als Kollektivabl. *it.* camerata „Kammergemeinschaft, Stubengenossenschaft; Genosse, Gefährte". Dies liefert über *frz.* camerade im 16. Jh. unser LW Kamerad (die *frz.* Hauptform camarade geht auf gleichbed. *span.* camarada zurück). – Abl.: Kameradschaft *w* (17. Jh.).

Kamille *w*: Der Name der zu den Korbblütlern gehörenden Heilpflanze (*mhd.* gamille, kamille), deren getrocknete Blüten zu Aufgüssen und zur Bereitung von Tee verwendet werden, beruht auf Entlehnung und Kürzung aus *mlat.* camomilla. Letzte Quelle des Wortes ist *gr.* chamaímēlon (> *lat.* chamaemēlon) „Kamille", das wörtl. etwa „Erdapfel" bedeutet (zu *gr.* chamaí „am Boden, an der Erde" und *gr.* mēlon „Apfel"). Der Name soll sich auf den apfelähnlichen Duft der Blüten beziehen. – Auf der *niederd.* Form des Wortes Kamille beruht das Subst. Kamellen *Mehrz.*, das bei uns in der sprichwörtlichen Redensart 'olle Kamellen' „altbekannte Geschichten" (eigtl. etwa „alte, wiederaufgewärmte Kamillen") üblich ist.

Kamin *m* „offene Feuerstelle in Wohnräumen": Das Wort (*mhd.* kámīn, kémīn, *ahd.* kémīn „Schornstein; Feuerstätte") beruht auf Entlehnung aus *lat.* camīnus „Feuerstätte, Esse, Herd, Kamin", das seinerseits LW aus *gr.* kámīnos „Schmelzofen; Bratofen" ist. – Im süddeutschen Raum gilt das Wort Kamin auch noch für „Schornstein" (beachte die Zus. Kaminfeger).

Kamm *m*: Der Name des zum Ordnen und Stecken der Haare dienenden Gerätes *mhd.* kam[p], *ahd.* kamb, *niederl.* kam, *engl.* comb, *schwed.* kam bedeutet eigtl. „Zähne" (kollektiv). Das *altgerm.* Wort beruht mit Entsprechungen in anderen *idg.* Sprachen auf *idg.* *ǵombho-s „Zahn", vgl. z. B. *aind.* jámbha-ḥ „Zahn" und *gr.* gómphos „Zahn, Pflock, Nagel". Das *idg.* Substantiv ist eine Bildung zur der Verbalwz. *ǵembh- „beißen, zermalmen" und bedeutet demnach eigtl. „Zermalmer, Beißer". – Wegen der Ähnlichkeit mit der Form eines Kammes spricht man auch vom Hahnenkamm, Bergkamm (beachte auch die Zus. Kammwanderung, Traubenkamm und dgl.). Abl.: kämmen (*mhd.* kemben, *ahd.* chempen, vgl. *aengl.* cemban, *aisl.* kemba; beachte auch die Zus. durch- und auskämmen). Zus.: Kammgarn (19. Jh.; eigtl. 'Kammwollgarn', d. h. Garn aus Wolle, die durch Kämmen gelockert und gereinigt ist). – Vgl. auch den Artikel Kimme.

Kammer *w*: Ein altes *lat.* LW, das mit dem römischen Steinbau zu den Germanen kam. *Mhd.* kamer[e] „Schlafgemach; Vorratskammer; Schatzkammer; öffentliche Kasse; Gerichtsstube usw.", *ahd.* chamara, entspr. *niederl.* kamer gehen auf *lat.* (-*gemeinroman.*) camera „gewölbte Decke, Zimmerwölbung; Gemach mit gewölbter Decke, Kammer" zurück, das selbst LW aus gleichbed. *gr.* kamárā ist. Schon in den ältesten Sprachzuständen haben sich aus dem allgemeinen Gebrauch des Wortes im Sinne von „kleines, abgeteiltes Gemach des Hauses" zahlreiche spezielle Bedeutungen entwickelt. Im allgemeinen Sinn meint 'Kammer' heute vorwiegend das Schlafgemach. Der spezielle und übertr. Wortgebrauch wird vor allem deutlich an Zus. wie Vorratskammer, Schatzkammer, Waffenkammer, Volkskammer, Kammergericht, Zivilkammer, Strafkammer u. a. Schon in alter Zeit galt das Wort in eingeschränkter Bedeutung auch zur Bezeichnung fürstlicher Wohnräume. Daran erinnern Zus. wie Kammerherr, Kammerdiener, Kammergut (eigtl. „Domäne des Fürsten als Landesherrn"), Kammerjäger (urspr. „fürstlicher Leibjäger", seit dem 17. Jh. scherzhafte Bezeichnung des gewerbsmäßigen Rattenfängers, danach heute „berufsmäßiger Vertilger von Ungeziefer"), Kammermusik (urspr. „die in den fürstlichen Gemächern dargebotene Musik"; danach heute Bezeichnung jeder für eine kleine solistische Gruppe bestimmten Kunstmusik, im Gegensatz zur Orchestermusik), dazu Kammersänger (heute als Titel für hervorragende Sänger). – Abl.: Kämmerer m (mhd. kamerǣre, kamerer, ahd. chamarāri; das Wort bezeichnete im Mittelalter einen fürstlichen Hofbeamten, speziell den Aufseher über die Vorrats- und Schatzkammer; danach gilt es heute als Bezeichnung für den Leiter des [städtischen] Finanzwesens, beachte dazu die Zus. Stadtkämmerer). – Auf lat. camera, das auch die Quelle für unser FW →Kamera ist, beruhen aus dem roman. Sprachbereich z. B. it. camera „Kammer; [Schlaf]zimmer" (dazu it. camerata „Kammergemeinschaft, Stubengenossenschaft" in unserem FW →Kamerad) und entspr. frz. chambre „[Schlaf]zimmer; Kammer usw.".

Kampagne w: Zu lat. campus „[Blach]feld" (vgl. Kampf) stellt sich das Adj. spätlat. campāneus [-ius] „zum flachen Land gehörig". Dessen substantivierter Neutr. Plur. spätlat. campānia „flaches Land, Blachfeld" erscheint im It. als campagna und wird von dort ins Frz. als campagne „Ebene" übernommen. Dies liefert im 17. Jh. unser FW Kampagne, zuerst mit einer Bed. „Feldzug", wie sie im übertr. Sinn heute noch in Zus. wie Presse-, Wahlkampagne zum Ausdruck kommt. Die moderne Kaufmannssprache entwickelt dann im 19. Jh. für Kampagne die Bed. „Geschäftszeit, Saison".

Kämpe m „Kämpfer, alter Haudegen": Das im 18. Jh. aus dem Niederd. ins Hochdeutsche übernommene Substantiv geht auf mnd. kempe, kampe „Kämpfer, Held" zurück, das mhd. kempfe „Wett-, Zweikämpfer" entspricht (vgl. Kampf, Kämpfer).

Kampf m: Das westgerm. Subst. (mhd. kampf „Zweikampf; Kampfspiel; Kampf", ahd. champf, mnd. kamp, aengl. camp „Feld; Kampf, Streit"; die nord. Sippe von entspr. schwed. kamp stammt aus dem Mnd.) beruht wohl auf Entlehnung aus lat. campus „Feld; Schlachtfeld". – Abl.: kämpfen

(mhd. kempfen, ahd. chamfan, mnd. kempen „einen Zweikampf bestehen, kämpfen"); Kämpfer m (spätmhd. kempfer; für mhd. kempfe „Zweikämpfer, Kämpfer, Streiter", auf dessen mnd. Entsprechung kempe unser Substantiv →Kämpe beruht). – Zu lat. campus als Stammwort gehören zahlreiche, in unserem Wortschatz vertretene FW. Beachte im einzelnen die Artikel →Camp, campen, Camping, →Champion, Championat, →Champignon, →kampieren, →Kampagne.

Kampfer m: Der Name des aus dem Holz des ostasiat. Kampferbaumes destillierten und vorwiegend für medizinische Zwecke (z. B. als Herz-, Kreislaufmittel) verwendeten Stoffes (mhd. kampfer) führt über mlat. camphora auf arab. kāfūr „Kampferbaum" und weiter auf gleichbed. aind. karpūra-h zurück.

kampieren „[im Freien] lagern, übernachten": In der Soldatensprache des Dreißigjährigen Krieges aus frz. camper entlehnt, einer Abl. von frz. camp „[Feld]lager". Voraus liegt it. campo „Feld; Feldlager", das wie gleichbed. frz. champ auf lat. campus „[Blach]feld" zurückgeht. Über weitere Zusammenhänge vgl. das LW Kampf.

Kanaille w „Schurke, Schuft" (ugs.): Das seit dem 17. Jh. bezeugte Schimpfwort stammt aus frz. canaille „Hundepack, Gesindel", das seinerseits auf it. canaglia „Hundepack" zurückgeht. Stammwort ist lat. canis „Hund" (wohl mit dt. →Hund urverwandt trotz der Abweichung im Vokalismus), das im It. als cane und im Frz. als chien erscheint.

Kanal m: Zu lat. canna „kleines Rohr, Schilfrohr, Röhre" stellt sich das Adj. lat. canālis „Röhre, Rinne, Wasserlauf, Kanal". Als Entlehnung aus dem hieraus hervorgegangenen it. canale erscheint bei uns im 15. Jh. Kanal, dessen Bedeutungen nunmehr spezialisiert sind auf „Leitungsröhre; künstlich ausgegrabener Wasserlauf; Schifffahrtskanal". Unmittelbar aus lat. canālis stammt hingegen ahd. kánāli „Röhre, Rinne", das in gleichbed. mhd. kanel, kenel, känel und in Mundartformen wie Kännel und Kandel fortlebt. – Abl.: Kanalisation w „System von Rohrleitungen und Kanälen zum Abführen von Abwässern; Ausbau von Flüssen zu schiffbaren Kanälen" und kanalisieren (Zeitwort dazu). Beide Wörter sind nlat. Bildungen des 19. Jh.s. – Lat. canna geht zurück auf gr. kánna „Rohr, Rohrgeflecht", das selbst wohl LW ist aus babyl.-assyr. qanū „Rohr" (< sumer.-akkad. gin „Rohr"). – Beachte auch die letztlich zum gleichen Etymon gehörenden FW →Kanon, →Kanone, →Kanister, →Kanüle und →Knaster.

Kanapee s (veraltend für:) „Sofa": Im 18. Jh. aus frz. canapé entlehnt, das seinerseits aus *mlat.* canapēum < *lat.* cōnōpēum < *gr.* kōnō-peīon stammt. Diese bedeuten eigtl. „feinmaschiges Mückennetz", dann auch „Bett mit einem solchen Netz". Zugrunde liegt das etymologisch umstrittene Subst. *gr.* kōnōps „Mücke, Schnake".

Kandare *w* „zum Zaumzeug gehörende Gebißstange im Maul des Pferdes": Die Kandare, welche gegenüber der einfachen Zäumung auf →Trense ein schärferes Zügeln des Pferdes gestattet, wurde von den Ungarn eingeführt. Sie wurde im 16. Jh. mit ihrem *ung.* Namen kantár „Zaum, Zügel", zunächst als K a n t a r e, übernommen. – Dazu gehört auch die übertragene, seit dem 19. Jh. bezeugte Redensart 'einen an die Kandare nehmen', im Sinne von „jmdn. scharf zügeln, straff halten, streng vornehmen".

Kandelaber *m* „säulenartiges Gestell zum Tragen von Kerzen, Lampen und Räucherschalen": Im 18. Jh. durch Vermittlung von *frz.* candélabre aus *lat.* candēlābrum „Leuchter" entlehnt. Über weitere Zusammenhänge vgl. den Artikel *Kandidat.*

Kandidat *m* „[Amts]bewerber; Anwärter": Das seit dem 16. Jh. bezeugte FW geht auf gleichbed. *lat.* candidātus zurück, das eigtl. ein von *lat.* candidus „glänzend, weiß" abgeleitetes Adjektiv mit der Bed. „weiß gekleidet" ist. Substantiviert bezeichnete es den Amtsbewerber, der sich dem Volk in der 'toga candida', in der glänzend weißen Toga vorzustellen pflegte. Formal zugrunde liegt das *lat.* Verb candēre „glänzen, schimmern, hellglühen" – dazu auch *lat.* candēla „Kerze", candēlābrum „Leuchter" (s. Kandelaber) –, dessen *idg.* Zusammenhänge nicht gesichert sind. Abl.: K a n d i d a t u r *w* „Bewerbung um ein [polit.] Amt" (19. Jh.; nach *frz.* candidature); k a n - d i d i e r e n „sich [um ein Amt] bewerben" – Die übertragene, allgemeinere Geltung des Wortes Kandidat zeigt sich besonders in Zus. wie H e i r a t s k a n d i d a t und T o d e s - k a n d i d a t (beide im 19. Jh. bezeugt).

Kandis[zucker] *m*, dafür *mdal.* auch K a n - d e l z u c k e r : Die seit dem 18. Jh. bezeugte Bezeichnung für den an Fäden auskristallisierten Zucker ist schon im 16. Jh. bekannt unter Formen wie Zuckerkandit, Zuckerkandi (noch heute gelten volkstümlich Z u c k e r k a n d und Z u c k e r k a n d i s). Der fremde Bestandteil des Wortes geht auf *arab.* qand „Rohrzucker" (Adj.: qandī) zurück, das uns durch Vermittlung von *it.* zucchero candito (bzw. candi) erreichte. – Unser FW k a n d i e r e n „Früchte einzuckern und dadurch haltbar machen" gehört auch in diesen Zusammenhang. Es wurde im 17. Jh. dem von *it.* candi abgeleiteten Verb *it.* candire „einzuckern" und dem daraus entlehnten gleichbed. *frz.* candir nachgebildet.

Känguruh *s*: Der Name des in Australien beheimateten Beuteltieres entstammt einer Eingeborenensprache Australiens.

Kaninchen *s*: Der Name des Hasentieres ist eine Verkleinerungsbildung zu dem seit dem 17. Jh. nicht mehr gebräuchlichen Substantiv Kanin *s* „Kaninchen", das seinerseits über gleichbed. *mnd.* kanīn auf *afrz.* conin „Kaninchen" zurückgeht. Das *afrz.* Wort (im *Frz.* gilt dafür lapin) ist mit Suffixwechsel aus *lat.* cunīculus „Kaninchen" umgestaltet, das selbst vermutlich *iberischen* Ursprungs ist.

Kanister *m* „tragbarer Behälter für Flüssigkeiten": Das seit dem 18. Jh. mit der Bed. „Korb" bezeugte FW, das allerdings erst gegen Ende des 19. Jh.s in seiner modernen, durch entspr. *engl.* canister beeinflußten Bedeutung allgemeiner bekannt wurde, ist aus *it.* canestro „Korb" entlehnt. Voraus liegen *lat.* canistrum und *gr.* kánistron „aus Rohr geflochtener Korb" (zu *gr.* kánna „Rohr, Rohrgeflecht"; vgl. hierüber das FW *Kanal*).

Kanne *w*: Die *altgerm.* Gefäßbezeichnung *mhd.* kanne, *ahd.* channa, *niederl.* kan, *engl.* can, *schwed.* kanna ist wahrscheinlich entlehnt aus *lat.* canna „Schilf, Rohr; Röhre" (vgl. *Kanal*), das demnach in der römischen Töpferei zunächst ein Gefäß mit einer Ausgußröhre bezeichnet haben mußte. – Der seit dem 18. Jh. gebräuchliche Ausdruck für einen politischen Schwätzer K a n n e g i e ß e r *m* bezieht sich auf das Lustspiel des Dänen Holberg 'Der politische Kannegießer' (1722; übers. von Detharding), in dem ein politisierender beschränkter Zinngießer die Hauptfigur ist. Davon abgeleitet ist k a n n e - g i e ß e r n „politisierend schwatzen" (18. Jh.).

Kannibale *m* „Menschenfresser", auch *übertr.* im Sinne von „roher, ungesitteter Mensch": Das FW ist seit dem Anfang des 16. Jh.s – in der Mehrzahlform Canibali – bezeugt. Es geht wie entspr. *frz.* cannibales und *engl.* cannibals auf *span.* caníbales zurück, das zuerst in den vor Chr. Kolumbus über seine Entdeckungsreisen geführten Tagebüchern begegnet und dort gleichbedeutend neben caríbales steht. Es ist also identisch mit dem Stammesnamen der die Antillen bewohnenden Kariben. – Dazu das Adj. k a n n i b a l i s c h „roh, ungesittet; grausam" (16. Jh.).

Kanon *m* „Richtschnur, Maßstab; Regel; Leitfaden; Gesamtheit der für ein bestimmtes Gebiet geltenden Regeln; (nach strengen Regeln) aufgebauter Kettengesang": Entlehnt aus *lat.* canōn < *gr.* kanōn „Richtscheit, Richtschnur, Regel, Vorschrift", das wohl mit einer urspr. Bed. „Rohrstab" zu *gr.* kánna „Rohr" gehört (vgl. hierüber das FW *Kanal*). – Zu Kanon, und nicht zu →Kanone, gehört auch die Redensart 'unter aller Kanone', eine wohl von Schülermund gefundene scherzhafte Übersetzung von *lat.* 'sub omnī canōne' „unter aller Richtschnur" (d. h. so schlecht, daß ein normaler Beurteilungsmaßstab versagt). **Kanone** w „[schweres] Geschütz", *ugs.* auch übertr. für „[Sport]größe, bedeutender Könner": Das seit dem 16. Jh. bezeugte FW geht auf it. cannone zurück, das als vergrößernde Abl. von *lat.-it.* canna „Rohr" (vgl. hierüber das FW *Kanal*) zunächst „großes Rohr" bedeutet, dann in der militär. Fachsprache als Pars pro toto ein schweres Geschütz bezeichnet. – Zus. und Abl.: K a n o n e n f u t t e r (19. Jh.; freie Übersetzung von *engl.* 'food for powder'); K a n o - n a d e w „anhaltendes Geschützfeuer; Trommelfeuer" (17. Jh.; aus gleichbed. *frz.* canonnade, zu *frz.* canon „Geschütz" < *it.* cannone); K a n o n i e r m „Soldat der Geschützbedienung" (17. Jh.; aus gleichbed. *frz.* canonnier; k a n o n i e r e n „mit Kanonen schießen" (17. Jh.; aus gleichbed. *frz.* canonner), in diesem Sinne heute veraltet, aber *ugs.* noch übertragen gebraucht für „kraftvoll aufs Tor schießen" (Fuß-, Handball usw.). – Über die Redensart 'unter aller Kanone' vgl. den Artikel *Kanon*.

Kantate w „lyrisches Chorwerk mit Sologesängen und Instrumentalbegleitung": Um 1700 aus gleichbed. *it.* cantata entlehnt, das zu *lat.* cantāre „singen", dem Intensivum von *lat.* canere „singen" (vgl. *Kantor*) gehört.

Kante w: Das im 17. Jh. aus dem *Niederd.* übernommene Wort für „Rand, Ecke" geht auf *mnd.* kant[e] „Ecke" zurück. Letzte bekannte Quelle des Wortes ist vermutlich *lat.* cantus „eiserner Radreifen, Radfelge", das uns mit seiner im *Roman.* entwickelten Bed. „Ecke, Kreis, Rand" über *afrz.* cant „Ecke" (= *it.* canto) erreichte. – Abl. und Zus.: k a n t e n „auf die Kante stellen, wenden" (17./18. Jh.); k a n t i g „Kanten habend" (18. Jh.); K a n t h a k e n „eiserner Haken zum Kanten und Fortbewegen von Lasten" (aus dem *Niederd.*), heute nur beim bildl. übertr. gebraucht in der Wendung 'jmdn. beim Kanthaken nehmen' (17. Jh.). – Vgl. auch den Artikel *Kanton* und *kentern*.

Kantine w „Erfrischungs-, Speise-, Verkaufsraum (in größeren Betrieben, Kasernen usw.)": Im 19. Jh. – zunächst in der Bed. „Soldatenschenke" – aus *frz.* cantine entlehnt, das aber bereits im 18. Jh. bei uns mit der Bed. „Feldflasche" erscheint. Die urspr. Bedeutung ist „Flaschenkeller", die auch das vorausliegende *it.* cantina hat. Das *it.* Wort ist vermutlich *gall.* Ursprungs.

Kanton m: Die Bezeichnung für die einzelnen Bundesstaaten der Schweizer Eidgenossenschaft ist seit dem 16. Jh. bezeugt (daneben bis ins 18. Jh. noch die Bezeichnungen 'Ort', 'Gebiet' und 'Stand'). Das Wort stammt

aus *frz.* canton „Ecke, Winkel; Landstrich, Bezirk" < gleichbed. *it.* cantone, einer Vergrößerungsbildung zu *it.* canto (= *frz.*chant, *afrz.* cant) „Winkel, Ecke". Über weitere Zusammenhänge vgl. den Artikel *Kante*. – Abl.: k a n t o n a l „den Kanton betreffend" (*nlat.* Bildung).

Kantor m „Leiter des Kirchenchores, Organist, Leiter der Kirchenmusik": Im 16. Jh. aus *lat.* cantor „Sänger" entlehnt, bezeichnete das Wort zunächst den Vorsänger im Gregorianischen Choral, dann überhaupt den Gesangsmeister in Kirche und Schule. *Lat.* cantor ist von canere „singen" abgeleitet, das urverwandt ist mit *dt.* →*Hahn* (eigtl.: „Sänger"). – Von Interesse sind in diesem Zusammenhang noch einige andere Abl. und Kompositen von *lat.* canere, die in *dt.* FW eine Rolle spielen: *lat.* cantiō „das Singen, der Gesang", daraus *it.* canzone und *frz.* chanson (s. Chanson), beachte weiterhin *lat.* cantilāre „trillernd singen" und das davon abgeleitete Subst. *lat.-it.* cantilēna „Singsang, Lied" in Kantilene; ferner: *lat.-it.* cantāre „singen" (s. Kantate), *lat.* cantus „Gesang", *lat.* accinere „dazu tönen" (s. Akzent); *lat.* canere gehört schließlich wohl auch zu *lat.* carmen (< *canmen) „Gedicht, Lied", das die Quelle ist für *frz.* charme „Zauber, Reiz, Anmut" (s. Charme, charmant).

Kanu s „ein- od. mehrsitziges Sportpaddelboot aus Holz": Im 18. Jh. aus *engl.* canoe, *frz.* canot (älter: canoe), *span.* canoa entlehnt, nachdem früher verschiedentlich aus Reiseschilderungen die *span.* und *frz.* Form unmittelbar bekanntgeworden waren, ohne sich jedoch zu behaupten. Letzte Quelle des Wortes ist *karib.* can[a]oa „Baumkahn". – Abl.: K a n u t e m „Kanufahrer" (20. Jh.).

Kanüle w „Röhrchen; Hohlnadel an Injektionsspritzen": Im 19. Jh. aus gleichbed. *frz.* canule entlehnt, das seinerseits auf *lat.* cannula „kleines Rohr" (Verkleinerungsform zu *lat.* canna „kleines Rohr, Schilfrohr, Röhre"; vgl. *Kanal* zurückgeht.

Kanzel w: Das Wort bezeichnet in der christlichen Kirche den erhöhten [mit einer Brüstung umgebenen] Stand für den Prediger. Daneben hatte es früher (wie noch heute in Österreich) auch die Bed. „Lehrstuhl". Im übertragenen Sinne wird 'Kanzel' heute z. B. auch für die Piloten- und Beobachterkabine in Flugzeugen gebraucht. Das Subst. (*mhd.* kanzel, *ahd.* káncella) wurde im Bereich der Kirchensprache mit einer urspr. Bed. „abgesonderter Platz für die Geistlichkeit in der Kirche" aus *lat.-mlat.* cancellī „Gitter, Schranken; das durch Schranken abgetrennte Lesepult für die Geistlichkeit in der Kirche" entlehnt. Zu *lat.* c a n c e r (cancrī) „Gitter, Schranke", das vermutlich durch Dissimilation aus *lat.* carcer „Umfriedung; Kerker; Schranken" entstanden

Kap

ist (vgl. das LW *Kerker*). – Abl.: kanzeln „jmdm. von der Kanzel herab eine Strafpredigt halten" (18. Jh.), heute nur mehr gebräuchlich in den Präfixverben abkanzeln (18./19. Jh.) und herunterkanzeln (18./19. Jh.) mit der allgemeinen Bed. „streng zurechtweisen". – Von *lat.-mlat.* cancellī „Schranken, Gitter" geht auch das Substantiv **Kanzlei** *w* aus (*mhd.* kanzelīe). Es bezeichnete urspr. einen mit Schranken umgebenen Dienstraum für Beamte und Schreiber an Behörden und Gerichtshöfen. Danach bedeutet das Wort heute „Schreibstube, Büro (vor allem bei Behörden und Rechtsanwälten)". – Der Vorsteher und Leiter einer Kanzlei war im Mittelalter der **Kanzler** *m* (*mhd.* kanzelære, *ahd.* kanzellāri; aus gleichbed. *spätlat.* cancellārius), ein hoher Beamter, der insbesondere für die Ausfertigung von Staatsurkunden zuständig war. Daraus entwickelte sich der moderne Sprachgebrauch des Wortes als Bezeichnung für den Regierungschef eines Staates (beachte die Zus. Reichskanzler und Bundeskanzler).

Kap *s* „Vorgebirge, vorspringender Teil einer Felsenküste": Das seit dem Beginn des 17. Jh.s in hochdeutschen Texten bezeugte Wort entstammt der *niederd.* Seemannssprache, wo es im 15. Jh. aus *niederl.* kaap entlehnt wurde. Voraus liegen *frz.* cap „Vorgebirge", *aprov.* cap, *vlat.* *capum (= *lat.* caput) „Kopf, Spitze usw.". – Über weitere Zusammenhänge vgl. den Artikel *Kapital.*

Kapaun *m* „verschnittener Masthahn": *lat.* cāpō (älter cāpus, *vlat.* *cappō) „verschnittener Masthahn", das auf einer Bildung zu der unter →*schaben* entwickelten *idg.* Wz. mit der Bed. „schneiden; hauen; spalten" beruht, gelangte früh als LW ins Deutsche (*ahd.* kappo, *mhd.* kappe). Eine spätere Neuentlehnung des Wortes über *frz.* chapon „Kapaun" bzw. *frz.* mundartlich capon ergab *mhd.* kappūn „Kapaun; (übertr.:) kastrierter Mann", das unserer *nhd.* Form 'Kapaun' zugrunde liegt.

Kapazität *w* „Fassungsvermögen, [geistige] Aufnahmefähigkeit", auch konkret gebraucht im Sinne von „hervorragender Fachmann": Das seit dem 16. Jh. bezeugte FW geht auf *lat.* capācitās „Fassungsvermögen, geistige Fassungskraft" zurück. Das zugrunde liegende Adj. *lat.* capāx „viel fassend; befähigt, tauglich" ist abgeleitet von *lat.* capere „nehmen, fassen; begreifen usw." (vgl. *kapieren*).

¹Kapelle *w* „kleines Gotteshaus ohne Gemeinde; abgeteilter Raum für Gottesdienste in einer Kirche oder einem Wohngebäude": Das aus der Kirchensprache aufgenommene Wort (*mhd.* kap[p]elle, *ahd.* kapella) beruht auf Entlehnung aus *mlat.* cap[p]ella „kleines Gotteshaus". Die eigtl. Bedeutung des *mlat.* Wortes ist „kleiner Mantel". Es ist eine

Verkleinerungsform zu *lat.* cappa „eine Art Kopfbedeckung; Mantel mit Kapuze" (vgl. *Kappe*). Der Bedeutungsübergang von „kleiner Mantel" zu „Kapelle" stammt aus der Zeit der fränkischen Könige. Diese bewahrten den „Mantel" des heiligen Martin von Tours als Reliquie in einem privaten Heiligtum auf, das danach seinen Namen (capella) erhielt. Seit dem 7. Jh. ging dann die Bezeichnung 'capella' auf jedes kleinere Gotteshaus (ohne eigene Geistlichkeit) über. Siehe auch: Kaplan. – Das Subst. **²Kapelle** *w* mit der Bed. „Instrumentalorchester", das seit dem 16. Jh. belegt ist, ist dem Ursprung nach mit ¹Kapelle (s. o.) identisch. Es beruht jedoch auf unmittelbarer Entlehnung aus *it.* cappella „Musikgesellschaft", das urspr. und eigtl. den von einem Fürsten in seiner „Schloßkapelle" bei festlichen Anlässen versammelten Sänger- und Musikerchor bezeichnete und das danach in seiner Bedeutung verweltlicht wurde. – Dazu die Zus. Kapellmeister „Leiter einer Musikkapelle" (16. Jh.).

¹Kaper *w*: Der Name der (in Essig eingelegten oder eingesalzenen) Blütenknospe des im Mittelmeergebiet vorkommenden Kapernstrauches wurde im ausgehenden 15. Jh. wohl durch *roman.* Vermittlung (beachte entspr. *it.* cappero, woraus *frz.* câpre) aus gleichbed. *lat.* capparis entlehnt, das selbst auf *gr.* kápparis „Kapernstrauch; Kaper" beruht. Die weitere Herkunft des Wortes ist unbekannt.

²Kaper *m*: Dieses Wort war die früher übliche Bezeichnung für einen (privilegierten) Freibeuter, Seeräuber und dessen Kaperschiff. Das Wort wurde im 17. Jh. aus gleichbed. *niederl.* kaper entlehnt, das von *niederl.* kapen „durch Freibeuterei erwerben, kapern" abgeleitet ist. Das *niederl.* Wort gehört wahrscheinlich zu dem mit *dt.* Kauf (vgl. *kaufen*) verwandten Substantiv *afries.* kāp „Kauf", das zum verhüllenden Ausdruck für „Seeraub" geworden war. – Abl.: kapern „als Kaper ein Schiff aufbringen" (17. Jh.; heute in der *Ugs.* meist übertr. gebraucht, und zwar im Sinne von jmdn. wider seinen Willen für eine Sache gewinnen; sich einer Sache bemächtigen"). kapieren „begreifen, verstehen" (*ugs.*): Das seit dem 18. Jh. belegte FW stammt aus der Schülersprache. Es geht auf *lat.* capere „nehmen, fassen, ergreifen; begreifen, verstehen usw." zurück, das mit *dt.* →*heben* urverwandt ist. – Eine mit französierender Endung gebildete Ableitung von kapieren erscheint um 1900 in dem Subst. Kapee (*ugs.*), das allerdings nur in der Wendung „schwer von Kapee sein", „begriffsstutzig sein" vorkommt. – Von Interesse sind noch einige Ableitungen und Komposita mit *lat.* capere, soweit sie in FW eine Rolle spielen, so z. B. *lat.* capācitās „Fassungsvermögen, geistige Fas-

308

sungskraft" in →Kapazität, *lat.* ac-cipere „annehmen" (s. akzeptieren, akzeptabel), *lat.* concipere „zusammenfassen, aufnehmen, in sich aufnehmen, eine Vorstellung von etwas entwerfen; empfangen, schwanger werden" (s. konzipieren, Konzept, Konzeption), *lat.* re-cipere „zurücknehmen, entgegennehmen, empfangen" (s. Rezept), ferner *lat.* *dis-cipere „geistig zergliedern, um zu erfassen" (s. Disziplin, disziplinarisch, diszipliniert). Mit dem Stamm von capere verbindet sich auch das nur in Zus. als Grundwort auftretende Wurzelnomen -ceps „,Nehmer, Greifer; fassend, greifend", beachte z. B. *lat.* particeps „teilnehmend, beteiligt" (s. Partizip, partizipial), *lat.* prínceps „die erste Stelle einnehmend; Vornehmste, Fürst" (s. Prinz, Prinzessin, Prinzipal, Prinzipat, Prinzip, prinzipiell) und *lat.* manceps „Aufkäufer, Unternehmer", *lat.* mancipium „förmlicher Kaufvollzug durch Ergreifen mit der Hand" (s. emanzipieren, Emanzipation).

Kapital *s* „Geld für Investitionszwecke, Vermögen[sstamm]", auch im Sinne von „Nutzen, Gewinn" in der Redewendung ,Kapital aus etwas schlagen': Das seit dem 16. Jh. bezeugte, aus *it.* capitale entlehnte FW ersetzt die in der älteren Sprache üblichen Ausdrükke Hauptgut, -geld, -summe, deren erster Bestandteil selbst eine LÜ von *lat.* capitális „vorzüglich, hauptsächlich" ist. Das *lat.* Adjektiv, das von dem mit *dt.* →Haupt urverwandten Substantiv *lat.* caput „Kopf; Spitze; Hauptsache usw." abgeleitet ist und das auch die Quelle für *it.* capitale (s. o.) ist, erscheint bei uns im 17. Jh. als kapital in der allg. Bed. „hauptsächlich, vorzüglich, besonders (groß, schön, schwerwiegend u. ä.)". Allerdings begegnet es fast nur in Zus. wie Kapitalfehler, Kapitalhirsch, Kapitalverbrechen. – Abl. von Kapital: Kapitalist *m* „Kapitalbesitzer" (17. Jh.), Kapitalismus *m* „individualistische Wirtschafts- und Gesellschaftsordnung, deren treibende Kraft das Gewinnstreben einzelner ist" (19. Jh.), beide *nlat.* Bildungen. Dazu das Adj. kapitalistisch. – Von Interesse sind in diesem Zusammenhang zahlreiche Weiterbildungen und Ableitungen von *lat.* caput, die in unserem Fremdwortschatz eine Rolle spielen. An erster Stelle ist der militär. Bereich zu nennen mit der übertr. Bed. von *lat.* caput im Sinne von „Spitze, Anführer, Oberhaupt" (beachte die aus caput entwickelten Wörter *frz.* chef und *it.* capo in den FW →Chef und →Korporal, beachte ferner *spätlat.* capitáneus „durch Größe hervorstehend; vorzüglich" in →Kapitän und *lat.* capitellum „Köpfchen" in →Kadett). In den militär. Bereich gehören auch die FW →kapitulieren und Kapitulation, die auf ein von *lat.* capitulum „Köpfchen; Hauptabschnitt" (s. Kapitel u. rekapitulieren), Verkleinerungsform von *lat.*

caput, abgeleitetes *mlat.* Verb capituláre „über einen Vertrag (bzw. dessen Hauptpunkte) verhandeln" zurückgehen. Vergleiche schließlich noch im einzelnen die hierhergehörenden FW →Kapitell (*lat.* capitellum „Säulenköpfchen"), →Kap (*it.* capo „Spitze" < *lat.* caput) und →Kappes (*mlat.* caputia „Kohlkopf").

Kapitän *m* „Kommandant eines Schiffes (oder Flugzeuges); Spielführer, Spielführer einer Sportmannschaft": Zu *lat.* caput „Kopf, Spitze; Oberhaupt, Anführer" (vgl. *Kapital*) stellt sich als Abl. *spätlat.* capitáneus „durch Größe hervorstehend, vorzüglich", das in den *roman.* Sprachen die Bedeutung „Anführer, Hauptmann" entwickelte. In diesem Sinne erreicht uns das Wort zuerst im *Mhd.* als kapitän aus *afrz.* (*frz.*) capitaine, ein zweites Mal zu Beginn des 16. Jh.s als Capitan „Schiffsführer" aus *it.* capitano. – Das *roman.* Wort drang auch in die anderen europ. Sprachen, beachte z. B. *engl.* captain, *schwed.* kapten, *russ.* kapitán.

Kapitel *s*: Das aus *lat.* capitulum „Köpfchen; Hauptabschnitt", einer Verkleinerungsform von *lat.* caput „Kopf; Spitze; Hauptsache usw." (vgl. *Kapital*), entlehnte Subst. erscheint in *dt.* Texten seit *mhd.* Zeit, zuerst in der noch heute üblichen Bed. „Hauptversammlung einer geistlichen Körperschaft" (daran schließt sich z. B. die Zus. Domkapitel an). Diese Bedeutung geht allerdings von der bei uns erst zu Beginn des 16. Jh.s aufkommenden Hauptbedeutung des Wortes „Hauptabschnitt, Hauptstück" aus, denn in den geistlichen Versammlungen wurden zunächst die in Kapitel (= Abschnitte) eingeteilten Ordensregeln verlesen. Unter den „Hauptabschnitten" eines Buches verstand man damals vor allem jene der Bibel, wie noch das Adjektiv kapitelfest „bibelfest" (18. Jh.) zeigt. – Siehe auch rekapitulieren.

Kapitell *s* „Säulenkopf, -knauf": In *mhd.* Zeit aus gleichbed. *lat.* capitellum entlehnt, das als Verkleinerungsform von *lat.* caput „Kopf, Spitze" (vgl. *Kapital*) eigtl. „Köpfchen" bedeutet.

kapitulieren „sich [dem Feinde] ergeben": Im 18. Jh. aus *frz.* capituler „bezüglich eines Vertrages (insbesondere eines Übergabevertrages) verhandeln, unterhandeln" entlehnt, das auf *mlat.* capituláre „über einen Vertrag (bzw. dessen Hauptpunkte) verhandeln" zurückgeht. Über weitere Zusammenhänge vgl. den Artikel *Kapital*. – Das zu *frz.* capituler gehörige Subst. *frz.* capitulation „Übergabe[vertrag], Vergleich" erscheint in *dt.* Texten schon im 16. Jh. als Kapitulation *w* „Ergebung[svertrag]".

Kaplan *m*: Der seit *mhd.* Zeit bezeugte Name für einen kathol. Hilfsgeistlichen oder einen Geistlichen, der mit besonderen Aufgaben betraut ist (*mhd.* kap[p]ellän, kaplän), geht auf *mlat.* capellānus „Geistlicher", der den Gottesdienst an einer Kapelle hält" zurück. Zu *mlat.* cap[p]ella „kleines Gotteshaus, Kapelle" (vgl. ¹*Kapelle*).

Kapok *m* (Frucht- und Samenfaser des Kapokbaumes): Sache und Name stammen aus dem *Malai.* und wurden im 19. Jh. bei uns bekannt.

kapores (*ugs.* für:) „entzwei, kaputt", besonders in den Fügungen 'kapores gehen' und 'kapores sein': Das seit dem 18. Jh. bezeugte Adjektiv entstammt der Gaunersprache und gehört letztlich zu *hebr.-jidd.* kappora „Sühnung, Versöhnung". Dabei muß man von dem jüd. Brauch ausgehen, daß am Versöhnungstag ein Huhn (Kapporehuhn) geschlachtet wurde.

Kappe *w* „krempenlose Kopfbedeckung, Mütze": Diese Bezeichnung für das Kleidungsstück (*mhd.* kappe „Mantel mit Kapuze; Bauernkittel; Mütze, Kappe", *ahd.* kappa „Mantel mit Kapuze", entspr. *niederl.* kap „Kappe", *engl.* cap „Mütze") beruht auf einer Entlehnung aus *spätlat.* cappa „Mantel mit Kapuze; eine Art Kopfbedeckung". – Abl.: **Käppi** *s* „[Soldaten]mütze" (eine im 19. Jh. aus dem *Schweiz.* übernommene Verkleinerungsbildung zu 'Kappe'); **verkappen** „unkenntlich machen" (Anf. 16. Jh.; eigtl. etwa „unter einem Kapuzenmantel verbergen"), fast nur gebräuchlich in dem in adjektivische Funktion übergegangenen zweiten Partizip **verkappt** „verkleidet, getarnt". – Vgl. auch die Artikel *Cape*, *Kapuze*, ¹*Kapelle*, ²*Kapelle* und *Kaplan.*

kappen „abschneiden, beschneiden (Baumspitzen, Zweige, Reben); abhauen (Mast, Ankertau)": Das im 17. Jh. aus dem *Niederd.* (-*Niederl.*) ins *Hochd.* übernommene Verb geht zurück auf *mniederl.* cappen „abschneiden, abhauen, zerschneiden, zerhacken", das vermutlich aus dem *Roman.* stammt, vgl. *mlat.* cappāre „schneiden", *span.* capar „verschneiden, kastrieren".

Kappes *m*: Der in *westdt.* Mundarten und in der Umgangssprache gebräuchliche Ausdruck für „dummes Zeug, törichtes Geschwätz; unbrauchbare Stümperarbeit" ist identisch mit dem noch *mdal.* üblichen Wort für „[Weiß]kohl" (*mhd.* kabeʒ, *ahd.* kabuz; *mdal.* Kappes, Kappus u. a.), das auf Entlehnung aus gleichbed. *mlat.* caputia „Kohlkopf, Weißkohl" beruht (zu *lat.* caput, capitis „Kopf; Spitze", vgl. *Kapital*).

Kaprice *w* „verspielter Eigensinn": Im 17. Jh. aus gleichbed. *frz.* caprice entlehnt, das auf *it.* capriccio „Laune, Grille" zurückgeht. Dazu das Adjektiv **kapriziös** „launenhaft, eigenwillig" (17. Jh.; aus *frz.* capricieux).

Kapriole *w* „drolliger Luftsprung; übermütiger Streich": Um 1600 als Bezeichnung der kunstvollen Sprünge italienischer Tänzer aus *it.* capriola „Bocksprung" entlehnt, das zu *it.* capro < *lat.* caper „Bock"

gehört. Dies ist urverwandt mit *dt.* Haberin →*Habergeiß.* – Im *Frz.* erscheint *it.* capriola als cabriole; dazu das Verb *frz.* cabrioler „Luftsprünge machen". Das davon abgeleitete Subst. *frz.* cabriolet wird zur Bezeichnung leichter einspänniger Wagen (wohl wegen der charakteristisch hüpfenden Bewegung) und wird in diesem Sinne auch ins *Dt.* entlehnt: **Kabriolett** *s* (18. Jh.). Heute gilt dieses FW als Typenbezeichnung für einen sportlichen Personenkraftwagen mit vollständig zurückklappbarem Verdeck (dafür auch die Kurzform **Kabrio** *s*). – Vgl. auch den Artikel *Köper.*

Kapsel *w*: Im 15. Jh. aus *lat.* capsula „Kästchen", der Verkleinerungsform von *lat.* capsa „Behältnis" (vgl. *Kasse*) entlehnt. – Dazu die jungen Verbalableitungen **abkapseln** und **verkapseln.**

kaputt „verloren [im Spiel]; zerschlagen, zerbrochen, entzwei": Das seit dem 17. Jh., zuerst in der Wendung 'caput (capot) machen' bezeugte FW wurde während des Dreißigjährigen Krieges aus *frz.* capot entlehnt, und zwar in den Wendungen 'être capot' und 'faire capot'. Das *frz.* Wort entstammt der Sprache der Kartenspieler und bedeutet eigtl. „ohne Stich; schwarz". Die weitere Herkunft ist unsicher.

Kapuze *w* „Mantelhaube": Der seit etwa 1500 bezeugte Name für das den Kopf und Hals einhüllende Kleidungsstück beruht auf gleichbed. *it.* cap[p]uccio, das seinerseits wahrscheinlich abgeleitet ist von *spätlat.-it.* cappa „Mantel mit Kapuze; eine Art Kopfbedeckung" (vgl. *Kappe*). – Dazu der Name der **Kapuzinermönche** (*it.* cappuccino), die nach ihrer charakteristischen, an die Mönchskutte angenähten spitzen Kapuze benannt sind.

Kar *s*: Der aus den *dt.* Alpenländern stammende Ausdruck für „Mulde vor Hochgebirgswänden, Hochgebirgskessel" ist identisch mit dem noch *mdal.* bewahrten Substantiv **Kar** „Gefäß, Topf, Pfanne" (*mhd.* kar „Schüssel, Geschirr, Korb", *ahd.* char „Schüssel, Geschirr, Tonne", *got.* kas „Gefäß", *aisl.* ker „Gefäß", vgl. auch den Artikel *Imker*). – Zugrunde liegt *germ.* *kasa-, *kaza- „Gefäß", auf das auch die Sippe von →*Kasten* zurückgeht. Die weitere Herkunft des *germ.* Wortes ist nicht sicher geklärt. Vielleicht handelt es sich um ein altes Wanderwort kleinasiatischen Ursprungs, vgl. z. B. *assyr.* kāsu „Schale".

Karabiner *m* „kurzes Gewehr": Um 1600 aus *frz.* carabine „kurze Reiterflinte" entlehnt, das von dem etymologisch nicht sicher deutbaren Subst. *frz.* carabin „Reiter" abgeleitet ist.

Karaffe *w* „bauchige Glasflasche": Im 17./18. Jh. aus *frz.* carafe < *it.* caraffa entlehnt. Letzte Quelle ist *arab.* ġarrāfa „weitbauchige Flasche" (zu *arab.* ġarafa „schöpfen"), das den Europäern durch *span.* garrafa vermittelt wurde.

Karambolage *w*: Das seit dem 19. Jh. bezeugte FW gilt zunächst nur als Fachwort im Billardspiel. Es bezeichnet dort das Zusammenstoßen der roten Spielkugel mit den beiden anderen Kugeln. Von daher übertragen bedeutet es heute allgemein „Zusammenstoß, Zusammenprall" (auch im Sinne von „Streit"). Das vorausliegende gleichbed. Subst. *frz.* carambolage ist von *frz.* caramboler abgeleitet (daraus *dt.* k a r a m b o l i e r e n „zusammenstoßen"; 19. Jh.), das seinerseits zu *frz.* carambole „roter Ball beim Billardspiel" gehört. Die weiteren Zusammenhänge des Wortes sind nicht sicher geklärt.

Karamel *m* „gebrannter Zucker": Das seit dem 19. Jh. bezeugte FW ist aus *frz.* caramel „Gerstenzucker, gebrannter Zucker" entlehnt, das über *span., port.* caramelo „Zukkerrohr; gebrannter Zucker" auf *lat.* calamellus „Röhrchen", die Verkleinerungsform von *lat.* calamus (< *gr.* kálamos) „Rohr", zurückgeht. – Abl.: K a r a m e l l e *w* „Rahmbonbon" (20. Jh.).

Karat *s*: Dieses Wort ist der seit dem 16 Jh.. übliche, aus dem *Frz.* übernommene Name eines Gold- und Edelsteingewichtes. *Frz.* carat geht über *mlat.* carrātus auf *arab.* qīrāṭ „Gold- und Edelsteingewicht" zurück, das seinerseits aus gleichbed. *gr.* kerátion stammt. Das *gr.* Wort ist eine Verkleinerungsbildung zu *gr.* kéras (kératos) „Horn", das zu der unter →Hirn dargestellten *idg.* Wortsippe gehört. Das Wort bedeutet also eigtl. „Hörnchen". Es bezeichnete speziell die hörnchenförmig gebogenen Samen der Schoten des Johannisbrotbaumes. Zur Gewichtsbezeichnung wurde es, weil man die Samen des Johannisbrotbaums zum Wiegen von Gold und Edelsteinen benutzte.

Karausche *w*: Der Name des karpfenartigen Süßwasserfisches ist um 1500 aus *lit.* karõsas „Karausche" entlehnt worden, offensichtlich von ostpreußischen Fischern am Kurischen Haff. *Lit.* karõsas seinerseits stammt aus dem *Weißruss.*, beachte die *slaw.* Sippe von *russ.* karás' „Karausche", deren weitere Herkunft dunkel ist.

Karawane *w* „Reisegesellschaft (im Orient)": Im 16. Jh. durch Vermittlung von gleichbed. *it.* caravana aus *pers.* kärwän „Kamelzug, Reisegesellschaft" entlehnt.

Karbid *s*: Junge gelehrte Neubildung zu *lat.* carbō „Kohle" (vgl. *karbo...*), die in der Chemie eine Verbindung von Kohlenstoff und Metallen bezeichnet. Im landläufigen Sinne steht Karbid für Kalziumkarbid.

karbo..., **Karbo...**, vor Selbstlauten karb..., K a r b..., im chem. Schrifttum nur c a r b [o]..., C a r b [o]... : Bestimmungswort von Zus. mit der Bedeutung „Kohle". Zugrunde liegt *lat.* carbō (-ōnis) „[Holz]kohle", das zu der unter →Herd dargestellten *idg.* Sippe ge-

hört. – *Lat.* carbō ist ferner Ausgangspunkt für einige gelehrte Neubildungen aus dem Bereich der Chemie wie →Karbol, →Karbonat, →Karbid. Von Interesse ist noch eine zu *lat.* carbō gebildete Verkleinerungsform, *lat.* carbunculus „kleine Kohle", das im übertr. Sinne einmal einen dunkelroten Edelstein (s. Karfunkel), zum anderen auch ein „fressendes Geschwür" (s. Karbunkel) bezeichnet.

Karbol (*ugs.*) *s*, dafür besser K a r b o l s ä u r e : Der Name dieser als Desinfektionsmittel dienenden organischen chem.Verbindung ist eine junge gelehrte Neubildung aus *lat.* carbō „Kohle" (vgl. *karbo...*) und *lat.* oleum „Öl". Karbol wurde nämlich zuerst im Steinkohlenteer festgestellt.

Karbonat *s* „kohlensaures Salz": Gelehrte Neubildung zu *lat.* carbō „Kohle" (vgl. *karbo...*), das in der Chemie „Kohlenstoff" bedeutet.

Karbunkel *m*: Medizin. Bezeichnung für eine Gruppe von dicht beieinander stehenden Furunkeln. Das Wort ist seit dem 16. Jh. bezeugt. Es geht auf *lat.* carbunculus „fressendes Geschwür" zurück (vgl. *karbo...*).

Kardinal *m*: Der Titel der nächst dem Papst höchsten kathol. Würdenträger, der in *dt.* Texten schon *mhd.* bezeugt ist, geht auf *spätlat.* cardinālis zurück. Dies ist ein abgeleitetes Adjektiv von *lat.* cardō (cardinis) „Türangel; Dreh-, Angelpunkt" (beachte auch das dazu gehörende *frz.* charnière „Winkelgelenk" in unserem LW →Scharnier) und bedeutet eigtl. „zur Türangel gehörig". Im übertragenen Sinne entwickelte es Bedeutungen wie „im Angelpunkt (d. i. auf einem zentralen, wichtigen Platz) stehend; vorzüglich". So erscheint es in der Kirchensprache vornehmlich als Beiwort für die der Hauptkirche in Rom nächststehenden Geistlichen (z. B. *kirchenlat.* cardinālis episcopus). – Übrigens spielt das *spätlat.* Adj. cardinālis auch im allgemeinen Sinne von „vorzüglich, grundlegend, Haupt..., Grund..." eine Rolle als FW, und zwar in Zus. wie K a r d i n a l t u g e n d e n, Kardinalfrage und K a r d i n a l z a h l „Grundzahl".

Karenz *w* „Wartezeit, Sperrfrist", dafür meist die Zus. K a r e n z z e i t : In neuerer Zeit aus *lat.* carentia „das Nichthaben, das Entbehren" entlehnt. Zu *lat.* carēre „frei sein, nicht haben".

Karfiol *m* „Blumenkohl" (*südd.* und *östr.*): Um 1600 eingedeutscht aus *it.* cavolfiore „Kohlblume". Zu *it.* cavolo < *lat.* caulis „Kohl" (vgl. das LW *Kohl*) und *it.* flore < *lat.* flōs (flōris) „Blume" (vgl. ¹*Flor*). Gleicher Herkunft sind gleichbed. *span.* colifior und *engl.* cauliflower, während *frz.* chou-fleur wie *dt.* →Blumenkohl eine Lehnübertragung des *it.* Wortes ist.

Karfreitag *m*: Das Bestimmungswort, das als selbständiges Wort in *spätmhd.* Zeit untergegangen ist, bedeutet „Klage, Trauer", vgl. *mhd.* kar, *ahd.* chara „Wehklage, Trauer", denen *got.* kara „Sorge", *engl.* care „Kummer, Sorge" entsprechen. Von diesem *germ.* Substantiv ist das unter →karg behandelte Adjektiv abgeleitet. Die *germ.* Wortgruppe gehört mit verwandten Wörtern in anderen *idg.* Sprachen – vgl. z. B. *gr.* gếrys „Ruf, Stimme" und *air.* gáir „Geschrei" – zu der schallnachahmenden Wz. *ĝãr- „rufen, schreien, jammern". – Neben 'Karfreitag' (*mhd.* karvrîtac) ist auch die Zus. K a r w o c h e (*mhd.* karwoche) gebräuchlich.

Karfunkel *m*: Bezeichnung für feurigrote Edelsteine wie →Granat und →Rubin. Das Wort wurde in *mhd.* Zeit aus *lat.* carbunculus entlehnt (vgl. *karbo...*) und nach *dt.* 'Funke' umgestaltet.

karg: Das *westgerm.* Adjektiv *mhd.* karc, *ahd.* karag, *mnd.* karich, *engl.* chary ist von dem unter →*Karfreitag* dargestellten Bestimmungswort mit der Bed. „Klage, Trauer, Kummer" abgeleitet. Es bedeutete demzufolge in den alten Sprachzuständen „traurig, bekümmert, besorgt", woraus sich die Bed. „sorgsam, schlau, listig; sparsam, knauserig, streng; spärlich, knapp" entwickelten. Abl.: k a r g e n (*mhd.* kargen „betrübt, ängstlich, besorgt sein; sparsam sein, knausern"); k ä r g l i c h (*mhd.* kerclich „listig, schlau; sparsam; knapp").

kariert „gewürfelt, gekästelt": Im 18. Jh. aus gleichbed. *frz.* carré entlehnt, das auf *lat.* quadrātus „viereckig" (das adjektivisch gebrauchte Part. Perf. Pass. von *lat.* quadrāre „viereckig machen"; vgl. *Karo*) zurückgeht. Das später hinzutretende Verb karieren „mit Würfelzeichnung mustern, kästeln" entspricht *frz.* carrer < *lat.* quadrāre. Das substantivierte *frz.* carré „Viereck" liefert übrigens im 17./18. Jh. unser Subst. K a r r e e *s* „Viereck".

Karikatur *w* „Zerrbild, Spottbild, Fratze": Als Fachterminus der Malerei im 18. Jh. aus *it.* caricatura entlehnt, das eigtl. „Überladung" bedeutet, dann hier im übertr. Sinne die übertriebene, komisch verzerrte Darstellung charakteristischer Eigenarten von Personen oder Sachen bezeichnet. *It.* caricatura ist von *it.* caricare „beladen; übertrieben komisch darstellen" abgeleitet – daraus im 19. Jh. *dt.* karikieren –, das seinerseits zu *gall.-lat.* carrus „Karren" gehört (vgl *Karre*). Abl.: K a r i k a t u r i s t *m* „Karikaturenzeichner" (18. Jh.; aus *it.* caricaturista).

Karitas *w* „christl. Nächstenliebe, Wohltätigkeit", auch Kurzbezeichnung für den deutschen C a r i t a s v e r b a n d der kathol. Kirche: Aus *lat.* cãritãs „Wert, Wertschätzung, Liebe". Zugrunde liegt das *lat.* Adj. cãrus „begehrt, lieb, teuer, wert; hoch im Preis" (daraus *frz.* cher „lieb, geliebt", wozu

chéri „Liebling"), das urverwandt ist mit *dt.* →*Hure*. – Abl. karitativ „mildtätig, wohltätig" (19. Jh.).

Karneval *m*: Die seit dem 17. Jh. bezeugte Bezeichnung der Fastnacht und des während der Fastnachtszeit üblichen närrischen Treibens stammt wie gleichbed. *frz.* carnaval aus *it.* carnevale. Dessen genaue Herkunft ist bis heute ungeklärt. Am ehesten handelt es sich um eine volksetymolog. Umdeutung von *mlat.* carnelevale „Fleischwegnahme (während der Fastenzeit)" oder von *lat.* carrus navãlis „Schiffskarren" (wie er bei festl. Umzügen zur Wiedereröffnung der Schiffahrt im Frühjahr begegnete), und zwar nach (*lat.*) 'carne valè' „Fleisch, lebe wohl!" – Abl.: K a r n e v a l i s t *m* „aktiver Teilnehmer am Karneval (bes. Büttenredner, Sänger usw.)" und karnevalistisch, beide *nlat.* Bildungen.

Karo *s* „auf der Spitze stehendes Viereck, Raute" (insbesondere als Stoffmuster und als Spielfarbe franzӧs. Spielkarten): Im 18. Jh. aus gleichbed. *frz.* carreau entlehnt, das auf *galloroman.* *quadrellum zurückgeht, eine Verkleinerungsbildung zu *spätlat.* quadrum „Viereck, Quadrat". Über die etymolog. Zusammenhänge vgl. den Artikel *Quader*. Beachte noch die FW →kariert und Karree, denen von *lat.* quadrus „viereckig" abgeleitetes Verb *lat.* quadrãre „viereckig machen" zugrunde liegt (s. auch Quadrat usw.).

Karosse *w* „Prunkwagen, Staatskutsche": Im 17. Jh. aus *frz.* carrosse entlehnt, das auf *it.* carrozza zurückgeht. Dies gehört zu *it.* carro < *gall.-lat.* carrus „Wagen" (vgl. *Karre*). – Dazu: **Karosserie** *w* „Wagenoberbau, -aufbau (von Kraftwagen)": Im 20. Jh. aus *frz.* carrosserie entlehnt.

Karotte *w*: Im 16. Jh. aus *niederl.* karote entlehnt, das über *frz.* carotte, *lat.* carõta auf *gr.* karõtón „Möhre, Karotte" zurückgeht. Dies gehört wohl zur Familie von *gr.* kárã „Kopf, Haupt", das mit *dt.* →*Hirn* urverwandt ist.

Karpfen *m*: Der Name des Süßwasserfisches (*mhd.* karpfe, *mitteld.* karpe, *ahd.* karpho) stammt wahrscheinlich aus einer unbekannten Sprache des Alpen- und Donaugebiets. In den Gewässern dieses Gebiets war der Karpfen, bevor er als gezüchteter Teichfisch Verbreitung fand, seit alters heimisch. Der von südgermanischen Stämmen übernommene Name drang später in die meisten europäischen Sprachen.

Karre *w* und **Karren** *m* „kleines ein- bis vierrädriges Fahrzeug (zum Schieben oder Ziehen)": Das auf das *dt.* und *niederl.* Sprachgebiet beschränkte *westgerm.* Subst. (*mhd.* karre, *ahd.* karro *m*, karra *w*, *niederl.* kar) beruht auf Entlehnung aus *gall.-lat.* carrus „Art vierrädriger Wagen, Karren" (bzw. *mlat.* carra), das etymolog. mit der Sippe von *lat.* currere „rennen, laufen" (vgl. *Kurs*) ver-

wandt ist. – Abl. und Zus.: k a r r e n „etwas mit einer Karre befördern" (um 1500); S c h u b k a r r e n (16. Jh.; vgl. *Schub*). – Zu *gall.-lat.* carrus als Stammwort gehören einige Fremdwörter im Deutschen. Vgl. hierzu im einzelnen die Artikel Karriere, Karikatur, Karosse, Karosserie und Charge.
Karriere *w* „[erfolgreiche] Laufbahn": Im 18. Jh. aus *frz.* carrière „Rennbahn; Laufbahn" entlehnt, das – wohl durch *aprov.* carriera vermittelt – auf *spätlat.* (via) carrāria zurückgeht. Stammwort ist *gall.-lat.* carrus „Wagen" (vgl. *Karre*).
Karte *w*: Das seit dem 15. Jh. bezeugte Subst., das zunächst „steifes Blatt Papier" bedeutete, dann alle möglichen unbeschriebenen, beschriebenen, bedruckten, bemalten Stücke dieser Art für die verschiedensten Zwecke bezeichnete (wie „Spielkarte, Landkarte, Besuchskarte usw."), ist durch Vermittlung von *frz.* carte aus *lat.* charta entlehnt, das zu *gr.* chártēs „Blatt der ägypt. Papyrusstaude; daraus zubereitetes Papier; dünnes Blatt usw." gehört. Das Wort ist vermutlich ägypt. Ursprungs. – Zahlreich sind die zu *lat.* charta bzw. *dt.* Karte gebildeten Ableitungen. Zunächst die rein deutschen Bildungen: k a r t e n „Karten spielen" (15./16. Jh.), auch übertragen gebraucht im Sinne von „etwas schlau einfädeln", wofür allerdings heute das Kompositum a b k a r t e n (18. Jh.; eigtl. „die Karten nach heimlicher Verabredung einsehen") gilt (beachte besonders die Fügung „abgekartetes Spiel"). Aus diesem Bereich des Kartenspiels sind auch einige übertragene Redensarten zu nennen wie ʻseine Karten aufdecken', ʻmit verdeckten (oder offenen) Karten spielen', ʻsich nicht in die Karten gucken lassen', ʻalles auf eine Karte setzen'. Das Substantiv K a r t e i *w* „Zettelkasten", nach dem Vorbild von ʻAuskunftei' gebildet, erscheint im 19. Jh. – An fremden Ableitungen sind zunächst die von *it.* carta „Papier; Karte" ausgehenden FW → Karton, kartonieren, → Kartell, kartellieren, → Kartusche, Kartätsche, → Skat, skaten, vielleicht auch → Scharteke zu erwähnen. Über das *Engl.* erreichen uns → Charter und chartern, in denen noch die unter → Charta entwickelte Bed. „Urkunde" eine Rolle spielt. Von Interesse sind in diesem Zusammenhang schließlich noch einige gelehrte Zusammensetzungen, in denen das Wort Karte als Bestimmungswort (karto..., Karto..) erscheint: K a r t o t h e k *w* „Kartei, Zettelkasten" (nach dem Vorbild von → Bibliothek gebildet); K a r t o g r a p h i e *w* „Technik, Lehre, Geschichte der Herstellung von Landkartenbildern" (das Grundwort gehört zu *gr.* gráphein „schreiben"; vgl. *Graphik*), K a r t o g r a p h *m*, k a r t o g r a p h i s c h.
Kartell *s*: Das seit dem 16./17. Jh. bezeugte FW erscheint zuerst im Sinne von „schriftliche Vereinbarung der Kampfbedingungen in einem Turnier", dann im Sinne von „schriftl. Vertrag" (insbesondere zwischen Kriegführenden). Daran an schließt sich die junge, heute gültige Bed. „Zusammenschluß zwischen Unternehmungen (auf Grund von Vereinbarungen), die rechtlich und wirtschaftlich weitgehend selbständig bleiben". Daneben ist schon im 17. Jh. für Kartell die Bed. „schriftl. Herausforderung zum Zweikampf" bezeugt (dazu im 18. Jh. die Zus. K a r t e l l t r ä g e r „Überbringer einer Herausforderung zum Duell"). In allen Fällen ist das Wort aus *frz.* cartel entlehnt, das selbst auf *it.* cartello (eigtl.: „kleines Schreiben, Zettel") zurückgeht. Dies gehört als Verkleinerungsform zu *it.* carta (< *lat.* charta) „Papier; auf Papier Geschriebenes; Urkunde" (vgl. *Karte*). – Abl.: k a r t e l l i e r e n „Unternehmungen in Kartellen zusammenfassen" (20. Jh.).
Kartoffel *w*: Die Heimat der zu den Nachtschattengewächsen gehörenden Kulturpflanze ist Südamerika. Von dort brachten sie die Spanier im 16. Jh. nach Europa, und zwar einmal unter dem aus der Ketschuasprache der Inkas stammenden Namen *span.* papa „Kartoffel" (diese Bezeichnung blieb auf das *Span.* beschränkt), zum anderen auch als *span.* batata, patata (das Wort entstammt der Eingeborenensprache von Haiti und bezeichnet eigtl. die zu den Windengewächsen gehörende Süßkartoffel, deren Wurzelknollen besonders in den Tropen ein wichtiges Nahrungsmittel sind). Die letztere Bezeichnung gelangte aus Spanien auch in einige andere europ. Sprachen (beachte z. B. *it.* patata „Kartoffel", *engl.* potato „Kartoffel" und aus dem *Engl.* gleichbezd. *schwed.* potatis). Andere europ. Sprachen wiederum prägten für die Kartoffel eigene Namen, die sich vorwiegend auf die knolligen Wurzeln dieser Pflanze beziehen. So gab es früher in Italien für die Kartoffel auch den Namen tartufo, tartufolo. Das Wort bezeichnet eigtl. den eßbaren Trüffelpilz (< *vlat.* *terrae tüfer, italische Dialektform von *spätlat.* ʻterrae tüberʼ „Trüffel", eigtl. „Erdknolle"; vgl. den Artikel *Trüffel*). Zur Bezeichnung für die Kartoffel wurde es auf Grund einer Verwechslung der unterirdisch heranwachsenden knollenartigen Fruchtkörper der Trüffel mit den Wurzelknollen der Kartoffel verwandt. Während das Wort tartufolo „Kartoffel" im *It.* nun hinter patata fast völlig zurückgetreten ist, lebt es in unserem daraus entlehnten Wort ʻKartoffelʼ (18. Jh., durch Dissimilation aus älterem Tartuffel, Tartüffel entstanden) fort. – In *dt.* Mundartbereichen gelten für ʻKartoffelʼ zahlreiche zusammengesetzte Bezeichnungen wie ʻErdapfelʼ, ʻErdbirneʼ, ʻGrundbirneʼ (daraus entstellt *rheinhess.* ʻKrummbeereʼ) usw. Ähnlich heißt die Kartoffel im *Frz.* ʻpomme de terreʼ (eigtl. „Erdapfel").

313

Karton m „Steifpapier, Pappe; Kasten, Hülle oder Schachtel aus solchem Material": Um 1600 aus *frz.* carton > *it.* cartone entlehnt. Dies ist eine Vergrößerungsform von *it.* carta (< *lat.* charta) „Papier" (vgl. *Karte*). – Dazu: **kartonieren** „einen Pappband herstellen; steif heften" (19. Jh., aus *frz.* cartonner); **kartoniert** „in Pappband gebunden".

Kartusche w: Zu dem aus *lat.* charta „Papier" (vgl. *Karte*) stammenden *it.* carta stellt sich als Abl. *it.* cartoccio „Papprolle; zylindrischer Behälter (zuerst aus Pappe) zur Aufnahme einer Pulverladung", das über gleichbed. *frz.* cartouche im 17. Jh. unser FW **Kartusche** „Geschützpatrone" liefert. – Das hierhergehörende FW **Kartätsche** w „Artilleriegeschoß" (mit Bleikugeln usw. gefüllt, wie es früher üblich war), das gleichfalls im 17. Jh. erscheint, geht auf ein *it.* cartaccia „grobes Papier" zurück, scheint aber durch *engl.* Vermittlung gegangen zu sein (ein *engl.* cartage ist für die damalige Zeit bezeugt).

Karussell s: Das FW erscheint im *Dt.* seit etwa 1700 zunächst mit der eigtl. Bed. „Reiterspiel mit Ringelstechen". Es wurde in diesem Sinne aus *frz.* carrousel entlehnt, das selbst aus dem *It.* stammt (*it.* carosello). Die weitere Herkunft des Wortes ist dunkel. Vom Ende des 18. Jh.s an gewinnt das Wort allmählich seinen heute gültigen Sinn als Bezeichnung für die auf Rummelplätzen beliebten vergnüglichen Drehbahnen. Diese pflegte man früher mit herabhängenden Ringen zu versehen, die in einer Art Wettspiel herauszustechen bzw. herauszugreifen waren. Daran erinnern die noch landschaftlich üblichen Bezeichnungen wie 'Ringelspiel', 'Ringelreiten', 'Ringelrennen' u. a.

Kaschemme w „verrufene Kneipe": Das seit dem 19./20. Jh. bezeugte Wort entstammt der Gaunersprache und geht auf *zigeunerisch* katšíma „Wirtshaus, Schenke" zurück.

kaschieren: Das seit dem 17. Jh. in der allg. Bed. „verbergen, verstecken" bezeugte, aus gleichbed. *frz.* cacher entlehnte Verb gilt heute speziell als Fachwort des Buchwesens im Sinne von „Pappeinbände (von Büchern) mit Buntpapier oder bedrucktem Papier überkleben". – *Frz.* cacher hat sich aus *galloroman.* *coācticāre „zusammendrücken" entwickelt (eine Intensivum von *lat.* coāctāre „mit Gewalt zwingen", das seinerseits Intensivum zu *lat.* cōgere „zusammentreiben, zwingen" ist. Über das Grundwort *lat.* agere „treiben, führen usw." vgl. *agieren*.

Käse m: Die Germanen kannten Käse urspr. wohl nur in Form von Weichkäse (Quark). Das alte *germ.* Wort hierfür ist in den *nord.* Sprachen bewahrt (beachte *schwed.* ost „Käse", urverwandt mit *lat.* iūs „Brühe"). Den festen Labkäse lernten die (West)germanen von den Römern kennen. Deren Wort für den „(einzelnen) Käse", *lat.* cāseus (zur Etymologie vgl. den Artikel *Quas*), lebt dementsprechend in den *westgerm.* Sprachen als LW fort (*ahd.* chāsi, kāsi, *mhd.* kǣse, *niederl.* kaas, *engl.* cheese). – Abl.: **käsen** „zu Käse gerinnen (von der Milch); Käse herstellen" (17. Jh.); **käsig** „käse-, quarkartig" (17. Jh.; *ugs.* meist übertr. gebraucht mit der Bed. „von käseweißer, bleicher Gesichtsfarbe").

Kasematte w: 1. früher für: „bombensicherer Raum in Festungen"; 2. „durch Panzerwände geschützter Geschützraum eines Kriegsschiffes": Als Fachwort des Festungsbaues im 16. Jh. aus *frz.* casemate < *it.* casamatta „Wallgewölbe" entlehnt. Diese gehen auf *mgr.* chásma (chásmata) „Spalte, Erdschlund, Erdkluft" zurück.

Kaserne w: Die seit dem Ende des 17. Jh.s vorkommende Bez. für die zur dauernden Unterkunft der Truppen bestimmten Gebäude ist aus gleichbed. *frz.* caserne entlehnt. Die urspr. Bedeutung des *frz.* Wortes ist „kleiner Raum auf Festungsanlagen für die zur Nachtwache abgestellten Soldaten", danach dann allgemeiner „kleines Quartier für Garnisonssoldaten". Quelle des Wortes ist *vlat.* *quaderna (für quaterna) „je vier, Gruppe von vier Personen", das dem *Frz.* durch *prov.* cazerna „Wachthaus für vier Soldaten" vermittelt wurde. Stammwort ist *lat.* quattuor „vier" (vgl. den Artikel *Quader*).

Kaskade w „künstlich angelegter stufenförmiger Wasserfall": Im 17. Jh. (zusammen mit anderen Fachbezeichnungen französischer Gartenbaukunst wie → Bassin, → Fontäne) aus *frz.* cascade < *it.* cascata „Wasserfall" entlehnt. Das zugrunde liegende Verb *it.* cascare „fallen" geht auf *vlat.* *casicāre zurück. Über die etymolog. Zusammenhänge vgl. den Artikel *Chance*.

Kasko m „Schiffsrumpf; Fahrzeug (im Gegensatz zur Ladung)": Das seit dem 18. Jh. bezeugte FW, das heute bes. in der Zus. **Kaskoversicherung** „Versicherung gegen Schäden an Transportmitteln" lebt, stammt aus dem Bereich des Seewesens. Es ist aus *span.* casco entlehnt, das als Abl. von *span.* cascar „zerbrechen" eigtl. „abgebrochenes Stück, Scherbe" bedeutet. Das *span.* Wort hat dann neben verschiedenen anderen übertr. Bedeutungen wie „Schädel, Kopf; Helm" auch die Bed. „Bauch (eines Kessels); Schiffsrumpf" entwickelt. – *Span.* cascar geht auf *vlat.* *quassicāre „zerbrechen" zurück, das zu *lat.* quassus „zerbrochen" und weiter zu *lat.* quatere „schütteln; erschüttern; zerschlagen" gehört. Über weitere Zusammenhänge vgl. den Artikel *diskutieren*.

Kasse w: Das seit dem 16. Jh. zuerst in der Form Cassa (beachte die noch heute übliche Zus. **Kassazahlung** „Barzahlung") bezeugte Substantiv steht in einer Reihe mit anderen Fachwörtern der Kaufmannssprache und des Geldwesens wie →²Bank, →Prokura, →Konto usw., die alle *it.* Herkunft sind. Das vorausliegende *it.* cassa ,,Behältnis; Ort, an dem man Geld aufbewahren kann; Zahlungsraum, -schalter", das im einzelnen die Bedeutung von *dt.*Kasse bestimmte, geht wie *frz.* châsse ,,Behältnis" (s. Chassis) auf *lat.* capsa ,,Behältnis, Kasten" zurück. Über die *idg.* Zusammenhänge vgl. den Artikel *heben*. Verschiedene Abl. sind von Interesse: Kassette *w* ,,Kästchen für Wertsachen; Schutzhülle für Bücher" (18.Jh.; aus *frz.* cassette < *it.* cassetta ,,Kästchen", einer Verkleinerungsform von *it.* cassa; s.o.); ¹kassieren ,,Geld einnehmen (und verbuchen)" (17. Jh.), steht für älteres, heute seltenes einkassieren, das nach *it.* incassire (wörtl.: ,,in die Kasse bringen") gebildet ist (nicht verwandt ist übrigens →²kassieren ,,für ungültig erklären"); Kassierer *m* ,,Rechnungsführer, Kassenverwalter" (17. Jh.), aus der älteren, heute noch in Süddeutschland und in Österreich bevorzugten Form Kassier *m* (16. Jh.) weitergebildet; voraus liegt *it.* cassiere. – Beachte schließlich noch das auf *lat.* capsula, eine Verkleinerungsbildung zu cápsa, zurückgehende LW →Kapsel.

Kasserolle *w* ,,Schmortopf, -pfanne": Das seit dem 17./18. Jh. bezeugte FW stammt aus gleichbed. *frz.* casserole. Dies ist von dem in *nordfrz.* Mundarten verbreiteten Subst. casse ,,Pfanne" abgeleitet. Voraus liegen: *aprov.* cassa, *vlat.* cattia ,,Maurerkelle; Schöpflöffel; Schmelztiegel". Die weitere Herkunft ist unsicher.

¹kassieren siehe Kasse.

²kassieren ,,für ungültig erklären, aufheben, annullieren": In der Kanzleisprache des 16. Jh.s aus gleichbed. *spätlat.* cassáre entlehnt. Zu *lat.* cassus ,,leer; nichtig". – Nicht verwandt ist →¹kassieren.

Kastagnette *w* ,,Handklapper (aus zwei Holzplättchen)": Zu Beginn des 17. Jh.s aus *span.* castañeta entlehnt. Dies ist Verkleinerungsform von *span.* castaña ,,Kastanie". Die Kastagnette verdankt also wohl ihrer Ähnlichkeit mit einer Kastanie ihren Namen. – Über weitere Zusammenhänge vgl. *Kastanie*.

Kastanie *w*: Dieses Wort ist die volkstümliche, zusammenfassende Bezeichnung für die eßbare Edelkastanie (dafür auch →Marone) und die artverschiedene, nicht eßbare, aber als Viehfutter verwendbare Roßkastanie (s. unter *Roß*). Der etymolog. nicht geklärte Name, *gr.* kástanon (für den Kastanienbaum), *gr.* kastáneia (für die Frucht), gelangte über *lat.* castanea ,,Kastanie" durch *vlat.-roman.* Vermittlung (*roman.* castinea, castenea) früh in den *germ.* Westen und lieferte *ahd.* chestin[n]a, *mhd.* kesten[e], *aengl.* ciesten-béam. Die heute übliche, durch Luther durchgesetzte

Form des Wortes beruht auf einer erneuten Entlehnung in *mhd.* Zeit, und zwar unmittelbar aus *lat.* castanea. – Siehe auch Kastagnette.

Kaste *w*: Das seit dem 18. Jh. bezeugte Substantiv, das als Bezeichnung für die abgeschlossenen Stände Indiens aus *frz.* caste, *port.* casta entlehnt wurde, benennt heute in allgemeiner Übertragung jede sich streng isolierende Gesellschaftsschicht. Beachte dazu auch die Zus. Kastengeist,,Standesdünkel" (Ende des 18. Jh.s nach *frz.* 'esprit de caste'). Das *port.* Wort casta ist eine von Indienreisenden geschaffene Neubildung zu dem Adj. *span.*, *port.* casto ,,rein, keusch", das auf gleichbed. *lat.* castus zurückgeht. – Dazu *lat.* castigáre ,,zurechtweisen, züchtigen", das unserem Lehnwort →kasteien zugrunde liegt.

kasteien ,,peinigen, martern", heute fast nur reflexiv gebraucht, im (meist religiösen) Sinne von ,,sich Schmerzen, Entbehrungen, Bußübungen und dgl. auferlegen, strenge Selbstzucht üben": Das mit dem Vordringen des röm. Christentums aus der Kirchensprache aufgenommene Zeitwort (*mhd.* kestigen, *ahd.* chestigōn, *mitteld.* kastīgen) geht auf *lat.-kirchenlat.* castigáre ,,zurechtweisen, rügen, züchtigen" (eigtl. etwa ,,zu einer moralischen, keuschen Lebensweise anhalten") zurück. Zu *lat.* castus ,,rein, keusch" (vgl. *Kaste*). Die *nhd.* Form des Wortes, die durch Luther durchgesetzt wurde, hat sich aus *mitteld.* kastígen entwickelt.

Kastell *s* ,,fester Platz, Fort, Burg, Schloß": Das im 15. Jh. aus *lat.* castellum ,,Kastell, Fort, Festung" (Verkleinerungsform zu *lat.* castrum ,,Schanzlager") entlehnte Fremdwort, das heute eigtl. nur noch historische Geltung hat, trat an die Stelle des alten Lehnwortes *mhd.*, *ahd.* kástel ,,befestigter Ort, Kastell". Das alte Wort lebt noch in zahlreichen Ortsnamen wie Mainz-Kastel, Bernkastel-Kues, Kassel u. a., die alle auf ein ehemaliges, am Ort vorhanden gewesenes römisches Truppenlager hinweisen.

Kasten *m*: Das auf das *dt.* und *niederl.* Sprachgebiet beschränkte Wort *mhd.* kaste, *ahd.* kasto, *niederl.* kast ist wahrscheinlich von dem unter →*Kar* behandelten *germ.* Substantiv *kasa-,,Gefäß" abgeleitet. Abl.: kästeln ,,mit Kästchen versehen, karieren" (20. Jh.).

kastrieren ,,verschneiden, entmannen": Am Ende des 16. Jh.s aus gleichbed. *lat.* castráre entlehnt. – Abl.: Kastrat *m* ,,Verschnittener, Entmannter; Bühnensänger mit Knabenstimme" (17. Jh.; aus *it.* castrato); Kastration *w* ,,Verschneidung, Entmannung" (aus *lat.* castrátiō).

Kasus *m* ,,Beugefall (Gramm.); Fall, Vorkommnis, Vorfall": Im 16. Jh. aus gleichbed. *lat.* cásus entlehnt. Zugrunde liegt *lat.* cadere

„fallen" (vgl. hierüber *Chance*). Als gramm. Terminus ist *lat.* cāsus Bedeutungslehnwort von *gr.* ptōsis „Fall, Kasus" (zu *gr.* píptein „fallen").

kata..., Kata..., (vor Selbslauten u. vor h:), **kat...,Kat...:** Aus dem *Gr.* stammende Vorsilbe mit der Bed. „von - herab, abwärts; gegen; über - hin; gänzlich, völlig". *Gr.* katá ist wahrscheinlich verw. mit *lat.* cum „mit" - dazu das Präfix *lat.* com..., con... (vgl. *kon*...).

Katafalk *m* „Gerüst für den Sarg bei Leichenfeiern, Trauergerüst": Das im *Dt.* seit dem 18. Jh. bezeugte, aus *frz.* catafalque < *it.* catafalco entlehnte Wort geht letztlich auf *vlat.* *catafalicum zurück. Gleicher Herkunft ist *afrz.* chafaud (= *frz.* échafaud), das unser LW →Schafott lieferte. In dem *vlat.* Wort haben sich wahrscheinlich zwei Wörter gekreuzt, *lat.* catasta „Schaugerüst (zur Ausstellung verkäuflicher Sklaven)" und *lat.* fala „hohes Gerüst".

Katakomben *Mehrz.*: Die Bezeichnung für die altchristlichen unterirdischen Begräbnisstätten (bes. in Rom) wurde bei uns im 18. Jh. bekannt. Die Quelle des Wortes, das uns durch *it.* catacombe vermittelt wurde, ist *spätlat.* catacumbae. Die weitere Herkunft des Wortes ist nicht sicher geklärt.

Katalog *m* „Verzeichnis (von Büchern, Bildern, Waren usw.)": Im 16. Jh. aus *lat.* catalogus, *gr.* katálogos „Aufzählung, Verzeichnis" entlehnt. Zugrunde liegt das *gr.* Verb kata-légein „hersagen, aufzählen". Über weitere Zusammenhänge vgl. den Artikel *Lexikon*. – Dazu als Neubildung: **katalogisieren** „in ein Verzeichnis aufnehmen" (19. Jh.).

Katalyse *w* „Herbeiführung, Beschleunigung oder Verlangsamung einer Stoffumsetzung" (Chemie): Gelehrte Entlehnung aus *gr.* katálysis „Auflösung". Zu *gr.* kata-lýein „auflösen" (vgl. *kata*... und *Analyse*). – Dazu als *nlat.* Bildung das Subst. **Katalysator** *m* „Stoff, der durch seine bloße Anwesenheit chem. Reaktionen herbeiführt oder ihren Verlauf bestimmt".

Katapult *m* oder *s* „Schleuder zum Starten von Flugzeugen": Aus *lat.* catapulta < *gr.* katapéltēs „Wurf-, Schleudermaschine" entlehnt. Zum Grundverb *gr.* pállein „schwingen, schleudern".

Katarakt *m* „Stromschnelle, niedriger Wasserfall": Im 16. Jh. aus *lat.* cataracta < *gr.* kata-rrháktēs „Wassersturz, -fall" entlehnt (zu *gr.* katarrháttein „herabstoßen, herabstürzen").

Katarrh *m* „Schleimhautentzündung (mit meist reichlichen Absonderungen)": Das seit dem Beginn des 16. Jh.s bezeugte FW galt der älteren Medizin speziell zur Bezeichnung des Schnupfens. Es geht auf *lat.* catarrhus < *gr.* katárrhous „Schnupfen" zurück. Die wörtliche Bed. ist „Herabfluß" (zum Grundverb *gr.* rheīn „fließen"; über die

etymolog. Zusammenhänge vgl. den Artikel *Rhythmus*). Nach antiken Vorstellungen ist ein aus dem Gehirn herabfließender Schleim die Ursache dieser Krankheit. – Eine volkstümliche, in Leipziger Mundart erfolgte Eindeutschung des Wortes Katarrh vermutet man in ²Kater *m* „Katzenjammer", das im 19. Jh. begegnet und durch die Studentensprache populär wurde. Allerdings ist das Wort dann zumindest volksetymologisch an ¹Kater „männliche Katze" angeschlossen worden, wie überhaupt der alkoholische Rausch mit seinen Nachwirkungen gern scherzhaft mit Tiernamen bezeichnet wird (vgl. z. B. 'Affe').

Kataster *m* oder *s* „amtl. Verzeichnis der Grundstücksverhältnisse, Grundbuch", beachte auch die Zus. K a t a s t e r a m t : Das schon im 17. Jh. in der *nlat.* Form Catastrum bezeugte und im 18. Jh. eingedeutsche Wort stammt aus *it.* catastro (woraus auch entspr. *frz.* cadastre) „Zins-, Steuerregister". Die weitere Herkunft des Wortes ist unsicher.

Katastrophe *w* „entscheidende Wendung zum Schlimmen; Unheil, Verhängnis, Zusammenbruch": Um 1600 aus *gr.-lat.* katastrophḗ „Umkehr, Wendung (insbesondere: Wendepunkt der Handlung im Drama); Vernichtung, Verderben" entlehnt. Zu *gr.* katastréphein „umkehren, umwenden" (vgl. *kata*... und *Strophe*). Dazu als *nlat.* Bildung das Adj. k a t a s t r o p h a l „verhängnisvoll, entsetzlich" (20. Jh.).

Kate *w* (*nordd.* für): „Kleinbauernhaus": Das seit dem 17. Jh. bezeugte Wort ist eine jüngere Nebenform von **Kote** *w nordd.* für „Häuslerwohnung; Hütte" (*mnd.* kote, vgl. *niederl.* kot „Hütte, Schuppen", *engl.* cot „Hütte", cote „Stall, Schuppen", *schwed.* kåta „Hütte, Lappenzelt"). Dieses Substantiv bedeutete urspr. wahrscheinlich „Höhle, Loch, mit Flechtwerk abgedeckte Wohngrube" und gehört zu der unter →*Keule* dargestellten Wortgruppe. Abl.: K ä t n e r *m* „Besitzer einer Kate".

Katechismus *m* „Lehrbuch (bes. der christl. Religion) in Frage und Antwort": Im 16. Jh. aus *kirchenlat.* catēchismus < *gr.* katēchismós „Unterricht, Lehre" entlehnt. Zu *gr.* katēcheīn „entgegentönen, umtönen, durch den Klang ergötzen, bezaubern" und zwar in dessen übertr. Bed. „mündl. unterrichten, belehren". Stammwort ist *gr.* ēchḗ „Schall, Ton" (vgl. *Echo*).

Kategorie *w*: Das seit dem 18. Jh. bezeugte Substantiv ist urspr. ein rein philosophischer Terminus und ist in diesem Sinne etwa mit „Begriffs-, Denk-, Anschauungsform" wiederzugeben. Der allgemeine Gebrauch des Wortes im Sinne von „Klasse, Gattung" (beachte z. B. die Wendung 'Kategorie von Menschen') kommt erst im 19. Jh. auf. Das Wort geht über *lat.* catēgoria auf *gr.* katēgoría „Grundaussage" zurück. Das zugrunde liegende Verb *gr.* agoreúein „sagen, reden" gehört zu *gr.* agorá „Markt" (also eigtl. „auf dem Markte öffentlich reden"), das seinerseits zur *idg.* Wortfamilie von →*Gremium* gehört. Eine andere zu *gr.* agoreúein gehörende Zus. erscheint in →Allegorie. – Abl.: kategorisch „einfach aussagend, behauptend (Philos.); unbedingt gültig; widerspruchslos (allg.)" (17. Jh.; aus *lat.* catēgoricus „zur Aussage gehörig").

¹Kater *m*: Die Benennung des männlichen Tieres *mhd.* kater[e], *ahd.* kataro, *mnd.* kater ist von dem unter →Katze dargestellten Wanderwort (*kat[t]-) abgeleitet. Ein anderes Wort ist ²Kater „Katzenjammer" (s. Katarrh).

²Kater siehe Katarrh.

Katheder *m* „Pult, Kanzel; Lehrstuhl (eines Hochschullehrers)": Im 16. Jh. aus *lat.* cathedra „Stuhl, Sessel" entlehnt, das im *Kirchenlat.* die Bed. „Lehrstuhl, Lehramt; Bischofssitz" entwickelte (beachte auch das abgeleitete Adj. *mlat.* cathedrālis „zum Bischofssitz gehörig", das die Quelle ist für →Kathedrale). *Lat.* cathedra geht auf *gr.* kathédra „Sitz, Sessel" zurück. Grundwort ist *gr.* hédra „Sitz, Sessel, Wohnsitz usw.", das zu dem mit *dt.* →*sitzen* urverwandten Verb *gr.* hézesthai „sitzen, sich setzen" gehört.

Kathedrale *w*: Das seit dem Ende des 18. Jh.s geläufige FW (älter ist die Zus. Kathedralkirche) ist die übliche Bezeichnung für die „bischöfliche Hauptkirche", bes. in Spanien, Frankreich und England (in Deutschland gilt dafür →Dom oder auch →Münster). Das Wort geht auf *mlat.* ecclēsia cathedrālis „zum Bischofssitz gehörige Kirche" zurück (über das Adj. cathedrālis vgl. den Artikel *Katheder*).

Kathode *w*: Die physikal.-fachsprachliche Bezeichnung für die negativ geladene Elektrode beruht auf gelehrter Entlehnung neuester Zeit aus *gr.* káth-odos „der Weg hinab; die Rückkehr" (vgl. *kata-* und *Periode*). Die Kathode ist demnach als „Austrittsstelle" der Elektronen aus dem geschlossenen Stromkreis benannt.

katholisch: Im 16. Jh. aus *kirchenlat.* catholicus < *gr.* katholikós „das Ganze, alle betreffend; allgemein" (zu *gr.* hólos „ganz") entlehnt. Die katholische Kirche ist demnach urspr. die „allgemeine Kirche" gegenüber den Sonderkirchen. – Abl.: Katholik *m* „Angehöriger der röm.-kathol. Kirche" (18. Jh.); Katholizismus *m* „Geist und Lehre des kathol. Glaubens "(17. Jh., *nlat.* Bildung).

Kattun *m* (Sammelbezeichnung für leinwandbindige Baumwollgewebe): Das seit dem 17. Jh. bezeugte, durch *niederl.* kattun vermittelte Fremdwort geht auf *arab.* quṭun „Baumwolle" zurück. Das *arab.*

Wort, das vielleicht auch Ausgangspunkt für unser Wort →Kittel ist, kommt in fast allen europäischen Sprachen vor, weil die Araber durch ihren schon im 12. Jh. blühenden Handel den Europäern die Kenntnis von der Anpflanzung und Verarbeitung der Baumwolle überbrachten (so z. B. *it.* cotone, *frz.* coton, *engl.* cotton, *span.* [mit *arab.* Artikel] algodón „Baumwolle"; *schwed.* kattun, *poln.* katun „Baumwollstoff", *russ.* kutnjá „asiatischer halbseidener Stoff" [aus *türk.* kutny „Stoffgemisch aus Seide und Baumwolle", zu *arab.* quṭnī „baumwollen"]). – *Arab.* quṭun ist selbst LW und hängt mit *hebr.* kǝtōneth „auf dem bloßen Leib getragenes Kleid" (= *aram.* kithuna) zusammen. Es handelt sich wohl um ein altes *semit.* Handelswort, das teils durch die Phönizier, teils vielleicht auch durch die Etrusker weite Verbreitung fand, beachte z. B. die aus dem *Semit.* stammenden LW *gr.* chitōn „[Unter]kleid; Brustpanzer" (s. Chitin) und *lat.* tunica „Untergewand; Haut, Hülle" (s. tünchen). Die letzte Quelle des Wortes ist nicht sicher zu ermitteln.

Katze *w*: Der Name der Katze ist ein altes Wanderwort, das seit dem ausgehenden Altertum in fast allen europäischen Sprachen erscheint, vgl. z. B. die *kelt.* Sippe von *air.* cat, *spätlat.* catta, *lat.* *mlat.* kátta und die *baltoslaw.* Sippe von *russ.* kot. Aus welcher Sprache der Katzenname stammt, ist unklar. Am ehesten handelt es sich um ein aus einem Lockruf entwickeltes *nordgerm.* Wort, das urspr. die Wildkatze bezeichnete. Möglich ist auch, daß der Katzenname aus einer *nordafrikan.* Sprache stammt (vgl. *nubisch* kadís „Katze") und durch die Kelten vermittelt wurde. – *Mhd.* katze, *ahd.* kazza, *engl.* cat, *schwed.* katt gehen auf *germ.* *kattōn, *kattu- „Katze" zurück, während die Bezeichnung des männlichen Tieres (s. ¹Kater) von einer Form ohne Geminata abgeleitet ist. Zus.: katzbalgen, sich (s. Balg); katzbuckeln (s. Buckel); Katzenauge „Rückstrahler" (20. Jh.); Katzengold „Goldglimmer" (15. Jh.; wohl als „falsches Gold"); Katzenjammer (18. Jh.; aus der Studentensprache für „heulendes Elend, Unwohlsein nach dem Rausch"); Katzenmusik (18. Jh.; aus der Studentensprache für „mißtönende Musik"); Katzensprung „kurzer Weg" (17. Jh.).

kauderwelsch: Der Ausdruck für „unverständlich, verworren, radebrechend" bezog sich urspr. auf die schwerverständliche Sprache der Rätoromanen aus dem Rheintal von Chur. Der ON Chur lautet im *Tirolischen* Kauer. Über 'kauerwelsch' entwickelte sich – wohl unter dem Einfluß von *mdal.* kaudern „kollern; plappern" – 'Kauderwelsch', das also eigtl. „Churromanisch" bedeutet (vgl. *welsch*). Abl.: kauderwelschen „kauderwelsch reden" (18. Jh.).

kauen: Das *altgerm.* Verb *mhd.* kiuwen, *ahd.*
kiuwan, *niederl.* kauwen, *engl.* to chew (mit
dissimiliertem Anlaut die *nord.* Sippe von
schwed. tugga „kauen") gehört mit verwandten Wörtern in anderen *idg.* Sprachen –
vgl. z. B. *pers.* ǰārīden „kauen" und *russ.*
ževát' „kauen" – zu der *idg.* Wz. *gi̯eu-
„kauen". – Die *nhd.* Form kauen geht auf
mitteld. kūwen zurück, während die lautgerechte Entwicklung von *mhd.* kiuwen das
heute veraltete keuen, käuen ist, das in der
Zus. wiederkäuen bewahrt ist. Dazu
Wiederkäuer *m* (19. Jh.).

kauern: Das erst seit dem 18. Jh. in *hochd.*
Texten bezeugte Verb gehört mit *mnd.*
kūren „lauern, spähen" u. verw. *engl.* (*nord.* LW?)
to cower „kauern" und *schwed.* kura
„hocken, kauern" zu der unter → *Keule*
dargestellten *idg.* Wz. *geu- „[sich] biegen"
und bedeutete demnach urspr. „sich bücken,
sich ducken, gekrümmt dasitzen". Vgl. z. B.
aus anderen *idg.* Sprachen *lit.* gū́rinti „in
gekrümmter Haltung gehen" und *gr.* gȳrós
„gebogen, krumm".

kaufen: Das *gemeingerm.* Zeitwort mit der
urspr. Bed. „Kauf- und Tauschhandel treiben" (*mhd.* koufen, *ahd.* koufōn, *got.* kaupōn,
aengl. cēapian, *schwed.* köpa) beruht entweder auf einer frühen *germ.* Neubildung zu
lat. caupō „Schenkwirt, Herbergswirt; Wein-
händler, Gelegenheitshändler" oder aber auf
Entlehnung aus dem von *lat.* caupō abgeleiteten Verb *lat.* caupōnārī „verschachern,
verhökern". Der die röm. Legionen begleitende Schank- und Kantinenwirt (caupō)
spielte im Handelsverkehr mit den Germanen eine bedeutsame Rolle. Er handelte
nicht nur mit dem bei den Germanen sehr
begehrten Wein, sondern er war darüber
hinaus der Klein- und Gelegenheitshändler
schlechthin. – Eine alte Rückbildung aus dem
gemeingerm. Verb ist das Subst. Kauf *m*
mit einer urspr. Bed. „Handel, Vertrag,
Geschäft; Verkauf, Kauf" (*mhd.*, *ahd.* kouf,
niederl. koop, *aengl.* cēap, *schwed.* köp). –
Abl. und Zus.: Käufer *m* (*mhd.* koufer,
köufer, *ahd.* choufari „wer kauft und verkauft; Händler, Kaufmann"); käuflich
„im Kauf erstehbar, feil" (*mhd.* kouflich,
ahd. chouflīh „dem Handel, dem Geschäft
entsprechend, im Handel getätigt"); verkaufen „zum Kauf geben, gegen Bezahlung abgeben" (*mhd.* verkoufen, *ahd.* fir-
koufen), dazu Verkauf *m* (*frühnhd.*) und
Verkäufer *m* (*mhd.* verkoufǣre); Kaufmann *m* (*mhd.* koufman, *ahd.* choufman),
dazu als *Mehrz.* Kaufleute. – Siehe auch:
²Kaper, kapern.

Kaulbarsch *m*: Das Bestimmungswort, das
außer in 'Kaulbarsch' auch in Kaulkopf
„Groppe" und in Kaulquappe „Frosch-
larve" (s. Quappe) steckt, bedeutet „Kugel;
Dickkopf", vgl. *frühnhd.* und *dt. mdal.*
Kaule *w* „Kugel, Kugelförmiges", kau-

licht „kugelig", Quarkkäulchen „Kügelchen aus Quark" und dgl. Es geht zurück
auf *mhd.* kūle, das aus *mhd.* kūgele (vgl.
Kugel) zusammengezogen ist.

kaum: Das auf das *dt.* Sprachgebiet beschränkte Adverb (*mhd.* kūm[e], *ahd.* kūmo)
gehört im Sinne von „mit Mühe, schwerlich"
zu *ahd.* kūma „[Weh]klage", kūmīg
„schwach, gebrechlich" (eigtl. „kläglich,
jämmerlich"), kūmen „klagen, jammern
usw. Diese Sippe stellt sich mit den unter
→ *Kauz* und → *Köter* behandelten Wörtern
zu der *germ.* Wortgruppe von gi-kewen
„nennen, heißen" (*germ.* *kaujan „rufen"),
die lautnachahmenden Ursprungs ist. [Ele-
mentar]verwandt sind z. B. *gr.* goān „wehklagen, jammern" und *lit.* gaũsti „tönen,
rauschen, summen".

Kaution *w* „Bürgschaft; Sicherheitsleistung
in Form von Geldhinterlegung": Ein altes
Rechtswort, das bereits im 16. Jh. bezeugt
ist. Es geht auf gleichbed. *lat.* cautiō (eigtl.
„Behutsamkeit, Vorsicht") zurück. Zugrunde liegt das *lat.* Verb cavēre (< *covēre)
„sich in acht nehmen, Vorsorge treffen;
Bürgschaft leisten", das mit *dt.* → *hören*
urverwandt ist.

Kautschuk *m* „Milchsaft des Kautschuk-
baumes (Rohstoff für die Gummiherstel-
lung)": Das seit dem Anfang des 19. Jh.s
bezeugte Wort steht für ältere Formen des
18. Jh.s wie Cauchu, Kautschu und Ca-
chuchu. Es stammt letztlich aus einer Eingeborenensprache Perus, vermittelt durch
span. coucho, cauchu, cauchuc (heute: cau-
cho) und *frz.* caoutchouc.

Kauz *m*: Der nur *dt.* Vogelname (*spätmhd.*
kūz[e]) gehört wahrscheinlich zu der unter
→ *kaum* dargestellten Gruppe von Lautnachahmungen. Der Kauz wäre demzufolge
nach seinem Geschrei benannt. Im übertragenen Gebrauch bedeutet 'Kauz' „seltsamer Mensch", beachte die Abl. kauzig
„seltsam, schrullig" (19. Jh.).

Kavalier *m*: Das seit der Zeit um 1600 bezeugte und aus *frz.* cavalier < *it.* cavaliere
„Reiter, Ritter" entlehnte Wort begegnet
zunächst als Titel der Angehörigen eines
ritterlichen Ordens. Wenig später schon entwickeln sich daraus Bedeutungen wie „adliger Herr, Hofmann", die ihrerseits den
heute allein üblichen Gebrauch des Wortes
im Sinne von „feiner und gebildeter, (besonders Frauen gegenüber) taktvoller Mann"
vorbereiten (beachte hierzu auch die entspr.
Geltung des Wortes → *Dame*). Dem gesellt
sich im 19. Jh. das FW → Gentleman in fast
synonymer Stellung zu. – *It.* cavaliere entspricht *span.* caballero und *frz.* chevalier.
Alle weisen die nämliche Bedeutungsentwicklung von „Reiter" über „Ritter" zu
„Edelmann" auf. Die ihnen gemeinsame
Quelle ist das etymologisch nicht sicher gedeutete Subst. *lat.* caballus „Pferd", das im

It. als cavallo, im *Span.* als caballo und im *Frz.* als cheval erschèint. Von Interesse sind in diesem Zusammenhang noch die FW →Kavallerie, Kavallerist und →Kavalkade, die gleichen Stammes sind.

Kavalkade *w* „prachtvoller Reiteraufzug, Pferdeschau" (Sport): Im 17. Jh. aus *frz.* cavalcade entlehnt, das auf *it.* cavalcata zurückgeht. Das zugrunde liegende Verb *it.* cavalcare „reiten" ist aus gleichbed. *spätlat.* caballicāre hervorgegangen, einer Abl. von *lat.* caballus „Pferd" (vgl. *Kavalier*).

Kavallerie *w* „Reiterei, Reitertruppen": Um 1600 aus *frz.* cavalerie entlehnt, das auf gleichbed. *it.* cavalleria zurückgeht. Dies ist eine Abl. von *it.* cavaliere „Reiter" (vgl. *Kavalier*). Abl.: **Kavallerist** *m* „Angehöriger der Kavallerie" (18. Jh.).

Kaviar *m* „Rogen des Störs": Im 17. Jh. aus gleichbed. *türk.* havyar entlehnt.

keck: *Mhd.* kec, quec „lebendig; lebhaft; frisch, munter; stark, fest; mutig", *ahd.* chec[h], quec[h] „lebendig; lebhaft", *niederl.* kwi[e]k „flink, lebhaft", *engl.* quick „schnell; munter, frisch; stark", *schwed.* kvick „schnell, flink; schlagfertig; witzig, geistreich" gehören mit dem andersgebildeten *got.* qius „lebendig" zu der vielgestaltigen *idg.* Wortgruppe der Wz. *g^{u}ei-„leben". Vgl. aus anderen *idg.* Sprachen z. B. *gr.* zēn „leben", zōé „Leben", zōion „Tier" (s. zoo..., wie z. B. in Zoologie), bíos „Leben" (s. bio..., wie z. B. in Biologie, Biographie), hygieinós eigtl. „gut lebend" (s. Hygiene), *lat.* vīvere „leben" (s. vivat!), vīvus „lebendig", vīta „Leben", vīvārium „Tiergarten" (s. Weiher) und die *baltoslav.* Sippe von *russ.* žit' „leben", živój „lebendig", živót „Leben". – Die *nhd.* Form keck mit anlautendem k- geht auf eine in *spätahd.* Zeit entwickelte *südd.* Nebenform zurück. Der reguläre Anlaut ist dagegen bewahrt in →erquicken und →verquicken sowie in dem Pflanzennamen → Quecke und weiterhin in der Zusammensetzung, s. die Artikel Quecksilber und quicklebendig.

keckern: Das seit dem 19. Jh. bezeugte Verb, das hauptsächlich die [Zornes]laute von Fuchs, Marder und Iltis wiedergibt, stellt sich als eine iterative Bildung zu dem heute veralteten lautnachahmenden 'kecken', beachte die teils veralteten, teils noch *mdal.* Lautnachahmungen köckern, kuckern, kakeln sowie die lautmalende Sippe von →gackeln.

¹Kegel *m*: *Mhd.* kegel „Knüppel, Stock; Holzfigur im Kegelspiel; Eiszapfen", auch „uneheliches Kind" (s. ²Kegel), *ahd.* chegil „Pflock, Pfahl", *mnd.* kegel „Knüppel; Holzfigur im Kegelspiel", *niederl.* kegel „Eiszapfen; Holzfigur im Kegelspiel" gehen auf *kagila*- zurück, das eine Verkleinerungsbildung zu einem *germ.* Substantiv mit der Bed. „Ast, Pfahl, Stamm" ist, vgl. *dt. mdal.*

Kag „Strunk", *niederl.* keg „Keil", *schwed. mdal.* kage „Baumstumpf". Damit verwandt sind die unter →¹Kufe „Laufschiene" behandelten Wörter. *Außergerm.* entspricht lediglich die *baltoslav.* Sippe von *lit.* žãgaras „dürrer Zweig". – Zu 'Kegel' im Sinne von „Holzfigur im Kegelspiel" stellt sich die Abl. kegeln „kegelschieben", *ugs.* auch für „purzeln, rollen" (*mhd.* kegelen „kegelschieben"), beachte auch Kegler *m* (schon *mhd.* kegeler „Kegelschieber"), Kegelbahn, Kegelklub usw. An die *landsch.* Verwendung des Wortes im Sinne von „Gelenk[knochen]" schließt sich ausgekegeln *ugs.* für „ausrenken" (17. Jh.) an. Von 'Kegel' als „Holzfigur im Kegelspiel" geht die Verwendung des Wortes als Bezeichnung eines geometrischen Körpers aus, beachte die Zus. Kegelschnitt (18. Jh.). Auf die Form eines Kegels beziehen sich Lichtkegel, Bergkegel und dgl.

²Kegel *m*: Das nur noch in der Formel 'mit Kind und Kegel' gebräuchliche Wort bedeutet eigtl. „uneheliches Kind". *Mhd.* kegel in dieser Bedeutung ist wahrscheinlich identisch mit kegel „Knüppel, Stock; Holzfigur im Kegelspiel; Eiszapfen" (vgl. ¹*Kegel*). Die Bed. „uneheliches Kind" kann sich aus „Knüppel" entwickelt haben (beachte den Artikel Bengel) oder aber aus „Eiszapfen", mit Bezug auf die überlieferte Vorstellung, daß einer untreuen Frau, die Schnee ißt, ein Eiszapfen wächst.

Kehle *w*: Das auf das *Westgerm.* beschränkte Substantiv *mhd.* kel[e], *ahd.* kela, *niederl.* keel, *aengl.* ceole ist mit dem unter →²Kiel behandelten Wort verwandt. Die *germ.* Wortgruppe geht mit verwandten Wörtern auf eine Wz. *gel*-„verschlingen" zurück, vgl. z. B. *air.* gelid „verschlingt, verzehrt, frißt". Auf einer Nebenform *g^{u}el*- beruht z. B. *lat.* gula „Schlund; Speiseröhre" (s. Gully). Wie das zu 'schlingen' gebildete 'Schlund' (s. d.), so hat auch 'Kehle' die Bed. „Schlucht, Vertiefung" entwickelt, beachte die Orts- und Flurnamen mit Kehle (z. B. Hundekehle, Silberkehle) und die Zus. Kniekehle (*mhd.* kniekel). Abl.: kehlen „rinnenartig aushöhlen", *mdal.* auch für „Fisch ausnehmen" (17. Jh.; heute gewöhnlich auskehlen), dazu Kehlung *w* „rinnenartige Aushöhlung" (17. Jh.). Zus.: Kehlkopf (18. Jh.).

¹kehren „[um]wenden": Das auf das *dt.* und *niederl.* Sprachgebiet beschränkte Verb *mhd.* kēren, *ahd.* kēran, *asächs.* kērian, *niederl.* keren hat weder im *germ.* Sprachbereich noch in anderen *idg.* Sprachen gesicherte Verwandte. Während das einfache Verb im heutigen *Dt.* wenig gebräuchlich ist (dafür gewöhnlich umkehren, beachte auch einkehren), spielen die präfigierten Verben →bekehren und →verkehren eine bedeutende Rolle. Das Subst. Kehre *w* (*mhd.* kēr[e], *ahd.* kēr[a]) ist aus dem Verb rückgebildet. Zus.: Kehrreim (18. Jh.; für *frz.* refrain); Kehrseite (18. Jh.; LÜ von *niederl.* keerzijde; zuerst von der Rückseite der Münzen gebraucht).

²kehren „mit dem Besen reinigen": Das vorwiegend in Süd- und Mitteldeutschland gebräuchliche Verb (*mhd.* ker[e]n, *ahd.* kerian) – in Norddeutschland gilt 'fegen' (s. d.) – geht auf *westgerm.* *karjan zurück, das mit *lit.* žẽrti „scharren" verwandt ist. Abl.: Kehricht *m*, *s* „Müll, Schmutz" (*spätmhd.* kerach, *frühnhd.* keracht, kerecht). Zus.: Kehraus „Schlußtanz" (18. Jh.; der letzte Tanz, bei dem die Tänzerinnen mit ihren Kleidern gewissermaßen den Tanzboden auskehren; aus 'kehre aus' entstanden).

keifen: Der Ursprung von *mhd.* kīben, *mnd.* kīven, *niederl.* kijven „scheltend zanken" ist dunkel. Die *nord.* Sippe von *schwed.* kiva ist wahrscheinlich aus dem *Mnd.* entlehnt. Die *nhd.* Form keifen (statt lautgerechtem keiben) hat *niederd.* f, wie z. B. auch 'Hafer' und 'Hufe'.

Keil *m*: Das auf das *dt.* Sprachgebiet beschränkte Substantiv (*mhd.*, *ahd.*, *mnd.* kīl) gehört wahrscheinlich im Sinne von „Gerät zum Spalten" zu der Wortgruppe der Wz. *ĝēi-, [sich] spalten, aufbrechen", bes. von Pflanzen „keimen, knospen, aufblühen", vgl. z. B. *arm.* cił „Halm" und *lit.* žiedéti „blühen". Zu dieser Wortgruppe gehört auch das mit m-Suffix gebildete → Keim und wahrscheinlich auch das unter → Kien (eigtl. „abgespaltenes Holzstück") behandelte Wort. Mit 'Keil' verwandt ist die *nord.* Sippe von *aisl.* kīll „schmale Bucht, langer Seearm", beachte dazu den *dt.* ON Kiel, *niederl.* tom Kyle eigtl. „an der keilförmigen Bucht". Abl.: keilen *ugs.* für „prügeln" (*spätmhd.* kīlen „Keile eintreiben, um zu spalten oder zu befestigen"; die urspr. Bed. ist noch bewahrt in 'festkeilen', einkeilen und verkeilen; die bildhafte Verwendung des Wortes im Sinne von „hauen, schlagen, prügeln" stammt aus der Gauner- und Studentensprache), dazu Keile *w ugs.* für „Prügel" (18. Jh.) und Keilerei *w ugs.* für „Schlägerei" (19. Jh.). Siehe auch den Artikel Keiler.

Keiler *m* „wilder Eber": Das seit dem Anfang des 17. Jh.s bezeugte Wort ist eine Substantivbildung zu 'keilen' in der Bed. „hauen, schlagen" (vgl. *Keil*). Der Keiler ist also nach seinen Hauern benannt.

Keim *m*: Das auf das *dt.* und *niederl.* Sprachgebiet beschränkte Substantiv *mhd.* kīm[e], *ahd.* kīmo, *niederl.* kiem gehört zu der unter → *Keil* dargestellten Wortgruppe. Abl.: keimen (*mhd.* kīmen).

Keks *m* oder *s*: Im 20. Jh. aus der *Mehrz.* cakes von *engl.* cake „Kuchen" entlehnt. Das FW wurde im Deutschen als Einzahl empfunden. *Engl.* cake, das aus dem *Nord.* entlehnt sein kann (beachte *schwed.* kaka

„Kuchen"), steht im Ablaut zu *dt.* → *Kuchen*.

Kelch *m*: Der *westgerm.* Name des Trinkgefäßes (*mhd.* kelch, *ahd.* kelich, *niederl.* kelk, *aengl.* celc; die nord. Sippe von entspr. *schwed.* kalk stammt aus dem *Aengl.*) beruht auf einer frühen Entlehnung im Bereich von Fachwörtern des Weinbaues (wie → Kelter, → Trichter, → Most, → Wein u. a.) aus *lat.* calix (calicis) „tiefe Schale, Becher, Kelch". Das *lat.* Wort ist irgendwie verwandt mit *gr.* kýlix „Trinkschale, Becher" einerseits und mit *gr.* kályx „Fruchtkapsel, Blumenkelch, Blütenknospe" andererseits. Nach letzterem entwickelte das Wort Kelch im 17. Jh. die übertr. Bed. „Blütenkelch".

Kelle *w*: Der Ursprung von *mhd.*, *mnd.* kelle, *ahd.* kella „Kelle, Schöpflöffel", *aengl.* cielle „Feuerpfanne, Lampe" ist dunkel. – Zur genaueren Bestimmung des Gerätes dienen die Zus. Maurer-, Schöpf-, Suppenkelle.

Keller *m*: Das *altgerm.* Substantiv (*mhd.* keller, *ahd.* kellari, *niederl.* kelder, *schwed.* källare) gehört zu einer Gruppe von *lat.* Lehnwörtern aus dem Bereich des Stein- und Hausbaues (vgl. zum Sachlichen den Artikel Fenster), die früh ins *Germ.* aufgenommen wurden. Quelle des Wortes ist *lat.* cellārium „Speisekammer, Vorratskammer". Zu *lat.* cella „Vorratskammer; enger Wohnraum; Zelle" (vgl. *Zelle*). – Abl.: Kellerei *w* „Gesamtheit der Kellerräume" (16. Jh.; heute vorwiegend im speziellen Sinne von „Wein-, Sektkellerei"); kellern „(Vorräte) in den Keller einlegen" (18. Jh.), dafür heute meist das zusammengesetzte Verb einkellern. – Siehe auch Kellner, Kellnerin.

Kellner *m*: Das auf das *dt.* und *niederl.* Sprachgebiet beschränkte Substantiv mit der urspr. Bed. „Kellermeister, Verwalter des [Wein]kellers" (*mhd.* kelnǣre, *ahd.* kelnāri, *mniederl.* kelnāre; demgegenüber *niederl.* kellner aus dem *Hochd.*) beruht wohl auf Entlehnung aus *spätlat.* cellārārius „Kellermeister" (mit Dissimilation des ersten der beiden r zu n). Zu *lat.* cellārium „Speisekammer, Vorratskammer" (vgl. das LW *Keller*). Die heute gültige spezielle Bedeutung des Wortes Kellner im Sinne von „Bediensteter in Gasthäusern, der Getränke und Speisen serviert" entwickelte sich etwa im 18. Jh. – Abl.: Kellnerin *w* (im heutigen Sinne seit dem 18./19. Jh.; zuvor schon *mhd.* kelnǣrinne „Hausmagd, Wirtschafterin"); kellnerieren „als Kellner[in] tätig sein" (20. Jh.).

Kelter *w* „Traubenpresse": Das Substantiv (*mhd.* kelter, *ahd.* kelcterre) gehört zu einer Gruppe von *lat.* Lehnwörtern auf dem Gebiet des Weinbaus (vgl. zur Kulturgeschichte den Artikel Wein). Es geht auf *lat.* calcātūra „das Stampfen; das Keltern; die Kelter" zurück, das zu *lat.* calcāre „mit der

Ferse treten; mit den Füßen stampfen" und weiter zu *lat.* calx „Ferse; Fuß" gehört. Die Bezeichnung der Kelter erinnert also daran, daß in der ältesten Zeit (wie noch heute zuweilen in südlichen Gegenden) der Saft aus den Weintrauben mit den Füßen herausgestampft wurde. – Abl.: keltern (15. Jh.).

kennen: *Mhd.* kennen „erkennen; kennen", *ahd.* (in Zus.) chennan, *got.* kannjan „bekanntmachen, kundtun", *aengl.* cennan „kundtun, bestimmen, erklären", *schwed.* känna „kundtun, verkennen; erkennen; kennen" gehen auf *germ.* *kannjan zurück, das eine Kausativbildung zu dem unter →*können* dargestellten gemeingerm. Präteritopräsens ist und eigtl. „wissen lassen, verstehen machen" bedeutet. Wichtige Präfixbildungen sind →*bekennen* (dazu Bekenntnis; s. auch den Artikel bekannt) und →*erkennen* (dazu erkenntlich, Erkenntnis; Urkunde), beachte auch verkennen „nicht erkennen, falsch beurteilen" (17. Jh.). Abl.: Kenner *m* (16. Jh.; bereits im 14. Jh. *mitteld.* kenner, das allgem. „Erzeuger, Erkenner" bedeutet), dazu kennerisch (18. Jh.) und Zus. wie Kennerblick, Kennermiene; kenntlich (14. Jh.; für älteres *mhd.* ken[ne]lich „erkennbar, offenbar, bekannt"); Kenntnis *w* (*mhd.* kentnisse, kantnisse „Erkenntnis; Kenntnis"; aus dem 2. Partizip gebildet); Kennung *w* seemänn. für „typisches Kennzeichen zum Leuchtfeuern, Kennzeichen des Schiffsstandortes" (*mhd.* kennunge „Erkennung, Erkenntnis"). Zus.: Kennkarte (20. Jh.); Kennwort (20. Jh.); Kennzeichen (16. Jh.), dazu kennzeichnen (18. Jh.).

kentern „umkippen (von Schiffen)": Das aus der *niederd.* Seemannssprache ins *Hochd.* gelangte Verb geht auf *niederd.* (= *niederl.*) kanteren, kenteren „auf die (andere) Seite legen, umwälzen" zurück, das zu →*Kante* (*mnd.* kant[e] „Ecke") gehört.

Keramik *w* „[Kunst]töpferei und ihre Erzeugnisse, Töpfer-, Tonwaren": Im 19. Jh. aus *frz.* céramique entlehnt, das auf *gr.* keramikế (téchnē) zurückgeht. Zugrunde liegt das etymologisch nicht sicher gedeutete Substantiv *gr.* kéramos „Töpfererde; Ziegel; Tongefäß". – Abl. Keramiker *m*, keramisch (beide 19./20. Jh.).

kerben: Das *westgerm.*, urspr. starke Verb *mhd.* kerben, *mnd.*, *niederl.* kerven, *engl.* to carve hat mit verwandten Wörtern in anderen *idg.* Sprachen – vgl. z. B. *gr.* gráphein „[ein]ritzen; schreiben" (s. die Fremdwörtergruppe um Graphik) – auf eine Wurzelform *gerbh- „ritzen, kratzen" zurück. Damit verwandt sind wahrscheinlich die unter →*krabbeln*, *kribbeln*, →*Krabbe* und →*Krebs* behandelten Wörter, die auf einer Wurzelform *grebh- beruhen. Abl.: Kerbe *w* (*mhd.* kerbe). Zus. Kerbholz *ugs.* für „Schuldkonto", gewöhnlich nur noch in der

Wendung 'etwas auf dem Kerbholz haben' (15. Jh.; das Kerbholz, das bis ins 18. Jh. Verwendung fand, diente zur Aufzeichnung und Abrechnung von Warenlieferungen, Arbeitsleistungen und Schulden. In einen – zur gegenseitigen Kontrolle längsgespaltenen – Holzstab wurden die Vermerke eingekerbt); Kerbtier (Ende des 18. Jh.s, als Ersatzwort für 'Insekt').

Kerker *m* „Verlies, Gefängnis": Das *altgerm.* Substantiv (*mhd.* karkēre, kerker, *ahd.* karkāri, *got.* karkara, *niederl.* kerker, *aengl.* carcern), das im *Dt.* (mit Ausnahme von Österreich, wo es als offizielle Bezeichnung für „Zuchthaus" gilt) nicht mehr üblich ist, beruht auf einer frühen Entlehnung aus *lat.* carcer (carceris) „Umfriedung, Schranken; Kerker". Aus der gleichen Quelle stammt das im 14. Jh. im Bereich der Universitäts- und Schulsprache aufgenommene Fremdwort Karzer *m* „Schul-, Hochschulgefängnis; verschärfter Arrest". – Vgl. auch den Artikel Kanzel.

Kerl *m*: Das aus dem *Niederd.* stammende Wort ist erst in *nhd.* Zeit gemeinsprachlich geworden. *Mnd.* kerle „freier Mann nicht ritterlichen Standes; grobschlächtiger Mann", dem *niederl.* kerel „Kerl" und *engl.* churl „Kerl, Tölpel, Bauer" entsprechen, steht im Ablaut zu *ahd.* karal, *mhd.* karl[e] „Mann; Ehemann; Geliebter" (bewahrt im PN Karl) und der *nord.* Sippe von *schwed.* karl „Mann; Kerl; Bauer". Die germ. Wortgruppe, für die von der Bed. „alter Mann" auszugehen ist, gehört zu der unter →*Kern* dargestellten *idg.* Wz. *ĝer- „reif, alt, morsch werden", vgl. z. B. die verwandten Wörter *gr.* gérōn „Greis", gerousía „Rat der Ältesten, Senat", gễras „Alter" (beachte dazu mediz. fachsprachl. Geriatrie „Altersheilkunde").

Kern *m*: *Mhd.* kerne, *ahd.* kerno und die *nord.* Sippe von *schwed.* kärna gehen auf *germ.* *kernan- „Kern" zurück, das im Ablaut zu dem unter →*Korn* dargestellten *gemeingerm.* Substantiv steht. Beide Bildungen gehören mit verwandten Wörtern in anderen *idg.* Sprachen zu der Wz. *ĝer-, „reif, alt, morsch werden", vgl. z. B. *lat.* grānum „Korn, Kern" (s. die umfangreiche Fremdwörtergruppe von Granit) und die *baltoslaw.* Sippe von *russ.* zérno „Korn". Die Begriffsbildung geht aber wohl nicht von der Vorstellung der Reife aus, sondern von einer älteren Bed. der Wz. *ĝer-, nämlich „reiben", intrans. „[auf]gerieben werden" (auch durch Alter, Krankheit). Demnach wären „Kern, Korn" etwa als „Geriebenes, Zerbröckeltes; Reibefrucht" aufzufassen. Zu der Wz. *ĝer- in der Bedeutungswendung „reif, alt, morsch werden" stellt sich die unter →*Kerl* (eigtl. „alter Mann") behandelte Wortgruppe. – Die übertragene Verwendung des Wortes im Sinne von „das Innerste, das Wesentlichste, das Beste" geht von 'Kern' in der Bed. „Fruchtkörper (im Gegensatz zur Schale), Mark (von Pflanzen)" aus. Abl.: **kernen** veraltend für „aus-, entkernen" (*mhd.* kernen, kirnen, *ahd.* kirnan); **kernig** „Kerne enthaltend; kraftvoll, markig" (16. Jh.). Zus.: **Kernbeißer** „Finkenvogel" (16. Jh.); **kerngesund** (18. Jh.); **Kernobst** (Anfang des 18. Jh.s; im Gegensatz zum Steinobst); **Kernphysik** (20. Jh.); **Kernschuß** (18. Jh.; im Gegensatz zum Bogenschuß); **Kernseife** (19. Jh.; zunächst „beste Seife", dann „feste Seife" im Gegensatz zur Schmierseife, heute „einfache Seife" im Gegensatz zur Feinseife); **Kernwaffen** *Mehrz.* (20. Jh.). Siehe auch den Artikel kirnen „buttern".

Kerze *w* „Wachs-, Talgleuchte": Die Herkunft des Wortes (*mhd.* kerze, *ahd.* charza, kerza, *mnd.* kerte) ist nicht gesichert.

keß: Das in Berlin aus der Gaunersprache übernommene Wort ist erst im 20. Jh. im Sinne von „draufgängerisch; frech; flott, schick" umgangssprachlich geworden. *Gaunersprachlich* keß (19. Jh.) bedeutet „diebeserfahren, zuverlässig" und ist eigtl. der Name von *jidd.* ch. Der Anfangsbuchstabe ch (chess) steht verhüllend für *jidd.* chōchem „klug, gescheit".

Kessel *m*: *Mhd.* kezzel, *ahd.* kezzil, *got.* (nur Gen. Mehrz.) katilē, *aengl.* cietel, *aisl.* ketill gehen auf *gemeingerm.* *katila- „Kessel" zurück, das in alter Zeit aus *lat.* catīnus „Tiegel, Schale, Wasserbehälter an der Feuerspritze" (bzw. aus der Verkleinerungsbildung catillus) entlehnt worden ist. Mit der Sache übernahmen die Germanen von den Römern auch das Wort. – Im übertragenen Gebrauch bedeutet 'Kessel' „kesselförmige Bodenvertiefung" und „Platz, auf den das Wild von allen Seiten her zusammengetrieben wird", beachte dazu **einkesseln** (19. Jh.), **Kesseljagen** (18. Jh.), **Kesseltreiben** (19. Jh.). Im 20. Jh. auch auf die Umschließung von Heereseinheiten bezogen, beachte noch **Kesselschlacht**.

Ketchup *m* oder *s* „pikante Würztunke": Junge Entlehnung des 20. Jh.s aus *engl.* ketchup (catchup, catsup), das selbst wohl *malai.* Ursprungs ist.

¹Kette *w* „Schar, Reihe": Das im heutigen Sprachgefühl als mit **²Kette** (s. d.) identisch empfundene Wort hat sich aus älterem Kitte, Kütte, *mhd.* kütte, *ahd.* kutti „Herde, Schar" entwickelt. Die weitere Herkunft des nur *dt.* Wortes ist dunkel.

²Kette *w* „aus ineinandergreifenden Einzelgliedern gefügtes [Metall]band", vielfach übertr. gebraucht im Sinne von „zusammenhängende Folge (von Ereignissen, gedanklichen Äußerungen u. a.)": Das Substantiv (*mhd.* keten[e], *ahd.* ketīna), das nicht verwandt ist mit gleichlautend → ¹Kette, beruht auf Entlehnung aus gleichbed. *lat.* catēna „Kette". – Abl.: **ketten** „mit einer Kette binden" (*mhd.* ketenen „an die Kette legen"), dazu die Zus. und die Präfixbildung **anketten** „an die Kette binden" (18. Jh.) und **verketten** „verknüpfen, verflechten" (15. Jh.).

Ketzer *m* „einer, der von der anerkannten Kirchenlehre abweicht, Irrgläubiger; einer, der sich gegen geltende Meinungen auflehnt": Das seit dem Beginn des 13. Jh.s bezeugte Wort (*mhd.* ketzer, kether) rührt von *mlat.* Cathari, *ait.* gassari, dem Namen einer neumanichäischen Sekte, her. Der Name dieser Sekte bedeutet eigtl. „die Reinen" (*gr.* katharós „rein", beachte den weibl. PN Katharina, eigtl. „die Reine"). Abl.: **Ketzerei** *w* (*mhd.* ketzerīe, ketherīe); **ketzerisch** (15. Jh.; für *mhd.* ketzerlich).

keuchen: Das seit dem 16. Jh. bezeugte Verb ist aus der Vermischung von *mhd.* küchen „hauchen" und *mhd.* kīchen „schwer atmen" hervorgegangen. Beide Verben sind lautnachahmender Herkunft, vgl. zum ersten z. B. *niederl.* kuchen „hüsteln", *engl.* to cough „husten", zum zweiten z. B. *schwed.* kika „schwer atmen", kikhosta „Keuchhusten". Zus.: **Keuchhusten** (19. Jh.; älter Keichhusten).

Keule *w*: Die nur *dt.* Bezeichnung der Hieb- und Wurfwaffe (*mhd.* kiule) gehört im Sinne von „Stock mit verdicktem Ende, kugelförmiger Gegenstand" zu der vielfach weitergebildeten und erweiterten *idg.* Wz. *gēu-„biegen, krümmen", nominal „Biegung, Rundung, Wölbung, Höhlung". Zu der weitverzweigten Wortgruppe dieser Wurzel aus dem *germ.* Sprachbereich → **kauern** (eigtl. „sich bücken, gekrümmt dasitzen"), **Kaule**, *nordd.* **Ku[h]le** *w* „Loch, Grube, Vertiefung" (*mitteld.*, *mnd.* küle) und **Kaute** *w mdal.* für „Grube, Loch" (*mitteld.*, *niederd.* küle); eigtl. „Einbiegung, Höhlung", ferner → **Kate, Kote** „Hütte, Häuslerwohnung, Kleinbauernhaus" und → **Koben** „Stall, Verschlag" (eigtl. „Erdhöhle, mit Flechtwerk abgedeckte Grube"), weiterhin → **kollern**, kullern „purzeln, rollen" (eigtl. „kugeln") und → **Kugel**, sowie → **Kogge** „dickbauchiges Hanseschiff" (eigtl. „Biegung, Schwellung, Rundung"). Vgl. aus anderen *idg.* Sprachen z. B. *aind.* gōla-ḥ „Kugel" und *gr.* gýpē „Erdhöhle", gýrós „gebogen, krumm, rund" (s. Giro). – In Nord- und Mitteldeutschland bezeichnet 'Keule' auch den Hinterschenkel (von Schlachtvieh, Wild, Geflügel). In Süddeutschland gilt dafür 'Schlegel' (s. d.).

keusch: Das Adjektiv (*mhd.* kiūsche, *ahd.* kūski) wurde im Rahmen der frühmittelalterlichen Christianisierung aus einem *got.* kirchensprachl. *kuskeis „der christlichen Lehre bewußt" übernommen, das seinerseits aus *lat.* cōnscius „mitwissend, eingeweiht, bewußt" entlehnt ist. Aus der Bed. „der christlichen Lehre bewußt" entwickelten sich die Bed. „tugendhaft, sitt-

sam, enthaltsam, rein". Abl.: Keuschheit w
(mhd. kiusch[e]heit).

Khaki 1. s „Erdfarbe, Erdbraun", 2. m
„graugelber Tropenstoff", häufig in Zus. wie
Khakihose, Khakiuniform: Das im Dt.
seit dem Beginn des 20. Jh.s begegnende
FW stammt aus gleichbed. engl. khaki.
Dies – urspr. Adjektiv – geht auf pers.-hind.
khākī „staub-, erdfarben" zurück. Zu pers.
khāk „Staub, Erde".

kichern: Das seit dem 16. Jh. bezeugte Verb
ahmt den hellen Lachlaut nach, vgl. das
ähnliche ahd. kichazzen und das den dunklen Lachlaut nachahmende ahd. kachazzen,
das z. B. mit gr. kacházein „laut lachen"
und aind. kákhati „lacht" elementarverwandt ist.

kicken „Fußball spielen (oft abwertend)":
Ein Wort der Fußballsprache (zum Wort-
feld vgl. foul), das im 20. Jh. aus engl. to
kick „treten, stoßen; Fußball spielen" entlehnt wurde. Weitere Herkunft ist unsicher.–
Dazu gehören die Substantive Kick m
„Tritt, Stoß" und Kicker m „Fußballspie-
ler (oft abwertend)". Beide Wörter sind ugs.
Ersteres ist aus gleichbed. engl. the kick entlehnt, letzteres ist dagegen eine rein deutsche
Abl. von kicken. – Über die Zus. Kickstarter vgl. Start.

kidnappen „Kinder entführen, Menschen
verschleppen", Kidnapper m „Kindesent-
führer, Menschenräuber", Kidnapping s
„Kindesentführung, Menschenraub": Junge
FW des 20. Jh.s aus dem Engl. Zugrunde
liegt das Verb to kidnap „Kinder stehlen", dessen Grundwort etymologisch nicht
sicher gedeutet ist. Das Bestimmungswort
kid dagegen, das eigtl. „Zicklein; Junges"
bedeutet, entspr. nhd. →Kitz.

¹Kiebitz m: Der regenpfeiferartige Watvogel
ist nach seinem eigentümlichen Lock- und
Warnruf benannt, der etwa mit 'kiwit', 'ki-
bit', 'giwit' wiederzugeben ist. – Die Form
Kiebitz geht auf eine ostmitteld. Form zurück,
die nach Vogelnamen mit slaw. Endung (s.
den Artikel Stieglitz) umgestaltet ist. Beachte im Gegensatz dazu mnd. kīwit.

²Kiebitz siehe kiebitzen.

kiebitzen: Der ugs. Ausdruck für „beim
Karten- oder Brettspiel zuschauen" stammt
aus gaunersprachl. kiebitschen „untersuchen,
durchsuchen". Dazu – unter Anlehnung an
den Vogelnamen – ²Kiebitz m „Zuschauer
beim Karten- oder Brettspiel" (20. Jh.).

¹Kiefer w: Der seit dem 16. Jh. bezeugte
Name des Nadelholzgewächses ist wahrscheinlich eine verdunkelte Zusammensetzung, und zwar aus →Kien und →Föhre,
beachte ahd. kienforha u. kienforha.

²Kiefer m: Die germ. Benennungen des Ge-
sichtsschädelknochens mhd. kiver, daneben
kivel, niederd. keve, ablautend gsächs. kaf-
los Mehrz., aengl. ceafl, schwed. käft gehören
mit verwandten Wörtern in anderen idg.

Sprachen zu einer Wz. *ĝep[h]-, *ĝebh-„Kie-
fer; Mund", verbal „nagen, essen. fressen".
Außergerm. vergleichen sich z. B. awest.
zafar- „Mund, Rachen" und air. gop „Mund,
Schnabel". Verwandt ist die Sippe von
→Käfer (eigtl. „Nager").

kieken: Die Herkunft des vorwiegend
nordd. ugs. Ausdrucks für „schauen" ist
unklar. Vielleicht stammt mnd. kīken –
wie z. B. auch „kucken', 'gucken' – aus
der Kindersprache oder ist lautnachahmender Herkunft, beachte das Verhältnis von
dt. piepen „piep machen, pfeifen" zu engl.
to peep „gucken". Dazu Kieker m seemänn.
und ugs. für „Fernglas" (18. Jh.), beachte
die Wendung „jemanden oder etwas auf dem
Kieker haben" „[mißtrauisch] beobachten",
ferner Spökenkieker (s. Spuk) und Kiek-
indiewelt „kleines Kind, unerfahrener
Mensch".

¹Kiel m „Schaft der Vogelfeder; Pflanzenstengel": Die Herkunft des seit mhd. Zeit
bezeugten Wortes ist dunkel. Mit mhd. kil
ist wohl engl. quill „Federkiel" verwandt.

²Kiel m: Der Ausdruck für „Grundbalken
der Wasserfahrzeuge" stammt aus der niederd. Seemannssprache. Mnd. kil, kel, niederl. kiel „Kiel" und die nord. Sippe von
schwed. köl „Kiel" gehören im Sinne von
„Hals, halsförmig Geschwungenes" zu der
Wortgruppe von →Kehle, vgl. aengl. cele
„Schiffsschnabel". Es handelt sich – wie
z. B. auch bei 'Bug' (s. d.) und 'Hals' (s.
halsen) – also um eine Übertragung einer
Körperteilbezeichnung. Zus.: kielholen
„ein Schiff zur Ausbesserung auf die Seite
legen" „einen Menschen zur Strafe unter
dem Schiffskiel durch das Wasser ziehen"
(niederd. kilhalen, 17. Jh.; wohl nach niederl. to kielhalen, vgl. auch engl. to keelhaul,
schwed. kölhala); kieloben (19. Jh.); Kiel-
schwein „auf dem Hauptkiel von Schiffen
liegender Verstärkungsbalken oder -träger"
(18. Jh.; aus niederd. kilswīn, das seinerseits
aus niederd. kölsvin entlehnt ist; das schwed.
Wort ist umgedeutet oder dissimiliert aus
älterem kölsvill „Kielschwelle, -bohle");
Kielwasser „Wasserspur hinter einem fahrenden Schiff" (18. Jh.).

Kieme w: Das seit dem 16. Jh. bezeugte
Wort für „Atmungsorgan im Wasser leben-
der Tiere" ist die mitteld.-niederd. Form von
→Kimme und bedeutet demnach eigtl.
„Einschnitt, Kerbe".

Kien m: Die westgerm. Substantivbildung
mhd. kien, ahd. chien, chēn, mnd. kēn, aengl.
cēn gehört vermutlich im Sinne von „abgespaltenes Holzstück" zu der unter →Keil
(eigtl. „Gerät zum Spalten") dargestellten
Wortgruppe. Vgl. z. B. aengl. cīnan „bersten, klaffen" (eigtl. „sich spalten"), cinu
„Spalt, Ritze". – Das Wort bezeichnete in
alter Zeit den für die Beleuchtung unent-
behrlichen Kienspan. Später ging es dann

auf das harzreiche [Kiefern]holz und das daraus gewonnene Harz über. Vgl. auch den Artikel ¹Kiefer (eigtl. ,,Kienföhre"). Abl.: kienig (15. Jh.). Zus.: Kienapfel ,,Samenzapfen von Kiefern" (um 1500; nach dem Kiengehalt benannt); Kienspan (18. Jh.; verdeutlichende Zus., da 'Kien' selbst früher ,,Kienspan, Kienfackel" bedeutete).

Kiepe w: Der vorwiegend in Norddeutschland gebräuchliche Ausdruck für ,,Rückentragkorb" stammt aus dem *Niederd.*, wo sich allem Anschein nach ein heimisches Wort mit einem aus *lat.* cūpa (vgl. ²*Kufe*) entlehnten Wort vermischt hat. Beachte das Nebeneinander der Formen kipe, küpe, kupe und der Bedeutungen ,,Korb, Kübel, Tonne".

¹Kies m: Die Herkunft des seit *mhd.* Zeit bezeugten Wortes ist nicht sicher geklärt. Vielleicht ist *mhd.* kis ,,grobkörniger oder steiniger Sand" mit der *baltoslaw.* Sippe von *lit.* žiezdrà ,,Kies; Korn" verwandt. – Fachsprachlich bezeichnet 'Kies' ein Gestein von vorwiegend nichtmetallischem Gehalt, beachte z. B. die Zus. Kupferkies, Schwefelkies. – Älter bezeugt als 'Kies' ist das davon abgeleitete Kiesel m (*mhd.* kisel, *ahd.* kisil; *aengl.* ciosol). *Landsch.* bedeutet Kiesel auch ,,Hagelkorn", beachte die Abl. kieseln *landsch.* für ,,hageln". Über die Zus. Kieselgur s. den Artikel gären.

²Kies m: Der urspr. *gaunersprachl.* Ausdruck für ,,[Silber]geld", der wahrscheinlich eine Umdeutung von →¹*Kies* ist, wurde in der ersten Hälfte des 19. Jh.s in die Studentensprache übernommen und drang von dort her in die Umgangssprache.

kiesen (veralt. für:) ,,prüfen, [prüfend] wählen": Das *gemeingerm.* Verb *mhd.* kiesen, *ahd.* kiosan, *got.* kiusan, *engl.* to choose, *schwed.* tjusa (aus kjusa) geht mit den Sippen von →*Kür* und →*kosten* auf die *idg.* Wz. *g̑eus- ,,aussuchen, prüfen, schmecken, genießen" zurück. Vgl. aus anderen *idg.* Sprachen z. B. *aind.* juṣátē ,,kostet; genießt; liebt" und *gr.* geúesthai ,,kosten; genießen". Im *Dt.* wurde das starke Verb kiesen (kor, gekoren) im 17. Jh. durch das von 'Kür' abgeleitete 'küren' zurückgedrängt. Es findet sich seitdem nur noch vereinzelt in dichterischer Sprache. Auch die Präfixbildung erkiesen ist heute veraltet. Allerdings ist das 2. Partizip erkoren gebräuchlich, beachte auch auserkoren ,,auserwählt".

killen (*ugs.* für:) ,,töten": Im 20. Jh. zusammen mit dem Subst. Killer m ,,Mörder, Totschläger" (*ugs.*) aus *engl.* to kill ,,töten" oder aus dem abgeleiteten Substantiv 'the killer' entlehnt. Weiteres ist unsicher. – In übertr. Bedeutung erscheint 'Killer' in der Zus. Ladykiller ,,Frauenbetörer, Verführer" (aus dem gleichbed. *engl.-amerik.* Slangwort lady-killer).

Kilogramm s ,,Gewichtseinheit von 1000 g", dafür meist die Kurzform Kilo s: Im 19. Jh.

aus *frz.* kilogramme übernommen. Über dessen Grundwort vgl. *Gramm.* Das Bestimmungswort, das auch in 'Kilometer' (s. Meter) und →*Kilowatt* erscheint, geht auf *gr.* chílioi ,,tausend" zurück.

Kilowatt s ,,Maßeinheit von 1000 Watt": Die Einheit der elektrischen Leistung wird in Watt s gemessen (nach dem *engl.* Ingenieur James Watt). Über das Bestimmungswort von Kilowatt vgl. *Kilogramm.*

Kimm, älter Kimme w: Der seemänn. Ausdruck für ,,Horizontlinie zwischen Himmel und Meer" ist identisch mit dem unter →*Kimme* behandelten Wort. Die Bedeutungsentwicklung geht wohl von ,,äußerster Rand (der überstehenden Faßdauben)" oder von ,,Rundung (der Schiffswand)" aus. Für 'Kimm[e]' findet sich auch die gleichbed. Bildung Kimmung w.

Kimme w: Das seit dem 16. Jh. bezeugte Wort ,,Kerbe, Einschnitt", das heute in der Bed. ,,Teil der Visiereinrichtung" gemeinsprachlich und in der Bed. ,,Arschkerbe" umgangssprachlich ist, bezeichnete urspr. das überstehende Ende der Dauben vom Faßboden an. Da der überstehende scharfzackige Rand mit den Zähnen eines Kamms verglichen werden kann, steht das Wort wohl im Ablaut zu der unter →*Kamm* behandelten Wortgruppe, vgl. *schwed.* mdal. kim ,,Hahnenkamm". Dann ging das Wort auf die Kerbung der Dauben, in der der Faßboden gehalten wird, über. Im Schiffbau bezeichnet 'Kimme' den Übergang vom flachen Schiffsboden zur senkrechten Schiffswand, beachte die Zus. Kimmgang, Kimmkiel. Vgl. auch die Artikel Kimm und Kieme.

Kimono m ,,weitärmeliger Morgenrock": Am Ende des 19. Jh.s aus *jap.* kimono ,,Gewand" entlehnt.

Kind s: Mhd. kint, *ahd.*, *asächs.* kind und *niederl.* kind gehen auf das substantivierte 2. Partizip *germ.* *kenþa-, *kenđa- ,,gezeugt, geboren" zurück. Eng verwandt sind die *nord.* Sippe von *aisl.* kind ,,Geschlecht, Stamm" und *engl.* kind ,,Geschlecht, Gattung, Art" sowie die ablautende Bildung *aisl.* kundr ,,Sohn; Verwandter". Die *germ.* Wortgruppe gehört mit verwandten Bildungen in anderen *idg.* Sprachen zu der Wz. *g̑en[ə]- ,,gebären, erzeugen", vgl. z. B. *aind.* jātá- ,,geboren", s ,,Geschlecht, Art", *lat.* nātus (alt gnātus) ,,geboren", m ,,Sohn", w ,,Tochter", nātiō ,,Geburt, Erzeugung; Geschlecht, Stamm" (s. Nation), nātūra ,,Geburt; angeborene Beschaffenheit, Wesen" (s. Natur), praegnās ,,schwanger, trächtig" (s. prägnant). Die Wz. *g̑en[ə]- ,,gebären, erzeugen" war urspr. vielleicht identisch mit *g̑enu- ,,Knie" (vgl. *Knie*) und mit *g̑en- ,,erkennen, kennen" (vgl. *können*), weil es in alter Zeit üblich war, in Kniestellung zu gebären, und weil der Vater das neugeborene

Kind dadurch anerkannte, daß er es auf sein Knie setzte. – Zu der *idg.* Wz. *ĝen[ə]-* „gebären, erzeugen" gehören ferner die *germ.* Wortgruppe von →König („Mann aus vornehmem Geschlecht") und aus anderen *idg.* Sprachen z. B. *lat.* gēns „Geschlecht, Sippe" und genus „Geschlecht, Art, Gattung" (s. die weitverzweigte Fremdwörtergruppe von Genus). Abl.: Kindheit *w* (*mhd.* kintheit, *ahd.* kindheit); kindisch (*mhd.* kindisch, *ahd.* kindisc „jung, kindartig, kindlich", seit *mhd.* Zeit auch abwertend „albern, einfältig"); kindlich (*mhd.* kintlich, *ahd.* chindlīh). Zus.: Kindbett „Wochenbett" (*mhd.* kintbette, *ahd.* kindbetti; Kindergarten (19. Jh.); Kinderhort (19. Jh.; vgl. *Hort*; Kinderstube (15. Jh.; zunächst im Sinne von „Schule", seit dem Ende des 19. Jh.s dann im Sinne von „Erziehung, Manieren"); Kindeskind (*mhd.* kindeskint; gebildet wie 'Helfershelfer' und 'Zinseszins').

Kinetik *w* „Lehre von der Bewegung durch Kräfte" (Phys.): Gelehrte Neubildung zu *gr.* kīnētikós „die Bewegung betreffend". Das zugrunde liegende Verb *gr.* kineīn „in Bewegung setzen, bewegen" gehört zu der unter →*heißen* dargestellten *idg.* Wortsippe. Zu Kinetik stellt sich das Adjektiv kinetisch „bewegend" (beachte die Fügung 'kinetische Energie' „Bewegungsenergie"). – Ein von *gr.* kineīn abgeleitetes Substantiv *gr.* kīnēma „Bewegung" erscheint als Wortbildungselement in →Kino.

Kinkerlitzchen *Mehrz.* „Nichtigkeiten, Albernheiten" (*ugs.*): Das seit dem 18. Jh. bezeugte Wort ist vermutlich aus *frz.* quincaille „Eisen-, Kupfergerät" in dessen übertr. Bed. „Flitterkram, Lumpenzeug" entlehnt und mit doppeltem Verkleinerungssuffix umgestaltet worden.

Kinn *s*: Das *gemeingerm.* Wort *mhd.* kinne, *ahd.* kinni, *got.* kinnus, *engl.* chin, *schwed.* kind beruht auf verwandten Wörtern in anderen *idg.* Sprachen – vgl. z. B. *gr.* génys „Kinn, Kinnbacke" und *lat.* gena „Wange" – auf *idg.* *ĝenu-* „Kinn". Die Bedeutung des Wortes schwankt in den älteren Sprachzuständen zwischen „Kinn", „Unterkiefer" und „Wange", beachte die Zus. Kinnbacke[n] „Wange" (s. ¹Backe) und Kinnlade „Unterkiefer" (18. Jh.; s. Lade „Behältnis, Gestell", hier speziell im Sinne von „Behältnis der Zähne").

Kino *s* „Lichtspiel-, Filmtheater": Das zu Beginn des 20. Jh.s aufkommende FW ist eine volkstümliche Kürzung aus Kinematograph *m* (ähnliche Kurzformen sind: Auto für Automobil und Kilo für Kilogramm). Der Kinematograph – das aus *frz.* cinématographe entlehnte Wort bezeichnet eigtl. einen Apparat zur Vorführung bewegter Bilder – ist eine Erfindung der franz. Brüder Lumière. Sie benannten ihn mit einer aus *gr.*

Wortelementen gebildeten Zus. (*gr.* kínēma „Bewegung" und *gr.* gráphein „schreiben"). Das Wort bedeutet also wörtlich „Bewegungsschreiber". – Im *Frz.* hat sich übrigens die unserem 'Kino' entspr. Kurzform cinéma (auch: ciné) durchgesetzt.

Kiosk *m* „Verkaufsbude für Zeitungen, Getränke u. a.": Im 18. Jh. in der Bedeutung „offener Gartenpavillon" durch Vermittlung von *frz.* kiosque aus *türk.* kö$\tilde{s}$k „Gartenpavillon" entlehnt, das selbst *pers.* Ursprungs ist. Die moderne, übertragene Bedeutung (s. o.) erscheint erst im 19. Jh.

Kipf *m*: Der *südd.* Ausdruck für „länglich geformtes Brot" geht auf *ahd.* kipf[e], *ahd.* kipf[a] „Wagenrunge" zurück, das aus *lat.* cippus „Pfahl" entlehnt ist. Das Brot ist also in *mhd.* Zeit nach der Ähnlichkeit mit der Form einer Wagenrunge benannt worden. Eine Verkleinerungsbildung dazu ist Kipfel *s* *östr.-schweiz.* für „Hörnchen".

kippen: Die Herkunft des Verbs, das vom *Niederd.-Mitteld.* ausgehend gemeinsprachliche Geltung erlangt hat, ist unklar. Vielleicht gehört es zu der *germ.* Wortgruppe von *aisl.* kippa „reißen, rücken" oder ist von dem Substantiv *niederd.-mitteld.* Kippe (älter *nhd.* Kipf) „Spitze, Kante, Ecke" abgeleitet. Beachte dazu ¹Kippe *ugs.* für „Zigarettenrest" und kippen *mdal.* für „die Spitze abhauen". Das seit dem 18. Jh. bezeugte Substantiv ²Kippe *w* ist im Sinne von „Punkt des Schwankens oder Umstürzens" heute nur noch in der Wendung 'auf der Kippe stehen' gebräuchlich. In der Turnersprache bezeichnet es „Aufschwung am Reck". An die veraltete Verwendung des Wortes im Sinne von „Goldwaage" schließt sich die Bildung Kipper *m* „Münzverschlechterer" an, beachte die feste Verbindung 'Kipper und Wipper'. Das Wort Kipper bezeichnete wahrscheinlich zunächst den Münzwäger, dann – unter Anlehnung an kippen *mdal.* für „die Spitze abschneiden" (s. o.) – den Münzbeschneider.

Kirche *w*: Die Benennung des Gotteshauses, die schon früh auch auf die christliche Gemeinschaft übertragen wurde, ist aus *spätgr.* kyrikón „Gotteshaus" entlehnt. Kyrikón ist eine Vulgärform des 4. Jh.s für älteres kyriakón eigtl. „das zum Herrn gehörige" (ergänze Haus), eine Substantivierung des Adj. kȳriakós „zum Herrn gehörig", zu kȳrios „Herr (*gr.* kȳrios) gehörig". Das Wort wurde wahrscheinlich im Rahmen der Bautätigkeit der konstantinischen Epoche im Raum Trier entlehnt und breitete sich von dort aus: *ahd.* kiricha, chirihha, *mhd.* kirche, *asächs.* kirika, *aengl.* cirice (*engl.* church). Die *nord.* Sippe von *schwed.* kyrka stammt aus dem *Westgerm.* – Abl.: kirchlich (*mhd.* kirchlich, *ahd.* chirlich); Kirchner *m* veralt. für „Küster" (*mhd.* kirchenǣre). Zus.: Kirchenlicht (16. Jh.; nach *lat.* lūmen ecclēsiae, zunächst „hervorragender Mann der Kirche", dann hauptsächlich im ironischen Sinne gebraucht); Kirchenmaus (18. Jh.; eine in einer Kirche lebende Maus, die wenig Vorräte findet); Kirchenvater (17. Jh.; nach *kirchenlat.* patrēs ecclēsiae „Väter der Kirche"); Kirchhof (*mhd.* kirchhof; das Wort bezeichnete zunächst den eingefriedigten Raum um eine Kirche, dann, da dieser Raum vielfach als öffentliche Begräbnisstätte diente, den Friedhof); Kirchspiel „ländlicher Pfarrbezirk" (*mhd.* kir[ch]spil, -spel „Pfarrbezirk; Gemeinde", eigtl. „Kirchenpredigt[bezirk]"; zum Grundwort – *mhd.* spel „Rede, Erzählung" – s. den Artikel Beispiel); Kirchtag bes. *östr.* für „Kirchweih" (*mhd.* kirchtac „Kirchweihfest; Jahrmarkt"); Kirchweih (*mhd.* kirchwīhe, *ahd.* chirichwīhī; das Wort bedeutete zunächst „Einweihung einer Kirche, Kirchenweihfest", dann auch „Fest zur Erinnerung an die Kircheneinweihung"; seit *mhd.* Zeit – mit Bezug auf die Belustigungen solcher Feste – speziell „Jahrmarkt, Volksfest"; *mdal.* Formen sind z. B. Kirb[e], Kerb[e], Kilbe). Siehe auch den Artikel Kirmes.

Kirmes w: Der vorwiegend in Mitteldeutschland gebräuchliche Ausdruck für „Jahrmarkt, Volksfest" geht auf *mhd.* kirmesse zurück, das aus *kirchmesse* entstanden ist. Das Wort bezeichnete zunächst die zur Einweihung einer Kirche gelesene Messe, dann das Erinnerungsfest daran und schließlich – mit Bezug auf die weltlichen Belustigungen solcher Feste – den Jahrmarkt, das Volksfest (s. Kirchweih unter Kirche).

kirnen, daneben auch kernen und karnen (*mdal.* für:) „buttern", (fachsprachlich für:) „geschmolzenes Pflanzenfett durch Zusatz von Milch butterähnlich machen" (in der Margarineherstellung): Das Verb, dem *niederl.* karnen „buttern", *engl.* to churn „buttern" und *schwed.* kärna „buttern" entsprechen, gehört wahrscheinlich zu dem unter →Kern dargestellten Substantiv, das in den älteren Sprachzuständen und *mdal.* auch „Rahm" (eigtl. „Kern der Milch" oder nach dem körnigen Aussehen) bedeutet. Beachte die Zus. Kernmilch *landsch.* für „Buttermilch". Eine alte Bildung ist Kirne w *mdal.* für „Butterfaß" (vgl. *mnd.* kirne, kerne, *aengl.* ciren, *aisl.* kjarni).

kirre „zahm, zutraulich": Das heute fast nur noch in der Wendung ‚kirre machen' gebräuchliche Adjektiv ist in *ostmitteld.* Lautung gemeinsprachlich geworden. *Ostmitteld.* kirre entsprechen *mhd.* kürre und *mhd.* quer[r]e sowie weiterhin *got.* qaírrus „sanftmütig" und *aisl.* kvirr „ruhig, still, freundlich". Der Ursprung des *altgerm.* Adjektivs ist unklar. Abl.: kirren „kirre machen" (17. Jh.).

Kirsch m: Die seit dem 19. Jh. bezeugte Benennung des aus Kirschen hergestellten klaren Schnapses ist aus älterem 'Kirschgeist' gekürzt. Beachte die Artikel Kümmel und Korn.

Kirsche w: Als die Germanen durch die Römer veredelte Obstarten kennenlernten, übernahmen sie vielfach auch deren Benennungen (beachte die Artikel Birne, Pflaume, Pfirsich). Der *westgerm.* Name der Kirsche *mhd.* kirse, *ahd.* chirsa, *niederl.* kers, *aengl.* cirse geht – wie auch die *roman.* Benennungen (beachte z. B. *frz.* cerise) – auf *vlat.* *cerasia, *ceresia „Kirsche" zurück. Dieses gehört zu *lat.* cerasus „Kirschbaum" (beachte cerasum „Kirsche"), das seinerseits aus *gr.* kérasos „Süßkirschbaum" entlehnt ist. Beachte auch die Abl. *gr.* kerásion „Süßkirsche". – Das *gr.* Wort ist vermutlich kleinasiatischer Herkunft. Zus.: Kirschbaum (*mhd.* kirsboum, *ahd.* cherseboum).

Kismet s „unabwendbares Schicksal, Los": Im 19. Jh. durch Vermittlung von *türk.* kismet aus *arab.* qisma „Anteil; das dem Menschen von Allah zugeteilte Los" (zum *arab.* Verb qasama „teilen"), einem zentralen Begriff der islamischen Religion, entlehnt.

Kissen s: Die erst seit dem 18./19. Jh. allgemein übliche Form des Wortes steht für älteres 'Küssen' (*mhd.* küssen, küssīn, *ahd.* kussī[n]). Das Wort beruht auf Entlehnung aus *afrz.* coissin, cussin (= *frz.* coussin) „Kissen", das seinerseits wohl ein *galloroman.* *coxīnum „(Hüft-, Sitz)kissen" fortsetzt. Zu *lat.* coxa „Hüfte".

Kiste w: Das *altgerm.* Substantiv *mhd.* kiste, *ahd.* kista, *niederl.* kist, *engl.* chest, *schwed.* kista beruht auf einer frühen Entlehnung aus *lat.* cista „Kiste, Kasten". Das *lat.* Wort selbst ist LW aus *gr.* kístē „Korb; Kiste". – Siehe auch: Zisterne. Nicht verwandt mit 'Kiste' ist das anklingende Synonym →Kasten.

Kitsch m: Das erst seit der zweiten Hälfte des 19. Jh.s bezeugte *dt.* Wort für „Schund; Geschmacklosigkeit" gehört wahrscheinlich zu dem nur *mdal.* Verb kitschen „streichen, schmieren; zusammenscharren; entlangstreichen, rutschen, flitzen", das wohl lautnachahmender Herkunft ist. Beachte zur Begriffsbildung z. B. *schwed.* smörja „Kitsch, Schund" zu smörja „schmieren" und skräp „Kitsch, Schund" zu skrapa „scharren". Abl.: kitschig (20. Jh.).

Kitt m: Die *westgerm.* Benennung des Klebe- und Dichtungsmittels *mhd.* küte, *ahd.* kuti, quiti, *niederl.* kit, *aengl.* cwidu, cudu geht mit verwandten Wörtern in anderen *idg.* Sprachen auf *guetú- „Harz" zurück, vgl. z. B. *aind.* játu- „Gummi, Lack" und *lat.* bitūmen „Erdharz" (s. Beton) sowie die ablautende *nord.* Sippe von *schwed.* kåda „Baumharz". – Das Harz war für den Menschen in alter Zeit von großer Bedeutung. Es diente ihm zum Kleben und Dichten und zum Reinigen der Zähne, beachte z. B. *russ.* žvak ,,Lärchenharz als Zahnreinigungsmittel'' (zu *russ.* žvákat' ,,kauen'', eigtl. ,,das Gekaute''). Abl.: kitten (17. Jh., für älteres kütten).

Kittchen *s*: Der seit dem 19. Jh. bezeugte Ausdruck für ,,Gefängnis'', der aus der Gaunersprache in die Umgangssprache drang, gehört zu älterem Kitt[e], Kütte ,,Haus; Herberge; Gefängnis''. Dieses Wort ist entweder mit Kaute *w mdal.* für ,,Grube, Loch'' (*mitteld., niederd.* kūte, eigtl. ,,Einbiegung, Höhlung'', vgl. *Keule*) oder mit →Kate, Kote ,,Häuslerwohnung, Hütte'' näher verwandt.

Kittel *m*: Die seit dem 12. Jh. im *dt.* Sprachgebiet bezeugte Bezeichnung für ein hemdartiges Oberbekleidungsstück (*mitteld.* kidel, *mhd.* kit[t]el, *mnd.* kedel[e]) ist dunkler Herkunft. Vielleicht handelt es sich um eine Ableitung von dem unter →Kattun behandelten *arab.* Wort quṭun ,,Baumwolle''.

Kitz *s*, Kitze *w* ,,Junges von Reh, Gemse, Ziege'': Das auf das *dt.* Sprachgebiet beschränkte Wort (*mhd.* kiz, kitze, *ahd.* chizzi[n]) geht auf eine Verkleinerungsbildung zu *germ.* *kidja- ,,Tierjunges'' zurück, auf dem die *nord.* Sippe von *schwed.* kid ,,Zicklein'' beruht. Aus dem *Nord.* stammt *engl.* kid ,,Tierjunges; Kind'' (s. kidnappen). *Germ.* *kidja- ,,Tierjunges'' hat sich wahrscheinlich aus einem Lockruf entwickelt.

kitzeln: Das *altgerm.* Verb *mhd.* kitzeln, *ahd.* kizzilōn, *niederl.* kittelen, *aengl.* citelian, *schwed.* kittla ist wahrscheinlich lautnachahmender (bzw. bewegungsnachahmender) Herkunft. Abl.: Kitzel *m* (um 1500); kitz[e]lig (um 1500); Kitzler *m* ,,Klitoris'' (18. Jh.).

Klabautermann *m*: Der seit der ersten Hälfte des 19. Jh.s bezeugte *niederd.* Ausdruck für einen Schiffskobold gehört wahrscheinlich zu dem Verb →kalfatern seemänn. für ,,abdichten''. Nach dem Volksglauben klopft der Kobold gegen die Schiffswand, um mit seinem Klopfen zur Ausbesserung der schadhaften hölzernen Schiffswände zu mahnen oder den Untergang eines Schiffes anzukündigen. Zu der Form Klabautermann *niederd. mdal.* auch Klafatersmann – beachte z. B. das Nebeneinander von *mecklenburg.* Klafat und Kalfat ,,Schiffszimmermann'', Klabatershamer ,,Dichthammer'' und kalfatern ,,dichten''. Zum Teil kann wohl auch Einfluß des lautnachahmenden klabastern *mdal.* für ,,poltern, klappern, lärmen'' vorliegen.

klacken: Das seit dem 17. Jh. bezeugte Verb gehört zu der unter →klappen dargestellten Gruppe von Schallnachahmungen, vgl. die [elementar]verwandten *niederl.* klacken ,,klatschen; klecksen'', *engl.* to clack ,,klap-

pern; plappern; gackern'', *schwed. mdal.* klakka ,,schlagen, klopfen'' und *mhd.* klac ,,Knall; Krach; Riß, Spalt; Klecks, Fleck''. Von dieser Schallnachahmung gehen auch die unter →klecken, →Klecks und →klekkern behandelten Wörter aus. – Im Gegensatz zu 'klacken' gibt 'klicken' einen kurzen hellen Ton wieder.

Kladde *w* ,,vorläufiger Entwurf, Konzept; [Schmier]heft; Geschäftsbuch'': Das seit dem 17. Jh. bezeugte Wort, das vielleicht aus 'Kladdebuch' gekürzt ist, stammt aus dem *Niederd.* Es bedeutet eigtl. ,,Schmutz, Schmiererei'', vgl. *niederd.* kladde ,,Schmutz, Unreinlichkeit'', klad[d]eren ,,schmieren, beschmutzen'', *mniederd.* kladde ,,Schmutz, Fleck'', *schwed.* kladd ,,Fleck, kleiner Klumpen''. – Eine Nebenform dazu ist *niederd.* klat[te] ,,feuchter Klumpen'', beachte auch *niederd.* klater ,,Schmutz'' (*nordd. ugs.* klater *m* ,,Schmutz; Lumpen''), davon klat[t]erig ,,schmutzig, zerlumpt'' (*nordd. ugs.* klat[e]rig ,,schmutzig; elend, erbärmlich; schlimm; bedenklich''). Verwandt ist wohl auch →klittern. – Die ganze Wortgruppe ist wahrscheinlich lautnachahmender Herkunft und geht von einem ähnlichen Klangeindruck wie →klatschen und →klakken (klecksen, kleckern) aus.

Kladderadatsch *m*: Der *mdal.* und *ugs.* Ausdruck für ,,Krach; Zusammenbruch; Mißerfolg'' hat sich aus der lautmalenden Interjektion kladderadatsch! entwickelt, die vorwiegend bei einem mit Krachen und Klirren verbundenen Fall ausgestoßen wird. Beachte dazu die ähnliche *niederd. mdal.* kladatsch! (davon kladatschen ,,mit Geräusch fallen'') und den Artikel klatschen. – Das seit dem Anfang des 19. Jh.s bezeugte Wort wurde allgemein bekannt durch das 1848 gegründete gleichnamige politisch-satirische Wochenblatt.

klaffen: Das im Sinne von ,,gespalten sein, offenstehen'' gebräuchliche Verb ist identisch mit einem lautnachahmenden klaffen veralt. für ,,klaff! machen, bellen'' (*mhd.* klaffen, ,,schallen, tönen, klappern, schwatzen'', *ahd.* klaffōn ,,zusammenschlagen, krachen, schallen''). Die heutige Bedeutung hat sich in *mhd.* Zeit aus ,,mit Krachen bersten, mit Geräusch sich öffnen'' entwickelt. Das gleiche Nebeneinander der Bedeutungen findet sich auch bei dem Subst. Klaff *m* ,,Krach, Schall, Gekläff'' und ,,Spalte, schmale Öffnung''. Über ähnliche bzw. elementarverwandte Lautnachahmungen s. unter →klappen. Beachte auch den Artikel kläffen.

kläffen ,,bellen'' (bes. von kleinen Hunden): Das seit dem 18. Jh. bezeugte Verb ist eine junge Nebenform der unter →klaffen behandelten Lautnachahmung. Abl.: Kläffer *m* ,,kleiner Hund'' (18. Jh.).

Klafter *w*, auch *s* oder *m*: Der nur *dt.* Name des alten Längen- und Raummaßes (*mhd.*

kläfter, *ahd.* kläftra) gehört im Sinne von „Armspanne, Armvoll" zu einem untergegangenen Verb mit der Bed. „[um]fassen, umarmen", vgl. z. B. *afries.* kleppa „umarmen". Eng verwandt ist die *baltoslaw.* Sippe von *lit.* glėbti „umarmen, umfassen", glėbỹs „ausgebreitete Arme, Armvoll" (vgl. *Kolben*).

klagen: Das seiner Herkunft nach lautnachahmende Verb (*mhd.* klagen, *ahd.* klagōn) bedeutete zunächst „vor Trauer oder Schmerz schreien, jammern". Der rechtliche Sinn des Wortes entwickelte sich schon früh aus dem Brauch, bei der Ertappung eines Verbrechers ein Not- und Hilfegeschrei zu erheben und den Täter vor Gericht mit Geschrei und Gejammer zu beschuldigen. So bedeutet auch das Substantiv K l a g e *w* (*mhd.* klage, *ahd.* klaga) seit *ahd.* Zeit nicht nur „Schmerz-, Wehgeschrei, Jammer", sondern auch „Beschuldigung, Anklage vor Gericht, Rechtssache". Rechtliche Geltung haben auch die Abl. K l ä g e r *m* (*mhd.* klager, *spätahd.* clagare) und die Zus. und Präfixbildungen a n k l a g e n (*mhd.* an[e]klagen; dazu Anklage *w*, anklägerisch, Angeklagte *m*), b e k l a g e n (*mhd.* beklagen, *ahd.* bic[h]lagōn; dazu Beklagte *m*) und v e r k l a g e n (*mhd.* verklagen). – Das Verb klagen gehört vermutlich zu einer vielfach weitergebildeten lautnachahmenden Wz. *gal-„rufen, schreien", vgl. z. B. *aind.* gárhati „klagt, tadelt". Auf eine nasalierte Form dieser Wurzel geht vielleicht die *germ.* Sippe von →klingen zurück. – Abl.: k l ä g l i c h (*mhd.* klagelich, *ahd.* clagalîh „klagend; beklagenswert, jämmerlich").

Klamauk *m*: Der *ugs.* Ausdruck für „Lärm; Ulk", der erst im 20. Jh. von Berlin ausgehend in die Umgangssprache drang, hat sich vermutlich aus einer lautmalenden Interjektion – beachte das ähnliche „pardauz!' – entwickelt.

klamm „eng; knapp (an Geld); erstarrt, steif (vor Kälte); feucht (von der Wäsche)": Das vorwiegend in Norddeutschland gebräuchliche Adjektiv (*mhd.*, *mnd.* klam) gehört zu der Sippe von →klemmen.

Klamm *w*: Der *oberd.* Ausdruck für „Felsenschlucht [mit Sturzbach]" geht auf gleichbed. *mhd.* klam zurück, das mit *mhd.* klam „Klemme; Beklemmung; Krampf; Haft; Fessel; Klammer" identisch ist. *Oberd.* Klamm gehört demnach im Sinne von „Klemme, Enge" zu der Sippe von → *klemmen*.

Klammer *w*: Die Bezeichnung des Geräts zum Zusammendrücken und Festklemmen gehört mit der Sippe von ‚klemmen' zu der unter → *klimmen* dargestellten Wurzelform *glem[bh-] „zusammendrücken". Mit ‚Klammer' (*mhd.* klam[m]er) eng verwandt ist im *germ.* Sprachbereich die *nord.* Sippe von *aisl.* klǫmbr „Klemme, Klammer". Abl.: k l a m

mern (16. Jh.; auf ‚Klammer' als linguistischer und mathematischer Begriff beziehen sich die Zus. e i n k l a m m e r n und a u s k l a m mern). Zus.: K l a m m e r a f f e (19. Jh.).

klammheimlich: Der seit dem Ende des 19. Jh.s bezeugte Ausdruck für „ganz heimlich", der von Nordostdeutschland ausgehend *ugs.* geworden ist, enthält vermutlich als Bestimmungswort *lat.* clam „heimlich" und wäre demnach eine tautologische Bildung.

Klamotte *w* „zerbrochener Mauer-, Ziegelstein" (*ugs.*), dann übertr. zur Bezeichnung eines zerbrochenen, wertlosen Gegenstandes überhaupt, so besonders in der *Mehrz.* Klamotten „alte Kleidungsstücke; Kleider" (*ugs.*): Das Wort entstammt der Gaunersprache. Die weitere Herkunft ist unsicher.

Klampe *w*: Der seemänn. Ausdruck für „Holz- oder Metallstück zum Festhalten der Taue" geht zurück auf [m]niederd. klampe „Klammer, Haken", das der *niederd.* Entsprechung von *hochd.* Klampfe demat. *mdal.* für „Klammer, Haken" ist (s. Klampfe). Das Wort gehört im Sinne von „Vorrichtung zum Zusammendrücken und Festklemmen" zu der unter → *klimmen* dargestellten Wortgruppe, beachte *mhd.* klimpfen „fest zusammendrücken oder zusammenziehen".

Klampfe *w*: Die seit 1700 bezeugte *oberd.* Benennung der Gitarre gehört zu dem im Nhd. untergegangenen starken Verb *mhd.* klimpfen „fest zusammendrücken oder zusammenziehen". Die Benennung bezieht sich wohl darauf, daß die Saiten beim Spielen des Instruments zusammengedrückt und gezupft werden. Andererseits kann die Klampfe als „Klammer (die die Saiten hält)" benannt worden sein. Dann ist das Wort identisch mit *oberd.* Klampfe „Klammer, Haken" (vgl. *Klampe*).

Klang *m*: Mhd. klanc, Genitiv klanges „Tönen, Klang, Geräusch" ist eine ablautende Bildung zu dem unter → *klingen* behandelten Verb. Vgl. dazu die gleichbed. Bildung *mhd.* klanc, klankes, *ahd.* clanch, die zu einem untergegangenen Verb klinken (s. Klinke und Klinker) gehört. Abl.: k l a n g lich (20. Jh.).

klappen: Nhd. klappen stammt, falls es nicht eine unabhängige junge lautmalende Bildung ist (s. klappern), aus dem *niederd.-mitteld.* Sprachbereich und geht dann auf *mnd.* klappen „klatschen; schallen; plappern; schwatzen" zurück. Das *mnd.* Verb gehört mit *mhd.* klapfen, *ahd.* klapfōn, *engl.* to clap „klappen, schlagen" und *schwed.* klappa „klappen, klopfen" zu einer umfangreichen *germ.* Gruppe von Schallnachahmungen. Vgl. die ähnliche Klangeindrücke wiedergebenen →klaffen, →kläffen, →klakken, → kleckern, → klatschen, → Kladderadatsch, →klippen und →klopfen. – Auf der

Vorstellung, daß eine Handlung oder ein Vorgang mit einem Geräusch (klapp!) abschließen, beruht die ugs. Verwendung des Wortes im Sinne von „zustandekommen, gelingen, passen". Zur genaueren Bestimmung von ‚klappen' dienen die Zus. auf-, um-, zusammenklappen. Abl.: Klapp *m* veraltend für „Knall, Krach; Schlag", dafür *oberd. mdal.* Klapf *m* „Knall; Schlag; Ohrfeige", beachte *oberd. mdal.* kläpfen „knallen, schlagen"; Klappe *w* (17. Jh., *mnd.* klappe „Klapper"; eigtl. „Gegenstand, der mit einem Geräusch auf etwas auftrifft", dann „Vorrichtung zum Verschließen, Gegenstand, der sich auf- und zuklappen läßt", beachte die Zus. Fliegenklappe, Ofenklappe, Achselklappe, Scheuklappe usw.; *ugs.* wird das Wort im Sinne von „Maul, Mundwerk" und „Bett" gebraucht). Zus.: Klapphorn „Horn mit beweglichen Klappen zum Regulieren der Töne" (19. Jh.; beachte Klapphornvers); Klapphut (19. Jh.; LÜ von *frz.* chapeau claque).

klappern: Das seit *mhd.* Zeit bezeugte Verb (*mhd.* klappern) gehört zu der unter →*klappen* dargestellten Gruppe von Schallnachahmungen. Abl.: Klapper *w* „Gerät oder Spielzeug zum Klappern" (15. Jh.); klapp[e]rig (16. Jh.). Zus.: Klapperschlange (18. Jh.; wohl LÜ von *engl.* rattlesnake); Klapperstorch (18. Jh.); Klappertopf (19. Jh.; die volkstümliche Benennung der Pflanze bezieht sich darauf, daß die reifen Früchte im Kelch ein klapperndes Geräusch verursachen). Siehe auch den Artikel Klepper.

klapsen: Das seit dem 18. Jh. bezeugte Verb gehört zu der unter →*klappen* dargestellten Gruppe von Schallnachahmungen. Es wird heute vorwiegend im Sinne von „[leicht] schlagen, tätscheln" gebraucht. Das Substantiv Klaps *m* „[leichter] Schlag" (18. Jh.) ist vielleicht nicht zu ‚klapsen', sondern zu ‚klappen' gebildet (beachte z. B. 'Knicks' zu 'knicken', 'Klops' zu 'kloppen'). Dann wäre das Verb klapsen von ‚Klaps' abgeleitet. *Ugs.* wird ‚Klaps' auch im Sinne von „geistiges Verwirrtsein, Blödheit" gebraucht, beachte die Wendung ‚einen Klaps haben' und die Zus. Klapsmühle „Irrenanstalt" (20. Jh.).

klar: Das Adjektiv (*mhd.* klār „hell, lauter, rein, glänzend, schön; deutlich") erscheint im Deutschen zuerst im 12. Jh. am Niederrhein. Es geht auf *lat.* clārus „laut, schallend; hell, leuchtend; klar, deutlich; berühmt" zurück, das zusammen mit den verwandten Wörtern *lat.* calāre „ausrufen, zusammenrufen" (dazu *lat.* concilium „Versammlung" mit *lat.* con-ciliāre „vereinigen, verbinden; geneigt machen", s. die FW Konzil und konziliant) und *lat.* clāmāre „laut rufen, schreien, ausrufen, verkünden" (dazu die Fremdwortgruppe um → Reklame, reklamieren) zu der unter →*hell* dargestellten *idg.* Wortsippe gehört.–Abl. u. Zus.: Klarheit *w* (*mhd.* klārheit „Helligkeit, Reinheit, Glanz; Deutlichkeit"); klären „klar machen; bereinigen" (*mhd.* klǣren „klar machen; verklären; erklären, eröffnen"), mit den Zus. u. Präfixverben: aufklären „klar, hell machen; verständlich machen, klarlegen, klarstellen; erforschen" (16./17. Jh.; häufig reflexiv gebraucht im Sinne von „hell werden, sich aufheitern", meist vom Wetter; dafür auch das aus der *niederd.* Seemannssprache übernommene aufklaren „sich aufheitern", das seemännisch auch im Sinne von „klar Schiff machen" üblich ist), dazu Aufklärung *w* (im 18. Jh. als philos. Terminus gebildet) und das militär. Fachwort Aufklärer *m* „Aufklärungsflugzeug" (20. Jh.); erklären „klar machen, erläutern; kundgeben" (*mhd.* erklǣren „klar machen"), dazu Erklärung *w* „Erläuterung; Äußerung, Feststellung" (15. Jh.); verklären „ins Überirdische erhöhen" (*mhd.* verklǣren „erhellen, erleuchten, verklären"; heute ist vorwiegend das adjektivisch gebrauchte zweite Part. verklärt „selig entrückt" gebräuchlich). – Vgl. noch die zu *lat.* clārus gehörenden FW deklarieren, Deklaration und Klarinette (s. die einzelnen Stichwörter).

Klarinette *w*: Der Name des Holzblasinstrumentes ist bei uns seit dem 18. Jh. bezeugt. Er ist aus dem *It.* entlehnt. *It.* clarinetto ist eine Verkleinerungsbildung zu *it.* clarino, das eine hohe Solotrompete bezeichnet und wörtl. etwa „hell Tönende" bedeutet. Zugrunde liegt das auf *lat.* clārus „hell, klar" (vgl. *klar*) zurückgehende Adjektiv *it.* claro, das hier im Sinne von „hell tönend" erscheint. Abl.: Klarinettist *m* „Klarinettenbläser" (19. Jh.).

Klasse *w*: Das seit dem 16. Jh. bezeugte FW wurde in der allg. Bed. „Abteilung (auch von Schülern)" aus gleichbed. *lat.* classis entlehnt. Die jüngeren, im 18. Jh. aufkommenden Bedeutungen „Gruppe mit besonderen Merkmalen (wie Alter, Ausbildung, sozialer Stand usw.); Einteilung (nach besonderen Kennzeichen)" stehen unter dem Einfluß von *frz.* classe (< *lat.* classis). Abl. und Zus.: ...klassig, nur in Zus. wie erst-, zweitklassig (20.Jh.); klassieren (bergmänn.:) „in Klassen einteilen; Fördergut aussortieren" (20. Jh.; nach *frz.* classer), dazu als Gegenbildung deklassieren „jmdm. um eine Klasse überlegen sein; jmdn. herabsetzen, ausstechen" (19. Jh.; aus *frz.* déclasser); Klassement *s* „Einteilung; Ordnung; Rangliste" (20. Jh.; aus *frz.* classement); klassifizieren „in Klassen einteilen, einordnen" (18. Jh.), eine *lat.* Bildung (Grundwort ist *lat.* facere „machen, tun") wie das dazugehörige Substantiv Klassifikation *w* „Einteilung, Sonderung in Klassen" (18.Jh.; nach *frz.* classification). Beachte ferner die auf das abgeleitete Adjektiv *lat.* classicus

(> *frz.* classique) „die (ersten) Bürgerklassen betreffend" zurückgehenden FW →klassisch, Klassik, Klassiker.

klassisch: Zu *lat.* classis „militär. Aufgebot; Abteilung; Klasse" (vgl. *Klasse*) stellt sich das Adjektiv classicus „die (ersten) Bürgerklassen betreffend", das übertragen im Sinne von „ersten Ranges, mustergültig" gilt, so besonders in der Fügung scrīptor classicus „klassischer Schriftsteller (der vor allem in sprachlicher Hinsicht Vorbild ist)". Das aus dem *lat.* Adjektiv im 18. Jh. entlehnte FW 'klassisch' übernimmt diese Bedeutungen, die sich auch heute noch hauptsächlich auf die literarischen, künstlerischen, dann auch wissenschaftlichen Leistungen des schöpferischen Menschen beziehen, sofern diese Leistungen die Merkmale einer ausgereiften Meisterschaft tragen. Unser Substantiv Klassiker *m* (18. Jh.), das *lat.* scrīptor classicus (= *frz.* auteur classique) fortsetzt, gilt entsprechend. Wie aber schon das Adjektiv klassisch auch all das bezeichnet, was mit Griechen und Römern irgendwie im Zusammenhang steht, und in dieser Hinsicht zuweilen synonym für →antik gebraucht wird (beachte z. B.: Antike = klassisches Altertum), so bezeichnet das Substantiv Klassiker auch die klassischen Schriftsteller der Antike. – In neuerer Zeit erscheint das abgeleitete Substantiv Klassik *w* zur Bezeichnung einer Epoche kultureller Gipfelleistungen und ihrer mustergültigen Werke.

klatschen: Das seit dem 17. Jh. bezeugte Verb gehört mit gleichbed. *frühnhd.* klatzen, *niederl.* klatsen und *niederl.* kletsen zu der unter →*klappen* dargestellten Gruppe von Schallnachahmungen (beachte bes. die unter →Kladde behandelten Wörter). Das Verb klatschen gibt hauptsächlich Klangeindrücke wieder, die beim Zusammenschlagen oder Aufprallen entstehen und bedeutet speziell „mit den Händen klatschen, applaudieren". *Ugs.* wird 'klatschen' im Sinne von „plaudern, [aus]schwatzen" gebraucht, beachte das Substantiv Klatsch *m* (18. Jh.), das nicht nur „Knall, Schall, Schlag", sondern auch „Plauderei, Geschwätz, Gerede" bedeutet. An den letzteren Sinn schließen sich z. B. an klatschig, klatschhaft, Klatschbase, Klatschmaul, Klatschsucht und Kaffeeklatsch. Die Zus. Klatschmohn bezieht sich auf das Geräusch, das entsteht, wenn man ein Blütenblatt dieser Pflanze gegen die Stirn drückt. Aus der Fachsprache der Drucker stammt der Ausdruck Abklatsch *m* „[minderwertiger] Abdruck, Nachahmung" (19. Jh.), der urspr. den durch Klatschen mit der Bürste hergestellten ersten Probeabzug bezeichnete. Abl.: Klatsche *w* (17. Jh.; beachte die Zus. Fliegenklatsche).

klauben „mit den Fingerspitzen, Nägeln oder Zähnen an etwas herumarbeiten, von der Hülse oder Schale befreien, pflücken, lesen, [aus]sondern, mit Mühe heraussuchen": *Mhd.* klūben, *ahd.* klūbōn, *mnd.* klüven stehen im Ablaut zu dem unter →*klieben* behandelten Verb. Zur genaueren Bestimmung dienen die Zus. auf-, aus-, herum-, zusammenklauben. Die Bildungen Klauber *m* und Klauberei *w* sind heute hauptsächlich in den Zus. Wortklauber (18. Jh.) und Wortklauberei (18. Jh.) gebräuchlich. Siehe auch den Artikel Klüver.

Klaue *w*: *Mhd.* klā[we], *ahd.* klāwa, *mnd.* klā „Kralle; Pfote, Tatze; Hornteil des gespaltenen Tierfußes" stehen im Ablaut zur *nord.* Sippe von *schwed.* klo „Klaue; Kralle; Zinke" einerseits und zu der Sippe von *aengl.* clēa „Klaue; Huf; Haken" (beachte *engl.* claw) andererseits. Die *germ.* Bildungen gehen vermutlich auf eine Wurzelform *g[e]leu- der unter →*Kolben* dargestellten *idg.* Wz. *gel- „zusammendrücken, ballen" zurück (vgl. die Artikel Kloß, Klotz, Knäuel). Die Klaue wäre demnach als „die Zusammendrückende, die Packende" bzw. „die Geballte" benannt worden. – Ugs. wird das Wort Klaue im Sinne von „schlechte Handschrift" und verächtlich für „Hand" gebraucht. Gleichfalls ugs. ist der Gebrauch des Verbs klauen im Sinne von „stehlen". Die alte und eigentliche Bedeutung „mit den Klauen fassen, kratzen" ist nur mdal. bewahrt (vgl. *ahd.* klāwēn, *mnd.* klouwen „krallen, kratzen").

Klause *w* „weltabgeschiedene Behausung; Klosterzelle": Das Substantiv (*mhd.* klūse, *ahd.* klūsa) beruht auf einer Entlehnung aus *mlat.* clūsa „umschlossener, umhegter Raum; Klosterzelle; Einsiedelei", das zu *lat.* claudere (clausum, Nebenform clūsum) „schließen, zusperren, verschließen; abschließen usw." gehört. Das *lat.* Verb, das eigentlich „mit einem Nagel, Pflock, Haken oder Riegel verschließen" bedeutet, hängt mit *lat.* clāvus „Nagel, Pflock" (s. die FW Clou, Enklave, Exklave) und *lat.* clāvis „Schlüssel" (*mlat.*:) Taste" (in →Klavier, Klaviatur) zusammen. Im außeritalischen Sprachbereich ist z. B. verwandt *gr.* kleís „Querriegel, Haken; Schlüssel" mit *gr.* kleíein „(mit einem Haken, Riegel u. a.) verschließen". – Um *lat.* claudere gruppieren sich zahlreiche Ableitungen und Zusammensetzungen, von denen einige in unserem Fremd- und Lehnwortschatz eine Rolle spielen. Beachte im einzelnen: *lat.* clausula „Schluß, Ende; Schlußsatz, Schlußformel" (in →Klausel, verklausulieren), *spätlat.* clausūra „Verschluß; Einsperrung" (in →Klausur), *lat.-kirchenlat.* claustrum „Verschluß; Klausur; Mönchszelle" (im LW →Kloster), *lat.* in-clūdere „einschließen" (s. inklusive) und *lat.* ex-clūdere „ausschließen; absondern; abhalten, abschneiden" (s. exklusiv), dazu *mlat.* exclūsa „Schleuse, Wehr" (im LW

→Schleuse). – Hierher noch das FW → Klosett.

Klausel w „vertraglicher Vorbehalt; Sondervereinbarung": Das aus der Kanzleisprache stammende FW wurde im 14. Jh. mit der Bed. „Schlußformel, Zusatzbestimmung" aus *lat.* clausula „Schluß; Schlußsatz, Schlußformel; Gesetzesformel" entlehnt. Zu *lat.* claudere (clausum) „schließen, verschließen; abschließen" (vgl. *Klause*). – Dazu: klausulieren „mit Klauseln versehen" (17. Jh.), heute nur noch in der Präfixbildung verklausulieren (18. Jh.) gebräuchlich.

Klausur w „abgeschlossenes Mönchsleben; abgesperrter Gebäudeteil eines Klosters; Prüfungsarbeit unter Aufsicht und unter Ausschluß der Öffentlichkeit": Aus *spätlat.* clausūra „Verschluß, Einschließung" entlehnt (vgl. *Klause*).

Klavier s: Das seit dem 16. Jh. bezeugte Fremdwort bedeutete urspr. „Tastenreihe, Tastenbrett", in welchem Sinne es aus gleichbed. *frz.* clavier entlehnt wurde. Als 'Pars pro toto' wurde das Wort seit dem 17. Jh. zum Namen des Musikinstrumentes. Im *Frz.* heißt das Klavier 'piano' (älter und gelegentlich noch heute: 'clavecin' = *dt.* Clavicembalo). *Frz.* clavier „Tastenbrett" beruht auf einer *nlat.* Bildung zu *lat.* clāvis „Schlüssel, Riegel" (> *frz.* clef), das im *Mlat.* die übertr. Bed. „Taste" entwickelt hat. *Lat.* clāvis gehört zum Stamm von *lat.* claudere (clausum) „schließen, verschließen" (vgl. das LW *Klause*). – Dazu: Klaviatur w „Tastatur" (*nlat.* Bildung des 18. Jh.s).

kleben: Das urspr. intransive Verb, das erst in *spätmhd.* Zeit auch transitive Geltung erlangte, ist eine Durativbildung zu einem *altgerm.* starken Verb: *mhd.* klīben, *ahd.* klīban „anhaften, [an]kleben", *aengl.* clīfan „anhaften, kleben", *aisl.* klīfa „klettern". Als Kausativbildung zu diesem starken Verb gehört →kleiben (eigtl. „anhaften machen"). *Nhd.* kleben entsprechen in den älteren Sprachzuständen *mhd.* kleben, *ahd.* klebēn, *asächs.* klibōn, *aengl.* clifian „kleben". Abl.: Kleber m „Klebstoff" (*mhd.* kleber „Gummi; Baumharz; Schleim"; klebrig (16. Jh.; abgeleitet von *mhd.* kleber „klebend, klebrig").

klecken: Das heute veraltete, aber noch *mdal.* im Sinne von „mit Geräusch fallen, klatschen, knallen; vonstatten gehen; ausreichen" gebräuchliche Verb geht wahrscheinlich auf die unter →*klacken* behandelte Nachahmung knallender, platzender, klatschender Schalleindrücke zurück, vgl. *mhd.* klac „Knall; Krach; Riß, Spalte; Klecks, Fleck". *Mhd.* klecken bedeuten nicht nur „platzen, krachen, bersten, [sich] spalten; klecksen; klatschen; schallend schlagen", sondern auch „ausreichen, genügen, wirksam sein". Zum Bedeutungsübergang „ein Geräusch machen" zu „zu-

stande bringen, gelingen, passen, ausreichen" s. den Artikel klappen. An den letzteren Sinn von klecken schließt sich erklecken veralt. für „ausreichen, genügen" an, zu dem das Adjektiv erklecklich „genügend; beträchtlich" gebildet ist. Vgl. auch die Artikel Klecks und kleckern.

kleckern: Das seit dem 17. Jh. bezeugte Verb, das im wesentlichen *ugs.* gebräuchlich ist, stellt sich als Iterativbildung zu →klecken.

Klecks m: Das seit dem 18. Jh. bezeugte Substantiv ist an die Stelle von älterem Kleck m „Fleck, Klümpchen" (16. Jh.) getreten, das aus dem Verb →*klecken* rückgebildet ist. Das Verb klecksen „Flecke machen, spritzen, beschmieren" (18. Jh.) ist wohl von 'Klecks' abgeleitet, kann aber auch Iterativ-Intensivbildung zu 'klecken' sein.

Klee m: Die Pflanzengattung ist wahrscheinlich nach ihrem klebrigen Saft (bes. der Blüten) benannt. Der *hochd.* Pflanzenname *mhd.* klē, *ahd.* chlēo und die anders gebildeten *mnd.* klēver, *niederl.* klaver, *engl.* clover „Klee" sind z. B. mit dem unter →kleben und →Kleister behandelten Wörtern verwandt und gehören zu der Wortgruppe von →*Klei*.

Klei m: Der im wesentlichen *nordd.* Ausdruck für „fette, zähe Tonerde; schwerer Lehmboden" geht auf *mnd.*, *asächs.* klei zurück, dem *engl.* clay „Ton, Lehm" entspricht. Der Klei fand in früheren Zeiten hauptsächlich im Hausbau Verwendung, zum Bewerfen und Verschmieren der Wände, beachte das verwandte Verb →kleiben „Wände mit Lehm bewerfen und verschmieren, kleben". Weiterhin verwandt sind im *germ.* Sprachbereich die unter →kleben und →Kleister sowie die unter →Klei (,,klebrige Masse") und →Klee (nach dem klebrigen Saft) behandelten Wörter. Auch der Pflanzenname →Klette (nach den anhaftenden Blütenköpfen) und das Verb →klettern (eigtl. „sich anklammern, anhaften") sind verwandt. Diese *germ.* Wortgruppe, zu der vermutlich auch →Kleid und →klein gehören, geht auf eine Wurzelform *glei- „kleben, schmieren" der unter →Kolben dargestellten *idg.* Wz. *gel- „zusammendrücken, ballen" zurück. Vgl. dazu aus anderen *idg.* Sprachen z. B. *gr.* glía „Leim, Kleister", gloiós „klebrige Masse" und die *slaw.* Sippe von *russ.* glej „Ton, Lehm".

kleiben: Das nur noch *mdal.* im Sinne von „ankleben, anheften, befestigen" gebräuchliche Verb (*mhd.*, *ahd.* kleiben) ist eine Kausativbildung zu dem unter →*kleben* aufgeführten *altgerm.* starken Verb und bedeutet eigtl. „anhaften machen, kleben machen". Es bedeutete früher speziell „Wände mit Klei bewerfen und verschmieren" (vgl. *Klei*).

331

Kleid *s*: Das *westgerm.* Substantiv *mhd.* kleit, *mnd.* klēt, *niederl.* kleet, *engl.* cloth ist vermutlich eine Bildung zu der unter →*Klei* „fette, zähe Tonerde" dargestellten Wurzelform *glei- „kleben, klebrig, schmierig sein". Das Wort bedeutete früher – wie *engl.* cloth noch heute – „Tuch", woraus sich die Bed. „Kleidungsstück; Frauengewand" entwickelten. Da die Herstellung von Tuchen früher durch Walken unter Zusatz von fetter Tonerde vor sich ging, ist das *westgerm.* Substantiv wohl eine Partizipialbildung mit der Bed. „das mit Klei Gewalkte". Abl.: **kleiden** (*mhd.* kleiden; beachte auch die Zus. und Präfixbildungen an-, aus-, be-, um-, verkleiden); **kleidsam** (19. Jh.); **Kleidung** (*spätmhd.* kleidunge).

Kleie *w*: Die Kleie ist, da sie die zähen, schwer vermahlbaren äußeren Kleberschichten des Getreidekorns enthält, als „klebrige Masse, Kleister" benannt. Das nur *dt.* Wort (*mhd.* klī[w]e, *ahd.* klī[w]a, *mnd.* klīe) gehört zu der unter →*Klei* „fette, zähe Tonerde" dargestellten Wortgruppe.

klein: *Mhd.* kleine „rein; fein; klug, scharfsinnig; zierlich, hübsch, nett; zart, schmächtig, hager, dünn; unansehnlich, schwach, gering", *ahd.* kleini „glänzend, glatt; sauber; sorgfältig; zierlich; dünn, gering", *niederl.* klein „klein, gering, wenig", *engl.* clean „rein, sauber, blank" sind eine *westgerm.* Adjektivbildung, und zwar wahrscheinlich zu der unter →*Klei* dargestellten Wurzelform *glei- „kleben, schmieren". Das *westgerm.* Adjektiv bedeutete demnach urspr. „[ein]geschmiert, [mit Fett] bestrichen" oder – vom Hausbau ausgehend – „verschmiert, verputzt, poliert", dann „glänzend, glatt", woraus sich die anderen Bedeutungen entwickelten. Heute ist 'klein' Gegenwort zu 'groß'. – Abl.: **Klein** *s* (*mhd.* klein[e]; subst. Form des Adjektivs; heute hauptsächlich in den Zus. Gänse-, Hasen-, Kohlenklein gebräuchlich); – **kleinern** in verkleinern und verkleinern; **Kleinigkeit** *w* (*mhd.* kleinecheit „Kleines, Kleinheit"), dazu **Kleinigkeitskrämer** (18. Jh.); **kleinlich** (*mhd.* kleinlich „fein; genau, scharf; zierlich, zart; mager", *ahd.* Adverb kleinlīhho), dazu **Kleinlichkeit** *w* (*mhd.* kleinicheit); **Kleinod** (s. d.). Zus.: **Kleinbahn** „schmalspurige Nebenbahn" (19. Jh.); **Kleinbürger** (18. Jh.; zunächst „Arbeiter", dann seit dem 19. Jh. „Spießbürger"), dazu **kleinbürgerlich** (19. Jh.) und **Kleinbürgertum** *s* (19. Jh.); **Kleingärtner** (um 1800); **Kleingeld** (18.Jh.); **kleingläubig** (16.Jh.); **Kleinkunst** (19. Jh.; zunächst „Miniatur, kleine künstlerische Arbeit", dann im 20. Jh. „Kabarett"); **kleinlaut** (15. Jh.; urspr. „schwach klingend", dann „mutlos, niedergeschlagen"); **kleinmütig** (*mhd.* kleinmuotic), dazu **Kleinmut** (16. Jh.; aus dem Adjektiv rückgebildet); **Kleinstadt**(19.Jh.;

zu dem älter bezeugten **kleinstädtisch** – 17. Jh. – und **Kleinstädter** – 18. Jh. – gebildet).

Kleinod *s*: Das mit demselben Suffix wie z. B. 'Einöde' und 'Heimat' gebildete Substantiv (*mhd.* kleinōt, -ōte) schließt sich an →*klein* in dessen älterer Bedeutung „fein, zierlich" an. Es bezeichnete zunächst eine kunstvoll gearbeitete, zierliche Kleinigkeit (als Gastgeschenk oder Aufmerksamkeit überreicht), dann einen wertvollen Gegenstand, einen unersetzlichen Wert.

Kleister *m*: Die seit dem 16. Jh. bezeugte Substantivbildung (*mnd.*, *mitteld.*, *mhd.* klīster) gehört im Sinne von „klebrige Masse" zu der unter →*Klei* dargestellten Wortgruppe. *Ugs.* wird das Wort für „zäher [Mehl]brei, schlechte Speise" gebraucht. Abl.: **kleisterig** „klebrig, schmierig" (17. Jh.); **kleistern** „kleben; basteln" (16. Jh.; *mnd.* klīsteren).

Klematis *w*: Der Name der beliebten Kletterpflanze, die zur Gattung 'Waldrebe' gehört, ist *gr.* Ursprungs (*gr.* klēmatís „biegsame Ranke", zu *gr.* klēma „Zweig der Weinrebe, Schößling, Weinranke").

Klementine *w*: Die noch sehr junge, besonders süße Mandarinenart ist nach Père Clément (= Pater Clemens), dem Mönch eines Trappistenklosters in Misserghin (Algerien) benannt, der die Klementine als erster züchtete.

klemmen: Das seit *mhd.* Zeit bezeugte Verb gehört mit den Bildungen →**klamm** „eng, knapp"; erstarrt, steif; feucht", →**Klamm** „Felsschlucht" und →**Klammer** „Gerät zum Zusammendrücken und Festklemmen" zu einem untergegangenen Verb mit der Bed. „zusammendrücken", beachte z. B. *mhd.* klimmen „drücken, zwicken, kneifen; pakken" (vgl. *klimmen* „klettern"). Älter und besser bezeugt als das einfache Verb klemmen (*mhd.* klemmen) ist die Präfixbildung **beklemmen** (*ahd.* biklemmen), *asächs.* biklemmian; *aengl.* beclemman; s. den Artikel beklommen. – *Ugs.* wird 'klemmen' im Sinne von „stehlen" gebraucht. Abl.: **Klemme** *w* „Gerät zum Klemmen, Spange; mißliche Lage, Schwierigkeit" (*mhd.* klemme, klemde „Klemmung, Einengung"); **Klemmer** *m* (19. Jh.; gekürzt aus 'Nasenklemmer', Lehnübertragung von *frz.* pincenez; vgl. 'Zwicker' und 'Kneifer').

Klempner *m*: Die seit dem 18. Jh. bezeugte, im wesentlichen *mittel-* und *nordd.* Benennung des Blechschmieds ist aus älterem **Klemperer** umgestaltet, etwa nach dem Vorbild von 'Flaschner', 'Kellner', 'Kürschner' usw. Die urspr. *mitteld.* Bildung Klemperer entspricht *oberd.* klampferer, älter klampfer „Blechschmied". Wie *landsch.* Spengler „Blechschmied" zu Spange „Klammer" gehört, so stellen sich klemperer, klampferer zu *mhd.*, *ahd.* klampfer „Spange", *mhd.* klampfern ,,fest zusammenfügen, verklammern", *niederd.* klempern ,,Blech auf dem Amboß hämmern" (vgl. *Klampe*). Abl.: klempnern ,,Klempner sein oder spielen" (20. Jh.). Zus.: Klempnerladen *ugs.* für ,,mit übermäßig viel Orden geschmückte Brust" (20. Jh.); Zahnklempner *ugs.* für ,,Zahnarzt" (20. Jh.).

Klepper *m*: Der seit dem 15. Jh. bezeugte, zunächst *mitteld.* Ausdruck für ,,Reitpferd" gehört zu einer heute veralteten Nebenform von →*klappern* (beachte *mitteld.* kleppe[r]n, *mhd.* klepfern ,,klappern"). Die Benennung bezieht sich demnach auf das klappernde Geräusch der Hufe oder eine eigentümliche klappernde Gangart, vgl. *niederd.* klöpper ,,Reitpferd", das zu kloppen ,,klopfen" gehört (s. den Artikel Buschklepper). Heute wird 'Klepper' verächtlich für ,,[altes] schlechtes Pferd" gebraucht.

Kleptomanie *w* ,,krankhafte Neigung zum Stehlen": Das seit dem 19. Jh. bezeugte Fachwort der Psychiatrie ist eine gelehrte Neubildung zu *gr.* kléptein ,,stehlen" und *gr.* maníā ,,Raserei, Wahnsinn" (vgl. *Manie*). – Dazu als Abl.: kleptomanisch ,,an Kleptomanie leidend" und Kleptomane *m* oder *w*.

Klerus *m* ,,kath. Geistlichkeit, Priesterschaft, -stand": Das FW entstammt dem *Kirchenlatein*, wo es seit dem 3. Jh. n. Chr. als *clērus* bezeugt ist. Dies geht seinerseits auf *gr.* klēros ,,Los, Anteil" zurück, bezeichnet also eigtl. den Stand der von Christus Berufenen. – Dazu gehören als Abl.: Kleriker *m* ,,kath. Geistlicher" (*mhd.* cleric, klerke, aus *kirchenlat.* clēricus); klerikal ,,die kath. Geistlichkeit betreffend; [streng] kirchlich" (in neuerer Zeit eingedeutscht aus *kirchenlat.* clēricālis ,,priesterlich"). – *Gr.* klēros gehört mit einer Grundbed. ,,Steinscherbe, Holzstückchen (als Los gebraucht)" zum *gr.* Verb kláein (klás[s]ai) ,,brechen, abbrechen" und damit zur *idg.* Sippe von *nhd.* →*Holz*.

Klette *w*: Die Pflanze ist nach ihren anhaftenden Blütenköpfen benannt. Der *dt.* Pflanzenname (*mhd.* klette, *ahd.* cletha) ist eine Bildung zu der unter →*Klei* dargestellten Wurzelform *glei- ,,kleben". Verwandt sind die andersgebildeten *niederl.* klis ,,Klette" und *aengl.* clide ,,Klette", ablautend cláte, *engl.* clote ,,Klette".

klettern: Das erst seit dem 15. Jh. bezeugte Verb gehört im Sinne von ,,sich anklammern, anhaften" zu der unter →*Klei* dargestellten Wurzelform *glei- ,,kleben" (vgl. die Artikel Klette und kleben). Abl.: Kletterer *m* (17. Jh.).

klieben (veralt., aber noch *mdal.* für:) ,,[sich] spalten": Das *altgerm.* starke Verb *mhd.* klieben, *ahd.* chliuban, *engl.* to cleave, *schwed.* klyva geht mit verwandten Wörtern in anderen *idg.* Sprachen auf eine Wurzelform *gleubh- ,,hauen, spalten, schneiden" zurück, vgl. z. B. *lat.* glūbere ,,[ab]schälen" und *gr.* glýphein ,,ausmeißeln, einschneiden" (s. Glypte und Hieroglyphe). Im Ablaut zu klieben steht →klauben. Alte Substantivbildungen sind →Kloben, →Kluft und →Kluppe.

Klient *m* ,,Auftraggeber (eines Rechtsanwaltes)": Das seit dem 16. Jh. bezeugte FW ist aus *lat.* cliēns (clientis) ,,der Hörige" entlehnt. Speziell bezeichnete das *lat.* Wort den sich an einen →Patron schutzeshalber Anschließenden, also den Schutzbefohlenen einer Sippe. Das Verhältnis des Schutzbefohlenen zum Patron hieß mit einem abgeleiteten Substantiv *lat.* clientēla, womit zugleich die Gesamtheit der Klienten bezeichnet wurde. Das daraus entlehnte FW Klientel *w* erscheint bei uns im 18. Jh. Heute gilt es entspr. im Sinne von ,,Auftraggeberkreis eines Rechtsanwaltes". – *Lat.* cliēns gehört wahrscheinlich zu dem mit *dt.* →*lehnen* urverwandten Verb *lat.* *clināre ,,biegen, beugen, neigen" (s. auch deklinieren) und bedeutet dann eigtl. etwa ,,wer Anlehnung gefunden hat".

Kliff *s*: Der *nordd.* Ausdruck für ,,steiler Abfall einer Felsküste, Felsen" geht auf *mnd.* klif ,,schroffer Felsen" zurück, das mit gleichbed. *engl.* cliff, *isl.* klif, *schwed.* (ablautend klev und dem andersgebildeten →Klippe verwandt ist. Diese Wörter gehören wahrscheinlich im Sinne von ,,glatter, schlüpfriger Felsen, Rutsche" zu der unter →*Klei* dargestellten Wurzelform *glei- ,,kleben, schmieren".

Klima *s* ,,mittlerer Zustand der Witterungserscheinungen eines Ortes oder geographischen Raumes", auch übertragen gebraucht im Sinne von ,,(gute oder schlechte) Atmosphäre": Im 16. Jh. entlehnt aus *lat.* clima < *gr.* klíma ,,Neigung, Abhang; Himmelsgegend, geographische Lage, Zone" (über die etymologischen Zusammenhänge vgl. den Artikel *Klinik*). Abl.: klimatisch (18. Jh.), ferner →akklimatisieren und Akklimatisation.

Klimakterium *s* (medizin. Bezeichnung für:) ,,Wechseljahre": *Nlat.* Bildung zu *lat.* clīmaktḗr < *gr.* klīmaktḗr ,,Stufenleiter; kritischer Punkt des menschlichen Lebens". Zugrunde liegt *gr.* klímax ,,Treppe, Leiter". Über die etymologischen Zusammenhänge vgl. den Artikel *Klinik*. Abl.: klimakterisch ,,durch die Wechseljahre bedingt" (nach *gr.-lat.* klīmaktērikós).

Klimbim *m* (*ugs.* für:) ,,unwesentliches Drum und Dran, unnützer Aufwand": Die junge lautmalende Bildung ist seit dem Ende des 19. Jh.s von Berlin ausgehend in die Umgangssprache gedrungen.

klimmen: Das heute wenig gebräuchliche Verb geht auf *mhd.* klimmen ,,klettern, steigen" zurück, das wahrscheinlich identisch

333

ist mit *mhd.* klimmen, „drücken, kneifen, ziehen, packen". Dieses starke Verb geht mit der unter →klemmen behandelten Wortgruppe und verwandten Wörtern in anderen *idg.* Sprachen auf eine Wurzelform *glem- „zusammendrücken" zurück. Die Bed. „klettern" hat sich demnach aus „sich festklammern" entwickelt. Vgl. dazu die auf die bh-Erweiterung *glembh- zurückgehenden Formen *ahd.* klimban, *mhd.* klimben „klettern", *engl.* to climb „klettern", ablautend *engl.* to clamber „klettern, steigen", *aisl.* klembra „drücken, klemmen" (s. auch Klammer). Verwandt sind ferner die unter →Klampe, →Klempner und →Klumpen behandelten Wörter, die auf einer b-Erweiterung *glemb- beruhen. Die Wurzelform *glem- gehört weiterhin zu der unter →Kolben dargestellten *idg.* Wurzel. – Gebräuchlicher als das einfache Verb ist heute er-klimmen. Zus.: Klimmzug „turnerische Übung" (20. Jh.). Siehe auch beklommen.

klimpern: Das seit dem Ende des 17. Jh.s bezeugte Verb ist eine junge Lautnachahmung. Es bedeutet speziell „[stümperhaft] Klavier spielen", beachte Klimperei *w* (18. Jh.) und Klimperkasten *ugs.* für „Klavier" (19. Jh.).

Klinge *w*: *Mhd.* klinge „Schwertschneide, Schwert" ist aus dem Verb *mhd.* klingen „hell tönen, erschallen" (vgl. *klingen*) rückgebildet. Die Klinge ist also nach dem hellen Klang, den sie beim Auftreffen auf Helm oder Panzer verursacht, benannt.

klingeln: Das nur *dt.* Verb (*mhd.* klingelen, *ahd.* klingilōn) ist eine Verkleinerungsbildung zu dem unter →klingen behandelten Verb. Das Substantiv Klingel *w* (17. Jh.) ist aus dem Verb rückgebildet. Zus.: Klingelbeutel „Beutel zum Einsammeln freiwilliger Gaben beim Gottesdienst" (17. Jh.).

klingen: Das nur *dt.* starke Verb (*mhd.*, *mnd.* klingen, *ahd.* klingan) ist lautmalender Herkunft und kann auf eine nasalierte Wurzelform der unter →klagen dargestellten Lautnachahmung *gal- zurückgehen. Eine Nebenform dazu ist *mitteld.* klinken „klingen", dem gleichbed. *niederl.* klinken, *engl.* to clink, *schwed.* klinka entsprechen (s. Klinke und Klinker). Zum starken Verb sind gebildet →Klinge und →Klang sowie →klingeln. Zusammensetzungen und Präfixbildungen mit 'klingen' sind abklingen (bes. übertr. „nachlassen", z. B. von Schmerzen), anklingen, dazu Anklang „Ähnlichkeit, entsprechende Empfindung, Beifall" (um 1800), er-klingen und verklingen.

Klinik *w* „Krankenhaus": Das seit dem 13. Jh. – zuerst in der Bed. „Anstalt zum Unterricht in der Heilkunde" – bezeugte FW geht auf *gr.* klinikḗ „Heilkunst für bettlägerig Kranke" zurück. Zugrunde liegt das *gr.* Substantiv klínē „Lager, Bett", das von dem mit *dt.* →¹lehnen urverwandten Verb

gr. klínein „[sich] neigen, [an]lehnen; beugen" abgeleitet ist. Andere Bildungen von *gr.* klínein sind z. B. *gr.* klíma „Neigung, Abhang; Himmelsgegend, geographische Lage, Zone" (s. Klima, klimatisch, akklimatisieren, Akklimatisation) und *gr.* klímax „Treppe, Leiter" (s. Klimakterium). – Zu 'Klinik' stellt sich noch die Ableitung klinisch (18. Jh.) und die Zus. →Poliklinik.

Klinke *w*: Das seit dem 14. Jh. bezeugte *mhd.* (eigtl. *mitteld.*) klinke „Türriegel" ist eine Bildung zu [*ost*]*mitteld.* klinken „klingen", einer Nebenform von →klingen. Der Türriegel ist demnach nach dem Geräusch, das der Fallriegel auf dem Klinkhaken verursacht, benannt. Abl.: klinken „eine Klinke bedienen" (17. Jh.; beachte die Zus. ein-, aus-, zuklinken). Siehe auch den Artikel Clinch.

Klinker *m*: Die besondere Art hartgebrannter Ziegelsteine wurde früher aus den Niederlanden eingeführt. Mit der Sache wurde auch das Wort *niederl.* klinker[t] übernommen, das zunächst im *Niederd.* und dann im *Hochd.* seit dem 18. Jh. bezeugt ist. Das Wort ist eine Bildung zu *niederl.* klinken, einer Nebenform von →klingen (s. auch Klinke). Der Klinker ist also nach dem hellen Klang, der beim Dagegenschlagen entsteht, benannt.

klipp: Die seit dem 18. Jh. bezeugte *niederd.* Formel 'klipp und klaar' „ganz klar" wurde im 19. Jh. ins *Hochd.* übernommen. *Niederd.* klipp bedeutet eigtl. „passend" und gehört zu dem lautnachahmenden Verb klippen *landsch.* für „hell tönen, ein helles Geräusch verursachen; passen", beachte auch die Interjektion klipp! Zum Bedeutungsübergang von „ein Geräusch verursachen" zu „gelingen, passen" s. den Artikel klappen. – Mit dem lautnachahmenden Verb klippen hängt wohl auch das weitersetzende 'Klipp-' in *nordd.* Zusammensetzungen zusammen. Der Begriff des Kleinen oder des Geringen würde dann auf der Vorstellung eines kurzen, hellen Geräusches beruhen. Beachte die Zus. Klippkram „Trödel, Kleinkram" (17. Jh.), Klippschenke „geringe Schenke" (18. Jh.), Klippschule „Elementarschule, niveaulose Schule" (17. Jh.).

Klipp, Clip *m* „Klammer, Klemme, Einhänger; Schmuckstück, das festgeklemmt wird (z. B. Ohrklipp)": Junges FW, im 20. Jh. aus gleichbed. *engl.* clip entlehnt, das zu *engl.* to clip „festhalten, befestigen, anklammern" gehört.

Klippe *w*: Das seit dem 14. Jh. aus *mniederl.* clippe „Felsen im oder am Meer, steiler Abfall einer Felsküste" entlehnte Wort gehört zu der Sippe von →Kliff. Zus.: Klippfisch „getrockneter und gesalzener Kabeljau" (18. Jh.; vermutlich so benannt, weil auf Klippen getrocknet).

Klipper, Clipper *m* „großes amerik. Verkehrsflugzeug": junges FW, im 20. Jh. aus *engl.* clipper entlehnt, das von *engl.* to clip „schneiden" abgeleitet ist und demnach eigtl. „Gegenstand, der schneidet" bedeutet, dann übertragen auch ein „schnittig gebautes Schiff, Flugzeug" bezeichnet.

klirren: Das seit dem 17. Jh. bezeugte, zunächst *ostmitteld.* Verb ist – wie z. B. auch schwirren, surren, knarren – eine Lautnachahmung.

Klischee *s* „Druck-, Bildstock", auch übertragen im Sinne von „Abklatsch, billige Nachahmung": Als Fachwort der Buchdruckersprache aus *frz.* cliché „Abklatsch", dem substantivierten Part. Perf. von clicher „abklatschen" entlehnt. Das Verb selbst erscheint bei uns im 20. Jh. als klischieren „ein Klischee herstellen; billig, talentlos nachahmen". *Frz.* clicher ist wohl lautmalenden Ursprungs und erinnert an *dt.* klitschen, klatschen.

Klistier *s* „Einlauf" (mediz.): Im *mhd.*Zeit aus *lat.* clystērium < *gr.* klystérion (eigtl. etwa: „Spülung, Reinigung") entlehnt. Zugrunde liegt das mit *nhd.* →*lauter* urverwandte Verb *gr.* klýzein „spülen, reinigen".

klitschen: Das seit dem 16. Jh. bezeugte lautnachahmende Verb, das heute nur noch *landsch.* gebräuchlich ist, gibt im Gegensatz zu 'klatschen' (s. d.) helle Klangeindrücke wieder. Abl.: Klitsch *m* vorwiegend *mitteld.* für „klitschender Schall oder Schlag; breiige, weiche Masse" (18. Jh.); klitschig *landsch.* für „klebrig, lehmig, feucht, weich, unausgebacken" (19. Jh.; älter bezeugt ist *niederd.* klitzig). In diesen Zusammenhang gehört wahrscheinlich auch Klitsche *w* *ugs.* für „ärmliches Landgut; Schmierentheater" (19. Jh.).

klittern „willkürlich darstellen, schnell oder unordentlich niederschreiben, zusammenstoppeln", (veralt., aber noch *mdal.* für:) „schmieren, klecksen": Das seit dem 16. Jh. bezeugte Verb ist mit *frühnhd.* Klitter „Klecks, Fleck" wahrscheinlich lautnachahmender Herkunft und gehört zu der unter →*Kladde* dargestellten Gruppe von Schallnachahmungen. Der heutige Gebrauch des Verbs und des Substantivs Klitterung *w* schließt sich wohl an das von Fischart geprägte Geschichtsklitterung an.

Kloake *w* „Abzugskanal, Jauchegang, Senkgrube": Im 16. Jh. aus gleichbed. *lat.* clŏāca (cluāca) entlehnt. Zugrunde liegt *lat.* cluere „reinigen", das urverwandt ist mit *dt.* →*lauter*.

Kloben *m* „Klotz, Stück Holz, Haken": Zu dem unter →*klieben* „[sich] spalten" dargestellten Verb gehören im Sinne von „Gespaltenes, Spalt" *mhd.* klobe „gespaltenes Holz (zum Klemmen, Festhalten, Fangen); gabel- oder hakenförmige Halte- oder Schließvorrichtung; Spalt; Bündel, Büschel", *ahd.*

klobo „gespaltenes Stück Holz (bes. zum Vogelfang)", *asächs.* klobo „gespaltenes Stück Holz (als Fußfessel oder zum Vogelfang)", *aengl.* clofe „Schnalle", *aisl.* klofi „Spalt; Kluft; Laderaum". Abl.: klobig „klotzig, grob, ungeschlacht" (19. Jh.). Siehe auch den Artikel Knoblauch.

klönen (vorwiegend *nordd.* *ugs.* für:) „gemütlich plaudern, schwatzen": Das im älteren *Niederd.* in den Bed. „tönen; durchdringend oder weitschweifig reden; klagen" gebräuchliche Verb ist wahrscheinlich lautnachahmender Herkunft. Verwandt sind wohl *niederl.* kleunen „klopfen, schlagen", *aengl.* clynnan „tönen; klopfen".

klopfen: Das urspr. lautnachahmende Verb *mhd.* klopfen, *ahd.* clophōn, *mnd.* kloppen, *niederl.* kloppen gehört zu der unter →*klappen* dargestellten *germ.* Gruppe von Lautnachahmungen. Statt 'klopfen' ist im *Nordd.* und *Mitteld.* bes. in der Umgangssprache kloppen gebräuchlich, beachte bekloppt „verrückt" und Kloppe *w* „Prügel, Schläge" (vgl. auch die Artikel Klöppel und Klops). Abl.: Klopfer *m* „Gerät oder Vorrichtung zum Klopfen" (16. Jh.).

Klöppel *m*: Das aus dem [Ost]*mitteld.* stammende Wort für „Glockenschwengel" (veralt. auch für „Trommelstock, Paukenschläger, Knüppel") ist eine Bildung zu *mitteld.-niederd.* kloppen (vgl. *klopfen*) und bedeutet demnach eigtl. „Klopfer". Die Form mit *oberd.* Lautung Klöpfel ist heute veraltet. Als im 16. Jh. im erzgebirgischen Raum die kunstvolle Fertigung von Spitzen mittels kugelig gedrechslter Holzstäbchen aufkam, nannte man diese Holzstäbchen wegen ihrer Ähnlichkeit mit einem Glockenschwengel gleichfalls Klöppel, beachte das davon abgeleitete Verb klöppeln und die Zus. Klöppelarbeit.

Klops *m*: Der seit dem 18. Jh. bezeugte, zunächst *nordostd.* (*ostpreuß.*) Ausdruck für „Fleischkloß" ist eine Substantivbildung zu *niederd.-mitteld.* kloppen (vgl. *klopfen*). Zur Bildungsart vgl. z. B. 'Knicks' und 'Klecks'.

Klosett *s* „Abort", dafür *ugs.* meist die Kurzform Klo *s*: Das seit dem 19. Jh. bezeugte Substantiv ist aus älterem Wasserklosett bzw. Watercloset gekürzt (beachte die noch heute übliche Abk. WC *s*). Voraus liegt gleichbed. *engl.* water-closet (eigtl. „abgeschlossener Ort mit Wasserspülung"), dessen Grundwort auf ein *afrz.* closet, Verkleinerungsform von *frz.* clos „Gehege", zurückgeht. Letzte Quelle des Wortes ist *lat.* claudere „[ab-, ver-]schließen" (vgl. *Klause*) bzw. dessen substantiviertes Part. Perf. Pass. clausum „Verschluß".

Kloß *m*: *Mhd.*, *ahd.* klōz „Klumpen; Knolle; Knäuel; Kugel; Knauf; Klotz; Keil; Knebel", *mnd.* klōt „Klumpen; Kugel; Ball; Hoden", *niederl.* kloot „Kugel, Ball", *engl.* cleat „Keil; Klampe; Leiste" gehen auf

westgerm. *klauta- „Klumpen, zusammenge-
ballte Masse" zurück. Diese *westgerm.* Substantivbildung gehört mit den unter →Klotz
und →Knäuel (*mhd.* kliuwel) behandelten
Wörtern zu der Wurzelform *gleu- der
unter → Kolben dargestellten Wz. *gel- „zusammendrücken, ballen". Vgl. aus anderen
idg. Sprachen z. B. *gr.* gloutós „Hinter-
backen" und *russ.* glúda „Klumpen, Kloß".
Kloster *s*: Das *westgerm.* Substantiv (*mhd.*
klōster, *ahd.* klōstar, *niederl.* klooster) gehört zu einer Gruppe von *lat.* Lehnwörtern
wie →Mönch, →Nonne, →Münster, die
früh mit dem römischen Christentum aufgenommen wurden. Quelle des Wortes ist eine
vlat. Nebenform clōstrum von *lat.-kirchenlat.*
claustrum „Verschluß; Klausur; Wohn-
raum und Wohngebäude für die in religiöser
Abgeschiedenheit lebenden Mönche oder
Nonnen". Zu *lat.* claudere (clausum) „[ver]-
schließen" (vgl. *Klause*). Abl.: klösterlich
(*mhd.* klōsterlich).
Klotz *m*: *Mhd.* kloz „Klumpen; Kugel;
Baumstumpf, Kloben", dem *engl.* clot
„Klumpen, Klunker" entspricht, steht im
Ablaut zu dem unter → Kloß behandelten
Wort. Das abgeleitete Verb klotzen ist nur
sonder- und umgangssprachlich gebräuchlich, z. B. im Sinne von „[auf der Klotz-
maschine] färben", „[mit schweren Ka-
libern] schießen", „zahlen, bezahlen". Abl.:
klotzig „klotzförmig, grob, plump", *ugs.*
für „sehr viel" (16. Jh.).
Klub *m* „[geschlossene] Vereinigung mit
polit., geschäftl., sportl. u. a. Zielen": Im
18. Jh. aus *engl.* club (*mengl.* clubbe) entlehnt, das eigtl. (so auch noch heute)
„Keule" bedeutet und seinerseits wohl auf
aisl. klubba „Knüppel, Stock, Keule" (verwandt mit *dt.* →Klumpen) zurückgeht. Die
Bedeutungsübertragung auf „Männerver-
einigung" erklärt sich aus dem alten Brauch,
Einladungen zu Zusammenkünften durch
das Herumsenden eines Kerbstockes, eines
Brettes oder einer Keule zu übermitteln
(vgl. zum Sachlichen auch den Artikel
²laden).
¹Kluft *w* „[alte] Kleidung, Uniform" (*ugs.*):
Das am Ende des 18. Jh.s in der Studenten-
und Soldatensprache aufkommende Wort
stammt aus dem *Rotwelschen* und geht wohl
auf *nhebr.* qillúph „Schale" zurück. Beachte
zur Bedeutungsgeschichte die gauner- und
umgangssprachlich analoge Geltung von
'Schale' im Sinne von „Anzug, Kleidung"
in der Wendung 'sich in Schale werfen'.
²Kluft *w*: Das heute im Sinne von „Fels-
spalte, Schlucht; Trennung, Abstand" gebräuchliche Wort bedeutete in den älteren
dt. Sprachzuständen auch „Spalte, Ritze,
längs gespaltenes Holzstück, Zange, Schere".
Mhd., *ahd.* kluft, *mniederl.* clucht „B[ruch]-
stück, Teil", *engl.* cleft „Spalte, Schlucht"
beruhen auf einer *westgerm.* Bildung zu dem

unter →klieben „[sich] spalten" behandelten Verb. – Das von 'Kluft' abgeleitete Verb
'zerklüften' ist heute nur noch im Partizipialadjektiv zerklüftet bewahrt.
klug: Die *nhd.* Form geht zurück auf *mhd.*
kluoc „fein, zart, zierlich; hübsch; stattlich,
tapfer; weichlich, üppig; gebildet, geistig
gewandt, weise", das im 12. Jh. aus dem
Niederrhein. übernommen wurde, vgl. *mnd.*
klōk „gewandt, behende; schlau" und
niederl. kloek „tüchtig; rüstig; mutig; beherzt". Der Ursprung dieses Adjektivs ist
dunkel. Das abgeleitete Verb klügeln „klug
tun, nachsinnen, ausdenken" (16. Jh.) ist heute
durch die Zusammensetzung ausklügeln
zurückgedrängt. Zusammensetzungen mit
'klug' sind z. B. altklug, überklug und
klugscheißen. Abl.: Klugheit *w* (*mhd.*
kluocheit „Feinheit, Zierlichkeit; höfisches
Benehmen, Anstand; Weichlichkeit; Verständigkeit, Weisheit; Schlauheit, List,
Kniff").
Klumpen, (*nordd.* auch) Klump *m*: Das in
frühnhd. Zeit aus dem *Niederd.* übernommene Wort (*mnd.* klumpe) gehört mit den
gleichbedeutenden Entsprechungen *niederl.*
klomp, *engl.* clump, *schwed.* klump zu der
unter →klimmen dargestellten Wurzelform *glem- „zusammendrücken, ballen".
Abl.: klumpen (17. Jh.); klumpig (17. Jh.).
Zus.: Klumpfuß „mißgebildeter Fuß"
(18. Jh.). Siehe auch den Artikel Klub.
Klüngel *m*: Die *nhd.* Form geht über *spätmhd.* klüngel, klungel, *mhd.* klungelīn zurück auf *ahd.* clungilīn, das eine Verkleinerungsbildung zu *ahd.* clunga „Knäuel" ist
und demnach eigtl. „kleines Knäuel" bedeutet. Der heutige übertragene Gebrauch
des Wortes im Sinne von „Anhang, Sippschaft, Parteiwirtschaft" breitete sich im
19. Jh. vom Raum Köln aus. – *Ahd.* clunga
gehört mit der *nord.* Sippe von *schwed.* klunga
„Klumpen, [Menschen]knäuel" und mit
der unter → Klunke behandelten Wort zu
der *germ.* Wortgruppe von *engl.* to cling
„festhalten" (vgl. *Kolben*).
Klunker *w* oder *m*: Der vorwiegend *nordd.*
Ausdruck für „Klümpchen; Troddel,
Quaste" ist mit der *nord.* Sippe von *schwed.*
mdal. klunk „Klumpen" und weiterhin mit
dem unter → Klüngel behandelten Wörtern
verwandt. *Ugs.* wird 'Klunker' auch im Sinne
von „[baumelndes] Schmuckstück" verwendet.
Klüver *m*: Die seemänn. Bezeichnung der
Dreieckssegels am verlängerten Bugspriet
wurde im 18. Jh. aus *niederl.* kluver (heute
kluiver geschrieben) entlehnt. Das *niederl.*
Wort gehört entweder zu *niederl.* kluif
„Klaue" (so heißt auch der Leitring, an dem
das Segel fährt) oder aber im Sinne von
„Keil[förmiges]" (eigtl. „Spalter") zu *niederl.* kluiven „klauben" (vgl. *klieben*). Zus.:
Klüverbaum (18. Jh.).

knabbern: Das seit dem 18. Jh. bezeugte, urspr. *niederd.* Verb stellt sich mit der Nebenform **knappern**, mit variierendem Vokal auch **knuppern** (18. Jh.), und dem andersgebildeten *niederd.* **knabbeln** zu dem heute veralteten Verb **knappen** ,,nagen, fressen, schnappen" (*niederd., niederl.* knappen), beachte auch **Knappsack** veralt. für ,,Proviantbeutel, Reisetasche". Im *Nord.* sind z. B. verwandt *schwed.* knapra und *norw.* knupra ,,knabbern, nagen, fressen". Die ganze Wortgruppe ist lautnachahmender Herkunft und geht auf einen ähnlichen Klangeindruck wie 'knacken' zurück.

Knabe *m: Mhd.* knabe ,,Junge; Jüngling; Bursche, Kerl; Junggeselle; Diener; Page; Geselle", *ahd.* knabo ,,kleiner Junge, Kind", daneben gleichbedeutend *mhd.* knappe, *ahd.* knappo (s. Knappe), *niederl.* knaap ,,Junge, Jüngling, Bursche", *engl.* knave ,,Bube, Schelm, Schurke" sind verwandt mit der *nord.* Sippe von *schwed. mdal.* knabb ,,Pflock" und mit der unter → *Knebel* behandelten Bildung. Die Wortgruppe beruht auf *germ.* *knab- ,,Stock, Knüppel, Klotz". Zum Bedeutungsübergang beachte z. B. Stift im Sinne von ,,Halbwüchsiger, Lehrling", Bengel (eigtl. ,,Knüppel, Stock") und Flegel im Sinne von ,,Lümmel". – Abl. **knabenhaft** (17. Jh.). Zus.: **Knabenkraut** (15. Jh.; die Pflanze ist nach dem hodenförmig gestalteten Wurzelknollen benannt, vgl. den Artikel Orchidee).

Knäckebrot *s:* Die Bezeichnung für ,,Schrotbrot in Form dünner Fladen" ist im 20. Jh. aus *schwed.* knäckebröd (eigtl. ,,Knackbrot") entlehnt. Das Brot ist nach dem knackenden bzw. krachenden Geräusch benannt, das beim Hineinbeißen entsteht (vgl. knacken).

knacken: Das Verb (*mhd.* knacken ,,krachen, platzen; einen Riß, einen Sprung bekommen") gehört zu einer *germ.* Gruppe von Lautnachahmungen, beachte die ähnliche Schalleindrücke wiedergebenden *mnd.* knaken ,,knacken, krachen", *norw.* knaka ,,knacken, krachen", *aisl.* knoka ,,klopfen, schlagen" (s. Knochen), *schwed.* knäcka ,,krachen, [auf]brechen" (s. Knäckebrot). – An den transitiven Gebrauch des Verbs im Sinne von ,,aufbrechen, öffnen" schließen sich z. B. die Zus. Nußknacker und Geldschrankknacker an. Das Substantiv **Knack** *m* ,,knackendes oder knallendes Geräusch; Riß, Sprung" (15. Jh.) ist entweder aus dem Verb rückgebildet oder eine Substantivierung der Interjektion knack! Die junge Bildung **Knacker** *m* wird *ugs.* im Sinne von ,,alter Mann; Geizhals" gebraucht. Zus.: **Knackwurst** (16. Jh.; nach dem knackenden Geräusch, das beim Zerbeißen der Pelle entsteht).

Knacks *m* ,,knackendes Geräusch, Riß, Sprung": Das seit dem 18. Jh. bezeugte Substantiv ist entweder zu → *knacken*, *Knack* gebildet oder aber aus dem Verb 'knacksen' rückgebildet. *Ugs.* wird 'Knacks' bes. im Sinne von ,,Schaden, Beeinträchtigung; geistiges Verwirrtsein" gebraucht. Das Verb **knacksen** (19. Jh.) gehört, falls es nicht erst von 'Knacks' abgeleitet ist, als Intensivbildung zu → *knacken*. Beachte die Präfixbildung **verknacksen** *ugs.* für ,,verstauchen" (20. Jh.).

Knall *m:* Das seit dem 16. Jh. bezeugte Substantiv ist eine Bildung zu dem im *Nhd.* untergegangenen starken Verb *mhd.* [er-, zer-]knellen ,,schallen, hallen, krachen", das wahrscheinlich lautnachahmender Herkunft ist. *Ugs.* wird 'Knall' auch im Sinne von ,,geistiges Verwirrtsein" gebraucht, beachte die Zus. **Knallkopf**. – An die Stelle des starken Verbs ist das von 'Knall' abgeleitete **knallen** (16. Jh.) getreten, beachte auch die Präfixbildung **verknallen, sich** *ugs.* für ,,sich verlieben" (um 1900; nach ,,sich verschießen, verschossen", s. d,). Abl. **knallig** ,,schreiend (von Farben), grell" (19. Jh.; beachte auch knallrot usw.). Zus.: **Knalleffekt** (Anfang des 19. Jh.s; urspr. vom Feuerwerk).

knapp: Die Herkunft des im 16. Jh. aus dem *Niederd.* übernommenen Adjektivs ist unklar. Vielleicht gehört *niederd.* knap[p] ,,kurz, eng, gering; hurtig; schmuck, hübsch" als aus *ge-* hnap[p] entstanden oder als Nebenform mit Anlautsvariation zu der *germ.* Wortgruppe von *aisl.* hneppr ,,knapp, gering", hneppa ,,klemmen, zwingen". Abl.: **Knappheit** *w* (17. Jh.; *niederd.* knapheit). Präfixbildung: **verknappen** (19. Jh.).

Knappe *m:* Die (expressive) Nebenform von dem unter → *Knabe* behandelten Wort war mit diesem in *ahd.* und *mhd.* Zeit im wesentlichen gleichbedeutend. Speziell bezeichnete dann *mhd.* knappe den im Dienst eines Ritters stehenden Edelknaben und den Gesellen (im Bergbau), den Bergmann, beachte dazu **Knappschaft** *w* ,,Zunft der Bergleute" (16. Jh.). Zum Nebeneinander von 'Knappe' und 'Knabe' beachte z. B. das Verhältnis von 'Rappe' zu 'Rabe'.

knarren: Das seit dem 14. Jh., zufrühst in der *mitteld.* Form gnarren bezeugte Verb ist lautnachahmender Herkunft. Beachte die ähnliche Klangeindrücke wiedergebenden → *knirren*, *knirschen* und → *knurren*. Abl.: **Knarre** *w* ,,Lärminstrument", soldat. *ugs.* ,,Gewehr" (18. Jh.).

Knast *m* (*ugs.* für:) ,,Freiheitsstrafe": Das seit dem 19. Jh. bezeugte Wort stammt aus der Gaunersprache, vgl. *jidd.* knas ,,Geldstrafe", kansen ,,[mit Geldbuße] bestrafen", *hebr.* kanas ,,bestrafen".

¹Knaster *m* ,,übelriechender Tabak" (*ugs.*): Das seit der Zeit um 1700 bezeugte Wort, das aus Canastertobac, Knastertobak gekürzt ist, bezeichnete urspr. einen edlen, würzigen Tabak, wie er in ,,Rohrkörben" gehandelt wurde. Erst die Studentensprache entwickelte den heutigen verächtlichen Sinn des Wortes. Quelle dieses Fremdwortes ist das von *gr.* kánna „Rohr" (vgl. *Kanal*) abgeleitete Subst. *gr.* kánastron „aus Rohr geflochtener Korb", das uns über *span.* canasto und *niederl.* knaster erreichte.

²Knaster siehe knastern.

knastern: Das seit dem 16. Jh. bezeugte Verb, das heute nur noch *landsch.* gebräuchlich ist, ahmt im Gegensatz zu →knistern dunkle Klangeindrücke nach und wird, wie z. B. auch brummen, murren, knurren, im Sinne von „verdrießlich sein" gebraucht. Die Bildungen K n a s t e r e r *m* (17. Jh.), ²K n a s t e r *m* (18. Jh.) „verdrießlicher [alter] Mann" sind im *nordd.* Sprachbereich z. T. mit *niederd.* knast „Knorren; grober Kerl" verknüpft worden. Das Bestimmungswort der gleichbed. Zus. K n a s t e r b a r t *m* (17. Jh.) wird im heutigen Sprachempfinden gewöhnlich auf →¹Knaster „übelriechender Tabak" bezogen.

knattern: Das seit dem 17. Jh. bezeugte Verb ahmt im Gegensatz zu →knittern dunkle Klangeindrücke nach und bezieht sich heute vorwiegend auf Schuß- und Motorengeräusche. Elementarverwandt ist z. B. die *nord.* Sippe von *schwed.* knattra „knattern".

Knäuel *m* oder *s*: Zu *ahd.* kliuwa, -i, *mhd.* kliuwe „Kugel, kugelförmige Masse" gehört als Verkleinerungsbildung *mhd.* kliuwel[în], das zu kniuwel[în] dissimiliert wurde. Auf diese dissimilierte Form geht *nhd.* Knäuel zurück, beachte daneben die *mdal.* Form K n a u l. – Verwandt sind im *germ.* Sprachbereich z. B. *niederl.* kluwen „Knäuel" und *engl.* clew „[Garn]knäuel" und weiterhin die unter →*Kloß* behandelten Wörter (vgl. auch den Artikel Klaue).

Knauf *m*: Das nur *dt.* und *niederl.* Wort (*mhd.* knouf, *mnd.* knôp, *niederl.* knoop) steht im Ablaut zu der unter →*Knopf* dargestellten Wortgruppe. Es war früher nicht wesentlich in der Bedeutung von ‚Knopf' geschieden. Heute bezeichnet es speziell eine knopf- oder kugelförmige Handhabe, das kugelförmige Ende eines Gegenstandes.

Knauser *m* (*ugs.* für:) „Geizhals": Das seit dem 17. Jh. bezeugte Wort hat sich vom *Mitteld.* (*Schles.*) ausgehend im *dt.* Sprachgebiet ausgebreitet. Es ist vermutlich eine Bildung zu dem untergegangenen Adjektiv *frühnhd.* knaus „hochfahrend", *mhd.* knûz „keck; waghalsig; hochfahrend", das im Ablaut zu der *germ.* Sippe von *aengl.* cnēatian „streiten" steht. ‚Knauser' würde demnach eigtl. einen Menschen, der hochfahrend gegenüber den Armen ist, bezeichnen. Abl.: knaus[e]rig *ugs.* für „geizig" (18. Jh.); knausern *ugs.* für „geizig sein" (18. Jh.).

knautschen (*ugs.* und *landsch.* für:) „zusammendrücken, quetschen, knittern; schmatzend essen; leise weinen": Das seit dem 18. Jh. bezeugte Verb ist die verhoch-

deutschte Form von →*knutschen*. Zus.: K n a u t s c h k o m m o d e *ugs.* für „Ziehharmonika" (20. Jh.).

Knebel *m* „Holz- oder Metallstab zum Spannen von Stricken, zum Absperren oder dgl.; zusammengedrehtes Tuch, das jemandem in den Mund gesteckt wird, um ihn am Schreien zu hindern": *Mhd.* knebel, *ahd.* knebil „Holzstück, Querholz (zum Fesseln oder dgl.), Pferdekummet", *niederl.* knevel „Holzstück; Knebel; Knebelbart", *aisl.* knefill „Baumast, Querstange" sind von *germ.* *knab- „Holzstück, Knüppel, Klotz" abgeleitet. Auf diese *germ.* Grundform geht auch die unter →*Knabe* (eigtl. „Stock, Knüppel") behandelte Sippe zurück. – Abl.: knebeln „fesseln, binden; den Mund verstopfen" (17. Jh.). Zus.: Knebelbart (16. Jh.; wohl deshalb so benannt, weil die beiden gedrehten Schnurrbartseiten mit Knebeln vergleichbar sind).

Knecht *m*: *Mhd.*, *ahd.* kneht „Knabe; Jüngling; Bursche, Kerl; Junggeselle; Diener; Knappe, Edelknabe; Krieger, Soldat; Held; Lehrling, Geselle", *niederl.* knecht „Diener; Knecht; Geselle", *aengl.* cniht „Knabe; Jüngling; Schüler; Diener; Krieger" (*engl.* knight „Ritter") gehen zurück auf *westgerm.* *knehta- „Knabe, Jüngling", das vielleicht eigtl. „Knüppel, Stock, Klotz" bedeutet und dann verwandt ist mit K n a g g e *w*, K n a g g e n *m* nordd. für „Holzstütze, Leiste; Kleiderhaken[brett]; Zapfen, Pflock" (*mnd.* knagge „Knorren, Pflock", ‛*engl.* knag „Ast, Pflock", *schwed.* knagg „Knorren; starker Mensch". Zum Bedeutungsübergang beachte z. B. ‘Bengel' und ‘Knabe' (eigtl. „Stock, Knüppel, Klotz"). – Von den zahlreichen Zusammensetzungen des Wortes, die z. T. noch die älteren Bedeutungen des Wortes widerspiegeln, beachte z. B. Fußknecht, Landsknecht, Bootsknecht, Brauknecht, Reitknecht. Auch Geräte, die dem Menschen dienen, werden ‘Knecht' genannt, beachte z. B. Stiefelknecht. Abl.: knechten „unterdrücken, zum Sklaven machen" (19. Jh.); knechtisch (um 1500); Knechtschaft *w* (16. Jh.).

kneifen: Das seit dem 16. Jh. bezeugte Verb ist die verhochdeutsche Form von →¹*kneipen*. – Auf studentensprachlich kneifen „bei der Mensur den Kopf vor dem Hieb einklemmen oder wegstecken" beruht die *ugs.* Verwendung des Verbs im Sinne von „sich vor etwas drücken, Angst haben". Beachte dazu auch auskneifen „sich vor etwas drücken, fliehen", das gleichfalls aus der Studentensprache in die Umgangssprache gelangte. Gebräuchlich ist auch die Präfixbildung verkneifen, beachte das 2. Partizip verkniffen und ‘sich etwas verkneifen' „etwas unterlassen, sich etwas versagen". – Abl.: Kneifer *m* (19. Jh.; Lehnübertragung von *frz.* pincenez, beachte ‘Klemmer' und

'Zwicker"). Zus.: Kneifzange (17. Jh.). S. auch den Artikel Kniff.

Kneipe *w*: Das seit dem 18. Jh. – zuerst in der Zus. Kneipschenke – bezeugte Wort gehörte zunächst hauptsächlich der Studentensprache an und bezeichnete eine schlechte, gemeine Schenke und das dort abgehaltene Trinkgelage sowie das [kleine] Zimmer eines Studenten. Im Sinne von „kleine Schankwirtschaft, billiges [Bier- oder Wein]lokal" wurde es dann gemeinsprachlich. Das Wort gehört wahrscheinlich im Sinne von „enger, beklemmender Raum" zu →¹*kneipen* „klemmen, kneifen, zischen", beachte Quetsche *ugs.* für „kleiner Raum, kleine Schankwirtschaft". Abl.: ²*kneipen* „eine Kneipe besuchen, zechen" (18. Jh.).

¹**kneipen** (*mdal.* für:) „klemmen, zwicken": Das durch die verhochdeutschte Form →kneifen in den Mundartenbereich zurückgedrängte Verb wurde in *frühnhd.* Zeit aus dem *Niederd.* übernommen. *Mnd.* knîpen „klemmen, zwicken" ist mit *niederl.* knijpen „kneifen" und *schwed.* knipa „klemmen, kneifen" wahrscheinlich lautnachahmenden Ursprungs, beachte das [elementar]verwandte *lit.* gnýbti „kneifen". Siehe auch knipsen.

²**kneipen** siehe Kneipe.

kneippen „eine Kur nach Kneipp machen": Das seit den zwanziger Jahren des 20. Jh.s gebräuchliche Verb ist von dem Familiennamen des Pfarrers Sebastian Kneipp (1821 bis 1897) abgeleitet.

kneten: Das *altgerm.* starke Verb *mhd.* kneten, *ahd.* knetan, *niederl.* kneden, *schwed.* (umgestaltet) knåda ist mit der *baltoslaw.* Sippe von *russ.* gnesti „drücken, pressen" verwandt. Über die weiteren *innergerm.* Zusammenhänge s. die Artikel knutschen, knüllen, Knopf, Knust.

knicken: Das in *frühnhd.* Zeit aus dem *Niederd.* übernommene Verb geht auf *mnd.* knicken zurück, das im Ablaut zu der *nord.* Sippe von *aisl.* kneikja „biegen, zusammendrücken" steht. Die weiteren Beziehungen dieser *germ.* Wortgruppe sind unklar. Im *Dt.* hat „knicken" z. T. lautmalenden Charakter und ahmt im Gegensatz zu „knacken" helle Klangeindrücke nach. Früher hatte „knicken" auch die Bedeutungen „eine Verbeugung machen" (s. Knicks) und „abzwacken, knausern". An den letzteren Sinn schließt sich ¹Knicker *m ugs.* für „Geizhals" an. Davon sind abgeleitet knickrig *ugs.* für „geizig" (18. Jh.) und knickern *ugs.* für „geizig sein" (18. Jh.). Sonst wird die seit dem 16. Jh. bezeugte Bildung ²Knicker im Sinne von „zusammenklappbares Messer, Jagdmesser" gebraucht. Abl.: Knick *m* (17. Jh.; *mnd.* knick).

Knickerbocker *Mehrz.* „halblange Überfallhose": Junge Entlehnung des 20. Jh.s aus *engl.* knickerbockers. Das *engl.* Wort ist

Gattungsname nach einem von W. Irving in seinem Roman 'History of New York' erfundenen Ureinwohner D. Knickerbocker, der als typischer Vertreter der aus Holland stammenden ersten Siedler New Yorks galt (weite Kniehosen gehören zur charakteristischen Kleidung der Holländer).

Knicks *m*: Das seit dem 17. Jh. bezeugte Wort ist eine Bildung zu →*knicken* in dessen älterer Bed. „eine Verbeugung (durch Kniebeugung) machen". Beachte zur Bildung z. B. 'Klecks' und 'Klops'. Abl.: knicksen (18. Jh.).

Knie *s*: Die *gemeingerm.* Körperteilbezeichnung *mhd.* knie, *ahd.* kneo, *got.* kniu, *engl.* knee, *schwed.* knä geht mit verwandten Wörtern in anderen *idg.* Sprachen auf *idg.* *ĝenu-* „Knie" zurück, vgl. z. B. *aind.* jānu „Knie", *gr.* góny „Knie" (s. diagonal) und *lat.* genū „Knie". Über weitere Zusammenhänge s. den Artikel Kind. Abl.: knien (*mhd.* knie[we]n, *ahd.* kniuwen). Zus.: Kniefall (18. Jh.; zu *mhd.* knievallen „auf die Knie stürzen"), dazu kniefällig (18. Jh.); Kniekehle (*mhd.* kniekel); Kniescheibe (*mhd.* knieschîbe).

Kniff *m*: Das zu →*kneifen* gebildete Substantiv (18. Jh.) bedeutete zunächst „Kneifen", dann „[durch Kneifen entstandene] Falte". An diesen Sinn schließt sich das abgeleitete Verb kniffen „in Falten legen" (19. Jh.) an. Weiterhin bezeichnete 'Kniff' speziell die betrügerische Kennzeichnung (Einkneifung) einer Spielkarte, worauf die Verwendung des Wortes im Sinne von „unerlaubter Kunstgriff, Trick, List" beruht. Abl.: kniffig „listig, schlau" (19. Jh.).

kniff[e]lig „verwickelt, schwierig": Das seit dem 19. Jh. bezeugte Adjektiv, das im heutigen Sprachgefühl als zu 'Kniff' gehörig empfunden wird, ist eine Bildung zu dem nur noch *mdal.* Verb kniffeln, knüffeln „mühselige Arbeit verrichten".

knipsen „ein knipsendes Geräusch verursachen, knips machen", *ugs.* für „wegschnellen, schnippen; lochen; fotografieren": Das seit dem 17. Jh. bezeugte Verb ist – wie auch das heute veraltete, aber noch *mdal.* knippen „schnellen, schnippen, abzwicken" – lautnachahmenden Ursprungs. Es hat sich in der Verwendung z. T. mit ¹kneipen (s. d.) vermischt. Abl.: Knips *m* (17. Jh.).

Knirps *m*: Das seit dem 18. Jh. – zuerst in der Form Knirbs – bezeugte Wort für „kleiner Kerl, Zwerg" stammt aus *ostmitteld.* Mundarten. Die weitere Herkunft des Wortes ist unklar. Vielleicht ist es mit →Knorpel verwandt.

knirren: Das seit dem 16. Jh. bezeugte Verb gibt im Gegensatz zu →knarren und →knurren einen hellen Klangeindruck wieder. Es ist heute durch die Weiterbildung knirschen (16. Jh.) in den *mdal.* Bereich zurückgedrängt. Beachte den Artikel zerknirscht.

knistern: Das seit dem 16. Jh. bezeugte Verb ist lautmalenden Ursprungs und ahmt im Gegensatz zu →knastern helle Klangeindrücke nach. Daneben finden sich auch Formen mit anlautendem g-, vgl. z. B. *mitteld., mnd.* gnister[e]n.

knittern: Das im 17. Jh. aus dem *Niederd.* übernommene Verb ist – wie auch →knattern – lautnachahmender Herkunft. Es wird heute gewöhnlich im Sinne von ,,[Papier, Stoff] in unregelmäßige Falten bringen, knüllen" gebraucht, beachte die Präfixbildungen und Zus. verknittern, zerknittern und knitterfest, knitterfrei.

knobeln ,,[aus]losen, würfeln": Das seit dem 19. Jh. bezeugte Verb, das zunächst in der Studentensprache gebräuchlich war, ist von dem Substantiv Knobel *m mdal.* für ,,Knöchel; (aus Knöcheln geschnittener) Würfel" abgeleitet, beachte *mhd.* knübel, *spätahd.* knovel ,,[Finger]knöchel". Zus.: Knobelbecher ,,Würfelbecher" (19. Jh.; im 20. Jh. auch soldatensprachl. für ,,Schaftstiefel").

Knoblauch *m:* Der Name des Zwiebelgewächses ist zusammengesetzt aus den unter →Kloben (eigtl. ,,Gespaltenes, Spalt") und →Lauch behandelten Wörtern. Das Gewächs ist nach seinem in Zehen gespaltenen Wurzelknopf als ,,gespaltener Lauch, Zehenlauch" benannt. Die *nhd.* Form Knoblauch geht zurück auf *mhd.* knobelouh, *spätahd.* cnufloch, das aus *ahd.* chlobi-, chlofalouh dissimiliert ist (wie z. B. *mhd.* kniuwel aus kliuwel, s. Knäuel). Die nicht dissimilierte Form (*mhd.* klobelouh, *mhd.* Kloblauch) hielt sich daneben bis ins 18. Jh.

Knöchel *m:* Das von →Knochen abgeleitete Wort (*spätmhd.* knöchel, knochel) ist eine Verkleinerungsbildung und bedeutet demnach eigtl. ,,kleiner Knochen". Heute wird Knöchel im Sinne von ,,kleiner, hervorstehender Knochen am Fußgelenk oder am Finger" gebraucht.

Knochen *m:* Das seit dem 14. Jh. im *dt.* Sprachgebiet bezeugte Wort hat 'Bein' im Sinne von ,,Knochen" weitgehend zurückgedrängt (s. den Artikel Bein). *Mhd.* knoche, *mnd.* knoke, *niederl.* knook, *schwed. mdal.* knoka ,,Knochen" sind zu einem urspr. lautnachahmenden Verb gebildet, das zu der unter →knacken behandelten Gruppe von Schallnachahmungen gehört. Vgl. *mhd.* knochen ,,drücken, pressen", *aengl.* cnocian ,,schlagen, stoßen" (s. knockout), *aisl.* knoka ,,klopfen, schlagen". Der Knochen ist also benannt als das, womit man anstößt oder gegenschlägt. Abl.: Knöchel (s. d.); knöchern ,,aus Knochen bestehend" (18. Jh.), dazu verknöchern (18. Jh., beachte bes. das Partizipialadjektiv verknöchert, das auch im Sinne von ,,[geistig] unbeweglich, spießig, hohlköpfig" gebraucht wird); knochig ,,mit [vielen] starken Knochen versehen, grobschlächtig" (15. Jh.). Zus.: Knochenfraß (um 1800; für älteres Beinfraß); Knochenhauer *nordd.* veralt. für ,,Fleischer, Schlächter" (um 1500); Knochenmann ,,der Tod als Knochengerippe" (17. Jh.).

knockout ,,kampfunfähig, erledigt" (Boxsport), dafür meist die Abk. 'k. o.' (beachte die Wendung 'jmdn. k. o. schlagen'); auch substantiviert: Knockout (Abk. 'K. o.') *m:* Junges, aus dem *Engl.* entlehntes FW. Ausgangspunkt ist das *engl.* Verb to knock out ,,[her]ausschlagen; entscheidend besiegen", das – teilweise übersetzt – in unserem Zeitwort ausknocken ,,durch K. o. besiegen; ausstechen, besiegen" (20. Jh.) erscheint. *Engl.* to knock ,,schlagen, stoßen" ist etymologisch mit *dt.* →knacken verw. (vgl. *Knochen*).

Knödel *m:* Der vorwiegend *süd[ost]d.* Ausdruck für ,,Kloß (als Speise)" geht zurück auf *spätahd.* knödel, das eine Verkleinerungsbildung zu *mhd.* knode, knote ,,Knoten" (vgl. *Knoten*) ist und also eigtl. ,,kleiner Knoten" bedeutet. Abl. knödeln *ugs.* für ,,wie mit einem Knödel im Hals singen oder sprechen" (20. Jh.).

Knolle *w,* **Knollen** *m:* Mhd. knolle ,,Klumpen; [Erd]scholle; plumper Mensch", *niederl.* knol ,,Knolle, Rübe", *engl.* knoll ,,kleiner Hügel, Kuppe", *norw.* knoll ,,Knolle" gehen auf *germ.* *knuzla- oder *knuðla- ,,zusammengeballte Masse, Klumpen" zurück. Über die weiteren Zusammenhänge s. die Artikel knüllen und knutschen. Abl.: knollig (18. Jh.; für älteres knollicht) Zus.: Knollenblätterpilz (20. Jh.; für älteres Knollenblätterschwamm.

Knopf *m:* Mhd. knopf ,,Knorren; Knospe; Kugel; kugelförmiges Ende, Knauf; Knoten, Schlinge; Hügel", *ahd.* knopf ,,Knoten, Knorren", *niederl.* knop ,,Knopf; Knauf; Knospe", *engl.* knop ,,Knospe; Knopf", *schwed.* knopp ,,Knospe; Knauf" gehen zurück auf *germ.* *knuppa- ,,zusammengeballte Masse, Klumpen", das im Ablaut zu gleichbed. *knaupa- (vgl. Knauf) steht. Von *germ.* *knuppa- bzw. vom Stamm *knup- sind abgeleitet die unter →knüpfen, →Knüppel und →Knospe behandelten Wörter (beachte auch knuffen). Weiterhin verwandt sind die Sippen von →Knoten und →Knust. Es handelt sich um eine umfangreiche Gruppe *germ.* Wörter, die mit kn- anlauten und von einer Bed. ,,zusammendrücken, ballen, pressen, klemmen" ausgehen (vgl. *knutschen, knüllen, kneten*). – Wie 'Knödel' zu 'Knoten' so stellt sich Knöpfle *südwestd.* für ,,Kloß" zu 'Knopf', beachte *schweiz.* Knöpfli Mehrz. ,,Spätzle". Abl. knöpfen (15. Jh.; beachte dazu abknöpfen *ugs.* für ,,ab-, fortnehmen" [sich jemanden] vorknöpfen *ugs.* für ,,zurechtweisen, maßregeln, wohl eigtl. ,,jemanden an den Knöpfen hervorholen und vor sich hin stellen").

Knorpel m: Das seit dem 15. Jh. – zuerst in der Zus. knorpelbein – bezeugte Wort ist vermutlich mit →Knirps und →Knorren verwandt. Abl.: verknorpeln (19. Jh.); knorp[e]lig (17. Jh.).

Knorren m: Mhd. knorre „knotenförmige Verdickung; hervorstehender Knochen; Knorpel, Auswuchs, Buckel; kurzer, dicker Mensch" ist vermutlich mit den unter →Knorpel und →Knirps behandelten Wörtern verwandt, vgl. auch niederl. knor „Knoten, Knorren" und engl. knar „Knorren". Die weiteren Zusammenhänge sind unklar. Abl. knorrig (15. Jh.). Siehe auch den Artikel Knorz.

Knorz m: Der oberd. mdal. Ausdruck für „knotenförmige Verdickung, Knorpel, Auswuchs" geht auf gleichbed. ahd. chnorz zurück, das eine Weiterbildung von dem unter →Knorren behandelten Wort ist, beachte norw. knort „Knorren, Knoten". Abl.: knorzen oberd. mdal. für „sich abmühen; knausern"; Knorzer m oberd. mdal. für „Knirps; Knauser, Geizhals"; knorzig oberd. mdal. für „knorrig; knauserig, geizig".

Knospe w: Die nhd. Form geht zurück auf spätmhd. knospe „Knospe", das wahrscheinlich aus mhd. *knofse, *knobze umgestellt ist, wie z. B. mhd. wespe aus wefse, webze (s. Wespe) umgestellt ist. Das Wort beruht auf einer Weiterbildung des unter →Knopf dargestellten germ. Stammes. – In der heutigen Bedeutung ist 'Knospe' erst seit dem Ende des 17. Jh.s bezeugt. Abl.: knospen (18. Jh.).

Knoten m: Die nhd. Form Knoten geht zurück auf mhd. knote, ahd. knoto „knotenförmige Verdickung, Knospe, Knorren, Knorpel", wozu auch die Bildungen →Knöterich und →Knüttel gehören. Daneben existierte früher die gleichbed. Form mhd. knode, ahd. knodo, zu der sich die Bildung →Knödel stellt. Verwandt sind die andersgebildeten Substantive mhd. knutte „Knoten", engl. knot „Knoten; Bündel", schwed. knut „Knoten" (s. Knute) sowie das Verb →knautschen, knutschen. Die ganze Sippe gehört zu einer umfangreichen Gruppe germ. Wörter, die mit kn- anlauten und von einer Bed. „zusammendrücken, ballen, pressen, klemmen" ausgehen (vgl. Knopf, Knust, knüllen, kneten). Abl.: knoten (13. Jh., mitteld. entknoten); knotig (15. Jh.). Zus.: Knotenpunkt (18. Jh.); Knotenstock (18. Jh.). – In der seemänn. Bed. „Seestundenmeile" ist Knoten Bedeutungslehnwort aus engl. knot, eigtl. „Knoten", dann speziell „Knoten in der Schnur, an der das Log befestigt ist".

Knöterich m: Der seit dem 15. Jh. bezeugte Pflanzenname ist eine Bildung zu dem unter →Knoten behandelten Wort. Die Pflanze ist nach ihren knotenförmigen Stengelgelenken benannt.

knuffen: Das im 18. Jh. aus dem Niederd. übernommene Verb ist entweder – wie z. B. puffen (s. d.) – lautnachahmenden Ursprungs oder gehört zu der germ. Wortgruppe von →Knopf. Abl. Knuff m „[leichter] Schlag, Stoß" (18. Jh.).

Knülch, Knilch m: Die Herkunft des ugs. Ausdrucks für „unangenehmer Mensch" ist ungeklärt. Das Wort ist seit dem Anfang des 20. Jh.s von Berlin und Hessen ausgehend in die Umgangssprache gedrungen.

knüll[e]: Der seit der ersten Hälfte des 19. Jh.s bezeugte, zunächst studentische Ausdruck für „bezecht, betrunken" gehört vermutlich zu →knüllen.

knüllen: Mhd. knüllen „stoßen, [er]schlagen", aengl. cnyllan „klopfen, schlagen", aisl. knylla „prügeln" gehen auf germ. *knuzljan „[zusammen]drücken, stoßen, schlagen" zurück, das mit den Sippen von →verknusen, →Knust, Knaus und →Knolle verwandt ist. Heute ist 'knüllen' im Sinne von „knautschen, zerknittern" gebräuchlich. Siehe auch die Artikel knüll[e] und Knüller.

Knüller m: Der ugs. Ausdruck für „Schlager, Reißer" ist eine junge, wahrscheinlich journalistische Prägung (vielleicht nach engl. striker), die sich an →knüllen in dessen mdal. Bed. „schlagen" anschließt.

knüpfen: Das nur dt. Verb mhd. knüpfen, ahd. knupfen ist von dem unter →Knopf dargestellten Substantiv in dessen alter Bed. „Knoten, Schlinge" abgeleitet und bedeutet demnach eigtl. „knoten, schlingen". Zum Vokalverhältnis o : u, ü beachte z. B. das Verhältnis von 'voll' zu 'füllen' und von 'Zorn' zu 'zürnen'.

Knüppel m: Das seiner Lautgestalt nach aus dem Niederd.-[Ost]mitteld. stammende Wort – oberd. mdal. gilt Knüpfel (mhd. knüpfel) – gehört im Sinne von „Knotenstock, Knorren" zu der Wortgruppe von →Knopf (beachte das Verhältnis von 'Knüttel' zu 'Knoten'). In nhd. Zeit hat sich 'Knüppel' mit einem zu „klopfen, kloppen gebildeten Klüppel (vgl. Klöppel) vermischt. Das abgeleitete Verb knüppeln „schlagen, prügeln" ist heute nur noch in den Zus. nieder- und zusammenknüppeln gebräuchlich. Beachte auch die Zus. Knüppeldamm, -weg, -brücke.

knurren: Das seit dem 16. Jh. bezeugte Verb ist – wie auch →knarren und →knirren, knirschen – lautnachahmenden Ursprungs. Es gibt hauptsächlich den Laut wieder, den ein gereizter Hund oder ein leerer Magen von sich geben. Abl.: knurrig „verdrießlich" (um 1800). Zus.: Knurrhahn (18. Jh.; der Fisch ist so benannt, weil seine Kiemendeckelknochen, sobald er an die Luft kommt, ein knurrendes Ge-

341

räusch hervorbringen; übertr. auch „mürrischer Mensch").

knuspern: Das seit dem 18. Jh. bezeugte, zunächst *niederd.* Verb ist – wie z. B. auch knuppern, knappern – lautnachahmenden Ursprungs. Abl.: knusp[e]rig „hart gebacken oder gebraten, lecker" (19. Jh.; *niederd.* 18. Jh.); Knusperchen *s* „eine Art Gebäck".

Knust *m*: Der *nordd.* Ausdruck für „Brotkanten; Brotrinde, Kruste" geht zurück auf *mnd.* knūst „knotiger Auswuchs, Knorren", vgl. *niederl.* knoest „Knorren", *dän.* knyst „Knorpel, Schwiele". Die verhochdeutschte Form K n a u s t ist heute veraltet. Daneben existiert eine Form ohne t: *südd. mdal.* K n a u s, beachte *schweiz.* chnūs „Knorren, Klumpen", *fläm.* knoes „Knorren, Brotkanten", *aisl.* knauss „Bergkuppe". Die ganze Sippe gehört zu einer umfangreichen Gruppe *germ.* Wörter, die mit knanlauten und von einer Bed. „zusammendrücken, ballen, pressen, klemmen" ausgehen (vgl. *verknusen, knüllen, Knolle, Knopf, Knoten*).

Knute *w* „Riemenpeitsche": Im Anfang des 17. Jh.s aus *russ.* knut entlehnt, das eigtl. „Knotenpeitsche" bedeutet und selbst aus *aisl.* knūtr „Knoten, Knorren" (verwandt mit dt. → *Knoten*) stammt.

knutschen: Das Verb, das seit dem Anfang des 20. Jh.s *ugs.* im Sinne von „heftig liebkosen, liebend und küssend an sich drücken" gebräuchlich ist, bedeutete früher „[zusammen]drücken, pressen, quetschen", beachte z. B. *mitteld.* (13. Jh.) zurknutschen „zerdrücken, *mhd.* knutzen „drücken, quetschen", *oberd.* (um 1500) knütschen „drükken". Die alte Bedeutung bewahrt die verhochdeutschte Form → *knautschen*. Über die weiteren Zusammenhänge s. den Artikel Knopf.

Knüttel, K n i t t e l *m*: Das auf das *dt.* Sprachgebiet beschränkte Substantiv (*mhd.* knüt[t]el, *ahd.* chnutil) ist eine Bildung zu dem unter → *Knoten* behandelten Wort in dessen älterer Bed. „Knorren" (beachte das zu 'Knopf' gehörige 'Knüppel', eigtl. „Knorren, Knotenstock"). Zus.: **Knüttelvers,** K n i t t e l v e r s *m* „vierhebiger, paarweise gereimter Vers; holpriger, schlechter Vers" (16. Jh.; das Bestimmungswort bedeutet hier soviel wie „Reim", beachte z. B. *engl.* staff „Stock, Stab" und „Vers, Stanze") Knüttelvers – daneben auch Knüppelvers – diente dann auch zur Wiedergabe von *gr.-lat.* versus rhopalicus („Keulenvers").

Koalition *w* „Vereinigung, [Parteien-, Staaten]bündnis": Im 18. Jh. als politisches Fachwort aus gleichbed. *frz.* coalition entlehnt, das selbst aus dem *Engl.* übernommen ist. Gleichbed. *engl.* coalition beruht auf *mlat.* coalitiō „Vereinigung, Zusammenkunft". Zu *lat.* co-alēscere (coalitum) „zu-sammenwachsen, sich vereinigen" und weiter zu *lat.* alere „[er]nähren, großziehen" (vgl. *Alimente*).

Kobalt *s*: Bis zum 17. Jh., als man Kobalt zur Blaufärbung zu nutzen begann, galt das Mineral als wertlos. Da die Bergleute in früheren Zeiten die Schädigung wertvoller Erze durch nicht nutzbare Erze oder Mineralien den Berggeistern zuschrieben, nannten sie das wertlose Mineral → *Kobold* (vgl. die Artikel Quarz, Nickel, Wolfram). Der Name ist seit dem 16. Jh. bezeugt (zunächst in den Formen kobol[e]t, kobelt, latinisiert cobaltum) und drang in die meisten europäischen Sprachen.

Koben *m*: *Mhd.* kobe „[Schweine]stall; Verschlag, Käfig; Höhlung", *mnd.* kove[n] „[Schweine]stall; armselige Hütte" (daher die Nebenform K o f e n), *engl.* cove „Verschlag, Unterschlupf", *norw.* kove „Verschlag" gehören im Sinne von „Erdhöhle, mit Flechtwerk abgedeckte Grube" zu der unter → *Keule* dargestellten Wortgruppe. Beachte auch den Artikel Kobold.

Kobold *m*: Das nur *dt.* Wort (*mhd.* kóbolt und kobólt) bezeichnete ursprünglich einen guten Hausgeist, dann allgemein einen neckischen Geist, der Gutes tun oder Schaden anrichten kann (vgl. den Artikel Kobalt). Es handelt sich wahrscheinlich um eine verdunkelte Zusammensetzung, deren erster Bestandteil das unter → *Koben* „Verschlag, Stall, Häuschen" behandelte Wort ist, während der zweite Bestandteil zu → *hold* (vgl. Unhold und Frau Holle) oder zu → *walten* (vgl. -walt in Zus.) gehören kann. Demnach würde 'Kobold' eigtl. „Stall-, Hausgeist" bzw. „Stall-, Hauswalter" bedeuten. Siehe auch den Artikel Kobolz.

Kobolz *m*: Das heute fast nur noch in der Wendung '[einen] Kobolz schießen', „[einen] Purzelbaum schlagen" gebräuchliche Wort hat sich im *nordd.* Sprachraum aus der endbetonten Form von → *Kobold* entwickelt. Die Bed. „Purzelbaum" bezieht sich auf das neckische, quirlige Gebaren eines Kobolds.

Koch *m*: Das *altgerm.* Substantiv (*mhd.* koch, *ahd.* choch, *niederl.* kok, *engl.* cook, *schwed.* kock) beruht auf einer frühen Entlehnung aus *lat.* (*vlat.* cocus) „Koch" (vgl. *kochen*). – Dazu als weibliche Bildung K ö c h i n *w* (15. Jh.).

kochen: Das auf das *Westgerm.* beschränkte Zeitwort (*mhd.* kochen, *ahd.* kochōn, *mnd.*, *niederl.* koken; die *nord.* Sippe von entspr. *schwed.* koka stammt aus dem *Mnd.*) beruht auf einer frühen Entlehnung aus *lat.* coquere (coctum, *vlat.* cocere) „kochen, sieden; reifen" (etymolog. verwandt z. B. mit *gr.* péssein „kochen; verdauen", pépōn „durch die Sonne gekocht, reif"). Abl.: K o c h e r *m* „Gerät zum Kochen" (18./19. Jh.). – Um *lat.* coquere gruppieren sich die Bildungen *lat.* coquus, *vlat.* cocus „Koch" (s. das LW

Koch), *lat.* coquīnus (*vlat.* cocīnus) „zum Kochen gehörig", dazu das Substantiv *spät-lat.* coquīna (in *vlat.* Aussprache cocīna) „Küche" (s. das LW Küche) mit unklarer lautlicher Entwicklung gleichbed. *lat.* culīna „Küche" (s. kulinarisch). – Beachte noch die hierher gehörenden FW →Aprikose und →Biskuit.

Köcher *m*: Die Herkunft des *westgerm.* Bezeichnung für das längliche Behältnis zum Aufbewahren und Tragen der Pfeile (*mhd.* kocher, kochǣre, *ahd.* kochar, chochāri, *niederl.* koker, *aengl.* cocer) ist nicht sicher geklärt.

kodd[e]rig: Der *nordd.* Ausdruck für „schäbig, schlecht; übel; unverschämt, frech" ist eine Ableitung von *nordd.* K o d d e r *m* „Lumpen, [Wisch]lappen" (*niederl.* kod[d]er), das vermutlich zu der Sippe von →Kotze *landsch.* für „Wollzeug" gehört. In der Bed. „unverschämt, frech" stellt sich 'kodderig' wohl zu *niederl.* kod[d]er „Schleim, Rotz".

Kode *m* „System von verabredeten Zeichen": Junges FW des 19./20. Jh.s aus dem Bereich der Fernmeldetechnik und des militärischen Nachrichtenwesens. Es ist aus gleichbed. *engl.* code, *frz.* code entlehnt und geht letztlich auf *lat.* cōdex „Schreibtafel; Buch; Verzeichnis" zurück (vgl. *Kodex*).

Köder *m*: Das nur *dt.* Wort für „Lockspeise" (*mhd.* kö[r]der, querder, *ahd.* querdar) gehört wahrscheinlich im Sinne von „Fraß, Speise" zu der vielgestaltigen *idg.* Wz. *g^u̯er[ə]-* „fressen, verschlingen", vgl. aus anderen *idg.* Sprachen z. B. *aind.* giráti „verschlingt", *lit.* gérti „trinken" und *lat.* gurguliō „Schlund, Kehle" (s. Gurgel). Auch die unter →Kragen (urspr. „Schlund") behandelte Sippe gehört zu dieser Wurzel. Abl.: ködern (*mhd.* kerdern, querdern).

Kodex *m* „Handschrift; Gesetzbuch, Gesetzessammlung", auch übertragen gebraucht in der Zus. Ehrenkodex: Das erst im 18. Jh. allgemeiner bekanntgewordene FW stammt aus der Gelehrtensprache, wo es aus *lat.* cōdex entlehnt ist. Dies bedeutet eigtl. „abgeschlagener Baum, gespaltenes Holz" (zu *lat.* cūdere „schlagen", das mit *dt.* →hauen urverwandt ist), dann übertragen „Schreibtafel (aus gespaltenem Holz); Buch; Verzeichnis usw.". Aus *lat.* cōdex stammt entspr. *frz.*, *engl.* code (s. Kode). – Abl.: kodifizieren „[Rechts]normen systematisch [in einem Gesetz] erfassen", Kodifikation *w*, beides junge *nlat.* Bildungen (Grundwort ist *lat.* facere „machen, tun"; vgl. *Fazit*).

Koffein *s*: Das Substantiv ist die medizinisch-fachsprachliche Bezeichnung für einen besonders in der Kaffeebohne und im Teeblatt enthaltenen, synthetisch herstellbaren pflanzlichen Wirkstoff, der in der Medizin u. a. als [Kreislauf]anregungsmittel Verwendung findet. Das Wort ist eine gelehrte *nlat.*

Bildung (19. Jh.) zu →*Kaffee* bzw. zu der entspr. *engl.* Form coffee „Kaffee". Im *Engl.* selbst gilt dafür caffeine (aus gleichbed. *frz.* caféine).

Koffer *m*: Das Substantiv erscheint zuerst im 14. Jh. am Niederrhein als coffer, cuffer mit der Bed. „Kiste, Truhe". Im 16. Jh. gelangt es mit dieser Bedeutung in die Hochsprache. Die heute vor allem gültige spezielle Bed. „Reisekoffer" setzt sich erst im 18./19. Jh. durch. – Was die Herkunft des Wortes betrifft, so wurde es durch *niederl.* Vermittlung aus *frz.* coffre „Kiste, Kasten, Truhe, Lade; Koffer" entlehnt, das seinerseits vermutlich (bei unklarem Suffix) auf *spätlat.* cophinus „Weidenkorb" beruht. Die letzte bekannte Quelle des Wortes ist dann *gr.* kóphinos „großer Weidenkorb".

Kogge *w*: Das hochbordige, dickbauchige Segelschiff, wie es speziell von der Hanse verwendet wurde, ist nach seiner kugelartig runden Gestalt benannt. Die *niederl.* Form Kogge geht auf *mnd.* kogge zurück, das mit älter *nhd.* Kocke (*mhd.* kocke, *ahd.* kocho) und *engl.* cog zu der Sippe von →Kugel gehört (vgl. *Keule*).

¹Kohl *m*: Wie mehrere andere Gemüsearten (beachte z. B. die Artikel Kürbis und Zwiebel), so lernten die Germanen auch den Kohl durch die Römer kennen und übernahmen mit der Pflanze auch das Wort. *Ahd.* kōl, kōli, chōlo, *mhd.* kōl, kœl[e], *asächs.* kōli, *aengl.* cā[u]l, *cāwel* (*engl.* cole) sind entlehnt aus *lat.* caulis „Kohl", das eigtl. „Strunk, Stengel, Stiel" bedeutet (vgl. *hohl*). Auf *lat.* caulis beruhen z. B. auch *frz.* chou und *it.* cavolo (s. Karfiol und Kohlrabi).

²Kohl *m* „Unsinn, Geschwätz" (*ugs.*): Das am Ende des 18. Jh.s in der Studentensprache aufkommende Wort stammt vermutlich aus *hebr.* qōl > *jidd.* kol „Stimme, Sprache, Rede", hat sich aber früh mit →¹Kohl „Kraut" vermischt. – Abl.: ¹kohlen „törichtes Zeug reden, schwindeln" (*ugs.*; 18. Jh.), dazu das Präfixverb verkohlen „anführen" (*ugs.*; 19. Jh.).

Kohldampf *m* „Hunger" (*ugs.*), häufig in der Wendung 'Kohldampf schieben': Das am Ende des 19. Jh.s durch die Soldatensprache allgemein bekannt werdende Wort stammt aus dem *Rotwelschen*. Grundwort ist →Dampf, das in der Gaunersprache für „Hunger" gebraucht wird, Bestimmungswort *rotwelsch* Kohler, Kol[l]er „Hunger" (vielleicht identisch mit →¹Koller „Wut"). Die Zusammensetzung hat jedenfalls tautologischen Charakter.

Kohle *w*: Das *altgerm.* Wort *mhd.* kol, *ahd.* kol[o], *niederl.* kool, *engl.* coal, *schwed.* kol bezeichnete zunächst die Holzkohle und ging dann auf die Braun- und Steinkohle über. Mit *germ.* *kula[n]-* „Holzkohle" ist *ir.* gúal „Kohle" verwandt. Die weiteren *idg.* Beziehungen sind unklar. – Auf den

343

tiefschwarzen Farbton der Steinkohle beziehen sich z. B. die Zus. kohlschwarz, Kohlmeise (mhd. kolemeise; nach dem schwarzen Kopf), Kohlrabe (18. Jh.), dazu kohlrabenschwarz. Abl.: ²kohlen „schwelen; Kohlen brennen" (14. Jh.; beachte auch bekohlen „mit Kohlen versorgen" und verkohlen „zu Kohle verbrennen"); Köhler m (mhd. koler, köler „Kohlenbrenner"). Zus.: Kohlensäure (19. Jh.); Kohlenstoff (19. Jh.).

Kohlrabi m: Der Anbau der Gemüseart, die bereits im Mittelalter in Mitteleuropa bekannt war, wurde in der Neuzeit von Italien ausgehend neu gefördert. In diesem Zusammenhang wurden aus it. hochsprachl. cavoli rape (Mehrz.), mdal. cauliravi „Kohlrabi" (vgl. Kohl und Rübe) die dt. Formen im 17./18. Jh. entlehnt. Die heute übliche Form Kohlrabi – umgedeutscht auch Kohlrabe – hat sich im ersten Bestandteil an das Wort ¹Kohl angelehnt. Die Form Kohlrübe, die in Teilen Deutschlands aber als Bezeichnung für die Steckrübe (weiße Rübe, Wruke) dient, hat sich im zweiten Bestandteil an das Wort Rübe angeschlossen.

Koitus m (medizin.-fachsprachl. für:) „Beischlaf": Aus gleichbed. lat. coitus (eigtl. „das Zusammengehen, das Zusammenkommen") entlehnt. Über das Stammwort lat. īre „gehen" (coīre „zusammengehen") vgl. den Artikel Abiturient. Abl.: koitieren „begatten" (medizin., nlat. Bildung).

Koje w „Schlafstelle [auf Schiffen]", ugs. auch scherzhaft für „Bett": Um 1600 durch Vermittlung von mnd., mniederl. koye (= niederl. kooi) aus lat. cavea „Käfig, Behältnis" entlehnt, das auch das LW → Käfig lieferte.

Kokain s: Die wissenschaftl. Bezeichnung für das aus den Blättern des Kokastrauchs gewonnene Rauschgift, das in der Medizin als Betäubungs- und Arzneimittel eine Rolle spielt, entstand im 19. Jh. Der Kokastrauch ist in Südamerika beheimatet. Sein über die Ketschua-Sprache aus der Aimara-Sprache stammender span. Name coca erscheint schon im 16. Jh. in nhd. Texten (heute besonders bekannt durch 'Coca-Cola'). Die berauschende Eigenschaft der Blätter des Kokastrauches lernten die Europäer von den peruan. Eingeborenen kennen, die diese Blätter – wie die Inder den Betel – täglich zu kauen pflegen und sich dadurch in einen euphorischen Zustand körperlicher Hochleistungsfähigkeit versetzen. – In der Gaunersprache entwickelte sich aus dem FW Kokain das heute ugs. weit verbreitete Wort ³Koks m (dazu die Abl.: koksen „Kokain schnupfen" und Kokser m).

kokett „eitel, gefallsüchtig": Im 17./18. Jh. aus gleichbed. frz. coquet entlehnt, das als Ableitung von frz. coq „Hahn" eigtl. „hahnenhaft" bedeutet. Etwas früher als das Adjektiv erscheint bei uns das substantivierte Femininum Kokette w „gefallsüchtige Frau" (aus frz. coquette). Aus der gleichen Wortfamilie wurden noch die Ableitungen frz. coqueter und coquetterie übernommen: kokettieren „gefallsüchtig sein; liebäugeln" und Koketterie w „Gefallsucht" (beide im 18. Jh.). Frz. coq ist gleichbed. mit engl. cock (das uns als Bestimmungswort in den FW → Cocktail und → Cockpit begegnet). Beide, frz. coq und engl. cock, sind lautnachahmenden Ursprungs und gehen auf coco zurück, das den Naturlaut der Hühner wiedergibt (beachte schon mlat. coccus „Hahn"). Gleicher Herkunft ist in der Kindersprache entstandene Substantiv frz. cocotte „Hühnchen, Henne", das in der Vulgärsprache zur Bezeichnung für ein leichtes Mädchen, eine Dirne wurde (in diesem Sinne im 19. Jh. als Kokotte w entlehnt).

¹Koks m „(aus Stein- oder Braunkohle gewonnener) Brennstoff": Um 1800 aus der Mehrz. cokes von engl. coke entlehnt. Das engl. Wort, das aus mengl. colk „Kern[gehäuse]" hervorgegangen ist, gehört zu der unter → Kolben dargestellten idg. Sippe. – Abl.: koken „Koks herstellen"; Koker m „Koksarbeiter"; Kokerei w „Betrieb zur Herstellung von Koks".

²Koks m „steifer Hut" (ugs.): Die um 1900 aufgekommene Bezeichnung stammt vielleicht aus dem Jidd. (beachte jidd. gag „Dach").

³Koks siehe Kokain.

Kolben m, veralt. Kolbe w: Das Wort bezeichnete in ahd. und mhd. Zeit die Keule, wie sie speziell den Hirten und umherziehenden Narren als Waffe diente. Dann ging das Wort auf keulenförmige dicke Pflanzen oder Pflanzenteile über, beachte z. B. die Zus. Maiskolben, Schilfkolben. Weiterhin wurde es auf keulenähnliche Gegenstände, Maschinenteile und Geräte übertragen, beachte z. B. die Zus. Gewehrkolben, Zylinderkolben, Schiffskolben, Destillierkolben. – Mhd. kolbe, ahd. kolbo, mnd. kolve und die nord. Sippe von aisl. kolfr „Bolzen, Pfeil mit stumpfem Ende" gehören im Sinne von „Stock oder Stiel mit dickem Ende, klumpenförmiger Gegenstand" zu der umfangreichen Wortgruppe der vielfach erweiterten idg. Wz. *gel[ə]- „zusammendrücken, ballen; sich ballen, klumpig werden", nominal „Geballtes, Klumpen, Kugel". Eng verwandt ist z.B. lat. globus „Erdkugel" (s. Globus). Im germ. Sprachbereich sind weiterhin verwandt die Sippen von → Klumpen, → Klüngel, → Klunker, → Kloß, → Klotz, → Knäuel, → ¹Koks sowie vermutlich die unter → Kalb (eigtl. „Schwellung, Leibesfrucht") behandelten Wörter. Außergerm. vergleichen sich z. B. lat. galla „kugelartiger Auswuchs, Gallapfel" (s. ²Galle) und glomus „Kloß, Knäuel" (s. Konglomerat). – An die Bedeutungswendung „zusammendrücken, umklammern, packen" schließen sich an die Sippen von →klemmen, →klamm, →Klamm, →Klammer, →Klampe, Klampfe, →klimmen und →klettern (eigtl. „sich festklammern"), →Klette (nach den anhaftenden Blütenköpfen) sowie die Sippen von →Klaue (eigtl. „die Packende" oder „die Geballte") und →Klafter (eigtl. „Armvoll, so viel man mit beiden Armen umfassen kann"). – Von der Bedeutungswendung „sich ballen, klumpig oder klebrig werden, kleben, schmieren" gehen aus die Sippen von →Klei „fette, zähe Tonerde", →Kleie (eigtl. „klebrige Masse"), →Kleister, →kleiben (eigtl. „kleben machen"), →kleben, →Klee (nach dem klebrigen Saft) sowie die Sippen von →Kleid (eigtl. „das mit Klei Gewalkte") und →klein (eigtl. „mit Fett eingeschmiert" oder „verschmiert, verputzt"). Verwandt sind wahrscheinlich auch die unter →kalt behandelten Wörter, die auf eine Wz. *gel- „abkühlen, gefrieren" (wohl eigtl. „klumpig werden, gerinnen") zurückgehen.

Kolchose w, auch Kolchos m: Die Bezeichnung für „landwirtschaftliche Produktionsgenossenschaft (in der Sowjetunion)" wurde in der ersten Hälfte des 20. Jh.s entlehnt aus *russ.* kolchóz, Kurzform von russ. kollektívnoe chozjájstvo „Kollektivwirtschaft".

Kolibri m: Der Name des sehr kleinen, prächtig gefiederten exotischen Vogels ist in Europa zuerst für das *Frz.* (colibri) bezeugt (1640). Durch die Franzosen, die ihn wohl im Kolonialgebiet der Kleinen Antillen kennenlernten, wurde sein Name auch den anderen Europäern bekannt. Bisher gibt es keine überzeugende etymologische Deutung des Wortes.

Kolik w „krampfartig auftretender Schmerz im Leib und seinen Organen": Im 16. Jh. als medizinisches Fachwort aus gleichbed. *lat.* cōlica< *gr.* kōliké (nósos) entlehnt. Zugrunde liegt das wohl zur *idg.* Sippe von →scheel gehörende *gr.* Substantiv kōlon, das zunächst allgemein jedes Glied des menschl. oder tierischen Körpers bezeichnet und das dann zur Benennung verschiedener gliedartiger Dinge wurde (beachte z. B. die Bed. „Satzglied" in unserem FW →Semikolon). Hier erscheint es im Sinne von „Grimmdarm".

Kolkrabe m: Der seit dem 16. Jh. bezeugte Vogelname enthält als Bestimmungswort ein lautnachahmendes 'kolk'. Im Gegensatz zu anderen Rabenarten, die krächzen, gibt der größte Rabenvogel einen eigentümlichen, mit 'kolk' wiederzugebenden Laut von sich. Beachte auch die lautnachahmenden Verben kolken, kolksen, kolpen *landsch.* für „krächzen, gurgeln, rülpsen, brechen", *schwed.* kolka, kulka „gurgeln" usw.

kollabieren „einen plötzlichen Schwächeanfall erleiden" (Med.): In neuerer Zeit aus *lat.* col-lābī „zusammensinken, zusammenbrechen" entlehnt, einem Kompositum von *lat.* lābī „gleiten, schlüpfen; ausgleiten, straucheln" (vgl. hierüber *labil*). Dazu das Substantiv Kollaps m „plötzlicher Schwächeanfall" (aus *mlat.* collápsus „Zusammenbruch").

Kollaborateur m „wer mit dem Feind zusammenarbeitet": Während des 2. Weltkrieges aus *frz.* collaborateur entlehnt. Das *frz.* Wort ist eine gelehrte Abl. von collaborer „mitarbeiten", das auf *spätlat.* collabōrāre zurückgeht. Über das zugrunde liegende Substantiv *lat.* labor „Mühe, 'Arbeit usw." vgl. den Artikel *laborieren*.

Kollege m „Amts-, Berufsgenosse; Mitarbeiter": Im 16. Jh. aus gleichbed. *lat.* collēga (eigtl. „Mitabgeordneter") entlehnt, das zum Stammwort *lat.* lēx (lēgis) „Gesetz" (vgl. *legal*) bzw. zu dem davon abgeleiteten Verb *lat.* lēgāre „jmdn. (auf Grund einer gesetzl. Verpflichtung) zu etwas abordnen, bestimmen" gehört. – Dazu auch das Adjektiv kollegial „amtsbrüderlich; einträchtig; hilfsbereit" (17. Jh.; aus gleichbed. *lat.* collēgiālis), ferner das Substantiv Kollegium s „Kollegenschaft, Amtsgenossenschaft, Amtsgemeinschaft" (17. Jh.; aus gleichbed. *lat.* collēgium). Im akademischen Bereich entwickelte *lat.* collēgium eine Spezialbedeutung „gelehrte Zusammenkunft, privates Seminar; Vorlesung" (als Ersatzwort für den älteren Fachterminus 'lēctio'), die in den heutigen FW fortwirkt.

Kollekte w „Sammlung freiwilliger Gaben (Dankopfer) bei und nach dem Gottesdienst": Im 16. Jh. aus *lat.* collēcta „Beisteuer, Beitrag, Geldsammlung" entlehnt. Zu *lat.* colligere „zusammenlesen, sammeln". Über die etymolog. Zusammenhänge vgl. den Artikel *Legion*. – *Lat.* col-ligere ist auch Ausgangspunkt für die FW **Kollektion** w „Mustersammlung (von Waren); Auswahl" (18. Jh.; aus *frz.* collection < *lat.* collēctiō „Aufsammeln, Sammlung") und **kollektiv** „gemeinsam, gemeinschaftlich, gruppenweise; umfassend" (aus *lat.* collēctivus „angesammelt"). Letzteres lebt besonders in Zus. wie Kollektivschuld und in den jungen, durch das *Russ.* vermittelten Substantiv Kollektiv s „Arbeits- und Produktionsgemeinschaft (bes. in der kommunistischen Wirtschaft; z. B. Kolchose)".

Koller m: Der in der *Ugs.* weit verbreitete Ausdruck für „Wutausbruch, Tobsuchtsanfall" geht auf *mhd.* kolre, *ahd.* kolero „ausbrechende oder stille Wut" zurück. Quelle des Wortes ist (wie auch für *frz.* colère „Zorn, Wut") *gr.-lat.* choléra „Gallenbrechdurchfall" (vgl. *Cholera*) mit einer im *Mlat.* entwickelten übertr. Bed. „galliges Temperament, Zornesausbruch" (s. cholerisch). –

Schriftsprachlich lebt das Substantiv Koller nur in der jungen Zus. Tropenkoller. – Siehe auch Kohldampf.

¹kollern, *landsch.* auch **kullern:** Das seit dem 17. Jh. bezeugte Verb ist wahrscheinlich lautnachahmender Herkunft und gibt hauptsächlich den Laut des Truthahns und die Balztöne einiger Vogelarten wieder.

²kollern, *landsch.* auch **kullern** ,,rollen, purzeln": Das seit dem Anfang des 18. Jh.s bezeugte Verb ist von **Koller, Kuller** *w mdal.,* bes. *mitteld.* für ,,Kugel" abgeleitet. Dieses Substantiv ist weitergebildet aus gleichbed. *mdal.* Kulle, das aus *mhd.* kugele ,,Kugel" entstanden ist (vgl. *Kugel).* Zus.: **Kulleraugen** *Mehrz. ugs.* für ,,erstaunte, große runde Augen" (20. Jh.).

kollidieren ,,zusammenstoßen; sich überschneiden, sich kreuzen": Im 17. Jh. aus *lat.* col-līdere ,,zusammenstoßen, aufeinanderprallen", einem Kompositum von *lat.* laedere ,,verletzen, beschädigen" (vgl. *lädieren),* entlehnt. Dazu das Substantiv **Kollision** *w* ,,Zusammenstoß (konkret); Widerstreit (von Interessen, Rechten, Pflichten usw.)", im 16. Jh. aus *lat.* collīsiō.

Kollier *s* ,,Halsschmuck": Zu Beginn des 19. Jh.s aus *frz.* collier ,,Halsring, Halsstück; Halsschmuck" entlehnt, das auf *lat.* collāre (collārium) ,,Halsband" zurückgeht. Das zugrunde liegende Substantiv *lat.* collum ,,Hals" ist urverw. mit *dt. →Hals.* – Siehe auch Dekolleté und dekolletiert.

Kolonie *w* ,,Ansiedlung (von Menschen außerhalb des Mutterlandes); auswärtiges Besitztum eines Staates": Im 16. Jh. aus *lat.* colōnia ,,Länderei, Vorwerk, Ansiedlung, Niederlassung, Kolonie" entlehnt. Zugrunde liegt *lat.* colere ,,bebauen, [be]wohnen; pflegen, ehren" bzw. das davon abgeleitete Substantiv *lat.* colōnus ,,Bebauer, Bauer, Ansiedler" (beachte auch das hieraus entlehnte *frz.* colon > *engl.* clown in →Clown). Zu *lat.* colere gehören auch die Substantive *lat.* cultus ,,Pflege; Bildung, Erziehung; Verehrung, Huldigung" und *lat.* cultūra ,,Pflege (des Körpers und Geistes); Landbau usw." (siehe hierzu im einzelnen die Artikel →Kult, kultisch, kultivieren, →Kultur, kulturell). Etymologisch verbindet man *lat.* colere mit der unter →Hals dargestellten *idg.* Wz. *k^u̯el- ,,[sich] drehen, [sich] herumbewegen", so daß als urspr. Bedeutung für 'colere' etwa ,,emsig beschäftigt sein; sich gewöhnlich irgendwo aufhalten" anzusetzen wäre. – Abl.: **kolonial** ,,die Kolonien betreffend, aus ihnen stammend" (19. Jh.; aus *frz.* colonial), vorwiegend (und schon früher) in Zus. gebraucht wie **Kolonialgebiet, Kolonialpolitik** (19. Jh.), **Kolonialwaren** (veraltete Bezeichnung für Lebens- und Genußmittel [aus Übersee], um 1800 aufgekommen); **Kolonist** *m* ,,[An]siedler" (18. Jh.; aus *engl.* colonist); **kolonisieren** ,,Kolonien gründen und entwickeln" (18. Jh.; nach *frz.* coloniser, *engl.* to colonize); **Kolonisation** *w* ,,Gründung und Entwicklung von Kolonien; wirtschaftl. Erschließung rückständiger Gebiete des eigenen Staates" (18./19. Jh.; nach *frz.*, *engl.* colonisation).

Kolonne *w* ,,Marschformation [der Truppe]; Gliederungseinheit; [Zahlen]reihe": Im 18. Jh. aus *frz.* colonne ,,Säule; senkrechte Reihe; Marschformation" entlehnt, das auf *lat.* columna ,,Säule" (vgl. *kulminieren)* zurückgeht. – Dazu: **Kolonnade** *w* ,,Säulengang, -halle" (18. Jh.; aus gleichbed. *frz.* colonnade).

Koloratur *w* ,,Ausschmückung und Verzierung einer Melodie mit einer Reihe umspielender Töne" (beachte auch die Zus. **Koloratursopran):** Um 1600 als musikal. Terminus aus *it.* coloratura ,,Farbgebung; Ausmalung, Verzierung, Ausschmückung" entlehnt, das von *lat.-it.* colōrāre ,,färben; (übertr.) Farbe, Schwung geben; ausschmücken" abgeleitet ist (beachte auch die FW →kolorieren und →Kolorit, die gleichfalls von colōrāre bzw. von der Nebenform *it.* colorire ausgehen). Zugrunde liegt das *lat.* Substantiv color ,,Farbe, Färbung, Tönung, Ausschmückung", das zu der unter →hehlen dargestellten *idg.* Wortsippe gehört.

kolorieren ,,mit Farben ausmalen, bemalen": Im 16. Jh. aus *lat.* colōrāre ,,färben" entlehnt (vgl. *Koloratur).*

Kolorit *s* ,,Farb[en]gebung, Farbwirkung (auch im übertragenen Sinne)": Im 18. Jh. aus *it.* colorito entlehnt, das zu colorire (= colorare) ,,färben; Farbe, Schwung geben; ausschmücken" gehört (vgl. *Koloratur).*

Koloß *m* ,,Riesenstandbild, mächtiges Bauwerk", vielfach übertragen gebraucht im Sinne von ,,Riese; Ungetüm": Das seit dem Ende des 16. Jh.s bezeugte FW geht auf *lat.* colossus < *gr.* kolossós ,,Riesenstatue" zurück. Das *gr.* Wort stammt selbst wohl aus einer *vorgr.* Mittelmeersprache. – Dazu das abgeleitete Adjektiv **kolossal** ,,riesenhaft, gewaltig" (18./19. Jh.), das unter dem Einfluß *frz.* colossal das ältere **kolossalisch** (18. Jh.) ablöst.

kolportieren ,,Waren herumtragen und feilbieten, hausieren; (übertr.:) Gerüchte verbreiten": Im 19. Jh. aus *frz.* colporter entlehnt, das aus älterem comporter stammt. Voraus liegt *lat.* com-portāre ,,zusammentragen" (vgl. *kon...* und *Porto).* – Dazu das Substantiv **Kolportage** *w* ,,Hausierhandel mit Büchern" (19. Jh.; aus *frz.* colportage), beachte bes. die Zus. **Kolportageliteratur** ,,billige, wertlose Unterhaltungsliteratur".

Kolumne *w* ,,senkrechte Reihe, Spalte, [Druck]seite": Ein Wort der Druckersprache, im 16. Jh. aus *lat.* columna ,,Säule" entlehnt (über die etymologischen Zusammenhänge vgl. den Artikel *kulminieren*). Abl.: **Kolumnist** *m* „Journalist, dem eine bestimmte Spalte einer Zeitung ständig zur Verfügung steht" (20. Jh.).

kombinieren „[planmäßig] zusammenstellen, berechnen, folgern": Das Wort ist seit dem 17. Jh. bezeugt, zunächst in der eigtl. Bedeutung des vorausliegenden *lat.* Verbs combīnāre „je zwei zusammenbringen; vereinigen" (zu *lat.* bīnī „je zwei", *lat.* bis „zweimal"; vgl. *bi...*). Diese Bedeutung wurde dann auf verschiedene Bereiche übertragen, was noch deutlicher in dem dazugehörigen Substantiv **Kombination** *w* (17. Jh.; aus *spätlat.* combīnātio „Vereinigung") zum Ausdruck kommt. Es bezeichnet einmal die planmäßige Zusammenstellung verschiedener Möglichkeiten, ihre Untersuchung und die daraus resultierende Schlußfolgerung bzw. Vermutung. Zum anderen gilt es z. B. auch – näher bei der Grundbedeutung – in der Mode im Sinne von „Zusammenstellung modisch aufeinander abgestimmter Kleidungsstücke". Auch die Sportsprache hat das Wort übernommen, und zwar in der Bed. „planmäßiges Zusammenspiel" (Fuß-, Handball usw.). – Von Interesse ist in diesem Zusammenhang noch die aus dem zweiten Partizip von 'kombinieren' entwickelte Kurzform Kombi... in Zus. wie **Kombiwagen** und **Kombischrank**, aus denen dann durch Kürzung das selbständige Substantiv **Kombi** *m* (zur Bezeichnung mehrfacher Verwendbarkeit) entstand (20. Jh.).

Kombüse *w*: Der seit dem Anfang des 18. Jh.s in *hochd.* Texten bezeugte seemänn. Ausdruck für „Schiffsküche" stammt aus gleichbedeutend *niederd.* kambüse, das eine jüngere Nebenform mit m von *mnd.* kabūse „Bretterverschlag auf dem Schiffsdeck, der zum Kochen und Schlafen dient" ist (vgl. *Kabüse*).

Komet *m* „Schweif-, Haarstern": Das Substantiv (*mhd.* kométe) geht über *lat.* comēta, comētēs auf *gr.* komḗtēs „haartragend; Haarstern" zurück. Es gehört zu *gr.* kómē „[Haupt]haar", dessen Herkunft unsicher ist.

Komfort *m* „luxuriöse Ausstattung, Einrichtung; Bequemlichkeit": Im 19. Jh. aus *engl.* comfort „Behaglichkeit, Bequemlichkeit" entlehnt, das mit einer Grundbed. „Trost, Stärkung; Zufriedenheit" auf *afrz.* (= *frz.*) confort „Trost, Stärkung" zurückgeht. Dies ist abgeleitet von *afrz.* conforter „stärken, trösten" < *kirchenlat.* con-fortāre. Zugrunde liegt das *lat.* Adjektiv fortis „stark, kräftig, fest" (vgl. *Fort*). – Dazu das Adjektiv **komfortabel** „mit allen Bequemlichkeiten ausgestattet, behaglich, wohnlich" (19. Jh.; aus gleichbed. *engl.* comfortable < *afrz.* confortable „Trost, Stärkung bringend").

komisch „possenhaft; belustigend; sonderbar, wunderlich": Das seit dem 15. Jh. bezeugte Adjektiv, das bis ins 17. Jh. noch streng im Sinne von „zur Komödie gehörig" galt und erst dann unter *frz.* Einfluß die allgemeineren Bedeutungen annahm, geht auf *lat.* cōmicus < *gr.* kōmikós „zur Komödie gehörig; possenhaft, lächerlich" zurück. Zugrunde liegt das *gr.* Substantiv kōmos „fröhlicher Umzug, lärmende Schar, festlicher Gesang", das als Bestimmungswort in dem für das Adjektiv bedeutsamen Substantiv *gr.* kōm-ōidía erscheint (s. Komödie, Komödiant). – Dazu noch die FW: **Komik** *w* „die Kunst, das Komische darzustellen" (19. Jh.; aus *frz.* le comique) und **Komiker** *m* (19. Jh.).

Komitee *s* „leitender Ausschuß": Im 18. Jh. aus *frz.* comité entlehnt, das auf gleichbed. *engl.* committee zurückgeht. Dies gehört zu *engl.* to commit (< *frz.* committere < *lat.* com-mittere) „anvertrauen, übertragen". Über das Grundverb *lat.* mittere „schicken; beauftragen usw." vgl. den Artikel *Mission*.

Komma *s* „Beistrich (als Satzzeichen)": Im 17. Jh. aus *lat.* comma, *gr.* kómma „Schlag; Abschnitt, Einschnitt" entlehnt. Das zugrunde liegende Verb *gr.* kóptein „stoßen, schlagen, hauen" stellt sich wohl zu der unter →*schaben* dargestellten *idg.* Sippe.

kommandieren „befehligen, befehlen": Um 1600 aus gleichbed. *frz.* commander entlehnt, das ins entspr. *it.* comandare und *vlat.* *com-mandāre zurückgeht. Dies steht im *klass.-lat.* com-mendāre „anvertrauen, übergeben; Weisung geben". Zum Grundverb *lat.* mandāre „übergeben, anvertrauen; beauftragen" vgl. *Mandat*. Dazu: **Kommando** *s* „Befehl, Befehlswort; Befehlsgewalt; Truppenabteilung mit Sonderauftrag" (um 1600 aus *it.* comando, zu *it.* comandare „befehlen"); **Kommandant** *m* „Befehlshaber (eines Schiffes, einer Festung, einer Stadt usw.)" neben **Kommandeur** *m* „Befehlshaber einer Truppenabteilung", beide gleichfalls um 1600 aus dem *Frz.* entlehnt (*frz.* commandant und commandeur); **Kommandantur** *w* „Dienstgebäude eines Kommandanten" (18./19. Jh.; *nlat.* Bildung). Hierher noch das Substantiv **Kommodore** *m* „Geschwaderführer (bei Marine und Luftwaffe); erprobter ältester Kapitän großer Schiffahrtslinien" (18/19. Jh.), das aus *engl.* commodore (älter: commandore < *frz.* commandeur) entlehnt ist.

kommen: Das *gemeingerm.* Verb *mhd.* komen, *ahd.* koman, queman, *got.* qiman, *engl.* to come, *schwed.* komma geht mit verwandten Wörtern in den meisten anderen *idg.* Sprachen auf die Wz. *gʷem- „gehen, kommen" zurück, vgl. z. B. *lat.* venīre „kommen" (s. die unter Advent dargestellte Fremdwörtergruppe), *gr.* baínein „gehen" (s. Basis) und *lit.* gìmti „zur Welt kommen, geboren werden". – Verbaladjektiv zu 'kommen' ist →bequem. Das Verbalabstraktum **Kunft** w „Kommen, Ankunft", von dem →künftig abgeleitet ist, lebt heute fast nur noch in Zusammensetzungen (s. u.). Zus. und Präfixbildungen: **abkommen** „weg-, loskommen; sich entfernen", früher speziell „von einer Verhandlung mit jemandem loskommen, zu einem Ergebnis gelangen" (*mhd.* abekomen, *ahd.* abaqueman), dazu **Abkommen** *s* „Übereinkunft, Vertrag" (18. Jh.), **abkömmlich** (19. Jh.), **Abkunft** „Abstammung, Geschlecht", früher auch „Übereinkunft" (17. Jh.); **ankommen** „erreichen, erlangen; eintreffen; abhängen, bedingt sein; überkommen, befallen; eingestellt werden, angenommen werden; Zuspruch finden, Erfolg haben" (*mhd.* anekomen, *ahd.* anaqueman), dazu **Ankömmling** (17. Jh.), **Ankunft** (16. Jh.); **aufkommen** „in die Höhe kommen, sich erheben; entstehen, sich regen; für etwas geradestehen, ersetzen; heranreichen, ebenbürtig sein; sich heranschieben, sich nähern" (*mhd.* ūfkomen, *ahd.* ūfqueman); **auskommen** „ausreichen, langen; sich vertragen", eigtl. „aus etwas heraus oder bis zum Ende kommen" (*mhd.* ūzkomen, *ahd.* ūzqueman), dazu **auskömmlich** „ausreichend, genügend" (18. Jh.), **Auskunft** (18. Jh.), „Angabe, um sich in einer Angelegenheit zurechtzufinden, Bescheid, wie es sich mit einer Sache verhält", früher „Weg oder Mittel, um aus etwas herauszukommen" (18. Jh.), dazu wiederum **Auskunftei** *w* „Auskunftsstelle" (19. Jh.; gebildet wie 'Abtei', 'Pfarrei' usw.); **bekommen, bekömmlich** (s. d.); **einkommen** „eintreffen, hereinkommen (von Geld usw.); nachsuchen, bitten" (*mhd.* īn komen), dazu **Einkommen** *s* „ständige Einnahme, Verdienst, Gehalt" (*mhd.* īnkomen „Eintreffen, Ankunft"), **Einkünfte** *Mehrz.* „Einnahmen, Ertrag, Verdienst" (*mhd.* īnkunft „Eintreffen, Ankunft"; die heutige Bedeutung seit dem 17. Jh.); **entkommen** „entrinnen, entwischen" (*mhd.* entkomen); **herkommen** „von etwas ausgehen oder herrühren; abstammen" (15. Jh.), dazu **Herkommen** *s* „Abstammung; Gewohnheit, Brauch" (15. Jh.), **herkömmlich** „allgemein üblich" (18. Jh.), **Herkunft** „Abstammung, Ursprung" (17. Jh.); **nachkommen** „folgen, hinterhergehen oder -laufen; befolgen, erfüllen"(*mhd.*nach komen); **Nachkomme** *m* (*mhd.* nāchkome „Nachfolger"), dazu **Nachkommenschaft** *w* (17. Jh.), **Nachkömmling** *m* (*mhd.* nāchkomelinc „Nachfolger, Nachkömmling"); **niederkommen** „gebären" (*mhd.* nider komen „herabfallen, herunterkommen; zu Bett gehen, sich hinlegen"), dazu **Niederkunft** „Entbindung" (17. Jh.); **überkommen** „befallen, sich bemächtigen; überliefert werden" (*mhd.* über komen, *ahd.* ubarqueman); **übereinkom-**

men „sich einigen" (16. Jh.), dazu **Übereinkunft** „Einigung, Abmachung"(17.Jh.); **umkommen** „zugrunde gehen, verderben; sterben" (*mhd.* umbekomen); **unterkommen** „Unterkunft oder Stellung finden" (*mhd.* under komen in der Bed. „dazwischentreten, verhindern"; in der heutigen Bed. seit dem 17. Jh.), dazu **Unterkunft** „Obdach, Bleibe" (19. Jh.); **verkommen** „in einen schlechten Zustand geraten; sittlich verwildern" (*mhd.* verkomen „vorübergehen, zu Ende gehen, vergehen usw."), dazu **Verkommenheit** *w* „schlechter Zustand, sittliche Verwilderung" (19. Jh.); **vorkommen** „hervor-, heraustreten, in Erscheinung treten; geschehen, sich ereignen; sich finden, vorhanden sein; scheinen, dünken" (*mhd.* vor-, vürkomen, *ahd.* furiqueman), dazu **Vorkommnis** *s* (19. Jh.); **vollkommen** (s. d.); **willkommen** (s. d.); **zukommen** „gebühren", früher „sich auf etwas zubewegen, sich nähern (*mhd.* zuokomen, *ahd.* zuoqueman), dazu **Zukunft** „kommende Zeit; Aussichten, Möglichkeiten; (Gramm.) Futurum", eigtl. „das Herannahen" (*mhd.* zuokunft, *ahd.* zuochumft), **zukünftig** (*mhd.* zuokūnftic).

Komment *m* „Brauch, Sitte, Regel (des studentischen Lebens)": Wort der Studentensprache, seit dem 18. Jh. bezeugt, aber erst im 19.Jh. allgemeiner bekannt geworden. Es ist substantiviert aus *frz.* comment „wie?" und bedeutet also eigtl. „das Wie" (d. i. „die Art und Weise, etwas zu tun").

kommentieren „,[polit., kulturelle u. a. Ereignisse] erläutern, besprechen; [einen Gesetzestext] auslegen": Im 17. Jh. aus *lat.* commentārī „etwas überdenken, Betrachtungen anstellen; erläutern, auslegen" entlehnt. Dies gehört zur Wortfamilie von *lat.* mēns (mentis) „Denktätigkeit, Verstand; Gedanke, Vorstellung usw.". Vgl. hierüber den Artikel *Mentalität*. – Abl.: **Kommentar** *m* „Erläuterung[sschrift], Auslegung; Bemerkung, Anmerkung" (im 18. Jh. eingedeutscht aus *lat.* commentārius [liber] „Notizbuch, Niederschrift; Kommentar"); **Kommentator** *m* „Verfasser eines Kommentars" (aus *lat.* commentātor „Erfinder; Erklärer, Ausleger").

Kommers *m*: Dem seit dem 18. Jh. bezeugten FW liegt das Wort Kommerz „Handel und Verkehr" zugrunde (vgl. *kommerziell*). Die Studenten griffen das Wort auf und verwandten es zunächst zur Bezeichnung jeder Art von geräuschvoller Veranstaltung, von Umzügen und dgl., dann speziell zur Bezeichnung einer festlichen Kneipe.

kommerziell „auf Gewerbe und Handel bezüglich": Im 19. Jh. mit französierender Endung von dem Substantiv Kommerz *m* „Handel und Verkehr" abgeleitet, das heute veraltet ist, aber noch in den Zus. Kommerzienrat (Titel von hervorragenden Persönlichkeiten der Wirtschaft) und in dem Studentenwort →Kommers fortlebt. Kommerz (älter: commerce) ist aus *frz.* commerce < *lat.* commercium ,,Handel, Verkehr usw." entlehnt. Über die etymolog. Zusammenhänge vgl. das LW *Markt*.

Kommilitone *m* ,,Mitstudent, Studiengenosse": In der Studentensprache des 16. Jh.s aus *lat.* commīlitō ,,Mitsoldat, Waffenbruder" entlehnt. Zugrunde liegt *lat.* mīles ,,Soldat" bzw. das davon abgeleitete Verb *lat.* mīlitāre ,,Soldat sein" (vgl. *Militär*).

Kommiß *m* ,,Truppe, Wehrmacht" (*ugs.*): Das seit dem 16. Jh. bezeugte FW bezeichnete zuerst die ,,Heeresvorräte". Es geht wohl auf *lat.* commissa zurück, den Plur. von *lat.* commissum ,,anvertrautes Gut", das substantivierte Part. Perf. Pass. von *lat.* committere ,,zusammenbringen; anvertrauen, anheimgeben" (über das Grundverb *lat.* mittere ,,schicken; beauftragen usw." vgl. den Artikel *Mission*). – Zus.: K o m m i ß - b r o t (16. Jh.).

Kommissar *m* ,,[vom Staat] Beauftragter", insbesondere als Dienstbezeichnung wie in P o l i z e i -, K r i m i n a l k o m m i s s a r: Das schon im 15. Jh. in der Form commissari (*Mehrz.*) bezeugte FW stammt wie das entspr. *frz.* commissaire aus *mlat.* commissārius ,,mit der Besorgung eines Geschäftes Betrauter", das zu *lat.* committere ,,zusammenbringen; anvertrauen, anheimgeben" gehört. Über das Grundverb *lat.* mittere ,,schicken; beauftragen usw." vgl. den Artikel *Mission*. – Abl.: k o m m i s s a r i s c h ,,beauftragt; einstweilig, vorübergehend" (20. Jh.); K o m m i s s a r i a t *s* ,,Amt[szimmer] eines Kommissars" (16. Jh.; *nlat.* Bildung).

Kommission *w* ,,Ausschuß (von Beauftragten); Auftrag; Handel für fremde Rechnung": Im 15. Jh. aus *lat.* commissiō ,,Vereinigung, Verbindung" entlehnt, das im *Mlat.* die Bed. ,,Vorladung; Auftrag" entwickelte. Der kaufmänn. Gebrauch des Fremdwortes steht unter dem Einfluß von *it.* commissione. Zugrunde liegt *lat.* com-mittere ,,anvertrauen, übertragen", ein Kompositum von *lat.* mittere ,,schicken; beauftragen usw." (vgl. *Mission*). – Dazu: K o m m i s s i o n ä r *m* ,,Geschäftsvermittler" (17. Jh.; aus gleichbed. *frz.* commissionaire).

kommod ,,bequem, angenehm" (veralt., aber noch *mdal.* und bes. *östr.*): Im 18. Jh. aus *frz.* commode entlehnt, das auf *lat.* commodus ,,angemessen; zweckmäßig, angenehm, bequem" zurückgeht. Über die etymolog. Zusammenhänge vgl. den Artikel *Modus*. – Dazu: i n k o m m o d i e r e n ,,belästigen, bemühen" (veralt.; im 17. Jh. aus *frz.* incommoder < *lat.* in-commodāre; zu *lat.* in-commodus ,,unangemessen, unbequem", vgl. *²in...*); K o m m o d e *w* ,,(bequeme, zweckmäßige) Truhe mit Schiebekästen" (18. Jh.; aus

gleichbed. *frz.* commode, dem substantivierten Femin. des Adjektivs, entlehnt).

Kommune *w* ,,Gemeinde": In *mhd.* Zeit aus gleichbed. (*a*)*frz.* commune entlehnt, das auf *vlat.* commūnia zurückgeht. Dies ist der substantivierte, als Femininum Sing. gefaßte Neutrum Plur. von *lat.* commūnis ,,mehreren oder allen gemeinsam, allgemein; gewöhnlich". – Dazu: k o m m u n a l ,,die Gemeinde betreffend, gemeindeeigen" (19. Jh.; aus gleichbed. *lat.* commūnālis), besonders häufig in Zus. wie K o m m u n a l p o l i t i k, - v e r w a l t u n g. Beachte ferner die Neuschöpfungen →Kommunismus, Kommunist, kommunistisch. Von Interesse sind schließlich die Ableitungen, *lat.* commūniō ,,Gemeinschaft" (s. Kommunion), *lat.* commūnicāre ,,etwas gemeinsam machen, gemeinsam beraten, einander mitteilen" (s. Kommuniqué). – *Lat.* com-mūnis (*alat.* commoinis) bedeutete urspr. wohl ,,mitverpflichtet, mitleistend" und gehört wie *lat.* im-mūnis ,,frei von Leistung" (s. immun) zu *lat.* mūnia (älter: moenia) ,,Leistungen, Pflichten" und *lat.* mūnus ,,Leistung, Amt; Abgabe; Geschenk, Liebesdienst". Es steht somit wie das entspr. gebildete *dt.* Adjektiv →gemein im größeren Zusammenhang der unter →*Meineid* dargestellten Sippe der *idg.* Wz. *mei- ,,wechseln, tauschen; Tauschgabe, Leistung".

Kommunion *w* (in der kathol. Kirche: Bezeichnung des Abendmahls als ,,Gemeinschaftsmahl" der Gläubigen mit Christus): Im 16. Jh. aus *lat.* commūniō ,,Gemeinschaft" – *kirchenlat.* ,,das heilige Abendmahl" – entlehnt. Zu *lat.* commūnis ,,mehreren oder allen gemeinsam" (vgl. *Kommune*).

Kommuniqué *s* ,,[regierungsamtliche] Mitteilung (über Sitzungen, Vertragsabschlüsse usw.), Denkschrift": Im 19. Jh. aus *frz.* communiqué ,,Mitteilung" entlehnt. Zu *frz.* communiquer (< *lat.* commūnicāre) ,,etwas gemeinsam machen, gemeinsam beraten, einander mitteilen" (vgl. hierüber den Artikel *Kommune*).

Kommunismus *m*: Das seit dem 19. Jh. (zuerst im *Engl.*) bezeugte Neuwort, das wohl über das *Frz.* ins *Dt.* gelangte, ist eine *nlat.* Bildung zu *lat.* commūnis ,,mehreren oder allen gemeinsam, allgemein" (vgl. *Kommune*). Es bezeichnet die Weltanschauung des ,,Alles gehört allen gemeinsam", die (nach K. Marx) dem Sozialismus folgende Entwicklungsstufe, in der die Vergesellschaftung der Produktionsmittel und Erzeugnisse erfolgt ist. – Dazu: K o m m u n i s t *m* ,,Vertreter des Kommunismus"; k o m m u n i s t i s c h.

Komödie *w* ,,dramatische Ausdrucksform des Komischen; Lustspiel", auch übertr. gebraucht im Sinne von ,,listiges Täuschungsmanöver": In *frühnhd.* Zeit aus *lat.* cōmoedia, *gr.* kōm-ōidía entlehnt. Das *gr.* Wort bedeutet eigtl. ,,das Singen eines Komos". Der Komos – *gr.* kōmos (vgl. *komisch*) –, ein festlicher Umzug bezechter Jugend, ein Festgesang und ein Festgelage zugleich, war Inbegriff ausgelassener, lärmender Fröhlichkeit. Er stand ganz im Zeichen des Fruchtbarkeits- und Weingottes Dionysos. Aus diesen frühen kultischen Zusammenhängen entwickelte sich schließlich die selbständige literarische Kunstgattung der Komödie. Der derbe ausgelassene Spaß, weit mehr noch der scharfe und gezielte Spott an den aktuellen politischen und kulturellen Zuständen wurde ihr wesentlicher Inhalt. – Über das Grundwort von *gr.* kōm-ōidía vgl. den Artikel *Ode*. Abl.: Komödiant *m* „Schauspieler, Gaukler" (im eigtl. wie im übertragenen Sinn, jeweils mit leicht geringschätzigem Unterton). Das Wort kam um 1600 auf. Es geht von *it.* commediante aus, wurde aber wohl durch das *Engl.* ins *Deutsche* vermittelt. Es bezeichnete anfangs nicht nur den Komödiendienschauspieler, sondern den Berufsschauspieler allgemein. Seit dem 18. Jh. wird das Wort wegen seines negativen Nebensinns mehr und mehr durch →Schauspieler und →Akteur zurückgedrängt, so daß es heute fast ausschließlich im übertragenen Sinne gebraucht wird. Das gleiche gilt von dem abgeleiteten Adjektiv komödiantisch „schauspielerisch; übertrieben" (17./18. Jh.).

Kompagnon *m* „Teilhaber, Mitinhaber (eines Handelsunternehmens), Gesellschafter": Das seit dem 16. Jh. in allgemeiner Bedeutung, seit dem 17. Jh. als Kaufmannswort bezeugte FW ist aus *frz.* compagnon „Geselle, Genosse" entlehnt, das auf *vlat.* compāniōnem, den Akkusativ von *vlat.* compāniō „Brotgenosse, Gefährte" (vgl. *Kumpan*) zurückgeht.

kompakt „fest, dicht, gedrungen": Im 18. Jh. aus *frz.* compact[e], *lat.* compāctus „untersetzt, gedrungen, dicht" entlehnt, dem Partizipialadjektiv von *lat.* compingere „zusammenschlagen, -fügen". Dies ist ein Kompositum von *lat.* pangere „befestigen, einschlagen". Über weitere Zusammenhänge vgl. den Artikel *Pakt*.

Kompanie *w*: Zu *vlat.* compāniō „Brotgenosse" (vgl. *Kumpan*) gehört als Kollektivbildung *vlat.* *compānia „Brotgenossenschaft, Kameradschaft, Gesellschaft", das auf zwei verschiedenen Wegen als FW ins *Deutsche* gelangt. Einmal über *it.* compagnia im 14. Jh. als Fachwort der Kaufmannssprache im Sinne von „Handelsgesellschaft" (meist in der Form Compagnie) , als solches heute veraltet, aber noch in den Abkürzungen Co. und Cie. (hinter Firmennamen) gebräuchlich. Zum anderen erreicht uns das Wort um 1600 über *frz.* compagnie „Gesellschaft" als militärisches Fachwort zur Bezeichnung der Grundgliederungseinheit.

Komparativ *m* „Vergleichsstufe (als Steigerungsstufe des Adjektivs)": Als grammatischer Terminus aus *lat.* (gradus) comparā-

tīvus „zum Vergleichen geeigneter Steigerungsgrad" entlehnt. Das zugrunde liegende Verb *lat.* comparāre „gleich machen, vergleichen" gehört zu *lat.* par „gleich" (vgl. das LW *Paar*).

Komparse *m* „Statist ohne Sprechrolle" (Film, Theater): Im 18. Jh. aus *it.* comparsa entlehnt, das als Ableitung von *it.* comparire „erscheinen" eigtl. „Erscheinen" bedeutet, dann übertragen den Kreis der in einem Theaterstück Mitwirkenden bezeichnet, die eben nur in „Erscheinung" treten (als stumme Nebenpersonen). *It.* comparere (comparire) geht auf *lat.* com-parēre „erscheinen" zurück, ein Kompositum von *lat.* parēre „erscheinen, sich zeigen; Folge leisten, gehorchen" (vgl. ²*parieren*). – Abl.: Komparserie *w* „Gesamtheit der Komparsen; Anordnung der Aufzüge" (aus *it.* comparseria).

Kompaß *m* „Gerät zur Bestimmung der Himmelsrichtung mit Hilfe einer Magnetnadel": Im 15. Jh. aus *it.* compasso „Zirkel; Magnetnadel, Bussole" entlehnt. Zu *vlat.-it.* compassāre „ringsum abschreiten" (vgl. *Paß*).

Kompendium *s* „kurzgefaßtes Lehrbuch, Abriß": Im 16. Jh. aus *lat.* compendium „das Zusammenwägen; die Ersparnis, die Abkürzung" entlehnt. Zu *lat.* com-pendere „zusammenwägen" (vgl. *kom-* und *Pensum*).

kompensieren „ausgleichen, aufwiegen; aufrechnen": Im 16. Jh. als juristischer Terminus aus *lat.* com-pēnsāre „(zwei oder mehr Dinge) miteinander auswiegen, abwägen" entlehnt. Dazu das Substantiv Kompensation *w* „Ausgleich[ung], Entschädigung; Aufrechnung" (17. Jh.; aus *lat.* compēnsātiō „Ausgleichung"). Über die etymolog. Zusammenhänge vgl. den Artikel *Pensum*.

kompetent „zuständig, maßgebend, befugt": Das seit dem 18. Jh. allgemein geläufige, aus der Juristensprache stammende Adjektiv geht auf *lat.* competēns zurück, das adjektivisch gebrauchte Part. Präs. Akt. von *lat.* com-petere „zusammenlangen, -treffen; stimmen, zutreffen, entsprechen; zukommen". Über das Grundverb *lat.* petere „zu erreichen suchen, streben nach usw." vgl. den Artikel *Appetit*. – Dazu das Substantiv Kompetenz *w* „Zuständigkeit" (17. Jh.; aus *lat.* competentia „Zusammentreffen").

komplementär „ergänzend", vorwiegend in Zus. wie Komplementärfarbe „Ergänzungsfarbe" (d. h.: Farbe, die eine andere zu Weiß ergänzt): Im 19. Jh. aus gleichbed. *frz.* complémentaire entlehnt, das von *frz.* complément (< *lat.* complēmentum) „Vervollständigung[smittel], Ergänzung" abgeleitet ist. Über die etymolog. Zusammenhänge vgl. den Artikel *Plenum*.

komplett „vollständig, abgeschlossen": Im 17. Jh. aus *frz.* complet entlehnt, das auf *lat.* complētus, das Partizipialadjektiv von *lat.* com-plēre „voll machen, aus-, anfüllen" zurückgeht. Über die etymolog. Zusammenhänge vgl. den Artikel *Plenum*. – Dazu das Verb komplettieren „vervollständigen, ergänzen" (17./18. Jh.; aus *frz.* compléter).

komplex „zusammenhängend, umfassend": Entlehnt aus *lat.* complexus, dem Partizipialadjektiv von *lat.* complectī „umschlingen, umfassen, zusammenfassen". Dies gehört zu *lat.* plectere „flechten, ineinanderfügen" (vgl. hierüber das FW *kompliziert*). Dazu das Substantiv *lat.* complexus „das Umfassen; die Verknüpfung" in unserem FW Komplex *m* „Zusammenfassung, Verknüpfung. Gesamtheit; Gebiet, Bereich; Gruppe, [Gebäude]block" (19. Jh.), das auch als psycholog. Terminus zur Bezeichnung einer gefühlsgebundenen und affektbetonten Verknüpfung verschiedener in sich zusammenhängender Vorstellungs- oder Erlebnisinhalte gilt.

Komplice *m* „Mittäter, Teilnehmer an einer Straftat": Um 1600 aus gleichbed. *frz.* complice entlehnt, das auf *spätlat.* complex (complicis) „mit jmdm. oder etwas eng verbunden; Verbündeter, Teilnehmer" zurückgeht. Zu *lat.* com... „zusammen mit" (vgl. *kon*...) und *lat.* plectere „flechten, ineinanderfügen" (vgl. das FW *kompliziert*).

Kompliment *s* „Höflichkeitsbezeigung; Hochachtung; Artigkeit, Schmeichelei": Das seit der Zeit um 1600 bezeugte FW stammt aus *frz.* compliment entlehnte FW stammt aus dem Bereich des höfischen Zeremoniells und hat vor dort her seine gemeinsprachliche Geltung erlangt. Ausgangspunkt für das *frz.* Wort wie für das heutige Bedeutungsverhältnisse ist *span.* complimiento (heute: cumplimiento), das als Ableitung von *span.* complir (heute: cumplir) „anfüllen, auffüllen; erfüllen" eigtl. „Anfüllung" Fülle", dann hier übertragen auch „Überfluß; Überschwang, Übertreibung" bedeutet. Das Wort bezeichnet demnach etwa die von der feinen Gesittung und Lebensart her gebotene Hochachtung, dem anderen gegenüber, die gerade dem Temperament des Südländers zu einer überschwenglichen Geste von übertriebener Artigkeit und Schmeichelei wird. So wird das Wort schließlich auch zur Bezeichnung der nichtssagenden, leeren Redensart mit zuweilen sogar negativem Nebensinn. Das zeigt sich besonders in dem zusammengesetzten Verb hinauskomplimentieren „jmdn. mit artigen, schönen Worten und Gesten hinauswerfen" (20. Jh.). Das einfache Verb komplimentieren „bewillkommnen" (17. Jh., heute veraltet) stammt aus *frz.* complimenter. – Über die etymolog. Zusammenhänge vgl. *span.* cumplir, das auf *lat.* com-plēre „anfüllen" zurückgeht (vgl. *Plenum*).

kompliziert „verwickelt, schwierig; umständlich": Das seit dem Ende des 18. Jh.s bezeugte Adjektiv, das nach gleichbed. *frz.* compliqué oder *lat.* complicitus gebildet ist,

gehört formal zu dem Verb komplizieren „verwickeln, erschweren". Da das Verb jedoch später als das Adjektiv 'kompliziert' belegt ist (19. Jh.), ist es wohl genaugenommen als Rückbildung aus dem Adjektiv anzusehen. Quelle ist *lat.* complicāre „zusammenfalten, verwickeln, verwirren", ein Kompositum von *lat.* plicāre „falten, wickeln". Dazu das Subst. Komplikation *w* „Verwicklung, Erschwerung, Verschlimmerung" (19. Jh.; aus *spätlat.* complicātiō „das Zusammenwickeln, Verwickeln"). – *Lat.* plicāre steht im intensiven Verhältnis zu *lat.* plectere (plexum) „flechten; ineinanderfügen" und gehört mit diesem zur *idg.* Wortfamilie von *dt.* → *flechten*. An verwandten Wörtern im *Lat.* sind noch zu nennen: *lat.* com-plectī „umschlingen, umfassen; zusammenfassen" mit *lat.* complexus „umschlingend, umfassend" (s. die FW komplex, Komplex), ferner z. B. *lat.* per-plexus „verflochten, verschlungen, wirr durcheinander, verworren" (s. das FW perplex) und *spätlat.* complex (complicis) „mit jmdm. oder etwas eng verbunden; Verbündeter, Teilnehmer" (s. das FW Komplice). Über den in letzterem vorkommenden zweiten Wortbestandteil -plex vgl. den Artikel *Duplikat*. – Siehe auch das FW Plissee.

Komplott *m* „Verschwörung, [Mord]anschlag": Um 1700 aus gleichbed. *frz.* complot entlehnt, das urspr. „Gedränge" bedeutet, aber etymologisch nicht sicher gedeutet ist.

Komponente *w* „Bestandteil eines Ganzen; Teilkraft, Seitenkraft" (20. Jh.): Substantiviert aus *lat.* compōnēns, dem Part. Präs. Akt. von *lat.* com-pōnere „zusammenstellen, zusammenfügen" (vgl. *komponieren*).

komponieren „zusammenstellen, verfassen; aufbauen, gliedern" (vor allem im Bereich der Musik und der bildenden Kunst): Das in allgemeiner Bedeutung schon um 1500 bezeugte Verb (die speziellen Bedeutungen entwickeln sich später) geht zurück auf *lat.* com-pōnere „zusammenstellen" (vielfach übertragen gebraucht), ein Kompositum von *lat.* pōnere „hinsetzen, -stellen usw." (vgl. *Position*). Abl.: Komponist *m* „Tonsetzer, -dichter" (16. Jh.; *nlat.* Bildung); Komposition *w* „Zusammenstellung; Musikstück; Aufbau eines Kunstwerks" (16. Jh.; aus *lat.* compositiō „Zusammenstellung, -setzung"). Hierher ferner die FW → Kompositum, → Komponente, → Kompost und → Kompott.

Kompositum *s* „zusammengesetztes Wort": Aus *lat.* compositum, dem substantivierten Part. Perf. Pass. von *lat.* compōnere „zusammensetzen, -stellen" (vgl. *komponieren*).

Kompost *m* „Dünger (bes. aus pflanzlichen oder tierischen Wirtschaftsabfällen)": Zu *lat.* compositum „zusammengesetztes, Gemischtes", dem substantivierten Neutrum des Part. Perf. Pass. von *lat.* compōnere „zu-

Kompott

sammenstellen, -setzen" (vgl. *komponieren*)
stellt sich *mlat.* compostum „(aus verschiedenen Abfällen gemischter) Misthaufen, Dünger", das im Anfang des 19. Jh.s über *frz.*
compost entlehnt wird.
Kompott *s* „mit Zucker gekochtes Obst":
Im Anfang des 18. Jh.s aus *frz.* compote
„Eingemachtes" entlehnt, das auf *vlat.*
*composita „Zusammengesetztes, Gemisch-
tes", den als Femininum *Sing.* gefaßten substantivierten Neutr. Plur. des Part. Perf.
Pass. von *lat.* com-pōnere „zusammenstellen, -setzen" (vgl. *komponieren*), zurückgeht. – *Vlat.* *composita steht neben gleichbed. *lat.* compositum (beachte auch *mlat.*
compostum „Misthaufen, Dünger" bei
→Kompost), das schon *spätahd.*, *mhd.* kum-
post „Eingemachtes" (insbesondere „eingemachtes Sauerkraut") lieferte. Dies lebt u. a.
in *nordostdt.* Kumst *m* „Weißkohl, Sauer-
kohl" fort.
komprimieren „zusammenpressen, verdichten": Ein physikal.-technisches Fachwort
(18. Jh.), das aber in allgemeiner Bedeutung
schon im 16. Jh. bezeugt ist. Es geht auf *lat.*
com-primere „zusammendrücken" zurück,
ein Kompositum von *lat.* premere „drücken,
pressen usw." (über die etymol. Zusammenhänge vgl. den Artikel *Presse*). – Dazu aus
dem Bereich der physikal. Technik noch die
Substantive Kompression *w* „Zusammen-
pressung, Verdichtung (von Gasen, Dämpfen usw.)" – 19. Jh.; aus *lat.* compressiō „das
Zusammendrücken" – und Kompressor *m*
„Verdichter" (20. Jh.; *nlat.* Bildung), ferner
aus dem medizin. Bereich die FW Kompresse *w* „feuchter Umschlag" (18. Jh.; aus
frz. compresse „Bäuschchen, Umschlag",
zu *lat.* compressāre > *afrz.* compresser „zusammenpressen").
Kompromiß *m* oder *s* „Übereinkunft; Ausgleich": Als Rechtswort im 15. Jh. aus *lat.*
comprōmissum entlehnt, dem substantivierten Neutrum des Part. Perf. Pass. von *lat.*
com-prōmittere „sich gegenseitig versprechen (die Entscheidung eines Rechtsstreites
einem selbstgewählten Schiedsrichter zu
überlassen)". *Lat.* com-prōmittere, ein Kompositum von *lat.* prō-mittere „..[her]vorgehen
lassen; in Aussicht stellen, versprechen"
(zum Grundverb *lat.* mittere „loslassen,
aufgeben, werfen, schicken" vgl. *Mission*),
wird im *Frz.* zu compromettre und entwik-
kelt dort eine Sonderbedeutung „jmdn. in
eine kritische Lage bringen, jmdn. bloßstellen (indem man im Urteil eines Dritten
aussetzt)". Das *frz.* Verb. liefert in diesem
Sinne im 17. Jh. unser Zeitwort kompromit-
tieren „bloßstellen".
Komteß Komtesse *w* „unverheiratete Grä-
fin": Im 18. Jh. aus gleichbed. *frz.* comtesse
entlehnt. Dies ist eine weibliche Bildung
zu *frz.* comte „Graf". Voraus liegt das zum
Stamm von *lat.* īre „gehen" (vgl. *Abituri-*

ent) gebildete Substantiv *lat.* comes (Akk.
comitem) „Mitgeher, Begleiter", das schon
im *Spätlat.* auch Rangbezeichnung wurde,
speziell für hochgestellte Personen im Gefolge des Kaisers, die dieser mit kaiserlichen
Vollmachten in die Provinzen schickte. Die
Merowinger übernahmen diese Bezeichnung.
Unter den Karolingern wurde das Wort mit
der Entwicklung des Feudalwesens zum
Adelstitel.
kon..., **Kon...**, vor b, m und p angeglichen zu
kom..., Kom..., vor l zu kol..., Kol...,
vor r zu kor..., Kor..., vor Selbstlauten
und h erscheint ko..., Ko...: Aus dem *Lat.*
stammende Vorsilbe mit der Bed. „zusammen, mit". *Lat.* con, (urspr.) com... geht zurück auf ein *idg.* Adv. *kom „neben, bei, mit",
zu dem vielleicht auch das *germ.* Be-
reich die *lat.* com... entspr. *dt.* Vorsilbe →ge...
gehört. Eine verwandte Präp. aus dem *Gr.*
ist wohl *gr.* katá „entlang, über- hin; von-
herab, abwärts; gegen" (s. kata...), für die
eine Wurzelform *idg.* *km̥-ta anzusetzen
wäre. – Aus dem *Lat.* ist in diesem Zusammenhang noch die Präp. (und das Adv.) *lat.*
contrā „gegenüber, gegen" zu nennen, die
von com... mit Komparativsuffix -tero
weitergebildet ist: *italisch* *com-tro bezeichnet eigtl. das Beisammen von zweien, dann
das Gegenüber, Gegeneinander (s. den Artikel kontra...).
kondensieren „verdichten; verflüssigen; eindicken": Gelehrte Entlehnung des 18. Jh.s
aus *lat.* con-dēnsāre „verdichten". Zugrunde
liegt das *lat.* Adjektiv dēnsus „dicht, dicht
gedrängt" (urverw. mit gleichbed. *gr.* dasýs).
– Dazu die Kondensmilch „kondensierte
Milch"; Kondensation *w* „Verdichtung;
Verflüssigung (von Gasen und Dämpfen)",
im 19. Jh. aus *lat.* condēnsātiō „Verdichtung"; Kondensator *m*, eine junge *nlat.*
Bildung mit der eigtl. Bed. „Verdichter". In
der Technik bezeichnet das Wort ein Gerät
zur Aufspeicherung von Elektrizität bzw.
eine Anlage zur Kondensation von Dämpfen.
Kondition *w*: Das schon im 16. Jh., zuerst
als kaufmänn. Terminus im Sinne von „Bedingung, Zahlungsbedingungen" bezeugte
Wort gilt heute fast nur noch allgemein zur
Bezeichnung der körperlich-seelischen Verfassung eines Menschen (bes. eines Sportlers).
Es ist aus *lat.* conditiō, (besser: condiciō)
„Übereinkunft, Stellung, Beschaffenheit,
Zustand, Bedingung" entlehnt. Das zugrunde liegende Verb *lat.* con-dīcere „verabreden,
übereinkommen" ist ein Kompositum von
lat. dīcere „sprechen, verkünden; festsetzen,
bestimmen". Über weitere Zusammenhänge
vgl. den Artikel *diktieren*.
Konditor *m* „Zuckerbäcker, Feinbäcker":
Im 17. Jh. aus *lat.* condītor „Hersteller wür-
ziger Speisen" entlehnt. Seit dem 18. Jh. erscheint durch Anlehnung an →kandieren
eine noch jetzt *mdal.* gebräuchliche Neben-

form Kanditor. *Lat.* condītor ist von *lat.* condīre „einmachen, einlegen, würzen" abgeleitet. – Abl.: Konditorei *w* „Zucker-, Feinbäckerei" (19. Jh.; früher schon zur Bezeichnung des Backraumes von Zuckerwaren).

kondolieren „sein Beileid bezeigen": Im 17. Jh. aus *lat.* con-dolēre „mitleiden, Mitgefühl haben" entlehnt. Dazu schon im 16. Jh. die *nlat.* Bildung Kondolenz *w* „Beileid[sbezeigung]". – Stammwort ist *lat.* dolēre „Schmerz, empfinden, leiden".

Konfekt *s* „Zucker-, Backwerk": Das schon im 16. Jh. in diesem Sinne allgemein geläufige Wort stammt aus der Apothekersprache. Dort war es bereits im 15. Jh. bekannt und bezeichnete speziell alle Arten eingezuckerter oder eingekochter Früchte, wie man sie zu Heilzwecken verwendete. Es geht wie *it.* confetto (s. Konfetti) auf *mlat.* cōnfectum „Zubereitetes" zurück, das substantivisch gebrauchte Part. Perf. Pass. von *lat.* cōnficere „fertig machen, zubereiten usw." (vgl. *Fazit*).

Konfektion *w* „Anfertigung (von Kleidungsstücken); Fertigkleidung": Im 19. Jh. aus *frz.* confection < *lat.* cōnfectiō „Anfertigung" entlehnt. Über das zugrunde liegende Verb *lat.* cōn-ficere „fertig machen, zustandebringen, zubereiten" vgl. den Artikel *Fazit*.

konferieren „eine Konferenz abhalten; sich beratschlagen; als Conférencier sprechen, ansagen": Im 16. Jh. – wohl vermittelt durch *frz.* conférer – aus *lat.* cōn-ferre „zusammentragen; Meinungen austauschen, sich besprechen" entlehnt. Über die etymol. Zusammenhänge vgl den Artikel *offerieren*. – Dazu: Konferenz *w* „Besprechung, Sitzung, Tagung" (16. Jh.; aus *mlat.* cōnferentia). Beachte auch das entspr. *frz.* conférence in den FW →Conférence, Conférencier.

Konfession *w* „Glaubensbekenntnis; [christl.] Bekenntnisgemeinschaft": Im 16. Jh. aus *lat.* cōnfessiō „Eingeständnis, Bekenntnis" entlehnt. Zu *lat.* cōn-fitērī „eingestehen, bekennen", einem Kompositum von *lat.* fatērī „bekennen", vgl. hierüber den Artikel *fatal*].

Konfetti *s* „Papierschnitzel", *östr.* auch „Zuckergebäck": Das seit dem 18. Jh. bezeugte Wort ist aus *it.* confetti entlehnt, der *Mehrz.* von *it.* confetto „Zurechtgemachtes, Zubereitetes, Zuckerzeug" (identisch mit *dt.* →Konfekt). Die Bed. „Papierschnitzel" geht auf einen alten karnevalistischen Volksbrauch zurück, der noch heute geübt wird. Am Karneval nämlich pflegten die Narren Zuckerzeug unter das Volk zu werfen, das man auch durch entsprechend geformte Gipsklümpchen und schließlich durch „Papierschnitzel" ersetzte.

Konfitüre *w* „Einfruchtmarmelade (mit ganzen Früchten)": Im 17. Jh. aus *frz.* confiture entlehnt, das auf *lat.* cōnfectūra „Verfertigung, Zubereitung" zurückgeht. Über das

zugrunde liegende Verb *lat.* cōnficere „fertig machen, zubereiten" vgl. *Fazit*.

Konflikt *m* „Zusammenstoß; [Wider]streit, Zwiespalt": Im 18. Jh. aus *lat.* cōnflictus „Zusammenstoß, Kampf" entlehnt. Zu cōnflīgere „zusammenschlagen; zusammenprallen".

konform „einig, übereinstimmend (in den Ansichten)", bes. in der Wendung 'konform gehen' „einiggehen, übereinstimmen": Im 16. Jh. aus *spätlat.* cōnfōrmis „gleichförmig, ähnlich" entlehnt. Über das Stammwort *lat.* fōrma „Form, Gestalt usw." vgl. den Artikel *Form*. – Dazu als *nlat.*, vom *Engl.* ausgehende Bildungen: Konformisten *Mehrz.* „Anhänger einer stets um Anpassung bemühten Geisteshaltung" (18./19. Jh.; aus *engl.* conformists, das speziell die Anhänger der *engl.* Staatskirche bezeichnete); Konformismus *m* „Geisteshaltung, die stets um Anpassung (an bestehende soziale, polit., kirchl. u. a. Verhältnisse) bemüht ist" (20. Jh.); konformistisch (20. Jh.).

konfrontieren „gegenüberstellen": Im 17. Jh. als Wort der Gerichtssprache aus *mlat.* cōnfrontāre „(einen Angeklagten oder Zeugen dem Gericht zur Vernehmung) gegenüberstellen" entlehnt. Das Wort bedeutet wörtlich etwa „Stirn gegen Stirn gegenüberstellen". Es gehört zu *lat.* frōns (frontis) „Stirn; Stirnseite" (vgl. *Front*). – Dazu das Substantiv Konfrontation *w* „Gegenüberstellung" (17. Jh.; aus gleichbed. *mlat.* cōnfrontātiō).

konfus „verwirrt, verworren, wirr": Im 16. Jh. aus gleichbed. *lat.* cōnfūsus (eigtl. „ineinandergegossen") entlehnt, dem Partizipialadjektiv von *lat.* cōn-fundere „zusammengießen, -schütten, vermengen; verwirren" (vgl. *kon...* und *Fusion*). – Dazu das Substantiv Konfusion *w* „Verwirrung" (15. Jh.; aus *lat.* cōnfūsiō), beachte auch die scherzhafte Zus. Konfusionsrat „zerstreuter Mensch, Wirrkopf" (*ugs.*; 19. Jh.).

Konglomerat *s* „bunt Zusammengewürfeltes, Gemisch": Im 18./19. Jh. – zuerst als geologischer Terminus zur Bezeichnung eines Steingemenges aus Geschiebestücken (in diesem Sinne noch heute fachsprachl. gebraucht) – aus *frz.* conglomérat entlehnt, einer gelehrten Ableitung (von *frz.* conglomérer (< *lat.* conglomerāre) „zusammenrollen, zusammenhäufen". Das zugrunde liegende Substantiv *lat.* glomus „Kloß, Knäuel" gehört mit *lat.* globus „Kugel, Ball, Klumpen" (s. Globus) zu der unter →Kolben dargestellten *idg.* Wortfamilie.

Kongreß *m* „Fachversammlung, (wissenschaftl., politische usw.) Tagung": Gelehrte Entlehnung des 17. Jh.s aus *lat.* congressus „Zusammentreffen, Zusammenkunft; Gesellschaft". Zu *lat.* con-gredī „zusammentreffen, -kommen", einem Kompositum von *lat.* gradī „schreiten, gehen" (vgl. *Grad*).

kongruent „deckungsgleich (Math.); übereinstimmend (allg.)": Neuzeitliche Entlehnung aus *lat.* congruēns „übereinstimmend", dem Part. Präs. von con-gruere „zusammentreffen; übereinstimmen", dessen Grundwort nicht sicher gedeutet ist. – Dazu das Substantiv **Kongruenz** *w* „Deckungsgleichheit (Math.); Übereinstimmung".

König *m*: Das *altgerm.* Wort bedeutet eigtl. „aus vornehmem Geschlecht stammender Mann". Die Benennung bezieht sich demnach darauf, daß der König durch seine Abkunft, durch sein Geblüt ausgezeichnet ist. *Mhd.* künic, *ahd.* kuning, *niederl.* koning, *engl.* king, *schwed.* konung, kung gehen zurück auf **germ.* *kuninga-, das mit dem die Herkunft und Zugehörigkeit ausdrückenden Suffix -ing/-ung gebildet ist, und zwar zu germ. *kunja- „(vornehmes) Geschlecht", (vgl. z. B. *ahd.* kunni, *mhd.* künne „Geschlecht", verwandt mit *lat.* genus „Geschlecht", vgl. *Kind*). – Die Form mit ö – gegenüber *mhd.* künic – beruht auf *mitteld.* Lautung. Der Nasal ist vor g geschwunden, wie z. B. in 'Honig' und 'Pfennig'. – Abl.: königlich (*mhd.* küniclich, *ahd.* kuni[n]glīh); Königtum *s* (Ende des 18. Jh.s; Ersatzwort für *frz.* royauté; die Bildung existierte schon früher, allerdings in der Bed. „Königreich") Zus.: Königskerze (*frühmhd.* kungeskerze; die Pflanze ist entweder nach ihrer Ähnlichkeit mit einer brennenden Kerze benannt oder aber danach, daß ihr Stengel früher tatsächlich zur Fertigung von Wachskerzen verwendet wurde).

konjugieren „(ein Zeitwort) abwandeln, beugen": Im 16. Jh. aus *lat.* con-iugāre „verbinden" entlehnt, das zu *lat.* iugum „Joch" gehört. Über weitere Zusammenhänge vgl. den Artikel *Junktim*. – Dazu das Substantiv **Konjugation** *w* „Beugung (des Zeitwortes)", im 16. Jh. aus *lat.* coniugātiō „Verbindung; Beugung" (in Übersetzung von *gr.* syzygía).

Konjunktion *w* „(neben- oder unterordnendes) Bindewort": Als gramm. Terminus im 17. Jh. aus *lat.* coniūnctiō „Verbindung; Bindewort" entlehnt, das zu *lat.* con-iungere „verbinden" (vgl. *Junktim*) gehört.

Konjunktiv *m* „Möglichkeitsform (des Zeitworts)": Entlehnt aus *lat.* (modus) coniūnctīvus „der (Satz)verbindung dienlicher Modus". Zugrunde liegt *lat.* con-iungere „verbinden" (vgl. *Junktim*).

Konjunktur *w* „wirtschaftliche Gesamtlage von bestimmter Entwicklungstendenz": Das seit dem 17. Jh. im allgemeinen Sinne von „Lage der Dinge" bezeugte FW, das seit dem 18. Jh. vorwiegend als kaufmänn. Terminus gilt, stammt aus dem Bereich der Astrologie. Es ist eine *nlat.* Bildung zu *lat.* con-iungere „verbinden" (vgl. *Junktim*), die *lat.* coniūnctiō „Verbindung" entspricht. Wie dies bezeichnete das Wort in der Astrologie eine bestimmte Verbindung von Gestirnen, d. h. ihr Zusammentreffen in einem Tierkreiszeichen, ihre bestimmte Konstellation und die sich daraus ergebenden besonderen Einflüsse auf menschliches Schicksal.

konkav „hohl, vertieft, nach innen gewölbt" (vor allem von Linsen), Gegensatz: →konvex: Gelehrte Entlehnung des 18. Jh.s aus *lat.* concavus „hohlrund, gewölbt". Zu *lat.* cavus „hohl; nach innen gewölbt".

Konkordanz *w* „alphabetisches Verzeichnis von Wörtern und Bücherstellen zum Vergleich ihres Vorkommens und ihres jeweiligen Sinngehaltes" (insbesondere für die Bibel): Im 16. Jh. aus *mlat.* concordantia „Übereinstimmung; Findeverzeichnis" entlehnt, das von *lat.* con-cordāre „übereinstimmen" abgeleitet ist. Zu *lat.* concors „eines Herzens und eines Sinnes, einträchtig, übereinstimmend". Über das Stammwort *lat.* cor (cordis) „Herz, Gemüt usw." vgl. *Courage*.

konkret „anschaulich, greifbar, gegenständlich, wirklich" (im Gegensatz zu →abstrakt): Das im 18. Jh. aus der Fachsprache der Philosophie übernommene Adjektiv geht auf *lat.* concrētus „zusammengewachsen; verdichtet; gegenständlich" zurück, das Part. Perf. Pass. von *lat.* con-crēscere „zusammenwachsen, sich verdichten". Über das Stammverb *lat.* crēscere „wachsen" vgl. *kreieren*.

Konkubine *w* „mit einem Manne in wilder Ehe lebende Frau": Im 16. Jh. aus *lat.* concubīna „Beischläferin" entlehnt, das urspr. die mit einem Unverheirateten in einer Ehe minderen Rechts lebende Frau bezeichnete (z. B. eine Freigelassene), die eine gesetzmäßige Ehe mit diesem Manne nicht eingehen durfte. Die Bezeichnung dieser außerehelichen, gesetzlich erlaubten Geschlechtsverbindung, *lat.* concubīnātus, erscheint bei uns im 17. Jh. als FW **Konkubinat** *s* „wilde Ehe". – *Lat.* concubīna (Femininum von concubīnus „Beischläfer") ist von *lat.* cubāre „liegen, gelagert sein; mit jmdm. schlafen" abgeleitet. Über die *idg.* Zusammenhänge vgl. den Artikel →*Haufe*.

konkurrieren „in Wettbewerb treten mit anderen, wetteifern": Das aus *lat.* con-currere „zusammenlaufen, zusammentreffen, aufeinanderstoßen" entlehnte Verb erscheint zuerst im 16. Jh. mit der allgemeinen Bed. „zusammentreffen", während die heute übliche Bedeutung erst im 18. Jh. aufkommt. *Lat.* con-currere ist Kompositum von *lat.* currere „laufen, rennen". Über die etymol. Zusammenhänge vgl. den Artikel *Kurs*. – Abl.: **Konkurrent** *m* „Mitbewerber, Rivale" (18. Jh.; aus dem Part. Präs. Akt. concurrēns); **Konkurrenz** *w* „Wettbewerb" (18. Jh.; aus *nlat.* concurrentia), heute oft persönlich gebraucht im Sinne von „[Gesamtheit der] Mitbewerber; geschäftl. Gegner".

Konkurs *m*: Das seit dem 17. Jh. bezeugte Substantiv ist aus *lat.* concursus crēditōrum „Zusammenlauf der Gläubiger (zur gerichtl. Teilung des unzureichenden Vermögens eines Schuldners)" entlehnt. Daraus ergab sich dann, vom Schuldner her gesehen, die Bed. „Zahlungseinstellung, Bankrott". *Lat.* concursus ist von *lat.* con-currere „zusammenlaufen" abgeleitet (vgl. hierüber den Artikel *Kurs*).

können: Das *gemeingerm.* Verb (Präteritopräsens) bedeutete im Gegensatz zu heute früher „geistig vermögen, wissen, verstehen". Diese alte Bedeutung spiegeln auch wider die Kausativbildung →kennen (eigtl. „wissen lassen, verstehen machen"), die Adjektivbildung →kühn (urspr. „wissend, erfahren, weise"), das Verbalabstraktum →Kunst (urspr. „Wissen, Verstehen") und die Partizipialbildung →kund (eigtl. „gewußt, verstanden"). *Mhd.* künnen, kunnen, *ahd.* kunnan, *got.* kunnan, *aengl.* cunnan (*engl.* can), *schwed.* kunna gehen mit verwandten Wörtern in anderen *idg.* Sprachen auf die Wz. *ĝen[ə]- „erkennen, kennen, wissen" zurück, vgl. z. B. *lat.* [g]nōscere „erkennen" (s. die Fremdwörtergruppe von nobel) und *gr.* gi-gnōskein „erkennen" (s. die Fremdwörtergruppe von Diagnose). Über die weiteren Zusammenhänge s. den Artikel Kind. Abl.: Könner *m* (17. Jh.).

konsequent „folgerichtig; bestimmt, beharrlich, zielbewußt": Im 18. Jh. aus *lat.* cōnsequēns „folgerichtig" entlehnt, dem adjektivisch gebrauchten Part. Präs. Akt. von *lat.* cōn-sequī „mitfolgen, nachfolgen usw.". Dazu die Gegenbildung inkonsequent „nicht folgerichtig, unbeständig, wankelmütig" (18. Jh.; aus *lat.* in-cōnsequēns; vgl.²*in*...), ferner das Substantivpaar Konsequenz *w* „Folgerichtigkeit, Beharrlichkeit, Zielstrebigkeit" (16. Jh.; aus *lat.* cōnsequentia) und Inkonsequenz *w* „mangelnde Folgerichtigkeit, Unbeständigkeit, Widersprüchlichkeit; Wankelmütigkeit" (18. Jh.; aus *lat.* in-cōnsequentia). – Das zugrunde liegende einfache Verb *lat.* sequī „folgen, nachfolgen" stellt sich u. a. zusammen mit *lat.* secundus (< *sequondos) „(der Zeit oder der Reihe nach) folgend; zweiter; begleitend, begünstigend" (s. die Fremdwortgruppe um →Sekunde), *lat.* socius „gemeinsam; Genosse, Gefährte, Teilnehmer" (urspr. wohl: „mitgehend; Gefolgsmann"; s. die Fremdwortgruppe um →sozial) und wohl auch *lat.* secta „befolgter Grundsatz, Richtlinie; Partei; philosophische Lehre; Sekte" (s. das FW Sekte) zu der unter →sehen (eigtl. „mit den Augen verfolgen") dargestellten *idg.* Wortsippe. – Siehe auch Exekution.

konservativ „erhaltend; am Alten, Hergebrachten festhaltend (bes. im staatlichen Leben)": Im 19. Jh. aus *engl.* cōnservātive entlehnt, das auf *mlat.* cōnservātīvus „er-

haltend" beruht. Über das zugrunde liegende Verb *lat.* [cōn]servāre vgl. *konservieren*.

Konservatorium *s*: Der seit dem 18. Jh. bezeugte Name der hochschulartigen Ausbildungsstätte für alle Sparten des musikalischen Berufes ist aus *it.* conservatorio relatinisiert. Dies ist von *lat.-it.* cōnservāre „bewahren, erhalten" abgeleitet (vgl. *konservieren*) und bedeutet demnach eigtl. etwa „Stätte zur Pflege und Wahrung (musischer Tradition)".

konservieren „erhalten; haltbar machen, einmachen": Im 16. Jh. aus *lat.* cōn-servāre „bewahren, erhalten" entlehnt, einem Kompositum von gleichbed. *lat.* servāre. Andere Komposita, *lat.* ob-servāre „achtgeben, hüten; beobachten" und *lat.* re-servāre „aufsparen, aufbewahren, vorbehalten", liegen den FW →Observatorium, konservieren, Reserve, Reservat, Reservist, Reservoir zugrunde. – Zu 'konservieren' gehören noch folgende Abl.: Konserve *w* „haltbar gemachtes Nahrungs- oder Genußmittel; Dauerware" (als Apothekerwort schon im 16. Jh. aus *mlat.* conserva entlehnt); Konservator *m* „für Erhaltung und Instandsetzung von Kunstdenkmälern verantwortlicher Beamter" (aus *lat.* cōnservātor „Bewahrer, Erhalter"); ferner →konservativ und →Konservatorium.

Konsole *w* „Krage, Kragstein; Wandgestell [für Gegenstände der Kleinkunst]": Im 18. Jh. aus gleichbed. *frz.* console entlehnt, dessen genaue Herkunft nicht gesichert ist.

konsolidieren „begründen, befestigen, sichern; mehrere Staatsanleihen zu einer Gesamtschuld vereinigen": Aus gleichbed. *frz.* consolider entlehnt, das auf *lat.* cōn-solidāre „festmachen, sichern" zurückgeht. Zu *lat.* solidus „fest, sicher" (vgl. *solid*).

Konsonant *m* „Mitlaut": Im 15. Jh. als gramm. Terminus aus gleichbed. *lat.* (littera) cōnsonāns entlehnt. Zugrunde liegt *lat.* sonāre „tönen" (cōn-sonāre „zusammen-, mittönen"); vgl. hierüber den Artikel *sonor*.

Konsorten *Mehrz.*: Das seit dem 16. Jh. bezeugte, aus *lat.* cōn-sortēs, dem Plural von *lat.* cōn-sors (cōnsortis) „gleichen Loses teilhaftig; Gefährte, Mitgenosse", entlehnte FW galt zuerst in positivem Sinne von „Schicksalsgenossen, Gefährten". Aber schon im 16. Jh. entwickelte das Wort – wohl in der Gerichtssprache – jenen verächtlichen Nebensinn, wie er in der heute ausschließlichen Geltung des Wortes als Bezeichnung einer Clique von Mittätern und Mitangeklagten zum Ausdruck kommt, besonders in der Fügung '... und Konsorten' (hinter Eigennamen). Über die etymologischen Zusammenhänge vgl. den Artikel *Sorte*. – Zu *lat.* cōn-sors gehört als Abl. *lat.* cōnsortium „Teilhaberschaft, Mitgenossenschaft", das im 17. Jh. unser FW **Konsortium** *s* „Genossenschaft; [vorübergehende] Vereinigung von Unternehmen" liefert.

konstant „ständig gleichbleibend": Im 18. Jh. aus gleichbed. *lat.* cōnstāns (-antis) entlehnt, dem in adjektivische Verwendung übergegangenen Part. Präs. von *lat.* cōnstāre „fest stehen"(vgl. *kon...* und *stabil).* − Abl.: Konstante *w* „feststehende Größe" (Mathematik und allgemein; 19. Jh.). Siehe auch konstatieren, ¹kosten, Kosten und Kost.

konstatieren „feststellen, bemerken": Im 18. Jh. aus gleichbed. *frz.* constater entlehnt, das seinerseits auf *lat.* cōnstat „es steht fest" beruht, der 3. Sing. Präs. von *lat.* cōnstāre „feststehen" (vgl. *konstant).*

Konstellation *w:* Das seit dem 16. Jh. bezeugte FW ist ein alter Terminus der Astrologie und bezeichnet zunächst, wie schon das vorausliegende Substantiv *lat.* cōnstēllātiō (zu *lat.* stēlla „Stern", urverwandt mit *dt. Stern),* die Stellung der Gestirne zueinander und die sich daraus ergebenden Einflüsse auf das Schicksal des Menschen. Seit dem 18. Jh. gilt das Wort vorwiegend im übertragenen Sinne von „Zusammentreffen von Umständen".

konsterniert „bestürzt, betroffen": Zweites Part. zu dem heute veralteten Zeitwort konsternieren „verblüffen, verwirren", das seit dem 17. Jh. bezeugt ist. Es ist aus gleichbed. *frz.* consterner entlehnt, das auf *lat.* cōnsternāre „scheu, stutzig, bestürzt machen; verwirren" zurückgeht. Dies gehört wohl als Intensivbildung zu *lat.* cōnsternere „hin-, ausbreiten, niederstrecken" und stellt sich somit zu der unter → *Straße* aufgezeigten Wortfamilie. − Abl.: Konsternation *w* „Bestürzung" (aus *lat.* cōnsternātiō).

Konstitution *w:* Das FW erscheint zuerst im 16. Jh. als staatspolitisches Fachwort mit der Bed. „Staatsverfassung". Es ist als solches wie entspr. *frz.* constitution (s. unten konstitutionell) aus gleichbed. *lat.* cōnstitūtiō (eigtl. „die Hinstellung, die Einrichtung usw.") entlehnt. Die heute allgemein übliche Bed. „körperliche oder seelische Verfassung", mit der das FW seit dem 17. Jh. zunächst in der Zus. Leibeskonstitution verwendet wird, ist ebenfalls schon im *Lat.* vorgegeben. *Lat.* cōnstitūtiō gehört als Ableitung zu *lat.* cōn-stituere „feststehen machen, aufstellen, einrichten usw.", einem Kompositum von *lat.* statuere „aufstellen" (vgl. *Statut).* − Dazu das Adjektiv konstitutionell „durch Staatsverfassung gebunden, eingeschränkt" (Ende 18. Jh.; aus gleichbed. *frz.* constitutionnel).

konstruieren „(die Bauart eines Gebäudes, einer Maschine usw.) entwerfen; eine Figur zeichnerisch darstellen; etwas gestalten, errichten; Wörter oder Satzglieder zusammen-ordnen": Im 16. Jh., zuerst als grammatischer Terminus, aus *lat.* cōn-struere „zu-sammenschichten; erbauen, errichten; kon-

struieren", einem Kompositum von *lat.* struere „schichten; aufbauen usw.", entlehnt (vgl. *Struktur).* − Dazu: Konstruktion *w* „Bauart; (zeichnerische) Darstellung; Aufbau; Zusammenordnung usw." (16. Jh.; aus *lat.* cōnstrūctiō „Zusammenschichtung usw."); konstruktiv „[folgerichtig] aufbauend" (19. Jh.; *nlat.* Bildung); Konstrukteur *m* „Erbauer, Gestalter, Erfinder" (20. Jh.; aus *frz.* constructeur); ferner → re-konstruieren, Rekonstruktion.

Konsul *m:* Die Bezeichnung für den Vertreter eines Staates, der mit der Wahrnehmung bestimmter (bes. wirtschaftl.) Interessen in einem anderen Staat beauftragt ist, entspricht formal dem Titel der höchsten Beamten in der altröm. Republik, *lat.* cōnsul. Die Bed. „Handlungsbevollmächtigter einer Nation", wie sie schon im Mittelalter vorkommt (in *dt.* Quellen seit dem 15. Jh. bezeugt), scheint im Gebiet des Mittelmeeres aufgekommen zu sein. − *Lat.* cōnsul (ältere Form co[n]sol) gehört wohl zum Verb cōnsulere „um Rat fragen, sich beraten; überlegen, Fürsorge treffen" und bezeichnet demnach eigtl. den Beamten, der sich (in wichtigen Angelegenheiten) mit dem Senat (bzw. mit dem Volk) berät. Beachte in diesem Zusammenhang auch die Iterativbildung von cōnsulere, *lat.* cōnsultare „um Rat fragen, sich beraten; reiflich überlegen", die in → konsultieren, Konsultation erscheint. Abl.: Konsulat *s* „Amt[sgebäude] eines Konsuls" (nach *lat.* cōnsulātus „Konsulwürde, -amt"); konsularisch „den Konsul oder das Konsulat betreffend" (19./20. Jh.; nach gleichbed. *lat.* cōnsulāris).

konsultieren „[wissenschaftl.] Rat einholen; (einen Arzt) zu Rate ziehen": Das seit dem 18. Jh. bezeugte Wort steht für älteres ʼkonsulieren'. Es geht auf *lat.* cōnsultāre (cōnsulere) „um Rat fragen, sich beraten" zurück (vgl. *Konsul).* Dazu das Substantiv Konsultation *w* „Befragung (eines Arztes); Beratung (eines Patienten)", im 16. Jh. aus *lat.* cōnsultātiō „Beratschlagung" entlehnt.

konsumieren „verbrauchen, verzehren": Im 17. Jh. aus *lat.* cōn-sūmere „aufnehmen; verwenden, verbrauchen, verzehren" entlehnt, einem Kompositum aus *lat.* sūmere „an sich nehmen; verbrauchen". Über die etymolog. Zusammenhänge vgl. den Artikel *Exempel.* − Dazu noch: Konsument *m* „Verbraucher" (17. Jh.; aus *lat.* cōn-sūmēns, dem Part. Präs. Akt. von cōn-sūmere) und Konsum *m* „Verbrauch" (*ugs.* auch für „Konsumgenossenschaft"), im 19. Jh. für älteres 'Consumo', das auf *it.* consumo „Verbrauch" zurückgeht.

Kontakt *m* „Berührung, Verbindung": Im 17. Jh. aus gleichbed. *lat.* contāctus entlehnt. Zu *lat.* con-tingere „berühren", einem Kompositum von gleichbed. *lat.* tangere (vgl. *Tangente).*

Konterfei *s*: Das seit dem 16. Jh. bezeugte, heute meist nur noch scherzhaft gebrauchte Wort für „Abbild, Bild, Porträt" beruht auf Entlehnung von *frz.* contrefait „nachgemacht, nachgebildet". Zu *frz.* contrefaire „nachmachen, nachbilden", das seinerseits auf gleichbed. *spätlat.* conträ-facere zurückgeht (vgl. *kontra...* und *Fazit*). – Abl.: [ab]konterfeien „abbilden, porträtieren" (16. Jh.).

kontern „den angreifenden Gegner durch einen Gegenschlag abfangen; zurückschlagen": Im 20. Jh. zunächst als Terminus des Boxsports aus gleichbed. *engl.* to counter entlehnt und in der Lautung an *lat.* conträ „gegen" (>*dt.* kontra) angeglichen, das die Quelle für das dem *engl.* Verb to counter zugrunde liegende Adverb counter „gegen, entgegen" ist (< *frz.* contre < *lat.* conträ). – Zus.: Konterschlag „Gegenschlag" (20. Jh.).

Kontinent *m* „Festland; Erdteil": Im 17. Jh. aus *lat.* (terra) continēns „zusammenhängendes Land, Festland" eingedeutscht. Zu *lat.* con-tinēre „zusammenhalten; zusammenhängen" (vgl. *kon...* und ¹*Tenor*). Abl.: kontinental „festländisch".

Kontingent *s* „Anteil; [Pflicht]beitrag (insbesondere an Truppen, die ein Einzelstaat innerhalb einer Verteidigungsgemeinschaft zu stellen hat); begrenzte Höchstmenge (zur Verfügung stehender Waren)": Im 17. Jh. nach gleichbed. *frz.* contingent aus *lat.* contingēns, dem Part. Präs. Akt. von *lat.* contingere „berühren" in dessen übertr. Bed. „treffen, zuteil werden, zustehen", entlehnt. Stammverb ist *lat.* tangere „berühren" (vgl. hierüber den Artikel *Tangente*). – Abl.: kontingentieren „kontingenten festsetzen; [vorsorglich] ein-, zuteilen" (20. Jh.).

kontinuierlich „stetig, fortdauernd, unaufhörlich": Das Adjektiv ist von dem heute veralteten Verb kontinuieren „fortsetzen" abgeleitet, das auf *lat.* continuāre (> *frz.* continuer) „zusammenhängend machen, ohne Unterbrechung fortsetzen" zurückgeht. Zu *lat.* continuus „zusammenhängend" und weiter zu *lat.* con-tinēre „zusammenhalten". Über die etymolog. Zusammenhänge vgl. den Artikel ¹*Tenor*.

Konto *s* „zahlenmäßige Gegenüberstellung von Geschäftsvorgängen in der Buchführung und im Bankwesen": Das Wort ist seit dem 15. Jh. bezeugt. Seine eigtl., heute veraltete Bedeutung ist „Rechnung", wie sie noch in der Fügung a conto „auf Rechnung von..." und in der Zus. Akontozahlung „Anzahlung, Abschlagszahlung" lebt. Wie die meisten Fremd- und Lehnwörter der Kaufmannssprache und des Bankwesens (s. hierüber den Artikel ²*Bank*) stammt auch das Wort Konto aus dem *It.* Das vorausliegende *it.* conto „Rechnung" geht wie entspr. *frz.* compte (*afrz.* conte) auf *spätlat.* computus

„Berechnung" zurück. Zu *lat.* com-putāre „zusammenrechnen, berechnen" (daraus auch *frz.* compter „[be]rechnen, zahlen", beachte das davon abgeleitete Substantiv *frz.* comptoir „Zahltisch; Schreibstube", das die Quelle ist für →Kontor). Über das Stammverb *lat.* putāre „schneiden; reinigen, ordnen; berechnen; erwägen usw." vgl. das FW *amputieren*.

Kontor *s* „Geschäftsraum eines Kaufmanns": Das seit dem 15. Jh. im *Niederd.*, zunächst mit der Bed. „Rechen-, Zahltisch", dann auch im Sinne von „Schreibstube", bezeugte FW ist durch Vermittlung von *mniederl.* contoor und *nordfrz.* contor aus *frz.* comptoir „Zahltisch; Schreibstube" entlehnt (vgl. hierüber *Konto*). – Abl.: Kontorist *m* „Angestellter der kaufmänn. Verwaltung" (17. Jh.), dazu entspr. Kontoristin *w* (19./20. Jh.).

kontra..., Kontra...: Vorsilbe mit der Bed. „gegen". Entsprechend gilt contre..., Contre... und eingedeutscht konter..., Konter... in FW aus dem *Frz.* Quelle ist *lat.* conträ „gegen" (Adv., Präp. und Präfix), eine Weiterbildung von *lat.* com... „mit, zusammen" (vgl. hierüber den Artikel *kon...*). *Lat.* conträ erscheint auch selbständig in *Dt.* als Adverb kontra „gegen, entgegengesetzt", ferner substantiviert als Kontra *s* „Gegenansage (bei Kartenspielen); energischer Widerspruch (allg.)", beachte bes. die Wendung „jmdm. Kontra geben'. – Vgl. noch die ebenfalls hierher gehörenden FW →konträr und →kontern.

kontrahieren „zusammenziehen" (Gramm.), früher auch im Sinne von „sich zu einem Vertrag einigen", daher studentisch für: „einen Zweikampf vereinbaren": Im 16./17. Jh. aus *lat.* con-trahere „zusammenziehen; eine geschäftl. Verbindung eingehen" entlehnt (vgl. *kon...* und *trachten*). – Dazu: Kontrahent *m* „Vertragschließender, Vertragspartner; Gegner (beim Zweikampf); Rivale" (16. Jh.); Kontrahage *w* „Verabredung eines Zweikampfes, Forderung" (stud., 19. Jh.); Kontrakt *m* „Vertrag, Abmachung" (in der Kanzleisprache des 15. Jh.s aus gleichbed. *lat.* contractus entlehnt).

Kontrapunkt *m*: Das Substantiv bezeichnet musikalisch-fachsprachlich die Kunst des mehrstimmigen Tonsatzes. Das Wort erscheint im *Dt.* seit Anfang des 16. Jh.s. Es beruht auf gleichbed. *mlat.* contrapunctum, einer gelehrten Neubildung zu *lat.* conträ „gegen" (vgl. *kontra...*) und *lat.* pūnctus „das Stechen, der Stich; der Punkt" (vgl. *Punkt*), das im *Mlat.* die spezielle Bed. „Note" entwickelt hat. Mlat. contrapunctum bezeichnete urspr. das Setzen einer Gegenstimme zur Melodie ('punctus contra punctum' „Note gegen Note"). – Siehe auch kunterbunt.

konträr „entgegengesetzt, gegensätzlich": Das seit dem 15./16. Jh. zunächst in der Form contrar und contrari (auch im Sinne von „widrig") bezeugte Adjektiv geht auf *lat.* contrārius „gegenüber befindlich, entgegengesetzt, zuwiderlaufend" zurück, das von *lat.* contrā „gegen" (vgl. *kontra...*) abgeleitet ist. Die heutige Form, die im 18. Jh. aufkommt, zeigt Einfluß von *frz.* contraire.

Kontrast *m* „[starker] Gegensatz; auffallender Unterschied (bes. von Farben)": Im 18. Jh. – zunächst als Fachterminus der Malerei – aus *it.* contrasto (daraus auch *frz.* contraste) entlehnt. Dies ist von *vlat.-it.* contrāstāre „entgegenstehen" abgeleitet. Zu *lat.* contrā „gegen" (vgl. *kontra...*) und stāre „stehen" (vgl. *stabil*). – Dazu das Verb **kontrastieren** „in [starkem] Gegensatz stehen; abstechen, sich abheben, sich unterscheiden" (18. Jh.; aus *frz.* contraster).

Kontrolle *w* „Aufsicht, Überwachung; Prüfung": Im 18. Jh. aus gleichbed. *frz.* contrôle entlehnt. Dies ist aus contre-rôle (vgl. *kontra...* und *Rolle*) zusammengezogen und bedeutet eigtl. „Gegenrolle, Gegenregister", d. h. „Zweitregister (wie man es zur Prüfung der Richtigkeit von Angaben in einem Originalregister verwendete)". – Abl.: **kontrollieren** „[nach]prüfen, überwachen; unter Kontrolle haben, beherrschen" (um 1600; aus gleichbed. *frz.* contrôler); **Kontrolleur** *m* „Aufsichtsbeamter, Prüfer" (17. Jh.; aus *frz.* contrôleur).

Kontroverse *w* „[wissenschaftl.] Streitfrage; heftige Auseinandersetzung": Gelehrte Entlehnung des 17. Jh.s aus gleichbed. *lat.* contrōversia (eigtl. „die entgegengesetzte Richtung"), das von *lat.* contrō-versus „entgegengewandt; entgegenstehend" abgeleitet ist; weiter zu *lat.* contrā „gegen" (vgl. *kontra...*) und *lat.* vertere (vertī, versum) „wenden, drehen" (vgl. *Vers*).

Kontur *w* „Umriß[linie]", meist *Mehrz.*: Im 18. Jh. als Fachterminus der bildenden Kunst aus gleichbed. *frz.* contour entlehnt, das seinerseits auf *it.* contorno zurückgeht. Zugrunde liegt *it.* contornare „umgeben, einfassen; Konturen ziehen" (aus *vlat.* *contornāre). Über weitere Zusammenhänge vgl. den Artikel *Turnus*.

Konus *m* „Körper von der Form eines Kegels oder Kegelstumpfes": Aus *lat.* cōnus, *gr.* kōnos „Pinienzapfen; Kegel" entlehnt. Weiteres ist unsicher. – Abl.: **konisch** „kegelförmig".

Konvent *m* „(feierliche) Zusammenkunft": *Mhd.* convent geht auf *lat.* conventus zurück (zu con-venīre „zusammenkommen"; vgl. *kon...* und *Advent*). Daneben steht *kirchenlat.* cōventus im Sinne von „Versammlung von Gläubigen, Gemeinde", das sowohl dem *frz.* Wort couvent „Kloster" als auch unserem LW **Kofent** *m* (*spätmhd.* cōvént, cōfént) zugrunde liegt. Dies bezeich-

nete ein „Dünnbier", wie es von Klosterbrüdern gern getrunken wurde. – Hierher noch das FW → Konvention.

Konvention *w*: Das FW erscheint zuerst im 17. Jh. als staatsrechtlicher Terminus im Sinne von „Abkommen, Vertrag im öffentlichen und staatlichen Interesse". Danach bezeichnet es heute speziell eine zwischenstaatliche Übereinkunft zur Wahrung bestimmter völkerrechtlicher Grundsätze. Aber auch im Privatrecht hat das Wort eine Rolle gespielt, wie noch die dazugehörige zusammengesetzte Bildung **Konventionalstrafe** „vereinbarte Geldbuße für den Fall der Nichterfüllung eines Vertrages" (18. Jh.) zeigt. Seit dem 18. Jh. begegnet das FW Konvention auch allgemein im Sinne von „Übereinkunft, Herkommen, Brauch" (dazu das Adj. konventionell, s. u.). Das Wort ist in allen seinen Bedeutungen aus *frz.* convention entlehnt, das seinerseits auf *lat.* conventiō „Zusammenkunft; Übereinkunft" beruht. Zu *lat.* con-venīre „zusammenkommen" (vgl. *Konvent*). – Abl.: **konventionell** „herkömmlich" (18. Jh.; aus gleichbed. *frz.* conventionnel).

Konvertit *m* „zu einer anderen Glaubensgemeinschaft Übergetretener": Am Ende des 18. Jh.s aus gleichbed. *engl.* convertite entlehnt, das von *engl.* to convert „umwenden, umkehren; wechseln" abgeleitet ist. Voraus liegt *lat.* con-vertere „umwenden, umwandeln usw.", ein Kompositum von *lat.* vertere „kehren, wenden, drehen" (vgl. *Vers*). Das Verb **konvertieren** „umwandeln, umkehren; den Glauben wechseln" erscheint erst im 19. Jh.

konvex „erhaben, nach außen gewölbt (vor allem von Linsen)", im Gegensatz zu → konkav: Gelehrte Entlehnung des 17. Jh.s aus *lat.* convexus „nach oben oder unten gewölbt, gerundet, gekrümmt".

Konvikt *s* „Wohngemeinschaft (Stift) für kath. Theologiestudenten": Im 18. Jh. aus *lat.* convīctus „das Zusammenleben; Tisch- und Wohngemeinschaft" entlehnt. Über das zugrunde liegende Verb *lat.* [con-]vīvere „[zusammen]leben" vgl. das LW *Weiher*.

Konvoi *m* „Geleitzug (insbesondere von Schiffen)": Das bereits um 1600 bezeugte, aus *frz.* convoi entlehnte FW galt lange Zeit nur im allgemeinen Sinne von „Geleit". Später geriet das Wort unter den Einfluß des ebenfalls aus dem *Frz.* stammenden *engl.* convoy und wurde speziell zur Bezeichnung für die einer Handelsflotte zum Schutz beigegebenen Kriegsschiffe. Die *engl.* Aussprache wurde im 20. Jh. allgemein üblich. Die Bedeutung wurde auf den gesamten Geleitzug (Handels- und Geleitschiffe zusammen) ausgedehnt und findet sich in jüngster Zeit auch auf ähnliche Transportkolonnen zu Lande übertragen. – *Frz.* convoi „Geleit" ist von convoyer „begleiten, geleiten" abgeleitet, das auf *vlat.* *con-viāre zurück-geht. Stammwort ist *lat.* via „Weg", das auch in →trivial erscheint.

konzentrieren: Das seit dem 17. Jh. bezeugte Verb ist aus *frz.* concentrer „in einem [Mittel]punkt vereinigen" entlehnt. Zuerst erscheint es als Fachwort der Chemie im Sinne von „zusammendrängen, anreichern, gehaltreich machen (z. B. Flüssigkeiten)", dann auch militärisch in der Bed. „militärische Kräfte an einem Ort zusammenziehen", schließlich allgemein „zusammendrängen, sammeln". Von besonderem Interesse ist der reflexive Gebrauch des Verbs im Sinne von „sich geistig sammeln, sich anspannen". Beachte auch das Partizipialadjektiv k o n z e n t r i e r t „angereichert (Chem.); angespannt, gesammelt". *Frz.* con-centrer ist gelehrte Neubildung zu *frz.* centre „Mittelpunkt", das unserem FW →*Zentrum* entspricht. – Abl.: K o n z e n t r a t i o n *w* „Gehalt einer Lösung an gelöstem Stoff (Chem.); Zusammenballung, Zusammendrängung (von Kräften, Menschen usw.); geistige Sammlung, gespannte Aufmerksamkeit" (17./18. Jh.; aus *frz.* concentration), beachte auch die Zusammensetzung K o n z e n t r a t i o n s l a g e r (Kurzform: KZ); K o n z e n t r a t *s* „ein in einer Mischung gespeicherter Stoff; hochprozentige Lösung" (20. Jh.; *nlat.* Bildung). – Hierher noch das Adjektiv k o n z e n t r i s c h „den gleichen Mittelpunkt habend (von Kreisen); umfassend" (18. Jh.; aus *mlat.* concentricus).

Konzern *m* „wirtschaftl. Zusammenschluß von Unternehmen, deren rechtl. Selbständigkeit erhalten bleibt": Im 19./20. Jh. aus *engl.* concern „Beziehung, Geschäftsbeziehung, Unternehmung" entlehnt, das von *engl.* to concern „betreffen, sich beziehen auf, angehen" abgeleitet ist. Voraus liegen *frz.* concerner, *mlat.* concernere „beachten, berücksichtigen; betreffen, sich beziehen auf".

Konzert *s* „öffentliche Musikaufführung; Komposition für Solo und Orchester": Im Anfang des 17. Jh.s aus gleichbed. *it.* concerto entlehnt, das eigtl. „Wettstreit (nämlich der Stimmen)" bedeutet. Zu *lat.-it.* concertāre „wetteifern". Über die etymolog. Zusammenhänge vgl. den Artikel *Dezernent*. *It.* concertare erscheint bei uns im 17. Jh. als FW: k o n z e r t i e r e n „ein Konzert geben". Dazu das Adjektiv k o n z e r t a n t „konzertmäßig, in Konzertform".

Konzession *w* „Zugeständnis, Erlaubnis; behördl. Genehmigung (zur Ausübung eines Gewerbes)": Im 16. Jh. aus *lat.* concessiō „das Herantreten; das Zugeständnis" entlehnt. Zugrunde liegt *lat.* con-cēdere „beiseite treten; das Feld räumen; zugestehen usw." (vgl. hierüber den Artikel *Prozeß*). – Zum gleichen Stammwort gehört das Adjektiv

tiv *lat.* concessīvus „einräumend", das unser FW **konzessiv** (Sprachw.) lieferte. Beachte auch die Zus. K o n z e s s i v s a t z „Umstandssatz der Einräumung".

Konzil *s* „Versammlung der kirchl. Würdenträger": In *mhd.* Zeit aus *lat.* concilium (< *con-caliom) „Versammlung" entlehnt. Zugrunde liegt das *lat.* Verb calāre „aus-, zusammenrufen". Über weitere Zusammenhänge vgl. den Artikel *klar*. – Von Interesse ist in diesem Zusammenhang noch ein von *lat.* concilium abgeleitetes Verb, *lat.* conciliāre „vereinigen, verbinden; geneigt machen, gewinnen", das Ausgangspunkt für die FW →konziliant, Konzilianz ist.

konziliant „verbindlich, umgänglich, gewinnend, versöhnlich": In neuerer Zeit aus *frz.* conciliant, dem Part. Präs. von concilier „vereinigen, ausgleichen, geneigt machen, gewinnen" entlehnt, das auf gleichbed. *lat.* conciliāre (vgl. *Konzil*) zurückgeht. Dazu das Substantiv K o n z i l i a n z *w* „Umgänglichkeit, Verbindlichkeit, freundliches Entgegenkommen".

konzipieren „eine Grundvorstellung von etwas gewinnen; verfassen, entwerfen", als medizin. Terminus im Sinne von „empfangen, schwanger werden": In *spätmhd.* Zeit aus gleichbed. *lat.* concipere entlehnt (vgl. *kapieren*). Die dazugehörigen Substantive *lat.* conceptus „das Zusammenfassen; Gedanke, Vorsatz" und *lat.* conceptiō „das Zusammenfassen; Inbegriff; Empfängnis" erscheinen im Dt. gleichfalls als FW: K o n z e p t *s* und K o n z e p t i o n *w*. Das erstere gilt heute speziell zur Bezeichnung des ersten stichwortartigen Entwurfs eines Schriftstückes, einer Rede u. ä., während letzteres neben seiner allgemeinen Bed. „geistiger, künstlerischer Entwurf (eines Werkes)"; Einfall" vor allem in der Medizin im Sinne von „Empfängnis" verwendet wird.

Koog *m*: Die Herkunft des *niederd.* Ausdrucks für „durch Eindeichung dem Meer abgewonnenes Land" ist dunkel. Das *niederd.* Wort steckt auch in dem ON Cuxhaven, der auf Koogshaven (so noch um 1700) zurückgeht.

koordinieren „beiordnen; in ein Gefüge einbauen; aufeinander abstimmen": *Nlat.* Bildung zu *lat.* con... „zusammen, mit" (vgl. *kon...*) und *lat.* ōrdināre „ordnen" (vgl. *ordnen*). – Dazu als mathematischer Fachterminus das Substantiv K o o r d i n a t e n *Mehrz.* „in bezug auf einen gemeinsamen Ausgangspunkt einander zugeordnete Größen (Abszisse und Ordinate) zur Bestimmung der Lage eines Punktes in der Ebene oder im Raum".

Kopf *m*: Das Wort Kopf (*mhd.*, *ahd.* kopf) war urspr. Gefäßbezeichnung für „Becher, Trinkschale". Es beruht wohl (mit entspr. *engl.* cup „Becher, Tasse") auf einer Entlehnung aus *spätlat.-gemeinroman.* cuppa

„Becher". Zur Körperteilbezeichnung wurde das Wort auf Grund einer vermittelnden, zuerst im *Mhd.* faßbaren, bildlich übertragenen Bed. „Hirnschale" (der Bedeutungsübergang erinnert an das Verhältnis von *lat.* testa „Platte, [Ton]schale" zu dem daraus hervorgegangenen *frz.* Substantiv tête „Kopf"). Im *Nhd.* hat sich 'Kopf' als Körperteilbezeichnung gegenüber dem altererbten heimischen Wort →Haupt durchgesetzt, das heute nur noch in gehobener, poetischer Sprache und im übertragenen Sinne gebräuchlich ist. – Abl. und Zus.: köpfen „den Kopf abhauen, enthaupten" (*spätmhd.* köpfen „schröpfen; enthaupten"); kopflos „ohne Verstand, ohne Überlegung"; kopfscheu „ängstlich; verwirrt" (18. Jh.; urspr. von Pferden gesagt, die scheuen, wenn sie am Kopf gepackt werden); Kopfzerbrechen „angestrengtes Nachdenken" (18. Jh.).

Kopie *w*: Das seit dem 14. Jh. bezeugte, aus der Kanzleisprache stammende FW ist aus *lat.* cōpia „Fülle, Vorrat, Menge" entlehnt (über das zugrunde liegende Substantiv *lat.* ops, opis „Macht, Vermögen, Reichtum usw." vgl. den Artikel *opulent*), das im Kanzleilatein im Sinne von „Vervielfältigung" erscheint. Hieraus entwickelte sich die bis heute übliche allgemeine Bed. „Abschrift, Durchschrift", die daneben auch auf verschiedene andere Bereiche übertragen wurde (beachte noch folgende Bedeutungen: „Nachbildung eines Kunstwerks", „Abzug eines Filmstreifens", „Lichtpause"). – Abl: kopieren „eine Kopie anfertigen, abschreiben, vervielfältigen; abziehen; nachbilden" (15. Jh., aus *mlat.* cōpiāre „vervielfältigen").

[1]Koppel *s* „Leibriemen": *Lat.* cōpula „Verknüpfendes, Band; Strick, Seil; Hundeleine; Zugleine" gelangte über *afrz.* co[u]ple „Band" (= *frz.* couple „Koppelriemen; zusammengekoppeltes Paar usw.") im 13. Jh. als LW ins Deutsche (*mhd.* kuppel, koppel „Band, Verbindung; Hundekoppel; Haufe, Schar; Revier, an dem mehrere gleiches [Weide]recht haben". Auf dem Wort beruhen einerseits *nhd.* [1]Koppel *s* „Leibriemen", andererseits [2]Koppel *w* „durch Riemen aneinandergebundene Tiere; Hundekoppel; (allg.:) Schar", letzteres auch mit der von Norddeutschland ausgehenden Bed. „Einfriedung eines Feldes; eingezäunte Weide". Gleichfalls auf dem *mhd.* Wort beruhen die unter →kuppeln behandelten Wörter. – Abl.: koppeln „zusammenkoppeln" (*mhd.* kuppeln, koppeln „an die Koppel legen, binden, fesseln; [geistig] verbinden, vereinigen"; s. auch kuppeln).

Koralle *w*: Der Name des koloniebildenden Hohltieres warmer Meere, dessen meist rotes Kalkskelett den modischen Korallenschmuck liefert, wurde in *mhd.* Zeit aus *afrz.* coral (= *frz.* corail) entlehnt, das seinerseits auf

spätlat. corallum (*lat.* corallium) < *gr.* korállion zurückgeht.

Korb *m*: Die *nhd.* Form des Wortes geht über *mhd.* korp auf *ahd.* chorp zurück, das wahrscheinlich aus *lat.* corbis (Akk. corbem) „Korb" entlehnt ist. Das *lat.* Substantiv gehört wohl mit einer urspr. Bed. „Geflochtenes" zu der unter →Harfe genannten *idg.* Wurzel. – Die Redensart 'jmdm. einen Korb geben' „eine Absage erteilen, abweisen" verdankt ihre Entstehung vermutlich der Tatsache, daß in früheren Zeiten ein Liebhaber gelegentlich in einem Korb zum Fenster der Angebeteten emporgezogen wurde. War der Liebhaber ungebeten und unwillkommen, bekam er einen „Korb" mit schadhaftem Boden, durch den er auf die Erde zurückfiel.

Kord *m* „geripptes [Baum]wollgewebe": Junges FW, im 20. Jh. aus *engl.* cord „Schnur, Seil; Bindfaden, Zwirn; gerippter Stoff" entlehnt, das auf gleichbed. *frz.* corde zurückgeht (vgl. hierüber das LW *Kordel*).

Kordel *w*: Das *westmitteldt.* Wort für „gedrehte Schnur; Bindfaden" ist seit dem 15. Jh. bezeugt (als *rhein.* kordel und *mnd.* kordeel). Es beruht auf Entlehnung aus *frz.* cordelle „kurzes Seil", das als Verkleinerungsform zu *frz.* corde „Seil; Schnur" gehört. Letzteres lieferte unser nur noch fachsprachlich übliches Substantiv **Korde** *w* „schnurartiger Besatz" (*mhd.* korde „Seil, Schnur"). Letzte Quelle des Wortes ist das mit *dt.* →Garn urverwandte Substantiv *gr.* chordé > *lat.* chorda „Darm; Darmsaite". – Hierher noch die FW →Kord und →Kordon.

Kordon *m* „Postenkette, Absperrung": Im 18. Jh. aus gleichbed. *frz.* cordon (eigtl. „Schnur, Seil; Reihe") entlehnt, das von *frz.* corde „Schnur, Seil" (vgl. *Kordel*) abgeleitet ist.

Korinthe *w*: Die kleinste, kernlose Art getrockneter Weinbeeren (andere Bezeichnungen dieser Beeren siehe unter Sultanine und Rosine) ist nach ihrem Hauptausfuhrhafen Korinth (in Griechenland) benannt. Schon um 1500 begegnen Formen wie *kölnisch* carentken, *mniederl.* corente (heute: krent), die wie die *nhd.* Form alle von *frz.* raisin de Corinthe „Weinbeere aus Korinth" ausgehen.

Kork *m*: Das Wort bezeichnet zunächst die Rinde der Korkeiche, die alle 9 Jahre in Platten vom Stamm geschält und für verschiedene technische Zwecke verwendet wird. Im speziellen Sinn meint 'Kork' den aus der Rinde der Korkeiche hergestellten Flaschenstöpsel, den Korkstopfen (dafür auch die Bezeichnung Korken *m*). Das Wort wurde im 16. Jh. im *niederd.* Sprachraum aus *niederl.* kurk „Kork" aufgenommen, das seinerseits auf gleichbed. *span.* corcho zurückgeht. Letzte Quelle des Wortes ist *lat.* cortex (corticis)

„Baumrinde, Borke; Kork (als Stoffbezeichnung); Korkstöpsel". – Abl. und Zus.: korken „mit einem Korken zupfropfen" (19. Jh.), heute meist nur in den Präfixverben zukorken, verkorken (Ggs.: entkorken „den Korkstopfen herausziehen") gebräuchlich; Korkenzieher (19./20. Jh.).

¹Korn s: Das gemeingerm. Substantiv mhd., ahd. korn, got. korn, schwed. korn gehört zu der unter →Kern dargestellten Wortgruppe. Das Wort bezeichnete zunächst die samenartige Frucht von Pflanzen, speziell des Getreides, dann das Getreide selbst. Landschaftlich verschieden bezeichnet 'Korn' heute speziell die Getreidesorte, aus der das landesübliche Brot gebacken wird, daher hauptsächlich den Roggen. Beachte auch, daß schwed. korn speziell „Gerste", engl.-amerik. corn speziell „Mais" bedeutet. – Dann ging das Wort auch auf kornförmige anorganische Gebilde. über, beachte z. B. die Zus. Hagelkorn, Sandkorn, Schrotkorn, und bezeichnete speziell die Bestandteile mineralischer Strukturen. An diese Verwendung schließt sich 'Korn' als Bezeichnung des Feingewichts einer Münze (bereits mhd.) und der Rasterungsart an, beachte die Zus. Fein-, Grobkorn, fein-, grobkörnig. Nach der Ähnlichkeit mit der Form eines Korns heißt auch ein Teil der Visiereinrichtung 'Korn'. Abl.: körnen „[Vögel oder Wild durch das Streuen von Körnern] anlocken" (mhd. körnen), dazu Körnung w „Futter zur Wildfütterung, Futterplatz" (17. Jh.); körnig (16. Jh.). Zus.: Kornblume (15. Jh.; die Pflanze wächst vorwiegend in Getreidefeldern).

²Korn m: Die seit dem 19. Jh. bezeugte Bezeichnung des aus Getreide hergestellten klaren Schnapses ist aus älterem 'Kornbranntwein' gekürzt. Beachte die Artikel Kirsch und Kümmel.

Korona w: Lat. corōna „Kranz", das die Quelle ist für unser LW →Krone, bezeichnet in übertragener Bedeutung einen Kreis von Menschen, insbesondere von Zuhörern oder Zuschauern. In diesem Sinne wurde es in neuerer Zeit als FW von der Studentensprache übernommen und dringt von dort auch in die Umgangssprache zur Bezeichnung einer „[fröhlichen] Runde, Schar".

Körper m: Das seit dem 13. Jh. bezeugte Substantiv (mhd. korper, körper) ist aus lat. corpus, corporis „Körper, Leib; Masse; Gesamtheit, Körperschaft" entlehnt. Das Lehnwort trat als Bezeichnung für den tierischen und menschlichen Körper an die Stelle des mit veränderter Bedeutung →Leiche bewahrten einheimischen Wortes ahd. līh[h] „Körper, Leib usw.", mhd. līch. Im modernen Sprachgebrauch häufen sich die übertragenen Verwendungen des Wortes

Körper (beachte z. B.: 'Körper' als „Stoffmasse", 'Körper' als Bezeichnung für jedes Gebilde von räumlicher Ausdehnung und 'Körper' im abstrakten Sinne von „Verbandskörper"). Abl.: körperlich (Ende 16. Jh.); Körperschaft „mitgliedschaftl. organisierte Gemeinschaft; rechtsfähiger Verband" (Anf. 19. Jh.); verkörpern „Gestalt geben" (18. Jh.). – Zu lat. corpus als Stammwort gehören die folgenden Fremdwörter: →korpulent, Korpulenz, →Korps, Korporation, korporiert, →Korsett und Korselett.

Korporal m: Die heute nicht mehr gebräuchliche Bezeichnung des Unteroffiziers ist in dt. Texten seit dem Beginn des 17. Jh.s bezeugt. Quelle des Wortes ist das von it. capo (< lat. caput) „Kopf; Spitze; Oberhaupt" (vgl. Kapital) abgeleitete Substantiv it. caporale „Hauptmann, Anführer; Korporal", das uns durch frz. Vermittlung erreichte (frz. caporal steht neben caporal und ist nach corps „Körper" umgestaltet). Unmittelbar aus dem It. stammt die Form Kaporal, die schon im 16. Jh. belegt ist, die aber im wesentlichen auf oberd. Mundarten beschränkt blieb. – Sehr jung noch ist das aus frz. caporal entwickelte, im Soldatenjargon aufgekommene Kurzwort Kapo m für „Unteroffizier", das während des Dritten Reiches allgemein bekannt wurde, speziell auch zur Bezeichnung der Häftlinge eines Konzentrationslagers, die ein Arbeitskommando leiteten.

Korps s: Das seit dem Beginn des 17. Jh.s bezeugte FW erscheint zuerst im militär. Bereich mit der Bed. „Abteilung, Schar" (hier bezeichnet es noch heute einen größeren Truppenverband); beachte Zus. wie Freikorps (18. Jh.) und Kadettenkorps (18. Jh.). Die heute vor allem übliche Geltung von 'Korps' im akademischen Bereich, zur Bezeichnung bestimmter stud. Verbindungen, kommt hingegen erst im 19. Jh. auf (beachte hier Zusammensetzungen wie Korpsstudent). Entlehnt ist das Wort aus frz. corps „Körper; Körperschaft; Heerhaufe, Abteilung", das auf lat. corpus „Körper" (vgl. Körper) zurückgeht. – An 'Korps' im Sinne von „stud. Verbindung" schließen sich noch die FW Korporation w „Studentenverbindung" (daneben auch allgemein im Sinne von „Körperschaft, Innung") und korporiert „einer stud. Verbindung angehörend" an. Ersteres erscheint im 18./19. Jh. durch Vermittlung von engl. corporation „Körperschaft" (< spätlat. corporātiō „Körperlichkeit", letzteres in neuster Zeit (zu lat. corporāre „zum Körper machen").

korpulent „beleibt": Im 17. Jh. aus lat. corpulentus „wohlbeleibt, dick" entlehnt, das von lat. corpus „Körper, Leib" abgeleitet ist (vgl. das LW Körper). – Dazu das Sub-

stantiv Korpulenz *w* „Beleibtheit"
(18. Jh.; aus *lat.* corpulentia).

korrekt „richtig, ordentlich": Das seit dem
16. Jh. bezeugte Adjektiv war ursprünglich,
wie die dazugehörigen Substantive Korrektor *m* „[Druck]berichtiger" (16. Jh.) und
Korrektur *w* „Berichtigung, Verbesserung" (16. Jh.), ein Fachwort der Druckersprache. Erst vom 18. Jh. an erlangte das
Adjektiv gemeinsprachliche Geltung. Voraus liegen *lat.* corrēctus „zurechtgebracht,
berichtigt" (vgl. *korrigieren*) oder *lat.* cor-
rēctor „Berichtiger", *mlat.* corrēctūra „das
Amt eines Korrektors; die Berichtigung".

korrespondieren „im Briefverkehr stehen",
gelegentlich auch noch im Sinne von „übereinstimmen" gebraucht: Im 16./17. Jh. aus
frz. correspondre < *mlat.* cor-respondēre
„übereinstimmen; in [geschäftlicher] Verbindung stehen, Briefe wechseln" entlehnt.
Aus dem Part. Präs. Akt. *mlat.* correspon-
dēns stammt das FW Korrespondent *m*
„Briefeschreiber; Berichterstatter; Bear-
beiter des kaufmännischen Schriftwechsels"
(17. Jh.). Dazu noch das Substantiv Kor-
respondenz *w* „Briefwechsel; ausgewähl-
ter und bearbeiteter Stoff für Zeitungen"
(17. Jh.; aus *mlat.* correspondentia).

Korridor *m* „[Wohnungs]flur, Gang; schmaler Gebietsstreifen (der durch das Hoheitsgebiet eines fremden Staates zu einer Exklave führt)": Im 18. Jh. als Fachwort des
Bauwesens aus *it.* corridore „Läufer; Laufgang" entlehnt, das von *it.* correre (< *lat.*
currere) „laufen" abgeleitet ist (vgl. *Kurs*).

korrigieren „berichtigen, verbessern": Das
seit dem 14. Jh. bezeugte FW geht auf *lat.*
cor-rigere (corrēctum) „zurechtrichten, zu-
rechtbringen, verbessern, berichtigen" zurück, ein Kompositum von *lat.* regere „geraderichten; lenken; herrschen" (vgl. *regieren*). – Dazu die FW →korrekt, Korrektor,
Korrektur, ferner →Eskorte.

korrupt „verderbt, verdorben; bestechlich":
Im 15. Jh. aus gleichbed. *lat.* corruptus, dem
adjektivisch gebrauchten Part. Perf. Pass.
von *lat.* corrumpere „verderben, vernichten
usw.", entlehnt. Über das Stammwort *lat.*
rumpere „brechen, zerbrechen usw." vgl.
den Artikel *Rotte*. – Dazu das Substantiv
Korruption *w* „[Sitten]verfall; Beste-
chung, Bestechlichkeit" (17. Jh.; aus *lat.*
corruptiō).

Korsett *s* „Mieder, Schnürleibchen": Das
seit dem 18. Jh. bezeugte FW, welches das
deutschstämmige Wort →Mieder zurückgedrängt hat, ist aus gleichbed. *frz.* corset entlehnt. Dies ist eine Verkleinerungsbildung
zu *afrz.* cors (= *frz.* corps) „Körper, Leib"
(vgl. *Körper*); vgl. zur Bildung *dt.* →Leib-
chen und Leib. – Eine andere Verkleinerungsbildung von *afrz.* cors, *frz.* corselet „leichter
Brustharnisch", erscheint in unserem FW
Korselett *s* „kleines, leichtes Korsett"

(19. Jh.), das hier als Verkleinerungsform
von Korsett empfunden wird.

Korso *m* „Schaufahrt, Umzug", beachte besonders die Zus. Blumenkorso: Das seit
dem 18. Jh., zuerst in der Bed. „Straße, auf
der Wettrennen und Schaufahrten stattfinden" bezeugte FW ist aus *it.* corso „[Um]-
lauf" entlehnt, das auf *lat.* cursus (vgl.
Kurs) zurückgeht.

Korvette *w* „leichtes Kriegsschiff": Im
18. Jh. aus *frz.* corvette „Rennschiff" entlehnt, dessen Herkunft nicht sicher geklärt
ist.

koscher „rein, sauber, einwandfrei; ehrlich,
unverdächtig": Das seit dem 18. Jh. bezeugte Adjektiv ist *hebr.* Ursprungs (*hebr.*
kāšēr „recht, tauglich") und wird durch das
Jidd., wo es speziell im Sinne von „nach
jüdischen Speisegesetzen rein und ohne
religiöse Bedenken genießbar" gilt, aber
auch durch die Studentensprache allgemein
bekannt, nicht zuletzt in seiner uneigentlichen Bedeutung.

kosen „zärtlich plaudern, zärtlich sein":
Lat. causa „Sache; Rechtssache; Ursache"
(s. auch das FW Schose) gelangte im
Bereich der Rechtssprache früh ins *Dt.*
als *ahd.* kōsa „Rechtssache". Davon abgeleitet ist das Zeitwort *ahd.* kōsōn „eine
Rechtssache führen, verhandeln", das daneben die allgemeine Bed. „sich besprechen;
sich unterhalten, reden, plaudern" annahm
(beachte gleichbed. *mhd.* kōsen). Das einfache Verb trat in der *nhd.* Schriftsprache
fast völlig zurück. Es blieb jedoch lebendig
in der Zus. liebkosen (*mhd.* liepkōsen,
eigtl. „zuliebe sprechen"), aus der es im
18. Jh. zurückgewonnen wurde mit seiner
heute gültigen, veränderten Bed. „zärtlich
plaudern, zärtlich sein". – Dazu die junge
Zus. Kosename.

kosmetisch „die Körper- und Schönheitspflege betreffend": Im 18. Jh. aus *frz.* cos-
métique entlehnt, das auf *gr.* kosmētikós
„zum Schmücken, zum Putzen gehörig"
zurückgeht. Über das zugrunde liegende
Verb *gr.* kosmeîn „anordnen, schmücken"
vgl. *Kosmos*. Das Substantiv Kosmetik *w*
„Körper-, Schönheitspflege" (19. Jh.)
setzt das substantivierte Femininum *gr.*
kosmētikē̂ (téchnē) „Putzkunst" voraus.
Abl.: Kosmetikerin (20. Jh.).

Kosmos *m* „Weltall, Weltordnung": Das
Wort ist unverändert aus dem *Gr.* übernommen. Die Grundbed. von *gr.* kósmos
„Ordnung, Anstand, Schmuck" wurde
schon im *Gr.* vielfach übertragen, so auch
hier auf „die Weltordnung, das Weltall, der
gesamte Menschheit". In diesem Sinne erscheint das Wort auch als Bestimmungswort von zusammengesetzten FW wie
Kosmopolit *m* „Weltbürger" (18. Jh.; aus
gleichbed. *gr.* kosmo-polítēs; zum Grundwort vgl. *Politik*) und Kosmonaut *m*

„Weltraumfahrer" (20. Jh.; über das Grundwort vgl. *nautisch*). Die eigtl. Bedeutung von *gr.* kósmos hingegen wird in unseren FW →kosmetisch, Kosmetik faßbar, denen das abgeleitete Verb *gr.* kosmeîn „anordnen; schmücken, putzen" zugrunde liegt. Abl.: kosmisch „das Weltall betreffend, aus ihm stammend".

Kost *w*: Das im heutigen Sprachgefühl als zu ²kosten „schmecken; genießen" gehörig empfundene Wort geht dagegen auf *mhd.* kost[e] „Aufwand an oder für Nahrung, Speise, Futter" zurück, das mit *mhd.* kost[e] „Aufwand, Ausgaben, Wert, Preis" (vgl. *Kosten*) identisch ist. Beachte auch die Abl. beköstigen (16. Jh.) und verköstigen (16. Jh.) sowie die Zus. Kostgänger (16. Jh.) und Zukost (17. Jh.).

¹**kosten** „wert sein, einen bestimmten Preis haben": Das seit dem 12./13. Jh. vorhandene Zeitwort (*mhd.* kosten „aufwenden, ausgeben; zu stehen kommen, kosten") geht über gleichbed. *afrz.* coster (= *frz.* coûter) auf *vlat.* *côstâre zurück, das für *klass.-lat.* côn-stâre „feststehen; zu stehen kommen, kosten" steht (vgl. *konstant*). – Dazu die Substantive →Kosten und →Kost.

²**kosten** „schmecken; genießen": Das *altgerm.* Verb *mhd.* kosten, *ahd.* kostôn, *aengl.* costian, *aisl.* kosta gehört zu der unter →*kiesen* „prüfen, wählen" dargestellten Wortgruppe. Eng verwandt sind z. B. *lat.* gustâre „schmecken, genießen" und gustus „Geschmack, Genuß" (s. die Fremdwörtergruppe von Gusto).

Kosten Mehrz.: Zu dem unter →¹kosten „wert sein" genannten Verb *vlat.* *côstâre „zu stehen kommen, kosten" gehört als Substantivbildung *mlat.* costa „Aufwand an Geldmitteln; Wert, Preis", auf dem *mhd.* kost[e] *w* „Wert, Preis; Geldmittel, Aufwand, Ausgaben" beruht. Dies lebt mit seiner eigtl. Bedeutung in unserem *nhd.* Substantiv Kosten „Ausgaben, Aufwand an Geldmitteln" fort. Mit einer speziellen Bed. „Aufwand für Nahrung und Speise; Lebensmittel, Futter" hat das *mhd.* Wort unser Substantiv →Kost „Nahrung, Speise" geliefert. – Abl. und Zus.: kostbar „wertvoll" (*mhd.* kost-bære, eigtl. „hohe Kosten verursachend"); kostspielig „teuer" (18. Jh.; im Grundwort steckt *mhd.* spildec „verschwenderisch", das unter Anlehnung an 'spielen' umgedeutet wurde); köstlich „wertvoll, prächtig, äußerst fein; von großem Genuß" (*mhd.* kost[e]lich, eigtl. „Kosten machend, viel kostend"); Unkosten *Mehrz.* „notwendige Ausgaben" (16. Jh.; eigtl. „unangenehme, vermeidbare Kosten").

Kostüm *s*: Am Anfang der Geschichte dieses Fremdwortes steht das *lat.* Substantiv côn-suêtûdô „Gewöhnung, Gewohnheit, Herkommen, Brauch, Sitte usw.", das zu *lat.* suêscere (côn-suêscere) „sich gewöhnen, eine

Gewohnheit annehmen" gehört. Das aus *lat.* cônsuêtûdô entlehnte *it.* Substantiv costume (= *frz.* coutume) erscheint in *dt.* Texten seit dem 18. Jh. als Kunstwort der Malerei und Plastik zur allgemeinen Bezeichnung völkischer Eigenheiten und Eigenarten in den verschiedensten kulturellen Bereichen. Am Ende des 18. Jh.s geriet das Wort unter den Einfluß des gleichfalls aus dem *It.* stammenden *frz.* Substantivs costume, das die Bedeutungsverengung unseres Fremdwortes auf den speziellen Bereich „der [historischen] Kleidung" maßgebend bestimmte. So wurde im 19. Jh. die Bed. „Tracht" allein und allgemein üblich. Daraus entwickelte sich einerseits der übertragene Gebrauch im Sinne von „Verkleidung, Maskenanzug", andererseits die sehr junge Bezeichnung einer bestimmten (aus Rock und Jacke bestehenden) Damenkleidung. – Abl.: kostümieren, sich „ein [Masken]kostüm anlegen, sich verkleiden" (19. Jh.; aus *frz.* costumer).

Kot *m*: Das in *mitteld.* gemeinsprachlich gewordene Wort bezeichnete zunächst die Ausscheidung aus dem tierischen und menschlichen Körper. Dann wurde es auch im Sinne von „Dreck, Schmutz" gebräuchlich, beachte die Zus. Kotflügel. *Mitteld.* kôt, *mhd.* kât, quât, *ahd.* quât, *mnd.* quâd stehen im Ablaut zu *aengl.* cwêad „Kot, Dreck, Schmutz" und gehen mit verwandten Wörtern in anderen *idg.* Sprachen auf die dh-Erweiterung der *idg.* Wz. *g^{u}êu- „Kot, Mist" zurück, vgl. z. B. *aind.* gûtha-ḥ „Kot, Exkrement".

Kotau *m* „demütige Ehrerweisung, Verbeugung", besonders in der Wendung 'seinen Kotau machen': Das um 1900 aufkommende FW entstammt dem *chin.* Hofzeremoniell der Kaiserzeit und bezeichnet die Art, wie man sich (in China) vor dem Kaiser und seinen Vertretern unterwürfig zu Boden werfen und mit der Stirn den Boden berühren mußte. *Chin.* kêtóu bedeutet wörtlich „schlagen (mit dem) Kopf".

Kotelett *s* „Rippenstück": Im Anfang des 18. Jh.s aus *frz.* côtelette „Rippchen" entlehnt, einer Verkleinerungsbildung zu *frz.* côte (*afrz.* coste) „Rippe; Seite", das mit einer übertr. Bed. „Abhang" die Quelle für unser LW →Küste ist. – Nach der Ähnlichkeit mit einem Kotelett wird seit dem 19. Jh. der männl. Backenbart mit Koteletten *Mehrz.* bezeichnet.

Köter *m*: Der aus dem *Niederd.* stammende verächtliche Ausdruck für „Hund" ist wahrscheinlich im Sinne von „Kläffer, Schreier" zu der unter →*kaum* dargestellten Gruppe von Lautnachahmungen, beachte *mnd.* kûten „schwatzen", *rhein.-fränk.* kauzen „kläffen" und den Vogelnamen Kauz (s. d.).

¹Kotze w, Kotzen m: Der Ursprung des landsch. Ausdrucks für „grobes Wollzeug, wollene Decke, wollener Mantel", der auf mhd. kotze, ahd. chozzo, chozza zurückgeht, ist dunkel. Aus einem der ahd. Form entsprechenden afränk. *kotta „Art Mantel aus grobem Wollstoff" ist afrz. cotte (= frz. cotte „Rock") entlehnt, aus dem wiederum engl. coat „Rock" stammt, s. die Artikel Duffle-, Petti- und Trenchcoat. Gleichfalls germ. LW ist mlat. cotta „Mönchsgewand", das seinerseits unserem Subst. →Kutte zugrunde liegt. Siehe auch den Artikel kodd[e]rig.

²Kotze siehe kotzen.

kotzen: Der vulgäre Ausdruck für „sich übergeben" ist wahrscheinlich im 15. Jh. aus koppezen entstanden, das eine Intensivbildung zu spätmhd. koppen „speien" ist (beachte mdal. koppen „Luft abschlucken, rülpsen"). Aus dem Verb rückgebildet ist ²Kotze w „Erbrochenes". Neben auskotzen und bekotzen ist vor allem die Zus. ankotzen gebräuchlich, und zwar im Sinne von „anwidern, anekeln" und „anschreien, anfahren".

Krabbe w: Das im 16. Jh. aus dem Niederd. übernommene Wort geht auf mnd. krabbe „kleiner Meerkrebs" zurück, das mit niederl. krab, engl. crab und der nord. Sippe von schwed. krabba verwandt ist. Die Krabbe ist als „krabbelndes Tier" benannt (vgl. krabbeln).

krabbeln: Das ugs. Verb für „kriechen, leicht berühren, jucken" (mnd. krabbelen, mhd. krappelen) ist verwandt mit niederl. krabbelen, krabben „kratzen, kritzeln" und den nord. Sippen von schwed. krafsa „scharren, kratzen" und kravla „kriechen". Aus dem Nord. stammt engl. to crawl, aus dem wiederum dt. →¹kraulen entlehnt ist. – Diese germ. Wortgruppe gehört mit den unter →Krabbe und →Krebs behandelten Wörtern zu der unter →kerben dargestellten Wz. *g[e]rebh- „ritzen, kratzen; kriechen, indem man sich festhakt". – Siehe auch kribbeln.

krachen: Das westgerm. Verb mhd. krachen, ahd. krahhōn, niederl. kraken, engl. to crack ist lautnachahmender Herkunft und gehört, falls es nicht eine unabhängige Bildung ist, zu der unter →krähen dargestellten Gruppe von Schallnachahmungen. – Das Verb krachen ist auch im Sinne von „bersten, brechen, stürzen" und ugs. „sich streiten, sich entzweien" gebräuchlich, beachte verkrachen „Bankrott machen", ugs. refl. „sich streiten, sich entzweien", veralt. „zusammenstürzen" (17. Jh.). – Aus dem Verb rückgebildet ist Krach m „krachendes Geräusch, Getöse; Lärm; Streit, Zank; Zusammenbruch eines Unternehmens, Bankrott" (mhd. krach, ahd. chrac). Im Sinne von „Zusammenbruch, Bankrott" ist Krach ver-

mutlich von engl. crash beeinflußt und erst seit dem Großen Krach von Wien (1873) allgemein gebräuchlich. Abl. Kracher m ugs. für „alter, schwacher Mann" (17. Jh.); Kracherl s oberd. mdal. für „Brauselimonade". Zus.: Krachmandel oberd. für „Knackmandel" (18. Jh.).

krächzen: Das seit dem 15. Jh. bezeugte Verb (spätmhd. grachkiczen, krachitzen) ist eine Weiterbildung zu dem unter →krachen behandelten Verb, von dem es sich aber in der Bedeutung gelöst hat.

Kraft w: Das altgerm. Wort mhd., ahd. kraft, niederl. kracht, engl. (mit der Bed. „Geschicklichkeit, Fertigkeit, List, Kunst, Handwerk") craft, schwed. kraft gehört zu der unter →Kringel dargestellten Wortgruppe der idg. Wz. *ger- „drehen, winden, sich zusammenziehen, verkrampfen" (vgl. Krapfen, Krampf). Für den Begriff Kraft war demnach die Vorstellung des Anspannens der Muskeln bestimmend. – In der Rechtssprache hat 'Kraft' die Bed. „Gültigkeit", beachte dazu rechtskräftig „rechtsgültig" und die Wendungen 'außer Kraft setzen', 'in Kraft treten oder bleiben' usw. – Aus den Verbindungen 'in Kraft', 'durch Kraft', 'aus Kraft' oder dgl. entwickelte sich im 16. Jh. in der Kanzleisprache die Verwendung von kraft (= Dat. Einz. von Kraft) als Präposition, beachte z. B. kraft meines Amtes, kraft des Gesetzes. – Abl.: verkraften ugs. für „mit etwas fertig werden, vertragen können", veralt. für „motorisieren" (20. Jh.); entkräften „schwächen; ungültig machen, widerlegen" (18. Jh.; früher gewöhnlich verkräften, mhd. verkreften „schwächen"); kräftig (mhd. kreftic, ahd. chreftig „kraftvoll, stark; wirksam; gewaltig, groß; reichlich; gültig"), dazu kräftigen „stärken" (mhd. kreftigen, ahd. chreftigōn), beachte auch bekräftigen (16. Jh.). Zus.: Kraftausdruck (Anfang des 19. Jh.s), Kraftbrot (16. Jh.); Kraftbrühe (um 1800); Kraftfahrzeug (20. Jh.; Ersatzwort für Automobil); Kraftmeier ugs. für „Kraftprotz" (20. Jh.); Kraftrad (20. Jh.; Ersatzwort für Motorrad; in der Heeressprache zu Krad gekürzt, beachte Kradschütze); Kraftwagen (20. Jh.; wie auch Kraftfahrzeug Ersatzwort für Automobil; heute dafür gewöhnlich nur Wagen); Kraftwerk (20. Jh.). Auch als Grundwort steckt Kraft in zahlreichen Zus., beachte z. B. Fliehkraft, Schwerkraft, Willenskraft.

Kragen m: Das seit frühmhd. Zeit bezeugte Wort bezeichnete zunächst den Hals und ging dann auf das den Hals bedeckende Kleidungsstück über, (beachte zum Bedeutungsübergang z. B. 'Leibchen' und 'Mieder'). Die alte Bed. „Hals" lebt heute nur noch in bestimmten Wendungen, beachte z. B. 'es geht um Kopf und Kragen'. –

Mhd. krage ,,Hals, Kehle, Nacken; Halskragen", *niederl.* kraag ,,Hals; Halskragen", *engl.* craw ,,Kropf" gehen mit verwandten Wörtern in anderen *idg.* Sprachen – vgl. z. B. *air.* brägae ,,Hals, Nacken" – auf *idg.* *gᵘʰrōgh- ,,Schlund" zurück, das zu der unter → *Köder* dargestellten *idg.* Wz. *gᵘʰer- ,,verschlingen, fressen" gehört. – Zu der Zus. K r a g s t e i n ,,vorspringender, als Träger verwendeter Stein" (*mhd.* kragstein, eigtl. ,,Haisstein") stellen sich K r a g e *w* ,,Konsole" und das Verb (ab-, aus-, vor)- k r a g e n. Siehe auch den Artikel ²Krug.

Krähe *w*: Die Krähe ist nach ihrem heiseren Geschrei als ,,Krächzerin" benannt. *Mhd.* krā[e], krēje, *ahd.* krā[wa, -ja, -ha], *niederl.* kraai, *engl.* crow und die andersgebildete Sippe von *schwed.* kråka gehören zu der unter → *krähen* behandelten Lautnachahmung. Zus.: K r ä h e n f ü ß e ,,kraklige Schrift" (16. Jh.), ,,Falten, bes. an den Augen" (19. Jh.).

krähen: Das *westgerm.* Verb *mhd.* krǣ[je]n, *ahd.* krāen, *niederl.* kraaien, *engl.* to crow, zu dem der Vogelname → *Krähe* gehört, ist lautnachahmender Herkunft. Es geht mit verwandten Wörtern in anderen *idg.* Sprachen auf die vielfach weitergebildete und erweiterte *idg.* Wz. *ger- zurück, die besonders dumpfe und heisere Klangeindrücke wiedergibt. Zu dieser Wurzel gehören auch der *idg.* Vogelname → *Kranich* und wahrscheinlich die unter → *krachen*, krächzen und → *kreischen*, kreißen behandelten Wörter.

Krähwinkel: Der von Kotzebue in seinem Lustspiel 'Die deutschen Kleinstädter' (1803) verwendete Ortsname gilt seitdem als Inbegriff kleinstädtischer Beschränktheit. Beachte dazu K r ä h w i n k e l e i *w* ,,kleinstädtische Beschränktheit" und K r ä h w i n k l e r *m* ,,beschränkter Kleinstädter" (19. Jh.).

Krakeel *m* (*ugs.* für:) ,,Lärm und Streit; Unruhe": Die Herkunft des um 1600 aufgekommenen Wortes ist nicht sicher geklärt. Vielleicht handelt es sich um ein in der Landsknechtssprache umgestaltetes *it.* gargagliata ,,Lärm von vielen Leuten" (beachte die Form der ersten Belege: Gregell, Crackel). Abl.: k r a k e e l e n (17. Jh.); K r a k e e l e r *m* (17. Jh.).

Kralle *w*: Das seit dem 16. Jh. bezeugte Wort gehört im Sinne von ,,die Gekrümmte" zu der unter → *Kringel* dargestellten *idg.* Wz. *ger- ,,[sich] drehen, [sich] winden, [sich] krümmen". Daß das Wort Kralle schon vor dem 16. Jh. gebräuchlich gewesen sein muß, beweist das davon abgeleitete Verb *spätahd.* bichrellen, *mhd.* krellen ,,kratzen", an dessen Stelle die junge Ableitung k r a l l e n (17. Jh.) getreten ist.

Kram *m*: Das auf das *dt.* und *niederl.* Sprachgebiet beschränkte Wort bezeichnete

urspr. wahrscheinlich das gespannte (geflochtene) Schutzdach über dem Wagen oder der Bude des umherziehenden Kaufmanns. Im Rahmen der Handelsbeziehungen drang das Wort in mehrere europäische Sprachen, beachte z. B. die *nord.* Sippe von *schwed.* kram und die *slaw.* Sippe von *poln.* kram. – *Ahd.*, *mhd.* krām ,,Zeltdecke; Bedachung eines Kramstandes; Krambude, Laden, Geschäft; Kaufmannsware", *mnd.* krām[e] ,,Zeltdecke; mit einer Zeltdecke abgedeckte Handelsbude; die in einer Krambude verkaufte Ware; Kramhandel", *niederl.* kraam ,,Krambude; Gardine bzw. Vorhang, wohinter die Wöchnerin liegt, Wochenbett" sind dunklen Ursprungs. – Heute wird Kram vorwiegend *ugs.* im Sinne von ,,minderwertige Ware, Zeug, Sache, Angelegenheit" gebraucht. Abl.: k r a m e n *ugs.* für ,,herumsuchen, planlos wühlen; sich zu schaffen machen" (*mhd.* krāmen ,,Kramhandel treiben"; beachte auch die Zus. aus-, herum-, vorkramen); K r ä m e r *m* veralt., aber noch *mdal.* für ,,Kleinhändler" (*mhd.* krāmǣre, *ahd.* krāmari; beachte auch die Zus. Kleinigkeits-, Geheimnis-, Umstandskrämer). Siehe auch den Artikel Krimskrams.

Krambambuli *m*: Der seit dem 18. Jh. bezeugte Ausdruck bezeichnete zunächst den Danziger Wacholderschnaps und wurde dann in der Studentensprache auf andere alkoholische Getränke (bes. aus Rum, Arrak und Zucker) übertragen. Es handelt sich vermutlich um eine scherzhafte lautspielerische Umgestaltung von Krammet (veralt. für:) ,,Wacholder" (vgl. *Krammetsvogel*).

Krammetsvogel *m*: Der *mdal.* Ausdruck für ,,Wacholderdrossel" hat sich aus *mhd.* kran[e]witvogel entwickelt. Das Bestimmungswort Krammet, veralt. für ,,Wacholder", geht zurück auf *mhd.* kranewite, *ahd.* kranawitu, das eigtl. ,,Kranichholz" bedeutet und eine Zusammensetzung aus *ahd.* krano ,,Kranich" (vgl. *Kranich*) und *ahd.* witu ,,Holz, Wald" (vgl. *Wiedehopf*). Beachte dazu älter *östr.* kranawet ,,Wacholder", wozu K r a n e w i t t e r *m östr.* für ,,Wacholderschnaps" gehört (s. Krambambuli). – Die Drosselart ist so benannt, weil sie gerne Wacholderbeeren frißt.

Krampe *w*, K r a m p e n *m*: Der im 17. Jh. aus dem *Niederd.* übernommene Ausdruck für ,,Haken, Klammer" geht zurück auf *asächs.* krampo ,,Haken, Klammer", dem *ahd.* chramph adj. ,,krumm", subst. ,,Haken" entspricht. Das Wort bedeutet demnach eigtl. ,,Krumme, Gekrümmte" und ist mit den Sippen von → *Krampf* und → *Krempe* verwandt (vgl. *Kringel*). Eine Verkleinerungsbildung dazu ist ²K r e m p e l *w* ,,Wollkamm, Auflockerungsmaschine" (18. Jh.), von dem k r e m p e l n ,,mit dem Wollkamm bearbeiten, auflockern" (15. Jh.) abgeleitet ist. Abl.: k r a m p e n ,,anklammern" (18. Jh.).

Krampf

Krampf m: Das *westgerm.* Substantiv *mhd.* krampf, *ahd.* kramph[o], *niederl.* kramp, *engl.* cramp gehört zu dem *germ.* Adjektiv *krampa- „krumm, gekrümmt" (vgl. z. B. *ahd.* chramph „krumm") und steht im Ablaut zu *ahd.* krimphan „krümmen", *mhd.* krimpfen „[sich] krümmen, krampfhaft zusammenziehen, *mitteld.*, *mnd.* krimpen „zusammenziehen, einschrumpfen lassen", beachte **krimpen** „(angefeuchtetes) Tuch zusammenpressen". Eng verwandt sind die Sippen von →Krampe, →Krempe und →krumm (vgl. *Kringel*). Abl. **krampfen** „krampfartig zusammenziehen" (um 1800; dafür heute gewöhnlich zusammenkrampfen, verkrampfen); **krampfhaft** (18. Jh.); **krampfig** (15. Jh.). Zus.: **Krampfader** (16. Jh.).

Kran m: Die Hebevorrichtung ist nach ihrer Ähnlichkeit mit einem Kranichhals als „Kranich" benannt (beachte zur Übertragung von Tiernamen auf Werkzeuge und Geräte z. B. die Artikel Ramme und Wolf). *Spätmhd.* kran[e] „Kranich" und „Kran" ist die nicht weitergebildete Form von →*Kranich*. Auch *niederl.* kraan und *engl.* crane bedeuten sowohl „Kranich" als auch „Kran". – *Mdal.* wird das Wort auch im Sinne von „großer Wasserhahn, Zapfröhre" gebraucht, dazu die Verkleinerungsbildung **Kränchen** s „Zapfhahn; Gezapftes", beachte z. B. 'Emser Kränchen' (Brunnenwasser).

Kranich m: Der *idg.* Vogelname bedeutet eigtl. „Krächzer, heiserer Rufer" und gehört zu der unter →*krähen* dargestellten Schallnachahmung. Die Form Kranich (*mhd.* kranech, *ahd.* chranih, -uh, *mnd.* kranek; entspr. *aengl.* cranoc) ist eine Weiterbildung zu der Form →Kran „Hebevorrichtung", früher „Kranich" (*mhd.* krane, *ahd.* krano, *niederl.* kraan, *engl.* crane, *schwed.* trana). Die nicht weitergebildete Form steckt auch in →Krammetsvogel und in **Kronsbeere** *nordd.* für „Preiselbeere" (17. Jh.; so benannt, weil sie von Kranichen gern gefressen wird). *Außergerm.* sind z. B. verwandt *gr.* géranos „Kranich; Kran" (s. Geranie) und *armen.* krunk „Kranich".

krank: *Mhd.* kranc „schwach; schmal, schlank; schlecht, gering; nichtig; leidend, nicht gesund", *mnd.* kranc „schwach; ohnmächtig; schlecht, gering", *niederl.* krank „schwach; unwohl" gehören im Sinne von „krumm, gekrümmt, gebeugt" zu der unter →*Kringel* dargestellten Wortgruppe. – Bis ins *Spätmhd.* galt für 'krank' das alte *gemeinerm.* Adjektiv 'siech' (s. d.), das durch 'krank' in die spezielle Bed. „(durch lange Leiden) hinfällig" abgedrängt wurde. Abl.: **kränkeln** „nicht recht gesund sein" (17. Jh.; beachte dazu angekränkelt); **kranken** „an etwas leiden" (*mhd.* kranken „schwach, leidend werden oder sein"; beachte dazu

erkranken); **kränken** „Kummer, Leid zufügen, beleidigen, verletzen" (*mhd.* krenken „schwächen, mindern, schädigen, zunichte machen, plagen, erniedrigen"), dazu **Kränkung** w (17. Jh.); **krankhaft** (17. Jh.); **Krankheit** w (*mhd.* krankheit „Schwäche; Dürftigkeit, Not; Leiden"); **kränklich** (*mhd.* kranc-, krenclich „schwächlich, gering, armselig, schlecht").

Kranz m: Das urspr. nur *hochd.* Wort (*mhd.*, *spätahd.* kranz), das dann auch ins *Niederd.* drang und von dort in die *nord.* Sprachen entlehnt wurde, hat keine *außergerm.* Entsprechungen. *Spätahd.* kranz ist daher wahrscheinlich eine Rückbildung aus dem Verb *ahd.* krenzen (*kranzen) „umwinden", das zu der Wortgruppe von →*Kringel* gehört. – Die bedeutende Rolle, die der Kranz im Brauchtum und im täglichen Leben spielt, spiegelt sich in zahlreichen Zusammensetzungen wider, beachte z. B. Myrtenkranz, Jungfernkranz, Totenkranz, Erntekranz, Richtkranz, Rosenkranz. Das Wort wird auch auf kranzförmige Dinge übertragen, beachte z. B. Kranz im Sinne von „kranzförmiges Gebäck" und die Zus. Strahlenkranz, und wird ferner im Sinne von „Sammlung, Vereinigung, Zusammenkunft" gebraucht, beachte z. B. die Zus. Liederkranz und die Verkleinerungsbildung **Kränzchen** s „regelmäßige Zusammenkunft eines geselligen Kreises", bes. **Kaffeekränzchen**. Abl.: **kränzen** (*mhd.* krenzen) „mit einem Kranz versehen"; beachte die Zus. bekränzen).

Krapfen m: Das Gebäck ist nach seiner urspr. Gestalt als „Haken" benannt. *Nhd.* Krapfen geht zurück auf *mhd.* kräpfe „hakenförmiges Gebäck", das identisch ist mit *mhd.* kräpfe „Haken, Klammer" (*ahd.* krapho „Haken, Kralle, Klaue"). Das Wort gehört mit den unter →Krampe und →Krampf behandelten nasalierten Formen zu der Wortgruppe von →*Kringel*. – *Mdal.* sind besonders die Verkleinerungsbildungen Kräpfel, Kräpfchen, Kräppel, Kröppel gebräuchlich.

kraß „dick, grob, plump; auffallend, ungewöhnlich": Im 18. Jh. aus *lat.* crassus „dick, grob" entlehnt, das wohl mit einer urspr. Bed. „zusammengeballt; verflochten" zu der unter →*Hürde* dargestellten *idg.* Sippe gehört.

Krater m „trichterförmige Mündungsöffnung eines Vulkans", auch allgemein im Sinne von „trichterförmiger Erdschlund": Im 18. Jh. aus gleichbed. *lat.* crätēr < *gr.* krátēr entlehnt, dessen Bedeutung aus der eigtl. Bed. „Mischkrug" übertragen ist. Zugrunde liegt das *gr.* Verb kerannýnai „[ver]mischen", das wohl zur *idg.* Sippe von *mhd.* →*rühren* gehört.

Krätze w: Der nur *dt.* Krankheitsname (*mhd.* kretze) ist eine Bildung zu dem unter

366

→*kratzen* behandelten Verb. Die Krankheit ist so benannt, weil die juckende Hautentzündung zum Kratzen reizt. Abl.: **krätzig** ,,mit Krätze behaftet'' (*spätmhd.* kretzec).
kratzen: Das *germ.* Verb *mhd.* kratzen (daneben kretzen), *ahd.* chrazzōn, *niederl.* weitergebildet krassen, *schwed.* kratta hat keine sicheren *außergerm.* Entsprechungen. Um das Verb gruppieren sich die Bildungen **Kratz** *m* *mdal.* für ,,Schramme'' (*mhd.* kraz), **Kratze** *w* ,,Werkzeug zum Kratzen oder Scharren'' (*mhd.* kratze), **Kratzer** *m* *ugs.* für ,,Schramme'' (20. Jh.) sowie →**Krätze.** Gebräuchliche Zus. und Präfixbildungen sind **zerkratzen** (*mhd.* zerkratzen) und **abkratzen** *ugs.* für ,,sich davonmachen, sterben'' (19. Jh.; die Sitte des Kratzfußes ironisierend), beachte auch **aufgekratzt** *ugs.* für ,,munter, vergnügt'' (18. Jh.; 2. Partizip zum Verb aufkratzen, das früher das Aufbereiten wollener Gewebe mit der Kardendistel bezeichnete). Zus.: **Kratzbeere,** in neuerer Zeit auch **Kroatzbeere** *mdal.* für ,,Brombeere'' (*mhd.* kratzber ,,Brombeere''; nach den kratzenden Stacheln des Brombeerstrauches benannt); **Kratzbürste** ,,widerspenstiger Mensch'' (17. Jh.; eigtl. eine wirkliche Bürste zum Kratzen, wie sie z. B. von Metallarbeitern verwendet wird), dazu **kratzbürstig** ,,widerspenstig, unfreundlich'' (20. Jh.); **Kratzfuß** ,,eine Art Verbeugung, bei der der Fuß scharrend nach hinten gezogen wird'' (18. Jh.).
krauchen: Das seit dem 16. Jh. bezeugte Verb ist eine *mdal.* Nebenform von →*kriechen* und beruht auf *mitteld.* krūchen.
krauen: Das auf das *dt.* und *niederl.* Sprachgebiet beschränkte Verb (*mhd.* krouwen, *ahd.* krouwōn, *mnd.,* *niederl.* krauwen) geht mit der unter →*Krume* dargestellten Sippe auf eine Wurzelform **greu-* ,,kratzen'' zurück. Eine alte Substantivbildung dazu ist **Kräuel** *m* *mdal.* für ,,Haken, Gerät mit hakenförmigen Zinken zum Kratzen'' (*mhd.* kröuwel, *ahd.* krouwil; *niederl.* krauwel). Von krauen weitergebildet ist **krauln,** dazu ²**krauln** ,,sanft kratzen, streicheln'' (15. Jh.).
¹**krauln** ,,im Kraulstil schwimmen'' (im 20. Jh. aus *amerik.-engl.* to crawl ,,kriechen, krabbeln; krauln'' entlehnt, das auf *aisl.* krafla ,,kriechen, krabbeln'' (verwandt mit *dt.* →*krabbeln)* zurückgeht.
²**krauln** siehe krauen.
kraus: Das verhältnismäßig spät bezeugte Adjektiv (*mhd.,* *mnd.* krūs) gehört im Sinne von ,,gedreht, gekrümmt'' zu der Wortgruppe von →*Kringel.* Im Ablaut dazu steht *mnd.* krōs ,,Eingeweide'', eigtl. ,,Krauses'' (s. Gekröse). – Das Adjektiv kraus wird gewöhnlich im Sinne von ,,lockig'' gebraucht, wird aber auch übertragen im Sinne von ,,wirr, unordentlich'' verwendet. Abl.:

Krause *w* ,,gefältelter Halskragen, gefältelte Manschette'' (17. Jh.; im 16. Jh. dafür Kraus *s*; vielleicht erst unter Anlehnung an das Adjektiv umgestaltet aus Kröß ,,gefältelter Halskragen'', eigtl. ,,Gekröse'', beachte *frz.* fraise ,,Gekröse'' und – nach der Ähnlichkeit – ,,gefältelter Hemdkragen''); **krausen** ,,kraus machen, in Falten legen'' (*spätmhd.* krūsen), dazu **kräuseln** ,,kraus, lockig machen, in Falten legen'' (16. Jh.).
Kraut *s:* Der Ursprung des nur *dt.* und *niederl.* Wortes (*mhd.,* *ahd.* krūt, *asächs.* krūd, *niederl.* kruid) ist unklar. Das Wort bezeichnete zunächst eine [kleinere] Blattpflanze, dann auch lediglich das Blattwerk einer Pflanze, beachte z. B. die Zus. **Kartoffelkraut,** **Rübenkraut** und die Wendung ,,ins Kraut schießen''. Schon früh wurde 'Kraut' speziell von Pflanzen, die für den Menschen von Nutzen sind, gebraucht, beachte dazu **Unkraut** ,,unbrauchbare Pflanze'' (*mhd.,* *ahd.* unkrūt). An diesen Gebrauch des Wortes schließt sich die Verwendung von 'Kraut' im Sinne von ,,Gemüse'', bes. ,,Kohl'' an, beachte z. B. die Bildung **Kräutler** *m* *östr.* für ,,Gemüsehändler'' und die Zus. **Sauerkraut** *mdal.* für ,,Sauerkohl''. Weiterhin bezeichnet 'Kraut' – im allgemeinen in der Mehrz. **Kräuter** – speziell die zu Heilzwecken und zum Würzen verwendete Pflanze, beachte z. B. die Zus. **Bohnenkraut,** **Kräuterkäse,** **Kräutertee** und die Verwendung 'dagegen ist kein Kraut gewachsen'. Abl.: **krauten** *mdal.* für ,,Unkraut jäten'' (*mhd.* krūten); **Krauter** *m* *ugs.* für ,,Sonderling'' (18. Jh.).
Krawall *m:* Der im Zusammenhang mit den Unruhen von 1830 und 1848 aufgekommene Ausdruck für ,,Aufruhr, Lärm'' geht wahrscheinlich auf älteres volkssprachliches crawallen ,,Lärmen'' (16. Jh.) zurück, das seinerseits aus *mlat.* charavallium ,,Katzenmusik, Straßenlärm'' entlehnt ist.
Krawatte *w* ,,Halsbinde; Schlips'', auch übertragen gebraucht zur Bezeichnung eines Würgegriffs: Am Ende des 17. Jh.s – wie *it.* cravatta, *span.* corbata, *engl.* cravat – aus *frz.* cravate entlehnt, das seinerseits aus *dt.* Krawat, einer Mundartform von Kroate, stammt. Das Wort bezeichnet also ursprünglich den Angehörigen des slawischen Volksstammes der Kroaten (= *frz.* Croate) und wird dann nach der charakteristischen Halsbinde, wie sie von kroatischen Reitern getragen wurde, zum Appellativum ,,die Kroatische (Halsbinde)''.
Kreatur *w* ,,[Lebe]wesen, Geschöpf'': In *mhd.* Zeit aus *kirchenlat.* creātūra ,,Schöpfung; Geschöpf'' (vgl. *kreieren)* entlehnt. Das Wort wurde jedoch erst seit dem 17. Jh. volkstümlich, und zwar als verächtliche Bezeichnung eines minderwertigen Geschöpfes,

das einem Höhergestellten knechtisch ergeben ist.

Krebs *m*: Der Krebs ist nach seiner eigentümlichen Fortbewegungsart als „krabbelndes (kriechendes) Tier" benannt. Der auf das *dt.* und *niederl.* Sprachgebiet beschränkte Name des Krustentiers (*mhd.* krebiz, *ahd.* crebiz, chrepaz[o], *mnd.* krevet, *niederl.* kreeft) gehört mit dem unter →Krabbe behandelten Wort zu der Wortgruppe von →*krabbeln.* Als Bezeichnung der Krankheit und als Name des Sternbilds ist Krebs Bedeutungslehnwort nach *lat.* cancer (s. den Artikel Schanker) und *gr.* karkínos (beachte medizin. Karzinom „Krebsgeschwulst"). Die bösartige Geschwulst ist so benannt, weil sie gleichsam wie ein heimtückisch fressender Krebs das Gewebe zerstört. Abl.: krebsen „Krebse fangen", *ugs.* (bes. herumkrebsen) für „sich mühsam bewegen, sich abmühen mit etwas; rückwärtsgehen" (*mhd.* kreb[e]zen). Zus.: Krebsgang (16. Jh.); krebsrot (19. Jh.).

Kredenz *w* „Anrichte[tisch, -schrank]": Im 15. Jh. aus gleichbed. *it.* credenza entlehnt. Dessen eigtl. Bedeutung ist gemäß seiner Herkunft aus *mlat.* crēdentia (zu *lat.* crēdere „vertrauen auf, glauben"; vgl. *Kredo*) „Glaube, Vertrauen, Glaubwürdigkeit". Die Bedeutung „Anrichtetisch" entwickelte sich aus der Wendung 'far la credenza' „die Prüfung auf Treu und Glauben vornehmen", welche die Aufgabe des Mundschenks oder Dieners an Herren- und Fürstenhöfen umschrieb, die Speisen und Getränke, die sie dem Herrn vorgesetzt wurden, an „Seitentischchen" vorzukosten und damit auf ihre Unschädlichkeit zu prüfen. Abl.: kredenzen „(feierlich) darreichen, darbringen; auftischen" (15. Jh.; zuerst in der Bed. „vorkosten").

Kredit *m*: Das seit dem 16. Jh., zuerst in der Form Credito bezeugte Substantiv ist aus *it.* credito „Leihwürdigkeit" entlehnt. Die heutige Form setzt sich etwa um 1600 unter dem Einfluß des gleichfalls aus dem *It.* stammenden *frz.* crédit durch. Das Wort war von Anfang an, wie schon das vorausliegende *lat.* crēditum „das auf Treu und Glauben Anvertraute, das Darlehen" (substantiviertes Part. Perf. Pass. von *lat.* crēdere „vertrauen auf, glauben"), ein Terminus des Geldwesens. So bezeichnet es heute 'Kredit' zunächst einmal das Vertrauen in die Fähigkeit und Bereitschaft einer Person oder Unternehmung, Verbindlichkeiten ordnungs- und fristgemäß zu begleichen, zum anderen die einer Person oder einem Unternehmen kurz- oder langfristig zur Verfügung stehenden fremden Geldbeträge oder Sachgüter. Beachte auch Zus. wie Kreditbank, Kreditbrief (17. Jh.; Übersetzung von *frz.* lettre de crédit), kreditfähig (18./19. Jh.), Kleinkredit

(20. Jh.). – Zugleich aber gilt das Wort auch in übertragenem, allgemeinem Sinne von „Glaubwürdigkeit". Als Gegenbildung zu 'Kredit' erscheint im 17. Jh. Mißkredit „schlechter Ruf, mangelndes Vertrauen" (früher nur kaufmänn. im Sinne von „schlechter Kredit", dafür anfangs auch die *it.* Form 'Discredito'). Andere Ableitungen sind: kreditieren „Kredit gewähren; borgen" (17. Jh.; nach *frz.* créditer) und diskreditieren „in Verruf bringen" (17. Jh.; aus *frz.* discréditer, zu *frz.* discrédit = *it.* discredito „Mißkredit"). Beachte ferner →akkreditieren und →Akkreditiv.

Kredo *s* „Glaubensbekenntnis": In *mhd.* Zeit substantiviert aus der 1. Pers. Sing. Präs. Akt. von *lat.* crēdere „vertrauen auf, glauben" in der Einleitung des Apostolischen Glaubensbekenntnisses 'Credo in unum deum...' „Ich glaube an den einen Gott...". – *Lat.* crēdere ist auch Ausgangspunkt für die FW →Kredit, Mißkredit, kreditieren, diskreditieren, →akkreditieren, Akkreditiv und →Kredenz, kredenzen.

Kreide *w*: Das feinkörnige Kalkgestein, das im Altertum vorwiegend als Puder (z. B. zum Reinigen weißer Wollstoffe) verwendet wurde, hieß bei den Römern crēta. *Lat.* crēta „Kreide" ist wörtlich als (terra) crēta „gesiebte Erde" zu deuten (zu cernere „scheiden, sichten"). – *Nhd.* Kreide geht auf *mhd.* krīde, *spätahd.* krīda zurück, das aus *vlat.* (*galloroman.*) crēda entlehnt ist. – Auf die früher übliche Art, Zechen oder Schulden mit Kreide auf ein schwarzes Brett zu schreiben, beziehen sich ankreiden und Wendungen wie z. B. 'in der Kreide stehen'. Abl.: kreidig (17. Jh.).

kreieren: Das schon im 16. Jh. in einer allgemeinen Bed. „wählen, erwählen" bezeugte, aus *lat.* creāre „erschaffen, zeugen; ins Leben rufen; ernennen, erwählen" entlehnte Verb erscheint im 19. Jh. als Bühnenwort im Sinne von „eine neue Rolle auf der Bühne darstellen", neu vermittelt durch *frz.* créer (un rôle). In jüngster Zeit ist das Wort gleichfalls unter *frz.* Einfluß als Terminus der Haute Couture wieder aktuell geworden, hier im Sinne von „ein neues Modell entwerfen" (beachte auch das dazugehörige Substantiv *frz.* création in unserem FW Kreation *w* „Modeschöpfung, Modell"; 20. Jh.). – Zu *lat.* creāre, das mit *lat.* crēscere „wachsen, zunehmen" verwandt ist (s. Rekrut, rekrutieren, konkret) und mit diesem zu der unter →Hirse dargestellten *idg.* Wz. *ker- „wachsen; wachsen machen; nähren" gehört, stellt sich als Abl. *kirchenlat.* creātūra „Schöpfung; Geschöpf" (s. Kreatur.)

Kreis *m*: *Mhd.*, *ahd.* kreiz „Kreislinie; Zauberkreis; abgegrenzter Kampfplatz; Gebiet, Bezirk; Umkreis", *mnd.* kreit, krēt „Kreislinie, Umkreis; Kampfplatz", ablautend *niederl.* krijt „Kampfplatz, Schranken" gehören im Sinne von „eingeritzte Linie" zu der Sippe von →*kritzeln*. Das Wort hatte urspr. offenkundig Geltung im magisch-religiösen Bereich, beachte die alte Bed. „Zauberkreis". An 'Kreis' im Sinne von „Bezirk, Gebiet" schließen sich Zus. an, wie z. B. Kreisstadt, Kreisgericht, Wahlkreis. Auf die Verwendung des Wortes im Sinne von „Ring von Menschen, Menschengruppe" beziehen sich z. B. die Zus. Familienkreis, Freundeskreis, Leserkreis. Von den zahlreichen anderen Zus. mit Kreis beachte z. B. Gesichtskreis, Tierkreis, Umkreis, Wendekreis, Blutkreislauf. Abl.: kreisen (*mhd.* kreizen „sich kreisförmig bewegen"; beachte dazu einkreisen und umkreisen). Zus.: Kreislauf (18. Jh.; Lehnübertragung von *lat.* circulātiō als mediz. Terminus).

kreischen: Das nur *dt.* und *niederl.* Verb (*mhd.*, *mnd.* krīschen, *niederl.* krijsen) ist lautnachahmender Herkunft und gehört mit →kreißen zu der unter →*krähen* dargestellten Gruppe von Schallnachahmungen.

Kreisel *m*: Die Bezeichnung des Kinderspielzeugs geht auf älteres Kräusel zurück, aus dem sich durch Anlehnung an Kreis, kreisen die Form Kreisel (17. Jh.) entwickelte. 'Kräusel' ist wahrscheinlich Verkleinerungsbildung zu dem nur noch *mdal.* bewahrten Krause *w* „Krug, Topf" (*mhd.* krūse) und bedeutet demnach eigtl „kleiner Topf". Beachte dazu die älter *oberd.* Verwendung von 'Topf' im Sinne von „Kreisel". – In neuerer Zeit ist das Wort auch in die Sprache der Technik gedrungen, beachte z. B. Kreiselpumpe, Kreiselkompaß. Abl.: kreiseln „Kreisel spielen; sich wie ein Kreisel drehen".

kreißen: *Mhd.* krīzen „gellend schreien, kreischen, stöhnen", *mnd.* krīten „schreien, heulen", *niederl.* krijten „schreien" sind lautnachahmenden Ursprungs (vgl. *kreischen*). Im 17. Jh. wurde 'kreißen' speziell auf das Schreien der gebärenden Frau bezogen und entwickelte so die Bed. „in Geburtswehen liegen". Zus.: Kreißsaal „Entbindungsraum im Krankenhaus" (20. Jh.).

Krematorium *s* „Einäscherungs-, Verbrennungsanstalt": *Nlat.* Bildung des 19. Jh.s zu *lat.* cremāre „verbrennen, einäschern". Dies stellt sich zu der unter →*Herd* aufgezeigten *idg.* Wortsippe.

Krempe *w*: Das im 17. Jh. ins Hochd. übernommene *niederd.* krempe „(aufgeschlagener) Hutrand" gehört im Sinne von „die Krumme, die Gekrümmte" zu dem unter →*Krampf* dargestellten Adjektiv *krampa- „krumm" (vgl. auch Krampe). Abl.: krempen „den Rand nach oben biegen, hochschlagen" (18. Jh.), dafür gewöhnlich die Bildung krempeln (beachte auf-, umkrempeln).

Kremser *m*: Der vielsitzige, offene Mietwagen ist nach dem Berliner Fuhrunternehmer Kremser benannt, der die ersten Wagen dieser Art 1825 in Betrieb nahm.

krepieren „bersten, platzen, zerspringen (von Sprenggeschossen)", daneben in der *Ugs.* weit verbreitet im übertragenen Sinne von „verrecken, verenden": Das Fremdwort erscheint im Deutschen zuerst während des 30jährigen Krieges im Soldatenjargon mit der übertragenen Bed. „verrecken, sterben". Seit dem Ende des 17. Jh.s ist es auch in seiner eigentlichen Bedeutung als militär. Fachwort bezeugt. Das Wort ist in beiden Bedeutungen aus *it.* crepare entlehnt, das seinerseits auf *lat.* crepāre „knattern, krachen usw." beruht (schallnachahmenden Ursprungs).

Krepp *m* (Sammelbezeichnung für Gewebe mit krauser, angerauhter Oberfläche): Das erst im 20. Jh. durch Zus. wie Kreppsohle und Kreppapier allgemein bekanntgewordene Substantiv ist schon im 18. Jh. in der Form 'Crep' bzw. im 16. Jh. als 'Kresp' zur Bezeichnung lockeren Seidengewebes bezeugt. Während 'Kresp' uns durch Vermittlung von *niederl.* crespe aus *afrz.* cresp[e] (= *frz.* crêpe) erreichte, schließen sich die jüngeren Formen unmittelbar an *frz.* crêpe an. Letzte Quelle des Wortes ist das *lat.* Adjektiv crispus „kraus", das mit *nhd.* →*Rispe* urverwandt ist.

¹Kresse *w*: Die Herkunft des *westgerm.* Pflanzennamens (*mhd.* kresse, *ahd.* kresso, -a, *niederl.* kers, *engl.* cress) ist unklar. Mit Kresse werden heute verschiedene Arten der Kreuzblütler bezeichnet, z. T. Salatpflanzen, beachte Brunnenkresse, z. T. Zierpflanzen, beachte z. B. Kapuzinerkresse. Auf die Farbe der Kapuzinerkresse bezieht sich kreß „orange".

²Kresse *w*: Der *landsch.* Name des Gründlings (*mhd.* kresse, *ahd.* chresso) gehört zu dem untergegangenen Verb *mhd.* kresen, *ahd.* chresan „kriechen" (vgl. *Kringel*). Die Kresse ist als „Kriecher" benannt. Statt Kresse ist auch die Bildung Kreßling *m* (15. Jh.) gebräuchlich.

Kreuz *s*: Das in *ahd.* Zeit im Rahmen der Missionstätigkeit aus *lat.* kirchensprachl. crux (Akk. crucem) entlehnte Wort (*ahd.*, *asächs.* krūzi, *mhd.* kriuz[e]) wurde zunächst ausschließlich im Sinne von „Kreuz Christi" gebraucht. Es drängte das heimische Wort →*Galgen*, das seit der Frühzeit der Christianisierung germanischer Stämme als Bezeichnung für das Kreuz Christi verwendet wurde, allmählich zurück. Dann wurde das entlehnte Wort auch auf die Nachbildungen des Kreuzes Christi übertragen und bezeichnet als christliches Symbol, beachte z. B. die Zus. Kreuzfahrer, Kreuzritter, Kreuzzug, Kreuzgang und die Wendungen 'ein Kreuz schlagen' „das

369

Kreuzeszeichen machen" und 'zu Kreuze kriechen' „nachgeben, sich unterwerfen". Die letztere Wendung bezog sich ursprünglich auf einen Teil der Karfreitagsliturgie. In den christlichen Bereich fällt auch die sich an die Bibel anschließende Verwendung des Wortes im Sinne von „Leid, Qual, Mühsal". Aus dem Gebrauch von 'Kreuz' in Flüchen, beachte z. B. Kreuzdonnerwetter, hat sich wahrscheinlich verstärkendes 'kreuz'-entwickelt, beachte z. B. kreuzbrav, kreuzfidel. Auf 'Kreuz' als Bezeichnung eines weltlichen Zeichens beziehen sich z. B. ¹Kreuzer „Geldmünze" (s. d.), Rotes Kreuz, Eisernes Kreuz. Von der Form eines Kreuzes gehen z. B. aus Fensterkreuz, Kreuzblütler, Kreuzbein, beachte auch Kreuz als Notenzeichen und als Farbe im Kartenspiel sowie die Verwendung des Wortes im Sinne von „unteres Ende des Rückgrats (am Kreuzbein), Rücken", woran sich Zus. wie z. B. Kreuzschmerzen, kreuzlahm anschließen. Ferner wird 'Kreuz' als Richtungsbezeichnung verwendet, und zwar von zwei sich schneidenden Richtungen, beachte z. B. kreuzweise, Kreuzfeuer, Kreuzverhör, die feste Verbindung 'kreuz und quer', 'in die Kreuz und Quer'. Abl.: kreuzen (s. d.); kreuzigen (mhd. kriuzigen, ahd. crūzigōn; das Verb ist dem lat. cruciāre „ans Kreuz schlagen, martern, foltern" nachgebildet), dazu Kreuzigung w (mhd. kriuzigunge, ahd. chrūzigunga). Zus.: Kreuzotter (19. Jh.; nach dem kreuzähnlichen, dunklen Gebilde auf dem Kopf der Schlange); Kreuzschnabel (16. Jh.; nach dem eigentümlich gekrümmten Schnabel des Vogels, daher auch Krummschnabel; nach der Legende hat der Vogel seinen gekrümmten Schnabel daher, weil er die Nägel aus dem Kreuz Christi zu ziehen versuchte, deshalb auch Christvogel); Kreuzspinne (17. Jh.; nach dem weißlichen Kreuz auf dem Hinterleib der Spinne); Kreuzworträtsel (20. Jh.). Siehe auch den Artikel Kruzifix.

kreuzen: Das von dem unter →Kreuz behandelten Wort abgeleitete Verb (mhd. kriuzen, ahd. krūzōn) bedeutete urspr. „ans Kreuz schlagen, kreuzigen", in mhd. Zeit dann auch „ein Kreuz schlagen, sich bekreuzigen" und „mit einem Kreuz bezeichnen". In diesen Bedeutungen kam 'kreuzen' im Nhd. allmählich außer Gebrauch. Heute wird das Verb im Sinne von „kreuzweise übereinanderlegen" und – bes. reflexiv – „(sich) kreuzweise durchschneiden" verwendet, beachte Kreuzung w „Schnittpunkt von Verkehrswegen oder dgl." (19. Jh.), das – im Anschluß an biologisch-fachsprachl. 'kreuzen' „erbverschiedene Paare paaren" – auch die Bed. „Paarung erbverschiedener Paare" hat. Als seemänn. Ausdruck für „hin und her fahren, im Zickzack gegen die Wind-

richtung ansegeln" ist 'kreuzen' Bedeutungslehnwort aus niederl. kruisen (17. Jh.), beachte dazu ²Kreuzer m „kreuzendes (d. h. zu Aufklärungszwecken hin und her fahrendes) Schiff; eine Jachtart" (17. Jh.; nach niederl. kruiser).

¹Kreuzer m: Der Name der ehemaligen Geldmünze geht auf mhd. kriuzer zurück, das von kriuz[e] „Kreuz" (vgl. Kreuz) abgeleitet ist. Die seit dem 13. Jh. in Meran und Verona geprägte Münze ist nach dem aufgeprägten liegenden Kreuz benannt.

²Kreuzer siehe kreuzen.

kribbeln: Das im Sinne von „sich unruhig hin und her bewegen, wimmeln, kitzeln" gebräuchliche Verb (mhd. kribeln) ist eine Nebenform mit ausdrucksbetontem i zu →krabbeln. Abl.: kribb[e]lig ugs. für „unruhig, ungeduldig, gereizt" (16. Jh., in der Form kryblecht).

kriechen: Das starke Verb (mhd. kriechen, ahd. kriochan) gehört mit der Nebenform → krauchen und mit der engverwandten Sippe von →Krücke zu der unter →Kringel dargestellten idg. Wz. *ger- „[sich] drehen, [sich] winden, [sich] biegen". Abl.: Kriecher m „unterwürfiger Mensch, Schmeichler" (17. Jh.); kriecherisch „unterwürfig, schmeichlerisch" (18. Jh.).

Krieg m: Der Ursprung des nur dt. und niederl. Wortes ist trotz aller Deutungsversuche dunkel. In den älteren Sprachzuständen entsprechen mhd. kriec „Anstrengung, Bemühen, Streben; Streit; Wortstreit; Rechtsstreit; Wettstreit; Widerstand, Zwietracht; Kampf; bewaffnete Auseinandersetzung", ahd. chrēg „Hartnäckigkeit", mniederl. crijch „Widerstand; Zwietracht; Streit, Kampf". – Das abgeleitete Verb **kriegen** veralt. für „Krieg führen", ugs. für „bekommen" (mhd. kriegen, mitteld., mnd. krigen, niederl. krijgen) bedeutete zunächst „sich anstrengen, sich um etwas bemühen, streben", dann auch „streiten, zanken; kämpfen, Krieg führen". Die ugs. Verwendung des Verbs im Sinne von „bekommen" geht aus von der Präfixbildung mitteld. erkrigen (gekürzt mitteld., mnd. krigen) „strebend erlangen, erringen". Abl.: Krieger m (mhd. krieger „Streiter, Kämpfer"); kriegerisch (16. Jh.; für älteres mhd. kriegisch „trotzig, streitsüchtig"). Zus.: Kriegsfuß heute nur noch in der Wendung 'auf dem Kriegsfuß stehen' (16. Jh.; 'auf Kriegsfuß' nach frz. 'sur le pied de guerre'); Kriegserklärung (18. Jh.; LÜ von frz. declaration de guerre); Kriegsschauplatz (18. Jh.; LÜ von frz. théâtre de la guerre).

Kriekente, Krickente w: Die kleine Wildentenart ist nach dem eigentümlichen, etwa mit „krik" oder „krlik" wiederzugebenden Frühlingsruf des Männchens benannt (16. Jh.).

kriminell „verbrecherisch; strafbar; das Strafrecht betreffend": Das seit dem Ende des 18. Jh.s bezeugte, aus *frz.* criminel (< *lat.* crīminālis) entlehnte Adjektiv steht für älteres **kriminal** (**kriminalisch**), das unmittelbar dem *Lat.* entlehnt ist, das aber heute fast nur in Zusammensetzungen wie **Kriminalbeamte**, **Kriminalfilm**, **Kriminalpolizei**, **Kriminalroman** (dafür die Kurzform **Krimi**) üblich ist. *Lat.* crīminālis „das Verbrechen betreffend, kriminell" ist von *lat.* crīmen „Beschuldigung, Anklage; Vergehen, Verbrechen, Schuld" abgeleitet, dessen weitere Herkunft umstritten ist. Abl.: **Kriminalität** *w* „Straffälligkeit"; **Kriminalist** *m* „Strafrechtslehrer; Beamter der Kriminalpolizei" (17./18. Jh.), beide *nlat.* Bildungen. Zu letzterem stellen sich noch das Adjektiv **kriminalistisch** und das Substantiv **Kriminalistik** *w* „Lehre vom Verbrechen, seiner Bekämpfung, Aufklärung usw.".

Krimskrams *m*: Der seit dem Ende des 18. Jh.s bezeugte *ugs.* Ausdruck für „Plunder; Durcheinander; Geschwätz" ist – wie z. B. auch 'Mischmasch' und 'Wirrwarr' – eine Reduplikationsbildung mit Ablaut (vielleicht unter Anlehnung an 'krimmeln') *nordd.* für „kribbeln" und 'Kram'). 'Krimskrams' hat die ältere, seit dem 16. Jh. bezeugte Bildung **Kribskrabs** *m* oder *s* (wohl unter Anlehnung an 'kribbeln' und 'krabbeln') zurückgedrängt.

Kringel *m*: Mhd. kringel „Kreis, ringförmiges Gebilde, Brezel" ist eine Verkleinerungsbildung zu *mhd.* krinc „Kreis; Ring; Bezirk", das mit der *nord.* Sippe von *aisl.* kringr „Kreis, Ring" verwandt ist. Im Ablaut dazu stehen z. B. *mhd.* kranc „Kreis, Umkreis" und das unter →*Kranz* behandelte Wort. Diese *germ.* Sippe geht zurück auf eine nasalierte Erweiterung der *idg.* Wz. *ger-*„drehen, biegen, krümmen; winden, flechten". Auf die zahlreichen, z. T. nasalierten Erweiterungen dieser Wurzel gehen aus dem *germ.* Sprachbereich zurück →*krank* (eigtl. „gebeugt, gekrümmt, hinfällig"), →*Krampf* (eigtl. „Krümmung, Zusammenziehung der Muskeln"), →*Krampe* „Haken, Klammer" (nach der gekrümmten Form), →*Krempe* „aufgeschlagener" (eigtl. gekrümmter) Hutrand" und →*krumm*. Weiterhin verwandt sind die Gebäckbezeichnung →*Krapfen* (eigtl. „Haken", nach der krummen Form), der Pflanzenname →*Krapp* (nach den hakenförmigen Dornen), ferner →*Kropf* (eigtl. „Ausbiegung, Krümmung, Rundung"), →*Krüppel* (eigtl. „Gekrümmter"), →*Krücke* (eigtl. „Krummstab, Stock mit gekrümmtem Griff"), →*Kralle* (eigtl. „Gekrümmte") und die Sippe von →*kraus* (eigtl. „gewunden, gekrümmt"). Für die Sippe von →*Kraft* ist von der Vorstellung des Anspannens (d. h. Krümmens bzw. Zusammenziehens) der Muskeln auszugehen.

Zu der Wz. *ger-* in der Bedeutungswendung „winden, flechten" gehört ferner das unter →*Krippe* (eigtl. „Flechtwerk") behandelte Wort. Auch die Sippe von →*kriechen* (eigtl. „sich winden, sich krümmen") ist verwandt, beachte auch den Fischnamen →²*Kresse* (eigtl. „Kriecher") und *niederd.* krōp „kriechendes Wesen" (s. den Artikel Kroppzeug). Abl.: **kringelig** *ugs.* für „geringelt, gekräuselt" (für älteres kringlicht, 17. Jh.); **kringeln** *ugs.* für „Kreise ziehen; kräuseln, ringeln".

Krippe *w*: Die *westgerm.* Substantivbildung *mhd.* krippe, *ahd.* krippa, *niederl.* krib, *engl.* crib bezeichnete im Sinne von „Flechtwerk, Geflochtenes" zu der unter →*Kringel* dargestellten *idg.* Wz. *ger-* „drehen, winden, flechten". Das Wort bezeichnete so zunächst den geflochtenen Futtertrog und ging dann auf hölzerne oder steinerne Futtertröge bzw. Futterrinnen über. Die alte Bed. „Flechtwerk" ist noch in fachsprachlicher Verwendung der Wortes bewahrt, beachte 'Krippe' als Bezeichnung eines Weidengeflechts oder Holzwerks zum Schutz von Deich- und Uferstellen, davon **krippen** „eine Deich- oder Uferstelle durch Flechtwerk schützen" (18. Jh.), beachte auch *niederd.* **Kribbe** „Buhne". – Auf die Geburt Jesu in einer Krippe beziehen sich z. B. die Zus. **Krippenspiel** und die Verwendung von Krippe im Sinne von „Kinderheimstätte" (nach *frz.* crèche).

Krise *w*: Das seit dem 16. Jh. bezeugte, aus *gr.* krisis > *lat.* crisis „Entscheidung, entscheidende Wendung" (vgl. *kritisch*) entlehnte FW erscheint zuerst in der Form Crisis (beachte die noch heute übliche Nebenform Krisis) als Terminus der medizin. Fachsprache zur Bezeichnung des Höhe- und Wendepunktes einer Krankheit. Im 18. Jh. beginnt unter dem Einfluß von *frz.* crise der übertragene allgemeine Gebrauch des Wortes im Sinne von „entscheidende, schwierige Situation; Klemme", und die Hauptform 'Krise' setzt sich allmählich durch. Abl.: **kriseln** (19./20. Jh.), nur unpersönlich 'es kriselt' „eine Krise steht drohend bevor, es gärt, es wetterleuchtet".

Kristall 1. *m* „fester, regelmäßig geformter, von ebenen Flächen begrenzter Körper"; 2. *s* „geschliffenes Glas": In *ahd.* Zeit (*ahd.* cristalla, *mhd.* cristalle *w*) aus *mlat.* crystallum (Plur.: crystalla) entlehnt, das über *lat.* crystallus auf *gr.* krýstallos „Eis; Bergkristall" zurückgeht. Dies gehört zusammen mit *gr.* krýos „Eiskälte, Frost" zu der unter →*roh* dargestellten Wurzel. – Abl.: **kristallen** „aus Kristall[glas]; kristallklar" (*mhd.*, aus *lat.* crystallinus, *gr.* krystállinos); **kristallin[isch]** „aus vielen kleinen Kristallen bestehend" (18. Jh.); **kristallisch** (14. Jh.); **kristallisieren** „Kristalle bilden" (18. Jh.; nach *frz.* cristalliser); **Kri-**

stallisation *w* ,,Kristallbildung" (18. Jh; nach *frz.* cristallisation).

Kristiania *m* ,,Querschwung" (beim Schilauf): Im 20. Jh. nach dem früheren Namen der norwegischen Hauptstadt Oslo benannt.

Kriterium *s* ,,unterscheidendes Merkmal, Kennzeichen; Prüfstein": Das im 17. Jh. in der Gelehrtensprache aufkommende FW ist mit latinisierender Endung aus gleichbed. *gr.* kritḗrion entlehnt (vgl. *kritisch*).

kritisch ,,streng prüfend und beurteilend, anspruchsvoll; tadelnd; wissenschaftl. erläuternd; bedenklich, gefährlich": Im 17. Jh. nach *frz.* critique aus *lat.* criticus, *gr.* kritikós ,,zur entscheidenden Beurteilung gehörig, entscheidend, kritisch" entlehnt. Zugrunde liegt das *gr.* Verb krī́nein ,,scheiden, trennen; entscheiden, urteilen usw.", das zu der unter → ¹*scheren* dargestellten weitverzweigten Wortsippe von *idg.* *[s]ker- ,,schneiden" gehört. – Das substantivierte Adjektiv *gr.* kritikḗ (téchnē) ,,Kunst der Beurteilung" liefert im 17. Jh. über *frz.* critique unser FW **K r i t i k** *w* ,,[wissenschaftl., künstlerische] Beurteilung; kritische Besprechung; Tadel". Gleichfalls substantiviert erscheinen *gr.* kritikós und *lat.* criticus ,,kritischer Beurteiler" in *dt.* **K r i t i k e r** *m* (19. Jh.; dafür schon im 17. Jh. die Form mit *lat.* Endung, **K r i t i k u s**, wie sie heute zuweilen noch fachsprachl. oder auch in leicht abfälligem Sinne gebraucht wird). Neben 'Kritiker' findet sich das seit dem 18. Jh. bezeugte, nach dem Vorbild von *lat.* philosophaster ,,Scheinphilosoph" gebildete, abschätzige **K r i t i k a s t e r** *m* ,,kleinlicher Kritiker, Nörgler". Das Verb **k r i t i s i e r e n** ,,beurteilen, beanstanden, bemängeln, tadeln" (17. Jh.) ist mit gelehrter Endung aus *frz.* critiquer entwickelt. – Zwei von *gr.* krī́nein abgeleitete Substantive sind in diesem Zusammenhang noch von Interesse, und zwar *gr.* kritḗrion ,,entscheidendes Kennzeichen, Merkmal" (s. Kriterium) und *gr.* krísis ,,Entscheidung" (s. Krise, Krisis).

kritteln ,,kleinliche Kritik üben, tadeln": Das seit dem 17. Jh. bezeugte volkstümliche Verb grittelen ,,mäkeln, unzufrieden sein, zanken", dessen weitere Herkunft unklar ist, geriet im 18. Jh. unter den Einfluß von 'Kritik', 'kritisch', 'kritisieren'. Gebräuchlicher als das einfache Verb sind **bekritteln** und **herumkritteln**.

kritzeln: Das seit dem 15. Jh. bezeugte Verb ist eine Verkleinerungsbildung zu *mhd.* kritzen, *ahd.* krizzōn ,,[ein]ritzen", womit *schwed.* kreta, *norw.* krita ,,schnitzen" verwandt sind. Dieses Verb, zu dem das unter → *Kreis* (eigtl. ,,eingeritzte Linie") behandelte Substantiv gehört, ist vermutlich eine Nebenform mit ausdrucksbetontem i von → *kratzen*.

Krokant *m* ,,Zuckerwerk aus zerkleinerten Mandeln (auch Nüssen) und Karamelzucker": Im 19. Jh. aus *frz.* croquante

,,Knuspergebäck" entlehnt. Dies ist substantiviertes Femininum von croquant, dem Part. Präs. von croquer ,,krachen, knuspern", das lautmalenden Ursprungs ist. – Zu *frz.* croquer gehört als Ableitung auch *frz.* croquette ,,Kartoffelkuchen, gebratenes Kartoffelklößchen", das im 20. Jh. unser FW **Krokette** *w* liefert.

Krokodil *s*: Der Name des in zahlreichen Arten vorkommenden, wasserbewohnenden Kriechtieres wurde im 16. Jh. aus *lat.* crocodīlus entlehnt, das seinerseits auf *gr.* krokódeilos zurückgeht. Zus.: K r o k o d i l s t r ä n e n ,,falsche, heuchlerische Tränen" (nach der sagenhaften Vorstellung, daß das Krokodil, um seine Opfer anzulocken, wie ein Kind weine).

Krokus *m*: Der Name dieser uns im 17. Jh. mit der niederl. Gartenbaukunst überbrachten Safranpflanze – wissenschaftliche Bezeichnung: Crocus sativus – geht auf *lat.* crocus, *gr.* krókos ,,Safran" zurück, woraus schon *ahd.* cruogo, *aengl.* crōg, crōh, *anord.* krog – alle mit der Bedeutung ,,Safran" – entlehnt worden waren. Die letzte Quelle des Wortes ist nicht sicher zu ermitteln, trotz der im *Semit.* und *A ind.* vorliegenden Wörter, die formal und in der Bedeutung mit *gr.* krókos übereinstimmen.

Krone *w*: *Lat.* corōna ,,Kranz, Krone", das selbst LW ist aus *gr.* corṓnē ,,Ring, gekrümmtes Ende des Bogens" (zu *gr.* korōnós ,,gekrümmt") bezeichnete speziell den aus Blumen, Zweigen und dgl. gewundenen Blütenkranz als Kopfschmuck bei heiteren und ernsten festlichen Anlässen oder als Kampf- und Siegespreis, andererseits (nach orientalischem Vorbild) den metallenen Kranz oder die goldene Krone als Symbol des Herrschers und der königlichen Würde. Mit diesen Bedeutungen gelangte das *lat.* Wort früh als LW in die *westgerm.* Sprachen (*ahd.* corōna, *mhd.*, *mnd.* krōne, *aengl.* corōna; gleichbed. *engl.* crown beruht auf Neuentlehnung durch *roman.* Vermittlung. Die *nord.* Sippe von *schwed.* krona stammt aus dem *Mnd.*). Das Wort Krone lebt in unserer Sprache mit vielfachen, z. T. bildlich übertragenen Bedeutungen. Beachte dazu Zus. wie K r o n leuchter (18. Jh.), Z a h n k r o n e (18. Jh.), B a u m k r o n e (18. Jh.). In einigen europ. Ländern ist 'Krone' auch Münzname (nach dem urspr. auf diesen Münzen eingeprägten Bild einer Krone). Auch in unserer *Ugs.* spielt das Substantiv Krone eine Rolle, und zwar als scherzhaftes Synonym für ,,Kopf", beachte z. B. die Wendung 'einen in der Krone haben'. – An 'Krone' in dessen eigtl. Bedeutung schließt sich an: einerseits die Ableitung **krönen** ,,die [Königs-, Kaiser]krone aufs Haupt setzen" (*mhd.* krœnen ,,kränzen, bekränzen; krönen; auszeichnen"; heute häufig auch übertr. im Sinne von ,,glanzvoll abschließen") mit dem dazugehörigen Substantiv Krönung w (15. Jh.), andererseits Zus. wie Kronprinz (Anfang 18. Jh.) und Kronzeuge (19. Jh.). Letzteres wurde zur Wiedergabe von *engl.* king's evidence geprägt, das im engl. Recht den von der Krone bzw. dem Vertreter der Krone (dem Staatsanwalt) als Hauptbelastungszeugen vorgeführten Straftäter bezeichnet, der durch die belastenden Aussagen gegenüber seinen Komplicen mit Strafmilderung oder Straffreiheit für sich selbst rechnet. Danach bedeutet Kronzeuge jetzt allg. ,,Hauptbelastungszeuge". – Siehe auch Korona.

Kropf *m:* Die Bezeichnung für ,,krankhafte Schilddrüsenvergrößerung beim Menschen; Vormagen der Vögel" gehört wahrscheinlich im Sinne von ,,Krümmung, Rundung, Ausbiegung" zu der Wortgruppe von →*Kringel* (vgl. den Artikel Krüppel). Mit *mhd., ahd.* kropf sind verwandt *mnd.* krop ,,Beule, Auswuchs; Kropf; Vogelkopf; Rumpf, Körper", *engl.* crop ,,Kropf; Kopf; gestutztes Haar; Ernte" und die *nord.* Sippe von *schwed.* kropp ,,Rumpf, Körper". Aus dem *Afränk.* stammt *frz.* croupe ,,Kreuz, Hinterteil", aus dem wiederum →*Kruppe* entlehnt ist. Abl.: kröpfen ,,fressen", von Raubvögeln (*mhd.* krüpfen ,,den Kropf füllen"); Kröpfer *m* ,,männliche Kropftaube" (18. Jh.).

Kroppzeug *s* (*ugs.,* vorwiegend *nordd.* für: ,,kleine Kinder; Gesindel, Pack; wertloses Zeug"): Das im 18. Jh. ins *Hochd.* übernommene *niederd.* kröptüg ,,kleine Kinder; Gesindel" enthält als Bestimmungswort *niederd.* (*mnd.*) kröp ,,[Klein]vieh". Das *niederd.* Wort gehört im Sinne von ,,kriechendes Wesen" zu *mnd.* krüpen ,,kriechen" (vgl. *Kringel*).

Kröte *w:* Der Ursprung der nur *dt.* Bezeichnung für die Froschlurchart (*mhd.* kröte, krot[te], krete, *ahd.* krota, kreta, *mitteld.* krade, krate) ist dunkel. Auf das giftige Speien der Kröte und die Verwendung des Wortes als Schelte bezieht sich krötig *ugs.* für ,,frech, bösartig, giftig".

Krücke *w:* Das *altgerm.* Wort *mhd.* krücke, *ahd.* krucka, *niederl.* kruk, *engl.* crutch, *schwed.* krycka gehört im Sinne von ,,Krummstab, Stock mit gekrümmtem Griff" zu der Wortgruppe von →*Kringel.* Eng verwandt ist die Sippe von →*kriechen* (eigtl. ,,sich krümmen, sich winden"). Zus.: Krückstock (17. Jh.).

¹Krug *m:* Der Ursprung der *westgerm.* Gefäßbezeichnung (*mhd.* kruoc, *ahd.* kruog, *aengl.* crōg) ist unklar. Da man in alter Zeit Gefäße herstellte, indem man die Tonschicht auf ein Flechtwerk auftrug, gehört das Wort vielleicht im Sinne von ,,Flechtwerk, Geflochtenes" zu der unter →*Kringel* dargestellten Wz. *ger- ,,drehen, winden, flechten". Es kann sich aber auch um ein altes Wanderwort handeln, beachte z. B. *gr.*

krōssós ,,Krug" und das unter →Kruke behandelte Wort.

²Krug *m:* Der aus dem *Niederd.* übernommene Ausdruck für ,,Schenke, Wirtshaus" geht zurück auf gleichbedeutend *mnd.* krōch, krüch, das wahrscheinlich im Ablaut zu →*Kragen* (urspr. ,,Hals, Kehle") steht. Beachte dazu z. B. das Verhältnis von *lat.* gurges, gurguliō ,,Schlund, Kehle" zu gurgustium ,,Schenke, Kneipe". Im heutigen Sprachgefühl wird das Wort als identisch mit ¹Krug ,,Gefäß" empfunden.

Kruke *w:* Der Ausdruck für ,,irdenes Gefäß, Tonflasche" wurde im 18. Jh. aus dem *Niederd.* übernommen. *Mnd.* krūke, *niederl.* kruik, *aengl.* crūce sind wahrscheinlich mit dem unter →¹*Krug* behandelten Wort verwandt.

Krume *w: Mitteld.* krume, *mnd.* krume, krome ,,[innerer] weicher, lockerer Teil (bes. des Brotes); kleiner Teil, Brocken", *niederl.* kruim ,,Krume", *engl.* crumb ,,Krume, Brokken", *schwed.* [in]krâm ,,Krume; Gekröse, Eingeweide" gehören im Sinne von ,,Herausgekratztes" zu der unter →*krauen* dargestellten Wurzelform *greu- ,,kratzen". Vgl. aus anderen *idg.* Sprachen z. B. *lat.* grūmus ,,Erdhaufe" (eigtl. ,,Zusammengekratztes"). Verkleinerungsbildung zu Krume ist Krümel *m* (15. Jh.), dazu krümeln ,,in Bröckchen zerteilen; sich in kleine Teilchen auflösen" (15. Jh.), beachte verkrümeln, sich *ugs.* für ,,sich [unauffällig] entfernen" (eigtl. ,,sich in Krümel auflösen, krümelweise verschwinden").

krumm: Das *westgerm.* Adjektiv *mhd.* krump, *ahd.* chrump, *niederl.* krom, *aengl.* crumb gehört zu der Wortgruppe von →*Kringel.* Es steht mit der Nebenform *ahd.* chrumph ,,gebogen, gekrümmt" im Ablaut zu den unter →*Krampf* behandelten Formen, vgl. z. B. *ahd.* chramph ,,krumm", *ahd.* krimphan ,,krümmen". – Das Adjektiv wird heute gewöhnlich im Sinne von ,,bogen- oder wellenförmig" gebraucht. Das aus 'krumm nehmen' zusammengewachsene krummnehmen bedeutet eigtl. ,,schief auffassen". Abl.: Krumme *m* weidmänn. und *nordd.* scherzhaft für ,,Hase"; krümmen (*mhd.* krümben, *ahd.* chrumben), dazu Krümmung *w* (15. Jh.); Krümmling *m* ,,gebogener Teil von Treppenwangen und -geländern" (15. Jh.).

Kruppe *w* ,,Kreuz [des Pferdes]": Im 19. Jh. aus *frz.* croupe ,,erhöhter Teil des Rückens von Tieren; Hinterteil; Kreuz" entlehnt, das seinerseits aus *afränk.* *kruppa stammt und somit zu der unter →*Kropf* genannten Wortfamilie gehört. – Dazu: Kruppade *w* ,,Hochsprung des Pferdes mit eingezogenen Hinterbeinen" (eine Figur der Hohen Schule), im 19. Jh. aus gleichbed. *frz.* croupade. Beachte ferner das FW →Croupier.

Krüppel *m*: Die Bezeichnung für einen mißgebildeten oder körperbehinderten Menschen geht zurück auf *mhd.* krüp[p]el, das durch *mitteld.* Vermittlung aus dem *Mnd.* übernommen worden ist. *Mnd.* krop[p]el, kröpel, *niederl.* kreupel, *engl.* cripple gehören im Sinne von „Gekrümmter" zu der Wortgruppe von →*Kringel* (s. auch den Artikel Kropf). In Zusammensetzungen bezieht sich ‘Krüppel’ auch auf das zurückgebliebene Wachstum von Pflanzen, beachte z. B. Krüppelbirke, Krüppelholz. Abl.: krüpp[e]lig (18. Jh.); verkrüppeln (18. Jh.; Präfixbildung zum heute veralteten krüppeln, 16. Jh.).

Kruste *w*: Das Wort (*mhd.* kruste, *ahd.* krusta) wurde in *ahd.* Zeit aus *lat.* crusta „Rinde" entlehnt, das zu der unter → *roh* dargestellten *idg.* Wurzel gehört. Neben ‘Kruste’ finden sich Formen mit r-Umstellung: Korste, Kurste, Kirste, die *landsch.* und *ugs.* im Sinne von „Brotrinde" gebräuchlich sind.

Kruzifix *s*: Die Bezeichnung für die Darstellung des gekreuzigten Christus geht zurück auf *mhd.* crūzifix, das aus *mlat.* crucifīxum (signum) „Bild des ans Kreuz Gehefteten" entlehnt ist (vgl. *Kreuz*).

Krypta *w* „Gruft; unterirdischer Kirchen-, Kapellenraum": Das Wort ist aus *lat.* crypta < *gr.* kryptē „verdeckter unterirdischer Gang; Gewölbe" entlehnt, das auch die Quelle für die FW → *Grotte,* → grotesk, →*Groteske* ist (beachte ferner den Artikel →*Gruft*). Zugrunde liegt das *gr.* Verb krýptein „verbergen, verstecken".

Kübel *m*: Der Gefäßname (*mhd.* kübel, *ahd.* *kubil, entspr. *aengl.* cyfl) beruht auf Entlehnung aus *mlat.* cūpellus „kleines Trinkgefäß", einer Verkleinerungsform zu *lat.* cūpa „Kufe, Tonne" (vgl. das LW ²*Kufe*).

Kubismus *m* „Richtung der modernen Malerei, welche die Naturformen als Komposition geometrischer (kubischer) Formen darstellt": Junge *nlat.* Bildung zu *lat.* cubus „Würfel" (vgl. *Kubus*). Dazu das Adjektiv kubistisch „im Stil des Kubismus".

Kubus *m* „Würfel; dritte Potenz (Math.)": Aus gleichbed. *lat.* cubus entlehnt, das seinerseits aus *gr.* kýbos stammt. Dessen Herkunft ist nicht sicher gedeutet. – Von *lat.* cubus ist das Adjektiv cubicus abgeleitet, das einerseits unser Adjektiv kubisch „würfelförmig; in der dritten Potenz befindlich" liefert (beachte die Fügung ‘kubische Gleichung’ „Gleichung dritten Grades"), andererseits in Zus. wie Kubikmeter „Raummeter", Kubikwurzel, Kubikzahl erscheint. Eine *nlat.* Bildung zu *lat.* cubus liegt vor in →*Kubismus.*

Küche *w*: Das nur *westgerm.* Substantiv (*mhd.* küchen, *ahd.* chuhhina, *mnd.* koke[ne], *niederl.* keuken, *engl.* kitchen; die *nord.* Sippe von entspr. *schwed.* kök stammt aus dem

Mnd.) beruht auf einer frühen Entlehnung aus *spätlat.* coquīna (*vlat.* cocīna) „Küche". Zu *lat.* coquere „kochen" (vgl. das LW *kochen*). Die Küche ist also als „Kochraum" benannt. Gleicher Herkunft wie das *westgerm.* Wort sind aus dem *roman.* Sprachbereich z. B. *frz.* cuisine „Küche" und gleichbed. *it.* cucina.

Kuchen *m*: Das Wort für „Feingebäck" stammt wahrscheinlich aus der Kindersprache und bedeutete urspr. wohl „Speise, Brei". *Mhd.* kuoche, *ahd.* kuocho, *mnd.* kōke, *niederl.* koek, ablautend *engl.* cake (s. Keks), *schwed.* kaka „Kuchen" gehen zurück auf *germ.* *kōka-, *kaka-, wahrscheinlich ein Lallwort wie z. B. auch ‘Mama’ und ‘Papa’ (beachte auch das Lallwort Papp *landsch.* und *ugs.* für „Speise, Brei"). Die Verkleinerungsbildung K ü c h e l *s* bezeichnet *oberd. mdal.* speziell kleine, in Fett gebackene Kuchen, beachte das abgeleitete Verb k ü c h e l n *oberd. mdal.* für „Fettgebackenes bereiten".

Küchenschelle *w*: Der Name der Anemonenart ist seit dem 16. Jh. bezeugt. Das Grundwort ist wahrscheinlich →*Schelle*, das sich auf die glockenförmige, im Winde hin und her schaukelnde Blüte der Pflanze bezieht. Das Bestimmungswort läßt sich nicht sicher deuten. Da die giftige Pflanze nicht in der Küche verwendet wird, kann der Pflanzenname nicht mit ‘Küche’ zusammengesetzt sein. Vielleicht handelt es sich um *mdal.* Gucke, Kucke „halbe Eierschale", das volksetymologisch an Küche, an Küchen, Kuh oder an Kuckuck angelehnt wurde.

Kuckuck *m*: Der Waldvogel ist nach seinem eigentümlichen Ruf benannt. Das lautnachahmende Wort hat vom *mnd.-mitteld.* Sprachbereich ausgehend den alten, gleichfalls lautnachahmenden Namen des Vogels →*Gauch* allmählich verdrängt. Ähnliche Nachahmungen des Kuckucksrufs wie *mnd.* kukuk, *niederl.* koekoek sind z. B. *lat.* cucūlus, *frz.* coucou, *engl.* cuckoo, *russ.* kukúška. Seit dem 16. Jh. ist der Vogelname verhüllender Ausdruck für den Teufel, beachte z. B. ‘zum Kuckuck’ und ‘hol ihn der Kukkuck’. – Ironisierend wird der Kuckuck als Bezeichnung für den Wappenadler gebraucht, daher *ugs.* Kuckuck „Gerichtsvollziehersiegel".

Kuddelmuddel *m* oder *s*: Der *ugs.* Ausdruck für „Durcheinander, Wirrwarr", der sich seit der zweiten Hälfte des 19. Jh.s von Berlin ausgehend ausgebreitet hat, ist eine Wortdoppelung, die von *niederd.* koddeln „Sudelwäsche halten" bzw. *niederd.* modder „Schlamm, Schmutz" ausgehen kann.

¹Kufe *w*: Die Bezeichnung für „Laufschiene [eines Schlittens]" geht auf *ahd.* *kuocha „Kufe" (nur in slitochōho „Schlittenkufe") zurück, beachte *mnd.* kōke „Kufe". Das Wort, das eigtl. „Stange, Ast (als Laufholz)"

bedeutet, steht im Ablaut zu Kak „Schandpfahl" (s. d.) und gehört zu der Sippe von →*Kegel*. In der *nhd.* Form Kufe hat sich -f- aus -ch- nach ʼk entwickelt. Die altě Lautung bewahrt dagegen *schweiz.* kueche[n] „Kufe".

²Kufe *w* „Bottich, Bütte": Der noch *mdal.* gebrauchte Gefäßname (*mhd.* kuofe, *ahd.* kuofa, *asächs.* kōpa) ist aus *mlat.* cōpa, einer Nebenform von *lat.* cūpa „Kufe, Tonne" entlehnt. – Dazu die in Südwestdeutschland übliche Berufsbezeichnung K ü f e r *m* (*mhd.* küefer), einerseits für den →Böttcher (speziell für den Hersteller von Weinfässern), andererseits auch für den Kellermeister, der die Bereitung und Pflege des [Faß]weines besorgt. – *Lat.* cūpa ist auch Ausgangspunkt für die LW →Kübel und →Kuppel.

Kugel *w*: Das seit *mhd.* Zeit bezeugte Wort gehört mit dem Ostalpenwort K o g e l *m* „runder Berggipfel" und →Kogge „dickbauchiges Segelschiff" zu der Wortgruppe von →*Keule*. *Mhd.* kugel[e] „Kugel" – daneben zusammengezogen kūle (s. Kaulbarsch) und *mitteld.* kulle (s. ³kollern, kullern) – ist eng verwandt mit *engl.* cudgel „Knüppel", eigtl. „Stock mit kugelförmig verdicktem Ende". – Das Wort bezeichnet heute vorwiegend eine zum Schießen und Spielen dienende Kugel, beachte z. B. die Zus. K u g e l h a g e l, k u g e l f e s t, K u g e l s t o -
ß e n. Abl.: k u g e l n „mit Kugeln spielen; wie eine Kugel rollen" (15. Jh.; beachte auch überkugeln, sich); k u g e l i g (15. Jh.; *mhd.* kugeleht „kugelförmig").

Kuh *w*: Der *altgerm.* Tiername *mhd.*, *ahd.* kuo, *niederl.* koe, *engl.* cow (s. Cowboy), *schwed.* ko beruht mit verwandten Wörtern in anderen *idg.* Sprachen auf *idg.* *gᵘ̯ōus „(weibliches, männliches) Rind", vgl. z. B. *aind.* gáuḥ „Rind", *gr.* Kuh; Stier", *gr.* boûs „Rind; Kuh; Ochse", dazu boútῦron „Butter", eigtl. „Kuhquark" (s. Butter), *lat.* bōs „Rind; Kuh; Ochse" (s. die Artikel Beefsteak und Posaune). Welche Vorstellung der *idg.* Benennung des Rindes zugrunde liegt, ist unklar. Vielleicht ist von einer Nachahmung des Brüllautes, den wir heute mit ‚muh' wiedergeben, auszugehen. – Im *Germ.* dient das Wort lediglich zur Bezeichnung des weiblichen Rindes. Im *Dt.* bezeichnet Kuh in Zusammensetzungen das weibliche Tier, beachte z. B. Hirschkuh. Abl.: K ü - her *m* *schweiz.* für „Kuhhirt" (18. Jh.). Zus.: K u h f u ß „Brechstange mit klauenförmig gespaltenem Ende" (18. Jh.); K u h - h a n d e l *ugs.* für „unsauberes Geschäft" (Ende des 19. Jh.s, zunächst als Hohnwort für politischen Parteischacher; auf das Feilschen und Betrügen beim Kuhhandel anspielend); K u h h a u t in der Wendung ‚das geht auf keine Kuhhaut', die sich wohl auf die Verarbeitung von Kuhhäuten zu Pergament bezieht und eigtl. „das läßt sich schwerlich alles aufschreiben" meint.

kühl: Das *westgerm.* Adjektiv *mhd.* küele, *ahd.* kuoli, *niederl.* koel, *engl.* cool gehört zu der Wortgruppe von →*kalt*. Abl.: K ü h l e *w* (*mhd.* küele, *ahd.* chuolī); k ü h l e n (*mhd.* küelen, *ahd.* chuolen „kühl machen"; beachte dazu a b k ü h l e n, u n t e r k ü h l e n, v e r k ü h - l e n, sich). Um ‚kühl', ‚kühlen' gruppieren sich zahlreiche Neubildungen aus dem Bereich der Technik, beachte z. B. K ü h l e r *m* „Kühlvorrichtung des Motors", K ü h l - s c h l a n g e; K ü h l s c h r a n k, K ü h l t u r m.

kühn: Zu dem unter →*können* behandelten Verb gehört die Adjektivbildung *germ.* *kō- nia- „wer verstehen kann, erfahren, weise". Darauf gehen zurück *mhd.* küene, *ahd.* kuoni „mutig, stark", *niederl.* koen „mutig; herzhaft", *engl.* keen „scharf; heftig; eifrig, erpicht", *aisl.* kœnn „klug; tüchtig". Die späteren Bed. „mutig, stark, scharf usw." entwickelten sich aus der speziellen Verwendung des Adjektivs im Sinne von „im Kampfe erfahren oder tüchtig". Die urspr. Bed. „weise" liegt auch in dem PN Konrad vor. Abl.: e r k ü h n e n, sich (*mhd.* erküenen „kühn machen"); K ü h n h e i t *w* (*mhd.* küenkeit, *ahd.* chuonheit).

Küken *s*: Die aus dem *Niederd.* übernommene Bezeichnung für „junges Huhn" geht zurück auf *mnd.* kǖken, das mit *niederl.* kuiken, *engl.* chick[en] und der andersgebildeten Sippe von *schwed.* kyckling „Küken" verwandt ist. Es handelt sich um Verkleinerungsbildungen zu einem den Naturlaut des Huhns nachahmenden *kįjŭk, beachte dazu z. B. *dt.* →Gockel und die *germ.* Sippe von *engl.* cock, die gleichfalls lautnachahmenden Ursprungs sind. Die *hochd.* Form K ü c h l e i n *s*, die heute durch das *niederd.* Küken zurückgedrängt ist, beruht auf küchelīn, einer Verkleinerungsbildung zu *spätmhd.*, *mitteld.* kuchen „Küken".

kulant „gefällig, entgegenkommend, großzügig (im Geschäftsverkehr)": Ein Wort der Kaufmannssprache, das im 19. Jh. aufkam. Es ist aus *frz.* coulant „fließend, flüssig; beweglich, gewandt, gefällig" entlehnt, dem adjektivisch gebrauchten Part. Präs. von couler „durchseihen, gleiten lassen; fließen", das auf *lat.* cōlāre „durchseihen" – zu *lat.* cōlum „Seihkorb, Seihgefäß" – zurückgeht. Abl.: K u l a n z *w* „Entgegenkommen, Großzügigkeit" (20. Jh.). Zu *frz.* couler stellt sich als Ableitung das Substantiv coulisse „Rinne; Schiebefenster", das unser FW →Kulisse lieferte.

Kuli *m* „Tagelöhner", meist übertragen im Sinne von „ausgenutzter, ausgebeuteter Arbeiter": Erst in der Neuzeit durch Vermittlung von *angloind.-engl.* cooly, coolie aus *hind.* kūlī entlehnt, dem Namen eines im westl. Indien beheimateten Volksstammes, dessen Angehörige sich oft als Fremdarbeiter zu verdingen pflegten. Aus dieser Gewohnheit entwickelte sich – besonders auch im *Chin*. – der appellative Gebrauch des *hind*. Wortes im Sinne von ,,Lastträger, Lohnarbeiter".

kulinarisch ,,auf die (feine) Küche, die Kochkunst bezüglich", besonders in der Fügung 'kulinarische Genüsse' ,,Tafelfreuden": Im 18. Jh. aus gleichbed. *lat*. culīnārius entlehnt, das von *lat*. culīna ,,Küche" abgeleitet ist. Über die etymologischen Zusammenhänge vgl. das LW *kochen*.

Kulisse *w* ,,Dekorations-, Seiten-, Schiebewand" (Bühne), auch übertragen gebraucht im Sinne von ,,Hintergrund" oder auch ,,Mache, Schauseite, vorgetäuschte Wirklichkeit": Das Wort kommt im 18. Jh. im Bereich der Bühnensprache auf. Es stammt aus *frz*. coulisse ,,Rinne; Schiebefenster, Schiebewand usw.", dem substantivierten Femininum eines alten Adjektivs coulis ,,zum Durchseihen, Durchfließen geeignet", das zu *frz*. couler ,,durchseihen; fließen" gehört (vgl. *kulant*).

kulminieren ,,den Höhepunkt erreichen, gipfeln": Im 18. Jh. aus gleichbed. *frz*. culminer entlehnt, das auf *lat*. culmināre zurückgeht. Das *frz*. Wort gilt wie das abgeleitete Substantiv culmination (daraus im 18. Jh. Kulmination *w* ,,Höhepunkt, Gipfelpunkt") zuerst als astronomischer Terminus mit der Bedeutung ,,den höchsten oder tiefsten Stand in bezug auf den Beobachter erreichen (von Gestirnen)". – *Lat*. culmināre ist abgeleitet von *lat*. culmen (älter: columen) ,,Höhepunkt, Gipfel", das mit *dt*. → ²*Holm* ,,kleine Insel" urverwandt ist (*idg*. Wz. *kel- ,,ragen"). Zur gleichen Sippe stellen sich noch *lat*. columna ,,Säule" (als ,,die Ragende, sich Erhebende") – s. hierzu die FW Kolumne, Kolumnist, Kolonne, Kolonnade, Colonel – und *lat*. *-cellere ,,ragen", das nur in Komposita bezeugt ist (beachte z. B. *lat*. ex-cellere ,,heraus-, hervorragen" in den FW →exzellent und Exzellenz).

Kult *m* ,,streng geregelter Gottesdienst; Verehrung, Hingabe": Im 17. Jh. aus *lat*. cultus ,,Pflege; Bildung; Verehrung [einer Gottheit]" entlehnt (über die etymologischen Zusammenhänge vgl. den Artikel *Kolonie*). Neben 'Kult' findet sich im *dt*. Sprachgebrauch zuweilen noch die Form mit *lat*. Endung, Kultus, so vor allem in den Zus. Kultusminister, Kultusministerium. Daß in diesem Fall das Bestimmungswort eigtl. für →Kultur steht, ist aus der Zeit der Bildung dieser Zusammensetzungen zu verstehen (19. Jh.). Damals waren Kult und Kultur im staatlichen Leben viel enger verknüpft als heute. – Abl.: kultisch (20. Jh.).

kultivieren ,,(Land) bearbeiten, urbar machen; (die Sitten) verfeinern; sorgsam pfle-

gen": Im 17. Jh. aus *frz*. cultiver < *mlat*. cultivāre ,,[be]bauen; pflegen" entlehnt. Zugrunde liegt *lat*. colere(coluī, cultum) ,,[be]-bauen, [be]wohnen, pflegen" (vgl. *Kolonie*) bzw. ein davon abgeleitetes Adjektiv *mlat*. *cultīvus ,,bebaut, gepflegt". – Abl.: kultiviert ,,gesittet, hochgebildet; gepflegt".

Kultur *w*: Das seit dem 17. Jh. bezeugte, aus *lat*. cultūra ,,Landbau; Pflege (des Körpers und Geistes)" entlehnte Substantiv gilt von Anfang an in zweifachem Sinn von ,,Felderbau, Bodenbewirtschaftung" einerseits (beachte z. B. die verdeutlichende Zus. Bodenkultur) und ,,Pflege der geistigen Güter" andererseits (beachte die Zus. Geisteskultur). An die aus der letzteren Bedeutung erwachsene allgemeine Stellung des Begriffes Kultur als der Gesamtheit der geistigen und künstlerischen Lebensäußerungen (einer Gemeinschaft, eines Volkes) schließen sich zahlreiche Zusammensetzungen an, z. B. Kulturgeschichte (18. Jh.), Kulturpolitik, Kulturfilm (20. Jh.), ferner das Adjektiv kulturell (20. Jh.; mit französisierender Endung gebildet). Über die etymologischen Zusammenhänge des Wortes Kultur vgl. den Artikel *Kolonie*.

Kümmel *m*: Der Name der zu den Doldenblütlern gehörenden Gewürzpflanze und ihrer als Gewürz verwendeten Früchte, *mhd*. kümel, *ahd*. kumil, kumīn (entspr. *aengl*. cymen, *engl*. cumin), beruht auf einer Entlehnung aus gleichbed. *lat*. cumīnum, das selbst LW aus *gr*. kýmīnon ,,Kümmel" ist. Das Wort ist letztlich wohl *semit*. Ursprungs.

Kummer *m*: *Mhd*. kumber ,,Schutt, Müll; Belastung, Mühsal; Not; Gram; Beschlagnahme, Verhaftung" ist aus *mlat*. cumbrus, combrus ,,Verhau, Sperre, Wehr" entlehnt, das auf *gallolat*. *comboros (eigtl. ,,Zusammengetragenes") zurückgeht (beachte *frz*. décombrer ,,vom Schutt reinigen", encombre ,,Hindernis; Schutt"). Die rechtliche Geltung hat Kummer in *nhd*. Zeit verloren. Die alte Bed. ,,Schutt" hat das Wort noch im westlichen Mittel- und Norddeutschland. Die Abl. und Zus. schließen sich an die Bed. ,,Mühsal, Beschwerlichkeit; Not, Dürftigkeit; Gram, Sorge" an: kümmerlich ,,dürftig, jämmerlich" (*mhd*. kumberlich ,,bedrückend; gramvoll; verhaftet"); Kümmerling *m landsch*. für ,,schwächliches Wesen; schlecht gedeihende Pflanze" (19. Jh.); kümmern ,,bedrücken, Sorge machen", auch ,,kränkeln, schlecht gedeihen" (*mhd*. kumbern, kummern ,,belästigen, bedrücken, quälen; mit Arrest belegen"), dazu bekümmern ,,betrüben, Sorge bereiten" (*mhd*. be-kumbern, bekümbern), beachte auch unbekümmert und verkümmern ,,schwächlich werden, nicht recht gedeihen, nachlassen, eingehen" (*mhd*. verkumbern, verkümmern); Kümmernis *w* ,,Gram, Sorge" (*mhd*. kumbernisse ,,Bedrückung, Gram").

Kummet, Kumt s: Der *landsch.* Ausdruck für „(gepolstertes) Halsjoch der Zugtiere" geht auf gleichbed. *mhd.* komat zurück, das aus *poln.* chomąt[o] „hölzerner, gepolsterter Ring um den Hals der Zugtiere" entlehnt ist. Die weitere Herkunft der *slaw.* Sippe von *poln.* chomąt[o] ist unklar.

Kumpan m „Kamerad, Begleiter, Genosse" (*ugs.*), oft abfällig gebraucht im Sinne von „Helfer; Bursche": Zu *lat.* pānis „Brot" (vgl. *panieren*) stellt sich als Ableitung *vlat.* compāniō „Brotgenosse, Gefährte" – Bedeutungslehnwort nach *got.* gahlaiba = *ahd.* gileibo „Genosse" (zu ‚Laib') –, das über *afrz.* compain „Genosse" in das *Mhd.* entlehnt wird als kompān, kumpan. Eine entspr. volkssprachl. Form ‚kumpe' liefert im 20. Jh. das mit Verkleinerungssuffix gebildete Wort **Kumpel** m „Arbeitskamerad; Bergmann", das zuerst im Bereich des rheinisch-westfälischen Bergbaues erscheint, später durch die Soldatensprache populär wird. – Beachte in diesem Zusammenhang auch die FW-→Kompagnon und →Kompanie, die beide von *vlat.* compāniō ausgehen.

Kumulus m „Haufenwolke": Junges Fachwort der Meteorologie, aus *lat.* cumulus „Haufen" entlehnt, das auch dem FW →Akkumulator zugrunde liegt.

kund: Zu dem unter →*können* behandelten Verb gehört die Partizipialbildung *gemeingerm.* *kunþa- „gewußt, bekannt", auf die *mhd.* kunt, *ahd.* kund, *got.* kunþs, *aengl.* cūð, *aisl.* kunnr zurückgehen. – Das Adjektiv wird heute fast ausschließlich als Verbzusatz gebraucht, beachte z. B. kundgeben, dazu Kundgebung w „Bekanntmachung; Demonstration" (19. Jh.), kundtun, kundwerden. Die Substantivierung [1]**Kunde** m (*mhd.* kunde, *ahd.* kundo) bedeutete früher „Bekannter; Einheimischer", seit dem 16. Jh. dann speziell „der in einem Geschäft [regelmäßige] Käufer, Bekannte" (s. u. Kundschaft, Kundsame). *Ugs.* wird Kunde auch im Sinne von „Freund, Kerl, Schelm" gebraucht. – Die Substantivbildung [2]**Kunde** w (*mhd.* kunde, *ahd.* chundī) wird heute gewöhnlich im Sinne von „Nachricht, Botschaft" verwendet. Der seit dem 17. Jh. übliche Gebrauch des Wortes im Sinne von „wissenschaftliche Kenntnis, Lehre" ist wahrscheinlich von *niederl.* kunde „Kenntnisse, Wissenschaft" beeinflußt, beachte dazu die Zus. Altertumskunde, Erdkunde, Heilkunde usw. – Das abgeleitete Verb **künden** (*mhd.* künden, kunden, *ahd.* kundan „bekannt machen, [an]zeigen") war im *Nhd.* lange Zeit ungebräuchlich und wurde erst durch die neuere Dichtersprache wiederbelebt. Beachte dazu die Präfixbildungen und Zus. ankünden und verkünden, daneben auch ankündigen, verkündigen. Die umlautlose Form kunden (*mitteld.*) ist heute noch in der Zus. gebräuchlich, beachte

bekunden „Zeugnis ablegen, aussagen, zum Ausdruck bringen" (18. Jh.; aus der Rechtssprache Niedersachsens) und erkunden „festzustellen suchen, auskundschaften" (*spätmhd.* erkunden, erkünden „Kunde zu erlangen suchen, auskundschaften"), dazu Erkundung w militär. für „Untersuchung eines Geländes oder feindlicher Stellungen". Die jüngere Form erkundigen ist heute nur noch reflexiv im Sinne von „nachfragen" gebräuchlich. – Die Adjektivbildung **kundig,** älter auch kündig „erfahren, bewandert, gut unterrichtet, kenntnisreich" (*mhd.* kündec, *ahd.* chundig „bekannt; klug, schlau") spielt heute hauptsächlich in der Zusammensetzung eine Rolle, beachte z. B. offenkundig, ortskundig, sachkundig. Das davon abgeleitete Verb **kündigen** (*mhd.* kündigen) bedeutete früher „bekannt machen, kundtun", beachte dazu ankündigen und verkündigen, die neben ankünden, verkünden (s. o.) gebräuchlich sind. Die um 1800 aufkommende, heute allein übliche Verwendung des Wortes im Sinne von „[auf]lösen, aufheben; verweigern; entlassen" beruht darauf, daß das einfache Verb kündigen für aufkündigen „die Auflösung eines Vertrags kundtun" verwendet wurde. Beachte dazu Kündigung w „[Auf]lösung, Aufhebung; Verweigerung; Entlassung" (Anfang des 19. Jh.s; in der Bed. „Verkündigung" seit dem 15. Jh.). Die umlautlose Nebenform ‚kundigen' ist in erkundigen (s. o.) bewahrt. Die Bildung **Kundschaft** w (*mhd.* kuntschaft) wird heute gewöhnlich in den Bed. „Erkundung, eingezogene Nachricht" und „Gesamtheit der Käufer" gebraucht. Die letztere Bedeutung hat sich im Anschluß an Kunde (s. o.) aus „Bekanntschaft" entwickelt. An die Verwendung des Wortes im Sinne von „Erkundung" schließen sich an [aus]kundschaften, Kundschafter m. Das *schweiz.* Kundsame w „Kundschaft" geht auf *mhd.* kuntsame „Nachricht; beeidigte Sachverständige, Schiedsrichter; Schiedsspruch" zurück.

künftig: Das nur *dt.* Adjektiv (*mhd.* kümftic, *ahd.* kumftīg) ist von dem zu →*kommen* gebildeten Verbalabstraktum Kunft w veralt. für „Kommen, Ankommen" abgeleitet und bedeutet eigtl. „im Begriff zu kommen".

Kunst w: Das zu dem unter →*können* behandelten Verb gebildete Substantiv (*mhd.*, *ahd.* kunst) bedeutete zunächst in enger Anlehnung an das Verb „Wissen, Weisheit, Kenntnis", auch „Wissenschaft", beachte ‚die sieben freien Künste'. Dann wurde das Wort auch im Sinne von „(durch Übung erworbenes) Können, Geschicklichkeit, Fertigkeit" verwendet, beachte z. B. die Zus. Fechtkunst, Kochkunst, Staatskunst, Verführungskünste. Seit dem 18. Jh. bezieht sich ‚Kunst' speziell auf die künstlerische Betätigung des Menschen und auf die Schöpfung des Menschengeistes in Malerei, Bildhauerei, Dichtung und Musik. An den Gebrauch des Wortes im Sinne von ,,künstlich Geschaffenes" (Kunst im Gegensatz zu Natur) schließen sich z. B. an die Zus. **Kunstdünger, Kunsthonig, Kunststoff.** – Zur Bildung des Verbalabstraktums **Kunst** beachte z. B. das Verhältnis von **Gunst** zu *gönnen* und von **Brunst** zu *brennen.* Das abgeleitete Verb **künsteln** (16. Jh.) – beachte **gekünstelt** und **erkünstelt** – wurde früher auch nicht tadelnd im Sinne ,,an einem Werk bessern" gebraucht. Das dazu gebildete Substantiv **Künstler** *m* (16. Jh.) hat sich an 'Kunst' angeschlossen. Von 'Künstler' abgeleitet ist **künstlerisch** (18. Jh.). Das Adjektiv **künstlich** (*mhd.* künstlich) bedeutete zunächst ,,klug, kenntnisreich; geschickt", dann ,,von Menschenhand geschaffen; nicht natürlich; gewollt". Zus.: **Kunstgriff** (17. Jh.; urspr. wohl von einem geschickten Griff beim Ringen); **Kunstpause** (19. Jh.; zunächst ,,von einem Schauspieler beabsichtigte, wirkungsvolle Pause"); **Kunststück** (16. Jh.; früher auch im Sinne von ,,Kunstwerk" gebräuchlich).

kunterbunt: Das seit dem Ende des 15. Jh.s, zuerst in der Form contrabund bezeugte Adjektiv ist aus dem unter → *Kontrapunkt* behandelten Wort hervorgegangen. Es bedeutete zunächst ,,vielstimmig", bezog sich also auf das Durcheinander der Stimmen bei einem kontrapunktisch angelegten Tonsatz. Aus contrabund entwickelte sich unter Anlehnung an 'bunt' die Form kunterbunt mit der Bed. ,,verworren, durcheinander, (bunt) gemischt".

Kupfer *s:* Der *altgerm.* Name des Metalls (*mhd.* kupfer, *ahd.* kupfar, *niederl.* koper, *engl.* copper, *schwed.* koppar) beruht auf einer frühen Entlehnung aus *spätlat.* cuprum ,,Kupfer", das für *lat.* 'aes cyprium' (wörtl. ,,Erz von der Insel Zypern") steht. Das Metall hat seinen Namen also von der östlichen Mittelmeerinsel Zypern (gr. Kýpros, *lat.* Cyprus), zu deren wichtigsten Bodenschätzen noch heute der Kupferkies gehört. – Über die *altgerm.* heimische Bezeichnung des Metalls vgl. den Artikel 'ehern'.

kupieren ,,abschneiden, stutzen; (einen Krankheitsprozeß) aufhalten": Im 18./19 Jh. aus *frz.* couper, *afrz.* coper ,,abschneiden" entlehnt, das wohl über *galloroman.* *cuppare ,,die Spitze abschlagen" (zu *cuppum ,,Kopf") zu dem unter → *Kuppe* genannten *lat.* cuppa gehört. Allerdings scheint das Wort schon sehr früh mit einem anderen couper ,,schlagen" zusammengefallen zu sein, das von coup (vgl. *Coup*) abgeleitet ist. Zu *frz.* couper stellt sich das FW → *Coupon*; über weitere Verwandte vgl. *Kuppe.*

Kuppe *w:* Das im 18. Jh. aus der *mitteld.* Volkssprache in die Schriftsprache gelangte Substantiv bedeutet einerseits speziell ,,Bergspitze, Gipfel" (beachte die verdeutlichende Zus. **Bergkuppe** und die Bergnamen **Wasserkuppe** und **Schneekoppe**), andererseits bedeutet es auch allgemein ,,äußerste Spitze" (beachte die Zus. **Fingerkuppe** und das schon im 17. Jh. vorhandene abgeleitete Verb **kuppen** ,,die Spitze abhauen"). Das Wort geht auf *mitteld.* kuppe ,,Spitze, Bergspitze" zurück. Letzte Quelle des Wortes ist vermutlich *spätlat.-gemeinroman.* cuppa ,,Becher" (vgl. z. B. *frz.* coupe, *span.* copa ,,Becher, [Trink]schale"), dessen Bedeutung im bildlichen Sinne übertragen wurde (etwa in folgender Entwicklungsreihe: ,,Becher" – ,,Schale" – ,,schalenförmiger Gegenstand" – ,,Haube" – ,,rundlicher Gipfel"). Aus der gleichen Quelle (*lat.* cuppa) stammt wohl auch unser LW → *Kopf,* dessen Bedeutung sich ähnlich entwickelte.

Kuppel *w* ,,halbkugelförmig gewölbtes Dach": Im 17. Jh. aus gleichbed. *it.* cupola entlehnt, das auf *lat.* cūpula ,,kleine Kufe, Tönnchen; Grabgewölbe" zurückgeht. Dies ist eine Verkleinerungsbildung zu *lat.* cūpa ,,Kufe, Tonne; Grabgewölbe" (vgl. hierüber das LW ¹*Kufe* ,,Bottich").

¹**kuppeln** ,,koppeln, verbinden" (Technik), daneben ²**kuppeln** ,,zur Ehe oder zum Beischlaf zusammenbringen" (dafür meist das Präfixverb **verkuppeln**): Beide Wörter beruhen mit verschiedenen übertragenen Bedeutungen auf *mhd.* kuppeln, koppeln ,,an die Koppel legen, binden, fesseln; verbinden, vereinigen" und gehören somit zu *mhd.* kuppel, koppel ,,Band, Verbindung; Verbundenes usw." (über weitere Zusammenhänge vgl. den Artikel *Koppel*). – Zu ¹kuppeln stellt sich die Ableitung **Kupplung** *w* ,,Vorrichtung zur Verbindung oder Trennung von Maschinenteilen, Wellen, Fahrzeugen usw. (bei Kraftfahrzeugen speziell zur Verbindung oder Trennung von Motor und Getriebe)". Demgegenüber gehören zu ²kuppeln die Ableitungen: **Kuppelei** *w* ,,eigennützige oder gewohnheitsmäßige Begünstigung der Ausübung von Unzucht" (17. Jh.) und **Kuppler** *m* ,,Heiratsvermittler; wer Kuppelei betreibt" (*mhd.* kuppelǣre, kuppeler), davon **Kupplerin** *w* (14. Jh.) und das Adjektiv **kupplerisch** (Anfang 17. Jh.).

Kur *w:* Das seit dem 16. Jh. bezeugte Substantiv wurde aus *lat.* cūra ,,Sorge, Fürsorge, Pflege, Aufsicht usw." entlehnt und in die mediz. Fachsprache übernommen. Dort gilt es seitdem im Sinne von ,,ärztliche Fürsorge und Betreuung" allgemein, späterhin speziell zur Bezeichnung eines Heilverfahrens bzw. einer unter ärztlicher Aufsicht durchgeführten Heilbehandlung. Zahlreiche Zusammensetzungen, in denen 'Kur' teils als Bestimmungs-, teils als Grundwort erscheint, zeigen die weite und allgemeine Verbreitung des Wortes, z. B.: **Kurort** (19. Jh.), **Kur-**

gast (18. Jh.), Kurpfuscher (18./19. Jh.; eigtl. „wer ohne mediz. Vorbildung und ohne behördliche Genehmigung ärztlich tätig ist", dann allgemein im Sinne von „unsicherer, unzuverlässiger Arzt"; dazu noch das Verb kurpfuschen); Hungerkur (18. Jh.), Wunderkur (18. Jh.), Pferdekur „mit drastischen, groben Mitteln arbeitende Behandlung" (17. Jh.). – Zu *lat.* cūra, das etymologisch ohne sichere Anknüpfungen im *Idg.* ist, gehören zahlreiche Ableitungen, die unseren Wortschatz mit FW bereichert haben: *lat.* cūrāre „Sorge tragen, besorgen, pflegen" (s. kurieren), *lat.* cūrātor „Fürsorger, Pfleger; Vorsteher, Leiter usw." (s. Kurator, Kuratorium), *mlat.* cūrātēla „Vormundschaft" (s. Kuratel), *lat.* cūriōsus „voll Sorgfalt, voll Interesse, sorgsam; wißbegierig, neugierig" (s. kurios, Kuriosum, Kuriosität), ferner die Komposita *lat.* accūrāre „mit Sorgfalt tun" (s. akkurat, Akkuratesse), *lat.* prō-cūrāre „Sorge tragen, pflegen; verwalten, Geschäftsführer sein" (s. Prokura, Prokurist). Beachte schließlich noch *lat.* sē-cūrus „sorglos, sicher", das unserem LW →sicher zugrunde liegt, und die zusammengesetzten FW →Maniküre (maniküren), →Pediküre (pediküren), in denen *lat.* cūra (> *frz.* cure) als Grundwort erscheint.

Kür *w*: Zu dem unter →kiesen „prüfen, wählen" dargestellten *gemeingerm.* Verb gehören die Substantivbildungen *mhd.* kür[e], daneben kür[e] (s. unten Kur-), *ahd.* kuri, *aengl.* cyre, *aisl.* kør. – Im Sinne von „Wahl" ist 'Kür' heute kaum noch gebräuchlich. Turnersprachlich Kür *w* „wahlfreie Übung" ist erst aus 'Kürübung' gekürzt. Die Zus. →Willkür schließt sich an die *mhd.* Verwendung des Wortes im Sinne von „Entschluß, Beschluß" an. Die Nebenform Kur lebt heute nur noch in der Zusammensetzung, und zwar mit der alten Sonderbedeutung des Wortes „Recht zur Königswahl", beachte z. B. Kurfürst (*mhd.* kur-, kürvürste „mit dem Recht der Königswahl ausgestatteter Reichsfürst"), dazu kurfürstlich (*mhd.* kurvürstlich), Kurfürstentum (*mhd.* kurvürstentuom); Kurpfalz, Kurwürde. Abl.: küren „wählen" (17. Jh.). Siehe auch den Artikel Walküre.

Kuratel *w* „Vormundschaft, Pflegschaft" (veralt.), *ugs.* noch in der Fügung 'unter Kuratel stehen' im Sinne von „unter strenger Aufsicht stehen" gebräuchlich: Im 18. Jh. aus *mlat.* cūrātēla „Vormundschaft, Pflegschaft" entlehnt, in dem auch *lat.* cūrātiō „Fürsorge" (zu *lat.* cūra „Sorge", vgl. *Kur*) und *lat.* tūtēla „Fürsorge, Obhut" zusammengefallen sind.

Kurator *m* „Verwalter [einer Stiftung]; staatl. Beamter in der Universitätsverwaltung": Im 16. Jh. aus *lat.* cūrātor „Fürsorger, Pfleger, Verwalter" entlehnt (vgl. *Kur*). Dazu das Substantiv Kuratorium *s* „Auf-

sichtsbehörde" (aus dem Neutrum des *lat.* Adjektivs cūrātōrius „zum Kurator gehörig" substantiviert).

Kurbel *w*: Die seit dem 15. Jh. bezeugte Bezeichnung für einen einarmigen, gebogenen Hebel zum Drehen einer Welle ist weitergebildet aus einem in älteren Sprachzuständen vorhandenen Substantiv Kurbe *w* „Winde (am Ziehbrunnen); Kurbel", das auf *mhd.* kurbe, *ahd.* churba beruht. Quelle des Wortes ist ein *vlat.* *curva „Krummholz", das zu *lat.* curvus „gekrümmt; gewölbt" (vgl. *Kurve*) gehört. – Abl. und Zus.: kurbeln „mittels einer Kurbel drehen, bewegen" (19. Jh.), dazu die Zusammensetzung ankurbeln in übertr. Sinne von „in Gang setzen, in Bewegung bringen" (20. Jh.); Kurbelwelle (19. Jh.).

Kürbis *m*: Der Name der Gemüsepflanze und ihrer dickfleischigen Beerenfrucht, *mhd.* kürbiz, *ahd.* kurbiz (entspr. *aengl.* cyrfet), beruht auf einer frühen Entlehnung aus *lat.* cucurbita „(Flaschen)kürbis" bzw. *vlat.* (ohne Verdopplung der Anlautsilbe) *curbita.

Kurier *m* „Eilbote [im diplomatischen Dienst]": Am Ende des 16. Jh.s aus *frz.* courrier < *it.* corriere entlehnt, das zu *it.* correre „laufen, rennen, eilen" (= *frz.* courir) gehört. Voraus liegt *lat.* currere „laufen, rennen" (vgl. *Kurs*).

kurieren „ärztlich behandeln, heilen": Im 17. Jh. aus *lat.* cūrāre „Sorge tragen, pflegen; ärztl. behandeln, heilen" entlehnt (vgl. *Kur*).

kurios: Das seit dem 17. Jh. bezeugte Adjektiv hatte anfänglich durchaus ernstgemeinte Bedeutungen wie „wissenswert, merkwürdig". Im Laufe der Zeit nahm es durch seine Stellung als häufig, oft ironisch gebrauchtes Modewort einen unbestimmten, schillernden Charakter an. Die heute üblichen Bedeutungen „seltsam, sonderlich, wunderlich, spaßig, schrullig usw." (beachte auch das substantivierte Kuriosum *s* „Seltsamkeit, wunderliche, ausgefallene Sache") sind teilweise schon durch das vorausliegende *lat.* Adjektiv cūriōsus „sorgfältig; interessiert, aufmerksam, wißbegierig, neugierig, vorwitzig; pedantisch" vorbereitet, teilweise sind sie beeinflußt von *frz.* curieux (< *lat.* cūriōsus). Die gleiche Entwicklung zeigt das abgeleitete Substantiv Kuriosität *w* „Merkwürdigkeit, Sehenswürdigkeit" (16./17. Jh.), das auf *lat.* cūriōsitās „Wißbegierde, Neugierde" bzw. *frz.* curiosité zurückgeht. – Über die etymologischen Zusammenhänge des Wortes vgl. den Artikel *Kur*.

Kurs *m*: Das seit dem 15. Jh. bezeugte, auf *lat.* cursus „Lauf, Gang, Fahrt, Reise usw." zurückgehende Substantiv erscheint im Laufe der Zeit mit verschiedenen, wortgeschichtlich klar voneinander geschiedenen Bedeutungsbereichen, die allerdings durch die vielfachen Übertragungen des *lat.* Grundwortes schon vorbereitet sind. Ein vereinzelter früher Beleg des 15. Jh.s im Sinne von „Ladezettel" deutet zunächst unmittelbare Entlehnung innerhalb der Kaufmannssprache aus *it.* corso an. Seine eigtl. Geltung als Kaufmanns- und Handelswort erlangt 'Kurs' aber erst im 17. Jh. Wiederum ist *it.* corso (bzw. *frz.* cours) Ausgangspunkt. Die dementsprechenden Bedeutungen „Tages-, Börsenpreis; Wertstand" (eigtl.: der veränderliche Wert des Geldes im „Umlauf") gelten noch heute (beachte z. B. Zus. wie Tageskurs und Kurswert). – Gleichfalls schon im 15. Jh. finden sich unter dem Einfluß von *niederl.* koers und *frz.* cours[e] in der nautischen Terminologie die Bedeutungen „Ausfahrt zur See" und „Fahrtrichtung, Reiseroute", die heute auch in allgemeinem Sinne gelten (beachte in diesem Zusammenhang die modernen Zus. Kursbuch „Buch mit Eisenbahnfahrplänen" und Kurswagen „durchgehender Wagen, der mit verschiedenen Zügen läuft"). – *Frz.* cours ist auch verantwortlich für die im 18. Jh. aufkommende Bed. „Umlauf", die Kurs vor allem in den festen Wendungen 'in Kurs kommen (bringen)' und 'außer Kurs kommen' zeigt. – Für den akademischen Bereich schließlich gelten seit dem 16. Jh. für Kurs die Bedeutungen „Lehrgang", „Vortragsreihe über ein Wissensgebiet" (in diesem Sinne steht für 'Kurs' auch die Nebenform *lat.* Endung, Kursus *m*). Es handelt sich dabei um eine gelehrte Entlehnung unmittelbar aus *lat.-(mlat.)* cursus. – Das *lat.* Substantiv gehört zum Verb *lat.* currere „laufen, rennen, eilen" (damit verwandt ist *gall.-lat.* carrus „vierrädriger Wagen"; über dessen Sippe vgl. das LW Karre), das auch sonst in unserem Fremdwortschatz mit zahlreichen Ableitungen und Komposita vertreten ist. Dazu gehören im einzelnen: *lat.* cursāre „umherrennen; durchlaufen" (s. kursieren), *mlat.* cursīvus „laufend" (s. kursiv), *spätlat.* cursōrius „zum Laufen gehörig" (s. kursorisch), *lat.* concurrere „zusammenlaufen; aufeinanderstoßen" (s. konkurrieren, Konkurrent, Konkurrenz und Konkurs), *lat.* ex-currere „herauslaufen" (dazu *lat.* excursiō und *lat.* excursus „Ausflug; 'Streifzug" in → Exkursion bzw. → Exkurs), *lat.* per-currere „durchlaufen" (s. Parcours). Beachte schließlich noch die von *it.* corso bzw. von *it.* correre (< *lat.* currere) ausgehenden FW → Korso, → Kurier und → Korridor.

Kürschner *m*: Die Bezeichnung des Pelzverarbeiters geht zurück auf *mhd.* kürsenære, das zu *mhd.* kürsen, *ahd.* kursin[n]a „Pelzrock" gebildet ist. Dieses Wort ist, wie z. B. auch 'Zobel' und 'Nerz', im Rahmen des Pelzhandels mit den Slawen aus dem *Slaw.* entlehnt, beachte *aruss.* kъrzьno, *russ.* kórzno „mit Pelz verbrämter Mantel". Abl. Kürschnerei (17. Jh.).

kursieren „umlaufen, im Umlauf sein": Im 17./18. Jh. aus *lat.* cursāre „umherrennen" (vgl. *Kurs*) entlehnt und in den verschiedenen Geltungsbereichen an 'Kurs' angeschlossen.

kursiv „schräg" (von Schreib- und Druckschrift): Zurückgebildet aus Kursive *w* „schräge Druckschrift" (17. Jh.). Voraus liegt das *mlat.* Adjektiv cursīvus (vgl. *Kurs*) in der Fügung cursīva littera „laufende Schrift".

kursorisch „fortlaufend, rasch durchlaufend, hintereinander": Gelehrte Entlehnung des 18. Jh.s aus *spätlat.* cursōrius „zum Laufen gehörig" (vgl. *Kurs*).

Kurtisane *w*: Die historische Bezeichnung für die vornehme, elegante Hofdame (als Geliebte an Fürstenhöfen) wurde im 16. Jh. aus gleichbed. *frz.* courtisane entlehnt. Das *frz.* Wort selbst beruht auf *it.* cortigiana „Kurtisane", das sich als weibliche Bildung zu *it.* cortigiano „Höfling" (daraus entspr. *frz.* courtisan) stellt. Zu *it.* corte „Hof; Fürstenhof". Über weitere etymologische Zusammenhänge vgl. den Artikel *Gardine*.

Kurve *w* „gekrümmte Linie, Bogen[linie]; Straßen-, Fahrbahnkrümmung": Das seit dem 18. Jh., zuerst als geometrischer Terminus bezeugte FW hat sich aus *lat.* curva līnea „krumme Linie" verselbständigt. Das zugrunde liegende Adjektiv *lat.* curvus „gekrümmt; gewölbt", das zu der unter → *schräg* dargestellten *idg.* Wortsippe gehört, ist Ausgangspunkt für das FW → Kurbel (kurbeln, ankurbeln). – Abl.: kurven „in Kurven [kreuz und quer] fahren" (*ugs.*, 20. Jh.); kurvisch „gekrümmt, gebogen" (Math., 20. Jh.).

kurz: Das Adjektiv (*mhd., ahd.* kurz) ist in frühdeutscher Zeit vor der Lautverschiebung aus *lat.* curtus „verkürzt, gestutzt, verstümmelt" entlehnt, in dem Sinne von „abgeschnitten" zu der *idg.* Wortgruppe von → *scheren* gehört. Abl.: Kürze *w* (*mhd.* kürze, *ahd.* kurzī); kürzen (*mhd.* kürzen, *ahd.* kurzen; beachte auch ab-, verkürzen), dazu Kürzung *w* (*mhd.* kürzunge); kürzlich (*mhd.* kurzlich, *ahd.* kurz[i]līch). Zus.: Kurzschluß (Ende des 19. Jh.s; auch auf Menschen übertragen, beachte Kurzschlußhandlung, 20. Jh.); Kurzschrift (2. Hälfte des 19. Jh.s; LÜ von Stenographie); kurzsichtig (18. Jh.; wohl nach *engl.* short-sighted); kurzum (16. Jh.); Kurzwaren (19. Jh.; kleine Handelswaren, z. B. Nähbedarf); Kurzweil (*mhd.* kurz[e]wīle „kurze Zeit; Zeitverkürzung, Zeitvertreib, Vergnügen"), dazu kurzweilig (*mhd.* kurzwīlec); Kurzwelle (1. Hälfte des 20. Jh.s).

kusch! „nieder!, leg dich!" (urspr. Befehl an den abgerichteten Jagdhund): In der Jägersprache des 17. Jh.s aus gleichbed. *frz.* couche!, dem Imperativ von *frz.* coucher

„niederlegen" (*frz.* se coucher „sich niederlegen; schlafen gehen"), entlehnt. Voraus liegt
lat. col-locāre „auf-, hinstellen, hinlegen usw.";
(zum Stammwort *lat.* locus „Ort, Platz,
Stelle" vgl. den Artikel *lokal*). – Abl.:
kuschen „sich lautlos niederlegen" (vom
Hund), auch übertr. (*ugs.*) im Sinne von
„sich ducken, sich fügen" gebraucht (18. Jh.);
kuscheln, sich „sich anschmiegen" (um
1900).
küssen: Das *altgerm.* Verb *mhd.* küssen,
ahd. kussen, *niederl.* kussen, *engl.* to kiss,
schwed. kyssa ist lautmalenden Ursprungs.
Es geht mit den [elementar]verwandten
Verben *got.* kukjan „küssen" und z. B. *gr.*
kyneîn „küssen", *hethit.* kuu̯ašzi „küßt" auf
ein den Laut des Lippenkusses nachahmendes *ku- zurück. Eine alte Rückbildung aus
dem Verb ist **Kuß** *m* (*mhd.*, *ahd.* kus, *niederl.* kus, *engl.* kiss, *schwed.* kyss). – Die Sitte
des Küssens geht wahrscheinlich von der
Vorstellung aus, daß bei der Berührung der
Lippen oder Nasen ein Austausch der im
Atem gedachten Hauchseelen stattfindet.
Älter als der Lippenkuß ist allem Anschein
nach der Nasen- oder Schnüffelkuß, der bei
einigen Völkerschaften noch heute üblich
ist. Beachte dazu z. B. *aind.* ghrā- „riechen,
schnüffeln" und „küssen". – Zus.: Kuß-
hand (Anfang des 18. Jh.s); Handkuß
(17. Jh.).
Küste *w*: Das seit dem 17. Jh. bezeugte Substantiv geht auf *afrz.* coste (= *frz.* côte)
„Rippe; Seite; Abhang; Meeresstrand,
Küste" zurück, das uns durch Vermittlung
von *niederl.* kust, älter kuste (*mniederl.*
cost[e]) „Küste" erreichte. Letzte Quelle des
Wortes ist *lat.* costa „Rippe", das im *Vlat.*
die übertragene Bed. „Seite; Abhang,
Meeresufer" entwickelt haben muß. Aus
afrz. coste stammt auch *engl.* coast „Küste".
Zu *frz.* côte in dessen eigtl. Bed. „Rippe"
gehört das FW →*Kotelett*.

Küster *m* „Kirchendiener": Die *nhd.* Form
des Wortes geht über *mhd.* kuster auf *ahd.*
kustor zurück, das seinerseits aus *mlat.*
custor „Hüter (des Kirchenschatzes); Kir-
chenpfleger" entlehnt ist. Zu *lat.* custōs
„Wächter, Aufseher, Hüter usw.".
Kutsche *w*: Das seit dem 16. Jh. bezeugte
Wort für „Pferdedroschke" ist aus gleichbed.
ung. kocsi (eigtl. „Wagen aus dem Ort
Kocs") entlehnt. – Abl.: **Kutscher** *m*
(16. Jh.); **kutschen** (16. Jh.); **kutschie-
ren** (17. Jh.).
Kutte *w*: Der Ausdruck für „[Mönchs]ge-
wand" geht auf *mhd.* kutte zurück, das aus
mlat. cotta „Mönchsgewand" entlehnt ist.
Das *mlat.* Wort seinerseits stammt aus dem
Germ. (vgl. [1]*Kotze*).
Kuttel *w*, gewöhnlich *Mehrz.* Kutteln: Der
südd. Ausdruck für „[eßbares] Eingeweide"
geht zurück auf das seit dem 13. Jh. bezeugte *mhd.* kutel „Eingeweide von Tieren",
dessen weitere Herkunft unklar ist.
Kutter *m* „einmastiges Segelfahrzeug": Im
18. Jh. aus *engl.* cutter entlehnt, das als Abl.
von *engl.* to cut „schneiden" (vgl. *Cutter*)
eigtl. etwa „(Wogen)schneider" bedeutet.
Kuvert *s* „Briefumschlag, -hülle": Um 1700
aus *frz.* couvert (dafür jetzt *frz.* enveloppe)
entlehnt. Zugrunde liegt *frz.* couvrir „bedecken, einhüllen", das auf *lat.* co-operīre
„von allen Seiten vollständig bedecken" zurückgeht. Dessen Grundverb *lat.* operīre
„verschließen, bedecken" (< *op-u̯erīre) ist
urverwandt mit →*wehren*.
Kux *m*: Der Ausdruck für „Wertpapier über
den Anteil an einer bergrechtlichen Gewerkschaft" geht zurück auf *frühnhd.* Kuckes,
Kukus ,,128. Teil an Besitz und Gewinn
einer gewerkschaftlichen Grube". Zugrunde
liegt das seit dem 14. Jh. bezeugte *mlat.*
cuccus, das aus *tschech.* kusek eigtl. „kleiner
Anteil" entlehnt ist.

L

Lab *s*: Die Bezeichnung des in der Käseher-
stellung verwendeten Ferments (*mhd.* lap,
ahd. lab, *mnd.* laf, *niederl.* leb) gehört im
Sinne von „Gerinnmittel" zu *mhd.* liberen,
mnd. leveren „gerinnen [machen]". Auf die
Verwendung pflanzlicher oder tierischer Zu-
sätze zum Gerinnenmachen des Kaseins der
Milch bezieht sich der Pflanzenname Labkraut (16. Jh.) und die Benennung Labmagen (17. Jh.).
labb[e]rig: Der vorwiegend in Norddeutschland gebräuchliche *ugs.* Ausdruck für „fade,
gehaltlos" gehört zu *niederd.* labbern see-

männ. für „schlaff werden" (von Segeln),
das aus *niederl.* labberen „sich schlaff hin
und her bewegen" entlehnt ist. Das *niederl.*
Verb ist wohl mit Lappen, schlapp, schlaff
usw. verwandt (vgl. *Schlaf*).
laben: Das *westgerm.* Verb *mhd.* laben, *ahd.*
labōn, *niederl.* laven, *aengl.* lafian ist wahrscheinlich eine alte Entlehnung aus *lat.* lavāre „waschen; baden; benetzen" (s. die
FW Lavendel und Latrine). Auch das
westgerm. Verb bedeutete in den älteren
Sprachzuständen „waschen, mit Wasser
oder dgl. benetzen", woraus sich dann die

Bed. ,,[durch Benetzen oder durch Tränken] erfrischen, erquicken" entwickelte. – *Lat.* lavāre gehört zu der unter →*Lauge* dargestellten *idg.* Wortgruppe. Abl.: Labe *w* (nur noch dichterisch für:) ,,Erquickung" (*mhd.* labe, *ahd.* laba); Labsal *s*, *östr.* auch *w* ,,Erquickung" (*mhd.* labesal).

labil ,,schwankend, veränderlich, unsicher; unzuverlässig" (im Gegensatz zu →stabil): Im 20. Jh. aus *spätlat.* lābilis ,,leicht gleitend" entlehnt. Zugrunde liegt das *lat.* Verb lābī (lābor, lāpsum) ,,gleiten, abgleiten, straucheln usw.", das wohl mit *lat.* labāre ,,wanken, schwanken" und *lat.* labor ,,Mühe, Last; Arbeit" (urspr. etwa: ,,das Wanken unter einer Last"; s. hierzu die FW laborieren, Laboratorium, Laborant und Kollaborateur) zu der unter →*Schlaf* dargestellten Sippe der *idg.* Wz. *[s]lĕb-, [s]lāb- ,,schlaff herabhängen" gehört. – Beachte noch das *lat.* Kompositum collābī,,zusammensinken, -brechen" in den FW kollabieren und Kollaps, ferner die Substantivbildungen *lat.* lāpsus ,,das Gleiten, das Straucheln" (s. Lapsus) und *mlat.* lābīna ,,Erd-, Schneerutsch". Letzteres ist die Quelle unseres Lehnwortes →Lawine. – Abl.: Labilität *w*.

laborieren ,,sich herumplagen (insbesondere mit einem Leiden)": Im 16. Jh. als mediz. Fachausdruck aus gleichbed. *lat.* labōrāre entlehnt. Zu *lat.* labor ,,Anstrengung, Mühe, Last; Arbeit". Über weitere Zusammenhänge vgl. den Artikel labil. – Aus *lat.* labōrāns, dem Part. Präs. Akt. von labōrāre, stammt das seit dem 17. Jh. bezeugte Substantiv Laborant *m* ,,technische Hilfskraft in Labors und Apotheken". Dazu ferner die gelehrte *mlat.* Ableitung Laboratorium *s* ,,Arbeits- und Forschungsstätte für biologische, chemische oder technische Versuche" (16. Jh.; beachte auch die jüngere Kurzform Labor *s*). – Ein Kompositum von *lat.* labōrāre, *spätlat.* col-labōrāre ,,mitarbeiten", erscheint in dem FW →Kollaborateur.

Labskaus *s*: Der seit dem 19. Jh. im *Niederd.* bezeugte Name eines seemänn. Eintopfgerichtes aus Fleisch, Fisch und Kartoffeln ist aus *engl.* lobscouse entlehnt. Dessen Herkunft ist dunkel.

Labyrinth *s* ,,Irrgang, -garten; Wirrsal, Durcheinander": Um 1500 aus *lat.* labyrinthus < *gr.* labýrinthos entlehnt. Das Wort ist *vorgr.* Ursprungs. Es stammt wohl aus dem kretisch-minoischen Kulturkreis und bedeutet wahrscheinlich eigtl. ,,Haus der Doppelaxt" (als Königsinsignie), zu *voridg.* lábrys ,,Beil" (für *gr.* pélekys). So war denn auch gerade der Sagenkreis des bedeutenden kretischen Labyrinths, das Dädalus im Auftrag des Königs Minos für den sagenhaften Minotaurus erbaut haben soll, für die Verbreitung des Wortes und seines Ideenkreises in der Renaissance verantwortlich. – Abl.:

labyrinthisch ,,unentwirrbar" (16. Jh.; aus *spätlat.* labyrinthicus).

¹Lache *w*: Die Herkunft des *westgerm.* Wortes *mhd.* lache, *ahd.* lahha, *mnd.* lake (s. Lake), *aengl.* lacu ist nicht sicher geklärt. Es kann, falls es nicht eine alte Entlehnung aus *lat.* lacus ,,Wasseransammlung, See" (s. Lagune) ist, im Ablaut zu der *nord.* Sippe von *aisl.* lœkr ,,langsam fließender Bach" stehen und zu der unter →*leck* dargestellten Wz. *leg- ,,tröpfeln, sickern" gehören.

²Lache siehe lachen.

lachen: Das *gemeingerm.* Verb *mhd.* lachen, *ahd.* [h]lahhan, -ēn, *got.* hlahjan, *engl.* to laugh, *schwed.* le ist lautnachahmenden Ursprungs. Es gehört mit der *germ.* Sippe von *aisl.* hlakka ,,schreien, krächzen" und mit verwandten Wörtern in anderen *idg.* Sprachen zu einer lautmalenden Wz. *klĕg-, vgl. z. B. *lit.* klagéti ,,gackern". Abl.: ²Lache *w* (*mhd.* lache; das Substantiv ist aus dem Verb rückgebildet); lächeln (*mhd.* lecheln ,,ein wenig lachen, auf hinterhältige Weise freundlich tun"); Lacher *m* (16. Jh.); lächerlich (*mhd.* lecherlich ,,lächelnd"; zum Lachen reizend"); Gelächter (s. d.). Zus.: Lachgas ,,Stickoxydul" (19. Jh.).

Lachs *m*: Fischname *idg.* Alters: *Mhd.*, *ahd.* lahs, *mnd.* lass, *aengl.* leax, *schwed.* lax gehen mit verwandten Wörtern in anderen *idg.* Sprachen auf *idg.* *laḱso-s ,,Lachs" zurück. Vgl. z. B. *lit.* lašišà, *russ.* losós ,,Lachs", *tochar.* B laks ,,Fisch". Welche Vorstellung der Benennung des Lachses zugrunde liegt, ist nicht sicher geklärt. Vielleicht ist der Fisch nach seiner Tüpfelung benannt (zu *lett.* lāse ,,Tupfen, Fleck, Tropfen").

Lack *m*: Im 16. Jh. aus *it.* lacca entlehnt, das wie entspr. *span.* lacau, *frz.* laque auf *arab.* lakk < *pers.* lāk < *aind.* lākšā ,,Lack" zurückgeht. – Abl.: lacken ,,mit Lack bestreichen" (17. Jh.), dafür meist lackieren (um 1700, aus *it.* laccare). Letzteres auch *ugs.* übertr. im Sinne von ,,anführen, übers Ohr hauen". Gleichfalls übertragen steht das Partizipialadj. lackiert ,,geschniegelt; eingebildet" in der Fügung 'lackierter Affe', dafür auch Lackaffe.

Lackel *m*: Die Herkunft des *südd.* Ausdrucks für ,,unbeholfener oder ungeschliffener Mensch" ist unklar.

Lackmus *s*: Der Name des blauen Farbstoffes, der in der Chemie als Indikator verwandt wird, wurde im 16. Jh. mit der Sache aus Holland aufgenommen (*niederl.* lakmoes, *mniederl.* le[e]cmoes). Das *niederl.* Wort selbst ist nicht sicher gedeutet.

Lade *w*: *Mhd.*, *mnd.* lade ,,Behälter; Kasten, Truhe; Sarg", *niederl.* lade ,,Kasten, Behältnis" und die *nord.* Sippe von *schwed.* lada ,,Scheune" gehören im Sinne von ,,Behältnis, in das man etwas laden kann, Abladeplatz" zu dem unter → ¹*laden* behandelten Verb. Das Wort spielt heute hauptsächlich in der Zusammensetzung eine Rolle, beachte z. B. Schublade (16. Jh.) und Kinnlade (s. d.).

¹laden: Das *gemeingerm.* Verb *mhd.* laden, *ahd.* [h]ladan, *got.* [af]hlaþan, *engl.* to lade, *schwed.* ladda geht mit verwandten Wörtern im *Baltoslaw.* auf eine Wz. *klā- „hinbreiten, aufschichten" zurück, vgl. z. B. *lit.* klóti „hin-, ausbreiten", *russ.* klast' „legen". Zum Verbum stellen sich die Substantivbildungen →Lade und →Last. Präfixbildungen und Zus. mit laden sind ab-, aus-, be-, ent-, über-, verladen. Mit laden „eine Last auflegen, befrachten" ist identisch laden „ein Geschoß einführen und einer Sprengladung oder dergl. versehen", das im heutigen Sprachgefühl als ein verschiedenes Wort empfunden wird. Die Verwendung des Verbs im letzteren Sinne geht von dem Einsatz schwerer Geschütze aus, die tatsächlich gewissermaßen mit einer Last versehen wurden. An 'laden' in diesem Sinne schließen sich an Ladestock (17. Jh.), Hinterlader (19. Jh.), Vorderlader (19. Jh.) und ¹Ladung (s. u.). Abl.: ¹Ladung *w* „das Aufgeladene, Last; Füllung; Sprengmunition" (*mhd.* ladunge). Zus.: Ladebaum (19. Jh.).

²laden „zum Kommen auffordern": Das *gemeingerm.* Verb *mhd.* laden, *ahd.* ladōn, *got.* laþōn, *aengl.* laðian, *aisl.* laða ist wahrscheinlich von dem unter →Laden „Geschäft" abgeleitet, das auf *laþan- „Brett, Bohle" zurückgeht (vgl. *Latte*). In alter Zeit war es üblich, Einladungen zu Zusammenkünften oder Aufforderungen zu Volksversammlungen oder dergl. dadurch zu bewerkstelligen, daß man einen Boten mit einem [mit Zeichen eingekerbtem] Brett oder Stück Holz herumschickte (s. zum Sachlichen auch den Artikel Klub). Das Verb bedeutete demnach urspr. etwa „durch die Übersendung eines Brettes oder dergl. zum Kommen auffordern". – Gebräuchlicher als das einfache Verb sind heute die Zus. einladen (*mhd.* înlāden, *ahd.* înladōn) und vorladen (*mhd.* vorladen, *ahd.* furiladōn). Abl.: ²Ladung *w* „Aufforderung zum Kommen, Ein-, Vorladung" (*mhd.* ladunge, *ahd.* ladunga).

Laden *m*: Das auf das *dt.* Sprachgebiet beschränkte Substantiv (*mhd.* laden „Brett, Bohle; Fensterladen; Kaufladen") ist mit der Sippe von →*Latte* verwandt. Das Wort bedeutete zunächst „Brett, Bohle" und „aus Brettern oder Bohlen Gefertigtes". Dann bezeichnete es einerseits speziell das Brett zum Schutz des Fensters (beachte die Zus. Fensterladen, 17. Jh.) und andererseits das in einer Verkaufsbude herabgelassene, zur Warenauflage dienende Brett, dann auch den aus Brettern hergerichteten Verkaufsstand. Aus der Verwendung des Wortes im letzteren Sinne hat sich die heute allgemein übliche Bed. „Geschäft" entwickelt.

Abl.: Ladnerin *w südd.* und *östr.* für „Verkäuferin" (15. Jh.). Zus.: Ladenhüter *ugs.* für „unverkäufliche Ware" (17. Jh.; wohl LÜ von *frz.* gardeboutique); Ladenschwengel *ugs.* für „Verkäufer" (18. Jh.; zunächst studentensprachlich, Nachbildung von Galgenschwengel, s. d.). Siehe den Artikel ²laden.

lädieren „verletzen, beschädigen": Im 17. Jh. – zunächst im übertragenen Sinne von „beleidigen" – aus gleichbed. *lat.* laedere entlehnt. Dazu als Kompositum *lat.* collīdere „zusammenstoßen" (s. kollidieren und Kollision).

Laffe *m* (*ugs.* für:) „Geck, eitler, alberner Mensch": Das seit dem 15. Jh. bezeugte Wort gehört entweder im Sinne von „Lecker" zu *mhd.* laffen „lecken" oder aber im Sinne von „Mensch, der mit herabhängender Lippe bzw. mit offenem Mund gafft" zu *frühnhd.* Laffe „Hängelippe, Maul". Zur ersten Deutung beachte älter *nhd.* Lecker „Laffe, Trottel". Über die weiteren Zusammenhänge s. *Schlaf* (beachte auch den Artikel läppisch).

Lage *w*: Das nur *dt.* Wort ist eine Bildung zu dem unter →*liegen* behandelten Verb. In den älteren Sprachzuständen entsprechen *mhd.* lāge „lauerndes Liegen, Nachstellung; das Liegen, das Gelegensein; Zustand, Umstände; Art, Beschaffenheit [Waren]lager", *ahd.* lāga „Hinterhalt, Nachstellung". Heute wird das Wort häufig auch im Sinne von „Schicht", „Tonhöhe" und *ugs.* im Sinne von „Runde (Bier oder dergl.)" gebraucht. – Die Zus. An-, Auf-, Aus-, Bei-, Ein-, Nieder-, Unterlage usw. schließen sich in der Bed. eng an die Zus. anlegen usw. an, beachte auch, daß das zu liegen gehörige *ahd.* lāga mit dem zu legen gehörigen *ahd.* laga zusammenfiel (s. legen).

Lager *s*: Zu dem unter →*liegen* behandelten Verb gehört die *gemeingerm.* Substantivbildung *mhd.* leger, *ahd.* legar, *got.* ligrs, *engl.* lair, *schwed.* läger. Die lautgerechte, auf *mhd.* leger beruhende Form Leger, Läger hielt sich bis ins 17. Jh., dann wurde sie durch die seit dem 14. Jh. bezeugte Form mit *mdal.* a (unter Anlehnung an Lage) verdrängt. Abl.: lagern (für älteres legern, lägern, *mhd.* leger[e]n) dazu belagern (*spätmhd.* belegern eigtl. „mit einem Heerlager umgeben") und verlagern (16. Jh.).

Lagune *w* „seichter Strandsee": Das bereits im 16. Jh. bezeugte, aber erst im 18. Jh. allgemeiner gebräuchliche FW ist aus *it.* laguna entlehnt. Es bezeichnete zunächst die Küstenseen in der Umgebung Venedigs. Quelle des Wortes ist *lat.* lacūna „Vertiefung; Grube; Lache, Weiher". Dessen Stammwort *lat.* lacus „See" (> *it.* lago und *frz.* lac) liegt vielleicht unserem Substantiv →Lache zugrunde.

lahm: Das *altgerm.* Adjektiv *mhd., ahd.* lam, *niederl.* lam, *engl.* lame, *schwed.* lam gehört im Sinne von „gliederschwach, gebrechlich" zu einer Wz. *lem- „brechen", vgl. z. B. die verwandte *baltoslaw.* Sippe von *russ.* lomít' „brechen", lóm „Bruch". Zu dieser Wurzel gehören auch die unter →Lümmel behandelten Wörter. Abl.: **lahmen** (*mhd.* lamen „lahm- sein, hinken"; vgl. auch erlahmen); **lähmen** (*mhd.* lemen, *ahd.* lemjan „gliederschwach machen"), dazu **Lähmung** *w* (17. Jh.).

Laib *m*: Das alte *gemeingerm.* Wort *mhd.* leip, *ahd.* [h]leib, *got.* hlaifs, *aengl.* hlāf (s. u.), *aisl.* hleifr bezeichnete wahrscheinlich das ungesäuerte Brot, während das unter →Brot behandelte Wort das gesäuerte Brot der Germanen bezeichnete. *Germ.* *hlaiba- „[ungesäuertes] Brot", dessen weitere Herkunft dunkel ist, wurde in mehrere europäische Sprachen entlehnt, beachte z. B. die *slaw.* Sippe von *russ.* chléb „Brot". – *Aengl.* hlāf „Brot", auf dem *engl.* loaf „Laib" beruht, steckt als Bestimmungswort in *aengl.* hlǣfdīge „Herrin, Frau" (eigtl. „Brotkneterin"), das sich über *mengl.* lāvedi zu *engl.* lady „Dame" entwickelte (beachte das FW Lady), und in *aengl.* hlāford „Herr" (aus *hlāfward eigtl. „Brotwart, -schützer"), das sich über *mengl.* lōverd zu *engl.* lord „Herr" entwickelte (beachte das FW Lord). – Im *Dt.* wird 'Laib' heute nur noch *landsch.* im Sinne von „einzelnes, geformtes Brot, geformte Masse (aus Brotteig, aus Käse)" gebraucht. Die im 17. Jh. aufgekommene Schreibung des Wortes mit ai dient der Unterscheidung von Leib „Körper". Siehe auch den Artikel Lebkuchen.

Laich *m*: Der Ausdruck für die zur Befruchtung im Wasser abgelegten Eier von Wassertieren geht zurück auf gleichbed. *spätmhd.* leich, das eigtl. „Liebesspiel" bedeutet und identisch ist mit *mhd.* leich „Tonstück, Melodie, Gesang" (urspr. „Spiel, Tanz", vgl. *Leich*). Beachte dazu das verwandte *schwed.* lek, das „Spiel" und „Liebesspiel (der Tiere), Paarungsakt, Laich" bedeutet. – Die im 18. Jh. aufgekommene Schreibung mit ai dient der Unterscheidung von Leiche „toter Mensch". Abl.: **laichen** (*spätmhd.* leichen).

Laie *m* „Nichtfachmann": Das Substantiv (*mhd.* lei[g]e, *ahd.* leigo) bezeichnete in den ältesten Sprachzuständen den Nichtgeistlichen (im Gegensatz zum Kleriker), dann auch in freierer Übertragung (da ja im Mittelalter vorwiegend die Geistlichkeit an der Bildung teilhatte) den Nichtgelehrten, Nichtgebildeten. Daraus entwickelte sich schließlich seit dem 14. Jh. allmählich die allgemeine Bed. „Nichtfachmann". Das Wort wurde durch *roman.* Vermittlung aus *kirchenlat.* lāicus „zum Volk gehörig, gemein; Nichtgeistlicher" entlehnt, das seinerseits auf gleichbed. *gr.* laïkós beruht. Stammwort

ist *gr.* lāós „Volk, Volksmenge; Kriegsvolk". Dazu auch *gr.* léitos „vom Volk gestaltet, öffentlich" als Bestimmungswort in *gr.* leitourgía „öffentlicher Dienst" (s. das FW Liturgie).

Lakai *m* (früher für:) „herrschaftlicher Diener [in Livree]", heute noch gelegentlich im übertragenen Sinne von „Kriecher" gebraucht: Das seit dem Beginn des 16. Jh.s zuerst mit der Bed. „gemeiner Fußsoldat" bezeugte Substantiv ist aus *frz.* laquais „Diener" entlehnt, das *span.* lacayo entspricht. Die weitere Herkunft des Wortes ist dunkel.

Lake *w* „Salzlösung zum Konservieren von Fischen und Fleisch": Das seit dem 14. Jh. bezeugte *mnd.* lake „[Herings]salzbrühe", das im Rahmen des Heringshandels ins *Hochd.* übernommen wurde, ist identisch mit *mnd.* lake „stehendes Wasser" (vgl. *Lache*).

Laken *s*: Das im 15. Jh. aus dem *Niederd.* übernommene Wort für „Bettuch" geht zurück auf *asächs.* lakan „Tuch, Decke; Vorhang; Gewand", das mit der *hochd.* Entsprechung *ahd.* lahhan, *mhd.* lachen „Tuch, Decke" auf *germ.* *lakana- „Tuch" beruht. Das Wort ist wahrscheinlich mit der *germ.* Sippe von *mnd.* lak „schlaff, lose" verwandt und gehört im Sinne von „[schlaff herabhängender] Lappen" zu der *idg.* Wz. *[s]lēg-, „schlaff, matt sein". Vgl. aus anderen *idg.* Sprachen z. B. *lat.* laxus „schlaff" (s. lax) und *air.* lacc „schlaff, schwach". Verwandt ist wahrscheinlich auch die Wortgruppe von →link.

lallen: Das Verb (*mhd.* lallen; entspr. *schwed.* lalla, *dän.* lalle) beruht mit [elementar]verwandten Wörtern in anderen *idg.* Sprachen auf einem lautmalenden, kindersprachlichen *lal[l]a-, vgl. z. B. *gr.* laleīn „schwatzen", *lat.* lallāre „in den Schlaf singen" (s. Lamento, lamentieren), *russ.* lála „Schwätzer". Siehe auch den Artikel lullen.

Lama *s*: Der Name des südamerikan. Schafkamels entstammt der peruanischen Eingeborenensprache und wurde der Europäern durch *span.* llama vermittelt (beachte *it., frz.* lama, *engl.* llama). In deutschen Texten nicht vor dem Ende des 16. Jh.s.

Lamelle *w* 1) „das einzelne, Blatt des Fruchtkörpers unter dem Hut der Blätterpilze" (Bot.); 2) „dünnes Blättchen, Scheibe" (Techn.): Um 1800 aus *frz.* lamelle < *spätlat.* lāmella „dünne Scheibe, Blättchen" entlehnt, das zuvor schon einmal im *Mhd.* als lāmel „Klinge" erschienen war. *Spätlat.* lāmella ist eine Verkleinerungsbildung zu *lat.* lāmina (lāmna) „dünnes Holz-, Metallstück, Platte, Blatt, Scheibe usw." (unsicherer Herkunft). – Gleichen Ursprungs ist →Lametta.

Lamento *s*: Das seit dem Anfang des 18. Jh.s bezeugte Substantiv, das zuerst als musikal.

Fachausdruck zur Bezeichnung eines „schmerzgetragenen Tonstückes" erscheint, gilt seit dem Ende des 18. Jh.s mit der noch umgangssprachlich geläufigen Bed. „Gejammer". Quelle des Wortes ist *it.* lamento, das auf *lat.* lāmentum „Wehklage" zurückgeht. Dies gehört wohl zu einer *idg.* Schallwurzel *lā-, die redupliziert in *lat.* lallāre „lalla singen; in den Schlaf wiegen" und in *dt.* →*lallen* vorliegt. – Dazu noch das Verb lamentieren „laut klagen, jammern; jammernd etwas erbetteln" (16. Jh.; aus *lat.* lāmentārī „wehklagen, jammern").

Lametta *w* oder *s* „dünner, schmaler Metallstreifen (als Christbaumschmuck)", in der Umgangssprache auch scherzhaft übertragen für „Rangabzeichen, Orden": Im 20. Jh. aus *it.* lametta, einer Verkleinerungsbildung zu *it.* lama „Metallblatt; Klinge", entlehnt. Voraus liegt *lat.* lāmina (lāmna) „dünnes Holz-, Metallblatt usw." (vgl. *Lamelle*).

Lamm *s*: Die Herkunft des *gemeingerm.* Wortes für „Schafjunges" (*mhd.* lamp, *ahd.* lamb, *got.* lamb, *engl.* lamb, *schwed.* lamm) ist dunkel. Im *Dt.* bezeichnet das Wort auch das Junge von Ziegen oder von Rehen. Abl.: lammen „ein Lamm werfen" (17. Jh.). Zus.: Lämmergeier (18. Jh.); Lämmerwolke (um 1800).

Lampe *w*: Die seit dem 13. Jh. übliche Bezeichnung des Beleuchtungskörpers (*mhd.* lampe) beruht wie auch entspr. *niederl.*, *engl.* lamp auf einer Entlehnung aus *(a)frz.* lampe (= *it.* lampa), das seinerseits auf *vlat.* lampada (für *klass.-lat.* lampas, lampadis) „Leuchte, Fackel; Leuchter" zurückgeht. Letzte Quelle des Wortes ist *gr.* lampás (lampádos) „Fackel, Leuchte", das von *gr.* lámpein „leuchten" abgeleitet ist. – Dazu auch *gr.* lamptér „Leuchter, Fackel; Laterne" in unserem LW →*Laterne*. Vgl. noch den Artikel Lampion.

Lampion *m* oder *s* „Papierlaterne (zur Festbeleuchtung)": Im 18. Jh. durch Vermittlung von *frz.* lampion aus *it.* lampione entlehnt. Dies ist eine vergrößernde Ableitung von *it.* lampa (vgl. *Lampe*).

Lamprete *w*: Der Name des fischähnlichen Wirbeltiers (*mhd.* lamprēde, *ahd.* lamprēta) ist nach *galloroman.* lamprēda „Neunauge" entlehnt, dessen Deutung unklar ist. Gebräuchlicher ist heute die Benennung Neunauge (s. d.).

lancieren „in Gang bringen, in Umlauf setzen; geschickt an eine gewünschte Stelle, auf einen bestimmten Posten bringen": Im 18. Jh. aus *frz.* lancer „schleudern; loslassen; in Schwung bringen" entlehnt, das auf *spätlat.* lanceāre „die Lanze schwingen" zurückgeht (vgl. *Lanze*). – Siehe auch Elan.

Land *s*: Das *gemeingerm.* Wort *mhd.*, *ahd.* lant, *got.* land, *engl.* land, *schwed.* land steht im Ablaut zu der *nord.* Sippe von *schwed.* linda „Brache, Saatfeld" und vermutlich auch von *schwed.* lund „Hain, Wäldchen". Diese *germ.* Wortgruppe geht mit verwandten Wörtern im *Kelt.* und *Baltoslaw.* auf *lendh- „[freies] Land, Feld, Heide" zurück, vgl. z. B. *air.* land „freier Platz" und *russ.* ljadá „Rodeland, niedriger Boden". Die zahlreichen Ableitungen und Zusammensetzungen schließen sich an die verschiedenen Verwendungsweisen von Land an, und zwar im Sinne von „bebaubares Land, [Acker]boden, Feld; Erdboden, fester Grund, Festland (im Gegensatz zum Wasser, zur Luft); offenes, freies Land, dörfliche Gegend (im Gegensatz zur Stadt); geographisch oder politisch abgeschlossenes Gebiet, Staat". Abl.: landen, *landsch.* länden „ans Ufer oder auf den Erdboden kommen, anlegen, erreichen; zur Landung bringen" (*mhd.* lenden, *ahd.* lenten; die seit dem 17. Jh. bezeugte Form landen aus oder nach *niederd.* landen unter Anlehnung an das Substantiv Land), dazu Lände *w landsch.* für „Landungsplatz" (*ahd.* lenti); Ländereien *Mehrz.* „Felder, zusammenhängendes Nutzland" (16. Jh.); Ländler *m* „eine Art Volkstanz im langsamen Walzertakt" (Ende des 18. Jh.s; eigtl. Tanz, der im 'Landl', d. h. Oberösterreich getanzt wird); ländlich „dörflich, bäurisch" (*mhd.* lantlich); Landschaft *w* „Gegend, natürliche Geländeeinheit, abgeschlossenes Gebiet" (*mhd.* lantschaft, *ahd.* lañtscaf[t]), dazu landschaftlich (18. Jh.); Landser *m ugs.* für „Soldat" (1. Hälfte des 20. Jh.s; s. u. Landsknecht). Zus.: Landenge „schmaler Landstreifen zwischen zwei Meeren oder Seen" (18. Jh.); Landgraf „gräflicher Landesherr" (*mhd.* lantgrāve „königlicher Richter und Verwalter eines Landes"); Landjäger *südwestd.*, *schweiz.* für „Gendarm", auch Name einer Art Dauerwurst" (19. Jh.); Landkarte (17. Jh.); Landpomeranze scherzh. für „ländliche Schöne, Provinzlerin" (19. Jh.; wohl aus der Studentensprache); Landratte seemänn. scherzh. für „am Land oder im Binnenland Lebender" (19. Jh.; LÜ von *engl.* landrat); Landregen „anhaltender Regen" (15. Jh.; eigtl. „über ein ganzes Land ausgedehnter Regen"); Landsknecht (15. Jh.; eigtl. ein im kaiserlichen Land – im Gegensatz zum Schweizer – angeworbener Soldat, s. Knecht; unter Anlehnung an Lanze dafür früher auch Lanzknecht, zu dem die Kurzform Lanz[t] gehört, davon Landser, s. o.); Landstreicher „Vagabund, obdachloser Bettler" (*spätmhd.* lantstrīcher); Landsturm „letztes Aufgebot der waffenfähigen Männer" (17. Jh.; nach dem Läuten der Sturmglocken zur Einberufung der waffenfähigen Männer eines Landes); Landtag „Volksvertretung eines deutschen Landes" (*mhd.* lanttac „Versammlung zum Landgericht"); Landwehr „ältere Jahrgänge eines Heeres" (*mhd.* lantwer, *ahd.* lantweri „Befestigung, Landesverteidigung", dann „Verteidiger eines Landes"); Landwirt „Bauer" (18. Jh.), dazu Landwirtschaft (18. Jh.); Ausland „fremdes Land" (18. Jh.; erst nach Ausländer, ausländisch gebildet, *mhd.* ūzlender „Ausländer, Fremder", ūz̲lendic „ausländisch, fremd"); Inland (17. Jh.; erst nach Inländer, inländisch gebildet; *mhd.* dafür inlende „Heimat, Vaterland; Herberge"); verlanden „zu Land werden" (19. Jh.). Siehe auch die Artikel elend und Gelände.

Landauer *m*: Die seit dem 18. Jh. bezeugte Bezeichnung für einen viersitzigen, mit einem Verdeck versehenen Wagen ist von dem ON Landau abgeleitet. Diese Wagenart wurde zuerst in Landau hergestellt. Beachte auch *frz.* landaulet „[Halb]landauer".

lang: Das *gemeingerm.* Adjektiv *mhd.* lanc, *ahd.* lang, *got.* laggs, *engl.* long, *schwed.* lång geht mit verwandten Wörtern im *Lat.* und *Kelt.* auf *longho-s „lang" zurück, vgl. z. B. *lat.* longus „lang". – Die Adverbialform lange (*mhd.* lange, *ahd.* lango) ist heute nur noch im zeitlichen Sinne gebräuchlich. Auf dem adverbial erstarrten Genitiv *Einz.* des Adjektivs *mhd.* langes, lenges „der Länge nach; vor langer Zeit" beruhen *nhd.* längs, Präposition mit Genitiv und Dativ, und (mit sekundärem t) längst, Adverb „vor langer Zeit", beachte auch unlängst „vor nicht langer Zeit". Abl.: Länge *w* (*mhd.* lenge, *ahd.* lengī); langen „ausstrecken, greifen; reichen; auskommen, genügen" (*mhd.* langen, *ahd.* langēn, eigtl. „lang werden oder machen"; an die veraltete Verwendung des Verbs im Sinne von „kommen" schließt sich anlangen „ankommen" an; s. auch die Artikel belangen, erlangen, verlangen); längen (*mhd.* lengen, *ahd.* lengan „lang machen, in die Länge ziehen"); länglich (15. Jh.; für *mhd.* lengeleht); langsam (*mhd.* lancsam, *ahd.* langsam „lange dauernd"; das Adjektiv übernahm in *mhd.* Zeit die Bedeutung des untergegangenen Adjektivs *ahd.* langseimi, *mhd.* lancseim „zögernd, nach vorn sich gehend"). Zus.: Lang[e]weile (17. Jh., zusammengerückt aus lange Weile, aber auch heute noch gelegentlich als syntaktische Verbindung aufgefaßt, beachte z. B. Genitiv der Langenweile, vor Langerweile), dazu langweilen (18. Jh.) und langweilig (15. Jh.); Langfinger „Dieb" (17. Jh.; beachte auch die Wendung 'lange Finger machen' „stehlen"); langmütig (*mhd.* lancmüetec, *ahd.* langmuotig „geduldig", Lehnbildung nach *lat.* longanimus), dazu Langmut (16. Jh.; nach *lat.* longanimitas); langwierig „schwierig, mühsam" (*spätmhd.* lancwiric „lange dauernd"; zum

zweiten Bestandteil s. währen). Siehe auch die Artikel entlang und Lenz.

Languste *w*: Der Name des besonders in Mittelmeergegenden vorkommenden scherenlosen Krebses, der wegen seines schmackhaften Fleisches als Delikatesse sehr geschätzt ist, geht auf *vlat.* *lacusta zurück. Ins *Dt.* wurde er durch *aprov.* langosta und *frz.* langouste vermittelt. *Vlat.* steht für *klass.-lat.* locusta „Heuschrecke; (übertr.:) Languste".

Lanze *w*: Der Name der Waffe (*mhd.* lanze) ist aus *afrz.* (= *frz.*) lance entlehnt, das seinerseits auf *lat.* lancea „(urspr. spanischer) Speer mit Wurfriemen, Lanze" beruht. – Dazu die FW →Lanzette, →lancieren und →Elan.

Lanzette *w* „kleines zweischneidiges Operationsmesser" (Med.): Im 17. Jh. aus gleichbed. *frz.* lancette (eigtl.: „kleine Lanze") entlehnt, einer Verkleinerungsbildung zu *frz.* lance < *lat.* lancea „Lanze" (vgl. *Lanze*).

lapidar „wuchtig, kraftvoll; kurz und bündig": Das seit dem 18. Jh. – zunächst in der Form lapidarisch – bezeugte Adjektiv stammt wie entspr. *frz.* lapidaire aus *lat.* lapidārius „zu den Steinen gehörig; Stein...". Die Bedeutungsübertragung spielt auf den gedrängten knappen Stil altrömischer Steininschriften an. – Stammwort ist *lat.* lapis „Stein; Edelstein", das auch in Lapislazuli (s. Lasur) erscheint.

Lappalie *w*: Das seit dem 17. Jh. bezeugte Wort für „Kleinigkeit, Nichtigkeit" ist eine scherzhafte student. Bildung zu →*Lappen* mit *lat.* Endung nach dem Muster von Kanzleiwörtern wie z. B. Personalien.

Lappen *m*: *Mhd.* lappe, *ahd.* lappo, lappa „herabhängendes Stück Zeug, Stück Haut oder dgl." und die verwandten Substantive *niederl.* lap „Lappen, Fetzen, Lumpen", *engl.* lap „Läppchen, Zipfel", *schwed.* lapp „Lappen, Flicken, Fetzen" gehören im Sinne von „schlaff Herabhängendes" zu der unter →*Schlaf* dargestellten Wortgruppe. Eng verwandt sind z. B. die unter →Laffe, →Lippe, →schlaff und →schlapp behandelten Wörter, *außergerm.* vergleicht sich z. B. *gr.* lobós „Ohrläppchen". Siehe auch die Artikel Lappalie und läppisch.

läppern (veralt. für: „schlürfen"): Das seit dem 16. Jh. bezeugte Verb ist eine Iterativbildung zu *mnd.* lapen „lecken, schlürfen, schlappen" (vgl. *Löffel*). Gebräuchlich sind heute zusammenläppern, sich *ugs.* für „in kleinen Mengen allmählich zusammenkommen" und verläppern *ugs.* für „in kleinen Mengen allmählich verschwinden lassen".

läppisch: Das seit dem 15. Jh. bezeugte Adjektiv ist eine Ableitung von dem durch Laffe (s. d.) verdrängten Substantiv Lappe, *mhd.* lappe „einfältiger Mensch". Dieses Substantiv ist entweder identisch mit dem

unter →*Lappen* behandelten Wort (beachte
z. B. die Zus. Jammerlappen) oder aber eine
Bildung zu dem veralteten Verb lappen
„schlaff herabhängen" (vgl. *Schlaf*).

Lapsus *m* „Fehler, Schnitzer, Versehen",
auch in Fügungen wie 'Lapsus linguae'
„Sprechfehler": Übernommen aus *lat.*
lāpsus „das Gleiten, das Fallen; der Fehltritt, das Versehen". Zu *lat.* lābī „gleiten,
abgleiten, straucheln usw." (vgl. *labil*).

Lärche *w*: Der Name des zu der Gattung der
Kieferngewächse gehörigen Nadelbaums
(*mhd.* larche, lerche) geht auf *ahd.* *larihha
zurück, das aus *lat.* larix „Lärche" entlehnt
ist. Das *lat.* Wort seinerseits stammt wahrscheinlich aus der Sprache der gallischen
Alpenbewohner. – Die Schreibung mit ä
dient lediglich zur Unterscheidung vom
Vogelnamen Lerche.

Larifari *s* „Geschwätz, Unsinn": Im Anfang
des 18. Jh.s aus den ital. Tonbezeichnungen
la, re, fa, re gebildet.

Lärm *m*: Das seit *frühnhd.* Zeit zuerst als
lerman, larman „Lärm, Geschrei" bezeugte
Substantiv ist (durch Abfall des unbetonten
Anlautes) aus dem unter →*Alarm* behandelten Wort (*spätmhd.* alerm, *frühnhd.* Alarm[a],
Alerman) hervorgegangen. – Abl.: lärmen
(17. Jh.).

Larve *w* „Gespenst; Maske; Gesichtsmaske",
daneben in der Fachsprache der Zoologie
im bildlich übertragenen Sinne gebräuchlich
als Bezeichnung für den fortpflanzungsunfähi-
gen Jugendzustand mancher Insekten (in dem
gleichsam hinter einer „Maske" das wirkliche Erscheinungsbild des vollentwickelten
Insektes noch verborgen ist): Das mit seiner
eigtl. Bedeutung seit dem 14. Jh. bezeugte
Substantiv (zum zoologischen Terminus
wird es gegen Ende des 18. Jh.s) beruht auf
einer Entlehnung aus *lat.* lārva „böser Geist,
Gespenst; Maske, Larve". – Abl.: entlarven (eigtl. „die Maske wegnehmen", mit
dieser Bedeutung seit dem 17. Jh.; die heute
allein übliche, bildl. übertr. Bedeutung „das
wahre Wesen eines Menschen, seine geheimen Absichten usw. enthüllen, offenbaren"
kommt erst im 18. Jh. auf).

lasch: Das im 18. Jh. aus dem *Niederd.*
übernommene Adjektiv geht zurück auf
mnd. lasch „schlaff, schlapp", das mit *aisl.*
lǫskr „träge, faul" und mit der verwandten
Sippe von →*lässig* zu der Wortgruppe von
→*lassen* gehört. – Auf das *dt.* Adjektiv hat
wahrscheinlich *frz.* lâche „schlaff, feige"
eingewirkt. Siehe auch den Artikel Lasche.

Lasche *w*: Das vorwiegend in der Handwerkersprache gebräuchliche Wort für „angesetztes Stück Leder, Stück Stoff oder
dgl." geht auf *mhd.* lasche „Lappen, Fetzen"
zurück, das wahrscheinlich im Sinne von
„schlaff Herabhängendes" zu der Sippe von
→*lasch* gehört.

lassen: Das *gemeingerm.* starke Verb *mhd.*
lāzen, *ahd.* lāzzan, *got.* lētan, *engl.* to let,
schwed. låta geht mit verwandten Wörtern
in anderen *idg.* Sprachen auf die Wz.
*lē[i]-d- „matt, schlaff werden, nachlassen,
lassen" zurück, vgl. z. B. *gr.* lēdeĩn
„träge, müde sein". – Zu dieser Wurzel gehören aus dem *germ.* Sprachbereich die
Sippen von →lasch, →lässig, →letzt und
von →letzen (letz, Letze, verletzen). Um
das Verb gruppieren sich die Bildungen
ahd., *mhd.* lāz „Loslassung; Unterbrechung;
das Fahrenlassen", *nhd.* -laß (in Ablaß
usw., s. darüber bei den Präfixbildungen);
mhd. lāze „Loslassung; Aderlaß"; *mhd.*
lāzer „Aderlasser"; ferner *mhd.* læzlich „was
gelassen, d. h. unterlassen wird; erläßlich",
nhd. läßlich „[leichter] verzeihlich" (über
anläßlich, verläßlich usw. s. bei den Präfixbildungen); -lässig „lassend" in fahrlässig (s. d.), nachlässig, zuverlässig usw.
(s. u.) und →Gelaß. Zus. und Präfixbildungen: ablassen (*mhd.* abelāzen „sich
abwenden von, nachlassen, überlassen; ablaufen lassen"); Ablaß *m* (*mhd.* ab[e]lāz,
ahd. ab[a]lāz „Erlaß der Sündenschuld"),
unablässig „unaufhörlich, nicht ablas-
send" (17. Jh.); anlassen (*mhd.* an[e]lāzen,
ahd. analāzan „loslassen, in Bewegung
setzen"), dazu Anlasser *m* „Vorrichtung
zum Ingangsetzen" (um 1900); Anlaß *m*
(*mhd.* an[e]lāz „Anfang, Beginnen; Start-
platz; Ausgangspunkt, Beweggrund; Gelegenheit"), dazu anläßlich (19. Jh.) und
veranlassen (*mhd.* veranlāzen „[eine
Streitsache auf eine Mittelsperson] übertragen", eigtl. „loslassen"; seit dem 16. Jh.
gewöhnlich „anregen, anordnen, bewirken")
auslassen (*mhd.* ūzlāzen „hinauslassen;
landen; schmelzen lassen"), dazu ausgelassen „übermütig, munter" (eigtl. 2. Partizip von auslassen in der Bedeutungswendung „los-, freilassen"); einlassen (*mhd.*
īnlāzen, *ahd.* inlāzan „hineinlassen, eintreten
lassen"); Einlaß *m* (18. Jh.; s. den Artikel
Inlett); entlassen (*mhd.* entlāzen, *ahd.*
intlāzan „loslassen, lösen, fahrenlassen"),
dazu Entlassung *w* (18. Jh.); erlassen
(*mhd.* erlāzen, *ahd.* irlāzan „loslassen, wovon
freilassen"); Erlaß *m* (18. Jh.); unerläßlich „unbedingt notwendig; unverzeihbar"
(17. Jh.); gelassen (s. d.); nachlassen
(*spätmhd.* nāchlāzen „aufgeben; versäumen,
nicht beachten"); Nachlaß „Hinterlassenschaft, Erbschaft; Preisminderung; Verzicht" (18. Jh.); nachlässig „unordentlich; unbeteiligt" (15. Jh.), dazu vernachlässigen (18. Jh.); niederlassen *mhd.*
niderlāzen, *ahd.* nidarlāzan „nach unten
bewegen, herunterlassen"), dazu Niederlassung *w* (17. Jh.); ¹überlassen *ugs.* für
„übriglassen" (16. Jh.); ²überlassen „abtreten; anheimstellen; gestatten" (17. Jh.);
unterlassen (*mhd.* underlāzen, *ahd.* unter-

lāʒan „wovon Abstand nehmen, nicht [mehr] tun"); Unterlaß nur noch in 'ohne Unterlaß' „unaufhörlich" (mhd. āne underlāʒ, ahd. āno untarlāʒ „ohne Pause"); verlassen (mhd. verlāʒen, ahd. farlāʒan „loslassen; fahrenlassen; entlassen; preisgeben; erlassen, verzeihen; anordnen; zulassen, gestatten; überlassen, übergeben; übriglassen, hinterlassen; unterlassen"); Verlaß m „Vertrauen, Sicherheit, Zuverlässigkeit" (in dieser Bed. zunächst niederd., 17. Jh.; veraltet sind die Bed. „Verabredung" und „Hinterlassenschaft", mhd. verlāʒ m, w „Hinterlassenschaft; Untätigkeit"), verläßlich „vertrauenswürdig, sicher" (19. Jh.), zuverlässig „vertrauenswürdig, gewissenhaft, sicher" (18. Jh.); zulassen (mhd. zuolāʒen „gestatten, erlauben"); zulässig (18. Jh.).

lässig: Das nur dt. Adjektiv (mhd. leʒʒic) ist eine Bildung zu dem heute veralteten laß „matt, müde, schlaff", mhd., ahd. laʒ, got. lats „träge, lässig", engl. late „spät" (eigtl. „langsam"), schwed. lat „träge, faul". Dieses gemeingerm. Adjektiv gehört zu der unter →lassen dargestellten idg. Wurzel, vgl. z. B. das verwandte lat. lassus „matt, müde". Zu diesem Adjektiv, von dem die Sippe von →letzen (das, Letze, verletzen) abgeleitet ist, gehört als Superlativ →letzt (eigtl. „langsamst, saumseligst"). – Nicht identisch mit 'lässig' „träge, langsam, bequem" ist 'lässig' in Zus. wie z. B. fahrlässig, nachlässig, zulässig (s. lassen).

Lasso s „Wurfschlinge (zum Einfangen von Tieren oder Menschen)": Das seit dem 18. Jh. bezeugte, durch Reiseschilderungen und Indianergeschichten weit verbreitete FW stammt aus span. lazo „Schnur, Schlinge", das auf lat. laqueus „Strick als Schlinge" zurückgeht (vgl. das LW Latz).

Last w: Zu dem unter →¹laden (ahd. [h]ladan) behandelten Verb stellt sich die westgerm. Substantivbildung *hlaþ-sti-, -sta- „Ladung". Darauf gehen zurück mhd. last, ahd. [h]last, niederl. last, engl. last. – Im übertragenen Gebrauch bezieht sich 'Last' hauptsächlich auf das, was im Mensch zu tragen hat (d. h. wofür er aufkommen muß) oder was einen Menschen seelisch bedrückt. Beachte z. B. die Wendungen 'einem zur Last fallen' und – urspr. kaufmänn. – 'einem etwas zur Last schreiben oder legen' „auf seine Rechnung setzen"; beachte ferner z. B. 'Last der Verantwortung' und den Gebrauch der Mehrz. Lasten im Sinne von „Abgaben, Steuern". Als Maßbezeichnung ist 'Last' heute veraltet. In der Seemannssprache bezeichnet 'Last' speziell den Vorratsraum unter Deck. Abl.: lasten „drückend oder schwer auf etwas liegen" (18. Jh.); vorher trans., mhd. lesten „eine Last wohin legen; beladen; belästigen; beschuldigen"), beachte dazu die Präfix-

bildungen belasten und entlasten; ¹Laster m ugs. für „Lastkraftwagen" (1. Hälfte des 20. Jh.s); lästig (s. d.). Siehe auch den Artikel Ballast.

¹Laster siehe Last.

²Laster s: Mhd. laster, ahd. lastar „Kränkung, Schmähung; Schmach, Schande; Tadel; Fehler, Makel", niederl. laster „Verleumdung, Lästerung" gehen auf *lahstra- „Tadel, Schmähung" zurück, das eine Bildung zu dem altgerm. Verb *lahan „tadeln, schmähen" ist (vgl. z. B. ahd. lahan „tadeln"). Anders gebildet sind aengl. leahtor „Tadel; Schmähung, Kränkung; Fehler; Vergehen; Sünde" (*lahtra-) und die nord. Sippe von schwed. last „Laster" (*lahstu-). – Im Dt. hat sich seit dem 16. Jh. die Verwendung des Wortes im Sinne von „Gewohnheitssünde, tadelnswerte, schändliche Angewohnheit" durchgesetzt. An diesen Wortgebrauch schließt sich lasterhaft „sittlich verdorben" (16. Jh.) an. Die alte Bed. von Laster bewahrt dagegen lästerlich „schimpflich, schmählich" (mhd. lester-, lasterlich, ahd. lastarlīch), das sich an das Verb lästern angelehnt hat und auch im Sinne von „lästernd" gebraucht wird. Auch das abgeleitete Verb **lästern** h „[Gott] schmähen, beschimpfen; Bosheiten sagen" (mhd. lestern, ahd. lastirōn) spiegelt die alte Verwendungsweise des Substantivs wider und wird daher heute nicht mehr als zu Laster gehörig empfunden. Dazu gehören z. B. Lästerung w (mhd. lesterunge, ahd. lastrunga) und Lästermaul (16. Jh.).

lästig: Das seit dem 15. Jh. bezeugte Adjektiv (spätmhd. lestec) ist von →Last abgeleitet und bedeutet demzufolge zunächst „lastend, schwer". Seit dem 18. Jh. wird es übertragen im Sinne von „unangenehm" gebraucht, beachte dazu belästigen (15. Jh.).

Lasur w „durchsichtiger Farbüberzug": das mit dieser Bedeutung seit dem 18. Jh. bezeugte Substantiv geht auf mhd. lāsūr[e], lāzūr[e] „Blaustein; (aus dem Blaustein gewonnene) Blaufarbe" zurück, das seinerseits über mlat. lāzūr (lāzūr[i]um, lāsū r[i]um) „Blaustein; Blaufarbe" aus arab. lāzaward (< pers. lāǧwärd) „Lasurstein; Lasurfarbe" entlehnt ist (vgl. Azur). Abl.: lasieren „mit einer durchsichtigen Farbschicht überziehen" (18. Jh.; voraus geht mhd. lāsūren „mit Blaufarbe überziehen"). – Auf einer roman. Nebenform lāzulum von mlat. lāzūr[ium] beruht der Edelsteinname Lapislazuli m (mlat. lapis lāzuli).

latent „versteckt, verborgen; ohne typische Merkmale (von Krankheiten); ruhend; gebunden, aufgespeichert": Im 18. Jh. aus lat. latēns (latentis), dem Part. Präs. Akt. von lat. latēre „verborgen, versteckt sein", entlehnt; wohl durch frz. latent vermittelt.

Laterne w „wetterfeste Lampe": Das Substantiv (mhd. la[n]terne) geht auf lat. lanterna (*vlat.* laterna) „Laterne, Lampe" zurück, das seinerseits (wohl durch *etrusk.* Vermittlung) aus *gr.* lamptḗr „Leuchter, Fackel, Laterne" entlehnt ist. Zu *gr.* lámpein·„leuchten" (vgl. das LW *Lampe*).

Latrine w „Abtritt; Senkgrube": Im 16. Jh. aus gleichbed. *lat.* lātrīna entlehnt. Dies ist zusammengezogen aus *lavātrīna (zu *lat.* lavāre „[sich] baden, waschen"; vgl. das LW *laben*) und bedeutet demnach eigtl. „Wasch-, Baderaum". Die Bedeutungsübertragung hat dabei verhüllenden Charakter, ähnlich wie bei →*Lokus* und unserem *dt.* Wort 'Örtchen'.

¹Latsche w, daneben auch Latsch m und Latschen m: Die Herkunft des seit dem 17.Jh. bezeugten *ugs.* Ausdrucks für „bequemer Hausschuh, abgetretener, schlechter Schuh" ist unklar. Die Formen Latsch und Latsche dienen auch als verächtliche Bezeichnung für einen schlürfend gehenden Menschen oder für eine schlampige Person, beachte dazu Lulatsch m *ugs.* für „[hochaufgeschossener] unbeholfener Kerl"(19.Jh.), dessen erster Bestandteil nicht sicher deutbar ist. Gleichfalls seit dem 17. Jh. bezeugt ist das Verb latschen *ugs.* für „schlurfend gehen", beachte auch „jemandem eine latschen" *ugs.* für „jemandem eine Ohrfeige schlagen".

²Latsche w: Die Herkunft des seit dem Ende des 18. Jh.s bezeugten Wortes für „Krummholzkiefer, Legföhre" ist dunkel.

Latte w: Zu dem unter →*Laden* „Geschäft" behandelten Wort, das auf eine Vorform *laþan- „Brett, Bohle" zurückgeht, stellen sich mit Gemination *mhd.* lat[t]e, *ahd.* lat[t]a, *niederl.* lat, *engl.* lath „Latte". Die *außergerm.* Beziehungen dieser Sippe sind unklar.

Lattich m: Der Name der Pflanzengattung (*mhd.* lattech[e], *ahd.* lattūh) wurde in alter Zeit aus *lat.* lactūca „Lattich, Kopfsalat" entlehnt. Die *lat.* Benennung ist von *lat.* lac „Milch" abgeleitet. Die Pflanzenart ist also nach dem milchartigen Saft der grünen Pflanzenart benannt. – Nicht identisch ist damit -lattich in Huflattich (s. d.), das auf *gr.-lat.* lap[a]tica „eine Ampferart" zurückgeht. Im *Dt.* haben sich diese beiden Wörter vermischt.

Latz m: Das Subst. bezeichnet verschiedene, durch Schlingen oder Knöpfe befestigte Kleidungsteile, die in der Benennung durch Zus. wie Brustlatz und Hosenlatz unterschieden werden: Das Wort beruht auf *mhd.* laz „Band, Schleife, Fessel; Hosenlatz", das durch *roman.* Vermittlung (beachte z. B. *afrz.* laz „Schnürband", *it.* laccio „Schnur", ferner *span.* lazo „Schnur, Schlinge" in unseren FW →*Lasso*) aus *lat.* laqueus „Strick als Schlinge" entlehnt ist. Das *lat.* Substantiv hängt mit *lat.* lacere „verlocken" (eigtl. etwa „in einem Fall-

strick fangen, bestricken") zusammen; dazu als Intensivbildung *lat.* lactāre „locken, ködern" mit *lat.* dēlectāre „ergötzen, amüsieren" (in unserem FW →*Dilettant*). – Zu 'Latz' gehört die Verkleinerungsbildung Lätzchen „(dem Kind beim Essen umgebundenes) Mundtuch" mit den *ugs.* Zus. Sabberlätzchen und Schlabberlätzchen.

lau: Die Adjektivbildung *mhd.* lā, *ahd.* lāo, *niederl.* lauw „etwas warm" ist mit den andersgebildeten Adjektiven *aengl.* ge-hlēow „sonnig, warm" und *aisl.* hlǣr „mild (vom Wetter)" verwandt. Im Ablaut dazu steht das unter →*Lee* liegt. „geschützte, milde Seite", behandelte Wort. Diese *germ.* Wortgruppe geht zurück auf eine Erweiterung der *idg.* Wz. *kel- „brennend, warm", beachte z. B. *lat.* calēre „warm, heiß sein", calor „Wärme, Hitze" (s. die Fremdwortgruppe vom Kalorie).

Laub s: Das *gemeingerm.* Wort *mhd.* loup, *ahd.* loub, *got.* lauf, *engl.* leaf, *schwed.* löv geht wahrscheinlich auf eine Erweiterung der *idg.* Wz. *leu-·„[ab]schneiden, [ab]schälen, [ab]reißen" zurück (vgl. ²*Lohe*). Beachte aus anderen *idg.* Sprachen z. B. die *baltoslaw.* Sippe von *russ.* lupit' „abschälen, entrinden, enthüllen". Das Wort Laub würde demnach eigtl. etwa „Abgerissenes, Gerupftes" bedeuten. In früheren Zeiten wurde das Laub[reis] gerupft, um es in frischem oder getrocknetem Zustand als Viehfutter zu verwerten. – Ableitungen sind →*Laube* und das Verb *mhd.* louben „Laub bekommen; Laub suchen; Laub abrupfen", beachte belauben, sich und entlauben, sich. Zus.: Laubfrosch (*mhd.* loupvrosch, *ahd.* loupfrosc; nach der laubgrünen Farbe); Laubsäge (Ende des 18. Jh.s; so benannt, weil diese feine Säge urspr. zum Aussägen von Dekorationen in Laubform diente).

Laube w: Die Bezeichnung für „Gartenhäuschen" ist von dem unter →*Laub* behandelten Wort abgeleitet und bezog sich demnach urspr. auf ein aus Laub gefertigtes Schutzdach und die mit so einem Schutzdach versehene Hütte, beachte *ahd.* louba „Schutzdach, Hütte", dann auch „Halle, Vorbau"; *mhd.* loube „Vorbau; Halle; Gang; Galerie; Speicher, Kornboden". Siehe auch den Artikel Loge. Zus.: Laubenkolonie „Schrebergärten" (20. Jh.).

Lauch m: Der *altgerm.* Pflanzenname *mhd.* louch, *ahd.* louh, *niederl.* look, *engl.* leek, *schwed.* lök gehört wahrscheinlich zu der unter →*Locke* dargestellten *idg.* Wz. *leug-„biegen, winden, drehen". Der Lauch wäre demzufolge nach seinen nach unten gebogenen Blättern oder aber als „gefaltete Pflanze" benannt. Von den zahlreichen Laucharten sind allgemein bekannt Knoblauch (s. d.) und Schnittlauch (*mhd.* snitlouch, *ahd.* snitilouh; so benannt, weil die Blätter zur Verwendung in der Küche frisch geschnitten werden).

lauern: Das im *Dt.* seit dem 14. Jh. bezeugte Verb fehlt auch in den alten Zuständen der anderen *germ.* Sprachen. Seine *außergerm.* Beziehungen sind dunkel. Mit *mhd., mnd.* lūren „im Hinterhalt liegen, [hinterhältig] spähen oder beobachten" sind verwandt *niederl.* lœren „lauern", *engl.* to lower „düster oder drohend blicken" und *schwed.* lura „einnicken, dösen". Auszugehen ist von einer Bed. „mit halbgeschlossenen Augen blicken". – Gebräuchlich sind heute auch **auflauern** und **belauern.** Abl.: **Lauer** w (*mhd.* lūre „Hinterhalt").

laufen: Der Ursprung des *gemeingerm.* starken Verbs, das urspr. wahrscheinlich „[im Kreise] hüpfen, tanzen" bedeutete, ist nicht sicher geklärt. *Mhd.* loufen, *ahd.* [h]louf[f]an „laufen" entsprechen *got.* (us)hlaupan „(auf)springen", *engl.* to leap „springen, hüpfen", *schwed.* löpa „laufen". Im heutigen *dt.* Sprachgebrauch ist die mit dem Verb laufen verbundene Vorstellung der Schnelligkeit vielfach verblaßt. Es wird auch im Sinne von „gehen, sich bewegen" und „in Gang sein, funktionieren" verwendet. Ferner drückt es die Entfernung und die Dauer aus. Auf Flüssigkeiten bezogen bedeutet es „fließen, rinnen, tröpfeln". Das Verbalsubstantiv **Lauf** m (*mhd., ahd.* louf; entspr. *aengl.* hleap, *aisl.* hlaup) schließt sich an die verschiedenen Bedeutungen des Verbs an. Im Sport bezeichnet es den Wettkampf der Läufer, den Laufwettbewerb, beachte z. B. die Zus. **Hürdenlauf, Langstreckenlauf.** Ferner bezeichnet es den umschlossenen Raum, in dem etwas läuft, beachte z. B. **Gewehrlauf,** und weidmänn. den Körperteil des Wilds, mit dem es läuft, beachte z. B. **Vorderlauf, Hasenlauf.** Die *Mehrz.* Läufe bedeutet in der Zus. „Ereignisse, Geschehnisse", beachte z. B. **Zeitläufe.** Veraltet ist heute die Substantivbildung **Lauft** m „Lauf" (*mhd.* louft, *ahd.* hlauft), deren *Mehrz.* Läufte aber noch in der Zus. lebt, beachte z. B. **Zeitläufte, Kriegsläufte.** Die Bildung **Läufer** m (*mhd.* löufer, *ahd.* loufāri) bedeutete zunächst „laufender Bote, Diener", in *mhd.* Zeit dann auch „Rennpferd, Dromedar". Heute bezeichnet **Läufer** im Sport den an einem Laufwettbewerb Teilnehmenden und den Verbindungsspieler in Feldspielen, ferner einen länglichen Teppich, über den man laufen (gehen) kann, eine Figur im Schachspiel (im Gegensatz zum Springer) und fachsprachlich verschiedene Geräte und Maschinenteile. – Die Adjektivbildung **läufig** (*mhd.* löufec „gangbar, üblich; bewandert") bedeutet seit dem 15. Jh. speziell „brünstig", eigtl. „zum Laufen geneigt", von Tieren. Die alte Bed. bewahrt die verstärkende Bildung

geläufig „üblich, bekannt, vertraut" (17. Jh.), beachte auch die Zus. **beiläufig, landläufig, vorläufig, weitläufig.** Wichtige Präfixbildungen und Zus. sind: **anlaufen** „sich in Lauf setzen, sich in Bewegung setzen; anstürmen, angreifen; ansteuern (einen Hafen); beginnen; beschlagen, sich verfärben; zunehmen, anwachsen" (*mhd.* aneloufen, *ahd.* anahloufan); **Anlauf** m (*mhd.* anelouf, *ahd.* ana[h]lauf „Anrennen, Ansturm, Angriff"); **auflaufen** „in die Höhe steigen; auf Grund geraten, stranden" (*mhd.* ūfloufen); **Auflauf** m „Zusammenlaufen erregter Menschen; im Ofen überbackne Speise" (*mhd.* ūflouf „Aufruhr"); **belaufen, sich** „einen Betrag ergeben, ausmachen", früher auch „über etwas hinlaufen" und „bespringen, begatten" (*mhd.* beloufen); **einlaufen** „[im Lauf] eindrücken oder einschlagen; schrumpfen, kleiner werden"; **Einlauf** m „Eingang; Überschreiten der Ziellinie; Darmspülung" (16. Jh., in der Bed. „Eindringen, Einfall"); **überlaufen** „zum Feinde übergehen, desertieren; überfließen" (*mhd.* überloufen), dazu **Überläufer** m „Deserteur" (*mhd.* überloufer); **verlaufen** „laufend oder fließend) sich entfernen oder verschwinden; dahingehen; vor sich gehen", reflexiv „sich verirren" (*mhd.* verloufen), dazu **Verlauf** m „Ablauf, Entwicklung" (15. Jh.); **zerlaufen** „auseinandergehen, zerfließen, schmelzen" (*mhd.* zerloufen, *ahd.* zahloufan). Zus.: **Laufbahn** (17. Jh., in der Bed. „Bahn zum Wettlaufen"; seit der 2. Hälfte des 18. Jh.s übertr. „Karriere"); **Lauffeuer** (17. Jh., in der Bed. „Feuer, das auf ausgestreutem Pulver entlangläuft, um zu zünden", dann auch „Gewehrfeuer entlang einer Schützenlinie"; heute nur noch übertr.); **Laufpaß** (um 1800, in der Bed. „Paß, der bei der Entlassung aus dem Dienst mitgegeben wird, Entlassungsschein"); **Laufzettel** (17. Jh., in der Bed. „Entlassungsschein"; im 20. Jh. „Zettel, der durch eine Reihe von Stellen oder Büros läuft"). Siehe auch den Artikel **Galopp.**

Lauge w: Das *altgerm.* Wort für „Wasch-, Badewasser" (*mhd.* louge, *ahd.* louga, *niederl.* loog, *engl.* lye, *aisl.* laug) gehört zu der *idg.* Wz. *lou- „waschen, baden", vgl. z. B. *gr.* loūsthai „waschen, baden" und *lat.* lavere, lavāre „waschen, baden" (s. die FW **Lavendel** und **Latrine** sowie den Artikel **laben**). Das abgeleitete Verb **laugen** (17. Jh.) wird heute gewöhnlich nur noch in der Zus. **auslaugen** gebräuchlich.

Laune w: Nach den Ansichten der mittelalterlichen Astrologie hingen die Stimmungen des Menschen in starkem Maße von dem wechselnden Mond ab. Das aus *lat.* lūna „Mond" (vgl. *lat.* licht) entlehnte *mhd.* lūne „Mond[phase, -wechsel]" wurde aus diesem Grunde zur Bezeichnung der dem Mondwechsel zugeschriebenen menschlichen Gemütszustände. – Von dem abgeleiteten Verb **launen** „in vorübergehender Stimmung sein" (*mhd.* lūnen) ist nur noch das 2. Partizip **gelaunt** gebräuchlich. Abl.: **launenhaft** (18. Jh.); **launig** (14. Jh., *mitteld.* lūnic); **launisch** (15. Jh.).

Laus *w*: Der *altgerm.* Insektenname *mhd.*, *ahd.* lūs, *niederl.* luis, *engl.* louse, *schwed.* lus ist mit der *kelt.* Wortgruppe von *kymr.* llau „Läuse" verwandt. Da die weiteren Beziehungen unklar sind, läßt sich nicht ermitteln, welche Vorstellung der *germ.-kelt.* Benennung des Insekts zugrunde liegt. Abl.: **lausen** (*mhd.* lūsen „Läuse absuchen"; beachte auch die Präfixbildung **entlausen** „von Läusen befreien"); **Lauser** *m* veralt. für „Knicker, Geizhals", *landsch.* scherzh. für „Lausbub" (16. Jh.); **lausig** *ugs.* für „schäbig, erbärmlich" (15. Jh.). Zus.: **Lausbub** (s. Bub); **Läusekraut** (14. Jh.; so benannt, weil ein Absud dieser Pflanze früher zur Läusevertilgung verwendet wurde). Siehe auch den Artikel **Wanze**.

lauschen: Das seit *spätmhd.* Zeit bezeugte Verb lūschen „aufmerksam zuhören" gehört zu der *germ.* Sippe von *oberd.*, *mdal.* ²**[zu]hören**, **horchen**, **aufpassen** (*mhd.* losen, *ahd.* hlosēn), vgl. z. B. *dt.* *mdal.* laustern „lauschen, aufpassen", *engl.* to listen „zuhören", *schwed.* lystra „horchen, aufpassen". Diese *germ.* Wortgruppe geht zurück auf die s-Erweiterung der *idg.* Wz. * k̑leu- „hören" (vgl. **laut**), vgl. z. B. die verwandte *baltoslaw.* Sippe von *russ.* slúšat' „zuhören". Abl.: **Lauscher** *m* „Horcher", weidmänn. für „Ohr des Haarwilds" (17. Jh.); **lauschig** (18. Jh., für älteres lauschicht; zunächst in der Bed. „gegen Horchend", dann seit dem 19. Jh. „versteckt, heimlich, traulich").

laut: Das *westgerm.* Adjektiv *mhd.* lūt, *ahd.* [h]lūt, *niederl.* luid, *engl.* loud geht zurück auf eine Partizipialbildung zu der *idg.* Verbalwz. *k̑leu- „hören" und bedeutet demnach eigtl. „gehört". In anderen *idg.* Sprachen entsprechen z. B. *gr.* klytós „berühmt" und *lat.* in-clutus „berühmt" (eigtl. „gehört, kund, bekannt"). Zu dieser Wurzel gehört aus dem *germ.* Sprachbereich auch das unter →**Leumund** (eigtl. „[guter] Ruf") behandelte Wort. Auf einer s-Erweiterung beruht die Wortgruppe von →**lauschen**. – Das Substantiv **Laut** *m* (*mhd.* lūt) bezeichnete zunächst das mit dem Gehör Wahrnehmbare, eine hörbare Äußerung, dann auch den Inhalt eines [vorgelesenen] Schriftstückes, beachte z. B. die Zus. **Wortlaut** und die Formel *mhd.* 'nāch lūt' „nach dem Inhalt", aus der sich die Präp. **laut** „gemäß, entsprechend" entwickelt hat. In der Grammatikersprache bezeichnet 'Laut' das nicht mehr zerlegbare Element eines Wortes, beachte z. B. **Gaumenlaut**, **Lippenlaut**, **Laut-**gesetz, **Lautverschiebung**, ferner auch **Ablaut**, **Umlaut**. – Verbalableitungen vom Adjektiv sind **lauten** „klingen, sich anhören; zum Inhalt haben, besagen" (*mhd.* lūten, *ahd.* [h]lūtēn, beachte auch verlauten) und **läuten** „klingeln; (Glocken) ertönen lassen" (*mhd.* liuten, *ahd.* [h]lūt[t]an). – Veraltet ist heute die Bildung **lautbar** „bekannt", von der das Verb **verlautbaren** „bekanntwerden oder -machen" (*mhd.* verlūtbæren) abgeleitet ist. – Zus.: **Lautsprecher** (1. Hälfte des 20. Jh.s; LÜ von *engl.* loudspeaker).

Laute *w*: Der Name des Musikinstrumentes (*spätmhd.* lūte) führt über gleichbed. *afrz.* lëut (= *frz.* luth) und *aprov.* laiut auf *arab.* (mit Artikel) al-'ūd „Laute, Zither" (eigtl. „Holz", dann „Instrument aus Holz") zurück.

lauter: Das *altgerm.* Adjektiv *mhd.* lūter, *ahd.* [h]lūttar, *got.* hlūtrs, *mniederl.* lūter *aengl.* hlūtor gehört im Sinne von „gespült, gereinigt" zu der *idg.* Wz. *k̑leu- „spülen"; vgl. z. B. aus anderen *idg.* Sprachen *gr.* klýzein „spülen, reinigen", dazu klystḗr „Reinigungsspritze" (s. Klistier), *lat.* cluere „reinigen", dazu cloāca „Abzugskanal, Jauchegrube" (s. Kloake). – Aus dem alten Gebrauch des Adjektivs im Sinne von „rein, hell, klar" entwickelte sich im *Dt.* die spezielle Verwendung im Sinne von „frei von fremdartigen Beimischungen, unverfälscht" (von Edelmetallen), übertr. „grundehrlich, anständig" (vom Charakter). Außerdem wird 'lauter' auch im Sinne von „bloß, nichts als" gebraucht. Das abgeleitete Verb **läutern**, *ahd.* [h]lūttaren) wird im Sinne von „reinigen, säubern; bessern" verwendet. Die Präfixbildung **erläutern** (*mhd.* erliutern) wandelte bereits in *mhd.* Zeit ihre Bedeutung von „rein, klar machen" zu „erklären, darlegen" (beachte zum Bedeutungswandel z. B. **erklären**).

Lava *w* „feurig-flüssiger vulkanischer Schmelzfluß": Im 18. Jh. aus *it.* lava, *neapolitan.* lave entlehnt. Weitere Herkunft unsicher.

Lavendel *m*: Der Name der Heil- und Gewürzpflanze (*mhd.* lavendele, lavendel) stammt aus *mlat.* lavandula, *it.* lavendola, das von gleichbed. *it.* lavanda abgeleitet ist. Dies bedeutet eigtl. „was zum Waschen bzw. Baden dienlich ist". Es gehört zu *lat.* (> *it.*) lavāre „[sich] baden, waschen" (vgl. das LW **laben**). Die Pflanze ist also nach ihrer Verwendung als duftende Badeessenz benannt.

lavieren: Das seit dem 15. Jh. zuerst in *niederd.* Texten bezeugte Verb stammt aus der Seemannssprache. Dort galt es in der heute veralt. Bedeutung „im Zickzack gegen den Wind ansegeln, kreuzen". Hiervon ist die noch heute lebendige übertr. Bed. „mit Geschick Schwierigkeiten überwinden, vorsichtig zu Werke gehen, sich durch Schwierigkeiten hindurchwinden" (17. Jh.) hergenommen. Das Wort ist aus *niederl.* laveeren (*mniederl.* loveren) entlehnt, das von *niederl.* loef (*mniederl.* lōf) „Luv" abgeleitet ist (vgl. *Luv*) und demnach eigtl. etwa „die Luv (d. i. Windseite) abgewinnen" bedeutet.

Lawine *w*: Die gegen Ende des 18. Jh.s aus dem *Schweiz.* ins *Hochd.* übernommene Bezeichnung für „an Hängen niedergehende Schnee-, Eis-, Stein oder Staubmassen" beruht auf *ladinisch* lavina „Schnee-, Eislawine", das seinerseits auf *mlat.* lābīna „Erdrutsch; Lawine" zurückgeht. Zu *lat.* lābī „gleiten, schlüpfen, rinnen; ausgleiten usw." (vgl. *labil*).

lax „schlaff, lässig; ungebunden, unbekümmert (bes. in sittl. Beziehung)": Am Ende des 18. Jh.s aus gleichbed. *lat.* laxus entlehnt, das zu der unter →*Laken* dargestellten Wortfamilie der *idg.* Wz. *[s]lēg-, [s]ləg- „schlaff, matt sein" gehört.

Lazarett *s* „Militärkrankenhaus": Im 16. Jh. durch Vermittlung von *frz.* lazaret aus *it.* lazzaretto, *venez.* lazareto entlehnt. Das Wort ist, wie die im *Venez.* bezeugte Alternativform nazareto zeigt, wohl eine Ableitung vom Namen der venezianischen Kirche 'Santa Maria di Nazaret', in deren Umgebung im 15. Jh. ein Hospital für Aussätzige untergebracht war. Den Wechsel im Anlaut verdankt das Wort dem Einfluß von *it.* lazzaro „aussätzig; Aussätziger" (urspr. der biblische Name des armen, kranken Lazarus).

leben: Das *gemeingerm.* Verb *mhd.* leben, *ahd.* lebēn, *got.* liban, *engl.* to live, *schwed.* leva gehört wahrscheinlich im Sinne von „übrigbleiben" zu der unter →*Leim* dargestellten vielfach erweiterten *idg.* Wz. *[s]lei- „feucht, schleimig, klebrig sein, kleben [bleiben]". Eng verwandt ist die Wortgruppe von →*bleiben* (*germ.* Präfixbildung *bi-līban). Eine alte Substantivbildung ist das unter →*Leib* „Körper" (früher „Leben") behandelte Wort. An die Stelle von Leib in dessen alter Bed. „Leben" trat in *ahd.* Zeit der substantivierte Infinitiv. Heute wird Leben *s* als reines Substantiv empfunden. Beachte dazu z. B. die Zus. Lebenslauf (17. Jh.; LÜ von *lat.* curriculum vitae) und Lebensmittel (17. Jh.). – Wichtige Präfixbildungen mit leben sind z. B.: ableben „aufhören zu leben, sterben", früher „zu Ende leben" (16. Jh.); erleben „mit ansehen, mitfühlen; miterzählen"; Erfahrungen machen, erfahren" (*mhd.* erleben), dazu Erlebnis *s* „miterlebtes Ereignis; starker Eindruck" (um 1800); überleben „am Leben bleiben; überdauern; veralten" (*mhd.* überleben); verleben „zubringen"; verleben, auch „ableben, verwelken"; beachte das 2. Partizip verlebt „verbraucht, heruntergekommen"). Abl.: lebendig (*mhd.* lebendec, *ahd.* lebendīg; weitergebildet aus dem 1. Partiz. lebend); lebhaft (*mhd.* lebhaft „lebend; lebendig"); lebig *südwestd.* für „lebend" (*mhd.* lebic; beachte lang-, kurzlebig). Zus.: Lebehoch *s* (um 1800; der substantivierte Ruf 'er lebe hoch' ist Ersatzwort für Vivat); Lebemann (Ende des 18. Jh.s; Ersatzwort für *frz.* bonvivant und viveur); Lebewesen (16. Jh.).

Leber *w*: Der *altgerm.* Name der größten Drüse des menschlichen und tierischen Körpers (*mhd.* leber[e], *ahd.* lebara, *niederl.* lever, *engl.* liver, *schwed.* lever) läßt sich nicht sicher deuten. Die *germ.* Benennung kann eine subst. Adjektivbildung zu der unter →*bleiben* (eigtl. „kleben [bleiben]") dargestellten Wurzel sein und würde dann eigtl. „die Klebrige, Schmierige, Fette" bedeuten, vgl. z. B. *gr.* liparós „fett". Andererseits kann die Leber als „Sitz des Lebens" benannt worden sein. Dann wäre das Wort eine Bildung zu dem unter →*leben* behandelten Verb. – Zus.: Leberblume (*mhd.* liberblume, 14. Jh.; nach den leberförmig gelappten Blättern benannt); Leberfleck (17. Jh.; LÜ von mediz. macula hēpatica; nach dem Farbton benannt); Lebertran (19. Jh.; so benannt, weil aus der Leber verschiedener Fischarten hergestellt).

Lebkuchen *m*: Der *südd.* und *westd.* Ausdruck für die Honigkuchenart, die in anderen Teilen Deutschlands Pfefferkuchen oder brauner Kuchen heißt, geht auf *mhd.* leb[e]kuoche zurück. Die Herkunft des Bestimmungswortes ist unklar. Vielleicht handelt es sich um eine ablautende Form zu dem unter →*Laib* behandelten Wort, so daß Lebkuchen als „Brotkuchen" zu deuten wäre.

lechzen: Das im Sinne von „verschmachten, gierig verlangen" gebräuchliche Verb geht zurück auf *mhd.* lech[e]zen „austrocknen; dürsten", das eine Intensivbildung ist zu *mhd.* lechen „austrocknen, vor Trockenheit Risse bekommen, brennenden Durst verspüren" (beachte dazu *niederl.* leken „tröpfeln", *aisl.* leka „Wasser durchlassen, rinnen, tröpfeln"; vgl. *leck*).

leck: Der Ausdruck für „undicht" (von Schiffen) wurde um 1600 aus der *niederd.* Seemannssprache übernommen. *Niederd.* leck entsprechen älter *hochd.* lech, *niederl.* lek, *aengl.* lec, *aisl.* lekr „undicht, rissig". Das Adjektiv gehört mit den unter →*lechzen* behandelten Verben und vermutlich auch mit der Sippe von →*Lache* (s. auch Lake und Lackmus) zu einer Wz. *leg-, „tröpfeln, sickern". Vgl. aus anderen *idg.* Sprachen z. B. *air.* „löse mich auf, zergehe, schmelze". – Dazu gehören Leck *s* „Riß, der Wasser durchläßt, schadhafte Stelle am Schiffsboden" (18. Jh.) und ¹lecken „undicht sein, Wasser durchlassen, tröpfeln" (17. Jh.).

¹**lecken** siehe leck.

²**lecken** ,,mit der Zunge über etwas entlangfahren": Das *westgerm.* Verb *mhd.* lecken, *ahd.* lecchōn, *niederl.* likken, *engl.* to lick geht mit verwandten Wörtern in den meisten anderen *idg.* Sprachen auf eine Wz. *[s]leiĝh-,,lecken" zurück (über die Formen mit s-Anlaut s. schlecken). Vgl. aus anderen *idg.* Sprachen z. B. *gr.* leíchein ,,lecken", *lat.* (nasaliert) lingere ,,lecken" und *russ.* lizát' ,,lecken". Abl.: lecker (*mhd.* lecker ,,feinschmeckend"), dazu Leckerbissen (16. Jh.) und Leckermaul (17. Jh.); Lecker *m* weidmänn. für ,,Zunge", veralt. für ,,Feinschmecker" und ,,Laffe, Schelm" (*mhd.* lecker, *ahd.* lecchari), dazu leckerhaft (15. Jh.).

Leder *s*: Die *altgerm.* Bezeichnung für die haltbar gemachte tierische Haut (*mhd.* leder, *ahd.* ledar, *niederl.* le[d]er, *engl.* leather, *schwed.* läder) ist entweder aus dem *Kelt.* entlehnt oder aber mit der *kelt.* Sippe von *air.* lethar ,,Leder" verwandt. Die weiteren Beziehungen sind dunkel. Abl.: Lederer *m mdal.* für ,,Gerber" (*mhd.* lederǣre, *ahd.* lederāri); ledern (*mhd.* liderīn, *ahd.* lidirīn; seit dem 17. Jh. auch übertr. ,,langweilig, uninteressant").

ledig: Das *germ.* Adjektiv (*mhd.* ledic, *niederl.* ledig, leeg, *schwed.* ledig) ist wahrscheinlich von dem unter →Glied behandelten *gemeingerm.* Substantiv *lidu-* ,,Gelenk, Glied" abgeleitet und bedeutet demnach eigtl. ,,gelenkig". Aus der Bed. ,,gelenkig, geschmeidig", die z. B. noch im *Schwed.* bewahrt ist, entwickelten sich die Bed. ,,unbehindert, ungebunden, frei", im *Dt.* speziell ,,frei von; müßig; unverheiratet". – Das abgeleitete Verb ledigen (*mhd.* ledegen ,,freimachen, befreien") lebt heute nur noch in entledigen, sich (*mhd.* entledigen ,,frei machen") und erledigen (*mhd.* erlédigen ,,frei machen; in Freiheit setzen"), beachte dazu erledigt *ugs.* für ,,fertig, am Ende, erschöpft".

Lee *w*: Der aus der *niederd.* Seemannssprache stammende Ausdruck für ,,die dem Wind abgewandte Seite" gehört im Sinne von ,,[sonnig]warme, milde Stelle, Schutz" zu der Wortgruppe von →lau. Beachte aus den älteren Sprachzuständen *mnd.* lē ,,Ort, wo die See nicht dem Wind ausgesetzt ist", *aengl.* hlēo[w] ,,Schutz, Obdach", *aisl.* hlē ,,Schutz, windstille Seite, Lee".

leer: Das *westgerm.* Adjektiv *mhd.* lǣre, *ahd.*, *asächs.* lāri, *aengl.* [ge]lǣre ist eine Bildung zu dem unter →lesen ,,sammeln" behandelten Verb und bedeutet demnach eigtl. ,,was gelesen werden kann" (vom abgeernteten [Ähren]feld). Das Adjektiv hatte also ursprünglich einen ganz eng umgrenzten Anwendungsbereich. Abl.: Leere *w* (16. Jh.); leeren ,,leer machen" (*mhd.* lǣren, *ahd.* [ir]lāren).

Lefze *w*: Das bis zum 16. Jh. nur *oberd.* Wort für ,,Lippe" (*mhd.* lefs[e], *ahd.* lefs) ist heute im Sinne von ,,Tierlippe" gemeinsprachlich. Als sich im 16. Jh. durch Luthers Bibelübersetzung das *niederd.-mitteld.* Wort Lippe als Bezeichnung für ,,Menschenlippe" ausbreitete, wurde 'Lefze' in den anderen Bedeutungsbereich abgedrängt. Das Wort Lefze bedeutet – wie auch das verwandte →Lippe – eigtl. ,,schlaff Herabhängendes" (vgl. *Schlaf*).

legal ,,gesetzlich, gesetzmäßig": Im 17. Jh. aus gleichbed. *lat.* lēgālis entlehnt, das entspr. *frz.* loyal (s. loyal, Loyalität) lieferte. Die Gegenbildung illegal ,,ungesetzlich, unrechtmäßig" erscheint im 18. Jh. *Lat.* lēgālis ist von *lat.* lēx (lēgis) ,,Gesetz (als Satzung und Einzelbestimmung)" abgeleitet, das vermutlich mit einer Urbed. ,,Sammlung (der Vorschriften)" zu *lat.* legere ,,sammeln; auslesen, auswählen; lesen" gehört (vgl. hierüber den Artikel *Legion*). Andere wichtige Ableitungen von *lat.* lēx sind: *lat.* lēgitimus ,,gesetzmäßig, gesetzlich anerkannt" (s. legitim, Legitimation, legitimieren) und *lat.* lēgāre ,,jmdn. auf Grund eines Gesetzes oder einer vertraglichen Bindung zu etwas abordnen, bestimmen; eine gesetzliche Verfügung treffen". Letzteres ist Ausgangspunkt für die FW →Legat, →delegieren, Delegierte, Delegation und →Kollege, kollegial, Kollegium, Kolleg. – Vgl. auch die Artikel Privileg und ...lei.

Legat *s* ,,Zuwendung durch Vermächtnis": Im 16. Jh. als juristischer Terminus aus gleichbed. *lat.* lēgātum entlehnt. Zu *lat.* lēgāre ,,eine gesetzliche Verfügung treffen" (vgl. *legal*).

legen: Das *gemeingerm.* Verb *mhd.* legen, *ahd.* leg[g]an, *got.* lagjan, *engl.* to lay, *schwed.* lägga ist das Veranlassungswort zu dem unter →liegen behandelten Verb und bedeutet eigtl. ,,liegen machen". Zu diesem Verb ist →Gelage, eigtl.,,Zusammengelegtes", gebildet (beachte auch den Artikel Lage). Zus.: ablegen ,,fortlegen, beiseite legen; wegschaffen; ausziehen; nicht mehr benutzen; ausführen, vollziehen, leisten, erfüllen; abfahren, in See stechen" (*mhd.* ablegen), dazu Ableger *m* ,,Sprößling, sich bewurzelnder Zweig" (18. Jh.); anlegen ,,an etwas legen oder stellen, anlehnen; anziehen, ankleiden; umlegen; richten, zielen; abzielen; entwerfen, planen; anrichten, anstiften, bewirken; nutzbringend oder zum Kauf verwenden; landen" (*mhd.* an[e]legen, *ahd.* analeggan), beachte Anlage *w* ,,Beigefügtes; Verwendung, Nutzung; Veranlagung, Begabung; angelegte Grünfläche, Park" (*mhd.* anläge ,,auf etwas legen; auferlegte, anordnen; aufbürden, zuschreiben; die Auflage eines Buches oder dgl. besorgen, herausgeben" (*mhd.* ūflegen), beachte dazu das 2. Partizip aufgelegt im Sinne von ,,gestimmt, gelaunt" und **Auflage** *w* „Aufgelegtes, Belag, Unterlage; Steuer; Anzahl gedruckter Exemplare", veralt. für „Auferlegung, Anordnung; Aufbürdung, Beschuldigung" (*mhd.* ûflâge „Befehl, Gebot"); **auslegen** „ausgebreitet hinlegen; mit einem Belag, einer Einlage oder dgl. versehen; ausstellen, zur Schau stellen; verauslagen, vorschießen; auseinandersetzen, erklären, deuten; eine Grund- oder Ausgangsstellung einnehmen" (*mhd.* ûzlegen), beachte **Auslage** *w* „zur Schau gestellte Ware; verauslagtes Geld; Grund-, Ausgangsstellung" (um 1600); **beilegen** „beifügen; mitschicken; zuschreiben, beimessen; schlichten" (*mhd.* bîlegen), beachte **Beilage** *w* „Zutat; Zukost", veralt. für „hinterlegtes Geld, Depositum" (16. Jh.); **belegen** „bedecken; mit einem Belag versehen; in Beschlag nehmen, beanspruchen, reservieren; durch schriftliche Zeugnisse beweisen; beschälen [lassen], bespringen; aufbürden, versehen, ausstatten; eine Fabrik mit Arbeitskräften beschicken, ein Bergwerk betreiben" (*mhd.* belegen, *ahd.* bilegan), dazu **Beleg** *m* „Beweis[urkunde]; Nachweis" (18. Jh.) und **Belegschaft** *w* „die in einem Betrieb Beschäftigten" (1. Hälfte des 19. Jh.s, in der Bed. „Gesamtheit der Arbeiter und Beschäftigten, die ein Bergwerk oder eine Hütte betreiben"); **einlegen** „hineintun; lagern, einkellern; haltbar machen, marinieren; hinzufügen, zugeben; mit einer Einlage versehen, verzieren; einzahlen; erwerben, verschaffen" (*mhd.* înlegen), beachte **Einlage** *w* „eingelegtes oder eingefügtes Stück Stoff, Holz oder dgl.; Zugabe; Zutat; eingezahltes Geld"; **erlegen** „zur Strecke bringen, töten; einzahlen" (*mhd.* erlegen, *ahd.* irleccan); **niederlegen** „absetzen, hinlegen; aufgeben", veralt. für „eine Niederlage beibringen" (*mhd.* niderlegen, *ahd.* nidarlegen), beachte **Niederlage** *w* „verlorener [Wett]kampf, Schlappe; Lager, Aufbewahrungsort; Zweigstelle Großhandelshaus" (*mhd.* niderlâge); ¹**überlegen** „über etwas legen", z. B. ein Kind übers Knie (18. Jh.); ²**überlégen** „bedecken, überziehen; bedenken, nachdenken" (*mhd.* überlegen, *ahd.* bedecken, belegen, überziehen" über-, zusammenrechnen"), dazu **Überlegung** *w* „Erwägung" (18. Jh.); **unterlegen** „unterschieben; als Unterlage einfügen; zuschreiben, beimessen" (*mhd.* underlegen, *ahd.* untarlegan), beachte **Unterlage** *w* „Grundlage; Beweisstück" (*mhd.* underlâge); **verlegen** „anderswohin legen; an einen falschen Platz legen; verschieben, umlegen, ändern; versperren; auslegen, Kosten bestreiten, herstellen und verbreiten; installieren" (*mhd.* verlegen, *ahd.* ferlegan), dazu **Verleger** *m* „Verlagsbuchhändler" (17. Jh., seit dem 15. Jh. in der Bedeutung „Unternehmer") und **Verlag** *m* „Geschäftsunternehmen zur Herstellung und Verbreitung von Büchern;

Vertrieb" (16. Jh., in der Bed. „Kosten, Geldauslagen"); **zerlegen** „in seine Teile auseinanderlegen, in Stücke schneiden" (*mhd.* ze[r]legen, *ahd.* ze[r]leg[g]en).

Legende *w*: Das seit *mhd.* Zeit bezeugte, aus *mlat.* legenda *w* – ursprünglich Neutr. Plur. „die zu lesenden Stücke" – entlehnte Substantiv erscheint zuerst im kirchlichen Bereich mit der Bed. „Lesung eines Heiligenlebens": Im 16. Jh. entstand daraus die übertragene, heute allgemein gültige Bedeutung des Wortes „unbeglaubigter Bericht, sagenhafte unglaubwürdige Geschichte". – *Mlat.* legenda gehört zu *lat.* legere „lesen". Über weitere etymologische Zusammenhänge vgl. den Artikel *Legion*. Abl.: **legendär** „sagenhaft; unwahrscheinlich, unglaubhaft" (20. Jh.).

leger „lässig, ungezwungen; oberflächlich; bequem, leicht": Am Ende des 18. Jh.s aus gleichbed. *frz.* léger entlehnt, das auf *vlat.* *leviârius zurückgeht. Zugrunde liegt das *lat.* Adjektiv levis „leicht; leichtfertig", das zu der unter →*leicht* dargestellten *idg.* Wortfamilie gehört. – Dazu noch die Ableitungen *lat.* levâre „erleichtern; hochheben, erheben" (s. Levante) mit den Komposita *lat.* ēlevâre (*vlat.* *ex-levâre) „herausheben" (s. Eleve) und *lat.* re-levâre „aufheben, in die Höhe heben" (s. Relief).

legieren 1. „mehrere Metalle zusammenschmelzen" (Techn.); 2. „Suppen und Soßen mit Ei oder Mehl binden" (Gastronomie): Im 17. Jh. aus *lat.* ligâre (> *it.* legare) „binden; verbinden, vereinigen" entlehnt. Abl.: **Legierung** *w* „durch Zusammenschmelzung mehrerer Metalle entstandenes Mischmetall" (18. Jh.). – *Lat.* ligâre ist ferner Ausgangspunkt für folgende FW: →*Liga* (zu *span.* ligar < *lat.* ligâre), →*liieren* und *Liaison* (zu *frz.* lier < *lat.* ligâre), →*Alliierte* und *Allianz* (zu *lat.* alligâre „anbinden; verbinden, verbindlich machen, verpflichten" > *frz.* allier), →*obligat* und *obligatorisch* (zu *lat.* obligâre „anbinden; verpflichten").

Legion *w*: Das seit dem 16. Jh. bezeugte, aus *lat.* legiô entlehnte FW gilt zunächst als Bezeichnung einer altrömischen Heeresabteilung von 4200 bis 6000 Mann. In jüngster Zeit wird es auch allgemein zur Bezeichnung einer freiwilligen Söldnertruppe im fremden Heeresdienst, insbesondere der französischen *Fremdenlegion* gebraucht. Dazu die Abl. **Legionär** *m* „Soldat einer Legion, bes. der Fremdenlegion" (*frz.* légionnaire). Im übertragenen Sinne schließlich steht 'Legion' – ohne Artikel und in der Einzahl – im Sinne von „unbestimmte große Anzahl". – *Lat.* legiô „Legion" bedeutet urspr. „ausgehobene, ausgelesene Mannschaft". Es ist abgeleitet von *lat.* legere „auflesen, sammeln; auswählen; lesen", das *gr.* légein „auflesen, sammeln; reden, sprechen" entspricht (s. hierüber die unter → *Lexikon* aufgezeigte

Wortfamilie). Zahlreich sind die Ableitungen und Komposita von *lat.* legere, die in unserem Fremdwortschatz vertreten sind. Hierzu gehören im einzelnen: *mlat.* legenda „Lesung eines Heiligenlebens" (s. Legende, legendär), *lat.* lēctiō „das [Vor]lesen", lēctor „[Vor]leser" und *mlat.* lēctūra „das Lesen" (s. Lektion, Lektor und Lektüre), *lat.* lēx „Gesetz" (urspr. wohl: „Sammlung der Vorschriften") mit den unter →legal genannten Ableitungen. Beachte ferner die Komposita *lat.* ē-ligere „auslesen, auswählen" (s. elegant, Elegant, Eleganz und Elite), *lat.* intellegere „mit Sinn und Verstand wahrnehmen; erkennen, verstehen, einsehen" (s. intelligent, Intelligenz, Intellekt, intellektuell), *lat.* colligere „zusammenlesen, sammeln" (s. Kollektion, Kollekte, kollektiv) und *lat.* neg-legere „vernachlässigen; geringschätzen" (s. Negligé).

legitim „gesetzmäßig, rechtmäßig, gesetzlich anerkannt": Das aus der Rechtssprache im 18. Jh. eingebürgerte Adjektiv stammt aus gleichbed. *lat.* lēgitimus. Zu *lat.* lēx (lēgis) „Gesetz" (vgl. *legal*). – Dazu als Gegenbildung illegitim „gesetzwidrig, gesetzlich nicht anerkannt" (18. Jh.; aus *lat.* il-lēgitimus), ferner die Ableitungen: Legitimation *w* „Echtheitserklärung; [Rechts]ausweis; rechtliche Anerkennung" (17. Jh.; aus *frz.* légitimation, zu *frz.* légitime); legitimieren „beglaubigen; für gesetzmäßig erkären; rechtlich anerkennen", auch reflexiv 'sich legitimieren' „sich ausweisen" (16. Jh.; aus *mlat.* lēgitimāre „rechtlich anerkennen").

Lehen *s* „zur Nutzung verliehener Besitz" (histor.): Das *altgerm.* Wort *mhd.* lēhen, *ahd.* lēhan, *niederl.* leen, *aengl.* lǣn, *schwed.* län ist eine Bildung zu dem unter →*leihen* behandelten Verb. Das Wort bezeichnete in den älteren Sprachzuständen ganz allgemein etwas Geliehenes. Davon abgeleitet ist das Verb →²lehnen. Zus.: Lehnsherr (*mhd.* lēhenherre); Lehnsmann (*mhd.* lē[he]nman; beachte den FN Lehmann).

Lehm *m*: Das *westgerm.* Wort *mitteld.-mnd.* lēm[e], *mhd.* leime, *ahd.* leimo, *niederl.* leem, *engl.* loam gehört zu der unter →*Leim* behandelten Wortgruppe. Die heutige Form Lehm stammt aus dem *Mitteld.-Mnd.* und hat sich im 18. Jh. gegenüber *oberd.* Leim[en] durchgesetzt. – *Außergerm.* entspricht z. B. *lat.* līmus „Bodenschlamm, Kot, Schmutz". Im *Germ.* bezog sich das Wort wahrscheinlich zunächst auf den zum Bewerfen und Verschmieren verwendeten Baustoff, dann auf die Erdart und den klebrigen Schmutz. Abl.: lehmig (um 1500; *ahd.* leimic).

Lehne *w*: Das auf das *dt.* Sprachgebiet beschränkte Wort (*mhd.* lene, *ahd.* [h]lina) ist eine Bildung zu der unter →¹*lehnen* dargestellten *idg.* Wurzel. *Außergerm.* entspricht z. B. *gr.* klīnē „Bett, Lager, Bahre".

¹**lehnen** „gestützt sein; an oder gegen etwas stellen": In *nhd.* lehnen sind zwei verschiedene Verben zusammengefallen, erstens *mhd.* lenen, linen, *ahd.* [h]linēn intrans. „lehnen", zweitens *mhd.* leinen, *mitteld.* lēnen, *ahd.* [h]leinen trans. „lehnen" (vgl. *niederl.* leunen „[sich] lehnen", *engl.* to lean „[sich] lehnen"). Diese *westgerm.* Verben gehören mit verwandten Wörtern in anderen *idg.* Sprachen zu einer Wurzelform *Ḱlei- „neigen, [an]lehnen, zusammenstellen" (vgl. *Halde*). Verwandt sind z. B. *gr.* klínein „neigen, anlehnen" (s. die Artikel Klinik, Klima) und *lat.* clīnāre „neigen, beugen" (s. die Artikel deklinieren, Klient), clēmens „milde, sanft" (beachte den PN Klemens). Aus dem *germ.* Sprachbereich gehören zu dieser Wurzelform die Substantivbildungen →Lehne, →Leiter und →Lid. – Wichtige Zusammensetzungen sind ablehnen „zurückweisen, abschlagen" (16. Jh.; eigtl. „die Stütze wegnehmen") und auflehnen, sich „sich aufstützen; aufbegehren, Widerstand leisten" (*mhd.* ūfleinen).

²**lehnen** „zu Lehen geben" (histor.), veralt., aber noch *mdal.* führ „leihen": Das Verb *mhd.* lēh[e]nen, *ahd.* lēhanōn, *engl.* to lend, *schwed.* läna ist von dem unter →*Lehen* behandelten Substantiv abgeleitet. Beachte dazu die Präfixbildungen belehnen „in ein Lehen einsetzen" (*mhd.* belēh[e]nen) und entlehnen „entleihen, übernehmen" (*mhd.* entlēh[e]nen, *ahd.* intlēhanōn), ferner das veraltete 'darlehnen', zu dem sich Darlehen *m* (17. Jh., in der Form Darlehn) stellt. Zus.: Lehnwort „ein entlehntes fremdes Wort, das sich in Aussprache, Schreibung und Beugung der deutschen Sprache angeglichen hat" (19. Jh.).

Lehre *w*: Das *westgerm.* Wort *mhd.* lēre, *ahd.* lēra, *niederl.* leer, *engl.* lore ist eine Bildung zu dem unter →*lehren* behandelten Verb. Mit 'Lehre' im Sinne von „Unterricht, Unterweisung" ist identisch 'Lehre' im Sinne von „Meßwerkzeug, Muster, Modell", beachte z. B. die Zus. Lehrbogen, Schraublehre, Schublehre. Diese spezielle Verwendungsweise entwickelte sich – ausgehend von der Bed. „Anleitung" – bereits in *mhd.* Zeit in der Handwerkersprache.

lehren: Das *altgerm.* Verb *mhd.*, *ahd.* lēren, *got.* laisjan, *niederl.* leren, *aengl.* lǣran ist mit den unter →*lernen* und →*List* behandelten Wörtern verwandt und gehört zu der Wortgruppe von →*leisten*. Es ist eine Kausativbildung zu einem im *Got.* bewahrten Präteritopräsens lais „ich weiß" (eigtl. „ich habe nachgespürt") und bedeutete demnach urspr. „wissen machen". Das 2. Partizip gelehrt (*mhd.* gelēr[e]t, *ahd.* galērit) – beachte die Substantivierung Gelehrte *m* – ging schon in *ahd.* Zeit in adjektivischen Gebrauch über. Es bezog sich zunächst auf geistliche, dann auch auf die wissenschaftliche Bildung. Die Nebenform gelahrt (*mitteld.* gelärt) ist heute veraltet. Abl.: Lehre (s. d.); Lehrer *m* (*mhd.* lērēre, *ahd.* lērāri; beachte *got.* laisareis „Lehrer"); Lehrling *m* (14. Jh.); gelehrig (15. Jh.; verstärkende ge-Bildung zu dem ausgestorbenen Adjektiv lehrig); gelehrsam (16. Jh.), dazu Gelehrsamkeit *w* (17. Jh.). Zus.: Lehrgang (19. Jh.; für *lat.* cursus); Lehrgeld (15. Jh.); Lehrsatz (17. Jh.).

...lei: Das Suffix, das bestimmte und unbestimmte Gattungszahlwörter bildet (beachte z. B. einerlei, mancherlei, keinerlei), geht zurück auf *mhd.* lei[e] „Art, Weise", und zwar in genitivischen Verbindungen wie z. B. einer leie, aller leie, maneger leie. *Mhd.* lei[e] ist aus *afrz.* ley „Art" entlehnt, das auf dem Akk. lēgem von *lat.* lēx „Gesetz" beruht (s. *legal*).

Leib *m*: Das *altgerm.* Wort *mhd.* līp, *ahd.* līb, *niederl.* lijf, *engl.* life, *schwed.* liv gehört zu dem unter →leben behandelten Verb. Die alte Bed. „Leben", die im *Engl.* und im *Nord.* bewahrt ist, hielt sich im *Dt.* bis in *mhd.* Zeit. An diese Bedeutung schließen sich einige Bildungen und Wendungen an, beachte z. B. leibeigen (15. Jh.; hervorgegangen aus der *mhd.* Formel ‚mit dem lībe eigen' mit dem Leben zugehörig", vgl. eigen; dazu Leibeigene *m* und Leibeigenschaft *w*), Leibgedinge (*mhd.* līpgedinge „auf Lebenszeit ausbedungenes Einkommen"), Leibrente (14. Jh.; eigtl. „Rente auf Lebenszeit") und 'beileibe nicht' „unter keinen Umständen" (eigtl. „bei Lebensstrafe nicht"). Auf die Verwendung des Wortes im Sinne von „Körper" beziehen sich z. B. leibhaft, leibhaftig „wirklich, selbst" (*mhd.* līphaft[ic] „mit Körper versehen, wohlgestaltet; persönlich", älter „lebend, lebendig", *ahd.* lībhaft „lebend"), leiblich „körperlich; blutsverwandt; dinglich" (*mhd.* līplich „körperlich, fleischlich, persönlich", *ahd.* līblīh „lebend, lebendig"), Leibchen *s* „westenartiges Kleidungsstück" (17. Jh.; eigtl. „kleiner Körper"), Leibesübung „Schulung des Körpers" (16. Jh.). Vielfach wird „Leib" speziell im Sinne von „Bauch, Unterleib" gebraucht, beachte z. B. die Zus. Leibschmerzen, Leibesfrucht, hartleibig. Seit *mhd.* Zeit wird das Wort auch umschreibend für die ganze Person verwendet. Diese Verwendung spiegeln z. B. wider die Zus. Leibarzt (16. Jh.; urspr. „Arzt eigens für die Person eines Fürsten"), Leibgarde (17. Jh.; urspr. „Garde eigens für die Person eines Fürsten oder eines Generals"), Leibwache (17. Jh.). – Das abgeleitete Verb leiben ist heute nur noch in Verbindungen wie z. B. 'wie er leibt und lebt' gebräuchlich, beachte auch einverleiben, sich und beleibt.

Leich *m*: Der seit dem 19. Jh. gebräuchliche Fachausdruck für das aus ungleichen Strophen gebaute Gedicht (mit durchkomponierter Melodie) der Minnesänger wurde in wissenschaftlichen Arbeiten aus dem *Mhd.* übernommen. *Mhd.* leich „Tonstück, Gesang aus ungleichen Strophen", auch „abgelegte Eier der Wassertiere" (s. Laich), *ahd.* leih „Spiel, Melodie, Gesang", *got.* laiks „Tanz", *aengl.* lāc „Spiel, Kampf", *aisl.* leikr „Spiel" beruhen auf einer *gemeingerm.* Bildung zum starken Verb *got.* usw. laikan „hüpfen, springen", beachte dazu das schwache Verb *mhd.* leichen „hüpfen, spielen, foppen" (s. den Artikel Wetterleuchten).

Leiche *w*: *Mhd.* līch „Körper, Leib; Leibesgestalt; Aussehen, Teint; toter Körper, Toter", *ahd.* līh[h] „Körper, Leib; Fleisch; toter Körper", *got.* leik „Körper, Leib; Fleisch; toter Körper", *aengl.* līc „Körper; toter Körper", *schwed.* lik „toter Körper, Toter" gehen zurück auf *gemeingerm.* *līka„Körper, Gestalt", dessen Ursprung dunkel ist. Bereits in den alten Sprachzuständen wurde das Wort als verhüllender Ausdruck für den toten Körper bzw. für den toten Menschen gebraucht. Die eigtl. Bed. „Körper, Gestalt" ist bewahrt in Leichdorn *mitteld.* für „Hühnerauge", →gleich (urspr. „denselben Körper, dieselbe Gestalt habend") und im Suffix →-lich (eigtl. „die Gestalt habend"; s. auch die Artikel solch und welch). Eine alte Zusammensetzung ist Leichnam *m* (*mhd.* līchname, *ahd.* līh[i]namo, Nebenform von *mhd.* līchame, *ahd.* līhhamo, *niederl.* lichaam, *schwed.* lekamen). Der zweite Bestandteil ist das unter →Hemd behandelte *germ.* *hama[n]-„Hülle". Die Zusammensetzung bedeutet also eigtl. „Leibeshülle" und war urspr. wohl eine Art dichterischer Ausdruck. Wie das Wort Leiche wandelte auch 'Leichnam' seine Bed. von „Körper" zu „toter Körper" (s. auch den Artikel Fronleichnam).

leicht: Das *gemeingerm.* Adjektiv *mhd.* līht[e], *ahd.* līht[i], *niederl.* liht, *engl.* light, *schwed.* lätt gehört zu der unter →gelingen dargestellten *idg.* Wurzel. Vom Adjektiv abgeleitet sind die Verben leichten, veralt. für „leicht machen", dazu Leichter *m* „kleines Wasserfahrzeug zum Entfrachten größerer Schiffe" (18. Jh.) und →²lichten und leichtern, in *niederd.* Form leichtern seemänn. für „größere Schiffe entfrachten", eigtl. „leichter machen" und erleichtern der Präfixbildung erleichtern. Abl.: Leichtigkeit *w* (*mhd.* līhtecheit). Zus.: leichtfertig (*mhd.* līhtvertec „oberflächlich, fein, schwächlich", dazu Leichtfertigkeit *w* (*mhd.* līhtvertecheit); Leichtsinn (17. Jh.; für älteres Leichtsinnigkeit), leichtsinnig (16. Jh.; zunächst nicht tadelnd „leichten Sinnes, froh").

leid: Das alte Adjektiv, das noch *schweiz. mdal.* im Sinne von „häßlich, ungut, unangenehm" gebräuchlich ist, wird heute nur noch prädikativ verwendet, beachte z. B. die Verbindungen 'mir ist etwas leid' und 'mir tut etwas leid'. *Mhd.* leit, *ahd.* leid „betrübend, widerwärtig, unangenehm", *niederl.* leed „unangenehm, leid", *engl.* loath „unwillig, abgeneigt", *schwed.* led „überdrüssig, unangenehm, scheußlich, böse" beruhen auf *germ.* *laiþa- „widerwärtig, unangenehm", dessen weitere Herkunft unklar ist. Das Adjektiv ist nicht mit dem Verb →leiden verwandt. – Alt ist die Substantivierung L e i d *s* (*mhd.* leit, *ahd.* leid „Kummer, Schmerz, Krankheit, Widerwärtigkeit", *niederl.* leed „Kummer, Schmerz", *aengl.* lǣd „Schmerz, Kummer, Plage"; *schwed.* leda „Überdruß, Ekel"). Davon abgeleitet ist leidig „lästig, unangenehm, unerfreulich" (*mhd.* leidec, *ahd.* leideg), zu dem sich beleidigen „kränken, verletzen" stellt (*mhd.* beleidigen, Präfixbildung zu *mhd.* leidegen, *ahd.* leidegōn „betrüben, kränken, verletzen"). – Eine Zus. mit 'Leid' ist das seit dem 17. Jh. bezeugte B e i l e i d *s* „Mitgefühl", älter auch „Mitleid". Nicht identisch mit →leiden „dulden, Schmerz empfinden" ist leiden in v e r l e i d e n „die Lust an etwas nehmen" (*mhd.* verleiden, *ahd.* farleidōn), das vom Adj. leid abgeleitet ist. – S. auch den Artikel leider.

leiden: Das im heutigen Sprachgebrauch im Sinne von „dulden, ertragen, Schmerz, Kummer empfinden" gebräuchliche Verb bedeutete früher „gehen, fahren, reisen". Im Sinne von „dulden, Schmerz empfinden" ist *ahd.* līdan vermutlich Rückbildung aus *ahd.* irlīdan „erfahren, durchmachen" (*nhd.* e r l e i d e n). Auf die Bedeutungsentwicklung hat wahrscheinlich die christliche Vorstellung vom Leben des Menschen als einer Reise durch das irdische Jammertal eingewirkt. Später wurde das Verb leiden im Sprachgefühl mit dem nicht verwandten Substantiv Leid (s. d.) verbunden. – *Mhd.* līden, *ahd.* līdan, *got.* -leiþan, *aengl.* līdan, *aisl.* līda „gehen, fahren, reisen; vergehen" gehören mit verwandten Wörtern in anderen *idg.* Sprachen zu einer Wz. *leit[h]- „gehen, dahingehen" (vgl. z. B. *tochar.* A līt- „fortgehen"). Das Veranlassungswort zu diesem *gemeingerm.* Verb ist →leiten (eigtl. „gehen machen"). – Der substantivierte Infinitiv L e i d e n *s* (*mhd.* līden) wird heute als reines Substantiv empfunden. Dazu gebildet ist L e i d e n s c h a f t *w* (17. Jh., als Ersatzwort für *frz.* passion), davon leidenschaftlich (18. Jh.). Siehe auch den Artikel Mitleid. – Das Adj. leidlich „gerade noch ausreichend" (*spätmhd.* līdelich) ist eine Bildung zu dem Verb leiden und bedeutet eigtl. „was zu leiden, was zu ertragen ist".

leider: Das vielfach als Interjektion verwendete Adverb (*mhd.* leider, *ahd.* leidir) ist eigtl. der Komparativ von →leid, und zwar vom Adverb *mhd.* leide, *ahd.* leido. Dagegen ist 'leider' in der Verbindung 'leider Gottes'

wahrscheinlich aus der Beteuerung '[beim] Leiden Gottes' entstanden.

Leier *w:* *Gr.* lýra, der Name eines siebenoder viersaitigen Zupfinstruments, gelangte über gleichbed. *lat.* lyra als LW ins Deutsche (*ahd.* līra, *mhd.* līre, daraus die *nhd.* Form 'Leier'). Im Mittelalter wurde das Wort speziell zur Bezeichnung der Drehleier, die mit Hilfe einer Kurbel mechanisch betrieben wurde und die ihre Fortsetzung in den modernen Leierkasten gefunden hat (beachte auch die Zus. Leierkastenmann). An diese Bedeutung des Wortes schließen sich an: einerseits die landschaftliche Verwendung von 'Leier' als „Drehvorrichtung, Kurbel" (allgemein) und von 'Leier' im bildlich übertragenen Sinne als „ständig sich Wiederholendes, bis zum Überdruß oft Gehörtes" in der Wendung 'die alte Leier', andererseits das abgeleitete Verb leiern „eine Kurbel drehen; etwas mechanisch und eintönig hersagen bzw. heruntersingen; etwas unerträglich hinziehen, schlendern" (*mhd.* līren „die Leier spielen; zögern, sich verzögern") mit den Präfixverben a b l e i e r n (dazu *mdal.* und ugs. abgeleiert „abgedroschen, wirkungslos, eindruckslos"), a u s l e i e r n (dazu *mdal.* und ugs. ausgeleiert „abgebraucht"), herleiern und herunterleiern, und mit der Präfixbildung Geleier „monotoner, sich mühsam hinschleppender Vortrag". – Beachte noch das von *gr.* lýra abgeleitete Adjektiv *gr.* lyrikós „zum Spiel der Leier gehörig", das die Quelle unserer Fremdwörter →Lyrik, lyrisch, Lyriker ist.

leihen: Das *gemeingerm.* Verb *mhd.* līhen, *ahd.* līhan, *got.* leiƕan, *aengl.* līon, *aisl.* ljā gehört mit verwandten Wörtern in anderen *idg.* Sprachen zu der *idg.* Wz. *leikʷ- „[zurück-, übrig]lassen", vgl. z. B. *gr.* leípein „[zurück]lassen" (s. Ellipse) und *lat.* linquere, re-linquere „[zurück]lassen" (s. Reliquie). Eine alte Bildung zu diesem Verb ist das unter →Lehen behandelte Wort, von dem → ²lehnen abgeleitet ist. Beachte auch die Präfixbildungen be-, ent-, verleihen. Abl.: Leihe *w* „Darleihen, Vermieten", ugs. für „Leihhaus" (16. Jh.; beachte dazu A n l e i h e, das im 18. Jh. an die Stelle des älteren Anlehen – schon *ahd.* analehan – trat). Zus.: Leihbibliothek (Ende des 18. Jh.s); Leihhaus (17. Jh.).

Leim *m:* Das *altgerm.* Wort *mhd.*, *ahd.* līm, *niederl.* lijm, *engl.* lime („Kalk; Vogelleim"), *schwed.* līm („Kalk, Mörtel, Leim") bezeichnete urspr. eine zum Verschmieren, Verkleben oder dgl. dienende klebrige Erdmasse. Im *Dt.* ging das Wort auf den aus tierischen oder pflanzlichen Bestandteilen bzw. synthetisch hergestellten Klebstoff über. Eine wichtige Rolle spielte im Mittelalter der Leim in der Vogelfängerei: Auf die mit Leim bestrichene Rute des Vogelstellers beziehen sich die Wendungen 'auf den Leim gehen' und 'auf den Leim führen' sowie die Verwendung des abgeleiteten Verbs leimen „[mit Leim] kleben, zusammenfügen" (*mhd.* līmen, *ahd.* līman) im Sinne von „anführen, betrügen". – Eng verwandt mit dem *altgerm.* Wort Leim, das im Ablaut zu →Lehm steht, ist die Sippe von →Schleim. Diese *germ.* Wortgruppe gehört mit verwandten Wörtern in anderen *idg.* Sprachen zu der vielfach weitergebildeten und erweiterten *idg.* Wz. *[s]lei- „feucht, schleimig, klebrig, glitschig", subst. „feuchte, klebrige Erdmasse, Schlamm, Schleim; schleimiges, klebriges Tier", verbal „klebrig, schmierig sein, kleben [bleiben], bleiben; [be-, ver-]schmieren, streichen, verputzen, glätten; glitschig sein, rutschen, gleiten, schlüpfen". Aus dem *germ.* Sprachbereich gehören ferner zu dieser Wurzel der Fischname →Schlei[e] (eigtl. „schleimiger, klebriger Fisch"), die Sippe von →schleichen (s. dort über Schlich; schlecht; schlicht), von → ¹schleifen (s. dort über Schliff; schleppen; schlüpfrig) und von →Schlitten. Von der Bedeutungswendung „klebrig sein, haften, kleben[bleiben], bleiben" gehen aus die Sippen von →leben (eigtl. „übrigbleiben") und von →bleiben (alte Präfixbildung, eigtl. „kleben[bleiben]"). Abl.: leimig (*spätmhd.* līmig). Zus.: Leimsieder *mdal.* für „langweiliger Mensch" (18. Jh., in der Bed. „einer, der Leim siedet"; wegen der äußerst eintönigen Tätigkeit des Leimsieders seit der 2. Hälfte des 19. Jh.s dann übertragen gebraucht).

Lein m „Leinpflanze, Flachs": Der *gemeingerm.* Pflanzenname *mhd.*, *ahd.* līn, *got.* lein, *aengl.* līn, *schwed.* lin geht mit verwandten Wörtern in anderen *idg.* Sprachen auf *līno- „Leinpflanze, Flachs" zurück, vgl. z. B. *gr.* línon „Leinpflanze; Flachs; Leinen; Leine" und *lat.* līnum „Leinpflanze; Flachs; Leinen; Leine" (s. Linoleum), davon līnea „Leine, Faden, [Richt]schnur" (s. Lineal, linear, Linie). Der Pflanzenname kann, falls es sich nicht um ein altes Wanderwort handelt, eine Bildung zu der Wz. *[s]li- „bläulich" sein, beachte z. B. *lat.* līvēre „bläulich, bleifarben sein" (vgl. *Schlehe*). Dann wäre der Lein nach der Farbe seiner Blüten benannt. – Im *Germ.* bezeichnet das Wort – wie z. B. auch im *Griech.* und *Lat.* (s. o.) – von alters her auch das aus Flachs Hergestellte, beachte dazu die Bildung →Leine und das abgeleitete Adjektiv leinen „aus Flachsgarn gewebt" (*mhd.*, *ahd.* līnīn). Die Substantivierung dieses Adjektivs ist Leinen s „aus Flachsgarn gewebter Stoff". Neben 'leinen', 'Leinen' sind auch die urspr. *niederd.* Formen linnen, Linnen s (*mnd.* linen) gebräuchlich, die durch den nordd. Leinenhandel Verbreitung fanden. Die Zus. Leinwand beruht auf *mhd.* līnwāt „Leinengewebe", das in *frühnhd.* Zeit nach

'Gewand' umgebildet wurde, beachte *mhd.* līngewant „Leinenzeug, Leinengewand". Im heutigen Sprachgefühl wird der zweite Bestandteil von Leinwand als identisch mit 'Wand' empfunden, zumal gespannte Leinwand als Bildwand im Kino dient, beachte dazu die Zus. Leinwandstar (20. Jh.).

...lein: Das urspr. nur *oberd.* Verkleinerungssuffix (*mhd.* -[e]līn, *ahd.* -[i]līn) ist hervorgegangen aus der Verbindung eines l-Suffixes mit dem Verkleinerungssuffix -īn, das auch in dem Suffix →...chen enthalten ist. Beachte dazu z. B. *ahd.* leffilīn zu leffil „Löffel", fugilīn zu fogal „Vogel", danach dann hūsilīn zu hūs „Haus", fingarlīn zu fingar „Finger" usw. – Im heutigen Sprachgebrauch überwiegen die Verkleinerungen mit ...chen. Nach Wörtern, die auf -g oder -ch ausgehen, und gelegentlich in poetischer Sprache wird ...lein bevorzugt, beachte z. B. Äuglein, Bächlein, Kindlein. Das Suffix ...lein erscheint *mdal.* in mehreren Spielarten, z. B. *aleman.* (*schweiz.*) als -[e]li, beachte z. B. Fischli, Hüs[e]li, *schwäb.* als -le, beachte z. B. Häusle, Gärtle, *bayr.-östr.* als -el, -erl, beachte z. B. Weibel, Haserl, Hunde[r]l usw. (s. auch den Artikel ...el).

Leine w: Das *altgerm.* Wort *mhd.* līne, *ahd.* līna, *niederl.* lijn, *engl.* line, *schwed.* lina ist eine Ableitung von dem unter →*Lein* behandelten Namen des Flachses und bezeichnete demnach urspr. einen aus Flachs hergestellten Strick.

leise: Der Ursprung des nur *dt.* Adjektivs (*mhd.*, *ahd.* līse, *ahd.* Adverb līso „sanft, sacht, langsam, schwach hörbar") ist nicht sicher geklärt. Heute ist 'leise' speziell Gegenwort zu laut. Zus.: Leisetreter „ängstlicher, unterwürfiger Mensch, Schleicher" (15. Jh.).

Leiste w: Das *westgerm.* Wort für „Rand, Saum, Borte" (*mhd.* līste, *ahd.* līsta, *niederl.* lijst, *engl.* list) hat keine sicheren *außergerm.* Entsprechungen. Es wurde schon früh ins *Nord.* entlehnt, beachte die Sippe von *schwed.* list „Leiste, Borte", und drang auch bereits in alter Zeit ins *Roman.*, beachte z. B. *it.* lista „Leiste; [Papier]streifen, Verzeichnis", aus dem wiederum *dt.* →Liste entlehnt ist. – Mit Leiste „Rand, Saum, Borte" ist identisch Leiste „Übergang vom Rumpf zum Oberschenkel an der Körpervorderseite, von der Hüfte zur Scham hin verlaufende Hautfalte". In dieser Bedeutung, an die sich z. B. die Zus. Leistenbruch, Schamleiste anschließen, ist das Wort seit dem 16. Jh. bezeugt.

leisten: *Mhd.*, *ahd.* leisten „befolgen, nachkommen, erfüllen, ausführen, tun", *asächs.* lēstian „befolgen, erfüllen, tun", *got.* laistjan „folgen, nachfolgen", *aengl.* lǣstan „befolgen; Gefolgschaft leisten; aushalten" (*engl.* to last „dauern, währen") beruhen auf einer Ableitung von dem unter →*Leisten* (*germ.*

*laisti- „Fußspur") behandelten Substantiv. Das Verb, das im heutigen Sprachgebrauch auch im Sinne von „können, schaffen" verwendet wird, bedeutet demnach eigtl. „einer Spur nachgehen, nachspüren". – Diese *germ.* Sippe gehört mit verwandten Wörtern im *Lat.* und *Baltoslaw.* (s. den Artikel Geleise) zu einer Wz. *leis- „Spur; Bahn; Furche". Dazu stellen sich im *germ.* Sprachbereich außer den unter →Geleise behandelten Wörtern auch die Sippen von →lehren (eigtl. „wissend machen"), →lernen (eigtl. „wissend werden") und →List (eigtl. „Wissen"). Die Bed. „wissen" hat sich aus „nachgespürt haben" entwickelt, beachte z. B. *got.* lais „ich weiß", eigtl. „ich habe nachgespürt" (s. lehren). – Abl.: L e i s t u n g *w* (*mhd.* leistunge), dazu l e i s t u n g s f ä h i g (19. Jh.).

Leisten *m* „aus Holz oder Metall nachgebildeter Fuß (für Schusterarbeit); Schuhspanner": Der Name des Schuhmachergerätes bedeutet eigtl. „Spur, Fuß[abdruck]". *Mhd.*, *ahd.* leist „Spur, Weg; Schusterleisten", *got.* laists „Spur", *aengl.* lāst „Spur, Fußabdruck, Sohle" (engl. last „Leisten)", *aisl.* leistr „Fuß; Socke" (*schwed.* läst „Leisten") beruhen auf einer Bildung zu der unter →leisten dargestellten Wurzel. Eng verwandt ist das unter →Geleise behandelte Wort.

leiten: Das *altgerm.* Verb *mhd.* leiten, *ahd.* leit[t]an, *niederl.* leiden, *engl.* to lead (dazu älter *engl.* load „Führung, Weg", s. Lotse), *schwed.* leda ist das Veranlassungswort zu dem unter →leiden urspr. „gehen, fahren" behandelte Verb. Es bedeutet demnach eigtl. „gehen oder fahren machen". Wichtige Präfixbildungen und Zus. sind a n l e i t e n „mit etwas vertraut machen, beibringen, einführen" (*mhd.* an[e]leiten, *ahd.* analeitan), dazu A n l e i t u n g *w* „Einführung"; e i n l e i t e n „beginnen, vorbereiten, in Gang bringen" (mhd. īnleiten), dazu E i n l e i t u n g *w* „Beginn, Einführung, Vorwort"; g e l e i t e n „[schützend oder helfend] führen, begleiten" (*mhd.* geleiten, ahd. gileitan; s. auch den Artikel begleiten), dazu G e l e i t [e] *s* „[schützende] Begleitung" (*mhd.* geleite), beachte auch die Zus. Geleitzug, Geleitschutz; v e r l e i t e n „verführen" (*mhd.* verleiten, *ahd.* farleitan). Abl.: ¹Leiter *m* (*mhd.* leitǣre, *ahd.* leitāri „Führer"); Leitung *w* (16. Jh.). Zus.: Leitartikel (19. Jh.; LÜ von *engl.* leading article); Leitfaden (18. Jh., zunächst auf den Faden der Ariadne bezogen, dann im Sinne von „wissenschaftlicher Abriß, kurzes Lehrbuch"); Leithammel „der die Herde führende Hammel; Anführer" (16. Jh.); Leitmotiv „wiederkehrende Tonfolge von bestimmter Aussage" (19. Jh.); Leitstern „Polarstern; richtungweisender Mensch" (*mhd.* leit[e]sterne); Leitwerk „Schwanzsteuer am Flugzeug" (20. Jh.).

¹**Leiter** siehe leiten.

²**Leiter** *w*: Die *westgerm.* Bezeichnung des Steiggeräts *mhd.* leiter[e], *ahd.* leitara, *niederl.* leer, *engl.* ladder ist eine Bildung zu der unter →¹lehnen dargestellten Wurzel. Das Wort bedeutet demnach eigtl. „die Angelehnte, die Geneigte". Es wird auch von leiterähnlichen Dingen gebraucht, beachte die Zus. Leiterwagen (17. Jh.), Tonleiter (18. Jh.).

Lektion *w*: Das seit dem 13. Jh. bezeugte, aus *lat.* lēctiō „das [Vor]lesen" entlehnte Substantiv erscheint zuerst in der Kirchensprache mit der Bed. „Lesung eines Bibelabschnittes" (in diesem Sinne liegen die schon älteren Entlehnungen *got.* laiktjō, *ahd.* lecza und *mhd.* lecze voraus). Im 16. Jh. wird das Wort in die Schulsprache übernommen und entwickelt dort die heute gültigen Bedeutungen „Behandlung eines bestimmten Abschnitts; Unterricht[sstunde]; Aufgabe" und „Zurechtweisung, derber Verweis" (übertr.). – *Lat.* lēctiō gehört als Ableitung zu *lat.* legere „auflesen, sammeln; auswählen; lesen". Über weitere Zusammenhänge vgl. den Artikel Legion.

Lektor *m* 1. „Sprachlehrer für prakt. Übungen an einer Hochschule"; 2. „[wissenschaftlicher] Mitarbeiter eines Verlags zur Begutachtung der eingehenden Manuskripte": Das seit dem 15. Jh. bezeugte, dem akademischen Bereich entstammende FW ist aus *lat.* lēctor „Leser; Vorleser" entlehnt. Zugrunde liegt *lat.* legere „auflesen, sammeln; auswählen; lesen". Über weitere Zusammenhänge vgl. den Artikel Legion.

Lektüre *w* „das Lesen; der Lesestoff": Im Anfang des 18. Jh.s aus gleichbed. *frz.* lecture entlehnt, das auf *mlat.* lēctūra „das Lesen" zurückgeht (daraus in der Schulsprache schon die LW Lectur). Zugrunde liegt das *lat.* Verb legere „auflesen, sammeln; auswählen; lesen". Über weitere Zusammenhänge vgl. den Artikel Legion.

Lende *w*: Mhd. lende „Lende", *ahd.* lentī „Niere", Mehrz. „Nieren, Lende", *niederl.* lende „Lende", *aengl.* lendenu Mehrz. „Nieren, Lende", *schwed.* länd „Lende" stehen im Ablaut zu der *germ.* Sippe von *ahd.* lunda „Nierenfett, Talg" und sind verwandt mit *lat.* lumbus „Lende" und mit der *slaw.* Sippe von *russ.* ljádveja „Lende; Schenkel". Welche Vorstellung der Benennung des Körperteils zugrunde liegt, läßt sich nicht feststellen.

lenken: Das seit *mhd.* Zeit bezeugte Verb ist abgeleitet von dem unter → *Gelenk* behandelten Substantiv *mhd.* lanke, *ahd.* [h]lanca „Hüfte, Lende" (eigtl. „Biegung"). Mhd. lenken, dem *aengl.* hlencan „winden, flechten" entspricht, bedeutete zunächst „[um]biegen", dann „eine andere Richtung geben", woraus sich die heute üblichen Bed. „eine bestimmte Richtung geben; leiten, führen" entwickelten. Abl.: Lenker m (17. Jh.). Zus.: Lenkrad (20. Jh.); Lenkstange (20. Jh.).

Lenz m: Der heute nur noch dichterisch verwendete Name der Jahreszeit (mhd. lenze, ahd. lenzo) geht zurück auf *lengzo ,,Frühling", das eine dt. Bildung zu dem unter →lang behandelten Adjektiv ist. Die Jahreszeit ist also nach den länger werdenden Tagen benannt. Neben dieser Bildung existiert im Westgerm. auch eine gleichbed. Zusammensetzung mit ,lang' als Bestimmungswort, vgl. ahd. len[gi]zin, asächs. lentin, aengl. lencten (engl. lent ,,Fasten[zeit]"). Der zweite Bestandteil dieser Zusammensetzung (germm. *tīna-) bedeutet ,,Tag". Beachte dazu auch die alte Bezeichnung für ,,März" Lenzmonat (ahd. lengizinmānōth). Abl.: ¹lenzen dichterisch für ,,Frühling werden" (mhd. lenzen).

¹lenzen siehe Lenz.

²lenzen: Der aus dem Niederd. stammende seemänn. Ausdruck für ,,Bodenwasser aus einem Schiffskörper entfernen" ist abgeleitet von niederd. lens und bedeutet eigtl. ,,leer". Von diesem Adjektiv – vgl. dazu niederl. lens ,,leer", fläm. len[t]s ,,lose, schlaff" – geht auch aus lenzen seemänn. für ,,im Sturm mit stark gerefter oder ohne Besegelung vor dem Winde laufen" (mnd. lensen, niederl. lenzen). Zus.: Lenzpumpe (19. Jh.).

Leopard m (asiat. und afrik. Großkatze): Gelehrte Entlehnung des 14. Jh.s aus lat. leopardus, das zuvor schon im Ahd. in volkstümlichen Formen wie lēbarto und lēbart[e] erschienen war. Das lat. Wort ist aus lat. leō ,,Löwe" (vgl. Löwe) und lat. pardus (vgl. Pard) zusammengesetzt.

Lepra w ,,Aussatz" (Med.): Im 18./19. Jh. aus gleichbed. gr.-lat. lépra entlehnt, das von gr. leprós ,,schuppig, uneben, rauh, aussätzig" abgeleitet ist. Zugrunde liegt das gr. Verb lépein ,,[ab]schälen".

Lerche w: Der germ. Vogelname mhd. lērche, ahd. lērahha, niederl. leeuwerik, engl. lark, schwed. lärka läßt sich nicht sicher deuten. Das zugrunde liegende germ. *laiwarikōn, das keine außergerm. Entsprechungen hat, enthält vielleicht als ersten Bestandteil ein lautmalendes lai-.

lernen: Das westgerm. Verb mhd. lernen, ahd. lernēn, -ōn, asächs. līnōn, engl. to learn ist mit den unter →lehren und →List behandelten Wörtern verwandt und gehört zu der Wortgruppe von →leisten (urspr. ,,einer Spur nachgehen, nachspüren", vgl. got. lais ,,ich weiß", eigtl. ,,ich habe nachgespürt"). Beachte dazu die Präfixbildung verlernen ,,(Gelerntes) vergessen, aus der Übung kommen" (mhd. verlernen).

lesen: Das gemeingerm. Verb mhd. lesen, ahd. lesan, got. lisan, aengl. lesan, schwed. läsa geht mit verwandten Wörtern auf eine Wz.

*les- ,,verstreut Umherliegendes aufnehmen und zusammentragen, sammeln" zurück, vgl. z. B. die balt. Sippe von lit. lèsti ,,picken; aussuchen, auslesen". Die alte Bed. ,,[auf-, ein]sammeln, aussuchen" hat sich im Dt. neben der jüngeren Bed. ,,Geschriebenes lesen" bis zum heutigen Tag gehalten, beachte z. B. Ähren, Trauben oder dgl. lesen. An diese Bedeutung schließen sich an das Substantiv Lese w ,,das Sammeln, Ernte" (18. Jh.), beachte dazu Traubenlese, Blumenlese, Spätlese usw., ferner die Präfixbildungen und Zus. auslesen ,,aussuchen, auswählen" (mhd. ūzlesen), dazu Auslese w ,,Auswahl des Besten" (19. Jh.), erlesen veralt. für ,,aussuchen, erwählen" (mhd. erlesen, ahd. irlesan), dazu das in adjektivischen Gebrauch übergegangene 2. Partizip erlesen ,,ganz vorzüglich" (beachte auch auserlesen) und verlesen ,,Schlechtes, Unbrauchbares aussondern" (15. Jh.). Von dieser Bedeutung geht auch die alte Adjektivbildung →leer, eigtl. ,,was gesammelt werden kann", aus. – Die in ahd. Zeit beginnende Verwendung des Verbs im Sinne von ,,Geschriebenes lesen" erfolgte wahrscheinlich unter dem Einfluß und nach dem Vorbild von lat. legere ,,sammeln, aussuchen; Geschriebenes lesen". Allerdings kann das Verb lesen bereits in germ. Zeit auf das Einsammeln und Deuten der zur Weissagung ausgestreuten Stäbchen bezogen worden sein (s. dazu den Artikel Buchstabe). An den Wortgebrauch im Sinne von ,,Geschriebenes lesen" schließen sich an die Abl. lesbar (17. Jh.), Leser m (mhd. lesēre), leserlich (17. Jh.), Lesung w (16. Jh.) und z. B. die Zus. Lesart (18. Jh.), Lesebuch (18. Jh.), Lesezeichen (um 1800). Ferner zahlreiche Präfixbildungen und Zus., z. B. ab-, durch-, vorlesen, beachte bes. auslesen ,,zu Ende lesen" (mhd. ūzlesen), belesen veralt. für ,,durchlesen", dazu das in adjektivischen Gebrauch übergegangene 2. Partizip belesen ,,durch Lesen gebildet, kenntnisreich" (17. Jh.); verlesen ,,falsch lesen" und zerlesen ,,durch die Handhabung beim Lesen abnutzen oder beschädigen". Siehe auch den Artikel Federlesen.

Lethargie w ,,krankheitsbedingte Schlafsucht (Med.); Trägheit, Gleichgültigkeit, Teilnahms-, Interesselosigkeit": Als Krankheitsbezeichnung im 16. Jh. aus gr.-lat. lēthargía entlehnt, aber erst im 18. Jh. allgemein geläufig geworden. – Zu gleichbed. gr. lēthargos, das wohl urspr. ein aus gr. lēthē ,,Vergessen" und gr. argós (< *a-u̯ergós) ,,untätig, träge" zusammengesetztes Adjektiv ist und demnach eigtl. etwa ,,durch Vergessen untätig oder träge" bedeutet. – Abl.: lethargisch ,,schlafsüchtig; teilnahmslos, gleichgültig".

Letter w ,,Druckbuchstabe": Das seit dem 17. Jh. bezeugte Substantiv, welches das ältere, bis dahin in der Druckersprache geltende 'Litter' (schon *mhd.*) ablöste, stammt aus *frz.* lettre, *niederl.* letter. 'Litter', wie auch *frz.* lettre, gehen auf *lat.* littera ,,Buchstabe; Schrift; Geschriebenes, Schriftstück usw.'' zurück. Das *lat.* Wort ist etymologisch nicht sicher gedeutet. Die Bedeutung ,,Druckbuchstabe'' entwickelte sich zuerst im *Frz.* – Hierzu gehören noch die FW → Literatur, literarisch, Literat und → Belletristik.

letzen (veralt. für: ,,laben, erquicken''): Das *gemeingerm.* Verb *mhd.* letzen, *ahd.* lezzen, *got.* latjan, *aengl.* lettan, *aisl.* letja ist von dem unter → *lässig* behandelten Adjektiv laß ,,matt, müde, schlaff''' abgeleitet und bedeutet demnach eigtl. ,,schlaff, matt machen''. In den älteren Sprachzuständen ist das Verb in der Bed. ,,aufhalten, hemmen, [be]hindern'' und ,,bedrücken, quälen, schädigen'' bezeugt. Die letzteren Bedeutungen bewahrt die Präfixbildung verletzen (*mhd.* verletzen ,,schädigen, verwunden''), dazu verletzlich, Verletzung *w*. In *mhd.* Zeit entwickelte das Verb dann die Bed. ,,ein Ende womit machen'' und im intrans. und reflex. Gebrauch die Bed. ,,scheiden, sich verabschieden, Abschied feiern, sich gütlich tun''. Zu diesem Verb gehört die Substantivbildung Letze *w* veralt. für ,,Abschiedsmahl'' (*mhd.* letze ,,Hinderung, Hemmung; Schutzwehr, Befestigung; Ende; Abschied''), beachte *schweiz.* Letzi *w* ,,mittelalterliche Grenzbefestigung'' und ,zu guter Letzt' ,,zum guten Abschluß'', mit sekundärem t statt älterem 'zu guter Letze'. Heute wird Letzt ,,Abschiedsmahl, Abschluß'' als zum Adjektiv 'letzt' gehörig empfunden.

letzt: Das Adjektiv ist eigtl. der Superlativ zu dem heute veralteten laß ,,matt, müde, schlaff'' (vgl. → *letzen*). Die *hochd.* Form des Superlativs *ahd.* lazzōst, lezzist, *mhd.* lezzist, zusammengezogen (so noch *oberd. mdal.*) lest wurde durch die im 15. Jh. vordringende *niederd.* Form (*mnd.* letst) verdrängt. Im *Engl.* entspricht last, der Superlativ von late. – Im 17. Jh. wurde, als 'letzt' nicht mehr als Superlativ empfunden wurde, der Komparativ letztere gebildet. Nach dem Muster von erstens, zweitens usw. ist das in Aufzählungen gebräuchliche letztens gebildet. Abl.: letztlich (16. Jh.).

Leuchte *w*: Das auf das *dt.* Sprachgebiet beschränkte Substantiv (*mhd.* liuhte, *ahd.* liuhta, *mnd.* lüchte) gehört zu dem unter → *licht* behandelten Adjektiv. Im übertragenen Gebrauch bedeutet es ,,kluger Kopf, Könner''.

leuchten: Das *altgerm.* Verb *mhd., ahd.* liuhten, *got.* liuhtjan, *niederl.* lichten, *engl.* to light ist von dem unter → *licht* behandelten Adjektiv abgeleitet. Wichtige Präfixbildungen und Zus. mit leuchten sind beleuchten

,,erhellen, mit Licht erfüllen, ins Licht setzen'' (*mhd.* beliuhten, *ahd.* biliuhtan), dazu Beleuchtung *w*; durchleuchten ,,mit Licht erfüllen; mit Röntgenstrahlen untersuchen'' (*mhd.* durchliuhten), dazu Durchleuchtung *w* und durchlaucht (s. d.); einleuchten ,,klar, deutlich werden'' (*mhd.* īnliuhten eigtl. ,,wie Licht hell eindringen''), dazu einleuchtend ,,klar, deutlich, verständlich''; erleuchten ,,erhellen; sehend machen, eingeben'' (*mhd.* erliuhten, *ahd.* irliuhtan), dazu Erleuchtung *w* und erlaucht (s. d.). Abl.: Leuchter *m* ,,Kerzenhalter, Beleuchtungskörper'' (*mhd.* liuhtære). Zus.: Leuchtturm (17. Jh.).

leugnen: Das *gemeingerm.* Verb *mhd.* löugenen, *ahd.* louganen, *got.* laugnjan, *aengl.* liegnan, *aisl.* leyna ist abgeleitet von einem im *Dt.* ausgestorbenen *germ.* Substantiv *laugna- ,,Verborgenheit, Verheimlichung, Lüge'' (beachte *ahd.* lougna ,,das Leugnen''). Das Substantiv gehört zu der Wortgruppe von → *lügen*. Beachte auch die Präfixbildung verleugnen (*mhd.* verlougen[en], *ahd.* farlougnen).

Leukämie *w* ,,Überproduktion an weißen Blutkörperchen (als Krankheitsbild)'': Gelehrte Neubildung zu *gr.* leukós ,,weiß'' (vgl. *leuko...*) und *gr.* haîma ,,Blut'' (vgl. *hämo...*).

leuko..., Leuko..., (vor Selbstlauten:) **leuk..., Leuk...:** Bestimmungswort von Zusammensetzungen mit der Bed. ,,weiß, glänzend'', wie in → Leukämie. Zugrunde liegt das *gr.* Adjektiv leukós ,,hell, klar, weiß, glänzend'', das zu der unter → *licht* dargestellten *idg.* Wortsippe gehört. – Beachte noch die *gr.* Zus. leukó-ion ,,Weißveilchen'' in unserem LW → Levkoje.

Leumund *m* ,,Ruf, Renommee'': Das auf das *dt.* Sprachgebiet beschränkte Wort (*mhd.* liumunt, liumde, *ahd.* [h]liumunt) ist eine alte Bildung zu der unter → *laut* dargestellten *idg.* Wz. *kleu- ,,hören'' und bedeutet also eigtl. ,,Gehörtes''. Ähnlich gebildet ist *got.* hliuma ,,Gehör''. – Von der abgeschwächten Form *mhd.* liumde gehen aus *mhd.* beliumden ,,einen in den Ruf von etwas bringen'', beachte *nhd.* beleumdet (daneben auch beleumundet) und *mhd.* verliumden ,,in schlechten Ruf bringen'', *nhd.* verleumden, dazu Verleumder *m* (16. Jh.), verleumderisch (17. Jh.), Verleumdung *w* (16. Jh.).

Leute Mehrz.: Mhd. liute, *ahd.* liuti, *asächs.* liudi, *aengl.* lēode ,,Leute, Menschen'' gehören zu dem *gemeingerm.* Wort für ,,Volk'': *mhd., ahd.* liut, *asächs.* liud, *aengl.* lēod, *aisl.* ljōðr. Dieses *gemeingerm.* Wort geht mit der *baltoslaw.* Sippe von *russ.* ljud ,,Volk'' auf *leudho- ,,Volk'' zurück (s. auch den Artikel liberal). Das Substantiv *leudho- ist eine Bildung zu der unter → *Lode* dargestellten *idg.* Wz. *leudh- ,,wachsen'' und be-

401

deutet demnach eigtl. „Wuchs, Nachwuchs, Nachkommenschaft". Zus.: leutescheu (17. Jh.); Leuteschinder (16. Jh.); leutselig (mhd. liutsǣlec „den Menschen wohlgefällig"; seit dem 16. Jh. dann in der Bed. „dem niederen Volke, den armen Leuten wohlgesonnen", daher „wohlwollend herablassend"), dazu Leutseligkeit w (mhd. liutsǣlecheit „Wohlgefälligkeit den Menschen gegenüber").

Leutnant m: Um 1500 aus frz. lieutenant entlehnt. Dies ist nach dem Vorbild von mlat. 'locum tenēns' „Statthalter, Stellvertreter" (zu lat. locus „Ort, Stelle" und lat. tenēre „haben, halten") aus frz. lieu (< lat. locus) „Ort" und frz. tenir (< lat. tenēre) „halten" (Part. Präs.: tenant) gebildet. – Die gleiche Bezeichnung erscheint in anderen europäischen Sprachen, beachte z. B. engl. lieutenant, it. luogotenente (Kurzform: tenente) und span. lugarteniente (teniente).

Levante w: Die in dt. Texten seit dem 15. Jh. bezeugte Bezeichnung der Mittelmeerländer östl. von Italien stammt aus dem Italienischen. It. levante, das zu lat.-it. levāre „in die Höhe heben, erheben" (medial: „sich erheben") gehört (vgl. hierüber leger), bedeutet eigtlich „Aufgang". In übertragenem Sinne bezeichnet es dann die Länder des „Sonnenaufgangs". Die gleiche Vorstellung liegt den Benennungen →Orient und →Morgenland zugrunde. – Abl.: Levantiner m „Morgenländer".

Levkoje w: Der Name der in zahlreichen Arten auftretenden einjährigen Gartenpflanze, der in dieser Form seit dem 18. Jh. bezeugt ist (davor schon im 17. Jh. Leucoje), geht auf gr. leukó-ion (eigtl. „Weißveilchen") zurück, das in ngr. Aussprache übernommen wurde. Zu gr. leukós „weiß, glänzend" (vgl. leuko...) und gr. íon „Veilchen". Die Pflanze ist nach ihren hellleuchtenden, veilchenartig duftenden Blüten benannt.

Lexikon s: Das seit dem 17. Jh. bezeugte FW, das bis in unsere Zeit zunächst allgemein „Wörterbuch" bedeutete, gilt heute speziell zur Bezeichnung eines alphabetisch geordneten Nachschlagewerks. Es wurde auf gelehrtem Wege aus gr. lexikón (biblíon) „Wörterbuch" entlehnt. Das zugrunde liegende Adjektiv gr. lexikós „das Wort betreffend" gehört zu gr. léxis „Rede, Wort" und weiter zu gr. légein „auflesen, sammeln; reden, sprechen". Gr. lexikón entspricht also in der Bildung mlat. dictionārium „Wörterbuch" (zu lat. dīcere „sagen, sprechen"), das in frz. dictionnaire und engl. dictionary fortlebt. – Gr. légein, das uridentisch ist mit lat. legere „auf lesen, sammeln; auswählen; lesen" (s. hierüber die unter →Legion aufgezeigte Wortfamilie), ist in unserem Fremdwortschatz mit zahlreichen Ableitungen und Zusammensetzungen vertreten. Dazu gehören im einzelnen: gr. lógos „das Berechnen; der Grund; die Vernunft; das Sprechen; das Wort" (s. Logik, logisch), auch als Hinterglied in Suffixkomposita wie gr. análogos „der Vernunft gemäß; entsprechend" (s. analog, Analogie), gr. diálogos „Unterredung, Gespräch" (s. Dialog), gr. epílogos „Schluß einer Rede, Schlußwort" (s. Epilog), gr. katálogos „Aufzählung" (s. Katalog), gr. mono-lógos „mit sich selbst redend" (s. Monolog), gr. prólogos „Vorwort, Vorakt" (s. Prolog), ferner als Grund- oder Bestimmungswort in den zusammengesetzten FW →Etymologie, Etymologe, →Philologe, Philologie, →Theologie, Theologe und →Logarithmus, logarithmieren. Beachte noch das gr. Kompositum dialégesthai „sich unterreden; sprechen" in den FW →Dialekt, Dialektik und dialektisch.

Liane w (Schlingpflanze): Im 18. Jh. aus frz. liane entlehnt. Die weitere Herkunft ist unsicher.

Libelle w: Das vom Volksmund mit zahlreichen poetischen Namen wie 'Wasserjungfer', 'Schleifer', 'Augenstecher' bedachte, schön gefärbte Raubinsekt (mit vier glashellen Flügeln) wurde von den Zoologen im 18. Jh. mit dem lat. Wort lībella „[Wasser]waage; waagrechte Fläche" (vgl. hierüber Lira) benannt, in Anspielung auf seinen gleichmäßigen, ausgewogenen Flug mit waagrecht ausgespannten Flügeln. Im Frz. gilt gleichbed. libellule (< nlat. libellula).

liberal: Das aus lat. līberālis „die Freiheit betreffend, freiheitlich; edel, vornehm, freigebig" entlehnte Adjektiv erscheint zuerst im 16. Jh. im Sinne von „freigebig, hochherzig" (heute veraltet). Im 18. Jh. wird es neu aus frz. libéral übernommen, und zwar mit den noch heute gültigen Bedeutungen „vorurteilslos in politischer und religiöser Beziehung; freiheitlich gesinnt". In diesem Sinne lebt das Wort aus dem Geist der Aufklärung, wie auch das im Anfang des 19. Jh.s aufkommende Schlagwort Liberalismus m zur Bezeichnung einer Grundform politischen Verhaltens, in der das Individuum mit seinem Recht auf Freiheit im Vordergrund steht. Dazu: Liberalist m „Anhänger des Liberalismus" und liberalistisch. Es handelt sich um nlat. Bildungen. Lat. līberālis ist von lat. līber „frei, freimütig, ungebunden" abgeleitet, das wohl wie entspr. gr. eleútheros „frei, edel usw." zu der unter →Leute dargestellten idg. Wz. *leudh- „wachsen", *leudhi- „Nachwuchs; Volk", davon abgeleitet *leudhero- „zum Volk gehörig; frei", gehört. – Beachte noch das von lat. līber abgeleitete Verb lat. līberāre „befreien", das mit einer im Mlat. entwickelten Spezialbed. „freilassen, ausliefern" die Quelle ist für unser LW →liefern.

Libretto s „Text[buch] (von Opern, Operetten usw.)": Im 19. Jh. aus gleichbed. it.

libretto (eigtl. „Büchlein") entlehnt, einer Verkleinerungsbildung zu *it.* libro „Buch", das auf *lat.* liber „Bast (als Schreibmaterial); Buch" zurückgeht.

...lich: Das überaus produktive Suffix (*mhd.* -lich, *ahd.* -līch, *got.* -leiks, *engl.* -ly, *schwed.* -lig) war urspr. ein selbständiges Wort, identisch mit dem unter →*Leiche* behandelten *germ.* Substantiv *līka- „Körper, Gestalt". Als Grundwort in Zusammensetzungen bedeutete es „die Gestalt habend" (beachte die Artikel gleich, solch, welch). Als Suffix drückt es zunächst eine wesensgemäße Eigenschaft und dann Merkmale verschiedener Art aus.

licht: Das *westgerm.* Adjektiv *mhd.* lieht, *ahd.* lioht, *niederl.* licht, *engl.* light gehört mit der Sippe von →*Lohe* und mit verwandten Wörtern in anderen *idg.* Sprachen zu der *idg.* Wz. *leuk-, -k̑- „leuchten, strahlen, funkeln", vgl. z. B. *gr.* leukós „licht, glänzend" (s. leuko..., Leukämie, Levkoje), *lat.* lūx „Licht" (s. Luzifer), lūcēre „leuchten, glänzen" (s. Luzerne), lūmen „Licht, Leuchte" (s. illuminieren), lūstrāre „beleuchten, erhellen" (s. illuster, illustrieren, Lüster), lūna „Mond" eigtl. „die Leuchtende" (s. Laune) und die *baltoslaw.* Sippe von *russ.* luč „Strahl". Eine alte *idg.* Bildung zu dieser Wurzel ist der unter →*Luchs* eigtl. „Funkler" behandelte Tiername. Im *germ.* Sprachbereich stellen sich zum Adjektiv licht die Bildungen →*Leuchte* und →*leuchten*. Eine junge Ableitung ist das Verb ¹*lichten* „hell machen, kahl machen" (17. Jh.), dazu Lichtung *w* „Waldblöße" (18. Jh.). Beachte auch belichten „dem Licht aussetzen" (16. Jh.; seit dem 19. Jh. photograph. Fachausdruck für exponieren), dazu Belichtung *w*. Das seit dem 16. Jh. bezeugte Adverb lichterloh „in hellen Flammen" ist hervorgegangen aus dem adverbiellen Genitiv *frühnhd.* li[e]hter Lohe. Seit dem 18. Jh. wird 'lichterloh' auch adjektivisch verwendet. – Eine alte Substantivierung des *westgerm.* Adjektivs ist Licht *s*, *Mehrz.* -er und -e (*mhd.* licht, *ahd.* lioht, *niederl.* licht, *engl.* light). Das Substantiv wurde zunächst im Sinne von „Leuchten, Glanz, Helle" gebraucht. Dann bezeichnete es auch die (brennende) Kerze und Lichtquellen oder Beleuchtungskörper anderer Art. Im übertragenen Gebrauch bedeutet es „Erleuchtung, Einsicht". Die *Mehrz.* Lichter bezeichnet weidmänn. die Augen des Haarwilds. Zus.: Lichtbild (18. Jh., in der Bed. „aus Lichtstrahlen gebildete Gestalt", seit der Mitte des 19. Jh.s „Photographie"); Lichtdruck „Flachdruckverfahren zur Vervielfältigung von Bildern" (19. Jh.); Lichthof (19. Jh.); Lichtjahr (19. Jh.); Lichtmeß „Fest der Reinigung Mariä und Darstellung Christi" (*mhd.* liehtmesse; so benannt wegen der an diesem

Tage stattfindenden Kerzenweihe und Lichterprozession); lichtscheu (16. Jh.); Lichtspiel „Film" (20. Jh.).

¹**lichten** siehe licht.

²**lichten**: Der seit dem 17. Jh. bezeugte seemänn. Ausdruck für „(den Anker) heben" beruht auf *niederd.* lichten, das *hochd.* leichten „leicht machen" entspricht (vgl. *leicht*). Früher bedeutete 'lichten' auch „Schiffe entfrachten".

Lid *s*: Das *altgerm.* Wort für „Deckel, Verschluß" *mhd.* lit, *ahd.* [h]lit, *niederl.* lid, *engl.* lid, *schwed.* led ist eine Bildung zu der unter →¹*lehnen* dargestellten *idg.* Wurzel und bedeutet eigtl. „das Angelehnte, das Zusammengestellte". Eng verwandt ist die Sippe von →*Leiter*. Die alte Bed. „Deckel, Verschluß" ist im *Dt.* nur noch vereinzelt *mdal.* bewahrt. Heute bezeichnet das Wort – wie auch im *Niederl.* und *Engl.* – den Augendeckel, d. h. die das Auge schützende Haut, beachte die Zus. Augenlid.

lieb: Das *gemeingerm.* Adjektiv *mhd.* liep, *ahd.* liob, *got.* liufs, *engl.* (veralt.) lief *schwed.* ljuv geht mit verwandten Wörtern in anderen *idg.* Sprachen auf eine Wz. *leubh- „lieb, gern haben, begehren" zurück, vgl. z. B. die *baltoslaw.* Sippe von *russ.* ljub „lieb, freundlich", ljubit' „lieben, gern haben" und *lat.* libēre „belieben, gefällig sein", libīdō „Begierde" (beachte den Fachausdruck Libido „Begierde, [Geschlechts]trieb"). Aus dem *germ.* Sprachbereich gehören zu dieser Wurzel ferner die Sippen von →*loben* und von →*erlauben* sowie →*glauben* (eigtl. „für lieb halten, gutheißen"), die im Ablaut zu dem *gemeingerm.* Adjektiv stehen. Das substantivierte Adjektiv Lieb *s* (*mhd.* liep, *ahd.* liub „das Liebe, das Angenehme, Freude; Geliebte[r]") wird heute nur noch vereinzelt im Sinne von „Geliebte[r]" gebraucht, beachte 'mein Lieb'. Dazu gehört die Verkleinerungsbildung Liebchen *s* (15. Jh.). Alte Bildungen zum Adjektiv sind Liebe *w* (*mhd.* liebe, *ahd.* liubī) und lieben (*mhd.* lieben, *ahd.* liuben, -ōn, -ēn „lieb machen, lieb werden"), beachte dazu die Präfixbildungen verlieben, sich und belieben (s. d.), ferner das weitergebildete Verb „flüchtig lieben" (18. Jh.), zu dem Liebelei *w* „Flirt, flüchtige Liebe" (19. Jh.) gehört. Vom Genitiv des substantivierten Infinitivs gehen aus liebenswert (17. Jh.) und liebenswürdig (18. Jh.). Abl.: lieblich (*mhd.* lieplich, *ahd.* liublīh), dazu Lieblichkeit *w* (16. Jh.); Liebling *m* (17. Jh.); Liebschaft *w* (*mhd.* liep-, liebeschaft „Liebe, Liebesverhältnis"). Zus.: Liebhaber *m* (*mhd.* liephaber „Liebender, Freund, Anhänger", eigtl. „wer etwas oder jemanden lieb hat"), dazu Liebhaberei *w* (18. Jh.). Beachte auch die Bildungen liebäugeln (16. Jh.) und liebkosen (*mhd.* liepkosen, entstanden aus 'einem ze liebe kosen' „einem zu Liebe sprechen", s. kosen), dazu Liebkosung w (15. Jh.).

Lied s: Die Herkunft des *altgerm.* Wortes *mhd.* liet, *ahd.* liod, *aengl.* lēod, *aisl.* ljōd ist unklar. Vielleicht ist es im Sinne von „Preislied" mit *lat.* laus, -dis „Lob", laudāre „loben" verwandt.

Liederjan, auch Liedrian m: Der seit dem 19. Jh. bezeugte *ugs.* Ausdruck für „liederlicher Mensch" stammt aus den *ostmitteld.* Mundarten. Es handelt sich um eine Bildung aus dem Stamm von →*liederlich* und der Kurzform von Johann. Vgl. zur Bildung Dummerjan.

liederlich: *Mhd.* liederlich „leicht, gering, leichtfertig, oberflächlich", dem *aengl.* ly̆derlīc „schlecht, gemein" entspricht, gehört im Sinne von „schlaff, schwach" zu der unter →*schlummern* dargestellten *idg.* Wurzel. Eng verwandt ist die Sippe von →*lottern.* Siehe auch Liederjan.

liefern: Das aus der *niederd.* Kaufmannssprache ins *Hochd.* gelangte Verb geht auf *mnd.*(-*mniederl.*) lēveren „liefern" zurück, das seinerseits auf *frz.* livrer „mit etwas ausstatten; liefern" (s. auch das FW Livree) beruht. Quelle des Wortes ist das zu *lat.* līber „frei" (vgl. *liberal*) gehörende *lat.* Verb līberāre „befreien", das im *Mlat.* die Sonderbedeutung „freilassen, freimachen, ausliefern" entwickelt hat. – Um das Zeitwort 'liefern' gruppieren sich die Präfixbildungen und Zus. abliefern, ausliefern, beliefern, ferner mit meist uneigentlicher übertragener Bed. überliefern „(der Nachwelt) weitergeben, berichten" (16. Jh.), dazu Überlieferung w „Tradition". Von 'liefern' abgeleitet sind die Substantive Lieferung w (Anfang 16. Jh.) und Lieferant m „wer einen anderen mit Waren beliefert" (Ende 17. Jh.; mit *lat.-roman.* Endung gebildet).

liegen: Das *gemeingerm.* Verb *mhd., ahd.* ligen, *got.* ligan, *engl.* to lie, *schwed.* ligga geht mit verwandten Wörtern in anderen *idg.* Sprachen auf eine Wz. *legh- „sich legen, liegen" zurück, vgl. z. B. *mir.* laigid „legt sich" und *russ.* ležát' „liegen". Um dieses Verb gruppieren sich die Bildungen →Lage, →Lager und das unter →Gelichter behandelte *ahd.* lehtar „Gebärmutter", dem *gr.* léktron „Lager" entspricht. Eine alte Verbalbildung ist →[1]löschen (eigtl. „sich legen [machen]"). Das Veranlassungswort zu liegen ist →legen (eigtl. „liegen machen"), zu dem →Gelage gebildet ist. Das 2. Partizip →gelegen (dazu Gelegenheit, gelegentlich) ging schon früh in adjektivischen Gebrauch über. Gleichfalls in adjektivischen Gebrauch übergegangene 2. Partizipien von Präfixbildungen mit 'liegen' sind entlegen „fern", →überlegen „mächtiger, stärker" und →verlegen „verschämt, befangen". Wichtige Zus. sind anliegen „an-

grenzen; sich (eng) anschmiegen; beigefügt sein; bevorstehen, sich ereignen", veralt. auch für „mit Bitten bedrängen" (*mhd.* aneligen, *ahd.* analigan), dazu der substantivierte Infinitiv Anliegen s „Bitte, Wunsch", Anlieger m „Angrenzer an Straßen oder Kanälen" und angelegen „wichtig" (eigtl. 2. Partizip), zu dem Angelegenheit w (17. Jh.) gebildet ist; obliegen (s. [1]ob); unterliegen „besiegt werden; unterworfen, ausgesetzt sein" (*mhd.* underligen, *ahd.* untarligan). Abl.: Liege w „Chaiselongue" (Mitte des 20. Jh.s); Liegenschaft w „Grundbesitz" (19. Jh.).

Lift m „Aufzug, Fahrstuhl": Am Ende des 19. Jh.s aus gleichbed. *engl.* lift entlehnt, das von *engl.* to lift (< *aisl.* lypta) „lüften, in die Höhe heben" abgeleitet ist. Zu *aisl.* lopt (= *nhd.* →*Luft*). – Zus.: Liftboy.

Liga w „Bund, Bündnis", im Sport Bezeichnung einer Wettkampfklasse, in der mehrere Vereinsmannschaften eines bestimmten Gebietes zusammengeschlossen sind. So besonders in Zus. wie Amateurliga, Oberliga, Bundesliga: Im 15. Jh. aus *span.* liga „Bund, Bündnis" entlehnt, das von *span.* ligar „binden, verbinden, vereinigen" abgeleitet ist. Voraus liegt *lat.* ligāre „[fest]binden" (vgl. *legieren*).

Liguster m „Rainweide" (Ölbaumgewächs mit weißen Blütenrispen): In neuerer Zeit aus *lat.* ligustrum entlehnt. Die weitere Herkunft ist unsicher.

liieren, sich „sich eng verbinden", vorwiegend gebräuchlich das dazugehörige Partizipialadj. liiert „freundschaftlich verbunden": Am Ende des 18. Jh.s aus gleichbed. *frz.* lier entlehnt, das auf *lat.* ligāre „binden, festbinden" zurückgeht (vgl. *legieren*). – Dazu das Substantiv Liaison w „Verbindung; Liebesverhältnis, Liebschaft" (19. Jh.; aus *frz.* liaison < *lat.* ligātiō „das Binden, die Verbindung").

Likör m „Branntwein mit Zuckerlösung und aromatischen Geschmacksträgern": Im Anfang des 18. Jh.s aus gleichbed. *frz.* liqueur (eigtl. „Flüssigkeit") entlehnt. Voraus liegt *lat.* liquor „Flüssigkeit", das in der Form Liquor m als Fachwort der Chemie und Pharmazie schon im 16. Jh. zur Bezeichnung „flüssiger Substanzen" eine Rolle spielt. Liquor hat auch den Genuswechsel von Likör, das im *Frz.* weiblich ist, bestimmt. – *Lat.* liquor gehört wie *lat.* liquidus „flüssig" (s. liquidieren, Liquidation) zu *lat.* liquēre „flüssig sein".

lila „fliederblau": Das im 19. Jh. auftretende unflektierte Farbadjektiv, das sich aus der älteren Zus. lilafarb[en] (18. Jh.) herausgelöst hat, ist aus dem Substantiv Lila s (18. Jh.) hervorgegangen. Dies ist aus *frz.* lilas „Flieder; Fliederblütenfarbe" (älter: lilac) entlehnt, einem Wort *ind.* Herkunft (*aind.* nīlas „Schwarz; schwärzlich;

bläulich"), das durch *pers.* nīläk, līläk, *arab.*
līlak „Flieder" vermittelt wurde.

Limes *m*: Die Bezeichnung des von den
Römern errichteten, vom Rhein bis zur
Donau reichenden Grenzwalles, der das
Römische Imperium gegen die Nordgerma-
nen sicherte, ist mit dem *lat.* Substantiv
līmes (līmitis) „Grenzweg, Rain, [Acker]-
grenze; Grenzmark" identisch. – Siehe auch
→ Limit.

Limit *s* „[Preis]grenze": Im 20. Jh. aus
gleichbed. *engl.* limit entlehnt, das über *frz.*
limite auf *lat.* līmes (līmitis) „Grenzweg,
Grenze, Grenzwall" zurückgeht (vgl. *Limes*).

Limonade *w*: Die seit dem 17. Jh. bezeugte
Bezeichnung für ein kaltes Fruchtgetränk
(unter Zusatz von Zucker, Wasser und auch
Kohlensäure) – zuerst nur für „Zitronen-
wasser" – stammt aus *frz.* limonade. Dies
ist – wohl nach *it.* limonata – von *frz.* limon
„dickschalige Zitrone" abgeleitet, das wie
span. limón und *it.* limone (beachte das
daraus entlehnte, besonders in Österreich
gebräuchliche FW Limone *w*) auf *pers.*-
arab. līmūn „Zitrone; Zitronenbaum" zurückgeht.

lind: *Mhd.* linde, *ahd.* lindi „weich, zart,
mild", *asächs.* līði „mild, nachgiebig", *engl.*
lithe „biegsam, geschmeidig" beruhen mit
verwandten Wörtern in anderen *idg.* Sprachen auf *idg.* *lento-s „biegsam", vgl.
z. B. *lat.* lentus „biegsam; zäh; langsam".
Verwandt sind wahrscheinlich auch der
Baumname → Linde (nach dem biegsamen
Bast) und das Bestimmungswort von → Lindwurm, das „Schlange, Drache" (eigtl. „biegsam, sich windend") bedeutet. – Gebräuchlicher als das einfache Adjektiv lind, das im
wesentlichen der gehobenen Sprache angehört, ist heute die verstärkte Bildung gelind[e] (*mhd.* gelinde). Abl.: **lindern**
„mildern" (15. Jh.), dazu Linderung *w*
(16. Jh.).

Linde *w*: Der *altgerm.* Baumname *mhd.*
linde, *ahd.* linta, *niederl.* linde, *engl.* linden,
schwed. lind gehört mit verwandten Wörtern in anderen *idg.* Sprachen wahrscheinlich zu dem unter → lind behandelten *idg.*
Adjektiv *lento-s „biegsam", vgl. z. B.
russ. lut „Lindenbast, -rinde", *lit.* lentà
„Brett, Tafel" (urspr. aus Lindenholz). Die
Linde wäre demzufolge nach ihrem biegsamen Bast oder nach ihrem weichen, biegsamen Holz benannt. Im Ablaut dazu steht
das unter → Geländer behandelte Wort
(eigtl. „Latte aus Lindenholz").

Lindwurm *m* „Drache": Die Bezeichnung
des Fabelwesens ist eine verdeutlichende
Zusammensetzung, wie z. B. auch Windhund, Damhirsch, Maultier (s. d.). Als das
alte Wort für „Schlange, Drache" *ahd.* lint
(entspr. *aisl.* linnr) unüblich und nicht mehr
verstanden wurde, verdeutlichte man es mit
den bekannten Wörtern Wurm oder Drache,

beachte *mhd.* lintwurm und linttrache, eigtl.
„Schlangenwurm" bzw. „Schlangendrache"
(entspr. *aisl.* linnormr, *schwed.* lindorm).
Das Bestimmungswort gehört wahrscheinlich im Sinne von „biegsames, sich winden-
des Tier" zu der Wortgruppe von → lind
(urspr. „biegsam").

Lineal *s* „Gerät zum Linienziehen": Das
seit dem 15. Jh. bezeugte Substantiv beruht
auf einer *mlat.* Bildung zu *lat.* līnea „Strich,
Linie; Richtschnur" (vgl. *Linie*) bzw. zu
dem davon abgeleiteten Adjektiv *lat.* līneālis
„in Linien bestehend, in Linien gemacht".

Linie *w* „[gerader, gekrümmter] Strich;
Strecke", vielfach übertragen gebraucht
(z. B. als „Grenzlinie", „Zeile", „Stelle;
Stellung", „Abstammungsreihe" usw.): Das
Substantiv (*mhd.* linie, *ahd.* linia) beruht auf
Entlehnung aus *lat.* līnea „Leine, Schnur,
Faden; mit einer Schnur gezogene gerade
Linie usw.", das sich mit einer urspr. Bed.
„leinene Schnur" als substantiviertes Adjektiv (*lat.* līneus, -ea, -eum „aus Leinen")
zu *lat.* līnum „Lein, Flachs; Faden, Schnur"
stellt. Über weitere etymologische Zusammenhänge vgl. den Artikel *Lein*. – Dazu:
lini[i]eren „mit Linien versehen, Linien
ziehen" (15. Jh.; nach *lat.* līneāre „nach
dem Lot einrichten"); linig (18. Jh.) in
Zus. wie geradlinig und krummlinig.
Siehe auch Lineal.

link: Das seit *mhd.* Zeit bezeugte Adjektiv –
im *Ahd.* ist nur das Substantiv lenka „linke
Hand" belegt – trat an die Stelle des *altgerm.*
Wortes für „link": *mhd.* winster, *ahd.*
winistar, *aengl.* win[e]stre, *aisl.* vinstri.
Dieses Wort ist heute noch im *Nord.* gebräuchlich, beachte *schwed.* vänster „link".
Im *Engl.* wurde es durch left ersetzt, das
eigtl. „lahm, schwach" bedeutet. Auch *mhd.*
linc entspricht älter *schwed.* link „lahm",
beachte *schwed.* linka, „hinken, humpeln",
slinka „schwanken, schlottern, hinken"
(vgl. auch zur Begriffsbildung *frz.* gauche
„link", eigtl. „schwankend"). Die *germ.*
Wörter gehen wahrscheinlich auf eine nasalierte Form der unter → Laken dargestellten
Wz. *[s]lēg- „schlaff, matt sein" zurück. –
'Link' ist nicht nur Gegenwort zu 'recht', es
wird auch im Sinne von „unbeholfen, ungeschickt" gebraucht. An diese Verwendung
schließt sich die Bildung linkisch (15. Jh.)
an. Als Adverb fungiert seit dem 15. Jh.
der Genitiv Einz. links. Im Anschluß an
frz. gauche bezeichnet das Substantiv
Linke *w* „linke Hand" seit dem 19. Jh.
auch die links vom Präsidenten sitzenden
Parteien der Volksvertretung, da in der
französischen Restaurationszeit die Gegner
der Regierung ihre Plätze links vom Präsidenten einnahmen. Darauf beruht auch der
politische Nebensinn von Linke.

Linoleum *s* (Fußbodenbelag): Im 19. Jh.
aus *engl.* linoleum entlehnt, einer gelehrten

Neubildung aus *lat.* līnum oleum „Leinöl". (Leinöl ist wesentlicher Bestandteil dieses Stoffes.)

Linse *w*: Der *dt.* Name der Hülsenfrucht (*mhd.* linse, *ahd.* linsi) stammt aus einer unbekannten Sprache, aus der auch *lat.* lēns „Linse" und die *baltoslaw.* Sippe von *lit.* lẽšis „Linse" entlehnt sind. – Seit dem 18. Jh. nennt man wegen der Ähnlichkeit mit der Form eines Linsensamens auch das geschliffene Glas für optische Geräte Linse. Von ʻLinse' in dieser Bedeutung ist linsen *ugs.* für „schauen, blinzeln" abgeleitet.

Lippe *w*: Das aus dem *Niederd.-Mitteld.* stammende Wort erlangte durch Luthers Bibelübersetzung seit dem 16. Jh. gemeinsprachliche Geltung. Das *oberd.* Wort für „Lippe" war früher →Lefze, das im Sinne von „Tierlippe" gemeinsprachlich ist. Das *westgerm.* Wort (*mitteld.*, *mnd.* lippe, *niederl.* lip, *engl.* lip) bedeutet eigtl. „schlaff Herabhängendes" und gehört zu der unter →*Schlaf* behandelten Wortgruppe. Eng verwandt sind z. B. die Sippen von →Lappen und →Lefze. Vgl. aus anderen *idg.* Sprachen z. B. *lat.* labium „Lippe". – Zus.: Lippenstift (20. Jh.).

liquidieren „flüssig machen", und zwar nur in übertragenem Sinne gebraucht von 1. „eine Forderung in Rechnung stellen", 2. „eine Gesellschaft, ein Geschäft auflösen", 3. „jmdn. beseitigen, umbringen" (verhüllend): Um 1600 als Kaufmannswort aus *mlat.* (> *it.*) liquidāre „flüssig machen" entlehnt. Zu *lat.* liquidus „flüssig" (vgl. *Likör*). Die verhüllende Bedeutung 3. tritt erst in jüngster Zeit hinzu. Abl.: Liquidation *w* (die Bedeutungen entsprechen denen des Verbs) aus *mlat.* liquidātiō (*frz.* liquidation, *it.* liquidazione).

Lira *w* (ital. Münzeinheit): *It.* lira, das urspr. den Gewichtswert von einem Pfund Kupfer bezeichnete, das dann im Laufe der Zeit zur Bezeichnung von Silbermünzen von unterschiedlichen Wertes wurde (heute etwa im Wert von 0,0791 g Feingold), geht auf *lat.* libra „Waage; Gewogenes; Pfund; waagrechte Fläche" zurück. – Das *lat.* Substantiv ist wahrscheinlich ein Mittelmeerwort, das eine sichere Entsprechung nur in dem aus Sizilien stammenden *gr.* lítra „Pfund" hat (dies ist Quelle für unser FW →Liter). Für beide gilt als gemeinsame Grundform *lītʰra. – Von Interesse ist in diesem Zusammenhang noch eine Verkleinerungsbildung zu *lat.* libra, *lat.* lībella „kleine Waage; waagrechte Fläche", das einerseits unseren Insektennamen →Libelle, andererseits über *vlat.* *lībellus und *afrz.* *livel > nivel, *frz.* niveau „waagrechte Fläche; Grundwaage; Wasserwaage" unsere FW →Niveau, nivellieren lieferte.

lispeln: Das seit dem 12. Jh. bezeugte Verb ist eine Weiterbildung zu dem im *Nhd.*

untergegangenen Verb *mhd.*, *ahd.* lispen „mit der Zunge anstoßen" (*mnd.* wlispen, *niederl.* lispen, *engl.* to lisp, *schwed.* läspa). Es handelt sich um eine Lautnachahmung von der Art wie z. B. *it.* bisbigliare, pispigliare „flüstern". – Vom 16. bis zum 19. Jh. wurde ʻlispeln' auch im Sinne von „leise, verschämt sprechen, flüstern" gebraucht.

List *w*: Das gemeingerm. Wort *mhd.*, *ahd.* list, *got.* lists, *aengl.* list, *schwed.* list gehört zu der unter →*leisten* dargestellten Wortgruppe. Es bedeutete urspr. „Wissen" und bezog sich auf die Techniken der Jagdausübung und des Kampfes, auf magische Fähigkeiten und auf handwerkliche Kunstfertigkeiten. Allmählich entwickelte ʻList' einen üblen Nebensinn und wurde im Sinne von „geschickte Täuschung, Ränke" gebräuchlich, beachte die Zus. Arglist und Hinterlist. Das abgeleitete Verb listen (*mhd.*, *ahd.* listen), zu dem die Präfixbildungen ab-, er-, überlisten gehören, wird heute nur noch in der Sportlersprache verwendet, beachte z. B. ʻeinen Ball ins Tor listen'. Abl. listig (*mhd.* listec, *ahd.* listīg).

Liste *w* „Verzeichnis": Das seit dem Ende des 16. Jh.s bezeugte Substantiv beruht auf einer Entlehnung (wohl im Bereich der Kaufmannssprache) aus *it.* lista (= *mlat.* lista) „Leiste; [Papier]streifen, Verzeichnis", das selbst *germ.* Ursprungs ist und aus dem unter →*Leiste* behandelten Wort (*mhd.* līste, *ahd.* līsta „Rand, Saum, Borte; bandförmiger Streifen") stammt.

Litanei *w* „im Wechsel gesungenes Bittgebet (bei kathol. Prozessionen)", auch übertragen gebraucht im Sinne von „eintöniges Gerede; endlose Aufzählung": In *mhd.* Zeit (*mhd.* letanīe) aus *kirchenlat.* litanīa „Flehen, Bittgesang zu Gott" entlehnt, das auf *gr.* litaneía „Bittgebet" zurückgeht. Zu *gr.* líssesthai „bitten, flehen".

Liter *s* (Hohlmaß von 1000 cm³ Rauminhalt): Im 19. Jh. aus gleichbed. *frz.* litre entlehnt und durch Gesetz als offizielle Bezeichnung eingeführt. *Frz.* litre ist rückgebildet aus älterem litron (Hohlmaß von etwa 8/10 l), das seinerseits von *mlat.* litra abgeleitet ist. Voraus liegt *gr.* lítra „Pfund (als Gewicht und Münze)", ein aus Sizilien stammendes Mittelmeerwort, das mit *lat.* lībra „Waage; Pfund" identisch ist (vgl. *Lira*).

Literatur *w* „[schöngeistiges] Schrifttum; Schriftennachweis": Das seit dem 16. Jh. bezeugte und bis ins 18. Jh. im umfassenden Sinne von „Wissenschaft, Sprachwissenschaft, Gelehrsamkeit; Gesamtheit der schriftlichen Geisteserzeugnisse" gebrauchte FW beruht auf einer gelehrten Entlehnung aus *lat.* litterātūra „Buchstabenschrift; Sprachkunst". Dies ist von *lat.* littera „Buchstabe; Schrift; schriftliche Aufzeichnung, Schriftstück usw." abgeleitet (vgl. hierüber den Artikel *Letter*). – Dazu: literarisch „die Literatur betreffend"; schriftstellerisch" (18. Jh.; aus *lat.* litterārius „die Buchstaben, die Schrift betreffend; zum Lesen und Schreiben gehörig"); Literat *m* „Schriftsteller" (16. Jh.; zunächst nur im Sinne von „Schriftkundiger; Sprachgelehrter"; substantiviert aus *lat.* litterātus „schriftkundig, gelehrt, wissenschaftlich gebildet").

Litfaßsäule *w*: Die Anschlagsäule ist nach dem Drucker Ernst Litfaß benannt, der im Jahre 1855 (mit dem Zirkusdirektor Renz) die erste Säule dieser Art in Berlin aufstellte.

Liturgie *w* „offizielle Ordnung des Gottesdienstes": Im 17./18. Jh. aus *kirchenlat.* līturgia entlehnt, das auf *gr.* leitourgía „öffentl. Dienst" zurückgeht. Zu *gr.* léitos „öffentlich", das von lāós „Volk" (vgl. hierüber das LW *Laie*) abgeleitet ist, und zu *gr.* érgon „Werk, Arbeit, Dienst" (vgl. *Energie*). – Abl.: liturgisch (18. Jh.; nach *gr.* leitourgikós > *mlat.* līturgicus).

Litze *w* „Besatzschnur, Tresse; biegsame Leitung aus dünnen Drähten; Packschnur": Das Substantiv (*mhd.* litze „Schnur, Litze") wurde durch *roman.* Vermittlung aus *lat.* līcium „umschlungener Kettfaden (Weberei); Faden, Band" aufgenommen.

Livree *w* „uniformartige Dienerkleidung": Im Anfang des 17. Jh.s aus gleichbed. *frz.* livrée entlehnt. Dies ist von *frz.* livrer „liefern" abgeleitet, das die Quelle ist für unser LW →*liefern*. Es bedeutet demnach eigtl. „Geliefertes". Gemeint sind Kleidungsstücke, die ein Herr (vor allem ein Fürst) seiner Dienerschaft (insbesondere zu festlichen Anlässen) „lieferte, stellte". – Abl.: livriert „in Livree" (20. Jh.).

Lizenz *w* „[behördliche] Erlaubnis, Genehmigung": Am Ende des 15. Jh.s aus *lat.* licentia „Freiheit; Erlaubnis" entlehnt. Zu *lat.* licēre „erlaubt sein, freistehen". Abl.: lizenzieren „Lizenz erteilen" (19./20. Jh.).

loben: Das *germ.* Verb *mhd.* loben, *ahd.* lobōn, *niederl.* loven, *aengl.* lofian, *schwed.* lova gehört im Sinne von „für lieb halten, lieb nennen, gutheißen" zu der unter →*lieb* dargestellten Wortgruppe. Eine alte Rückbildung aus diesem Verb ist das Substantiv Lob *s* (*mhd.*, *ahd.* lop, *niederl.* lof, *aengl.* lof, *schwed.* lof). Wichtige Präfixbildungen und Zusammensetzungen mit 'loben' sind ausloben rechtssprachlich für „öffentlich eine Belohnung aussetzen" (16. Jh., in der Bed. „versprechen, bürgen"); geloben „[feierlich] versprechen" (*mhd.* geloben, *ahd.* gilobōn), dazu Gelöbnis *s* (15. Jh.) und →Gelübde; verloben „[feierlich] zur Ehe versprechen", reflexiv „sich die Ehe versprechen" (*mhd.* verloben), dazu Verlöbnis *s* (*mhd.* verlobnisse) und Verlobung *w* (17. Jh.). Beachte auch das aus dem heute veralteten beloben „lobend erwähnen, nennen"

weitergebildete belobigen (19. Jh.). Abl.: löblich (*mhd.* lob[e]lich, *ahd.* lob[e]līh). Zus.: lobhudeln (s. Hudel).

Loch *s*: Mhd. loch, ahd. loh „Verschluß; Versteck; Höhle, Loch; Gefängnis", *got.* usluk „Öffnung", *engl.* lock „Verschluß, Schloß, Sperre", *schwed.* lock „Verschluß, Deckel" gehören zu einem im *Dt.* untergegangenen *gemeingerm.* Verb mit der Bed. „verschließen, zumachen", beachte z. B. *ahd.* lūhhan „schließen". Eng verwandt sind die unter →*Luke* und →*Lücke* behandelten Wörter. Die gesamte Wortgruppe gehört zu der unter →*Locke* dargestellten *idg.* Wurzel. Abl.: löchern „mit einem oder mit mehreren Löchern versehen" (*mhd.* lochen); Locher *m* „Locheisen, Lochmaschine" (18. Jh.); löcherig „mit Löchern versehen" (15. Jh., für älteres *mhd.* locherecht); löchern ugs. für „mit Bitten oder Forderungen bestürmen", gewöhnlich in zerlöchern, durchlöchern (*mhd.* löchern).

Locke *w*: Das *altgerm.* Wort für „Haarringel, gekräuseltes Haar" (*mhd.*, *ahd.* loc, *niederl.* lok, *engl.* lock, *schwed.* lock) gehört mit verwandten Wörtern in anderen *idg.* Sprachen zu der Wz. *leug- „biegen, winden, drehen", vgl. z. B. *lit.* lùgnas „biegsam, geschmeidig" und *lat.* luxus „verrenkt" (s. Luxus). Aus dem *germ.* Sprachbereich gehören zu dieser Wurzel ferner der Pflanzenname →*Lauch* (wegen der nach unten gebogenen Blätter) und das *gemeingerm.* Verb *lūkan „verschließen" (eigtl. „zusammenbiegen" oder „mit einem Flechtwerk versehen"). Zu diesem Verb stellen sich die unter →*Loch*, →*Luke* und →*Lücke* behandelten Wörter. Abl.: ¹locken „in Locken legen, kräuseln" (*ahd.* lochōn; dann erst seit dem 18. Jh. wieder gebräuchlich); lockig (18. Jh., für älteres *mhd.* lockecht).

¹**locken** siehe Locke.

²**locken** „anreizen, zur Annäherung bewegen": Das *altgerm.* Verb *mhd.* locken, *ahd.* lockōn, *niederl.* lokken, *aengl.* loccian, *schwed.* locka gehört wahrscheinlich zu der unter →*lügen* dargestellten Wortgruppe. – Zus.: Lockspitzel (19. Jh., als Ersatz für *frz.* agent provocateur); Lockvogel (16. Jh.; heute gewöhnlich übertragen verwendet).

löcken, älter auch lecken „mit den Füßen ausschlagen", nur noch in der Wendung „wider den Stachel löcken" (vom Ochsen, der gegen den Stachelstock des Viehtreibers ausschlägt): *Mhd.* lecken „mit den Füßen ausschlagen, hüpfen", das auch in →*frohlocken* „vor Freude hüpfen" steckt, ist mit der *nord.* Sippe von älter *schwed.* lacka „springen, hüpfen, laufen, rinnen" verwandt. Die weiteren Beziehungen sind unsicher.

locker: Das seit dem 15. Jh. bezeugte, zunächst nur *mitteld.* Adjektiv hängt mit *mhd.* lücke, lugge „locker" zusammen und ist wohl mit den unter →*Lücke* und →*Loch* behandelten Wörtern verwandt. Abl.: lokkern (18. Jh.).

Lode w „Schößling": Das aus dem *Niederd.* stammende Wort (*mnd.* lode) gehört im Sinne von „Auswuchs" zu dem *germ.* Verb *asächs.* liodan, *ahd.* liotan, *got.* liudan, *aengl.* lēodan „wachsen" (beachte dazu *ahd.* sumarlota „Sommerschößling"). Dieses *germ.* Verb gehört mit den Sippen von →*Leute* (eigtl. „Wuchs, Nachwuchs") und von →*lodern* (eigtl. „emporwachsen") zu der *idg.* Wz. *leudh- „wachsen".

Loden m „[imprägniertes] grobes Wollgewebe": Die Herkunft des *altgerm.* Wortes für „grobes Wollzeug, zottiger Mantel" (*mhd.* lode, *ahd.* lodo, *aengl.* loða, *aisl.* loði) ist unklar.

lodern: Das seit dem 15. Jh. bezeugte, zunächst *niederd.-mitteld.* Verb bedeutet wahrscheinlich eigtl. „emporwachsen" und gehört zu der unter →*Lode* „Schößling" behandelten Wortgruppe (beachte *westfäl.* lodern „üppig wachsen, wuchern"). Der Bedeutungswandel von „emporwachsen" zu „aufflammen, flackern" wurde wohl durch die Anlehnung an 'Lohe' „flammendes Feuer' begünstigt.

Löffel m: Der Löffel ist als „Gerät zum Lekken bzw. zum Schlürfen" benannt. *Mhd.* leffel, *ahd.* leffil, *mnd.*, *niederl.* lepel „Löffel" beruhen auf einer Instrumentalbildung zu einem im *Nhd.* untergegangenen Verb *lapan „lecken, schlürfen", beachte *ahd.* laffan, *mhd.* laffen „lecken, schlürfen" (vgl. den Artikel Laffe), ferner die gleichbedeutenden Verben *mnd.* lapen (s. läppern), *niederl.* leppen, *engl.* to lap, *schwed.* lappa. Diese *germ.* Sippe gehört mit verwandten Wörtern in anderen *idg.* Sprachen zu der lautmalenden Wz. *lab[h]-, *lap[h]- „schlürfend, schnalzend, schmatzend lecken", vgl. z. B. *gr.* láptein „lecken, schlürfen" und *lat.* lambere „lecken". – Bereits seit *mhd.* Zeit heißen die Ohren des Hasen wegen der löffelähnlichen Form in der Jägersprache Löffel (heute auch *ugs.* für „Menschenohren"). Abl.: löffeln „mit dem Löffel schöpfen oder essen" (16. Jh.).

Loge w: Das unter →*Laube* genannte *germ.* Wort (*ahd.* louba entspr. *afränk.* *laubja „Laubhütte; Häuschen") gelangte in die *roman.* Sprachen (*mlat.* lobia, [a]*frz.* loge) und wurde später zu verschiedenen Zeiten mit unterschiedlich spezialisierten Bedeutungen rückentlehnt. So erscheint im 17. Jh. aus *frz.* loge unser FW Loge als Bezeichnung eines abgeschlossenen Raumes, speziell im Theater. Die Bed. „Freimaurervereinigung; [geheime] Gesellschaft", die für 'Loge' seit dem 18. Jh. bezeugt ist, geht von *engl.* lodge (< *afrz.* loge) „Häuschen; Versammlungsort der Brüder; Geheimbund" aus. – Ableitungen von *frz.* loge erreichen uns in den

FW logieren „beherbergen (veralt.); [vorübergehend] wohnen" (um 1600, aus *frz.* loger) und Logis s „Wohnung, Bleibe" (um 1700, aus *frz.* logis), letzteres seit dem 19. Jh. auch seemänn. für „Mannschaftsraum auf Schiffen". – Ital. Baukunst schließlich liefert uns im 17. Jh. das FW Loggia w „halboffene Bogenhalle; nach einer Seite offener, überdeckter Raum des Hauses". *It.* loggia stammt selbst unmittelbar aus *afrz.* loge.

...loge: Grundwort von zusammengesetzten männlichen Substantiven mit der Bed. „Kundiger, Forscher, Wissenschaftler", wie in →Philologe, →Zoologe: Zu *gr.* lógos „Rede, Wort; Vernunft; wissenschaftl. Untersuchung usw.". Über die etymologischen Zusammenhänge vgl. den Artikel *Lexikon.* – Dazu auch: ...logie als Grundwort zusammengesetzter weibl. Substantive mit der Bed. „Lehre, Wissenschaft", wie in →Philologie, →Biologie usw.

Logik w „Lehre vom folgerichtigen Denken; folgerichtiges Denken": Im 16. Jh. aus *lat.* logica, *gr.* logikē entlehnt (davor schon *mhd.* die eingedeutschten Formen lōicā, lōic, lōike „Logik; Klugheit, Schlauheit"). Das zugrunde liegende *gr.* Adjektiv logikós „das Wort, die Vernunft, das Denken betreffend" ist von *gr.* lógos „das Sprechen, die Rede, das Wort; die Erzählung; das Berechnen; die Vernunft usw." abgeleitet. Über weitere etymologische Zusammenhänge vgl. den Artikel *Lexikon.* – Dazu das Adjektiv logisch „folgerichtig, denkrichtig, schlüssig", *ugs.* auch für „natürlich, klar, selbstverständlich", um 1600 aus *lat.* logicus, *gr.* logikós. Die Gegenbildung unlogisch erscheint im 18. Jh.

¹Lohe w „Flamme, flammendes Feuer": Das seit *mhd.* Zeit bezeugte Wort gehört zu der unter →*licht* dargestellten *idg.* Wurzel. *Mhd.* lohe steht im grammatischen Wechsel zu der *nord.* Sippe von *schwed.* lāga „Flamme" (im Ablaut dazu *ahd.* loug, *aengl.* līeg, *aisl.* leygr „Flamme, Feuer"). Dazu stellt sich das Verb lohen „flammen, lodern" (*mhd.* lohen, *ahd.* lo[h]ēn).

²Lohe w „zum Gerben verwendete Rinde": Das auf das *dt.* und *niederl.* Sprachgebiet beschränkte Wort (*mhd.*, *ahd.* lō, Genitiv lōwes, *niederl.* looi) gehört im Sinne von „Abgeschältes, Losgelöstes" zu der *idg.* Wz. *leu-, ..[ab]schneiden, [ab]schälen, [ab]reißen". Aus dem *germ.* Sprachbereich gehören zu dieser z. T. erweiterten Wurzel auch die Sippen von →los (löse; ²Losung; ³löschen) und →verlieren (Verlies; Verlust), wahrscheinlich auch das unter →*Laub* (eigtl. „Abgerissenes, Abgerupftes") gehandelte Wort. In anderen *idg.* Sprachen sind z. B. verwandt *gr.* lýein „lösen" (s. Analyse) und *lat.* luere „büßen, zahlen" (eigtl. „einlösen"), solvere „lösen" (s. die Fremdwörtergruppe um absolut). – Die zum Gerben verwendete Rinde wird von verschiedenen Baumarten, bes. von (jungen) Eichen und Fichten, gewonnen. Mit Hilfe der Lohe läßt sich tierische Haut in Leder verwandeln. Heute werden in der Lederherstellung auch mineralische und synthetische Gerbstoffe verwendet. – Zus. lohgar „mit Lohe gegerbt" (um 1600); Lohgerber (15. Jh.); Lohmühle „Mühle, in der Baumrinde zerkleinert und zu Gerbstoff verarbeitet wird" (16. Jh.).

Lohn m: Das gemeingerm. Wort mhd., ahd. lōn, got. laun, aengl. lēan, schwed. lön gehört mit verwandten Wörtern in anderen idg. Sprachen zu der Wz. *lāu- „auf der Jagd oder im Kampf) erbeuten", vgl. z. B. russ. lov „Jagdbeute, Fang" und lat. lucrum „Gewinn". Abl.: lohnen (mhd. lōnen, ahd. lōnōn „Lohn geben, bezahlen, vergelten"), beachte dazu die Präfixbildungen belohnen, entlohnen und verlohnen, sich; löhnen (mhd. lœnen „Lohn geben, bezahlen, vergelten", jüngere Nebenform von lōnen), dazu Löhnung w (17. Jh.).

lokal „örtlich, örtlich beschränkt": Im 18. Jh. aus gleichbed. frz. local, spätlat. locālis entlehnt. Zugrunde liegt das lat. Substantiv locus „Ort, Platz, Stelle usw." (alat. stlocus), das wohl das zu der unter →stellen dargestellten idg. Wortgruppe gehört. Abl.: Lokal s „Örtlichkeit; [Gast]wirtschaft" (im 18. Jh. aus dem substantivierten frz. Adjektiv entlehnt; Lokalität w „Örtlichkeit; Raum" (18. Jh.; aus frz. localité < spätlat. locālitās); lokalisieren „örtlich festlegen" (19. Jh.; aus frz. localiser). – Beachte in diesem Zusammenhang noch das von lat. locus abgeleitete Verb lat. locāre „hinstellen", dessen Kompositum lat. collocāre „auf-, hinstellen, hinlegen usw." den Wörtern →kusch, kuschen, kuscheln und →Couch zugrunde liegt.

Lokomotive w, (Kurzform:) Lok w: Im 19. Jh. als Fachwort des Eisenbahnbaues aus dem Engl. übernommen. Engl. locomotive (engine) das wörtlich „Maschine, die sich von der Stelle bewegt" bedeutet, ist eine Neubildung zu lat. locus „Ort, Stelle" und lat. movēre „bewegen".

Lokus m: Die seit dem 17. Jh. bezeugte ugs. Bezeichnung für „Abort, Abtritt" ist eine wohl in der Schulsprache entwickelte Kürzung aus lat. 'locus necessitātis' „Ort der Notdurft".

Lore w „niedriger, offener Eisenbahngüterwagen": Um 1900 aus engl. lorry entlehnt, dessen Herkunft dunkel ist.

los: Das gemeingerm. Adjektiv mhd., ahd. lōs, got. laus, engl. -less, schwed. lös (ablaut. niederl. lös) gehört zu der s-Erweiterung der unter →²Lohe dargestellten idg. Wz. *leu-, „[ab]schneiden, [ab]schälen, [ab]reißen". Eng verwandt ist das unter →verlieren behandelte Verb, zu dem →Verlies und

→Verlust gebildet sind. Vom Adjektiv abgeleitet sind die Verben →lösen und → ²löschen „ausladen". – Das Adjektiv spielt – ähnlich wie 'voll' (s. d.) – seit alters eine bedeutende Rolle in der Zusammensetzung, beachte z. B. achtlos, arglos, ausdruckslos, bodenlos, endlos, grenzenlos, inhaltslos, machtlos, rücksichtslos, die teils vom Genitiv, teils vom Stamm des Bestimmungswortes ausgehen. Auch als Verbzusatz kommt 'los' häufig vor, beachte z. B. losbrechen, loseisen, losgehen, loskommen, losschlagen. – Die Nebenform lose hat sich aus der Adverbialform (mhd. lōse) entwickelt. Sie wird im Sinne von „nicht fest, locker; unverpackt", speziell aber im moralischen Sinne von „leichtfertig, böse, schlecht, verdorben" gebraucht.

Los s: Das altgerm. Wort mhd. lōz, ahd. hlōz, got. hlauts, aisl. hlautr steht im Ablaut zu den gleichbed. niederl. lot (s. Lotterie), engl. lot, schwed. lott und gehört mit diesen zu einem im Nhd. untergegangenen starken germ. Verb: ahd. hliozan, mhd. liezen „losen; wahrsagen; zaubern" usw. – Die Sitte des Losens entstammt dem magisch-religiösen Bereich. Das Losen diente urspr. der Schicksalsbefragung, bes. beim Opfer (beachte aisl. hlautr „Los" neben hlaut „Opferblut"). Später wurde das Losen bei den Germanen auch in der Rechtsprechung geübt. Schließlich diente es ganz allgemein dazu, eine vom Menschen unabhängige Entscheidung zu erzielen, daher auch zur Ermittlung des Gewinners in Glücksspielen. – Aus dem Germ. entlehnt sind frz. lot, it. lotto (s. Lotto). Abl.: losen „durch Los ermitteln; ein Los ziehen" (mhd. lōzen; beachte dazu auslosen und verlosen), dazu ¹Losung w „Erkennungswort, Parole" (mhd. lōzunge aus „das Loswerfen; Teilung"; in der heutigen Bed. seit dem 15. Jh.).

¹löschen „aufhören zu brennen oder zu leuchten, ausgehen": Das nur noch vereinzelt in der Dichtung verwendete starke Verb (mhd. leschen, ahd. lescan) ist eine auf das dt. Sprachgebiet beschränkte Weiterbildung zu dem unter →liegen behandelten Verb und bedeutete demnach urspr. „sich legen". Allgemein gebräuchlich sind dagegen die stark flektierenden Präfixbildungen erlöschen und verlöschen, beachte auch auslöschen. Mit diesem 'löschen' zusammengefallen ist das transitive schwache Verb löschen „ausmachen, ersticken; stillen; tilgen, beseitigen" (mhd. leschen, ahd. leskan), das eigtl. das Veranlassungswort zum starken Verb ist. Fachsprachlich wird 'löschen' im Sinne von „gebrannten Kalk mit Wasser behandeln" verwendet, beachte die Zus. Löschkalk. – Zus.: Löschblatt (17. Jh.); Löschpapier (17. Jh.).

²löschen: Der seemänn. Ausdruck für „ausladen" ist entstellt aus lossen, das im 18. Jh.

aus dem *Niederd.* übernommen wurde. *Niederd.-niederl.* lossen „ausladen" ist von dem unter →*los* behandelten Adjektiv abgeleitet und bedeutet eigtl. „frei-, leermachen". **lösen:** Das *gemeingerm.* Verb *mhd.* lœsen, *ahd.* lōsen, *got.* lausjan, *aengl.* līesan, *schwed.* lösa ist von dem unter →*los* behandelten Adjektiv abgeleitet. Aus dem urspr. Gebrauch des Verbs im Sinne von „losmachen, freimachen" haben sich mehrere spezielle Verwendungsweisen entwickelt, z. B. im Sinne von „aufheben, für nichtig erklären" (Abmachung oder dgl.), „raten, herausfinden, klären" (Rätsel, Problem oder dgl.), „kaufen" (Fahr-, Eintrittskarte), „zergehen lassen, flüssig machen" (Pulver, Salz oder dgl.). Auch die Präfixbildungen und Zusammensetzungen haben sich von der eigtl. Bedeutung von 'lösen' teilweise stark entfernt, beachte **ablösen** „[vorsichtig] losmachen, entfernen; durch Zahlung tilgen; den Platz eines anderen einnehmen", **auflösen** „losmachen, öffnen; aufheben, für nichtig erklären; raten, herausfinden; zergehen lassen, flüssig machen", **auslösen** „loskaufen, eintauschen; betätigen, in Gang setzen; hervorbringen, verursachen", dazu **Auslöser** *m* „Hebel, Knopf oder Vorrichtung, um etwas in Gang zu setzen"; **einlösen** „.[durch Bezahlung] zurückerwerben; erfüllen, halten"; **erlösen** „(von Schmerzen, Not, Sünde oder dgl.) befreien" (*mhd.* erlœsen, *ahd.* irlōsan „losmachen, freimachen; befreien; erzielen, einnehmen"), dazu **Erlöser** *m* (*mhd.* erlœsære, *ahd.* irlōsāri), **Erlösung** *w* (*mhd.* erlœsunge, *ahd.* irlōsunga) und **Erlös** *m* „Einnahme aus einem Verkauf; Bargewinn" (19. Jh.). Abl.: **Lösung** *w* (*mhd.* lœsunge, *ahd.* lōsunga; als chemischer Fachausdruck im 19. Jh. aus Auflösung gekürzt). – Siehe auch den Artikel ²Losung.
Löß *m*: Der seit der ersten Hälfte des 19. Jh.s bezeugte geologische Fachausdruck für die gelbliche, feinkörnige Moränen- oder Steppenstaubablagerung ist von dem Geologen v. Leonhard geprägt, und zwar wahrscheinlich aus *aleman.* lösch „locker", das wohl zu der Wortgruppe von →*los[e]* gehört.
¹Losung siehe Los.
²Losung *w* (weidmänn. für:) „Kot des Wildes und des Hundes": Der seit dem 18. Jh. bezeugte weidmänn. Ausdruck gehört zu 'losen' (Nebenform von lösen) weidmänn. für „den Kot loslassen" (vgl. *los*).
Lot *s*: Das *westgerm.* Wort für „Blei[klumpen]" *mhd.* lōt, *niederl.* lood, *engl.* lead ist entweder mit *mir.* lūaide „Blei" verwandt oder aber aus diesem entlehnt. Im *Engl.* und *Niederl.* bezeichnet das Wort auch heute noch das Metall. Im *Dt.* hat sich dagegen als Metallname →Blei durchgesetzt, während 'Lot' das aus Blei Hergestellte bezeichnet, so das Richtblei der Bauhandwerker, das Senkblei der Schiffer, ein kleines [Münz]-gewicht und eine Metallmischung zum Verbinden zweier Metallstücke. Abl.: **loten** „senkrechte Richtung bestimmen; Wassertiefe messen" (18. Jh.); **löten** „durch Lötmetall verbinden" (*mhd.* lœten), beachte dazu Lötkolben (17. Jh.). Zus.: **lotrecht** „senkrecht" (18. Jh.).
Lotse *m* „Seemann, der die Führung von Schiffen auf schwierigem Fahrwasser, bes. in Häfen, übernimmt", auch allgemein übertragen für „Führer durch unwegsames oder unbekanntes Gebiet": Das seit dem 17. Jh. bezeugte Substantiv ist aus 'Lootsmann' gekürzt, das seinerseits durch *niederl.-niederd.* Vermittlung aus *engl.* loadsman „Geleitsmann; Steuermann" entlehnt ist. Bestimmungswort ist das veraltete Substantiv *engl.* load (*aengl.* lād) „Straße, Weg", das zur *germ.* Wortfamilie von →*leiten* gehört. Abl.: **lotsen** „ein Schiff durch schwieriges Fahrwasser oder in den Hafen führen" (18. Jh.), in neuerer Zeit auch *ugs.* übertragen gebraucht im Sinne von „jmdn. mit Überredung wohin mitnehmen, locken".
Lotterie *w* „Los-, Glücksspiel, Verlosung": Das seit dem 16. Jh. bezeugte Substantiv stammt wie auch →Niete aus dem holländ. Lotteriewesen. Das vorausliegende Substantiv *niederl.* loterije gehört als Ableitung zu *niederl.* lot, das im Ablaut zu *dt.* →*Los* steht.
lottern (*landsch.* für:) „liederlich leben, schlampen": Das seit dem 16. Jh. bezeugte Verb gehört mit lott[e]rig *landsch.* für „liederlich, schlampig" zu dem im *Nhd.* veralteten Adjektiv *mhd.* lot[t]er, *ahd.* lotar „locker, schlaff; leer, nichtig; leichtsinnig, leichtfertig". Dieses Adjektiv ist mit dem unter →liederlich behandelten Wort eng verwandt und gehört zu der Wortgruppe von →*schlummern* (beachte mit anlautendem s speziell schlottern), als Bestimmungswort ist das Adjektiv bewahrt z. B. in **Lotterbett** *ugs.* für „Pfühl, Lustbett", *östr.* für „Couch" (15. Jh.) und in **Lotterbube** „Schelm, heruntergekommener Mensch, Lump" (15. Jh., für *mhd.* lot[t]er *m* „Taugenichts, Possenreißer, lockerer Mensch"). – Beachte auch die Präfixbildung **verlottern** *ugs.* für „herunterkommen" (16. Jh.).
Lotto *s* „Zahlenlotterie": Im Anfang des 18. Jh.s aus *it.* lotto „Lospiel, Glücksspiel" übernommen, das selbst aus *frz.* lot „Los" stammt und letztlich zu dem unter →*Los* genannten *gemeingerm.* Wort gehört.
Löwe *m*: Der Tiername (*mhd.* lewe, *ahd.* le[w]o, entspr. z. B. *niederl.* leeuw) beruht auf Entlehnung aus *lat.* leō (leōnis) „Löwe", das selbst ein altes LW aus gleichbed. *gr.* léōn (léontos) ist. Die weitere Herkunft des Wortes ist unbekannt. Eine heute nur noch dichterisch gebräuchliche Nebenform von 'Löwe' ist Leu *m* (*mhd.* löuwe, leu). – Zus.:

Löwenanteil (19. Jh.) bezeichnet nach einer alten Fabel Äsops den Großteil an einer Beute, den der Stärkere (in der Fabel der Löwe) für sich beansprucht; **Löwenmaul** (als Blumenname seit dem 16. Jh.; so benannt nach der mit einem aufgesperrten Löwenrachen verglichenen Blume; **Löwenzahn** (als Pflanzenname seit dem 16. Jh.; der Name soll sich auf die spitzgezahnten Blätter der Wiesenpflanze beziehen). – Beachte noch die Tiernamen →Leopard und →Chamäleon, in denen das *gr.-lat.* Wort als Bestimmungs- oder Grundwort erscheint.

loyal „gesetzes-, regierungstreu; redlich, anständig“: Im 18. Jh. aus gleichbed. *frz.* loyal entlehnt, das auf *lat.* lēgālis (vgl. *legal*) zurückgeht. – Abl.: **Loyalität** w „loyale Gesinnung“ (19. Jh.; nach *frz.* loyauté).

Luchs *m*: Das kleine Raubtier ist nach seinen funkelnden bernsteingelben Augen von ungewöhnlicher Sehschärfe als „Funkler“ benannt. Die Scharfsichtigkeit des Luchses findet auch im *Dt.* ihren sprachlichen Ausdruck, beachte z. B. die Wendung 'aufpassen wie ein Luchs', die Zus. **Luchsauge** (16. Jh.), **luchsäugig** (19. Jh.) und das abgeleitete Verb **luchsen** „scharf aufpassen, lauern; stibitzen“ (18. Jh., beachte dazu ab-, be-, erluchsen). Der Tiername ist *idg.* Alters. *Mhd., ahd.* luhs, *niederl.* los, *aengl.* lox, *schwed.* lo (ohne weiterbildendes s) lo gehen mit verwandten Wörtern in anderen *idg.* Sprachen zurück auf *lūk̑-, *lunk̑-, „Luchs“, das eigtl. „Funkler“ bedeutet und Wurzelnomen zu *leuk- „leuchten, strahlen, funkeln“ ist (vgl. *licht*). Vgl. z. B. *gr.* lýgx „Luchs“ (daraus entlehnt *lat.* lynx) und *lit.* lū́šis „Luchs“.

Lücke w: Das Wort (*mhd.* lücke, lucke, *ahd.* luccha) ist eng verwandt mit →Loch und →Luke und gehört zu der unter →*Locke* behandelten Wortgruppe. Zus.: **Lückenbüßer** (s. *büßen*).

Luder s: Die Herkunft des nur *dt.* und *niederl.* Wortes (*mhd.* luoder, *mnd.* lōder, *niederl.* lœder) ist dunkel. Es handelt sich um einen alten Jagdausdruck für die Lockspeise (bes. in der Falkenjagd). Aus „Lockspeise, Köder“ entwickelte sich bereits in *mhd.* Zeit einerseits die Bed. „Aas“, woran sich die Verwendung von 'Luder' als Schimpfwort anschließt, und andererseits die Bed. „Verlockungen, unsittliches Wohlleben, Schlemmerei“, beachte die Zus. **Luderleben** (17. Jh.) und die Abl. **ludern** veralt. für „ködern; Aas fressen; liederlich oder ausschweifend leben“ (*mhd.* luodern). Über 'Schindluder' s. u. *schinden*.

Luft w: Die Herkunft des *gemeingerm.* Wortes *mhd., ahd.* luft, *got.* luftus, *niederl.* luft, *aengl.* lyft, *aisl.* luft ist nicht sicher geklärt. Mit dieser *gemeingerm.* Bezeichnung für das die Erde umgebende Gasgemisch ist vermutlich identisch das *germ.* Wort für „Boden[raum], Dachstube“, vgl. *aisl.* lopt „Bo-

dengemach“, *mniederl., mnd.* lucht „Bodenraum, oberes Stockwerk“, daher *nordd.* **Lucht** „Boden[raum]“ (zu *niederl.-niederd.* -cht statt *hochd.* -ft s. den Artikel *Gracht*). Abl.: **lüften** „der frischen Luft aussetzen, frische Luft zuführen; [ein wenig] in die Höhe heben“ (*mhd.* lüften „in die Höhe heben“, entspr. *aisl.* lypta, s. den Artikel *Lift*), dazu **Lüftung** w; **luftig** „der Luft, dem Wind ausgesetzt; hoch gelegen; luftartig, locker, leicht; leichtsinnig“ (*mhd.* luftec), dazu **Luftikus** *m* „leichtsinniger Mensch“ (19. Jh.; aus der Studentensprache, gebildet wie z. B. 'Pfiffikus' zu 'pfiffig'). Zus.: **Luftballon** (18. Jh.); **luftdicht** (19. Jh.); **Luftdruck** (19. Jh.); **Luftpumpe** (18. Jh.); **Luftröhre** (*mhd.* luftrœre); **Luftschiff** (18. Jh.); **Luftschloß** „Traumgespinst, Phantasiegebilde“ (17. Jh., nach der Redensart 'ein schloß in den lufft bawen', 16. Jh.); **Luftschutz** (erste Hälfte des 20. Jh.s); **Luftwaffe** (erste Hälfte des 20. Jh.s).

lugen „ausschauen, spähen“: Das nur noch *landsch.* gebräuchliche Verb (*mitteld.* lūgen, *mhd.* luogen, *ahd.* luogēn) ist wahrscheinlich mit *engl.* to look „sehen, blicken“ verwandt. Die weiteren *außergerm.* Beziehungen sind unklar. Beachte dazu **Luginsland** *m* „Wachtturm; Aussichtsberg“ (15. Jh.).

lügen „Das *gemeingerm.* Verb *mhd.* liegen, *ahd.* liogan, *got.* liugan, *engl.* to lie, *schwed.* ljuga geht mit verwandten Wörtern im *Baltoslaw.* zusammen. *Aksl.* *leugh- „lügen“ zurück, vgl. z. B. *russ.* lgat' „lügen“, lož „Lüge“. Im *germ.* Sprachbereich sind verwandt die Sippen von →*leugnen* und →*locken*. – Um das Verb gruppieren sich die Bildungen **Lug** *m* (*mhd.* luc, *ahd.* lug; heute nur noch in der Verbindung 'Lug und Trug'), **Lüge** w (*mhd.* lüge, *ahd.* lugī), älter *nhd.* **Lügen** w (*mhd.* lügen[e], *ahd.* lugina), dazu **Lügner** *m* (*mhd.* lügenære, *ahd.* lugināri), davon wiederum abgeleitet **lügnerisch** (17. Jh.). Beachte auch die Präfixbildung **belügen** „durch Lügen täuschen, anschwindeln“ und **verlügen** veraltet für „durch Lügen falsch darstellen“, dazu das in adjektivische Funktion übergegangene 2. Partizip **verlogen** „lügnerisch“.

Luke w „[mit einer Klappe verschließbare] Öffnung in Böden, Wänden oder Dächern“, daneben **Luk** s seemänn. für „Öffnung im Deck oder in der Schiffswand“: Das um 1600 aus der *niederd.* Seemannssprache übernommene Wort geht zurück auf *mnd.* lūke (entspr. *niederl.* luik, *dän.* luge), das zu dem unter →*Loch* behandelten Verb *mnd.* *lūkan „ziehen, verschließen“ gehört. 'Luke' bedeutete also wie auch 'Loch' urspr. „Verschluß“.

lullen (*mhd.* lullen „saugen; leise, einschläfernd singen“ und die entsprechenden gleichbed. Verben *niederl.* lolla, *engl.* to lull, *schwed.* lulla sind lautnachahmenden Ursprungs und stammen wahrscheinlich wie

411

das [elementar]verwandte →*lallen* aus der Kindersprache. Beachte dazu lulle[r]n kindersprachl. für ,,Wasser lassen" und Luller *m oberd. mdal.* für ,,Schnuller".

Lümmel *m*: Das seit dem 16. Jh. bezeugte Wort ist eine Bildung zu dem heute veralteten Adjektiv lumm ,,schlaff, locker", das im Ablaut zu →*lahm* steht (beachte *mhd.* lüeme, *ahd.* luomi ,,matt, mild"). Abl.: lümmeln *ugs.* für ,,flegelhaft herumstehen, -sitzen oder -liegen, sich unanständig benehmen" (17. Jh.).

Lump *m* ,,schlechter Mensch, gemeiner Kerl, kleiner Gauner": Das Wort ist identisch mit →Lumpen. Beide gehen auf *spätmhd.* lumpe ,,Lappen, Fetzen" zurück. Die Form Lump entstand durch Verkürzung und wurde im 17. Jh. im Sinne von ,,Mensch in zerlumpter Kleidung" gebräuchlich. Die Form Lumpen übernahm das n aus den obliquen Kasus in den Nominativ. – *Spätmhd.* lumpe ,,Lappen, Fetzen" ist im Ablaut zu *mhd.* lampen ,,welk niederhängen" und ist eng verwandt mit der Sippe von →Schlampe (vgl. *Schlaf*). Das Wort bedeutet also eigtl. ,,schlaff Herabhängendes". – Eine scherzhafte latinisierte Bildung von Lump ist Lumpazius *m*, auch verkürzt Lumpazi *m* (19. Jh.). Das abgeleitete Verb lumpen ,,liederlich leben" ist heute veraltet. Mit der jüngeren Bed. ,,einen Lump nennen" lebt es noch in der Wendung 'sich nicht lumpen lassen' ,,freigebig sein".

Lumpen *m* ,,Lappen, Fetzen, altes Kleidungsstück": Das Wort ist identisch mit →Lump und geht wie dies auf *mhd.* lumpe ,,Lappen, Fetzen" zurück. Abl.: lumpig ,,zerlumpt, armselig" (17. Jh., für älteres lumpicht); zerlumpt ,,mit zerrissenen Kleidern, schäbig, heruntergekommen" (16. Jh., 2. Partizip vom veralteten Verb zerlumpen ,,in Fetzen reißen").

Lunge *w*: Die Lunge ist als ,,die Leichte" benannt. Die Benennung geht demnach von der Beobachtung aus, daß das Atmungsorgan (geschlachteter Tiere) auf Wasser schwimmt, beachte dazu z. B. *engl.* lights ,,Tierlunge" zu light ,,leicht" und *russ.* lëgkoje ,,Lunge" zu lëgkij ,,leicht". Die *altgerm.* Körperteilbezeichnung *mhd.* lunge, *ahd.* lunga, lungun[na], *niederl.* long, *engl. Mehrz.* lungs, *schwed.* lunga gehören zu der unter →*gelingen* dargestellten *idg.* Wz. *le[n]gʷʰ- ,,leicht". – Kollektivbildung zu 'Lunge' ist Gelünge *s* ,,edlere Eingeweideteile (Lunge, Herz, Leber, Milz) des Wilds" (*spätmhd.* gelunge).

lungern (*ugs.* für:) ,,müßig herumstehen, sich herumtreiben": Das seit dem Ende des 18. Jh.s schriftsprachliche Verb ist abgeleitet von dem im *Nhd.* untergegangenen Adjektiv *mhd.* lunger, *ahd.* lungar ,,schnell, flink" (vgl. *gelingen*). Das Verb bedeutete zunächst ,,auf etwas begierig sein, lauern". Gebräuchlicher als das einfache Verb ist herumlungern.

Lunte *w*: Das seit dem Anfang des 16. Jh.s bezeugte Wort bedeutete zunächst ,,Lappen, Fetzen". Bereits im 16. Jh. wurde es im Sinne von ,,Lampendocht" und ,,Zündschnur" gebräuchlich. Als Bezeichnung für ,,Lampendocht" ist 'Lunte' heute veraltet. An den Wortgebrauch im Sinne von ,,Zündschnur" schließen sich an die Wendung 'Lunte riechen', die sich auf den penetranten Geruch einer glimmenden Zündschnur bezieht, und die seit dem 18. Jh. bezeugte weidmänn. Verwendung des Wortes im Sinne von ,,Fuchsschwanz" (wegen der feuerroten Farbe). – Der Ursprung des Wortes ist nicht sicher geklärt.

Lupe *w* ,,Vergrößerungsglas": Um 1800 aus *frz.* loupe entlehnt, dessen Herkunft umstritten ist.

Lurch *m*, älter und noch *mittteld.* Lorch[e], *nordd.* Lork: Das im 17. Jh. aus *niederd.* lork ,,Kröte" übernommene Wort wird seit dem Anfang des 19. Jh.s gewöhnlich in der *Mehrz.* Lurche als *dt.* Bezeichnung für Amphibien (Kategorie der systematischen Zoologie) gebraucht. Die alte Bed. ,,Kröte" bewahren die Mundartformen Lorch[e] und Lork. – Der Ursprung des Wortes ist trotz aller Deutungsversuche dunkel.

Lust *w*: Das *gemeingerm.* Wort *mhd.*, *ahd.* lust, *got.* lustus, *engl.* lust, *schwed.* lust gehört wahrscheinlich im Sinne von ,,Neigung" zu dem *germ.* starken Verb *lūtan ,,sich niederbeugen, sich neigen" (beachte *aengl.* lūtan ,,sich neigen, niederfallen", *aisl.* lūta ,,sich neigen, sich niederbeugen"). *Außergerm.* ist z. B. verwandt die *baltoslaw.* Sippe von *lit.* liūdnas ,,traurig" (eigtl. ,,gebeugt, gedrückt"), liūsti ,,traurig sein". – Die zahlreichen Ableitungen und Zusammensetzungen gehen teils von der Verwendung des Wortes im Sinne von ,,Verlangen, [geschlechtliche] Begierde" aus, teils von der Verwendung im Sinne von ,,angenehme Empfindung, Freude, Vergnügen". Abl.: Lustbarkeit *w* ,,Vergnügen, Tanzveranstaltung, Fest" (*mhd.* lustbærecheit, zum Adj. lustbære ,,Freude, Vergnügen erregend, angenehm"); lüsten veralt. für ,,nach etwas verlangen" (*mhd.* lüsten, *ahd.* lusten), wenig gebräuchlich ist auch das gleichbed. gelüsten (*mhd.* gelüsten, *ahd.* gilusten), beachte dazu Gelüst[e] *s* ,,Verlangen, Begierde" (*mhd.* gelüste, daneben geluste, *ahd.* gilusti); lüstern (s. d.); lustig (s. d.); Lüstling *m* ,,geiler Mensch" (17. Jh.). Zus.: Lustgarten (16. Jh.); Lustmord (19. Jh.); Lustseuche (16. Jh., in der Bed. ,,krankhafte Begierde"; seit dem 18. Jh. Ersatzwort für Syphilis); Lustspiel (16. Jh., in der Bed. ,,Spiel zum Vergnügen"; seit dem 18. Jh. Ersatzwort für Komödie); lustwandeln (17. Jh.; Ersatzwort für spazieren[gehen], abgeleitet von dem heute veralteten Lustwandel). Siehe auch den Artikel Wollust.

lüstern „begierig, geil": Das seit dem 16. Jh. bezeugte Adjektiv ist durch Erleichterung der Drittkonsonanz -rnd aus 'lüsternd' entstanden, dem 1. Partizip des heute veralteten Verbs lüstern „verlangen, begierig sein" (vgl. *Lust*). Abl.: Lüsternheit *w* „Begierde, Geilheit" (17. Jh.).

lustig: Das seit *mhd.* Zeit bezeugte Adjektiv (*mhd.* lustec „vergnügt, munter")ist von dem unter →*Lust* behandelten Wort abgeleitet. Dazu stellen sich die Bildungen Lustigkeit *w* (15. Jh.) und belustigen (16. Jh.).

lutschen: Das erst seit der zweiten Hälfte des 18. Jh.s bezeugte Verb ist eine junge Nachahmung des Sauglauts. Gleichfalls lautmalend ist das *mdal.* Verb nutschen „saugen" (17. Jh.). Abl.: Lutscher *m* „Schnuller".

Luv *w*: Der im 17. Jh. aus der *niederd.* Seemannssprache übernommene Ausdruck für „die dem Wind zugewandte Seite" stammt aus dem *Niederl.* Das *niederl.* loef „Luv", das aus loefzijde „Luvseite" verkürzt ist, bedeutet eigtl. „Ruder". Die Luvseite des Schiffes ist benannt nach einem gegen den Wind ausgesetzten flachen Hilfsruder, mit dessen Hilfe in früheren Zeiten der Schiffssteven gegen den Wind gehalten wurde. *Niederl.* loef (s. lavieren), *mnd.* lōv sind verwandt mit *got.* lōfa und *aisl.* lōfi „flache Hand" und stehen im Ablaut zu *ahd.* laffa und lappo „flache Hand; Ruderblatt" (vgl. Bärlapp). Diese *germ.* Wortgruppe gehört mit verwandten Wörtern in anderen *idg.* Sprachen zu der Wz. *lēp- „Fläche (der Hand), Sohle (des Fußes), Blatt (der Schulter, des Ruders oder dgl.)", vgl. z. B. *russ.* lápa „Tatze, Pfote", lopáta „Schaufel", lopatína „Steuerruder". – Abl.: luven „an den Wind gehen".

Luxus *m* „Verschwendung, Prunk, üppiger Aufwand": Im 16. Jh. aus gleichbed. *lat.* luxus entlehnt, das wohl mit einer urspr. Bed. „Ausrenkung, Verbogenheit, Ausschweifung" zu *lat.* luxus „verrenkt" und damit zu der unter →*Locke* dargestellten Sippe der *idg.* Wz. *leug- „biegen" gehört. – Dazu: luxuriös „üppig, verschwenderisch; kostbar" (17. Jh.; aus *lat.* luxuriōsus „üppig, schwelgerisch", von *lat.* luxuria „Üppigkeit, Schwelgerei usw.").

Luzerne *w*: Der seit dem 18. Jh. bezeugte Name des Futterklees – dafür im Volksmund auch die Bezeichnungen 'Schneckenklee' und 'ewiger Klee' – ist aus *frz.* luzerne entlehnt. Dies stammt wahrscheinlich aus *prov.* luzerno, das zunächst „Glühwürmchen" bedeutet, dann in bildlicher Übertragung auch „Luzerne" (wegen der hellglänzenden Samenkörner dieser Pflanze). Voraus liegen *aprov.* luzerna, *vlat.* *lūcerna (= *klass.-lat.* lucerna) „Leuchte, Lampe". Stammwort ist *lat.* lūcēre „leuchten, glänzen" (vgl. hierüber den Artikel *illuminieren*).

Luzifer *m*: Der Name des Morgensterns (Venus), zugleich der Beiname des Teufels, stammt aus *kirchenlat.* Lūcifer. Dies bedeutet eigtl. „Lichtbringer" (zu *lat.* lūx „Licht" und ferre „tragen, bringen"). Es überträgt den Mythos vom Höllensturz des Morgensterns (Jesaias 14, 12) auf den von Gott abgefallenen Engel, den Höllenfürsten.

Lyrik *w*: Das erst im Anfang des 19. Jh.s bezeugte FW ist substantiviert aus *frz.* poésie lyrique (dafür im 18. Jh. noch stets 'lyrische Poesie'). Das zugrunde liegende *frz.* Adjektiv lyrique (daraus im 18. Jh. lyrisch) geht zurück auf *gr.* lyrikós (> *lat.* lyricus) „zum Spiel der Lyra gehörig; mit Lyrabegleitung". Die Lyra (*gr.* lýra; vgl. das LW *Leier*) war Symbol dichterischer Äußerung. Ihr Spiel begleitete den Vortrag gesungener Dichtung. So ist es nicht verwunderlich, daß sie gerade jener Dichtungsgattung ihren Namen gab, in der subjektives Erleben, Gefühle, Stimmungen usw. mit den Formmitteln von Reim und Rhythmus in Bilder gesetzt werden. – Abl.: Lyriker *m* „lyrischer Dichter" (19. Jh.).

Lyzeum *s* „höhere Lehranstalt für Mädchen": Die Lehrstätte des altgriechischen Philosophen Aristoteles in Athen hieß nach einem in der Nähe gelegenen Tempel des Gottes 'Apóllōn Lýkeios' (der Beiname bed. etwa „Wolfstöter", zu *gr.* lýkos „Wolf") *gr.* Lýkeion. Über *lat.* Lycēum wurde das Wort von den Humanisten des 16. Jh.s entlehnt, zunächst als Ehrenname der Universitäten, seit dem 17./18. Jh. auch zur allgemeinen Bezeichnung höherer Schulen. Die heutige spezielle Bed. des Wortes ist noch jung.

M

Maar *s*: Der im wesentlichen nur noch fachsprachl. gebräuchliche Ausdruck für „[mit Wasser gefüllte] kraterförmige Vertiefung" ist entlehnt aus *vlat.* mare „stehendes Gewässer, See", das auf *lat.* mare „Meer" beruht (vgl. *Meer*).

Maat *m*: Der seit dem Anfang des 18. Jh.s bezeugte seemänn. Ausdruck für „Schiffsunteroffizier" beruht auf *mnd.* mat[e] „Kamerad, Geselle", das eigtl. „Speise-, Essensgenosse" bedeutet. Das *niederd.* Wort, dem *mhd.* ge-maʒʒe, *ahd.* gi-maʒʒo „Tischgenosse" entspricht, ist eine Bildung zu dem unter →Messer behandelten Substantiv *mat[i]- „Speise" (vgl. ²Mast).

machen: Das westgerm. Verb mhd. machen, ahd. mahhōn, niederd., niederl. maken, engl. to make geht mit verwandten Wörtern in anderen idg. Sprachen auf eine Wz. *maĝ- „kneten" zurück, vgl. z. B. gr. mássein „kneten; streichen; pressen; abbilden", mágis „geknetete Masse, Teig, Kuchen", māza „[Gersten]teig; [Metall]klumpen" (s. den Artikel Masse) und die baltoslaw. Sippe von russ. mázat' „bestreichen, beschmieren" (s. Bemme), máslo „Butter, Öl". – Aus der urspr. Verwendung des Verbs im Sinne von „den Lehmbrei zum Hausbau kneten, die Flechtwand mit Lehm verstreichen, formen" entwickelten sich im germ. Sprachbereich die Bed. „bauen, errichten; zusammenfügen, zupassen, herstellen; bewerkstelligen; handeln; tun; bewirken". Um das Verb in der Bedeutungswendung „zusammenfügen, zupassen" gruppieren sich die Bildungen →gemach urspr. „passend, geeignet, bequem" (dazu gemächlich und allmählich) und →Gemach urspr. „Bequemlichkeit". Von niederd., niederl. maken in der speziellen Bed. „handeln, den Zwischenhändler machen" gehen →makeln und →mäkeln aus. Groß ist die Zahl der Zusammensetzungen mit 'machen', beachte an-, aus-, durch-, mit-, nach-, nieder-, vor- und zumachen. Wichtige Zusammensetzungen und Präfixbildungen sind abmachen „fertigmachen (Speisen); erledigen; vereinbaren, übereinkommen; [ab]lösen, entfernen" (18. Jh.), dazu Abmachung w „Vereinbarung, Übereinkunft"; aufmachen „öffnen; hübsch zurechtmachen, herausputzen" (mhd. ūfmachen), dazu Aufmachung w „Ausstattung, Verpackung, Gestaltung"; einmachen „haltbar machen, konservieren" (17. Jh.), dazu das substantivierte 2. Partizip Eingemachte s „haltbar gemachte Früchte"; vermachen „als Erbe überlassen, schenken" (mhd. vermachen), dazu Vermächtnis s „letztwillige Verfügung; Erbe" (17. Jh.). Abl.: Mache w „Fertigung[sprozeß], Bearbeitung; Aufmachung; Schein, Vortäuschung" (mhd. mache, ahd. mahha); Machenschaft w „üble Handlungsweise, Intrige" (18. Jh.); Macher m veralt. für „Hersteller; Bewirker" (mhd. macher, ahd. [ga]mahhari; beachte von den zahlreichen Zus. z. B. Macherlohn, Schuhmacher, Stellmacher, Geschäftemacher, Scharfmacher). Zus.: Machwerk (18. Jh.).

Macht w: Das altgerm. Wort mhd., ahd. maht, got. mahts, engl. might (andersgebildet aisl. māttr) ist das Verbalabstraktum zu dem unter →mögen urspr. „können, vermögen" behandelten Verb. Dazu stellen sich die Bildungen entmachten „der Macht berauben" (20. Jh.) und mächtig

(s. u.). Groß ist die Zahl der Zusammensetzungen mit 'Macht', beachte z. B. Machthaber (16. Jh.), Machtwort (17. Jh.) und Heeresmacht, Ohnmacht (s. d.), Seemacht, Streitmacht, Vollmacht (s. d.), Weltmacht. Auch in der Namengebung spielt das Wort eine Rolle, beachte z. B. die weiblichen PN Mathilde und Mechthild[e]. – Altgerm. ist auch das abgeleitete Adjektiv **mächtig**: mhd. mehtic, ahd. mahtig, got. mahteigs, engl. mighty (vgl. aisl. māttugr). Das vom Adjektiv abgeleitete Verb mächtigen ist heute nur noch in bemächtigen, sich und ermächtigen gebräuchlich. Zusammensetzungen mit mächtig sind →allmächtig, eigenmächtig (16. Jh.) und übermächtig (spätmhd. übermehtic).

Mädchen s: Das Wort entstand im 17. Jh. durch Konsonantenerleichterung aus Mägdchen (daneben Mä[g]dgen), ist also eigtl. Verkleinerungsbildung zu →Magd, das früher „unverheiratete oder noch unberührte Frau" bedeutete. Vgl. dazu niederl. maagdeke[n] „Mädchen" (s. Matjeshering). – Im heutigen Sprachgefühl wird Mädchen nicht mehr als Verkleinerungsbildung empfunden. Siehe auch den Artikel Mädel.

Made w: Das germ. Wort für „[kleiner] Wurm, fußlose Larve" mhd. made, ahd. mado, got. maþa, aengl. maða, aisl. (weitergebildet) maðkr ist vielleicht mit armen. mat'il „Laus" verwandt. Da weitere Beziehungen nicht gesichert sind, bleibt unklar, was das Wort eigtl. bedeutet. Abl. madig „voll von Maden", ugs. für „schlecht" in der Wendung 'jemanden oder etwas madig machen' (mhd. madic).

Mädel s: Das Wort, das vom Oberd. ausgehend gemeinsprachliche Geltung erlangte und die längere Form Mägdlein zurückgedrängt hat, ist – wie auch Mädchen (s. d.) – Verkleinerungsbildung zu →Magd.

Madonna w: Die Bezeichnung für die Gottesmutter Maria und ihre bildliche Darstellung [mit dem Jesuskind] ist aus dem It. übernommen. It. madonna „Madonna", das wörtlich „meine Herrin" bedeutet und im entspr. frz. madame ursprünglich als Anrede an vornehme Frauen (dann auch als Bezeichnung für die Geliebte) galt, beruht auf lat. mea domina „meine Herrin". Zu lat. domina „Herrin", dominus „Hausherr" (über weitere etymologische Zusammenhänge vgl. den Artikel Dom). Das FW erscheint im Dt. zuerst im 16. Jh. mit der eigentlichen Bedeutung der it. Wortes (als „Frau, Dame" (speziell zur Anrede), dann auch im leicht abwertenden Sinne von „schöne Geliebte; Mätresse". Die heute allein gültige Bedeutung des Wortes wird seit dem Anfang des 18. Jh.s üblich.

Magazin *s* „Vorrats-, Zeughaus, Lagerraum": Im Anfang des 16. Jh.s aus gleichbed. *it.* magazzino, *arab.* maḫāzin (*Mehrz.* von maḫzan) entlehnt. Späterhin vielfach übertragen gebraucht, z. B. für „Laden" (18. Jh.; nach entspr. *frz.* magasin), für „Munitionskammer" (19. Jh.) und seit dem 18. Jh. auch als Titel periodisch erscheinender bebilderter Zeitschriften (nach entspr. *engl.* magazine), hier gleichsam im Sinne von „Sammelstelle (von Neuigkeiten usw.)".

Magd *w*: Mhd. maget „Mädchen, Jungfrau; dienendes oder unfreies Mädchen, Dienerin", *ahd.* magad „Mädchen, Jungfrau", *got.* magaþs „Jungfrau", *aengl.* mæg[e]ð „Mädchen, Jungfrau" (beachte *engl.* maiden) beruhen auf einer Bildung zu dem im *Dt.* untergegangenen *gemeingerm.* Wort für „Knabe, Jüngling": *asächs.* magu „Knabe", *got.* magus „Knabe", *aengl.* mago „Knabe; Sohn; Krieger; Knecht", *aisl.* mǫgr „Knabe, Sohn". Dieses *gemeingerm.* Substantiv gehört mit verwandten Wörtern in anderen *idg.* Sprachen zu dem *idg.* Adjektiv *magho-s „jung" (beachte z. B. *awest.* majava- „unverheiratet"). – Mit Magd identisch ist die durch Zusammenziehung entstandene Form →Maid. Verkleinerungsbildungen zu Magd sind →Mädchen und →Mädel, beachte auch Mägdlein *s* (*mhd.* magetlīn).

Magen *m*: Die *altgerm.* Körperteilbezeichnung *mhd.* mage, *ahd.* mago, *niederl.* maag, *engl.* maw, *schwed.* mage ist vermutlich verwandt mit der *balt.* Sippe von *lit.* mākas „Beutel" und mit *kymr.* megin „Blasebalg". Demnach hätten die Germanen den erweiterten Teil des Verdauungskanals als „Beutel" benannt. Zus.: Magenbitter „Bitterlikör" zur Anregung der Magensäfte (19. Jh.).

mager: Das *altgerm.* Adjektiv *mhd.* mager, *ahd.* magar, *niederl.* mager, *aengl.* mæger, *schwed.* mager gehört mit verwandten Wörtern in anderen *idg.* Sprachen zu der Wz. *mak- „dünn, schlank, hoch aufgeschossen", vgl. z. B. *gr.* makrós „schlank; lang; groß" (s. makro...) und *lat.* macer „dünn, mager". Das abgeleitete Verb magern (*mhd.* magaren, *ahd.* magarēn) ist heute nur noch in der Zus. abmagern gebräuchlich. Abl.: Magerkeit *w* (*spätmhd.* magerkeit). Zus.: Magermilch (19. Jh.).

Magier *m* „Zauberer, Zauberkünstler": Im 18. Jh. aus dem Plural magi des *lat.* Substantivs magus eingedeutscht, das selbst aus *gr.* mágos entlehnt ist. Das *gr.-lat.* Wort bezeichnet zunächst die Mitglieder einer medischen Priesterkaste und nimmt erst dann die Bedeutungen „Traumdeuter, Zauberer; Betrüger" an. Es handelt sich um ein LW aus dem Iranischen (beachte den *apers.* Volksnamen magav-), dessen letzte Quelle nicht sicher zu ermitteln ist. – Dazu Magie *w*

„Zauberkunst; Geheimkunst, die sich übersinnliche Kräfte dienstbar zu machen sucht" (16. Jh.; aus *lat.* magīa < *gr.* mageía, magīa „Lehre der Magier, Magie; Zauberei"); magisch „zauberisch, geheimnisvoll, bannend" (16. Jh.; aus gleichbed. *lat.* magicus < *gr.* magikós).

Magistrat *m* „Verwaltungsbehörde, Stadtverwaltung": Gelehrte Entlehnung vom Ende des 15. Jh.s aus *lat.* magistrātus „obrigkeitliches Amt, höherer Beamter, Behörde, Obrigkeit". Zu *lat.* magister „Vorsteher, Leiter; Lehrer" (vgl. das LW Meister).

Magnat *m* „einflußreiche Persönlichkeit", insbesondere „Großgrundbesitzer, Großindustrieller": Das seit dem 17. Jh. bezeugte FW geht auf *mlat.* magnās, magnātis (daneben: magnātus) „Größe, vornehmer Herr" zurück, das von *lat.* magnus „groß, stark; bedeutend, mächtig usw." abgeleitet ist. – Zum Stamm von *lat.* magnus, das als Bestimmungswort im FW →Magnifizenz erscheint, stellen sich der Komparativ *lat.* maior, maius (< *mag-jō-s) „größer, stärker, bedeutender usw." (in den Fremdwörtern →Major, →Majorität, →Majestät und im LW →Meier), der Superlativ *lat.* maximus (< *mag-som-os) „größter, mächtigster, bedeutendster usw." (in den FW →Maximum, maximal und →Maxime), ferner das *lat.* Adverb magis „mehr, eher, vielmehr, in höherem Grade" mit dem dazugehörigen Substantiv *lat.* magister (< *mag-is-tero-s) „Vorsteher, Leiter; Lehrer" (beachte dazu die Fremdwortgruppe um →Meister). – Im außeritalischen Sprachbereich sind u. a. *aind.* máhi „groß" und *gr.* mégas (megálē, méga) „groß" verwandt (beachte die Vorsilben Mega... und Megalo... in fachsprachlichen Fremdwörtern wie 'Megahertz' und 'Megalomanie').

Magnet *m*: Die Landschaft Magnesia in Thessalien, im Altertum bekannt für das natürliche Vorkommen von Magnetsteinen, lieferte den Namen des Magnetes, *gr.* Magnētis (líthos) bzw. Mágnēs (líthos), der über *lat.* Māgnēs (Māgnētis) in *mhd.* Zeit entlehnt wurde (*mhd.* magnēt[e]). – Abl. und Zus.: magnetisch (16. Jh.); Magnetismus *m* „Gesamtheit der magnetischen Erscheinungen" (18. Jh.; *nlat.* Bildung); magnetisieren „magnetisch machen; durch magnetische Kräfte medizin. behandeln" (17. Jh.; mit französierender Endung gebildet); Magnetophon *s* (Ⓦ) „Magnettonbandgerät" (20. Jh.; Grundwort ist *gr.* phōnḗ „Laut, Ton, Stimme").

Magnifizenz *w*: Das seit dem 16. Jh. bezeugte FW galt zunächst (und bis ins 18. Jh.) mit der Bed. „Großartigkeit, Erhabenheit", in welchem Sinne es *lat.* magnificentia (zu *lat.* magnus „groß; erhaben", vgl. *Magnat*, und *lat.* facere „machen, tun, wirken"; vgl.

Fazit) entlehnt wurde. Im modernen Sprachgebrauch lebt das Wort als Titel und Anrede für Hochschulrektoren.

Mahagoni *s*: Bezeichnung für das wertvolle Holz des Mahagonibaumes. Dessen Name, in *dt.* Texten seit dem 18. Jh. bezeugt, stammt aus der Eingeborenensprache von Jamaika.

Mahd *w landsch.* und dichterisch für „das Mähen; das Gemähte, Heu", *s oberd. mdal.* für „[Berg]wiese": Das Wort (*mhd.* māt, *ahd.* mād), das als zweiter Bestandteil auch in →Grummet steckt, ist eine Bildung zu dem unter →*mähen* behandelten Verb. Im *Engl.* entspricht math in after math „Nachmahd". Abl.: **Mähder** *m landsch.* für „Mäher" (*mhd.* madǣre, *ahd.* mādāri).

mähen: Das *westgerm.* Verb *mhd.* mǣjen, *ahd.* mǣen, *niederl.* maaien, *engl.* to mow ist wahrscheinlich verwandt mit *gr.* amáein „schneiden; mähen; ernten". Die weiteren Beziehungen sind unklar. Um das Verb gruppieren sich die Bildungen →Mahd *w* „das Mähen; das Gemähte, Heu", *s* „Wiese" und →³Matte „[Berg]wiese". Abl.: **Mäher** *m* (15. Jh.; für älteres Mähder, s. Mahd).

Mahl *s*: Das der gehobenen Sprache angehörige Wort für „Essen" war urspr. identisch mit dem unter →¹Mal „Zeitpunkt" behandelten *gemeingerm.* Substantiv. Auch im *Engl.* (vgl. meal) und im *Nord.* (vgl. *schwed.* mål) entwickelte sich wie im *Dt.* aus der Bed. „Zeitpunkt, festgesetzte Zeit" die Bed. „Essenszeit, Essen". Beachte auch, daß die seit dem 15. Jh. bezeugte Zus. **Mahlzeit** im Sinne von „Essen" gebraucht wird. Als Grundwort steckt Mahl in mehreren Zusammensetzungen, beachte z. B. **Abendmahl** (s. Abend), **Gastmahl**, **Nachtmahl** *östr.* für „Abendbrot", davon **nachtmahlen** *östr.* für „zu Abend essen".

mahlen: Das *gemeingerm.* Verb *mhd.* malen, *ahd.* malan, *got.* malan, *niederl.* malen, *schwed.* mala geht mit verwandten Wörtern in den meisten anderen *idg.* Sprachen auf die Wz. *[s]mel- „zerreiben, zermalmen, mahlen" zurück, vgl. z. B. *gr.* mýlē „Mühle", *lat.* manōn „mahlen", mola „Mühlstein, Mühle", molīna „.[Wasser]mühle" (s. Mühle), molinārius „Müller" (s. Müller), mollis „weich, sanft, mild" (s. Moll), *russ.* molót' „mahlen", blín, alt mlinъ „.,Fladen, Pfannkuchen" (s. Plinse). Zu dieser vielfach weitergebildeten und erweiterten *idg.* Wurzel gehören aus dem *germ.* Sprachbereich die Sippen von →Mehl (eigtl. „Zerriebenes, Gemahlenes"), →Müll (eigtl. „Zerriebenes, Zerbröckeltes"), →malmen und von →schmelzen (s. d. über Schmalz und Email[le]), ferner im Sinne von „zerrieben, gemahlen, fein, locker, weich" die unter →mollig →mulmig und →mild behandelten Wörter. Weiterhin gehören hierher die Maßbezeichnung →Malter (eigtl. „auf einmal gemahlene Menge Korn"), der Tiername →Milbe (eigtl. „mehl-

machendes oder mahlendes Tier"), der Pflanzenname →Melde (nach den mehlartig bestäubten Blättern), die Körperteilbezeichnung →Milz (eigtl. „die Weiche" oder „die Auflösende") und das unter →Malz (eigtl. „Aufgeweichtes") behandelte Wort. Siehe auch die Artikel Mehltau und Maulwurf.

Mähne *w*: Das *altgerm.* Wort *mhd.* man[e], *ahd.* mana, *niederl.* manen, *engl.* mane, *schwed.* man beruht mit verwandten Wörtern in anderen *idg.* Sprachen auf *idg.* *mono-s „Nacken, Hals", vgl. z. B. *aind.* mányā „Nacken" und *air.* muin- „Hals". Das alte Wort für „Nacken, Hals" ging also im *Germ.* über auf das den Nacken oder den Tierhals bedeckende lange Haar. – Die *nhd.* Form Mähne – gegenüber *mhd.* man[e] – hat sich in *frühnhd.* Zeit aus der *Mehrz.* mene entwickelt.

mahnen: Das *westgerm.* Verb *mhd.* manen, *ahd.* manōn, *niederl.* manen, *aengl.* manian gehört mit verwandten Wörtern in anderen *idg.* Sprachen zu der Wz. *men[ə]- „überlegen, denken, vorhaben, erregt sein, sich begeistern". Vgl. dazu z. B. *gr.* maínesthai „aufgeregt sein, rasen, toben", manía „Raserei, Wahnsinn" (s. Manie, manisch), mnāsthai „sich erinnern" (s. Amnestie, eigtl. „das Sich-nicht-Erinnern"), autó-matos „aus sich selber denkend und handelnd" (s. Automat), Méntōr (Eigenname, eigtl. „Denker", s. Mentor), *lat.* mēns „Sinn, Verstand, Denken, Gedanke" (s. Mentalität; Dementi, dementieren; kommentieren, Kommentar), meminisse „eingedenk sein", reminīscī „sich erinnern" (s. Reminiszenz), monēre „[er]mahnen" (s. monieren und die Artikel Monument, Monstrum, Monstranz, demonstrieren sowie das unter →Muster behandelte Lehnwort). Aus dem *germ.* Sprachbereich gehören hierher ferner die Sippen von →Minne (eigtl. „das Denken an etwas") und →munter (urspr. „aufgeregt, lebhaft"). Um das Verb mahnen gruppieren sich die Präfixbildungen **ermahnen** und **vermahnen** sowie **Mahnung** *w* (*mhd.* manunge „Warnung, Aufforderung; rechtliche Forderung; Geldbuße").

Mahr *m* (früher *w*): Der Ursprung der *altgerm.* Bezeichnung des bösen weiblichen Geistes, der nach dem Volksglauben das Alpdrücken verursacht, ist nicht sicher geklärt. *Mhd.* mar[e], *ahd.* mara, *niederl.* (volksetymologisch umgestaltet) in nacht-merrie, *engl.* in nightmare, *schwed.* mara sind verwandt mit der *slaw.* Sippe von *russ.* mora in kikí-mora „Gespenst, das nachts spinnt" und mit *air.* mor-[r]īgain „Vampyr, weiblicher Unhold" (eigtl. „Alpkönigin"). Das den Kelten, Germanen und Slawen gemeinsame Wort gehört vielleicht im Sinne von „Zermalmerin" zu der unter →*mürbe* dargestellten Wurzel.

Mähre *w*: Der verächtliche Ausdruck für „schlechtes Pferd" bedeutete früher „Stute".

Die seit dem 17. Jh. belegte abwertende Bedeutung entwickelte das Wort, weil weibliche Pferde weniger leistungsfähig sind und schneller altern als männliche Pferde. *Mhd.* merhe, *ahd.* mer[i]ha „Stute", *niederl.* merrie „Stute", *engl.* mare „Stute", *schwed.* märr „Stute, Mähre" beruhen auf einer *altgerm.* Femininbildung zu einem den Germanen und Kelten gemeinsamen Wort für „Pferd", das im *Dt.* noch in →Marschall und →Marstall bewahrt ist: *mhd.* marc[h], *ahd.* marah, *aengl.* mearh, *aisl.* marr „Pferd" und die *kelt.* Sippe von *air.* marc „Pferd".

Mai *m*: Der Monatsname (*mhd.* meie, *ahd.* meio) beruht mit *roman.* Entsprechungen wie *it.* maggio und *frz.* mai auf *lat.* (mēnsis) Maius „(Monat) Mai". Der Monat heißt vermutlich nach einem altitalischen Gotte Maius, der als Beschützer des Wachstums verehrt wurde. – Zus.: Maiglöckchen (als Blumenname; 18./19. Jh.); Maikäfer (17. Jh.).

Maid *w*: Das heute wenig gebräuchliche Wort für „Mädchen; Landwirtschaftsschülerin" geht zurück auf *mhd.* meit, das durch Zusammenziehung aus *mhd.* maget „Mädchen, Jungfrau; Dienerin" entstanden ist (vgl. *Magd*).

Mais *m*: Der in *dt.* Texten seit dem 16. Jh. bezeugte Name der besonders in wärmeren Gebieten angebauten Getreidepflanze – in Süddeutschland vom Volksmund vielfach auch 'Welschkorn', 'türkischer Weizen' u. a. genannt – stammt aus einer kubanischen Eingeborenensprache. Er wurde den europäischen Sprachen (z. B. *frz.* mais, *engl.* maize) durch die Spanier (*span.* maiz) vermittelt.

Maisch *m*, **Maische** *w* „Gemisch aus pflanzlichen Bestandteilen, bes. bei der Bierherstellung": Das *westgerm.* Wort *mhd.* meisch, *mnd.* mēsch, *engl.* mash gehört wahrscheinlich im Sinne von „feuchte, weiche Masse, Brei" zu der Wortgruppe von →*Mist*. Eng verwandt ist die *slaw.* Sippe von *russ.* mezgá „weiche Teile von Rüben und Kartoffeln, Mus". Abl.: maischen „Maische bereiten" (17. Jh.).

Majestät *w* „erhabene Größe, Herrlichkeit, Hoheit" (fast nur als Titel und Anrede für Kaiser und Könige): Das Substantiv (*mhd.* majestät) geht auf *lat.* maiestas (maiestātis) „Größe, Hoheit, Erhabenheit, Majestät" zurück. Zu *lat.* maior, maius „größer, bedeutender, erhabener". Über weitere etymologische Zusammenhänge vgl. den Artikel *Magnat*. Abl.: majestätisch „von erhabener Größe; wie eine Majestät" (16. Jh.).

Major *m*: Als Offiziersrangbezeichnung im 16. Jh. aus *span.* mayor „größer, höher; Vorsteher, Oberster; Hauptmann" entlehnt, das seinerseits auf *lat.* maior „größer, stärker; bedeutender usw." beruht. Über weitere etymologische Zusammenhänge vgl. den Artikel *Magnat*.

Majoran *m*: Der Name der zu den Lippenblütlern gehörenden Gewürz- und Heilpflanze (*mhd.* meigramme, maiorān, *spätahd.* maiolan) beruht wie z. B. auch entspr. *it.* maggiorana und *frz.* marjolaine auf gleichbed. *mlat.* majorāna. Die weitere Herkunft des Wortes ist zweifelhaft.

Majorität *w* „[Stimmen]mehrheit": Im 18. Jh. als parlamentarischer Terminus aus gleichbed. *frz.* majorité übernommen und nach dem vorausliegenden Substantiv *mlat.* maiōritās relativiert. Zu *lat.* maior „größer, stärker; bedeutender usw." (vgl. den Artikel *Magnat*).

Makel *m* „Schandfleck; Fehler": Das seit *mhd.* Zeit (zunächst auch mit der konkreten Bed. „Fleck") bezeugte Substantiv ist aus *lat.* macula „Fleck, Mal; Schandfleck" entlehnt. – Dazu makellos „ohne Fehl, ohne Tadel" (18. Jh.); ferner →Makulatur.

makeln „vermitteln, Vermittlergeschäfte machen": Das aus dem *Niederd.*-(*Niederl.*) stammende Verb, das im 17. Jh. ins *Hochd.* übernommen wurde, ist eine Iterativbildung zu *niederd.*(-*niederl.*) maken „machen, tun, handeln", dem *hochd.* →*machen* entspricht. Zur kaufmännischen Geltung des Verbs vgl. die Bedeutungsgeschichte von →handeln. Dazu stellt sich das Substantiv Makler *m* „Vermittler" (17. Jh.; *mnd.* makeler, mekeler, *mniederl.* makelare). Die umgelautete Form **mäkeln** (*mnd.* mekelen), die früher gleichfalls im Sinne von „den Zwischenhändler machen, vermitteln" gebräuchlich war, entwickelte in Norddeutschland seit dem 18. Jh. die Bed. „etwas auszusetzen haben, tadeln, bemängeln". Dieser Bedeutungswandel erklärt sich daraus, daß die Zwischenhändler häufig die Waren bemängelten, um den Preis zu drücken. Abl.: mäklig „wählerisch, herumnörgelnd".

Make-up *s* „Verschönerung [des Gesichts] mit kosmetischen Mitteln": Im 20. Jh. aus gleichbed. *engl.* make-up entlehnt, das wörtlich „Aufmachung" bedeutet. Zu *engl.* to make „machen" (identisch mit *dt.* →*machen*) und *engl.* up „auf" (identisch mit *dt.* →*auf*).

Makkaroni *Mehrz.*: Die seit etwa 1800 bezeugte Bezeichnung der Röhrennudeln stammt aus dem *It.*, und zwar aus einer Mundartform maccarone (*Mehrz.*: -oni) von *it.* maccherone (-oni). – Auf die gleiche Quelle geht mit veränderter Bedeutung unser FW Makrone *w* „Gebäck aus Mandeln, Zucker und Eiweiß" zurück, das uns im 17. Jh. durch *frz.* macaron „Makrone" vermittelt wurde.

Makrele *w*: Der seit dem 14. Jh. bezeugte Name des Speisefisches (*mhd.* măcrēl) ist aus gleichbed. *mniederl.* mak[e]reel (= *niederl.* makreel) entlehnt. Der Name erscheint auch in anderen europäischen Sprachen (beachte z. B. *frz.* maquereau, *engl.* mackerel).

Seine weitere Herkunft ist jedoch nicht gesichert.

makro..., **Makro...**, (vor Vokalen meist:) **makr...**, **Makr...**: Bestimmungswort von Zusammensetzungen mit der Bed. „lang; groß", wie in 'Makrokosmos', 'makroskopisch'. Aus dem gleichbed. *gr.* Adjektiv makrós, das urverwandt ist mit *lat.* macer „mager, dünn" und mit *dt.* →*mager*.

Makulatur *w* „beim Druck schadhaft gewordene und fehlerhafte Bogen, Fehldruck; Altpapier; Abfall", beachte auch die *ugs.* Wendung 'Makulatur reden' „Unsinn, dummes Zeug reden": Im Anfang des 16. Jh.s aus *mlat.* maculātūra „beflecktes, schadhaftes Stück" entlehnt. Zu *lat.* maculāre „fleckig machen, besudeln" (vgl. *Makel*).

¹Mal *s* „Zeitpunkt": Das *gemeingerm.* Wort *mhd.*, *ahd.* māl, *got.* mēl, *engl.* meal, *schwed.* māl gehört im Sinne von „Abgestecktes, Abgemessenes, Maß" zu der *idg.* Wz. *mē[d]- „wandern, [ab]schreiten"; abstecken, messen". Aus dem *germ.* Sprachbereich gehören ferner zu dieser Wurzel die Sippen von →*messen*, →*Maß*, →*Muße* und von →*müssen* (eigtl. „sich etwas zugemessen haben"). *Außergerm.* sind z. B. verwandt *gr.* métron „Maß" (s. Metrum und die Fremdwörtergruppe von Meter), *lat.* mētīrī „[ab]messen" (s. Dimension und immens), mēnsūra „Messen, Maß" (s. Mensur), meditārī „[er]wägen, nachdenken" (s. meditieren), medicus „Arzt" (eigtl. „klug ermessender, weiser Ratgeber", s. Medizin), modus „Maß, Art und Weise" (s. die umfangreiche Fremdwörtergruppe von Modus). Eine alte Bildung zu der Wz. *mē- in der urspr. Bed. „wandern, abschreiten" ist vermutlich das unter →*Mond* behandelte Wort, das demnach urspr. etwa „Wanderer (am Himmelszelt)" bedeutete. – Im heutigen Sprachgebrauch wird Mal gewöhnlich nur noch verwendet, um die Wiederholung einer gleichen Lage zu verschiedenen Zeitpunkten anzugeben und um die Multiplikation auszudrücken, beachte z. B. ein anderes Mal, manches Mal, mehrere Male, ferner (zusammengerückt) **einmal** (s. d.), **manchmal**, **niemals** usw., beachte auch **malnehmen** „multiplizieren". Mit Mal „Zeitpunkt" war urspr. identisch das unter →*Mahl* „Essen" (eigtl. „Zeitpunkt, festgesetzte Zeit") behandelte Wort, das heute orthographisch unterschieden wird. Siehe auch den Artikel ²*Mal*.

²Mal *s* „durch Verfärbung, Erhöhung oder Vertiefung sich abhebende Stelle, Zeichen, Markierung": *Mhd.*, *ahd.* meil „Fleck, Zeichen; Befleckung, Sünde, Schande", *got.* mail „Runzel", *engl.* mole „Leberfleck, Muttermal" gehören mit verwandten Wörtern in anderen *idg.* Sprachen zu der Wz. *mei-„sudeln, beschmieren" (vgl. z. B. *gr.* miaínein „besudeln, beflecken", míasma „Befleckung". Die *nhd.* Form Mal entwik-

kelte sich aus der Vermischung von *mhd.* meil „Fleck, Zeichen; Befleckung, Sünde, Schande" mit *mhd.* māl „Zeit[punkt]; Mahlzeit" (vgl. ¹*Mal*) und *mhd.* māl „Zeichen, Fleck, Punkt, Markierung, Ziel" (vgl. *malen*). Das Wort spielt eine wichtige Rolle in der Zusammensetzung, beachte z. B. **Denkmal** (s. d.), **Mahnmal** (20. Jh.), **Merkmal** (17. Jh.), **Muttermal** (16. Jh.), **Wundmal** (16. Jh.).

malen: Das auf den *germ.* Sprachbereich beschränkte Verb bedeutete urspr. „mit Zeichen versehen". *Mhd.* mālen, *ahd.* mālōn, -ēn „mit Zeichen versehen; markieren; verzieren, schmücken; schminken, sticken; in Farben darstellen; schreiben, verzeichnen", *got.* mēljan „schreiben", *aisl.* mǣla „färben, malen" sind Ableitungen von dem *gemeingerm.* Substantiv *mēla- „Zeichen, Fleck": *mhd.* māl, *ahd.* māl[i], *got.* mēl, *aengl.* mǣl, *aisl.* māl (vgl. ²*Mal*). Dieses Substantiv gehört mit verwandten Wörtern in anderen *idg.* Sprachen zu der Wz. *mel-„[ver]schmieren, verputzen, tünchen, färben", vgl. z. B. *gr.* mélās „schwarz", molýnein „besudeln" und die *balt.* Sippe von *lit.* mólis „Lehm". – Abl.: **Maler** *m* (*mhd.* mālǣre, *ahd.* mālari); **Malerei** *w* (16. Jh.); **malerisch** (17. Jh.); **Gemälde** (s. d.).

Malheur *s* „Unglück, Unfall (veralt.); Pech, Mißgeschick (*ugs.*)": Im 18. Jh. aus gleichbed. *frz.* malheur entlehnt. Grundwort ist (wie in entspr. *frz.* bonheur „Glück") *frz.* heur (*afrz.* ëur) „glücklicher Zufall", das auf *vlat.* āgūrium (= *lat.* augūrium) „Vorzeichen, Wahrzeichen" zurückgeht. Bestimmungswort ist *frz.* mal < *lat.* malus „schlecht, übel".

malmen: Das erst seit dem 16. Jh. bezeugte, zunächst *mitteld.* Verb gehört zu der Wortgruppe von →*mahlen* und ist eng verwandt mit den unter →*mulmig* behandelten Wörtern (vgl. *mhd.* malm „Staub", *got.* malma „Sand" usw.). Gebräuchlicher als das einfache Verb ist **zermalmen** (16. Jh.).

Malter *m* oder *s*: Der Name des heute nicht mehr gebräuchlichen Raum- und Massenmaßes gehört zu der unter →*mahlen* dargestellten Wortgruppe und bedeutete urspr. „auf einmal gemahlene Menge Korn". Mit *mhd.* malter, *ahd.* maltar „Getreidemaß" eng verwandt ist die *nord.* Sippe von *schwed.* mäld „Mahlgut".

Malve *w*: Der seit dem 16. Jh. bezeugte Name der im Volksmund 'Käsekraut' und 'Käsepappel' genannten Heil- und Zierpflanze ist aus *lat.-it.* malva entlehnt, das mit gleichbed. *gr.* maláchē (moláchē) aus einer Mittelmeersprache stammt. – Früher bezeugt sind entspr. *frz.* mauve und *engl.* mallow (*aengl.* mealwe), die unmittelbar auf *lat.* malva zurückgehen.

Malz *s* „angekeimtes Getreide": Das *altgerm.* Wort *mhd.*, *ahd.* malz, *niederl.* mout, *engl.* malt, *schwed.* malt bedeutet eigtl. „Aufgeweichtes, weiche Masse". Es gehört mit dem im *Nhd.* untergegangenen *altgerm.* Adjektiv *mhd.*, *ahd.* malz „hinschmelzend, weich, kraftlos" zu der Sippe von →*schmelzen* (vgl. z. B. *aengl.* meltan „schmelzen, auflösen, verdauen"). Über die weiteren Zusammenhänge s. den Artikel mahlen. Abl.: malzen „Malz bereiten" (*mhd.* malzen); Mälzer *m* „Brauarbeiter" (*spätmhd.* melzer).

Mama *w*: Die familiäre Bezeichnung für „Mutter" wurde im 17. Jh. aus gleichbed. *frz.* maman entlehnt. Das Wort entstammt der kindlichen Lallsprache und ist elementarverwandt z. B. mit *lat.* mamma „Mutterbrust; Amme; [Groß]mutter" und *gr.* mámma „Mutter[brust]", ferner mit *mhd.* memme, mamme „Mutterbrust; Mutter". Letzteres lebt einerseits fort in der volkstümlichen Bezeichnung 'Mamme' „Mutter", andererseits in dem Schimpfwort →Memme. – Siehe auch den Artikel Mutter.

Mambo *m*: Name eines in jüngster Zeit (20. Jh.) aufgekommenen, mäßig schnellen Tanzes im 4/4-Takt. Tanz und Name sind südamerikanischen Ursprungs.

Mammon *m* (abschätzig für:) „Reichtum, Geld": Das seit etwa 1600 in *dt.* Texten bezeugte, durch die Bibelübersetzung Luthers bekanntgewordene FW geht auf *aram.* māmōnā, mammōn „Besitz, Habe" zurück (daraus *gr.* mammōnã[s], *kirchenlat.* mammōnã[s], *got.* mammōna).

Mammut *s*: Der in *dt.* Texten seit dem 18. Jh. bezeugte Name des ausgestorbenen Riesenelefanten ist durch Vermittlung von *frz.* mammouth aus *russ.* mámont entlehnt. In übertragenem Sinne erscheint Mammut in Zus. wie Mammutunternehmen zur Bezeichnung einer Sache von großen, riesenhaften Ausmaßen.

man: Das unbestimmte Pronomen der 3. Person (*mhd.*, *ahd.* man) hat sich aus dem Nominativ Einz. des unter →*Mann* behandelten Substantivs entwickelt (beachte die entspr. Entwicklung von *frz.* on „man" – neben homme „Mann, Mensch" – aus *lat.* homō „Mann, Mensch"). Es bedeutete zunächst „irgendein Mensch", dann „jeder beliebige Mensch" und umfaßt heute singularische und plurale Vorstellungen. – Damit nicht identisch ist 'man' *nordd.* *ugs.* für „nur", beachte z. B. 'laß [es] man gut sein'. Dieses 'man' geht zurück auf *mnd.* man „nur", das sich aus newan „nur, ausgenommen" entwickelt hat.

Manager *m* „Leiter [eines großen Unternehmens]; Betreuer eines Berufssportlers, Filmstars usw.": Junges FW (20. Jh.) aus dem *Amerik.* Das *anglo-amerik.* Substantiv manager „Geschäftsführer, Leiter, Betreuer usw." ist von dem *engl.* Verb to manage „handhaben, bewerkstelligen, deichseln; leiten, führen" abgeleitet, das auf *it.* maneggiare „handhaben, bewerkstelligen" zurückgeht (s. auch Mane-

ge). Stammwort ist *lat.* manus „Hand" (vgl. *manuell*) bzw. das daraus hervorgegangene *it.* mano „Hand". – Etwa gleichzeitig mit dem Substantiv Manager erscheint bei uns nach *engl.* to manage das *ugs.* Verb managen „geschickt bewerkstelligen, deichseln, zustande bringen". Beachte noch die junge Zus. Managerkrankheit.

manch[er]: Das alleinstehend und attributiv gebrauchte Indefinitpronomen, das zur Angabe einer unbestimmten Anzahl aus einer größeren Menge dient, hat sich im *ahd.* Zeit aus dem Adjektiv manec (-ig) „viel" entwickelt. Die ältere Lautung – im Gegensatz zu dem im Auslaut entwickelten -ch – bewahren die Zus. mannigfach und mannigfaltig. Die urspr. Bedeutung „viel" ist in der Bildung →Menge „Vielheit, Masse, Fülle" erhalten. Das *gemeingerm.* Adjektiv *mhd.* manec, *ahd.* manag, *got.* manags, *engl.* many, *schwed.* mången ist eng verwandt mit der *kelt.* Sippe von *air.* menicc „reichlich, häufig, oft" und mit der *slaw.* Sippe von *russ.* mnógo „viel".

Mandarine *w*: Der Name der apfelsinenähnlichen Zitrusfrucht, der im 19. Jh. aus *frz.* mandarine < *span.* (naranja) mandarina entlehnt wurde, ist wohl von dem Wort Mandarin *m*, der europäischen Bezeichnung hoher chinesischer Staatsbeamter abgeleitet. Wohl deshalb, weil die Mandarine als eine besonders auserlesene Orangenart gilt und weil ihre gelbe Farbe der Farbe der Staatstracht des chinesischen Mandarins gleicht.

Mandat *s* „Auftrag, [Vertretungs]vollmacht; Amt eines [gewählten] Abgeordneten": In der Kanzleisprache des 14. Jh.s aus *lat.* mandātum „Auftrag, Weisung" entlehnt, dem substantivierten Part. Perf. Pass. von *lat.* mandāre „übergeben, anvertrauen; beauftragen". Aus dessen Part. Präs. Akt., *lat.* mandāns, stammt das jüngere FW Mandant *m* „Auftrag-, Vollmachtgeber (bes. eines Rechtsanwaltes)". – *Lat.* mandāre, dessen Kompositum *lat.* commendāre (>*vlat.* *com-mandāre) „anvertrauen, übergeben; Weisung geben" Ausgangspunkt ist für die FW →kommandieren, Kommandant, Kommandeur, Kommodore und Kommando, ist wohl ursprünglich eine zusammengesetzte Bildung zu *lat.* manus „Hand" (vgl. *manuell*) und *lat.* dare „geben" (vgl. *Datum*) und bedeutet dann eigtl. „in die Hand geben".

[1]Mandel *w*: Der Name für die Früchte des zu den Rosengewächsen gehörenden Mandelbaumes (*mhd.* mandel, *ahd.* mandala) beruht auf einer Entlehnung aus *spätlat.* amandula (neben amyndala) „Mandel" (daraus auch gleichbed. *frz.* amande), einer volkstümlich umgestalteten Nebenform von *lat.* amygdala (*vlat.* auch: amiddula) „Mandel, Mandelbaum". Das *lat.* Wort seinerseits ist LW aus gleichbed. *gr.* amygdálē, dessen weitere Herkunft dunkel ist.

²Mandel w „Haufe von 15 Garben; Anzahl von 15 oder 16 Stück": Das seit dem 15. Jh. bezeugte Wort ist entlehnt aus *mlat.* mandala „Bündel, Garbe", das wohl im Sinne von „Handvoll" zu *lat.* manus „Hand" gehört (vgl. *manuell*). Es bezeichnete zunächst eine Anzahl von (gewöhnlich 15) zusammengestellten Garben. Aus diesem Wortgebrauch entwickelte sich die Bed. „Anzahl von 15 oder 16 Stück". Heute ist 'Mandel' im wesentlichen nur noch in Landkreisen als Stückmaß (für Eier) gebräuchlich.

Mandoline w: Der seit dem 18. Jh. bezeugte Name des lautenähnlichen viersaitigen Zupfinstruments mit stark gewölbtem Schallkörper ist aus *frz.* mandoline < *it.* mandolino entlehnt. Dies ist eine Verkleinerungsbildung zu *it.* mandola (älter: mandora) „Zupfinstrument" (eine Oktave tiefer als die Mandoline), das wohl aus gleichbed. *it.* pandora umgestaltet ist. Voraus liegt wahrscheinlich *gr.-lat.* pandūra „dreisaitiges Musikinstrument".

Manege w „runde Vorführfläche oder Reitbahn im Zirkus": Im 18. Jh. aus *frz.* manège „das Zureiten, die Reitschule; die Reitbahn" übernommen, aber erst im 19. Jh. eingebürgert. Das *frz.* Wort stammt selbst aus *it.* maneggio „Handhabung; Schulreiten; Reitbahn", das aus *it.* maneggiare „handhaben" abgeleitet ist (vgl. *Manager*).

¹Mangel w „Glättrolle für Wäsche", dafür *mdal.* auch noch die Form Mange w: Das seit *mhd.* Zeit als 'mange' bezeugte Substantiv bezeichnete ursprünglich nur eine Steinschleudermaschine. Die im 14. Jh. aufgekommene übertragene Verwendung des Wortes für „Glättrolle" ist unverständlich. Quelle des Wortes ist *gr.* mágganon „Achse im Flaschenzug; eiserner Pflock, Bolzen; Schleudermaschine", das uns über *mlat.* manganum „Schleudermaschine" bzw. dessen Nebenform manga[na] erreichte. – Abl.: ¹mangeln „Wäsche auf der Mangel glätten" (*mhd.* mangen, in dieser Form heute noch *mdal.* gebräuchlich).

²Mangel siehe ²mangeln.

¹mangeln siehe ¹Mangel.

²mangeln „fehlen; entbehren": Die Herkunft des Verbs (*mhd.* mang[e]len *ahd.* mangolōn), das im *germ.* Sprachbereich keine Entsprechungen hat, ist unklar. Sowohl das einfache Verb als auch die Präfixbildung ermangeln (17. Jh.) sind heute wenig gebräuchlich. Abl.: ²Mangel m „Fehlen; ungenügender Vorrat; Fehler" (*mhd.* mangel), dazu mangelhaft (15. Jh.) und bemängeln (19. Jh.).

Mangold m: Der seit dem 13. Jh. bezeugte Name der Nutzpflanze, aus deren Blättern und Stielen ein spinatähnliches Gemüse bereitet wird, ist dunklen Ursprungs.

Manie w 1. „Besessenheit, Leidenschaft; krankhaft übersteigerte Neigung", auch als Grundwort von Zus. wie →*Kleptomanie*. 2. „Phase des manisch-depressiven Irreseins" (Med.): Im 18. Jh. als medizin. Fachwort aus *gr.-lat.* manía „Raserei, Wahnsinn" entlehnt, das zu *gr.* maínesthai (< *mán-i̯esthai) „rasen, toben, von Sinnen sein, verzückt sein" gehört. Abl.: manisch „an Manie leidend; tobsüchtig" (20. Jh.; aus *gr.* manikós „rasend, wütend"). – *Gr.* maínesthai stellt sich schwundstufig zu der unter →*mahnen* dargestellten reich entwickelten Wortsippe der *idg.* Wz. *men- „denken; geistig erregt sein". Aus dem *Gr.* gehören hierzu u. a. noch das Verb mnāsthai „sich erinnern" (s. Amnestie, amnestieren), ferner das Grundwort von *gr.* autómaton „aus eigenem Antrieb" (s. Automat, automatisch, automatisieren) und der *gr.* Eigenname Méntōr (eigtl. „Denker") in dem Gattungsnamen →*Mentor*.

Manier w „Art und Weise, Eigenart" (nur *Einz.*), die *Mehrz.* Manieren gilt im Sinne von „Umgangsformen": In *mhd.* Zeit aus *frz.* (bzw. *afrz.*) manière „Art und Weise, Gewohnheit; Benehmen" entlehnt, das von dem *afrz.* Adjektiv manier(-ière) „zur Hand; anstellig, geschickt, gewandt; gewohnt" abgeleitet ist. Stammwort ist *lat.* manus „Hand" (vgl. *manuell*) bzw. das daraus hervorgegangene *frz.* Substantiv main „Hand". – Abl.: manierlich „gesittet, wohlerzogen; anständig" (um 1500); manieriert „gekünstelt, unnatürlich" (18. Jh.; nach gleichbed. *frz.* maniéré).

Manifest s „Grundsatzerklärung; Kundgebung; Parteiprogramm": Im 17. Jh. aus gleichbed. *mlat.* manifestum, dem substantivierten Neutrum der *lat.* Adjektivs manifestus „handgreiflich; offenbar, offenkundig", entlehnt. Dessen Bestimmungswort ist *lat.* manus „Hand" (vgl. *manuell*). Der zweite Wortbestandteil ist unklar. – Abl.: manifestieren „offenbaren; kundgeben, bekunden" (16. Jh.; aus *lat.* manifestāre „handgreiflich machen, offen bekunden"); Manifestation w „Offenlegung, Darlegung; das Offenbarwerden" (18. Jh.; aus *spätlat.* manifestātiō).

Maniküre w „Hand-, Nagelpflegerin; Hand-, Nagelpflege": Im 20. Jh. aus gleichbed. *frz.* manucure entlehnt. Zu *lat.* manus (> *frz.* main) „Hand" (vgl. *manuell*) und *lat.* cūra (> *frz.* cure) „Sorge; Pflege" (vgl. *Kur*). Abl.: maniküren „die Hände, insbes. die Fingernägel, durch Schönheitsmittel pflegen" (20. Jh.).

Manipulation w „geschickte Handhabung, Handgriff, Kunstgriff; Machenschaft": Am Ende des 18. Jh.s – zuerst als Terminus des magnetischen Heilverfahrens – aus gleichbed. *frz.* manipulation entlehnt. Dies ist die gelehrte Ableitung aus *lat.* manipulus (> *frz.* manipule) „eine Handvoll". Das gleiche gilt von *frz.* manipuler „handhaben", das unser

Verb manipulieren „handhaben, geschickt zu Werke gehen; arrangieren, steuern" (18. Jh.) lieferte. *Lat.* manipulus gehört als Bildung zu *lat.* manus „Hand" (vgl. *manuell*) und *lat.* plēre „voll machen, füllen" (vgl. *Plenum*).

Manko *s* „Fehlbetrag; Ausfall; Mangel": Das seit dem 19. Jh. bezeugte, aus der Kaufmannssprache stammende Wort, das für älteres 'Amanco' (18. Jh.) steht, geht auf *it.* manco „Mangel, Fehlbetrag" (bzw. älter *it.* 'a manco' „im Ausfall, im Defizit") zurück. Zugrunde liegt das *lat.* Adjektiv mancus „verstümmelt; unvollständig".

Mann *m*: Das *gemeingerm.* Wort *mhd., ahd.* man, *got.* manna, *engl.* man, *schwed.* man geht mit verwandten Wörtern in anderen *idg.* Sprachen auf *manu-* oder *monu-* „Mensch, Mann" zurück, vgl. z. B. *aind.* mánu-ḥ „Mensch, Mann", Manuṣ „Stammvater der Menschheit". Welche Vorstellung dieser Benennung des Menschen zugrunde liegt, ist nicht sicher zu klären. Vielleicht handelt es sich bei dem Wort um eine Bildung zu der unter →*mahnen* dargestellten *idg.* Verbalwurzel *men[ə]- „überlegen, denken". Dann wäre der Mensch als „Denkender" benannt worden (vgl. *aind.* mánu-ḥ „denkend, klug"). – Im heutigen Sprachgebrauch wird das Wort Mann in der umfassenden Bed. „Mensch" hauptsächlich nur noch in bestimmten Formeln verwendet, beachte z. B. 'mit Mann und Maus' und 'etwas an den Mann bringen'. Diese umfassende Bedeutung bewahrt auch das unbestimmte Pronomen →man (beachte auch jemand, niemand und jedermann). Sonst wird 'Mann' verwendet im Sinne von „Mensch männlichen Geschlechts" (im Gegensatz zu Frau), „erwachsener Mensch männlichen Geschlechts" (im Gegensatz zu Kind, Junge) und „Ehegatte". – Neben der allgemein üblichen *Mehrz.* Männer ist dichterisch auch die Form Mannen gebräuchlich, allerdings in der speziellen Bed. „Dienstleute, Lehnsleute, Kampfgenossen". Als Koseform zu 'Mann' dient Männe. Eine alte Ableitung von dem *gemeingerm.* Substantiv ist das unter →Mensch behandelte Wort. Das in *mhd.* Zeit abgeleitete Verb mannen „zum Mann werden, sich als Mann zeigen; sich aufraffen; heiraten; bemannen" ist heute veraltet. Gebräuchlich sind statt dessen die Präfixbildungen bemannen (*mhd.* bemannen „mit einer Mannschaft besetzen"), entmannen „zeugungsunfähig machen" (*mhd.* entmannen „der Mannschaft berauben"), ermannen, sich „sich aufraffen" (*mhd.* ermannen „Mut fassen") und die Zus. übermannen „überwältigen" (16. Jh.). Abl.: mannbar „zeugungsfähig; erwachsen" (*mhd.* manbǣre „für einen Mann geeignet, heiratsfähig", von Mädchen); mannhaft (*mhd.* manhaft „mutig, tapfer"); Mannheit *w* (*mhd.* manheit „Männ-

lichkeit; Tapferkeit; Mannesalter"); männlich (*mhd.* manlich, *ahd.* manlîch „dem Mann angemessen; tapfer, mutig"); Mannschaft *w* „Gruppe von Spielern, kleine Einheit von Soldaten, Besatzung" (*mhd.* manschaft „Lehnsleute; Dienstleute; Lehnspflicht; Lehnseid"). Zus.: Mannsbild verächtl. für 'Mann' (aus *mhd.* mannes bilde „Gestalt eines Mannes", dann „Mannsperson"; s. Bild); mannstoll, daneben auch männertoll (18. Jh.); Mannweib (17. Jh.; LÜ von *gr.* andrógynos „Zwitter"; seit dem 18. Jh. in der Bed. „Weib von männlicher Art"). Als Grundwort steckt 'Mann' in zahlreichen Zusammensetzungen, beachte z. B. Bergmann, Biedermann, Dunkelmann, Edelmann, Kaufmann, Landsmann, Steuermann, Tormann, Zimmermann. Siehe auch den Artikel Mannequin.

Mannequin *s* oder *m*: Das seit dem 18. Jh. bezeugte FW war wie das vorausliegende *frz.* mannequin zunächst nur ein Terminus aus dem Bereich der bildenden Künste mit der Bed. „Modellpuppe". Über „Schneiderpuppe" und „Schaufensterpuppe" entwickelte das *frz.* Wort im Bereich des Schneiderhandwerks und der Haute-Couture die Bed. „Vorführdame, welche die neuesten Modeschöpfungen präsentiert". In diesem Sinne lebt das FW heute ausschließlich. – *Frz.* mannequin stammt aus *mniederl.* mannekijn „Männchen", einer Verkleinerungsbildung zu *mniederl.* man (= *dt.* →Mann).

Manöver *s*: Im 18. Jh. als militärischer Terminus zur Bezeichnung größerer und kleinerer militärischer Bewegungen (Truppen-, Flottenübung) aus *frz.* manœuvre entlehnt. In übertragener Verwendung gilt das Wort dann auch im Sinne von „Kunstgriff, Kniff, Scheinmaßnahme". *Frz.* manœuvre bedeutet wörtlich „Handarbeit; Handhabung". Allgemein bezeichnet es sodann jede Tätigkeit, die eine Bewegung, ein Eingreifen der Hände voraussetzt. Das Wort geht auf *vlat.* manuopera „Handarbeit" zurück (zu *lat.* 'manū operāre' „mit der Hand arbeiten"). Bestimmungswort ist *lat.* manus „Hand" (vgl. *manuell*), Grundwort *lat.* opera „Arbeit, Tätigkeit", operārī „tätig werden" (vgl. *operieren*). Abl.: manövrieren, fast nur noch übertragen gebraucht im Sinne von „geschickt zu Werke gehen" (18. Jh.; aus *frz.* manœuvrer); dazu das Kompositum ausmanövrieren „durch geschickte Manöver ausstechen, überlisten".

Mansarde *w* „Dachgeschoß, Dachzimmer": Im 18. Jh. aus gleichbed. *frz.* mansarde entlehnt. Das *frz.* Wort, das aus Wendungen wie 'comble à la Mansarde' „Dachstuhl à la Mansarde" hervorgegangen ist, geht von dem Namen des franz. Architekten Fr. Mansard abgeleitet, der zu Unrecht als Erfinder dieser Bauweise angesehen wurde.

421

Manschette

Manschette *w* „[steifer] Ärmelaufschlag, Ärmelstulpe", auch übertragen gebraucht im Sinne von „Papierkrause für Blumentöpfe", ferner als Bezeichnung eines „Würgegriffs" (Ringen): Das seit dem Ende des 17. Jh.s bezeugte FW bezeichnete ursprünglich die zu jener Zeit modischen, lang überfallenden Handkrausen aus Spitzen. Daran erinnert noch die von Studentenkreisen des 18. Jh.s entwickelte Redensart 'Manschetten haben' „Angst haben" (*ugs.*), eigtl. eine spöttische Anspielung auf die Angst des vornehmen Jünglings, daß ihn die Spitzenmanschetten beim Degenfechten beeinträchtigen. – Das Wort ist aus *frz.* manchette „Handkrause" (eigtl. „Ärmelchen") entlehnt, einer Verkleinerungsbildung zu *frz.* manche „Ärmel", das auf *lat.* manica „Ärmel" zurückgeht. Stammwort ist *lat.* manus „Hand" (vgl. *manuell*).

Mantel *m*: Die Bezeichnung des Kleidungsstückes (*mhd.* mantel, *ahd.* mantal) ist aus *lat.* mantellum „Hülle, Decke" (bzw. gleichbed. *vlat.* *mantulum) entlehnt, dessen weitere Herkunft dunkel ist. – Im modernen Sprachgebrauch wird das Wort Mantel vielfach auch übertragen gebraucht, so z. B. als „Hülle von Hohlkörpern", als „Blechmantel (bei Geschossen)", ferner in der Stereometrie zur Bezeichnung der nicht zu den Grundflächen gehörenden Oberflächenteile eines Körpers, schließlich auch im bildlichen Sinne von „Verhüllung". An die letztere Verwendung des Wortes schließen sich die Zus. Deckmantel „zur Verschleierung und Tarnung der Wahrheit Vorgeschobenes" (*mhd.* decke-mantel) und das abgeleitete Präfixverb bemänteln „verbergen, tarnen, beschönigen" (s. d.) an.

manuell „mit der Hand, Hand..., handarbeitlich": Im 20. Jh. aus gleichbed. *frz.* manuel übernommen, das auf *lat.* manuālis „zur Hand gehörig, Hand..." zurückgeht. Das Stammwort, *lat.* manus „Hand", das außeritalische Verwandte in den unter →*Vormund* genannten Wörtern (*ahd.* munt „Schutz, Schirm", *aisl.* mund „Hand") hat, ist auch sonst mit zahlreichen Ableitungen und Zusammensetzungen in unserem Fremdwortschatz vertreten. Vgl. hierzu im einzelnen die Artikel: →Manufaktur, →Manikure, maniküren, →Manuskript, →Manipulation, manipulieren, →Manöver, manövrieren, ausmanövrieren, →Mandat, Mandant, →kommandieren, Kommandant, Kommandeur, Kommodore, Kommando, →emanzipieren, emanzipieren, Emanzipation, →Manifest, manifestieren, Manifestation, →Manier, Manieren, manierlich, manieriert, →Manschette, →Manege und →Manager, Managerkrankheit, managen.

Manufaktur *w*: Die seit dem 17. Jh. bezeugte Bezeichnung für eine „Handarbeit" hergestellte Industrieerzeugnisse" (z. B. Web-, Strick- und Tonwaren) stammt aus *frz., engl.* manufacture. Zu *lat.* manus „Hand" (vgl. *manuell*) und *lat.* factūra „das Machen, die Herstellung" (*lat.* facere „machen"; vgl. *Fazit*).

Manuskript *s* „hand- oder maschinenschriftliche Ausarbeitung; Urschrift; Druckvorlage": Im 17. Jh. aus *mlat.* manuscrīptum „eigenhändig Geschriebenes (Dokument u. a.)" entlehnt. Zu *lat.* manus „Hand" (vgl. *manuell*) und *lat.* scrībere (scrīpsī, scrīptum) „schreiben" (vgl. das LW *schreiben*).

Mappe *w*: Quelle des seit dem 15. Jh. bezeugten Substantivs ist *lat.* mappa „Vortuch, Serviette; Tuch", das im *Mlat.* in der Fügung 'mappa mundi' die Bed. „Weltkarte, Landkarte" (eigtl. „Tuch aus Leinwand mit einer kartographischen Darstellung der Erdteile") entwickelt hat. In diesem letzteren Sinne wurde das Wort aufgenommen. Die davon übertragene Bed. „Umschlag[stuch] für Landkarten" vermittelte die im 18. Jh. aufgekommene, heute allein gültige allgemeine Bedeutung des Wortes „größere flache Tasche, Schriftentasche".

Marabu *m*: Der Name des tropischen Storchenvogels, in *dt.* Texten seit dem 19. Jh. bezeugt, ist aus *frz.* marabout entlehnt. Das Wort ist identisch mit *frz.* marabout „mohammedanischer Einsiedler, Asket". Die Übertragung auf den Vogelnamen spielt auf das ungewöhnlich würdevolle Wesen an, das der Marabu zur Schau trägt. – Dem *frz.* Wort voraus liegen *port.* marabuto und *arab.* murābiṭ „mohammedanischer Einsiedler, Asket".

Märchen *s* „Erzählung (ohne Bindung an historische Personen oder an bestimmte Örtlichkeiten), phantastische Dichtung; erfundene Geschichte, Lüge": Das seit dem 15. Jh. bezeugte Wort ist eine Verkleinerungsbildung zu dem heute veralteten Substantiv Mär[e] *w* „Nachricht, Kunde, Erzählung". Bis ins 19. Jh. war die aus dem *Mitteld.* stammende Verkleinerungsbildung, die das *oberd.* Märlein verdrängt hat, im Sinne von „Nachricht, Gerücht, kleine [unglaubhafte] Erzählung" gebräuchlich. Das Grundwort Mär[e] (*mhd.* mǣre, *ahd.* māri) ist eine Bildung zu dem im *Nhd.* untergegangenen *gemeingerm.* Verb *mhd.* mǣren, *ahd.* māren „verkünden, rühmen usw.", das von einem alten Adjektiv für „groß, bedeutend, berühmt" abgeleitet ist. Dieses Adjektiv, das im *germ.* Sprachbereich nur noch als zweiter Bestandteil in PN bewahrt ist (beachte z. B. Dietmar, Reinmar, Volkmar), ist *ahd.* māri „groß, bekannt usw." und *air.* mál „groß" und *gr.* -mōros „groß, bedeutend". Zugrunde liegt die *idg.* Wz. *mē-, mō- „groß, ansehnlich", zu der auch die unter →mehr und →meist behandelten Formen gehören.

422

Marder *m*: Die Herkunft des *germ.* Tiernamens (*mhd.* marder, *ahd.* mard[ar], *aengl.* mearð, *schwed.* mård) ist unklar. Falls das kleine Raubtier nach seiner Mordlust und seinem Blutdurst benannt worden ist, könnte der Name zu der Wortgruppe von →*Mord* gehören. Der Tiername wird auch übertragen gebraucht, beachte z. B. die Zus. A u t o m a r d e r und B r i e f m a r d e r.

mären: Der *ugs.* Ausdruck für „herumwühlen; langsam oder umständlich sein; quatschen, faseln", der sich von Mitteldeutschland her ausgebreitet hat, geht zurück auf *mhd.* mern „Brot in Wein oder Wasser tunken, umrühren, mischen". Dieses Verb ist wahrscheinlich eine Ableitung von *mhd.* mer[ō]t, *ahd.* meröde „flüssige Speise aus Brot und Wein, Abendmahl", das aus dem *lat.* Klosterwort merenda „Vesperbrot" entlehnt ist. Das Substantiv ist heute noch in der Form M ä r t e *w* („Obstkaltschale; Mischmasch") in Mitteldeutschland gebräuchlich.

Margarine *w* „Kunstbutter (aus tierischen und pflanzlichen oder rein pflanzlichen Fetten)": Im 19. Jh. aus gleichbed. *frz.* margarine entlehnt. Dies ist eine künstliche Bildung zu *frz.* 'acide margarique', dem von *gr.* márgaron „Perle" abgeleiteten Namen einer Säure, die in der Zusammensetzung der Margarine eine Rolle spielt. – Über *gr.* márgaron vgl. *Margerite*.

Margerite *w*: Der Name der in den Mundarten mit zahlreichen Synonymen – wie 'Gänseblume' und 'Johannesblume' – bedachten volkstümlichen Wiesenblume ist aus *frz.* marguerite entlehnt. Das *frz.* Wort, das als Blumenname zunächst unser „Maßliebchen" bezeichnete, ist mit *afrz.* margarite, margerite „Perle" identisch, so daß der Benennung der Blume wohl ein Vergleich der Blütenköpfchen von Maßliebchen mit Perlen zugrunde liegt. Dem *afrz.* Wort margarite „Perle" liegen *lat.* margarīta „Perle" und *gr.* margarītēs „Perle" voraus (daneben gleichbed. *gr.* márgaron, s. das FW Margarine), das seinerseits orientalisches LW ist. – Im *dt.* Sprachempfinden verbindet man den Pflanzennamen oft mit dem Mädchennamen Margarete, der übrigens etymologisch gleichen Ursprungs ist.

Marine *w* „Seewesen; [Kriegs]flotte": Am Ende des 17. Jh.s aus gleichbed. *frz.* marine entlehnt. Dies ist von dem Adjektiv *lat.* „das Meer, die See betreffend" abgeleitet, das auf gleichbed. *lat.* marīnus zurückgeht. Stammwort ist das mit *dt.* →*Meer* urverwandte Substantiv *lat.* mare „Meer; Meerwasser, Seewasser". – Dazu →marinieren und Marine.

marinieren „[Fische] in Würztunke einlegen": Im 17. Jh. aus gleichbed. *frz.* mariner (= *it.* marinare) entlehnt. Dies geht als Ableitung zu *frz.* marin „das Meer, die See betreffend" (vgl. *Marine*) und bedeutet eigtl. „in Meerwasser (= Salzwasser) einlegen". Dazu: M a r i n a d e *w* „Würztunke [zum Einlegen von Fischen]", um 1700 aus gleichbed. *frz.* marinade.

Marionette *w* „(an Fäden oder Drähten aufgehängte und dadurch bewegliche) Gliederpuppe für Puppentheater", auch übertragen gebraucht im Sinne von „willenloses Geschöpf": Im 17. Jh. aus gleichbed. *frz.* marionnette entlehnt, das als Ableitung von dem Mädchennamen Marion, der Verkleinerungsbildung zu *frz.* Marie „Maria", eigtl. „Mariechen" bedeutet.

¹Mark *w*: Die Bezeichnung der Münzeinheit geht zurück auf *mhd.* marc, marke „Silberbarren von bestimmtem Gewicht, halbes Pfund Silber oder Gold", das mit *mhd.* marc „Zeichen" (s. Marke und merken) identisch ist. Das Wort bezeichnete demnach im Mittelalter zunächst das Zeichen der Obrigkeit auf einem Metallbarren und ging dann auf den Metallbarren selbst und das festgesetzte Gewicht über. Dann wurde es auf ein Geldstück (von bestimmtem Gewicht) übertragen, beachte dazu z. B. die *it.* Münzbezeichnung →Lira, eigtl. „Pfund", und die *engl.* Münzbezeichnung pound, eigtl. „Pfund". In der Neuzeit nahm das Gewicht und damit der Wert des Geldstücks ständig ab. Durch das Reichsmünzgesetz von 1873 wurde die Mark als Rechnungseinheitsmünze in Deutschland eingeführt. Beachte dazu die Zus. R e n t e n m a r k (1923) und R e i c h s m a r k (1924) und die Bezeichnung D e u t s c h e M a r k (1948).

²Mark *w* „Grenzland" (hist.): *Mhd.* marc „Grenze; Grenzland; Gau, Gebiet; Gesamteigentum einer Gemeinde an Grund und Boden", *ahd.* marcha „Grenze", *got.* marka „Grenze", *aengl.* mearc „Grenze; Gebiet, Bezirk", *schwed.* mark „Gebiet, Land, Feld" gehen mit verwandten Wörtern in anderen *idg.* Sprachen auf die Wz. *mer[e]ĝ- „Rand, Grenze" zurück, vgl. z. B. *lat.* margō „Rand, Grenze" und *pers.* marz „Landstrich, Gebiet". Das *gemeingerm.* Wort bedeutete also zunächst „Grenze" und dann erst „an der Grenze gelegenes Land; aus einem größeren Territorium abgegrenztes Gebiet". Im alten Sinne von „Grenze" war das Wort im *Dt.* bis in den Beginn der Neuzeit gebräuchlich. Dann wurde es durch das aus dem *Slaw.* entlehnte Wort →Grenze verdrängt. Aus dem *Germ.* stammt *frz.* marche „Grenze, Grenzland" (s. Marquis, „Markgraf"). Abl.: G e m a r k u n g *w* „abgegrenztes Gebiet, Gemeindeflur" (18. Jh.; zu dem heute veralteten gleichbed. Markung). Zus.: M a r k g r a f (*mhd.* markgrāve „königlicher Richter und Verwalter eines Grenzlandes"); M a r k s t e i n „wichtiger Punkt" (*mhd.* marcstein „Grenzstein"). Siehe auch den Artikel Marke.

³**Mark** s „Innengewebe (in Knochen und Organen), Grundgewebe (in Pflanzen)": Das *altgerm.* Wort *mhd.* marc, *ahd.* mar[a]g, *niederl.* merg, *engl.* marrow, *schwed.* märg geht mit verwandten Wörtern in anderen *idg.* Sprachen auf *mozgo-* „Mark, Gehirn" zurück, vgl. z. B. *awest.* mazga- „Mark, Gehirn" und die *slaw.* Sippe von *russ.* mózg „Gehirn". Welche Vorstellung der Benennung des Innengewebes zugrunde liegt, ist unklar. – In Norddeutschland ist neben 'Mark' auch die Form M a r k s (eigtl. der erstarrte Genitiv) gebräuchlich. – Abl.: markig „voller Mark; kraftvoll, stark" (17. Jh.). Siehe auch den Artikel ausmergeln.

Marke w „Handels-, Waren-, Fabrikzeichen; (durch eine Marke gekennzeichnete) Sorte; Wertzeichen; Berechtigungsnachweis, Ausweis": Das seit dem Anfang des 18. Jh.s bezeugte Wort ist entlehnt aus *frz.* marque „auf einer Ware angebrachtes Zeichen, Kennzeichen". Das *frz.* Kaufmannswort ist eine Bildung zum Verb marquer „kennzeichnen, bezeichnen; merken" (vgl. *markieren*). Die unter dem FW markieren behandelte *roman.* Sippe ist ihrerseits entlehnt aus *germ.* *marka- „Zeichen", das wahrscheinlich im Sinne von „Grenzzeichen" mit dem unter → ²*Mark* „Grenzland" dargestellten Wort identisch ist (s. auch die Artikel merken und ¹Mark).

Marketender m, daneben M a r k e t e n d e r i n w: Die früher übliche Bezeichnung für den die Feldtruppe begleitenden „Händler und Feldwirt", in *dt.* Texten seit dem 16. Jh. in sehr unterschiedlichen, schwankenden Lautformen bezeugt, ist eine soldatensprachliche Umformung von *it.* mercatante „Händler". Dies gehört zu *it.* mercatare „Handel treiben" und weiter zu *it.* mercato (< *lat.* mercātus) „Handel; Markt" (vgl. das LW *Markt*).

markieren „kennzeichnen; bezeichnen", *ugs.* auch übertragen im Sinne von „vortäuschen; so tun, als ob": Im 17./18. Jh. aus gleichbed. *frz.* marquer (eigtl. „mit einer Marke, einem Zeichen versehen") entlehnt. Das *frz.* Wort gehört seinerseits zu der unter → *Marke* genannten, ins *Roman.* entlehnten *germ.* Wortgruppe. Unmittelbar stammt es wohl aus entspr. *it.* marcare „kennzeichnen" (zu *it.* marca < *langob.* *marka „Merkzeichen"). – Abl.: M a r k i e r u n g w; m a r k a n t „bezeichnend; ausgeprägt, auffallend; scharf geschnitten (von Gesichtszügen)", im 19. Jh. aus gleichbed. *frz.* marquant entlehnt, dem adjektivisch gebrauchten Part. Präs. von marquer.

Markise w „leinenes Sonnendach, Schutzdach, Schutzvorhang": Im 18. Jh. aus gleichbed. *frz.* marquise entlehnt. Das *frz.* Wort ist feminine Abl. von *frz.* marquis „Markgraf" (vgl. *Marquis*) und bedeutet eigtl. „Markgräfin". Die Soldatensprache

griff das Wort auf und verwendete es zur scherzhaft-ironischen Bezeichnung für ein über das Offizierszelt gespanntes besonderes Zeltdach, welches das Offizierszelt vom Zelt des gemeinen Soldaten unterschied. Daraus entwickelte sich dann die allgemeine übertragene Bedeutung des Wortes.

Markt m: Das *westgerm.* Substantiv, *mhd.* mark[e]t, *ahd.* markāt *niederl.* markt (entspr. *engl.* market) beruht auf einer frühen Entlehnung aus *lat.* mercātus (bzw. *vlat.* *marcātus) „Handel, Kaufhandel, Markt; Jahrmarkt, Messe", das von *lat.* mercārī „Handel treiben" abgeleitet ist. Stammwort ist das etymologisch nicht sicher gedeutete Substantiv *lat.* merx (mercis) „Ware". – Zum gleichen Stammwort gehören auch die FW → *Marketender[in]*, →*kommerziell*, *Kommerzienrat* und →*Kommers*.

Marmelade w „mit Zucker eingekochtes Fruchtmark, Fruchtmus": Um 1600 mit der urspr. Bed. „Quittenmus" aus *port.* marmelada „Quittenmus" entlehnt, einer Abl. von *port.* marmelo „Honigapfel, Quitte". Dies stammt seinerseits aus gleichbed. *lat.* melimēlum < *gr.* melímēlon. Zu *gr.* méli „Honig" (vgl. *Melisse*) und *gr.* mēlon „Apfel" (vgl. *Melone*).

Marmor m: Die Bezeichnung des kristallinkörnigen Kalkgesteins (*mhd.* marmel, *ahd.* marmul) ist aus gleichbed. *lat.* marmor entlehnt, das seinerseits LW aus gleichbed. *gr.* mármaros (Nebenform: mármaron) ist. Das *gr.* Wort, das wohl zum Stamm von *gr.* maraínein „aufreiben, vernichten", *gr.* marnasthai „sich schlagen, kämpfen" (urspr. vermutlich: „sich zermalmen") gehört (über weitere etymologische Zusammenhänge vgl. den Artikel *mürbe*), bedeutet primär „Stein, Felsblock" (eigtl. etwa „der Gebrochene, der Brocken") und erst sekundär durch Anschluß an *gr.* marmaírein „glänzen, schimmern", marmáreos „glänzend, funkelnd" auch „Marmor". – Die heutige Form des Wortes Marmor (gegenüber *ahd.* marmul, *mhd.* marmel) wurde im 16. Jh. auf gelehrtem Wege durch Angleichung an das *lat.* Vorbild hergestellt. Demgegenüber ist die alte Form des Wortes in den landschaftlich gebräuchlichen Bezeichnungen M a r m e l w und M u r m e l w für die marmornen Spielkugeln der Kinder bewahrt. – Abl. von Marmor: m a r m o r i e r e n „marmorartig bemalen, ädern" (18. Jh.; nach *lat.* marmorāre „mit Marmor überziehen").

Marone w „eßbare Edelkastanie": Um 1600 aus gleichbed. *frz.* marron < *it.* marrone entlehnt. Letzteres lieferte bereits zu Beginn des 16. Jh.s die eingedeutschte *schweiz.* und *bayr.* Form M a r r e w. – Die Herkunft des *roman.* Wortes ist dunkel.

Marotte w „Schrulle, wunderliche Neigung": Im 18. Jh. aus *frz.* marotte „Narrenkappe, Narrenzepter mit Puppenkopf; Narrheit,

Marotte" entlehnt; Das *frz.* Wort ist eine Verkleinerungsbildung zu *frz.* Marie „Maria" und bezeichnete ursprünglich eine kleine Heiligenfigur.

Marquis *m* „Markgraf" (als französ. Adelstitel): *Frz.* marquis (*afrz.* marchis) – dazu als feminine Abl. *frz.* marquise „Markgräfin" (s. auch Markise) –, dem im *It.* marchese „Markgraf" entspricht, stellt sich als Abl. zu *frz.* marche (= *it.* marca) „Grenze, Grenzland". Dies geht auf *germ.* *marka zurück, das *dt.* →²*Mark* „Grenzmark" zugrunde liegt.

¹Marsch *m* „Gangart; geschlossene Bewegung eines militärischen Verbandes", auch Bezeichnung für ein Musikstück im Zeitmaß des Marschierens: Das seit dem 17. Jh. bezeugte Substantiv wurde im Verlauf des 30jährigen Krieges als militärisches Fachwort aus gleichbed. *frz.* marche entlehnt. Das *frz.* Wort gehört als Ableitung zu *frz.* marcher „gehen, schreiten, marschieren" (*afrz.* „mit den Füßen treten"), das seinerseits im Anfang des 17. Jh.s unser Zeitwort marschieren ˜lieferte. – Quelle des *frz.* Verbs ist sehr wahrscheinlich *afränk.* *markōn „eine Marke, ein Zeichen setzen; eine Fußspur hinterlassen", das zu den unter →*merken* genannten *germ.* Wörtern gehört.

²Marsch *w* „Niederung vor Flachküsten oder an Flußläufen, angeschwemmter fruchtbarer Boden": Das aus dem *Niederd.* stammende Wort (*mnd.* marsch, mersch, *asächs.* mersc) ist eine Bildung zu dem unter →*Meer* behandelten Substantiv. Im *Engl.* entspricht marsh „Sumpfland". Siehe den Artikel Morast.

Marschall *m*: Das Wort (*mhd.* marschalc, *ahd.* marahscalc) bedeutete urspr. „Pferdeknecht". Es ist zusammengesetzt aus *mhd.* marc[h], *ahd.* marah „Pferd" (vgl. *Mähre*) und aus *mhd.* scalc, *ahd.* scalc „Knecht, Diener" (vgl. *Schalk*). Im Mittelalter hatte der Marschall zunächst die Stellung eines Stallmeisters inne. Dann avancierte er zum Aufseher über das fürstliche Gesinde am Hofe und auf Reisen und zum Anführer der waffenfähigen Mannschaft und bekleidete schließlich eins der vier Hofämter. In der Neuzeit (seit dem 16. Jh.) wurde der Marschall zum obersten Befehlshaber der Reiterei und erhielt dann einen hohen oder den höchsten militärischen Rang. – Die *nhd.* Form Marschall (gegenüber *mhd.* marschalc) ist von *frz.* maréchal beeinflußt, das seinerseits schon früh aus dem *Dt.* entlehnt wurde. Aus dem *Frz.* stammt *engl.* marshal. – Zus.: Feldmarschall (16. Jh.; LÜ von *frz.* maréchal de camp).

Marstall *m*: Die heute nur noch als Bezeichnung für den Reit- und Fahrstall einer fürstlichen Hofhaltung gebräuchliche Zusammensetzung (*mhd.* mar[ch]stal, *ahd.* marstal) bedeutete früher ganz allgemein „Pferdestall". Über das Bestimmungswort (*mhd.* marc[h], *ahd.* marah „Pferd"), das auch in →Marschall steckt, vgl. *Mähre*.

Marter *w* „Qual, Folter, Peinigung": Das dem frühchristlichen Wortschatz entstammende Substantiv (*mhd.* marter[e] „Blutzeugnis, Leiden Christi; Qual, Folter", *ahd.* martira, martara) ist aus *kirchenlat.* martyrium „Zeugnis; Blutzeugnis für die Wahrheit der christl. Religion" entlehnt (beachte dazu das junge FW Martyrium *s* „Opfertod, schweres Leiden; Folterqual", das seinerseits auf *gr.* martýrion „Zeugnis" beruht. Stammwort ist *gr.* mártys (dialektische Nebenform: mártyr) „Zeuge; Blutzeuge" (ursprünglich wohl abstrakt: „Erinnerung; Zeugnis"), das mit *lat.* memor „eingedenk, sich erinnernd" etymologisch verwandt ist (vgl. *memorieren*). – Dazu: Märtyrer *m* „Blutzeuge (besonders des christl. Glaubens); wegen seiner Überzeugung Verfolgter" (*mhd.* marterǣre, marterer, merterer, *ahd.* martirāri; die *nhd.* Form, die im 16./17. Jh. erscheint, beruht auf gelehrter Wiederangleichung an das *gr.-lat.* Vorbild); martern „quälen, peinigen, foltern" (*mhd.* marter[e]n „zum Märtyrer machen, ans Kreuz schlagen; peinigen, foltern", *ahd.* martirōn, martarōn).

März *m*: Der Name für den dritten Monat des Kalenderjahres (*mhd.* merz[e], *ahd.* marceo, merzo) ist aus gleichbed. *lat.* Mārtius (mēnsis) entlehnt. Der Monatsname ist vom Namen des altrömischen Kriegsgottes Mārs, dem der März geheiligt war, abgeleitet.

Marzipan *s*: Die seit dem Anfang des 16. Jh.s bezeugte Bezeichnung der aus Mandeln, Aromastoffen und Zucker hergestellten Süßware ist aus *it.* marzapane „Marzipan" entlehnt. Die weitere Herkunft des auch in anderen *roman.* Sprachen vertretenen Wortes (vgl. z. B. entspr. *frz.* massepain und *span.* mazapán) ist unsicher.

Masche *w* „kleine Schlinge (innerhalb eines größeren Gefüges), Schleife": Das *altgerm.* Wort *mhd.* masche, *ahd.* masca, *niederl.* maas, *engl.* mesh, *schwed.* maska ist verwandt mit der *balt.* Sippe von *lit.* mègzti „knoten, knüpfen, stricken"; mǽzgas „Knoten, Schlinge". Das *altgerm.* Wort bedeutet also eigtl. „Knüpfung, Knoten". – Im *Dt.* bezeichnete das Wort früher auch die beim Vogel- und Fischfang und auf der Jagd verwendeten Schlingen und Netze, beachte dazu die Redewendungen 'in die Maschen geraten' und 'durch die Maschen gehen'. Daran schließt sich an der übertragene Gebrauch von 'Masche' im Sinne von „Ausweg, Trick; Lösung; Erfolg; Gewinn".

Maschine *w* „Arbeitsgerät mit beweglichen Teilen; Triebwerk", auch in zahlreichen Zus. wie Dampf-, Schreibmaschine und Maschinengewehr: Im 17. Jh. – zuerst als militärisches Fachwort im Sinne von „Kriegs-, Belagerungsmaschine" – aus *frz.* machine entlehnt, das auf *lat.* māchina „Maschine" zurückgeht. Das *lat.* Wort stammt aus dem *Gr.*, und zwar aus einer *dorischen* Dialektform māchaná statt *klass.- gr.* mēchaně „Hilfsmittel, Werkzeug; Kriegsmaschine", das seinerseits wiederum Quelle für die Fremdwortgruppe um →Mechanik ist. Stammwort ist das *gr.* Substantiv mēchos „[Hilfs]mittel; Möglichkeit". – Abl.: ma- schinell „maschinenmäßig [hergestellt]" (19. Jh.; mit französierender Endung nach *frz.* machinal < *lat.* māchinālis gebildet); Maschinist *m* „jmd., der Maschinen fachkundig bedient; Maschinenmeister" (18. Jh.; aus *frz.* machiniste); Maschinerie *w* „Gesamtheit der Maschinen in einem Betrieb; Getriebe" (18. Jh.; mit französierender Endung gebildet; *frz.* machinerie ist erst später bezeugt).

Maser *w*: Der Ursprung des *altgerm.* Wortes für „Knorren, flammende Zeichnung des Holzes" (*mhd.* maser, *ahd.* masar, *aengl.* maser, *schwed.* masur) ist dunkel. Abl.: masern (*mhd.* masern, *spätahd.* masarōn „knorrige Auswüchse bilden", dazu Ma- serung *w* „Zeichnung des Holzes". Siehe auch den Artikel Masern.

Masern *Mehrz.*: Der seit dem 16. Jh. bezeugte Name des rötlichen, grobfleckigen Hautausschlags ist wahrscheinlich die *Mehrz.* von dem unter →*Maser* „[flammende] Zeichnung des Holzes" behandelten Wort. Der Name der Kinderkrankheit, der sich von Norddeutschland her ausgebreitet hat, kann beeinflußt sein von *niederd.* maseln „Masern" (beachte *mnd.* masel[e] „Pustel, Pickel", *mhd.* masel, *ahd.* masala „Blutgeschwulst").

Maske *w*: „Gesichtslarve; Verkleidung; kostümierte Person", auch übertragen im Sinne von „falscher Schein": Im 17. Jh. aus gleichbed. *frz.* masque entlehnt, das seinerseits wie entspr. *span.* máscara aus *it.* maschera „Maske" stammt. Letzte Quelle des Wortes ist vermutlich *arab.* maschara „Verspottung; Possenreißer; Possenreiße- rei". – Dazu: Maskerade *w* „Verkleidung; Mummenschanz; Heuchelei, Vortäuschung", um 1600 aus *span.* mascarada (= *frz.* mas- carade < *it.* mascarata, mascherata); maskieren „eine Maske umbinden, verkleiden; verschleiern, verbergen" (um 1700 aus gleichbed. *frz.* masquer); die Gegenbildung demaskieren „die Maske abnehmen; entlarven" erscheint etwa gleichzeitig (aus gleichbed. *frz.* démasquer).

Maskottchen *s* „glückbringender Talisman, Anhänger; Puppe u. a. als Amulett": Im 20. Jh. aus gleichbed. *frz.* mascotte entlehnt, das selbst aus *prov.* mascoto „Zauber, Zauberei" stammt. Zugrunde liegt *prov.* masco „Zauberin", das wohl ein in den langobard. Gesetzen bezeugtes masca „Hexe" fortsetzt. Die weitere Herkunft des Wortes ist unsicher.

maskulin „männlich, männlichen Geschlechts" (Sprachw., Med., Biol.): Gelehrte Entlehnung aus gleichbed. *lat.* masculus (von *lat.* masculīnus „männlich, männlichen Geschlechts", einer Verkleinerungsbildung zu gleichbed. *lat.* mās. Dazu das Subst. **Maskulinum** *s* „männliches Hauptwort" (aus *lat.* [nōmen] masculīnum).

Maß *s*: Die *nhd.* sächliche Form geht zurück auf *spätmhd.* māʒ *s*, das durch Vermischung von *mhd.* māʒe *w* „zugemessene Menge, richtige Größe, abgegrenzte Ausdehnung; Art und Weise; Angemessenes, Mäßigung" mit *mhd.* meʒ *s* „Meßgerät; ausgemessene Menge; Ausdehnung, Richtung, Ziel" entstanden ist. Daneben ist im heutigen Sprachgebrauch bisweilen auch noch die weibliche Form (*mhd.* māʒe) üblich, beachte *oberd.* Maß *w* „Flüssigkeitsmaß; Literkrug mit Bier" und die Verbindungen 'in Maßen', 'mit Maßen', 'über alle Maßen' und dgl., ferner auch die aus genitivischen Fügungen erwachsenen dermaßen, einigermaßen, gewissermaßen usw. – Das Wort (*mhd.* māʒe, *ahd.* māʒa) ist eng verwandt mit der Sippe von →messen und gehört zu der unter →¹Mal dargestellten *idg.* Wortgruppe. Es steckt in zahlreichen Zusammensetzungen, als Grundwort z. B. in Ebenmaß, Mittelmaß, Übermaß, als Bestimmungswort z. B. in Maßnahme, „Regelung, Bestimmung" (19. Jh.), Maßregel „Richtlinie, Anordnung" (18. Jh.), dazu maßregeln „derb zurechtweisen, bestrafen" (19. Jh.; eigtl. „Maßregeln gegen jemanden ausüben", Maßstab (15. Jh.; in der Bed. „Meßlatte"). Ableitungen sind mäßig (s. d.) und anmaßen, sich „[unberechtigt] für sich in Anspruch nehmen" (*mhd.* ane- māʒen; eigtl. „etwas für sich als angemessen ansehen"), dazu Anmaßung *w* „[unberechtigter] Anspruch" (15. Jh.).

Massaker *s* „Gemetzel, Blutbad": Im 17. Jh. aus gleichbed. *frz.* massacre entlehnt, dessen weitere Herkunft unsicher ist. – Abl.: massakrieren „niedermetzeln; quälen, mißhandeln" (im Anfang des 17. Jh.s aus *frz.* massacrer).

Masse *w*: Das Substantiv (*mhd.* masse, *spätahd.* massa „ungestalteter Stoff; [Metall]- klumpen; Haufen") beruht wie entspr. *frz.* masse auf *lat.* massa „zusammengeknetete Masse, Teig, Klumpen; Haufen", das selbst ein altes LW aus *gr.* māza „Teig aus Gerstenmehl, Fladen; [Metall]klumpen" ist. Stammwort ist *gr.* mássein (Aorist Passiv magēnai) „kneten; pressen, drücken; streichen, wischen", das mit *dt.* →*machen* urverwandt ist. – Dazu: massig, schwer, gedrungen, mächtig" (19. Jh.); ¹massieren „anhäufen; Truppen zusammenziehen" (20. Jh.; nach gleichbed. *frz.* masser), nicht verwandt mit → ²massieren ,,die Massage ausüben''; **massiv** ,,schwer, fest, gediegen; roh, grob; massig, wuchtig'' (17. Jh.; aus gleichbed. *frz.* massif), auch substantiviert: **Massiv** *s* ,,Gebirgsstock'' (so schon im *Frz.*).

¹massieren siehe Masse.

²massieren ,,den menschl. Körper zur Kräftigung durch kunstgerechte Handgriffe streichen, reiben, kneten, klopfen usw.'': Am Ende des 18. Jh.s aus gleichbed. *frz.* masser entlehnt, das vermutlich auf *arab.* mass ,,berühren, betasten'' zurückgeht und nicht mit *frz.* masser ,,aufhäufen, verstärken'' identisch ist (s. **¹massieren** unter → Masse), wie denn auch die Praktik des Massierens aus dem Orient stammt. – Abl.: Massage *w* ,,Heilverfahren durch Massieren'' (am Anfang des 19. Jh.s aus *frz.* massage); Masseur *m* ,,die Massage Ausübender'' (19. Jh.; aus *frz.* masseur) und entspr. Masseuse *w* (20. Jh.; aus *frz.* masseuse).

mäßig ,,Maß haltend; das richtige Maß nicht überschreitend; knapp, gering, unbefriedigend'': Das Adjektiv (*mhd.* mǣ̄zic, *ahd.* mǣzīg) ist von dem unter → *Maß* behandelten Substantiv abgeleitet. Es spielt heute eine überaus große Rolle als Suffix, beachte z. B. solche nichtssagenden und unschönen Zusammensetzungen wie arbeitsmäßig, gehaltsmäßig, wohnungsmäßig. – Vom Adjektiv abgeleitet ist das Verb mäßigen ,,dämpfen, mildern'', gewöhnlich reflexiv ,,sich zurückhalten, sich beherrschen'' (*mhd.* mǣ̄zigen), beachte auch die Präfixbildung ermäßigen ,,herabsetzen, senken'' (19. Jh.), dazu Ermäßigung *w* (19. Jh.).

Maßlieb[chen] *s*: Der seit dem 15. Jh. bezeugte Blumenname ist aus *mniederl.* matelieve entlehnt (bzw. eine LÜ des *mniederl.* Wortes). Die Blume ist wahrscheinlich, weil sie als appetitanregend gilt, als ,,Eßlust'' benannt worden. Das Bestimmungswort von matelieve wäre dann *germ.* *mat[i]- ,,Speise, Essen'' (s. Maat, Mettwurst, Messer), das auch in Maßholder *landsch.* für ,,Ahorn'' steckt. Der Baumname Maßholder (*mhd.* mazzolter, *ahd.* mazzaltra) bedeutet eigtl. ,,Eß-, Speisebaum'', weil die Blätter dieses Baumes in früheren Zeiten als Futter verwendet wurden.

¹Mast *m* ,,Stange, Ständer; Segelbaum'': Das *westgerm.* Wort *mhd.*, *ahd.* mast, *niederl.* mast, *engl.* mast geht mit verwandten Wörtern in anderen *idg.* Sprachen auf *mazdo-s ,,Stange, Holzstamm'' zurück, vgl. z. B. *ir.* maide ,,Stock''. Zu der allgemeinen Bed. ,,Stange, Ständer'' beachte z. B. die Zus. Fahnen-, Leitungs-, Zirkusmast. Eine verdeutlichende Zusammensetzung ist Mastbaum (*mhd.* mastboum, *ahd.* mastpoum).

²Mast *w* ,,Mästung; Futter zur Mästung'': Das *westgerm.* Substantiv *mhd.*, *ahd.* mast,

niederl. mast, *engl.* mast gehört mit verwandten Wörtern in anderen *idg.* Sprachen zu der Wz. *mad- ,,von Feuchtigkeit oder Fett triefend, saftig, strotzend'', vgl. z. B. *aind.* mēdas- ,,Fett'', mēdana-m ,,Mästung'' und *lat.* madēre ,,naß sein, triefen, reifen''. Aus dem *germ.* Sprachbereich gehört zu dieser Wurzel auch das Substantiv *mat[i]- ,,Speise, Essen'', das im *Dt.* bewahrt ist in → Maat (eigtl. ,,Speise-, Essensgenosse''), → Mettwurst (eigtl. ,,Fleischwurst''), → Messer (eigtl. ,,Speiseschwert''), → Mastdarm (eigtl. ,,Speisedarm'') und in → Maßliebchen (eigtl. ,,Eßlust''). Im Ablaut dazu steht die *germ.* Sippe von → Mus (aus *mādso ,,Brei, Speise''). Abl.: mästen ,,fettmachen, reichlich füttern'' (*mhd.*, *ahd.* mesten).

Mastdarm *m*: Der Ausdruck für den untersten, im After endenden Teil des Dickdarms *ahd.*, *mhd.* arsdarm (eigtl. ,,Arschdarm'') wurde im 15. Jh. durch masdarm eigtl. ,,Speisedarm'' ersetzt. Aus *spätmhd.* masdarm, das also ein verhüllender Ausdruck ist, entwickelte sich die *nhd.* Form Mastdarm. Das Bestimmungswort ist *mhd.*, *ahd.* maz ,,Speise'' (vgl. ²Mast).

Match *m* oder *s* ,,Wettkampf, -spiel'': In der Sportsprache des 20. Jh.s aus gleichbed. *engl.* match entlehnt.

Materie *w* ,,Urstoff; Stoff; Inhalt; Gegenstand [einer Untersuchung]'': In *mhd.* Zeit aus *lat.* māteria ,,Stoff; Aufgabe, Vorwurf'' entlehnt, dessen weitere Zugehörigkeit nicht gesichert ist. – Dazu: Material *s* ,,Rohstoff, Werkstoff; Hilfsmittel; Unterlagen, Belege'', im 18. Jh. eingedeutscht aus *mlat.* materiāle ,,das zur Materie Gehörige; der Rohstoff'' (der Plur. 'materialien' jedoch schon im 15. Jh.!). Das zugrunde liegende Adjektiv *lat.* māteriālis ,,zum Stoff gehörig; stofflich'' lieferte über gleichbed. *frz.* matériel auch unser FW materiell ,,stofflich, körperlich; sachlich'' (18. Jh.), das auch übertragen gebraucht wird im Sinne von ,,nur auf materiellen Gewinn eingestellt, genußsüchtig''. – Beachte noch die hierher gehörenden, vom *Frz.* ausgehenden *nlat.* Bildungen des 18. Jh.s Materialismus *m* ,,philosophische Lehre, die alles Seiende (einschl. Seele, Geist) auf Kräfte oder Bedingungen der Materie zurückführt; Streben nach bloßem Lebensgenuß'' (= *frz.* matérialisme), Materialist *m* ,,Vertreter des philos. Materialismus; an höheren geistigen Dingen wenig interessierter Mensch, der nur auf sein eigenes Wohlleben bedacht ist'' (= *frz.* matérialiste) und materialistisch ,,den philos. Materialismus betreffend; nur auf den eigenen Nutzen und Vorteil bedacht''.

Mathematik *w* ,,Wissenschaft von den Raum- und Zahlengrößen'': Im 15. Jh. aus gleichbed. *lat.* (ars) mathēmatica < *gr.* mathēmatikḗ (téchnē) entlehnt. Das zugrunde liegende Adjektiv *gr.* mathēmatikós ,,lernbegierig;

wissenschaftlich; mathematisch" ist von *gr.* máthēma „das Gelernte, die Kenntnis" abgeleitet, dessen *Mehrz.* speziell „[mathematische] Wissenschaften" bedeutet. Stammwort ist *gr.* manthánein (Aorist: matheĩn) „[kennen]lernen, erfahren", das urverwandt ist mit *dt.* →*munter*. – Dazu: Mathematiker *m* „Wissenschaftler auf dem Gebiet der Mathematik" (16. Jh.; zuerst in der Form 'Mathematikus'; aus gleichbed. *lat.* mathēmaticus); mathematisch (16. Jh.).

Matinee *w* „[künstlerische] Vormittagsveranstaltung, Morgenunterhaltung": Im 19. Jh. aus gleichbed. *frz.* matinée entlehnt, einer Abl. von *frz.* matin „Morgen". Das zugrunde liegende *lat.* Adjektiv mātūtīnus „morgendlich, früh" – substantiviert: mātūtīnum (tempus) „Frühzeit; Morgen" –, das auch Ausgangspunkt ist für unser LW →*Mette*, ist mit *lat.* mātūrus „reif; frühzeitig" verwandt (vgl. *Matur*).

Matjeshering *m* „junger, mild gesalzener Hering": Im 18. Jh. aus *niederl.* maatjesharing entlehnt, das umgebildet ist aus älterem 'maagdekens haering', „Mädchenhering" (d. i. junger Hering ohne Rogen oder Milch). Zu *niederl.* maagdeke[n] „Mädchen" (vgl. *Mädchen*).

Matratze *w*: Die in dieser Form seit dem 15. Jh. übliche Bezeichnung für „Bettpolster, federnde Bettunterlage" beruht auf einer Entlehnung aus gleichbed. älter *it.* materazzo (heute: materassa). Daneben wird eine *it.* Form materasso von *afrz.* materas (= *frz.* matelas) vorausgesetzt, das *mhd.* mat[e]raz „mit Wolle gefülltes Ruhebett, Polsterbett" lieferte. Letzte Quelle des Wortes ist *arab.* maṭraḥ „Ort, wohin etwas geworfen oder gelegt wird; Bodenkissen".

Mätresse *w* „Geliebte": Im 17. Jh. aus gleichbed. *frz.* maîtresse (eigtl. „Herrin, Gebieterin, Meisterin") entlehnt, das als weibliche Bildung zu dem auf *lat.* magister „Vorsteher, Leiter; Lehrer" (vgl. *Meister*) beruhenden Substantiv *frz.* maître „Herr, Gebieter, Meister" gehört.

Matrikel *w* „öffentliches Verzeichnis", insbesondere „Liste der an einer Hochschule Studierenden": Das seit dem 15. Jh. – zuerst in der Form 'matrikul' – bezeugte FW ist aus *lat.* mātrīcula „Stammrolle, öffentliches Verzeichnis" entlehnt, einer Verkleinerungsbildung zu *lat.* mātrīx „Gebärmutter; Stammutter; Stammrolle" (vgl. *Matrize*). – Dazu: immatrikulieren „in die Liste der Studierenden einschreiben" (16. Jh.; aus *mlat.* immātrīculāre) mit dem Substantiv Immatrikulation *w* (18. Jh.). Die Gegenbildungen exmatrikulieren „aus der Liste der Studierenden streichen" und Exmatrikulation *w* erscheinen im 19. Jh.

Matrize *w* „bei der Setzmaschine die in einem Metallkörper befindliche Hohlform zur Aufnahme des Prägestocks (der sogenannten →Patrize); die von einem Druckstock hergestellte [Wachs]form": Fachwort der Druckersprache, im 17. Jh. aus *frz.* matrice „Gußform, Matrize" entlehnt. Das *frz.* Wort bedeutet eigtl. „Gebärmutter", dann im übertragenen Sinne allgemein „das, worin etwas erzeugt oder hergestellt wird". Es geht auf *lat.* mātrīx (mātrīcis) „Muttertier; Gebärmutter; Stammutter" zurück, eine Abl. von *lat.* māter „Mutter" (vgl. den Artikel *Matrone*). – Beachte auch die Verkleinerungsbildung *lat.* mātrīcula „Stammrolle, öffentliches Verzeichnis", die unserem FW →Matrikel zugrunde liegt.

Matrone *w* „ehrwürdige ältere Frau", in der Umgangssprache oft mit leicht abwertendem Nebensinn gebraucht: Das seit dem 14. Jh. belegte FW ist aus *lat.* mātrōna „ehrbare, verheiratete Frau" entlehnt, das zu *lat.* māter „Mutter; Stammutter; Gattin, Weib, Ehefrau" gehört, wie das entspr. *lat.* patrōnus „Schutzherr" zu *lat.* pater „Vater" (s. Patron). – Zu *lat.* māter (daraus u. a. *span.*, *it.* madre und *frz.* mère), das urverwandt ist mit *dt.* →*Mutter*, stellt sich ferner das abgeleitete Substantiv *lat.* mātrīx „Muttertier; Gebärmutter; Stammutter" mit der Verkleinerungsbildung *lat.* mātrīcula „Stammrolle, öffentliches Verzeichnis". Diese liegen unserem FW →Matrize, →Matrikel, immatrikulieren, exmatrikulieren zugrunde.

Matrose *m* „Seemann": Um 1600 wie entspr. *schwed.*, *dän.* matros aus *niederl.* matroos entlehnt, das aus *frz.* matelots, dem Plur. von *frz.* matelot (*afrz.* matenot) „Seemann" umgebildet ist. Das *frz.* Wort selbst stammt vermutlich aus *mniederl.* mattenoot, das eigtl. „Matten-, Schlafgenosse" bedeutet. Früher standen die Matrosen auf Schiffen nur je eine Hängematte für zwei Mann zur Verfügung, in der diese abwechselnd schlafen konnten.

Matsch *m*: Der seit dem 18. Jh. bezeugte Ausdruck für „weiche, breiige Masse; nasser Straßenschmutz" gehört zu dem Verb matschen *ugs.* für „mischen, durcheinandermengen, herumsudeln", das lautmalenden Ursprungs ist. Neben 'matschen' findet sich auch eine gleichbedeutende nasalierte Form manschen (17. Jh.), wie z. B. panschen neben patschen; beachte auch Mansch *m* *ugs.* für „Schneewasser; schlechtes Wetter; Suppe; wässeriges Essen". Abl.: matschig *ugs.* für „breiig; klebrig, schmutzig; überreif" (um 1800).

matt: Das seit *mhd.* Zeit bezeugte Adjektiv (*mhd.* mat) ist ursprünglich, wie auch heute noch, ein Fachwort des Schachspiels, das besagt, daß der (feindliche) König geschlagen und damit die Partie entschieden ist. Das Wort stammt, wie das Schachspiel selbst und einige andere Fachausdrücke des Schachspiels (vgl. zum Sachlichen den Artikel 'Schach'), aus dem Orient. Quelle ist *arab.*

mât „gestorben, tot" in der Fügung 'šäh mât' „der König ist tot" (beachte dazu unsere zusammenges. Form schachmatt, schon *mhd.* 'schāch unde mat'). Das Wort erreichte uns durch *roman.* Vermittlung (vgl. entspr. *it.* 'scacco matto' neben matto, *frz.* 'échec et mat' neben mat, *span.* 'jaque y mate' neben mate). – Seit dem 13. Jh. wird das Adjektiv matt (*mhd.* mat) auch in einem allgemein übertragenen Sinne von „entkräftet, kraftlos, schwach" (später auch „glanzlos, trübe") gebraucht. Daran schließen sich das abgeleitete Präfixverb ermatten „schlapp werden, matt und müde werden, nachlassen" (18. Jh.) und das junge abgeleitete FW mattieren „glanzlos machen" (nach gleichbed. *frz.* mater) an.

¹Matte w „Decke, Unterlage; Bodenbelag": Das Wort (*mhd.* matte, *ahd.* matta) wurde in *ahd.* Zeit aus *lat.* matta „Decke aus Binsen- oder Strohgeflecht" entlehnt. Damit urspr. identisch ist **²Matte** w *mitteld.* für „Quark, Topfen", das gewöhnlich in der Zus. Käsematte gebräuchlich ist. Das Wort bezeichnete demnach zunächst die Unterlage, auf der die geronnene Milch zum Trocknen ausgebreitet wird, und wurde dann auf die geronnene Milch selbst übertragen.

³Matte w (dicht. für:) „[Berg]wiese": Das aus dem *Aleman.* in die allgemeine dichterische Sprache übernommene Wort gehört – wie auch die Bildung → Mahd „„Mähen; Gemähtes; Wiese" – zu dem unter →*mähen* behandelten Verb. Es bedeutet also eigtl. „Wiese, die gemäht wird" im Gegensatz zu Weide. In seinem urspr. Verbreitungsgebiet spielt das Wort auch in der geograph. Namengebung eine Rolle, beachte z. B. die *schweiz.* ON Andermatt und Zermatt. – Mit *mhd.* mat[t]e, *ahd.* matta „Wiese" sind z. B. im *germ.* Sprachbereich verwandt *niederl.* made „Wiese" und *engl.* meadow „Wiese".

Matur, Maturum s „Reifeprüfung, Abitur" (veraltende Bezeichnung): Gelehrte Ableitung des 20. Jh.s von *lat.* mātūrus „reif; frühzeitig". Im 19. Jh. galt die Bezeichnung 'Maturität' bzw. 'Maturitätsexamen' (aus *lat.* mātūritās „Reife"). – Mit dem *lat.* Adjektiv verwandt ist *lat.* mātūtīnus „morgendlich, früh" (s. Matinee und Mette).

Matze w und **Matzen** m „ungesäuertes Passahbrot der Juden": In *frühnhd.* Zeit über *jüd.* matzo aus *hebr.* maṣṣā „ungesäuerter Brotfladen" entlehnt.

Mauer w: Das *altgerm.* Substantiv (*mhd.* mūre, *ahd.* mūra, *niederl.* muur, *aengl.* mūr, *anord.* mūrr) wurde zusammen mit anderen Wörtern des römischen Steinbaues (vgl. zum Sachlichen den Artikel 'Fenster') früh aus dem *Lat.* entlehnt. Quelle des Wortes ist *lat.* mūrus (*alat.* moerus, moiros) „Mauer; Wall". Das Lehnwort hat sein Geschlecht nach dem Vorbild von 'Wand' gewechselt. –

Abl.: ¹mauern „eine Mauer bauen, als Maurer tätig sein, aufbauen" (*mhd.* mūren), dazu zusammengesetzte und Präfixverben wie untermauern (vorwiegend im übertragenen Sinne von „etwas durch überzeugende Beweise erhärten" gebraucht) und vermauern „verbauen"; Maurer m (als Handwerkerbezeichnung; *mhd.* mūrære, *ahd.* mūrāri). Siehe auch die Zus. Freimaurer im Artikel →frei. – In dem aus der Gaunersprache in die Spielersprache und in die Umgangssprache gelangten Verb ²mauern „übervorsichtig und zurückhaltend spielen, sein Blatt nicht ausreizen (bei Kartenspielen); auf Halten des Ergebnisses spielen (Fußball u. a.)" hat sich wohl *rotwelsch* maure (< *jidd.* mora) „Furcht, Angst" mit dem obengenannten Verb ¹mauern (hier etwa in einem uneigentlichen Sinne von „eine Mauer bilden, sich ängstlich verschanzen") vermischt.

Maul s: Das *altgerm.* Wort *mhd.* mūl[e], *ahd.* mūl[a], *niederl.* muil, *schwed.* mule gehört mit zahlreichen [elementar]verwandten Wörtern in anderen *idg.* Sprachen zu der Lautnachahmung *mū- (für den mit gepreßten Lippen hervorgebrachten dumpfen Laut, vgl. z. B. *gr.* mýllon „Lippe", mỹein „sich schließen", von den Lippen (s. Mysterium) und *lat.* mūgīre „brüllen", muttīre „halblaut reden, mucken" (s. Motto). Im *germ.* Sprachbereich beruhen auf dem lautnachahmenden *mū- ferner die unter →muhen, →mucken, mucksen und →muffeln behandelten Wörter, wobei zu beachten ist, daß es sich zum guten Teil um unabhängige Bildungen unterschiedlichen Alters handelt. – Im heutigen Sprachgebrauch bezeichnet 'Maul' gewöhnlich den Tiermund, die Schnauze, wird aber auch, wie schon in *mhd.* Zeit, als derber Ausdruck für „Mund" verwendet. Abl.: maulen *ugs.* für „murren, mürrisch sein, schmollen" (16. Jh.). Zus.: Maulaffe (15. Jh., als Schimpfwort für einen dummen, albernen Gaffer; urspr. bezeichnete die Zus. aber wahrscheinlich die im Mittelalter üblichen tönernen Kienspanhalter in Kopfform, in deren Maul man den Kienspan steckte; heute gewöhnlich nur noch in der Wendung 'Maulaffen feilhalten' „gaffen, untätig zusehen" gebräuchlich); Maulschelle (s. ²Schelle).

Maulbeere w: Der Name der brombeerähnlichen Frucht des Maulbeerbaums geht zurück auf *mhd.* mūlber, das aus älterem *mūrber, *ahd.* mūr-, mōrberi „Maulbeere" entstellt ist. Das Bestimmungswort *ahd.* mūr-, mōr- ist aus *lat.* mōrum „Maulbeere; Brombeere" entlehnt.

Maulesel m: Das Wort bezeichnet den durch Kreuzung von Pferdehengst und Eselsstute entstandenen Bastard, der in der zoolog. Fachsprache vom Maultier s, dem Bastard aus der Kreuzung von Eselshengst und

Pferdestute unterschieden wird. Die Tierbezeichnungen sind verdeutlichende Zusammensetzungen mit dem Bestimmungswort *mhd.*, *ahd.* mūl „Maultier" (= entspr. *niederl.* muildier, -ezel, *aengl.* mūl, *schwed.* mula, mulåsna). Die *germ.* Wörter beruhen auf einer Entlehnung aus *lat.* mūlus „Maultier". – Vgl. auch den Artikel Mulatte.

Maulwurf *m*: Der Name des Tieres lautete im *Ahd.* zunächst mūwerf (-wurf). Der erste Bestandteil dieser Zusammensetzung entspricht *aengl.* molta, mūwa, *engl.* mow „Haufe", der zweite ist eine Bildung (Nomen agentis) zu dem unter →*werfen* behandelten Verb. Der Tiername bedeutete also urspr. „Haufenwerfer". Seit *spätahd.* Zeit wurde das Bestimmungswort des Tiernamens, das als selbständiges Wort nicht mehr vorkam und daher nicht mehr verstanden wurde, volksetymologisch umgedeutet, und zwar nach *ahd.* molta, *mitteld.*, *mnd.* mul[le] „Erde, Staub" und *mitteld.*, *mnd.* mul[le] „Erde, Staub" (vgl. *mahlen*). *Spätahd.* mul[t]wurf, *mhd.* moltwerf und ähnliche Formen bedeuten demnach eigtl. „Erd[auf]werfer". Das Bestimmungswort dieser Benennung, das gleichfalls allmählich außer Gebrauch kam, wurde dann abermals umgedeutet, und zwar nach *mhd.* mūl[e] „Maul, Mund" (vgl. *Maul*). Auf diese Umdeutung beruht die *nhd.* Form Maulwurf (eigtl. „Tier, das die Erde mit dem Maul wirft").

Maus *w*: Der *altgerm.* Tiername *mhd.*, *ahd.* mūs, *niederl.* mues, *engl.* mouse, *schwed.* mus geht mit Entsprechungen in den meisten anderen *idg.* Sprachen auf *idg.* *mūs „Maus" zurück, vgl. z. B. *aind.* mū́ṣ „Maus" (s. Moschus und Muskat), *gr.* mȳs „Maus" und *lat.* mūs „Maus" (s. Muskel und Muschel). Welche Vorstellung der Benennung der Maus zugrunde liegt, ist nicht sicher geklärt. Vermutlich gehört *idg.* *mūs „Maus" zu der Sippe von *aind.* muṣṇáti „stiehlt, raubt" und bedeutet dann eigtl. „Diebin". Abl.: **mausen** *ugs.* für „stehlen" (*mhd.* mūsen „Mäuse fangen; schleichen; listig sein"). Siehe auch die Artikel mausetot und Fledermaus.

mausern, sich „das Federkleid wechseln (von Vögeln)", auch auf den Menschen übertragen im Sinne von „sich herausmachen; seine Gesinnung wechseln": Das in dieser Form seit dem 18. Jh. bezeugte Wort ist eine Weiterbildung zu dem im *Nhd.* untergegangenen gleichbed. Verb mausen (*mhd.* sich mūzen, *ahd.* mūzōn), das aus *lat.-mlat.* mūtāre „[ver]ändern, wechseln, [ver]tauschen; das Federkleid wechseln" (*mlat.* 'pennās mūtāre') entlehnt ist. Das *lat.* Wort gehört vermutlich zu der unter →*Meineid* dargestellten Wortsippe der *idg.* Wz. *mei- „wechseln, tauschen". – Zum Verb mausern stellt sich das Substantiv **Mauser** *w*; Federwechsel der Vögel", das im 19. Jh. für älteres 'Mause' *w* aufgekommen ist (*mhd.* mūze, aus

gleichbed. *mlat.* mūta). – Das gleichfalls hierhergehörende abgeleitete Adjektiv **mausig** „keck, frech" (*mhd.* mūzic, eigentlich „die Federn wechselnd; sich neu herausputzend") lebt heute nur noch in der Wendung 'sich mausig machen' „sich keck hervortun, wichtig tun".

mausetot: Das seit dem 17. Jh. bezeugte Adjektiv ist eine volksetymologische Umdeutung („tot wie eine Maus, die nicht mehr zuckt") von *niederd.* mu[r]sdōt, morsdōt „ganz tot". Der erste Bestandteil ist *niederd.* murs, mors „gänzlich, plötzlich". – Im heutigen Sprachgefühl wird das Bestimmungswort als Verstärkung empfunden, ähnlich wie 'Mäuschen' in mäuschenstill.

Mausoleum *s* „prächtiges Grabmal": Um 1600 aus gleichbed. *lat.* Mausōlēum < *gr.* Mausōleion entlehnt. Das *gr.-lat.* Wort bezeichnete zunächst nur das berühmte Grabmal des Königs Mausolos (*gr.* Maúsōlos) von Karien, das diesem von seiner Gemahlin in Halikarnass errichtet wurde und das im Altertum als eines der 7 Weltwerke galt.

Maxime *w* „oberster Grundsatz, Leitsatz, Lebensregel" (Philos.): Gelehrte Entlehnung nach gleichbed. *frz.* maxime aus *mlat.* maxima (ergänze: rēgula oder sententia) „höchste Regel, oberster Grundsatz". Über das zugrunde liegende Adjektiv *lat.* maximus „größter, wichtigster, bedeutendster" vgl. den Artikel *Magnat*. – Auf dem substantivierten Neutrum von *lat.* maximus beruht das FW **Maximum** *s* „Höchstwert; Höchstmaß" (Ende 18. Jh.). Dazu als *nlat.* Bildung das Adjektiv **maximal** „sehr groß, größt..., höchst..., höchstens" (19. Jh.).

Mechanik *w* „Lehre vom Gleichgewicht und von der Bewegung der Körper; Getriebe, Triebwerk, Räderwerk": Im 17. Jh. aus *lat.* (ars) mēchanica < *gr.* mēchaniké (téchnē) „die Kunst, Maschinen gemäß der Wirkung von Naturkräften zu erfinden und zusammenzusetzen" entlehnt. Das *gr.* Adjektiv mēchanikós „Maschinen betreffend; erfinderisch" (> *lat.* mēchanicus) ist von *gr.* mēchanḗ „Hilfsmittel, Werkzeug; Kriegsmaschine" abgeleitet (vgl. hierüber den Artikel *Maschine*). – Dazu: **mechanisch** „den Gesetzen der Mechanik entsprechend" (16. Jh.; aus *lat.* mēchanicus < *gr.* mēchanikós, s. o.), seit dem 18. Jh. auch übertr. gebraucht im Sinne von „unbewußt, unwillkürlich, gewohnheitsmäßig" (= „gleichsam wie eine Maschine ablaufend"); **Mechaniker** *m* „Fachmann für die Reparatur von Maschinen, Apparaten und dgl.; Feinschlosser" (19. Jh.; für älteres 'Mechanikus'; aus dem substantivierten *gr.* Adjektiv mēchanicus „Mechaniker"); **mechanisieren** „auf mechanischen Ablauf umstellen" (20. Jh.; nach *frz.* mécaniser; das Substantiv **Mechanisierung** aber schon im 19. Jh.); **Mechanismus** *m* „alles maschinenmäßig Ablaufende;

[selbsttätiger] Ablauf; mechanische Einrichtung, Triebwerk" (Anfang 18. Jh.; *nlat.* Bildung nach gleichbed. *frz.* mécanisme).

meckern: Das seit dem 17. Jh. bezeugte Verb gehört zu gleichbed. *frühnhd.* mecken, beachte *spätmhd.* mechzen „meckern", *mhd.* mecke „Ziegenbock". Die Sippe ist lautnachahmenden Ursprungs. Nachahmungen des Ziegenlauts sind z. B. auch die [elementar]verwandten Verben *gr.* mēkásthai „meckern" und *mlat.* miccīre „meckern". *Ugs.* wird das Verb im Sinne von „nörgeln" gebraucht, beachte dazu auch Meckerer *m* „Nörgler" und Gemecker, Gemeck[e]re *s* „Ziegengeschrei; Nörgelei".

Medaille *w* „Denkmünze, Schaumünze": Im 16. Jh. aus gleichbed. *frz.* médaille < *it.* medaglia entlehnt. Voraus liegt *vlat.* *metallia (monēta) „Münze aus Metall". Über das zugrunde liegende Substantiv *lat.* metallum „Metall" vgl. das LW Metall. – Zu *it.* medaglia stellt sich das mit Vergrößerungssuffix gebildete Substantiv *it.* medaglione „große Schaumünze", das über *frz.* médaillon unser seit dem Anfang des 18. Jh.s bezeugtes FW **Medaillon** *s* „große Schaumünze; Bildkapsel; Rundbild[chen]" lieferte.

meditieren „nachdenken; sinnend betrachten": Das seit dem 14. Jh. belegte Zeitwort ist aus gleichbed. *lat.* meditārī entlehnt, das mit einer ursprünglichen Bed. „ermessen, geistig abmessen" zu der unter → ¹Mal dargestellten Wortsippe der *idg.* Wz. *med- „messen; ermessen" gehört. – Abl.: Meditation *w* „Nachdenken; sinnende Betrachtung; religiöse Versenkung" (16. Jh.; aus *lat.* meditātiō).

Medium *s*: Das seit dem 17. Jh. als FW bezeugte Substantiv, das aus dem substantivierten Neutrum des *lat.* Adjektivs medius „in der Mitte befindlich, mittlerer usw." entlehnt ist, erscheint zuerst in sehr verschiedenen Bedeutungsbereichen. Einmal als naturwissenschaftlicher Terminus im Sinne von „Mittel, Vermittlungsstoff" zur Bezeichnung eines Trägers physikalischer oder chemischer Vorgänge, ferner allgemein im Sinne von „Vermittlung, vermittelndes Element", schließlich im Bereich der Sprachlehre zur Bezeichnung einer medialen (am Aktiv wie am Passiv teilhabenden) Verhaltensrichtung des Zeitwortes (wie sie z. B. für das Griechische typisch ist). Seit dem 19. Jh. spielt das Wort auch im Spiritismus und Okkultismus eine Rolle. Es gilt hier im Sinne von „vermittelnde Person im Geisterverkehr". Danach auch allgemein „geeignete Versuchperson". – *Lat.* medius, das auch in den FW → Intermezzo, → Meridian und → Milieu enthalten ist, ist mit den unter → *Mitte* genannten Wörtern urverwandt.

Medizin *w* 1. „Heilkunde", 2. „Heilmittel, Arznei": Im 13. Jh. aus gleichbed. *lat.* (ars) medicīna entlehnt. Zu *lat.* medicus „Arzt".

Dies stellt sich mit *lat.* medērī „heilen" zu der unter → ¹Mal dargestellten Wortsippe der *idg.* Wz. *mē-[d]- „messen; ermessen", die schon ursprachlich in Sonderanwendung erscheint auf „Rat wissen für jmdn." bzw. auf „klug ermessender, weiser Ratgeber; Heilkundiger" (beachte z. B. *awest.* vī-mad- „Heilkundiger, Arzt" und *gr.* Mēdos, Mḗdē, Agamḗdē „Heilgottheiten"). – Abl.: medizinisch „zur Heilkunde gehörend, sie betreffend" (17. Jh.); Mediziner *m* „Arzt" (*mhd.* medicīnære < *mlat.* *medicīnārius), seit dem 18. Jh. auch in der Bed. „Medizinstudent"; medizinal „zur Arzenei[kunst] gehörig" (aus *lat.* medicīnālis), heute nur noch in Zus. wie Medizinalrat; Medikaments *s* „Heilmittel, Arzenei" (Ende 15. Jh.; aus gleichbed. *lat.* medicāmentum).

Meer *s*: Das *gemeingerm.* Wort *mhd.* mer, *ahd.* meri, *got.* mari-saiws („See", eigtl. „See-See"), *engl.* mere, *schwed.* mar- geht mit verwandten Wörtern im *Lat.*, *Kelt.* und *Baltoslaw.* auf *westidg.* *mŏri „Sumpf, stehendes Gewässer, Binnensee" zurück, vgl. z. B. *lat.* mare „Meer" (s. Maar, Marine, marinieren) und *russ.* móre „Meer". Im *germ.* Sprachbereich sind verwandt die unter → Moor und → Marsch behandelten Wörter, die die ältere Bed. „Sumpf, stehendes Gewässer" bewahren. – Zus.: Meerbusen (Anfang des 17. Jh.s; Lehnübertragung von *lat.* sinus maris, s. Busen); Meerenge (17. Jh.); Meerkatze (*mhd.* mer[e]katze, *ahd.* merikazza; die aus Afrika stammende Affenart ist so benannt, weil das Tier Ähnlichkeit mit einer Katze hat und über das Meer nach Europa gebracht worden ist); Meerschaum „weißes, feinerdig-poröses Mineral" (Anfang des 18. Jh.s; die Zus. ist schon seit dem 15. Jh. bezeugt, allerdings im Sinne von „Koralle" als LÜ von *lat.* spūma maris; die Bezeichnung für „Koralle" wurde vermutlich zu Beginn des 18. Jh.s auf das Mineral übertragen); Meerschweinchen (17. Jh.; das aus Südamerika stammende kleine Nagetier ist so benannt, weil es Laute wie ein junges Schwein von sich gibt und weil es über das Meer nach Europa gebracht worden ist).

Meerrettich *m*: Der seit dem 10. Jh. bezeugte Pflanzenname (*ahd.* mēr[i]rātich, *mhd.* merretich) enthält als ersten Bestandteil wahrscheinlich das unter → *mehr* behandelte Wort und bedeutet demnach eigtl. „größerer Rettich". Später wurde der Pflanzenname umgedeutet zu „Rettich, der über das Meer zu uns gebracht worden ist" (vgl. die Zus. Meerkatze und Meerschweinchen).

Mehl *s*: Das *altgerm.* Wort *mhd.* mel, *ahd.* melo, *niederl.* meel, *engl.* meal, *schwed.* mjöl gehört im Sinne von „gemahlene Getreidekörner, Zerriebenes" zu der Wortgruppe von → *mahlen* (beachte aus anderen *idg.* Sprachen z. B. die verwandten *alban.* mjel

„Mehl" und *lit.* mìlti „Mehl"). Abl.: meh-
lig (17. Jh.; in der Form mehlicht). Siehe
auch den Artikel Mehltau.

Mehltau *m*: Der Name der parasitischen
Pilze, die bestimmte Pflanzenarten mehlartig überziehen und dadurch schädigen, lautete in den älteren Sprachzuständen *mhd.*
miltou, *ahd.* militou. Der zweite Bestandteil
dieser Zusammensetzung ist das unter→[1] *Tau*
behandelte Wort, der erste Bestandteil ist
wahrscheinlich gleichbedeutend mit *mhd.*
mel, *ahd.* melo „Mehl" (vgl. *Mehl*) und gehört
wie dies zu der Wortgruppe von →*mahlen.*
Im 15. Jh. wurde das Bestimmungswort
volksetymologisch an Mehl angeschlossen.
Die nicht umgestaltete Form Miltau ist
heute noch *mdal.* gebräuchlich. − Mit Mehltau identisch ist das heute orthographisch
unterschiedene Meltau *m* „Honigtau, Blatt-
laushonig". − Auch in den anderen *germ.*
Sprachen sind entspr. Zusammensetzungen
gebräuchlich, beachte *niederl.* meeldauw,
engl. mildew, *schwed.* mjöldagg.

mehr: *Mhd.* mēr (mēre), *ahd.* mēr (mēro),
got. mais (maizō), *engl.* more, *schwed.* mer
(mera) beruhen auf einer Komparativbildung zu der unter →*Märchen* behandelten
idg. Wz. *mē-* „groß, ansehnlich". Abl.:
mehren (*mhd.* mēren, *ahd.* mērōn „größer,
mehr machen"; gebräuchlicher ist die Präfixbildung vermehren, dazu Vermehrung
w); mehrfach (Anfang des 19. Jh.s; Lehnübertragung nach *frz.* multiple); Mehrheit *w*
(18. Jh.; nach *niederl.* meerderheid und *frz.*
majorité).

meiden: Das *westgerm.* Verb *mhd.* mîden,
ahd. mîdan, *niederl.* mijden, *aengl.* mîdan
gehört im Sinne von „(den Ort) wechseln,
[sich] verbergen, [sich] fernhalten" zu der
unter →*Meineid* dargestellten *idg.* Wortgruppe. Eng verwandt sind die Sippen von
→miß... und →missen. − Beachte dazu die
Präfixbildung vermeiden „umgehen, unterlassen" (*mhd.* vermîden, *ahd.* farmîdan).

Meile *w*: Die *westgerm.* Bezeichnung des Längenmaßes, *mhd.* mīle, *ahd.* mīl[l]a, *niederl.*
mijl, *engl.* mile, beruht auf einer frühen Entlehnung aus *lat.* mīlia „römische Meile", das
für 'mīlle passuum', 'mīlia passuum' „tausend Doppelschritte" steht. − Stammwort
ist das *lat.* Zahlwort mīlle „tausend", das
auch in den FW →Mille, pro mille, Milli...,
→Million, Millionär, Milliarde, Billion usw.
erscheint. Vgl. auch das folgende LW
Meiler.

Meiler *m*: „zum Verkohlen bestimmter
Holzstoß", in jüngster Zeit auch übertragen
gebraucht in der Zus. Atommeiler: Das
seit *spätmhd.* Zeit (als mīler) bezeugte Substantiv geht vermutlich (durch *roman.* Vermittlung) auf *mlat.* mīliārium „Anzahl von
tausend Stück" (zu *lat.* mīlle „tausend", vgl.
Meile.) zurück. Die heutige Bedeutung des
Wortes entwickelte sich wohl über eine ver-

mittelnde Bed. „große Stückzahl (nämlich
von aufgeschichtetem Holz)".

Meineid *m*: Der *altgerm.* Ausdruck für „wis-
sentlicher Falscheid" (*mhd.* meineit, *ahd.*
meineid, *niederl.* meineed, *aengl.* mänäd,
schwed. mened) ist zusammengesetzt aus
dem unter →*Eid* behandelten Wort und
einem im *Nhd.* untergegangenen *germ.* Adjektiv *mhd.* maina- „falsch", vgl. z. B. *mhd.*,
ahd. mein „falsch, betrügerisch". Noch in
mhd. Zeit war statt der Zus. meineit auch
'meiner eit' für „Falscheid" gebräuchlich. −
Das Bestimmungswort *germ.* *maina-
„falsch" bedeutet eigtl. „verwechselt, vertauscht" und gehört mit verwandten Wörtern in anderen *idg.* Sprachen zu der mehrfach erweiterten Wz. *mei-* „wechseln, tauschen". Aus dem *germ.* Sprachbereich gehören zu dieser Wurzel ferner die Sippen von
→gemein (eigtl. „mehreren abwechselnd
zukommend"), →meiden (eigtl. „den Ort
wechseln, [sich] verbergen, [sich] fernhalten")
und von →miß... (eigtl. „verwechselt, vertauscht"; s. auch den Artikel missen). *Außergerm.* sind z. B. verwandt *gr.* ameíbein
„wechseln, tauschen", amoibḗ „Wechsel,
Tausch" (s. Amöbe, nach der wechselnden
Gestalt) und *lat.* mīgrāre „wandern" (eigtl.
„den Ort wechseln", s. emigrieren), mūtāre
„ändern, tauschen" (s. mausern, sich), mūnus „Leistung, Dienst, Geschenk" (eigtl.
„Tausch[gabe]", s. Kommune und immun),
meinen: Das *westgerm.* Verb *mhd.* meinen,
ahd. meinan, *niederl.* menen, *engl.* to mean ist
verwandt mit *aslaw.* měniti „wähnen" und
der *kelt.* Sippe von *air.* mīan „Wunsch, Verlangen". Die weiteren Beziehungen sind unklar. − Aus der Verwendung des Verbs im
Sinne von „seine Gedanken auf etwas richten,
im Sinn haben" entwickelte sich in *mhd.*
Zeit die Bed. „zugeneigt sein, lieben", die
in dichterischer Sprache bewahrt ist, beachte
z. B. 'Freiheit, die ich meine'. Neben dem
einfachen Verb findet sich auch die Präfixbildung vermeinen „[irrtümlich] glauben"
(*mhd.* vermeinen), beachte dazu vermeintlich (16. Jh.). Abl.: Meinung *w* „Ansicht,
Urteil" (*mhd.* meinunge, *ahd.* meinunga).

Meise *w*: Der *altgerm.* Vogelname *mhd.* meise,
ahd. meisa, *niederl.* mees, *engl.* [tit-, coal]
mouse, *schwed.* mes gehört wahrscheinlich
zu einem im *Dt.* untergegangenen Adjektiv
germ. *maisa- „klein, dünn", vgl. z. B.
norw. meis „schwächlicher, magerer Mensch".
Der Singvogel wäre demnach nach seiner
kleinen, schmächtigen Gestalt benannt, beachte dazu die Redensart 'eine Meise kann
der Star nicht vom Nest vertreiben' (weil sie
so winzig ist). − Bekannte Zus. sind Blau-
meise, Kohlmeise (nach dem schwarzen
Scheitel), Schwanzmeise.

Meißel *m*: Der *dt.* und *nord.* Werkzeugname
mhd. meizel, *ahd.* meizil, *aisl.* meitill ist eine
Instrumentalbildung zu einem im *Nhd.* unter-

gegangenen *germ.* Verb: *mhd.* mei₂en, *ahd.* mei₂an, *got.* maitan, *aisl.* meita ,,[ab]schneiden, [ab]hauen''. Die Bildung bedeutet demnach ,,Gerät zum Hauen oder Schneiden''. Abl.: **meißeln** ,,mit dem Meißel [be]arbeiten'' (*mhd.* mei₂eln). Siehe auch den Artikel Ameise.

meist: *Mhd.*, *ahd.* meist, *got.* maists, *engl.* most, *schwed.* mest beruhen auf einer *gemeingerm.* Superlativbildung zu dem unter →*mehr* behandelten Komparativ (vgl. *Märchen*).

Meister *m*: Das Substantiv (*mhd.* meister, *ahd.* meistar) geht wie z. B. entspr. *it.* maestro und *frz.* maître (s. das FW Mätresse) auf *lat.* magister ,,Vorsteher, Leiter; Lehrer'' zurück. Über weitere etymologische Zusammenhänge vgl. den Artikel *Magnat*. – Abl. und Zus.: **meisterlich** (*mhd.* meisterlich, *ahd.* meistarlīch); **meisterhaft** (17. Jh.); **meistern** (*mhd.* meistern ,,lehren, erziehen; anordnen; leiten; beherrschen'', *ahd.* meistarōn ,,vorstehen, beherrschen, anordnen''); **Meisterschaft** *w* (*mhd.* meisterschaft ,,Unterricht, Zucht; höchste Gelehrsamkeit oder Kunstfertigkeit; Überlegenheit usw.'', *ahd.* meistarscaft); **meisterstück** (16. Jh.). Vgl. auch den Artikel Magistrat.

Melancholie *w* ,,Schwermut, Trübsinn'': Im 14. Jh. aus gleichbed. *lat.* melancholia < *gr.* melag-cholía entlehnt. Das *gr.* Wort bedeutet wörtlich ,,Schwarzgalligkeit'' (zu *gr.* mélās ,,schwarz'' und cholé ,,Galle''). Nach antiken medizin. Anschauungen galt die Schwermut als Folge einer durch den Übertritt von verbrannter schwarzer Galle in das Blut verursachten Erkrankung. – Dazu: **melancholisch** ,,schwermütig, trübsinnig'' (14. Jh.; aus gleichbed. *lat.* melancholicus < *gr.* melagcholikós); **Melancholiker** *m* ,,schwermütiger Mensch'' (19. Jh.; zuvor schon im 14. Jh. melancholicus).

Melasse *w*: Die Bezeichnung für den bei der Zuckergewinnung verbleibenden, als Futtermittel verwendeten sirupartigen Rückstand wurde im 18. Jh. aus *frz.* mélasse ,,Zuckersirup, Melasse'' entlehnt, das seinerseits auf gleichbed. *span.* melaza zurückgeht. Dies gehört als Ableitung zu *lat.* mel (mellis) > *span.* miel ,,Honig'' (vgl. *Melisse*).

Melde *w*: Der *altgerm.* Pflanzenname *mhd.* melde, *ahd.* melda, *niederl.* melde, *aengl.* melde, *schwed.* mäll gehört zu der unter →*mahlen* dargestellten Wortgruppe. Die zu der Gattung der Gänsefußgewächse gehörige Pflanze ist also nach ihren weißlich (mehlartig) bestäubten Blättern benannt.

melden: Die Herkunft des *westgerm.* Verbs *mhd.* melden, *ahd.* meldōn, *niederl.* melden, *aengl.* meldian ist unklar. Das Verb hatte in den älteren Sprachzuständen die Bed. ,,ein Geheimnis preisgeben, verraten''. In *mhd.* Zeit verblaßte die Vorstellung des Geheimen und das Verb wurde im Sinne von ,,ankündigen, mitteilen, nennen'' gebräuchlich. Heute wird es oft im Sinne von ,,pflichtgemäß mitteilen'' verwendet. Um das Verb gruppieren sich die Bildungen **Melder** *m* ,,Nachrichtenübermittler; Meldevorrichtung'' (*mhd.* meldǣre, *ahd.* meldāri ,,Verräter'') und **Meldung** *w* ,,Mitteilung, Berichterstattung'' (*mhd.* meldunge, *ahd.* meldunga ,,Verrat''), beachte auch die Präfixbildungen und Zus. ab-, an-, um-, vermelden.

meliert ,,gefleckt, gesprenkelt'', besonders noch in der Zus. graumeliert gebräuchlich: Das seit dem 17. Jh. bezeugte Adjektiv ist eigentlich zweites Part. zu dem veralteten Verb melieren ,,mischen; sprenkeln'', das aus gleichbed. *frz.* mêler (*afrz.* mesler) entlehnt ist. Das *frz.* Wort selbst geht auf *vlat.* *misculāre ,,mischen'' zurück, eine Weiterbildung von gleichbed. *lat.* miscēre (vgl. den Artikel *mischen*). – Eine Substantivableitung von *frz.* mêler erreicht uns zu Beginn des 18. Jh.s in dem FW **Melange** *w* ,,Mischung; Gemengsel'' (aus *frz.* mélange ,,Mischung''), das seit dem 19. Jh. auch im speziellen Sinne von ,,Milchkaffee'' erscheint, hier durch *östr.* Vermittlung.

Melisse *w*: Der Name der nach Zitronen duftenden, bes. im Mittelmeergebiet angebauten Heil- und Gewürzpflanze, in *dt.* Texten seit dem Anfang des 16. Jh.s bezeugt, stammt aus *mlat.* melissa, einer gelehrten Ableitung von *gr.-lat.* melissó-phyllon ,,Bienenblatt, Bienenkraut''. Das Bestimmungswort, *gr.* mélissa (*attisch* mélitta) ,,Biene'' gehört zu *gr.* méli ,,Honig'' (die Biene ist als ,,Honigtier'' benannt). Das verwandte Bestimmungswort ist u. a. *lat.* mel (mellis) ,,Honig'' (s. Melasse). Als Bestimmungswort erscheint *gr.* méli noch in *gr.* melímēlon ,,Honigapfel'', das die Quelle für unser Wort →Marmelade ist.

melken: Das *germ.* Verb *mhd.* melken, *ahd.* melchan, *niederl.* melken, *engl.* to milk gehört mit verwandten Wörtern in anderen *idg.* Sprachen zu der Wz. *mēl[ə]ĝ- ,,melken'', älter wohl ,,abstreifen, wischen''. Im *germ.* Sprachbereich gruppieren sich um dieses Verb die Bildungen →Molke und →Milch. *Außergerm.* sind z. B. verwandt *gr.* amélgein ,,melken'', *lat.* mulgēre ,,melken'', mulctra ,,Melkkübel'' (s. Mulde und Molle) und *lit.* mélžti ,,melken''. – Das transitive Verb wird gelegentlich auch intransitiv im Sinne von ,,Milch geben'' verwendet. Abl.: **Melker** *m* (15. Jh.).

Melodie *w* ,,in sich einheitlich gestaltete Tonfolge, Singweise; Wohlklang'': *Gr.* melōidía ,,Gesang; Singweise'', das zusammengesetzt ist aus *gr.* mélos ,,Lied; Singweise'' und *gr.* ōidé ,,das Singen; das Lied'' (vgl. *Ode*), gelangte über *spätlat.* melōdia im 13. Jh. ins *Mhd.* als melodîe. Daraus entwickelte sich lautgerecht die Form **Melodei** (*frühnhd.*), die auch heute noch in poetischer Sprache vorkommen kann. Die heute gültige

Form 'Melodie' erscheint im 17. Jh. durch erneute Anlehnung an die *gr.-lat.* Grundform bzw. an *frz.* mélodie. – Abl.: melodisch „wohlklingend, sangbar" (18. Jh.).

Melone *w*: Der Name des in zahlreichen Arten angepflanzten Kürbisgewächses wärmerer Gebiete, in *dt.* Texten seit dem 15. Jh. bezeugt, ist aus *it.* mellone (bzw. *frz.* melon) entlehnt. Diesen voraus liegt *lat.* mēlō (mēlōnis), eine Kurzform von *lat.* mēlopepo „apfelförmige Melone, die erst vollreif genossen wird", das seinerseits aus gleichbed. *gr.* mēlo-pépōn (wörtl. Bed. „reifer Apfel") entlehnt ist. Dessen Bestimmungswort *gr.* mēlon „Apfel" erscheint als Grundwort in *gr.* meli-mēlon „Honigapfel, Quitte", das die Quelle ist für unser Wort →Marmelade.

Membran[e] *w* „zarte, dünne Haut im menschl. und tier. Organismus (Biol.); Filterhäutchen (Chem.); Schwingblättchen (Techn.)": Schon *mhd.* membrāne „Pergament". Gelehrte Entlehnung aus *lat.* membrāna „Haut, Häutchen; Schreibhaut, Pergament". Zu *lat.* membrum „Körperglied; Glied".

Memme *w*: Das seit dem 16. Jh. bezeugte Schimpfwort für einen Feigling geht zurück auf *mhd.* memme, mamme „Mutterbrust; Mutter", das ein Lallwort der Kindersprache ist und elementarverwandt ist z. B. mit *lat.* mamma „Mutterbrust; Amme; [Groß]mutter" und *gr.* mámma „Mutterbrust; [Groß]mutter" (vgl. *Mama*). Das Schimpfwort richtet sich also gegen einen Menschen, der sich wie ein Muttersöhnchen oder ein altes Weib benimmt.

Memoiren *Mehrz.* „Denkwürdigkeiten; Lebenserinnerungen": Im Anfang des 18. Jh.s als Bezeichnung einer bestimmten Literaturgattung aus gleichbed. *frz.* mémoires, der *Mehrz.* von *frz.* mémoire „Erinnerung; Gedächtnis", entlehnt. Voraus liegt *lat.* memor „Gedenken, Erinnerung usw.", das zu *lat.* memor „eingedenk, sich erinnernd" gehört (vgl. *memorieren*).

Memorandum *s* „[ausführliche diplomatische] Denkschrift": Gelehrte Entlehnung neuerer Zeit aus dem substantivierten *lat.* Adjektiv memorandus (-um) „erwähnenswert". Zu *lat.* memorāre „in Erinnerung bringen" (vgl. *memorieren*).

memorieren „auswendig lernen": In der Schulsprache des 16. Jh.s zu *lat.* memor „eingedenk, sich erinnernd" bzw. zu dem davon abgeleiteten *lat.* Verb memorāre „in Erinnerung bringen" gebildet. Das *lat.* Adjektiv ist ein altes redupliziertes Nomen *me-mor, das sich u. a. mit *aind.* smárati „erinnert sich, gedenkt", *gr.* (schwundstufig) mártys „Zeuge; Blutzeuge" (urspr. abstrakt: „Erinnerung; Zeugnis") – im Artikel Marter – unter einer *idg.* Wz. *[s]mer- „gedenken, sich erinnern" vereinigen läßt. –

Hierher gehören noch die FW →Memorandum und →Memoiren.

Menage *w*: Das seit dem 18. Jh. mit der heute veralteten Bed. „Haushalt, Wirtschaft" bezeugte FW, das heute noch gelegentlich für „Gewürzständer" und im *Östr.* für „Truppenverpflegung" gebraucht wird, ist aus *frz.* ménage „Haushalt, Wirtschaft; Hausrat usw." (= *afrz.* maisnage, ma[s]nage) entlehnt. Dies geht auf ein von *lat.* mānsiō „das Bleiben; die Bleibe, die Wohnung" (> *frz.* maison) abgeleitetes *galloroman.* *mānsiōnāticum „das zum Wohnen, zum Haushalt Gehörige" zurück. Stammwort ist das *lat.* Verb manēre „bleiben, verharren" (s. auch immanent und permanent), das mit *gr.* ménein „bleiben; [er]warten" urverwandt ist. – Eine Kollektivableitung von *frz.* ménage erscheint in *frz.* ménagerie, das urspr. „Haushaltung" dann insbesondere „Verwaltung eines ländlichen Besitzes" bedeutete. Mit der davon übertragenen Bed. „Haustierhaltung" – Ort zur Haustierhaltung" und allgemein „Sammlung lebender Tiere" wird das *frz.* Wort im Anfang des 18. Jh.s ins *Dt.* entlehnt zur: **Menagerie** *w* „Tierpark, Tierschau". – Vgl. auch den Artikel 'Mesner'.

Menge *w*: Das *altgerm.* Wort *mhd.* menige, *ahd.* managī, *got.* managei, *aengl.* menigu ist eine Bildung zu dem unter →*manch* behandelten *gemeingerm.* Adjektiv für „viel, reichlich". Es ist gebildet wie z. B. Länge zu lang und Höhe zu hoch.

mengen: Das *westgerm.* Verb *mhd.* mengen, *asächs.* mengian, *niederl.* mengen, *aengl.* mengan (weitergebildet *engl.* to mingle) ist z. B. verwandt mit der *baltoslaw.* Sippe von *lit.* mìnkyti „kneten" und bedeutete demnach urspr. „kneten, durcheinanderrühren". Im heutigen Sprachgebrauch ist mengen, das ins *Hochd.* aus dem *Mitteld.-Niederd.* übernommen wurde, durch das LW →mischen zurückgedrängt. Um das Verb gruppieren sich die Bildungen Mengsel *s landsch.* für „Gemisch" (16. Jh.) und Gemenge *s* „Gemisch" (*mhd.*, *mnd.* gemenge), beachte auch die Präfixbildung vermengen. Mit dem Verb verwandt ist *nordd.* *ugs.* mang „unter, zwischen", beachte z. B. mittenmang (aus *asächs.* an gimang „unter, zwischen", vgl. *engl.* among aus *aengl.* on gemong „unter, zwischen"). Siehe auch den Artikel Menkenke.

Meniskus *m* „scheibenförmiger Zwischenknorpel im Kniegelenk" (Med.): Gelehrte Entlehnung neuerer Zeit aus *gr.* mēnískos „Möndchen; mondförmiger Körper", einer Verkleinerungsbildung zu *gr.* mēnē „Mond" (urverw. mit *dt.* →Mond).

Menkenke *w* (*ugs.* für:) „Durcheinander, Umstände, Schwierigkeiten": Der seit dem 19. Jh. bezeugte Ausdruck, der von Mitteldeutschland und speziell von Berlin ausgehend in die Umgangssprache gelangte, ist eine sprachspielerische Bildung zum Verb →*mengen* und bedeutet eigtl. etwa „Mischmasch".

Mensa *w* „Speisesaal für Studenten": Junge Kurzform für 'Mensa academica' „akademischer Mittagstisch": Zugrunde liegt das *lat.* Substantiv mēnsa „Tisch, Tafel; das Speisen".

Mensch *m*: Das auf das *dt.* und *niederl.* Sprachgebiet beschränkte Wort (*mhd.* mensch[e], *ahd.* mennisco, älter mannisco, *niederl.* mens) ist eine Substantivierung des *gemeingerm.* Adjektivs *ahd.* mennisc, *got.* mannisks, *aengl.* mennisc, *aisl.* mennskr „menschlich, männlich". Dieses Adjektiv ist von dem unter →*Mann* behandelten Substantiv abgeleitet. − Neben dem Maskulinum ist heute auch Mensch *s* gebräuchlich, und zwar verächtlich für „schlechtes Weibsbild, Dirne", *mdal.* auch für „Mädchen, Geliebte". Das Neutrum tritt bereits in *mhd.* Zeit auf und war zunächst gleichbedeutend mit dem Maskulinum. Es wurde dann speziell im Sinne von „weiblicher Dienstbote, Magd, Mädchen, Buhlerin" verwendet und erhielt erst im 17. Jh. verächtlichen Nebensinn. − Abl.: Menschheit *w* „Gesamtheit der Menschen" (*mhd.* mensch[h]eit, *ahd.* mennisgheit, zunächst in der Bed. „menschliche Natur, Wesen"); menschlich „zum Menschen gehörig; nach Menschenart; barmherzig, gütig, human" (*mhd.* menschlich, *ahd.* mannisclîh), dazu Menschlichkeit *w* (*mhd.* menschlîcheit); Menschentum *s* (17. Jh.). Zus.: Menschenfeind (16. Jh.; LÜ von *gr.-lat.* misanthropus; Menschenfresser (17. Jh.; LÜ von *gr.-lat.* anthropophagus); Menschenfreund (17. Jh.; LÜ von *gr.-lat.* philanthropus); menschenmöglich (18. Jh.; für älteres menschmöglich, das aus 'menschlich' und 'möglich' gekürzt ist; 16. Jh.); Übermensch „ein die Grenzen des menschlichen Wesens übersteigender Mensch, ungewöhnlicher, hochbegabter Mensch" (16. Jh.; zunächst in der Bed. „Mensch, der sich zu Höherem berufen fühlt"; Rückbildung zum Adjektiv übermenschlich); Unmensch „bestialischer Mensch, Rohling" (*mhd.* unmensch; Rückbildung zum Adjektiv *mhd.* unmenschlich); Untermensch „verkommener Mensch, Verbrechernatur" (19. Jh.).

menstruieren „die Monatsblutung haben" (Med.): Entlehnt aus gleichbed. *spätlat.* mēnstruāre. Stammwort ist *lat.* mēnsis „Monat; Monatsfluß", das zu der unter →*Mond* dargestellten *idg.* Wortfamilie gehört. Abl.: Menstruation *w* „Monatsblutung" (*nlat.* Bildung). − *Lat.* mēnsis ist auch in dem FW →*Semester* enthalten.

Mensur *w*: Das aus *lat.* mēnsūra „das Messen, das Maß" entlehnte FW, das seit dem 15. Jh. im Sinne von „Zeitmaß, Takt" (Mu-

sik) bezeugt ist, erscheint um 1600 mit der Bed. „Abstand der Fechter im Zweikampf". Daran schließt sich die moderne Bed. „studentischer Zweikampf" an. − *Lat.* mēnsūra ist von *lat.* mētīrī (mētior, mēnsum) „messen, abmessen" abgeleitet, das zu der unter →¹*Mal* dargestellten Wortgruppe der *idg.* Wz. *mē-[d]- „abstecken, messen" gehört. − *Lat.* mētīrī ist auch Ausgangspunkt für die FW →*Dimension* und →*immens*.

Mentalität *w* „Denk-, Auffassungs-, Anschauungsweise; Sinnes-, Geistesart": Das seit dem Anfang des 20. Jh.s bezeugte FW ist eine vom *Engl.* (mentality) ausgehende Neubildung zu dem *mlat.* Adjektiv mentālis „geistig, in Gedanken, in der Vorstellung vorhanden", das seinerseits von *lat.* mēns (mentis) „Sinn; Denktätigkeit, Verstand; Denkart; Gedanke, Vorstellung" abgeleitet ist. Dies gehört mit den nachstehend aufgeführten Ableitungen und Bildungen zu der unter →*mahnen* dargestellten weitverzweigten Wortsippe der *idg.* Wz. *men-„denken; geistig erregt sein". Vgl. im einzelnen: *lat.* mentīrī „dichten; lügen" (s. Dementi, dementieren), *lat.* commentārī „etwas überdenken, erwägen; erläutern" (s. kommentieren, Kommentar, Kommentator), ferner die verwandten Wörter *lat.* meminisse „eingedenk sein", reminīscī „sich erinnern" (s. Reminiszenz), *lat.* monēre „[er]mahnen" (s. die Wortgruppe um 'monieren').

Mentor *m* „väterlicher Freund und Berater, Lehrer, Erzieher": Das in *dt.* Texten seit dem 18. Jh. bezeugte FW ist identisch mit dem Namen des aus der Odyssee bekannten altgriech. Helden, des vertrauten Odysseusfreundes, in dessen Gestalt die Göttin Athene den Odysseussohn Telemach auf der Suche nach seinem Vater begleitete. Der Gebrauch des Eigennamens als Gattungsname geht von dem Erziehungsroman des franz. Schriftstellers Fénelon, 'Les Aventures de Télémaque' (1699) aus, in welchem dem Mentor eine bedeutsame Rolle als Führer, Berater und Erzieher des Telemach zugeteilt ist. − Der *gr.* Eigenname Méntōr bedeutet eigtl. „Denker". Er stellt sich zu der unter →*Manie* dargestellten Wortfamilie.

Menü *s* „Speisenfolge; aus mehreren Gängen bestehende Mahlzeit": Im 19. Jh. aus gleichbed. *frz.* menu entlehnt. Dies ist aus dem *frz.* Adjektiv menu „klein, dünn" substantiviert und bedeutet eigtl. „Kleinigkeit; Detail", dann übertragen „detaillierte Aufzählung der einzelnen zu einem Mahl gehörenden Gerichte; Speisenfolge; Mahlzeit". Voraus liegt *lat.* minūtus „vermindert; sehr klein", das Partizipialadj. von *lat.* minuere „verkleinern, vermindern" (vgl. *minus*).

Menuett *s*: Der in *dt.* Texten seit dem 17./18. Jh. bezeugte Name eines mäßig schnellen Tanzes im ³/₄-Takt ist aus dem *Frz.* entlehnt. *Frz.* menuet bedeutet wörtlich etwa „Kleinschrittanz". Es ist aus dem Adjektiv menuet „kleinwinzig" substantiviert, das seinerseits eine Verkleinerungsbildung zu *frz.* menu „klein, dünn" ist (s. auch Menü). Diesem voraus liegt *lat.* minūtus „vermindert, sehr klein", das Partizipialadj. von *lat.* minuere „verkleinern, vermindern" (vgl. *minus*).

Mergel *m*: Die Bezeichnung für „Ton-Kalk-Gestein" (*mhd.* mergel, *spätahd.* mergil) wurde in *spätahd.* Zeit aus gleichbed. *mlat.* margila entlehnt. Das *mlat.* Wort ist eine Weiterbildung von *lat.* marga „Mergel", das seinerseits aus dem *Kelt.* stammt. Nach der Überlieferung war die Mergeldüngung bei den Kelten bereits um den Beginn der Zeitrechnung üblich. Siehe auch den Artikel ausmergeln.

Meridian *m* „Längenkreis": Das seit dem Ende des 17. Jh.s belegte FW aus dem Bereich der Astronomie und Geographie, das für älteres 'Meridianzirkel' steht, bezeichnet eigtl. eine von Erdpol zu Erdpol reichende Kreislinie, die Orte der Erde miteinander verbindet, an denen die Sonne zur gleichen Zeit im „Mittag" (d. i. am höchsten) steht. Daher auch die Bezeichnung „Mittagslinie". Das Wort ist eine gelehrte Entlehnung aus *lat.* (circulus) merīdiānus „Mittagskreis, Mittagslinie" bedeutet, aber im speziellen Sinne von „Äquator" galt. *Lat.* merīdiānus „mittägig" ist von *lat.* merīdiēs „Mittag" abgeleitet, das aus einem Lokativ merīdiē „am Mittag" (dissimiliert aus *mediei diē) zurückgebildet ist. Bestimmungswort ist somit *lat.* medius „in der Mitte befindlich, mittlerer" (vgl. *Medium*), während das Grundwort *lat.* diēs „Tag" ist (vgl. *Journal*).

merken: Das *germ.* Verb *mhd.* merken, *ahd.* merchen, *niederl.* merken, *schwed.* märka ist von dem unter →*Marke* behandelten *germ.* Substantiv *marka- „Zeichen" abgeleitet und bedeutete demnach zunächst „mit einem Zeichen versehen, kenntlich machen", dann „das Kenntlichgemachte beachten, achtgeben". Um das Verb gruppieren sich die Abl. merklich „spürbar, deutlich, beträchtlich" (*mhd.* merklich) und die Zus. Merkmal „Kennzeichen" (17. Jh.) und merkwürdig „seltsam", älter „bemerkenswert, bedeutend" (17. Jh.). Beachte auch die Präfixbildungen und Zus. anmerken „Merkmale erkennen, ansehen; kennzeichnen, anstreichen", dazu Anmerkung *w* „Fußnote" (17. Jh.; Lehnbildung nach *lat.* observatiō); aufmerken „seine Beobachtung, seinen Sinn auf etwas richten", dazu aufmerksam „gut aufpassend; höflich" (17. Jh.); bemerken „wahrnehmen; äußern, erwähnen" (*mhd.* bemerken „beobachten, prüfen", *ahd.* bimarchen „kennzeichnen"), dazu Bemerkung *w* „Äußerung"

(17. Jh.); vermerken „aufschreiben, anrechnen", dazu Vermerk *m* „Notiz, Aufzeichnung" (17. Jh.).

meschugge „verrückt" (*ugs.*): Das im 19. Jh. aus der Gaunersprache in die Umgangssprache eingedrungene Adjektiv stammt aus gleichbed. *jidd.* meschuggo < *hebr.* mĕšugā.

Mesner *m* (*landsch.* für:) „Kirchendiener, Küster": Das im heutigen Sprachgefühl auf 'Messe' bezogene Wort geht zurück auf *spätahd.* mesināri, das aus *mlat.* mā[n]siōnārius „Kirchendiener" entlehnt ist. Das *mlat.* Wort bedeutet eigtl. „Haushüter" und gehört zu *lat.* mānsiō „Bleibe, Wohnung" (vgl. *Menage*).

¹Messe *w* „kirchliche Feier des Kreuzopfers Christi" (in der kathol. Kirche), danach auch Bezeichnung eines geistlichen Tonwerks (für Soli, Chor und Orchester), wie es ursprünglich während des kirchlichen Hochamts aufgeführt wurde: Das aus der Kirchensprache stammende Substantiv *mhd.* misse, messe, *ahd.* missa, messa, *niederl.* mis, *engl.* mass, beruht auf einer Entlehnung aus *kirchenlat.* missa „liturgische Opferfeier, Messe". Das Wort gehört zu *lat.* mittere (missum) „gehen lassen; schicken, senden; entlassen usw." (vgl. *Mission*). Es ist jedoch unmittelbar hervorgegangen aus der Formel 'ite, missa est (concio)' „geht, die (gottesdienstliche) Versammlung ist entlassen", mit der in der alten Kirche die zum Abendmahl nicht Zugelassenen nach dem Gottesdienst durch den Geistlichen weggeschickt wurden. – **²Messe** *w*: Das oben unter ¹Messe genannte *kirchenlat.* Substantiv missa hatte neben seiner eigtl. Bed. „liturgische Opferfeier" noch die Bed. „Heiligenfest" (weil an einem solchen Heiligenfest eine besonders feierliche Messe zelebriert wurde). Aus dem „Heiligenfest" wurde ein „kirchlicher Festtag", an dem üblicherweise ein großer Jahrmarkt abgehalten wurde. Auf Grund dieses Brauches entwickelte das Wort Messe die sekundäre, seit dem 14. Jh. übliche Bed. „Jahrmarkt" (heute besonders „Großmarkt, internationale Großausstellung"). Siehe dazu auch die Bezeichnung →*Kirmes*.

³Messe *w*: Die Bezeichnung der Tischgenossenschaft von Offizieren an Bord eines Schiffes bzw. ihres gemeinsamen Speiseraumes, in *dt.* Texten seit dem 19. Jh. bezeugt, stammt aus gleichbed. *engl.* mess, das eigtl. „Gericht, Speise, Mahlzeit" bedeutet. Voraus liegen *afrz.* mes (= *frz.* mets) „Gericht, Speise", *vlat.* missum „(aus der Küche) Geschicktes, zu Tisch Aufgetragenes". Zu *lat.* mittere „schicken, senden usw." (vgl. *Mission*).

messen: Das *gemeingerm.* Verb *mhd.* meʒʒen, *ahd.* meʒʒan, *got.* mitan, *aengl.* metan, *schwed.* mäta gehört mit verwandten Wörtern in anderen *idg.* Sprachen zu der unter

→ ¹Mal dargestellten *idg.* Wz. *me-[d-] „abstecken, messen". Das Verbaladjektiv zu diesem Verb ist →gemäß. Die Bildung **Messer** *m* (*mhd.* mezȝǣre, *ahd.* mezȝari) ist heute nur noch als zweiter Bestandteil in Zusammensetzungen gebräuchlich, beachte z. B. **Durchmesser, Windmesser**. Auch die Bildung **Metze** *w*, **Metzen** *m* „Getreidemaß" (*mhd.* metze, mezzo) ist heute veraltet. Das adjektivisch verwendete 2. Partizip **gemessen** hatte zunächst die Bed. „genau abgemessen, knapp". Seit dem 19. Jh. ist es im Sinne von „vorsichtig, zurückhaltend, würdevoll" gebräuchlich. Beachte auch die Zus. **anmessen** „maßnehmen, zupassen", dazu **angemessen** „passend" (18. Jh.) und die Präfixbildung ¹**vermessen** „ausmessen", reflexiv „falsch messen, sich beim Messen versehen" (*mhd.* vermezȝen, *ahd.* farmezȝan), dazu ²**vermessen** „verwegen, anmaßend" (*mhd.* vermezȝan, *ahd.* farmezȝan; von der Bed. „falsch messen, das Maß seiner Kraft falsch einschätzen" ausgehend, **Vermessenheit** *w* „Kühnheit, Überheblichkeit" (*mhd.* vermezȝenheit, *spätahd.* fermezȝenheit).

Messer *s*: Die Bezeichnung für das zum Schneiden dienende Tischgerät und Werkzeug ist eine verdunkelte Zusammensetzung, die eigtl. „Speiseschwert" bedeutet. Die *westgerm.* Zusammensetzung *mhd.* mezȝer, *ahd.* mezȝira[h]s, mezȝisahs, *niederl.* mes, *aengl.* meteseax enthält als ersten Bestandteil das unter → ²*Mast* behandelte *germ.* Substantiv *mat[i]-* „Essen, Speise". Das Grundwort ist das im *Nhd.* untergegangene *altgerm.* Substantiv *mhd.*, *ahd.*, sahs, *aengl.* seax, *aisl.* sax „[kurzes] Schwert, Messer". Dieses ist mit *lat.* saxum „Stein, Fels" verwandt und bezeichnete demnach urspr. eine Art Steinschwert (vgl. *Säge*). Es ist auch in dem Namen der Sachsen bewahrt.

Messias *m*: Der Name des im Alten Testament verheißenen Heilskönigs geht auf *aram.* meschīcha, *hebr.* māšīach „der Gesalbte" zurück, das den europäischen Sprachen durch *gr.-kirchenlat.* Messīās vermittelt wurde. Das *hebr.* Wort ist übrigens auch Vorbild für die *gr.* LÜ Christós „der Gesalbte" (s. ¹Christ).

Messing *s* „Kupfer-Zink-Legierung": Die Herkunft des Wortes (*frühmhd.* messinc), das auch in anderen *germ.* Sprachen vorhanden ist (beachte z. B. entspr. *niederl.* messing und *schwed.* mässing), ist nicht gesichert.

Mestize *m* „Mischling zwischen Weißen und Indianern": Am Ende des 16. Jh.s aus gleichbed. *span.* mestizo entlehnt. Dies ist das substantivierte *span.* Adjektiv mestizo „vermischt; mischblütig", das auf gleichbed. *spätlat.* mixtīcius zurückgeht. Stammwort ist *lat.* miscēre „mischen" (vgl. den Artikel *mischen*).

Met *m*: Der *altgerm.* Ausdruck für das aus vergorenem Honig bereitete alkoholische Getränk (*mhd.* met[e], *ahd.* metu, *niederl.* mede, *engl.* mead, *schwed.* mjöd) beruht mit Entsprechungen in den meisten anderen *idg.* Sprachen auf *idg.* *medhu- „Honig; Honigwein". Verwandt sind z. B. *aind.* mádhu- „Honig; berauschendes Getränk", *gr.* méthy „Rauschtrank, Wein" und *russ.* méd „Honig; Met". – Der Met ist das älteste, uns bekannte alkoholische Getränk der Indogermanen. Er wurde urspr. wahrscheinlich als Rauschtrank bei kultischen Festen getrunken. Die Bereitung ging von der Beobachtung des Gärvorganges beim wilden Honig aus.

meta..., Meta..., (vor Vokalen und h:) **met..., Met...**: Vorsilbe mit den Bedeutungen „,nach, hinter (örtl.); nachher, später (zeitl.); um..., ver... (im Sinne einer Umwandlung, eines Wechsels)", wie in →Metaphysik „Methode. Quelle ist *gr.* metá, méta (Adv. und Präp.) „,inmitten, zwischen; hinter; nach" (urverw. mit *dt.* →*mit*).

Metall *s*: Das Wort ist Sammelbezeichnung für die chem. Grundstoffe, denen u. a. ein charakteristischer Glanz, gute Legierbarkeit und eine hohe Leitfähigkeit für Wärme und Elektrizität eigen sind: Das seit dem 13./14. Jh. bezeugte Substantiv (*mhd.* metalle) geht auf *lat.* metallum „Metall; Grube, Bergwerk" zurück, das seinerseits LW aus *gr.* métallon „Mine, Erzader, Grube, Schacht; Mineral, Metall" ist. Die weitere Herkunft des Wortes ist dunkel. – Vgl. auch den Artikel Medaille.

Metapher *w* „übertragener, bildlicher Ausdruck; Bild": Gelehrte Entlehnung des 17. Jh.s – zuerst 'Metaphor' – aus *gr.-lat.* metaphorá „Übertragung (der Bedeutung); bildlicher Ausdruck". Zu *gr.* meta-phérein „anderswohin tragen; übertragen" (vgl. *meta...* und *Periphere*). – Dazu das Adjektiv **metaphorisch** „bildlich, übertragen" (17. Jh.; nach gleichbed. *gr.* metaphorikós).

Metaphysik *w* „philosoph. Lehre von den letzten Gründen und Zusammenhängen des Seins": Das in *dt.* Texten seit dem 14. Jh. bezeugte FW *gr.* Ursprungs verdankt seine Entstehung einem ganz äußerlichen, zufälligen Grund. Die Schriften des altgriech. Philosophen Aristoteles über die eigentliche Philosophie wurden in antiken Ausgaben des 1. nachchristl. Jh.s hinter dessen Abhandlungen über die Natur angeordnet. Man gab ihnen darum den nichtssagenden Titel '(tà) metá (tà) physiká' „das, was hinter der Physik steht". Sehr bald entwickelte sich daraus ein selbständiger Begriff für die Philosophie des Übersinnlichen, Transzendenten, der als vollständiges Wort zuerst in *mlat.* metaphysica (-ae) faßbar wird. Dies ist auch die unmittelbare Quelle unseres Fremdwortes. Über das *gr.* Adjektiv physikós „zur

Natur gehörig; naturwissenschaftlich" vgl. den Artikel *physisch*. - Abl.: metaphysisch „zur Metaphysik gehörend; überempirisch, jede mögliche Erfahrung überschreitend" (18. Jh.).

Meteor *m* „Feuerkugel, Sternschnuppe": Im 17. Jh. aus *gr.* metéōron „Himmels-, Lufterscheinung" entlehnt, dem substantivierten Adjektiv *gr.* met-éōros „in die Höhe gehoben, in der Luft schwebend". - Dazu: Meteorologie *w* „Wetter-, Klimakunde" (18. Jh.; aus *gr.* meteōrología „Lehre von den Erscheinungen am Himmel und in der Luft"); meteorologisch „die Meteorologie betreffend" (17. Jh.; nach *gr.* meteōrologikós); Meteorologe *m* „Wetter-, Klimakundiger" (19. Jh.).

Meter *s* (*ugs.* meist *m*, *schweiz.* nur so): *Gr.* métron „Maß" (wohl aus *méd-trom), das zu der unter →¹*Mal* dargestellten *idg.* Wortsippe gehört, erscheint im *Frz.* als mètre zuerst im 14. Jh. durch Vermittlung von *lat.* metrum mit der Bed. „Versmaß" (s. hierzu auch →*Metrum*, *Metrik*, metrisch). Nachmals wurde das *frz.* Wort - durch einen Beschluß der franz. Nationalversammlung vom Ende des 18. Jh.s - in einer erneuten unmittelbaren Entlehnung aus *gr.* métron zur offiziellen Bezeichnung der Grundmaßeinheit im neu geschaffenen Maßsystem. In diesem Sinne gelangte es im 19. Jh. ins *Dt.*, wo es als amtliche Bezeichnung seit 1868 (Reichsgesetz) gilt. Auch in zahlreichen Zusammensetzungen spielt das Wort eine Rolle, wie in: Kilometer *m* „Maßeinheit von 1000 m" (19. Jh.; aus *frz.* kilomètre; über das Bestimmungswort vgl. den Artikel *Kilogramm*); Millimeter *m* „Maßeinheit von ¹/₁₀₀₀ m" (19. Jh.; aus *frz.* millimètre; über das Bestimmungswort *lat.* mille „tausend" vgl. den Artikel *Mille*); Zentimeter *m* „Maßeinheit von ¹/₁₀₀ m" (19. Jh.; aus *frz.* centimètre; über das Bestimmungswort *lat.* centum „hundert" vgl. *Zentner*). - Nicht zu verwechseln mit diesen Zusammensetzungen sind solche, in denen das Grundwort ...meter im Sinne von „Meßgerät" steht, wie z. B. →*Barometer* (unmittelbare Quelle ist hier *gr.* métron), oder im Sinne von „Vermesser", wie in →*Geometer* (Quelle: *gr.* -métrēs „Messer, Vermesser"). - Dem Grundwort ...meter analog findet sich bei zusammengesetzten weiblichen Hauptwörtern das Grundwort ...metrie „[Ver]messung" (Quelle: *gr.* -metría „Messung; Maß"), so z. B. in →*Geometrie* und →*Symmetrie* (symmetrisch).

Methode *w* „Untersuchungs-, Forschungsverfahren; planmäßiges Vorgehen": Das in dieser Form seit dem 17. Jh. bezeugte FW beruht auf einer gelehrten Entlehnung aus *gr.-spätlat.* méthodos „Weg oder Gang einer Untersuchung, nach festen Regeln und Grundsätzen geordnetes Verfahren". Das *gr.* Wort bedeutet wörtlich etwa „das Nach-

gehen; der Weg zu etwas hin". Es gehört als Zusammensetzung zu *gr.* metá „hinterher, hinternach, nach usw." und *gr.* hodós „Weg" (vgl. *Periode*). - Abl.: methodisch „planmäßig vorgehend, durchdacht, schrittweise" (18. Jh.; nach gleichbed. *gr.* methodikós > *spätlat.* methodicus).

Metier *s* „Handwerk; Beruf, Fach; Geschäft": Im 18. Jh. aus gleichbed. *frz.* métier entlehnt. Das *frz.* Wort (*afrz.* menestier, mistier, mestier) hat sich durch Kontraktion aus *lat.* ministerium „Dienst, Amt" entwickelt (vgl. *Minister*).

Metropole *w* „Hauptstadt; Zentrum, Hochburg": Das seit dem 16. Jh. in der Form 'Metropolis' bezeugte, aber erst im 19. Jh. mit eingedeutschter Endung erscheinende FW ist aus gleichbed. *gr.(-lat.)* mētrópolis entlehnt. Dies bedeutet wörtlich „Mutterstadt" und ist aus *gr.* mḗtēr „Mutter" (urverw. mit *dt.* →*Mutter*) und *gr.* pólis „Stadt; Staat" zusammengesetzt (vgl. *Politik*).

Metrum *s* „Versmaß; kleinste rhythmische Verseinheit, Versfuß": Aus gleichbed. *lat.* metrum < *gr.* métron entlehnt (vgl. *Meter*). - Dazu: Metrik *w* „Verskunst, Verslehre", im 16. Jh. aus gleichbed. *lat.* (ars) metrica < *gr.* metrikḗ (téchnē); metrisch „die Metrik betreffend" (16. Jh.).

Mette *w* „nächtliches Stundengebet; Frühmesse": Das aus der Kirchensprache stammende Substantiv (*mhd.* mettīn[e], met[t]en, *spätahd.* mattīna, mettīna) geht auf *kirchenlat.* mattīna zurück, das für mātūtīna (ergänze: hōra oder vigilia) „frühmorgendlicher Gottesdienst" steht. Über das zugrunde liegende Adjektiv *lat.* mātūtīnus (> *vlat.*, *roman.* mattīnus) „in der Frühe geschehend, morgendlich" vgl. den Artikel *Matinee*.

Mettwurst *w*: Die seit dem 16. Jh. bezeugte Bezeichnung für „Streichwurst aus gehacktem Schweinefleisch" stammt aus dem *Niederd.* (beachte *mnd.* metworst). Das Bestimmungswort *niederd.* Mett-, *mnd.* met „[gehacktes] Schweinefleisch ohne Speck" geht zurück auf *asächs.* meti „Speise", das mit *mhd.*, *ahd.* maʒ „Speise" und *engl.* meat „Fleisch" auf *germ.* *mat[i]- „Essen, Speise" beruht (vgl. ²*Mast*).

metzeln: Das seit dem 15. Jh. bezeugte Verb ist entlehnt aus *mlat.* macellāre „schlachten" (beachte macellārius „Schlächter, Fleischer"). Das *mlat.* Verb gehört zu *lat.* macellum „Markt[platz], Fleisch-, Gemüsemarkt; Fleisch", das aus *gr.* mákellon „Gehege, Gitter; Marktplatz, Lebensmittelhalle" entlehnt ist. Das *gr.* Wort seinerseits stammt aus *hebr.* miklā „Hürde, Umzäunung". - Das Verb hatte im *Dt.* zunächst die Bed. „schlachten", beachte dazu Metzelsuppe *südd.* für „Wurstsuppe". Seit dem 16. Jh. wurde es im Sinne von „niedermachen" (im Kampf) verwendet, beachte dazu Gemetzel *s* „Blutbad". Statt des einfachen Verbs wird heute gewöhnlich n i e d e r m e t z e l n gebraucht.

Metzger m: Der landsch. Ausdruck für „Fleischer" geht zurück auf gleichbed. mhd. metzjer, -ǣre, das wahrscheinlich aus mlat. matiārius „Wurstler, einer, der mit Därmen handelt" entlehnt ist. Das mlat. Wort gehört zu lat. matia, mattea „Darm; Wurst; eine Art Leckerbissen", das aus gr. „eine Art Leckerbissen" (eigtl. „Geknetetes") entlehnt ist. Abl.: M e t z g e r e i w (17. Jh.).

meucheln (veralt. für:) „hinterrücks ermorden": Das seit dem 16. Jh., zunächst in der Bed. „heimlich handeln; naschen" bezeugte Verb beruht auf einer Weiterbildung zu dem im Nhd. untergegangenen Verb mhd. mū̆chen, ahd. mūhhōn „[sich] verbergen, wegelagern". Beachte dazu M e u c h l e r m „hinterhältiger Mörder" (mhd. miucheler, ahd. mūhhilāri), davon m e u c h l e r i s c h „hinterhältig" (16. Jh.); m e u c h l i n g s „hinterrücks" (mhd. miuchelingen) und M e u c h e l - (mhd. miuchel-,„heimtückisch, hinterhältig"), z. B. in M e u c h e l m o r d „hinterhältiger Mord" (16. Jh.), M e u c h e l m ö r d e r „hinterhältiger Mörder" (16. Jh.). – Diese Sippe ist mit lat. muger „Falschspieler beim Würfelspiel" verwandt. Siehe auch den Artikel mogeln.

Meute w „Koppel Jagdhunde", auch allgemein übertragen gebraucht im Sinne von „wilde Horde, Bande": Im 18. Jh. mit den Praktiken der französ. Parforcejagd aus gleichbed. frz. meute (afrz. muete) entlehnt, das auf vlat. *movita „Bewegung" (vgl. mobil) zurückgeht. Die urspr. Bedeutung des frz. Wortes war demgegenüber „Erhebung, Aufruhr", wie sie in dem unter → meutern genannten frühnhd. Verb erscheint, „sich empören" erscheint, das gleichfalls auf frz. meute (afrz. muete) zurückgeht.

meutern „Aufruhr stiften, sich einem Befehl widersetzen": Das seit dem 18./19. Jh. bezeugte Verb gehört mit M e u t e r e i w „Aufruhr" (Anfang 16. Jh.) und M e u t e r e r m „Aufrührer" (16. Jh.) zu frühnhd. meutmacher „Aufrührer" (älter nhd. meuten „sich empören"). Dessen Bestimmungswort ist aus frz. meute (afrz. muete) in dessen älterer urspr. Bed. „Aufstand, Aufruhr" (vgl. Meute) entlehnt. Im heutigen Frz. gilt dafür entspr. émeute.

miauen: Das seit dem 17. Jh. bezeugte Verb ahmt den Katzenlaut nach. Älter bezeugt ist das gleichfalls lautnachahmende m a u e n „wie eine Katze schreien" (mhd. māwen), dazu die Weiterbildung m a u z e n (17. Jh.), nasaliert m a u n z e n (16. Jh.) „kläglich oder bettelnd wie eine Katze schreien". Siehe auch den Artikel Mieze.

Mieder s: Der Name des Kleidungsstücks geht zurück auf mhd. müeder, älter muoder „die Brust und den Oberleib umschließendes Kleidungsstück, Leibchen", das identisch ist

mit mhd. muoder „Bauch; Leib[esgestalt]; Haut", ahd. muodar „Bauch" (beachte afries. mōther „Brustbinde der Frauen"). Das Wort bezeichnete also zunächst den Körperteil und ging dann – wie z. B. auch Leibchen und Fäustling – auf das den Körperteil bedeckende Kleidungsstück über. Es ist wahrscheinlich von dem unter → Mutter behandelten Substantiv abgeleitet und bedeutete demnach urspr. „Gebärmutter, Unterleib" (vgl. gr. mētra „Gebärmutter"). Die nicht entrundete Form Müder hielt sich bis ins 18. Jh.

Mief m: Der seit dem Anfang des 20. Jh.s bezeugte ugs. Ausdruck für „schlechte Luft" gehört wohl zu → ¹Muff landsch. für „dumpfer, modriger Geruch" (beachte müffeln landsch. für „dumpf riechen"). Zus.: Miefquirl ugs. scherzh. für „Ventilator" (20. Jh.).

Miene w „Gesichtsausdruck": Das seit dem 17. Jh. zunächst in der Form ‚Mine' bezeugte Substantiv ist aus gleichbed. frz. mine entlehnt, dessen weitere Herkunft nicht gesichert ist. – Die eindeutschende Schreibung des Wortes mit -ie- setzt sich im 18. Jh. zur besseren Abgrenzung gegenüber dem unverwandten Substantiv → Mine durch.

mies „übel, schlecht; häßlich, schäbig, widerwärtig" (ugs.): Das im 19. Jh. aus dem Rotwelschen in Berliner Mundart und von da in die Umgangssprache gelangte Adjektiv stammt aus jidd. mis[er], misnick[er] „schlecht, miserabel, widerlich". – Dazu M i e s m a c h e r „Schwarzseher, Flaumacher" (ugs., um 1900).

Miesmuschel w: Der seit dem 18. Jh. bezeugte Name der Muschelart, die sich – oft in großen Mengen – an Pfählen und Steinen festsetzt, bedeutet eigtl. „Moosmuschel". Das Bestimmungswort (landsch. Mies, mhd., ahd. mios „Moos") steht im Ablaut zu → Moos.

¹Miete w „aufgeschüttete Fruchtgrube": Das im 18. Jh. aus dem Niederd. ins Hochd. gelangte Substantiv geht auf mnd. (= mniederl.) mīte „aufgeschichteter Heu- oder Holzhaufen" zurück, das aus lat. mēta „kegelförmige Figur; kegelförmig aufgeschichteter Heuschober" entlehnt ist.

²Miete w „Geldbetrag für das Benutzungsrecht einer Wohnung o. dgl.; Vertrag über die zeitweilige Überlassung einer Sache; Anrecht": Das altgerm. Wort für „Lohn, Bezahlung" (mhd. miet[e], ahd. miata, got. mizdō, engl. meed) geht mit verwandten Wörtern in anderen idg. Sprachen auf *mizdhó-s „Lohn" zurück, vgl. z. B. gr. misthós „Lohn, Sold, Miete" und russ. mzdá „Lohn, Entgelt". Abl.: m i e t e n (ugs. gegen Entgelt benutzen" (mhd. mieten, ahd. mietan), beachte auch v e r m i e t e n „für Entgelt benutzen lassen" (mhd. vermieten, ahd. farmietan); M i e t e r m „einer, der gegen ein Entgelt etwas benutzt, Wohnungsinhaber" (*mhd.* mietære), beachte auch Untermieter und Vermieter. Zus.: Mietskaserne „kasernenartiges Massenwohnhaus"(19.Jh.).

Mieze *w*: Das Kosewort für „Katze" hat sich aus dem Lockruf mi[-mi-mi] entwickelt (beachte z. B. 'Putput' kindersprachl. für „Huhn" und 'Wauwau' kindersprachl. für „Hund". Siehe auch den Artikel Kitz[e]). — Daneben sind auch gebräuchlich Miez, Mies und die Zus. Mieze-, Miesekatze.

Migräne *w* „halb-, einseitig auftretender heftiger Kopfschmerz": Um 1700 als medizin. Fachwort aus gleichbed. *frz.* migraine entlehnt, das auf *lat.* hēmicrānia < *gr.* hēmikrānía „Kopfschmerz auf einer Kopfhälfte" zurückgeht. Zu *gr.* hēmi... „halb" (vgl. *hemi...*) und *gr.* krāníon „Schädel" (vgl. *Karat*). Das *gr.* Wort erscheint in der medizin. Fachsprache auch unmittelbar als Hemikranie *w* „Migräne".

¹Mikado *m*: Die seit dem 19. Jh. bezeugte frühere Bezeichnung für den japan. Kaiser gehört zu den wenigen Wörtern, die aus dem *Jap.* entlehnt wurden, so auch → Bonze, → Mikrobe. Quelle ist das *gr.* Adjektiv mīkrós (smīkrós) „klein, kurz, gering usw.".

Mikrobe *w*: Die seit dem 19. Jh. bezeugte, aus dem *Frz.* (= *frz.* microbe) übernommene Bezeichnung für mikroskopisch kleine pflanzl. oder tier. Lebewesen (Mikroorganismen) ist eine gelehrte Neubildung des *gr.* mikrós „klein" (vgl. *mikro...*) und *gr.* bíos „Leben" (vgl. *bio...*).

Mikroskop *s* (optisches Vergrößerungsgerät): Gelehrte Neubildung des 17. Jh.s zu *gr.* mīkrós „klein" (vgl. *mikro...*) und *gr.* skopeῖn „schauen" (vgl. *Skepsis*). Das Wort bedeutet also eigtl. „Kleinschauer". — Abl.: mikroskopisch „nur durch das Mikroskop erkennbar; verschwindend klein" (18. Jh.); mikroskopieren „mit dem Mikroskop arbeiten, mikroskopisch untersuchen" (20. Jh.).

Milbe *w*: Der nur *dt.* Name des Spinnentiers (*mhd.* milwe, *ahd.* mil[i]wa) gehört zu der unter → mahlen behandelten Wortgruppe und bedeutet eigtl. „mehl- bzw. staubmachendes oder mahlendes Tier". Eng verwandt sind damit *got.* malō „Motte" und die *nord.* Sippe von *schwed.* mal „Motte", *außergerm.* z. B. *russ.* mól' „Motte, Schabe". **Milch** *w*: Das *gemeingerm.* Wort *mhd.* milch, *ahd.* miluh, *got.* miluks, *engl.* milk, *schwed.* mjölk gehört zu dem unter → melken behandelten Verb. — Im übertragenen Gebrauch bezeichnet das Wort im *Dt.* z. B. den Saft mehrerer Pflanzenarten und den Samen von Fischen (wegen der Ähnlichkeit im Aussehen). Abl.: milchen „Milch geben" (17. Jh.); milchig „milchähnlich, trübweiß" (18. Jh.; für älteres milchicht). Zus.: Milchglas „Glas von milchig weißer Farbe" (19. Jh.); Milchstraße (17. Jh.; LÜ von *lat.* via lactea); Milchzahn (16. Jh.; so benannt, weil dieser Zahn dem Kind in dem Alter, in dem es gestillt wird, wächst). Beachte auch die Zus. Butter-, Voll-, Magermilch. **mild[e]**: Das *gemeingerm.* Adjektiv *mhd.* milde, *ahd.* milti, *got.* mildeis, *engl.* mild, *schwed.* mild gehört im Sinne von „zerrieben, zermahlen, fein, zart" zu der unter → mahlen dargestellten Wortgruppe. *Außergerm.* sind z. B. verwandt *gr.* malthakós „weich, zart, mild" und weiterhin *lat.* mollis „weich, sanft, mild" (s. Moll) und *russ.* molodój „zart, frisch, jung" (s. auch den Artikel mollig). Um das Adjektiv gruppieren sich die Bildungen Milde *w* (*mhd.* milde, *ahd.* mildī) und mildern (15. Jh., in der Form miltern), beachte auch die Zus. mildtätig (17. Jh.), in der das Bestimmungswort früher übliche Bed. „freigebig" hat.

Milieu *s* „Umwelt; Lebensumstände": Im 19. Jh. aus gleichbed. *frz.* milieu entlehnt. Zu *frz.* mi (< *lat.* medius) „mitten; mittlerer" und *frz.* lieu (< *lat.* locus) „Ort, Stelle; Lage; Umstand usw.".

¹Militär *s* „der Soldatenstand, das gesamte Heerwesen, die Wehrmacht"; **²Militär** *m* (meist *Mehrz.*) „höherer Offizier (als Angehöriger der Wehrmacht)": Beide am Ende des 18. Jh.s aus gleichbed. *frz.* militaire entlehnt. Voraus liegt das *lat.* Adjektiv mīlitāris „den Kriegsdienst betreffend, soldatisch", das zu *lat.* mīles „Soldat; Heer" gehört. — Abl.: militärisch „das Militär betreffend, soldatisch, kriegerisch" (18. Jh.; nach *frz.* militaire „soldatisch" umgestaltet aus älterem, schon im 17. Jh. geläufigem 'militarisch' < *lat.* mīlitāris); Militarismus *m* „Vorherrschen militärischer Gesinnung; starker militär. Einfluß auf die Politik" (*nlat.* Bildung des 19. Jh.s, die von entspr. *frz.* militarisme „Militärherrschaft" ausgeht); Militarist *m* „Anhänger des Militarismus" (20. Jh.; nach *frz.* militariste); militaristisch (20. Jh.); entmilitarisieren „von Truppen und militärischen Anlagen entblößen" (20. Jh.), junge Präfixbildung nach entspr. *frz.* démilitariser zu dem selten gebrauchten Verb militarisieren „militärische Anlagen errichten, das Heerwesen organisieren" (20. Jh.; aus gleichbed. *frz.* militariser). — Dazu noch → Miliz und → Kommilitone.

Miliz *w* „Bürgerwehr, Volksheer" (im Gegensatz zum stehenden Heer): Im 17. Jh. aus *lat.* mīlitia „Kriegsdienst; Gesamtheit der Soldaten" entlehnt. Zu *lat.* mīles „Soldat" (vgl. *Militär*).

Mille *s* „das Tausend", in der Umgangssprache nur weiblich gebraucht im Sinne von „1000 Mark": Im 19./20. Jh. als Wort des Kaufmannsjargons aus dem *lat.* Zahlwort mīlle „1000" (vgl. *Meile*) entlehnt, das auch in der Wendung pro mille „für tausend, vom Tausend" (17. Jh.) erscheint. – Gleicher Herkunft ist Milli... als Bestimmungswort von Zusammensetzungen aus dem physikalischen Bereich mit der Bed. „ein Tausendstel", wie in Millimeter und Milligramm.

Million *w*: Zu *lat.*-*it.* mīlle „tausend" (vgl. *Meile*) stellt sich die mit Vergrößerungssuffix gebildete Abl. *it.* milione „Großtausend". In diesem Sinne gelangt die *it.* Wort seit dem 13. Jh. in die anderen europäischen Sprachen. In *dt.* Texten erscheint das Wort im 15. Jh., gleichfalls ohne festen Zahlenwert, im allgemeinen nur zur Bezeichnung von sehr großen Summen im Geldverkehr. Zum allgemein geläufigen Zahlwort mit dem festen Zahlenwert „1 000 000" (= 1 000 × 1 000) wird es erst im 17. Jh. – Abl.: Millionär *m* „Besitzer von Millionen[werten]; schwerreicher Mann" (18. Jh.; aus gleichbed. *frz.* millionnaire); Milliarde *w* „1000 Millionen" (18. Jh.; aus *frz.* milliard, das mit Suffixwechsel zu *frz.* million gebildet ist); Billion *w* „eine Million Millionen" (im 18. Jh. aus *frz.* billion in dessen urspr. Bedeutung entlehnt; heute bedeutet *frz.* billion „eine Milliarde"). Das Wort ist eine gelehrte Neubildung zu *frz.* million mit dem *lat.* Zahlwortpräfix bi... „zweimal, doppelt" (vgl. *bi...*), das hier zur Bezeichnung der „zweiten" Potenz gebraucht wird. Entsprechendes gilt von: Trillion, Quadrillion usw.

Milz *w*: Die *altgerm.* Körperteilbezeichnung *mhd.* milze, *ahd.* milzi, *niederl.* milt, *engl.* milt, *schwed.* mjälte gehört mit dem unter →Malz behandelten Wort zu der Sippe von →schmelzen (vgl. *mahlen*). Die Milz ist entweder nach ihrer Konsistenz als „die Weiche" benannt oder aber als „die Auflösende", weil man in früheren Zeiten dem lymphatischen Organ die Fähigkeit des Auflösens der Speisen zuschrieb. Zus.: Milzbrand (18. Jh.).

Mime *m* „Schauspieler" (veraltet, aber noch scherzhaft gebraucht): Im 18. Jh. aus *lat.* mīmus < *gr.* mīmos „Nachahmer; Gaukler; Schauspieler" entlehnt, einer Ableitung von *gr.* mīmeīsthai „nachahmen". – Dazu: mimisch „schauspielerisch, von Gebärden und Gesten begleitet" (18. Jh.; aus *lat.* mīmicus < *gr.* mīmikós); Mimik *w* „Gebärden- und Mienenspiel [des Schauspielers]" (18. Jh.; aus *lat.* ars mīmica); mimen „schauspielern, so tun, als ob" (19. Jh.); siehe ferner die FW Pantomime, pantomimisch, Mimikry und den Pflanzennamen →Mimose.

Mimikry *w* „Schutztracht wehrloser Tiere, die durch Veränderung der Körpergestalt oder der Färbung andere Tiere nachahmen"; auch allgemein übertragen gebraucht im Sinne von „Schutzfärbung, Anpassung": Im 20. Jh. aus gleichbed. *engl.* mimicry (eigtl. „Nachahmung") entlehnt, einer gelehrten Ableitung von *engl.* mimic „fähig nachzuahmen; mimisch" (< *lat.* mīmicus < *gr.* mīmikós); vgl. *Mime*.

Mimose *w*: Der in *dt.* Texten seit dem 18. Jh. bezeugte Name der hochempfindlichen Pflanze beruht auf einer gelehrten *nlat.* Ableitung von *lat.* mīmus „Schauspieler" (vgl. *Mime*). Die Benennung spielt auf die Eigenart verschiedener Mimosenarten an, sich bei Berührung gleichsam mimenhaft zusammenzuziehen. – Nach der Empfindlichkeit der Mimose spricht man auch in allgemeinem übertragenem Sinne von einem 'mimosenhaften Wesen' (19. Jh.).

minder: *Mhd.* minner, *ahd.* minniro, *got.* minniza, *niederl.* minder, *schwed.* mindre beruhen auf einer Komparativbildung zu einem im *germ.* Sprachbereich untergangenen *idg.* Adjektiv *minu-s „klein", vgl. z. B. *gr.* miný--ōros „kurzlebig", *lat.* minus „weniger" (s. minus), minister „Untergebener, Diener" (s. Minister), minimus „kleinster, geringster" (s. Minimum, minimal), minuere „verkleinern, verringern" (s. Minute, minuziös, Menu, Menuett), *russ.* ménee „weniger". – Im heutigen Sprachgebrauch wird 'minder' als Komparativ zu 'wenig' verwendet, das früher keinen Komparativ und Superlativ hatte. – Der Superlativ lautet mindest (*mhd.* minnest, *ahd.* minnist, *got.* minnists, *niederl.* minst, *schwed.* minst), beachte dazu mindestens (18. Jh.; genitivische Umbildung aus 'zum mindesten'). Abl.: Minderheit *w* (18. Jh.; wohl LÜ von *frz.* minorité); mindern (*mhd.* minnern, *ahd.* minnirōn; beachte auch die Präfixbildung vermindern). Zus.: minderjährig (16. Jh.; LÜ von *mlat.* minorennis); Minderzahl (19. Jh.).

Mine *w*: Das seit etwa 1600 bezeugte Substantiv, das aus *frz.* mine (= *mlat.* mina) „Erzader; Erzgang, Erzgrube; unterirdischer Gang" (einem Wort vermutlich *kelt.* Ursprungs) entlehnt ist, erscheint bei uns zuerst als militärisches Fachwort zur Bezeichnung von Pulvergängen und Sprenggruben, wie man sie nach franzöz. Vorbild bei Belagerungs- und Stellungskämpfen anlegte. Daran schließt sich der junge übertragene Gebrauch des Wortes im Sinne von „Sprengkörper" an (beachte dazu Zus. wie Luftmine, Minensuchboot). Die Bed. „Erzgrube", die noch heute üblich ist, kommt in der 2. Hälfte des 17. Jh.s auf. Jung ist ferner die übertragene Bed. „Bleimine, Kugelschreibermine". Abl.: minieren „unterirdische Gänge, Stollen anlegen; unter-

441

graben, Sprenggruben anlegen" (17. Jh.; aus gleichbed. *frz.* miner), häufiger in der Zus. **unterminieren**, das heute vorwiegend übertragen gebraucht wird. – Zum Stamm von 'Mine' gehört auch das Wort **Mineral** *s* als Bezeichnung für jeden anorganischen, chemisch einheitlich und natürlich gebildeten Stoff der Erdkruste. In *dt.* Texten ist es seit dem 16. Jh. belegt. Es stammt wie entspr. *frz.* minéral aus *mlat.* (aes) mineräle „Grubenerz, Erzgestein", einer Ableitung von *mlat.* minera (= *frz.* minière) „Erzgrube; Grubenerz". Dazu die Adjektivableitung **mineralisch** „aus Mineralien entstanden, sie enthaltend" (16. Jh.), ferner die gelehrten Zusammensetzungen **Mineralogie** *w* „Lehre von der Zusammensetzung und dem Vorkommen der Mineralien und Gesteine" (17. Jh.), **Mineraloge** *m* „Kenner und Forscher auf dem Gebiet der Mineralogie" (18. Jh.) und **mineralogisch**, deren Grundwort zu *gr.* lógos „Wort; Lehre, Kunde" (vgl. *Logik*) gehört.

Miniatur *w*: Zu *lat.* minium „Zinnoberrot" stellt sich *lat.*-*it.* miniäre „mit Zinnober anstreichen; in Zinnoberfarbe zeichnen, malen". Das davon abgeleitete Substantiv *it.* (= *mlat.*) miniatüra „Kunst, mit Zinnoberrot zu malen; mit Zinnoberrot ausgeführte Ziermalerei" wurde zur Bezeichnung der im Mittelalter vielgeübten Technik, die Initialen kostbarer Handschriften (urspr. mit Zinnoberfarbe) auszumalen. Wohl begünstigt durch den Anklang an *lat.* minor „kleiner; klein" entwickelte das *it.* Wort die übertragene Bed. „zierliche Kleinmalerei" und erscheint in diesem Sinne um 1600 in *dt.* Texten als FW. Weiterhin gilt das Wort bei uns auch allgemein zur Bezeichnung geschmackvoll ausgeführter Gegenstände der Kleinkunst, insbesondere aber auch zur Bezeichnung des Zierlichen, Kleinen usw., so namentlich in Zus. wie **Miniaturausgabe** und **Miniaturbild**.

Minimum *s* „Mindestmaß, -wert, -preis": Im 18. Jh. aus *lat.* minimum „das Kleinste, Geringste, Wenigste" entlehnt, dem substantivierten Neutrum von *lat.* minimus „kleinster" (vgl. *minus*). – Dazu die *nlat.* Ableitung **minimal** „sehr klein, winzig" (19. Jh.).

Minister *m* „oberster [Verwaltungs]beamter des Staates; Mitglied der Regierung": Als staatspolitisches Fachwort im 17. Jh. aus *frz.* ministre (eigtl. „Diener", dann etwa „Diener des Staates; mit einem polit. Amt Beauftragter") entlehnt. Das zugrunde liegende *lat.* Substantiv minister „Diener, Gehilfe", das mit dieser eigentlichen Bedeutung schon im 15. Jh. in *dt.* Texten als LW erscheint, stellt sich wohl in den größeren Zusammenhang der Wortgruppe um *lat.* minor „kleiner, geringer" (vgl. den Artikel *minus*). Auszugehen ist dabei von einer Vor-

form *minis-teros < *minus-teros „der Geringere, der Untergebene". – Abl.: **Ministerium** *s* „höchste Verwaltungsbehörde eines Landes mit bestimmtem Aufgabenbereich" (18. Jh.; relatinisiert aus *frz.* ministère < *lat.* ministerium „Dienst, Amt"); **ministerial** „den Staatsdienst betreffend; der Staatsregierung angehörend" (18. Jh.; aus *spätlat.* ministeriälis „den Dienst beim Kaiser betreffend"), heute nur noch in Zusammensetzungen gebraucht wie **Ministerialbeamte**, **Ministerialdirigent**; **ministeriell** „von einem Minister oder Ministerium ausgehend" (18. Jh.; aus *frz.* ministériel < *spätlat.* ministeriälis). – Beachte noch den Artikel →*Metier*.

Minne *w* (altertümelnd scherzh. für:) „Liebe": *Mhd.* minne, *ahd.* minna, *niederl.* min sind im *germ.* Sprachbereich verwandt mit der Sippe von *schwed.* minne „Erinnerung, Andenken, Gedächtnis" und gehören mit dieser zu der Wortgruppe von →*mahnen*. Aus der urspr. Bed. „das Denken an etwas, [liebevolles] Gedenken" entwickelten sich schon im *Ahd.* die Bed. „Zuneigung, Gefallen, Freude, Lust, Liebe". In *mhd.* Zeit war minne das übliche Wort für „Liebe". Da es seit dem 13. Jh. auch im Sinne von „geschlechtliche Liebe, Brunst, Beischlaf" verwendet wurde, kam es seit dem 15. Jh. als anstößiges Wort außer Gebrauch. Im 18. Jh. wurde es im Rahmen der Beschäftigung mit der ritterlichen Liebeslyrik neu belebt und dann dichterisch, heute nur noch altertümelnd scherzhaft verwendet. Beachte dazu auch **minniglich** „lieblich, wonnig" (18. Jh.; nach *mhd.* minneclich), **Minnedienst** *ugs.* scherzh. für „Verabredung, Stelldichein" (19. Jh.), **Minnesang** (nach *mhd.* minnesanc), **Minnesänger** (nach *mhd.* minnesenger).

Minorität *w* „Minderzahl, Minderheit": Im 18. Jh. aus *frz.* minorité < *mlat.* minöritäs „Minderheit" entlehnt. Zu *lat.* minor „kleiner, geringer" (vgl. *minus*).

minus „weniger" (zur Bezeichnung der Subtraktion), im Gegensatz zu →*plus*: Im 14. Jh. aus gleichbed. *lat.* minus übernommen, dem adverbial gebrauchten Neutrum von *lat.* minor „kleiner, geringer" (s. *Minorität*). Das *lat.* Wort, das die komparativische Steigerungsstufe zu einer vom gleichen Stamm nicht vorhandenen Grundstufe ist, gehört zusammen mit dem Substantiv *lat.* minister „Untergebener; Diener, Gehilfe" (s. *Minister, Ministerium, ministerial, ministeriell, Metier*), dem Superlativ *lat.* minimus „kleinster, geringster" (s. *Minimum, minimal*) und dem *lat.* Verb minuere „verkleinern, verringern" (s. *Minute, minuziös, Menu, Menuett*) zu der unter →*minder* dargestellten *idg.* Wortgruppe. – Abl.: **Minus** *s* „Minder-, Fehlbetrag, Verlust" (18. Jh.;

Kaufmannssprache), besonders auch in Zusammensetzungen wie Minusgeschäft.

Minute w: Zu *lat.* minuere ,,verkleinern, vermindern" (vgl. *minus*) gehört das Partizipialadj. *lat.* minūtus ,,vermindert; sehr klein". Aus der Fügung 'pars minūta prīma', die im Sexagesimalsystem des Ptolemäus (2. Jh. n. Chr.) den kleinsten Teil erster Ordnung einer durch 60 teilbaren Größe bezeichnete, entstand durch Verselbständigung gleichbed. *mlat.* minūta, das in *frühnhd.* Zeit entlehnt wurde. Vgl. zum Sachlichen auch →Sekunde.

minuziös ,,peinlich genau", früher auch für ,,kleinlich": Im 18. Jh. aus gleichbed. *frz.* minutieux entlehnt, einer Ableitung von *frz.* minutie ,,Kleinigkeit; peinliche Genauigkeit, Kleinlichkeit". Voraus liegt *lat.* minūtia ,,Kleinheit; Kleinigkeit", das zu *lat.* minuere (minūtum) ,,verkleinern, verringern, vermindern" gehört (vgl. *minus*).

Minze w: Der *westgerm.* Name der zu den Lippenblütlern gehörenden Pflanzengattung (*mhd.* minz[e], *ahd.* minza, *mniederl.* mente, *engl.* mint) beruht auf einer Entlehnung aus *lat.* menta ,,Minze", das aus der gleichen (unbekannten) Quelle stammt wie *gr.* mínthē ,,Minze". – Von den Minzen ist am bekanntesten die Pfefferminze (18. Jh.), die als Heil- und Gewürzpflanze verwendet wird. Beachte in diesem Zusammenhang auch das FW Menthol s als Bezeichnung für den (zu Heilzwecken verwendeten) Hauptbestandteil des Pfefferminzöls. Das Wort ist eine gelehrte Bildung des 19. Jh.s aus *lat.* mentha (Nebenform: mentha) und *lat.* oleum ,,Öl".

Mirabelle w: Die seit dem 18./19. Jh. bezeugte Bezeichnung der kleinfrüchtigen, süßen Pflaumenart stammt aus dem *Frz.* Die Herkunft von *frz.* mirabelle ist umstritten.

mischen: Das *westgerm.* schwache Verb (*mhd.* mischen, *ahd.* miskan, *aengl.* miscian) ist entweder mit *lat.* miscēre ,,mischen, vermischen" urverwandt oder, was wahrscheinlicher ist, aus diesem entlehnt. – *Lat.* miscēre, mixtum (*roman.* miscere), das außeritalische Verwandte z. B. in *gr.* meígnymi ,,ich mische, vermenge" und in *aind.* mí-mikṣ-ati ,,er mischt" hat, ist Stammwort verschiedener Fremdwörter im Deutschen. Siehe hierzu im einzelnen die Artikel →mixen, Mixer, Mixpickles, →Mixtur, →Mestize und →meliert, Melange. – Abl. und Zus. von mischen: Mischung w (*mhd.* mischunge, *ahd.* miscunga); Mischling m ,,wer von Eltern verschiedener Rassen abstammt" (17. Jh.; s. auch: Mestize); Mischmasch m (*ugs.* für:) ,,Durcheinander, Gemengsel" (lautspielerische Reduplikationsbildung des 16./17. Jh.s); Mischehe ,,Ehe zwischen Partnern verschiedener Konfession"; Gemisch s ,,Mischung" (Anfang 17. Jh.).

Misere w ,,traurige, unglückliche Lage, Trostlosigkeit": Im 18. Jh. aus gleichbed. *frz.* misère < *lat.* miseria entlehnt. Zu *lat.* miser ,,elend, kläglich, bejammernswert". – Dazu noch: miserabel ,,erbärmlich, armselig; nichtswürdig, verworfen, gemein" (*ugs.*; 17. Jh.; aus *frz.* misérable < *lat.* miserābilis ,,jämmerlich, kläglich").

Mispel w: Der Name des zur Familie der Rosengewächse gehörenden Holzgewächses (mit apfelartigen Früchten), *mhd.* mispel, *ahd.* mespila, ist aus *lat.* mespilum (oder einer Nebenform mespila) ,,Mispel" entlehnt. Das *lat.* Wort selbst ist LW aus gleichbed. *gr.* méspilon, dessen weitere Herkunft dunkel ist.

miß...: Das *gemeingerm.* Präfix *mhd.* mis-, misse-, *ahd.* missa-, *got.* missa-, *engl.* mis-, *schwed.* mis- hat sich aus einer alten Partizipialbildung zu der erweiterten *idg.* Wz. *meit[h]- ,,wechseln, tauschen" entwickelt (vgl. *Meineid* und die eng verwandte Sippe von →meiden). Diese Partizipialbildung, die als selbständiges Wort im *Dt.* untergegangen ist, hatte urspr. die Bed. ,,verwechselt, vertauscht" (vgl. z. B. *got.* missō Adv. ,,wechselseitig" und *aind.* mitháḥ Adv. ,,abwechselnd"). Von dieser Bedeutung geht die Verwendung des Wortes als Präfix aus, nämlich zum Ausdruck des Verkehrten, des Verfehlten und des Verschiedenartigen (s. auch die Artikel →missen und →mißlich). Die vollere Form des Präfixes ist noch bewahrt in Missetat ,,schändliche Tat, Verbrechen" (*mhd.* missetât, *ahd.* missitât, wohl aus *got.* kirchensprachl. missadēþs ,,Sünde"). Von den zahlreichen Bildungen mit miß... beachte z. B. mißachten (*mhd.* misseahten), dazu Mißachtung w (17. Jh.); mißbehagen (15. Jh.; für *mhd.* missehagen), dazu Mißbehagen s (17. Jh., subst. Infinitiv); mißbilligen (17. Jh.); Mißerfolg (19. Jh.); Mißernte (19. Jh.); Mißgeburt (16. Jh.); mißglücken (17. Jh.); mißgönnen (16. Jh.); Mißgunst (16. Jh.), mißgünstig (16. Jh.); mißhandeln ,,übel behandeln, schlagen" (*mhd.* missehandeln), dazu Mißhandlung w (*mhd.* missehandelunge); mißhellig, Mißhelligkeit (s. einhellig); mißliebig ,,unbeliebt" (19. Jh.; gekürzt aus älterem mißbeliebig, 18. Jh.; Ersatzwort für antipathisch); mißlingen (*mhd.* misselingen; s. gelingen); Mißmut (18. Jh.; rückgebildet aus dem Adjektiv mißmutig, 17. Jh.; für älteres mißmütig); mißraten ,,nicht gelingen, schlecht ausfallen" (*mhd.* misseraten ,,einen falschen Rat erteilen; an eine falsche Stelle geraten, fehlgehen"); Mißstand (16. Jh.); Mißstimmung (18. Jh.); mißtrauen (*mhd.* missetrūwen, *ahd.* missatrūēn), dazu Mißtrauen s (*mhd.* missetrūwen, substantivierter Infinitiv); mißtrauisch (17. Jh.); Mißverhältnis (18. Jh.; wohl LÜ von *lat.* disproportiō);

443

Mißverständnis (18. Jh.); **mißverstehen** (18. Jh.).

missen ,,entbehren": Das *altgerm.* Verb *mhd., ahd.* missen, *niederl.* missen, *engl.* to miss, *schwed.* missa ist von der unter →*miß...* behandelten Partizipialbildung abgeleitet und bedeutete urspr. etwa ,,verwechseln, verfehlen". Beachte auch die verstärkende Präfixbildung **vermissen** (*mhd.* vermissen, *ahd.* farmissen).

Mission *w*: Das aus *lat.* missiō ,,das Gehenlassen; das Schicken, die Entsendung" entlehnte Substantiv erscheint ,in *dt.* Texten zuerst im 16. Jh. mit der allgemeinen Bedeutung des *lat.* Wortes. Das *Kirchenlat.* vermittelt uns den seit dem 17. Jh. – auch in anderen modernen Kultursprachen – allgemein üblichen Gebrauch des Wortes im Sinne von ,,(Ausschickung christlicher Sendboten zur) Bekehrung der Heiden". Daran schließen sich die Abl.: **Missionar** *m* ,,Glaubensbote, Heidenbekehrer" (17. Jh.; *nlat.* Bildung) und **missionieren** ,,Missionstätigkeit ausüben, zum christlichen Glauben bekehren" (20. Jh.). Jünger sind die Bedeutungen ,,Sendung, Auftrag; innere Aufgabe, Pflicht", die ,,Mission" am Ende des 18. Jh.s von entspr. *frz.* mission übernimmt. – *Lat.* missiō gehört als Substantivbildung zu *lat.* mittere ,,lassen; werfen; schicken, senden usw.", das auch sonst noch mit zahlreichen anderen Ableitungen und Zusammensetzungen in unserem Lehn- und Fremdwortschatz vertreten ist. Beachte im einzelnen: *kirchenlat.* missa ,,liturgische Opferfeier, Messe" in →¹Messe, ²Messe und als Grund- oder Bestimmungswort in den Zus. →Kirmes, →Lichtmeß und Meßkleider; *vlat.* missum ,,aus der Küche Herausgeschicktes, zu Tisch Aufgetragenes" in →³Messe; *lat.* committere ,,zusammenbringen; anvertrauen, anheimgeben" in →Kommission, Kommissionär, →Kommissar, kommissarisch, Kommissariat, →Kommiß, Kommißbrot und →Komitee; *lat.* prō-mittere ,,hervorgehen lassen, in Aussicht stellen, versprechen" bzw. *lat.* com-prō-mittere ,,sich gegenseitig versprechen" in →Kompromiß und →kompromittieren; *lat.* remittere ,,zurückschicken; nachlassen usw." in →Remittende, →remis.

mißlich: Zu dem unter →gleich behandelten *gemeingerm.* Adjektiv *ga-līka-* ,,dieselbe Gestalt habend" ist als Gegenwort *missalīka-* ,,verschiedene Gestalt habend" gebildet. Darauf beruhen *mhd.* misselich, *ahd.* missalīh, *got.* missaleiks, *aengl.* mis[t]līc, *aisl.* mislīkr (vgl. *miß...* und *Leiche*). Die heutige Bed. ,,schlimm, unerfreulich" hat sich aus ,,was verschiedenartig ausgehen kann" entwickelt. Abl.: **Mißlichkeit** *w* (17. Jh.).

Mist *m*: Die *germ.* Substantivbildung *mhd., ahd.* mist, *got.* maíhstus, *niederl.* mest gehört mit dem unter →Maisch[e] behandelten Wort zu einem im *Dt.* untergegangenen Verb *mnd.* mīgen, *aengl.* mīgan, *aisl.* mīga ,,harnen". Das Wort bezeichnete also zunächst Harn und Kot (speziell aus dem tierischen Körper) und ging dann auf die damit getränkte Streu über. Das *germ.* Verb ist z. B. verwandt mit *lat.* mingere ,,harnen" und *aind.* mēhati ,,harnt" und beruht auf einer *idg.* Wz. *meiĝh-* ,,harnen". *Ugs.* wird 'Mist' im Sinne von ,,Unsinn, Wertloses, Dreck" gebraucht, beachte auch abwertendes 'Mist' in Zusammensetzungen, z. B. in Mistblatt und Mistkerl. Abl.: **misten** ,,düngen; (den Stall) von Mist säubern" (*mhd.* misten, *ahd.* mistōn, beachte die Zusammensetzung **ausmisten**); **mistig** ,,voller Mist, dreckig, schmutzig" (18. Jh.). Zus.: **Mistfink** ,,schmutziger Mensch" (16. Jh.; beachte die Zus. Schmier-, Schmutzfink, Dreckspatz); **Mistkäfer** (18. Jh.). Siehe auch den Artikel Mistel.

Mistel *w*: Der *altgerm.* Pflanzenname *mhd.* mistel, *ahd.* mistil, *niederl.* mistel, *engl.* mistle[toe], *schwed.* mistel ist wahrscheinlich eine Bildung zu dem unter →*Mist* behandelten Wort. Die Benennung der auf Bäumen schmarotzenden Pflanze bezieht sich demnach darauf, daß die Samen dieser Pflanze durch den Vogelmist (bes. durch die Exkremente der Misteldrossel) auf Bäume gelangen.

mit: Das *gemeingerm.* Wort (Adv., Präp.) *mhd.* mit[e], *ahd.* mit[i], *got.* miþ, *schwed.* med ist wahrscheinlich mit *gr.* metá ,,zwischen, mit, nach, hinter" (s. meta...) verwandt. Zus.: **Mitarbeiter** (16. Jh.; in Luthers Bibelübersetzung als LÜ von *gr.* sýnergos); **Mitesser** (17. Jh.; LÜ von *mlat.* comedō; die Talgausscheidungen verstopfter Hautporen hielt man bis ins 18. Jh. für in die Haut gezauberte Würmer, die den Menschen, bes. den Kindern die Nahrung wegessen); **Mitgift** ,,Heiratsgut" (s. Gift); **Mitlaut** ,,Konsonant" (18. Jh.; für älteres Mitlauter, das zu 'mitlautend' - LÜ von *lat.* [littera] consonans - gebildet ist); **Mitleid** (s. d.).

Mitleid *s*: Das seit dem 17. Jh. bezeugte Wort setzte sich vom *Ostmitteld.* ausgehend für älteres Mitleiden *s* (*mhd.* mitlīden ,,Mitgefühl, Anteilnahme, Barmherzigkeit") durch. Der substantivierte Infinitiv *mhd.* mitleiden und die untergegangene Bildung *mhd.* mitelīdunge sind LÜ von *lat.* compassiō, das seinerseits LÜ von *gr.* sympátheia (s. Sympathie) ist. Das zugrunde liegende zusammengesetzte Verb *mhd.* mitelīden, älter *nhd.* mitleiden hatte auch die Bed. ,,mit einem anderen am gleichen Übel teilhaben; an öffentlichen Lasten teilhaben". An diesen Wortgebrauch schließt sich **Mitleidenschaft** (17. Jh.) an, das heute nur noch in der Wendung 'in Mitleidenschaft ziehen' verwendet wird.

Mittag *m*: Die Bezeichnung der Tagesmitte (*mhd.* mittetac, *ahd.* mittitac) ist aus der erstarrten Verbindung *ahd.* mitti tac „mittlerer Tag" zusammengewachsen, beachte noch *mhd.* auch mitter tac „Mittag" und *frühnhd.* mit innerer Flexion mittem tag. Über das Adjektiv *mhd.* mitte, *ahd.* mitti s. den Artikel Mitte. Vgl. die anderen *germ.* Bezeichnungen *niederl.* middag, *engl.* midday, *schwed.* middag. – Das Wort Mittag ist auch im Sinne von „Süden" (Lehnbedeutung nach *lat.* meridiēs) und im Sinne von „Mittagsmahlzeit" gebräuchlich. Das Adverb mittags (16. Jh.) ist der adverbiell erstarrte Gen. Einz. – Erst in *nhd.* Zeit sind aus 'vor Mittag[e]' und 'nach Mittag[e]' die Bezeichnungen Vormittag und Nachmittag entstanden. Abl.: mittäglich (*mhd.* mittaglich, *ahd.* mittitagalīh).

Mitte *w*: Das *altgerm.* Substantiv *mhd.* mitte, *ahd.* mitta, *aengl.* midde, *schwed.* midja ist eine Bildung zu dem als selbständigem Wort nicht mehr gebräuchlichen Adjektiv *frühnhd.*, *mhd.* mitte, *ahd.* mitti, *got.* midjis, *aengl.* midde, *aisl.* midr „in der Mitte befindlich, mittlerer". Dieses *gemeingerm.* Adjektiv ist im *Dt.* bewahrt in dem Adverb mitten „in der Mitte" (*mhd.* mitten; adverbiell erstarrter Dat. *Mehrz.* des Adjektivs) und in den aus erstarrten Verbindungen entstandenen Zus. →Mittag, →Mitternacht und →Mittwoch, s. auch die unter →mittel behandelte Ableitung. Das *gemeingerm.* Adjektiv geht mit verwandten Wörtern in anderen *idg.* Sprachen auf *idg.* *medhi̯o-s „in der Mitte befindlich, mittlerer" zurück, vgl. z. B. *gr.* mésos „mittlerer" und *lat.* medius „mittlerer" (s. die Fremdwörtergruppe um Medium).

mittel: Das *westgerm.* Adjektiv *mhd.* mittel, *ahd.* mittil, *niederl.* middel, *engl.* middle ist eine Weiterbildung von dem unter →*Mitte* behandelten *gemeingerm.* Adjektiv. Im Gegensatz zum Komparativ mittlere und zum Superlativ mittelste ist der Positiv mittel heute nicht mehr gebräuchlich. Er ist bewahrt in mittlerweile (16. Jh.; aus mittler Weile, Dativ Einz.) und als Bestimmungswort in zahlreichen Zusammensetzungen, beachte z. B. Mittelalter (17. Jh.; im Sinne von „mittleres Lebensalter"; im 18. Jh. dann in der heutigen Bedeutung als LÜ von *lat.* medium aevum; Mittelpunkt (16. Jh.; zusammengezogen aus *mhd.* 'der mittel punct'; Mittelschule (19. Jh.); Mittelstand (17. Jh.; im Sinne von „mittlerer Zustand" und „bürgerlicher Mittelstand"); Mittelwort (17. Jh.; Ersatzwort für Partizip; so benannt, weil es zwischen Adjektiv und Verb steht). Die substantivierte Form des Adjektivs ist **Mittel** *s* (*mhd.* mittel, *niederl.* middel, *engl.* middle). Das Substantiv hatte zunächst die Bed. „Mitte, in der Mitte befindlicher Teil". Dann wurde es im Sinne von „das zwischen zwei Dingen Befindliche" gebräuchlich. An diesen Wortgebrauch schließt sich an die Verwendung des Wortes im Sinne von „das, was zur Erreichung eines Zweckes dient" (eigtl. „das, was sich zwischen dem Handelnden und dem Zweck befindet"), beachte dazu mittels[t] „mit Hilfe von, durch" (17. Jh.; mit sekundärem t; Gen. Einz. von 'Mittel') und vermittels[t] „mit Hilfe von, durch" (16. Jh.). Ferner bezeichnet das Wort, gewöhnlich in der Mehrz., auch das, worüber man verfügt (um irgendeinen Zweck zu erreichen), beachte dazu z. B. bemittelt „wohlhabend" (17. Jh.), mittellos „arm" (19. Jh.) und die Zus. Lebens-, Nahrungs-, Geldmittel und dgl. – Das vom Substantiv abgeleitete Verb mitteln (*mhd.* mitteln „zu etwas verhelfen, schlichten") wird heute als einfaches Verb nicht mehr verwendet. Gebräuchlich sind dagegen ermitteln, übermitteln, vermitteln.

Mitternacht *w*: Das seit *mhd.* Zeit bezeugte Wort ist eigtl. ein erstarrter Dativ. *Mhd.* mitternaht (Dat. Einz.) ist aus Zeitbestimmungen wie z. B. 'ze mitter naht' „mitten in der Nacht" hervorgegangen. Über das Adjektiv *mhd.* mitte, *ahd.* mitti „in der Mitte befindlich s. den Artikel Mitte. Abl.: mitternächtlich (16. Jh.).

Mittwoch *m*: Die Bezeichnung des vierten Wochentages *mhd.* mit[te]woche *m*, älter *w*, *spätahd.* mittawehha ist LÜ von *kirchenlat.* media hebdomas. *Ahd.* mittawehha ist zusammengewachsen aus dem unter →*Mitte* behandelten Adjektiv *ahd.* mitti „in der Mitte befindlich" und dem unter →*Woche* behandelten Substantiv. Diese Bezeichnung wurde von der Kirche an die Stelle einer älteren Bezeichnung gesetzt, um die Erinnerung an die heidnischen Gottheiten auszulöschen. Die ältere Bezeichnung ist in den anderen *germ.* Sprachen bewahrt: *niederl.* woensdag, *engl.* Wednesday, *schwed.* onsdag, eigtl. „Wodans-(Odins-)Tag", für *lat.* diēs Mercuriī. Die Wochenrechnung übernahmen die Germanen von den Römern im 4. Jh. (vgl. Dienstag). Zus. Aschermittwoch (s. d.).

mixen „mischen" (z. B. einen Cocktail): Im 20. Jh. aus gleichbed. *engl.* to mix entlehnt. Das *engl.* Verb ist aus *engl.* mixed (älter: mixt) „gemischt" rückgebildet, das über *afrz.* mixte auf *lat.* mixtus, das Part. Perf. Pass. von *lat.* miscēre „mischen", zurückgeht (vgl. den Artikel *mischen*). – Dazu: Mixer *m* „Barmeister, Getränkemischer", bes. in der Zus. Barmixer (im 20. Jh. aus gleichbed. *engl.* mixer übernommen); Mixed Pickles, Mixpickles (*Mehrz.*) „in Essig eingelegtes Mischgemüse" (im 18. Jh. aus gleichbed. *engl.* 'mixed pickles' entlehnt; *engl.* pickle bedeutet eigtl. „Pökel", dann „Eingemachtes").

Mixtur *w* „Mischung; Arznei aus mehreren durcheinandergemischten flüssigen Bestand-

445

teilen": In *mhd.* Zeit aus *lat.* mixtūra „Mischung" entlehnt. Zu *lat.* miscēre (mixtum) „mischen" (vgl. den Artikel *mischen*).

Mob *m* „Pöbel": Im 18. Jh. aus dem *Engl.* entlehnt. *Engl.* mob bezeichnet eigtl. „die aufgebrachte, aufgewiegelte Volksmenge". Es ist aus gleichbed. *lat.* ʻmōbile vulgus' verselbständigt. – Über das *lat.* Adjektiv mōbilis „beweglich" vgl. den Artikel *mobil*.

Möbel *s* (meist *Mehrz.*) „Einrichtungsgegenstand für Wohn- und Arbeitsräume": Im 17. Jh. aus *frz.* meuble „bewegliches Gut; Hausgerät; Einrichtungsgegenstand" entlehnt, das auf *mlat.* mōbile „bewegliches Hab und Gut" (vgl. *mobil*) zurückgeht. – Abl.: m öb l i e r e n „einen Raum mit Möbeln ausstatten" (Ende 17. Jh.; aus *frz.* meubler); a u f m ö b e l n (um 1900) bedeutete urspr. wohl „alte Möbelstücke aufarbeiten" und gelangte dann in die Umgangssprache mit der übertragenen Bed. „aufmuntern"; v e r m ö b e l n (*ugs.*, 18. Jh.), zuerst mit einer auch heute zuweilen noch gebräuchlichen Bed. „vergeuden, verschleudern" (wohl urspr. von Möbelauktionen, bei denen Möbel für billiges Geld losgeschlagen werden). In der Umgangssprache gilt das Wort heute hingegen im Sinne von „durchprügeln", mit unklarer Bedeutungsentwicklung.

mobil „beweglich", daneben *ugs.* im Sinne von „wohlauf, munter" und militärisch für „marsch-, kampf-, kriegsbereit", so besonders in der Zus. M o b i l m a c h u n g : Im 18. Jh.; zuerst im militär. Sinne, aus *frz.* mobile „beweglich; marschbereit" entlehnt, das auf *lat.* mōbilis „beweglich" (< *mōvibilis) zurückgeht. Zugrunde liegt das *lat.* Verb movēre (mōvī, mōtum) „in Bewegung setzen; antreiben; verursachen". – *frz.* m o b i l i s i e r e n „mobilmachen; Geld flüssigmachen; (*ugs.*) in Bewegung setzen" (Anfang 19. Jh.; aus *frz.* mobiliser). Zahlreich sind die zu *lat.* mōbilis bzw. zum Grundverb *lat.* movēre gehörenden Ableitungen und Zusammensetzungen, die in unserem Fremdwortschatz eine Rolle spielen. Im einzelnen sind zu nennen: *mlat.* mobile „bewegliches Hab und Gut" (s. Möbel, möblieren, aufmöbeln, vermöbeln), entspr. *mlat.* mobilia (s. Mobilien, Immobilien) und *nlat.* mobiliäre (s. Mobiliar); *vlat.* *movitāre „bewegen" mit dem postverbalen Substantiv *vlat.* *movita „Bewegung" in *frz.* meute „Erhebung; Jagdzug" (s. Meute, meutern, Meuterer, Meuterei); *lat.* mōtor „Beweger" (s. Motor, motorisieren, ...motorig; *spätlat.*-*mlat.* mōtīvus „bewegend; antreibend, anreizend" (s. Motiv, motivieren); *lat.* prō-movēre „vorwärtsbewegen; befördern" (s. promovieren, Promotion); *lat.* mōmentum (< * movimentum) „Bewegungskraft, Antrieb; Übergewicht, das bei gleichschwebendem Waagebalken den Ausschlag gibt; kritischer Augenblick; Augenblick" (s. Moment, mo-

mentan). Beachte schließlich noch das aus dem *Engl.* stammende hierhergehörende FW →Mob.

Mobilien *Mehrz.* „bewegliches Vermögen": Im 17. Jh. eingedeutscht aus gleichbed. *mlat.* mobilia (vgl. *mobil*), einem juristischen Terminus, der für *klass.*-*lat.* ʻrēs mōbilēs' steht. Im Gegensatz dazu heißt das „unbewegliche Vermögen", also die Liegenschaften und Grundstücke, *lat.* rēs immōbilēs oder *lat.* im-mōbilia (bona). Letzteres lieferte im 17./18. Jh. unser FW I m m o b i l i e n *Mehrz.* Eine junge Weiterbildung von *mlat.* mobilia – die Einz. mobile liegt *frz.* meuble (s. Möbel) zugrunde – erscheint in unserem FW M o b i l i a r *s* „bewegliche Habe; Hausrat, Möbelstücke" (Ende 18. Jh.; *nlat.* mobiliäre).

Mode *w* „Brauch, Sitte; Tages-, Zeitgeschmack; das Neueste, Zeitgemäße (in Kleidung, Haartracht usw.)": Im 17. Jh. aus *frz.* mode „Art und Weise; Brauch, Sitte; Mode" entlehnt. Die neben ʻMode' anfangs häufiger gebrauchte Form ʻAlamode' stammt aus *frz.* ʻà la mode'. *Frz.* mode geht auf *lat.* modus „Maß; Maß und Ziel; Regel; Art und Weise" zurück (vgl. *Modus*). Abl.: m o d i s c h „nach der Mode" (17. Jh., davor schon ʻalamodisch'), beachte auch die Zus. n e u m o d i s c h (18. Jh.) und a l t m o d i s c h (18. Jh.); M o d i s t i n *w* „Putzmacherin, Angestellte eines Hutgeschäftes" (19. Jh.; nach *frz.* modiste).

Modell *s* „Muster, Form; Vorbild; Entwurf": Um 1600 als Fachwort für die bildenden Kunst aus gleichbed. *it.* modello entlehnt, das auf *vlat.* *modellus zurückgeht. Dies steht für *klass.*-*lat.* modulus „Maß; Maßstab", eine Verkleinerungsbildung zu *lat.* modus „Maß" (vgl. *Modus*). Unmittelbar aus *lat.* modulus stammt das LW M o d e l *m* „Maß, Form, Muster" (schon *ahd.* modul, *mhd.* model), das durch ʻModell' teilweise zurückgedrängt wurde und heute nur noch in der Handwerkerfachsprache, in *südd.* Mundarten und in Österreich (hier speziell im Sinne von „Kuchenform") lebendig ist, ferner in dem abgeleiteten Zeitwort m o d e l n „gestalten, in eine Form bringen" (*mhd.* modelen). Beachte besonders das nur *ugs.* gebräuchliche Kompositum u m m o d e l n „verändern". – Ableitungen von Modell: m o d e l l i e r e n „[eine] Plastik] formen; ein Modell herstellen" (18. Jh.; nach gleichbed. *it.* modellare); M o d e l l e u r *m* „Former, Musterformer" (19. Jh.; nach *frz.* modeleur = M o d e l l i e r e r *m*.

Moder *m* „in Verwesung übergegangener Körper, Fäulnisstoffe, Schlamm[erde]": Das seit dem 14. Jh. bezeugte Wort (*mitteld.*, *spätmhd.* moder) gehört mit verwandten Wörtern in anderen *idg.* Sprachen zu der vielfach weitergebildeten und erweiterten *idg.* Wz. *[s]meu- „feucht, schimmelig, schmierig, schmutzig", nominal „Feuchtigkeit, Schimmel, Schlamm, Schmutz", verbal „feucht sein, schmieren, rutschen, gleiten". Aus dem *germ.* Sprachbereich gehören zu dieser Wurzel ferner die Sippe von →Moos und mit anlautendem s- die Sippe von →Schmutz und das unter →schmausen (eigtl. „unreinlich essen und trinken, sudeln") behandelte Verb, vermutlich auch die Wortgruppe von →schmiegen (eigtl. „rutschen, kriechen, sich ducken"). *Außergerm.* sind z. B. verwandt *aind.* mū̆-tra-m „Harn", *gr.* mýdos „Nässe, Fäulnis" und *russ.* múslit' „sabbern, geifern, lutschen". – Die *landsch.* Nebenform **Modder** *m* „Schlamm, Schmutz" geht auf gleichbed. *mnd.* modder zurück. Abl. mod[e]rig „faulig, dumpf" (18. Jh.; für älteres modericht); modern „faulen, verwesen" (17. Jh.; beachte die Präfixbildung vermodern).

moderato „gemäßigt, mäßig schnell": Als musikalische Tempobezeichnung aus gleichbed. *it.* moderato entlehnt, das auf gleichbed. *lat.* moderātus, Partizipialadj. von *lat.* moderāre „ein Maß setzen; mäßigen", zurückgeht. Stammwort ist *lat.* modus „Maß" (vgl. *Modus*).

modern: Das seit dem Anfang des 18. Jh.s bezeugte, aus *frz.* moderne „neu; modern" entlehnte Adjektiv erscheint zuerst in der eigtl. Bed. „neu; neuzeitlich", die für das zugrunde liegende *lat.* Adjektiv modernus noch ausschließlich gilt. In diesem Sinne steht das Wort gleichsam im Gegensatz zu → antik, wie auch die Substantivableitung **Moderne** *w* „Neustzeit; moderner Zeitgeist; moderne Kunstrichtung" (19. Jh.) zeigt. Die heute vor allem gültigen Bedeutungen von 'modern' „neuartig", „auf der Höhe der Zeit", „modisch, dem Zeitgeschmack entsprechend" zeigen deutlichen Einfluß des Wortes →Mode (Entsprechendes gilt für *frz.* moderne). – *Lat.* modernus ist abgeleitet von dem Adv. *lat.* modo „eben, eben erst, gerade eben" (eigtl. „mit Maß, auf ein Maß beschränkt", dann auch „nur, bloß usw.") nach dem Vorbild von *lat.* hodiernus „heutig" (zu *lat.* hodiē „heute"). Das Adverb modo ist eigtl. ein erstarrter Ablativ von *lat.* modus „Maß" (vgl. *Modus*). Abl.: **modernisieren** „erneuern; modisch zurechtmachen, neuzeitlich herrichten" (18. Jh.; aus *frz.* moderniser].

Modus *m* 1. „Art und Weise [des Geschehens oder Seins]"; 2. „Aussageweise des Zeitwortes" (z. B. Indikativ, Konjunktiv): Früh entlehnt aus gleichbed. *lat.* modus, das sich mit einer Grundbed. „Maß" zu der unter →¹*Mal* dargestellten Wortsippe der *idg.* Wz. *mē-[d]- „messen; ermessen" stellt. – *Lat.* modus ist Stammwort von zahlreichen Fremd- und Lehnwörtern, die in unserem Wortschatz eine Rolle spielen. Vgl. im einzelnen die Artikel: →Mode, modisch, Modistin, →modern, Moderne, modernisieren,

→Modell, modellieren, Modelleur, Model, modeln, ummodeln, →moderato, →kommod, Kommode, inkommodieren.

mogeln (*ugs.* für:) „dem Glück ein bißchen nachhelfen; kleine, betrügerische Kniffe anwenden": Die Herkunft des erst seit dem 18. Jh. bezeugten Verbs ist nicht sicher geklärt. Vielleicht handelt es sich um eine Nebenform von *mdal.* maucheln „heimlich oder hinterlistig handeln, betrügen" (vgl. *meucheln*).

mögen: Das *gemeingerm.* Verb (Präteritopräsens) *mhd.* mügen, *ahd.* mugan, *got.* magan, *engl.* may, *schwed.* må geht mit verwandten Wörtern in anderen *idg.* Sprachen auf die Wz. *magh- „können, vermögen" zurück, vgl. z. B. die *slaw.* Sippe von *russ.* mogú „ich kann". Die heute übliche Bed. „gern wollen, gern haben" entwickelte sich in *mhd.* Zeit, und zwar in negativen Sätzen („nicht können, nicht imstande sein", daher „abgeneigt sein, nicht wollen"). Von der alten Bedeutung gehen aus die Bildungen →Macht und möglich (*mhd.* müg[e]lich), dazu Möglichkeit *w* (*mhd.* müg[e]lichkeit), beachte auch die Präfixbildung vermögen „imstande sein, können" (*mhd.* vermügen), dazu Vermögen *s* „Fähigkeit, Kraft; Zeugungskraft; Mittel, Geld und Gut" (*spätmhd.* vermügen; substantivierter Infinitiv), vermögend „wohlhabend, reich" (18. Jh.).

Mohn *m*: Der Name der alten Kulturpflanze (*mhd.* mān, māhen, *ahd.* māho, mago) hängt zusammen mit *gr.* mḗkōn „Mohn" und mit der *slaw.* Sippe von *russ.* mak „Mohn". Der den Germanen, Slawen und Griechen gemeinsame Pflanzenname ist wahrscheinlich in sehr alter Zeit aus einer Mittelmeersprache entlehnt worden. Die Mohnpflanze stammt aus dem Mittelmeergebiet. – Im *germ.* Sprachbereich ist der Name außer im *Dt.* auch bewahrt in *niederl.* maankop „Mohnkopf" und in *schwed.* vallmo „Mohn" (eigtl. „Rauschmohn").

Mohr *m*: Die heute veraltende (familiäre) Bezeichnung für „dunkelhäutiger Mensch, Neger" geht zurück auf *mhd.-ahd.* mōr, das aus *lat.* Maurus „Bewohner Mauritaniens, dunkelhäutiger Nordafrikaner" entlehnt ist. Zus.: Mohrenkopf „runde Gebäckart mit Schokoladenüberzug" (19. Jh.).

Möhre *w*: Der *westgerm.* Name der Nutzpflanze *mhd.* morhe, *ahd.* mor[a]ha, *mniederl.* more, *aengl.* more ist verwandt mit der *slaw.* Sippe von *russ.* morkóv' „Möhre" und mit *gr.* brákana *Mehrz.* „wildes Gemüse". Welche Vorstellung dieser den Germanen, Slawen und Griechen gemeinsamen Pflanzenbezeichnung zugrunde liegt, ist dunkel. Neben der umgelauteten Form Möhre ist auch die umlautlose Form Mohre in der Zus. Mohrrübe (17. Jh.) bewahrt. Siehe auch den Artikel Morchel.

mokieren, sich „sich lustig machen über jmdn., sich abfällig oder spöttisch über jmdn. äußern": Im 17. Jh. aus gleichbed. *frz.* (se) moquer entlehnt, dessen Herkunft dunkel ist. – Abl.: **mokant** „spöttisch" (18. Jh.; aus gleichbed. *frz.* moquant, dem Part. Präs. von se moquer).

Molch *m* „Schwanzlurch": Der seit dem 15. Jh. bezeugte Tiername ist eine Weiterbildung von *mhd.* mol[le], *ahd.* mol (molm, molt) „Salamander, Eidechse", dessen weitere Herkunft unklar ist. *Ugs.* gebräuchlich sind die Zus. Dreckmolch und Lustmolch. Siehe auch den Artikel Olm.

Mole *w* „Hafendamm": Im 16. Jh. aus gleichbed. *it.* molo entlehnt, das auf *lat.* mōlēs „wuchtige Masse, Damm" zurückgeht. Das *lat.* Substantiv stellt sich zusammen mit *lat.* mōlīrī „mit Anstrengung in Bewegung setzen; unternehmen, sich abmühen" (s. demolieren) und *lat.* molestus „beschwerlich" zu der unter →*mühen* dargestellten *idg.* Wortgruppe. – Eine gelehrte Ableitung von *lat.* mōlēs erscheint in unserem FW →*Molekül.*

Molekül *s* „Baustein der Materie": Im 18./19. Jh. aus gleichbed. *frz.* molécule entlehnt, einer gelehrten Ableitung von *lat.* mōlēs „[wuchtige] Masse; Damm; Klumpen usw." (vgl. *Mole*). Dazu das Adjektiv **molekular** „die Moleküle betreffend" (19. Jh.; nach *frz.* moléculaire).

Molke *w, landsch.* auch **Molken** *m* „Käsewasser": Das *westgerm.* Wort *mhd.* molken, *asächs., afries.* molken, *aengl.* molcen ist eine Bildung zu dem unter →*melken* behandelten Verb und bedeutet demnach eigtl. „Gemolkenes". Noch in *mhd.* Zeit wurde das Wort im alten Sinne von „Milch, aus Milch Bereitetes (Butter, Käse)" verwendet. An diese Bedeutung schließt sich die seit dem 19. Jh. bezeugte Bildung **Molkerei** *w* „Milchwirtschaft, Meierei" an.

Moll *s*: Die seit dem 16. Jh. bezeugte Bezeichnung der sogenannten „weichen Tonart" (nach der als „weicher Dreiklang" empfundenen kleinen Terz, im Gegensatz zur großen Terz in →*Dur*) ist aus *mlat.* 'B molle' (für den Ton b) verselbständigt, das schon einmal in *Mhd.* als bēmolle erscheint. Zugrunde liegt das *lat.* Adjektiv mollis „weich", das zu der unter →*mahlen* dargestellten *idg.* Wortsippe gehört.

mollig (*ugs.* für:) „angenehm, behaglich; warm; rundlich": Das seit dem 19. Jh., zunächst studentensprachlich bezeugte Adjektiv beruht vermutlich auf *frühnhd.* mollicht „weich, locker", in Studentenkreisen wahrscheinlich an *lat.* mollis „weich" angelehnt wurde. Das Wort kann – wie auch das *landsch.* Adjektiv molsch, mulsch „weich, mürbe, faulig" – mit *lat.* mollis (vgl. *Moll*) urverwandt sein und im Sinne

von „zerrieben, fein, zart, weich" zu der Wortgruppe von →*mahlen* gehören.

Moloch *m*: Ursprünglich der Name einer altsemitischen Gottheit (*hebr.* mōlek > *gr.* Molóch), der Menschenopfer dargebracht wurden. Seit dem 17. Jh. erscheint das Wort bei uns in sinnbildlicher Verwendung zur Bezeichnung einer alles verschlingenden Macht.

[1]Moment *s* „ausschlaggebender Umstand; Merkmal; Gesichtspunkt": Im 17. Jh. aus *lat.* mōmentum „Bewegung, Bewegkraft" in dessen wohl urspr. Bed. „Übergewicht, das bei gleichschwebendem Waagebalken den Ausschlag gibt; (übertr.:) kritischer, ausschlaggebender Augenblick" entlehnt. In einer weiterhin übertragenen, allgemein gefaßten Bed. „kurze Zeitspanne, Augenblick" lieferte das *lat.* Wort bereits *mhd.* mōmente „Augenblick", das dem Substantiv **[2]Moment** *m* „kurzer Augenblick" zugrunde liegt. Den Genuswechsel von [2]Moment bestimmte das entspr. *frz.* Substantiv (le) moment, das im 17. Jh. zusätzlich die Bed. „Zeitpunkt" brachte. – *Lat.* mōmentum (< *movimentum) gehört zu *lat.* movēre „bewegen" (vgl. hierüber *mobil*). Abl.: **momentan** „augenblicklich, vorübergehend" (18. Jh.; aus gleichbed. *lat.* mōmentāneus).

Monarch *m* „legitimer [Allein]herrscher" (z. B. König oder Kaiser): Im 16. Jh. aus *gr.* món-archos (> *mlat.* monarcha) „Alleinherrscher" entlehnt. Zu *gr.* mónos „allein, einzig" (vgl. *mono...*) und *gr.* árchein „der erste sein, herrschen" (vgl. *Archiv*). – Dazu: **Monarchie** *w* „legitime Alleinherrschaft" (*mhd.*; aus *gr.-lat.* monarchia).

Monat *m*: Das *gemeingerm.* Wort *mhd.* mōnōt, mānōt, *ahd.* mānōd, *got.* mēnōþs, *engl.* month, *schwed.* månad beruht mit den unter →*Mond* behandelten Wörtern auf *idg.* *mēnōt- „Mond; Mondwechsel, Monat". Das Wort hatte in den älteren Sprachzuständen auch die Bed. „Mond", beachte z. B. *ahd.* mānōdsioh „mondsüchtig". – In *germ.* Zeit war der Monat ein durch den Gestaltwandel des Mondes bestimmter Zeitraum, d. h. die Zeitspanne zwischen Vollmond und Vollmond. Der Monat diente zur zeitlichen Orientierung, aber nicht zur Jahrteilung. Die Gliederung des Jahres in Monate und die Rechnung nach Monaten übernahmen die Germanen von den Römern (vgl. die einzelnen Monatsnamen). Abl.: **monatlich** (*mhd.* mānetlich, *ahd.* mānōdlīh).

Mönch *m*: Die *westgerm.* Bezeichnung für den Angehörigen eines geistlichen Ordens mit Klosterleben, *mhd.* mün[e]ch (beachte dazu den Namen der Stadt „München", eigtl. „bei den Mönchen"), *mitteld.* mön[ni]ch, *ahd.* munih, *niederl.* monnik, *engl.* monk, beruht auf einer Entlehnung aus *vlat.*

*monicus, einer (auch für *frz.* moine „Mönch" vorauszusetzenden) Nebenform von *kirchenlat.* monachus „Mönch". Letzte Quelle des Wortes ist *gr.* monachós „einzeln, allein lebend; Einsiedler, Mönch", das von *gr.* mónos „allein, vereinzelt" weitergebildet ist (vgl. *mono...*).

Mond *m*: Die *gemeingerm.* Bezeichnung des Himmelskörpers *mhd.* mān[e], *ahd.* māno, *got.* mēna, *engl.* moon, *schwed.* måne geht mit Entsprechungen in anderen *idg.* Sprachen auf *idg.* *mēnōt- „Mond; Mondwechsel, Monat" zurück. Vgl. z. B. *gr.* mḗn „Monat; Mondsichel", *mḗnē* „Mond", mēnískos „Möndchen" (s. Meniskus) und *lat.* mēnsis „Monat; Monatsfluß", mēnstruus „monatlich" (s. menstruieren), sēmē[n]stris „sechsmonatlich" (s. Semester). Das *idg.* Wort für „Mond" gehört wahrscheinlich zu der unter →¹*Mal* dargestellten *idg.* Verbalwurzel *mē[d]- „wandern, abschreiten, abstecken, messen". Es bedeutet aber kaum, wie vielfach angenommen, eigtl. „Messender, Zeitmesser", sondern „Wanderer" (am Himmelszelt). – Auf *idg.* *mēnōt- „Mond; Mondwechsel, Monat" beruht auch das unter →Monat behandelte Wort. Die *nhd.* Form Mond beruht auf *mhd.* mōnt, mānde, einer Vermischung von *mhd.* mōn[e], mān[e] „Mond" und *mhd.* mānōt, mōnōt „Monat". Die Form mān[e], mōn[e] ist bewahrt in der Zus. →Montag. – Das Wort Mond wurde früher, gewöhnlich in dichterischer Sprache, auch im Sinne von „Monat" verwendet. Zus.: Mondfinsternis (17. Jh.); Mondkalb „mißgestaltetes Wesen, Mißgeburt", als Schimpfwort (16. Jh.; zunächst von der Mißgeburt einer Kuh; so benannt, weil man Mißgeburten dem schädlichen Einfluß des Mondes zuschrieb; mondsüchtig (15. Jh.; Lehnübertragung von *lat.* lūnáticus).

mondän „nach Art der großen Welt; betont modern, von auffälliger Eleganz": In neuester Zeit aus gleichbed. *frz.* mondain (eigtl. „weltlich") entlehnt, das auf *lat.* mundánus „zur Welt gehörig, weltlich" zurückgeht. Zugrunde liegt das *lat.* Substantiv mundus „Welt; Weltall".

Moneten *Mehrz.*: Die aus der Studentensprache in die allgemeine Umgangssprache übergegangene Bezeichnung für „Geld", in *dt.* Texten seit dem 18. Jh. bezeugt, geht auf *lat.* monēta (*Mehrz.* monētae) „Münze[n]" zurück (vgl. das LW *Münze*).

monieren „mahnen; bemängeln, rügen": Das seit dem 17. Jh. besonders in der Kaufmannssprache übliche FW ist aus *lat.* monēre „[er]mahnen" entlehnt. Dies ist u. a. verwandt mit *lat.* meminisse „sich erinnern, eingedenk sein" und *lat.* mēns „Sinn; Verstand; Gesinnung usw." (s. Mentalität), außerdem urverwandt mit *dt.* →mahnen. – Eine Ableitung von monēre, *lat.* monumentum „Mahnmal", erscheint in den FW →Monument und

monumental. Gleichfalls zu *lat.* monēre gehört das *lat.* Substantiv mōnstrum (< *monestrom) „Mahnzeichen; widernatürliche Erscheinung als Wahrzeichen der Götter; Ungeheuer" mit seinen Ableitungen (vgl. hierüber den Artikel Monstrum).

mono..., Mono..., (vor Vokalen:) mon..., Mon...: Bestimmungswort von Zusammensetzungen mit der Bed. „allein, einzeln, einmalig", wie in →monoton, →Monolog, →Monarch, Monarchie. Quelle ist das *gr.* Adjektiv mónos „allein, einzeln, einzig", das auch Ausgangspunkt für die LW →Mönch und →Münster ist.

Monogramm *s* „künstlerisch ausgeführtes Namenszeichen, Verschlingung der Anfangsbuchstaben eines Namens": Im 17. Jh. aus *spätlat.* monogramma „ein Buchstabe, der mehrere in sich faßt; Monogramm" entlehnt, einer gelehrten Bildung zu *gr.* mónos „allein, einzig" (vgl. *mono...*) und *gr.* grámma „Schriftzeichen, Buchstabe" (vgl. *Graphik*).

Monokel *s* „Einglas": Im 19. Jh. aus gleichbed. *frz.* monocle entlehnt, das auf *spätlat.* mon-oculus „einäugig" zurückgeht. Dies ist eine hybride Neubildung aus *gr.* mónos „allein, einzig" (vgl. *mono...*) und *lat.* oculus „Auge" (vgl. *okulieren*).

Monolog *m* „Selbstgespräch": Im 18. Jh. aus gleichbed. *frz.* monologue entlehnt, das nach dem Vorbild von dialogue „Dialog" zu *gr.* mono-lógos „allein redend, mit sich selbst redend" gebildet ist.

Monopol *s* „Vorrecht, alleiniger Anspruch; Recht auf Alleinhandel und Alleinverkauf": Im Anfang des 16. Jh.s aus *lat.* monopōlium, *gr.* mono-pōlion „das Recht des Alleinhandels; der Alleinverkauf" entlehnt. Zu *gr.* mónos „allein, einzig" und *gr.* pōleīn „verkehren, Handel treiben; verkaufen". – Abl.: monopolisieren „ein Monopol aufbauen" (*gr.* monopolizer).

monoton „eintönig; gleichförmig": Im 18. Jh. aus gleichbed. *frz.* monoton entlehnt, das auf gleichbed. *spätlat.* monotonus < *gr.* monótonos zurückgeht. Zu *gr.* mónos „allein, einzeln" (vgl. *mono...*) und *gr.* teínein „spannen" (*Ton*). – Dazu das Substantiv Monotonie *w* „Eintönigkeit, Gleichförmigkeit" (18. Jh.; aus *frz.* monotonie).

Monstranz *w* „Gefäß zum Tragen und Zeigen der geweihten Hostie": Im 14. Jh. als Wort der Kirchensprache aus gleichbed. *mlat.* mōnstrantia entlehnt. Zu *lat.* mōnstrāre „zeigen" (vgl. *Monstrum*).

Monstrum *s* „Ungeheuer; großer, unförmiger Gegenstand; Ungeheuerliches, Riesiges; Mißbildung, Mißgeburt (Med.)": Im 16. Jh. aus gleichbed. *lat.* mōnstrum entlehnt, das mit einer Grundbed. „Mahnzeichen" zu *lat.* monēre „mahnen" (vgl. *monieren*) gehört. – Dazu: Monster... (aus *engl.* monster < *(a)frz.* monstre < *lat.* mōnstrum) als Bestimmungswort von Zusammensetzungen mit

449

der Bed. „Riesen..., riesig", wie in Monsterfilm „Film, der mit einem Riesenaufwand an Menschen und Material hergestellt wurde"; monströs „ungeheuerlich; mißgestaltet" (17. Jh., älter: 'monstros'; aus *lat.* mōnstr(u)ōsus „ungeheuerlich; widernatürlich, scheußlich" bzw. *frz.* monstrueux). − Beachte noch das von *lat.* mōnstrum abgeleitete Verb lat. mōnsträre „zeigen, weisen, hinweisen, bezeichnen" in den FW →Monstranz, →demonstrieren, Demonstration, demonstrativ, ferner in unserem LW →Muster und dessen Ableitungen.

Monsun *m*: Der Name des besonders im Bereich des Indischen Ozeans wehenden, jahreszeitlich wechselnden Windes, in *dt.* Texten seit dem Anfang des 17. Jh.s bezeugt, geht auf *arab.* mausim „(für die Seefahrt geeignete) Jahreszeit" zurück, das den *europ.* Sprachen durch *port.* monção (älter: moução) vermittelt wurde. Beachte z. B. entspr. *span.* monzon, *frz.* mousson, *it.* monsone, *engl.* monsoon und *niederl.* monsoen.

Montag *m*: Die *germ.* Bezeichnungen des zweiten Wochentags *mhd.* mōn-, mäntac, *ahd.* mānetac, *niederl.* maandag, *engl.* Monday, *schwed.* måndag beruhen auf einer im 4. Jh. zu datierenden LÜ von *lat.* diēs Lūnae, das seinerseits LÜ von *gr.* hēméra Selénēs ist. Die Wochenrechnung übernahmen die Germanen von den Römern im 4. Jh. (s. den Artikel Dienstag). − Der 'blaue Montag' „arbeitsfreier Montag" war urspr. wohl der der vor den Fasten und ist dann nach der an diesem Tage vorgeschriebenen liturgischen Farbe benannt. Später ging diese Bezeichnung auf den Montag über, an dem die Gesellen nach altem Handwerksbrauch frei hatten. Da sich die Handwerksburschen an dem freien Montag zu bezechen pflegten, wurde 'blau' später im Sinne von „betrunken" aufgefaßt. Beachte dazu auch *ugs.* blaumachen „feiern, nicht arbeiten". Siehe auch den Artikel Rosenmontag.

montan „Bergbau und Hüttenwesen betreffend", bes. in Zus. wie Montanindustrie und Montanunion: Junge gelehrte Entlehnung aus *lat.* montānus „Berge und Gebirge betreffend; bergisch", das von *lat.* mōns (montis) „Berg; Gebirge" abgeleitet ist. − Eine andere wichtige Ableitung von *lat.* mōns, das mit *lat.* minae „hochragende Mauerzinnen; (übertr.:) Drohungen" und *minēre „ragen" verwandt ist (vgl. hierüber die unter →eminent dargestellte Wortfamilie), erscheint in *vlat.* *montäre „den Berg besteigen, aufwärtssteigen". Dies liegt den FW →montieren, Montage, Monteur, Montur, demontieren und Demontage zugrunde.
montieren „(eine Maschine, ein Gerüst u.a.) aufbauen, aufstellen, zusammenbauen usw.": Das schon in *mhd.* Zeit als muntieren „einrichten, ausrüsten" bezeugte, im technischen Sinne aber erst in neuerer Zeit allgemein übliche Verb ist aus *frz.* monter „aufwärtssteigen; hinaufbringen; anbringen, ausstatten, ausrüsten, aufstellen usw." entlehnt. Voraus liegt ein *vlat.* Verb *montäre „den Berg besteigen, aufwärtssteigen" (vgl. *montan*). − Abl.: Montage *w* „Aufstellung, Aufbau, Zusammenbau (von Maschinen u. a.)", im 19. Jh. aus *frz.* montage; Monteur *m* „Montagefacharbeiter" (19. Jh.; aus *frz.* monteur); ferner die Gegenbildungen demontieren „abbauen, abbrechen" (18./19. Jh.) und Demontage *w* „Abbau, Abbruch (insbesondere von Industrieanlagen)", 20. Jh. − Das ferner hierhergehörende Substantiv Montur *w*, das im 17. Jh. aus *frz.* monture „Ausrüstung" entlehnt wurde, galt zuerst zur Bezeichnung der Dienstkleidung und Dienstausrüstung des Soldaten. Heute lebt es nur noch in der Umgangssprache und in Mundarten im scherzhaften Sinne von „[Arbeitsbe]kleidung".

Monument *s* „Denkmal": Im 16. Jh. aus *lat.* monumentum „Erinnerungszeichen, Mahnmal, Denkmal" entlehnt, das zu *lat.* monēre „mahnen, ermahnen" (vgl. *monieren*) gehört. − Abl.: monumental „denkmalartig; gewaltig, großartig" (19. Jh.).

Moor *s*: Das im 17. Jh. aus dem *Niederd.* ins *Hochd.* übernommene Wort geht zurück auf *mnd.*, *asächs.* mōr „Sumpf[land]", vgl. *ahd.* muor „Moor", *niederl.* moer „Moor", *engl.* moor „Moor, Heideland". Dieses *westgerm.* Substantiv gehört zur der Wortgruppe von →*Meer*. Abl.: moorig (18. Jh.).
Moos *s*: *Mhd.*, *ahd.* mos „Moos; Sumpf; Moor", *niederl.* mos „Moos", älter auch „Sumpf, Morast", *engl.* moss „Moos; Torfmoor, Morast", *schwed.* mossa „Moos", mosse „Moor" gehören mit verwandten Wörtern in anderen *idg.* Sprachen − vgl. z. B. *lat.* muscus „Moos" − zu der Wortgruppe von →*Moder*. Im Ablaut zu 'Moos' steht das Bestimmungswort von →Miesmuschel. − Das Nebeneinander der Bedeutungen des *altgerm.* Wortes erklärt sich daraus, daß feuchte Waldstellen und Sumpfböden häufig mit Moospflanzen bewachsen sind. Abl.: moosig (*mhd.* mosec „mit Moos bewachsen; sumpfig, morastig"); bemoost „mit Moos bewachsen; alt, ergraut" (18. Jh.).

Mop *m* „Staubbesen mit ölgetränkten Fransen": Im 20. Jh. aus gleichbed. *engl.* mop entlehnt. − Abl.: moppen „mit dem Mop reinigen" (aus *engl.* to mop).
Moped *s* „motorisiertes Fahrrad; leichtes Motorrad": Junges Kunstwort des 20. Jh.s aus *Motor* und *Pedal* gebildet.
Mops *m*: Der seit dem Anfang des 18. Jh.s bezeugte Name der Hunderasse stammt aus *niederl.-niederl.* mops, das zu *niederl.* mopen „den Mund aufsperren oder verziehen", *niederl.* moppen „murren, mürrisch sein" gehört (vgl. *muffeln*). Die aus den Niederlanden stammende Hunderasse ist demnach

nach ihrem mürrisch-verdrießlichen Gesichtsausdruck benannt. – Das Wort wurde dann auch auf Menschen mit einem verdrießlichen oder mit einem langweilig-dümmlichen Gesichtsausdruck übertragen. Abl.: mopsen *ugs.* für „stehlen", reflex. „sich langweilen; sich ärgern" (19. Jh.); mopsig *ugs.* für „langweilig; dick" (19. Jh.).

Moral *w*: Das seit dem 16. Jh., zuerst mit den auch heute gültigen Bed. „sittliche Nutzanwendung; Sittlichkeit" bezeugte FW geht auf *lat.* mōrālis (-āle) „die Sitten betreffend, sittlich" zurück. Die jüngere Bed. „Sittenlehre", die für 'Moral' im 17. Jh. erscheint, geht von dem *lat.* Ausdruck 'philosophia mōrālis' aus, dem *Dt.* durch entspr. *frz.* morale vermittelt. – Stammwort ist *lat.* mōs (mōris) „Sitte, Brauch; Gewohnheit; Charakter", das wohl mit einer Grundbed. „Wille" (danach: „der zur Regel gewordene Wille") zu den unter →*Mut* entwickelten Wörtern der *idg.* Wz. *mē-, mō-, mə-* „heftigen, starken Willens sein; heftig begehren" gehört. – Dazu: moralisch „den Moral gemäß, sittlich" (16. Jh.); Moralist *m* „Moralphilosoph, Sittenlehrer; (auch abschätzig für:) Sittenrichter" (17. Jh.; *nlat.* Bildung); moralisieren „sittliche Betrachtungen anstellen; den Sittenprediger spielen" (16. Jh.; aus gleichbed. *frz.* moraliser); demoralisieren „sittlich verderben; entmutigen, zersetzen" (19. Jh.; aus gleichbed. *frz.* démoraliser). – Aus dem Plural mōrēs „Denkart, Charakter" von *lat.* mōs stammt das in der Schulsprache des 15./16. Jh.s aufgekommene FW Mores *Mehrz.* „Sitte und Anstand", das besonders in umgangssprachlichen Wendungen wie 'jmdn. Mores lehren' lebendig ist.

Morast *m* „sumpfige schwarze Erde, Sumpfland; Schlamm", zuweilen auch übertragen gebraucht im Sinne von „Sumpf, Schmutz (in sittlicher Hinsicht)": Das seit etwa 1600 – mit anorganischem t der Endung – bezeugte Wort, das vom *niederd.* Sprachraum ins *Hochdeutsche* gelangte (*mnd.* maras, moras, *mniederl.* marasch = *niederl.* moeras), ist aus *afrz.* maresc (= *frz.* marais) „Sumpf, Morast" entlehnt. Der Wechsel des Vokals in der Stammsilbe von 'a' zu 'o' zeigt dabei Einfluß des sinnverwandten *dt.* Wortes 'Moor'. *Frz.* marais selbst ist *germ.* Ursprungs. Es geht auf ein *afränk.* *marisk zurück, das mit dem *dt.* Wort →*Marsch* „fruchtbare Küstenniederung" identisch ist. Abl.: morastig „sumpfig; schlammig" (*mnd.* morastich).

Morchel *w*: Der Name des zu der Gattung der Schlauchpilze gehörigen Speisepilzes geht zurück auf *mhd.* morchel, das identisch ist mit *mhd.* morchel, *spätahd.* morhala, -ila „Möhre, Waldrübe", einer Weiterbildung zu dem unter →*Möhre* behandelten Wort. Siehe auch den Artikel Lorchel.

Mord *m*: Das *altgerm.* Wort für „absichtliche, heimliche Tötung" *mhd.* mort, *ahd.* mord, *niederl.* moord, *aengl.* morð, *schwed.* mord ist eine alte Bildung zu der *idg.* Verbalwurzel *mer[ə]- „sterben" (eigtl. „aufgerieben werden", vgl. *mürbe*). Es bedeutete urspr. und gelegentlich noch in den alten *germ.* Sprachzuständen „Tod". – *Außergerm.* sind z. B. verwandt *aind.* mr̥tá-m „Tod" und *lat.* morī „sterben", mors, -tis „Tod", mortuus „tot". – In Zusammensetzungen wird 'Mord' häufig verstärkend verwendet, beachte z. B. Mordshunger, Mordskrach, Mordsspaß, mordsmäßig. Abl.: morden (*mhd.* morden, *ahd.* murdan „absichtlich töten"; beachte die Präfixbildung ermorden); Mörder *m* (*mhd.* mordǣre „wer einen Mord begeht; Verbrecher, Missetäter"), dazu mörderisch „grausam, fürchterlich" (15. Jh., für *mhd.* mordisch) und Mördergrube (15. Jh., nach *lat.* spelunca latrōnum; nur in der Wendung 'aus seinem Herzen keine Mördergrube machen' gebräuchlich); mordio! veralt. für „Mord!, zu Hilfe!", nur noch in der Verbindung 'Zeter und Mordio schreien' „laut schreien" (15. Jh., neben mordigō, eigtl. mordajō; Notruf, wie z. B. auch →*feurio!*, entstanden durch Anhängung einer Interjektion an das Substantiv). Siehe auch den Artikel Moritat.

¹Morgen *m*: Das *gemeingerm.* Wort *mhd.* morgen, *ahd.* morgan, *got.* maúrgins, *engl.* morning, *schwed.* morgon gehört wahrscheinlich zu der *idg.* Verbalwurzel *mer-, „flimmern, schimmern, dämmern" und bedeutet demnach eigtl. „Schimmer, Dämmerung". Verwandt sind in anderen *idg.* Sprachen z. B. *aind.* márīci-ḥ „Lichtstrahl; Luftspiegelung" und *russ.* mórok „Finsternis; Nebel". – Seit dem 15. Jh. wird das Wort auch im Sinne von „Osten" verwendet, beachte dazu Morgenland „Land im Osten, Orient" (16. Jh., zuerst in Luthers Bibelübersetzung für *gr.* anatolé). Das Adverb morgen (*mhd.* morgene, *ahd.* morgane) ist der adverbiell erstarrte Dativ Einz. und bedeutete zunächst „am Morgen", dann „am Morgen des folgenden Tages, am folgenden Tage". Davon abgeleitet ist das Adjektiv morgig (15. Jh., aus *mhd.* morgenic gekürzt). Das Adverb morgens (*mhd.* morgen[e]s) ist der adverbiell erstarrte Genitiv Einz.-Abl.: morgendlich (*mhd.* morgenlich, *ahd.* morganlīh; mit sekundärem d wie z. B. in 'irgend'). Zus.: Morgenrot (*mhd.* morgenrōt, *spätahd.* morganrōt, nach *ahd.* tagarōt „Tagesanbruch"; daneben Morgenröte, *mhd.* morgenrœte); Morgenstern (*mhd.* morgenstern[e]; seit dem 15. Jh. auch als Bezeichnung für eine keulenartige, strahlenförmig mit Nägeln besetzte Schlagwaffe bezeugt). **²Morgen** *m*: Die seit *ahd.* Zeit bezeugte Bezeichnung des Ackermaßes (*mhd.* morgen, *ahd.* morgan) ist identisch mit dem unter

451

→ ¹*Morgen* behandelten Wort und bedeutete urspr. „so viel Land, wie ein Mann mit einem Gespann an einem Morgen pflügen kann".

Moritat *w*: Die seit dem 19. Jh. übliche Bezeichnung für die vom →Bänkelsänger zur Drehorgelmusik vorgetragenen und durch Bilder illustrierten Schauergeschichten mit moralisierendem Schluß ist wohl durch zerdehnendes Singen des Wortes ‚Mordtat' (etwa: Mo-red-tat) entstanden.

Morpheus: Der Name des altgriech. Gottes der Träume (*gr.* Morpheús > *lat.* Morpheus) erscheint in *dt.* Quellen seit dem 17. Jh. Besonders bekannt ist die Wendung ‚in Morpheus Armen' „im Land seliger Träume, im süßen Schlaf". Eine *nlat.* Ableitung von *gr.* Morpheús liegt vor in Morphium *s* (19. Jh.), der allgemeinsprachlichen Bezeichnung des Morphins (Hauptalkaloid des Opiums), das nach seiner einschläfernden und schmerzstillenden Wirkung benannt ist. – Dazu: Morphinismus *m* „Morphiumsucht" und Morphinist *m* „Morphiumsüchtiger" (beide im 20. Jh.).

morsch „brüchig, zerfallend, faulig": Das seit dem 16. Jh. in *ostmitteld.* Lautung bezeugte Adjektiv gehört mit den älteren mursch (15. Jh.) und mit *niederd.* murs zu der Wortgruppe von →*mürbe* (beachte das Verb *mhd.* zer-mürsen „zermalmen, zerquetschen").

Mörser *m* „schalenförmiges Gefäß zum Zerkleinern und Zerstoßen harter Stoffe", auch (wohl von der Form her) übertragen gebraucht zur Bezeichnung eines großkalibrigen Geschützes: Die *nhd.* Form des Substantivs geht über *mhd.* morsǣre, mörser auf *ahd.* morsāri, (älter:) mortāri zurück. Das Wort beruht auf einer Entlehnung aus *lat.* mortārium „Mörser (als Gefäß)", das mit einer übertragenen Bed. „Gefäß für die Herstellung von Mörtel; Mörtel" auch die Quelle unseres Lehnwortes →Mörtel ist. – *Lat.* mortārium gehört vermutlich zu der unter →*mürbe* dargestellten Wortsippe der *idg.* Wz. *[s]mer[ə]- „[zer]malmen, [zer]reiben".

Mörtel *m*: Die Bezeichnung des aus Sand, Wasser und Kalk oder Zement hergestellten Bindemittels für Bausteine (*mhd.* morter, mortel) ist aus *lat.* mortārium „Mörtelpfanne; Mörtel" entlehnt, das mit seiner eigtl. Bed. „Mörser (als Gefäß)" unserem LW →*Mörser* zugrunde liegt.

Mosaik *s* „Einlegearbeit aus verschiedenfarbigen Steinchen oder Glassplittern", auch übertragen gebraucht im Sinne von „bunte Vielfalt": Im 18. Jh. aus gleichbed. *frz.* mosaïque entlehnt, das seinerseits aus *it.* mosaico stammt. Voraus liegt *mlat.* mūsaicum, das mit Suffixwechsel aus *lat.* mūsīvum (opus) „Einlegearbeit in Mosaik" umgestaltet ist. Letzte Quelle des Wortes ist *gr.* moũsa „Muse; (übertr.:) Kunst, künstle-

rische Beschäftigung" (vgl. *Muse*) bzw. das davon abgeleitete Adjektiv *gr.* moũseios „den Musen geweiht; künstlerisch".

Moschee *w* „islamisches Bethaus": Im 16. Jh. aus *frz.* mosquée, *it.* moschea (moscheta) entlehnt, das seinerseits auf *arab.* masǧid „Haus, wo man sich niederwirft; Gebetshaus" zurückgeht. Durch *span.* mezquita vermittelt.

Moschus *m*: Die in *dt.* Texten seit dem 17. Jh. bezeugte Bezeichnung für das als Parfümduftstoff verwendete Drüsensekret aus dem Beutel einiger männlicher Säugetiere (insbesondere des Moschustieres und der Bisamratte) ist aus gleichbed. *spätlat.* muscus < *gr.* móschos entlehnt. Neben ‚Moschus', das in der Lautung an das *gr.* Vorbild wieder angeglichen ist, findet sich anfangs auch die eingedeutschte Form ‚Musch'. Letzte Quelle des Wortes ist *aind.* muṣká-ḥ „Hode[nsack]" (eine Bildung zu *aind.* mū́ṣ „Maus"; vgl. das urverwandte *Maus*), das dem *Gr.* durch *pers.* mušk „Bibergeil, Moschus" vermittelt wurde. – Eine Ableitung von *lat.* muscus, nämlich *mlat.* muscātus „nach Moschus duftend", erscheint in →Muskat und Muskateller.

Moskito *m* „Stechmücke": Im 16. Jh. aus gleichbed. *span.* mosquito entlehnt, einer Abl. von *span.* mosca „Fliege". Dies geht wie entspr. *it.* mosca (s. Muskete) und *frz.* mouche auf *lat.* musca „Fliege" zurück, das mit *dt.* → *Mücke* verwandt ist.

Most *m* „unvergorener Frucht-, besonders Traubensaft", daneben in Süddeutschland und in der Schweiz auch für „Obstwein": Das *westgerm.* Substantiv (*mhd.*, *ahd.* most „frisch gekelterter Traubensaft; Obstwein", *niederl.* most, *engl.* must) gehört zu einer Reihe von *lat.-roman.* Lehnwörtern auf dem Gebiet des Weinbaues (vgl. zum Kulturgeschichtlichen den Artikel ‚Wein', die früh ins *Germ.* gelangten. Quelle des Wortes ist *lat.* (vīnum) mustum „junger Wein; Most" (zu *lat.* mustus „jung, frisch, neu"). Gleicher Herkunft sind z. B. auch entspr. *it.* mosto und *frz.* moût „Most". – Eine *roman.* Ableitung von *lat.* mustum „Most" begegnet uns in den *roman.* Wörtern für den aus zerriebenen Senfkörnern und prickelndem Most (später Weinessig) hergestellten „Senf", *it.* mostarda, *span.* mostaza und *frz.* moutarde (*afrz.* mostarde). Letzteres (*afrz.* mostarde) lieferte die im Deutschen *landsch.* gebräuchlichen Bezeichnungen für „Senf", *nordwestd.* Mostert *m* und *nordostd.* **Mostrich** *m* (schon *mhd.* mostert, musthart).

Motiv *s* 1. „Beweggrund, Antrieb; Leitgedanke"; 2. „künstlerischer Vorwurf; eigentümliche, typische Situation, die einen bestimmten Lebensbereich kennzeichnet (Kunst)": Das seit dem 16. Jh. in der 1. Bedeutung bezeugte Substantiv ist aus *mlat.* mōtīvum „Beweggrund, Antrieb", dem substantivierten Neutrum des *spätlat.-mlat.* Adjektivs mōtivus „bewegend, antreibend, anreizend" entlehnt (vgl. hierüber *mobil*). Die dem Wort Motiv seit dem Ende des 18. Jh.s zukommende 2. Bedeutung geht von entspr. *frz.* motif aus. – Abl.: **motivieren** „begründen" (18. Jh.; aus *frz.* motiver).

Motor *m* „Kraftmaschine", auch übertragen gebraucht für „Triebkraft": Gelehrte Entlehnung des 19. Jh.s aus *lat.* mōtor „Beweger". Zu *lat.* movēre „bewegen; antreiben" (vgl. *mobil*). – Abl.: ...**motorig** (20. Jh.), als Grundwort von Zusammensetzungen wie ein-, zweimotorig; **motorisieren** „mit einem Kraftfahrzeug ausstatten" (20. Jh.).

Motte *w*: Der seit dem 15. Jh. bezeugte Insektenname stammt aus *mnd.* motte, mutte, das mit *niederl.* mot, *engl.* moth, *schwed.* mott verwandt ist. Die Herkunft dieses *altgerm.* Insektennamens ist dunkel. Abl.: **einmotten** „mit einem Mottengift versehen; für eine längere Zeit verwahren" (20. Jh.), **entmotten** „von Mottenvertilgungsmitteln befreien; nach einer längeren Zeit wieder hervorholen" (20. Jh.).

Motto *s* „Denk-, Wahl-, Leitspruch; Kennwort": Im 18. Jh. aus *it.* motto „Witzwort; Wahlspruch" entlehnt, das wie entspr. *frz.* mot „Wort" (s. Bonmot) auf *vlat.* muttum zurückgeht. Dies gehört zu einer Reihe von schallnachahmenden Wörtern wie *lat.* muttīre „mucken, mucksen, halblaut oder kleinlaut reden", *lat.* mūtus „stumm", die elementarverwandt sind mit der unter →*Maul* dargestellten Wortgruppe.

Möwe *w*: Die Herkunft des *germ.* Vogelnamens (*mnd.* mēwe, *niederl.* meeuw, *aengl.* mǣw, *aisl.* mār) ist nicht sicher geklärt. Vermutlich handelt es sich um eine den eigentümlichen Schrei dieses Vogels nachahmende Bildung (beachte bes. *fries.* meau, mieu). Der aus dem *Niederd.* übernommene Vogelname wurde bis ins 18. Jh. hinein Mewe geschrieben.

Mücke *w*: Die *germ.* Bezeichnungen *mhd.* mücke, *ahd.* mucka, *niederl.* mug, *engl.* midge, *schwed.* mygg beruhen auf verwandten Bildungen in anderen *idg.* Sprachen auf einem den leisen Summton der Mücken und Fliegen nachahmenden *mu- (vgl. z. B. *gr.* myīa „Fliege", *lat.* musca „Fliege" und *russ.* múcha „Fliege", *móška* „kleine Fliege, Mücke"). Die umlautlose Form **Mucke** *w* (*mhd.* mucke) ist heute noch im *Oberd.* gebräuchlich. *Ugs.* wird diese Form – im allgemeinen in der *Mehrz.* Mucken – im Sinne von „Laune" verwendet (zuerst im 16. Jh.; vgl. den Artikel Grille).

Muckefuck *m*: Der seit dem Ende des 19. Jh.s, zuerst im rhein.-westfäl. Raum bezeugte *ugs.* Ausdruck für „dünner Kaffee" ist kaum, wie früher angenommen, aus *frz.* mocca faux „falscher Mokka" eingedeutscht,

sondern aus *rhein.* Mucken „braune Stauberde, verwestes Holz" und *rhein.* fuck „faul" gebildet.

mucken: Der *ugs.* Ausdruck für „einen dumpfen Laut von sich geben, leise murren, aufbegehren" ist lautnachahmenden Ursprungs und ist [elementar]verwandt mit den unter →*muhen* und →*muffeln* behandelten Wörtern (vgl. *Maul*). Dazu gehört **Mucker** *m* „heuchlerischer Frömmler, hinterhältiger Leisetreter", das seit dem Anfang des 18. Jh.s bezeugt ist, und zwar zunächst als Spitzname der Pietisten. – Älter bezeugt als mucken (*frühnhd.*, *mnd.* mukken, *niederl.* mokken) ist die Weiterbildung **mucksen** *ugs.* für „einen Laut von sich geben, leise murren, aufbegehren, sich rühren" (*mhd.* muchzen, *ahd.* [ir]muccazzan). Abl.: **Mucks** *m*, daneben auch **Muckser** *m ugs.* für „leiser, halb unterdrückter Laut" (17. Jh.).

müde: Das *altgerm.* Adjektiv *mhd.* müede, *ahd.* muodi, *niederl.* moede, *aengl.* mēðe, *aisl.* mōðr ist eine Bildung zu dem unter →*mühen* behandelten Verb und bedeutet eigtl. „sich gemüht habend". Abl.: **ermüden** (*mhd.* ermüeden, Präfixbildung zu müden, *ahd.* muoden „müde machen; müde werden"); **Müdigkeit** *w* (*mhd.* müdecheit).

¹**Muff** *m* (*landsch.* für:) „dumpfer, modriger Geruch, Kellerfeuchtigkeit": Die Herkunft des erst seit dem 17. Jh. bezeugten Wortes ist unklar. Beachte dazu ¹**muffen** *landsch.* für „dumpf riechen" (17. Jh.), **müffeln** *landsch.* für „dumpf riechen" (*spätmhd.* müffeln), ¹**muffig** *landsch.* für „dumpf, modrig, faul" (17. Jh.). Siehe auch den Artikel Mief.

²**Muff** *m* „Handwärmer aus Pelz": Im 16. Jh. durch *niederl.-niederd.* Vermittlung aus *frz.* moufle „Pelzhandschuh" entlehnt, das aus gleichbed. *mlat.* muffula stammt. Die weitere Herkunft des Wortes ist unsicher. – Nach der äußeren Ähnlichkeit mit einem Muff nennt man in der neueren Fachsprache der Technik ein „Röhrenverbindungs- oder Ansatzstück" **Muffe** *w* (Ende 18. Jh.).

muffeln: Der *ugs.* Ausdruck für „murren, mürrisch, verdrießlich sein" ist lautnachahmenden Ursprungs und ist [elementar]verwandt mit den unter →*muhen* und →*mucken* behandelten Wörtern (vgl. *Maul*). Neben dem weitergebildeten muffeln findet sich *landsch.* auch noch ²**muffen** „murren, verdrießlich sein" (*mhd.* muffen, mupfen „den Mund verziehen", muff, mupf „Verziehen des Mundes, Hängemaul"; s. den Artikel Mops). Beachte dazu die Bildungen **muff[e]lig** und ²**muffig** *ugs.* für „mürrisch, verdrießlich" sowie **Muffel** *m ugs.* für „verdrießlicher Mensch".

muhen „muh machen, wie eine Kuh brüllen": Das seit dem 15. Jh. bezeugte Verb ist lautnachahmenden Ursprungs und ist elementarverwandt z. B. mit *gr.* mȳkáomai „brüllen" und *russ.* myčát' „brüllen".

mühen: Das *altgerm.* Verb *mhd.* müe[je]n, *ahd.* muoen, *got.* *mōjan (in afmauiþs „ermüdet"), *niederl.* moeien geht mit verwandten Wörtern in anderen *idg.* Sprachen auf die Wz. *mō- „sich anstrengen, sich mühen" zurück, vgl. z. B. *russ.* májat' „ermüden, plagen" und *lat.* mōlīrī „sich abmühen, mit Anstrengung wegschaffen" (s. demolieren), mōlēs „Anstrengung, Mühe; Wucht; Masse" (s. Mole, Molekül). – Um das Verb gruppieren sich die Bildungen →müde und Mühe *w* (*mhd.* müe[je], *ahd.* muohī), Mühsal *w* „Anstrengung, Plage" (*mhd.* müesal, wohl erst aus dem Adjektiv müesalic „mühselig" rückgebildet), mühsam „anstrengend; beschwerlich, schwierig" (16. Jh.), mühselig „anstrengend, beschwerlich" (*mhd.* müesalic, *spätahd.* muosalig), dazu Mühseligkeit *w* (16. Jh.) und bemühen „behelligen" (*mhd.* bemüejen). Siehe auch den Artikel Mühle.

Mühle *w*: Das in alter Zeit aus *spätlat.* molīna entlehnte Wort (*mhd.* mül[e], *ahd.* mulī[n], *niederl.* molen, *engl.* mill, *dän.* mølle) bezeichnetę eine durch Wasserkraft betriebene Mühle, die die Germanen durch die Römer kennenlernten. Das entlehnte Wort verdrängte im *Dt.* die alte *gemeingerm.* Bezeichnung für die mit der Hand betriebene Mühle (*mhd.* kürn, *ahd.* quirn[a] „Mühlstein, Mühle"). Als Grund- und Bestimmungswort steckt 'Mühle' in zahlreichen Zus., beachte z. B. Mühlrad, Mühlstein, Dampfmühle, Sägemühle, Windmühle, Tretmühle, Zwickmühle (s. d.). Seit dem 17. Jh. ist 'Mühle' auch als Name eines Brettspiels gebräuchlich. – *Spätlat.* molīna „[Wasser]mühle" gehört zu der unter →mahlen behandelten Wortgruppe.

Muhme *w*: Das heute veraltete, bisweilen noch scherzhaft als vertrauliche Anrede gebräuchliche Wort (*mhd.* muome, *ahd.* muoma) bedeutete zunächst „Schwester der Mutter", dann „Tante" und bereits in *mhd.* Zeit ganz allgemein „weibliche Verwandte" (Cousine, Nichte). Es beruht auf einem Lallwort der Kindersprache (s. auch die Artikel Mama, Memme und Mutter).

Mulatte *m* „Mischling zwischen Schwarzen und Weißen": Im 16./17. Jh. aus *span.* mulato entlehnt, das von *span.* mulo (< *lat.* mūlus) „Maultier" abgeleitet ist (vgl. *Maulesel*). Die Benennung vergleicht also den Mulatten mit dem 'Bastard' Maulesel.

Mulde *w*: *Mhd.* mulde „längliches, halbrundes Gefäß, Mehl-, Backtrog" ist wahrscheinlich umgebildet aus gleichbed. *ahd.* mu[o]lter, das auf *ahd.* muolt[e]ra, multhra beruht. Das *ahd.* Wort ist entlehnt aus *lat.* mulctra „Melkkübel", einer Bildung zum Verb mulgēre „melken" (vgl. *melken*). Die Verwendung des *ahd.* Wortes im Sinne von

„Mulde, Trog" erklärt sich daraus, daß die früher üblichen Melkgefäße eine längliche, muldenähnliche Gestalt hatten. Im *Nhd.* wird 'Mulde' auch übertragen im Sinne von „muldenförmige Vertiefung (im Erdreich, Stein, Flöz), Talsenkung" gebraucht. – Der *mhd.* Form mulde entspricht *mnd.* molde, molle, worauf *berlin.* Molle *w* „Bierglas, Glas Bier" beruht.

Mull *m* „feinfädiges, weitmaschiges Baumwollgewebe": Im 18. Jh. aus dem *Engl.* übernommen. *Engl.* mull ist aus mulmull gekürzt, das seinerseits aus gleichbed. *hindi* malmal (eigtl. wohl „sehr weich") entlehnt ist.

Müll *m*: Das heute gemeinsprachliche Wort für „Abfall, Kehrricht", das früher nur in Nord- und Mitteldeutschland Geltung hatte, gehört im Sinne von „Zerriebenes, Zerbröckeltes" zu der Wortgruppe von →mahlen. *Mnd.* mül „lockere Erde; Staub; Schutt; Kehrricht", daneben die Kollektivbildung gemül, *mhd.* gemülle, *ahd.* gimulli „Staub; Schutt; Kehrricht", *niederl.* mul „feine Erde", *aengl.* myll „Staub" stellen sich zu dem im Ablaut zu 'mahlen' stehenden Verb *mhd.* müllen, *ahd.* mullen „zerreiben, zermalmen" usw. – Die umlautlose Nebenform Mull ist in der Zus. Torfmull „Streutorf", eigtl. „Torferde" (19. Jh.) bewahrt. – Junge Zus. (20. Jh.) mit Müll sind Müllabfuhr, Mülleimer, Müllschlucker.

Müller *m*: Das Wort geht zurück auf *mhd.* müller, das sich aus älterem mülner, mülnēre, *ahd.* mulināri entwickelt hat. *Ahd.* mulināri ist entlehnt aus *mlat.* molīnārius „Müller", das zu der Wortgruppe von →mahlen gehört (s. den Artikel Mühle).

mulmig: Der *ugs.* Ausdruck für „bedenklich, gefährlich; unwohl, übel", der sich von Berlin ausgehend seit dem Anfang des 20. Jh.s ausgebreitet hat, bedeutet eigtl. – wie die ältere Adjektivbildung mulmicht (19. Jh.) – „faul, verwittert". Das Adjektiv ist abgeleitet von Mulm *m* „verfaulendes Holz, zerfallende Erde" (17. Jh.; gleichbed. *niederd.* molm), das im Ablaut zu *mhd.*, *ahd.* melm und *mhd.* malm „Staub, Sand" (vgl. malmen) steht und zu der Wortgruppe von →mahlen gehört.

multi..., Multi...: Bestimmungswort von Zusammensetzungen mit der Bed. „viel", wie in Multimillionär, →multiplizieren, Multiplikation. Quelle ist das *lat.* Adjektiv multus (-a, -um) „viel; groß, stark".

multiplizieren „vervielfachen, malnehmen": Das seit dem 15. Jh. belegte FW ist aus gleichbed. *lat.* multiplicāre entlehnt, das von *lat.* multiplex „vielfältig, vielfach" abgeleitet ist. Dessen Bestimmungswort ist *lat.* multus (-a, -um) „viel, groß, stark" (vgl. *multi...*). Über den zweiten Wortbestandteil vgl. den Artikel Duplikat. – Abl.: Multiplikation *w* „Vervielfachung, Malnehmen" (15. Jh.; aus *lat.* multiplicātiō).

Mumie w „einbalsamierter Leichnam": Im 16. Jh. durch Vermittlung von *it.* mummia aus gleichbed. *arab.* mūmiya entlehnt. Zu *pers.* mūm „Wachs" (die Perser und Babylonier pflegten ihre Toten mit Wachs zu überziehen). – Dazu die jüngere gelehrte Zusammensetzung des 19. Jh.s mumifizieren „zur Mumie machen, einbalsamieren" (Grundwort ist *lat.* facere „machen"), in der medizin. Fachsprache auch im Sinne von „eintrocknen, absterben (von Gewebe)" gebraucht.

Mumm *m*: Der seit dem Ende des 19. Jh.s bezeugte *ugs.* Ausdruck für „Mut, Tatkraft, Entschlossenheit" ist wahrscheinlich eine studentensprachl. Kürzung aus *lat.* animum in der Wendung 'keinen animum haben'. Über *lat.* animus „Seele; Geist; Sinn, Verlangen; Mut" vgl. *animieren.*

mummen (veralt. für:) „einhüllen (in eine Maske)": Das seit dem 16. Jahrhundert bezeugte Verb, an dessen Stelle heute die Bildungen einmummen und vermummen gebräuchlich sind, ist von dem heute veralteten Substantiv Mumme *w* „Maske, verkleidete Gestalt" abgeleitet. Dieses Substantiv ist wohl ein Lallwort der Kindersprache, wie z. B. auch im *roman.* Sprachbereich *span., port.* momo „Fratze, Maske", beachte auch *afrz.* momer „sich vermummen", momon „Vermummung". Das Substantiv steckt auch als Bestimmungswort in Mummenschanz und in Mumpitz. – Die seit dem 16. Jh. bezeugte Zus. Mummenschanz *m* „Lustbarkeit vermummter Gestalten" bezeichnete ursprünglich ein Glücksspiel mit Würfeln, das vorwiegend von vermummten Personen zur Fastnachtszeit gespielt wurde, und ging dann erst auf das närrische Treiben vermummter Personen über. (Zum Grundwort s. den Artikel ²Schanze). – Der seit der zweiten Hälfte des 19. Jh.s gebräuchliche Ausdruck Mumpitz *m ugs.* für „Unsinn, Schwindel" stammt aus dem Berliner Börsenjargon. Wie älteres Mummelputz „Vogelscheuche" (17. Jh.) und *hess.* Mombotz „Schreckgestalt" bedeutet auch das Wort Mumpitz eigtl. „[vermummte] Schreckgestalt, Schreckgespenst" (vgl. *putzig*). Im Börsenjargon bezeichnete es zunächst ein erschreckendes oder schwindelhaftes Gerede.

Mumps *m* (*ugs.* meist *w*): Der seit dem Anfang des 19. Jh.s bezeugte Name für die meist harmlos verlaufende ansteckende Entzündung der Ohrspeicheldrüse – dafür im Volksmund Bezeichnungen wie 'Bauernwetzel' und → Ziegenpeter – ist aus dem *Engl.* entlehnt. Das *engl.* Substantiv mumps ist wohl verwandt mit dem urspr. lautmalenden Verb to mump „stumm und verdrießlich sein, einen niedergeschlagenen Eindruck machen" (eigtl.: „brummeln") und bezeichnet dann eigtl. die mit dieser Krankheit verbundene verdrießliche Stimmung.

Mund *m*: Das *gemeingerm.* Wort *mhd.* munt, *ahd.* mund, *got.* munþs, *engl.* mouth, *schwed.* mun ist doppeldeutig. Es kann einerseits mit *lat.* mentum „Kinn" und *kymr.* mant „Kinnlade, Mund" verwandt sein und würde dann urspr. „Kinn[lade]" bedeutet haben, andererseits kann es im Sinne von „Kauer" zu der *idg.* Wz. *menth- „kauen" gehören (vgl. z. B. *lat.* mandere „kauen"). – Das Wort wurde früher auch übertragen im Sinne von „Mündung, Öffnung, Loch, Spalt" gebraucht. Abl.: munden „gut schmecken" (16. Jh.); münden „sich ergießen, hineinfließen; hinführen, enden" (Anfang des 19. Jh.s, später bezeugt als das Substantiv Mündung); mündlich (16. Jh.); Mündung *w* (18. Jh.). Zus.: Mundart „regional gebundene ursprüngliche Sprachform innerhalb einer Sprachgemeinschaft" (17. Jh., als Ersatzwort für Dialekt), dazu mundartlich (19. Jh.); mundfaul (Anfang des 19. Jh.s); Mundharmonika (1. Hälfte des 19. Jh.s); Mundraub (18. Jh.); Mundschenk hist. für „Hofbeamter, der für die Getränke verantwortlich ist" (17. Jh.; vgl. *schenken*); Mundwerk (16. Jh., in der Bed. „Rede[gabe]").

Mündel *m* (*w*) „minderjährige oder entmündigte volljährige Person, die unter Vormundschaft steht": Das seit dem 16. Jh. bezeugte Rechtswort ist von dem unter → *Vormund* behandelten Substantiv älter *nhd.* Mund „Schutz, Vormundschaft" abgeleitet. Älter bezeugt sind die heute nicht mehr gebräuchlichen Bildungen Mündling (*mhd.* mundelinc, *ahd.* mundiling) und Mündlein (*mitteld.* mundelin *Mehrz.*). Zus.: mündelsicher „gesetzlich zugelassen für die Anlage von Mündelgeldern" (um 1900).

mündig „volljährig, geschäftsfähig": Das Adjektiv (*mhd.* mündec) ist von dem unter → *Vormund* behandelten Substantiv älter *nhd.* Mund „Schutz, Vormundschaft" abgeleitet. Abl.: entmündigen (Anfang des 19. Jh.s).

mundtot: Das seit dem 17. Jh. bezeugte Adjektiv enthält als Bestimmungswort das unter → *Vormund* behandelte Substantiv älter *nhd.* Mund „Schutz, Vormundschaft". Es war zunächst ein Rechtsausdruck und bedeutete „unfähig Rechtshandlungen vorzunehmen", dann wurde es volksetymologisch nach der Körperteilbezeichnung 'Mund' umgedeutet und im Sinne von „zum Schweigen gebracht" verwendet.

Mungo *m*: Der Name der in Asien und Afrika vorkommenden, als Schlangentöterin bekannten Schleichkatze, bei uns im 19. Jh. gebucht, stammt aus einem *ind.* Mundartwort 'mangūs', das uns durch *engl.* mongoose (mungoose, mungo) vermittelt wurde.

Munition *w* „Schießbedarf für Feuerwaffen": Das seit dem 16. Jh. bezeugte FW, das zuerst auch allgemein „Kriegsmaterial, Kriegsbedarf" bedeutete (gemäß der eigtl. Bedeutung des Wortes), ist aus gleichbed. *frz.* munition (de guerre) entlehnt. Voraus liegt *lat.* mūnītiō „Befestigung, Verschanzung; Schanzwerk", das von *lat.* mūnīre (*alat.* moenīre) „aufmauern, aufdämmen; befestigen, verschanzen" abgeleitet ist, einem Denominativ von *lat.* moene (Plur.: moenia) „Ringmauer der Stadt (als Schutzwehr)".

Münster *s*: Das bei uns vorwiegend in Süddeutschland gebräuchliche *westgerm.* Wort für „Stiftskirche; Hauptkirche, Dom" (*mhd.* munster, ꞵmünster „Klosterkirche; Münster", *ahd.* munist[i]ri „Kloster", *engl.* minster „Stiftskirche; Kathedrale") beruht auf einer frühen Entlehnung aus einer *vlat.* Nebenform *monistērium von *kirchenlat.* monastērium „Kloster". Letzte Quelle des Wortes ist *gr.* monastḗrion ꞵ„Einsiedelei; Kloster", das zu *gr.·* monázein „allein leben, sich absondern" und weiter zu *gr.* mónos „allein, vereinzelt" (vgl. *mono...*) gehört.

munter: Das nur *dt.* Adjektiv (*mhd.* munter, *ahd.* muntar) beruht mit der *baltoslaw.* Sippe von *lit.* mañdras „munter, lebhaft; aufgeweckt, klug" und *russ.* múdryj „klug, weise" auf einer Bildung zu der *idg.* Wz. *mendh- „aufpassen, aufgeregt, lebhaft sein" (Zusammenrückung von *men- und *dhē- eigtl. „seinen Sinn auf etwas setzen", vgl. *mahnen*). Zu dieser Wurzel gehört z. B. auch *gr.* manthánein „lernen" (s. Mathematik). – Das abgeleitete Verb muntern „munter machen" wurde im älteren *Nhd.* durch aufmuntern und ermuntern ersetzt. Abl.: M u n t e r k e i t *w* (17. Jh.).

Münze *w*: Die *westgerm.* Bezeichnung für „geprägtes Metallstück, Geldstück" (*mhd.* münze, *ahd.* munizza, *niederl.* munt, *engl.* mint; die *nord.* Sippe von entspr. *schwed.* mynt stammt wohl unmittelbar aus dem *Aengl.*) beruht auf einer frühen Entlehnung aus *lat.* monēta „Münzstätte; Münze". Das *lat.* Wort ist der zur Gattungsbezeichnung gewordene Beiname der altrömischen Göttin ‘Jūnō Monēta', in deren Tempel sich die römische Münzstätte befand. Abl.: m ü n z e n „Münzen, Geld prägen" (*mhd.* münzen, *ahd.* munizzōn). Der in der Umgangssprache weitverbreitete bildlich übertragene Gebrauch des Verbs (nur unpersönlich) im Sinne von „auf jmdn. zielen oder anspielen" (so seit dem 17. Jh.) geht wohl von den früher zuweilen hergestellten Gedenkmünzen mit eingeprägten, versteckten satirischen Anspielungen aus. – *Lat.* monēta ist auch die Quelle für *frz.* monnaie „Münze, Geld" (s. das FW Portemonnaie), für *engl.* money „Geld" (unmittelbar aus dem *Afrz.*) und für unser FW → Moneten.

mürbe: Das *dt.* und *niederl.* Adjektiv (*mhd.* mür[w]e, *ahd.* mur[u]wi, *niederl.* murw) gehört im Sinne von „zermalmt, zerrieben, weich" zu der vielfach erweiterten *idg.* Wz.

*[s]mer[ə]- „[zer]malmen, [zer]quetschen, [zer]reiben". Aus dem *germ.* Sprachbereich gehören ferner zu dieser Wurzel die unter →morsch, →murksen und →Mahr (eigtl. „Zermalmerin") behandelten Wörter und mit anlautendem s- die Sippe von →Schmerz. In anderen *idg.* Sprachen sind z. B. verwandt *gr.* maraínein „aufreiben, vernichten", mármaros „Stein, Felsblock" (s. Marmor), *lat.* mortārium „Mörser; Mörtelpfanne, Mörtel" (s. Mörser und Mörtel). Verwandt ist auch die unter →Mord dargestellte *idg.* Wortgruppe, die auf einem alten Bedeutungswandel von „aufgerieben werden" zu „sterben" beruht. – Abl.: z e r m ü r b e n (*spätmhd.* zermürfen).

murksen (*ugs.* für:) „ungeschickt oder unordentlich arbeiten": Das seit dem 19. Jh. bezeugte Verb, aus dem das Substantiv M u r k s *m* *ugs.* für „schlechte Arbeit" rückgebildet ist, gehört zu älter *nhd.* Murk *m* „Brocken; Krümel; Knirps" (beachte die Verkleinerungsbildung M u r k e l *m* *landsch.* für „Knirps, Wickelkind"), murken „zerdrücken, zerknittern, zerbrechen, zerschneiden" (beachte gleichbed. *landsch.* m u r k e l n), *mnd.* morken „zerdrücken", *niederd.* murk[s]en „töten" (s. abmurksen). Diese Sippe gehört zu der Wortgruppe von →mürbe.

murmeln: Das seit *ahd.* Zeit bezeugte Verb (*mhd.* murmeln, *ahd.* murmulōn, -rōn) ist lautnachahmenden Ursprungs und ist [elementar]verwandt z. B. mit *lat.* murmurāre „murmeln; murren; rauschen", murmur „Murmeln, Brausen, Getöse" und *gr.* mormýreïn „murmeln, rauschen". Siehe auch den Artikel murren.

Murmeltier *s*: Der Name des vorwiegend die Alpen bewohnenden Nagetieres ist eine verdeutlichende Zusammensetzung. Das Bestimmungswort geht auf *ahd.* murmunto, murmuntīn zurück, das durch *roman.* Vermittlung aus *lat.* ‘mūs (Akk.: mūrem) montis' „Bergmaus" entlehnt ist. Das nicht verstandene Wort wurde volksetymologisch nach dem Zeitwort ‘murmeln' umgestaltet.

murren „unwillig sein, sich auflehnen": Das *germ.* Verb *mhd.* murren, *niederl.* morren, *schwed.* morra ist lautnachahmenden Ursprungs und ist mit den unter →murmeln behandelten Wörtern [elementar]verwandt. Die Bed. „unwillig sein" entwickelte sich aus „murmeln, brummen, knurren". Abl.: m ü r r i s c h „unwillig, verdrießlich" (16. Jh.).

Mus *s* „breiartige Speise": Das *westgerm.* Substantiv *mhd.*, *ahd.* muos, *niederl.* moes, *aengl.* mōs bedeutete früher allgemein „Speise, Essen, Nahrung" und gehört zu der Wortgruppe von →² *Mast.* Kollektivbildung dazu ist →Gemüse.

Muschel *w*: Der Name des Schalentieres *mhd.* muschel, *ahd.* muscula (beachte entspr. *engl.* mussel „Muschel") beruht auf einer Entlehnung aus *vlat.-roman.* *muscula, -das für *lat.* musculus „Miesmuschel" steht. Das *lat.* Wort ist letztlich identisch mit *lat.* mūsculus „Mäuschen; Muskel" (vgl. das FW *Muskel*). Die Bedeutungsübertragung von „Mäuschen" auf „Miesmuschel" resultiert wohl aus einem Vergleich der Muschel mit Form und Farbe einer Maus.

Muse *w*: Das seit dem 17. Jh. in *dt.* Texten begegnende FW, das zunächst wie das zugrunde liegende *gr.* Substantiv moūsa (> *lat.* mūsa) eine der neun altgriech. Göttinnen des Gesangs, der schönen Künste und der Wissenschaft bezeichnet, gilt daneben im speziell übertragenen Sinne des Grundwortes von „(den Dichter beflügelnde) Kunst; künstlerische Begeisterung". – Dazu: musisch „die schönen Künste betreffend; künstlerisch [gebildet, begabt], kunstempfänglich" (19. Jh.; nach gleichbed. *gr.* moūsikós); ferner →Musik, →Museum und →Mosaik.

Museum *s*: Das seit dem 16. Jh. bezeugte FW, das zuerst nur „Studierzimmer" bedeutete und erst im 17. Jh. mit den Bedeutungen „Kunstsammlung; Altertumssammlung" erscheint – danach heute auch „Ausstellungsgebäude für Kunstgegenstände und wissenschaftliche Sammlungen" –, ist aus *lat.* mūsēum „Ort für gelehrte Beschäftigung; Bibliothek" < *gr.* mouseīon „Musensitz, Musentempel" entlehnt. Stammwort ist *gr.* moūsa „Muse; (übertr.:) Kunst, Wissenschaft; feine Bildung" (vgl. *Muse*).

Musik *w* „Tonkunst": In *ahd.* Zeit aus gleichbed. *lat.* (ars) mūsica < *gr.* mousikē (téchnē) entlehnt, das eigtl. „Musenkunst" bedeutet. Zu *gr.* moūsa „Muse; (übertr.:) Kunst" (vgl. *Muse*). Bis ins 16./17. Jh. trägt das FW den Ton noch ausschließlich auf der Stammsilbe. Die dann aufkommende Endbetonung steht unter dem Einfluß von entspr. *frz.* musique, das auch die zusätzlichen Bedeutungen „Tonstück; musikalische Aufführung, Vortrag" mitbrachte. – Abl.: musikalisch „die Musik betreffend; musikbegabt; musikliebend" (16. Jh.; aus *mlat.* mūsicālis; Musiker *m* (um 1800) bezeichnet den fachlich ausgebildeten, geschulten Tonkünstler im Gegensatz zu Musikant *m* (um 1600, mit latinisierender Endung gebildet), das heute meist im abschätzigen Sinne verwendet wird und einen dilettantischen, gelegentlich in Dorfkapellen aufspielenden oder auch als Straßenmusiker auftretenden Spielmann meint. Daneben findet sich die scherzhafte, zuweilen auch spöttisch gebrauchte Bezeichnung Musikus *m* (um 1500, nach *lat.* mūsicus „Tonsetzer, Tonkünstler") für einen „[brotlosen] Musiker"; musizieren „Musik machen, Musikstücke spielen" (16. Jh.); Musical *s* (20. Jh.; Bezeichnung jener um die Mitte des 19. Jh.s in Amerika entwickelten Sonderform einer musikalischen Komödie, in der darstellerische, tän-

zerische und musikalische Elemente organisch miteinander verwoben sind. Das Wort selbst ist eine Kurzform für *amerik.* 'musical comedy' oder 'musical play').

Muskat *m*: Die Bezeichnung für die als Gewürz verwendeten Samenkerne des auf den Molukken beheimateten, jetzt in den Tropen weitverbreiteten Muskatnußbaumes (*mhd.* muscāt „Muskatnuß") beruht auf einer durch *afrz.* muscate vermittelten Entlehnung aus *mlat.* (nux) muscāta „Muskatnuß". Zu *mlat.* muscātus „nach Moschus duftend" (vgl. den Artikel *Moschus*). – Dazu: Muskateller *m* als Bezeichnung für eine Traubensorte mit würzigem (Muskat)geschmack und einem daraus hergestellten Süßwein (*mhd.* muscātel; aus *mlat.* muscātellum, *it.* moscatello).

Muskel *m*: Die im *Dt.* seit dem Anfang des 18. Jh.s bezeugte Bezeichnung der fleischigen Teile des tierischen oder menschlichen Körpers, die durch Zusammenziehung und Erschlaffung Bewegung vermitteln, ist aus *lat.* mūsculus „Muskel" entlehnt. Dies ist eine Verkleinerungsbildung zu *lat.* mūs „Maus" (urverwandt mit *dt.* →*Maus*) und bedeutet demnach eigtl. „Mäuschen". Die Bedeutungsübertragung des Wortes, die vielleicht auf einem Vergleich der unter der Haut zuckenden Muskeln mit einer laufenden Maus beruht, findet sich entsprechend auch in anderen Sprachen. Vgl. z. B. *gr.* mȳs „Maus; Muskel" und *dt.* Maus im Sinne von „Muskel an Arm und Fuß" (schon *ahd.*), insbesondere „Muskelballen des Daumens". – *Lat.* mūsculus erscheint übrigens noch in einer anderen Übertragung mit der Bed. „Miesmuschel". In diesem Sinne ist es die Quelle für unser LW →*Muschel*. – Abl.: muskulös „mit starken Muskeln versehen; äußerst kräftig" (18. Jh.; aus *frz.* musculeux < *lat.* mūsculōsus); Muskulatur *w* „Gesamtheit der Muskeln eines Körpers oder Organs, Muskelgefüge" (20. Jh.; *nlat.* Bildung).

Muskete *w*: Der in *dt.* Texten seit dem 16. Jh. bezeugte Name der früher üblichen schweren Luntenflinte stammt aus dem *Roman.* Letzte Quelle des Wortes ist *lat.* musca „Fliege" (vgl. *Moskito*). Zu dem daraus hervorgegangenen gleichbed. *it.* mosca stellt sich die Abl. *it.* moschetto, das zunächst einen gleichsam wie mit „Fliegen" gesprenkelten Sperber bezeichnete, dann in weiterer übertragener Bedeutung eine Art Wurfgeschoß und schließlich ein Luntenschloßgewehr. Der übertragene Gebrauch von Tiernamen zur Bezeichnung verschiedener Kriegsgeräte, insbesondere auch von Raubvogelnamen zur Bezeichnung von Schießgeräten, war zu allen Zeiten recht beliebt. Beachte z. B. die Bezeichnungen Falkonett „leichtes Geschütz" (zum Namen des 'Falken". *It.* moschetto gelangte als LW teils unmittelbar ins *Dt.*, teils auch, wie die frühsten Belege zeigen, durch Vermittlung von *span.* mosquete und *frz.* mousquet. Die *frz.* Form hat sich bei uns schließlich durchgesetzt. – Abl.: **Musketier** *m* frühere Bezeichnung für ,,Musketenschütze; Fußsoldat" (im 18. Jh. für älteres, schon um 1600 übliches 'Musketierer'; nach *frz.* mousquetaire). Daraus entstellt **Muschkote** *m* als soldatensprachl. und *ugs.* abschätzige Bezeichnung des gemeinen Fußsoldaten.

Muße *w* ,,Untätigkeit, freie Zeit, Ruhe": Die nur *dt.* Substantivbildung (*mhd.* muoʒe, *ahd.* muoʒa) ist eng verwandt mit dem unter →müssen behandelten Verb und gehört mit der Sippe von →messen zu der umfangreichen Wortgruppe von →¹*Mal* ,,Zeitpunkt". Das Wort bedeutete urspr. etwa ,,Gelegenheit oder Möglichkeit, etwas tun zu können". Abl.: **müßig** ,,unbeschäftigt, untätig; unnütz, überflüssig" (*mhd.* müeʒec, *ahd.* muoʒīg), beachte 'müßig gehen' (*mhd.* müeʒec gān), dazu **Müßiggang** (*mhd.* müeʒecganc) **Müßiggänger** (*mhd.* müeʒecgenger).

Musselin *m* ,,feines, locker gewebtes Baumwollgewebe": Im Anfang des 18. Jh.s aus *frz.* mousseline < *it.* mussolina entlehnt, einer Ableitung von gleichbed. *it.* mussolo. Dies ist eigtl. der ital. Name der Stadt Mossul am Tigris, in der dieses Gewebe zuerst hergestellt wurde.

müssen: Das *altgerm.* Verb (Präteritopräsens) *mhd.* müeʒen, *ahd.* muoʒan, *got.* in ga-mōtan, *niederl.* moeten, *engl.* must steht im Ablaut zu der Sippe von →messen und gehört im Sinne von ,,sich etwas zugemessen haben, Zeit, Raum, Gelegenheit haben, um etwas tun zu können" zu der Wortgruppe von →¹*Mal* ,,Zeitpunkt". Eng verwandt ist die unter →Muße behandelte Substantivbildung. Dazu **Muß** *s* ,,unumgängliche Notwendigkeit" (16. Jh.; subst. 3. Person Einz. Präs.).

Muster *s* ,,Vorlage, Modell; Vorbild; Probestück; Zeichnung, Figur": Das seit etwa 1400 bezeugte Substantiv ist aus *it.* mostra (= *afrz.* monstre) ,,das Zeigen, die Darstellung; die Ausstellung; das Ausstellungsstück, das Muster" entlehnt, das zu *it.* mostrare (< *lat.* mōnstrāre) ,,zeigen, weisen, hinweisen, bezeichnen" gehört. Über weitere etymologische Zusammenhänge vgl. den Artikel *Monstrum*. – Abl. und Zus.: **musterhaft** ,,vorbildlich" (Ende 18. Jh.); **mustergültig** ,,vorbildlich, nachahmenswert; einwandfrei" (19./20. Jh.); **mustern** ,,prüfend betrachten; Rekruten auf ihre militär. Tauglichkeit untersuchen" (15. Jh.), dazu das Substantiv **Musterung** *w* ,,kritische Besichtigung und Prüfung (insbesondere der Rekruten auf ihre militär. Tauglichkeit); Gewebszeichnung, Gewebsmuster" (Ende 15. Jh.).

Mut *m*: Das *gemeingerm.* Wort *mhd.*, *ahd.* muot, *got.* mōþs, *engl.* mood, *schwed.* mod

gehört mit verwandten Wörtern in anderen *idg.* Sprachen zu der Verbalwz. *mē-, mō- ,,nach etwas trachten, heftig verlangen, erregt sein", vgl. z. B. *gr.* mōsthai ,,streben, trachten, begehren" und *lat.* mōs ,,Sitte; Brauch; Gewohnheit", urspr. ,,Wille" (s. Moral). Verwandt ist wahrscheinlich auch die unter →mühen behandelte Wortgruppe. Das *gemeingerm.* Wort bezeichnete urspr. die triebhaften Gemütsäußerungen und seelischen Erregungszustände und wurde in den alten Sprachzuständen häufig im Sinne von ,,Zorn" verwendet. Dann bezeichnete es den Sinn und die wechselnden Gemütszustände des Menschen. Die heute vorherrschende Bed. ,,Tapferkeit, Kühnheit" setzte sich erst seit dem 16. Jh. stärker durch. – Kollektivbildung zu 'Mut' ist das unter →Gemüt behandelte Wort (s. auch den Artikel gemütlich). Das abgeleitete Verb **muten** ,,seinen Sinn worauf richten, begehren", bergmänn. für ,,Erlaubnis auf Ausbeutung erbitten" (*mhd.* muoten, *ahd.* muotōn) ist heute veraltet. Gebräuchlich sind dagegen die Bildungen **anmuten** ,,den Eindruck erwecken" (*mhd.* anemuoten ,,ein Verlangen an jemanden richten, zumuten"); **vermuten** ,,für wahrscheinlich halten, annehmen" (15. Jh., zunächst unpersönlich; aus dem *Niederd.* ins *Hochd.* gedrungen), dazu **vermutlich** (16. Jh.) und **Vermutung** *w* (16. Jh.); **zumuten** ,,ein Ansinnen an jemanden richten, Ungebührliches verlangen" (*spätmhd.* zuomuoten), dazu **Zumutung** *w* (15. Jh.). – Adjektivbildungen sind **gemut** *mhd.* gemuot ,,den Sinn habend, gestimmt", das heute gewöhnlich nur noch in **wohlgemut** ,,froh gestimmt, unbekümmert" gebräuchlich ist und **mutig** ,,tapfer, kühn" (*mhd.* muotec), dazu **entmutigen** und **ermutigen**. – Das Wort Mut steckt in zahlreichen Zusammensetzungen, beachte z. B. **mutmaßen** ,,für wahrscheinlich halten, annehmen" (14. Jh., abgeleitet von einer untergegangenen Zus. Mutmaße, *mhd.* muotmāʒe ,,Abschätzung"), dazu **mutmaßlich** (18. Jh.), dazu **Mutwille** ,,Übermut" (*mhd.* muotwille, *ahd.* muotwillo ,,eigener, freier Entschluß"), dazu **mutwillig** (*mhd.* muotwillec), **Übermut** ,,ausgelassene Stimmung, Mutwille, Anmaßung" (*mhd.* übermuot, *ahd.* ubermuot), dazu **übermütig** (*mhd.* übermüetec, *ahd.* ubarmuotīg). Siehe auch die Artikel Anmut und Demut.

Mutter *w*: Die *altgerm.* Verwandtschaftsbezeichnung *mhd.*, *ahd.* muoter, *niederl.* moeder, *engl.* mother, *schwed.* moder beruht mit Entsprechungen in den anderen *idg.* Sprachen auf *idg.* *mātér- ,,Mutter", vgl. z. B. *aind.* mātár- ,,Mutter", *gr.* mḗtēr ,,Mutter" (s. Metropole), *lat.* māter ,,Mutter" (s. Matrone), *mātrīx* ,,Muttertier, Gebärmutter" (s. Matrize, Matrikel, im-, exmatrikulieren). Der alte *idg.* Verwandtschaftsname, der mit demselben Suffix gebildet ist wie die Verwandtschaftsbezeichnungen 'Vater', 'Bruder', 'Tochter' (s. d.), ist eine Bildung zu dem Lallwort der Kindersprache *mă[ma]- (s. Mama, Memme, Muhme). – Im übertragenen Gebrauch bezeichnet 'Mutter' Dinge, die etwas wie ein Mutterschoß oder wie eine Gebärmutter aufnehmen oder umschließen, daher bergmänn. für ,,Gesteinshülle'', techn. für ,,Hohlschraube mit Innengewinde, die den Schraubenbolzen aufnimmt'' usw. (s. auch Perlmutter). Eine Ableitung von 'Mutter' ist wahrscheinlich das unter →Mieder behandelte Substantiv. – Abl.: bemuttern ,,umsorgen'' (19. Jh.); mütterlich (*mhd.* müeterlich, *ahd.* muoterlîh) Zus.: Mutterkorn ,,giftiger Schmarotzerpilz in Kornähren'' (18. Jh.; so benannt wegen der Wirkung auf die Gebärmutter); Muttermal ,,angeborenes Mal'' (16. Jh.); Mutterschwein ,,Sau'' (*mhd.* muoterswîn); Muttersöhnchen ,,verzärtelter Jüngling'' (18. Jh.); Muttersprache ,,Sprache, die ein Mensch von seinen Eltern lernt und mit der er aufwächst'' (16. Jh.; *niederd.* mödersprāke, 15. Jh.; wohl nach *lat.* lingua māterna); Mutterwitz ,,angeborener Witz'' (17. Jh.).

Mütze *w*: Die Bezeichnung der Kopfbedeckung, *spätmhd.* mutze, mütze (aus *mhd.* almuz, armuz ,,Chorkappe der Geistlichen; Kopfbedeckung'') beruht wie z. B. auch entspr. *frz.* aumusse ,,Pelzmantel der Geistlichen; Chorkappe'' auf *mlat.* almutium, almutia ,,Umhang um Schultern und Kopf der Geistlichen''. Die weitere Herkunft des Wortes ist zweifelhaft.

Myrrhe *w*: Die Bezeichnung des bitteraromatischen Gummiharzes (*mhd.* mirre, *ahd.* myrra, mirra), das als Räuchermittel und für Arzneien verwendet wird, ist aus *gr.-lat.* mýrrha ,,Myrrhenbaum; Myrrhe'' entlehnt, das selbst *semit.* Ursprungs ist.

Myrte *w*: Der Name des immergrünen Holzgewächses (schon *mhd.* mirtelboum, *ahd.* mirtilboum), dessen weißblühende Zweige als Brautschmuck verwendet werden, ist aus *gr.-lat.* mýrtos (*lat.* murtus) ,,Myrte'' entlehnt, das wohl *semit.* Ursprungs ist.

Mysterium *s* ,,Geheimlehre, Geheimkult; [religiöses] Geheimnis'': Das in *dt.* Texten seit dem 16. Jh. bezeugte FW geht wie die schon früher vorhandenen Entsprechungen *frz.* mystère und *engl.* mystery auf *lat.* mystērium < *gr.* mystérion zurück. Zu *gr.* mýstēs ,,der (speziell in die Eleusinischen Geheimlehren) Eingeweihte'', das selbst von einem nicht bezeugten Adjektiv *gr.* *mystós ,,verschwiegen'' abgeleitet ist. Stammwort ist das *gr.* Verb mýein ,,sich schließen (von Lippen und Augen)'', das elementarverwandt ist mit den unter →Maul dargestellten Wörtern schallnachahmenden Ursprungs. Dazu: mysteriös ,,geheimnisvoll, rätselhaft, dunkel'' (18. Jh.; aus gleichbed. *frz.* mystérieux; zu *frz.* mystère); Mystik *w* ,,religiöse Bewegung (des Mittelalters), die den Menschen durch innere Versenkung und Hingabe zu persönlicher Vereinigung mit Gott bringen will'', ein bis in die Spätantike zurückreichendes Wort (beachte *mlat.* 'theologia mystica' und 'ūniō mystica'), das sich aus dem Adjektiv *lat.* mysticus < *gr.* mystikós ,,zur Geheimlehre gehörend; geheim, geheimnisvoll'' entwickelte. Danach das Adjektiv mystisch ,,geheimnisvoll'' (um 1700).

Mythos *m* ,,Sage und Dichtung (von Göttern, Helden und Geistern aus der Urzeit eines Volkes); Legendenbildung'', daneben mit latinisierter Endung Mythus *m* und eingedeutscht Mythe *w*: Entlehnt aus *gr.* (-*lat.*) mŷthos ,,Wort, Rede; Erzählung, Fabel, Sage''. – Dazu das Adjektiv mythisch ,,sagenhaft, erdichtet'' (aus *gr.* mýthikós) und die Zus. Mythologie *w* ,,Mythenforschung, Sagengeschichte; Götterlehre'' (aus *gr.* mȳthología).

N

Nabe *w*: Die *altgerm.* Bezeichnung für ,,Mittelteil des Rades, durch das die Achse geht'' (*mhd.* nabe, *ahd.* naba, *niederl.* naaf, *engl.* nave, *schwed.* nav) beruht mit dem unter →Nabel behandelten Wort auf *idg.* *[e]nebh- ,,Nabel; Nabe''. In anderen *idg.* Sprachen sind z. B. verwandt *aind.* nábhi-ḥ ,,Nabel; Nabe''; *pers.* näf ,,Nabel'' und *apreuß.* nabis ,,Nabel; Nabe''. – Das *idg.* Wort bezeichnete urspr. die rundliche Vertiefung in der Mitte des Bauches und wurde, als die Indogermanen den Wagenbau kennenlernten, auf das Mittelteil des Rades übertragen (vgl. die Artikel Achse und Achsel).

Nabel *m*: Das *altgerm.* Wort *mhd.* nabel, *ahd.* nabalo, *niederl.* navel, *schwed.* navle beruht mit verwandten Wörtern in anderen *idg.* Sprachen auf der unter →Nabe behandelten *idg.* Sippe. Es ist die Bezeichnung für die rundliche Vertiefung in der Mitte des Bauches. Zus.: Nabelschnur (18. Jh.).

nach: Das als Adverb und Präposition verwendete Wort (*mhd.* nāch, *ahd.* nāh; *mnd.*

nachahmen

nā) gehört zu dem unter →*nah* behandelten Adjektiv. Es bedeutete zunächst „nahe bei, in die Nähe von", dann „auf etwas hin" und schließlich „hinter etwas her; zufolge, gemäß".

nachahmen „nachmachen, imitieren; nacheifern": Das seit dem 16. Jh. bezeugte Verb gehört zu *mhd.* āmen „[aus]messen", das von *mhd.* āme „Flüssigkeitsmaß" abgeleitet ist. Die Präfixbildung bedeutete demnach urspr. „nachmessen, nachmessend einrichten oder gestalten". – Das *mhd.* Substantiv āme, ōme (daher *nhd.* [2]Ohm *s* Bezeichnung für ein nicht mehr gebräuchliches Flüssigkeitsmaß) ist entlehnt aus *mlat.* āma „Weinmaß", das auf *gr.-lat.* ama „Wassereimer" beruht.

Nachbar *m*: Das *westgerm.* Wort *mhd.* nāchgebūr[e], *ahd.* nāhgibūr[o], *niederl.* nahbuur, *engl.* neighbour ist zusammengesetzt aus den unter →*nah* und →[3]*Bauer* behandelten Wörtern und bedeutet eigtl. „nahebei Wohnender".

Nachen *m* (*landsch.* und dichterisch für:) „Boot, Kahn": Das *altgerm.* Wort *mhd.* nache, *ahd.* nahho, *niederl.* aak, *aengl.* naca, *aisl.* nǫkkvi ist vielleicht mit *aind.* nága-ḥ „Baum" verwandt und bedeutete dann urspr. „[ausgehöhlter] Einbaum".

nachgerade „allmählich, endlich": Das Adverb wurde im 17. Jh. aus dem *Niederd.* ins *Hochd.* übernommen. *Mnd.* nāgerade, älter nārāde „allmählich" enthält als zweiten Bestandteil wahrscheinlich *mnd.* rāt „Reihe" und bedeutet demnach eigtl. „nach der Reihe".

nachhaltig „lange nachwirkend, stark": Das seit dem Ende des 18. Jh.s bezeugte Adjektiv ist abgeleitet von dem heute veralteten Substantiv Nachhalt „etwas, das man für Notzeiten zurückbehält, Rückhalt", das zu dem gleichfalls veralteten nachhalten „andauern, wirken" (vgl. *nach* und *halten*) gehört.

Nachricht *w*: Das seit dem 17. Jh. gebräuchliche Wort trat an die Stelle von älter *nhd.* Nachrichtung (vgl. *nach* und *richten*) und bedeutete wie dies zunächst „das, wonach man sich zu richten hat, Anweisung". Dann wurde es im Sinne von „Mitteilung (die Anweisungen enthält), Botschaft, Neuigkeit" gebräuchlich. Abl.: **benachrichtigen** (19. Jh.).

Nachruf *m* „Würdigung für einen kürzlich Verstorbenen": Das Wort wurde im 17. Jh. als Ersatzwort für 'Echo' geschaffen, setzte sich aber in der Bed. „Nach-, Widerhall" nicht durch. Es wurde dann im Sinne von „Abschiedsworte für einen Scheidenden", seit dem 19. Jh. speziell im Sinne von „Abschiedsworte für einen Verstorbenen" gebräuchlich.

Nacht *w*: Das *gemeingerm.* Wort *mhd.*, *ahd.* naht, *got.* nahts; *engl.* night, *schwed.* natt beruht mit verwandten Wörtern in den meisten anderen *idg.* Sprachen auf *idg.* *nokʷ[t]- „Nacht", vgl. z. B. *aind.* nák „Nacht", *lat.* nox, Gen. noctis „Nacht", nocturnus „nächtlich" (s. nüchtern) und *russ.* nóč' „Nacht". – In alter Zeit bezeichnete das Wort nicht nur den Zeitraum zwischen Sonnenuntergang und Sonnenaufgang, sondern auch den Zeitraum zwischen Sonnenuntergang und Sonnenuntergang, also den Gesamttag (von 24 Stunden). Der Gesamttag begann dementsprechend mit dem Sonnenuntergang, daher bedeutete das Wort Nacht früher auch „Vorabend" (vgl. die Artikel Fastnacht und Weihnacht). Man rechnete – so auch noch in *germ.* Zeit – nach Nächten statt nach Tagen, was sprachlich noch in *engl.* fortnight „vierzehn Tage" zum Ausdruck kommt. – Das Adverb **nachts** (*mhd.*, *ahd.* nahtes) ist Analogiebildung zu tags, dem adverbiell erstarrten Genitiv Einz. von Tag (s. d.). Abl.: **nachten** dichterisch für „Nacht werden; dunkel werden" (*mhd.* nahten, *ahd.* nahtēn); **übernachten** „über Nacht bleiben" (17. Jh.); **umnachten** dichterisch für „mit Nacht oder mit Dunkelheit umgeben; geistig verwirren" (18. Jh.); **nächtigen** *nordd.* für „über Nacht bleiben" (19. Jh.); **nächtlich** (*ahd.* nahtlīh). Zus.: **Nachtschatten** (*mhd.* nahtschate, *ahd.* nahtscato; die Pflanze ist wohl nach ihren dunkelblauen Blüten oder nach ihren schwarzen Beeren so benannt). Siehe auch den Artikel Nachtigall.

Nachtigall *w*: Der *westgerm.* Vogelname *mhd.* nahtegal, *ahd.* nahtgala, *niederl.* nachtegaal, *engl.* nightingale bedeutet eigtl. „Nachtsängerin". Das Grundwort (*westgerm.* *galōn „Sängerin") ist eine Bildung zu dem untergegangenen Verb *ahd.* galan „singen", das zu der Wortgruppe von →*gellen* gehört.

Nacken *m*: Die *dt.* und *nord.* Bezeichnung für „hinterer, äußerer Teil des Halses" (*mhd.* nac[ke], *ahd.* [h]nach; *schwed.* nacke) steht im Ablaut zu gleichbed. *mhd.* nec[ke] (s. die Kollektivbildung Genick), *niederl.* nek, *engl.* neck. Mit dieser *germ.* Wortgruppe sind vermutlich verw. *tochar.* A kñuk „Genick" und *air.* cnocc „Buckel, Hügel". Abl.: **hartnäckig** (15. Jh.). Zus.: **Nackenschlag** „Schicksalsschlag, Demütigung" (18. Jh.).

nackt: Das *gemeingerm.* Adjektiv *mhd.* nacket, *ahd.* nachot, *got.* naqaþs, *engl.* naked, *aisl.* nokkvidr beruht mit verwandten Wörtern in anderen *idg.* Sprachen auf *idg.* *nogʷ- „nackt", vgl. z. B. *aind.* nagná-ḥ „nackt", *gr.* gymnós (aus nymnós) „nackt" (s. Gymnastik, Gymnasium) und *lat.* nūdus „nackt" (s. Nudismus). Die starken Abweichungen der einzelnen Formen erklären sich zum Teil daraus, daß das *idg.* Adjektiv schon früh tabuistisch entstellt worden ist. – Eine Form mit sekundärem n ist *nhd.* **nackend** (*mhd.* nakent). Die Weiterbildun-

460

gen nackig und nackicht sind seit dem 17./18. Jh. gebräuchlich. Jung ist die vom *Nordd.* ausgegangene Bildung Nackedei *m* scherzh. für „nacktes Kind".

Nadel *w*: Das *gemeingerm.* Substantiv *mhd.* nädel[e], *ahd.* näd[a]la, *got.* nēþla, *engl.* needle, *schwed.* nål ist eine Instrumentalbildung zu dem unter →*nähen* behandelten Verb und bedeutete demnach urspr. „Gerät zum Nähen".

Nagel *m*: Das *altgerm.* Wort *mhd.* nagel, *ahd.* nagal, *niederl.* nagel, *engl.* nail, *schwed.* nagel gehört mit verwandten Wörtern in anderen *idg.* Sprachen zu *idg.* *[o]nogh- „Nagel an Fingern und Zehen, Kralle, Klaue", vgl. z. B. *gr.* ónyx „Nagel, Kralle" (s. Onyx), *lat.* unguis „Nagel" und *russ.* nogá „Fuß, Bein" (urspr. „Klaue"), *nógot'* „Nagel". Die Bed. „spitzer Holz- oder Eisenstift" ist also sekundär und hat sich erst in *germ.* Zeit aus „Finger-, Zehennagel, Kralle" entwickelt. – Eine Verkleinerungsbildung zu 'Nagel' ist der unter →*Nelke* behandelte Blumenname. Abl.: nageln (*mhd.* nagelen, *ahd.* nagalen). Zus.: nagelneu (*spätmhd.* nagelniuwe, 15. Jh.; urspr. von neu genagelten Gegenständen), dazu verstärkend funkelnagelneu (18. Jh.).

nagen: Das *altgerm.* Verb *mhd.* nagen, *ahd.* [g]nagan, *engl.* to gnaw, *schwed.* gnaga gehört mit verwandten Wörtern in anderen *idg.* Sprachen zu der vielfach erweiterten Wz. *gh[e]nə- „nagen, beißen, kratzen" (vgl. z. B. *awest.* aiwi-γnixta „angenagt, angefressen"). Zu dieser Wurzel gehören im Sinne von „nagendes, beißendes Insekt" aus dem *germ.* Sprachbereich auch *nordd.* Gnitte, Gnitze *w* „Triebelmücke" (*mnd.* gnitte) und *hochd. mdal.* Gnatz „[kleine] Mücke" (*niederd.* gnatte, *engl.* gnat). – Intensivbildung zu 'nagen' ist →*necken*. Abl.: Nager *m* „Säugetier mit Nagezähnen" (17. Jh.). Zus.: Nagetier (18. Jh.).

nah[e]: Die Herkunft des *gemeingerm.* Wortes (Adj. und Adv.) *mhd.* nāch, *ahd.* nāh, *got.* nēh[a], *aengl.* nēah, *aisl.* na- ist unklar. Um 'nah[e]' gruppieren sich die Bildungen Nähe *w* (*mhd.* nǣhe, *ahd.* nāhī), nahen (*mhd.* nāhen, vgl. *got.* nēhvjan, *aengl.* nǣgan, *schwed.* nå) und nähern, sich (*mhd.* nǣhern), beachte auch den subst. Superlativ Nächste *m*, dazu Nächstenliebe (18. Jh.). Erst in *nhd.* Zeit sind durch Zusammenziehung entstanden beinah[e] „fast" und nahezu „fast". Siehe auch den Artikel nach.

nähen: Das nur *dt.* und *niederl.* Verb (*mhd.* nǣjen, *ahd.* nājen, *niederl.* naaien) gehört mit verwandten Wörtern in anderen *idg.* Sprachen zu der vielfach weitergebildeten und erweiterten *idg.* Wz. *[s]nē- „Fäden zusammendrehen, knüpfen, weben, spinnen". Eng verwandt mit diesem Verb, zu dem die Substantivbildungen →*Naht* und →*Nadel* gehören, sind z. B. *gr.* néein „spinnen",

nēma „Gespinst, Faden" und *lat.* nēre „spinnen", nēmen „Gespinst, Gewebe". Zu den verschiedenen Erweiterungen dieser Wurzel gehören aus dem *germ.* Sprachbereich →*nesteln* „knüpfen, schnüren" →*Netz* (eigtl. „Geknüpftes") und →*Nessel* (als „Gespinstpflanze"), ferner mit anlautendem s- die Sippen von →*Schnur* und von →*schleunig* (eigtl. „[sich] schnell drehend"). Zus.: Nähmaschine (19. Jh.; LÜ von *engl.* sew[ing]-machine).

nähren: Das *altgerm.* Verb *mhd.* ner[e]n, *ahd.* nerian, *got.* nasjan, *aengl.* nerian ist das Veranlassungswort zu dem unter →*genesen* behandelten Verb und bedeutete demnach urspr. „davonkommen machen, retten, am Leben erhalten". Eng verwandt damit ist das im *Nhd.* untergegangene Substantiv *ahd.* nara, *mhd.* nar „Heil; Rettung; Nahrung; Unterhalt", von dem nahrhaft (17. Jh.) und Nahrung *w* (*mhd.* narunge) abgeleitet sind. Zus.: Nährboden (19. Jh.); Nährwert (19. Jh.). – Beachte auch die Präfixbildung ernähren (*mhd.* erner[e]n, *ahd.* irnerian), dazu Ernährer *m* (19. Jh.) und Ernährung *w* (19. Jh.).

Naht *w*: Das auf das *dt.* und *niederl.* Sprachgebiet beschränkte Wort (*mhd.*, *ahd.* nāt, *niederl.* naad) ist eine Bildung zu dem unter →*nähen* behandelten Verb.

naiv „natürlich, unbefangen; kindlich; treuherzig, arglos; einfältig": Im Anfang des 18. Jh.s aus gleichbed. *frz.* naïf entlehnt, das auf *lat.* nātīvus „durch Geburt entstanden; angeboren, natürlich" zurückgeht. Zu *lat.* nāscī (nātum) „geboren werden, entstehen". Über weitere etymologische Zusammenhänge vgl. den Artikel *Nation*. – Abl.: Naivität *w* „Natürlichkeit, Unbefangenheit; Kindlichkeit; Einfalt" (18. Jh.; aus *frz.* naïveté); Naivling *m* „gutgläubiger, einfältiger Mensch" (im abschätzigen Sinne), eine junge Bildung neuester Zeit.

Name *m*: Das *gemeingerm.* Wort *mhd.*, *ahd.* namo, *got.* namō, *engl.* name, *schwed.* namn beruht mit verwandten Wörtern in anderen *idg.* Sprachen auf *idg.* *[e]nōmn̥- „Name", vgl. z. B. *lat.* nōmen „Name, Benennung, Wort" (s. die umfangreiche Fremdwörtergruppe um Nomen) und *gr.* ónoma, *dial.* ónyma „Name, Benennung, Wort" (s. die Fremdwörtergruppe um anonym). – Eine alte Ableitung von dem *gemeingerm.* Substantiv ist das unter →*nennen* behandelte Verb. Abl.: namentlich „ausdrücklich (mit Namen genannt); vornehmlich, besonders (mit sekundärem t aus *mhd.* name[n]lich, wie z. B. eigentlich aus eigenlich); namhaft „mit Namen bekannt, berühmt, bedeutend" (*mhd.* namehaft, *ahd.* namohaft); nämlich „genauer gesagt" (*mhd.* nemelīche „um es ausdrücklich zu nennen; vorzugsweise; fürwahr; auf gleiche Weise", Adv. zu *mhd.* namelich, *ahd.*

Napf

namolīh „mit Namen genannt, ausdrücklich", beachte der nämliche „derselbe", *mhd.* der nemelīche, eigtl. „der eben mit Namen Genannte"); namsen *landsch.* für „mit einem Namen belegen" (16. Jh.; *ugs.* gewöhnlich benamsen). Zus.: Namenstag „Tag des Namenspatrons" (17. Jh.); Namensvetter „einer, der den gleichen Namen trägt" (18. Jh.).

Napf *m*: Die Herkunft der *altgerm.* Gefäßbezeichnung (*mhd.* napf, *ahd.* [h]napf, *niederl.* nap, *aengl.* hnæpp, *schwed.* napp) ist dunkel. Zus.: Napfkuchen „in einer Napfform gebackener Kuchen" (18. Jh.).

Narbe *w*: Das seit dem 12. Jh. bezeugte Wort (*frühmhd.* narwa, *mhd.* narwe; *mnd.* nar[w]e) ist die substantivierte weibliche Form des im *Dt.* untergegangenen *westgerm.* Adjektivs *narwa- „eng", vgl. *asächs.* naro, *niederl.* naar, *engl.* narrow „eng" (s. den Artikel Nehrung). Das Wort bedeutet also eigtl. „Enge" und bezeichnete demnach urspr. die Verengung der Wundränder. Im übertragenen Gebrauch bezeichnet 'Narbe' die Unebenheiten auf der Haarseite des gegerbten Fells und die mit Wurzelfasern durchsetzte Oberfläche des Erdbodens, beachte die Zus. Grasnarbe. Abl.: vernarben „abheilen" (19. Jh.); narbig „mit Narben bedeckt" (18. Jh., für älteres narbicht).

Narkose *w* „allgemeine Betäubung" (Med.): Das seit dem 19. Jh. zuvor schon in der Form 'Narcosis' (Anfang 18. Jh.) erscheint, beruht auf einer gelehrten Entlehnung aus *gr.* nárkōsis „Erstarrung". Zu *gr.* nárkē „Krampf, Lähmung, Erstarrung" bzw. zu dem davon abgeleiteten Verb *gr.* narkān „erstarren" – Dazu: narkotisch „betäubend, berauschend" (bereits im 16. Jh.; aus *gr.* narkōtikós „erstarren machend"), ferner die Neubildungen narkotisieren „betäuben" (19. Jh.) und Narkotiseur *m* „Narkosearzt" (20. Jh., mit französierender Endung).

Narr *m*: Die Herkunft des nur *dt.* Wortes (*mhd.* narre, *ahd.* narro) ist nicht sicher geklärt. Vielleicht ist *ahd.* narro aus *spätlat.* nāriō „Nasenrümpfer, Spötter" entlehnt. Abl.: narren „zum Narren haben" (16. Jh.; *mhd.* [er]narren, *ahd.* irnarrēn „zum Narren werden, sich wie ein Narr benehmen", beachte auch *mhd.* vernarren „ganz zum Narren werden", *ahd.* vernarren „sich verlieben"); Narretei *w* „Streich, Albernheit" (Anfang des 17. Jh.s, aus älterem Narrenteiding „Narrenstreich" gekürzt, dessen zweiter Bestandteil *mhd.* teidinc, älter tagedinc „Verhandlung, Zusammenkunft" ist, vgl. verteidigen); närrisch „albern, komisch" (*mhd.* nerrisch). Zus.: Narrenhaus *ugs.* für „Irrenanstalt" (16. Jh.).

Narzisse *w*: Der seit dem 16. Jh. belegte Name der als Gartenblume beliebten, stark duftenden Zwiebelpflanze ist aus *lat.* narcissus < *gr.* nárkissos entlehnt. Es handelt sich dabei letztlich um ein FW wohl *ägäischen* Ursprungs, das dann im *Gr.* volksetymologisch an *gr.* nárkē „Krampf; Lähmung, Erstarrung" angeschlossen wurde (wegen des benehmenden Duftes der Pflanze).

naschen: Das *dt.* und *nord.* Verb (*mhd.* naschen, *ahd.* naskōn, *dän.* naske, *schwed.* mdal. naska) ist lautnachahmenden Ursprungs und bedeutete urspr. etwa „knabbern, schmatzen". Gleichfalls lautnachahmend sind die gleichbed. Verben *niederd.* gnaschen, *dän.* gnaske, *schwed.* snaska. Abl.: naschhaft (17. Jh.). Zus.: Naschwerk „Leckereien, Süßigkeiten" (17. Jh.).

Nase *w*: Die *germ.* Bezeichnungen des Geruchsorgans *mhd.* nase, *ahd.* nasa, *niederl.* neus, *engl.* nose, *schwed.* näsa beruhen mit der unter →Nüster behandelten Bildung auf *idg.* *nas- „Nase", urspr. wahrscheinlich „Nasenloch" (beachte z. B. *aind.* nåsa Nom. Dualis „Nase", eigtl. „die beiden Nasenlöcher"). In anderen *idg.* Sprachen sind z. B. verwandt *lat.* nāsus „Nase" und *russ.* nós „Nase". – Abl.: näseln „durch die Nase sprechen" (15. Jh.). Zus.: Nasenstüber „leichter Puff gegen die Nase, Rüffel" (17. Jh., in der Form Nasenstieber; der zweite Bestandteil gehört zu →stieben); naseweis „vorlaut" (*mhd.* nasewīse „scharf witternd, spürnasig", vom Jagdhund); Nashorn (Anfang des 16. Jh.s; LÜ von *gr.-lat.* rhīnocerōs, s. den Artikel Rhinozeros). Siehe auch den Artikel nuscheln.

naß: Die Herkunft des Adjektivs (*mhd.*, *ahd.* naz; *niederl.* nat) ist dunkel. Eine alte Ableitung von diesem Adjektiv ist das unter →netzen behandelte Verb. Abl.: Naß *s* (*mhd.* naz; Substantivierung des Adjektivs); Nässe *w* (*mhd.* nezze, *ahd.* nazzi); nässen „naß machen; im Bett urinieren" (17. Jh.).

Nation *w*: Das seit dem Ende des 14. Jh.s bezeugte FW geht auf *lat.* nātiō (nātiōnis) „das Geborenwerden; das Geschlecht; der [Volks]stamm, das Volk" zurück, das zu *lat.* nāscī (< *gnāscī) „geboren werden, entstehen" bzw. zu dem Partizipialadjektiv nātus (< gnātus) „geboren" gehört (über weitere etymologische Zusammenhänge vgl. den Artikel Kind). So bezeichnet das Wort Nation also eigtl. den natürlichen Verband der durch „Geburt" im gleichen Lebensraum zusammengewachsenen und zusammengehörenden Menschen, ein Volk in seiner Gesamtheit und geschichtlichen Eigentümlichkeit. In diesem Sinne galt das FW bis ins 18. Jh. Seitdem ist der Begriff 'Nation' vielfach umstritten, wird aber im wesentlichen nach franz. Vorbild durch politische Merkmale enger definiert, etwa als „Lebensgemeinschaft von Menschen mit dem Bewußtsein gleicher politisch-kultureller Vergangenheit und dem Willen zum Staat". – Von besonderem Interesse ist in diesem Zusammenhang das zu 'Nation' gebildete Adjektiv **national** „einem Volke eigentümlich; vaterländisch", das in der Zus. **Nationalversammlung** bereits im 16. Jh. bezeugt ist, aber erst im 18. Jh. unter *frz.* Einfluß als staatspolitisches Wort allgemeine Verbreitung findet. Es lebt darüber hinaus nicht nur in einer Fülle von Zusammensetzungen wie **international** „zwischenstaatlich; nicht national beschränkt, allgemein" (19. Jh.; zuerst im *Engl.* bezeugt), **Nationalhymne** (19. Jh.; nach *frz.* hymne national) und **Nationalsozialismus** (20. Jh.), **Nationalsozialist** (dafür die verächtliche Kurzform **Nazi** *m*), sondern auch in den folgenden Weiterbildungen: **Nationalität** *w* „Volkstum; Staatsangehörigkeit" (Ende 18. Jh.; nach entspr. *frz.* nationalité); **Nationalismus** *m* „übersteigertes Nationalbewußtsein" (zuerst 1740, aber noch allgemein im Sinne von „nationales Denken"; als politisches Schlagwort seit dem 19. Jh. nach *frz.* nationalisme), **Nationalist** *m* „Verfechter des Nationalismus" (19.Jh.), **nationalistisch** (19./20.Jh.). Beachte auch das FW → Renaissance. – Vgl. ferner die Artikel naiv und Natur.

Natron *s*: Das natürlich vorkommende Laugensalz wurde von den alten Ägyptern *nṭr[j]* genannt. Diese Bezeichnung gelangte in die europäischen Sprachen, und zwar einerseits über *arab.* naṭrūn, das *frz., engl.* natron, *span.* (mit *arab.* Artikel) anatron und *dt.* Natron (16. Jh.) mit dem im 19. Jh. hinzugebildeten *nlat.* Metallnamen **Natrium** *s* „Alkalimetall" lieferte. Andererseits wurde uns das ägyptische Wort durch *gr.* nítron „Laugensalz, Soda, Natron" und gleichbed. *lat.* nitrum vermittelt. Letzteres erscheint zuerst in *frühnhd.* 'Sal[n]iter' „Salpeter" (= *lat.* sal nitrum) und später in dem FW Nitrum „Salpeter". Dies spielt eine bedeutsame Rolle in zahlreichen gelehrten Zus. wie Nitrogenium *s* „Stickstoff" (so benannt, weil der Stickstoff ein „Salpeterbildner" ist) und Nitroglyzerin (hochexplosiver Sprengstoff), ferner in den abgeleiteten Bezeichnungen Nitrat *s* „Salz der Salpetersäure" und Nitrit *s* „Salz der salpetrigen Säure".

Natter *w*: Das *westgerm.* Wort *mhd.* nāter, *ahd.* nāt[a]ra, *asächs.* nādra, *aengl.* nǣdre steht im Ablaut zu gleichbedeutend *got.* nadrs und *aisl.* naðr und ist mit *lat.* natrix „Wasserschlange" und *air.* nathir „Schlange" verwandt. Das den Germanen, Kelten und Italikern gemeinsame Wort gehört vielleicht im Sinne von „die Sichwindende" zu der unter →*nähen* behandelten *idg.* Wurzel. – Siehe auch den Artikel ²Otter.

Natur *w* „das ohne fremdes Zutun Gewordene, Gewachsene; die Schöpfung, die Welt", häufig übertragen gebraucht im Sinne von „Wesen, Art; Anlage, Charakter": Das Substantiv *mhd.* natūre, *ahd.* natūra ist aus *lat.* nātūra „das Hervorbringen; die Geburt; natürliche Beschaffenheit, Wesen; Natur, Schöpfung usw." entlehnt, das wie *lat.* nātiō „das Geborenwerden; das Geschlecht; der [Volks]stamm usw." (s. die Fremdwortgruppe um →Nation) zum Partizipialstamm nātus „geboren" (< gnātus) von *lat.* nāscī (< *gnāscī) „geboren werden, entstehen" gehört. Über weitere etymologische Zusammenhänge vgl. den Artikel Kind. – Abl. und Zus.: **natürlich** „von Natur aus (oft im Gegensatz zu 'künstlich'); gewiß, selbstverständlich; ungezwungen" (*mhd.* natiurlich, *ahd.* natūrlīh); **Naturforscher** (17. Jh.); **Naturkunde** (17. Jh.); **Naturwissenschaft** (18. Jh.; als Sammelbezeichnung für die Wissenschaft von den Vorgängen und Gegebenheiten in der Natur, z. B. Physik, Chemie, Biologie usw.) und zahlreiche andere Zusammensetzungen. – Zu *lat.* nātūra bzw. dem darauf beruhenden gleichbed. *frz.* nature gehören noch die folgenden Fremdwörter: **Natural...** „die Natur bzw. die Naturerzeugnisse betreffend; Sach..." (aus *lat.* nātūrālis „zur Natur gehörig, natürlich"), nur gebräuchlich in Zusammensetzungen wie **Naturallohn** „Entlohnung in Form von Sachwerten oder Lebensmitteln"; dazu das Substantiv **Naturalien** *Mehrz.* „Naturerzeugnisse; Lebensmittel, Waren; Dienstleistungen" (17. Jh.; aus dem Neutrum Plural nātūrālia von *lat.* nātūrālis). – **naturalisieren** „(einen Ausländer) in den eigenen Staatsverband rechtlich aufnehmen, einbürgern" (17. Jh.; aus gleichbed. *frz.* naturaliser). – **Naturalismus** *m* „Weltanschauung, die alles Seiende aus der Natur und diese allein aus sich selbst zu erklären versucht; Wirklichkeitstreue"; ferner Bezeichnung für eine gesamteuropäische [literarische] Bewegung des ausgehenden 19. Jh.s, die eine möglichst getreue Wiedergabe der Natur in der Kunst anstrebte. Das Wort ist eine *nlat.* Bildung des 18. Jh.s nach entspr. *frz.* naturalisme; dazu das Substantiv **Naturalist** „Vertreter des Naturalismus" (18. Jh.; nach gleichbed. *frz.* naturaliste). – **Naturell** *s* „natürliche Veranlagung, natürliche Wesensart, Gemütsart, Temperament": Im 17. Jh. aus gleichbed. *frz.* naturel entlehnt, dem substantivierten Adjektiv *frz.* naturel (< *lat.* nātūrālis) „natürlich, naturgemäß, von Natur aus vorhanden".

Nautik *w* „Schiffahrtskunde; Seewesen": Das seit dem Ende des 18. Jh.s bezeugte FW geht auf *gr.* nautikḗ (téchnē) „Schiffahrtskunde" zurück, das zugrunde liegende Adjektiv *gr.* nautikós „Schiff oder Seefahrt betreffend", von dem unser Adjektiv **nautisch** „die Nautik betreffend" (18./19. Jh.) gebildet wurde, ist von *gr.* naũs „Schiff"

463

abgeleitet. Damit urverwandt ist *lat.* nāvis „Schiff" (s. Navigation).

Navigation *w* „Kurs- und Standortbestimmung in der See- und Luftfahrt": Das seit dem 16. Jh. bezeugte FW, dessen Bedeutung jedoch bis in die neueste Zeit viel allgemeiner war, etwa „Schiffahrt, Kunst der Schiffsführung", beruht auf einer gelehrten Entlehnung aus *lat.* nāvigātiō „Schiffahrt". Zugrunde liegt das *lat.* Substantiv nāvis „Schiff" (urverw. mit gleichbed. *gr.* naũs; s. Nautik) bzw. das davon abgeleitete Verb *lat.* nāvigāre „schiffen, zur See fahren", nach dem **navigieren** „Kurs- und Standortbestimmung eines Schiffes oder Flugzeuges vornehmen" gebildet ist (20. Jh.). Der für die Navigation zuständige Spezialist an Bord eines Schiffes oder Flugzeuges heißt entsprechend **Navigator** *m* (20. Jh.; nach *lat.* nāvigātor „Schiffer, Seemann").

Nebel *m*: Das *dt.* und *niederl.* Wort (*mhd.* nebel, *ahd.* nebul, *niederl.* nevel) gehört mit verwandten Wörtern in anderen *idg.* Sprachen zu der vielgestaltigen *idg.* Wz. *[e]nebh- „Feuchtigkeit, Dunst, Dampf, Nebel, Wolke", vgl. z. B. *gr.* néphos „Nebel, Wolke", nephélē „Nebel, Wolke", *lat.* nebula „Dunst, Nebel, Wolke"; nimbus „Sturm-, Regenwolke; Platzregen" (s. Nimbus). Abl.: **nebeln**, *südd.* nibeln (*mhd.* nebelen, nibelen, *ahd.* nibulen; dazu: **benebeln, umnebeln, vernebeln**); **nebelhaft** (17. Jh.); **neb[e]lig** (15. Jh.). Siehe auch den Artikel Imme.

neben: Die Präposition *mhd.*, *ahd.* neben ist gekürzt aus *mhd.* eneben, *ahd.* ineben, das sich aus der adverbiell gebrauchten Fügung *in ebanī, *an ebanī „auf gleiche Weise; zusammen, nebeneinander" entwickelt hat (zum Substantiv ebanī vgl. **eben**). In Zusammensetzungen drückt ‘neben’ gewöhnlich die Unterordnung, seltener die Gleichstellung aus, beachte z. B. einerseits **Nebenbahn, Nebenfrau, Nebensache** (17. Jh.), dazu **nebensächlich** (17. Jh.), andererseits z. B. **Nebenbuhler** (s. Buhle). Abl.: **nebst** „zugleich mit" (17. Jh., entstanden aus nebenst, einer Weiterbildung der Präposition mit adverbiellem Genitiv-s, *frühnhd.* nebens).

necken: Das seit dem 14. Jh., zunächst *ostmitteld.* bezeugte Verb ist eine Intensivbildung zu dem unter →**nagen** behandelten Verb und bedeutet demnach eigtl. „kräftig nagen oder beißen". Früher wurde ‘necken’ im Sinne von „boshaft reizen, plagen" verwendet, heute ist es im Sinne von „ein übermütiges Spiel oder harmlose Scherze mit jemandem treiben" gebräuchlich. Abl.: **neckisch** „lustig, schelmisch, verschmitzt" (*mhd.*, *mitteld.* neckisch „boshaft, tückisch").

Neffe *m* „Bruder-, Schwestersohn": Die *altgerm.* Verwandtschaftsbezeichnung *mhd.* neve, *ahd.* nevo, *niederl.* neef, *aengl.* nefa, *aisl.* nefi beruht mit verwandten Wörtern in anderen *idg.* Sprachen auf *idg.* *nepōt- „Enkel, Neffe", vgl. z. B. *aind.* nápāt „Enkel, Nachkomme" und *lat.* nepōs „Enkel[kind]; Neffe". Das *idg.* Wort ist vermutlich zusammengesetzt aus der Verneinungspartikel *ne- (vgl. *nicht*) und aus *poti-s „Herr, Gebieter" (vgl. *potent*) und bedeutet demnach eigtl. etwa „Unmündiger". Siehe auch den Artikel Nichte.

Neger *m*: Die in *dt.* Texten seit dem 17. Jh. bezeugte und seit dem 18. Jh. eingebürgerte Bezeichnung für die Angehörigen der schwarzen Rasse ist aus gleichbed. *frz.* nègre entlehnt, das seinerseits auf *lat.* niger „schwarz" zurückgeht, vermittelt durch *span.*, *port.* negro (unmittelbar aus *lat.* niger stammt hingegen *frz.* noir „schwarz"). – Seit dem 19. Jh. begegnet bei uns gelegentlich auch die stets verächtlich gemeinte Bezeichnung **Nigger** *m*, die aus dem *Amerik.* übernommen ist (*amerik.* nigger, das dem familiären und umgangssprachlichen Bereich entstammt, steht für klass. *engl.*, *amerik.* negro).

negieren „verneinen, bestreiten": Im 16. Jh. aus *lat.* negāre „nein sagen, verneinen, bestreiten usw." entlehnt. – Dazu: **Negation** *w* „Verneinung; Verneinungswort" (16. Jh.; aus *lat.* negātiō); **negativ** „verneinend, ablehnend; ergebnislos; ungünstig, schlecht" (18. Jh.; aus *lat.* negātīvus „verneinend"). Letzteres erscheint in neuester Zeit auch in speziell technischem Gebrauch. Es steht hier im Gegensatz zu →**positiv**, einmal in der Elektrizitätslehre, zum anderen in der Photographie im Sinne von „in den Originalfarben verkehrt, vertauscht". Beachte besonders das substantivierte **Negativ** *s* „Gegenbild, Kehrbild" (Ende 19. Jh.).

Negligé *s* „Hauskleid; Morgenrock": Im 18. Jh. aus *frz.* (habillement) négligé entlehnt, das wörtlich etwa „vernachlässigte, lässig-intime Kleidung" bedeutet. Das zugrunde liegende *frz.* négliger „außer acht lassen, vernachlässigen" geht zurück auf gleichbed. *lat.* neg-legere (eigtl. etwa „nicht auswählen", in mit Negativpräfix gebildetes Kompositum von *lat.* legere „[auf]lesen, sammeln; auswählen" (vgl. *Legion*).

nehmen: Das *gemeingerm.* Verb *mhd.* nemen, *ahd.* neman, *got.* niman, *aengl.* niman, *aisl.* nema geht mit verwandten Wörtern in anderen *idg.* Sprachen zurück auf die *idg.* Wz. *nem- „zuteilen", medial „sich selbst zuteilen, nehmen", vgl. z. B. *gr.* némein „[zu]teilen; Weideland zuteilen; weiden" (s. Nomade und ...nom). Das Verbaladjektiv zu ‘nehmen’ ist →**genehm**. Die beiden Substantivbildungen *mhd.* nāme, *ahd.* nāma „das [gewaltsame] Nehmen, Raub" und *mhd.* nunft, *ahd.* numft „das Nehmen, das Ergreifen" sind heute nur noch in Zusammensetzungen bewahrt, beachte die zu den

entsprechenden Präfixbildungen und Zus. gehörigen Ab-, An-, Auf-, Ein-, Ent-, Nach-,
Über-, Zunahme und das zu 'vernehmen'
gebildete →Vernunft. Wichtige Präfixbildungen und Zus. sind benehmen „wegnehmen, entziehen", reflexiv (seit dem 18. Jh.)
„sich betragen, sich aufführen" (mhd. bene-
men, ahd. biniman), dazu das adjektivisch
verwendete 2. Partizip benommen „schwindlig, betäubt" (eigtl. „dem Bewußtsein ent-
zogen"), der substantivierte Infinitiv Benehmen s „Betragen" und Benimm m ugs.
für „Betragen, Verhalten" (subst. Imperativ 'benimm [dich]!'); unternehmen
„beginnen, betreiben, machen" (mhd. un-
dernemen), dazu der substantivierte Infinitiv Unternehmen s „Vorhaben; Geschäft, Betrieb" und Unternehmer m
„Geschäftsmann, Fabrikant" (nach frz.
entrepreneur, engl. undertaker); vernehmen „gewahr werden, wahrnehmen,
hören; verhören, gerichtlich befragen" (mhd.
vernemen, ahd. firneman), dazu vernehmlich „laut, deutlich" (eigtl. „hörbar") und
Vernehmung w „Verhör, gerichtliche Befragung". – Siehe auch den Artikel vornehm.

Nehrung w: Die Bezeichnung für „schmaler,
langgestreckter Landstreifen, der Strand-
seen vom Meer trennt" gehört zu dem unter
→Narbe behandelten Adjektiv *narwa-
„eng" und bedeutet demnach eigtl. „die
Enge". Die seit dem 16. Jh. bezeugte Form
Nehrung ist aus 'nerge' entstanden, beachte
kūrische Nerge „kurische Nehrung" (14. Jh.).

Neid m: Die Herkunft des gemeingerm. Wortes für „Haß, Groll, feindselige Gesinnung"
(mhd. nīt, ahd. nīd, got. neiþ, aengl. nīd, aisl.
nīð) ist unklar. Die heute allein übliche Bed.
„Mißgunst" entwickelte sich schon früh aus
der Bed. „Haß". Abl.: neiden „mißgönnen"
(mhd. nīden, ahd. nīdōn, -en; das einfache
Verb wird heute nur noch in gehobener
Sprache verwendet; allgemein gebräuchlich
ist die Präfixbildung beneiden); neidisch
„abgünstig" (mitteld. nīdisch, 13. Jh.). Zus.:
Neidhammel „neidischer Mensch" (16. Jh.);
beachte die Zus. Streithammel; Neidnagel
(s. Niednagel).

neigen: Das altgerm. Verb mhd. neigen, ahd.
hneigan, niederl. neigen, aengl. hnǣgan, aisl.
hneigja ist das Veranlassungswort zu dem
im Nhd. untergegangenen starken Verb
mhd. nīgen, ahd. hnīgan „sich neigen, sich
beugen, sinken" usw. Eine Intensiv-Iterativ-Bildung zu diesem starken Verb ist
→nicken. Mit dieser germ. Wortgruppe ist
z. B. verwandt lat. nītī „sich stemmen, sich
stützen", eigtl. „sich auflehnen" (s. renitent), nictāre „nicken, zublinzeln, zwinkern".
Das adjektivisch verwendete 2. Partizip geneigt wird gewöhnlich im Sinne von „wohlgesinnt, gnädig; gewillt" gebraucht, beachte
auch abgeneigt „nicht gewillt, abhold".
Präfixbildung und Zus. mit 'neigen' sind

verneigen, sich „sich verbeugen" (mhd.
verneigen), dazu Verneigung w „Verbeugung", und zuneigen „einen Hang zu etwas haben, wohlgesinnt sein" (mhd. zuonei-
gen), dazu Zuneigung w „Gewogenheit,
Liebe". Abl.: Neige w (mhd. neige „Neigung, Senkung; Tiefe", seit dem 15. Jh. auch
„letzter Inhalt eines Gefäßes, Rest"); Neigung w (mhd. neigunge „Gewogenheit,
Liebe; Lust; Zustimmung").

nein: Das verneinende Antwortadverb mhd.,
ahd. nein (entspr. niederl. neen) ist aus der
Negationspartikel ahd. ni und dem Neutrum
des unbestimmten Artikels ahd. ein (vgl.
¹ein) entstanden und bedeutet demnach
eigtl. „nicht eins". Die Negationspartikel
ahd. ni steckt z. B. auch in →nicht und
→nie (vgl. un...). Heute wird 'nein' auch als
Ausruf des Erstaunens verwendet. Abl.:
verneinen „nein sagen, abschlagen" (mhd.
verneinen).

nekro..., Nekro...: Bestimmungswort von
Zusammensetzungen mit der Bed. „Toter,
Leiche", wie in Nekrolog. Zugrunde liegt gr.
nekrós „tot, gestorben; Toter, Verstorbener,
Leichnam".

Nektar m: Gr. néktar, der Name des den
Göttern (der griech. Sage) ewige Jugend
spendenden Göttertrankes, wurde im 16. Jh.
über lat. nectar als FW in die dt. Dichtersprache übernommen. In neuester Zeit wurde
das Wort in der biolog. Fachsprache zur
übertragenen Bezeichnung der von der Ho-
nigdrüse im Bereich einer Blüte (oder eines
Blattes) zur Anlockung der Insekten ausge-
schiedenen Zuckerlösung.

Nelke w: Die nhd. Form Nelke hat sich über
neilke aus mnd. negelke entwickelt. Das
mnd. Wort ist wie auch mhd. negellīn eine
Verkleinerungsbildung zu dem unter →Na-
gel behandelten Substantiv und bedeutet
also eigtl. „Nägelchen, Näg[e]lein". Sowohl
mnd. negelken als auch mhd. negellīn bezeichneten zunächst die Gewürznelke, d. h. die
aus Übersee stammenden getrockneten Blü-
tenknospen des Gewürznelkenbaums, die in
ihrer Form Ähnlichkeit mit einem kleinen
Nagel haben. Im 15. Jh. wurde das Wort
dann auf die Gartennelke übertragen, weil
die Blume einen gewürznelkenartigen Duft
hat.

nennen: Das gemeingerm. Verb mhd. nennen,
ahd. nemnen, got namnjan, aengl. nemnan,
schwed. nämna ist von dem unter →Name
behandelten Substantiv abgeleitet und bedeutet eigtl. „mit einem Namen belegen".
Vgl. dazu z. B. das von lat. nōmen „Name"
abgeleitete Verb nōmināre „nennen" (s.
nominieren). – Präfixbildungen mit 'nennen' sind benennen (mhd. benennen), dazu
Benennung w und ernennen (mhd. ernennen), dazu Ernennung w. Abl.: Nen-
ner m „Zahl unter dem Bruchstrich" (Ende
des 15. Jh.s, für mlat. dēnōminātor; so be-

nannt, weil die Zahl unter dem Bruchstrich den Bruch nennt).

neo..., Neo...: Bestimmungswort von Zusammensetzungen mit der Bed. „neu, erneuert, jung". Zugrunde liegt das *gr.* Adjektiv néos (< *néu-os) „neu, frisch, jung", das mit *dt.* →*neu* urverwandt ist.

neppen „[durch ungerechtfertigt hohen Preis] übervorteilen, begaunern": Die Herkunft des aus der Gaunersprache in die allgemeine Umgangssprache gelangten Zeitwortes ist nicht gesichert. – Abl.: Nepp *m* „Übervorteilung, Preisgaunerei".

Nerv *m*: Das in *dt.* Texten seit dem 16. Jh. bezeugte, aus *lat.* nervus „Sehne, Flechse; Band; Muskelband" (urverwandt mit gleichbed. *gr.* neûron; vgl. *neuro...*) entlehnte FW erscheint zuerst mit der allgemeinen Bed. „Sehne, Flechse", wie sie noch in dem abgeleiteten Adjektiv nervig „sehnig, muskulös; kraftvoll" (18. Jh.) anklingt. Der medizinische Gebrauch des Wortes zur Bezeichnung der aus Ganglienzellen bestehenden Körperfasern, die die Reizleitung zwischen Gehirn, Rückenmark und Körperorganen besorgen, entwickelte sich später im 18. Jh., zuerst wohl im *engl.* Sprachraum. Seit dem 17. Jh. gilt ‚Nerv' auch im übertragenen Sinne von „innere Kraft, Gehalt, Wesen; kritische Stelle", beachte besonders die heute vorwiegend scherzhaft verwendete Formel ‚Nervus rerum' „Hauptsache; Geld" (wörtl.: „Nerv der Dinge"). – Abl.: nervös „nervenempfindlich; nervenschwach; reizbar, fahrig, aufgeregt" (19. Jh.; nach *frz.* nerveux, *engl.* nervous; aber schon im 17. Jh. nervos „nervig"; Quelle ist *lat.* nervōsus „sehnig, nervig"); Nervosität *w* „Nervenschwäche; Reizbarkeit, Erregtheit, Unrast" (19. Jh., = *frz.* nervosité; Quelle *lat.* nervōsitās „Stärke einer Faser, Kraft"); enervieren „entnerven" (17. Jh.; nach *frz.* énerver aus *lat.* ē-nervāre „der Nerven entledigen, entkräften"), dafür heute meist entnerven (Ende 17. Jh.; Gegenbildung zu einem früheren Zeitwort ‚nerven' „mit Nerven versehen, kräftigen").

Nerz, älter Nörz *m*: Die seit dem 15. Jh. bezeugte Bezeichnung für das Wasserwiesel und dessen Fell wurde im Rahmen des Fellhandels mit den Slawen aus *ukrain.* noryća „Nerz, Nerzfell" entlehnt (vgl. *russ.* nórka, *sorb.* nórc „Nerz"). Das *slaw.* Wort bedeutet eigtl. „Taucher", beachte *slowak.* norit' „untertauchen". Im heutigen Sprachgebrauch wird ‚Nerz' gewöhnlich im Sinne von „Pelz aus Nerzfellen" verwendet.

Nessel *w*: Der *altgerm.* Pflanzenname *mhd.* nezzel, *ahd.* nezzila, *niederl.* netel, *engl.* nettle, *schwed.* nässla ist abgeleitet von einem im *Dt.* untergegangenen Wort für „Nessel": *ahd.* nazza „Nessel" usw. Dieses Wort ist mit den Sippen von →*Netz* und →*nesteln* verwandt und gehört zu der *idg.* Wortgruppe

von →*nähen*. Die Nessel, aus deren Fasern in früheren Zeiten Gewebe bereitet wurden, ist als „Gespinstpflanze" benannt. Zus.: Nesselsucht (Anfang des 18. Jh.s; so benannt, weil sich bei dieser Krankheit Hautschwellungen wie nach der Berührung mit Brennesseln bilden); Nesseltuch „leinwandbindiges Gewebe aus einfachen Baumwollgarnen" (17. Jh.; früher „aus Nesselgarn bereitetes Gewebe").

Nest *s*: Das *westgerm.* Wort *mhd.*, *ahd.* nest, *niederl.* nest, *engl.* nest beruht mit verwandten Wörtern in anderen *idg.* Sprachen auf *idg.* *nizdo-s „Nest", vgl. z. B. *lat.* nīdus „Nest" und *mir.* net „Nest". Das *idg.* Wort ist eine alte Zusammensetzung und bedeutet eigtl. „Niedersetzung, Stelle zum Nieder- oder Einsitzen". Der erste Bestandteil ist *idg.* *ni- „nieder" (vgl. *nieder*), der zweite Bestandteil gehört zu der *idg.* Wz. *sed- „sitzen" (vgl. *sitzen*; s. auch den Artikel Ast). Abl.: nisten (s. d.). Zus.: Nesthäkchen (18. Jh., für älteres Nesthöckelchen, Nesthecklein, vgl. *hocken*).

nesteln „knüpfen, schnüren; herumfingern": Das nur *dt.* und *niederl.* Verb (*mhd.* nesteln, *ahd.* nestilen, *niederl.* nestelen) ist eine Ableitung von einem im *Dt.* nur noch *landsch.* gebräuchlichen Wort für „Schnur, Binde, Bandschleife": *landsch.* Nestel, *mhd.*, *ahd.* nestila, *niederl.* nestel. Eng verwandt sind die Sippen von →*Nessel* und →*Netz* (vgl. *nähen*).

nett „schmuck; zierlich; niedlich; freundlich": Das seit etwa 1500 bezeugte, vom Niederrhein her gemeinsprachlich gewordene Adjektiv ist durch Vermittlung von *mniederl.* net aus *frz.* net „sauber, rein, klar; unvermischt" entlehnt. Dies ist identisch mit *it.* netto „rein, glatt; unvermischt" (s. netto) und geht wie dies auf *lat.* nitidus „glänzend, schmuck" zurück. Stammwort ist *lat.* nitēre „glänzen, blinken".

netto „rein, ohne Abzug, ohne Verpackung" (im Gegensatz zu →*brutto*): Das als Wort der Kaufmannssprache im 15. Jh. aus *it.* (peso) netto „rein, unvermischt" (vgl. *nett*) entlehnt. – Das Wort erscheint auch vielfach in Zus. wie Nettogewicht, Nettopreis.

Netz *s*: Das *gemeingerm.* Wort *mhd.* netze, *ahd.* nezzi, *got.* nati, *engl.* net, *schwed.* nät gehört im Sinne von „Geknüpftes" zu der unter →*nähen* dargestellten *idg.* Wortgruppe. Eng verwandt sind im *germ.* Sprachbereich die unter →*nesteln* und →*Nessel* behandelten Wörter und *außergerm.* z. B. *lat.* nōdus „Knoten", nassa „Fischreuse". – Auf die Verwendung des Netzes zum Fisch- und Vogelfang beziehen sich Wendungen wie z. B. ‚ins Netz gehen', ‚ein Netz stellen'. Zus.: Netzhaut (18. Jh.).

netzen: Das *germ.* Verb *mhd.* netzen, *ahd.* nezzen, *mnd.* netten, *got.* natjan ist von dem unter →*naß* behandelten Adjektiv abgeleitet und bedeutet eigtl. ,,naß machen". Sowohl das einfache Verb als auch die Präfixbildung benetzen gehören heute nur noch der gehobenen Sprache an.

neu: Das *gemeingerm.* Adjektiv *mhd.* niuwe, *ahd.* niuwi, *got.* niujis, *engl.* new, *schwed.* ny beruht mit verwandten Wörtern in den meisten anderen *idg.* Sprachen auf *idg.* *neu[i̯]o-s ,,neu", vgl. z. B. *gr.* néos ,,neu" (s. neo...), *lat.* novus ,,neu" (s. Novum, Novelle, Novize), nováre ,,erneuern" (s. renovieren) und *russ.* nóvyj ,,neu". Verwandt sind wahrscheinlich auch die unter →nun und →neun behandelten Wörter. Abl.: neuen veralt. für ,,neu machen" (*mhd.* niuwen, *ahd.* niuwōn), dazu erneuen ,,neu machen" (in gehobener Sprache); neuern ,,neu einzuführen trachten" (*mhd.* niuwern ,,neu machen"), dazu Neuerer *m* ,,einer, der neue Ideen oder Methoden einzuführen sucht" (18. Jh.) und die Präfixbildung erneuern ,,neu machen, renovieren; wiederholen; auswechseln" (*mhd.* erniuwern); Neuheit *w* (*spätmhd.*, *mitteld.* nūweheit, 14. Jh.); Neuigkeit (*mhd.* niuwecheit, niuwekeit); neulich (*mhd.* niuwelīche, Adv. ,,vor kurzem, jüngst, eben, erst"; seit dem 16. Jh. ist 'neulich' auch als Adjektiv gebräuchlich); Neuling *m* ,,in einem Kreis unbekannter, auf einem Gebiet unerfahrener Mensch" (15. Jh.). Zus.: Neubau ,,noch im Bau befindliches oder eben fertiggestelltes Gebäude" (18. Jh.); neuerdings, Adv. ,,in letzter Zeit, erst vor kurzem" (18. Jh., aus älterem 'neuer Dinge', vgl. zur Bildung z. B. allerdings); Neugier (um 1700; in der Bed. ,,Verlangen, etwas Neues zu machen oder kennenzulernen"), Neugierde (17. Jh.), neugierig (16. Jh.); Neujahr (16. Jh.); Neuzeit (19. Jh., zusammengerückt aus 'neue Zeit'), dazu neuzeitlich (19. Jh.).

neun: Das *gemeingerm.* Zahlwort *mhd.*, *ahd.* niun, *got.* niun, *engl.* nine, *schwed.* nio beruht mit Entsprechungen in den meisten anderen *idg.* Sprachen auf *idg.* *[e]neuen- ,,neun", vgl. z. B. *aind.* náva ,,neun", *lat.* novem ,,neun" und *gr.* ennéa ,,neun". Das *idg.* Zahlwort gehört vielleicht zu dem unter →neu behandelten *idg.* Adjektiv. Die Neun wäre dann als ,,neue Zahl" (in der dritten Viererreihe) benannt worden, vgl. den Artikel acht. Abl.: neunte Ordnungszahl (*mhd.* niunte, *ahd.* niunto; entspr. *got.* niunda, *engl.* ninth, *schwed.* nionde). Zus.: neunzehn (*mhd.* niunzehen, *ahd.* niunzehan); neunzig (*mhd.* niunzec, *ahd.* niunzug; vgl. ...zig); Neunauge Fischname (*mhd.* niunouge, *ahd.* niunouga; so benannt, weil man fälschlicherweise die sieben Kiemenlöcher des Fisches auch für Augen hielt); Neuntöter Vogelname (16. Jh.; so benannt, weil er nach dem Volksglauben neun Tiere tötet, bevor er eins verzehrt, oder weil er jeden Tag neun andere Vögel tötet).

Neuralgie *w* ,,(anfallsweise auftretender) Nervenschmerz": Gelehrte Neubildung des 19. Jh.s aus *gr.* neũron ,,Sehne; Nerv" (vgl. *neuro...*) und *gr.* álgos ,,Schmerz". – Dazu das Adjektiv neuralgisch ,,auf Neuralgie beruhend" (20. Jh.), das meist übertragen im Sinne von ,,Spannungen verursachend, kritisch" gebraucht wird, so besonders in der Fügung 'neuralgischer Punkt'.

neuro..., Neuro..., (vor Vokalen:) neur..., Neur...: Bestimmungswort gelehrter Zusammensetzungen aus dem Bereich der Naturwissenschaften und der Medizin mit der Bed. ,,Nerv; Nervengewebe, -system", wie z. B. in →Neuralgie, neuralgisch. Quelle ist das *gr.* Substantiv neũron ,,Sehne, Flechse, Band; Nerv", das urverwandt ist mit entspr. *lat.* nervus (vgl. *Nerv*). – Beachte noch die hierher gehörigen gelehrten Neubildungen →Neurose, neurotisch.

Neurose *w* ,,krankhafte Funktionsstörung des Nervensystems": Gelehrte Neubildung des 19. Jh.s zu *gr.* neũron ,,Sehne; Nerv" (vgl. *neuro...*). – Dazu das Adjektiv neurotisch ,,im Zusammenhang mit einer Neurose stehend, durch diese bedingt" (20. Jh.) und das Substantiv Neurotiker *m* ,,an Neurose Leidender" (20. Jh.).

neutral: Quelle dieses Fremdwortes ist das *spätlat.* Adjektiv neutrālis, das von *lat.* neuter ,,keiner von beiden" (vgl. *Neutrum*) abgeleitet ist und als grammatischer Terminus mit der Bed. ,,sächlich" (= ,,weder männlichen noch weiblichen Geschlechts") gilt. In diesem Sinne gelangt das Adjektiv ins *Dt.* Daneben erscheint *lat.* neutrālis im *Mlat.* mit einer speziell ins Politische übertragenen Bed. ,,keiner Partei angehörend", die bereits im 15. Jh. übernommen wird und die späterhin die vielfachen übertragenen Bedeutungen des Fremdwortes wie ,,unbeteiligt; zu allem passend usw." vorbereitet. – Abl.: Neutralität *w* ,,neutrales Verhalten; Nichtbeteiligung; Parteilosigkeit" (15. Jh.; aus *mlat.* neutrālitās); neutralisieren ,,ausgleichen, aufheben; außer Wirkung setzen" (aus *frz.* neutraliser).

Neutrum *s* ,,sächliches Geschlecht; sächliches Hauptwort" (Gramm.): In neuerer Zeit aus gleichbed. *lat.* neutrum (genus) entlehnt. Dies ist die substantivierte sächliche Form von *lat.* neuter (< ne-uter) ,,nicht einer von beiden, keiner von beiden" und bedeutet demnach eigtl. ,,keines von beiden Geschlechtern (weder das männliche noch das weibliche)". – Siehe auch das Adjektiv neutral.

nicht: Das heute als Adverb verwendete Wort (*mhd.* niht, *ahd.* niwiht) ist aus *ahd.* 'ni [eo] wiht' ,,nicht [irgend] etwas" entstanden. Die Negativpartikel *ahd.* ni steckt z. B. auch in →nein und →nie (vgl. *un...*); über *ahd.* eo, io ,,immer, irgend [einmal]" s. den Artikel je; über *ahd.* wiht ,,etwas" s. den Artikel Wicht. – In *ahd.* und zunächst auch in *mhd.* Zeit wurde 'nicht' als Indefinitpronomen und als Substantiv verwendet. Dieser Wortgebrauch war noch bis ins 16. Jh. hinein üblich, beachte dazu die bewahrten Kasusformen in 'mitnichten', 'zunichte machen' usw. Seit dem 14. Jh. setzte sich als Substantivpronomen für *mhd.* niht allmählich *mhd.* niht[e]s durch (s. nichts). Abl.: nichtig „unbedeutend, wertlos" (16. Jh.), dazu Nichtigkeit *w* (15. Jh.).

Nichte *w* „Bruder-, Schwestertochter": Das seit dem 17. Jh. gebräuchliche Wort stammt aus dem *Niederd. Mnd.* nichte (mit *niederd.-niederl.* -cht für *hochd.* -ft, vgl. *Gracht*) ist verwandt mit gleichbed. *ahd.* nift, *niederl.* nicht, *aengl.* nift, *aisl.* nipt. Diese *altgerm.* Verwandtschaftsbezeichnung beruht mit verwandten Wörtern in anderen *idg.* Sprachen auf *idg.* *neptī- „Enkelin, Nichte", vgl. z. B. *lat.* neptis „Enkelin, Nichte" und *air.* necht „Nichte". Das *idg.* Wort ist die weibliche Form zu *idg.* *nepōt- „Enkel, Neffe" (vgl. *Neffe*).

nichts: Das Indefinitpronomen (*mhd.* niht[e]s) ist eigtl. der Genitiv Einz. von dem unter →*nicht* behandelten Wort. Es entstand aus der im *Mhd.* üblichen Verstärkung 'nihtes niht' „nichts von nichts" unter Weglassung des zweiten 'niht'. − Die Substantivierung Nichts *s* ist seit dem 16. Jh. bezeugt. Zus.: Nichtsnutz „Taugenichts" (15. Jh.; vgl. *nützen*); nichtswürdig „gemein, niederträchtig, ehrlos" (17. Jh.).

Nickel *s*: Der seit der 2. Hälfte des 18. Jh.s bezeugte Metallname ist entlehnt aus *schwed.* nickel, einer Kürzung aus *schwed.* kopparnickel „Rotnickelkies" (nach *dt.* Kupfernickel). Das Metall wurde 1751 von dem *schwed.* Mineralogen v. Cronstedt entdeckt und so benannt, weil die Erzart Kupfernickel − *schwed.* kopparnickel − den höchsten Gehalt des neuen Metalls aufwies. − Die seit der 1. Hälfte des 18. Jh.s bezeugte *dt.* Bezeichnung Kupfernickel bedeutet eigtl. „Kupferkobold". Da die Bergleute aus der kupferfarbenen Erzart vergeblich Kupfer zu gewinnen suchten, schrieben sie die Schuld einem Kobold zu (vgl. die Artikel Kobalt und Quarz). Das Grundwort ist das heute nicht mehr gebräuchliche Nickel „Kobold, eigensinniger, kleiner Mensch", das eine Kurz- oder Koseform des Männernamens Nikolaus ist.

nicken: Das Verb *mhd.* nicken, *ahd.* nicchen ist eine Intensiv-Iterativbildung zu dem unter →*neigen* behandelten Verb und bedeutet demnach eigtl. „heftig oder wiederholt neigen". Das *ugs.* nicken „ein Schläfchen machen" − dazu Nicker[chen] *ugs.* für „Schläfchen" − geht zurück auf *mhd.* nücken „nicken; stutzen; leicht schlummern".

nie: Das Adverb *mhd.* nie, *ahd.* nio ist zusammengesetzt aus der Negationspartikel *ahd.* ni (vgl. *un...*) und *ahd.* io, eo „immer, irgend einmal" (vgl. *je*). Zus.: niemals (16. Jh.; mit pleonastischem ...mals wie auch jemals, vgl. ¹*Mal*); niemand (*mhd.* nieman, *ahd.* nioman, vgl. den Artikel jemand); nimmer (*mhd.* nimmer, älter niemēr, *ahd.* niomēr „nie mehr, nie fortan", vgl. *mehr*), beachte dazu die Zusammenrückung Nimmersatt (17. Jh.).

nieder: Das *altgerm.* Wort (Präp. und Adv.) *mhd.* nider, *ahd.* nidar, *niederl.* neder, *aengl.* nider, *schwed.* neder beruht mit *aind.* nitarám „niederwärts, nach unten" auf einer alten Komparativbildung zu *idg.* *ni- „nieder", vgl. z. B. *aind.* ní „hinab, nieder" und *russ.* niz- „herab" (s. auch den Artikel Nest). − Abl.: Niederung *w* „tiefgelegenes Land, Ebene" (in der heute üblichen Bed. 18. Jh.; *mhd.* niderunge, *ahd.* nidarunga „Erniedrigung", zu dem heute veralteten Verb niedern, *mhd.* nider[e]n, *ahd.* nidarren „niedrig machen"); niedrig (16. Jh.), dazu erniedrigen „herabsetzen, demütigen". Zus.: Niedertracht „schäbige Gesinnung, Gemeinheit" (Anfang des 19. Jh.s; Rückbildung aus dem Adj. niederträchtig); niederträchtig „gemein, schäbig" (*mhd.* nidertrehtic „gering geschätzt, verächtlich"; zum zweiten Bestandteil vgl. *tragen*).

niedlich: Das seit dem 16. Jh. gebräuchliche Adjektiv stammt aus dem *Niederd.* In den älteren Sprachzuständen ist nur das Adverb bezeugt, vgl. *asächs.* niudlīko „mit Verlangen, eifrig" (entspr. *mhd.* nietlīche „mit Verlangen, eifrig, fleißig"), das zu einem im *Dt.* untergegangenen Substantiv mit der Bed. „Verlangen, Begierde, Eifer" gehört: *asächs.* niud, *ahd.* niot, *mhd.* niet, *aengl.* nēod „Verlangen, Begierde, Eifer". − Das Adjektiv, das demnach eigtl. „Verlangen, Eifer erweckend" bedeutet, wurde zunächst im Sinne von „appetitlich, lecker", seit dem 18. Jh., dann im Sinne von „zierlich, klein" verwendet. Abl.: verniedlichen „verharmlosen" (19. Jh.); Niedlichkeit *w* (17. Jh.; in der Bed. „Leckerbissen").

Niednagel *m* „im Nagelfleisch haftender Nagelsplitter; am Nagel losgelöstes Hautstückchen": Das seit dem 17. Jh. in der *niederd.* Form Niednagel und in der *hochd.* Form Neidnagel bezeugte Wort ist LÜ von *niederl.* nijdnagel oder aus diesem entlehnt. Die *niederl.* Bezeichnung beruht auf dem Volksglauben, daß sich ein Nagelsplitter im Fleisch festsetzt oder ein Hautstückchen am Nagel sich löst, wenn man von einem neidischen Blick getroffen ist, vgl. dazu *frz.* envie „Neid, Mißgunst" und „Niednagel".

Niere *w*: Die *altgerm.* Benennung des Ausscheidungsorgans *mhd.* nier[e], *ahd.* nioro, *niederl.* nier, *schwed.* njure beruht mit verwandten Wörtern in anderen *idg.* Sprachen auf *idg.* *neg^{u}hró-s, vgl. z. B. *gr.* nephrós „Niere" (beachte dazu medizin. fachsprachl. Nephritis „Nierenentzündung",

Nephrose „Nierenerkrankung"). Auch in *ahd.* Zeit wurde das Wort noch in den beiden Bed. „Niere" und „Hode" verwendet.

niesen: Das *altgerm.* Verb *mhd.* niesen, *ahd.* niosan, *niederl.* niezen, *aisl.* hnjōsa, *schwed.* nysa ist lautnachahmenden Ursprungs. Auf ähnlichen Nachahmungen des Nieslautes und Schnaubgeräusches beruhen die unter →schnauben behandelten Wörter und die *germ.* Sippe von *mhd.* phnūsen „niesen, schnauben", zu dem *oberd. mdal.* P f n ü s e l *m* „Schnupfen" gehört. Zus.: N i e s w u r z (*mhd.* nies[e]wurz, *ahd.* hniesuurtz: so benannt wegen der zum Niesen reizenden Wirkung des gepulverten Wurzelstocks).

¹Niete *w,* fachsprachl. N i e t *m*: Der technische Ausdruck für „Metallbolzen zum Verbinden von metallenen Werkstücken" geht zurück auf *mhd.* niet[e] „breit geschlagener Nagel, Nietnagel", das zu dem starken Verb *ahd.* pi-hniutan „befestigen" (entspr. *aisl.* hnjōda „schlagen, klopfen") gehört. *Mhd.* niet[e] entsprechen *mnd.* nēt und *niederl.* neet. – Abl.: n i e t e n „metallene Werkstücke durch Metallbolzen verbinden" (*mhd.* nieten „den Nagel umschlagen oder breit schlagen, mit Nietnägeln verbinden").

²Niete *w* „Los, das nicht gewonnen hat": Das seit dem 18. Jh. bezeugte Wort wurde mit der Übernahme des holländischen Lotteriewesens aus *niederl.* niet „Niete" entlehnt (vgl. den Artikel Lotterie). Das *niederl.* Wort bedeutet eigtl. „Nichts" und ist substantiviertes niet „nicht", das die *niederl.* Entsprechung von *hochd.* →nicht ist. Übertragen wird 'Niete' im Sinne von „Reinfall; Versager" verwendet.

Nihilismus *m*: Die seit 1799 bezeugte Bezeichnung für die geistige Grundhaltung einer bedingungslosen Verneinung bestehender Lehr- und Glaubenssätze, allgemeingültiger Werte und Anschauungen ist eine *nlat.* Bildung zu *lat.* nihil „nichts". – Dazu auch: N i h i l i s t *m* „Vertreter des Nihilismus" (18./19. Jh.) und n i h i l i s t i s c h „im Sinne des Nihilismus, verneinend, zerstörerisch".

Nikotin *s*: Die im 19. Jh. aus dem *Frz.* übernommene Bezeichnung für den in der Tabakpflanze enthaltenen giftigen Wirkstoff (*frz.* nicotine) ist eine Bildung zu älter *frz.* nicotiane „Tabakpflanze" (*nlat.* 'herba Nicotiana'). Dem Wort liegt der Name eines Herrn 'Nicot' zugrunde, der im 16. Jh. als franz. Gesandter in Lissabon als erster den Tabak nach Frankreich geschickt haben soll.

Nimbus *m*: Der seit dem 18. Jh. übliche Ausdruck für „Heiligenschein, Strahlenglanz, Ansehen, Geltung" ist aus *mlat.* nimbus „Heiligenschein, Strahlenglanz" entlehnt, das *lat.* nimbus „Sturzregen; Regenwolke; Nebelhülle, die die Götter umgibt" fortsetzt. Das Wort ist u. a. verwandt mit *lat.* nebula „Dunst, Nebel; Dampf; Wolke"

und im außeritalischen Sprachbereich mit *dt.* →Nebel.

nippen „mit ganz kurzer Öffnung der Lippen trinken, kosten": Das seit dem 17. Jh. gebräuchliche Verb stammt aus dem [*Mitteld.*-] *Niederd.* In *oberd.* Mundarten entspricht gleichbed. nipfen. *Niederd.-niederl.* nippen ist wahrscheinlich eine Intensivbildung zu *mnd.* nipen „kneifen", *niederl.* nijpen „kneifen, klemmen, drücken" und bezieht sich demnach auf das Zusammenpressen der Lippen am Gefäßrand.

Nippes *Mehrz.* „kleine Zierfiguren und dgl. [aus Porzellan]", dafür meist die Umdeutschung N i p p s a c h e n: Im 18. Jh. aus *frz.* nippes „Putzsachen; weibliche Zierwäsche" entlehnt. Die weitere Herkunft des Wortes ist nicht gesichert.

Nische *w* „Mauervertiefung": Das seit dem Ende des 17. Jh.s belegte Substantiv ist aus gleichbed. *frz.* niche entlehnt. Dies ist postverbales Substantiv zu *afrz.* nichier (= *frz.* nicher) „ein Nest bauen; hausen", dem ein gleichbed. *vlat.* *nīdicāre vorausliegt. Stammwort ist *lat.* nīdus „Nest" (< *nizdos), das in der Bildung dem urverwandten *dt.* →Nest entspricht.

Niß, Nisse *w* „Lausei": Das *westgerm.* Wort *mhd.* niz[ʒe], *ahd.* [h]niʒ, *niederl.* neet, *engl.* nit ist z. B. verwandt mit *gr.* konis „Ei von Läusen, Flöhen und Wanzen" und weiterhin mit einer Reihe anders lautender Wörter, vgl. z. B. die *nord.* Sippe von *schwed.* gnet „Lausei", *russ.* gnida „Lausei" und *mir.* sned „Lausei". Alle diese Formen beruhen wahrscheinlich auf einem alten *idg.* Wort für „Lausei", das schon früh tabuistisch und euphemistisch entstellt wurde oder aber einzelsprachlich an Verben mit der Bed. „kratzen, nagen, beißen" volksetymologisch angeschlossen wurde.

nisten „ein Nest bauen, ein Nest bewohnen": Das *westgerm.* Verb *mhd., ahd.* nisten, *aengl.* nistan ist von dem unter →Nest behandelten Substantiv abgeleitet.

Niveau *s* „waagrechte Fläche, Höhenlage", vor allem auch übertragen gebraucht im Sinne von „[Bildungs-]stufe, Rang": Das aus *frz.* niveau „Grundwaage, Wasserwaage; waagrechte Fläche; [Bildungs-]stufe" entlehnte FW erscheint zuerst im 17. Jh. als bautechnischer Terminus mit der Bed. „Wasserwaage". Die übertragene Bedeutung folgt im 18. Jh. – *Frz.* niveau (*afrz.* nivel < *livel) geht auf *vlat.* *lībellus zurück, das für *klass.-lat.* lībella „kleine Waage, Wasserwaage; waagrechte Fläche" steht. Über weitere Zusammenhänge vgl. den Artikel Lira. – Dazu: n i v e l l i e r e n „gleichmachen, einebnen; Unterschiede ausgleichen" (18. Jh.; aus *frz.* niveler).

Nix *m* „Wassergeist": Das *altgerm.* Wort *mhd.* nickes, *ahd.* nicchus, *niederl.* nikker, *aengl.* nicor, *schwed.* näck beruht auf einer

Partizipialbildung zu der *idg.* Verbalwurzel *neigu̯* „waschen, baden", vgl. z. B. *gr.* nízein „waschen" und *air.* nigrid „wäscht". Das Wort, das in den älteren *germ.* Sprachzuständen auch im Sinne von „Wasserungeheuer, Flußpferd, Krokodil" verwendet wurde, bezeichnete demnach urspr. ein badendes oder im Wasser plätscherndes Wesen. – Statt 'Nix' ist heute im allgemeinen die Femininbildung **Nixe** *w* „Wasserelfe, Seejungfrau" (*mhd.* nickese, *ahd.* nicchessa) gebräuchlich. – Die seit dem 19. Jh. bisweilen verwendete Form **N e c k** *m* ist aus *schwed.* näck (s. o.) entlehnt.

nobel „edel, vornehm", daneben *ugs.* im Sinne von „freigebig, großzügig": Im 17. Jh. aus gleichbed. *frz.* noble entlehnt, das auf *lat.* nōbilis „kenntlich, bekannt; vornehm, edel; adlig" zurückgeht. Stammwort ist das *lat.* Verb nōscere (< gnōscere) „erkennen, anerkennen", das zu der unter →*können* dargestellten *idg.* Wortsippe gehört. – Ableitungen oder Komposita von *lat.* nōscere erscheinen in den FW →ignorieren, Ignorant, →inkognito, →Notiz und →notorisch. Dem Sprachempfinden nach stellt sich dazu *lat.* nota „Kennzeichen, Merkzeichen" mit den Ableitungen *lat.* notāre „kennzeichnen; anmerken" und *lat.* notārius „[Schnell]schreiber; Sekretär" (vgl. *Note*, notieren und Notar) zum Stamm von *lat.* nōscere, was auch aus semantischen Gründen naheliegend ist. Allerdings sind die Beziehungen wegen der verschiedenen Quantität des Stammvokals -ō- in nōscere und nŏta nicht gesichert.

Nocken *m* „verschiedengestaltiger Vorsprung an einer Welle oder Scheibe": Die Herkunft des seit der ersten Hälfte des 20. Jh.s bezeugten technischen Ausdrucks ist nicht sicher geklärt. Vielleicht gehört 'Nocken' zu der *germ.* Wortgruppe des aus dem *Niederd.* übernommenen Seemannsausdrucks N o c k *s* „Ende einer Rahe, Spitze eines Rundholzes" (vgl. *niederl.* nok „Nock; Spitze; Gipfel; First", *schwed.* nock[e] „Nock; Halm; First", nocka „Zapfen, Holznagel; Steven"). Zu dieser Wortgruppe gehört wohl auch *oberd. mdal.* Nock „Felskopf; Hügel" und Nocke[n] „Kloß, Knödel", beachte dazu die Verkleinerungsbildung N o k - k e r l *östr.* für „[Suppen]einlage, Klößchen".

...nom: Grundwort von Zusammensetzungen mit der Bed. „Sachkundiger; Walter, Verwalter"; entsprechend bedeutet ...nomie „Sachkunde; Verwaltung". Beachte z. B. die Zus. →Astronom, Astronomie und →Ökonom, Ökonomie. Quelle ist entspr. *gr.*-nómos „verwaltend; Verwalter" bzw. das hinzugebildete *gr.* -nomía. Beide treten nur als Hinterglieder in Zusammensetzungen auf und gehören zum *gr.* Verb némein „teilen, zuteilen; Weideland zuweisen, weiden; bebauen; verwalten" (vgl. *Nomade*).

Nomade *m* „Angehöriger eines Hirten-, Wandervolks", auch scherzhaft übertragen gebraucht für „wenig seßhafter, ruheloser Mensch": Im 16. Jh. aus *gr.*(-*lat.*) nomás (nomádos) entlehnt, das eigentlich Adjektiv ist mit der Bed. „Viehherden weidend und mit ihnen umherziehend". Stammwort ist *gr.* némein „teilen, zuteilen; Weideland zuweisen; weiden, weiden lassen; bebauen; verwalten", das sich zu der unter →*nehmen* aufgezeigten *idg.* Wortsippe stellt. – Beachte auch den Artikel ...nom, ...onom.

Nomen *s* „Nennwort, deklinierbares [Haupt]wort": Als sprachwissenschaftlicher Terminus aus *lat.* nōmen „Name, Benennung; Nomen" (urverwandt mit *dt.* →*Name*) entlehnt. – Zu *lat.* nōmen als Stammwort gehören die folgenden FW →Nominativ, →nominell und →nominieren, ferner →Pronomen und →Renommee. – **Nominativ** *m* „Werfall" (Gramm.): Gelehrte Entlehnung des 16. Jh.s aus *lat.* (casus) nōminātīvus „Nennfall, Nominativ" (zu *lat.* nōmināre „[be]nennen"). – **nominell** „den Nennwert betreffend; [nur] nach dem Namen nach [vorhanden], vorgeblich": Im 18. Jh. als nominal entlehnt aus *frz.* nominal (< *lat.* nōminālis) „zum Namen gehörig, namentlich", hernach im 19. Jh. in der Endung umgebildet nach dem Vorbild von Adjektiven wie reell und speziell. Die Form 'nominal' ist noch in Zusammensetzungen wie N o m i n a l - s a t z und N o m i n a l s t i l lebendig. – **nominieren** „benennen; ernennen, namentlich vorschlagen": Im 18./19. Jh. aus gleichbed. *lat.* nōmināre aufgenommen.

nonchalant „lässig, unbekümmert, formlos, ungezwungen": Im 17. Jh. aus gleichbed. *frz.* nonchalant entlehnt. Dies ist mit verneinender Vorsilbe zu dem Part. Präs. von *afrz.* (= *frz.*) chaloir „sich erwärmen für etwas (oder jmdn.); angelegen sein" gebildet, das auf *lat.* calēre „warm sein; sich erwärmen für" (vgl. hierüber *Kalorie*) zurückgeht. – Dazu das Substantiv N o n c h a l a n c e *w* „Lässigkeit, Unbekümmertheit" (17. Jh.) aus gleichbed. *frz.* nonchalance.

Nonne *w*: Die allgemein übliche Bezeichnung für die Angehörige eines weiblichen Klosterordens, *mhd.* nunne, nonne, *ahd.* nunna (vgl. z. B. entspr. gleichbed. *engl.* nun und *schwed.* nunna), ist aus gleichbed. *kirchenlat.* nonna „Nonne" entlehnt. Das Wort ist bereits in *spätlat.* Inschriften mit der Bed. „Amme, Kinderwärterin" bezeugt. Es entstammt der kindlichen Lallsprache. Der Bedeutungsübergang des Wortes von „Amme" zu „Nonne" in der Kirchensprache führt wohl über eine vermittelnde Bedeutung wie etwa „Mütterchen, ehrwürdige Mutter".

Nonsens *m* „Unsinn, törichtes Gerede": Im 18. Jh. als Wort der literarischen Kunstsprache aus gleichbed. *engl.* nonsense entlehnt.

Noppe *w*: Das *altgerm.* Wort für „Knötchen im Gewebe, Wollflocke" (*spätmhd.-mnd.* noppe, *niederl.* nop, *aengl.* [wull]hnoppa, *schwed.* noppa) gehört wahrscheinlich zu der *germ.* Wortgruppe von *got.* dis-hniupan „zerreißen", vgl. *mhd.* noppen „stoßen", *aengl.* hnoppian „reißen, pflücken", *schwed.* nypa „kneifen, zwicken". Das abgeleitete Verb **noppen** (*spätmhd.* noppen), das früher „ein Gewebe von Noppen reinigen" bedeutete, wird heute gewöhnlich im Sinne von „ein Gewebe mit Noppen versehen" verwendet.

Nord: Der *altgerm.* Wort, Name der Himmelsrichtung *mhd.* nort, *ahd.* nord, *engl.* north, *schwed.* norr ist mit *gr.* nérteros „unterer; tieferer" und *umbr.* nertru „links" verwandt und beruht mit diesen auf einer Komparativbildung zu der *idg.* Wz. *ner- „unten". Das *altgerm.* Wort, das ein substantivisch gebrauchtes Richtungsadverb ist, bedeutete demnach eigtl. „niederwärts, weiter nach unten" und bezeichnete die untere Krümmung der scheinbaren Sonnenbahn, beachte die Wendungen 'die Sonne geht unter', 'die Sonne sinkt tiefer' (vgl. den Artikel **Süden**). Statt 'Nord', das nur noch vereinzelt und dann gewöhnlich im Sinne von „Nordwind" verwendet wird, ist heute **Norden** *m* (*mhd.* norden, *ahd.* nordan) gebräuchlich. Auch 'Norden' ist ein substantiviertes Richtungsadverb, vgl. *mhd.* norden, *ahd.* nordana, *aengl.* nordan, *schwed.* nordan „von oder nach Norden". Abl.: **nordisch** „den Norden betreffend" (16. Jh., in der Bed. „nördlich"); **nördlich** (18. Jh., für älteres nord[en]lich). Zus.: **Nordlicht** „Polarlicht" (18. Jh., LÜ von *dän.-norw.* nordlys); **Nordpol** (17. Jh.); **Nordsee** (17. Jh., für älteres Nordersee, *mhd.* nordermer; benannt aus *niederl.* Sicht als Gegensatz zur Zuiderzee „Südsee").

nörgeln „etwas auszusetzen haben, mäkeln": Das seit dem 17. Jh. bezeugte Verb ist lautmalenden Ursprungs und ist mit der unter →**schnarren** dargestellten Gruppe von Lautnachahmungen [elementar]verwandt. Die heute übliche Bed. hat sich aus „murren, brummen" entwickelt. Abl.: **Nörgler** *m* (18. Jh.).

Norm *w* „Richtschnur, Regel, Maßstab; [Leistungs]soll; sittliches Gebot oder Verbot als Grundlage der Rechtsordnung; Größenanweisung (für die Technik)": In *mhd.* Zeit aus *lat.* norma „Winkelmaß; Richtschnur, Regel, Vorschrift" entlehnt, das seinerseits, wahrscheinlich durch *etrusk.* Vermittlung, aus *gr.* gnōmona, dem Akk. von *gr.* gnōmōn „Kenner, Beurteiler; Maßstab, Richtschnur", hervorgegangen ist. Dann zu *gr.* gi-gnō-skein „erkennen, kennenlernen, urteilen" (vgl. **Diagnose**). – Abl.: **normen** „einheitlich festsetzen, gestalten, [Größen] regeln" (20. Jh.), dafür schon im 19. Jh. **normieren** (aus *frz.* normer < *lat.* nōrmāre

„nach dem Winkelmaß abmessen, gehörig einrichten"); **Normung** *w* „einheitliche Gestaltung, [Größen]regelung" (20. Jh.); **normal** „der Norm entsprechend, regelrecht; üblich, gewöhnlich; geistig gesund" (18. Jh.; aus *lat.* nōrmālis „nach dem Winkelmaß gerecht; der Norm entsprechend"); **normalisieren** „normal gestalten, auf ein normales Maß zurückführen" (20. Jh.; aus *frz.* normaliser); ferner →**abnorm** (abnormal, Abnormität) und →**enorm**.

Norne *w* „Schicksalsgöttin": Das seit dem 18. Jh. bezeugte Wort ist eine gelehrte Entlehnung aus *anord.* norn „Schicksalsgöttin", dessen Deutung unklar ist. Vielleicht gehört die *anord.* Bezeichnung der Schicksalsgöttin im Sinne von „Spinnerin (des Schicksalsfadens)" zu der Sippe von →**Schnur** (vgl. **nähen**) oder im Sinne von „Raunende" zu der unter →**schnarren** behandelten Gruppe von Lautnachahmungen, vgl. *schwed. mdal.* norna, nyrna „heimlich warnen, leise mitteilen".

Not *w*: Das *gemeingerm.* Wort für „Zwang, Bedrängnis" (*mhd.*, *ahd.* nōt, *got.* nauþs, *engl.* need, *schwed.* nöd) ist mit der *baltoslaw.* Sippe von *russ.* nudá „Zwang, Nötigung", núdit' „zwingen, nötigen" verwandt. Alle weiteren Anknüpfungen sind unsicher. Abl.: **nötig** (*mhd.* nōtic, daneben nōtec, *ahd.* nōtag, dazu **nötigen** (*mhd.* nōtigen, *ahd.* nōtigōn). Zus.: **Notbehelf** „Hilfe in einer Zwangslage, ungenügender Ersatz" (18. Jh.); **Notdurft** *w* „notwendiger Bedarf; natürliches Bedürfnis" (*mhd.* nōtdurft, *ahd.* nōtduruft, entspr. *got.* naudiþaúrfts; zum 2. Bestandteil vgl. **dürftig**; der verhüllende Gebrauch des Wortes findet sich schon in *mhd.* Zeit, beachte *mhd.* 'sīne nōtdurft tuon' „sein natürliches Bedürfnis verrichten"), dazu **notdürftig** „eben hinreichend, behelfsmäßig" (*mhd.* nōtdürfic „notwendig; bedürftig"); **Notlüge** „Unwahrheit, um sich aus einer Zwangslage zu befreien" (16. Jh.); **Notnagel** „Nagel, den man in einer Zwangslage einschlägt; Helfer in einer Zwangslage" (18. Jh.); **Notpfennig** „Ersparnis für Zeiten des Mangels" (17. Jh.); **Notstand** „durch unvorhergesehene Umstände bedingte Zwangslage" (17. Jh.); **Notwehr** „Abwendung eines rechtswidrigen Angriffes" (*mhd.* nōtwer); **notwendig** „unbedingt erforderlich, unerläßlich" (Anfang des 16. Jh.s, eigtl. „die Not wendend", vgl. **wenden**), dazu **Notwendigkeit** *w* (16. Jh.); **Notzucht** „Nötigung einer weiblichen Person zu außerehelichem Beischlaf" (16. Jh., Rückbildung aus *spätmhd.* nōtzücht[i]gen „schänden, gewaltsam entehren", *nhd.* notzüchtigen).

Notar *m*: Zu *lat.* nota „Kennzeichen, Merkzeichen; schriftl. Anmerkung; Schriftstück" (vgl. **Note**) stellt sich als Ableitung das Adjektiv *lat.* notārius „zum [Schnell]schreiben gehörig", das substantiviert „Schnellschreiber; Schreiber; Sekretär" bedeutet. Über *mlat.* notārius „durch kaiserliche Gewalt bestellter öffentlicher Schreiber" gelangte das Wort in die *dt.* Kanzleisprache (*ahd.* notāri, *mhd.* noder, notari[e]). Im juristischen Sprachgebrauch wurde es dann zur Bezeichnung eines staatlich vereidigten Volljuristen, der die Beglaubigung und Beurkundung von Rechtsgeschäften besorgt. – Abl.: notarisch „von einem Notar ausgefertigt und beglaubigt" (16. Jh.), dafür auch notariell (20. Jh.; mit französierender Endung gebildet); Notariat *s* „Amt eines Notars" (16. Jh.; aus *mlat.* notāriātus).

Note *w*: *Lat.* nota „Kennzeichen, Merkzeichen; Buchstabenzeichen; Schriftstück; erklärende Anmerkung usw.", dessen etymologische Zugehörigkeit nicht eindeutig gesichert ist (vgl. hierüber den Artikel *nobel*), ist in *dt.* Texten seit *mhd.* Zeit (*mhd.* nōte) mit einer im *Mlat.* entwickelten Spezialbed. „musikal. Tonzeichen" als LW geläufig. Die sehr zahlreichen anderen, vielfach übertragenen Bedeutungen von 'Note', die alle schon im *Lat.* vorgebildet sind, stellen sich erst später (in der Zeit vom 16. bis 18. Jh.) ein: „Kennzeichen, Merkmal" (16. Jh.), „schriftliche Bemerkung, erklärende Anmerkung" (18. Jh.; beachte die Zus. Fußnote), „Zensururteil" (18. Jh.), „diplomatisches Schriftstück im zwischenstaatlichen Verkehr" (Ende 18. Jh.; nach entspr. *frz.* note; beachte die Zus. Notenwechsel), „Banknote" (Ende 18. Jh.; kaufmänn.), „Art, persönliche Eigenart" (Ende 19. Jh.). – Ableitungen von *lat.* nota erscheinen in den FW →notieren und →Notar.

notieren „aufzeichnen, vormerken", im Handelswesen speziell im Sinne von „den Kurs eines Wertpapiers bzw. den Preis einer Ware festsetzen": Das seit dem 16. Jh. gebuchte Verb, das jedoch schon *mhd.* mit der Sonderbedeutung „in musikalischen Noten aufschreiben" bezeugt ist, geht zurück auf *lat.* notāre „kennzeichnen, bezeichnen; anmerken" (bzw. *mlat.* notāre „in Notenschrift aufzeichnen"), das von *lat.* nota „Kennzeichen, Merkzeichen usw." (vgl. *Note*) abgeleitet ist.

Notiz *w* „Aufzeichnung, Vermerk; Nachricht, Meldung, Anzeige", auch im Sinne von „Kenntnis, Beachtung" in der Formel '[keine] Notiz nehmen von jmdm. (bzw. etwas)': Am Ende des 17. Jh.s aus *lat.* nōtitia „Kenntnis (die man einem anderen übermittelt); Nachricht, Aufzeichnung" entlehnt, das von *lat.* nōtus „bekannt; kennend", dem Partizipialadjektiv zu *lat.* nōscere „kennenlernen, erkennen" abgeleitet ist (über weitere Zusammenhänge vgl. *nobel*). – Zus.: Notizbuch „Merkbuch" (19. Jh.).

notorisch „offenkundig, allbekannt; berüchtigt": Das seit dem 17. Jh. gebuchte Adjektiv ist aus *spätlat.* nōtōrius „anzeigend, kundtuend" entlehnt, das zu *lat.* nōscere „kennenlernen, erkennen" (vgl. *nobel*) gehört.

Nougat, Nugat *m* (auch: *s*): Die im *Dt.* seit dem 19. Jh. bekannte Bezeichnung der aus Zucker und Nüssen oder Mandeln (zuweilen auch Kakao und Honig) hergestellten Süßware ist aus *frz.* nougat entlehnt. Dies geht über *prov.* nougat < *aprov.* nogat „Nußkuchen" auf *vlat.* *nucātum „aus Nüssen Bereitetes" zurück. Stammwort ist *lat.* nux „Nuß" (vgl. *nuklear*).

Novelle *w*: Ausgangspunkt für dieses FW ist das *lat.* Adjektiv novellus „neu; jung", eine Verkleinerungsbildung zu *lat.* novus „neu" (vgl. *Novum*). Schon in der antiken Rechtssprache galt das Fachwort *lat.* novella (lēx, cōnstitūtiō) zur Bezeichnung eines neuen, gerade herausgegebenen Gesetzes. In der Fortsetzung davon steht die für 'Novelle' im 18. Jh. gebuchte juristische Bed. „(abänderndes od. ergänzendes) Nachtragsgesetz". – Unabhängig davon entwickelte sich über *it.* novella „kleine Neuigkeit; gedrängte Erzählung einer neuen Begebenheit" der literar. Gattungsbegriff 'Novelle' für die geraffte, pointierte Prosaerzählung einer besonderen Begebenheit (18. Jh.). Vorher galt 'Novelle' auch allgemein im Sinne von „Neuigkeit, neue Begebenheit".

November *m*: Der schon *mhd.* bezeugte Name für den 11. Monat des Jahres, der im *Ahd.* noch herbistmānōth „Herbstmonat" genannt wurde, ist aus *lat.* (mēnsis) November entlehnt. Dies ist eine Ableitung von *lat.* novem „neun" (urverwandt mit *dt.* →neun) und bezeichnete ursprünglich den 9. Monat des ältesten, mit dem Monat März beginnenden altrömischen Kalenderjahres (vgl. zum Sachlichen auch den Artikel Januar).

Novize *m* oder *w*: Das seit *mhd.* Zeit belegte FW bezeichnet den (männlichen oder weiblichen) „Neuling" im klösterlichen Leben während seiner Probezeit. Es geht auf *lat.* novīcius „neu, jung; Neuling" (bzw. *klosterlat.* novīcia „Neulingin") zurück, das von *lat.* novus „neu" (vgl. *Novum*) abgeleitet ist. Seit dem Anfang des 17. Jh.s gilt das Wort auch ganz allgemein im Sinne von „Neuling; Greenhorn".

Novum *s* „Neuheit; neuer Gesichtspunkt": Im 18. Jh. aus *lat.* novum „Neues" entlehnt, dem substantivierten Neutrum des Adjektivs novus „neu" (urverwandt mit *dt.* →neu). Dazu die Ableitungen *lat.* novellus „neu; jung" (s. Novelle) und *lat.* novīcius „neu, unerfahren; Neuling" (s. Novize) und *lat.* re-novāre „erneuern" (s. renovieren).

Nuance *w* „Abstufung, feiner Übergang; [Ab]tönung, Ton; Schimmer, Spur, Kleinigkeit": Im 18. Jh. aus gleichbed. *frz.* nuance entlehnt. Dies gehört vermutlich zu *frz.* nue (< *vlat.* *nūba = *klass.-lat.* nūbes) „Wolke" oder zu dem davon abgeleiteten Verb *frz.* nuer ,,bewölken; abstufen, abschattieren''. *Frz.* nuance bezeichnete dann ursprünglich etwa die vielfarbigen Lichtreflexe an den von der Sonne angestrahlten Wolken. – Dazu das Verb nuancieren ,,abstufen; ein wenig verändern'' (18. Jh.; aus gleichbed. *frz.* nuancer).

nüchtern: Das Adjektiv *mhd.* nüchtern, *ahd.* nuohturn, nuohtarnīn war urspr. ein Klosterwort und bedeutete ,,noch nichts gegessen oder getrunken habend''. Der erste Gottesdienst in den Klöstern wurde in der Frühe vor der Einnahme der Morgenmahlzeit abgehalten. *Ahd.* nuohturn ist aus *lat.* nocturnus ,,nächtlich'' (vgl. *Nacht*) entlehnt und nach *ahd.* uohta ,,Morgendämmerung'' umgestaltet. Bereits seit *mhd.* Zeit ist das Adjektiv auch Gegenwort zu 'betrunken'. Heute wird es auch im Sinne von ,,schwunglos, langweilig; fade'' und im Sinne von ,,besonnen'' verwendet. Abl. Nüchternheit (15. Jh.). Beachte auch die Verben ausnüchtern und ernüchtern.

Nudel *w* ,,Eierteigware; Teigröllchen zum Mästen der Gänse'': Die Herkunft des erst seit dem 16. Jh. bezeugten Wortes ist dunkel. Das *dt.* Wort wurde in zahlreiche europäische Sprachen entlehnt, vgl. z. B. *engl.* noodle, *schwed.* nudel, *frz.* nouille. Abl.: nudeln ,,[Gänse] mästen'' (18. Jh.).

Nudismus *m* ,,Freikörperkultur'': Gelehrte *nlat.* Bildung des 20. Jh.s zu *lat.* nūdus ,,nackt'', das urverwandt ist mit *dt.* →nackt. – Dazu: Nudist *m* ,,Anhänger des Nudismus'' und nudistisch ,,im Sinne des Nudismus''.

nuklear ,,den Atomkern betreffend'', besonders in der Fügung 'nukleare Waffen' ,,Kernwaffen'': Gelehrte Neubildung des 20. Jh.s zu *lat.* nucleus ,,Fruchtkern; Kern'', das hier im Sinne von ,,Atomkern'' steht. Stammwort ist das auch im FW →Nougat zugrunde liegende Substantiv *lat.* nux (nucis) ,,Nuß'' (verwandt mit *dt.* →*Nuß*).

null ,,nichtig'': Das seit dem 16. Jh. bezeugte, aus der Rechtssprache stammende Adjektiv, das heute vorwiegend noch in der Wendung 'null und nichtig' gebraucht wird, ist aus *lat.* nūllus ,,keiner'' entlehnt (wohl < *n(e) oin(o)los ,,nicht ein einziger''). Das Substantiv Null *w* ,,Zahlzeichen für den Begriff des Nichts'' hingegen erreicht uns im 16. Jh. durch Vermittlung von *it.* nulla (eigtl. ,,Nichts'', dann ,,Zahlzeichen für den Begriff des Nichts'' in LÜ von *arab.* ṣifr, s. Ziffer). Es erscheint seit dem 18. Jh. auch in allgemein übertragenem Sinne zur Bezeichnung des Wertlosen und Unbedeutenden an Personen oder Sachen. – Zus.: Nullpunkt *m* ,,Gefrierpunkt beim Thermometer'' (19. Jh.), auch übertragen im Sinne von ,,seelischer Tiefpunkt''. – Beachte in diesem Zusammenhang noch das denomina-

tive Präfixverb *spätlat.* annūllāre ,,zunichte machen'' in →annullieren.

Nummer *w* ,,Ziffer, Zahl'', auch vielfach übertragen gebraucht, z. B. im Sinne von ,,[Schuh]größe'', ,,einzelne Darbietung'' (Zirkus, Varieté), ,,Witzbold'' (scherzhaft *ugs.*): Im 16. Jh. als Wort der Kaufmannssprache aus *it.* numero ,,Zahl[enzeichen]'' entlehnt. Die dementsprechende Form Numero *s* ,,Zahl'' ist veraltet, hat sich aber in der Abk. No. halten können. Quelle des Wortes ist das *lat.* Substantiv numerus ,,Zahl; Anzahl, Menge; Verzeichnis usw.'', das daneben auch als grammatischer Terminus unmittelbar übernommen wurde: Numerus *m* ,,Zahlform des Nomens''. – Abl.: numerisch ,,zahlenmäßig, der Zahl nach'' (18. Jh. aus gleichbed. *nlat.* numericus), dafür gelegentlich auch nummerisch (20. Jh.; unmittelbar zu 'Nummer'); numerieren ,,beziffern, zählen'' (16. Jh.; aus gleichbed. *lat.* numerāre), dafür auch zuweilen nummern (20. Jh.).

nun: Das *gemeingerm.* Adverb *mhd.* nū[n], *ahd.* nū, *got.* nū, *engl.* now, *schwed.* nu beruht mit verwandten Wörtern in anderen *idg.* Sprachen auf *idg.* *nū ,,nun'', das wahrscheinlich im Ablaut zu dem unter →*neu* behandelten *idg.* Adjektiv steht. Außergerm. sind z. B. verwandt *aind.* nū ,,nun'' und *gr.* nỹ, nȳn ,,jetzt''. – Die Form mit auslautendem -n kam im 13. Jh. auf und erlangte im 17. Jh. schriftsprachliche Geltung. Die n-lose Form ist bewahrt in der Substantivierung Nu *m* (*mhd.* nū), die heute gewöhnlich nur noch in der Verbindung 'im Nu' gebräuchlich ist. – Das Adverb noch (*mhd.* noch, *ahd.* noh, *got.* naúh) beruht auf der Zusammensetzung von *germ.* *nh mit der Verbindungspartikel *germ.* -h (verw. mit *lat.* que ,,und'') und bedeutet eigtl. ,,auch jetzt''.

Nuntius *m* ,,ständiger diplomatischer Vertreter des Papstes bei einer Staatsregierung'': Das seit dem Beginn des 18. Jh.s gebuchte FW geht zurück auf *lat.* nūntius ,,Bote; Verkünder'' (bzw. *mlat.* 'Nūntius cūriae', 'Nūntius apostolicus'). – *Lat.* nūntius (urspr. Adjektiv ,,verkündend'') ist auch Stammwort der FW →denunzieren, Denunziant, →annoncieren und Annonce.

nur: Das Adverb ist entstanden aus *mhd.* newǣre, *ahd.* niwāri und bedeutet eigtl. ,,nicht wäre, es wäre denn''. Der erste Bestandteil ist die Negationspartikel *ahd.* ni (vgl. *un...*), der zweite Bestandteil ist der Konjunktiv Prät. von *ahd.* sīn ,,sein'' (vgl. *sein*).

nuscheln (*ugs.* für:) ,,undeutlich reden'': Das seit dem 16. Jh. bezeugte Verb gehört wie die gleichbed. Mundartformen nus[s]eln und nüs[s]eln mit gefühlsbetonter Vokalvariation zu dem unter →*Nase* behandelten Wort und bedeutet demnach eigtl. ,,durch die Nase sprechen''.

Nuß w: Das *altgerm.* Wort *mhd.* nuz, *ahd.* [h]nuz, *niederl.* noot, *engl.* nut, *schwed.* nöt ist verwandt mit *lat.* nux „Nuß" (s. nuklear und Nougat) und mit der *kelt.* Sippe von *ir.* cmū „Nuß". Das Wort bezeichnete urspr. die Haselnuß (vgl. den Artikel Hasel), dann auch die Walnuß und die hartschaligen Früchte anderer Gewächse, beachte die Zus. Erd-, Kokos-, Muskat-, Paranuß. Wegen der Ähnlichkeit mit der Form eines Nußkerns bezeichnet 'Nuß' auch einen bestimmten Teil der Keule von Schlachttieren, beachte die Zus. Kalbsnuß. Im übertragenen Gebrauch wird das Wort im Sinne von „schwierige Aufgabe, Problem" verwendet. Zus.: Nußknacker (18. Jh., für älteres Nußbrecher, *mhd.* nuzbreche, *ahd.* nuzbrecha).

Nüster w, gew. Nüstern *Mehrz.* „Nasenloch" (bes. beim Pferd): Das im 18. Jh. aus dem *Niederd.* ins *Hochd.* übernommene Wort geht zurück auf gleichbed. *mnd.* nuster, nöster, das eine Bildung zu dem unter →*Nase* behandelten Substantiv ist.

Nut, nicht fachsprachl. auch Nute w „Fuge, Rille": Das im *germ.* Sprachbereich nur im *Dt.* gebräuchliche Wort (*mhd.*, *ahd.* nuot) ist eine Bildung zu dem im *Nhd.* untergegangenen Verb *mhd.* nüejen, *ahd.* nuoen „glätten, genau zusammenfügen", das *außergerm.* z. B. verwandt ist mit *gr.* knēn „schaben, kratzen". – Im Grunde damit identisch ist das mit Doppel-t geschriebene **Nutte** w vulgär für „Hure, Straßenmädchen" (eigtl.

„Ritze, Spalt [der weiblichen Scham]"). Der vulgäre Ausdruck hat sich von Berlin ausgehend seit dem Anfang des 20. Jh.s ausgebreitet.

nütze: Das *altgerm.* Adjektiv *mhd.* nütze, *ahd.* nuzzi, *got.* [un]nuts, *aengl.* nytt ist eine Bildung zu dem unter →*genießen* behandelten *gemeingerm.* Verb und bedeutet demnach eigtl. „was gebraucht werden kann". Heute wird das Adjektiv nur noch prädikativ verwendet.

Nutzen m: Die seit dem 17. Jh. gebräuchliche Form Nutzen hat sich aus der älteren stark flektierenden Form Nutz (*mhd.*, *ahd.* nuz) unter Einwirkung des schwach flektierenden *frühnhd.* Nutze (*mhd.* nutze) entwickelt. Das Substantiv Nutz m ist heute nur noch in bestimmten Wendungen bewahrt, beachte z. B. 'zu Nutz und Frommen', und steckt in zahlreichen Zusammensetzungen, beachte z. B. Eigennutz, Nutznießung, nutzbringend. Von 'Nutz' abgeleitet sind nutzbar (*mhd.* nutzebǣre) und nützlich (*mhd.* nützelich). Neben *ahd.* nuz findet sich auch gleichbed. *ahd.* nuzza, von dem das Verb *ahd.* nuzzōn, *mhd.* nutzen, *nhd.* nutzen abgeleitet ist, beachte dazu die Präfixbildungen abnutzen, ausnutzen, benutzen. Daneben ist *ahd.* nuzzen, *mhd.* nützen, *mhd.* nützen gebräuchlich. – Diese Wortgruppe gehört mit der alten Adjektivbildung →nütze zu dem unter →*genießen* behandelten *gemeingerm.* Verb.

O

Oase w „fruchtbare Wasserstelle in der Wüste", auch bildlich übertragen gebraucht: Im 19. Jh. eingedeutscht aus gleichbed. *gr.-spätlat.* Óasis, das selbst *ägypt.* Ursprungs ist.

¹ob „über; oben": Das *gemeingerm.* Wort (Präp. und Adv.) *mhd.* ob[e], *ahd.* oba, *got.* uf, *aengl.* ufe-, *aisl.* of ist eng verwandt mit den unter →*obere*, →*offen* und →*über* behandelten Wörtern (vgl. *auf*). Im heutigen *dt.* Sprachgebrauch wird 'ob' als selbständiges Wort nicht mehr verwendet. Es ist bewahrt in Ortsnamen, wie z. B. Rothenburg ob der Tauber, und steckt in einer Reihe von Zusammensetzungen: Obacht w „Aufmerksamkeit" (17. Jh.; heute gewöhnlich nur noch in der Wendung 'Obacht geben'; vgl. ²*Acht*), dazu beobachten „aufmerksam und lange betrachten; feststellen; einhalten, wahren" (17. Jh., wohl nach *lat.* observāre, *frz.* observer); Obdach „Unterkunft, Zuflucht" (*mhd.*, *ahd.* ob[e]dach „Überdach; Vorhalle; Schutz, Unterkunft"), dazu ob-

dachlos „ohne Unterkunft" (19. Jh.; beachte dazu Obdachlosenasyl, 19. Jh.); Obhut „Schutz, Fürsorge" (17. Jh.; vgl. ²*Hut*); Obmann „Vorsteher, Vertrauensmann" (*mhd.* obeman); obliegen „auferlegt sein", veralt. für „[be]siegen" (*mhd.* obe liegen, *ahd.* oba ligan „oben liegen, überwinden"; in der heute üblichen Bed. seit dem 16. Jh. nach *lat.* incumbere); obwalten „vorhanden, wirksam sein, herrschen" (18. Jh.). – Mit dem Adverb ¹ob nicht identisch ist die Konjunktion ²ob (*mhd.* ob[e], *ahd.* obe, ibu, *got.* ibai, *engl.* if, *schwed.* om), deren Ursprung nicht sicher geklärt ist. Beachte dazu die zusammengesetzten Konjunktionen obgleich, obschon, obwohl, obzwar.

ob..., Ob..., vor folgenden Konsonanten meist angeglichen zu: oc..., Oc... (vor *lat.* c) oder eingedeutscht ok..., Ok..., ferner zu of..., Of... (vor f), zu op..., Op... (vor p): Vorsilbe von FW mit der Bed. „[ent]gegen" wie in →Objekt. Quelle ist *lat.* ob „auf- hin, gegen - hin, entgegen usw." (Präp.), das mit dem unter →*After* genannten *ahd.* aftar „hinten; später; nach" verwandt ist.

Obelisk *m* „freistehende Spitzsäule": Das in dieser Form seit dem 18. Jh. übliche FW geht auf gleichbed. *gr.* obelískos zurück (> *lat.* obeliscus), eine Verkleinerungsbildung zu *gr.* obelós „Spieß, Bratspieß; Spitzsäule". – Siehe auch Obolus.

obere: Das Adjektiv *mhd.* obere, *ahd.* obaro beruht auf einer Komparativbildung zu dem unter → ¹*ob* behandelten Wort. Die Substantivierung Obere *m* (16. Jh.) wird im Sinne von „Vorgesetzter" verwendet. Dazu gebildet ist die weibliche Form Oberin *w* „Vorsteherin im Kloster; Leiterin einer Schwesternschaft" (18. Jh.). Neben 'Obere' findet sich auch die Form Ober *m* „Bube (im Kartenspiel)". Dagegen ist Ober *m* „Kellner" erst aus Oberkellner gekürzt. Der Superlativ zu 'ober' lautet oberst (*mhd.* oberst, *ahd.* obaröst), subst. Oberster *m* „höchster Vorgesetzter, Leiter", daraus verkürzt die militärische Rangbezeichnung Oberst *m* (16. Jh.), gelegentlich noch in der altertümlichen Form Obrist *m*. Abl.: Obrigkeit *w* „die öffentliche Gewalt innehabende organe oder Behörde" (*spätmhd.* oberecheit, für älteres oberkeit). Zus.: Oberfläche (17. Jh.; LÜ von *lat.* superficiēs), dazu oberflächlich „nicht gründlich, flüchtig" (Ende des 18. Jh.s); Oberhand „Vorrang, Vorherrschaft" (*mhd.* oberhant, aus 'diu obere hant' „Hand, die den Sieg davonträgt"; heute gewöhnlich nur noch in 'die Oberhand gewinnen oder behalten"); Oberwasser in den Wendungen 'Oberwasser bekommen oder haben' „Vorteil erlangen, im Vorteil sein" (15. Jh., in der Bed. „das durch das Wehr gestaute Wasser, das über das oberschlächtige Rad der Mühle läuft"; der übertragene Gebrauch des Ausdrucks des Mühlwesens findet sich seit dem 19. Jh.).

Objekt *s*: Das seit dem 14. Jh. bezeugte FW ist hervorgegangen aus *lat.* obiectum, dem substantivierten Neutrum des Part. Perf. Pass. von *lat.* ob-icere „entgegenwerfen, entgegenstellen; vorsetzen, vorwerfen" (über das Stammwort vgl. das FW *Jeton*). Es bedeutet demnach eigtl. „das Entgegengeworfene, der Gegenwurf, der Vorwurf". Im Gegensatz zu →Subjekt bezeichnet es sodann den Gegenstand oder Inhalt der Vorstellung, aber auch das Ziel, auf das sich eine Tätigkeit, ein Handeln erstreckt. Letzteres gilt speziell auch für den seit dem 17. Jh. üblichen grammatischen Gebrauch des Wortes im Sinne von „[Sinn-, Fall]ergänzung eines Zeitwortes" (beachte z. B. die Zus. Akkusativ-, Dativobjekt). In wirtschaftlicher Hinsicht schließlich nennt das Wort Objekt jede Sache, der Gegenstand eines Vertrages, eines Geschäftes sein kann

(beachte Zus. wie Wert-, Tauschobjekt). Abl.: objektiv „auf ein Objekt bezüglich, gegenständlich, tatsächlich; sachlich; unvoreingenommen" (18. Jh.; aus *nlat.* obiectīvus); Objektiv *s* „die dem zu betrachtenden Gegenstand zugewandte Linse oder Linsenkombination eines optischen Gerätes" (im Anfang des 18. Jh.s gekürzt aus 'Objektivglas'; das Wort ist eine Parallelbildung zu →Okular).

Oblate *w*: Das aus der Kirchensprache stammende Substantiv (*mhd.*, *ahd.* oblāte) bezeichnete ursprünglich das als Hostie gereichte Abendmahlsbrot (daher noch heute im kirchlichen Bereich die spezielle Bed. „noch nicht geweihte Hostie"). Seit dem 13. Jh. spielt das Wort auch im weltlichen Bereich eine Rolle mit der Bed. „feines Backwerk". Daher versteht man unter 'Oblate' im heutigen Sprachgebrauch vorwiegend eine Art dünner Waffel, insbesondere eine sehr dünne Weizenmehlscheibe als Gebäckunterlage. Quelle des Wortes ist *mlat.* oblāta (hostia) „als Opfer dargebrachtes Abendmahlsbrot". Zu *lat.* oblāta „entgegen-, dargebracht", das als Part. Perf. Pass. von *lat.* of-ferre „entgegenbringen, darreichen; anbieten usw." fungiert (vgl. offerieren).

obligat „unerläßlich, unentbehrlich, erforderlich": Im 16. Jh. aus *lat.* obligātus „verbunden, verpflichtet" entlehnt, dem Partizipialadjektiv von *lat.* ob-ligāre „anbinden; verbindlich machen, verpflichten". Dies ist ein Kompositum von *lat.* ligāre „binden; verbinden, vereinigen" (vgl. *legieren*). – Dazu: Obligation *w* „persönl. Haftung für eine Verbindlichkeit (Rechtsw.); Schuldverschreibung (Wirtsch.)" (16. Jh.; aus *lat.* obligātiō „das Binden; die Verbindlichkeit, die Verpflichtung"); obligatorisch „verpflichtend, bindend, verbindlich, zwingend" (18. Jh.; aus *lat.* obligātōrius „verbindend, verbindlich").

Oboe *w*: Der seit dem 17./18. Jh. (zuerst als 'Hautbois' und 'Hoboe') bezeugte Name des Holzblasinstrumentes ist aus gleichbed. *frz.* hautbois entlehnt. Das *frz.* Wort ist aus haut „hoch" und bois „Holz" (vgl. *Busch*) zusammengesetzt. Es bedeutet demnach wörtlich „hohes (nämlich: hoch klingendes) Holz". Die heute im *Deutschen* allein gültige Form Oboe ist von entspr. *it.* oboe „Oboe" beeinflußt, das selbst aus dem *Frz.* stammt.

Obolus *m* „Scherflein, kleiner Beitrag", häufig in der Wendung 'seinen Obolus entrichten': Das seit dem 18./19. Jh. gebräuchliche FW geht zurück auf den *gr.* Münznamen obolós (umgerechnet etwa 12 Pfennige im Wert), der über gleichbed. *lat.* obolus ins *Deutsche* aufgenommen wurde. Das *gr.* Wort ist eine Dialektform von *gr.* obelós „[Brat]spieß" (vgl. *Obelisk*).

Observatorium *s* „(astronom., meteorolog.,
geophysikal.) Beobachtungsstation": Das
seit dem Ende des 17. Jh.s belegte FW ist
eine gelehrte *nlat.* Bildung zu *lat.* ob-servāre
„beobachten" bzw. zu dem davon abgeleiteten Substantiv *lat.* observātor „Beobachter". Stammwort ist *lat.* servāre „bewahren,
erhalten; behüten, beobachten" (vgl. *konservieren*).

obskur „dunkel, unbekannt; verdächtig,
zweifelhafter Herkunft": Das seit dem 17.Jh.
reichlich bezeugte Adjektiv ist aus gleichbed.
lat. ob-scūrus entlehnt, das sich mit einer
ursprünglichen Bed. „bedeckt" zu der unter
→*Scheune* dargestellten Wortsippe der *idg.*
Wz. *[s]keu- „bedecken" stellt.

Obst *s*: Das *westgerm.* Wort ist eine verdunkelte Zusammensetzung und bedeutet eigtl.
„Zukost". *Mhd.* obez, *ahd.* obaz, *niederl.*
ooft, *aengl.* ofet[t] sind zusammengesetzt
aus der unter →¹*ob* behandelten Präposition
und einer Bildung zu dem unter →*essen* behandelten Verb mit der Bed. „Essen, Speise"
(vgl. den Artikel Aas). Das Wort bezeichnete
in alter Zeit alles das, was außer den Haupt-
nahrungsmitteln Brot und Fleisch während
einer Mahlzeit gegessen wurde, also auch
Hülsenfrüchte, Gemüse oder dgl.

obszön „unanständig, schlüpfrig, schamlos":
Um 1700 aus *lat.* obscoenus (richtiger: ob-
scēnus) „anstößig, unzüchtig" entlehnt,
dessen etymologische Zugehörigkeit nicht
eindeutig geklärt ist.

Ochse *m*, *ugs.* auch Ochs *m* „verschnittenes
männliches Rind": Das *gemeingerm.* Wort
mhd. ohse, *ahd.* ohso, *got.* aúhsa, *engl.* ox,
schwed. ox beruht mit verwandten Wörtern
in anderen *idg.* Sprachen – vgl. z. B. *aind.*
ukṣá „Stier" – auf einer Bildung zu der *idg.*
Wz. *ū̆gh-, „feucht; feuchten, [be]spritzen".
Diese Bildung bedeutet demnach eigtl. „Befeuchter, [Samen]spritzer" und bezeichnete
also den [Zucht]stier. Zu der zugrunde liegenden Wurzel gehören z. B. *aind.* ukṣáti
„befeuchtet, bespritzt" und *lat.* ūvidus
„feucht, naß", ūmēre „feucht sein", ūmor
„Feuchtigkeit" (vgl. Humor). – Abl.: ochsen *ugs.* für „eifrig lernen" (19. Jh., aus der
Studentensprache; eigtl. „schwer arbeiten
wie ein als Zugtier verwendeter Ochse"; vgl.
den Artikel büffeln). Zus.: Ochsenziemer
„schwere Klopfpeitsche, Züchtigungswerkzeug" (18. Jh.; der zweite Bestandteil ist
entweder aus 'Sehnader' umgebildet oder ist
identisch mit Ziemer *m* „Rückenbraten
[von Wild]; Glied [von Ochsen u. a.]", *mhd.*
zim[b]ere; die Klopfpeitsche wurde früher
aus dem getrockneten Zeugungsglied eines
Stiers hergestellt).

Ode *w* „erhabenes, feierliches Gedicht": Im
Anfang des 17. Jh.s aus *lat.* ōdē, *gr.* ōidḗ
(< aoidḗ) „Gesang, Gedicht, Lied" entlehnt.
Stammwort ist *gr.* aeídein „singen". – *Gr.*
ōidḗ spielt übrigens noch in einigen Zusam-

mensetzungen eine Rolle, so in den FW
→Komödie, →Tragödie, →Melodie und
→Parodie.

öde „leer, verlassen, einsam; langweilig,
fade": Das *gemeingerm.* Adjektiv *mhd.* ōede,
ahd. ōdi, *got.* (Akk. Einz.) auþjana, *aengl.*
īede, *schwed.* öde beruht mit verwandten
Wörtern in anderen *idg.* Sprachen – vgl.
z. B. *gr.* aútōs „vergeblich, nichtig" – auf
einer Bildung zu der *idg.* Wz. *au-, *aue-
„von etwas weg, fort". Zu der zugrunde liegenden Wurzel gehören z. B. *aind.* áva „von
etwas herab" und *lat.* au- „fort-, weg-",
vgl. z. B. auferre „forttragen". Abl.: Öde *w*
„unbebauter Grund, verlassene Gegend"
(*mhd.* ōede, *ahd.* ōdī). Beachte auch die Verbalbildungen anöden *ugs.* für „auf die Nerven gehen, langweilen" und veröden „öde
machen". Siehe auch den Artikel Westen.

oder: Die *nhd.* Form der ausschließenden
Konjunktion geht zurück auf *mhd.* oder,
ahd. odar. Diese Form hat sich – wahrscheinlich unter dem Einfluß der unter →aber und
→weder behandelten Wörter – aus *mhd.*
od[e], *ahd.* odo, älter eddo entwickelt. *Ahd.*
eddo entsprechen *got.* aíþþau „oder" und
aengl. eđđa, ođđe „oder" (daraus *engl.* or).

Odyssee *w* „abenteuerliche Irrfahrt": Die
im Anfang des 19. Jh.s in Frankreich aufgekommene und von dort (*frz.* odyssée) später
übernommene Bezeichnung überträgt den
Namen des berühmten Homerischen Epos
(*gr.* Odýsseia > *lat.* Odyssēa), in welchem
die abenteuerliche, mit mancherlei Umwegen
und Irrfahrten verbundene Heimkehr des
altgriech. Helden Odysseus aus dem Trojanischen Krieg geschildert ist.

Ofen *m*: Das *gemeingerm.* Wort *mhd.* oven,
ahd. ovan, *got.* aúhns, *engl.* oven, *schwed.*
ugn beruht mit verwandten Wörtern in anderen *idg.* Sprachen auf *idg.* *aukʷ[h]-
„Kochtopf; Glutpfanne", vgl. z. B. *aind.*
ukhá-ḥ „Topf; Kochtopf; Feuerschüssel"
und *gr.* ipnós „Ofen; Küche; Laterne". Das
Wort bezeichnete also urspr. nicht eine Vorrichtung zum Heizen, sondern ein Gefäß
zum Kochen oder zum Bewahren der Glut.
Auch in *germ.* Zeit muß das Wort zunächst
noch ein zum Kochen dienendes Gefäß bezeichnet haben, beachte die Bildung *aengl.*
ofnet „Gefäß" (zu *aengl.* ofen „Ofen").

offen: Das *altgerm.* Adjektiv *mhd.* offen, *ahd.*
offan, *niederl.* open, *engl.* open, *schwed.*
öppen ist eng verwandt mit den unter →¹*ob*
und →*obere* behandelten Wörtern und gehört zu der Wortgruppe von →*auf.* Abl.:
offenbar „deutlich, klar ersichtlich, eindeutig" (*mhd.* offenbar, -bǣre, *ahd.* offan-
bār), dazu offenbaren „offen zeigen, enthüllen, kundtun" (*mhd.* offenbǣren), Offenbarung *w* „Kundgabe, Bekenntnis" (*mhd.*
offenbārunge); Offenheit *w* „Aufrichtigkeit, Freimut" (18. Jh.); öffentlich „allgemein, allen zugänglich; für alle bestimmt"

(*mhd.* offenlich, *ahd.* offanlīh), dazu Öffentlichkeit *w* „Allgemeinheit" (18. Jh.)
und veröffentlichen „öffentlich bekanntgeben; publizieren" (19. Jh.); öffnen „aufmachen" (*mhd.* offenen, *ahd.* offinōn), dazu
Öffnung *w* „offene Stelle, Loch, Lücke,
Mündung" (*mhd.* offenunge, *ahd.* offanunga).
offensiv „angreifend; angriffsfreudig": Eine
nlat. Bildung des 16./17. Jh.s zu *lat.* of-fen-
dere (offēnsum) „anstoßen, verletzen, beschädigen" (vgl. *defensiv*). Abl.: Offensive *w*
„planmäßig vorbereiteter Großangriff (eines
Heeres); Angriff" (18. Jh.; nach gleichbed.
frz. offensive).
offerieren „anbieten; überreichen": Das
bereits im 16. Jh. belegte, aber erst seit dem
19. Jh. in der speziell kaufmänn. Bed.
„(Waren) zum Kauf anbieten" bezeugte FW
ist aus *lat.* offerre (< ob-ferre) „entgegen-
tragen; anbieten, antragen usw." entlehnt. –
Dazu das Substantiv Offerte *w* „[Waren]-
angebot; Anerbieten" (seit dem 17. Jh. allg.,
seit dem Ende des 18. Jh.s kaufm.; entlehnt
aus gleichbed. *frz.* offerte, dem substantivierten Femininum des Part. Perf. Pass. von
frz. offrir „anbieten" < *lat.* offerre). – Stammwort von *lat.* offerre ist das *lat.* ferre
„tragen, bringen" (verwandt mit *dt.* →ge-
bären), das auch sonst mit zahlreichen anderen Komposita und Ableitungen in unserem
Fremdwortschatz vertreten ist. Im einzelnen
sind zu nennen: *lat.* con-ferre „zusammentragen; Meinungen austauschen" (s. konferieren; Konferenz, Conférence, Conférencier),
lat. dif-ferre „auseinandertragen; sich unterscheiden usw." (s. differieren, Differenz,
differenzieren, indifferent), *lat.* referre „zurücktragen; überbringen; berichten, mitteilen" (s. referieren, Referat, Referent, Referenz, Referendar) und *kirchenlat.* Lūcifer „Lichtbringer" (s. Luzifer).
offiziell „amtlich, öffentlich; förmlich": Im
18. Jh. aus *frz.* officiel entlehnt, das auf *lat.*
officiālis „zur Pflicht, zum Amt gehörend"
zurückgeht (zu *lat.* officium „Pflicht, Amt
usw."; vgl. *Offizier*). Das *lat.* Adjektiv erscheint daneben auch unmittelbar im *Dt.*,
aber nur in Zus. wie Offizialverteidiger.
Offizier *m* „militär. Vorgesetzter (vom Leutnant aufwärts)": Das in diesem Sinne seit
dem 16./17. Jh. bezeugte FW ist aus gleichbed. *frz.* officier entlehnt, das auf *mlat.* of-
ficiārius „Beamteter, Bediensteter" zurückgeht. Zugrunde liegt *lat.* officium (< *opi-
faciom) „Dienstleistung; Obliegenheit,
Pflicht; Dienst, Amt", dessen Grundwort zu
lat. facere „machen, tun" gehört (vgl. *Fazit*).
Über das Bestimmungswort vgl. den Artikel
operieren. – Von *lat.* officium abgeleitet ist
das Adjektiv *lat.* officiālis „zur Pflicht, zum
Amt gehörig", das dem FW →offiziell zugrunde liegt.
oft: Mhd. oft[e], *ahd.* ofto, *got.* ufta, *engl.*
often, *schwed.* ofta gehören wahrscheinlich

im Sinne von „übermäßig" zu dem unter
→ ¹*ob* „über; oben" behandelten Wort.
Oheim *m*, zusammengezogen ¹Ohm *m*
„Mutter-, Vaterbruder, Onkel": Das *westgerm.* Wort *mhd.*, *ahd.* ōheim, *niederl.* oom,
aengl. ēam bezeichnete urspr. den Bruder der
Mutter, während das unter →Vetter behandelte Wort urspr. den Bruder des Vaters bezeichnete. Die *westgerm.* Verwandtschaftsbezeichnung geht zurück auf *awa-haima-.
Das Bestimmungswort dieser Zusammensetzung gehört zu *idg.* *auo-s „Großvater"
(mütterlicherseits), vgl. z. B. *lat.* avus „Großvater, Ahn" und aus dem *germ.* Sprachbereich *aisl.* afi „Großvater" und *got.* awō
„Großmutter". Das Grundwort ist wahrscheinlich das *germ.* Adjektiv *haimaz „vertraut, lieb", das zu der Wortgruppe von
→*Heim* gehört. Der Mutterbruder ist demnach von den Germanen als „lieber Großvater" oder „der dem Großvater Vertraute"
benannt worden, vgl. das von *lat.* avus
„Großvater" abgeleitete avunculus „Mutterbruder", das eigtl. „Großväterchen" bedeutet
(s. Onkel).
¹**Ohm** siehe Oheim.
²**Ohm** siehe nachahmen.
ohne: Die *altgerm.* Präposition *mitteld.* ōne,
mhd. ān[e], *ahd.* āno, *mniederl.* aen, *aisl.* ān
steht im Ablaut zu *got.* inu „ohne" und ist
z. B. mit *gr.* áneu „ohne" verwandt. Vgl. den
Artikel ungefähr.
Ohnmacht *w* „Schwächeanfall mit Bewußt-
losigkeit": Die *nhd.* Form Ohnmacht (*frühnd.*
onmacht) hat sich durch Anlehnung an das
unter →ohne behandelte Wort aus *mhd.*,
ahd. āmaht entwickelt. Das Nominalpräfix
ahd., *mhd.* ā- „fort, weg, fehlend, verkehrt",
mit dem z. B. auch der Tiername Ameise
(s. d.) gebildet ist, ist seit *ahd.* Zeit nicht
mehr produktiv. Zum zweiten Bestandteil
vgl. *Macht*. Abl.: ohnmächtig „bewußtlos" (*mhd.* āmehtec, *ahd.* āmahtīg).
Ohr *s*: Das *gemeingerm.* Wort *mhd.* ōre, *ahd.*
ōra, *got.* ausō, *engl.* ear, *schwed.* öra beruht
mit verwandten Wörtern in den meisten
anderen *idg.* Sprachen auf *idg.* *ōus- „Ohr",
vgl. z. B. *gr.* oũs „Ohr" und *lat.* auris „Ohr".
Welche Vorstellung der *idg.* Benennung des
Gehörorgans zugrunde liegt, ist unklar. Zu
‚Ohr' gebildet ist →Öhr. – Das Ohr spielt
in zahlreichen Redewendungen eine Rolle,
beachte z. B. ‚jemandem einen Floh ins
Ohr setzen' „argwöhnisch machen", ‚jemanden übers Ohr hauen' „betrügen", ‚die
Ohren hängen lassen' „niedergeschlagen
sein". Zus.: Ohrfeige „Schlag auf die Backe,
Backpfeife" (15. Jh.; der zweite Bestandteil
ist der unter →*Feige* behandelte Name der
Frucht des Feigenbaums; beachte dazu *dt.*
mdal. Dachtel „Ohrfeige", eigtl. „Dattel",
niederl. muilpeer „Ohrfeige", eigtl. „Maul-
birne"), dazu ohrfeigen (Anfang des
19. Jh.s); Ohrwurm (14. Jh.; so benannt,

weil das Insekt nach dem Volksglauben gern in Ohren kriecht).

Öhr *s*: Das auf das *dt.* Sprachgebiet beschränkte Substantiv (*mhd.* œr[e], *ahd.* ōri) ist von dem unter →*Ohr* behandelten Wort abgeleitet und bedeutet eigtl. „ohrartige Öffnung". Heute bezeichnet ‘Öhr' gewöhnlich nur noch das Loch in der Nadel, durch das der Faden gezogen wird.

Okapi *s*: Der Name dieser im 20. Jh. entdeckten kurzhalsigen Giraffenart des Kongogebietes ist *afrik.* Ursprungs.

Okarina *w*: Der Name dieser im 19. Jh. in Italien erfundenen kurzen Ton- oder Porzellanflöte erscheint bei uns im 20. Jh. Das vorausliegende *it.* ocarina ist vermutlich eine Neubildung zu *it.* oca „Gans" (< *vlat.* *avica = *lat.* auca „Vogel; Gans"; zu *lat.* avis „Vogel") und bedeutet demnach eigtl. etwa „Gänseflöte". Der Name bezieht sich dann wohl auf die Gänseschnabelform dieses Instrumentes.

okay: Die im 20. Jh. aus der *amerik.* Gemeinsprache übernommene Bezeichnung für „in Ordnung" (*amerik.* O. K. oder OK) bleibt trotz der überzahlreichen, aber fruchtlosen Deutungsversuche ohne Etymologie.

okkult „verborgen, heimlich; geheim (von übersinnlichen Dingen)": Im 18./19. Jh. aus *lat.* occultus „verborgen, versteckt, heimlich" entlehnt, dem Partizipialadjektiv von *lat.* oc-culere (< *ob-celere) „verdecken, verbergen". Dessen Grundwort stellt sich zu der auch in *lat.* (dehnstufig) cēlāre „verbergen, verhehlen" und in *lat.* cella „Vorratskammer; enger Wohnraum; Zelle" (s. das LW Zelle) vorhandenen *idg.* Verbalwurzel *ǩel- „bergen, verhüllen" (vgl. *hehlen*). – Dazu seit dem Ende des 19. Jh.s als gelehrte *nlat.* Bildung das Substantiv **Okkultismus** *m* „die Geheimwissenschaft von den übersinnlichen Kräften und Dingen". Die Anhänger dieser Geheimlehre heißen entspr. **Okkultisten**.

Ökonom *m*: Die heute nur noch selten gebrauchte Bezeichnung für „Landwirt, Verwalter [landwirtschaftlicher Güter]", in *dt.* Texten seit dem Beginn des 17. Jh.s bezeugt, ist aus *lat.* oeconomus < *gr.* oiko-nómos „Haushalter, Verwalter, Wirtschafter" entlehnt. Zu *gr.* oîkos „Haus; Haushaltung" (vgl. *Ökumene*) und *gr.* némein „zuteilen; bebauen; verwalten" (vgl. ...*nom*, ...*nomie*). Im lebendigen Sprachgebrauch sind hingegen noch die dazugehörigen Fremdwörter **Ökonomie** *w* „Wirtschaft; Wirtschaftlichkeit; sparsame Lebensführung" (16. Jh., zunächst im Sinne von „Haushaltsführung"; aus *lat.* oeconomia „gehörige Einteilung" < *gr.* oiko-nomía „Haushaltung, Verwaltung") und **ökonomisch** „haushälterisch, wirtschaftlich, sparsam" (17. Jh.; nach *lat.* oeconomicus < *gr.* oiko-nomikós „die Hauswirtschaft

betreffend; geschickt in der Haushaltsführung, wirtschaftlich").

Oktave *w*: Die musikalisch-fachsprachliche Bezeichnung für den achten Ton der diatonischen Tonleiter vom Grundton an (*mhd.* octāv) und danach auch für ein Intervall im Abstand von acht Tönen beruht auf *mlat.* octāva (vōx). Das zugrunde liegende Adjektiv *lat.* octāvus „der achte" gehört als Ordinalzahl zu dem mit *dt.* →*acht* urverwandten Zahlwort *lat.* octō „acht". Auf dem gleichen Ordnungszahlwort (*lat.* octāvus) beruht auch das im 18. Jh. aufgekommene Fachwort des Buchgewerbes **Oktav** *s* als Bezeichnung der Achtelbogengröße im Buchformat. – Siehe auch den Monatsnamen →Oktober.

Oktober *m*: Der schon *mhd.* bezeugte Name für den 10. Monat des Jahres, der im *Ahd.* 'windumemānōth' „Weinlesemonat" (aus *lat.* vindēmia „Weinlese") genannt wurde, ist aus *lat.* (mēnsis) Octōber entlehnt. Dies ist eine Ableitung von *lat.* octō „acht" (vgl. *Oktave*) und bezeichnete ursprünglich den 8. Monat des ältesten, mit dem Monat März beginnenden altröm. Kalenderjahres (vgl. zum Sachlichen den Artikel Januar).

oktroyieren „aufdrängen, aufzwingen", dafür üblicher das zusammenges. Verb **aufoktroyieren**: Im 17. Jh. in der Bed. „[landesherrlich] bewilligen, bevorrechten" aus gleichbed. *frz.* octroyer entlehnt. Die bei uns heute übliche Bedeutung des Verbs (seit dem 19. Jh.) beruht auf einer Sonderentwicklung im Deutschen. *Frz.* octroyer (*afrz.* otroier) geht auf *mlat.* auctōrizāre „sich verbürgen; bestätigen, bewilligen" zurück, das von *spätlat.* auctōrāre „sich verbürgen; bekräftigen, bestätigen" abgeleitet ist. Zu *lat.* auctor „Förderer; Schöpfer, Urheber, Verfasser; Gewährsmann" (vgl. *Autor*).

Okular *s* „die dem Auge zugewandte Linse oder Linsenkombination eines optischen Gerätes": Junges physikal.-technisches Fachwort, das aus der älteren Zus. ‘Ocularglas' gekürzt ist (18./19. Jh.). Zugrunde liegt das von *lat.* oculus „Auge" (vgl. *okulieren*) abgeleitete *spätlat.* oculāris „zu den Augen gehörig".

okulieren: Das seit dem 17. Jh. bezeugte FW gehört der Gärtnersprache an und gilt im Sinne von „die geschlossene Knospe (= Auge) eines edlen Gewächses in die gespaltene Rinde eines artverwandten, unedlen, aber vitalen Gewächses einsetzen; durch Äugeln veredeln". Es geht auf gleichbed. *lat.* in-oculāre zurück. Stammwort ist das mit *dt.* →*Auge* urverwandte *lat.* Substantiv oculus „Auge; Pflanzenauge, Knospe", das auch den FW →Okular und →Monokel zugrunde liegt.

Ökumene *w* „die bewohnte Erde als ständiger menschlicher Lebens- und Siedlungsraum" (Rel., Geogr.): Entlehnt aus *kirchen-*

lat. oecūmenē < *gr.* oikouménē (gē) „die bewohnte Erde". Das zugrunde liegende Verb *gr.* oikeĩn „bewohnen" ist von *gr.* oĩkos (< *u̯oĩkos) „Haus, Wohnung; Hausstand, Hauswesen; Haushaltung, Wirtschaft usw." abgeleitet, das mit *lat.* vīcus „Häusergruppe; Dorf" urverwandt ist (s. das Subst. Weichbild). Abl.: ökumenisch „die ganze Erde betreffend, allgemein, Welt..." (16. Jh.). – Neben *gr.* oikeĩn spielt auch das Stammwort *gr.* oĩkos selbst eine unmittelbare Rolle als Bestimmungswort in Zus. wie →Ökonom, Ökonomie, ökonomisch.

Okzident *m*: Das seit *mhd.* Zeit belegte FW (*mhd.* occident[e]) bezeichnet im Gegensatz zu →Orient den Teil der bewohnten Erde, der in Richtung der „untergehenden Sonne" liegt, also im Westen, das Abendland (s. unter Abend). Es geht auf *lat.* occidēns (sōl) „untergehende Sonne; Westen, Abendland" zurück. Das zugrunde liegende Verb *lat.* oc-cidere „niederfallen; untergehen" ist ein Kompositum von *lat.* cadere „fallen" (vgl. hierüber das FW *Chance*). Abl.: okzidentalisch „westlich; abendländisch" (Anfang 18. Jh.; aus *lat.* occidentālis).

Öl *s*: Das *westgerm.* Substantiv *mhd.* öl[e], *ahd.* oli, *niederl.* olie, *aengl.* œle (gegenüber *engl.* oil, das aus dem *Afrz.* stammt) bezeichnete ursprünglich primär das Olivenöl und erst sekundär die verschiedensten flüssigen Fette, die je nach Verwendung von Zusammensetzungen wie Speise-, Salb-, Haut-, Maschinen-, Motoröl usw. unterschieden werden. Die gemeinsame Quelle des *westgerm.* Wortes ist *lat.* oleum (bzw. *vlat.* *olium) „Olivenöl; Öl", das seinerseits LW aus gleichbed. *gr.* élaion ist. Über weitere Zusammenhänge vgl. den Artikel *Olive*. Das *gr.-lat.* Wort lebt auch in fast allen europäischen Sprachen fort. Vgl. z. B. aus den *roman.* Sprachen gleichbed. *it.* olio, *span.* óleo und *frz.* huile (*afrz.* olie, oile; aus dem *Afrz.* *engl.* oil), aus den *nordgerm.* Sprachen z. B. *schwed.* olja und *dän.* olje (die unmittelbar wohl aus dem *Mnd.* oder *Afries.* stammen), ferner aus den slav. Sprachen z. B. *poln.* olej. – Abl. und Zus.: ölen „mit Maschinenöl abschmieren; salben" (*mhd.* ölen), dazu das Substantiv Ölung *w* „Salbung mit Öl; Ölzufuhr" (*mhd.* ölunge); ölig „fettflüssig wie Öl" (16. Jh.); Ölbaum *mhd.* ölboum, *ahd.* ölboum); Ölgötze „unbewegt und teilnahmslos dastehender Mensch" (zuerst im Anfang des 16. Jh.s: bei Luther bezeugt; vielleicht gekürzt aus ‘Ölberggötze', das gelegentlich als Bezeichnung für die schlafenden Jünger Jesu auf dem Ölberg gebraucht worden war).

Oleander *m*: Der Name des als Topfpflanze beliebten immergrünen Strauches (oder Baumes) des Mittelmeergebietes ist in *dt.* Texten seit dem 16. Jh. belegt. Er ist aus *it.* oleandro entlehnt, das unter Anlehnung an *lat.* olea „Olivenbaum" aus *mlat.* lorandum „Oleander" entstellt ist. Dies ist seinerseits nach *lat.* laurus „Lorbeerbaum" aus *gr.-lat.* rhododéndron (daraus unser Pflanzenname Rhododendron *s*) umgestaltet, wohl wegen der lorbeerähnlichen Blätter des Oleanders.

Olive *w*: Der seit dem Anfang des 16. Jh.s bezeugte Name für die kirschenförmigen Früchte des Ölbaumes (beachte schon *mhd.* olīve „Ölbaum"), aus denen das wertvolle Olivenöl gewonnen wird, beruht auf *lat.* olīva „Ölbaum; Olive", das seinerseits LW aus gleichbed. *gr.* elaíā bzw. einer Dialektform *elaíu̯ā (mit der urspr. Lautung des Wortes) ist. Das Wort stammt letztlich wohl aus einer unbekannten Mittelmeersprache. – Der Ölbaum ist von alters her eine der wichtigsten Kulturpflanzen des Mittelmeergebietes. Das aus den Oliven hergestellte Olivenöl gehörte im Altertum (wie auch heute gerade in südlichen Ländern) als Speiseöl, Salböl usw. zum täglichen Lebensbedarf. So ist es nicht verwunderlich, daß die *gr.* Bezeichnung für das Olivenöl (*gr.* élaion, < *élaiu̯on) über das *Lat.* in fast alle europäischen Kultursprachen gelangte (vgl. hierzu den Artikel *Öl*).

Olm *m*: Der Ursprung der Benennung des langgestreckten Schwanzlurches (*mhd.*, *ahd.* olm) ist unklar. Vielleicht handelt es sich bei *ahd.* olm um eine Entstellung aus *ahd.* molm (s. *Molch*).

Oma, Omama *w* (*ugs.* für:) „Großmutter": Das seit dem 19. Jh. bezeugte Wort ist eine kindersprachliche Umbildung von ‘Großmama'.

Omelett *s* und Omelette *w* „Eierkuchen": Im Anfang des 18. Jh.s aus gleichbed. *frz.* omelette entlehnt. Die weitere Herkunft des *frz.* Wortes ist unsicher.

Omen *s* „(gutes oder schlechtes) Vorzeichen; Vorbedeutung": Im 16. Jh. aus gleichbed. *lat.* ōmen (ōminis) übernommen, dessen weitere Zugehörigkeit unsicher ist. – Abl.: ominös „von schlimmer Vorbedeutung, unheilvoll; bedenklich; verdächtig, anrüchig" (17. Jh.; aus *lat.* ōminōsus „voll von Vorbedeutungen", in der Endung französiert).

Omnibus *m*: Quelle dieser seit dem 19. Jh. bezeugten, aus entspr. *frz.* omnibus (eigtl. wohl ‘voiture omnibus' „Wagen für alle") entlehnten Bezeichnung ist *lat.* omnibus „für alle", der Dativ von *lat.* omnēs „alle". Häufiger als die Vollform Omnibus ist die wohl im *Engl.* aufgekommene Kurzform Bus *m* (20. Jh.), die auch in einigen Zus. vorkommt, so in Autobus (20. Jh.), Schienenbus (20. Jh.), Obus *m* (20. Jh.; zusammengezogen aus Oberleitungsomnibus).

Onanie *w*: Die in der medizin. Fachsprache des 18. Jh.s aus dem *Engl.* übernommene Bezeichnung der geschlechtlichen Selbstbefriedigung (älter *engl.* onania, dafür heute *engl.* onanism) ist eine gelehrte Bildung

zum Namen der biblischen Gestalt 'Onan'
(1. Mos. 38; der dort beschriebene Vorfall,
daß Onan sich geweigert habe, seinem verstorbenen Bruder Kinder zu zeugen und deshalb seinen Samen auf die Erde verspritzt
habe, wurde dabei fälschlich als Selbstbefriedigung angesehen). Abl.: onanieren ,,Ona-
nie treiben" (19. Jh.).

ondulieren ,,Haare (mit der Brennschere)
wellen": Das erst im 20. Jh. aufgekommene,
aber bereits veraltete FW ist aus gleichbed.
frz. onduler entlehnt, das von *frz.* ondulation
,,das Wallen, das Wogen" abgeleitet ist. Es
ist dies eine gelehrte *frz.* Neubildung zu
spätlat. undula ,,kleine Welle". Das Stammwort *lat.* unda ,,Wasser, Welle, Woge" stellt
sich zu der unter → *Wasser* dargestellten *idg.*
Wortsippe.

Onyx *m*: Der Name des zumeist schwarz-
weiß gebänderten Halbedelsteines geht auf
gleichbed. *gr.-lat.* ónyx zurück. Die eigtl. Bedeutung des *gr.* Substantivs, das mit *dt.*
→ *Nagel* verwandt ist, ist ,,Kralle, Klaue;
[Finger]nagel". Der Onyx ist also vermutlich
nach seiner weißlichen Färbung benannt,
welche der des menschlichen Fingernagels
ähnlich ist.

Opa, O p a p a *m* (*ugs.* für:) ,,Großvater": Das
seit dem 19. Jh. bezeugte Wort ist eine kindersprachliche Umbildung von 'Großpapa'.

Opal *m*: Der seit dem 17. Jh. belegte Name
des in einigen farbenprächtigen Spielarten
(milchigweiß bis hyazinthrot) vorkommenden Halbedelsteins ist aus *lat.* opalus entlehnt, das seinerseits aus *gr.* opállios stammt.
Letzte Quelle des Wortes ist *aind.* úpala-ḥ
,,Stein".

Oper *w* ,,musikalisches Bühnenwerk; Opern-
haus": Das seit dem 17. Jh. zuerst als 'Opera'
bezeugte FW stammt wie die meisten musikalischen Bezeichnungen aus dem *It.* Das *it.*
Wort opera (in musica) bedeutet eigtl. ,,(Musik)werk". Es ist ein Kunstwort, das auf *lat.*
opera ,,Mühe, Arbeit; erarbeitetes Werk"
(vgl. *operieren*) basiert. – Die kleine Oper,
die O p e r e t t e, die mit ihren heiter-be-
schwingten, tänzerischen und possenhaft-
komischen Szenen vorwiegend der leichten
Unterhaltung dient, wird bei uns mit ihrem
gleichfalls *it.* Namen im 18. Jh. üblich. *It.*
operetta ist eine Verkleinerungsbildung zu
opera und bedeutet also eigtl. ,,Werkchen".

operieren: Das seit dem 16. Jh. bezeugte
Verb erscheint zuerst mit der allg. Bed. ,,ver-
fahren, handeln; wirken (besonders von
Arzneien)", die auch im modernen Sprachgebrauch noch lebendig ist. Aber schon früh
gelangt das Wort auch in die medizinische
Fachsprache mit der heute gemeinsprach-
lichen Spezialbed. ,,einen chirurgischen Eingriff vornehmen". Quelle des Wortes ist *lat.*
operārī ,,werktätig sein, arbeiten; sich abmühen"
sein, sich abmühen" (daneben im sakralen
Bereich ,,der Gottheit durch Opfer dienen";

s. dazu das LW →opfern), das als denominatives Verb zu *lat.* opera ,,Mühe, Arbeit;
erarbeitetes Werk" (s. dazu die FW Oper
und Operette) oder zu dem stammverwandten
Substantiv *lat.* opus (operis) ,,Arbeit, Beschäftigung; erarbeitetes Werk" (s. das FW
Opus) gehört. Die *lat.* Wörter opus und
opera gehören letztlich zu der unter → *üben*
dargestellten Wortsippe der *idg.* Wz. *op-
,,arbeiten, verrichten; zustande bringen; erwerben". Von verwandten Wörtern im italischen Sprachraum sind noch zu nennen:
lat. ops (opis) ,,Reichtum, Vermögen; Macht;
Hilfsmittel; Beistand", dazu *lat.* opulentus
,,reich an Vermögen; reichlich, reichhaltig"
(s. opulent), *lat.* cōpis, cōps ,,reichlich ausgestattet mit", cōpia ,,Fülle, Reichtum" (in
den FW →Kopie, kopieren) und *lat.* optimus
,,bester, hervorragendster" (in den FW
→Optimum, →Optimismus, Optimist), ferner das Bestimmungswort in *lat.* officium
(< *opi-faciom) ,,Dienstleistung; Obliegenheit, Pflicht; Amt" (s. dazu die FW Offizier
und offiziell). Vgl. auch die FW Manöver und
manövrieren. – Unmittelbar zu *lat.* operārī
bzw. zu dem darauf beruhenden *frz.* Verb
opérer stellen sich noch die folgenden abgeleiteten Fremdwörter: O p e r a t i o n *w* ,,Ver-
richtung, Arbeitsvorgang; chirurgischer Eingriff; zielgerichtete Bewegung eines Heeres-
verbandes" (16. Jh.; aus *lat.* operātiō ,,das
Arbeiten, die Verrichtung usw."); o p e r a t i v
,,die chirurgische Operation betreffend; strategisch" (*nlat.* Bildung jüngster Zeit); O p e -
r a t e u r *m* ,,operierender Arzt; Kamera-
mann" (als medizinischer Terminus im
18. Jh. aus gleichbed. *frz.* operateur übernommen); o p e r a b e l ,,operierbar" (20. Jh.;
aus gleichbed. *frz.* opérable).

opfern: Das aus der Kirchensprache stammende Zeitwort *mhd.* opfern, *ahd.* opfarōn
(urspr. ,,etwas Gott als Opfergabe darbringen") ist entlehnt aus *lat.-kirchenlat.* operārī
,,werktätig sein, arbeiten; einer religiösen
Handlung dienen; der Gottheit durch Opfer
dienen; Almosen geben". Über weitere etymologische Zusammenhänge vgl. den Artikel *operieren*. – Eine alte Rückbildung aus
dem Zeitwort opfern ist das Substantiv
O p f e r *s* (*mhd.* opfer, *ahd.* opfar).

Opium *s* ,,aus dem Milchsaft des Schlafmohns
gewonnenes Rauschgift und Betäubungsmittel": Im 15. Jh. aus *lat.* opium ,,Mohnsaft,
Opium" entlehnt, das auf gleichbed. *gr.*
ópion zurückgeht. Dies ist eine Verkleinerungsbildung zu *gr.* opós ,,Pflanzenmilch".

opponieren ,,sich widersetzen; widersprechen": Das seit dem 16. Jh. belegte Verb geht
auf *lat.* op-pōnere ,,entgegensetzen; einwenden" zurück (vgl. *Position*), dessen Part.
Präs. oppōnēns uns im 17. Jh. das FW O p -
p o n e n t *m* ,,Gegner [im Redestreit]" lieferte.
Entsprechend ist aus dem abgeleiteten Substantiv *spätlat.* oppositiō ,,das Entgegen-

setzen" unser FW Opposition w „Gegenüberstellung; Gegensatz; Widerstand; Widerspruch" (16. Jh.) hervorgegangen, das seit
dem Ende des 18. Jh.s unter *frz*. Einfluß
auch in speziell politischem Sinne zur Bezeichnung der Gesamtheit aller von der jeweiligen Regierung ausgeschlossenen und mit
deren Politik nicht einverstandenen Parteien und Gruppen gilt.

opportun „passend, nützlich, angebracht,
günstig; zweckmäßig": Im 17./18. Jh. aus
gleichbed. *lat*. opportūnus entlehnt. – Dazu
als *nlat*., aus dem *Frz*. übernommene Bildungen die FW Opportunist *m* (19. Jh., =
frz. opportuniste) und Opportunismus *m*
(20. Jh., = *frz*. opportunisme). Ersteres bezeichnet einen Menschen, der sich aus rein
egoistischen Zweckmäßigkeits- und Nütz-
lichkeitserwägungen heraus schnell und be-
denkenlos der jeweiligen Lage anpaßt
(urspr. war es ein speziell politisches Schlagwort zur Kennzeichnung des Gelegenheits-
politikers ohne feste Grundsätze). Letzteres
bezeichnet die aus solcher Einstellung ge-
folgerte Geisteshaltung.

Optik *w* 1. „Lehre vom Licht"; 2. „der die
Linsen enthaltende Teil eines optischen Gerätes"; 3. „optischer Eindruck, optische
Wirkung": Das seit dem 16. Jh. zuerst als
'Optica' bezeugte FW geht auf *lat*. optica
(ars) < *gr*. optikḗ (téchnḗ) „die das Sehen betreffende Lehre" zurück. Das zugrunde liegende Adjektiv *gr*. optikós „zum Sehen gehörig, das Sehen betreffend", dem im 16. Jh.
unser entspr. Adjektiv optisch nachgebildet wurde, gehört zu dem u. a. in *gr*. ósse
„die beiden Augen", *gr*. ópsesthai „sehen
werden" und *gr*. ómma (< *op-mn̥) „Auge"
vertretenen Stamm op- (< *ok̯ʷ-) „sehen;
Auge". Über die *idg*. Zusammenhänge vgl.
den Artikel *Auge*. – Abl.: Optiker *m* „Fachmann für die Herstellung, Wartung und den
Verkauf von optischen Geräten" (im 17. Jh.
zuerst in der *nlat*. Form 'Opticus' bezeugt).

Optimismus *m*: Das seit dem 18. Jh. bezeugte
FW, das eine aus dem *Frz*. übernommene
(*frz*. optimisme) *nlat*. Bildung zu *lat*. optimus
„bester, hervorragendster" ist (vgl. *Optimum*),
gilt zunächst als philosophisches Schlagwort
für Leibniz' Theodizee, der Lehre, daß diese
Welt die bèste von allen möglichen sei und
daß das geschichtliche Geschehen in Fortschritt zum Guten und Vernünftigen sei.
Aber gleichfalls schon im 18. Jh. erscheint das
Wort mit seiner heute üblichen allgemein gefaßten Bedeutung zur Bezeichnung einer
„heiteren, zuversichtlichen Lebensauffassung". Es steht hier im Gegensatz zu dem
später geprägten FW →Pessimismus. –
Dazu Optimist *m* „lebensbejahender, zu-
versichtlicher Mensch" (19. Jh.) und opti-
mistisch „lebensbejahend, zuversichtlich"
(20. Jh.).

Optimum *s* „das Wirksamste; der Bestwert;
das Höchstmaß": Junge Entlehnung (20. Jh.)
aus *lat*. optimum, dem Neutrum von optimus
„bester, hervorragendster" (über etymolog.
Zusammenhänge vgl. den Artikel *opulent*). –
Gleichfalls jung ist das dazugehörige Adjektiv optimal „sehr gut, bestmöglich", das
ebenso eine *nlat*. Bildung ist wie das schon
ältere FW →Optimismus.

opulent „üppig, reichlich": Das seit dem
Anfang des 18. Jh.s bezeugte Adjektiv ist
aus *lat*. opulentus „reich an Vermögen; reichlich, reichhaltig" entlehnt. Stammwort ist
lat. ops (opis) „Reichtum, Vermögen; Macht;
Hilfsmittel; Hilfe, Beistand", das auch den
lat. Wörtern cōpis, cōps „reichlich versehen
mit" (< *co-op-is) – dazu *lat*. cōpia „Fülle,
Reichtum" (s. Kopie usw.) – und optimus
„bester, hervorragendster" (s. die FW um
→Optimum) zugrunde liegt. Üblicherweise
verbindet man *lat*. ops mit den unter →*operieren* genannten Wörtern, *lat*. opus „Arbeit,
Beschäftigung; erarbeitetes Werk" und *lat*.
opera „Mühe, Arbeit", wobei dann die Bed.
„Reichtum (wohl urspr. an Feldfrüchten),
Fülle" als resultativ anzusehen wäre: der
Reichtum als Ergebnis und Lohn mühsamer
(landwirtschaftlicher) Arbeit.

Opus *s*: Das seit dem 16. Jh. bezeugte FW ist
identisch mit *lat*. opus „Arbeit, Beschäftigung; erarbeitetes Werk" (vgl. *operieren*). Es
gilt zunächst allgemein im Sinne von „Werk"
zur Bezeichnung wissenschaftlicher, literarischer und künstlerischer Arbeiten. Seit
dem 19. Jh. ist es dann auch ein spezieller
Terminus in der Musik, der die chronologisch geordneten einzelnen Schöpfungen
eines Komponisten numerisch benennt
(Abk.: op.).

Orakel *s*: Das seit dem 16. Jh. bezeugte FW
bezeichnet was das zugrunde liegende *lat*.
Substantiv ōrāculum zunächst einen Ort, an
dem die Götter geheimnisvolle Weissagungen erteilen, dann die dunkle Weissagung
selbst, den Götterspruch. Aber auch in allgemein übertragenem Sinne von „geheim-
nisvoller Ausspruch, rätselhafte Andeutung"
erscheint das Wort im *Dt*., was noch in den
jungen Ableitungen orakelhaft „dunkel,
undurchschaubar, rätselhaft" und orakeln
„in dunklen Andeutungen sprechen" zum
Ausdruck kommt. *Lat*. ōrāculum bedeutet
wörtlich etwa „Sprechstätte". Es ist abgeleitet von dem aus dem Bereich der Sakral-
und Rechtssprache stammenden Verb *lat*.
ōrāre „eine Ritualformel wirksam hersagen;
vor Gericht verhandeln; reden, sprechen;
bitten, beten". Siehe auch das FW →Ora-
torium.

Orange *w*: Der Name der Südfrucht wurde im
17./18. Jh. aus gleichbed. *frz*. orange (älter
auch: 'pomme d'orange') entlehnt. Die frü-
hesten Belege im Deutschen stammen aus
Norddeutschland, wo durch Vermittlung

von *niederl.* oranjeappel im 17. Jh. 'Oranienapfel' erscheint. Im Süden begegnet dafür etwas später die entspr. Zus. 'Orangenapfel' (nach *frz.* pomme d'orange). – Quelle des *frz.* Wortes, wie z. B. auch für entspr. *it.* arancia (s. Pomeranze), ist *arab.* nāraṅǧ < *pers.* nāriṅg „bittere Orange", das den europäischen Sprachen durch gleichbed. *span.* naranja vermittelt wurde. Das anlautende o- von *frz.* orange (gegenüber dem in den anderen Sprachen bewahrten urspr. -a-) beruht auf einer volksetymologischen Umdeutung des Wortes (vielleicht nach *frz.* or „Gold" wegen des goldgelben Aussehens der Früchte oder nach der südfranzös. Stadt Orange?). Andere Bezeichnungen der Südfrucht s. unter →Apfelsine und →Pomeranze. – Abl.: O r a n g e a d e *w* „Orangenlimonade" (18. Jh.; aus *frz.* orangeade); O r a n g e a t *s* „kandierte Orangenschale" (18. Jh.; aus gleichbed. *frz.* orangeat).

Orang-Utan *m*: Der in *dt.* Texten seit dem 17. Jh. bezeugte Name des auf Borneo und Sumatra beheimateten Menschenaffen entstammt dem *Malaiischen.* Es handelt sich dabei um eine von Europäern vorgenommene irrtümliche oder scherzhafte Übertragung von *malai.* orang [h]utan „Waldmensch", womit die Malaien der großen Sundainseln die in wilden Stämmen lebenden Eingeborеnen benannten.

Oratorium *s*: Das seit dem 17. Jh. bezeugte FW bezeichnet ein opernartiges geistliches Musikwerk, das zur Aufführung in der Kirche (= „Bethaus") bestimmt ist. Es geht auf *kirchenlat.* ōrātōrium „Bethaus" zurück. Stammwort ist *lat.* ōrāre „bitten, beten" (vgl. hierzu den Artikel *Orakel*).

Orchester *s*: Zu *gr.* orcheîsthai „tanzen, hüpfen, springen" (über die *idg.* Zusammenhänge vgl. *rinnen*) gehört als Substantivbildung *gr.* orchéstrā „Teil des Theaters, wo der Chor sich bewegt; Tanzplatz". Über *lat.* orchēstra, das zunächst den für die Senatoren bestimmten Ehrenplatz vorn im Theater bezeichnete, später dann auch jenen Teil der vorderen Bühne, auf der die Musiker und Tänzer auftraten, gelangte das Wort in die *roman.* Sprachen (*it.* orchestra, *frz.* orchestre) und von da im Anfang des 18. Jh.s ins *Deutsche* mit der Bed. „Raum für die Musiker vor der Bühne". Seit der Mitte des 18. Jh.s gilt das Wort dann schließlich vor allem im Sinne von „Musikkapelle".

Orchidee *w*: Der Name der zu den Knabenkrautgewächsen gehörenden, in etwa 2000 Arten vorkommenden, wertvollen Zierpflanze wurde im 18./19. Jh. aus entspr. *frz.* orchidée übernommen. Er ist eine gelehrte Neubildung zu *gr.* órchis „Hode", das im übertragenen Sinne eine Pflanze mit hodenförmigen Wurzelknollen bezeichnet, wie sie für die Orchideen charakteristisch sind. – Be

achte auch die ähnliche Benennung →Knabenkraut.

Orden *m*: Das Substantiv *mhd.* orden *m* „Regel, Ordnung; Reihe[nfolge]; Verordnung, Gesetz; Rang, Stand; christlicher Orden" (gegenüber *ahd.* ordena *w* „Reihe, Reihenfolge") ist aus *lat.* ōrdō (ōrdinis) „Reihe; Ordnung; Rang, Stand" entlehnt (vgl. dazu das LW *ordnen*). Aus einem ursprünglich freieren Gebrauch hat das Wort im Laufe der Zeit einen speziellen Anwendungsbereich erlangt. Insbesondere wurde es früh zur Bezeichnung der für bestimmte christliche (insbesondere klösterliche), später auch weltliche Gemeinschaften und Brüderschaften verbindlichen [Ordens]regeln und danach auch zur Bezeichnung solcher Gemeinschaften selbst. Nach den Ordensabzeichen, welche die Mitglieder dieser Gemeinschaften zur Ehre des Ordens und zum Zeichen ihrer Zugehörigkeit zur Ordensgemeinschaft trugen, bedeutet das Wort Orden heute auch allgemein „Ehrenzeichen, Auszeichnung". – Die ursprüngliche Bedeutung von 'Orden' „Reihenfolge, Ordnung" ist bewahrt in dem abgeleiteten Adjektiv **ordentlich** „der Ordnung, der Vorschrift gemäß; ordnungsliebend, sauber, anständig; tüchtig; wohlgeordnet; regelrecht, planmäßig" (*mhd.* ordenlich, *ahd.* ordenlĭch[o]; das jüngere -t- im Auslaut der Stammsilbe ist ein unorganischer Gleitlaut, ähnlich wie in →eigentlich).

Order *w* „Befehl; Auftrag" (veralt., aber noch *mdal.*): Im 17. Jh. aus gleichbed. *frz.* ordre (*afrz.* ordene) entlehnt, das auf *lat.* ōrdō (Ablat. ōrdine) „Ordnung; Rang; Verordnung" (vgl. *ordnen*) zurückgeht. – Abl.: b e o r d e r n „jmdn. wohin bestellen; beauftragen" (Ende 17. Jh.).

ordinär: Das seit dem 17. Jh. bezeugte Adjektiv hatte bis ins 18. Jh. einen durchaus neutralen Klang. Es galt im Sinne von „ordentlich; allgemein üblich, gewöhnlich". Dadurch aber, daß es im allgemeinen Sprachgebrauch immer mehr in eine gegensätzliche Stellung zum 'Außerordentlichen, Feinen und Vornehmen' geriet, entwickelte es schließlich den heute üblichen Sinn „gewöhnlich, niedrig, gemein, vulgär". Es ist aus entspr. *frz.* ordinaire entlehnt, das auf *lat.* ōrdinārius „in der Ordnung, ordentlich" zurückgeht. Zu *lat.* ōrdō (ōrdinis) „Reihe; Ordnung; Rang" (vgl. *ordnen*).

Ordinarius *m* „ordentlicher Professor an einer Hochschule": Gekürzt aus 'Professor ordinarius'. Über das *lat.* Adjektiv ōrdinārius „ordentlich" vgl. den Artikel *Orden*.

ordnen: Das Zeitwort (*mhd.* ordenen, *ahd.* ordinōn „in Ordnung bringen; einrichten; anordnen usw.") ist aus *lat.* ōrdināre „in Reihen zusammenstellen, ordnen; anordnen" entlehnt, das von *lat.* ōrdō (ōrdinis) „Reihe; Ordnung; Rang, Stand" abgeleitet ist. Unmittelbar aus letzterem stammt unser

LW →Orden. Abl.: Ordner m „wer für Ordnung sorgt; Vorrichtung zum Einordnen von Schriftstücken" (mhd. ordenǣre); Ordnung w „Tätigkeit des Ordnens; Geregeltheit; Aufgeräumtheit, Sauberkeit; systematische Zusammenfassung; Reihe, Grad; Regel, Vorschrift" (mhd. ordenunge, ahd. ordinunga). Um das einfache Verb ordnen gruppieren sich verschiedene Präfixbildungen und Zus., wie abordnen (dazu: Abgeordnete m), anordnen, verordnen (dazu: Verordnung w). − Von Interesse sind in diesem Zusammenhang einige Fremdwörter, die zu lat. ōrdō als Stammwort bzw. zu dessen Ableitungen und roman. Abkömmlingen gehören. Siehe hierzu im einzelnen folgende Artikel: koordinieren, Koordinaten, ordinär, Ordinarius, Ordonnanz, Order (beordern) und Ornat.

Ordonnanz w: Das seit dem 16. Jh. bezeugte FW galt zuerst in der heute veralteten Bed. „Befehl, Anordnung". Seit dem 17. Jh. bezeichnet es in der militärischen Fachsprache einen Soldaten, der einem Offizier zur Befehlsübermittlung zugeteilt ist. Entlehnt ist das Wort aus frz. ordonnance „Befehl, Anordnung; Ordonnanz", das von frz. ordonner (afrz. ordener) „anordnen, vorschreiben" abgeleitet ist. Voraus liegt lat. ōrdināre „ordnen; verordnen" (vgl. das LW ordnen).

Organ s: Das seit dem 18. Jh. belegte FW, das jedoch schon im 16.–18. Jh. in den nicht eingedeutschten Formen 'Organum', 'Organon' (Mehrz. 'Organa') auftritt, bedeutet gemäß seiner Herkunft aus lat. organum < gr. órganon „Werkzeug" zunächst allgemein „Werkzeug, Hilfsmittel". Daran schließen sich dann die vielfach übertragenen Bedeutungen des Wortes in den verschiedenen Bereichen an. So bezeichnet 'Organ' (auch schon gr. órganon) in der Medizin jeden Körperteil mit einer einheitlichen Funktion, wie einerseits die inneren Organe (Herz, Leber usw.), wie andererseits aber auch die Sinnesorgane und die Sprechwerkzeuge. Dementsprechend bedeutet es bildlich auch „Sinn, Empfindung, Empfänglichkeit", was besonders in der Wendung '[k]ein Organ für etwas haben' zum Ausdruck kommt, ferner soviel wie „menschliche Stimme" (beachte dazu die Wendung 'ein lautes Organ haben'). Im öffentlichen Leben schließlich bezeichnet 'Organ' (wohl nach entspr. frz. organe) einmal eine Person oder [Zeit]schrift, durch die sich eine Gruppe oder Gemeinschaft äußert (beachte z. B. die Zus. Parteiorgan), zum andern im speziell juristischen Sinne den durch Satzung oder Gesetz bestimmten Vertreter einer juristischen Person (beachte die Fügung 'ausführendes Organ'). Etymologisch gesehen, handelt es sich bei dem zugrunde liegenden Substantiv gr. órganon „Werkzeug" (das im übrigen mit einer Sonderbed., „musikalisches Instrument" auch die Quelle für unser LW →Orgel und das dazu-

gehörige FW Organist ist) um eine unabhängige ablautende Bildung zum Stamm von gr. érgon „Werk; Dienst" (vgl. Energie). − Von den zu 'Organ' gehörenden abgeleiteten Fremdwörtern ist in erster Linie das Adjektiv organisch (18. Jh.; Neubildung nach lat. organicus < gr. organikós) zu nennen. Seine Bedeutungsfächerung ist ähnlich stark wie die des Stammwortes: „mit Organen versehen, in ihnen vorkommend" (Biol.), „die Organe betreffend" (Med.), „belebt, lebendig (gewachsen); ineinandergreifend, geordnet, gegliedert" (allg.). Daneben gilt es in der Chemie speziell zur Kennzeichnung der Kohlenstoffverbindungen, und zwar ursprünglich derjenigen, die in tierischen und pflanzlichen Organismen vorkommen (daher: 'organische Verbindungen', 'organische Chemie'). Die Nichtkohlenstoffverbindungen, wie sie vor allem in der unbelebten Natur vorkommen, heißen entsprechend anorganisch (19. Jh.; vgl. das verneinende Präfix ²a..., ²an...). Weiterhin sind zu nennen die Ableitungen Organismus m „Gefüge; einheitliches, gegliedertes [lebendiges] Ganzes; Lebewesen" (im 18. Jh. als nlat. Bildung aus entspr. frz. organisme übernommen) und →organisieren.

organisieren: Das seit dem 18. Jh. belegte FW gilt zunächst allgemein im Sinne von „planmäßig ordnen, gestalten, einrichten, aufbauen", daneben − vor allem reflexiv − im Sinne von „[sich] zu wirtschaftlichen, politischen u. a. Zweckverbänden zusammenschließen". In der Umgangssprache schließlich steht das Wort als verhüllende Umschreibung für „sich etwas [auf nicht ganz rechtmäßige Weise] beschaffen". Es ist aus frz. organiser „einrichten, anordnen, gestalten, organisieren" entlehnt, das als Ableitung von frz. organe „Organ; Werkzeug" (= dt. →Organ) eigtl. „mit Organen versehen" bedeutet, dann etwa auch „zu einem lebensfähigen Ganzen zusammenfügen". − Dazu: Organisation w „Aufbau, Einrichtung, Gliederung, planmäßige Gestaltung; Gruppe, Verband (mit [sozial]polit. Zielen)", im 17./18. Jh. aus entspr. frz. organisation; Organisator m „Gestalter, Planer; Anstifter" (20. Jh.; nlat. Bildung); reorganisieren „neu gestalten, neu ordnen" (19. Jh.; nach frz. réorganiser); Reorganisation w „Neugestaltung, Neuordnung" (19. Jh.; nach frz. réorganisation).

Orgel w: Der Name des Musikinstrumentes, mhd. orgel (neben organa, orgene), ahd. orgela (neben organa), geht zurück auf lat.-kirchenlat. organa, die als Femininum Sing. aufgefaßte Mehrzahlform von lat.-kirchenlat. organum „Werkzeug, Instrument; Musikinstrument; Orgelwerk; Orgel". Letzte Quelle des Wortes ist gr. órganon „Werkzeug, musikalisches Instrument" (vgl. den Artikel Organ). − Dazu das abgeleitete ugs. Verb orgeln (*mhd.* orgel[e]n), das eigtl. „die Orgel (speziell die Drehorgel) spielen" bedeutet, das aber nur im übertragenen Sinne gebraucht wird, u. a. obszön für „beschlafen", dann auch weidmänn. für „Brunstlaute ausstoßen" (vom Hirsch). – Hierher gehört auch das FW Organist *m* „Orgelspieler" (*mhd.* organist[e], aus gleichbed. *mlat.* organista).

Orgie *w* „ausschweifendes Gelage; Ausschweifung": Das in diesem Sinne seit dem 18. Jh. bezeugte FW ist *gr.* Ursprungs. Es handelt sich um das zum Stamm von *gr.* érgon „Werk; Dienst" (vgl. *Energie*) gehörende *gr.* Substantiv órgia (Neutr. Plur.) „heilige Handlung, geheimer Gottesdienst", das im speziellen Sprachgebrauch die Geheimfeiern des Bacchusdienstes und die damit verbundenen wilden und ausgelassenen nächtlichen Schwärmereien bezeichnete. Über *lat.* orgia (Neutr. Plur.) „nächtliche Bacchusfeier" gelangte das Wort im 17. Jh. – zunächst als Plur. Orgien – ins *Dt.* Allgemein geläufig wurde das Wort dann im 19. Jh. mit seiner übertragenen Bedeutung.

Orient *m*: Das seit *mhd.* Zeit belegte FW steht im Gegensatz zu → *Okzident*. Es ist die umfassende Bezeichnung für die vorder- und mittelasiatischen Länder, aber auch für die östliche Welt und deren morgenländische Kulturen allgemein. Entlehnt ist das Wort aus *lat.* oriēns (sōl), das wörtlich „aufgehende Sonne" bedeutet und dann übertragen „Land, das in Richtung der aufgehenden Sonne liegt; Osten, Morgenland". Das zugrunde liegende Verb *lat.* orīrī „aufstehen, sich erheben; entstehen, entspringen", das auch Stammwort für *lat.* orīgō (orīginis) „Ursprung, Quelle, Stamm" ist (s. *original*), gehört zu der unter → *rinnen* dargestellten *idg.* Wortfamilie. – Abl.: orientalisch „den Orient betreffend, östlich, morgenländisch" (16. Jh.; für *mhd.* orientisch; aus gleichbed. *lat.* orientālis); Orientale *m* „Bewohner der Länder des Orients, Morgenländer" (18. Jh.). Ferner gehört hierher das Verb orientieren „jmdn. von etwas unterrichten; etwas nach etwas anderem ausrichten, es darauf einstellen", das zumeist reflexiv (sich orientieren) gebraucht wird im Sinne von „sich zurechtfinden; sich umsehen, sich erkundigen, sich unterrichten". Es erscheint im 18. Jh. als Entlehnung aus gleichbed. *frz.* (s')orienter (zu *frz.* orient „Sonnenaufgang, Osten; Orient"). Auszugehen ist dabei von einer ursprünglich geographischen Bed. „die Himmelsrichtung nach dem Aufgang der Sonne bestimmen". – Das vom Verb abgeleitete Substantiv Orientierung *w* „Kenntnis von Weg und Gelände; geistige Einstellung, Ausrichtung" ist seit dem 19. Jh. belegt.

original „ursprünglich, echt; urschriftlich", auch in Zus. wie Originalausgabe, Origi-

naltext: Das seit dem 18. Jh. bezeugte Adjektiv ist eine gelehrte Entlehnung aus *lat.* orīginālis „ursprünglich", das von *lat.* orīgō (orīginis) „Ursprung, Quelle, Stamm" abgeleitet ist. Über weitere Zusammenhänge vgl. den Artikel *Orient*. – Dazu Original *s* „Urschrift, Urfassung; Urtext; Urbild, Vorlage" (14. Jh.; aus *mlat.* orīgināle, ergänze: exemplar; beachte auch den Gegensatz → *Kopie*), auch übertragen gebraucht zur Bezeichnung eines eigentümlichen Menschen (einer Type; eines Sonderlings), der sich durch ausgeprägte, zuweilen schrullige Eigenart von anderen abhebt (so seit dem 18. Jh. belegt); Originalität *w* „Ursprünglichkeit, Echtheit, Selbständigkeit; Besonderheit, wesenhafte Eigentümlichkeit" (18. Jh.; aus gleichbed. *frz.* originalité); originell „eigenartig, einzigartig; urwüchsig, komisch" (18. Jh.; aus gleichbed. *frz.* originel).

Orkan *m* „stärkster Sturm": Im 16./17. Jh. aus *niederl.* orkaan entlehnt, das wie *frz.* ouragan, *it.* uragano, *engl.* hurrican (beachte das FW Hurrikan *m*) auf *span.* huracán „Wirbelsturm" zurückgeht. Das Wort stammt letztlich aus einer Eingeborenensprache der Antillen.

Ornament *s* „Verzierung; Verzierungsmotiv": Das seit dem 14. Jh. belegte FW ist aus *lat.* ōrnāmentum „Ausrüstung; Schmuck, Zierde; Ausschmückung" entlehnt. Zu *lat.* ōrnāre „ordnen, ausrüsten; schmücken" (vgl. *Ornat*).

Ornat *m* „feierliche [kirchliche] Amtstracht": Im 14. Jh. aus *lat.* ōrnātus „Ausrüstung, Ausstattung; Schmuck; schmuckvolle Kleidung" entlehnt. Stammwort ist *lat.* ōrnāre (< *ōrd[i]nāre) „ordnen, ausrüsten, ausstatten; schmücken" (vgl. *ordnen*), das auch dem FW → *Ornament* zugrunde liegt.

Ort *m*: *Mhd.*, *ahd.* ort „Spitze (bes. einer Waffe oder eines Werkzeugs); äußerstes Ende, Punkt; Ecke, Rand; Stück; Gegend, Helle, Platz", *niederl.* oord „Gegend, Landstück; Stelle, Platz", *aengl.* ord „Spitze; Speer; äußerstes Ende", *schwed.* udd „Spitze, Stachel" beruhen auf *germ.* *uzda- „Spitze", das wahrscheinlich mit *alban.* usht „Ähre" und *lit.* usmìs „Distel" verwandt ist. – Die urspr. Bed. „Spitze" spiegelt im heutigen Sprachgebrauch noch die Verwendung von ‚Ort' im Sinne von „Ahle, Pfriem" wider. Die Bed. „Spitze, äußerstes Ende, Ecke" sind bewahrt in geographischen Namen, beachte z. B. Darßer Ort, Ruhrort, und in der Bergmannssprache, in der ‚Ort' im Sinne von „Ende einer Strecke, Abbaustelle" verwendet wird, vgl. örtern bergmänn. für „an der Schichtstrecke Örter anschlagen" (s. auch den Artikel erörtern). Gewöhnlich wird ‚Ort' heute in den Bed. „Stand[punkt], Platz, Stelle" und „Siedlung, Dorf, Stadt" verwendet. An diesen Wortgebrauch schließen sich an die Bildungen orten „die augenblickliche Position bestimmen" (20. Jh.; dazu **Ortung** w), **örtlich** „eine bestimmte Stelle oder Ortschaft betreffend" (18. Jh.; dazu **Örtlichkeit** w), **Ortschaft** w „Flekken, Dorf, kleine Stadt" (18. Jh.). Die Verkleinerungsbildung **Örtchen** s wird als verhüllender Ausdruck für „Abtritt" gebraucht, vgl. den Artikel Abort.

ortho..., Ortho..., (vor Selbstlauten gelegentlich:) orth..., Orth...: Bestimmungswort von Zusammensetzungen mit der Bed. „gerade, aufrecht; richtig, recht", wie in → orthodox, → Orthographie, orthographisch u. a. Zugrunde liegt das gr. Adjektiv orthós „gerade, aufrecht; richtig, wahr".

orthodox „rechtgläubig, strenggläubig; der strengen Lehrmeinung gemäß; der herkömmlichen Anschauung entsprechend", auch „übertragen gebraucht im Sinne von „starr, unnachgiebig": Im 16. Jh. über spätlat. orthodoxus aus gr. orthódoxos „recht meinend, die richtige Anschauung habend; rechtgläubig" entlehnt. Zu gr. orthós „aufrecht; recht" (vgl. ortho...) und gr. dóxa „Meinung, Anschauung; Lehre; Glaube" (vgl. dezent).

Orthographie w „Rechtschreibung": In der Schul- und Kanzleisprache des 15. Jh.s aus gleichbed. gr.(-lat.) ortho-graphía entlehnt. Zu gr. orthós „aufrecht; recht, richtig" (vgl. ortho...) und gr. gráphein „schreiben" (vgl. Graphik). Abl.: orthographisch „rechtschreiblich" (16. Jh.).

Öse w: Das seit dem 15. Jh., zuerst in der mitteld. Form öse bezeugte Wort beruht wahrscheinlich auf einer Form, die im grammatischen Wechsel zu dem unter → Ohr behandelten Wort steht (vgl. got. ausō „Ohr"). Es bedeutet demnach eigtl. – wie auch die Bildung Öhr (s. d.) – „ohrartige Öffnung".

Osten m: Der Name der Himmelsrichtung mhd. ōsten, ahd. ōstan ist das substantivisch gebrauchte altgerm. Richtungsadverb mhd. ōsten[e] „nach, im Osten", ahd. ōstana, aengl. ēastan[e], aisl. austan, „von Osten". Die kürzere Form Ost – in Analogie zu 'Nord' und 'Süd' – ist erst seit dem 15. Jh. gebräuchlich. Daneben war früher auch das Richtungsadverb und Adjektiv mhd. ōster, ahd. ōstar „nach, im Osten" und „östlich" gebräuchlich, das z. B. im Ländernamen Österreich bewahrt ist. – In den anderen germ. Sprachen sind als Bezeichnung der Himmelsrichtung gebräuchlich niederl. oosten, engl. east, schwed. öster „Osten". Die germ. Wortgruppe gehört mit verwandten Wörtern in anderen idg. Sprachen zu der idg. Wz. *au̯es-, *aus- „leuchten (vom Tagesanbruch), hell werden", vgl. z. B. gr. ēōs „Morgenröte" und lat. aurōra „Morgenröte". Zu dieser Wurzel gehört auch das unter → Ostern behandelte Wort. – Osten ist demnach also die Himmelsgegend der Morgenröte. Abl.: östlich (16. Jh.).

ostentativ „zur Schau gestellt, betont, herausfordernd": Das seit etwa 1900 bezeugte Adjektiv ist eine nlat. Bildung zu dem schon im 16. Jh. gebuchten, heute veralteten Substantiv Ostentation w „Schaustellung, Prahlerei", das auf gleichbed. lat. ostentātiō zurückgeht. Zugrunde liegt das lat. Verb ostentāre „entgegenhalten, darbieten; prahlend zeigen", ein Intensiv zu lat. ostendere „entgegenstrecken, zeigen". Über weitere Zusammenhänge vgl. den Artikel tendieren.

Ostern s: Der Name des Festes der Auferstehung Christi (mhd. ōsteren, ahd. ōstarun Mehrz.) war vor der Christianisierung des Germanentums der Name eines heidnischen Frühlingsfestes und einer heidnischen Frühlingsgöttin. Der Name der germ. Frühlingsgöttin ist in aengl. Texten als Eostrae überliefert und ist z. B. verwandt mit aind. uṣrā, gr. ēōs und lat. aurōra „Morgenröte" (vgl. Osten). Die germ. Göttin war demnach eine Lichtgöttin, zunächst des Tageslichts, dann des Lichts überhaupt, und das ihr geweihte Fest war ein Fest des zunehmenden Lichts im Frühling. – Außer im Dt. ist der Name des Festes im germ. Sprachbereich nur noch im Engl. gebräuchlich, vgl. engl. Easter, während die anderen germ. Sprachen kirchenlat. pāscha entlehnt haben: niederl. Pasen, schwed. påsk, beachte got. pāska. Abl.: österlich (mhd. ōsterlich, ahd. ōstarlīh). Zus.: Osterei (15. Jh., im Sinne von „zu Ostern abzulieferndes Zinsei", seit dem 16. Jh. im heutigen Sinne); Osterhase (17. Jh.).

¹Otter m: Der altgerm. Name der im Wasser lebenden Marderart mhd. ot[t]er, ahd. ottar, niederl. otter, engl. otter, schwed. utter beruht mit verwandten Wörtern in anderen idg. Sprachen auf idg. *udro-s „Wassertier, Otter", vgl. z. B. aind. udrá-ḥ „Wassertier", gr. hýdros, -ā „Wasserschlange" (beachte die aus der gr. Mythologie bekannte Hydra [von Lerna]), russ. výdra „Otter". – Das idg. Wort ist eine Bildung zu der unter → Wasser dargestellten idg. Wurzel und bedeutet eigtl. „der zum Wasser Gehörige". Zur Unterscheidung von ²Otter „Schlange" wird statt des einfachen Wortes oft die Zus. Fischotter verwendet.

²Otter w „Schlange": Das seit dem 16. Jh. bezeugte Wort ist entstanden aus älterem nōter (15. Jh.), der ostmitteld. Entsprechung von mhd. nāter „Schlange" (vgl. Natter). Der Verlust des anlautenden n- erklärt sich daraus, daß man es fälschlicherweise für das -n des vorausgehenden unbestimmten Artikels hielt (ostmitteld. 'ein nōter'). Auf diese Weise entstanden z. B. auch niederl. adder „Schlange" aus mniederl. nadre, engl. adder „Schlange" aus aengl. nædre. – In der zoologischen Fachsprache bezeichnet man mit 'Ottern' eine Familie kleinerer Giftschlangen.

Ouvertüre w: Das seit dem Ende des 17. Jh.s bezeugte FW bezeichnet ein eröffnendes, einleitendes Instrumentalstück zu einer

Oper, einem Oratorium u. a. Es ist aus gleichbed. *frz.* ouverture entlehnt, das eigtl. allgemein „Öffnung, Eröffnung" bedeutet. Voraus liegt *vlat.* *opertūra, das für *klass.-lat.* apertūra „[Er]öffnung" steht. Über das Stammwort *lat.* aperīre „öffnen" vgl. das FW *Aperitif.*

oval „eirund, länglichrund": Im Anfang des 17. Jh.s aus *spätlat.* ōvālis „eiförmig" entlehnt. Zu *lat.* ōvum „Ei" (verwandt mit *dt.* →*Ei*). – Abl.: Oval *s* „ovale Fläche" (17. Jh.).

Ovation *w* „Huldigung, Beifall": Im 16. Jh. aus *lat.* ovātiō (ovātiōnis) „kleiner Triumph" entlehnt. Stammwort ist *lat.* ovāre „frohlocken, jubeln, siegreichen Einzug halten".

Overall *m* „einteiliger Schutzanzug" (für Mechaniker, Sportler u. a.): Im 20. Jh. aus gleichbed. *engl.* overall entlehnt, das wörtlich etwa „der Überalles" bedeutet.

Oxyd, (fachsprachlich:) O x i d *s*: Das seit dem ausgehenden 18. Jh. vorhandene FW gilt in der Chemie zur Bezeichnung der Sauerstoffverbindung eines chem. Grundstoffes. Es handelt sich bei dem Wort um eine aus dem *Frz.* übernommene (beachte *frz.* oxyde bzw. oxide) gelehrte Neubildung zu dem *gr.* Adjektiv oxýs „scharf, spitz; sauer" (verwandt mit *dt.* →*Ecke*) bzw. sinngemäß zu dem chem.-fachsprachl. Neuwort Oxygenium *s* „Sauerstoff". – Abl.: oxydieren „sich mit Sauerstoff verbinden, verbrennen" (aus entspr. *frz.* oxyder); dazu das Substantiv Oxydation *w* „Verbindung eines chem. Stoffes mit Sauerstoff" (aus entspr. *frz.* oxydation).

Ozean *m*: *Gr.* ōkeanós, das in vorklass. Zeit den sagenhaften, die Erde umfließenden Weltstrom bezeichnete, gelangte in seiner späteren allgemeinen Bed. „Weltmeer" über *lat.* ōceanus und *mlat.* occeanus als occēne ins *Mhd.* Die heute übliche, seit dem 17. Jh. bezeugte Lautform entspricht der von Humanisten des 16. Jh.s eingeführten *lat.* ōceanus. – Abl.: ozeanisch „den Ozean betreffend, vom Ozean kommend, Meeres..." (19. Jh.; nach gleichbed. *lat.* ōceanicus).

Ozon *s* (*ugs.* auch *m*): Das seit dem 19. Jh. bezeugte FW bezeichnet eine besondere Form des Sauerstoffs. Man benannte diesen Stoff wegen seines äußerst starken Geruchs mit dem Part. Präs. Neutr. von *gr.* ózein „riechen, duften", *gr.* (tò) ózon „das Duftende".

P

Paar *s*: Die Bezeichnung für zwei zusammengehörende oder als zusammengehörig empfundene Dinge von gleicher oder ähnlicher Beschaffenheit, insbesondere für zwei in einer Lebensgemeinschaft verbundene, einander ergänzende Lebewesen verschiedenen Geschlechts, *mhd.*, *ahd.* par „zwei Dinge von gleicher Beschaffenheit" (adjektivisch: „einem anderen gleich"), geht zurück auf *lat.* pār (paris) „gleichkommend, gleich; (substantiviert:) wer sich einem anderen von gleicher Beschaffenheit zugesellt, Genosse, Gatte, Gattin; das Paar". – Abl.: paaren „zu Paaren zusammenfügen; Tiere zur Fortpflanzung zusammenbringen" (16. Jh.; zuvor schon *spätmhd.* paren „gesellen"), heute vorwiegend reflexiv gebraucht im Sinne von „sich begatten" (meist von Tieren). – Vgl. auch die auf Ableitungen und Bildungen von *lat.* pār beruhenden FW →*Parität,* paritätisch, →*Komparativ* und →*Paroli.*

Pacht *w* „vertraglich vereinbartes Recht zur Nutzung einer Sache gegen Entgelt": Die *nhd.* Form des Wortes beruht auf der schriftsprachlich gewordenen *westmitteld.* Entsprechung von *mhd.* pfaht[e] „Recht, Gesetz; Abgabe von einem Zinsgut, Pacht". Das Wort wurde vor der *hochd.* Lautverschiebung aus *vlat.* pacta entlehnt, dem als Femininum Sing. gefaßten Neutr. Plural von *lat.* pactum „Vertrag, Vergleich, Vereinbarung" (vgl. das FW *Pakt*). Abl.: pachten „in Pacht nehmen" (*westmitteld.* = *mhd.* pfahten „gesetzlich oder vertraglich bestimmen"), dazu das Subst. Pächter *m* „wer etwas in Pacht hat" (Ende 18. Jh.; für älteres 'Pachter', 17. Jh.).

¹**Pack** *m* „Bündel": Das im 16. Jh. aus dem *Niederd.* ins Hochd. übernommene Wort stammt aus *mniederl.* pac „Bündel, Ballen" (12. Jh.), das im Rahmen des flandrischen Wollhandels auch in andere Sprachen übernommen wurde, beachte z. B. *engl.* pack und *frz.* paque (s. Paket). Die Nebenform P a c k e n *m* entstand im 16. Jh. aus einem schwach flektierenden, heute veralteten Packe (*mnd.* packe). Um ¹'Pack' gruppieren sich die Bildungen →Gepäck und →packen und die Verkleinerungsbildung Päckchen *s,* beachte auch die Zus. Packeis „zusammen-, übereinandergeschobene Eisschollen" (18. Jh.). Mit ¹'Pack' identisch ist ²**Pack** *s* „Gesindel, Pöbel". Die heute übliche Bedeutung entwickelte sich aus der Verwendung des Wortes im Sinne von „Gepäck, das im Troß mitgeführt wird; Troß" (vgl. die Bedeutungsgeschichte von Bagage). Der Bedeutungswandel von „Gepäck, Troß" zu

„Gesindel" erklärt sich daraus, daß die Troßmannschaft im Verhältnis zur kämpfenden Mannschaft als minderwertig galt.

packen: Das seit dem 16. Jh. bezeugte Verb ist von dem unter → ¹*Pack* behandelten Substantiv abgeleitet und ist wie dieses aus dem *Niederd.* übernommen (beachte *mnd.* paken). Es bedeutete zunächst „bündeln, einen Packen machen", daher dann „zum Versand, zur Beförderung fertigmachen; in ein Gepäckstück hineintun", beachte dazu aus-, be-, ein-, verpacken. Bereits seit dem 16. Jh. wird das Verb auch reflexiv verwendet, und zwar im Sinne von „sich davonmachen, eilig verschwinden" (eigtl. „sich bepacken, um fortzugehen"). Im Sinne von „fassen, ergreifen; überwältigen" ist 'packen' aus anpacken gekürzt, beachte dazu das adjektivisch verwendete 1. Partizip packend „spannend".

Päd...: Aus dem *Gr.* stammendes Bestimmungswort von Zusammensetzungen mit der Bed. „Kind", wie in → Pädagoge und Pädiatrie „Kinderheilkunde": Das zugrunde liegende Substantiv *gr.* paīs (paídos) „Kind, Knabe" ist mit *dt.* → *Fohlen* verwandt. Es erscheint auch als Grundwort von Zusammensetzungen, so z. B. in dem FW Orthopädie. – Von Interesse ist in diesem Zusammenhang noch die *gr.* paīs gehörende Verbalableitung *gr.* paideúein „ein Kind erziehen; erziehen; bilden, unterrichten", die Ausgangspunkt der FW → *Pedant,* pedantisch, Pedanterie ist.

Pädagoge *m* „Lehrer, Erzieher; Erziehungswissenschaftler": Das diesem FW zugrunde liegende *gr.* paid-agōgós bedeutet wörtlich „Kinder-, Knabenführer" (urspr. Adj.; zu *gr.* paīs, paídos „Kind, Knabe" und *gr.* ágein „führen" bzw. *gr.* agōgós „führend; Leiter, Führer"; vgl. *Achse*). Urspr. bezeichnete es einen Sklaven, der die Kinder aus dem Hause der Eltern in die Schule oder in das Gymnasium und von dort wieder nach Hause zurück geleitete. Weiterhin bedeutete das *gr.* Wort dann „Aufseher, Betreuer der Knaben" und schließlich auch „Erzieher, Leiter, Lehrer". In letzterem Sinne gelangte es über entspr. *lat.* paedagōgus im 15. Jh. als FW ins *Dt.,* wo es allerdings zuerst speziell für „Privatlehrer" galt. – Dazu: Pädagogik *w* „Erziehungswissenschaft" (18. Jh.; aus *gr.* paidagōgikḗ [ergänze: téchnē] „Erziehungskunst"); pädagogisch „die Pädagogik betreffend; erzieherisch" (18. Jh.).

Paddel *s* „freihändig zu führendes Ruder mit schmalem Blatt": Im 19. Jh. aus gleichbed. *engl.* paddle entlehnt, dessen weitere Herkunft dunkel ist. – Abl. und Zus.: paddeln „ein Boot mit Hilfe des Paddels fortbewegen" (19. Jh.; aus gleichbed. *engl.* to paddle); Paddler *m* (20. Jh.); Paddelboot (19./20. Jh.).

paffen „stark rauchen": Das seit dem 17. Jh.

bezeugte Verb, das zunächst im Sinne von „paff machen, knallen, schießen" verwendet wurde, ist lautnachahmenden Ursprungs. Im Sinne von „stark rauchen" bezieht sich 'paffen' auf das Geräusch, das die Lippen beim heftigen Rauchen der Tabakspfeife verursachen.

Page *m* (früher Bezeichnung für:) „Edelknabe", (heute für:) „uniformierter [Hotel]diener, Laufbursche": Im Anfang des 17. Jh. aus *frz.* page „Edelknabe" entlehnt, dessen weitere Herkunft unsicher ist.

Paket *s* „größeres Päckchen, [zum Versand, zur Beförderung] Verpacktes": Das seit dem 16. Jh. bezeugte Wort ist aus gleichbed. *frz.* paquet entlehnt, das zu *frz.* paque „Bündel, Ballen, Packen" gebildet ist (vgl. ¹*Pack*).

Pakt *m* „Vertrag, Übereinkommen; polit. oder militär. Bündnis": Im 15. Jh. aus *lat.* pactum „Vertrag, Vergleich, Vereinbarung" entlehnt, das die Quelle ist für unser LW → *Pacht. Lat.* pactum ist das substantivierte Neutrum des Part. Perf. Pass. von *lat.* pacīscī „einen Vertrag machen, ein Übereinkommen treffen", das zusammen mit *lat.* pāx „Friedensvertrag, Frieden" (dazu *lat.* pācificus „Frieden schließend; friedlich"; s. die FW Pazifik, pazifisch, Pazifismus, Pazifist), *lat.* pangere (pāctum) „festmachen, einschlagen" (s. kompakt), *lat.* pālus (< *pak-slo-s) „Pfahl" (s. das LW Pfahl und das FW Palisade), *lat.* prōpāgēs „(in die Erde gesteckter) Setzling, Ableger" (s. ¹pfropfen, Propaganda, propagieren) und mit *lat.* pāgus „Landgemeindeverband, Dorf, Gau" (eigtl. etwa „Zusammenfügung") zu der unter → *Fach* dargestellten *idg.* Wortsippe gehört. – Abl.: paktieren „einen Vertrag, ein Bündnis schließen; ein Abkommen treffen, gemeinsame Sache machen" (16. Jh.).

Palast *m* „schloßartiges Gebäude": Das seit dem ausgehenden 12. Jh. bezeugte Substantiv, *mhd.* palas „Hauptgebäude (einer Burg) mit Fest- und Speisesaal; königliches oder fürstliches Schloß" (später mit unorganischem -t die Form palast), ist aus gleichbed. (a)*frz.* palais (*afrz.* auch pales) entlehnt, das seinerseits auf *lat.* palātium „Palast, kaiserlicher Hof" beruht (urspr. der Name eines der sieben Hügel Roms, auf dem Kaiser Augustus und seine Nachfolger ihre Wohnung hatten). – Das *frz.* Wort lieferte in einer zweiten Entlehnung im 17. Jh. unser FW Palais *s* „Palast, Schloß".

Palaver *s:* *Lat.* parabola „Gleichnisrede; Erzählung, Bericht" (vgl. *Parabel*) gelangte ins *Port.* als palavra „Unterredung, Erzählung". Portugiesische Händler brachten das Wort an die afrikan. Küste und verwendeten es speziell zur Bezeichnung der meist langwierigen Verhandlungen zwischen Weißen und Eingeborenen. Auch die Eingeborenen selbst übernahmen das fremde Wort und nannten ihre religiösen und gerichtlichen

Versammlungen Palaver. Mit diesen Bedeutungen kehrte das Wort nach Europa zurück. In *dt.* Texten erscheint es im 19. Jh. durch Vermittlung von gleichbed. *engl.* palaver. Heute lebt das Wort eigtl. nur noch in unserer Umgangssprache mit der übertragenen Bed. „endlos langes, sinnloses Gerede". – Abl.: **palavern** „lange und nutzlos über Nichtigkeiten schwätzen" (*ugs.*; 20. Jh.).

Paletot *m* „dreiviertellanger Mantel": Im 19. Jh. aus *frz.* paletot „weiter Überrock, Überzieher" entlehnt, das seinerseits aus *mengl.* paltok „Überrock" stammt. Die weitere Herkunft des Wortes ist dunkel.

Palette *w* „Farbenmischbrett des Malers, Malerscheibe": Im 18. Jh. aus gleichbed. *frz.* palette entlehnt, nachdem zuvor schon im Anfang des 17. Jh.s entsprechendes *it.* paletta eingedrungen war und als 'Polite' im *bayr.-östr.* Sprachraum eine Rolle gespielt hatte. *Frz.* palette und *it.* paletta beruhen auf einer *roman.* Verkleinerungsbildung zu *lat.* pāla „Spaten, Wurfschaufel; schaufelähnlicher Gegenstand".

Palisade *w* „Schanzpfahl; Pfahlzaun": Am Ende des 16. Jh.s aus gleichbed. *frz.* palissade entlehnt. Dies ist (wie entspr. *span.* palizada und *it.* palizzata) eine zu *lat.* pālus „Pfahl" (vgl. das LW *Pfahl*) gehörende Kollektivableitung, die wohl durch das *Aprov.* vermittelt wurde (beachte *aprov.* palissa „Pfahlzaun" und gleichbed. palissada).

Palme *w*: Der Name des in zahlreichen Arten vorkommenden tropischen und subtropischen Baumes (*mhd.* palm[e], *ahd.* palma) beruht auf *lat.* palma „Palme", das durch die Bibel in die europäischen Sprachen gelangte (vgl. z. B. entspr. *niederl.* palm, *engl.* palm). *Lat.* palma, das zu der weitverzweigten, unter →*Feld* entwickelten *idg.* Wortsippe gehört, bedeutet primär und eigtl. „flache Hand". Die sekundäre, übertragene Bed. „Palme" bezieht sich auf das fächerförmig angeordnete Blatt der Palmen, das einer Hand mit ausgestreckten Fingern vergleichbar ist.

Pamphlet *s* „(bes. politische) Streit-, Schmähschrift": Im 18. Jh. aus gleichbed. *frz.* pamphlet übernommen, das auf *engl.* pamphlet „Broschüre, kleine Abhandlung" zurückgeht. Die weitere Herkunft des Wortes ist unklar.

pampig: Der seit der ersten Hälfte des 20. Jh.s gebräuchliche *ugs.* Ausdruck für „frech, unverschämt" geht zurück auf *niederd.* pampig „breiig, klebrig, moddrig", das zu *nordd.* P a m p e *w, niederd.* pamp[e] „Brei, Modder" gehört (beachte dazu *nordd., ostd.* Pamps, *südd.* Pampf „dicker Brei" und *nordd., ostd.* pamp[s]en, *südd.* pampfen „sich voll stopfen, viel fressen").

pan..., Pan...: Bestimmungswort von Zusammensetzungen mit der Bed. „all, ganz, gesamt, völlig" wie in →Panoptikum →Panorama. Quelle ist das Neutrum des *gr.*

Adjektivs pās, pāsa, pān „ganz, all, jeder".

panieren „mit Ei und geriebener Semmel einkrusten": Im 18. Jh. aus *frz.* paner „mit geriebenem Brot bestreuen" entlehnt, einer Ableitung von *frz.* pain „Brot". Das zugrunde liegende Stammwort *lat.* pānis „Brot" (wohl als *pa-st-nis „Nahrung" zu *lat.* pāscere „weiden lassen; füttern"; vgl. *Pastor*) erscheint auch in unseren FW →Kumpan, Kumpel, →Kompanie, →Kompagnon und →Pastille. – Dazu die Zus. Paniermehl (20. Jh.).

panisch: Im altgriech. Volksglauben lebte die Vorstellung vom bocksgestaltigen, in der Landschaft Arkadien heimischen Wald- und Hirtengott 'Pān', dessen plötzliche und unsichtbare Nähe als Ursache für jenen undeutbaren Schrecken angesehen wurde, der Menschen in freier Natur oft unvermittelt befällt und sie wie aufgescheuchte Tiere flüchten läßt. Die Griechen nannten solche grundlose Furcht 'pānikós', „vom Pan herrührend". Über entspr. *frz.* panique gelangte dieses Adjektiv im 16. Jh. als FW ins *Dt.* Es findet sich zuerst in auch heute noch gültigen Fügungen wie 'panische Angst', 'panisches Entsetzen', also im Sinne von „wild; lähmend". – Das Substantiv P a n i k *w* „plötzliches Erschrecken; Massenangst" erscheint im 19. Jh. (aus dem substantivierten *frz.* panique).

Panne *w* (*ugs.* für:) „Bertriebsstörung, Schaden, Bruch (bes. bei Kraftfahrzeugen); Mißgeschick": Im Anfang des 20. Jh.s aus gleichbed. *frz.* panne entlehnt. Das *frz.* Wort, dessen genaue etymologische Herkunft umstritten ist, entstammt der Fachsprache der Seefahrt, wo es zunächst im Sinne von „Segelwerk; Aufbrassen der Segel" gilt. Aus Wendungen wie 'mettre (les voiles) en panne' „die Segel so stellen, daß sie keinen Fahrtwind bekommen" und (danach) 'rester en panne' „in der Flaute bleiben, halten bleiben" entwickelte sich die übertragene Bed. „in der Patsche sein" (être en panne). Das Substantiv panne löste sich in diesem Sinne aus den Fügungen heraus und drang mit der übertragenen Bed. „Steckenbleiben; Mißgeschick" zunächst in die Bühnensprache und von da in die Umgangssprache.

Panoptikum *s* „Sammlung von Sehenswürdigkeiten; Wachsfigurenschau": Das im 19. Jh. aufkommende FW bedeutet eigtl. etwa „Gesamtschau". Es ist eine gelehrte Neuschöpfung aus *gr.* pān „alles" (Neutrum von pās „ganz, all, jeder") und *gr.* optikós „zum Sehen gehörig".

Panorama *s* „Rundblick, Ausblick; Rundgemälde": Neuschöpfung des 18. Jh.s aus *gr.* pān „alles" (Neutrum von pās „all, jeder, ganz") und *gr.* hórāma „das Sehen; das Geschaute, die Erscheinung" (zu *gr.* horáein „sehen"). Die eigtl. Bedeutung ist demnach etwa „Allschau".

Pantine w „Holzschuh, Holzpantoffel": Zu *frz.* patte „Pfote", das etymologisch nicht sicher gedeutet ist, stellt sich als Ableitung *frz.* patin „Schuh mit Holzsohle; Stelzschuh". Dies gelangt um 1400, wohl durch Vermittlung von *mniederl.* patijn, als patīne in die nord- und nordostdeutsche Umgangssprache. Noch heute lebt das Wort vorwiegend im norddeutschen Sprachraum. Die seit dem 19. Jh. durchdringende Form Pantine steht wohl unter dem Einfluß des anklingenden und in der Bedeutung nahestehenden Fremdwortes 'Pantoffel'.

Pantoffel m „leichter Hausschuh": Am Ende des 15. Jh.s aus gleichbed. *frz.* pantoufle entlehnt. Das *frz.* Wort, das auch in andere europäische Sprachen gelangte (beachte z. B. *it.* pantofola, *span.* pantuflo), ist etymologisch nicht sicher gedeutet. – Aus alten deutschen Rechtsbräuchen, in denen der Schuh, wie überhaupt der Fuß, als Symbol der Macht und der Herrschaft galten, erklärt sich die Redensart 'unter dem Pantoffel stehen' im Sinne von „dem Willen seiner Frau unterworfen sein". Der solchermaßen von seiner Frau regierte Ehemann wird scherzhaft-ironisch Pantoffelheld (19. Jh.) genannt.

Pantomime 1. w „Darstellung einer Szene nur mit Gebärden; stummes Gebärden- und Mienenspiel"; 2. m „Darsteller einer Pantomime": Im 17. Jh. aus gleichbed. *lat.* pantomīmus übernommen, das auf *gr.* pantómīmos (urspr. Adjektiv „alles nachahmend") zurückgeht. Zu *gr.* pās (pantós) „alles, ganz" (vgl. *pan*...) und *gr.* mīmeīsthai „nachahmen" (vgl. *Mime*). – Abl.: pantomimisch „die Pantomime betreffend; durch Gebärdenspiel dargestellt" (18. Jh.).

pan[t]schen (*ugs.* für:) „mischend verfälschen (z. B. Wein); mit den Füßen im Wasser herumstrampeln, planschen": Das seit dem 18. Jh. bezeugte Verb ist lautmalenden Ursprungs und kann eine nasalierte Nebenform von 'patschen' sein oder auf Kreuzung von 'patschen' mit 'manschen' beruhen. Älter bezeugt sind Panschenwein (15. Jh.) und Bierpantscher (17. Jh.).

Panzer m „metallener Rumpfschutz; feste Schutzhülle; Stahlmantel (z. B. um Panzerschränke); gepanzertes Kriegsfahrzeug, Panzerwagen": Das seit dem Ende des 12. Jh.s bezeugte Subst. (*mhd.* panzier „Brustpanzer") geht zurück auf *afrz.* pancier[e] „Leibrüstung, Brustpanzer", das seinerseits auf einer Bildung zu dem ins *Roman.* gelangten Subst. *lat.* pantex (panticis) „Wanst" beruht. – Abl.: panzern „mit Panzerplatten oder mit einer starken Schutzhülle versehen" (18. Jh.).

Papa m: Das dem *Frz.* entlehnte, in der Kinder- und Umgangssprache weitverbreitete Kosewort für „Vater" ist in *dt.* Texten seit dem 17. Jh. bezeugt. *Frz.* papa entstammt der kindlichen Lallsprache.

Papagei m: Der in dieser Form seit dem 15. Jh. bezeugte Vogelname (zuvor schon *mhd.* papegān) ist entlehnt aus älter *frz.* papegai (dafür heute die Bezeichnung perroquet). Die weitere Herkunft des Wortes, das in ähnlicher Form auch in anderen *roman.* Sprachen begegnet (vgl. z. B. entspr. *span.* papagayo und *it.* pappagallo) ist nicht gesichert.

Papier s: Die seit dem 14. Jh. (*mhd.* papier) bezeugte Bezeichnung für den vorwiegend aus Pflanzenfasern hergestellten blattförmigen Werkstoff (zum Beschreiben, Bedrucken und für Verpackungszwecke) ist aus *lat.* papȳrum entlehnt, einer Nebenform von *lat.* papȳrus „Papyrusstaude; (aus dem Bast der Papyrusstaude hergestelltes) Papier". Quelle des *lat.* Wortes ist gleichbed. *gr.* pápyros, das selbst LW unbekannten Ursprungs ist. – Das *gr.-lat.* Wort gelangte auch in andere europ. Sprachen, vgl. z. B. entspr. *frz.* papier und (unmittelbar aus dem *Afrz.*) *engl.* paper.

Papp m, **Pappe** w (familiär und *ugs.* für:) „Brei als Kinderspeise; breiartige Masse, Kleister": Das seit dem 15. Jh. bezeugte Wort ist ein Lallwort der Kindersprache und ist z. B. [elementar]verwandt mit *niederl.* pap „Brei", *engl.* pap „Brei" und *lat.* pappa „Brei, Speise". Quelle des *lat.* Wortes ist die Bed. „Brei, Kleister" schließen sich an die Bildungen pappen familiär und *ugs.* für „mit Brei füttern; kleistern, kleben" (15. Jh.), dazu päppeln familiär und *ugs.* für „mit Brei füttern; hätscheln" (*mhd.* pepelen; beachte dazu auf-, groß-, verpäppeln), und pappig *ugs.* für „breiartig, klebrig" (Anfang des 19. Jh.s). Auf der Verwendung des Wortes im Sinne von „breiartige Masse, aus der Papier hergestellt wird, Kleister zum Buchbinden" beruht die heute gemeinsprachliche Verwendung der weiblichen Form **Pappe** im Sinne von „aus grobem Papierbrei hergestellter Werkstoff". Der Werkstoff wurde früher im Handbetrieb hergestellt, indem die einzelnen Papierlagen mit dicken Kleisterschichten vom Buchbinder verbunden wurden.

Pappel w: Der Name des zu den Weidengewächsen gehörenden Laubbaumes *mhd.* papel[e], *ahd.* (verdeutlichend) popelboum, papilboum geht auf *lat.* pōpulus (*mlat.* auch papulus) „Pappel" zurück.

Pappenstiel m (*ugs.* für:) „Wertloses, Kleinigkeit", nur noch in bestimmten Wendungen, wie z. B. 'für einen Pappenstiel bekommen', 'das ist kein Pappenstiel': Die seit dem 17. Jh. bezeugte Zusammensetzung ist wahrscheinlich verkürzt aus *'Pappenblumenstiel' und bezeichnet also eigtl. den Stengel der Pappenblume. Der Name Pappenblume stammt aus *niederd.* pāpenblōme „Löwenzahn", eigtl. „Pfaffenblume". Die Verwendung von 'Pappenstiel' im Sinne von ,,Wertloses" geht wahrscheinlich von dem Bild der vom Wind verwehten Federkronen des Löwenzahnstiels aus.

papperlapapp!: Die seit dem 18. Jh. bezeugte Interjektion, die zum Ausdruck der Abweisung eines leeren Geredes dient, ist eine lautspielerische Bildung und gehört zu der lautnachahmenden Wortgruppe von papp, in der Wendung 'nicht mehr papp sagen können' ,,sehr satt sein", **pappeln**, **babbeln** *landsch.* für ,,schwatzen".

Paprika *m* ,,spanischer Pfeffer": Im 19. Jh. durch *ung.* Vermittlung aus *serb.* pàprika entlehnt. Zu *serb.* pàpar ,,Pfeffer", das wie *dt.* → *Pfeffer* aus gleichbed. *lat.* piper stammt.

Papst *m*: Die Bezeichnung für das Oberhaupt der römisch-katholischen Kirche, *mhd.*, *spätahd.* bābes (seit dem 13. Jh. mit unorganischem -t die Form bābest), geht auf *lat.-kirchenlat.* pāpa ,,Vater; Bischof" zurück, möglicherweise beeinflußt von entspr. *afrz.* papes (= *frz.* pape). Die *nhd.* Form des Wortes mit anlautendem p- beruht auf gelehrter Wiederangleichung an das *lat.* Vorbild. – Quelle von *lat.-kirchenlat.* pāpa (Nebenform: pappa) ist das der kindlichen Lallsprache entstammende *gr.* Wort páppa (eigtl. Vokativ von páppas) ,,Papa".

para..., **Para...**, (vor Vokalen:) **par...**, **Par...**: Aus dem *Gr.* stammende Vorsilbe mit der Bed. ,,bei, entlang; über - hinaus; gegen, abweichend" wie in → parallel, → paradox u. a. *Gr.* pará, pára (Präposition und Vorsilbe) ,,entlang, neben, bei; über - hinaus; gegen" ist mit *dt.* → *vor* urverwandt.

Parabel *w* ,,Gleichnis; lehrhafte Erzählung, Lehrstück", daneben als math. Terminus Name eines Kegelschnittes: Das bereits in *ahd.* Zeit als ,,Beispiel; Gleichnis" belegte FW ist aus *lat.-kirchenlat.* parabola ,,Gleichnisrede, Gleichnis; Erzählung, Spruch" entlehnt, das seinerseits auf *gr.* parabolē ,,das Nebeneinanderwerfen; die Vergleichung; das Gleichnis" zurückgeht (zu *gr.* para-bállein ,,danebenwerfen; vergleichen"; vgl. *ballistisch*). Die mathemat. Bedeutung des Wortes (im *Dt.* seit dem 16. Jh.) ist bereits für das *Gr.* bezeugt. – Neben *kirchenlat.* parabola muß in der Volkssprache daraus entstelltes gleichbed. *vlat.* *paraula bestanden haben, das vorausgesetzt wird von *port.* palavra ,,Unterredung, Erzählung" (s. Palaver, palavern), von *frz.* parole ,,Wort, Rede, Spruch" (s. Parole) und von *frz.* parler ,,sprechen, reden" (s. hierzu die unter → parlieren genannten FW).

Paradies *s*: Der alttestamentliche Name für den Garten Eden, *mhd.* paradîs[e], *ahd.* paradîs (vgl. aus anderen europ. Sprachen z. B. *it.* paradiso, *span.* paraiso, *frz.* paradis), führt über *kirchenlat.* paradîsus < *gr.* parádeisos ,,Tiergarten, Park; Paradies" auf *mpers.* *pardēz (= *awest.* pairi-daēza) ,,Einzäunung" zurück.

paradox ,,der allgemein üblichen Meinung entgegenstehend; widersinnig": Im 17. Jh. aus *gr.-lat.* pará-doxos entlehnt. Zu *gr.* pará im Sinne von ,,gegen, entgegen" (vgl. *para...*) und *gr.* dóxa ,,Meinung" (vgl. hierüber *dezent*).

Paragraph *m* ,,(in Gesetzbüchern, wissenschaftlichen Werken u. a.) ein fortlaufend numerierter kleiner Abschnitt und das Zeichen (§) dafür": In *mhd.* Zeit (zuerst mit der Bed. ,,Buchstabe") entlehnt aus *spätlat.* paragraphus ,,grammatisches Zeichen in Gestalt eines S, das die Trennung des Stoffes anzeigen soll" und das seinerseits auf *gr.* parágraphos (grammḗ) ,,nebengeschriebene Linie, Strich mit einem Punkt darüber am Rande der antiken Buchrolle zur Kennzeichnung der Vortragsteile für den Chor im Drama" zurückgeht. Zu *gr.* para-gráphein ,,danebenschreiben" (vgl. *para...* und *Graphik*).

parallel ,,in gleichem Abstand nebeneinander verlaufend, gleichlaufend": Im 16. Jh. als mathematischer Terminus aus gleichbed. *gr.-lat.* par-állēlos entlehnt. Zu *gr.* állos ,,neben, neben - hin, entlang" (vgl. *para...*) und *gr.* állos (állo) ,,ein anderer", allēlōn ,,einander" (vgl. *allo...*). – Abl.: **Parallele** *w* ,,gleichlaufende Linie" (übertr.:) Vergleich, vergleichbarer Fall" (zuerst im 16. Jh. in der Form 'parallel' *m* oder s; die heutige Form seit dem Anfang des 18. Jh.s wohl nach entspr. *frz.* parallèle).

Parasit *m* ,,[tierischer oder pflanzlicher] Schmarotzer": Das seit dem 15. Jh. gebuchte FW geht zurück auf *lat.* parasītus ,,Tischgenosse; Schmarotzer" (insbesondere als ausgeprägter Komödientyp) < gleichbed. *gr.* pará-sītos. Dies ist eigtl. Adjektiv mit der wörtlichen Bed. ,,neben oder mit einem anderen essend". Grundwort ist *gr.* sītos ,,Speise". – Abl.: **parasitisch** ,,schmarotzerartig" (18. Jh.), **parasitär** ,,schmarotzerhaft" (vornehmlich fachsprachl.; Neubildung nach entspr. *frz.* parasitaire).

parat *m* ,,[gebrauchs]fertig; bereit": Im ausgehenden 16. Jh. aus *lat.* parātus ,,bereit[stehend], gerüstet, ausgerüstet usw." entlehnt, dem in adjektivische Funktion übergegangenen Part. Perf. Pass. von *lat.* parāre ,,[zu]bereiten, rüsten; verschaffen usw.". – Auf Komposita von *lat.* parāre, das auch Ausgangspunkt für unsere FW →¹parieren ,,einen Angriff abwehren" und →²parieren ,,ein Pferd zum Stehen bringen" ist, beruhen die FW → Apparat, Apparatur, → reparieren, Reparatur, Reparation[en], → separat, Séparée, → präparieren, Präparat und → Imperativ, Imperialismus.

Parcours *m* ,,abgesteckte Hindernisbahn im Springreiten": Im 20. Jh. aus *frz.* parcours ,,durchlaufene Strecke; Umlaufbahn" entlehnt, das auf *spätlat.* percursus ,,das Durchlaufen" zurückgeht. Zugrunde liegt *lat.* per-currere ,,durchlaufen" (vgl. *Kurs*).

Pardon *m* ,,Verzeihung, Gnade, Nachsicht" (veraltend), allgemein üblich noch in der Redensart '[kein] Pardon geben': Im 16. Jh. aus gleichbed. *frz.* pardon entlehnt, das postverbal zu *frz.* pardonner ,,Gnade schenken; verzeihen" gehört. Voraus liegt *spätlat.* per-dōnāre ,,vergeben" (eigtl. ,,völlig schenken"), ein Kompositum von *lat.* dōnāre ,,geben, schenken" (zu *lat.* dōnum ,,Gabe, Geschenk"). Über weitere etymologische Zusammenhänge vgl. *Datum.*

Parfüm, Parfum *s* ,,kunstvolle Komposition von Duftstoffen, ätherischen Ölen u. a.": Im Anfang des 18. Jh.s aus gleichbed. *frz.* parfum (eigtl. ,,Wohlgeruch") entlehnt. Dies gehört als postverbale Bildung zu *frz.* parfumer ,,durchduften", das mit seiner von parfum abhängigen Bed. ,,Parfüm anlegen; wohlriechend machen" Vorbild ist für unser Verb parfümieren (um 1600). Das dazugehörige Substantiv Parfümerie *w* ,,Betrieb zur Herstellung oder zum Verkauf von Parfümen" (Ende 18. Jh.) ist mit französierender Endung gebildet (das entspr. *frz.* parfumerie erscheint erst im Anfang des 19. Jh.s!). – *Frz.* parfumer stammt aus älter *it.* perfumare ,,heftig dampfen; durchduften", einer Bildung zu *lat.* fūmus ,,Rauch, Dampf" bzw. zu dem davon abgeleiteten Verb *lat.* fūmāre ,,rauchen, dampfen".

Paria *m*: Das seit dem ausgehenden 18. Jh. bei uns bekannte FW ist zunächst die übliche europäische Bezeichnung für den der niedrigsten Kaste angehörenden Inder innerhalb der Hierarchie der Hindus. Danach gilt es auch im allgemein übertragenen Sinne von ,,aus der menschlichen Gesellschaft Ausgestoßener, Entrechteter, Verachteter". Quelle des Wortes ist *tamul.* paṛaiyar (*Mehrz.*) ,,Trommelschläger" (zu *tamul.* paṛai ,,Trommel"), das uns durch *angloind.-engl.* parriar, pariah ,,Paria" vermittelt wurde. Das *tamul.* Wort wurde zum Appelativ, weil die erblichen Trommelschläger bei gewissen Hindufesten einer niederen Kaste angehören.

¹parieren ,,einen Angriff abwehren": Das seit dem 15. Jh. bezeugte, aus der Fachsprache der Fechtkunst in die Gemeinsprache gelangte Verb (urspr. ,,einem Hieb oder Stich geschickt ausweichen, ihn vereiteln") beruht wie entspr. *frz.* parer auf *it.* parare ,,vorbereiten; Vorkehrungen treffen; sich verteidigen, einen Angriff parieren", das seinerseits *lat.* parāre ,,bereiten, rüsten, sich rüsten; verschaffen usw." (vgl. *parat*) fortsetzt. Dazu: ¹Parade *w* ,,Abwehr eines Angriffs" (15. Jh., aus gleichbed. *it.* parata); später hat gleichbed. *frz.* parade, das in diesem Sinne selbst aus dem *It.* stammt, eingewirkt). – Gleichen Ursprungs wie ¹parieren (*lat.* parāre) ist das seit dem 16. Jh. als militärisches und reiterliches Fachwort bezeugte Verb ²parieren ,,ein Pferd (durch reiterliche Hilfen) in eine mäßigere Gangart

oder zum Stehen bringen", das jedoch in dieser speziellen Bedeutung über gleichbed. *frz.* parer aus *span.* parar ,,anhalten, aufhalten, zum Stehen bringen" (eigtl. ,,herrichten, zurichten; Vorkehrungen treffen, abwehren") aufgenommen ist. Dazu das Substantiv ²Parade *w* ,,Anhalten, Zügeln eines Pferdes" (17. Jh.; aus gleichbed. *frz.* parade < *span.* parada), das etwa gleichzeitig mit der heute vor allem üblichen Bed. ,,Truppenschau, Vorbeimarsch, prunkvoller Aufmarsch" aufkommt. Diese letzteren Bedeutungen entwickelte das Wort im *Frz.* in Anlehnung an *frz.* parer (< *lat.* parāre) ,,herrichten, ausschmücken, elegant aufmachen, arrangieren". Beachte dazu Zusammensetzungen wie Truppenparade, Parademarsch, Paradepferd u. a.

³parieren ,,(unbedingt) gehorchen" (*ugs.*): Im 16. Jh. aus *lat.* pārēre ,,sich einstellen; Folge leisten, gehorchen" entlehnt. Die eigtl. Bedeutung des *lat.* Wortes ist ,,erscheinen, sichtbar sein". Sie lebt noch fort in den von den Komposita *lat.* com-pārēre ,,erscheinen" und *mlat.* trāns-pārēre ,,durchscheinen" ausgehenden FW →Komparse, Komparserie und →transparent, Transparent. – Nicht verwandt sind → ¹parieren ,,abwehren" und → ²parieren ,,ein Pferd parieren".

Parität *w* ,,Gleichstellung, Gleichberechtigung", auch als Fachterminus der Wirtschaft gebraucht zur Bezeichnung des im Wechselkurs zum Ausdruck kommenden Tauschverhältnisses zwischen verschiedenen Währungen: Im 17. Jh. aus *lat.* paritās ,,Gleichheit" entlehnt. Stammwort ist das *lat.* Adjektiv pār (paris) ,,gleich" (vgl. das LW *Paar*). – Abl.: paritätisch ,,gleichgestellt, gleichberechtigt" (18. Jh.).

Park *m*: *Mlat.* parricus ,,eingeschlossener Raum, Gehege", das früh ins *Westgerm.* entlehnt wurde (vgl. das LW *Pferch*), erscheint im *Frz.* als parc ,,eingeschlossener Raum; Tiergehege". Von dem *frz.* Wort gehen sowohl gleichbed. *it.* parco, *span.* parque und *engl.* park als auch unser für den niederrheinischen Sprachraum im 15. Jh.s bezeugtes parc ,,Einzäunung; Zwinger" aus, das jedoch keine nennenswerte Weiterentwicklung erlebte. Das *frz.* Wort dagegen entwickelte im Laufe der Zeit verschiedene übertragene Bedeutungen wie ,,großflächig angelegte, umschlossene Grünanlage", ,,militärisches Depot für Waffen, Geschütze u. a." und (in Analogie dazu) ,,reservierter städtischer Abstellplatz für Fahrzeuge", die gleichfalls an die Nachbarsprachen weitergegeben wurden. Danach erscheint im Anfang des 18. Jh.s in einer neuen Entlehnung unser Wort Park im Sinne von ,,großflächige, waldartige, umschlossene Grünanlage", das in dieser Bedeutung allerdings – mehr noch als von *frz.* parc – von gleichbed. *engl.* park abhängig ist. – 'Park' im Sinne von ,,Sammelplatz, Depot" erscheint bei uns gleichfalls im Anfang des 18. Jh.s (zuerst militär.). Es lebt allerdings nur noch in Zus. wie Fuhrpark, Wagenpark. – Abl.: parken „ein Kraftfahrzeug vorübergehend (auf der Straße, auf einem Platz) abstellen" (20. Jh.; nach gleichbed. *engl.-amerik.* to park). Dazu die Zus. Parkplatz und die ganz junge hybride Neubildung Parkometer *s* für „Parkuhr" (über das Grundwort ...meter „Meßgerät" vgl. den Artikel *Meter*). – Vgl. noch das hierhergehörende FW Parkett.

Parkett *s*: Zu *frz.* parc in dessen urspr. Bed. „eingehegter Raum" (vgl. *Park*) gehört als Verkleinerungsbildung *frz.* parquet „kleiner abgegrenzter Raum". Dies wurde im 18. Jh. mit verschiedenen übertragenen Bedeutungen ins *Dt.* entlehnt. So bedeutet Parkett heute einmal „getäfelter Fußboden", zum andern bezeichnet es den vorderen, zu ebener Erde liegenden Raum des Theaters. Schließlich wird es auch bildlich zur Bezeichnung jenes spiegelglatten Bodens des gesellschaftlichen Zeremoniells gebracht, auf dem sich die vornehme Welt begegnet. Beachte dazu die Wendung 'sich sicher auf dem Parkett bewegen'.

Parlament *s* „Volksvertretung (mit beratender oder gesetzgebender Funktion)": Zu *afrz.* (= *frz.*) parler „sprechen, reden" (vgl. *parlieren*) gehört als Substantivbildung *afrz.* parlement „Gespräch, Unterhaltung; Erörterung", das mit gleicher Bedeutung ins *Mhd.* als parlament, parlemunt gelangte. Die jüngere politische Bed. „Volksvertretung" übernahm unser FW gegen Ende des 17. Jh.s von entspr. *engl.* parliament (< *afrz.* parlement), das in diesem Sinne auch auf *frz.* parlement „Volksvertretung" zurückgewirkt hat. Die Geschichte des Wortes spiegelt also die Entwicklung des von England ausgehenden demokratischen Parlamentarismus wider. – Dazu: Parlamentarier *m* „Abgeordneter, Mitglied des Parlamentes" (18. Jh.; nach entspr. *engl.* parliamentarian); parlamentarisch „das Parlament betreffend, vom Parlament ausgehend" (Ende 18. Jh., nach entspr. *engl.* parliamentary); Parlamentarismus *m* „Regierungsform, in der die Regierung dem Parlament verantwortlich ist" (19. Jh.; *nlat.* Bildung). – Eine besondere Bedeutungsentwicklung zeigt das formal in diesen Zusammenhang gehörende FW Parlamentär *m* „Unterhändler (zwischen feindlichen Heeren)". Es erscheint im 18./19. Jh. als militärisches Fachwort und setzt in diesem Sinne gleichbed. *frz.* parlementaire fort. Ausgangspunkt ist *afrz.* parlement mit einer Spezialbed. „Verhandlung, Unterhandlung zwischen feindlichen Heeren (über den Abschluß eines Waffenstillstandes usw.)" bzw. das davon abgeleitete Verb *frz.* parlementer „in Unterhandlungen treten".

parlieren „schnell und unverständlich reden; geschickt über etwas plaudern; leichte Konversation machen" (veralt., aber noch *mdal.*): Das schon *mhd.* im neutralen Sinn von „sprechen, reden" bezeugte Verb ist aus gleichbed. (*a*)*frz.* parler entlehnt, das seinerseits aus *vlat.* *parauläre parler entlehnt ist (zu *vlat.* *paraula < *kirchenlat.* parabola „Gleichnisrede; Rede, Erzählung"; vgl. das FW *Parabel*). In einer erneuten Übernahme des *frz.* Wortes gegen Ende des 16. Jh.s entwickelt zunächst den Nebensinn von „französisch, vornehm, gewählt sprechen" und danach die modernen Bedeutungen. – Beachte noch die zu *frz.* parler bzw. *dt.* parlieren gehörenden abgeleiteten FW → Parlament, Parlamentär und → Polier.

Parodie *w* „satirische Nachahmung [eines literarischen Kunstwerks], wobei die äußere Form des Vorbildes beibehalten, die Geschehensebene jedoch ins Komische verlagert wird": Im 17. Jh. aus gleichbed. *frz.* parodie entlehnt, das auf *gr.* par-ōidía zurückgeht. Dies gehört als Präfixbildung zu *gr.* ōidḗ „Gesang, Gedicht, Lied" (vgl. *Ode*). Parodie bedeutet demnach eigtl. etwa „Nebengesang, Beilied", dann „nachahmendes, verzerrendes Lied; Parodie". – Abl.: parodieren „scherzhaft umdichten; in einer Parodie nachahmen" (17. Jh.; nach entspr. *frz.* parodier); Parodist *m* „wer Parodien verfaßt oder vorträgt" (19. Jh.; *nlat.* Bildung nach entspr. *frz.* parodiste); parodistisch „in Form einer Parodie" (19. Jh.).

Parole *w* „militär. Kennwort; Losung": Im 17. Jh. als militärisches Fachwort aus *frz.* parole „Wort; Spruch" entlehnt, das in einer früheren Entlehnung bereits *mhd.* parol[le] „Wort, Rede" geliefert hat. Quelle des *frz.* Wortes ist *vlat.* *paraula (< *kirchenlat.* parabola) „Gleichnisrede; Spruch" (vgl. hierüber *Parabel*).

Paroli *s* „Widerstand", nur in der Wendung 'Paroli bieten' gebraucht: Das seit dem 18. Jh. bezeugte FW war urspr. ein Wort des Kartenspiels. Es bezeichnete dabei das Mitbzw. Gegenhalten im Spiel und die damit verbundene Dopplung des Einsatzes. Von daher wurde es dann übertragen gebraucht. Quelle des Wortes ist *it.* paroli „Verdopplung des Spielstocks" (wörtlich „das Gleiche" wie im ersten Einsatz; zu *it.* paro < *lat.* pär „gleich"), das uns über entspr. *frz.* paroli erreichte.

Part *m* „Anteil": Das seit *mhd.* Zeit bezeugte FW, das (*a*)*frz.* part „[An]teil" auf gleichbed. *lat.* pars, partis zurückgeht (vgl. *Partei*), wird heute nur noch selten gebraucht. Es erscheint noch als Bezeichnung für die Stimme eines Instrumental- oder Gesangsstückes (bes. in Zus. wie Klavierpart). Darüber hinaus lebt es eigtl. nur noch in den Zus. halbpart „zu gleichen Teilen, fifty-fifty" (17. Jh.; wohl in Gauner und Spielerkreisen aufgekommen) und Widerpart m „Gegner[schaft], Gegenspieler" (schon mhd.).

Partei w: Das seit mhd. Zeit als partīe „Abteilung; Personenverband" bezeugte FW bezeichnet zunächst allgemein eine Gruppe von Personen, die sich zusammenschließen, um gemeinsame Interessen und Zwecke zu verfolgen. Insbesondere gilt das Wort dann im Sinne von „politische Partei". Ferner nennt man Partei z. B. die Gegner im Zivilprozeß (Prozeßpartei) und die innerhalb einer größeren Wohngemeinschaft (Mietshaus) lebenden Mitmieter (Mietpartei), auch dann, wenn diese 'Parteien' jeweils nur aus Einzelpersonen bestehen. Beachte dazu auch Wendungen wie 'Partei ergreifen' „sich auf jemandes Seite stellen". – Unser FW ist im Grunde identisch mit dem jüngeren →Partie. Quelle für beide ist frz. partie „Teil; Anteil; Abteilung; Gruppe; Beteiligung usw.", das von frz. partir (< vlat. *partīre = klass.-lat. partīrī) „teilen, trennen usw." abgeleitet ist. – Das zugrunde liegende lat. Stammwort pars (partis) „Teil, Anteil; Abteilung; Partei usw." ist auch sonst mit zahlreichen Ableitungen und Weiterbildungen in unserem Fremdwortschatz vertreten. Vgl. hierzu im einzelnen die FW →Part, →partial, partiell, →Partikel, →Parzelle, →Partitur, →Partizip, →Partisan, →Partner, →Party, →apart, →Appartement, Apartment, →Portion, →Proportion. – Im folgenden seien noch einige zu Partei gehörende Ableitungen und Zusammensetzungen genannt: parteiisch „voreingenommen, befangen, nicht objektiv" (15. Jh.), unparteiisch „neutral, objektiv" (15. Jh.); Parteibuch (20. Jh.), Parteigenosse (19. Jh.), Parteitag (20. Jh.).

Parterre s „Erdgeschoß": Das aus dem Frz. entlehnte FW erscheint bei uns zuerst im 17. Jh. als Terminus der Gartenbaukunst im Sinne von „ebenes Gartenbeet", seit dem 18. Jh. auch zur Bezeichnung des zur ebenen Erde liegenden Zuschauerraumes im Theater. Für beide, heute kaum mehr üblichen Bedeutungen ist das vorausliegende Substantiv frz. parterre das aus der adverbialen Fügung frz. 'par terre' „zu ebener Erde" (daraus gleichbed. dt. parterre) hervorgegangen ist. Die heute vorwiegend gültige Bed. „Erdgeschoß" ist eine rein deutsche Bedeutungsentwicklung, ohne Vorbild im Frz.

partial „teilweise [vorhanden]; anteilig; einseitig": Das schon im 15. Jh. gebuchte Adjektiv, das auf spätlat. partiālis „[an]teilig" zurückgeht (zu lat. pars, partis „Teil"; vgl. Partei), ist heute veraltet, erscheint aber gelegentlich noch in fachsprachl. Zus. wie Partialbruch (Math.). Heute gilt vielmehr das gleichbed. Adjektiv partiell, das im 18. Jh. aus entspr. frz. partiel entlehnt wurde.

Partie w: Das seit dem 17. Jh. bezeugte FW ist im Grunde identisch mit dem schon älteren Lehnwort →Partei. Beide sind – zu verschiedenen Zeiten und mit verschiedenen Bedeutungen – aus frz. partie „Teil; Anteil; Abteilung; Gruppe; Beteiligung usw." entlehnt. Partie erscheint von Anfang an in mehreren Bedeutungsbereichen. Allgemein lebt es im Sinne von „Teil, Abschnitt, Ausschnitt" (beachte Zus. wie Gesichtspartie), daneben bedeutet es speziell in Mundarten soviel wie „[gemeinsamer] Ausflug" (beachte die Zus. Landpartie). In der Kaufmannssprache findet sich das Wort gelegentlich im Sinne von „Warenposten". Als musikalisches Fachwort bezeichnet es die einzelne ausgeschriebene Stimme in Oper, Operette usw. (beachte Gesangspartie). Der Sportler versteht unter Partie einen Wettkampf, ein Wettspiel, insbesondere eine Schachpartie. Schließlich wird das Wort auch übertragen gebraucht für „Heiratsmöglichkeit, Heirat" (beachte dazu die Wendung 'eine gute Partie machen').

Partikel w: Das seit dem 15. Jh. belegte FW erscheint zuerst in der auch heute noch gültigen allgemeinen Bed. „Teilchen". Es ist aus gleichbed. lat. particula entlehnt, einer Verkleinerungsbildung zu lat. pars (partis) „Teil" (vgl. Partei), das mit einer vlat. Form *particella auch Ausgangspunkt für unser FW →Parzelle ist. Seit dem 17. Jh. gilt das FW Partikel nach lat. Vorbild auch speziell als Terminus der Grammatik zur zusammenfassenden Bezeichnung all jener unveränderlichen Wörter (Umstands-, Verhältnis- und Bindewörter), die nicht einer der Hauptwortarten zuzuordnen sind.

Partisan m „bewaffneter Widerstandskämpfer im feindlichen Hinterland": Im 17. Jh. aus gleichbed. frz. partisan entlehnt, das wörtlich etwa „Parteigänger, Anhänger" bedeutet und aus entspr. it. partigiano stammt. Dies ist eine Ableitung von it. parte (< lat. pars, partis) „Teil, Anteil" (vgl. Partei).

Partitur w „Aufzeichnung sämtlicher Stimmen eines Tonstückes taktweise untereinander": Im Anfang des 17. Jh.s als musikalisches Fachwort aus gleichbed. it. partitura entlehnt, das seinerseits auf mlat. partitūra „Teilung; Einteilung" beruht. Über das zugrunde liegende Verb lat. partīrī „..[ein]teilen" vgl. den Artikel Partei.

Partizip, Partizipium s „Mittelwort": Als grammatischer Terminus seit dem 15. Jh. belegt (in der eingedeutschten Form seit dem 18. Jh.). Das Wort geht auf gleichbed. lat. participium zurück, eine Ableitung von lat. particeps „teilhabend" (zu lat. pars, partis „Teil" und lat. capere „nehmen, fassen"). Die Bez. bezieht sich also auf die Mittelstellung des Partizips zwischen Verb und Adjektiv. Es nimmt an beiden Wortarten teil.

493

Partner *m* „Teilhaber, Teilnehmer, Kompagnon; Mitspieler, Gegenspieler; Genosse, Gefälurte": Im Anfang des 19. Jh.s aus gleichbed. *engl.* partner entlehnt. Das *engl.* Wort ist unter dem Einfluß von *engl.* part „Teil" umgestaltet aus *mengl.* parcener „Teilhaber", das seinerseits aus *afrz.* parçonier „Teilhaber" stammt, einer Abl. von *afrz.* parçon (< *lat.* partītiō, partītiōnis) „Teilung". Über weitere etymolog. Zusammenhänge vgl. den Artikel *Partei.* – Abl.: Partnerin *w* (19. Jh.); Partnerschaft (19. Jh.).

partout „durchaus, unbedingt, um jeden Preis" (*ugs.*): Im 18. Jh. aus *frz.* partout „überall, allenthalben" übernommen. – Das Wort erscheint auch in der Zus. Passepartout *s* „Hauptschlüssel (veraltet); Papprahmen zum Schutz von Bildern" (17. Jh.; aus *frz.* passe-partout, das wörtlich etwa „passe überall!" bedeutet und danach zur Bezeichnung der verschiedensten, vielzweckig brauchbaren Gegenstände wurde. Bestimmungswort ist *frz.* passer „gehen; passen usw.").

Party *w* „zwangloses Hausfest": In jüngster Zeit aus dem *Amerik.* übernommen. *Engl.-amerik.* party „Party; Gesellschaft; Party" stammt seinerseits aus *frz.* partie „Teil; Beteiligung; Abteilung usw." (vgl. *Partie*).

Parzelle *w* „vermessenes Grundstück": Im 18./19. Jh. aus *frz.* parcelle „Teilchen, Stückchen; Grundstück" entlehnt, das seinerseits auf *vlat.* *particella „Teilchen" zurückgeht. Dies steht für *klass.-lat.* particula „Teilchen" (vgl. *Partikel*). – Abl.: parzellieren „Großflächen in Parzellen aufteilen" (18./19. Jh.; aus entspr. *frz.* parceller „in kleine Stücke teilen").

Paso doble *m*: Aus Spanien stammender Gesellschaftstanz in schnellem ²/₄-Takt, dessen *span.* Name bei uns im 20. Jh. erscheint. *Span.* paso doble bedeutet wörtlich „Doppelschritt".

Paspel *w* „schmaler Nahtbesatz bei Kleidungsstücken; Litze, Vorstoß, Biese": Im 18. Jh. aus gleichbed. *frz.* passepoil entlehnt, einer zusammengesetzten Bildung zu *frz.* passer „überschreiten, darüber hinausgehen" und *frz.* poil „Haar; Tuch-, Gewebehaar". – Dazu das Verb paspelieren „mit Paspeln versehen" (19. Jh.; aus entspr. *frz.* passepoiler).

Paß *m* 1. „Personalausweis"; 2. „enger Durchgang, Bergübergang": Quelle dieses Fremdwortes ist für beide Bedeutungen letztlich *lat.* passus „Schritt" (eigtl.: das „Ausspreizen" der Füße beim Gehen), das verwandt ist mit *lat.* patēre „sich erstrecken; offenstehen" (vgl. *Patene*). Vermittelt wurde das Wort jedoch unmittelbar durch entspr. *frz.* pas (daneben auch teilweise durch *it.* passo und *niederl.* pas). Es erscheint zuerst im Anfang des 15. Jh.s mit der 2. Bed., be-

achte dazu Zus. wie Bergpaß und Engpaß. Um 1500 folgt dann die 1. Bed. Hier allerdings gehen die zusammengesetzten Bildungen „paßbrif" und „paßport" (aus *frz.* passeport „Geleitbrief, Passierschein"; zu *frz.* passer überschreiten und *frz.* port „Durchgang") voraus. Beachte auch die jüngeren Zus. Reisepaß (17. Jh.) und Laufpaß (um 1800). Letzteres bezeichnete urspr. den Paß, der einem Soldaten bei der Entlassung aus dem Militärdienst mitgegeben wurde. Heute wird es nur noch uneigtl. in der Wendung ‚einem den Laufpaß geben' (= „entlassen; fortjagen") gebraucht. – Von Interesse ist in diesem Zusammenhang noch das von *lat.* passus abgeleitete Verb *vlat.* *passāre „Schritte machen; durchschreiten, durchgehen", auf dem *frz.* passer „überschreiten; vorübergehen usw." (s. passieren, passen), *it.* passare (s. *Passagier*) und *span.* pasar (s. *Passat*) beruhen. Beachte ferner die Komposita *vlat.* *compassāre „ringsherum abschreiten" (in →Kompaß) und *vlat.* *expassāre „sich ausbreiten" (im LW →Spaß). Siehe auch →Passus.

Passat *m* „gleichmäßig wehender tropischer Ostwind (zwischen den Wendekreisen und der äquatorialen Tiefdruckrinne)", meist in der verdeutlichenden Zus. Passatwind: Als Wort der Seemannssprache zuerst im 17. Jh. für den *niederl.* Sprachraum bezeugt. Es ist aus entspr. *niederl.* passaat[wind] entlehnt. Die Herkunft des *niederl.* Wortes ist zweifelhaft. Man vermutet u. a. Entstehung aus ‚passade wind' „Wind, der für die Überfahrt (zur See) günstig ist" (< gleichbed. *span.* ‚viento de pasada; zu *span.* pasar „vorbeigehen; überfahren usw.", das unserem →passieren entspricht).

passen: *Frz.* passer „gehen, vorübergehen usw.", das auch die Quelle für unser FW →passieren ist, erscheint bei uns durch *niederl.* Vermittlung bereits im 13. Jh. am Niederrhein, und zwar entlehnt zu [ge]passen „zum Ziel kommen, erreichen". Darauf und z. T. auf (m)*niederl.* passen beruht die *nhd.* Bedeutungsfülle des Verbs, das sich in drei Hauptanwendungsbereichen anbietet: 1. „angemessen sein, gelegen kommen" (im räumlich-zeitlichen Sinne („gut sitzen, genau entsprechen, gut anstehen, harmonieren usw.") wie im übertragenen Sinne von „gelegen, angenehm, willkommen sein". Dazu die Adjektivbildung unpäßlich „nicht recht gestimmt; leicht krank; unwohl" (17. Jh.), das Adjektiv passabel „annehmbar; leidlich" (im 17. Jh. aus entspr. *frz.* passable übernommen, zunächst in dessen eigtl. Bed. „gangbar, überschreitbar"), ferner die Zus. anpassen „auf etwas abstimmen; angleichen" (18. Jh.; häufig reflexiv gebraucht im Sinne von „sich einordnen, sich einfügen"; es entspr. *niederl.* aanpassen) und das Präfixverb ¹verpassen

den Artikel *Pakt*). – Die Anhänger des Pazifismus heißen Pazifisten (um 1900, aus gleichbed. *frz.* pacifiste).

Pech *s*: Die Bezeichnung für den dunkelfarbigen, zähklebrigen, teerartigen Rückstand bei der Destillation organischer Stoffgemenge, *mhd.* bech, pech, *ahd.* beh, peh ist aus einem obliquen Kasus von *lat.* pix (picis) „Pech, Teer" (urverwandt u. a. mit gleichbed. *gr.* píssa <*pfk-ja) entlehnt. – Seit dem 18. Jh. wird das Wort Pech auch in einem bildlich übertragenen Sinne von „Unglück, Mißgeschick" gebraucht. Beachte dazu die Wendung 'Pech haben' und die Zus. Pechvogel „Unglücksrabe, vom Unglück verfolgter Mensch". Diese sekundäre Bedeutung entwickelte sich zuerst in der Studentensprache. Sie geht wohl einerseits von der schon im *Ahd.* bezeugten symbolischen Verwendung des Wortes Pech für „Höllenfeuer, Hölle" aus, andererseits mag die Vorstellung von der klebrigen und besudelnden Eigenschaft des Teerpechs eingewirkt haben. Vgl. auch den Artikel erpicht.

Pedal *s* „Tretvorrichtung": Das seit dem 16. Jh. (zuerst als „Orgel-, Klavierpedal") belegte FW ist eine *nlat.* Weiterbildung zu *lat.* pedālis „zum Fuß gehörig". Stammwort ist *lat.* pēs (pedis) „Fuß" (urverwandt mit *dt.* →*Fuß*), das auch Ausgangspunkt für die FW →Pionier, →expedieren, Expedient, Expedition, →Spedition, Spediteur und →Depesche ist. Als Bestimmungswort erscheint *lat.* pēs in →Pediküre, pediküren. Siehe auch →Moped.

Pedant *m* „Kleinigkeits-, Umstandskrämer, Haarspalter": Um 1600 aus *frz.* pédant „Schulmeister; engstirniger Kleinigkeitskrämer" entlehnt, das seinerseits aus gleichbed. *it.* pedante stammt. Es handelt sich bei dem *it.* Wort letztlich um eine Bildung zu *gr.* paideúein „erziehen, unterrichten" (vgl. *Päd....*), deren genaue sprachliche Entwicklung allerdings unklar ist. – Abl.: pedantisch „übergenau, kleinlich, engstirnig, kleinlich" (17. Jh.; nach gleichbed. *frz.* pédantesque < *it.* pedantesco); Pedanterie *w* „übertriebene Genauigkeit, kleinliche Gesinnung" (17. Jh.; aus gleichbed. *frz.* pédanterie < *it.* pedanteria).

Pedell *m*: Die Bezeichnung für „Amtsgehilfe an [Hoch]schulen" wurde im 14. Jh. aus *mlat.* pedellus, bedellus „,[Gerichts]bote, Diener" entlehnt, das seinerseits aus *ahd.* bitil, -al „Freier; Diener, Bote" entlehnt ist. Das *ahd.* Substantiv ist eine Bildung zu dem unter →*bitten* behandelten Verb und bedeutet demnach eigtl. „Bittender".

Pediküre *w* „Fußpflegerin; Fußpflege": Im 20. Jh. aus gleichbed. *frz.* pédicure entlehnt, einer gelehrten Neubildung zu *lat.* pēs, pedis (> *frz.* pied) „Fuß" (vgl. *Pedal*) und *lat.* cūra (> *frz.* cure) „Sorge, Pflege" (vgl. *Kur*).

Abl.: pediküren „Fußpflege treiben" (20. Jh.).

Pegel *m*: Der im 18. Jh. aus dem *Niederd.* ins *Hochd.* übernommene Ausdruck für „Wasserstandsmesser" geht zurück auf *mnd.* pegel „Merkzeichen an Gefäßen, Eichstrich; Maß zum Bestimmen des Wasserstandes", dessen weitere Herkunft unklar ist. Von 'Pegel' abgeleitet sind die unter →peilen und →picheln behandelten Verben. **peilen** „die Wassertiefe, Himmelsrichtung oder dgl. bestimmen; visieren": Das aus der *niederd.* Seemannssprache ins *Hochd.* übernommene Verb geht zurück auf *mnd.* pegelen „die Wassertiefe messen, eine Flüssigkeitsmenge bestimmen", das von *mnd.* pegel „Wasserstandsmesser; Merkzeichen an [Trink]gefäßen" abgeleitet ist (vgl. *Pegel*).

Pein *w*: Das Subst. *mhd.* pīne „Strafe, Leibesstrafe; Qual, Not, Mühe; eifrige Bemühung", *ahd.* pīna ist aus *mlat.* pēna „[Höllen]strafe" entlehnt, das *lat.* poena „Bußgeld, Sühnegeld; Buße, Strafe; Kummer, Qual, Pein" fortsetzt (daraus auch *frz.* peine „Strafe; Schmerz, Kummer; Mühe, Schwierigkeit", s. dazu das FW penibel). Das *lat.* Wort seinerseits ist LW aus *gr.* poiné (oder *dorisch* poiná) „Zahlung, Buße, Sühne; Strafe; Rache". – Abl.: peinigen „Schmerzen zufügen, quälen; martern" (*mhd.* pīnegen „strafen; quälen; martern"; für gleichbed. *mhd.* pīnen < *ahd.* pīnōn), dazu die Subst. Peiniger *m* „Quälgeist, Folterer" (*spätmhd.* pīneger) und Peinigung *w* „Mißhandlung, Folterung" (*spätmhd.* pīnegunge, für *mhd.* pīnunge); peinlich „unangenehm, beschämend; pedantisch genau, sorgfältig" (*mhd.* pīnlich „strafwürdig; quälend, schmerzlich; grausam, folternd"). – Auf einer späteren Entlehnung aus *lat.-mlat.* poena beruht *mhd.* pēne „Strafe" (s. verpönt).

Peitsche *w*: Das Wort geht zurück auf *ostmitteld.* pītsche, pīcze, das im 14. Jh. aus dem *Westslaw.* entlehnt wurde, vgl. *poln.* bicz, *obersorb.* bič, *tschech.* bič „Peitsche". Die *westslaw.* Wörter beruhen auf einer Bildung zu einem *slaw.* Verb mit der Bed. „schlagen", vgl. *russ.* bit' „schlagen", das zu der *idg.* Wortgruppe von →*Beil* gehört. – Vor der Entlehnung wurde das unter →Geißel behandelte Wort im Sinne von „Peitsche" verwendet. Abl.: peitschen (16. Jh.).

pekuniär „geldlich": Im 18. Jh. aus gleichbed. *frz.* pécuniaire entlehnt, das auf *lat.* pecūniārius „zum Geld gehörig" zurückgeht. Das zugrunde liegende Substantiv *lat.* pecūnia „Geld" stellt sich mit einer ursprünglichen Bed. „Vermögen an Vieh" zu *lat.* pecū „Vieh" (urverwandt mit *dt.* →*Vieh*).

pekzieren, pexieren „sich etwas zuschulden kommen lassen, sich vergehen; eine Dumm-

499

heit machen" (vorwiegend *mdal.* gebraucht): Im 16. Jh. aus *lat.* peccāre „sich versehen, sich verfehlen; sündigen" entlehnt.

Pelikan *m*: Der Name des tropischen und subtropischen Schwimmvogels (*mhd.* pel-[l]ikān) ist aus gleichbed. *kirchenlat.* pelicānus entlehnt, das seinerseits LW aus gleichbed. *gr.* pelekán ist.

Pelle *w*: Das vorwiegend in Norddeutschland, aber auch sonst in der Umgangssprache weit verbreitete Wort für „dünne Haut, Wursthaut, Schale" geht auf *mnd.* (= *mniederl.*) pelle „Schale" zurück. Quelle des Wortes ist das mit *dt.* → *Fell* urverwandte Substantiv *lat.* pellis „Fell, Pelz, Haut". – Dazu das abgeleitete Verb pellen „schälen" (18. Jh.) und die Zus. Pellkartoffel „mit der Schale gekochte Kartoffel". – Auf einer *mlat.* Ableitung von *lat.* pellis beruht unser LW → Pelz.

Pelz *m* „weich behaarte Tierhaut; zum Kleidungsstück verarbeitetes Tierfell", in der Umgangssprache gelegentlich auch auf die „menschliche Haut" übertragen (beachte dazu Redensarten wie 'jmdm. auf den Pelz rücken'): Das Substantiv *mhd.* belliz, bellez, belz, *ahd.* pelliz, belliz ist entlehnt aus *mlat.* pellícia (ergänze etwa: vestis) „Fellkleidungsstück, Pelz". Das zugrunde liegende Adjektiv *mlat.* pellícius „aus Fellen gemacht" gehört als Ableitung zu *lat.* pellis „Fell, Pelz, Haut" (vgl. *Pelle*). – Gleicher Herkunft wie unser Substantiv Pelz sind z. B. auch entspr. *niederl.* pels „Pelz" und *engl.* pilch „Pelzrock", ferner aus den *roman.* Sprachen z. B. *frz.* pelisse „Pelz[rock, -mantel]".

Pendel *s* „um eine Achse oder einen Punkt frei schwingender Körper": Im 18. Jh. aus *mlat.* pendulum „Schwinggewicht" entlehnt, dem substantivierten Neutrum von *lat.* pendulus „[herab]hängend; schwebend". Zugrunde liegt das *lat.* Verb pendēre „hängen, schweben", das im durativen Verhältnis zu dem kausativen Verb *lat.* pendere „aufhängen; wägen" steht (vgl. die Fremdwortgruppe um → *Pensum*). – Abl.: pendeln „schwingen" (20. Jh.), auch übertragen gebraucht im Sinne von „sich ständig zwischen zwei Orten hin- und herbewegen" (beachte dazu die Zus. Pendelverkehr).

penetrant „durchdringend; aufdringlich": Im 17. Jh. aus gleichbed. *frz.* pénétrant entlehnt, dem Part. Präs. von pénétrer „durchdringen", das auf *lat.* penetrāre „eindringen, durchdringen" zurückgeht.

penibel „kleinlich bedacht; sorgfältig, genau; empfindlich" (*ugs.*): Das seit dem Anfang des 18. Jh.s – zunächst mit der eigtl. Bed. „mühsam, beschwerlich" – bezogte Adjektiv ist aus *frz.* pénible „mühsam, beschwerlich; schmerzlich" entlehnt. Dies gehört als Ableitung zu *frz.* peine „Strafe; Schmerz; Mühe, Schwierigkeit", das seiner-

seits auf *lat.* poena „Sühne, Strafe; Schmerz" zurückgeht (vgl. das LW *Pein*).

Penicillin *s*: Der englische Bakteriologe Sir A. Fleming entdeckte im Jahre 1928 einen zunächst für die Vernichtung von Bakterienkulturen geeigneten Wirkstoff, der aus verschiedenen Schimmelpilzarten gewonnen wurde. Eine besondere Rolle spielte dabei der sogenannte „Pinselschimmel", nach dessen wissenschaftlichem Namen 'Penicillium notatum' (zu *lat.* pēnicillum „Pinsel") dieser Wirkstoff benannt wurde. Bis zum Jahre 1939 wurde das Penicillin zu einem hochwirksamen Antibiotikum weiterentwickelt.

Pennal *s*: Zu *lat.* penna „Feder" (verwandt mit *dt.* → *Feder*) gehört als Ableitung *mlat.* pennāle „Federbüchse", das mit dieser Bedeutung bei uns am Ende des 15. Jh.s als FW erscheint. Das Wort dringt später (17. Jh.) als spöttische Bezeichnung für den „angehenden Studenten (der immer seine Federbüchse mit sich trägt)" in die Studentensprache und von dort im 19. Jh. in die Schülersprache, wo es seitdem als scherzhafte Bez. für „höhere Schule" gilt. Weitaus häufiger als 'Pennal' wird jedoch heute das daraus zurückgebildete scherzhafte ¹Penne *w* „höhere Schule" (20. Jh.) gebraucht, das beeinflußt ist von dem aus der Gaunersprache stammenden → ²Penne „Herberge, Schlafstelle". – Eine andere Ableitung von Pennal ist Pennäler *m* „Schüler einer höheren Lehranstalt" (um 1900 in der Schülersprache aufgekommen).

¹**Penne** siehe Pennal.

²**Penne** *w*: Die aus der Gaunersprache stammende Bezeichnung für „einfaches Nachtquartier, Schlafstelle, Herberge" erscheint zuerst im 17. Jh. als 'Bonne', dann im 18. Jh. als 'Benne'. Das Wort gehört wohl zu *jidd.* binjan „Gebäude" und hat zunächst mit dem erst später bezeugten, gleichfalls in der Gaunersprache heimischen Verb pennen „schlafen" (heute *ugs.*) zu tun, das wohl primär aus *jidd.* pannai „müßig" beruht und sich dann sekundär mit dem lautlich und semantisch nahestehenden Substantiv vermischt hat. – Dazu: Pennbruder *m* „Landstreicher" (20. Jh.) und Penner *m* (20. Jh.; *ugs.* verächtliche Bezeichnung für „verkommenes Subjekt; Ganove").

Pension *w*: Das seit dem 15. Jh. belegte FW, das über *frz.* pension „Gehalt; Ruhegehalt" auf *lat.* pēnsiō (Akk. pēnsiōnem) „das Abwägen; das Zuwägen; die [Aus]zahlung" zurückgeht (vgl. *Pensum*), erscheint zuerst mit den seiner Herkunft entspr. Bedeutungen „jährliche Bezüge, Gehalt, Besoldung; Ehrensold", danach im Sinne von „Ruhegehalt, Altersunterstützung; Witwengeld" (18. Jh.). Die um 1700 dazukommende Bed. „Kostgeld", insbesondere „Zahlungen für die Unterbringung und Verpflegung in einem Heim, einer Erziehungs- oder Bildungsanstalt", ist dafür verantwortlich, daß man derartige Heime und Bildungsanstalten schließlich auch selbst als Pension bezeichnete (18. Jh.). Die danach erfolgte allgemeine Verwendung des Wortes im Sinne von „Fremden-, Familien-, Erholungsheim" schließt sich im 19. Jh. an. – Abl.: Pensionär *m* „Ruhegehaltsempfänger" (in diesem Sinne seit dem Anfang des 19. Jh.s, aber zuvor schon mit der Bed. „Kostgänger; Zögling" belegt; Quelle ist entspr. *frz.* pensionnaire); pensionieren „in den Ruhestand versetzen" (16. Jh.; zuerst im Sinne von „mit einem Ehrensold ausstatten"; gebildet nach entspr. *frz.* pensionner. Die moderne Bedeutung des Wortes erscheint erst im 18. Jh.); Pensionat *s* „Erziehungs- und Bildungsinstitut, in dem die Zöglinge auch untergebracht und verpflegt werden" (19. Jh.; aus gleichbed. *frz.* pensionnat).

Pensum *s* „zugeteilte Aufgabe, Arbeit; Abschnitt, Lehrstoff": Vornehmlich ein Wort der Schulsprache, das im 17. Jh. aus *lat.* pēnsum „zugewiesene Tagesarbeit; Aufgabe" übernommen wurde. Ursprünglich bezeichnete das *lat.* Wort die einer Spinnerin als Tagesarbeit „zugewogene" Wollmenge. Es ist das substantivierte Partizipialadjektiv von *lat.* pendere (pēnsum) „zum Wägen an die Waage hängen; wägen; abwägen, erwägen, beurteilen; Metall (zur Bezahlung) zuwiegen, [be]zahlen", das im kausativen Verhältnis zu dem durativen Verb *lat.* pendēre „hängen, schweben" (vgl. *Pendel*) steht. – Von Interesse sind in diesem Zusammenhang einige zu *lat.* pendere (bzw. zu dem Partizip Perf. pēnsum) gehörende Ableitungen und Weiterbildungen, die in unserem Fremd- und Lehnwortschatz eine Rolle spielen. Beachte im einzelnen: *lat.* pēnsiō „das Abwägen; das Zuwägen; die [Aus]zahlung" (in →Pension, Pensionär, pensionieren, Pensionat), *lat.* com-pēnsāre „(zwei oder mehr Dinge) miteinander auswiegen, abwägen" (in →kompensieren, Kompensation), *lat.* ex-pendere „abwägen; auszahlen; Geld ausgeben, aufwenden" (in →spenden, Spende, spendieren, →Spind, →Speise, speisen, →Spesen), *lat.* sus-pendere „aufhängen; in der Schwebe lassen; aufheben, beseitigen" (in →suspendieren), *lat.* ...pendium „das Wägen" in Zusammensetzungen wie *lat.* compendium „das Zusammenwägen; die Ersparnis; die Abkürzung" (s. Kompendium) und *lat.* stīpendium „das Geldzuwägen; Soldatenlöhnung, Sold; Unterstützung" (s. Stipendium). Beachte schließlich auch das o-stufige Substantiv *lat.* pondus „Gewicht" in unserem LW →Pfund und im FW →Imponderabilien.

per..., Per...: Aus dem *Lat.* stammende Vorsilbe mit der Bed. „[hin]durch; durch und durch, völlig", wie in →Perspektive, →per-

fekt, →pervers u. a. *Lat.* per (Präp. und Vorsilbe) „[hin]durch; über - hin; während; durch und durch" ist urverwandt mit *dt.* →ver...

perfekt „vollendet, vollkommen; abgemacht": Im 16. Jh. aus *lat.* perfectus „vollendet, vollkommen" entlehnt, dem Partizipialadjektiv von *lat.* perficere „fertigmachen, zustandebringen" (vgl. *Fazit*). – Dazu als grammatische Termini: Perfekt *s* „Zeitwortform in der zweiten (vollendeten) Vergangenheit" (17. Jh.; aus gleichbed. *lat.* perfectum [ergänze: tempus]); Imperfekt *s* „Zeitwortform in der ersten (unvollendeten) Vergangenheit" (Bildung zu *lat.* im-perfectus „unvollendet", für *klass.-lat.* 'tempus minus quam perfectum'); Plusquamperfekt *s* „Zeitwortform in der Vorvergangenheit" (17. Jh.; aus gleichbed. *lat.* 'tempus plus quam perfectum'). – Ferner gehört hierher das FW **Perfektion** *w* „Vollendung, Vollkommenheit" (16. Jh.; aus gleichbed. *frz.* perfection < *lat.* perfectiō) mit den *nlat.* Ableitungen **Perfektionismus** *m* „entartetes Streben nach Vollkommenheit" (19./20. Jh.) und **perfektionistisch** „bis in alle Einzelheiten vollständig, vollkommen" (20. Jh.).

Pergament *s* „Schreibmaterial aus geglätteter und enthaarter Tierhaut", auch Bezeichnung für alte Handschriften auf solchem Material: In *mhd.* Zeit aus gleichbed. *mlat.* pergamen[t]um entlehnt. Dies steht für *lat.* (charta) Pergamēna, das bereits gleichbed. *ahd.* pergamīn geliefert hatte. Die Bezeichnung ist vom Namen der antiken kleinasiatischen Stadt Pergamon abgeleitet, weil die Verarbeitung von Tierhäuten zu Schreibmaterial angeblich dort erfunden worden sein soll.

peri..., Peri...: Aus dem *Gr.* stammende Vorsilbe mit der Bed. „um - herum, umher; über-hinaus usw.", wie in →Peripherie, →Periode u. a. *Gr.* perí, péri (Präposition und Vorsilbe) „um - herum, ringsum, über, über-hinaus usw." ist urverwandt mit der *dt.* Vorsilbe →ver...

Periode *w* „Kreislauf; [Zeit]abschnitt; regelmäßig Wiederkehrendes; Monatsblutung": Das seit dem 16. Jh. zuerst als sprachwissenschaftlicher Terminus mit der Bed. „(mehrfach zusammengesetzter, kunstvoll gebauter) Gliedersatz" bezeugte FW beruht auf einer gelehrten Entlehnung aus *gr.* perí-odos > (*m*)*lat.* periodus „Umgang, Umlauf, Kreislauf; abgerundeter Redesatz", einer Präfixbildung zu *gr.* hodós „Weg, Gang; Mittel und Weg". Das *gr.* Substantiv stellt sich ablautend zu einer *idg.* Wz.*sed- „gehen" (vgl. aus anderen *idg.* Sprachen z. B. *russ.* chód „Gang, Verlauf"), die letztlich identisch ist mit der unter →*sitzen* entwickelten *idg.* Wz. *sed- „sich setzen; sitzen". Der Bedeutungsübergang von *sed- „sich setzen" zu *sed- „gehen" vollzog sich grundsprachlich wohl urspr. in Präfixverben mit der Bedeutung „sich absetzen" (vgl. z. B. *awest.* apa-had- „sich wegsetzen, wegrücken"). Abl.: periodisch „regelmäßig wiederkehrend bzw. auftretend; zeitweilig" (18. Jh., nach gleichbed. *gr.* peri-odikós > [*m*]*lat.* periodicus). – Zu *gr.* hodós gehören noch einige andere Präfixbildungen, die in unserem Fremdwortschatz eine Rolle spielen. Vgl. hierzu die einzelnen die Artikel Anode, Episode, Kathode, Methode

Peripherie *w* „Umfangslinie (bes. des Kreises); Randgebiet; Stadtrand": Im 17. Jh. als mathematischer Terminus über *lat.* peripherīa aus *gr.* periphéreia „das Herumtragen; der Umlauf, die Peripherie" entlehnt. Das zugrunde liegende Verb *gr.* periphérein „herumtragen" ist ein Kompositum von *gr.* phérein „tragen, bringen" (urverwandt mit *dt.* →*gebären*). – Andere zu *gr.* phérein gehörende Zusammensetzungen erscheinen in den FW →Metapher, →Phosphor, →Ampel, →Ampulle und →Eimer.

Perle *w*: Die Bezeichnung für die aus der Schalensubstanz der Perlmuscheln und anderer Weichtiere gebildeten harten, glänzenden Schmuckkügelchen (heute auch synthetisch hergestellt), *mhd.* berle, perle, *ahd.* per[a]la, ist aus dem *Roman.* entlehnt. Das Wort beruht wie z. B. entspr. *frz.* perle und *it.*, *span.* perla vermutlich auf *vlat.*-*roman.* *per[n]ula, einer Verkleinerungsbildung zu *lat.* perna „Hinterkeule von Tieren", das daneben im übertragenen Sinne eine Art Meermuschel bezeichnete (wohl von der Muschelform, die mit einer Hinterkeule verglichen werden kann). – Dazu die Zus. **Perlmutter** *w* mit der Kurzform **Perlmutt** *s*: Das Wort (*spätmhd.* perlīnmuoter) bezeichnete als LÜ von *mlat.* 'māter perlārum' urspr. die Perlmuschel, die gleichsam wie eine Mutter die Perle hervorbringt. Es ging dann als Bezeichnung über auf die stark irisierende Innenschicht der Weichtierschalen (bes. von Muscheln), die aus dem gleichen Stoff besteht wie die Perle selbst und aus der die verschiedensten Gebrauchs- und Schmuckgegenstände gefertigt werden.

Perpendikel *m* oder *s* „Uhrpendel": Quelle dieses Fremdwortes, das zuerst im 16. Jh. mit der heute nicht mehr üblichen Bed. „Richtblei, Senkblei" erscheint, ist *lat.* perpendiculum „Richtblei, Senkblei" (zu *lat.* per-pendere „genau abwägen; vgl. *Pendel*). Die Bed. „Uhrpendel" ist eine Sonderentwicklung des 17./18. Jh.s.

perplex „verwirrt, verblüfft, bestürzt" (*ugs.*): Im Anfang des 17. Jh.s (vielleicht durch Vermittlung von entspr. *frz.* perplexe) aus *lat.* perplexus „verflochten, verschlungen; verworren" entlehnt. Dies ist Partizipialadjektiv von *lat.* *per-plectere „umflechten, verwickeln" (vgl. *per*... und *kompliziert*.

persiflieren „(auf geistreiche Art) verspotten": Im 18. Jh. aus gleichbed. *frz.* persifler entlehnt, einer wohl latinisierenden Neubildung zu *frz.* siffler „[aus]pfeifen" (< *vlat.* sīflāre „pfeifen"). – Dazu: Persiflage *w* „feiner, geistreicher Spott" (18. Jh.; aus gleichbed. *frz.* persiflage).

Person *w*: Das seit dem 13. Jh. bezeugte Subst. (*mhd.* persōn[e]) beruht auf gelehrter Entlehnung aus *lat.* persōna „Maske des Schauspielers; Rolle, die durch diese Maske dargestellt wird; Charakterrolle; Charakter; Mensch, Person", das selbst wohl aus dem *Etrusk.* stammt (vgl. *etrusk.* phersu „Maske"). Abl.: **persönlich** „die Person betreffend; in eigener Person; (übertr.:) einem Menschen zu nahe tretend, beleidigend" (*mhd.* persönlich), dazu das Subst. **Persönlichkeit** *w* „in sich gefestigter Mensch; bedeutende Person des öffentlichen Lebens" (15. Jh.). – Vgl. auch die folgenden auf *lat.* persōna beruhenden FW →Personal, →Personalien, →personifizieren.

Personal *s*: Das zu *lat.* persōna „Maske; Schauspieler; Mensch" (vgl. *Person*) gehörende Adjektiv *spätlat.* persōnālis „persönlich", das als solches bei uns in Zus. wie **Personalpronomen** „persönliches Fürwort" lebt, hat im *Mlat.* die Bed. „dienerhaft" angenommen (nach entspr. *mlat.* persōna „Diener"). Aus dem substantivierten Neutrum Sing. *mlat.* persōnāle stammt unser FW Personal, das noch um 1800 als 'Personale' erscheint. Es bezeichnet heute einerseits die Gesamtheit der Dienerschaft, der Hausangestellten (beachte die Zus. Hauspersonal), andererseits gilt es insbesondere im Sinne von „Belegschaft, Angestelltenschaft". – Der Neutrum Plur. *spätlat.* persōnālia „persönliche Dinge" liegt unserem, der Rechtssprache angehörenden FW **Personalien** *Mehrz.* „Angaben zur Person, wie Name, Lebensdaten usw." (Ende 17. Jh.) zugrunde.

personifizieren „(Götter, leblose Dinge oder Begriffe) vermenschlichen": Gelehrte Neubildung des 18. Jh.s (nach entspr. *frz.* personnifier) zu *lat.* persōna „Maske; Schauspieler; Mensch" (vgl. *Person*) und *lat.* facere „machen" (vgl. *Fazit*). – Dazu das Substantiv **Personifikation** *w* „Vermenschlichung" (18. Jh.; nach gleichbed. *frz.* personnification).

Perspektive *w* „Ausblick; Zukunftsaussicht; Blickwinkel; dem Augenschein entsprechende ebene Darstellung räumlicher Verhältnisse und Gegenstände": Im 16. Jh. aus *mlat.* perspectīva (ergänze: ars) entlehnt. Das zugrunde liegende Adjektiv *spätlat.* perspectīvus „durchblickend" gehört zu *lat.* per-spicere „mit dem Blick durchdringen, deutlich sehen, wahrnehmen". Über etymologische Zusammenhänge vgl. den Artikel *Spiegel*.

Perücke w „unechter Haarschopf (als Ersatz für fehlendes Kopfhaar oder zur Verwandlung), Haaraufsatz": Im 17. Jh. aus gleichbed. *frz.* peruque entlehnt, das ursprünglich nur „Haarschopf" bedeutete. Das etymologisch nicht sicher gedeutete Wort ist auch in anderen *roman.* Sprachen vertreten, beachte z. B. entspr. *it.* parrucca (daraus gleichfalls im 17. Jh. *dt.* Parucke, eine Form, die sich jedoch nicht durchgesetzt hat).

pervers „verkehrt, [geschlechtlich] entartet, verderbt; widernatürlich": Im 16. Jh. – vielleicht durch Vermittlung von entspr. *frz.* pervers – aus *lat.* perversus „verdreht, verkehrt; schlecht" entlehnt. Zugrunde liegt *lat.* per-vertere „umkehren, umstürzen; verderben", ein Kompositum von *lat.* vertere „kehren, wenden, drehen" (vgl. den Artikel *Vers*). – Dazu: Perversität w „perverses Verhalten, widernatürliche Triebrichtung, krankhafte Abweichung vom Normalen" (18./19. Jh.; aus *lat.* perversitās „Verkehrtheit"), in der Bed. identisch mit Perversion w (19. Jh.; aus *spätlat.* perversiō „Verdrehung"). Das Verb pervertieren, das schon im 16. Jh. mit der Bed. „umkehren, zerrütten" gilt, setzt in diesem Sinne formal *lat.* per-vertere fort. Mit der heute gültigen Bed. „vom Normalen abweichen, [geschlechtlich] entarten", die erst im 20. Jh. aufkommt, ist es jedoch unmittelbar von dem Adjektiv pervers abhängig.

Pessimismus m: Bezeichnung für eine negative Grundhaltung gegenüber den Erwartungen des Lebens, „Schwarzseherei; seelische Bedrücktheit". Das seit dem 18. Jh. bezeugte FW, das im Gegensatz zu →Optimismus steht, ist eine *nlat.* Bildung zu *lat.* pessimus „der schlechteste, sehr schlecht". – Dazu: Pessimist m „Schwarzseher, Schwarzmaler" (19. Jh.); pessimistisch „schwarzseherisch, unfroh, gedrückt" (19. Jh.).

Pest w „tödliche Seuche; (übertr.: Unglück, Verderben": Im 16. Jh. aus *lat.* pestis „Seuche; Unglück, Untergang" entlehnt, dessen etymologische Zugehörigkeit nicht gesichert ist. – Dazu: Pestilenz w „Pest, schwere Seuche" (im Anfang des 14. Jh.s aus gleichbed. *lat.* pestilentia), heute wohl nur noch scherzhaft gebraucht; verpesten „verstänkern, verunreinigen, verseuchen" (18. Jh.).

Petersilie w: Der Name des zu den Doldengewächsen gehörenden Küchenkrautes (in der Volkssprache gelegentlich auch kurz Peterle s genannt), *mhd.* pētersil[je], *ahd.* petersilie, petrasile (vgl. aus anderen *germ.* Sprachen z. B. entspr. *niederl.* peterselie, pieterselie und *schwed.* persilje), ist aus gleichbed. *mlat.* petrosilium entlehnt, das für *lat.* petroselīnum steht. Letzte Quelle des Wortes ist *gr.* petro-sélīnon „Felsen-, Steineppich". Dessen Bestimmungswort ist *gr.* pétros „Stein, Fels", dessen Grundwort

ist das unserem LW →*Sellerie* zugrunde liegende Substantiv *gr.* sélīnon „Eppich".

Petroleum s: Das seit dem Anfang des 16. Jh.s bezeugte FW bezeichnet ein in der Verbrauchswirtschaft zu verschiedenen Zwecken (u. a. als Heizöl und Leuchtöl) verwendetes Destillationsprodukt des Erdöls. Es handelt sich um eine aus dem *Mlat.* übernommene hybride Neubildung (*mlat.* petroleum) zu *gr.* pétros „Stein, Felsen" und *lat.* oleum „Öl" (vgl. den Artikel *Öl*). Wörtlich bedeutet das Wort demnach eigtl. „Steinöl". Die Lehnübertragung „Erdöl" wird heute vielfach statt des Fremdwortes gebraucht.

Petschaft s „Handstempel zum Siegeln, Siegel": Im 14. Jh. (*mhd.* petschat) als Kanzleiwort aus gleichbed. *tschech.* pečet entlehnt und in volksetymologischer Anlehnung an unsere Wortbildungssilbe '-schaft' umgestaltet.

Petticoat m: In jüngster Zeit (20. Jh.) aus dem *Engl.* übernommenes FW. Engl. petticoat steht für älteres 'petty coat' und bedeutet demnach wörtlich „kleiner Rock". Bestimmungswort ist *engl.* petty (< *frz.* petit) „klein, gering". Über das Grundwort vgl. ¹*Kotze*.

petzen (schülersprachlich und familiär für:) „angeben, verraten": Das seit dem 18. Jh. bezeugte Verb, das zunächst in der Studentensprache der Hallenser Universität gebräuchlich war, stammt vermutlich aus dem *Rotwelschen* und hängt mit *hebr.* pāzäh „den Mund auftun" zusammen. – Beachte dazu Petze w „Angeber[in], Verräter[in]" und die Präfixbildung verpetzen „verraten".

Pfad m „schmaler Fußweg": Die Herkunft des *westgerm.* Wortes (*mhd.* pfat, *ahd.* pfad, *niederl.* pad, *engl.* path) ist dunkel. Zus.: Pfadfinder „Entdecker, Wegbereiter; Angehöriger eines übervölkischen Jugendbundes" (19. Jh.; LÜ von *engl.* pathfinder).

Pfahl m: Das *altgerm.* Substantiv (*mhd.* pfāl, *ahd.* pfāl, *niederl.* paal, *engl.* pole, *schwed.* påle) beruht auf einer frühen Entlehnung (zusammen mit anderen Fachwörtern des römischen Bauwesens, vgl. hierzu den Artikel Fenster) aus *lat.* pālus „Pfahl". Das *lat.* Wort gehört mit im Sinne von „Werkzeug zum Befestigen" (pālus < *påk-slo-s) zum Stamm von *lat.* pangere (pāctum) „befestigen, einschlagen" (vgl. hierzu den Artikel Pakt). – Auf einer *roman.* Bildung zu *lat.* pālus beruht unser FW →Palisade.

Pfand s: Die Herkunft des nur *dt.* und *niederl.* Wortes (*mhd.*, *ahd.* pfant, *mnd.* pant, *niederl.* pand) ist unklar. Die *nord.* Sippe von *schwed.* pant „Pfand" stammt aus dem *Mnd.* – Vielleicht ist „Pfand" aus einem *mlat.* *pantum entlehnt, das auf *lat.* *panctum, einer Nebenform von *lat.* pactum „Übereinkommen, Vertrag, Abmachung" (s. Pakt), beruhen könnte, vgl. das zugrunde liegende Verb *lat.* pangere „befestigen; festsetzen; verfassen". – Von 'Pfand', das die zur Sicherung einer Verpflichtung gegebene Sache bezeichnet, ist das Verb pfänden (*mhd.* pfenden, *ahd.* nur zweites Partizip gifantōt) abgeleitet, beachte die Präfixbildung verpfänden „zum Pfand geben" (*mhd.* verpfenden). Die Zus. Unterpfand (*mhd.* underpfant) war urspr. ein Rechtsausdruck und bezeichnete das Pfand, das der Pfandempfänger dem Verpfändenden beläßt. Heute wird 'Unterpfand' nur noch bildlich verwendet.

Pfanne *w*: Das *altgerm.* Wort *mhd.* pfanne, *ahd.* phanna, *niederl.* pan, *engl.* pan, *schwed.* panna ist eine frühe Entlehnung aus *vlat.* panna, das auf *lat.* patina „Schüssel; Pfanne" beruht. Das *lat.* Wort seinerseits ist entlehnt aus *gr.* patánē „Schüssel" (vgl. Faden). – Im übertragenen Gebrauch bezeichnet 'Pfanne' im *Dt.* die Vertiefung am Gewehr für das Pulver, die Gelenkkapsel und *landsch.* den Dachziegel. – Zus.: Pfannkuchen „Eierkuchen, Omelette; in Fett gebackener [gefüllter] Kuchenteig" (*mhd.* pfankuoche, *ahd.* pfankuocho).

Pfarre *w*: Die Herkunft der nur deutschen Bezeichnung für die Kirchspiel eines (kathol. oder evang.) Geistlichen und für dessen Seelsorgeramt (*mhd.* pfarre, *ahd.* pfarra) ist nicht gesichert. Das Wort hängt vielleicht mit dem unter → Pferch behandelten *mlat.* Wort für „eingehegter Platz" zusammen, etwa im Sinne von „eingehegter Platz, in dem der Geistliche die ihm anvertrauten Menschen wie Schafe hütet". – Abl.: Pfarrer *m* „(evang. oder kathol.) Geistlicher, Seelsorger" (*mhd.* pfarrēre, *ahd.* pfarrāri); Pfarrei *w* „Pfarre" (17. Jh.; vorwiegend in Süddeutschland gebräuchlich).

Pfau *m*: Der *westgerm.* Name des in Indien beheimateten Vogels, *mhd.* pfā[we], *ahd.* pfāwo, *niederl.* pauw, *engl.* pea (daneben *aisl.* pāi, das wohl unmittelbar aus dem *Aengl.* stammt), beruht auf einer Entlehnung aus gleichbed. *lat.* pāvō. Die letzte, vermutlich orientalische Quelle des Wortes, aus der wahrscheinlich auch *gr.* taōs „Pfau" stammt, ist nicht bekannt.

Pfeffer *m*: Der *westgerm.* Name des in Ostasien beheimateten Gewürzstrauches, dessen Früchte halbreif den schwarzen Pfeffer und reif den weißen Pfeffer liefern (*mhd.* pfeffer, *ahd.* pfeffar, *niederl.* peper, *engl.* pepper), beruht auf einer frühen Entlehnung aus gleichbed. *lat.* piper, das seinerseits LW aus gleichbed. *gr.* péperi ist. Das Wort stammt letzlich aus *aind.* pippalī „Beere; Pfefferkorn", das durch *pers.* Vermittlung zu den Griechen gelangt war. – Abl. und Zus.: pfeffern „mit Pfeffer würzen" (*mhd.* pfeffern, *spätahd.* pfefferōn), in der Umgangssprache auch allgemein im konkreten und übertragenen Sinne von „kräftig würzen" gebräuchlich (beachte Fügungen wie 'gepfefferter Witz'), ferner im bildlich übertragenen Sinne von „scharf [weg]werfen, schießen; feuern, hinauswerfen" (wohl zu 'Pfeffer' in dessen gelegentlicher übertragener Verwendung im Sinne von „Schießpulver, Gewehrladung"); Pfefferminze (s. unter Minze); Pfefferkuchen „stark gewürzter Honigkuchen" (15. Jh.). – Vgl. auch die Artikel Pfifferling und Paprika.

Pfeife *w*: Die *germ.* Bezeichnungen des Blasinstruments (*mhd.* pfīfe, *ahd.* pfīfa, *niederl.* pijp, *engl.* pipe, *schwed.* pipa) beruhen auf einer frühen Entlehnung aus *vlat.* *pīpa „Rohrpfeife, Schalmei; Röhre", das zu *lat.* pīpāre „piepen" gehört (vgl. pfeifen). Im übertragenen Gebrauch bezeichnet 'Pfeife' im *Nhd.* Dinge, die einen pfeifenden Ton hervorbringen oder Ähnlichkeit mit der Form des Blasinstruments haben, so z. B. das Gerät zum Tabakrauchen (seit dem 17. Jh.), das Blasrohr der Glasbläser, die Dampfpfeife an Lokomotiven oder dgl. Im *Engl.* schließt sich an pipe in der Bed. „Rohr, Röhre" die Zus. pipeline „Rohrleitung für Erdöl" an, beachte das FW Pipeline (20. Jh.). – Siehe auch den Artikel Pipette.

pfeifen: Das *westgerm.* Verb *mhd.* pfīfen, *mnd.* pīpen (s. u.), *niederl.* pijpen, *engl.* to pipe ist aus *lat.* pīpāre „piepen" entlehnt (vgl. den Artikel Pfeife). Das *lat.* Verb ist – wie z. B. auch *gr.* pip[p]izein „piepen" – lautmalenden Ursprungs und ahmt besonders den Laut junger Vögel nach. *Mnd.* pīpen (vgl. *niederl.* piepen, *engl.* to peep) braucht nicht aus *lat.* pīpāre entlehnt zu sein, sondern kann damit auch elementarverwandt sein, beachte das seit dem 17. Jh. bezeugte piep!, das den Laut von Mäusen und Vögeln nachahmt (vgl. den Artikel piepen). – Das Präfixverb verpfeifen „verraten" (19. Jh.) stellt sich zu *gaunersprachl.* pfeifen mit der Bed. „ein Geständnis ablegen, aussagen, eingestehen".

Pfeil *m* „Bogengeschoß", auch übertragen gebraucht im Sinne von „Richtungsanzeiger in Pfeilform": Das *westgerm.* Substantiv (*mhd.*, *ahd.* pfīl, *niederl.* pijl, *engl.* pile „Lanze; Grashalm; Pfahl") beruht auf einer frühen Entlehnung aus *lat.* pīlum „Wurfspieß (des röm. Fußvolks)".

Pfeiler *m*: Die *nhd.* Form des Wortes geht über *mhd.* pfīlære auf *ahd.* pfīlāri zurück. Das Wort gehört zu einer Reihe von Fachwörtern des römischen Steinbaues, die als Lehnwörter ins *Germ.* gelangten (vgl. zum Sachlichen den Artikel Fenster). Quelle des Lehnwortes (wie z. B. auch für entspr. *niederl.* pijler) ist *mlat.* pīlārium, pīlārius „Pfeiler, Stütze, Säule", eine Weiterbildung von *lat.* pīla „Pfeiler".

Pfennig *m*: Die Herkunft der *westgerm.* Münzbezeichnung (*mhd.* pfennic[n]c, *ahd.* pfenning, pfenting, *niederl.* penning, *engl.* penny) ist nicht sicher geklärt. Der Name der Münze kann auf einer Bildung zu *lat.* pannus „Stück Tuch" beruhen, weil in der Frühzeit Tuche als Tausch- und Zahlungsmittel verwendet wurden. – Die Münze, die im frühen Mittelalter in Europa in Umlauf kam, war zunächst eine Silbermünze (von wechselndem Wert). Im 15. Jh. wurde der Pfennig in Deutschland Scheidemünze und seit dem 18. Jh. wird er in Kupfer geprägt. – Zus.: Pfennigfuchser *m* „Geizhalz" (18. Jh.; zum zweiten Bestandteil vgl. *fuchsen*).

Pferch *m*: Das *westgerm.* Substantiv *mhd.* pferrich „Einfriedung", *ahd.* pferrih, *mnd.* perk, park, *mniederl.* per[ri]c, *engl.* parrock beruht auf einer frühen Entlehnung aus *mlat.* parricus „eingeschlossener Raum, Gehege", das seinerseits wohl zusammenhängt mit der iberischen Sippe von *span.* parra „Weinlaube". – Abl.: pferchen „in einen Pferch sperren"; (übertr.:) auf engstem Raum zusammenzwängen" (16. Jh.), dafür heute den Präfixverb einpferchen. – Vgl. auch den Artikel Park.

Pferd *s*: Der Name des Reit- und Zugtieres führt über verschiedene Zwischenformen (*mhd.* pfert, pfärt, pfärit, pfärvrit, *ahd.* pfärfrit, pfarifrit) auf *mlat.* para-verēdus „Postpferd (auf Nebenlinien)" zurück, eine gelehrte Präfixbildung mit dem *gr.* Präfix →*para...* „neben, bei, neben-hin" zu *spätlat.* verēdus „Postpferd" (*gall.* Ursprungs). Das fremde Wort hat sich gegenüber den einheimischen Bezeichnungen des Tieres (→Roß und →Gaul) in der Schriftsprache weitgehend durchgesetzt. 'Roß' gilt vorwiegend in gehobener dichterischer Sprache, während 'Gaul' noch landschaftlich und sonst meist im abwertenden Sinne gebräuchlich ist.

Pfiff *m* „kurzer Pfeifton", *ugs.* für „Kunstgriff, List": Das seit dem 18. Jh. bezeugte Substantiv ist eine Rückbildung aus dem Verb →*pfeifen*. Die Verwendung des Wortes im Sinne von „Kunstgriff, List", an den sich die Adjektivbildung pfiffig (s. u.) anschließt, stammt aus der Sprache der Vogelsteller oder aber aus der Gaunersprache und bezieht sich entweder auf den Lockpfiff der Vogelsteller oder aber auf den zur Ablenkung ausgestoßenen Pfiff der Taschenspieler. Abl.: pfiffig „listig, schlau" (18. Jh.), dazu Pfiffikus *m ugs.* für „Schlaukopf" (18. Jh.; studentensprachl. Bildung mit *lat.* Endung, wie z. B. auch Luftikus).

Pfifferling *m*: Der Name des Speisepilzes, *mhd.* pfefferlinc, pfifferlinc (zuvor schon *ahd.* phifera), ist eine Bildung zu dem unter →*Pfeffer* behandelten Wort. Der Pfifferling ist also nach seinem pfefferähnlichen Geschmack benannt.

Pfingsten *s*: Das christl. Fest der Ausgießung des Heiligen Geistes ist danach benannt, daß es am 50. Tag nach Ostern gefeiert wird. Das Wort ist zwar erst seit *mhd.* Zeit bezeugt (*mhd.* pfingesten, eigtl. Dat. Plur.), es beruht aber auf einer alten Entlehnung aus *gr.* pentēkostē (hēméra) „der 50. Tag (nach Ostern); Pfingsten" (zu *gr.* pentēkonta „50" und weiter zu dem mit *dt.* →*fünf* urverwandten *gr.* Zahlwort pénte „fünf"), das durch Vermittlung von gleichbed. *got.* paíntēkustē im Rahmen der arianischen Mission zu den Germanen gelangte (vgl. z. B. entspr. *niederl.* pinkster[en]). – Aus dem *gr.* Wort stammt auch *frz.* pentecôte, das durch gleichbed. *kirchenlat.* pentēcostē vermittelt wurde.

Pfirsich *m*: Die Heimat des Pfirsichbaumes ist Ostasien (vermutlich China). Von dort gelangte er in den vorderen Orient und weiter nach Europa. Die alten Römer lernten den Baum von den Persern kennen und nannten ihn deshalb 'persica arbor' „persischer Baum" oder einfach persicus. Entsprechend nannten sie seine Frucht 'persicum (malum)' „persischer (Apfel)". Diese Bezeichnung und das dafür in der Volkssprache eingetretene *vlat.* persica wurde so fest und allgemein üblich, daß sie nicht nur in den *roman.* Sprachen fortlebt (vgl. z. B. entspr. *it.* pesca und *frz.* pêche), sondern auch früh als LW in die *germ.* Sprachen gelangte (vgl. z. B. entspr. *niederl.* perzik, *aengl.* persic, *persoc* und *schwed.* persica). Im *Ahd.* ist das LW zufällig nicht bezeugt. Es wird aber durch die Lautverschiebung des Anlauts in *mhd.* pfersich (> *nhd.* Pfirsich) als alt erwiesen.

Pflanze *w*: *Ahd.* pflanza (*frz.* plante, *engl.* plant) aus *lat.* planta „Setzling"; dies wohl zu *plantare „feststampfen", einer Abl. von *lat.* planta „Fußsohle", zu *idg.* *plat- (vgl. Fladen). Das Festtreten der Erde um den Setzling gibt diesem den Namen. Erst später wird der Begriff auf alle Gewächse ausgedehnt, ohne doch den Grundsinn „Kulturpflanze" ganz zu verlieren. Abl.: pflanzen, *ahd.* pflanzōn; Pflanzer *m*; Pflanzung *w*; pflanzlich. Näher verwandt sind *Plan, Plantage.

Pflaster *s*: Zu *gr.* plássein „aus weicher Masse formen, bilden, gestalten" (vgl. das FW *Plastik*) oder zu dessen Präfixverb em-plássein „aufstreichen, beschmieren" stellt sich als Substantivbildung *gr.* émplast[r]on (ergänze: phármakon) „das Aufgeschmierte; die zu Heilzwecken aufgetragene Salbe, der aufgetragene Salbenverband". Dies gelangte als medizin. Fachwort über *lat.-mlat.* [em]plastrum „Wundpflaster" einerseits in die *roman.* Sprachen (vgl. z. B. gleichbed. *frz.* emplâtre und *it.* impiastro), andererseits als LW sowohl mit der eigtl. (medizin.) Bed. wie auch mit der im *Mlat.* entwickelten übertragenen Bed. „aufgetragener Fußboden- oder Straßenbelag aus Zement, Mörtel oder dgl." in die *westgerm.* Sprachen: *ahd.* pflastar „Wundpflaster; Zement, Mörtel, zementierter Fußboden; Straßenpflaster", *mhd.* pflaster (> *nhd.* Pflaster), *mniederl.* pla[e]ster, *engl.* plaster. – Abl.: pflastern (*mhd.* pflastern „ein Wundpflaster auflegen; den Fußboden oder die Straße pflastern").

Pflaume *w*: Der Name der Steinfrucht *mhd.* pflūme (< pfrūme), *ahd.* pfrūma (entspr. z. B. *niederl.* pruim und *engl.* plum) geht auf gleichbed. *lat.* prūnum (bzw. *vlat.* *prūna) zurück, das seinerseits LW aus gleichbed. *gr.* proûmnon ist. Das Wort ist letztlich wohl kleinasiatischen Usprungs. – Vgl. auch den Artikel Priem.

pflegen: Das *westgerm.* Verb *mhd.* pflegen, *ahd.* pflegan, *niederl.* plegen, *aengl.* pleon (mit gramm. Wechsel) plēon ist dunklen Ursprungs. Es bedeutete zunächst „für etwas einstehen, sich für etwas einsetzen". Daraus entwickelten sich bereits in den alten Sprachzuständen einerseits die Bed. „sorgen für, betreuen, hegen" und andererseits die Bed. „sich mit etwas abgeben, betreiben, gewohnt sein". Das Verb wurde früher, heute nur noch in altertümelnder und poetischer Sprache, stark gebeugt (pflog, gepflogen), beachte dazu die Substantivbildung Gepflogenheit *w* „Gewohnheit" (19. Jh., aus der *östr.* Kanzleisprache). Um das Verb gruppieren sich im *Dt.* die Bildungen Pflege *w* „Sorge, Obhut, Betreuung" (*mhd.* pflege, *spätahd.* pflega), Pfleger *m* „Fürsorger, Betreuer, Krankenwärter" (*mhd.* pflegǣre, *spätahd.* flegare) und pfleglich „fürsorglich, sorgsam" (*mhd.* pflegelich), beachte auch die Präfixbildung verpflegen „mit Nahrung versehen, beköstigen" (*mhd.* verpflegen), dazu Verpflegung *w*. Eine alte Bildung zu 'pflegen' ist das unter →Pflicht behandelte Substantiv.

Pflicht *w*: Das *westgerm.* Substantiv *mhd.*, *ahd.* pflicht, *niederl.* plicht, *engl.* plight ist eine Bildung zu dem unter →*pflegen* (urspr. „für etwas einstehen") behandelten Verb. Das von 'Pflicht' abgeleitete Verb älter *nhd.* pflichten „in einem Dienstverhältnis stehen, in ein Dienstverhältnis nehmen" (*mhd.* pflichten) ist bewahrt in beipflichten „zustimmen, recht geben" und verpflichten „in Dienst nehmen, durch ein Versprechen binden". Die Adjektivbildung pflichtig „verpflichtet, abhängig" (*mhd.* pflichtic) ist heute fast nur noch in Zusammensetzungen gebräuchlich, beachte z. B. dienstpflichtig.

Pflock *m*: Das seit dem 14. Jh. bezeugte Wort (*mhd.* pfloc), dem gleichbedeutend *mnd.* plock, pluck entspricht, ist verwandt mit *niederl.* plug „Zapfen, Spund, Dübel", *engl.* plug „Pflock, Stöpsel" und *schwed.* plugge „Pflock, Zapfen". Die weitere Herkunft des Wortes, das sowohl im *Westgerm.* als auch im *Nord.* in den alten Sprachzuständen fehlt, ist dunkel. Abl.: pflöcken „mit einem Pflock befestigen" (17. Jh.).

pflücken: Das *westgerm.* Verb *mhd.* pflücken, *mnd.* plücken, *niederl.* plukken, *engl.* to pluck beruht auf einer frühen Entlehnung aus *vlat.* *pilūccāre „auszupfen, enthaaren, rupfen, abbeeren", auf das auch *it.* piluccare „zupfen, rupfen, pflücken" und *frz.* éplucher „zupfen, rupfen" (*afrz.* pelucher, vgl. *Plüsch*) zurückgehen. Das Verb pflücken wurde wie zahlreiche andere Ausdrücke des Obst- und Weinbaus von den Römern am Mittelrhein übernommen und breitete sich von dort aus (beachte die *nord.* Sippe von *schwed.* plocka „pflücken").

Pflug *m*: Die Herkunft des *altgerm.* Wortes *mhd.* pfluoc, *ahd.* pfluoh, *niederl.* ploeg, *engl.* plough, *schwed.* plog ist – trotz zahlreicher Deutungsversuche – unklar. Mit diesem Wort bezeichneten die Germanen wahrscheinlich eine weniger primitive Form des Hakenpflugs, der urspr. aus einem starken gekrümmten Ast bestand, oder aber den neuen Räderpflug. Andere Wörter für „Pflug" im *germ.* Sprachbereich, die durch die neue Bezeichnung z. T. verdrängt wurden, sind *got.* hōha „Pflug" (eigtl. „Ast"), *aengl.* sulh „Pflug" (z. B. verwandt mit *lat.* sulcus „Furche"), *aisl.* arðr „Pflug" (z. B. verwandt mit *lat.* arāre „pflügen"). – Abl.: pflügen (*mhd.* pfluegen); Pflüger *m* (17. Jh.). Zus.: Pflugschar (s. ²Schar); Pflugsterz (s. Sterz).

Pforte *w*: Das in gehobener Sprache gebräuchliche Wort für „Tür, kleines Tor, Nebentor; Eingang, Durchgang" (daneben im übertragenen Sinne auch fachsprachlich üblich, z. B. als „enger Gebirgsdurchgang; Engpass usw."), *mhd.* pforte, *ahd.* pforta, ist aus *lat.* porta „Tür, Tor; Zugang" entlehnt (urverwandt mit *dt.* →*Furt*). Abl.: Pförtner *m* „Türhüter, Hausmeister; (medizin.-fachsprachlich:) Magenausgang" (*mhd.* p[f]ortenǣre). – Vgl. noch die zu *lat.* porta gehörenden Fremdwörter →Portal, →Portier und Portiere.

Pfosten *m* „Stützpfeiler (meist aus Holz)": Das *westgerm.* Substantiv (*mhd.* pfost[e], *ahd.* pfosto, *niederl.* post, *engl.* post) beruht auf einer frühen Entlehnung aus *lat.* postis „[Tür]pfosten".

Pfote *w* „in Zehen gespaltener Tierfuß": Das seit dem 16. Jh. im *Hochd.* gebräuchliche Wort ist eine verhochdeutschte Form von gleichbed. *niederrhein.* pōte (14. Jh.), das mit *afrz.* poue, *prov.* pauta, *katalan.* pota „Pfote" aus einer *voridg.* Sprache stammt. Das Wort ist also vom Nordwesten des *dt.* Sprachgebiets ausgehend gemeinsprachlich geworden. *Ugs.* wird 'Pfote' auch für „menschliche Hand; Handschrift" und gelegentlich für „menschlicher Fuß" verwendet.

Pfriem *m* „Ahle, Vorstecher": Das auf das *dt.* und *niederl.* Sprachgebiet beschränkte Wort (*mhd.* pfriem[e], *mnd.* prēme, *niederl.* priem) ist verwandt mit den andersgebildeten Wörtern *aengl.* prēon „Pfriem, Nadel, Spange" und *schwed.* pryl „Pfriem". Die weitere Herkunft dieser *germ.* Wortgruppe ist dunkel. – Eine alte Bezeichnung für das Gerät zum Vorstechen ist das unter →Ahle behandelte Wort. *Landsch.* wird auch ‘Ort' im Sinne von „Vorstecher" verwendet (vgl. *Ort*).

¹pfropfen „Pflanzen durch ein Setzreis veredeln": Das Zeitwort, *mhd.* pfropfen, ist abgeleitet von dem im *Mhd.* untergegangenen Substantiv *ahd.* pfropfo „Setzreis, Setzling", das seinerseits auf *lat.* prŏpāgō „der weitergepflanzte, gesetzte Zweig, Setzling, Ableger" beruht. Dies gehört (mit *lat.* prŏpāgāre „weiter ausbreiten, ausdehnen; fortpflanzen", s. die FW. Propaganda und propagieren) als Präfixbildung zum Stamm von *lat.* pangere (pāctum) „befestigen, einschlagen" (vgl. *Pakt*), wohl im Sinne von „das Feststecken (des Setzlings in die Erde)".

²pfropfen siehe Pfropfen.

Pfropfen, daneben auch Pfropf *m*: Das seit dem Anfang des 18. Jh.s gebräuchliche Wort ist eine verhochdeutschte Form von *niederd.* propp[en], *mnd.* prop[pe] „Stöpsel, Kork" (vgl. *niederl.* prop „Pfropfen"). Das Wort geht wahrscheinlich von einer Lautnachmung aus und gehört zu einer Mischform aus *niederd.* prampen, prumpsen „drücken, pressen" und *niederd.* stoppen „verschließen, füllen" (vgl. *stopfen*). In der Umgangssssprache wird gewöhnlich die nicht verhochdeutschte Form Proppen verwendet, beachte die Zus. proppenvoll. Abl.: **²pfropfen** „mit einem Korken oder Stöpsel verschließen, voll machen" (*mnd.* proppen).

Pfuhl *m* „große Pfütze, Sumpf, Morast": Die Herkunft des *westgerm.* Wortes *mhd.*, *ahd.* pfuol, *niederl.* poel, *engl.* pool ist unklar. Es kann, falls es aus dem *Illyr.* stammt, mit der *baltoslav.* Sippe von *lit.* balà „Sumpf, Morast" verwandt sein. – *Landsch.* wird ‘Pfuhl' im Sinne von „Jauche" gebraucht, beachte dazu pfuhlen *landsch.* für „mit Jauche düngen". Im übertragenen Gebrauch steht es für ‘Hölle', beachte auch die Zus. Sündenpfuhl.

Pfund *s*: Die *gemeingerm.* Gewichtsbezeichnung (*mhd.* pfunt, *ahd.* pfunt, *got.* pund, *niederl.* pond, *engl.* pound, *schwed.* pund) beruht auf einer sehr frühen Entlehnung aus dem indeklinablen Substantiv *lat.* pondō „ein Pfund an Gewicht" (urspr. Ablativ von einem nicht bezeugten Substantiv *pondus, pondī *m* „Gewicht"), das mit *lat.* (ponderis) *s* „Gewicht" (dazu das FW →Imponderabilien) im Ablaut steht zu *lat.* pendere (pēnsum) „zum Wägen an die Waage hängen; wägen; erwägen; zuwiegen." (vgl.

hierüber den Artikel *Pensum*). – Dazu das von ‘Pfund' abgeleitete, in der Umgangssprache weit verbreitete Adjektiv pfundig „großartig, außerordentlich, beachtlich, ansehnlich" (20. Jh.; mit der gleichen übertragenen Bedeutung, die das Substantiv Pfund in Zus. wie Pfundskerl, Pfundssache u. a. entwickelt hat).

pfuschen „schlecht, oberflächlich, unfachmännisch arbeiten": Das seit dem 16. Jh. gebräuchliche Verb gehört wahrscheinlich zu der Interjektion →futsch! (*landsch.* auch pfu[t]sch!), die Geräusche nachahmt, die beim Abbrennen von Pulver, beim Reißen von schlechtem Stoff oder dgl. entstehen. Der Wortgebrauch geht also von der Anschauung des schnell abbrennenden Pulvers aus. Gebräuchlich ist auch die Präfixbildung verpfuschen „verderben" (18. Jh.). Abl.: Pfuscher *m* (16. Jh.).

Pfütze *w*: Die Herkunft des in allen *germ.* Sprachen (mit Ausnahme des *Got.*) vorhandenen Substantivs, *mhd.* pfütze „Brunnen; Wasserlache", *ahd.* p[f]uzza „Brunnen, Wasserloch", *niederl.* put „Brunnen, Grube", *engl.* pit „Grube" (s. auch das FW Cockpit), *dän.* pyt „Pfütze, Lache", ist nicht sicher geklärt. Vielleicht handelt es sich um ein sehr altes LW aus *lat.* puteus „Brunnen, Grube".

Phalanx *w* „Schlachtreihe; geschlossene Front" (vor allem in bildlich übertragenem Sinne): Im 18. Jh. über *lat.* phalanx aus *gr.* phálagx „Schlachtreihe" entlehnt. Letzteres ist mit seiner eigtl. Bed. „Walze; Balken, Baumstamm" auch Ausgangspunkt für unser LW →*Planke*.

Phänomen *s* „[Natur]erscheinung; Vorhandensein; seltenes Ereignis, Wunder[ding]", in der Umgangssprache auch übertragen gebraucht im Sinne von „außerordentlich begabter und gescheiter Kopf": Im 17. Jh. aus *lat.* phaenomenon „[Luft]erscheinung" < *gr.* phainómenon „das Erscheinende; das Einleuchtende; die Himmelserscheinung" entlehnt. Das zugrunde liegende Verb *gr.* phaínein (< *phán-jein) „sichtbar machen", phaínesthai „sichtbar werden, erscheinen" stellt sich zu der unter →*bohnern* dargestellten Wortfamilie der *idg.* Wurzel *bhā-, bhō-, bha- „glänzen, leuchten, scheinen". – Zu nennen sind in diesem Zusammenhang ferner einige zu *gr.* phaínein gehörende Weiterbildungen oder stammverwandte *gr.* Wörter, soweit sie in unserem Fremdwortschatz eine Rolle spielen. Beachte im einzelnen: *gr.* phantázesthai „erscheinen, sichtbar werden", dazu *gr.* phántasma „Erscheinung; Traumbild, Trugbild" (s. Phantom) und *gr.* phantasía „Erscheinung; geistiges Bild, Vorstellung" (s. Phantasie, phantasieren, Phantast, phantastisch); *gr.* phásis „Erscheinung; Aufgang eines Gestirns" (s. Phase), *gr.* émphasis „Abbild; Verdeutlichung; Nachdruck" (s.

Emphase, emphatisch), *gr.* phänós ,,Leuchte, Fackel'' (s. Fanal) und schließlich noch *gr.* pháos, phõs ,,Licht, Helle'' (s. die unter photo... genannten FW). – Beachte noch das zu Phänomen gehörende Adjektiv phänomenal, das in der Umgangssprache für ,,außerordentlich, auffallend, erstaunlich, unglaublich, einzigartig'' gilt (19. Jh.; aus gleichbed. *frz.* phénoménal).

Phantasie *w* ,,Vorstellung[svermögen], Einbildung[skraft]; Erfindungsgabe, Einfallsreichtum; Trugbild'': In *mhd.* Zeit als fantasīe aus *gr.-lat.* phantasía ,,Erscheinung; geistiges Bild, Vorstellung, Einbildung'' entlehnt und später im Schriftbild an das klassische Vorbild angeglichen. Dem *gr.* Substantiv liegt das Verb *gr.* phantázesthai ,,sichtbar werden, erscheinen'' zugrunde, das seinerseits zu *gr.* phaínein ,,sichtbar machen; (medial:) sichtbar werden, erscheinen'' gehört (vgl. hierüber den Artikel *Phänomen*). – Dazu: phantasieren ,,sich dem Spiel der Einbildungskraft hingeben, frei erfinden, erdichten; irrereden (Med.); improvisieren (Mus.)'' (im 15. Jh. fantasieren, nach *mlat.* phantasiārī ,,sich vorstellen, sich einbilden''); Phantast *m* ,,Träumer, Schwärmer'' (15. Jh. fantast; aus *mlat.* phantasta, *gr.* phantastḗs ,,Prahler''); phantastisch ,,schwärmerisch, unwirklich; verstiegen, überspannt (16. Jh.), *ugs.* auch im Sinne von ,,das Vorstellungsvermögen übersteigend, unglaublich; großartig, wunderbar''.

Phantom *s* ,,Trugbild (Modell) von Körperteilen für Unterrichtszwecke (Med.)'': Im 18. Jh. aus *frz.* fantôme ,,Trugbild; Sinnestäuschung'' entlehnt, das über *vlat.* *fantauma auf *gr.* phántasma ,,Erscheinung, Traumbild'' zurückgeht. Zu *gr.* phantázesthai ,,erscheinen'' und weiter zu *gr.* phaínein ,,sichtbar machen; (medial:) erscheinen'' (vgl. *Phänomen*).

Pharisäer *m*: Das aus dem *Aram.* stammende FW bezeichnet eigtl. den Angehörigen einer altjüdischen, streng gesetzesfrommen, religiös-politischen Partei. Der in *nhd.* Zeit aufgkommene appellativische Gebrauch des Wortes im Sinne von ,,selbstgerechter Mensch; Heuchler'' entwickelte sich im Anschluß an Bibelstellen, so bes. an Luk. 18, 10ff., wo der Pharisäer betet: 'Ich danke dir, Gott, daß ich nicht bin wie die anderen Leute, Räuber, Ungerechte, Ehebrecher oder auch wie dieser Zöllner'. – Abl.: pharisäisch ,,selbstgerecht; heuchlerisch''.

Pharmazie *w* ,,die Wissenschaft von den Arzneimitteln, ihrer Zusammensetzung, Herstellung, Verwendung usw.'': Das seit dem 15. Jh. gebuchte, aber erst seit dem Anfang des 18. Jh.s in fachwissenschaftlichen Texten belegte FW geht auf *lat.* pharmacīa, *gr.* pharmakeía ,,Gebrauch von Heilmitteln, Giften bzw. Zaubermitteln; Arznei'' zurück. Stammwort ist *gr.* phármakon ,,Heilmittel;

Gift; Zaubermittel''. – Dazu: Pharmazeut *m* ,,in der Pharmazie ausgebildeter Wissenschaftler; Apotheker'' (18./19. Jh.; aus *gr.* pharmakeutḗs ,,Hersteller von Arzneimitteln; Giftmischer''); pharmazeutisch ,,zur Pharmazie gehörig'' (18./19. Jh.; nach *gr.* pharmakeutikós ,,die Kenntnis und Herstellung von Arzneimitteln und Giften betreffend'').

Phase *w* 1. ,,Abschnitt einer [stetigen] Entwicklung, Stufe; Zustand'' (allg.); 2. ,,Schwingungszustand beim Wechselstrom'' (Elektrotechnik); 3. *Mehrz.* Bezeichnung für die drei Leitungen des Drehstromnetzes; 4. in der Astronomie Bezeichnung für die wechselnde Lichtgestalt von nicht selbstleuchtenden Himmelskörpern: Das zuerst bei Luther im Sinne von ,,Lichterscheinung, Wolkensäule'' bezeugte FW, das sich jedoch erst im 18. Jh. (zunächst als astronomischer Terminus) einbürgerte, ist durch Vermittlung von entspr. *frz.* phase aus *gr.* phásis ,,Erscheinung; Aufgang eines Gestirns'' entlehnt. Über etymologische Zusammenhänge vgl. den Artikel *Phänomen*.

Philharmonie *w*: Das mit *gr.* Wortelementen gebildete FW (*gr.* phileĩn ,,lieben'', phílos ,,liebend; Freund'' und *gr.* harmonía ,,Fügung; Einklang, Wohlklang; Musik''; vgl. die Artikel *Philo...* und *Harmonie*) bedeutet wörtlich etwa ,,Liebe zur Musik''. Es erscheint bei uns seit dem 19. Jh. als Name für musikalische Gesellschaften, Konzertsäle und Spitzenorchester. Die einer Philharmonie angehörenden Künstler heißen Philharmoniker. Beide FW, Philharmonie und Philharmoniker, haben ihren unmittelbaren Ausgangspunkt in dem Adjektiv philharmonisch (in der Fügung 'philharmonisches Orchester'), das auf entspr. *frz.* philharmonique und *it.* filarmonico beruht.

Philister *m* ,,kleinbürgerlicher, geistig beschränkter Mensch; Spießbürger'': Die Philister sind in der Bibel die schlimmsten Feinde des auserwählten Volkes Gottes, der Israeliten. In Anspielung auf diesen Gegensatz übertrugen Studenten des 17. Jh.s den Stammesnamen auf ihre geschworenen Feinde, die Stadtsoldaten und Polizisten, indem sie sich selbst mit den (geistig) Auserwählten verglichen. Danach wurde in der Folge das Wort Philister zunächst zur Bezeichnung des Nichtstudenten überhaupt, dann auch des ungeistigen Bürgers von ängstlicher, beschränkter Lebensauffassung. – Abl.: philiströs ,,spießbürgerlich, beschränkt, mukkerhaft'' (19. Jh., französierende Bildung).

Philo..., (vor Vokalen und h:) Phil...: Bestimmungswort von Zusammensetzungen mit der Bed. ,,Freund, Verehrer (von etwas), Liebhaber, Anhänger; Wissenschaftler'' (wie in →Philosoph, →Philologe) oder mit der Bed. ,,Liebe, Verehrung; wissenschaftliche Beschäftigung'' (wie in den entspr. Abstrak ta →Philosophie, →Philologie). Quelle ist *gr.* phílos (Adj. und Subst.) ,,liebend; Freund''.

Philologe *m* ,,Sprach- und Literaturwissenschaftler'': Im 16. Jh. aus *lat.* philologus, *gr.* philó-logos ,,Freund der Wissenschaften; Sprach-, Geschichtsforscher'' entlehnt. Dies ist ursprünglich Adjektiv mit der Grundbed. ,,das Wort, die Sprache liebend''. Es gehört als Zusammensetzung zu *gr.* phílos ,,liebend; Freund'' (vgl. *Philo...*) und *gr.* lógos ,,Rede, Wort; wissenschaftl. Forschung'' (vgl. *Logik*). – Dazu: Philologie *w* ,,Sprach- und Literaturwissenschaft'' (16. Jh.; aus *gr.-lat.* philología ,,gelehrte Beschäftigung mit Sprache und Geschichte''); philologisch ,,die Philologie betreffend'' (17. Jh.).

Philosoph *m*: Das seit dem Ende des 15. Jh.s bezeugte FW bedeutet gemäß seiner Herkunft aus *lat.* philosophus, *gr.* philó-sophos wörtlich etwa ,,Freund der Weisheit'' (zu *gr.* phílos ,,liebend; Freund'' und *gr.* sophía ,,Weisheit'', vgl. *Philo...* und *Sophist*). Während das *gr.* Wort ursprünglich ganz allgemein denjenigen benannte, der sich um Erkenntnisse in irgendeinem beliebigen Wissensgebiet (insbesondere auch in den Rhetorik und Dialektik) bemühte, wurde es seit Sokrates und Plato zur speziellen Bezeichnung des Denkers schlechthin, der nach allgemeinen, jenseits der den Einzelwissenschaften gültigen Wahrheiten sucht, und dessen Fragen und Forschen auf die letzten Gründe des Seins gerichtet ist. In diesem Sinne gilt das FW heute. Jene allgemeinste Wissenschaft heißt Philosophie *w* (in *mhd.* Zeit aus *gr.-lat.* philosophía ,,Liebe zur Gelehrsamkeit, zu den Wissenschaften usw.''). – Dazu als Abl.: philosophisch ,,die Philosophie betreffend; durchdenkend; weise'' (16. Jh.; nach *spätlat.* philosophicus); philosophieren ,,tiefgründig über etwas nachdenken, grübeln; sich philosophisch über einen Gegenstand verbreiten'' (16. Jh.; nach *frz.* philosopher und *lat.* philosophārī ,,Philosophie betreiben'').

Phiole *w* ,,kugelförmige Glasflasche mit langem Hals'': Das schon in *ahd.* Zeit bezeugte Substantiv (*ahd.* fiala, *mhd.* viole) führt über *mlat.* fiola auf *gr.* phiálē (> *lat.* phiala) ,,Schale, Trinkschale'' zurück.

Phlegma *s* ,,[Geistes]trägheit, Schwerfälligkeit; Gleichgültigkeit; Dickfelligkeit'': Das seit dem 16. Jh. belegte Substantiv ist ein Fachwort der schon antiken Temperamentenlehre (vgl. zum Sachlichen die Artikel →cholerisch, →Melancholie und →sanguinisch). Es geht auf *gr.-lat.* phlégma ,,Brand, Flamme, Hitze'' zurück, das seit Hippokrates zur Bezeichnung eines ,,kalten und zähflüssigen Körperschleimes'' wurde (nach antiken Vorstellungen die Ursache vieler Erkrankungen). Das zugrunde liegende *gr.* Verb phlégein ,,entzünden; verbrennen'' ist mit

dt. →*blecken* verwandt. – Abl.: phlegmatisch ,,träg, schwerfällig; gleichgültig'' (16. Jh.; aus *lat.* phlegmaticus, *gr.* phlegmatikós ,,schleimig, am zähflüssigen Schleim leidend''); Phlegmatiker *m* ,,körperlich träger, geistig wenig regsamer Mensch'' (18. Jh.).

Phlox *w* oder *m*: Die beliebte Zier- und Gartenpflanze trägt ihren gelehrten, aus *gr.* phlóx ,,Flamme'' (zu *gr.* phlégein ,,brennen'', urverwandt mit *dt.* →*blecken*) entlehnten Namen nach dem farbenprächtigen Blütenstand, der bei einigen Arten von intensivem flammendem Rot ist. Man nennt diese Pflanze deshalb auch 'Flammenblume'.

Phonetik *w* ,,Lautlehre; Stimmbildungslehre'': Gelehrte Bildung des 19. Jh.s zu *gr.* phōnē ,,Laut, Ton; Stimme'' (phōnētikós ,,zum Tönen, Sprechen gehörig'') das ablautend zu dem mit *dt.* → *Bann* verwandten *gr.* Verb phánai ,,sagen, sprechen usw.'' gehört. – Dazu das Adjektiv phonetisch ,,die Phonetik betreffend, lautlich'' (19. Jh.). Als Grundwort erscheint *gr.* phōnē in zahlreichen FW wie →Grammophon, →Telephon und → Sinfonie. Beachte ferner den Artikel →Blasphemie.

Phosphor *m*: Der im 17. Jh. entstandene Name des nichtmetallischen chem. Grundstofes beruht auf einer gelehrten Bildung zu dem *gr.* Adjektiv phōs-phóros ,,lichttragend'' (zu *gr.* phōs ,,Licht'' und *gr.* phérein ,,tragen''; vgl. die Artikel *photo...* und *Peripherie*). Der Phosphor ist demnach nach seiner Leuchteigenschaft benannt. – Abl.: phosphoreszieren (18./19. Jh.) bezieht sich auf die Eigenschaft mancher Stoffe, nach vorausgegangener Bestrahlung wie Phosphor im Dunkeln nachzuleuchten. Diese Eigenschaft selbst heißt Phosphoreszenz *w* (19. Jh.). Beide Wörter sind latinisierende Neubildungen.

photo..., Photo...: Aus dem *Gr.* stammendes Bestimmungswort von Zusammensetzungen mit der Bed. ,,Licht; Lichtbild'', wie in →Photographie, →photogen, →Photokopie. Das zugrunde liegende Substantiv *gr.* phōs, phōtós (< *pháuos) ,,Licht'', das auch in unserem FW →Phosphor erscheint, ist mit *gr.* phaínein ,,sichtbar machen, zeigen'' verwandt (vgl. den Artikel *Phänomen*).

photogen ,,zum Photographieren geeignet, bildwirksam'': Junge Bildung des 20. Jh.s, wohl nach gleichbed. *engl.* photogenic. Bestimmungswort ist *gr.* phōs, phōtós ,,Licht'' (vgl. *photo...*), hier im Sinne von ,,Lichtbild'' (s. Photographie). Das Grundwort gehört zum Stamm gen- ,,werden, entstehen; (aktiv:) hervorbringen, verursachen'' in *gr.* gígnesthai ,,werden, entstehen''. Das Wort bedeutet also wörtlich etwa ,,ein (wirksames) Lichtbild verursachend''.

Photographie *w* ,,Verfahren zur Herstellung dauerhafter, durch elektromagnetische Strahlen oder Licht erzeugter Bilder", auch Bezeichnung des einzelnen Lichtbildes: Gelehrte Wortschöpfung des 19. Jh.s aus *gr.* phõs (phõtós) „Licht" (vgl. *photo...*) und *gr.* gráphein „schreiben, aufzeichnen" (vgl. *Graphik*). Das Wort bedeutet demnach wörtlich etwa „Lichtschreibkunst". – Dazu das Kurzwort Photo *s* „Lichtbild" (19. Jh.) und die Ableitungen Photograph *m* „berufsmäßiger Hersteller von Lichtbildern" (19. Jh.), photographisch „die Photographie betreffend" (19. Jh.) und photographieren „Lichtbilder herstellen" (19. Jh.).

Photokopie *w* „lichtbildliche Wiedergabe von Schriftstücken, Bildern oder Druckseiten": Eine Wortneuschöpfung des 20. Jh.s, zusammengezogen aus →Photographie und →Kopie. – Dazu das Verb photokopieren „eine Photokopie herstellen".

Phrase *w*: Zu *gr.* phrázein „anzeigen; sagen, aussprechen usw." gehört als Substantivableitung *gr.* phrásis „das Sprechen; der Ausdruck; die Ausdrucksweise". Dies gelangt im 16. Jh. über entspr. *spätlat.* phrasis als FW ins *Dt.* mit der durchaus ernsten Bed. „Ausdrucksweise, Redeweise", die allerdings heute kaum noch lebendig ist. Vielmehr wird das Wort im 18. Jh. aus entspr. *frz.* phrase neu entlehnt und gilt seitdem mit dem im *Frz.* entwickelten abwertenden Sinn von „abgegriffene, leere Redensart; Geschwätz". Beachte auch die Wendung 'Phrasen dreschen'. Ein Kompositum von *gr.* phrázein, *gr.* para-phrázein „etwas erklärend hinzufügen; umschreiben" bzw. das dazugehörige Substantiv *gr.* paráphrasis „erklärende Umschreibung", erscheint in unserem FW **Paraphrase** *w* „verdeutlichende Umschreibung eines Textes mit anderen Wörtern; freie Übertragung; freie Umspielung oder Ausschmückung einer Melodie" (16. Jh.); dazu die Neubildung das Verb paraphrasieren „umschreiben" (17. Jh.).

Physik *w* „diejenige Naturwissenschaft, die mit mathematischen Mitteln die Grundgesetze der Natur untersucht": In *mhd.* Zeit (als fisike „Naturkunde") aus *lat.* physica „Naturlehre" entlehnt, das auf *gr.* physikḗ (theõría) „Naturforschung, -untersuchung" zurückgeht. Das zugrunde liegende Adjektiv *gr.* physikós „von der Natur geschaffen, natürlich; naturgemäß", das über gleichbed. *lat.* physicus in unserem Adjektiv physisch „in der Natur begründet, natürlich; (auch im Gegensatz zu →psychlsch:) körperlich" (16. Jh.) fortlebt, gehört als Ableitung zu *gr.* phýsis „Natur; natürliche Beschaffenheit" und damit weiter zu *gr.* phýein „hervorbringen; entstehen", phýesthai „werden, entstehen, wachsen" (urverwandt mit *dt.* →*bauen*). – Abl.: Physiker *m* „Wissenschaftler auf dem Gebiet der Physik" (Ende 18. Jh.); physikalisch „auf die Physik bezogen" (16. Jh.; *nlat.* Bildung).

piano „leise, schwach": Als musikalisches Fachwort im 17. Jh. aus gleichbed. *it.* piano entlehnt, das auf *lat.* plānus „flach, eben" (vgl. *plan*) zurückgeht. Dazu die Steigerungsform pianissimo „sehr leise" (17. Jh.). – Mit dem Adjektiv formal identisch ist das im 19. Jh. aus dem *Frz.* übernommene Substantiv Piano *s*, das als (heute nur noch selten gebrauchte und von →Klavier verdrängte) Bezeichnung für das „Hammerklavier" aus dem älteren Pianoforte *s* (18. Jh.) gekürzt ist. Das 'Pianoforte' (= *frz.* piano-forte < *it.* pianoforte) dafür auch mit Umstellung der Wörter Fortepiano *s* – wurde nach seiner charakteristischen Eigenart benannt, daß man seine Tasten im Gegensatz zum Spinett und Klavichord sowohl „leise" (= piano) als auch „stark und laut" (= →forte) anschlagen kann. – Als zu 'Piano' gehörende Ableitung erscheint im 19. Jh. das FW Pianist *m* (aus *frz.* pianiste) zur Bezeichnung des künstlerisch ausgebildeten und in der Öffentlichkeit auftretenden Klavierinterpreten (im Gegensatz zum bloßen 'Klavierspieler').

picheln: Der seit dem 18. Jh. gebräuchliche *ugs.* Ausdruck für „trinken, zechen", hat sich aus einem von →*Pegel* abgeleiteten Verb entwickelt, vgl. *niederd. mdal.* pegeln „saufen, zechen". Das Verb schließt sich an 'Pegel' in dessen früher auch üblichen Verwendung im Sinne von „Merkzeichen an [Trink]gefäßen" an und bezieht sich darauf, daß man bei Gelagen nach Pegeln (d. h. nach diesen Eichzeichen) zu trinken pflegte.

Picke *w* „Spitzhacke": Die heute übliche Form ist durch Anlehnung an das Verb picken aus älter *nhd.* Bicke (*mhd.* bicke) entstanden (vgl. *picken*). Gebräuchlich ist auch die Bildung [1]Pickel *m* „Spitzhacke", älter Bickel (*mhd.* bickel), beachte bes. die Zus. Eispickel.

[1]Pickel siehe Picke.

[2]Pickel *m* „Hautunreinigkeit, Pustel": Das erst in neuerer Zeit gemeinsprachlich gewordene Wort ist eine Verkleinerungsbildung in *mdal.* Lautung zu dem unter →*Pocke* behandelten Substantiv (vgl. *niederl.* pukkel „Pickel" zu *niederl.* pok „Pocke").

Pickelhaube *w*: Die volkstümliche Bezeichnung für den 1842 eingeführten preußischen Infanteriehelm mit Spitze ist durch Anlehnung an das Wort [1]Pickel „Spitzhacke" aus *frühnhd.* bickel-, beckelhaube, *mhd.* beckenhûbe entstanden. Diese Zusammensetzung (vgl. *Becken* und *Haube*) bezeichnete eine beckenförmige Blechhaube, wie sie seit dem Mittelalter von Kriegsknechten als Kopfschutz getragen wurde.

picken: In der *nhd.* Form picken sind wahrscheinlich zwei oder sogar drei urspr. verschiedene Verben zusammengefallen. Einerseits ein lautnachahmendes 'picken', das also eigtl. „pick machen" bedeutet und speziell das Geräusch nachahmt, das entsteht, wenn ein Vogel mit schnellen Schnabelhieben Futter aufnimmt (beachte die ähnlichen Lautnachahmungen 'ticken' und 'klicken'). Andererseits ein älter *nhd.* Verb bicken „stechen, hauen" (*mhd.* bicken, *ahd.* in ana-bicken), das vermutlich mit *gallolat.* beccus „Schnabel" zusammenhängt, beachte z. B. *frz.* bec, *it.* becco „Schnabel", *it.* beccare „hacken". Zu diesem Verb gehört das Substantiv →Picke (älter Bicke) „Spitzhacke". Ferner kann Vermischung eingetreten sein mit einem *niederd.* Verb, das entweder aus *frz.* piquer „stechen" (vgl. *pikiert*) stammt oder zu einem *germ.* Substantiv mit der Bed. „Spitze" gehört (vgl. *mnd.* peik „Spitze, Stachel"). Beachte dazu piken, weitergebildet piksen *ugs.* für „stechen; weh tun, schmerzen". – Zum Teil auf Vermischung beruhen auch die verwandten Verben *niederl.* pikken „picken", *engl.* to pick „picken; hacken, aufhauen; pflücken, [aus]lesen", *schwed.* picka „picken". **Picknick** *s* „gemeinsame Mahlzeit im Grünen": Im 18. Jh. aus gleichbed. *frz.* piquenique entlehnt, dessen etymologische Zugehörigkeit zweifelhaft ist. – Abl.: **picknikken** „ein Picknick veranstalten" (20. Jh.). **piekfein:** Der *ugs.* Ausdruck für „ganz besonders fein" ist seit der zweiten Hälfte des 19. Jh.s gebräuchlich. Das Bestimmungswort dieser verstärkenden Zusammensetzung ist entstanden aus *niederd.* pük „erlesen, ausgesucht" (entspr. *niederl.* puik), einer im Hansehandel verwendeten Gütebezeichnung.

piepen: Das seit dem 16. Jh. im *Hochd.* gebräuchliche Verb ist wahrscheinlich aus dem *Niederd.* übernommen und geht zurück auf *mnd.* pīpen „piep machen, einen leisen Pfeifton hören lassen, pfeifen" (vgl. *pfeifen*). Das Verb wird in der Umgangssprache häufig übertragen verwendet, beachte z. B. 'das ist zum Piepen' „das ist zum Lachen" und 'bei ihm piept es' „er ist verrückt", beachte auch Piep *m ugs.* für „geistiger Defekt" und Piepmatz *m ugs.* für „Vogel". Neben 'piepen' ist seit dem 17. Jh. auch **piepsen** gebräuchlich, das bes. den Laut [junger] Vögel und Mäuse wiedergibt und *ugs.* im Sinne von „mit schwacher Stimme reden" verwendet wird, beachte piepsig *ugs.* für „leise, schwächlich, kränklich".

Pier *m* (seemänn.: *w*) „Hafendamm; Landungsbrücke": Im 19. Jh. aus gleichbed. *engl.* pier entlehnt, das zu *mlat.* pera „Uferbefestigung, Hafendamm" stimmt. Die weitere Herkunft des Wortes ist unsicher.

piesacken (*ugs.* für:) „quälen": Das seit dem 18. Jh. bezeugte Verb, das sich von Norddeutschland her ausgebreitet hat, gehört wahrscheinlich zu *niederd.* [ossen]pesek „[Ochsen]ziemer" und bedeutet demnach eigtl. „mit dem Ochsenziemer bearbeiten".

Das Grundwort *niederd.* pesek beruht auf *mnd.* pese „Sehne".

Pietät *w* „Frömmigkeit; Ehrfurcht; Rücksichtnahme": Das seit dem 16. Jh. gebuchte FW ist aus *lat.* pietās (pietātis) „Pflichtgefühl; Frömmigkeit, Gottesfurcht" entlehnt. Stammwort ist das *lat.* Adjektiv pīus „pflichtgemäß handelnd; fromm, rechtschaffen", das auch den Namen Pius, Pia zugrunde liegt. – Dazu als *nlat.* Bildung Pietismus *m* (17. Jh.) zur Bezeichnung einer religiösen Erweckungsbewegung des 17. und 18. Jh.s innerhalb des Protestantismus, die den lebendigen Glauben und die „Frömmigkeit" des einzelnen Christen in den Mittelpunkt stellte. Die Anhänger des Pietismus hießen entspr. Pietisten.

¹Pik *s* „Spielkartenfarbe": Die seit dem 18. Jh. bezeugte Bezeichnung – dafür im deutschen Kartenblatt →Schippen – ist aus gleichbed. *frz.* pique entlehnt, das eigtl. „Spieß, Lanze" bedeutet (vgl. *Pike*). Die Bedeutungsübertragung bezieht sich auf den stilisierten Spieß mit schwarzem Blatt auf den Spielkarten der Pikfarbe.

²Pik *m* „heimlicher Groll" (*ugs.*), besonders in der Wendung „einen Pik auf jmdn. haben". Neben der Hauptform Pik findet sich schon früh die Form Pick: Im 17. Jh. – teilweise durch *niederl.-niederd.* Vermittlung – aus gleichbed. *frz.* pique entlehnt, das in dieser Bedeutung eine Übertragung von *frz.* pique „Lanze, Spieß" ist.

pikant „scharf [gewürzt]; prickelnd, reizvoll; anzüglich, schlüpfrig": Am Ende des 17. Jh.s aus gleichbed. *frz.* piquant entlehnt, dem adjektivisch gebrauchten Part. Präs. von *frz.* piquer „stechen; anstacheln, reizen, aufreizen usw." (vgl. *pikiert*). – Dazu das Substantiv Pikanterie *w* „reizvolle Note, Würze; Prickelndes, Sinnenreiz; Anzüglichkeit" (französierende Ableitung des ausgehenden 17. Jh.s).

Pike *w* „[Landsknechts]spieß, Lanze", heute nur noch in der *ugs.* Wendung 'von der Pike auf dienen' gebraucht, was ursprünglich soviel bedeutete wie „als gemeiner Soldat den Kriegsdienst beginnen und sich allmählich hocharbeiten", danach allg. „sich in seinem Beruf von der untersten Stufe emporarbeiten": Das Wort wurde um 1500 aus gleichbed. *frz.* pique entlehnt, das wohl als Substantivbildung zu *frz.* piquer „stechen usw." (vgl. *pikiert*) gehört. – Gleichen Ursprungs sind →¹Pik „Spielkartenfarbe" und →²Pik „heimlicher Groll".

pikiert „gereizt, verletzt, [leicht] beleidigt, verstimmt": Das in diesen Bedeutungen seit dem 17. Jh. bezeugte FW ist Partizipialadjektiv zu dem vom 16.–19. Jh. häufig vorkommenden Verb pikieren „stechen; (übertr.:) anstacheln, reizen; verstimmen", das heute aus dem allgemeinen Sprachgebrauch verschwunden ist, aber noch fachsprachlich verwendet wird (so z. B. in der Gärtnersprache im Sinne von „[junge Pflanzen] auspflanzen, vertopfen"). Quelle des Wortes ist *frz.* piquer „stechen; anstacheln; reizen, verstimmen", das ein auch in anderen *roman.* Sprachen vertretenes, aber etymologisch nicht sicher gedeutetes *vlat.* *piccare verkörpert (beachte *it.* piccare, *span.* picar „stechen"). – Die zahlreichen übertragenen Bedeutungen, die *frz.* piquer innerhalb der verschiedensten Sach- und Lebensbereiche entwickelt hat, spiegeln sich in einigen anderen (abgeleiteten) FW wieder. Vgl. im einzelnen die Artikel: pikant, Pikanterie, ¹Pik, ²Pik, Pike.

¹Pikkolo *m*: Die im 19. Jh. aufkommende Bezeichnung für den „Kellnerlehrling" geht auf *it.* piccolo „klein" zurück. Der Pikkolo ist also eigtl. „der Kleine". – Gleichen Ausgangspunkt hat **²Pikkolo** *m* (auch: *s*), das als Kurzform für Pikkoloflöte „kleine Querflöte in C oder Des" (19. Jh.) steht. Voraus liegt *it.* 'flauto piccolo'.

Pilger *m* „Wallfahrer; Wanderer": Die *nhd.* Form des Wortes führt über *mhd.* pilgerīn, pilgerīm auf *ahd.* piligrīm zurück. Das aus der Kirchensprache stammende Wort ist entlehnt aus *vlat.-kirchenlat.* pelegrīnus „Fremder; Wanderer; Pilger" (im kirchlich-religiösen Sinne wohl urspr. „der nach Rom wallfahrende Fremde"), das für *klass.-lat.* peregrīnus „fremd, ausländisch; der Fremde, Fremdling" steht. Gleicher Herkunft sind z. B. entspr. *it.* pellegrino und *frz.* pèlerin „Pilger". – Abl.: pilgern „wallfahren; wandern" (18. Jh.).

Pille *w* „Arzneimittel in Kügelchenform": Das seit dem 16. Jh. bezeugte Substantiv steht für älteres *spätmhd.* pillule, *frühnhd.* pillel[e], aus dem es – wohl durch Silbenvereinfachung – hervorgegangen ist. Quelle des Wortes ist *lat.* pilula „kleiner Ball; Kügelchen; Pille", das als Verkleinerungsbildung zu *lat.* pila „Ball" gehört. – Dazu die Zus. Pillendreher (18./19. Jh.), einerseits als scherzhafte Bezeichnung des Apothekers, andererseits als Name eines Käfers.

Pilot *m* „Flugzeugführer": Das seit dem Anfang des 16. Jh.s (zuerst als Piloto) bezeugte FW bedeutete in den älteren Sprachzuständen ausschließlich „Steuermann, Lotse". Die moderne Bedeutung kommt erst im 20. Jh. mit der Entwicklung des Flugwesens auf. Quelle des Wortes ist ein zu *gr.* pēdón „Ruderblatt; Steuerruder" gehörendes *mgr.* *pēdōtēs „Steuermann" das über Sizilien ins It. und in die anderen *roman.* Sprachen gelangte (beachte *it.* pilota, piloto „Steuermann", älter pedoto, pedotta; *frz.* pilote). Uns erreichte das Wort wohl zunächst aus dem *It.*, später dann auch durch *frz.* Vermittlung.

Pilz *m*: Der Name der Sporenpflanze (*mhd.* bülez, bülz, *ahd.* buliz) geht zurück auf *lat.*

bōlētus „Pilz (speziell: Champignon)". – Zus.: Glückspilz (s. unter *Glück*).

Pingpong *s*: Die heute veraltete, aber noch scherzhaft gebrauchte Bezeichnung für „Tischtennis" wurde um die Jahrhundertwende aus dem *Engl.* übernommen. *Engl.* ping-pong selbst ist lautmalenden Ursprungs.

Pinguin *m*: Der seit der Zeit um 1600 in Reisebeschreibungen bezeugte Name des in der Antarktis beheimateten flugunfähigen Meeresvogels (mit flossenähnlichen Flügeln) ist bis heute etymologisch nicht sicher gedeutet.

Pinie *w* „zur Familie der Kieferngewächse gehörender Nadelbaum": Der seit dem 18. Jh. belegte Baumname ist zu dem *lat.* Adjektiv pīneus „fichten" (substantiviert: pīnea „Fichtenkern; Pinie") gebildet, das seinerseits von *lat.* pīnus „Fichte; Föhre, Kiefer; Pinie" abgeleitet ist.

pinkeln (*ugs.* für:) „Harn lassen, urinieren": Das seit dem 16. Jh. bezeugte Verb geht wahrscheinlich von einem kindersprachlichen 'pi' aus, beachte kindersprachl. 'Pipi machen' für „urinieren". Vgl. dazu gleichbed. *dän.* pinke und *schwed.* pinka.

Pinscher *m*: Die Herkunft des seit dem Anfang des 19. Jh.s bezeugten Namens der Hunderasse ist unklar. Möglicherweise ist 'Pinscher' aus 'Pinzgauer' entstanden und bezeichnete dann urspr. eine Hundeart, die aus dem Pinzgau (Salzachtal, Östr.) stammt.

Pinsel *m*: Die Bezeichnung des aus einem Holzgriff mit eingesetztem Haar- und Borstenbüschel bestehenden Gerätes (*mhd.* bensel, pinsel), ist durch Vermittlung von gleichbed. *afrz.* pincel (= *frz.* pinceau) aus *vlat.* *pēnicellus (für *lat.* pēnicillus) „Pinsel" entlehnt. Zu *lat.* pēniculus „Schwänzchen; Bürste; Schwamm; Pinsel", einer Verkleinerungsbildung zu *lat.* pēnis „Schwanz; männliches Glied" (beachte dazu das medizinische Fachwort Penis *m* „männliches Glied"). – Abl.: pinseln „malen, streichen" (*mhd.* pinseln).

Pin-up-girl *s*: Das im 20. Jh. aus dem *Amerik.* übernommene Wort bezeichnet jene Art von hübschen, erotisch aufgemachten, meist leichtbekleideten Mädchen, wie sie gewöhnlich in Illustrierten oder auf Prospekten abgebildet sind, und deren Bilder gern ausgeschnitten und an die Wand geheftet werden. So bedeutet denn auch *amerik.* 'pin-up-girl' wörtlich „Anheftmädchen"; zum *engl.* Verb to pin up „anheften".

Pinzette *w* „Greif-, Federzange": Im Anfang des 18. Jh.s aus gleichbed. *frz.* pincette (eigtl. „kleine Zange") entlehnt, einer Verkleinerungsbildung zu *frz.* pince „Zange". Zugrunde liegt das etymologisch nicht sicher gedeutete Verb *frz.* pincer „kneifen, zwicken".

Pionier *m* „Soldat der technischen Truppe", auch übertragen gebraucht im Sinne von „Wegbereiter, Vorkämpfer, Bahnbrecher":

Im Anfang des 17. Jh.s als militärischer Terminus aus gleichbed. *frz.* pionnier entlehnt. Das *frz.* Wort (*afrz.* peonier) bedeutet eigtl. „Fußsoldat, Infanterist". Es gehört als Ableitung zu *frz.* pion (*afrz.* peon) „Fußgeher, Fußsoldat", das auf *vlat.* pedō (Akk. pedōnem) „wer breite Füße hat; Fußgeher, Fußsoldat" zurückgeht. Über das Stammwort *lat.* pēs (pedis) „Fuß" vgl. den Artikel *Pedal.*

Pipette *w* „Saugröhrchen; Stechheber": Im 19. Jh. aus *frz.* pipette „Pfeifchen, Röhrchen; Pipette" entlehnt, das als Verkleinerungsbildung zu *frz.* pipe (< *vlat.* *pīpa) „Rohrpfeife; Röhre" gehört (vgl. das LW *Pfeife*).

Pirat *m* „Seeräuber": Im 15. Jh. aus gleichbed. *it.* pirata entlehnt, das über *lat.* pīrāta auf *gr.* peirātēs „Seeräuber" zurückgeht. Dies gehört als Ableitung zu *gr.* peirān „versuchen; wagen, unternehmen". Stammwort ist *gr.* peĩra „Erfahrung; Versuch, Wagnis", das mit *lat.* perīculum „Gefahr" und mit *ahd.* fāra „Nachstellung, Gefährdung" (siehe *Gefahr*) verwandt ist. – Abl.: P i r a t e r i e *w* „Seeräuberei" (19. Jh.; aus gleichbed. *frz.* piraterie).

Pirol *m*: Der Singvogel ist nach seinem eigentümlichen, etwa mit 'piro' wiederzugebenden Paarungsruf benannt, vgl. *mhd.* (bruoder) piro „(Bruder) Pirol".

Pirouette *w* „Standwirbel um die Körperachse" (als Figur im Eiskunstlauf, Rollschuhlauf, Tanz u. a.), daneben „Drehschwung" (Ringkampf) und „Drehen auf der Hinterhand" (Figur der Hohen Schule): Im 19. Jh. aus *frz.* pirouette „Drehrädchen; Drehschwung; Standwirbel" entlehnt, dessen weitere Herkunft unsicher ist.

pirschen „auf die Schleichjagd gehen, beschleichen": Die *nhd.* Form geht über älter *nhd.* birschen auf *mhd.* birsen „jagen" zurück, das aus *afrz.* berser „[mit dem Pfeil] jagen" entlehnt ist. – Aus dem Verb rückgebildet ist *Pirsch* *w* (16. Jh.). Siehe auch den Artikel *preschen.*

pissen: Das seit dem 14./15. Jh. bezeugte Verb, das vom *Niederd.* aus gemeinsprachlich wurde und heute in der Umgangssprache allgemein üblich ist, beruht wie entspr. *engl.* to piss auf *frz.* pisser, das mit gleichbed. *it.* pisciare lautmalenden Ursprungs ist. – Dazu: Pisse *w* (aus dem *Niederd.*, 15. Jh.); P i s s o i r *s* „öffentliche Bedürfnisanstalt für Männer" (19. Jh.; aus gleichbed. *frz.* pissoir).

Pistazie *w*: Der seit dem 16. Jh. bezeugte Name des vorwiegend im Ostasien und im Mittelmeergebiet wachsenden Balsam- oder Terebinthenbaumes, dessen wohlschmeckende Samen (Pistazienmandel, -nuß) als Würzfrüchte geschätzt sind, geht auf *pers.* pistah „Pistazienbaum; Pistazienfrucht" zurück. Dies wurde den *europ.* Sprachen durch *gr.* pistákē > *lat.* pistacia „Pistazienbaum"

bzw. durch *gr.* pistákion > *lat.* pistacium „Pistazienfrucht" vermittelt (beachte z. B. entspr. *it.* pistacchio, *span.* pistacho, *frz.* pistache).

Piste *w* „abgesteckte Schi- oder Radrennstrecke; Rollbahn auf Flugplätzen; Einfassung der Manege im Zirkus": Im 19. Jh. (zunächst im Sinne von „Spur, Fährte") aus gleichbed. *frz.* piste entlehnt, das seinerseits aus entspr. *it.* pista, einer Variation von *it.* pesta „gestampfter Weg; Fährte, Spur", stammt. Das zugrunde liegende Verb, *it.* pestare (pistare) „stampfen", geht auf gleichbed. *spätlat.* pīstāre zurück.

Pistole *w* „kurze Handfeuerwaffe": Im Anfang des 15. Jh.s während der Hussitenkriege aus *tschech.* pištal „Pfeife; Rohr; Pistole" entlehnt.

placieren, (eingedeutscht:) plazieren 1. (allgemein:) „einen Platz zuweisen"; 2. (wirtschaftl.:) „Kapitalien anlegen oder unterbringen"; 3. (Sport:) „einen gezielten Schuß, Hieb oder Schlag abgeben"; daneben reflexiv sich placieren 1. „einen der vorderen Plätze erringen (bei Sportwettkämpfen)"; 2. „sich hinsetzen" (*ugs.*): Im frühen 18. Jh. aus entspr. *frz.* placer „an einen Platz stellen usw." entlehnt. Zu *frz.* place „Platz" (vgl. ¹*Platz*). – Abl.: d e p l a c i e r t „fehl am Platz, unangebracht" (18. Jh.; aus gleichbed. *frz.* déplacé).

plädieren: Das seit dem 18. Jh. bezeugte, aus dem *Frz.* entlehnte FW entstammt der Rechtssprache, wo es noch heute speziell im Sinne von „vor Gericht die Interessen der Anklage (als Staatsanwalt) oder des Angeklagten (als Verteidiger) in den Schlußvorträgen der Hauptverhandlung vertreten" gilt. Das Wort gelangte aber auch in die Gemeinsprache mit einer generellen Bed. „sich für etwas aussprechen; etwas befürworten". Das vorausliegende *frz.* Verb plaider gehört zu *frz.* plaid (*afrz.* plait) „Rechtsversammlung; Klage; Prozeß", das auf *lat.* placitum „Überzeugung, geäußerte Willensmeinung" zurückgeht. Stammwort ist *lat.* placēre „gefallen; (unpers.:) für gut befinden, für etwas stimmen" (vgl. *Plazet*). – Dazu: Plädoyer *s* „Schlußvortrag des Staatsanwaltes oder Verteidigers vor Gericht" (18. Jh.; aus gleichbed. *frz.* plaidoyer).

Plage *w* „quälendes Übel, Mühsal; Belästigung; anstrengende Arbeit; Unheil, Mißgeschick": Das Subst. *mhd.* plāge, *spätahd.* plāga „Strafe des Himmels, göttliche Heimsuchung; Mißgeschick; Qual, Not" ist aus *lat.-kirchenlat.* plāga „Schlag, Streich; Wunde; Strafe des Himmels" entlehnt, das seinerseits wohl auf *gr.* plēgḗ (oder *dorisch* plāgā) „Schlag, Hieb; Wunde" beruht. Das *gr.* Subst. stellt sich mit dem Stammverb *gr.* plḗssein (< *plā́k-i̯-ein) „schlagen, verwunden" zu der *idg.* Wortfamilie um *dt.* →*fluchen.* – Abl.: p l a g e n „quälen, belästigen;

schinden" (*mhd.* plāgen „mit göttlichen Plagen heimsuchen; strafen, züchtigen"; nach *kirchenlat.* plāgāre „peinigen, quälen"), auch reflexiv gebraucht (seit dem 15. Jh.) im Sinne von „sich abmühen, sich herumquälen". Dazu als Intensivbildung das *ugs.* Verb placken „lästig quälen" (15. Jh.; heute fast nur reflexiv gebräuchlich im Sinne von „sich abquälen, sich abmühen") und das abgeleitete Subst. Plackerei *w* „Schinderei; schwere, anstrengende Arbeit" (16. Jh.).

Plagiat *s* „Diebstahl geistigen Eigentums": Im 18. Jh. aus gleichbed. *frz.* plagiat entlehnt, das zu *frz.* plagiaire „wer geistiges Eigentum stiehlt" hinzugebildet ist. Diesem voraus liegt *lat.* plagiārius „Seelenverkäufer, Menschendieb". Stammwort ist *lat.* plagium „Menschendiebstahl, Seelenverkauf". – Dazu: Plagiator *m* „wer ein Plagiat begeht; Abschreiber" (19. Jh.; nach *lat.* plagiātor „Menschendieb"); plagiieren „ein Plagiat begehen" (Ende 19. Jh.; gelehrte Neubildung nach *spätlat.* plagiāre „Menschendiebstahl begehen").

Plaid *m* oder *s* „karierte] Reisedecke; großes wollenes Umhangtuch": Im 18. Jh. aus gleichbed. *engl.* plaid entlehnt, einem aus dem *Schott.* stammenden Wort zweifelhafter Herkunft.

Plakat *s* „öffentlicher Aushang, Bekanntmachung; [Werbe]anschlag": Im 16. Jh. über *niederl.* plakkaat aus *frz.* placard [„Tür-, Wand]verkleidung; Anschlagzettel, Aushang" entlehnt, das zu *frz.* plaquer „belegen, bekleiden, überziehen" gehört. Das *frz.* Verb stammt seinerseits aus dem *Germ.* Es ist aus den mit dt. Placken „Flicklappen" verw. Wörtern *mniederl.*, *niederd.* placken „einen Flicken auflegen, ankleben; flicken" hervorgegangen. – Dazu das FW **Plakette** *w* „kleine, eckige [meist geprägte] Platte mit einer Reliefdarstellung (als Gedenkmünze, Anstecknadel u. a.)": Das Wort erscheint im Anfang des 20. Jh.s als Entlehnung aus *frz.* plaquette „kleine Platte; Gedenktäfelchen", das als Verkleinerungsbildung zu dem von *frz.* plaquer (s. o.) abgeleiteten Substantiv *frz.* plaque „Platte, Täfelchen" gehört.

plan „flach, eben": Im 16. Jh. aus gleichbed. *lat.* plānus entlehnt (verwandt mit *dt.* →*Feld*). – Dazu: ¹Plan *m* „Ebene, ebener Platz; Kampfplatz" (in *mhd.* Zeit aus *mlat.* plānum „ebene Fläche" entlehnt), heute veraltet und eigtl. nur noch in Wendungen wie 'auf den Plan treten' „in Erscheinung treten" gebraucht; planieren „[ein]ebnen" (16. Jh.; Ersatzwort für gleichbed. *mhd.* plānen. Quelle ist gleichbed. *frz.* planer < *spätlat.* plānāre). Im *It.* wurde *lat.* plānus zu piano (dazu die FW →*piano*, Piano, Pianist).

¹Plan siehe plan.

²**Plan** *m* „Grundriß, Entwurf; Vorhaben": Im 18. Jh. aus gleichbed. *frz.* plan (älter: plant)

entlehnt. Das *frz.* Wort, das erst sekundär mit *frz.* plan „Oberfläche" zusammengefallen ist, geht vermutlich auf *lat.* planta „Fußsohle" (vgl. *Pflanze*) zurück und hat sich nach dem Vorbild von entspr. *it.* pianta (< *lat.* planta) „Fußsohle; Grundriß eines Gebäudes" (vermittelnde Bed. etwa „Grundfläche") entwickelt. – Abl.: planen „entwerfen, vorhaben" (19. Jh.); Planung *w* (20. Jh.); Planer *m* (20. Jh.); planlos (18. Jh.); planvoll (18. Jh.).

Plane *w*: Die Bezeichnung für „grobe Leinwand, [Wagen]decke" hat sich entwickelt aus einer *ostmitteld.* Nebenform von dem heute nur noch *landsch.* gebräuchlichen Blahe *w* „grobe Leinwand, [Wagen]decke" (*mhd.* blahe, *ahd.* blaha). Damit sind verwandt im *germ.* Sprachbereich *dän.* blaar und *schwed.* blå[no]r „Werg; Hede" und weiterhin *lat.* floccus „Wollflocke". Die Form Plane hat erst im 19. Jh. in der Schriftsprache durchgesetzt.

Planet *m* „Wandelstern" (im Gegensatz zum →Fixstern): In *mhd.* Zeit als plānēte aus gleichbed. *spätlat.* plānēta entlehnt, das auf *gr.* plánētēs zurückgeht. Stammwort ist *gr.* plános „irrend, umherschweifend", das zu der unter →*Feld* entwickelten *idg.* Wortgruppe gehört. – Abl.: planetarisch „die Planeten betreffend" (Anf. 19. Jh., *nlat.* Bildung).

Planke *w* „starkes Brett, Bohle": Das Substantiv (*mhd.* planke) beruht wie z. B. entspr. *niederl.* plank und *frz.* planche auf *spätlat.-roman.* planca „Planke, Bohle", einer volkstümlichen Umbildung von *lat.* p[h]alanga (*vlat.* *palanca) „Stange, Tragebaum; Rolle, Walze". – Quelle des Wortes ist das auch unserem FW →Phalanx zugrunde liegende *gr.* Substantiv phálagx (Akkusativ: phálagga) „Walze; Stamm, Balken; Schlachtreihe", das urverwandt ist u. a. mit *dt.* →*Balken.*

plänkeln „sich Vorpostengefechte liefern, den Kampf eröffnen", *mdal.* auch „schwingen, pendeln" und „mit dem Flegel dreschen": Die *nhd.* Form geht über älter *nhd.* blenkeln auf *mhd.* blenkeln „hin und her bewegen" zurück. Das *mhd.* Verb ist wohl eine Iterativbildung zu *mhd.* blenken „[sich] hin und her bewegen, unstet umherfahren" (eigtl. „blinkend, blank machen", vgl. *blank*). Abl.: Plänkler *m* (19. Jh., für *frz.* tirailleur).

Plantage *w* „Großraumpflanzung, landwirtschaftlicher Großbetrieb (bes. in tropischen Gegenden)": Im 17. Jh. aus gleichbed. *frz.* plantage entlehnt, das als Ableitung zu *frz.* planter (< *lat.* plantāre) „pflanzen" gehört (vgl. das LW *Pflanze*).

plappern: Das erst seit dem 16. Jh. bezeugte Verb ist, wie z. B. auch →klappern und →schnattern, lautnachahmenden Ursprungs.

plärren (*ugs.* für:) „weinen, widerlich schreien, unangenehm klingen": Das Verb (*mhd.* blerren, blēren) ist lautnachahmenden Ursprungs und ist [elementar]verwandt mit *niederl.* bleren „plärren" und *engl.* to blare „schmettern", beachte auch *nordd.* blar[r]en „weinen" (*mnd.* blarren), dazu B l a r r e *w* *nordd.* *ugs.* für „weinerliches Kind". – Das Verb wurde früher auch auf tierische Laute bezogen und speziell im Sinne von „blöken" gebraucht.

Pläsier *s* „Vergnügen, Spaß; Unterhaltung" (veraltend, scherzhaft): Am Ende des 16. Jh.s aus gleichbed. *frz.* plaisir entlehnt und seitdem besonders in der Volkssprache und in den Mundarten heimisch. Das *frz.* Wort setzt ein substantiviertes *afrz.* Verb plaisir „gefallen" fort – dafür heute *frz.* plaire –, das auf *lat.* placēre „gefallen" (vgl. *Plazet*) zurückgeht. – Abl.: p l ä s i e r l i c h „vergnüglich, heiter, angenehm, freundlich" (Ende 17. Jh.; heute veraltet, aber noch *mdal.* gebraucht).

Plasma *s* 1. „Lebenssubstanz aller pflanzlichen, tierischen und menschlichen Zellen", dafür meist Protoplasma *s*; 2. „flüssiger Teil des Blutes" (Blutplasma): Gelehrte Entlehnung des 19. Jh.s aus *gr.* plásma „Gebildetes, Geformtes, Gebilde" (zu *gr.* plássein „formen, bilden"; vgl. *Plastik*). Protoplasma (ebenfalls im 19. Jh. gebildet), dessen Bestimmungswort *gr.* prōtos „erster, frühester; am Anfang stehend" ist, bedeutet also eigtl. etwa „Urstoff, Ursubstanz (näml. des Lebens)".

Plastik *w* 1. „Bildhauerkunst; von einem Bildhauer geschaffenes Kunstwerk"; 2. „operativer Ersatz von Gewebs- und Organteilen" (Med.); 3. übertragen gebraucht im Sinne von „Körperlichkeit, Rundung": Im 18. Jh. aus *frz.* plastique „Bildhauerkunst" entlehnt, das auf gleichbed. *gr.*(-*lat.*) plastikḗ (téchnē) zurückgeht. Das zugrunde liegende Adjektiv *gr.* plastikós „zum Bilden, Formen, Gestalten gehörig", das sich über entspr. *lat.* plasticus und *frz.* plastique in unserem Adjektiv plastisch „die Plastik betreffend; modellierfähig, formbar; anschaulich, deutlich hervortretend, bildhaft, einprägsam" (18. Jh.) fortsetzt, gehört als Ableitung zu *gr.* plástēs „Bildner; bildender Künstler, Bildhauer" und weiter zum Stammwort *gr.* plássein (< *pláth-įein) „aus weicher Masse bilden, formen, gestalten". Dies stellt sich – u. a. mit den wichtigen Substantivbildungen *gr.* plásma „Geformtes, Gebilde" (s. Plasma, Protoplasma) und *gr.* émplastron „das Aufgeschmierte" (s. das LW Pflaster) in den etymologischen Zusammenhang der unter →*Feld* entwickelten *idg.* Wortfamilie.

Platane *w* (Laubbaum mit ahornähnlichen Blättern): Der Baumname wurde im 18. Jh. über *lat.* platanus aus gleichbed. *gr.* plátanos

entlehnt. Zugrunde liegt das Adjektiv *gr.* platýs „platt, breit, flach" (vgl. *platt*). Die Platane ist demnach wohl nach ihrem breiten Wuchs benannt.

Plateau *s* „Hochebene, Hochfläche": Im 19. Jh. aus *frz.* plateau „flaches Stück, flacher Gegenstand; Hochebene" entlehnt, das als Ableitung zu *frz.* plat „flach" gehört (vgl. *platt*).

Platin *s*: Das im 18. Jh. in Südamerika entdeckte Edelmetall wurde nach seinem silbrigglänzenden Aussehen mit dem *span.* Wort platina „kleines Silberkörnchen" (heute dafür *span.* platino) benannt. In *dt.* Texten erscheint das Wort bereits im 18. Jh., und zwar zuerst als Platine. – *Span.* platina ist Verkleinerungsbildung zu *span.* plata (de ariento) „Silberplatte; Silber", das auf *vlat.* *platta „Metallplatte" zurückgeht. Über das zugrunde liegende Adjektiv *vlat.* *plattus „flach, platt" vgl. *platt*.

plätschern: Das seit dem 16. Jh. bezeugte Verb ist eine Intensivbildung zu dem lautnachahmenden platschen (15. Jh.), das also eigtl. „platsch machen" bedeutet und Geräusche nachahmt, die beim Aufprall schwererer [weicher] Körper, beim Schlagen ins Wasser oder dgl. entstehen. – Eine Nebenform mit gefühlsbetonter Nasalierung ist planschen, älter auch plantschen (18. Jh.). – Eine ähnliche Schallnachahmung ist *nordd.* pladdern „plantschen; Wasser verschütten; mit großen Tropfen regnen" (16. Jh.); s. auch den Artikel platzen.

platt „flach": Das im Anfang des 17. Jh.s aus dem *Niederd.* ins *Hochd.* übernommene Adjektiv geht zurück auf gleichbed. *mnd.* (= *mniederl.*) plat[t], das seinerseits auf (*a*)*frz.* plat „flach" beruht. Quelle des Wortes ist das *gr.* Adjektiv platýs „eben, platt, breit" (etymologisch verwandt mit den unter →*Fladen* genannten Wörtern), das über gleichbed. *vlat.* *plattus in die *roman.* Sprachen gelangte (vgl. z. B. entspr. *it.* piatto „platt, flach"). – Abl.: p l ä t t e n „glätten; bügeln" (von *mnd.* pletten), dazu die Berufsbezeichnung P l ä t t e r i n *w.* Zus.: p l a t t - deutsch „niederdeutsch" (17. Jh., von *niederl.* > *niederd.* plat „flach" im übertragenen Sinne von „gemeinverständlich, vertraut"), dazu das Substantiv P l a t t *s* „Niederdeutsch; (allg.:) Dialekt, Mundart". – Vgl. noch die zum gleichen Stammwort (*gr.* platýs > *vlat.* *plattus) gehörenden FW und LW → placieren, → Platane, →Plateau, →Platin, Platte und →Platz.

Platte *w*: Das aus *mlat.* platta „Metallplatte; Tonsur" (zu *vlat.* *plattus „flach", vgl. *platt*) entlehnte Substantiv bezeichnete in den ältesten Sprachzuständen (*spätahd.* platta, blatta) nur die Tonsur des Geistlichen (danach bedeutet Platte seit dem 17. Jh. auch allgemein „Glatze"). Im heutigen Sprachgebrauch bezeichnet das Wort

Platte die verschiedensten flächig gearbeiteten Gegenstände von meist rechteckiger Form (z. B. Metallplatten, Steinplatten, flache Schüsseln u. a.). Es setzt in dieser Hinsicht teilweise *mhd.* blate, plate „metallener Brustpanzer, Plattenpanzer; Felsplatte; flache Schüssel usw." fort, das sekundären Einfluß von *mlat.* plata (= platta) und dem darauf beruhenden *frz.* plate zeigt.

¹Platz *m* „freie, umbaute [Straßen]fläche", vielfach übertragen gebraucht (z. B. „Ort, Stelle; geschlossene Anlage; verfügbarer Raum usw."): Das seit dem Ende des 13. Jh.s bezeugte Substantiv (*spätmhd.* plaz, platz) ist aus gleichbed. *frz.* place entlehnt, das seinerseits wie entspr. *it.* piazza „Platz" auf *lat.-vlat.* platĕa „breite, öffentliche Straße; Platz" beruht. Letzte Quelle des Wortes ist *gr.* plateĩa (ergänze: hodós) „die Breite (Straße)". Über das zugrunde liegende Adjektiv *gr.* platýs „eben, platt, breit usw." vgl. den Artikel *platt.* – Vgl. auch das zu *frz.* place gehörende FW →placieren. – Ursprünglich identisch mit ¹Platz ist vermutlich der seit dem 15. Jh. landschaftlich gebräuchliche Gebäckname **²Platz** *m* (im Sinne von „flach geformter Kuchen"). Dessen Verkleinerungsform **Plätzchen** *s* hat als Bezeichnung für Kleingebäck, Konfekt eine selbständige gemeinsprachliche Geltung erlangt.

platzen: Das seit *mhd.* Zeit bezeugte Verb (*mhd.* platzen, blatzen) ist lautmalenden Ursprungs. Es ahmte früher vor allem Geräusche nach, die bei einem Aufprall, beim Abfeuern eines Schusses und beim Bersten eines Gegenstandes entstehen, beachte die Zus. Platzpatrone „nur knallende, nicht scharfe Patrone" (19. Jh.) und Platzregen „niederprasselnder starker Regen" (15. Jh.). Heute wird ‚platzen' gewöhnlich im Sinne von „bersten, reißen, auseinandergehen" verwendet.

plaudern: Die nhd. Form geht zurück auf gleichbed. *spätmhd.* plūdern, das mit *mhd.* plōdern und blōdern „rauschen; schwatzen" lautnachahmenden Ursprungs ist. Eine ähnliche Schallnachahmung ist z. B. *lat.* blaterāre „schwatzen, dummes Zeug reden". Neben ‚plaudern' ist (bes. *südostd.*) auch plauschen „sich gemütlich unterhalten" gebräuchlich, beachte Plausch *m* „gemütliche Unterhaltung". Abl.: Plauderei *w* (17. Jh.).

plausibel „einleuchtend, verständlich, überzeugend, triftig": Im 17. Jh. aus gleichbed. *frz.* plausible < *lat.* plausibilis „Beifall verdienend; einleuchtend" entlehnt. Stammwort ist *lat.* plaudere „klatschen, schlagen; Beifall klatschen", das auch mit zwei Komposita, *lat.* ap-plaudere „klatschen" (s. applaudieren, Applaus) und *lat.* ex-plōdere „klatschend heraustreiben, ausklatschen" (s. explodieren, Explosion, explosibel, ex-

plosiv), in unserem Fremdwortschatz vertreten ist.

Playboy *m*: Das im 20. Jh. aus der *amerik.* Umgangssprache aufgenommene FW bezeichnet den modernen Typ des weltgewandten, eleganten Bummelanten, der auf Grund seiner gesicherten wirtschaftlichen Unabhängigkeit die Fülle der delikaten Lebensfreuden in verschwenderischer Unbekümmertheit und in exklusiver Gesellschaft schöner Frauen genießt. Das *amerik.* Wort bedeutet eigtl. etwa „Spieljunge, Goldjunge". Es gehört als Zus. zu *engl.* to play „spielen, sich amüsieren" und *engl.* boy „Junge".

Plazenta *w* „Mutterkuchen, Nachgeburt": Bei diesem seit etwa 1700 bekannten FW handelt es sich um eine gelehrte naturwissenschaftlich-fachsprachliche Entlehnung aus *lat.* placenta „Kuchen", das seinerseits auf *gr.* plakóũs „flacher, breiter Kuchen" bzw. dessen Akk. plakoũnta zurückgeht. Stammwort ist *gr.* pláx „[Meeres]fläche, Platte" verwandt mit *dt.* →*flach*).

Plazet *s* „Genehmigung, Bestätigung": Das im 16. Jh. aufgekommene Substantiv ist ursprünglich ein Wort der Kanzleisprache. Es ist ähnlich entstanden wie z. B. →Dezernat, nämlich aus einer verbalen Formel in der 3. Pers. Sing. Präs., *lat.* placet „es gefällt, es entspricht meiner Vorstellung; ich stimme zu, ich genehmige" (als Aktenvermerk u. dgl.). – Das zugrunde liegende Verb *lat.* placēre „gefallen, gut scheinen" (eigtl. etwa „eben sein"), das verwandt ist mit *dt.* →*flach*, ist auch Ausgangspunkt für die FW →Pläsier, pläsierlich und →plädieren, Plädoyer.

Plebs *m*: Die im 19. Jh. aufkommende abfällige Bezeichnung für das niedere, ungebildete Volk geht auf das *lat.* Substantiv plēbs (plēbis) „Volksmenge, Volk" zurück. Die pejorative Bedeutungsentwicklung ist die gleiche wie in →Pöbel. *Lat.* plēbs gehört vermutlich mit einer Grundbed. „Menge, Haufen" zu der unter →*viel* behandelten *idg.* Wortgruppe. – Dazu das zusammengesetzte FW Plebiszit *s* „Volksentscheid; Volksbefragung" (15. Jh.; aus gleichbed. *lat.* plēbiscītum; dessen Grundwort ist *lat.* scītum „Verordnung, Beschluß"; in neuerer Zeit wirkte auch entspr. *frz.* plébiscite auf unser FW ein).

Pleite *w* „Zahlungsunfähigkeit, Bankrott; Reinfall (*ugs.*)": Das aus der Gaunersprache stammende und im 19. Jh. in die allgemeine Umgangssprache gelangte Substantiv geht auf *hebr.* pelēṭā „Flucht, Rettung" zurück (*jidd.* pleto „Flucht, Entrinnen; Bankrott"). Die Bedeutungsentwicklung zu „Bankrott" geht wohl von der Tatsache aus, daß sich der zahlungsunfähige Schuldner vor seinen Gläubigern nur durch „Flucht" retten konnte. Dazu das abgeleitete Adjektiv pleite

„zahlungsunfähig, bankrott" (*ugs.*, 19. Jh.) und die Zus. Pleitegeier als scherzhafte Bezeichnung für den „Kuckuck" des Gerichtsvollziehers. Letzteres ist wahrscheinlich umgedeutet aus 'Pleitegeher' „betrügerischer Bankrotteur" (-geier ist die *jidd.* Aussprache für -geher).

Plenum *s* „Vollversammlung einer polit. Körperschaft (insbesondere des Parlaments)": Eine im 19. Jh. aus dem *Engl.* übernommene *nlat.* Neubildung zu *lat.* plēnus „voll" (plēnum cōnsilium „vollzählige Versammlung"). Dazu: Plenar... „vollständig, vollzählig, gesamt" als Bestimmungswort von Zus. wie Plenarsitzung (19. Jh.), Plenarsaal (20. Jh.). Auch hier ist das entspr. *engl.* Adjektiv plenary Vorbild. Quelle ist *spätlat.* plēnārius „vollständig". – *Lat.* plēnus (daraus auch *it.* pieno und *frz.* plein) stellt sich mit *lat.* plēre „vollmachen", com-plēre „vervollständigen, anfüllen" und den dazugehörigen Ableitungen *lat.* complētus „vollständig", complēmentum „Vervollständigung" (s. hierzu im einzelnen die FW →komplett, →komplementär und →Kompliment) zu der unter →viel entwickelten *idg.* Wortgruppe.

Plissee *s* „gefälteltes Gewebe": Eine Bildung des 19. Jh. zu *frz.* plisser „falten, fälteln". Das *frz.* Verb ist von *frz.* pli „Falte" abgeleitet, das seinerseits zu *frz.* plier „in Falten legen, [zusammen]falten" (aus gleichbed. *afrz.* ploier > *frz.* ployer umgestaltet) gehört. Quelle des Wortes ist *lat.* plicāre „[zusammen]falten" (vgl. *kompliziert*).

Plombe *w*: Das seit dem 18. Jh. bezeugte FW bezeichnet zunächst einmal ein Metallsiegel (urspr. aus „Blei") zum Verschluß von Behältern und Räumen. In diesem Sinne ist es unmittelbar aus *frz.* plomb „Blei; Blei-, Metallverschluß" entlehnt, das auf *lat.* plumbum „Blei" zurückgeht. Hingegen ist das Wort Plombe als zahnmedizinischer Terminus im Sinne von „Zahnfüllung aus Metall" (zuerst 1801 gebucht) eine Rückbildung aus dem gleichfalls dem *Frz.* entlehnten Zeitwort plombieren „einen Zahn mit einer Metallfüllung versehen" (18. Jh.; aus *frz.* plomber), das daneben wie das *frz.* Verb auch „mit einer Plombe versiegeln" bedeutet. Die Bed. „Zahnfüllung" wird im *Frz.* nicht durch plomb, sondern durch das von plomber abgeleitete Subst. plombage abgedeckt.

Plötze *w*: Der seit dem 15. Jh. bezeugte Name des Rotkarpfens ist aus dem *Westslaw.* entlehnt, vgl. *kaschub.* plocica, *poln.* płocica „Rotkarpfen" (Verkleinerungsbildung zu *kaschub.* ploć, *poln.* płoć „Rotkarpfen", eigtl. wohl „Plattfisch"). Da der Fischfang an der Ostgrenze des *dt.* Sprachgebiets in früherer Zeit hauptsächlich in den Händen der Slawen lag, drangen einige *slaw.* Fischnamen in den *dt.* Wortschatz, so

z. B. auch Maräne *w* „Felchen" (16. Jh.; *kaschub.* moranka). Vgl. auch den Artikel Karausche.

plötzlich: Das seit *spätmhd.* Zeit gebräuchliche Wort ist eine Bildung zu dem heute veralteten lautnachahmenden Substantiv Plotz *m* „klatschender Schlag, schneller Fall, Knall", beachte die älter *nhd.* Wendung 'auf den Plotz' „Knall und Fall". Es bedeutet demnach eigtl. etwa „auf einen Schlag, im Augenblick eines Knalls". – Auf einer ähnlichen Schallnachahmung beruht das unter →platzen behandelte Verb.

Plumeau *s* „Federdeckbett": Im 19. Jh. aus gleichbed. *frz.* plumeau entlehnt, das allerdings vorwiegend „Federbesen" bedeutet und nur ganz selten im Sinne von „Federdeckbett" gebraucht wird (dafür besser *frz.* édredon). Das Wort ist von *frz.* plume „Feder" abgeleitet, das auf *lat.* plūma „Feder" (vgl. *Flaus*) zurückgeht.

plump „grob, derb, unförmig, unbeholfen": Das im 16. Jh. aus dem *Niederd.* ins *Hochd.* übernommene Adjektiv (*mnd.* plump, plomp) gehört zu der Interjektion [m]niederd. plump! Diese Interjektion gibt vorwiegend das Geräusch an, das beim Fallen und Aufprallen eines schweren Körpers entsteht. Das Adjektiv bedeutet demnach eigtl. etwa „plumpsend, mit dumpfem Geräusch auftretend oder fallend". – Statt 'plump!' wird heute die Interjektion plumps! verwendet, wie auch plumpsen (18. Jh.) das ältere Verb plumpen (*mnd.* plumpen) verdrängt hat.

Plunder *m*: Die Herkunft des Wortes (*mhd.* blunder, *mnd.* plunder; entspr. *mniederl.* plunder) ist unklar. Das heute im verächtlichen Sinne von „alter Kram, wertloses Zeug" verwendete Wort bedeutete früher „Hausgerät; Kleider; Wäsche, Bettzeug". Die Bed. „Wäsche, Bettzeug" ist noch *mdal.* bewahrt. An diesen Wortgebrauch ohne herabsetzenden Nebensinn schließt sich das abgeleitete Verb plündern (*mhd.* plundern, *mnd.* plunderen; entspr. *niederl.* plunderen). Das Verb bedeutet demnach eigtl. „Hausgerät, Kleider, Wäsche wegnehmen". Abl.: Plünderer *m* (17. Jh.); Plünderung *w* (17. Jh.).

Plural *m* „Mehrzahl" (als grammatischer Terminus; im Gegensatz zu →Singular): Im Anfang des 17. Jh.s aus gleichbed. *lat.* plūrālis (numerus) entlehnt. Zugrunde liegt *lat.* plūs „mehr" bzw. dessen *Mehrz.* plūres „mehrere" (vgl. den Artikel *plus*).

plus „zuzüglich, und, vermehrt um" (zur Bezeichnung der Addition, im Gegensatz zu →minus; Zeichen: +): Im 15. Jh. als mathematischer Terminus aus gleichbed. *lat.* plūs übernommen, dem Adverb zu *lat.* plūs, plūris „mehr, größer, zahlreicher". – Dazu: Plus *s* „das Mehr, der Mehrbetrag; Gewinn, Überschuß; Vorteil" (16. Jh.).

Beachte ferner das abgeleitete Adjektiv *lat.* plūrālis ,,aus mehreren bestehend'' in →Plural.

Plüsch *m*: Der Name des samtigen Florgewebes mit senkrecht stehenden Fasern, in *dt.* Texten seit dem 17. Jh. belegt, ist aus gleichbed. *frz.* peluche (Nebenform: pluche) entlehnt. Dies ist eine alte Ableitung von dem *afrz.* Verb pelucher ,,auszupfen'', das über ein unmittelbar vorauszusetzendes *galloroman.* *pilūccāre auf *lat.* pilāre ,,enthaaren'' zurückführt. Stammwort ist somit *lat.* pilus ,,Haar''. – Vgl. auch den Artikel pflücken.

plustern, sich ,,die Federn sträuben, sich aufblasen'': Das zu Beginn des 17. Jh.s aus dem *Niederd.* ins *Hochd.* übernommene Verb geht zurück auf *mnd.* plüsteren ,,[zer]zausen, herumstöbern''. Das *mnd.* Wort gehört zu *niederd.* plüsen ,,zupfen'', *niederl.* pluizen ,,[aus]fasern, zausen, stöbern'', *dän.* pluske ,,[zer]zausen'', deren weitere Herkunft unklar ist. – *Mdal.* ist auch die Form plaustern gebräuchlich.

Pöbel *m* ,,Gesindel, Pack'': *Lat.* populus ,,Volk; Volksmenge, Leute'', das auch Ausgangspunkt für die FW →populär, Popularität ist, lebt u. a. in *span.* pueblo ,,Dorf'' und in *frz.* peuple (*afrz.* poblo, pueble) ,,Volk'' fort. Das *frz.* bzw. *afrz.* Wort wiederum lieferte einerseits *engl.* people ,,Volk'', andererseits *mhd.* bovel, povel ,,Volk, Leute''. Die im Lautbild an das jünger *frz.* peuple angeglichene Form Pöbel findet sich zuerst bei Luther (neben Urformen wie Pübel, Pubel und Pobel), verdeutscht etwa mit ,,gemeines Volk''. Zwar hatte das Wort damals zunächst noch keinen verächtlichen Nebensinn. Die später erfolgte und sich allmählich durchsetzende pejorative Bedeutungsentwicklung war jedoch bereits angebahnt. – Dazu das Adjektiv pöbelhaft (18. Jh.) und das Verb anpöbeln ,,in gemeiner Weise belästigen'' (20. Jh.).

pochen: Die *germ.* Verben *mhd.* bochen, puchen, *mnd.* boken, *niederl.* beuken, *schwed. mdal.* boka sind lautmalenden Ursprungs und gehen von einer Nachahmung dunkler Schalleindrücke aus, wie sie z. B. durch Klopfen und Schlagen hervorgerufen werden. Gleichfalls lautnachahmenden Ursprungs sind *mnd.* poken ,,stoßen, stechen, stochern'', *niederl.* poken ,,schüren'', *engl.* to poke ,,stoßen; puffen; stochern, schüren''.

Pocke *w* ,,Pustel, Blatter'': Das im 16. Jh. aus dem *Niederd.* ins *Hochd.* übernommene Wort geht zurück auf gleichbed. *mnd.* pocke, das mit *niederl.* pok ,,Pustel, Blatter'' und *engl.* pock ,,Pustel, Blatter'' verwandt ist. Es gehört wahrscheinlich im Sinne von ,,Schwellung, Blase'' zu der unter →Beule dargestellten *idg.* Wortgruppe, vgl. z. B. aus anderen *idg.* Sprachen *lat.* bucca ,,aufge-

blasene Backe''. – Im heutigen Sprachgebrauch wird das Wort gewöhnlich in der *Mehrz.* Pocken als Krankheitsname verwendet. – Abl.: Pickel (s. d.).

Podest *s* oder *m* ,,[Treppen]absatz, Stufe; Podium'': Bei dem im 19. Jh. auftauchenden FW handelt es sich vermutlich um eine Neubildung zu *gr.* poús, podós ,,Fuß'', die von dem bedeutungs- und stammverwandten FW →Podium beeinflußt ist.

Podex *m*: Als scherzhafte Bezeichnung für ,,Gesäß'' im 18. Jh. bezeugt. Das Wort ist aus *lat.* pōdex ,,Hintere, Gesäß'' übernommen, das im Ablaut zu *lat.* pēdere ,,furzen'' steht und demnach eigtl. ,,Furzer'' bedeutet. – Vgl. auch PODO.

Podium *s* ,,trittartige Erhöhung (für Schauspieler, Musiker u. a.); Rednerpult'': Im 19. Jh. aus *lat.* podium ,,Tritt, trittartige Erhöhung; Fußgestell'' entlehnt, das auf *gr.* pódion (eigtl. ,,Füßchen'') zurückgeht. Stammwort ist *gr.* poús (podós) ,,Fuß'' (urverwandt mit →Fuß), das auch in den FW →Antipode und →Podest erscheint.

Poesie *w* ,,Dichtung, Dichtkunst (insbesondere die Versdichtung im Gegensatz zur →Prosa)'', auch übertragen gebraucht im Sinne von ,,dichterischer Stimmungsgehalt, Zauber'': Am Ende des 16. Jh.s aus gleichbed. *frz.* poésie entlehnt, das auf *lat.* poēsis < *gr.* poíēsis ,,das Machen, das Verfertigen; das Dichten, die Dichtkunst'' zurückgeht. Stammwort ist *gr.* Verb poieĩn ,,machen, verfertigen; schöpferisch tätig sein; dichten''. – Dazu auch: Poet *m* ,,Dichter'' (heute meist spöttisch gemeint) in *mhd.* Zeit aus *lat.* poēta (< *gr.* poiētḗs) ,,schöpferischer Mensch; Dichter'' entlehnt; poetisch ,,die Poesie betreffend, dichterisch; bilderreich, ausdrucksvoll'' (Ende 16. Jh.; nach *frz.* poétique < *lat.* poēticus < *gr.* poiētikós).

Pointe *w* ,,überraschender geistreicher Schlußeffekt (z. B. eines Witzes); gedankliche Spitze'': Im 18. Jh. aus gleichbed. *frz.* pointe entlehnt, das wörtlich ,,Spitze, Schärfe'' bedeutet und seinerseits auf *vlat.* pūncta ,,Stich'' zurückgeht. Es ist dies das substantivierte Femininum des Part. Perf. Pass. von *lat.* pungere ,,stechen'' (vgl. *Punkt*). – Dazu: pointiert ,,betont, zugespitzt'' (20. Jh.), adjektivisch gebrauchtes zweites Part. von pointieren ,,betonen, unterstreichen, hervorheben'' (19./20. Jh.; aus *frz.* pointer ,,zuspitzen'').

Pokal *m* ,,[kostbares] Trinkgefäß mit Fuß und Deckel'': Im 16. Jh. aus *it.* boccale ,,Krug, Becher'' entlehnt, das über *spätlat.* baucalis ,,tönernes Kühlgefäß'' auf *gr.* baúkalis ,,enghalsiges Gefäß'' (wohl *ägypt.* Ursprungs) zurückgeht. Der Anlautwechsel von b- zu p- ist wohl von dem zwar in der Bedeutung nahestehenden, etymologisch aber unverwandten Subst. *lat.* pōculum ,,Trinkgeschirr, Becher'' beeinflußt.

Pökel *m* ,,Salzlake'': Das im 17. Jh. aus dem *Niederd.* ins *Hochd.* übernommene Wort geht zurück auf gleichbed. *mnd.* pekel, das mit *niederl.* pekel ,,Salzlake'' und *engl.* pickle ,,Salzlake'' verwandt ist. Die weiteren Beziehungen sind dunkel. Im heutigen Sprachgebrauch ist 'Pökel' gewöhnlich nur noch als Bestimmungswort in Zusammensetzungen üblich, beachte z. B. **Pökelfleisch** und **Pökelhering**. Auch das Verb **pökeln** ,,in Salzlake einlegen'', das namentlich in der Zus. **einpökeln** gebräuchlich ist, stammt aus dem *Niederd.* (*niederd.* pekeln).

Poker *s*: Ein im Anfang des 20. Jh.s aus Amerika übernommenes Kartenglücksspiel. Die Herkunft des *amerik.* Wortes poker ist dunkel. – Abl.: **pokern** (Anfang 20. Jh.).

Pol *m* ,,Drehpunkt, Mittelpunkt, Zielpunkt; Ruhepunkt; Endpunkt der Erdachse'': Im frühen 18. Jh. aus *lat.* polus eingedeutscht, das auf *gr.* pólos ,,Drehpunkt, Achse; Erdpol'' zurückgeht. Stammwort ist *gr.* pélein ,,in Bewegung sein'', das zu der unter → *Hals* dargestellten Wortsippe der *idg.* Wz. kʷel- ,,[sich] drehen'' gehört. – Abl.: **polar** ,,am Pole befindlich, die Pole betreffend'' (18. Jh.; *nlat.* Bildung), auch übertr. gebraucht im Sinne von ,,entgegengesetzt wirkend''; dazu das Substantiv **Polarität** *w* ,,Vorhandensein zweier Pole; Gegensätzlichkeit'' (18./19. Jh.).

Polemik *w* ,,intellektuelle Auseinandersetzung um literarische, wissenschaftliche u. a. Fragen; Fehde; Federkrieg'': Im Anfang des 18. Jh.s aus gleichbed. *frz.* polémique entlehnt. Dies ist ursprünglich (wie auch daneben jetzt noch, s. u.) Adjektiv mit der eigtl., im *Afrz.* noch vorhandenen Bed. ,,kriegerisch, streitbar''. Es geht auf *gr.* polemikós ,,den Krieg betreffend; kriegerisch'' (zum Stammwort *gr.* pólemos ,,Krieg'') zurück. – Dazu: **polemisch** ,,streitbar'' (Anfang 18. Jh.; aus gleichbed. *frz.* polémique); **polemisieren** ,,eine Polemik ausfechten; gegen jmdn. losziehen (mit geistigen Waffen)'', um 1800 mit französierender Endung gebildet.

Police *w* ,,Versicherungsschein, -urkunde'': Das seit etwa 1600 bezeugte Kaufmannswort erscheint in zwei verschiedenen Entlehnungen. Einmal aus gleichbed. *it.* polizza, andererseits aus entspr. *frz.* police, das selbst aus dem *It.* stammt. Die *it.* Form ist in dem noch heute in Österreich gültigen **Polizze** *w* erhalten geblieben, während sich für das Hochdeutsche die *frz.* Form durchgesetzt hat. – *It.* polizza geht über *mlat.* apodīxa ,,Nachweis; Quittung'' auf *gr.* apódeixis ,,Darlegung; Nachweis'' zurück.

Polier *m* ,,Vorarbeiter der Maurer und Zimmerleute; Bauführer'': Das Substantiv erscheint in diesem Sinne bereits im *spätmhd.*

Zeit als parlier, parlierer, das als Ableitung von *mhd.* parlieren ,,sprechen'' (vgl. *parlieren*) eigtl. ,,Sprecher'', dann etwa auch ,,Wortführer'' bedeutet. In der Folge wurde das Wort dann umgedeutet und volksetymologisch an das unverwandte Verb → polieren angeglichen. Seine heute übliche Lautform bekam das Wort erst im 19. Jh.

polieren ,,glätten, schleifen; glänzend machen, blank reiben, putzen'': In *mhd.* Zeit – wohl durch Vermittlung von gleichbed. *afrz.* (= *frz.*) polir – aus *lat.* polīre ,,abputzen, glätten; polieren'' entlehnt. – Dazu: **Politur** *w* ,,Glätte, Glanz; Poliermittel'' (18. Jh.; aus *lat.* polītūra ,,das Glätten''), auch übertragen gebraucht (nur Einzahl) im Sinne von ,,äußerer Anstrich'' (18. Jh.). – Nicht verwandt ist das FW → Polier.

Poliklinik *w* ,,einer Klinik angegliedertes Institut für ambulante Krankenbehandlung'': Eine im 19. Jh. aufgekommene gelehrte Bildung aus *gr.* pólis ,,Stadt'' (vgl. *Politik*) und *gr.* klīnē ,,Bett, Liege'', klīnikē téchnē ,,Heilkunst für bettlägerige Kranke'' (vgl. *Klinik*). Das Wort bedeutet also eigtl. ,,Stadtkrankenhaus''.

Politik *w* ,,[aktive Teilnahme an der] Führung, Erhaltung, Verwaltung und Ordnung eines Gemeinwesens (sowohl hinsichtlich der Gemeinschaft innerhalb eines Staates als auch hinsichtlich der Völkerrechtsgemeinschaft)'', auch allgemein übertragen gebraucht im Sinne von ,,berechnendes, zielgerichtetes Verhalten'': Im 17. Jh. aus gleichbed. *frz.* politique entlehnt, das seinerseits auf *gr.* tà politiká ,,Staatsgeschäfte'' oder auch auf *gr.* politikē (téchnē) ,,Kunst der Staatsverwaltung'' zurückgeht. Das zugrunde liegende Adjektiv *gr.* politikós ,,den Bürger, die Bürgerschaft betreffend; zur Staatsverwaltung gehörig'', das sich über gleichbed. *lat.* politicus und *frz.* politique in unserem Adjektiv **politisch** ,,die Politik betreffend, staatsmännisch'' (16. Jh.) fortsetzt, ist von *gr.* polítēs ,,Stadtbürger, Staatsbürger'' abgeleitet (dazu auch *gr.* politeía ,,Bürgerrecht; Staatsverwaltung'' in unserem FW → Polizei). Stammwort ist *gr.* pólis ,,Stadt, Stadtburg; Bürgerschaft; Staat'', das u. a. auch Grundwort ist von FW wie → Metropole, ferner Bestimmungswort in → Poliklinik. – Abl.: **Politiker** *m* ,,wer aktiv am politischen Leben teilnimmt; Staatsmann'' (18. Jh.; nach *mlat.* politicus, *gr.* politikós ,,Staatsmann''); **Politikum** *s* ,,Tatsache, Vorgang von politischer Bedeutung'' (20. Jh.; *nlat.* Bildung).

Polizei *w* ,,Sicherheitsbehörde, die über die Wahrung der öffentlichen Ordnung zu wachen hat'': Das seit dem 15. Jh. bezeugte Substantiv, das bis ins 18. Jh. noch ganz allgemein im Sinne von ,,Regierung, Staatsverwaltung; Politik usw.'' galt, ist über *mlat.* policīa, *spätlat.* polītīa ,,Staatsverwaltung; Staatsverfassung" aus *gr.* polīteía „Bürgerrecht; Staatsverwaltung; Staatsverfassung" entlehnt. Über das zugrunde liegende Substantiv *gr.* polítēs „Stadtbürger, Staatsbürger" vgl. den Artikel *Politik.* – Abl.: polizeilich (20. Jh.); Polizist *m* „Angehöriger der Polizei; Schutzmann" (19. Jh., *nlat.* Bildung).

Polka *w*: Der im Jahre 1831 in Prag aufgekommene und von dort übernommene Rundtanz in mäßig bewegtem ²/₄-Takt trägt seinen Namen zu Ehren der damals unterdrückten Polen: *poln.* polka „Polin; Tanz", *tschech.*polka „Tanz". – Siehe auch Polonäse.

Pollen *m* „Blütenstaub": Im 14./15. Jh. aus *lat.* pollen „sehr feines Mehl, Mehlstaub; Staub" übernommen, das verwandt ist mit *lat.* polenta „Gerstengraupen" und *lat.* pulvis „Staub" (s. Pulver), ferner im außerital. Sprachbereich u. a. mit *gr.* pálē „feines Mehl; Staub" und vielleicht auch mit *aind.* pálala-m „zerriebene Sesamkörner; Brei; Schmutz".

Polonäse *w*: Der seit dem 18. Jh. bezeugte, aus dem *Frz.* übernommene Name eines polnischen Nationaltanzes in mäßig bewegtem, feierlichem ³/₄-Takt. *Frz.* polonaise (ergänze: danse) bedeutet nichts anderes als „Polnischer (Tanz)". Siehe auch Polka.

Polster *s*: Das *altgerm.* Wort *mhd.* polster, bolster, *ahd.* polstar, bolstar, *niederl.* bolster, *engl.* bolster, *schwed.* bolster ist eng verwandt mit der Sippe von → Balg und gehört zu der unter → ¹*Ball* dargestellten *idg.* Wortgruppe. Es bedeutet demnach eigtl. „Aufgeschwollenes". Abl.: polstern (18. Jh.), dazu Polsterer *m* (19. Jh.).

poltern: Das seit dem 15. Jh., zuerst in der Form boldern bezeugte Verb ist lautnachahmenden Ursprungs, vgl. *mnd.* bolderen, bulderen „poltern, lärmen", *niederl.* bulderen „poltern, toben, tosen", *schwed.* bullra „poltern, lärmen, rumoren". Ähnliche Lautnachahmungen sind ballern *nordd.* für „knallen, lärmen, schießen, schlagen" (*mnd.* balleren, entspr. *schwed. mdal.* ballra „lärmen") und bullern *ugs.* für „poltern, lärmen, rumoren, aufwallen" (18. Jh., für älteres bollern, *mhd.* bollern „lärmen, poltern"). Zus.: Polterabend „Abend vor der Hochzeit" (16. Jh.; so benannt, weil an diesem Abend durch Lärmen und durch Zertrümmern von Geschirr Unheil und böse Geister von der Ehe ferngehalten werden sollten).

Pomade *w* „wohlriechendes Haarfett": Das seit dem Anfang des 17. Jh.s bezeugte FW erscheint in zwei verschiedenen Entlehnungen, einmal aus entspr. *it.* pomata, zum anderen aus *frz.* pommade, das selbst aus dem *It.* stammt. Die *frz.* Form hat sich jedoch allein durchgesetzt. Das *it.* Wort gehört als Ableitung zu *it.* pomo „Apfel" (< *lat.* pōmum „Baumfrucht"). Man vermutet, daß einer der Hauptbestandteile der Pomade ursprünglich vom Apisapfel genommen wurde.

Pomeranze *w*: Name einer bitteren Apfelsinenart, im *Dt.* seit dem 15. Jh. bezeugt. Voraus liegt gleichbed. *mlat.* (= *it.*) pomarancia, eine verdeutlichende Zusammensetzung aus *it.* pomo (< *lat.* pōmum) „Apfel" und *it.* arancia (< *pers.* nāriñǧ) „bittere Apfelsine". Vgl. zum Grundwort den Artikel *Orange* und zum Sachlichen ferner → Apfelsine.

Pomp *m* „[übertriebener] Prunk, glanzvoller Aufzug": Das schon *mhd.* bezeugte FW, das im 17. Jh. unter dem Einfluß von entspr. *frz.* pompe neu belebt wird, geht zurück auf *lat.* pompa < *gr.* pompḗ „Sendung, Geleit; festlicher Aufzug". Stammwort ist *gr.* pémpein „schicken; geleiten". – Abl.: pompös „[übertrieben] prunkhaft, glanzvoll" (18. Jh.; aus gleichbed. *frz.* pompeux < *spätlat.* pompōsus).

Pontifikat *s* „Amtsdauer und Würde des Papstes oder eines Bischofs": Im 15./16. Jh. aus *lat.* pontificātus „Amt und Würde eines Oberpriesters" entlehnt. Zugrunde liegt *lat.* pontifex „Oberpriester" (wohl urspr. als „Brückenmacher" zu *lat.* pōns „Brücke" und *lat.* facere „machen", bei unklarer sakraler Bedeutungsentwicklung), das in der Fügung 'pontifex maximus' „oberster Priester" seit dem 5. Jh. Titel des Papstes ist. – Dazu das Adjektiv pontifikal „bischöflich" (15. Jh.; aus *lat.* pontificālis „oberpriesterlich; bischöflich"), das heute aber eigtl. nur noch in Zusammensetzungen lebt wie Pontifikalamt „von einem Bischof (oder Prälaten) gehaltenes Hochamt".

Ponton *m*: Das seit dem 16. Jh. bezeugte, aus der militärischen Fachsprache stammende FW bezeichnet ein flaches, hochbordiges Wasserfahrzeug, das im Pionierbrückenbau und zum Übersetzen von Truppen verwendet wird. Es ist aus *frz.* ponton „Brückenschiff, Fähre" entlehnt, das auf gleichbed. *lat.* pontō (pontōnis) zurückgeht. Stammwort ist *lat.* pōns (pontis) „Brücke", das zu der unter → *finden* dargestellten Wortgruppe der *idg.* Wz. *pent- „treten, gehen; (nominal:) Pfad, Furt; Brücke" gehört. – Als Bestimmungswort erscheint *lat.* pōns in den zusammengesetzten FW → Pontifikat, pontifikal.

¹Pony *s* „Zwergpferd": Im 19. Jh. aus gleichbed. *engl.* pony (älter powny) entlehnt, dessen weitere Herkunft dunkel ist. – Nach der Mähne eines Ponys nennt man seit dem Ende des 19. Jh.s eine bestimmte weibliche Haartracht, bei der die Haare fransenartig in die Stirn hängen, Ponyfrisur. Dafür die Kurzform ²Pony *m*.

Popanz *m* „Schreckgestalt, Vogelscheuche", in der Umgangssprache auch für „Strohpuppe, willenloses Geschöpf": Das seit dem 16. Jh. im *ostmitteld.* Sprachraum bezeugte und von dort verbreitete FW ist aus dem *Slaw.* entlehnt. Seine genaue Quelle ist jedoch nicht sicher zu ermitteln.

Popelin *m* und **Popeline** *w*: Die seit dem 18. Jh. bezeugte Bezeichnung für feinere ripsartige Stoffe in Leinenbindung stammt aus dem *Frz.* Die Herkunft von *frz.* popeline selbst ist umstritten.

Popo *m*: Der seit dem 18. Jh. bezeugte familiäre Ausdruck für „Gesäß" stammt wahrscheinlich aus der Ammensprache und ist zu dem im 17. Jh. entlehnten →*Podex* (durch Kürzung und anschließende Doppelung) gebildet.

populär „volkstümlich, beliebt, allbekannt; gemeinverständlich": Im 18. Jh. aus gleichbed. *frz.* populaire entlehnt, das auf *lat.* populāris „zum Volk gehörig; volkstümlich" zurückgeht. Stammwort ist *lat.* populus „Volk" (vgl. *Pöbel*). – Abl.: Popularität *w* „Volkstümlichkeit, Beliebtheit" (18. Jh.; wie entspr. *frz.* popularité aus gleichbed. *lat.* populāritās.

Pore *w* „feine [Haut]öffnung": Im 15./16. Jh. aus *lat.* porus < *gr.* porós „Durchgang; Öffnung; Pore" entlehnt. Dies gehört als Nominalbildung zum Stamm der mit *dt.* →*fahren* verwandten Verben *gr.* perān „durchdringen; hinüberbringen", peírein (< *pér-j̥-ein) „durchdringen, durchbohren; durchfahren", so besonders in großporig; porös „durchlässig; löchrig" (18. Jh.; aus gleichbed. *frz.* poreux).

Porree *m*: *Lat.* porrum „Lauch" (verwandt mit gleichbed. *gr.* práson) gelangte früh in den *westgerm.* Sprachbereich (*ahd.* forro, phorro, *asächs.* porro, *aengl.* porr; daneben verdeutlichende Zusammensetzungen wie *mnd.* porlōk, *cengl.* porlēac). In *nhd.* Zeit wurde das *lat.* Wort neu entlehnt über *afrz.* > *westfrz.* porrée (dafür *frz.* poireau), das eine unmittelbare Vorform *vlat.* *porrāta voraussetzt.

Portal *s* „prunkvolles Tor, Haupteingang": Das seit dem 15. Jh. zuerst im allgemeinen Sinne von „Vorhalle; Eingangstür" bezeugte FW, das seine moderne gehobene Bedeutung erst im 16./17. Jh. unter dem Einfluß italienischer und französischer Baukunst erlangte, geht auf *mlat.* portāle „Vorhalle" zurück. Zugrunde liegt das von *lat.* porta „[Stadt]tor; Eingang" (vgl. *Pforte*) abgeleitete *mlat.* Adjektiv portālis „zum Tor gehörig".

Portemonnaie *s* „Geldbörse": Im 19. Jh. aus gleichbed. *frz.* portemonnaie übernommen, einer jungen Zusammensetzung aus dem Imperativ porte! „trage!" von *frz.* porter (< *lat.* portāre) „tragen" (vgl. *Porto*) und aus *frz.* monnaie (< *lat.* monēta) „Münze, Geld" (vgl. das LW *Münze*).

Portier *m* „Pförtner; Hauswart": Im 18. Jh. aus gleichbed. *frz.* portier übernommen, das auf *spätlat.* portārius „Türhüter" zurückgeht. Stammwort ist *lat.* porta „[Stadt]tor; Eingang" (vgl. *Pforte*).

Portiere *w* „Türvorhang": Im 19. Jh. aus gleichbed. *frz.* portière entlehnt, einer Ableitung von *frz.* porte (< *lat.* porta) „Tür" (vgl. *Pforte*).

Portion *w* „[An]teil; abgemessene Menge": Im 16. Jh. aus *lat.* portiō „zugemessener Teil, Anteil" entlehnt. Das *lat.* Wort, das zuerst in der Fügung prō portiōne „entsprechend dem Verhältnis der Teile zueinander" bezeugt ist (daraus zusammengebildet *lat.* prōportiō „entspr. Verhältnis; Ebenmaß"; vgl. das FW Proportion), gehört wahrscheinlich zu *lat.* pars (partis) „Teil" (vgl. *Partei*). Der verschiedene Vokalismus ist jedoch nicht sicher erklärt.

Porto *s* „Beförderungsgebühr für Postsendungen": Im 17. Jh. aus *it.* porto „das Tragen; der Transport; die Transportkosten" für den Bereich des Postwesens entlehnt. *It.* porto ist postverbales Substantiv zu *lat.*-*it.* portāre „tragen, bringen usw.", das mit *dt.* →*fahren* verwandt ist. – Zahlreiche Komposita von *lat.* portāre spielen in unserem Fremdwortschatz eine Rolle. Vgl. hierzu im einzelnen die Artikel →apportieren, →Deportation, deportieren, →Export, →Import, →kolportieren, →Reportage, →Reporter, →Sport, →transportieren. Siehe auch Portemonnaie.

Porträt *s* „Darstellung, Bildnis eines Menschen" (in der Malerei, Plastik und Photographie): Im 17. Jh. aus gleichbed. *frz.* portrait entlehnt, dem substantivierten Part. Perf. des *afrz.* Verbs po[u]rtraire „entwerfen; darstellen", das auf *lat.* prō-trahere „hervorziehen; ans Licht bringen" zurückgeht (vgl. *pro...* und *trachten*). – Abl.: porträtieren „ein Porträt anfertigen" (18. Jh.).

Porzellan *s*: Die seit dem ausgehenden 15. Jh. bezeugte Bezeichnung für das urspr. aus China und Japan über Italien importierte keramische Erzeugnis (aus Kaolin, Quarz und Feldspat) ist aus dem *It.* entlehnt. *It.* porcellana bezeichnet eigtl. eine Art weißer Meeresmuschel. Erst sekundär wurde das Wort auf das feine asiatische Porzellan übertragen, weil man glaubte, daß dieses Erzeugnis aus der pulverisierten Substanz der weißglänzenden Schale solcher Muscheln hergestellt werde. – Das *it.* Wort porcellana ist von *lat.*-*it.* porcella „kleines weibliches Schwein" abgeleitet (zu dem mit *dt.* →*Ferkel* urverw. Subst. *lat.* porcus „Schwein; Mutterschwein", übertr. auch „weibliche Scham"), das auch selbst *landsch.* mit der übertragenen Bedeutung „Meeresmuschel" begegnet (vgl. in diesem Sinne *venez.* porzela, porzeleta). Die Bedeutungsübertragung resultiert dabei aus einem Vergleich der klaffenden Muschelschalen mit dem Geschlechtsteil eines weiblichen Schweins.

Posaune w: Der Name des Blasinstrumentes (*mhd.* busūne, busīne) geht wie entspr. *niederl.* bazuin über *afrz.* buisine (boisine) auf *lat.* būcina (bzw. *vlat.* *bucīna) „Jagdhorn, Signalhorn" zurück. Das *lat.* Wort ist vermutlich eine zusammengesetzte Bildung (*boucanā) zu *lat.* bōs, bovis „Rind" und *lat.* canere „singen, tönen, klingen, spielen usw." und bedeutet dann eigtl. etwa „aus einem Rinderhorn hergestelltes Toninstrument". – Abl.: posaunen „Posaune blasen" (*mhd.* busūnen, busīnen), auch übertragen gebraucht im Sinne von „einen dröhnenden Laut von sich geben", dazu ausposaunen „eine diskrete Angelegenheit allgemein bekanntmachen"; Posaunist m „Posaunenspieler" (20. Jh.).

Pose w „gekünstelte, gezierte Stellung; unnatürliche, affektierte Haltung": Im 19. Jh. aus gleichbed. *frz.* pose entlehnt, das abgeleitet ist von *frz.* poser „auf einen Platz stellen, hinstellen". In älteren Sprachzuständen bedeutete das *frz.* Verb noch „innehalten, ausruhen". Dies ist auch die ursprüngliche und eigtl. Bedeutung des Wortes, das auf *spätlat.* pausāre „innehalten, ausruhen" (vgl. [1]Pause) zurückgeht. Der Wechsel im Vokalismus und in der Bedeutung vollzog sich im *Roman.* unter dem Einfluß des anklingenden, aber unverwandten *lat.* Verbs ponere (positum) „setzen, stellen, legen". – Abl.: posieren „eine Pose annehmen, schauspielern" (19. Jh.; nach entspr. *frz.* poser).

Position w „[An]stellung, Stelle; Lage; Standort (eines Schiffes oder Flugzeuges)": Im 16. Jh. aus *lat.* positiō „Stellung, Lage" entlehnt. Stammwort ist *lat.* pōnere (positum) „setzen, stellen, legen", das auch sonst mit zahlreichen Ableitungen und Zusammensetzungen in unseren Fremdwortschatz vertreten ist. Vgl. hierzu im einzelnen die Artikel →Posten, →Post, →positiv, →Positur, →Apposition, →apropos, →deponieren, →Depot, →disponieren, →exponieren, →imponieren, →imposant, →komponieren, →Komponente, →Kompositum, →Kompost, →Kompott, →opponieren, →Präposition, →Propst.

positiv: Das sowohl allgemein als auch fachsprachlich vielfach verwendete Adjektiv, das in den meisten Fällen den Gegensatz von →negativ wiedergibt, wurde im 18. Jh. aus *spätlat.* positīvus „gesetzt, gegeben" (vgl. *Position*) entlehnt. Späterer Quereinfluß von entspr. *frz.* positif ist möglich. Allgemein bedeutet positiv „bejahend; zutreffend", dann auch „bestimmt, gewiß". In der Mathematik gilt es im Sinne von „größer als Null" (Zeichen: +). In der Photographie bezeichnet 'positiv' die der Natur entsprechen-

de Licht- und Schattenverteilung eines Bildes. Dazu das Substantiv [1]Positiv s „über das →Negativ gewonnenes, seitenrichtiges, der Natur entsprechendes Bild" (s. auch Diapositiv). – Ein Fachwort der Grammatik schließlich ist das substantivierte [2]Positiv m, das die Grundstufe des Adjektivs bezeichnet (gegenüber dem Komparativ und Superlativ). Es setzt gleichbed. *spätlat.* 'gradus positīvus' fort.

Positur w „Stellung, [herausfordernde] Haltung", vor allem geläufig in der Redensart 'sich in Positur setzen'. In Mundarten wird Positur daneben gelegentlich als Synonym für „Gestalt, Statur" gebraucht: Quelle des seit dem 17. Jh. belegten Fremdwortes ist *lat.* positūra „Stellung, Lage", das zu *lat.* pōnere „setzen, stellen, legen" gehört (vgl. *Position*).

Possen m (meist *Mehrz.*) „derber Streich, Unfug": Das Wort ist seit dem 15. Jh. (*spätmhd.* possen) bezeugt, zuerst als Bezeichnung für verschiedene reliefartige und figürliche Bildwerke an öffentlichen Kunstdenkmälern (wie Brunnen und dgl.), dann insbesondere für das verschnörkelte, oft komische und groteske bildnerische Beiwerk an derartigen Anlagen. Daran schließt sich der seit dem 16. Jh. übliche übertragene Gebrauch des Wortes im Sinne von „Unfug, närrisches Zeug usw.". Quelle des Wortes ist *frz.* bosse „Beule, Höcker; Erhöhung; (übertr.:) erhabene Bildhauerarbeit", dessen weitere Herkunft nicht gesichert ist. – Abl. und Zus.: Possenreißer m „Witzbold" (16. Jh.); Possenspiel „derbkomisches Bühnenspiel, Schwank" (18. Jh.), daraus verkürzt gleichbed. Posse w (18. Jh.); possierlich „spaßig, drollig" (16. Jh.; von dem heute veralteten Zeitwort possieren „Spaß treiben, sich lustig machen").

post..., Post...: Vorsilbe mit der Bed. „nach, hinter" (räuml. und zeitl.). Quelle ist gleichbed. *lat.* post (Adv. und Präp.). – Hierher auch →postum.

Post w: Name und Sache stammen aus dem *It.*, das uns (teilweise durch *frz.* Vermittlung) auch andere Bezeichnungen aus dem Bereich des Post- und Verkehrswesens lieferte wie →Porto, →franko, frankieren und →Kurier. Die ersten postähnlichen Einrichtungen wurden im 14./15. Jh. in Italien vom Papst und auch von kleineren weltlichen Fürsten zur raschen Beförderung von Nachrichten und Briefen geschaffen. Beförderungsmittel war der reitende Bote. Die Beförderungsroute war in zahlreiche, von einem Postmeister verwaltete Stationen eingeteilt, an denen die Pferde und auch der Bote gewechselt wurden. Derartige Wechselstationen wurden im *It.* posta genannt (eigtl. „festgesetzter Aufenthaltsort", < *lat.* posita statiō oder mānsiō; vgl. *Posten*). Auf die gesamte Beförderungseinrichtung übertragen, gelangte das Wort am Ende des 15. Jh.s ins *Frz.* (als poste) und ins *Dt.* (später auch als Bezeichnung für das Postamt und für die durch die Post beförderten Briefe). – Von Interesse sind verschiedene Zus. und Abl.: Postamt (17. Jh.); Postanweisung (19. Jh.); Postbote (16. Jh.); Postkarte (19. Jh.); postlagernd (eine Lehnübertragung des 19. Jh.s von entspr. *frz.* poste restante); postwendend „umgehend" (20. Jh.; eigtl. „mit der nächsten Post Rückantwort gebend"); postalisch „die Post betreffend, Post..." (19. Jh.; *nlat.* Bildung nach entspr. *frz.* postal); Postillion *m* „Postkutscher" (16. Jh.; aus gleichbed. *frz.* postillon bzw. *it.* postiglione), dazu die zwar nach *frz.* Wörtern gebildete, aber gleichwohl im *Dt.* entstandene scherzhafte Fügung Postillon d'amour *m* „Liebesbote, Überbringer eines Liebesbriefs" (18. Jh.).

¹Posten *m* „Rechnungsbetrag; Warenmenge": Im 15. Jh. als kaufmännischer Terminus aus gleichbed. *it.* posta entlehnt, das auf *lat.* posita summa „aufgestellte, festgesetzte Summe" zurückgeht. Über das zugrunde liegende Adjektiv *lat.* positus „[fest]gesetzt, hingestellt" vgl. den Artikel *Position.* – Neben *it.* posta „Rechnungsbetrag" findet sich *it.* posta „Standort" (< *lat.* posita statiō oder mānsiō „festgesetzter Stand-, Aufenthaltsort") Dies lieferte einerseits unser LW → Post, andererseits ist es Ausgangspunkt für unser FW ²Posten *m* „Standort für eine militärische Wache; auf Wache stehender [Soldat]", das in dieser Form im Anfang des 18. Jh.s erscheint, das aber bereits vorher als Post[e] *m*, Post *f* und auch als Posto *m* bezeugt ist. Das teilweise männliche Geschlecht der Formen, insbesondere aber die Form Posto weisen darauf hin, daß neben *it.* posta auch entspr. *it.* posto „Standort" (< *lat.* positus locus) bei der Entlehnung des Wortes eine Rolle gespielt hat. – Neben der eigtl. militärischen Bedeutung findet sich das Wort ²Posten auch in uneigentlicher Verwendung im Sinne von „Stelle, Anstellung, Amt" (so auch schon *it.* posto). – Abl.: postieren „aufstellen, hinstellen, einen Platz zuweisen" (im 17. Jh. als militärischer Terminus nach entspr. *frz.* poster „Soldaten an einem festgesetzten Ort aufstellen" gebildet).

postulieren „fordern": Das seit dem Anfang des 15. Jh.s belegte Verb geht auf *lat.* postulāre „fordern, verlangen" zurück. Dessen Part. Perf. Pass. liegt substantiviert unserem FW Postulat *s* „,[sittliche] Forderung; als logisch und sachlich notwendig geforderte Annahme (Philos.)" zugrunde, das gleichfalls im 15. Jh. erscheint (*lat.* postulātum „Forderung"). Das Stammwort *lat.* poscō (< *pŗ[k]-skō) „ich fordere, verlange" hat eine idg. Entsprechung in *dt.* → *forschen.*

postum „nachgelassen (von Werken, die erst nach dem Tode des Verfassers erscheinen)":

Im 18. Jh. aus *lat.* postumus „letzter; nachgeboren; nach dem Tode eintretend" entlehnt, das als superlativische Bildung zu *lat.* post „hinter, nach" (vgl. *post...*) gehört. Die *lat.* Nebenform posthumus (daraus entspr. *dt.* posthum) zeigt volksetymologischen Anschluß an *lat.* humus „Erde" bzw. an das davon abgeleitete Verb *lat.* humāre „beerdigen".

potent „beischlafs-, zeugungsfähig": Das der medizinischen Fachsprache entstammende Adjektiv ist mit dieser Bedeutung eine junge gelehrte Rückbildung (20. Jh.) aus impotent „zeugungsunfähig", das bereits für das 18. Jh. belegt ist (dazu das Substantiv Impotenz *w* „Zeugungsschwäche, -unfähigkeit"; gleichfalls im 18. Jh.). Hingegen erscheint das Adjektiv potent mit einer heute unüblichen allgemeinen Bed. „vermögend, mächtig" bereits um 1800. Der Gruppe liegt das *lat.* Adjektiv potēns „mächtig" zugrunde (bzw. *lat.* im-potēns „nicht mächtig, schwach", *lat.* impotentia „Unvermögen"), das eigtl. Part. Präs. Akt. zu einem verlorengegangenen Verb *potēre „mächtig sein" ist. Das Stammwort *lat.* potis „vermögend, mächtig" hat idg. Entsprechungen, so z. B. in *aind.* páti-ḥ „Herr, Besitzer; Gemahl" und im Grundwort von *gr.* despótēs „Gewaltherrscher" (s. Despot). – Dazu: Potenz *w* „Fähigkeit zum Geschlechtsverkehr, Zeugungskraft" (19. Jh.; zuvor schon im 17. Jh. allgemein „Kraft, Macht". Quelle ist gleichbed. *lat.* potentia), daneben auch als mathematischer Terminus mit der Bed. „Produkt gleicher Faktoren" (Anf. 18. Jh.); potenzieren „(allg.:) erhöhen, steigern; (math.:) zur Potenz erheben" (19. Jh.); Potential *s* „vorhandene Leistungskapazität; Stärke eines Kraftfeldes", eine Bildung des 19. Jh.s zu dem *spätlat.* Adjektiv potentiālis „nach Vermögen; tätig wirkend", das auch unserem Adjektiv potentiell „möglich, denkbar; der Anlage oder der Kraft nach vorhanden" (19. Jh.; aus entspr. *frz.* potentiel) zugrunde liegt; Potentat *m* „Machthaber, regierender Fürst" (16. Jh.; aus *lat.* potentātus „Macht; Oberherrschaft"). – Beachte ferner den Artikel → Hospital.

Potpourri *s* „aus verschiedenen Melodien zusammengestelltes Musikstück", auch allgemein im Sinne von „buntes Allerlei, Kunterbunt": Im 18. Jh. aus gleichbed. *frz.* potpourri entlehnt, das eigtl. ein aus verschiedenen Gemüsen und Fleisch zusammengekochtes Eintopfgericht bezeichnet. Die wörtliche Grundbed. des *frz.* Wortes ist jedoch etwa „verfaulter Topf" (zu *frz.* pot „Topf" und *frz.* pourrir < *vlat.* *putrīre „faulen, verwesen"). Es handelt sich dabei um eine LÜ von entspr. *span.* 'olla podrida' „Eintopfgericht; buntes Allerlei" (wörtlich ebenfalls „verfaulter Topf"). Scherzhafte

Benennungen dieser Art gehören sicher ursprünglich einer vertraulich-familiären Sprachsphäre an. Man wird an die zahlreichen merkwürdigen, zuweilen recht derben Namen erinnert, die auch bei uns die Umgangssprache, die Mundart und nicht zuletzt die Soldatensprache allen möglichen Gerichten beizugeben pflegen. Man beachte Bezeichnungen wie 'Lumpen und Flöhe' (Weißkraut mit Kümmel), 'Kälberzähne'(Graupensuppe) und viele andere.

Pott m (niederd. für:) ,,Topf": Mnd. pot erscheint im 12. Jh. am Niederrhein und entspricht niederl. pot, frz. pot (dazu→Potpourri). Um 600 ist vlat. potus ,,Trinkgefäß"(fälschlich an lat. pōtus ,,Trank" angelehnt) am merowingischen Königshof bezeugt. Seine richtige Form *pottus kommt schon früher in den Inschriften von Trierer Töpferwaren der Römerzeit vor, wo der PN Pottus Spitzname von Fabrikanten ist. Möglicherweise ist ein vorkeltisches Handwerkerwort von den Franken in Trier übernommen worden und hat sich später im europ. Nordwesten ausgebreitet (z. B. auch engl., dän. pot, schwed. potta); dazu niederd. mdal. Pötter ,,Töpfer" (oft in FN). – Zus.: Pottasche w (18. Jh.; aus niederl. potasch, engl. potash. Zur Gewinnung wurde Pflanzenasche in Töpfen gekocht); Pottfisch, -wal (18. Jh.; älter ist niederl. potvish. Der riesige Kopf des Tieres wurde mit einem Pott verglichen).

poussieren: Das aus frz. pousser ,,stoßen; drücken" (< lat. pulsāre; vgl. Puls) entlehnte FW erscheint in dt. Texten des 17. Jh.s zuerst mit der eigtl. Bedeutung ,,stoßen, antreiben; drücken". In der Studentensprache entwickelt sich dann die seit dem 19. Jh. belegte Bed. ,,den Hof machen, flirten; eine Liebschaft haben", die in die Umgangssprache und in die Mundarten übernommen wurde. Für den Bedeutungswandel scheint dabei die Vorstellung ,,drücken, an sich drücken, knutschen" verantwortlich. – Dazu das mit französierender Endung gebildete Substantiv Poussage w ,,Verhältnis, Liebschaft; Geliebte" (ugs.; 19. Jh. für älteres gleichbed. 'Poussade').

prä..., Prä...: Aus dem Lat. stammende Vorsilbe mit der Bed. ,,vor, voran, voraus" (räuml., zeitl. und übertr.) in FW wie →Präposition, →Präfix, →Prädikat. Gleichbedeutend lat. prae (Präpos. und Präverb), das aus alat. prai hervorgegangen ist, stellt sich zu dem unter →ver... dargestellten, vielfach erweiterten und weitergebildeten idg. *per ,,vorwärts, über - hinaus".

Pracht w ,,Aufwand, strahlender Glanz, Prunk": Das auf das dt. Sprachgebiet beschränkte Substantivbildung (mhd. braht ,,Lärm, Geschrei, Prahlerei", ahd. praht ,,Lärm") gehört zu der unter →brechen dargestellten Wortgruppe und ist eng verwandt mit mhd. brach ,,Lärm", asächs. brakōn

,,krachen", brahtum ,,Lärm, Menge", aengl. breahtm ,,Geschrei, Lärm", schwed. braka ,,krachen, platzen", brak ,,Krach, Lärm". Außergerm. ist z. B. lat. fragor ,,Krach, Getöse" verwandt. Die heute übliche Bedeutung von 'Pracht' hat sich erst in nhd. Zeit aus ,,Lärm, Krach" entwickelt. In Zusammensetzungen wird 'Pracht' verstärkend (lobend) gebraucht, beachte z. B. Prachtkerl und Prachtexemplar. Abl.: prächtig (16. Jh., in der Bed. ,,stolz, hochmütig", dann ,,stattlich, herrlich, schön").

Prädikat s ,,Satzaussage (Grammatik); Rangbezeichnung; Zensur": Im 17. Jh. (zuerst mit der Bed. ,,Rangbezeichnung") aus lat. praedicātum entlehnt, dem substantivierten Neutrum des Part. Perf. Pass. von prae-dicāre ,,öffentlich ausrufen; laut sagen, aussagen; rühmen", das auch die Quelle für unser LW →predigen ist.

Präfix s ,,Vorsilbe" (Grammatik): Gelehrte Entlehnung des 17. Jh.s aus lat. praefīxum, dem Neutrum des Part. Perf. Pass. von lat. prae-fīgere ,,vorn anheften, vorstecken". Grundverb ist lat. fīgere ,,anheften" (vgl. ¹fix).

prägen ,,Münzen schlagen; einpressen; formen, bilden": Mhd. prǣchen, brǣchen ,,einpressen, abbilden", ahd. [gi]prähhan ,,mit dem Grabstichel arbeiten, gravieren, einpressen", aengl. ābrācian ,,einritzen, gravieren" gehören vermutlich im Sinne von ,,abbrechen, aufreißen" zu der Wortgruppe von →brechen. An den übertragenen Gebrauch von 'prägen' schließen sich an die zusammenges. Verben ausprägen ,,deutlich gestalten" und einprägen ,,fest ins Gedächtnis bringen". Abl.: Gepräge s ,,Münzbild; Eigenart, Kennzeichen" (mhd. gebrǣche, -prǣche; ahd. gabrācha ,,erhabenes Bildwerk"); Präge s ,,Münzstätte" (19. Jh., aus 'Prägeanstalt' gekürzt). Zus.: Prägestock (18.Jh., vgl. Stock).

prägnant ,,gehaltvoll, eindrucksvoll; gedrängt [im Ausdruck]; knapp, aber bedeutsam": Im ausgehenden 17. Jh. über frz. prégnant aus lat. praegnāns, -antis ,,schwanger, trächtig; voll, strotzend" entwickelt, das für gleichbed. lat. praegnās steht. Dies ist vermutlich aus einer Fügung *prai gnātid ,,vor der Geburt" entstanden, so daß es in den etymologischen Zusammenhang der unter →Kind entwickelten Wörter der idg. Wz. *ĝen[ə]- ,,gebären; erzeugen" zu stellen ist (beachte im Lat. [g]nāscī ,,geboren werden", [g]nātus ,,geboren"). – Dazu: Prägnanz w ,,Bedeutungsgehalt, Bedeutsamkeit; Gedrängtheit, inhaltsschwere Knappheit; Schärfe, Genauigkeit" (19. Jh.); ferner die von lat. im-praegnāre ,,schwängern" ausgehenden FW →imprägnieren, Imprägnation.

prahlen ,,großtun, sich rühmen": Das seit dem Beginn des 16. Jh.s bezeugte Verb, das durch Luthers Bibelübersetzung gemeinsprachliche Geltung erlangte, ist lautnachahmenden Ursprungs und bedeutete urspr. wahrscheinlich „brüllen, schreien, lärmen", beachte *schweiz.-schwäb.* brallen „lärmen, schreien" (s. den Artikel brüllen). Abl.: Prahler *m* (17. Jh.), dazu prahlerisch (17. Jh.). Zus.: Prahlhans „Großtuer, Angeber" (17. Jh.).

Praktik *w* „Ausübung; Verfahrensart, Handhabung": Am Ende des 15. Jh.s aus *mlat.* practica < *spätlat.* practicē „Ausübung; Vollendung" entlehnt, das auf *gr.* prāktikḗ (téchnē) „Lehre vom aktiven Tun und Handeln" zurückgeht. Unter dem Einfluß von entspr. *frz.* pratiques hat das FW Praktik speziell in der *Mehrz.* Praktiken die Sonderbed. „(unsaubere) Kunstgriffe, Kniffe" entwickelt. – Das dem *gr.* prāktikḗ zugrunde liegende Adjektiv prāktikós „tätig, auf das Handeln gerichtet; tunlich, tauglich" (vgl. *Praxis*) lebt in unserem Adjektiv praktisch „die Praxis betreffend; ausübend; gut zu handhaben, zweckmäßig; durch tätige Übung erfahren, geschickt; pfiffig" (18. Jh.) fort. Es steht meist im Gegensatz zu →theoretisch. – Dazu: Praktiker *m* „Mann mit praktischer Erfahrung" (18. Jh.); Praktikum *s* „praktische Übung (innerhalb der Berufsausbildung) zur Anwendung theoretischer Kenntnisse" (20. Jh.; *nlat.* Bildung); praktizieren „seinen Beruf ausüben (insbesondere vom Arzt); eine Sache betreiben; ins Werk setzen; [Methoden] anwenden" (im 15. Jh. „ausüben"; nach entspr. *frz.* pratiquer aus *mlat.* practicāre „eine Tätigkeit ausüben" entlehnt); Praktikant *m* „wer in praktischer Ausbildung steht" (17. Jh.; zuvor schon im 16. Jh. im Sinne von „wer unsaubere Praktiken betreibt"); praktikabel „brauchbar, benutzbar, zweckmäßig"(18.Jh.; nach *frz.* praticable aus *mlat.* practicābilis „tunlich, ausführbar").

Prälat *m* „[kath.] geistlicher Würdenträger": In *mhd.* Zeit als prēlāt[e] aus gleichbed. *mlat.* praelātus entlehnt.

Praline *w*: Die seit dem 19. Jh. gebuchte Bezeichnung für die mit verschiedenen Füllungen hergestellte Schokoladenware ist aus dem *Frz.* entlehnt. *Frz.* praline bedeutet dabei speziell „gebrannte Mandel". Das Wort ist angeblich vom Namen des französischen Marschalls 'Plessis-Praslin' abgeleitet, dessen Küchenmeister diese Näscherei erfunden haben soll. – Die etwas später aufgekommene, heute eigtl. nur noch in Österreich gebräuchliche Form Praliné *s* (auch: Pralinee) ist eine rein deutsche Bildung zu dem abgeleiteten *frz.* Verb praliner „in Zucker bräunen [lassen]".

prall „straff, stramm; kräftig, stark; voll": Das im 18. Jh. aus dem *Niederd.* ins *Hochd.* übernommene Adjektiv gehört im Sinne von „zurückfedernd, fest gestopft" zu dem unter →*prallen* behandelten Verb.

prallen: Das auf das *dt.* Sprachgebiet beschränkte Verb *mhd.* prellen, Prät. pralte „aufschlagen, zurückfahren, sich schnell fortbewegen; fortstoßen, werfen" (vgl. prellen) ist dunklen Ursprungs. Zu diesem Verb gehört die unter →prall behandelte Adjektivbildung. Das Substantiv Prall *m* „heftiger Stoß, Schlag" ist seit dem 17. Jh. bezeugt.

Präludium *s*: Das seit dem 15./16. Jh. bezeugte FW gilt als allgemeine Bezeichnung für ein musikalisches „Vorspiel" ohne festen Eigencharakter. Demgegenüber bezeichnet das entsprechende, aus dem *Frz.* übernommene FW Prélude *s* (*frz.* prélude) ein selbständiges musikalisches Phantasiestück. Beide Wörter sind gelehrte Neubildungen zu *lat.* prae-lūdere „vorspielen, ein Vorspiel machen". Grundverb ist *lat.* lūdere „spielen" (vgl. *Illusion*).

Prämie *w* „Belohnung, Preis; Zusatzleistung; Vergütung": Im 16. Jh. aus *lat.* praemia, dem als Femininum Sing. angesehenen Neutr. Plur. von *lat.* praemium „Belohnung, Preis; Vorteil, Gewinn" entlehnt. Über die weiteren etymologischen und bedeutungsgeschichtlichen Zusammenhänge des *lat.* Wortes vgl. den Artikel *Exempel.* – Abl.: prämieren „auszeichnen; belohnen" (19. Jh.; aus *spätlat.* praemiāre „belohnen").

prangen: Das seit *mhd.* Zeit bezeugte Verb (*mhd.* prangen, brangen) gehört zu der Sippe von →*Prunk*. Es wurde zunächst im Sinne von „prahlen, großtun" und „sich zieren" verwendet. Aus dem ersteren Wortgebrauch entwickelten sich im *Nhd.* die Bed. „mit Prunk auftreten, sich durch Schönheit oder Glanz auszeichnen, hervorleuchten". Abl.: Gepränge *s* „Pracht, Prunk" (15. Jh.).

Pranger *m*: Die *nhd.* Form geht zurück auf *mhd.* pranger, das im 14. Jh. aus dem *Mnd.* übernommen wurde. *Mnd.* prenger „Schandpfahl" gehört zu *mnd.* prangen „drücken, pressen, klemmen", prange „Schranke; Klemme; Maulkorb", prank „Druck", vgl. die verwandten *mhd.* pfrengen „pressen, drücken, drängen", *got.* ana-praggan „bedrängen", *mengl.* prengen „pressen". Der Pranger ist demnach nach dem drückenden Halseisen benannt, mit dem die Verbrecher an den Schandpfahl angekettet wurden. – Die Strafe, einen Verbrecher an einem Schandpfahl öffentlich zur Schau zu stellen, kam im 19. Jh. außer Gebrauch. Das Wort wird heute hauptsächlich in der Wendung 'an den Pranger stellen' „der öffentlichen Verachtung aussetzen" verwendet, vgl. auch anprangern „öffentlich anklagen, bloßstellen".

Pranke *w* „Raubtiertatze": Das seit etwa 1300 bezeugte Substantiv (*mhd.* pranke) ist durch *roman.* Vermittlung aus gleichbed. *spätlat.* branca entlehnt (vermutlich *gall.* Ursprungs).

präparieren: Das seit dem 16. Jh. bezeugte FW, das wie das vorausliegende *lat.* Verb prae-parāre zunächst allgemein „vorbereiten, aufbereiten" bedeutet, hat zwei spezielle Geltungsbereiche. In der Schulsprache steht es veraltend für „ein Kapitel, einen Lehrstoff vorbereiten", daneben reflexiv „sich vorbereiten". Im naturwissenschaftlich-medizinischen Bereich ist es noch voll lebendig im Sinne von „menschliche, tierische oder pflanzliche Körper (zu Lehrzwecken) zerlegen bzw. [die zerlegten Teile] haltbar machen". Daran schließt sich das Substantiv Präparat *s* „konservierter pflanzlicher, tierischer oder menschlicher Körper[teil]" an, das außerdem auch im Sinne von „(kunstgerecht zubereitetes) Arzneimittel" gilt. Es wurde im 18. Jh. aus *lat.* praeparātum „das Zubereitete", dem substantivierten Part. Perf. Pass. von *lat.* praeparāre entlehnt. – Über etymologische Zusammenhänge vgl. den Artikel *parat.*

Präposition *w* „Verhältniswort": Als grammatischer Terminus im 14./15. Jh. aus *lat.* praepositiō (wörtl. „das Voransetzen") entlehnt, das entsprechend *gr.* pró-thesis übersetzt. Über das zugrunde liegende Verb *lat.* prae-pōnere „voranstellen, -setzen" vgl. den Artikel *Position.*

Prärie *w*: Die in *dt.* Texten seit dem 19. Jh. bezeugte Bezeichnung für die Grassteppen im mittleren Westen Nordamerikas ist aus *frz.* prairie „Wiese, Wiesenlandschaft; Prärie" entlehnt. Dies ist eine kollektive Ableitung von *frz.* pré (< *lat.* prātum) „Wiese".

Präsens *s* „Zeitwortform, die die Gegenwart ausdrückt": Als grammatischer Terminus aus *lat.* (tempus) praesēns „gegenwärtige Zeit" entlehnt. *Lat.* praesēns „gegenwärtig, anwesend; jetzt, sofortig; dringend", das auch Ausgangspunkt für die folgenden FW →präsent, Präsenz, präsentieren, Präsent, →repräsentieren, Repräsentation, Repräsentant ist, gehört als alte Präfixbildung (mit dem Charakter eines Partizipialadjektivs) zu *lat.* esse „sein" (vgl. *Essenz*). – Abl.: präsentisch „das Präsens betreffend, im Präsens stehend". – präsent „gegenwärtig, anwesend; zur Hand" (19. Jh.; heute veraltet; aus *lat.* praesēns, -entis, s. o.). Präsent *s* „Geschenk, kleine Aufmerksamkeit" (schon *mhd.* present, presant, prīsant „Geschenk"), aus *frz.* present „Geschenk" entlehnt. Dies gehört seinerseits als postverbales Substantiv zu *frz.* présenter „darbieten, vorstellen usw." (< *spätlat.* praesentāre „gegenwärtig machen, zeigen"), das unser Verb präsentieren „überreichen, darbieten; vorlegen, vorzeigen; (reflexiv:) sich zeigen, sich aufführen" lieferte (*mhd.* presentieren). Dazu die Zus. Präsentierteller (18. Jh.), die ursprünglich einen großen Teller zum Anbieten von Speisen und Getränken bezeichnete, die aber heute nur noch übertragen gebraucht wird,

und zwar im Sinne von „nach allen Seiten hin offener Platz, wo man den Blicken der Öffentlichkeit preisgegeben ist". Beachte besonders die Redensart 'auf dem Präsentierteller sitzen'. Das Kompositum repräsentieren s. unter eigenem Stichwort. – Präsenz *w* veraltet für „Gegenwart, Anwesenheit" (17. Jh.; aus gleichbed. *frz.* présence < *lat.* praesentia), heute eigtl. nur noch in Zusammensetzungen üblich wie Präsenzbibliothek „Bibliothek, deren Bücher nicht ausgeliehen werden, sondern nur an Ort und Stelle eingesehen werden können".

präsidieren „den Vorsitz führen (in einem Gremium, einer Versammlung u. a.)": Im 16. Jh. nach gleichbed. *frz.* présider aus *lat.* prae-sidēre „voransitzen; vorsitzen, leiten" entlehnt, eine Präfixbildung zu *lat.* sedēre „sitzen" (vgl. *Assessor*). – Dazu: Präsident *m* „Vorsitzender, Leiter; Staatsoberhaupt" (im 16. Jh. nach gleichbed. *frz.* président aus *lat.* praesidēns, dem Part. Präs. Akt. von praesidēre); Präsidium *s* „Vorsitz, Leitung; Amtsgebäude eines [Polizei]präsidenten" (19. Jh.; aus *lat.* praesidium „Vorsitz"); Präses *m* „Vorsitzender einer evangelischen Synode; Kirchenpräsident und Vorsitzender der Kirchenleitung in einigen Landeskirchen" (schon im 14. Jh. als „Vorsitzer; Beschützer; Statthalter usw." bezeugt; entlehnt aus *lat.* prae-ses, praesidis „vor etwas sitzend; leitend; Vorsteher, Vorgesetzter").

prasseln: Die *nhd.* Form hat sich aus gleichbed. *mhd.* brasteln entwickelt, das eine Iterativ-Intensiv-Bildung zu *mhd.* brasten, *ahd.* brastōn „krachen, dröhnen" ist, vgl. *aengl.* brastlian „brüllen, krachen, prasseln" und *aisl.* brasta „sich laut brüsten, prahlen". Über die weiteren Zusammenhänge s. den Artikel *bersten.*

prassen „schlemmen, schwelgen": Das aus dem *Niederd.* stammende Verb (*mnd.* brassen), das um 1500 ins *Hochd.* drang, ist wahrscheinlich lautnachahmenden Ursprungs und [elementar]verwandt mit der *nord.* Sippe von *norw.* brase „brutzeln, braten; prasseln; knistern". Im *Niederd.* entspricht brassen „prassen". Die Bed. „schlemmen, schwelgen" entwickelte sich demnach aus „lärmen, Krach machen", beachte die Bedeutungsentwicklung von 'Saus' (in der Wendung 'in Saus und Braus leben', vgl. *Saus*). Die Präfixbildung verprassen „vergeuden, durchbringen" ist seit dem 16. Jh. gebräuchlich. Abl.: Prasser *m* „Schlemmer" (*mnd.* brasser).

Praxis *w*: Das seit dem Anfang des 17. Jh.s belegte FW erscheint zuerst mit der noch heute gültigen Bed. „[Berufs]ausübung, Tätigkeit; Verfahrensart". Im 18. Jh. findet es sich dann im speziellen Gegensatz zu →Theorie als Bezeichnung für die tätige Auseinandersetzung mit der Wirklichkeit und die daraus gewonnene [Lebens]erfahrung. Gleichfalls seit dem (frühen) 18. Jh.

ist die Sonderbed. „Tätigkeitsbereich, insbesondere eines Arztes oder Anwaltes" nachgewiesen. Danach versteht man unter 'Praxis' auch die „Praxisräume" dieser Personen. – Das Wort ist aus *gr.(-lat.)* präxis „das Tun, die Tätigkeit; Handlungsweise; Geschäft, Unternehmen; Wirklichkeit, Tatsächlichkeit" entlehnt, das als Substantivableitung zu *gr.* prá̱ssein, práṯtein (< *prā́k-i̯ein) „tun, verrichten, ausführen, vollbringen usw." gehört. – Beachte noch das von *gr.* práṯtein abgeleitete Adj. *gr.* präktikós „tätig; tunlich, tauglich usw.", das Ausgangspunkt ist für die FW → Praktik, praktisch, Praktiker, Praktikum, praktizieren, Praktikant, praktikabel.

Präzedenzfall „(vorangegangener) Musterfall": Das Bestimmungswort dieser im 19. Jh. gebuchten Zusammensetzung geht auf *lat.* praecēdēns, das Part. Präs. Akt. von *lat.* prae-cēdere „vorangehen, vorausgehen", zurück. Über etymologische Zusammenhänge vgl. den Artikel *Prozeß.*

präzis[e] „genau, bestimmt; unzweideutig, klar": Im 17. Jh. aus gleichbed. *frz.* précis entlehnt, das auf *lat.* praecīsus „vorn abgeschnitten, abgekürzt; zusammengefaßt" zurückgeht. Das zugrunde liegende Verb, *lat.* prae-cīdere „vorn abschneiden" ist im Kompositum von *lat.* caedere „schlagen, hauen" (vgl. *Zäsur*). – Dazu: Präzision *w* „Genauigkeit; Feinheit" (18. Jh.; aus gleichbed. *frz.* précision < *lat.* praecīsiō „das Abschneiden"); präzisieren „genauer bestimmen; knapp zusammenfassen" (19. Jh.; aus gleichbed. *frz.* préciser).

predigen „das Wort Gottes [in der Kirche] verkünden": Das aus der Kirchensprache stammende Zeitwort, *mhd.* bredigen, predigen, *ahd.* bredigōn, predigōn, ist aus gleichbed. *kirchenlat.* praedicāre (predicāre) entlehnt, das *lat.* prae-dicāre „öffentlich ausrufen, verkünden; aussagen" (beachte dazu das FW → *Prädikat*) fortsetzt. Aus der gleichen Quelle stammen z. B. auch entspr. *niederl.* prediken (preeken) und *frz.* prêcher (aus dem *A*frz. entspr. *engl.* to preach „predigen"). – *Lat.* prae-dicāre ist ein Kompositum von *lat.* dicāre „feierlich sagen, verkünden; weihen, widmen", das als Intensivbildung zu *lat.* dīcere (dictum) „sagen, sprechen" (vgl. *diktieren*) gehört. – Dazu: Prediger *m* „wer das Wort Gottes verkündet" (*mhd.* bredigāre, *ahd.* bredigāri); Predigt *w* „Verkündigung des Wortes Gottes" (mit unorganischem -t für *mhd.* bredige, *ahd.* bredigā).

Preis *m*: Das seit dem Ende des 12. Jh.s bezeugte Subst. *mhd.* prīs „Ruhm, Herrlichkeit; Lob, Anerkennung, Belohnung, Kampfpreis; Wert" (seit dem 16. Jh. auch im Sinne von „Geldwert, Kaufwert") beruht wie z. B. auch *engl.* price „Preis, Wert" auf *afrz.* pris (= *frz.* prix) „Preis, Wert;

Ruhm, Herrlichkeit; Verdienst; Lob, Belohnung", das seinerseits auf *lat.* pretium „Wert, Preis; Kaufpreis; Lohn, Belohnung usw." zurückgeht. – Dazu das (urspr. schwache, heute starke) Verb **preisen** „rühmen, verherrlichen, hochschätzen, [Gott] loben" (*mhd.* prīsen; über *afrz.* preisier = *frz.* priser „im Wert abschätzen; wertschätzen" aus *spätlat.* pretiāre „im Wert abschätzen; hochschätzen" aufgenommen und in der Bedeutung an *mhd.* prīs angelehnt). – Nicht verwandt ist das Bestimmungswort von → preisgeben.

Preiselbeere *w*: Das Bestimmungswort dieser Zusammensetzung ist aus *atschech.* bruslina „Preiselbeere" entlehnt, vgl. *tschech.* brusinka, *poln.* brusznica, *russ.* brusníka „Preiselbeere". Die *slaw.* Benennungen der Frucht des Heidekrautgewächses gehören zu der *slaw.* Sippe von *russ.-kirchenslav.* [o]brusiti „streifen, streichen, wetzen". Die Beere ist demnach so benannt, weil sie sich leicht abstreifen läßt.

preisgeben „ausliefern, aufgeben, im Stich lassen; verraten" (auch reflexiv gebraucht): Das seit dem 16. Jh. bezeugte (lange Zeit getrennt geschriebene) zusammengesetzte Verb enthält als Vorderglied das unter → *Preis* behandelte, aus dem *Frz.* entlehnte und eingedeutschte Substantiv (*frz.* prise „Weggenommenes; das Nehmen, Ergreifen; die Beute"). Es übersetzt dabei entspr. *frz.* 'donner [en] prise' und bedeutet demnach eigtl. etwa „zum Nehmen, zur Beute hingeben". – Abl.: Preisgabe *w* „Auslieferung; Verzicht; Verrat" (20. Jh.).

prekär „mißlich, schwierig, heikel": Im 18. Jh. aus *frz.* précaire „durch Bitten erlangt; widerruflich; unsicher, heikel" entlehnt, das seinerseits auf gleichbed. *lat.* precārius zurückgeht. Zugrunde liegt *lat.* precēs (*Mehrz.*) „Bitten" bzw. davon abgeleitetes *lat.* precārī „bitten; betteln" (urverwandt mit *dt.* → *fragen*).

prellen „mit Wucht stoßen; mit einem straff gespannten Tuch hochschleudern; betrügen, übervorteilen": Das Verb gehört zu dem unter → *prallen* behandelten *mhd.* prellen „aufschlagen; zurückfahren; sich schnell fortbewegen; fortstoßen, werfen". Die Bedeutungsentwicklung zu „betrügen, übervorteilen" erklärt sich aus dem früher üblichen Brauch, Menschen zur Strafe oder zum Scherz auf einem straff gespannten Tuch in die Höhe zu schleudern. An diesen Brauch schloß sich das bes. im 17. und 18. Jh. übliche Prellen von Füchsen an, das der Belustigung von Jagdgesellschaften diente. Der gefangene Fuchs, der die Freiheit zu erlangen suchte, wurde auf einem Prellnetz, längere Zeit wieder und wieder in die Höhe geschleudert. Man prellte (d. h. „betrog") also das gefangene Tier um die Freiheit. In der Studentensprache, in der 'Fuchs' seit altersher im Sinne von ,,junger Student (im ersten Studienjahr)" verwendet wird, bildete sich dann der Wortgebrauch von ,,prellen" im Sinne von ,,betrügen, eine Rechnung nicht begleichen" heraus. Die älteren Semester ließen sich von den Fuchsstudenten bewirten, ohne die Rechnung zu bezahlen. An diesen Wortgebrauch schließen sich die Bildungen Preller *m* und Prellerei *w* an, die heute gewöhnlich nur noch in den Zus. Zechpreller und Zechprellerei (19. Jh.) verwendet werden.

Premiere *w* ,,Erst-, Uraufführung": Im 19. Jh. aus gleichbed. *frz.* première (représentation) entlehnt. Das zugrunde liegende Adjektiv *frz.* premier, ...ière ,,erster, erste" geht auf *lat.* prīmārius ,,einer der ersten; ansehnlich" zurück, das im *Galloroman.* die Bed. ,,erster" angenommen hat. Über das Stammwort *lat.* prīmus ,,vorderster, erster" vgl. den Artikel *Primus*.

preschen ,,eilen, rennen": Das urspr. *nordd. mdal.* gebräuchliche Verb hat sich durch Umstellung aus dem unter →*pirschen* behandelten Verb entwickelt und bedeutet demnach eigtl. ,,jagen".

Presse *w*: Das aus *mlat.* pressa ,,Druck, Zwang" (zu *lat.* premere, pressum ,,drücken, pressen; [be]drängen") entlehnte Subst. erscheint in *Ahd.* als pressa, fressa mit der speziellen Bed. ,,Obstpresse, Kelter" (vgl. *mhd.* [wīn]presse ,,Kelter"), die von *lat.* pressūra ,,das Drücken, der Druck; das Keltern des Weins" abhängig ist. Im Anfang des 13. Jh.s begegnet *mhd.* presse ,,Gedränge; Haufe, Schar" in unmittelbarer Entlehnung aus gleichbed. *afrz.* presse (zu *afrz.* = *frz.* presser < *lat.* pressāre ,,drücken, pressen; bedrängen"). Spätere Neuentlehnungen aus dem *Frz.* bringen dem Wort Presse die auf *frz.* Boden entwickelten Spezialbedeutungen ,,Buchdruckerpresse" (um 1500) und ,,Gesamtheit der Druckerzeugnisse" (Ende 18. Jh.). An die letztere Bedeutung schließt sich die seit der Mitte des 19. Jh.s gebräuchliche, heute allgemein übliche Verwendung des Wortes im Sinne von ,,Gesamtheit der Zeitungen und Zeitschriften; Zeitungswesen" an; beachte dazu die Zus. Pressefreiheit (19. Jh.). – Zu *lat.* premere (pressum) ,,drücken, pressen; [be]drängen" (s. o.), das den hier behandelten Wörtern letztlich zugrunde liegt, gehört eine Reihe von [Präfix]bildungen, die in unserem Lehn- und Fremdwortschatz eine Rolle spielen. Vgl. hierzu im einzelnen die Artikel pressen, pressieren (pressant), deprimieren (deprimiert, Depression, depressiv), Expreß, Expressionismus, Espresso, Imprimatur, Impressum, Impressionismus, komprimieren (Kompression, Kompressor, Kompresse).

pressen ,,[zusammen]drücken, zusammendrängen; durch Druck bearbeiten": Das Zeitwort *mhd.* pressen, *ahd.* pressōn, das im

Sprachgefühl als unmittelbar zu dem Subst. →*Presse* gehörig empfunden wird, ist aus *lat.* pressāre ,,drücken, pressen" entlehnt, einer Intensivbildung zu *lat.* premere (pressum) ,,drücken, pressen; [be]drängen" (vgl. den Artikel *Presse*). - Dazu das Präfixverb e r - p r e s s e n ,,jmdn. durch Gewalt oder Drohung zu etwas zwingen, jmdn. etwas abnötigen" (Ende 16. Jh.) mit den abgeleiteten Substantiven Erpresser *m* und Erpressung *w*.

pressieren ,,drängen, treiben; in Eile sein" (nur unpersönlich gebraucht): Das vorwiegend in süddeutschen Mundarten und in der Umgangssprache gebräuchliche FW wurde im Anfang des 17. Jh.s aus *frz.* presser ,,pressen; bedrängen, drängen; eilig sein" entlehnt. Dies geht auf *lat.* pressāre ,,drücken, pressen" zurück (vgl. *Presse*). – Dazu das gleichfalls *mdal.* p r e s s a n t ,,eilig, dringlich" (17. Jh.; aus gleichbed. *frz.* pressant, dem adjektivisch gebrauchten Part. Präs. von presser).

Prestige *s* ,,Ansehen, Geltung": Im 19. Jh. aus gleichbed. *frz.* prestige entlehnt, das mit einer eigtl. Bed. ,,Blendwerk, Zauber" auf *spätlat.* praestĭgium (= *klass.-lat.* praestĭgiae) ,,Blendwerk, Gaukelei" zurückführt.

prickeln: Das im 18. Jh. aus dem *Niederd.* in die *hochd.* Schriftsprache übernommene Verb geht zurück auf *mnd.* prickeln, das zu *mnd.* pricken ,,stechen", prick ,,Spitze; Stachel" gehört. Damit verwandt sind im *germ.* Sprachbereich *niederl.* prik ,,Spitze; Stachel; Stich", prikken ,,stechen", prikkelen ,,prickeln, reizen, anregen", *engl.* prick ,,Spitze; Stachel, Dorn; Ahle; Penis", to prick ,,stechen, prickeln, anregen", *norw.* prika ,,spitze Stange". Die weiteren außergerm. Beziehungen sind dunkel.

Priel *m*: Der seit dem 18. Jh. bezeugte *niederd.* Ausdruck für ,,schmaler Wasserlauf im Wattenmeer" ist dunklen Ursprungs.

Priem *m*: Der Ausdruck für ,,Stück Kautabak" wurde um 1800 aus gleichbed. *niederl.* pruim entlehnt, das identisch ist mit *niederl.* pruim ,,Pflaume" (vgl. *Pflaume*). Der Priem ist so benannt, weil er in Form und Farbe einer Backpflaume gleicht. Abl.: p r i e m e n ,,Tabak kauen" (nach *niederl.* pruimen).

Priester *m*: Die aus der Kirchensprache aufgenommene Bezeichnung für den ordinierten katholischen Geistlichen, *mhd.* priester, *ahd.* prēstar, ist durch *roman.* Vermittlung (vgl. entspr. *afrz.* prestre > *frz.* prêtre) aus *kirchenlat.* presbyter ,,Gemeindeältester; Priester" entlehnt, das seinerseits auf *gr.* presbýteros ,,älter; ehrwürdig; der Ältere, der verehrte Senior einer Gemeinde, der Gemeindeobere" beruht (Komparativ von *gr.* présbys ,,alt; ehrwürdig"). – Beachte auch das aus der gleichen Quelle stammende FW P r e s b y t e r *m* ,,Mitglied eines evangel. Kirchenvorstandes".

prima: Ursprünglich, wie auch gelegentlich noch heute, ein Wort der Kaufmannssprache zur Bezeichnung der Qualität einer Ware („vom Besten, erstklassig"). Es erscheint erst im 19. Jh., herausgelöst aus *it.* Fügungen wie 'prima sorte' „die erste, feinste Warensorte". Das zugrunde liegende *it.* Adjektiv primo, prima „erster, erste" geht auf gleichbed. *lat.* prīmus zurück (vgl. *Primus*). Heute lebt 'prima' vorwiegend in der Umgangssprache mit einer allgemeinen übertragenen Bed. „vorzüglich, prächtig, wunderbar". – Zum gleichen Grundwort (*lat.* prīmus) gehört das Substantiv **Prima** *w* als Name der obersten Lehrklasse einer höheren Schule. Die Bezeichnung erscheint im 16. Jh. (Quelle: *spätlat.* 'prīma classis' „erste Abteilung"). Vgl. zum Sachlichen den Artikel *Sexta*. Abl.: Primaner *m* „Schüler einer Prima".

Primadonna *w* „Darstellerin der weiblichen Hauptrolle in der Oper, erste Sängerin", auch bildlich übertragen gebraucht zur ironischen Bezeichnung eines durch Beifall verwöhnten und darum eitlen und empfindlichen Menschen: Im 18. Jh. aus *it.* prima donna entlehnt, das wörtlich „erste Dame" bedeutet (< *lat.* prīma domina).

primär „zuerst vorhanden; ursprünglich; vorrangig, vordringlich; wesentlich, grundlegend": Im 19. Jh. aus gleichbed. *frz.* primaire entlehnt, das wie entspr. *frz.* premier „erster" (s. Premiere) auf *lat.* prīmārius „zu den Ersten gehörig" zurückgeht. Stammwort ist *lat.* prīmus „erster" (vgl. *Primus*).

Primas *m*: Das seit dem 15. Jh. belegte FW, das auf *spätlat.*, *kirchenlat.* prīmās, prīmātis „der dem Range nach Erste, der Vornehmste" zurückgeht (zu *lat.* prīmus „erster"; vgl. *Primus*), erscheint zuerst als [Ehren]titel für den ranghöchsten Erzbischof eines Landes. In diesem Sinne gilt das Wort noch heute. In jüngster Zeit (20. Jh.) wird es darüber hinaus zur Bezeichnung des Solisten und Vorgeigers einer Zigeunerkapelle gebraucht. Gleichen Ausgangspunkt (*lat.* prīmus „erster") hat als FW **Primat** *m* oder *s* „bevorzugte Stellung, Vorrang; Vorherrschaft; Stellung des Papstes als Inhaber der obersten Kirchengewalt" (15./16. Jh.), das auf *lat.* prīmātus „die erste Stelle, der erste Rang, der Vorrang" zurückgeht.

Primel *w*: Der Name der zu den Schlüsselblumengewächsen gehörenden Zierpflanze erscheint im 18. Jh. als eingedeutschte Kurzform der botanischen Bezeichnung *nlat.* 'prīmula vēris' „Erste (Blume) des Frühlings". Das zugrunde liegende Adjektiv *lat.* prīmulus „erster" gehört als Verkleinerungsbildung zu gleichbed. *lat.* prīmus (vgl. *Primus*).

primitiv „urzuständlich, urtümlich; [geistig] unterentwickelt, einfach; dürftig, behelfsmäßig": Im 18. Jh. aus gleichbed. *frz.* primitif entlehnt, das auf *lat.* prīmitīvus „der erste in seiner Art" zurückgeht, Stammwort ist *lat.* prīmus „der erste" (vgl. *Primus*).

Primus *m* „der beste Schüler einer Klasse": Im 16. Jh. aus *lat.* prīmus „vorderster, erster" entlehnt, das Superlativ zu dem stammverwandten Komparativ *lat.* prior „ersterer; eher, früher; vorzüglicher" (s. Prior und Priorität) ist. – *Lat.* prīmus ist darüber hinaus Ausgangspunkt für zahlreiche andere FW wie →prima, →Prima, Primaner, →primär, →Premiere, →Primas, →Primat, →Primel, →primitiv. Als Bestimmungswort schließlich erscheint es in den Fremd- und Lehnwörtern →Primadonna, →Prinz (*lat.* prīnceps < *prīmo-caps „die erste Stelle einnehmend; Vornehmster, Fürst"), Prinzessin, →Prinzip, Prinzipienreiter, prinzipiell, →Prinzipal, Prinzipat.

Printe *w*: Der seit dem 19. Jh. bezeugte Name des pfefferkuchenartigen Gebäcks aus dem *Niederl.* entlehnt. *Niederl.* prent bedeutet eigtl. „Abdruck, Aufdruck" (zu *afrz.* preindre < *lat.* premere „[ab-, auf]drücken"; vgl. *Presse*; vgl. auch *engl.* to print „drucken") und erst sekundär „Pfefferkuchen". Der Name beruht sich vermutlich darauf, daß diesem Gebäck vielfach [Heiligen]figuren aufgedrückt sind.

Prinz *m* „nicht regierender Verwandter eines regierenden Fürsten": Das seit dem Anfang des 13. Jh.s bezeugte Substantiv *mhd.* prinz „Fürst, Statthalter" geht über *afrz.* (= *frz.*) prince „Prinz, Fürst" auf *lat.* prīnceps (prīncipis) „im Rang der Erste, der Angesehenste, Gebieter, Fürst" zurück. Das *lat.* Wort beruht auf einer Zus. *prīmo-caps „die erste Stelle einnehmend" zu *lat.* prīmus „erster" (vgl. das FW *Primus*) und *lat.* capere „fassen, [er]greifen, nehmen" (vgl. *kapieren*). – Abl.: Prinzessin *w* „Fürstentochter" (Anfang 17. Jh.; für älteres 'princess[e]', das im 15. Jh. am Niederrhein aus *frz.* princesse „Fürstin" aufgenommen wurde). – Vgl. noch die auf Ableitungen von *lat.* prīnceps beruhenden FW →Prinzip, prinzipiell →Prinzipal, Prinzipat.

Prinzip *s* „Anfang, Ursprung; Grundlage; Grundsatz": Im 18. Jh. aus *lat.* prīncipium „Anfang, Ursprung; Grundlage; erste Stelle, Vorrang" entlehnt, das als Substantivableitung zu *lat.* prīnceps, -ipis „die erste Stelle einnehmend; Erster, Vornehmster, Fürst" gehört (vgl. das LW *Prinz*). – Dazu die Zus. Prinzipienreiter (19. Jh.) als abschätzige Bezeichnung für einen Menschen, der Grundsätze zu Tode hetzt, und das Adjektiv prinzipiell „grundsätzlich" (19. Jh.; französierende Bildung nach *lat.* prīncipiālis „anfänglich, ursprünglich").

Prinzipal *m* (veralt. für:) „Lehrherr, Geschäftsinhaber": Im 16. Jh. aus *lat.* prīnci-

529

pālis „erster, vornehmster; Vorsteher" entlehnt, das zu *lat.* prīnceps „die erste Stelle einnehmend; Erster. Vornehmster, Fürst" (vgl. das LW *Prinz*) gehört. – Dazu auch das veralt. FW **Prinzipat** *s* „Vorrang" (schon *mhd.* principāt „Herrschaft"; aus *lat.* prīncipātus „die erste Stelle; Vorzug, Vorrang; Obergewalt").

Prior *m* „Klosteroberer; Klostervorsteher": In *mhd.* Zeit aus gleichbed. *mlat.* prior (eigtl. „der Erstere, der Vordere; der dem Rang nach höher Stehende") entlehnt, dem substantivierten *lat.* prior „ersterer; eher, früher; vorzüglicher" (vgl. *Primus*). – Zum gleichen Grundwort (*lat.* prior) stellt sich das FW **Priorität** *w* „zeitliches Vorhergehen; Vorrecht, Vorrang; Erstrecht" (17. Jh.; nach entspr. *frz.* priorité aus *mlat.* priorītās).

Prise *w*: Das FW ist seit dem 16. Jh. bezeugt, zuerst im allgemeinen Sinne von „Weggenommenes, Beute", dann mit der speziellen Bed. „Kriegsbeute; aufgebrachtes feindliches Schiff". Seit dem 18. Jh. wird das Wort allgemein üblich als Bezeichnung für eine besonders kleine Menge von pulveriger oder feinkörniger Substanz (z. B. Schnupftabak, Salz, Pfeffer usw.). Es meint dabei eigtl. das, was mit zwei Fingerspitzen „gegriffen" werden kann. Quelle des Wortes ist in allen Bedeutungen *frz.* prise (eigtl.: „das Genommene; das Nehmen, Ergreifen"), das substantivierte Part. Perf. Pass. von *frz.* prendre „nehmen, ergreifen". Voraus liegt *lat.* prehendere (< *prai-hendere) „fassen, ergreifen", zusammengezogen: prendere. Das nicht bezeugte einfache Verb *lat.* *hendere ist etymolog. verwandt mit *dt.* →*vergessen*. – Vgl. auch den Artikel preisgeben.

Prisma *s*: Die seit dem Anfang des 18. Jh.s gebuchte Bezeichnung eines für die Lichtbrechung geeigneten, von ebenen Flächen begrenzten [Glas-, Kristall]körpers ist aus *gr.-lat.* prīsma „dreiseitige Säule, Prisma" (wörtlich: „das Zersägte, das Zerschnittene") entlehnt. Stammwort ist *gr.* prīein „sägen, zerschneiden".

Pritsche *w*: Die *nhd.* Form geht zurück auf *ahd.* britissa „Bretterverschlag", das von *ahd.* bret, *Mehrz.* britir „Brett" abgeleitet ist (vgl. *Brett*). Gemeinsprachlich ist 'Pritsche' heute nur in der Bed. „aus rohen Brettern gezimmerte Liegestatt, harte, einfache Schlafstelle". *Landsch.* wird es auch im Sinne von „Sitzbrett (am Schlitten)", „Schlegel, Schlagholz", „Wehr" und „Boden, Speicher" verwendet. Früher bezeichnete 'Pritsche' auch einen in dünne Brettchen geschlitzten Schlagstock, wie er speziell von Ordnern auf Schützen- und Volksfesten, dann auch von Narren als Zeichen ihrer Narrenwürde getragen wurde. Daher bezeichnet 'Pritsche' auch heute noch in Karnevalsgegenden ein leichtes Schlag-

gerät, beachte pritschen *mdal.* für „mit der Pritsche schlagen" (16. Jh.).

privat „persönlich; vertraulich, familiär; nicht öffentlich, außeramtlich": Im 16. Jh. aus *lat.* prīvātus „(der Herrschaft) beraubt; gesondert, für sich stehend; nicht öffentlich" entlehnt, dem Partizipialadjektiv von *lat.* prīvāre „berauben; befreien; sondern". Stammwort ist *lat.* prīvus „für sich stehend, einzeln", das als Bestimmungswort in →*Privileg* erscheint. – Dazu: **Privatmann** (18. Jh.); **Privatdozent** „Hochschullehrer ohne Amtscharakter" (18. Jh.); **privatisieren** „als Privatmann, als Rentner leben" (17. Jh.; französierende Bildung).

Privileg *s*: „Vorrecht, Sonderrecht": Im 13. Jh. aus *lat.* prīvilēgium „besondere Verordnung, Ausnahmegesetz; Vorrecht" entlehnt. Zu *lat.* prīvus „für sich stehend, einzeln; eigentümlich" (vgl. *privat*) und *lat.* lēx, lēgis „Gesetz, Verordnung usw." (vgl. *legal*). – Dazu **privilegieren** „eine Sonderstellung, ein Vorrecht einräumen" (14. Jh.; aus gleichbed. *mlat.* prīvilēgiāre).

¹**pro...**, ¹**Pro...**: Aus dem *Lat.* stammende Vorsilbe mit den folgenden Bedeutungen: „vor; vorwärts; hervor" (wie in →*progressiv*, →*produzieren* und →*prominent*), „für, zu jmds. Gunsten, zum Schutze von jmdm." (in →*protegieren* u. a., ferner in Bildungen wie *prodeutsch*), „an Stelle von" (wie in →*Pronomen*) und „im Verhältnis zu" (wie in →*Proportion*). *Lat.* prō (Präverb und Präp.), das in allen Bedeutungen Vorbild ist, erscheint bei uns auch in der Präp. pro „je", in Fügungen wie 'pro Kopf' und 'pro Nase'. Es ist verwandt mit der *dt.* Vorsilbe →*ver*... und mit dem genau entsprechenden *gr.* pró (Präp. und Präfix) „vor; vorher, im voraus, zuvor". Letzteres lieferte unsere gleichbed. Vorsilbe ²**pro...**, ²**Pro...**, in FW und LW wie →*Prolog*, →*Programm*, →*Prognose*, →*prophezeien* u. a.

probat „erprobt, bewährt, wirksam": Im 16. Jh. aus gleichbed. *lat.* probātus entlehnt, dem Partizipialadjektiv von *lat.* probāre „erproben, untersuchen" (vgl. das LW *prüfen*).

Probe *w* „Prüfung, Untersuchung; Beweisverfahren; Bewährung[sversuch]; Muster, Teststück; (die einer künstlerischen Darbietung vorausgehende) Probeaufführung": Das seit dem 15. Jh. bezeugte Substantiv ist aus *mlat.* proba „Prüfung, Untersuchung; Bewährungsversuch, Erfahrungsversuch" entlehnt, das zu *lat.* probāre „billigen; prüfen usw." (vgl. das LW *prüfen*) gehört. – Dazu: **proben** „ausprobieren; eine Probeaufführung machen; etwas einstudieren; testen" (*mitteld.* prōben, prüben) mit der Präfixbildung **erproben** „auf die Probe stellen, testen" (beachte das in adjektivische Funktion übergegangene zweite Part. er-

probt „bewährt"). Neben dem auf *lat.* probāre beruhenden Zeitwort proben findet sich
seit *mhd.* Zeit das nach dem Vorbild von *lat.*
probāre mit *roman.* Endung gebildete Zeitwort **probieren** „prüfen; kosten, versuchen,
abschmecken; (*ugs.* auch:) unternehmen,
wagen" (*mhd.* probieren „dartun, beweisen;
prüfen") mit den Zus. an-, auf-, ausprobieren.
Problem *s* „zu lösende Aufgabe; Fragestel-
lung; Schwierigkeit, schwieriger Vorwurf":
Im 16. Jh. aus *gr.-lat.* próblēma „das Vor-
gelegte; die gestellte (wissenschaftliche) Aufgabe, die Streitfrage usw." entlehnt. Zugrunde liegt das *gr.* Verb pro-bállein „vorwerfen, hinwerfen; aufwerfen". Über weitere
Zusammenhänge vgl. den Artikel *ballistisch.*
Abl.: **problematisch** „schwierig; ungewiß, zweifelhaft, fragwürdig" (Ende des
17. Jh.s; aus *lat.* problēmaticus < *gr.* problē-
matikós).

produzieren „[Güter] hervorbringen, erzeugen, schaffen", daneben reflexiv gebraucht
im Sinne von „sich darstellerisch vorführen,
sich sehen lassen": Im 17. Jh. aus *lat.*
prō-dūcere „vorwärtsführen, hervorbringen; vorführen" entlehnt, einem Kompositum von *lat.* dūcere „ziehen, führen usw."
(über weitere Zusammenhänge vgl. den
Artikel *Dusche*). – Dazu: **Produzent** *m*
„Hersteller; Erzeuger" (16. Jh.; aus *lat.*
prōdūcēns, dem Part. Präs. Akt. von *lat.*
prōdūcere); **Produkt** *s* „Erzeugnis, Ertrag;
Ergebnis (auch im mathemat. Sinne), Folge"
(16. Jh.; aus *lat.* prōductum, dem substantivierten Neutrum des Part. Perf. Pass. von
lat. prōdūcere); ferner die aus dem *Frz.*
übernommenen FW **Produktion** *w* „Herstellung, Erzeugung" (18. Jh.) und **produktiv** „viel hervorbringend, ergiebig, fruchtbar; schöpferisch" (Ende 18. Jh.). Die diesen
vorausliegenden gleichbed. *frz.* Wörter pro-
duction und productif setzen formal *lat.*
prōductiō „das Hervorführen" bzw. *spätlat.*
prōductīvus „zur Verlängerung geeignet"
fort, sind jedoch in der Bedeutung von *frz.*
produire (< *lat.* prōdūcere) „hervorbringen,
erzeugen" abhängig. – Mit dem Präfix
→*re*… gebildeten Ableitungen **reproduzieren** „nachbilden; vervielfältigen" und
Reproduktion *w* „Nachbildung; Wiedergabe [durch Druck]; Vervielfältigung" erscheinen im 19. Jh.

profan „unheilig, weltlich; alltäglich": Im
17. Jh. aus *lat.* profānus „vor dem heiligen
Bezirk liegend, ungeheiligt; gemein, ruchlos" entlehnt. Über etymologische Zusammenhänge vgl. den Artikel *fanatisch.* – Abl.:
profanieren „entweihen, entwürdigen"
(16. Jh.; aus gleichbed. *lat.* pro-fānāre).
Profession *w* „Beruf, Gewerbe": Im 16. Jh.
aus *frz.* profession, *lat.* professiō „öffentliches
Bekenntnis (z. B. zu einem Gewerbe)" entlehnt. Über das zugrunde liegende Verb *lat.*

profitērī „öffentlich bekennen, erklären"
vgl. den Artikel *fatal.* – Dazu: **professionell** „berufsmäßig", im 19. Jh. aus *frz.*
professionnel entlehnt. Das *frz.* Adjektiv
entspricht *engl.* professional „berufsmäßig",
das substantiviert im 20. Jh. unser FW
Professional *m* „Berufssportler" liefert.
Dies tritt jedoch im lebendigen Sprachgebrauch stark hinter der daraus entwickelten
Kurzbezeichnung Profi *m* zurück.
Professor *m*: Das aus dem *Lat.* entlehnte und
seit dem 16. Jh. gebuchte FW ist akademischer Titel, insbesondere für Hochschullehrer, aber auch gelegentlich für bedeutende
Forscher und Künstler, deren Leistung vom
Staat u. a. auf diese Weise geehrt wird.
Schon *lat.* professor bezeichnet den „öffentlichen Lehrer". Es bedeutet wörtlich „wer
sich (berufsmäßig und öffentlich zu einer
wissenschaftl. Tätigkeit) bekennt". Zugrunde liegt das *lat.* Verb pro-fitērī „öffentlich bekennen, erklären". Über etymolog.
Zusammenhänge vgl. den Artikel *fatal.* –
Abl.: **Professur** *w* „Lehrstuhl, Lehramt"
(17. Jh.; *nlat.* Neubildung).
Profil *s* „Seitenansicht; Umriß" (allg.), daneben mit verschiedenen übertragenen Bedeutungen aus dem Bereich der Technik,
wie „Walzprofil (= Längsschnitt) bei der
Stahlerzeugung", „vorspringendes Einzel-
glied eines Baukörpers", „Riffelung (z. B.
bei Gummireifen und Gummisohlen)": Im
17. Jh. aus *frz.* profil „Seitenansicht; Umriß" entlehnt, das seinerseits aus gleichbed.
it. profilo stammt. Die frühsten Zeugnisse im *Dt.*
weisen daneben auch auf eine unmittelbare
Übernahme aus dem *It.* hin. *It.* profilo ist
von *it.* profilare abgeleitet, das eigtl. etwa
„mit einem Strich, einer Linie im Umriß
zeichnen" bedeutet, dann „umreißen, im
Profil zeichnen usw." Es handelt sich bei
diesem Verb um eine Neubildung zu *it.* filo
(< *lat.* fīlum) „Faden; Strich, Linie" (vgl.
Filet). – Abl.: **profilieren** „im Umriß,
Querschnitt zeichnen; riffeln" (17. Jh., =
entspr. *frz.* profiler). Dazu das Partizipialadjektiv **profiliert**, das in neuerer Zeit
meist übertragen gebraucht wird im Sinne
von „scharf umrissen, markant, von ausgeprägter persönlicher Eigenart".
Profit *m* „Nutzen, Gewinn": Das aus dem
niederd. Sprachraum stammende Substantiv
wurde um etwa 1400 als Handelswort über
mniederl. profijt aus *frz.* profit „Gewinn"
entlehnt, das seinerseits auf *lat.* prōfectus
„Fortgang; Zunahme; Vorteil" zurückgeht.
Zugrunde liegt *lat.* prōficere „weiterkommen,
fortkommen; gewinnen" (eigtl. etwa „voran-
machen"), ein Kompositum von *lat.* facere
„machen, tun" (vgl. *Fazit*). – Abl.: **Profit-
chen** *s* „nicht ganz ehrlicher Gewinn"
(17. Jh.; eigtl. „Gewinnchen"); **profitieren**
„Nutzen ziehen" (17. Jh.; aus gleichbed. *frz.*
profiter).

pro forma „nur der Form wegen, zum Schein": Als feste Wendung im 16. Jh. aus der Universitäts- in die Kanzleisprache und von dort in die Allgemeinsprache übernommen. Über das zugrunde liegende Substantiv *lat.* fōrma vgl. den Artikel *Form*.

profund „tief, tiefgründig, gründlich": Im 18. Jh. aus gleichbed. *frz.* profond entlehnt und nach dem zugrunde liegenden Adjektiv *lat.* pro-fundus „bodenlos; unergründlich tief" relatinisiert. Zu *lat.* fundus „Boden, Grund; Grundlage, Grundstock" (vgl. das FW *Fundus*).

Prognose *w* „Vorhersage einer zukünftigen Entwicklung auf Grund kritischer Beurteilung des Gegenwärtigen": Im 18./19. Jh. aus *gr.* prógnōsis „das Vorherwissen" entlehnt. Zu *gr.* pro-gignṓskein „im voraus erkennen" (vgl. *Diagnose*).

Programm *s* „[schriftliche] Darlegung von Grundsätzen (die zur Verwirklichung eines gesteckten Zieles angewendet werden sollen); festgelegte Folge, vorgesehener Ablauf (z. B. einer Sendung, einer Aufführung, Veranstaltung usw.); Tagesordnung; Programmzettel, -heft": Im Anfang des 18. Jh.s aus *gr.-lat.* prógramma „schriftliche Bekanntmachung, Aufruf; Tagesordnung" entlehnt. Das zugrunde liegende Verb *gr.* pro-gráphein „voranschreiben; öffentlich hinschreiben" ist ein Kompositum von *gr.* gráphein „schreiben". Über weitere Zusammenhänge vgl. die Artikel *Graphik* und *...gramm*.

progressiv „stufenweise fortschreitend, sich entwickelnd": Eine im ausgehenden 18. Jh. aus dem *Frz.* aufgenommene *nlat.* Bildung (*frz.* progressif) zu *lat.* prō-gredī (prōgressum) „fortschreiten", einem Kompositum von *lat.* gradī „schreiten, gehen" (vgl. *Grad*).

projizieren „entwerfen; geometrische Gebilde auf eine Ebene darstellen (Math.); Bilder auf einen Bildschirm übertragen (mit Hilfe eines Bildwerfers)": Gelehrte Entlehnung des 17. Jh.s aus *lat.* prōicere (prōiectum) „vorwärtswerfen; (räumlich) hervortreten lassen, hinwerfen" (über weitere etymologische Zusammenhänge vgl. den Artikel *Jeton*). Dazu: Projektion *w* „Abbildung geometrischer Figuren auf einer Ebene; Übertragung eines Bildes auf einen Bildschirm" (17. Jh.; aus *lat.* prōiectiō „das Hervorwerfen"), beachte auch die Zus. Projektionsapparat „Bildwerfer"; Projektor *m* „Bildwerfer" (19. Jh.; *nlat.* Bildung); Projekt *s* „Entwurf, Plan, Vorhaben" (17. Jh.; gelehrte Entlehnung aus *lat.* prōiectum „das nach vorn Geworfene").

Proklamation *w* „amtliche Verkündigung, Bekanntmachung; Aufruf (an die Bevölkerung); gemeinsame öffentliche Erklärung mehrerer Staaten": Im 16. Jh. über gleichbed. *frz.* proclamation aus *spätlat.* prōclāmātiō „das Ausrufen" entlehnt. Das zugrunde liegende Verb, *lat.* prō-clāmāre „laut ausrufen, schreien", das über *frz.* proclamer unser FW proklamieren „[durch eine Proklamation] feierlich verkünden; aufrufen; kundgeben" (16. Jh.) lieferte, ist ein Kompositum von *lat.* clāmāre „laut rufen (vgl. *Reklame*).

Prokura *w* „Handlungsvollmacht": Ein Wort der *it.* Kaufmannssprache (wie →²*Bank* und viele andere), das um 1600 ins *Dt.* übernommen wurde. *It.* procura, das auch in der formelhaften Wendung ʻper procura' „in Vollmacht" (bei Unterschriften) – meist abgekürzt zu pp. oder ppa. – bei uns erscheint, gehört zu *it.* procurare (< *lat.* prō-cūrāre) „Sorge tragen, pflegen; verwalten, Geschäftsführer sein" (vgl. *Kur*). – Dazu: Prokurist *m* „Handlungsbevollmächtigter" (Neubildung des 18. Jh.s).

Proletarier *m*: Das seit dem 18. Jh. bezeugte Wort für „wirtschaftlich abhängiger, besitzloser Lohnarbeiter" geht auf *lat.* prōlētārius zurück, das den Angehörigen der untersten Bürgerklasse bezeichnet, der dem Staat nur mit Nachkommen dient. Das *lat.* Wort ist abgeleitet von dem zum Stamm von *lat.* alere „[er]nähren, aufziehen" (vgl. *Alimente*) gehörenden Substantiv *lat.* prōlēs (< *prō-olēs) „Sprößling, Nachkomme". – Dazu das abgeleitete FW Proletariat *s* „wirtschaftlich abhängige, besitzlose Arbeiterklasse" (19. Jh.; nach gleichbed. *frz.* prolétariat) und die Rückbildung Prolet *m* (19./20. Jh.) zunächst als abschätzige Bezeichnung für den Proletarier, dann in der Umgangssprache allgemein übertr. gebraucht im Sinne von „ungehobelter, ungebildeter Mensch".

Prolog *m* „Vorrede, Vorspruch, Vorspiel; einleitender Teil des Dramas": Im 13. Jh. aus gleichbed. *lat.* prologus < *gr.* pró-logos entlehnt (über das Grundwort vgl. den Artikel *Lexikon*).

Promenade *w* „Spazierweg", früher auch in der eigtl. Bed. „Spaziergang" gebraucht: Zu Anfang des 17. Jh.s in beiden Bed. aus entspr. *frz.* promenade entlehnt. Das zugrunde liegende Verb, *frz.* promener „spazierenführen", se promener „spazierengehen", das im 18. Jh. unser promenieren „spazierengehen, sich ergehen" lieferte, enthält als Stammverb *frz.* mener „führen". Dessen Quelle ist *vlat.* mināre „treiben, führen" (vgl. hierüber den Artikel *eminent*).

prominent „hervorragend, bedeutend, maßgebend, weithin bekannt": Im Anfang des 20. Jh.s aus *lat.* prōminēns „hervorragend" entlehnt, dem adjektivisch verwendeten Part. Präs. Akt. von *lat.* prō-minēre „hervorragen" (über weitere Zusammenhänge vgl. den Artikel *eminent*). – Dazu das abgeleit. Substantiv Prominenz *w* „Gesamtheit der prominenten Persönlichkeiten" (20. Jh.; zunächst im Sinne von „hervorragende Bedeutung; Größe"; aus *spätlat.* prōminentia „das Hervorragen").

Promotion w „Beförderung zur Doktorwürde": Gelehrte Entlehnung des 17. Jh.s aus *spätlat.* prōmōtiō „Beförderung (zu Ehrenstellen)". Das zugrunde liegende Verb *lat.* prōmovēre „vorwärts bewegen; befördern; (reflexiv:) vorrücken" lieferte schon im 16. Jh. unser Zeitwort **promovieren** „die Doktorwürde erlangen bzw. verleihen", *Lat.* prōmovēre ist Kompositum von *lat.* movēre „in Bewegung setzen" (vgl. *mobil*).

prompt „sofort, unverzüglich; schlagfertig": Im Anfang des 17. Jh.s aus *frz.* prompt „bereit; geschwind" entlehnt, das auf *lat.* prōmptus „gleich zur Hand, bereit" zurückgeht. Dies ist Partizipialadjektiv von *lat.* prō-emere „hervornehmen, hervorholen" und bedeutet demnach wörtlich „hervorgeholt", dann „zur Stelle usw.". Über etymologische Zusammenhänge vgl. den Artikel *Exempel*.

Pronomen s „Wort, das anstelle eines Nomens steht, Fürwort": Als sprachwissenschaftlicher Terminus im 14./15. Jh. aufgenommen aus gleichbed. *lat.* prō-nōmen (vgl. *pro...* und *Nomen*).

Propaganda w „[politische] Werbetätigkeit; Versuch der Massenbeeinflussung": Ein im 19. Jh. aufkommendes FW, das eigtl. dem kirchlichen Bereich entstammt. Es hat sich als Kurzform aus 'Congregatio de propaganda fide', dem Namen einer 1622 in Rom gegründeten „päpstlichen Gesellschaft zur Verbreitung des Glaubens" herausgelöst. Das Wort zugrunde liegende *lat.* Verb prōpāgāre „weiter ausbreiten, ausdehnen; durch Senkreis fortpflanzen" (vgl. hierüber den Artikel ¹*pfropfen*) setzt sich formal in unserem jungen Zeitwort **propagieren** „Propaganda machen, für etwas werben, etwas verbreiten" fort (19. Jh.; in diesem Sinne wohl als Rückbildung aus Propaganda anzusehen).

Propeller m „Triebschraube (insbesondere bei Flugzeugen)": Im 19. Jh. (zunächst als „Schiffsschraube") aus gleichbed. *engl.* propeller übernommen. Zu *engl.* to propel „vorwärts treiben, antreiben", das auf gleichbed. *lat.* prō-pellere, ein Kompositum von *lat.* pellere „stoßen, schlagen; in Bewegung setzen" (vgl. *Puls*), zurückgeht.

proper „eigen; sauber, ordentlich (bes. von der Kleidung); nett": Im Anfang des 17. Jh.s aus gleichbed. *frz.* propre entlehnt, das auf *lat.* proprius „eigen, eigentümlich, wesentlich" zurückgeht.

Prophet m: Das seit *mhd.* Zeit bezeugte LW bezeichnete zunächst den von Gott berufenen und begeisterten Mahner und Weissager des Alten Testaments. Aus den rein biblischen Zusammenhängen gelöst, gilt es dann auch allgemein im Sinne von „Seher, Zukunftsdeuter". Entlehnt ist das Wort aus *lat.* prophēta, *gr.* prophḗtēs „Verkünder und Deuter der Orakelsprüche; Wahrsager, Seher, Prophet". Dessen Stammwort ist das *gr.* Verb phánai „[feierlich] sagen, sprechen; verkünden" (dazu das Kompositum *gr.* pro-phánai „vorhersagen, verkünden"), das zu der unter → *Bann* dargestellten *idg.* Wortsippe gehört. – Dazu: **prophetisch** „weissagend; vorausschauend" (14. Jh.; nach *lat.* prophēticus, *gr.* prophētikós); **Prophetie** w „Weissagung" (13. Jh.; *mhd.* prophētīe, prophēzīe, aus *lat.* prophētīa, *gr.* prophēteía); **prophezeien** „weissagen; voraussagen" (Ende 13. Jh.; *mhd.* prophētīen, prophēzīen; von *mhd.* prophētīe „Weissagung" abgeleitet).

prophylaktisch „vorbeugend, verhütend" (mediz. und allg.): Das seit dem Beginn des 18. Jh.s gebuchte FW geht auf *gr.* pro-phylaktikós „verwahrend, schützend" zurück. Daneben steht das Substantiv *gr.* pro-phýlaxis „Vorsicht", das (etwa gleichzeitig mit dem Adjektiv) in unserem FW **Prophylaxe** w „vorbeugende Maßnahme; Krankheitsverhütung (Med.)" erscheint. Stammwort für beide ist *gr.* phylássein „wachen; behüten" bzw. dessen Kompositum *gr.* pro-phylássein „vor etwas Wache halten" (medial: „sich hüten, sich vorsehen").

Proportion w „Größenverhältnis; rechtes Maß; Verhältnisgleichung": Das seit dem Ende des 15. Jh.s belegte Substantiv erscheint zuerst als mathematisches Fachwort (im Sinne von „Verhältnisgleichung"). Es geht auf *lat.* prōportiō „das entsprechende Verhältnis; das Ebenmaß" zurück, das eine Übersetzung von *gr.* analogía (s. Analogie) darstellt. Bildungsbestandteile des *lat.* Wortes sind *lat.* prō „im Verhältnis zu, entsprechend, gemäß" (vgl. ¹*pro...*) und *lat.* portiō „Anteil; Verhältnis" (vgl. *Portion*). – Abl.: **proportional** „verhältnismäßig, verhältnisgleich; angemessen" (16. Jh.; aus *spätlat.* prōportiōnālis).

Propst m „Kloster-, Stiftsvorsteher; Superintendent": Das Subst. *mhd.* brobest, *ahd.* prōbost ist aus *spätlat.* prōpos[i]tus entlehnt, das für *lat.* praepositus „Vorgesetzter" steht (zu *lat.* prae-pōnere „vorsetzen, voranstellen", vgl. den Artikel *Position*).

Prosa w „Rede bzw. Schrift in ungebundener Form" (im Gegensatz zur → *Poesie*), auch übertragen gebraucht für „nüchterne Sachlichkeit": Das schon im *Ahd.* bezeugte FW ist aus gleichbed. *lat.* prōsa (ōrātiō) entlehnt, das eigtl. etwa „geradeaus gerichtete (= schlichte) Rede" bedeutet. Zu *lat.* prōrsus (< prō-vorsus „nach vorwärts gewendet" (vgl. *Vers*). – Abl.: **prosaisch** „in Prosa abgefaßt; nüchtern, trocken; hausbacken" (Ende 17. Jh.; aus *spätlat.* prōsaicus).

prosit! „wohl bekomm's!": Die aus dem *Lat.* stammende, seit dem 16. Jh. bezeugte Wunschformel erscheint im lebendigen Sprachgebrauch von Anfang an bei sehr verschiedenen Anlässen, insbesondere beim Zutrunk, vor und nach einer Mahlzeit, dann auch zur Einleitung eines neuen Jahres ('prosit Neujahr!'). In die Allgemeinsprache gelangt das Wort wohl über die Studentensprache mit dem Beginn des 18. Jh.s. Neben der vollen *lat.* Form (*lat.* prōsit ist 3. Pers. Sing. Konj. Präs. Akt. von *lat.* prōdesse ,,nützen, zuträglich sein") begegnet seitdem auch die heute geläufigere eingedeutschte Kurzform prost! Dazu als Abl.: prosten ,,prost sagen, zutrinken" (18. Jh.) bzw. zuprosten.

Prospekt *m* ,,(wirklichkeitsgetreue) Ansicht einer Stadt, Landschaft u. a. in Form einer Zeichnung, Photographie usw.; Werbeschrift": Im 17. Jh. aus *lat.* prōspectus ,,Hinblick; Aussicht; Anblick von fern" entlehnt. Das zugrunde liegende Verb *lat.* prō-spicere ,,hinsehen, hinschauen" ist ein Kompositum von *lat.* specere ,,schauen". Über weitere etymologische Zusammenhänge vgl. das LW *Spiegel*.

prostituieren (veralt. für:) ,,bloßstellen, entehren", heute nur noch reflexiv gebraucht als sich prostituieren ,,sich zur Unzucht feilbieten": Das seit dem 15./16. Jh. bezeugte FW, das im heutigen reflexiven Sinne jedoch erst seit dem Anfang des 18. Jh.s nach gleichbed. *frz.* se prostituer allgemein üblich wurde, geht zurück auf *lat.* prō-stituere ,,vorn (d. h. vor aller Augen, öffentlich) hinstellen; seinen Körper öffentlich zur Unzucht anbieten", ein Kompositum von *lat.* statuere ,,aufstellen" (vgl. das FW *Statut*). – Dazu: Prostituierte *w* ,,Dirne" (19. Jh.); Prostitution *w* ,,gewerbsmäßige Unzucht" (18. Jh.; über gleichbed. *frz.* prostitution aus *spätlat.* prōstitūtiō ,,Preisgebung zur Unzucht").

protegieren ,,begünstigen, fördern, unterstützen": Im 16. Jh. aus gleichbed. *frz.* protéger < *lat.* prō-tegere ,,bedecken, beschützen" entlehnt. Grundverb ist *lat.* tegere ,,decken; verbergen; schützen" (urverwandt mit *dt.* →decken). – Dazu: Protegé *m* ,,Schützling, Günstling" (18. Jh.; aus gleichbed. *frz.* protégé, dem substantivierten Part. Perf. zu protéger); Protektion *w* ,,Gönnerschaft, Förderung; Schutz" (16. Jh.; aus gleichbed. *frz.* protection, *spätlat.* prōtēctiō ,,Bedeckung, Beschützung"); Protektorat *s* ,,Schirmherrschaft; Schutzherrschaft eines Staates über ein fremdes Gebiet; das unter Schutzherrschaft stehende Gebiet selbst" (19. Jh.; gelehrte *nlat.* Bildung).

protestieren ,,Einspruch erheben, Verwahrung einlegen": Im 15. Jh. über gleichbed. *frz.* protester aus *lat.* prōtēstārī ,,öffentlich als Zeuge auftreten, beweisen, dartun; öffentlich aussagen, laut verkünden" entlehnt, einem Kompositum von *lat.* tēstārī ,,als Zeuge auftreten, bezeugen, beweisen" (vgl. *Testament*). – Dazu: Protest *m* ,,Einspruch, Verwahrung; Widerspruch" (im 16. Jh. als Kaufmannswort im Sinne von ,,Beurkundung über Annahme- oder Zahlungsverwei-

gerung bei Wechseln oder Schecks" aus *it.* protesto entlehnt, das postverbal zu *it.* protestare < *lat.* prōtēstārī ,,öffentlich bezeugen, erklären; eine Gegenerklärung abgeben; mißbilligen" gehört); Protestant *m* ,,Angehöriger der lutherischen und der reformierten Kirche" (16. Jh.; aus *lat.* prōtēstāns, dem Part. Präs. Akt. von prōtēstārī. Die Bezeichnung geht von der feierlichen Verwahrung der evangelischen Reichsstände auf dem Reichstag zu Speyer 1529 gegen die kaiserliche Religionspolitik aus); protestantisch ,,der lutherischen oder der reformierten Kirche angehörend, evangelisch" (18. Jh.); Protestantismus *m* (18. Jh.; *nlat.* Bildung), Sammelbezeichnung für alle auf die kirchliche Reformation des 16. Jh.s zurückgehenden Kirchengemeinschaften. Vgl. zum Sachlichen die Artikel →evangelisch und →katholisch.

Prothese *w* ,,künstlicher Ersatz verlorengegangener Körperteile": Im 19. Jh. aus 'Prosthesis' bzw. 'Prosthesis' eingedeutscht. Es handelt sich bei diesen Wörtern um eine gelehrte Entlehnung aus dem *Gr.*, wobei das eigtl. zugrunde liegende *gr.* Substantiv prósthesis ,,das Hinzufügen, das Ansetzen" mit *gr.* pró-thesis ,,das Voransetzen; der Vorsatz" verwechselt wurde. – Über den zweiten Wortbestandteil *gr.* ...thesis vgl. den Artikel *These*.

proto..., Proto..., (vor Selbstlauten meist:) prot..., Prot...: Bestimmungswort von Zusammensetzungen mit der Bed. ,,erster, vorderster, wichtigster; Ur...", wie in Protoplasma, Prototyp und Protokoll. Quelle ist gleichbed. *gr.* prōtos.

Protokoll *s* ,,förmliche Niederschrift, Tagungs-, Sitzungs-, Verhandlungsbericht; Gesamtheit der im diplomatischen Verkehr geübten Formen": Ein Wort aus der Rechts- und Kanzleisprache, das in *dt.* Texten seit dem 16. Jh. reichlich bezeugt ist. Es geht auf *mlat.* prōtocollum und weiter auf *mgr.* prōtó-kollon zurück. Dies ist eine zusammengesetzte Bildung zu *gr.* prōtos ,,der erste" und *gr.* kólla ,,Leim" und bezeichnet ursprünglich eigtl. ein den amtlichen Papyrusrollen ,,vorgeleimtes" Blatt mit chronologischen Angaben über Entstehung und Verfasser des Papyrus. Danach wurde es zur Bezeichnung für die chronologische Angaben enthaltenden Titelblätter von Notariats- oder Gerichtsurkunden. – Abl.: protokollieren ,,ein Protokoll aufnehmen; einen Sitzungsbericht anfertigen; beurkunden" (16. Jh.; aus *mlat.* prōtocollāre, dazu das Substantiv Protokollant *m* ,,Protokollführer" (19. Jh.); protokollarisch ,,durch Protokoll festgestellt, festgelegt" (19. Jh.).

Protz *m*: Der seit dem 19. Jh. gebräuchliche Ausdruck für ,,Angeber, Wichtigtuer" ist identisch mit dem noch *mdal.* gebräuchlichen Protz *m* ,,Kröte" (16. Jh.). Der übertragene

Wortgebrauch geht von der Anschauung der sich dick machenden oder der den Kehlsack aufblasenden Kröte aus. Abl.: **protzen** ,,angeben, sich wie ein Protz benehmen'' (17. Jh.); **protzig** ,,angeberisch, großtuerisch'' (17. Jh., für älteres protz).

Protze w: Die in dieser Form seit dem 19. Jh. übliche militärisch-fachsprachliche Bezeichnung für den zweirädrigen Vorderwagen zweiteiliger militär. Fahrzeuge (z. B. von Geschützen oder Minenwerfern) hat sich aus älteren Zusammensetzungen wie Protzwagen u. a. (16. Jh.) herausgelöst. Quelle des Wortes ist *it.* biroccio ,,Zweiradkarren'' (bzw. eine *nordit.* Dialektform birozzo), das seinerseits auf gleichbed. *spätlat.* birotium (für 'birotum vehiculum') beruht. Das zugrunde liegende Adj. *spätlat.* bi-rotus ,,zweirädrig'' ist eine Bildung mit der Vorsilbe →*bi...* zu *lat.* rota ,,Rad'' (vgl. hierzu das LW *Rolle*). – Dazu das zusammengesetzte Verb **abprotzen** ,,das Geschütz von der Protze lösen und in Feuerstellung bringen'', in der Umgangssprache häufig übertragen gebraucht im derben Sinne von ,,scheißen'' (eigtl. etwa ,,den Arsch in Feuerstellung bringen'').

Proviant m ,,Mundvorrat, Wegzehrung; Verpflegung, Ration'': Quelle dieses Fremdwortes ist *kirchenlat.* praebenda ,,das von Staats wegen zu Gewährende; Zehrgeld'' (zu *lat.* praebēre ,,darreichen, gewähren, überlassen'') bzw. ein mit Präfixwechsel daraus umgestaltetes *vlat.* *probenda. Dies erreichte uns einmal im 14./15. Jh. am Niederrhein etwa als 'profiant' durch Vermittlung von *afrz.* (= *frz.*) provende ,,Mundvorrat'' und *mniederl.* provande, zum anderen während des 15. und 16. Jh.s in Tirol, Österreich und im *oberd.* Sprachraum durch Vermittlung von entspr. *it.* provianta etwa als 'profiant'. Im *Hochd.* sind beide Wörter zusammengefallen. Als Endstufe ergab sich die heute gültige Form Proviant, die sich jedoch erst im 18. Jh. wirklich durchsetzen konnte. – Abl.: **proviantieren** ,,mit Proviant ausstatten'' (16. Jh.), dafür seit dem frühen 18. Jh. das Kompositum **verproviantieren**.

Provinz w: Das seit dem 14. Jh. bezeugte FW, das aus *lat.* prōvincia ,,Geschäfts-, Herrschaftsbereich; unter römischer Oberherrschaft stehendes und Verwaltung stehendes, erobertes Gebiet außerhalb Italiens'' (*spätlat.* auch allg. ,,Gegend, Bereich'') entlehnt ist, erscheint zuerst am Niederrhein als provincie mit der Bed. ,,Bezirk eines Erzbistums''. Später bezeichnet das Wort dann allgemein ein größeres (staatliches oder auch kirchliches) Verwaltungsgebiet oder einen Landesteil. Auch im übertragenen Sinne wird es zur charakterisierenden Benennung des Landgebietes, des sog. Hinterlandes, im Gegensatz zur [Haupt]stadt, meist mit dem ironischen Nebensinn von ,,[kulturell] rückständige

Gegend'' gebraucht. Dementsprechend nennt der Großstadtmensch den [rückständigen] Provinzbewohner abfällig **Provinzler** *m* (Anfang 19. Jh.), in Berlin auch **Provinzonkel** (20. Jh.). – Abl.: **provinziell** ,,die Provinz betreffend; landschaftlich, mundartlich; hinterwäldlerisch'' (französisierende Neubildung des 19. Jh.s zu älterem 'provinzial'; Quelle ist *lat.* prōvinciālis ,,die Provinz betreffend'').

Provision w ,,Vermittlungsgebühr; Vergütung in Form einer prozentualen Gewinnbeteiligung am Umsatz'': Als Wort der Kaufmannssprache im 16. Jh. aus gleichbed. *it.* provvisione (eigtl. ,,Vorsorge'', dann ,,Vorrat; Erwerb; Vergütung'') entlehnt, das auf *lat.* prōvīsiō, -iōnis ,,Vorausschau; Vorsorge'' zurückgeht. Das zugrunde liegende Verb *lat.* prō-vidēre ,,vorhersehen; Vorsorge treffen'' ist ein Kompositum von *lat.* vidēre ,,sehen'' (vgl. *Vision*). – Ebenfalls zu *lat.* prō-vidēre gehören die beiden folgenden FW: **Provisor** *m* ,,Verwalter einer Apotheke; (früher:) erster Gehilfe des Apothekers'' (16. Jh.), seit dem 14. Jh. bezeugt mit der allgemeinen Bed. ,,Verwalter, Vertreter'': Entlehnt aus *lat.* prōvīsor ,,Vorausseher, Vorsorger; Verwalter''; **provisorisch** ,,vorläufig; behelfsmäßig; probeweise'': Eine gelehrte Neubildung des 18. Jh.s zu *lat.* prōvīsus (Part. Perf. Pass. von prō-vidēre), möglicherweise nach entspr. *frz.* provisoire oder *engl.* provisory.

provozieren ,,herausfordern, aufreizen; aus der Reserve locken; (Krankheiten) künstlich hervorrufen'': Im 16. Jh. aus *lat.* prō-vocāre ,,heraus-, hervorrufen; (zum Wettkampf) auffordern; herausfordern, reizen'' entlehnt, einem Kompositum von *lat.* vocāre ,,rufen'' (vgl. das FW *Vokal*). – Dazu das Substantiv **Provokation** w ,,Herausforderung, Aufreizung usw.'' (16. Jh.; aus gleichbed. *lat.* prōvocātiō).

Prozedur w ,,Verfahren, Vorgang, Behandlungsweise'': Das aus der Kanzlei- und Verwaltungssprache stammende, seit dem 17. Jh. belegte FW ist eine *nlat.* Bildung zu *lat.* prō-cēdere ,,vorrücken, fortschreiten; vor sich gehen usw.'' (vgl. *Prozeß*).

Prozent s ,,Anteil vom vollen Hundert, Hundertstel'': Ein Terminus der Kaufmannssprache, der zuerst in süddeutschen Quellen des 15. Jh.s als 'per cento' erscheint, übernommen aus gleichbed. *it.* per cento (zu *it.* cento < *lat.* centum ,,hundert''; vgl. *Zentner*). Diese Form ist speziell in Österreich bewahrt, wo bis heute *Perzent s* gilt. Demgegenüber hat sich im hochdeutschen Sprachraum die im Anfang des 16. Jh.s aufkommende 'pro cento' durchgesetzt. Abl.: **prozentig** ,,nach Prozenten bestimmt'' (19. Jh.), nur in Zus. wie hochprozentig, fünfprozentig u. a. gebraucht; **prozentual** ,,im Verhältnis zum Hundert, in Prozenten ausgedrückt; anteilmäßig" (19. Jh.; *nlat.* Bildung).

Prozeß *m* ,,Fortgang, Verlauf, Ablauf, Hergang, Entwicklung; gerichtliche Durchführung von Rechtsstreitigkeiten": In *mhd.* Zeit (zuerst im Sinne von ,,Erlaß, gerichtliche Entscheidung") aus *lat.* prōcessus ,,Fortschreiten; Fortgang, Verlauf" (*mlat.* = ,,Handlungsweise; Rechtsstreit") entlehnt. Das zugrunde liegende Verb, *lat.* prō-cēdere ,,vorwärtsschreiten, fortschreiten; verlaufen; sich entwickeln", das auch Ausgangspunkt ist für die FW →Prozedur und →Prozession, ist ein Kompositum von *lat.* cēdere (cessum) ,,einhergehen, von statten gehen; weichen, nachgeben; einräumen, zugestehen". Andere Komposita erscheinen in den FW →Abszeß, →Exzeß, →Konzession, konzessiv, →Präzedenzfall. – Beachte noch das von Prozeß abgeleitete Verb prozessieren ,,einen Gerichtsprozeß führen" (17./18. Jh.).

Prozession *w* ,,feierlicher [kirchl.] Umzug; Umgang; Bitt- oder Dankgesang": Das seit dem 15. Jh., zuerst im *Mitteld.*, bezeugte FW geht auf *lat.* prōcessiō ,,das Vorrücken; feierlicher Aufzug" (*kirchenlat.* ,,religiöse Prozession") zurück. Zu *lat.* prō-cēdere ,,vorrücken, fortschreiten usw." (vgl. *Prozeß*).

prüde ,,sehr empfindlich und engherzig hinsichtlich Sitte und Moral; zimperlich; spröde": Im 18. Jh. aus gleichbed. *frz.* prude entlehnt, das seinerseits zu *frz.* preux (*afrz.* prod) ,,tüchtig, tapfer" gehört und sich vermutlich aus einer Fügung *prudefemme (*afrz.* 'prode femme') ,,ehrbare Frau" herausgelöst hat (beachte entspr. *frz.* prud'-homme ,,Ehrenmann"). – Dazu: P r ü d e r i e *w* ,,Zimperlichkeit; Geziertheit" (18. Jh.; aus gleichbed. *frz.* pruderie).

prüfen: Das Zeitwort ist zwar erst seit *mhd.* Zeit belegt (*mhd.* brüeven, prüeven ,,erwägen; erkennen; beweisen, dartun; bemerken; schätzen, berechnen; erproben usw."), wird aber durch den Diphthong (vgl. die Präteritumform *mhd.* pruofte) als älter erwiesen. Quelle des Wortes ist *lat.* probāre ,,als gut erkennen, billigen; auf Echtheit und Gütequalität untersuchen, prüfen, erproben usw." in seiner *vlat.-roman.* Form *provāre (vgl. z. B. *it.* provare und *afrz.* prover > *frz.* prou-ver ,,beweisen, erweisen, dartun"). Stammwort ist das *lat.* Adj. probus ,,gut, rechtschaffen, tüchtig usw.". Abl. und Zus.: P r ü f u n g *w* ,,Untersuchung; Bewährung, Erprobung; Examen" (*mhd.* prüevunge); P r ü f e r *m* ,,Prüfender, wer im Examen leitet" (*mhd.* prüever ,,Untersucher, Merker, Prüfer"); P r ü f l i n g *m* ,,wer in einer Prüfung steht" (19./20. Jh.); P r ü f s t e i n ,,Maßstab, Kriterium" (16. Jh.; urspr. im konkreten Sinne als Bezeichnung für einen Probierstein zur Ermittlung des Feingehaltes von Gold- und Silberlegierungen). – Vgl. auch

die auf *lat.* probāre oder auf Ableitungen von diesem beruhenden Fremd- und Lehnwörter →approbiert, →probat, →Probe, proben und probieren.

Prügel *m*: Das auf das *dt.* Sprachgebiet beschränkte Wort (*spätmhd.* brügel ,,Knüppel, Knüttel") gehört zu der unter →*Brücke*, urspr. ,,Knüppelweg, -damm", behandelten Wortgruppe. Der Gebrauch der Mehrz. im Sinne von ,,Schläge" hat sich in Wendungen wie 'jemandem Prügel geben' und 'eine Tracht Prügel' entwickelt. Abl.: p r ü g e l n ,,schlagen" (16. Jh., in der Bed. ,,[Brücken] mit Holzschienen versehen", ,,Hunden einen Prügel vor die Beine hängen"). Zus.: P r ü - g e l k n a b e ,,einer, der an Stelle des Schuldigen bestraft wird, Sündenbock" (19. Jh.; angeblich früher ein Knabe einfachen Standes, der mit einem Fürstensohn zusammen erzogen wurde und der die dem Fürstensohn zukommende Züchtigung erhielt).

Prunk *m*: Das im 17. Jh. aus dem *Niederd.* ins *Hochd.* übernommene Wort geht zurück auf *mnd.* prunk ,,Aufwand, Putz, Zierde", dem *niederl.* pronk ,,Schmuck, Zierde, Pracht, Aufwand" entspricht. Auch das Verb p r u n k e n wurde im 17. Jh. aus dem *Niederd.* übernommen und beruht auf *mnd.* prunken ,,Aufwand treiben, großtun", dem *niederl.* pronken ,,zur Schau stellen, Pracht entfalten" entspricht, beachte auch *mhd.* (*mitteld.*) brunken ,,zur Schau stellen, zeigen", dazu *spätmhd.* brunke ,,Pracht, Gepränge". Damit verwandt sind das unter →prangen behandelte Verb und *engl.* to prink ,,zur Schau stellen, prunken". Die ganze Sippe ist wahrscheinlich lautnachahmenden Ursprungs und entspricht in der Bedeutungsentwicklung z. B. den unter Pracht (s. d.) und prahlen (s. d.) behandelten Wörtern.

Psalm *m*: Die Bezeichnung für die im Alten Testament gesammelten 150 religiösen Lieder des jüdischen Volkes, *mhd.* psalm[e], *ahd.* psalm[o] (daneben mit Erleichterung des Anlauts die Formen *mhd.* salm[e], *ahd.* salm[o], dazu die *ugs.* Ausdruck ²S a l m *m* ,,Gerede, Geschwätz, Sermon") geht über *kirchenlat.* psalmus auf *gr.* psalmós ,,das Zupfen der Saiten eines Musikinstrumentes, das Saitenspiel; das zum Saitenspiel vorgetragene Lied; der Psalm" zurück. Zu *gr.* psállein ,,berühren, betasten; die Saite zupfen, Zither spielen". – Dazu auch als Name eines Saiteninstrumentes und übertragen zur Bezeichnung für das Buch der Psalmen im Alten Testament das Subst. *gr.* psaltḗrion > (*kirchen*)*lat.* psaltērium, woraus unser gleichbed. FW **Psalter** *m* (*mhd.* psalter, *ahd.* psalteri) stammt.

pseudo..., Pseudo..., (vor Vokalen meist:) pseud..., Pseud...: Aus dem *Gr.* übernommenes Bestimmungswort von Zusammensetzungen mit der Bed. ,,falsch, unecht, vorgetäuscht" wie in → Pseudonym. Stammwort ist *gr.* pseúdein „belügen, täuschen".

Pseudonym s „erfundener [Künstler- oder Schriftsteller]name": Das seit dem 18. Jh. bezeugte FW ist aus dem älteren Adjektiv pseudonym „unter einem Decknamen verfaßt (bzw. auftretend)" substantiviert. Zugrunde liegt *gr.* pseudónymos „mit falschem Namen (auftretend)". Zu *gr.* pseúdein „belügen, täuschen" (vgl. *pseudo...*) und *gr.* ónyma „Name" (vgl. *anonym*).

Psyche w „Seele; Seelenleben; Wesen, Eigenart": Das seit dem 17. Jh. belegte, aber erst im Anfang des 19. Jh.s fachsprachlich und gemeinsprachlich geläufige FW ist aus *gr.* psychế „Hauch, Atem; Seele (als Träger bewußter Erlebnisse)" entlehnt. Dazu: psychisch „seelisch" (18. Jh.; nach *gr.* psychikós „zur Seele gehörig"); Psychose w „seelische Störung; Geistes- oder Nervenkrankheit" (19. Jh.; gelehrte Neubildung); psychotisch „seelisch gestört; geisteskrank" (20. Jh.). Hierher gehören ferner zahlreiche Zusammensetzungen, in denen *gr.* psychế als Bestimmungswort steht: Psychiater m „Facharzt für seelische Störungen und für Geisteskrankheiten" (19. Jh.; gelehrte Neubildung; über das Grundwort *gr.* iatrós „Arzt" vgl. *...iater*); Psychiatrie w „Lehre von den Geisteskrankheiten und ihrer Behandlung" (19. Jh.); psychiatrisch „die Psychiatrie betreffend" (19. Jh.); Psychologe m „Seelenkundiger; Forscher auf dem Gebiet der Seelenlehre" (18. Jh.; gelehrte Neubildung; über das Grundwort *gr.* lógos „Rede, Wort; Untersuchung usw." vgl. *...loge, ...logie*); Psychologie w „Lehre von den Erscheinungen und Zuständen des bewußten und unbewußten Seelenlebens" (18. Jh.); psychologisch „die Psychologie betreffend" (18. Jh.); Psychopathie w „anlagemäßig bedingtes Abweichen des geistig-seelischen Verhaltens von der Norm" (Ende 19. Jh.; gelehrte Neubildung; zum Grundwort *gr.* páthos „Leiden, Leid" vgl. das FW *Pathos*); Psychopath m „seelisch-geistig abartiger Mensch" (20. Jh.); psychopathisch „seelig-geistig abartig" (19./20. Jh.); Psychotherapie w „Suggestivbehandlung, seelische Behandlung seelischer oder körperlicher Störungen" (Ende 19. Jh.; gelehrte Neubildung; über das Grundwort vgl. den Artikel *Therapie*); Psychotherapeut m „Fachmann auf dem Gebiet der Psychotherapie" (20. Jh.).

Pubertät w „Zeit der [einsetzenden] Geschlechtsreife": Im ausgehenden 16. Jh. aus *lat.* pūbertās „Geschlechtsreife, Mannbarkeit" entlehnt, das als Substantivableitung zu *lat.* pūbēs, -eris „mannbar, männlich, erwachsen" gehört.

publik „öffentlich; offenkundig, allgemein bekannt": Im 17. Jh. durch Vermittlung von gleichbed. *frz.* public aus *lat.* pūblicus „öffentlich; staatlich; allgemein" entlehnt. – Gleichen Ausgangspunkt haben die folgenden FW: **Publikation** w „Veröffentlichung; im Druck erschienenes Schriftwerk": Im 16. Jh. (zunächst im Sinne von „öffentliche Bekanntmachung") über *frz.* publication aus *spätlat.* pūblicātiō „Veröffentlichung" (*klass.-lat.* „Einziehung in die Staatskasse") entlehnt. Das zugrunde liegende Verb *lat.* pūblicāre „zum Staatseigentum machen; veröffentlichen" lebt fort in publizieren „(ein Schriftwerk) veröffentlichen" (15. Jh.); dazu ferner das Substantiv Publizist m „Schriftsteller; Journalist, speziell im Bereich aktuellen [politischen] Geschehens" (17. Jh.; *nlat.* Bildung). – **Publikum** s „die Öffentlichkeit; die Zuschauer, insbesondere „Zuhörer-, Leser-, Besucherschaft"; allg. „die Umstehenden": Quelle dieses seit dem 18. Jh. belegten Fremdwortes ist *mlat.* pūblicum (vulgus) „das gemeine Volk; die Öffentlichkeit". Für die Bedeutungsdifferenzierung des Wortes liegt allerdings wohl unmittelbarer Einfluß von entspr. *frz.* public „Öffentlichkeit; Publikum" und dem daraus entlehnten *engl.* public „Öffentlichkeit; Theaterpublikum" vor. – Beachte ferner die FW → Republik, Republikaner.

Pudding m: Am Ende des 17. Jh.s aus *engl.* pudding entlehnt, und zwar zuerst ganz im Sinne des *engl.* Wortes als Bezeichnung für eine im Wasserbad gekochte, wabbelige Mehlspeise (oft mit Fleisch- oder Gemüseeinlage). Das *engl.* Wort geht vermutlich auf *(a)frz.* boudin „Wurst" zurück. Weitere Zusammenhänge sind nicht gesichert.

Pudel m: Der seit dem 18. Jh. bezeugte Name der Hunderasse ist aus 'Pudelhund' (17. Jh.) gekürzt. Das Bestimmungswort dieser Zusammensetzung gehört zu dem nur noch *landsch.* gebräuchlichen Verb pudeln „im Wasser plätschern", das wohl lautnachahmender Herkunft ist (vgl. den Artikel buddeln). Der Hund ist so benannt, weil er gerne im Wasser planscht, beachte dazu pudelnaß „naß wie ein aus dem Wasser kommender Pudel". – In der Sprache der Kegler wird 'Pudel' im Sinne von „Fehlschub, Verstoß" verwendet, beachte dazu pudeln „vorbeischieben, einen Fehler machen" (18. Jh.). Zus.: Pudelmütze „zottige Pelzmütze, gestrickte Wollmütze" (18. Jh.; so benannt, wegen der Ähnlichkeit mit dem krausen Haar des Pudels).

Puder m „feines Pulver (vor allem für Heil- und kosmetische Zwecke)": Im 17. Jh. aus *frz.* poudre „Staub; Pulver; Puder" entlehnt (daraus auch entspr. *engl.* powder), das seinerseits auf *lat.* pulvis (pulverem) „Staub" (vgl. *Pulver*) zurückgeht. Die ursprüngliche Bedeutung des Wortes ist noch in der Zus. Puderzucker „Staubzucker" bewahrt (Ende 17. Jh.). – Abl.: pudern „mit Puder bestäuben" (17. Jh.).

Puff *m* (*ugs.* für:) „Stoß, dumpfes Geräusch": Das seit *mhd.* Zeit bezeugte Wort (*mhd.* buf) ist – wie auch *niederl.* bof, pof „Stoß, Puff" und *engl.* puff „Stoß, Puff, Windhauch" – lautnachahmenden Ursprungs, vgl. die Interjektion puff!, älter *nhd.* auch buff!, die dumpfe Schalleindrücke wiedergibt, wie sie besonders beim plötzlichen Entweichen von Luft und beim Zusammenprall entstehen. Beachte dazu auch 'piff, paff, puff!' (Nachahmung des Gewehrfeuers) und 'Puffpuff' kindersprachl. für „Eisenbahn". – Bereits seit dem 13. Jh. findet sich 'Puff' auch als Bezeichnung einiger Spiele, speziell eines Brettspiels mit Würfeln, das heute auch 'Tricktrack' genannt wird. Dieser Wortgebrauch bezieht sich auf das dumpfe Geräusch, das beim Aufschlagen der Würfel entsteht. An ihn schließt sich die seit dem Ende des 18. Jh.s bezeugte *ugs.* Verwendung von 'Puff' im Sinne von 'Bordell' an. Dieser Wortgebrauch entwickelte sich wohl in Wendungen wie z. B. 'mit einer Dame Puff spielen' oder 'zum Puff gehen', in denen 'Puff' „Brettspiel" verhüllend gebraucht ist. Eingewirkt hat dabei wahrscheinlich 'puffen' im vulgären Sinne von „beschlafen". – Mit 'Puff' in diesen verschiedenen Verwendungsweisen identisch ist auch 'Puff' im Sinne von „Bausch; Wäschebehälter mit Polstersitz" (eigtl. etwa „Aufgeblasenes"), beachte dazu **Puffe** *w* „Bausch" (*spätmhd.* buffe), **Puff**ärmel „bauschiger Ärmel" (19. Jh.) und 'puffen' im Sinne von „aufbauschen". – Zum Substantiv stellt sich das Verb **puffen** „stoßen, schlagen, ein dumpfes Geräusch verursachen" (*mhd.* buffen). Dazu gebildet ist **Puffer** *m* „Stoßdämpfer an Eisenbahnwagen" (19. Jh.; im 17. Jh. in der Bed. „Knallbüchse, Terzerol") und die Zus. **Puffer**staat „kleiner Staat zwischen Großmächten" (2. Hälfte des 19. Jh.s) und **Kartoffelpuffer** „aus geriebenen rohen Kartoffeln in der Pfanne gebackener Kuchen" (so benannt wegen des puffenden Geräusches).

Pulle *w*: Das im Anfang des 18. Jh.s aus dem *Niederd.* in die allg. Umgangssprache gelangte Wort für „Flasche" stammt aus der gleichen Quelle (*lat.* ampulla „kleine Flasche; Ölgefäß") wie unser FW → *Ampulle.* Die unbetonte Anfangssilbe des *lat.* Wortes fiel dabei einer legeren Aussprache zum Opfer.

Pullover *m*: Junge, um etwa 1925 aus dem *Engl.* übernommene Bezeichnung des gestrickten oder gewirkten Kleidungsstücks, das über den Kopf angezogen wird. *Engl.* pullover bedeutet wörtlich „zieh über". Zugrunde liegt das *engl.* to pull [over] „[über]ziehen, zerren". – Seit etwa 1950 erscheint in der *dt.* Umgangssprache für 'Pullover' auch die Kurzform **Pulli** *m.*

Puls *m* „Anstoß der durch den Herzschlag fortgeleiteten Blutwelle an den Gefäßwänden": In *mhd.* Zeit als Fachwort schon mittelalterlicher Heilkunst aus gleichbed. *mlat.* pulsus (vēnārum) entlehnt, das auf *lat.* pulsus „das Stoßen, das Stampfen, der Schlag" beruht. Das zugrunde liegende Verb *lat.* pellere (pulsum) „schlagen, stoßen; in Bewegung setzen, antreiben usw.", das zu unter → *Filz* entwickelten Wortfamilie der *idg.* Wz. *pel- „stoßend oder schlagend in Bewegung setzen" gehört, ist ferner Ausgangspunkt für die FW → poussieren, Poussage, → bugsieren, → Appell, appellieren, → Impuls, impulsiv und → Propeller. – Abl.: **pulsieren** „schlagen, klopfen; (übertr.:) sich lebhaft regen, fließen, strömen, fluten" (17. Jh.; in übertragenem Sinne seit dem 19. Jh. bezeugt; aus *lat.* pulsāre „schlagen, stoßen usw."); dafür seit dem Ende des 18. Jh.s, häufiger seit der zweiten Hälfte des 19. Jh.s, das Zeitwort pulsen.

Pult *s* „[Tisch]aufsatz oder Gestell mit schräger Fläche zum Schreiben, zum Auflegen von Noten oder dgl.": Die *nhd.* Form geht zurück auf gleichbed. *mhd.* pulpit (14. Jh.), das aus *lat.* pulpitum „Brettergerüst (als Redner-, Schauspiel- oder Zuschauertribüne)" entlehnt ist.

Pulver *s* „fester Stoff in sehr feiner Zerteilung; Schießpulver", in der Umgangssprache scherzhafte Bezeichnung für „Geld": Das seit *mhd.* Zeit mit den Bed. „Pulver, Staub; Asche; Sand" (seit dem 14. Jh. auch „Schießpulver") bezeugte Substantiv geht über *mlat.* pulver auf *lat.* pulvis, pulveris „Staub" zurück, das mit *lat.* pollen „sehr feines Mehl, Mehlstaub; Staub" verwandt ist (vgl. *Pollen*). Den gleichen Ausgangspunkt hat das FW → Puder, das uns durchs *Frz.* vermittelt wurde. – Abl.: **pulv[e]rig** „in Pulverform" (17. Jh.); **pulverisieren** „feste Stoffe zu Pulver zerreiben, zerstäuben, zerstampfen" (16. Jh.; aus gleichbed. *frz.* pulvériser < *spätlat.* pulverizāre); **pulvern** „zu Pulver machen, zerstoßen; mit Pulver bestreuen" (*mhd.*), heute eigtl. nur noch *ugs.* übertr. gebraucht im Sinne von „(mit Schießpulver) schießen, darauf losschießen". Das gleichfalls der Umgangssprache angehörende Präfixverb **verpulvern** „unnütz vergeuden" (19. Jh.) bedeutet eigtl. etwa „wie Schießpulver zerknallen, verpuffen lassen".

Puma *m*: Der in *dt.* Texten seit dem 18. Jh. bezeugte Name des amerikanischen katzenartigen Raubtieres stammt aus einer Eingeborenensprache Perus.

Pumpe *w*: Die im 16. Jh. aus dem *Niederd.* ins *Hochd.* gelangte Bezeichnung für das Gerät zum Heben und Fördern von Flüssigkeiten ist aus gleichbed. *mniederl.* pompe entlehnt, das selbst wohl schallnachahmenden Ursprungs ist (vgl. z. B. das ähnlich gebildete *span.* Wort bomba „Schiffspumpe"). Unmittelbar aus dem *Mniederl.* stammen auch entspr. *frz.* pompe und *engl.* pump „Pumpe". – Abl.: ¹pumpen „Flüssigkeiten mittels einer Pumpe heben, fördern" (16. Jh.). – Das Homonym ²**pumpen** „borgen" (18. Jh.), das durch die Studentensprache in die allgemeine Umgangssprache gelangte, hat mit ¹pumpen „Wasser pumpen" nichts zu tun. Es stammt vielmehr aus der Gaunersprache (*rotw.* pompen, pumpen, 17. Jh.) und hat sich erst sekundär an ¹pumpen angeschlossen.

Pumpernickel *m*: Der seit dem 17. Jh. bezeugte Ausdruck für „Schwarzbrot" war urspr. ein Schimpfwort für einen bäurischen, ungehobelten Menschen, das etwa mit „Furzheini" wiederzugeben ist. Das Schwarzbrot wurde so benannt wegen seiner blähenden Wirkung. Das Bestimmungswort von 'Pumpernickel' gehört zu älter *nhd.* pumpern „furzen", Pumper „Furz", das Grundwort ist Kurz- oder Koseform des PN Nikolaus. – Neben älter *nhd.* Pumper wurden für die laute Blähung früher auch 'Pumps' und 'Pumpf' verwendet. Aus der letzteren Form hat sich Pimpf entwickelt, das eigtl. also „[kleiner] Furz" bedeutet, zunächst Schimpfwort war und um 1920 zur Bezeichnung der jüngsten Angehörigen in der Jugendbewegung wurde.

Pumps *m* (meist *Mehrz.*) „leichter, ausgeschnittener Damenschuh ohne Schnürung oder Riemen": Im Anfang des 20. Jh.s aus gleichbed. *engl.* pumps (*Mehrz.*) entlehnt, dessen weitere Herkunft dunkel ist.

Punkt *m*: Das Subst. *mhd.* pun[c]t „Punkt; Mittelpunkt; Zeitpunkt, Augenblick; Ortspunkt; Umstand; Artikel; Abmachung" ist aus gleichbed. *spätlat.* pūnctus entlehnt, das für *klass.-lat.* pūnctum steht. Das *lat.* Wort bedeutet eigtl. „das Gestochene, der Einstich; eingestochenes [Satz]zeichen usw." (davon dann die übertragenen Bedeutungen). Es gehört zu *lat.* pungere (pūnctum) „stechen". Abl.: pünktlich „(auf den verabredeten Zeitpunkt) genau" (15. Jh.). – Vgl. auch die hierhergehörenden, auf Ableitungen und Bildungen von *lat.* pungere beruhenden, teilweise durch die *roman.* Sprachen vermittelte Fremd- und Lehnwörter →punktieren, Punktion, →Interpunktion, →Kontrapunkt, →kunterbunt, →bunt, →Pointe und pointiert.

punktieren „mit Punkten versehen, tüpfeln, stricheln": Im 15. Jh. aus *mlat.* pūnctāre „Einstiche machen, Punkte machen" entlehnt, das von *lat.* pungere (pūnctum) „stechen" (vgl. *Punkt*) abgeleitet ist. In der medizinischen Fachsprache wird das Zeitwort punktieren in einem speziellen Sinne von „Körperflüssigkeiten durch Einstiche mit Hohlnadeln entnehmen" gebraucht. Daran schließt sich mit entspr. Bedeutung

das Subst. **Punktion** *w* an (nach *lat.* pūnctiō „das Stechen").

Punsch *m*: Der seit dem 17./18. Jh. belegte Name des beliebten alkoholischen Heißgetränkes, das wir mit den anderen Europäern von den Engländern kennenlernten (*engl.* punch), ist eine *angloind.* Phantasiebezeichnung mit *Hindi* pāñč „fünf", nach den für einen echten Punsch notwendigen „fünf" Grundbestandteilen: Arrak, Zucker, Zitronensaft, Wasser (oder Tee) und Gewürz.

Pupille *w* „Sehloch in der Regenbogenhaut des Auges": Im 18. Jh. aus gleichbed. *lat.* pūpilla entlehnt, das als Verkleinerungsbildung zu *lat.* pūpa „Mädchen" (vgl. *Puppe*) eigtl. „kleines Mädchen, Püppchen" bedeutet. Die Bedeutungsübertragung bezieht sich wie in *gr.* kórē „Mädchen; Pupille", das Vorbild ist, auf das Bild des Püppchens, als das sich der Betrachter in den Augen seines Gegenübers sieht.

Puppe *w*: Das seit dem 15. Jh. bezeugte Subst. *spätmhd.* puppe „Puppe als Kinderspielzeug", das auf *lat.* puppa (pūpa) „Puppe; kleines Mädchen" beruht, hat im Laufe der Zeit alle Bedeutungen des *lat.* Vorbildes übernommen. So wird 'Puppe' in der Umgangssprache auch als Kosewort für junge Mädchen gebraucht (beachte dazu mit abwertendem Sinn die Verkleinerungsbildung Püppchen *s* „leichtes Mädchen"), ferner erscheint es in der zoolog. Fachsprache zur Bezeichnung der von der →Larve zum vollausgebildeten Insekt überleitenden Entwicklungsstufe. Daran schließen sich die abgeleiteten Präfixverben verpuppen, sich „aus einer Larve zur Insektenpuppe werden" und entpuppen, sich „aus einer Insektenpuppe zum Insekt werden" an. Letzteres wird daneben häufig übertragen gebraucht im Sinne von „sein wahres Gesicht zeigen; sich als der herausstellen, der man in Wirklichkeit ist; in seinem Charakter erkannt werden". – Siehe auch den Artikel Pupille.

pur „rein, unverfälscht, lauter; unvermischt", auch adverbial gebraucht im Sinne von „nur, bloß, nichts als …": Im 14. Jh. aus gleichbed. *lat.* pūrus entlehnt. – Dazu das FW →Püree.

Püree *s* „Brei, breiförmige Speise", besonders häufig in der Zus. Kartoffelpüree: Im frühen 18. Jh. als Terminus der feinen französischen Kochkunst aus *frz.* purée „Brei aus Hülsenfrüchten; breiförmige Speise" entlehnt. Das *frz.* Wort gehört als Ableitung zu *afrz.* purer „reinigen; sieben; durchpassieren", das seinerseits auf *spätlat.* pūrāre „reinigen" zurückgeht (vgl. *pur*).

Purpur *m* „hochroter Farbstoff; purpurfarbenes, prächtiges Gewand": Das Subst. *mhd.* purpur, *ahd.* purpura geht über gleichbed. *lat.* purpura auf *gr.* porphýrā „Purpurschnecke; aus dem Saft der Purpurschnecke gewonnener hochroter Farbstoff; purpurfarbener Stoff" zurück. Das Wort ist *vorgr.* (vermutlich *kleinasiat.*) Ursprungs.

purzeln: Die *nhd.* Form hat sich aus *spätmhd.* burzeln "hinfallen, niederstürzen" entwickelt, das mit dem gleichbed. *spätmhd.* bürzen zu dem unter → *Bürzel* "Steiß" behandelten Wort gehört. Zus.: Purzelbaum "Überschlag auf dem Boden" (16.Jh., eigtl. "Sturz und Aufbäumen"; zum zweiten Bestandteil vgl. *bäumen*).

Pustel *w* "Hitze-, Eiterbläschen, Pickel": Im 19. Jh. aus *lat.* pustula "[Haut]bläschen" entlehnt.

pusten (*landsch.* für:) "blasen": Das im 18. Jh. aus dem *Niederd.* ins *Hochd.* übernommene Verb geht zurück auf *mnd.* pūsten "blasen, hauchen", dem älter *nhd.* pfausten "blasen", *niederl.* poesten "blasen" und *schwed.* pusta "keuchen, blasen" entsprechen. Eng verwandt ist *mhd.* pfūsen "blasen, keuchen, schnaufen" (s. den Artikel Pausback). Abl.: Puste *w* ugs. für "Atem" (*mnd.* pūst "Atem").

Pute *w*: Die aus dem *Niederd.* stammende Bezeichnung für "Truthenne" ist eine Bildung zu dem Ruf 'put[-put]', mit dem man den Vogel anlockt, vgl. den Lockruf 'trut', der als erster Bestandteil in → Truthahn steckt. Dazu Puter *m* "Truthahn" (16. Jh.).

Putsch *m*: Der Ausdruck für "politischer Handstreich" stammt aus der Schweiz, und zwar wurde er nach den Schweizer Volksaufständen der 1830er Jahre in die allgemeine Schriftsprache aufgenommen. Das Wort ist identisch mit dem seit dem 15. Jh. bezeugten *schweiz.* Putsch "heftiger Stoß, Zusammenprall, Knall", das wahrscheinlich lautnachahmenden Ursprungs ist. – Abl.: putschen "eine Revolte machen" (19. Jh., *schweiz.* im 16. Jh. im Sinne von "knallen"), dazu aufputschen "aufhetzen", *ugs.* für "durch Medikamente oder dgl. aufmuntern oder erregen"; Putschist *m* "Aufständischer" (20. Jh.).

Putte *w*: Die seit dem ausgehenden 17. Jh. bezeugte Bezeichnung für die (besonders im Barock beliebten) Knaben- und Engelgestalten der Malerei und Plastik ist aus dem *It.* entlehnt. *It.* putto bedeutet eigtl. "Knäblein". Es geht auf *lat.* putus "Knabe" zurück, das mit *dt.* → *Fohlen* verwandt ist.

putzen: Das seit dem 15. Jh. bezeugte Verb, das früher auch 'butzen' geschrieben wurde, ist von dem unter → *Butzen* "Unreinigkeit, Schmutzklümpchen, Klumpen" behandelten Wort abgeleitet. Es bedeutete demnach urspr. "den Butzen (am Kerzendocht, in der Nase) entfernen". Aus diesem Wortgebrauch entwickelten sich die allgemeinen Bed. "reinigen, säubern, schmücken" und die spezielle Bed. "Wände mit Mörtel bewerfen". An die letztere Bedeutung schließen sich an Putz *m* "Mörtelverkleidung, Mauerbewurf" (18. Jh.) und verputzen "Wände mit Mörtel verkleiden", dazu Verputz *m* "Mauerbewurf". Von der Bed. "reinigen, saubermachen" gehen aus verputzen *ugs.* für "aufessen, völlig verzehren", herunterputzen *ugs.* für "derb zurechtweisen, ausschimpfen" (beachte auch ab-, ausputzen) und Putz *m* "das Säubern, Schmuck, Zierrat" (17. Jh.), beachte z. B. die Zus. Hausputz und Putzmacherin.

putzig "seltsam, drollig, spaßig": Das seit dem 18. Jh., zunächst *nordd.* bezeugte Adjektiv ist eine Ableitung von dem mund *landsch.* gebräuchlichen Butz[e] *m* "Kobold, Knirps" (*mhd.* butze "Poltergeist, Schreckgestalt"), beachte dazu Butzemann *landsch.* für "Kobold" und → Mumpitz (eigtl. "vermummte Schreckgestalt"). Das Adjektiv bedeutet demnach eigtl. "koboldhaft, knirpsig".

Pyramide *w*: Ein FW *ägypt.* Ursprungs, das den europäischen Sprachen durch *gr.-lat.* pyramís vermittelt wurde. In *dt.* Texten erscheint das Wort seit dem Ausgang des 15. Jh., zuerst (der Bedeutung des *gr.-lat.* Vorbildes entspr.) als Bezeichnung der monumentalen Grabbauten altägyptischer Könige. Seit dem 16. Jh. bezeichnet das Wort auch eine geometrische Figur (so auch schon im *Lat.*).

Q

quabbeln, quappeln (*landsch.* für:) "sich hin und her bewegen, wackeln (von weichen oder fetten Körpern)": Das vorwiegend in Norddeutschland gebräuchliche Verb ist – wie auch → wabbeln und → schwabbeln – lautnachahmender Herkunft. Dazu stellen sich die Adjektivbildungen quabb[e]lig "vollfleischig, feist, weichlich" (17. Jh.) und quabbig, quappig "vollfleischig, feist, weichlich" (18. Jh.) sowie die Substantive Quabbe *w* "Fettwulst" (19.Jh.; *mnd.* quabbe bedeutet dagegen "schwankender Moorboden"), Quebbe *w* "schwankender Moorboden" (18. Jh.) und wahrscheinlich auch → Quappe "Aalraupe; Froschlarve". – Mit dieser hauptsächlich *niederd.* Sippe vergleichen sich im *germ.* Sprachbereich z. B. *niederl.* kwab "Fettklumpen, Wulst, Wamme, Lappen", *engl.* quab „schwankender Moorboden, Morast", *norw.* kvabb „Schlamm, Schlick", kvapset[e] „aufgeschwemmt, feist, weichlich".

Quacksalber *m*: Der verächtliche Ausdruck für „Kurpfuscher" ist im 16. Jh. aus *niederl.* kwakzalver entlehnt, das eigtl. etwa „prahlerischer Salbenkrämer" bedeutet. Der erste Bestandteil des *niederl.* Wortes gehört zu kwakken „schwatzen, prahlen" (vgl. *quaken*), der zweite zu zalven „salben" (vgl. *Salbe*). Abl.: Quacksalberei *w* (17. Jh.); quacksalbern (18. Jh.).

Quaddel *w* (*nordd.* für:) „juckende Anschwellung, Bläschen": *Niederd.* quad[d]el gehört mit *ahd.* quedilla „Pustel, Bläschen" und *aengl.* cwidele „Pustel, Bläschen" zu der *germ.* Wortgruppe von *got.* qiþus „Bauch, Mutterleib", die mit verwandten Wörtern in anderen *idg.* Sprachen auf eine Wz. *gu̯et- „Anschwellung, Rundung, Wulst" zurückgeht.

Quader *m* „rechteckiger Körper (Math.); [behauener] massiver rechteckiger Steinblock": *Mhd.* quāder *m, s* (daneben die verdeutlichende Zus. *mhd.* quāderstein) geht zurück auf *mlat.* quadrus (lapis) „viereckiger Stein". – Das zugrunde liegende Adjektiv *lat.* quadrus „viereckig", das auch Ausgangspunkt für die FW → Quadrat, → Quadrant, → Quadrille, → Karo, → kariert, karieren, Karree und für die LW → Geschwader, → Schwadron ist, gehört zu der mit *dt.* → *vier* verwandten Kardinalzahl *lat.* quattuor „vier". Die entsprechende Ordinalzahl *lat.* quārtus „der vierte" liegt den FW → Quarta, Quartaner, → Quartal, → Quartett und → Quartier zugrunde. – Beachte in diesem etymologischen Zusammenhang auch die FW → Kaserne und → Quarantäne.

Quadrant *m* „Viertelkreis; Viertelebene": Im 16. Jh. aus *lat.* quadrāns „der vierte Teil" entlehnt, dem substantivierten Part. Präs. Akt. von *lat.* quadrāre „viereckig machen", das von *lat.* quadrus „viereckig" (vgl. *Quader*) abgeleitet ist. – Aus dem substantivierten Neutrum des Part. Perf. Pass. von quadrāre, *lat.* quadrātum „Viereck", stammt unser FW **Quadrat** *s.* Es erscheint bei uns im 15. Jh. als mathematisches Fachwort. Dazu das abgeleitete Adjektiv quadratisch „von der Form eines Quadrates" (16. Jh.).

Quadrille *w*: Der Name des seit dem Anfang des 18. Jh.s in Deutschland bekannten Kontertanzes im ²/₄- oder ³/₈-Takt, der von je vier Personen im Karree getanzt wird, stammt aus *span.* cuadrilla „Gruppe von vier Reitern", das uns durch gleichbed. *frz.* quadrille vermittelt wurde. Das *span.* Wort seinerseits ist von *span.* cuadro „viereckig, viereckfrontig; Viereck, Karree" abgeleitet, das auf *lat.* quadrus „viereckig" (vgl. *Quader*) zurückgeht.

quaken: Das seit dem 15. Jh. bezeugte Verb ahmt den Laut der Frösche und Enten nach. Elementarverwandt sind im *germ.* Sprachbereich z. B. *niederl.* kwaken, *schwed.* kväka und *außergerm.* z. B. *lat.* coaxāre „quaken" und die *baltoslaw.* Sippe von *russ.* kvákat' „quaken". Zu 'quaken' stellt sich quakeln, quackeln *landsch.,* bes. *nordd.* für „plappern, faseln, Dummheiten anstellen", beachte dazu Quackelei *w* „unnützes Geschwätz, Prahlerei, Dummheit, Faselhans; Pedant" (s. auch den Artikel Quacksalber). Eine ähnliche Lautnachahmung ist das seit dem 16. Jh. bezeugte quäken „mit leiser, heller Stimme eintönig schreien", beachte dazu Quäke *w* „Instrument zum Nachahmen des Angstschreis der Hasen" und Quäker *m mdal.* für „Bergfink" und „Rabe".

Qual *w*: Die Substantivbildungen *mhd.* quāl[e], *ahd.* quāla, *niederl.* kwaal, ablautend *schwed.* kval gehören zu einem in den älteren Sprachzuständen erhaltenen starken Verb *ahd.* quelan „Schmerz empfinden, leiden", *aengl.* cwelan „sterben". Zu diesem starken Verb ist auch das Veranlassungswort quälen (*mhd.* queln, *ahd.* quellan, *engl.* to quell, *schwed.* kvälja) gebildet, das in *nhd.* Zeit als Ableitung von Qual empfunden wurde und daher mit ä gebildet wird. Die *germ.* Wortgruppe geht mit verwandten Wörtern in anderen *idg.* Sprachen, vgl. z. B. *lit.* gélti „stechen; [stechend] schmerzen", auf eine Wz. *gu̯el- „stechen" zurück. – Die Zus. Quälgeist „lästiger Mensch" ist seit dem Anfang des 18. Jh.s bezeugt.

Qualität *w* „Beschaffenheit; Güte; Wert; Klangfarbe (eines Selbstlautes)": Im 16. Jh. aus *lat.* quālitās „Beschaffenheit, Verhältnis, Eigenschaft" entlehnt, das von *lat.* quālis „wie beschaffen" abgeleitet ist. – Dazu das Adjektiv qualitativ „der Beschaffenheit, dem Wert nach" (19. Jh.; aus gleichbed. *mlat.* quālitātīvus) und die folgenden zusammengesetzten FW: qualifizieren „bezeichnen, kennzeichnen; befähigen" (16. Jh.; aus gleichbed. *mlat.* quālificāre. Grundwort ist *lat.* facere „machen, tun"), heute vor allem in reflexiver Verwendung im Sinne von „sich eignen; einen Befähigungsnachweis erbringen" (in der Sprache des Sports speziell: „die zur Teilnahme an einem Wettkampf erforderliche [Mindest]leistung erzielen", nach dem Vorbild von entspr. *engl.* to qualify); qualifiziert „tauglich, besonders geeignet" (schon um 1500); Qualifikation *w* „Befähigung, Eignung; Teilnahmebedingung" (in allg. Sinne seit dem 17. Jh. bezeugt, entlehnt aus gleichbed. *frz.* qualification < *mlat.* quālificātiō; als Sportterminus erst im 20. Jh. aufgekommen, nach dem Vorbild von entspr. *engl.* qualification). Beachte auch die jüngeren Gegenbildungen disqualifizieren „für untauglich erklären; wegen Regelverstoßes vom Wettkampf ausschließen" (19. und 20. Jh.) und **Disqualifikation** w „Untauglichkeitserklärung; Ausschluß von einem sportl. Wettbewerb" (19. und 20. Jh.).

Qualle w: Der aus dem *Niederd.* stammende Name des gallertartigen Nesseltiers ist erst seit dem 16. Jh. bezeugt. *Niederd.* qualle (entspr. *niederl.* kwal) gehört wahrscheinlich im Sinne von „aufgequollenes, schleimiges Tier" zu der Wortgruppe von → *quellen.* Abl.: **quallig** (20. Jh.).

Qualm m: Der in *hochd.* Texten seit dem 16. Jh. bezeugte Ausdruck für „[dicker] Rauch" stammt aus dem *Niederd. Mnd.* qual[le]m „Dunst, Dampf, Rauch" gehört wahrscheinlich im Sinne von „Hervorquellendes" zu der Wortgruppe von →*quellen.* Abl.: **qualmen** „,[stark] rauchen" (17. Jh.); **qualmig** „,rauchig" (17. Jh.).

Quantum s „Menge, Anzahl; Anteil; [bestimmtes] Maß": Gelehrte Entlehnung des 18. Jh.s aus *lat.* quantum, dem Neutrum von *lat.* quantus „,wie groß, wie viel; so groß wie". – Dazu: **Quantität** w „,Menge, Masse, Anzahl; (in der Metrik:) Maß einer Silbe nach Länge oder Kürze" (im 16. Jh. aus *lat.* quantitās „,Größe, Menge"); **quantitativ** „,der Quantität nach, mengenmäßig" (19. Jh.; *nlat.* Bildung).

Quappe w (*landsch.* für:) „,Froschlarve; Aalraupe; Döbel": Das aus dem *Niederd.* stammende Wort (*mnd.* quappe, quabbe, *asächs.* quappa; entspr. *niederl.* kwab, *schwed.* kvabba) gehört wahrscheinlich im Sinne von „,schleimiger Klumpen, wabbliges Tier" zu der Sippe von →*quabbeln.* – Allerdings besteht auch die Möglichkeit, daß ein mit der *baltoslaw.* Wortgruppe von *russ.* žába „,Kröte" verwandtes Wort im *germ.* Sprachbereich nachträglich an die Sippe von 'quabbeln' angeschlossen worden ist. Gebräuchlicher als 'Quappe' ist die Zus. **Kaulquappe** (s. Kaulbarsch).

Quarantäne w „,räumliche Absonderung (Ansteckungsverdächtiger); Absperrung eines Infektionsgebietes (als Schutzmaßnahme); Sperrmaßnahme (insbesondere gegenüber Schiffen); Blockade": Im 17. Jh. aus gleichbed. *frz.* quarantaine entlehnt. Das *frz.* Wort, das von *frz.* quarante „,vierzig" (< *vlat.* quārantā = *klass.-lat.* quadrāgintā „,vierzig") abgeleitet ist, bedeutet eigtl. „,Anzahl von vierzig [Tagen]". Die sekundäre Bed. „,Quarantäne" bezieht sich auf die Tatsache, daß man früher Schiffe, die pest- oder seuchenverdächtige Personen an Bord hatten, mit einer vierzigtägigen Hafensperre belegte.

Quark m: Der Ausdruck für den beim Gerinnen der Milch sich ausscheidenden Käsestoff und den daraus hergestellten Weißkäse wurde im ausgehenden Mittelalter in Ostmitteldeutschland von den Slawen übernommen.

Spätmhd. twarc, dann quarc (mit *mitteld.* Wandel von tw zu qu, wie z. B. in Quirl, quer) ist aus einer *westslaw.* Sprache entlehnt, vgl. z. B. *poln.* tvaróg, *obersorb.* twaroh, *tschech.* tvaroh „,Quark". Die weitere Herkunft des *slaw.* Wortgruppe ist nicht sicher geklärt. – *Landsch.* Ausdrücke für „,Käsestoff, Weißkäse" sind z. B. Hotte, Matte, Topfen, Zieger. *Ugs.* wird das Wort Quark im Sinne von „,Mist, Dreck, Quatsch" gebraucht.

quarren (*landsch.*für:) „,anhaltend weinerlich schreien": Das aus dem *Niederd.* stammende Verb (*mnd.* quarren) ist lautnachahmender Herkunft. Aus dem Verb rückgebildet ist **Quarre** w „,weinerliches Kind; keifende Frau".

Quarta w: Die Bezeichnung für die dritte Klasse der Unterstufe einer höheren Schule stammt aus der Reformationszeit. Quelle des Wortes ist *lat.* quarta classis „,vierte Abteilung" (zu *lat.* quārtus „,der vierte"; vgl. den Artikel *Quader*). Über die Bedeutungsentwicklung vgl. den Artikel Sexta. – Abl.: **Quartaner** m „,Schüler einer Quarta" (19. Jh.). – Ebenfalls zu *lat.* quārtus „,der vierte" gehört das **FW Quartal** s „,Vierteljahr" (16. Jh.), das unmittelbar auf *mlat.* quārtāle (annī) „,Viertel eines Jahres" zurückgeht.

Quartett s 1. „,Tonstück für vier Singstimmen oder vier Instrumente; die Gruppe der vier ausführenden Künstler"; 2. Name von Kartenspielen, bei denen je vier Karten eine Spieleinheit bilden: Im 18. Jh. als musikalischer Terminus aus gleichbed. *it.* quartetto entlehnt, das als Ableitung zu *it.* quarto < *lat.* quārtus „,der vierte" gehört (vgl. *Quader*).

Quartier s „,Unterkunft (besonders von Truppen)": Das FW ist bereits im *Mhd.* als quartier „,Viertel" bezeugt. Als militärischer Terminus erscheint es erst im 16. Jh. Es ist aus gleichbed.(*a*)*frz.* quartier entlehnt, das seinerseits auf *lat.* quārtārius „,Viertel" zurückgeht (zu *lat.* quārtus „,der vierte"; vgl. *Quader*). Die Bedeutungsentwicklung vollzog sich im *Frz.*, wobei die allgemeine Bed. „,das Viertel" (im Sinne von „,vierter Teil") auf verschiedene Bereiche übertragen wurde, u. a. auf „,Stadtviertel", „,Stadtteil", dann auch allgemein auf „,Teil, Abschnitt" und speziell auf „,Teil eines Heerlagers, der mehreren Soldaten zur gemeinsamen Unterkunft dient". – Abl.: **quartieren** „,[Soldaten] in Privatunterkünften unterbringen" (17. Jh.). Für dieses nicht mehr übliche Verb gilt heute die Zus. **einquartieren** (18. Jh.). Beachte auch die Zus. **ausquartieren** und **umquartieren**.

Quarz m: Die Herkunft der Benennung des gesteinsbildenden Minerals ist nicht sicher geklärt. Das seit dem 14. Jh. bezeugte Wort hat sich vom böhmischen Bergbau ausgehend im *dt.* Sprachgebiet durchgesetzt und ist auch in zahlreiche europäische Nachbarsprachen gedrungen. Am ehesten handelt es sich bei 'Quarz' um eine – wie Heinz zu Heinrich und Kunz zu Konrad gebildete – Koseform zu *mitteld.* querch „Zwerg" (vgl. *Zwerg*). In früheren Zeiten schrieben die Bergleute die Schädigung der Erze durch wertlose Erze oder Mineralien Berggeistern zu, beachte den Erznamen Kobalt, der eigtl. „Kobold" bedeutet. Abl.: q u a r z i g (18. Jh.).

Quas *m*: Der in Mittel- und Norddeutschland gebräuchliche Ausdruck für „Gelage, Schmaus; Pfingstbier mit festlichem Tanz" (*mitteld.* quāẓ, *mnd.* quās) ist im ausgehenden Mittelalter aus einer *westslaw.* Sprache entlehnt worden, beachte z. B. *sorb.* kwas „Sauerteig; Schmaus; Hochzeit". Die *slaw.* Wortgruppe um *russ.* kvas „säuerliches Getränk" – vgl. das FW K w a ß *m* „gegorenes Getränk" – gehört zur der *idg.* Wz. *kᵘ̯at[h]- „gären, sauer werdən" (vgl. Käse). Abl.: q u a s e n *mdal.* für „schmausen; prassen; vergeuden" (*mitteld.* quāẓen, *mnd.* quāsen).

quasi „gewissermaßen, gleichsam, sozusagen": Im 18. Jh. aus dem *lat.* Adverb quasi „wie wenn, gerade als ob; gleichsam" übernommen.

quasseln (*ugs.* für:) „törichtes Zeug reden, plappern, schwatzen": Das seit dem 19. Jh. bezeugte, ursprünglich *niederd.* Verb, das von Berlin ausgehend in die Umgangssprache gedrungen ist, ist eine Iterativ-Intensiv-Bildung zu *niederd.* quaşen „plappern, schwatzen". Dieses Verb ist von dem *niederd.* Adj. dwas „töricht" (*mnd.* dwās) abgeleitet, das mit dösen (s. d.) und Dusel (s. d.) verwandt ist und zu der Wortgruppe von → *Dunst* gehört. Zum Anlautswechsel dw-, tw- zu qu- siehe den Artikel quer. Abl.: Q u a s s e l e i *w* *ugs.* für „törichtes Gerede" (19. Jh.). Zus.: Q u a s s e l s t r i p p e *ugs.* scherzh. (*berlin.*) für „Telefon; Schwätzer" (20. Jh.); zum zweiten Bestandteil s. Strippe).

Quast *m*, Q u a s t e *w*: Mhd. quast[e] , „Büschel, Wedel; Laubbüschel des Baders, Badewedel; Federbüschel als Helmschmuck" (daneben queste, *ahd.* questa), *niederd.* kwast „Wedel, Büschəl; Pinsel" und die *nord.* Sippe von *schwed.* kvast „Besen; Doldentraube" gehen zurück auf *germ.* *kwastu-, *kwasta- „Laubbüschel, Reisigwedel". Das Wort scheint bereits in *germ.* Zeit speziell den Laub- bzw. Reisigwedel, mit dem die Badenden gepeitscht wurden, bezeichnet zu haben, beachte das aus dem *Germ.* entlehnte *finn.* vasta „Badewedel; Besenreis". Die *germ.* Wortgruppe geht mit verwandten Wörtern in anderen *idg.* Sprachen auf eine mehrfach erweiterte Wz *gᵘ̯es- „Laubwerk, Gezweig" zurück, vgl. z. B. *lat.* vespicēs *Mehrz.* „dichtes Gesträuch".

¹quatschen (*ugs.* für:) „dummes Zeug reden, schwatzen": Das seit dem 16. Jh. bezeugte Verb – daraus rückgebildet das Substantiv ¹Q u a t s c h *m* *ugs.* für „dummes Gerede, Unsinn" (19. Jh.) – ist wahrscheinlich, wie z. B. auch klatschen (s. d.) und patschen (s. d.), lautnachahmender Herkunft und gehört dann zu der Sippe von → ²*quatschen*. Denkbar wäre auch, daß das Verb von *niederd.* quat „schlecht, schlimm, böse" (vgl. *Kot*) abgeleitet ist, beachte *niederd.* quatsken „wertloses Zeug reden". Zus.: Q u a t s c h kopf *ugs.* für „Schwätzer" (20. Jh.).

²quatschen (*landsch.*, bes. *nordd.* für:) „das Geräusch „quatsch' hervorbringen; durch Wasser oder Schlamm waten, in eine breiartige Masse treten oder fassen; feucht oder morastig sein": Das seit dem 16. Jh. bezeugte Verb ist lautnachahmender Herkunft, beachte die Interjektion quatsch! Dazu stellt sich das Substantiv ²Q u a t s c h *m* *landsch.*, bes. *nordd.* für: „breiartige Masse, Morast, Straßenkot". Allgemein gebräuchlich ist die Zus. q u a t s c h n a ß *ugs.* für „sehr naß" (19. Jh.). Beachte den Artikel ¹quatschen.

Quecke *w*: Das Ackerunkraut ist nach seiner ungewöhnlichen Keimkraft und der Zählebigkeit seiner Wurzelstöcke benannt. Der *germ.* Name der Pflanze *mnd.* kweken, *niederl.* kweck, *engl.* quitch[grass], *norw.* kvika ist zu dem unter → *keck* dargestellten *germ.* Adj. *quiqua- „lebendig, lebhaft" gebildet.

Quecksilber *s*: Das Metall, das bei normaler Temperatur flüssig ist und silbrig glänzt, ist als „lebendiges Silber" benannt. *Ahd.* quecsilbar ist – wie auch *aengl.* cwicseolfor (*engl.* quicksilver) – LÜ von *mlat.* argentum vīvum, beachte *frz.* vifargent. – Das Bestimmungswort ist das unter → *keck* behandelte Adjektiv, das früher „lebendig, lebhaft" bedeutete; s. auch den Artikel verquicken. Abl.: q u e c k silbrig „unruhig" (20. Jh.).

¹quellen: Das starke Verb *mhd.* quellen, *ahd.* quellan, das im *germ.* Sprachbereich außer im *Dt.* nur noch im *aengl.* 2. Partizip [ge]collen- „aufgeschwollen" nachweisbar ist, geht mit verwandten Wörtern in anderen *idg.* Sprachen auf eine Wz. *gᵘ̯el- „quellen, [über]fließen, herabträufeln" zurück, vgl. z. B. *aind.* gálati „träufelt, fällt herab". Das schwache Verb ²q u e l l e n „im Wasser weichen lassen" ist das zu ¹quellen gebildete Veranlassungsverb. *Ahd.* quellen „quellen machen". Um das starke Verb gruppieren sich die Substantivbildungen → Qualle, → Qualm und Quelle *w*, daneben dicht. Quell *m*. Das Substantiv Quell[e] ist wahrscheinlich eine junge Rückbildung aus ¹quellen, die vom *Ostmitteld.* ausgehend gemeinsprachlich geworden ist. Da das Wort in *mhd.* Zeit fehlt, setzt es sich schwerlich *ahd.* quella „Quelle" fort.

quengeln (*ugs.* für:) „lästig fallen (bes. von Kindern): Das seit dem 18. Jh. bezeugte Verb stellt sich wahrscheinlich zu Iterativ-Intensiv-Bildung zu *mhd.* twengen, *mnd.*

dwengen „zwängen, drücken, bedrängen, nötigen" (vgl. *zwängen*). Zum Anlautswechsel tw- bzw. dw- zu qu- s. den Artikel quer. Abl.: Quengelei *w* (19. Jh.); queng[e]lig (19. Jh.).

quer: Das heute nur noch als Adverb gebräuchliche Wort ist in *mitteld.* Form hochsprachlich geworden. Im 14. Jh. wandelte sich im *mitteld.* Sprachraum der Anlaut tw- (*niederd.* dw-) zu qu-, so daß aus *mhd.* twerch Adjektiv und Adverb „schräg; verkehrt; quer" *mitteld.* querch entstand, woraus sich durch Auslautsvereinfachung quer entwickelte. Die lautgerechte Entwicklung von *mhd.* twerch führte dagegen zu → *zwerch*, das in *oberd.* Mundarten und in der Zus. Zwerchfell bewahrt ist. Den *mitteld.* Anlautswechsel zeigen außer ‚quer' auch Quark, Quirl, Quehle (s. Zwehle), ²Quetsche (s. Zwetsche) und vielleicht Quarz und quengeln. Abl.: Quere *w* (*mhd.* twer[e], *ahd.* twer[h]ī; heute fast nur noch in der *ugs.* Wendung ‚in die Quere kommen' gebräuchlich); que ren veraltend für „überschreiten; überschneiden" (17. Jh.; dafür heute gewöhnlich durch-, überqueren). Zus.: querfeldein (18. Jh.; zusammengewachsen aus ‚quer Feld ein', das sich aus Fügungen wie z. B. ‚querfeld hinein' entwickelt hat, in denen ‚Feld' Akk. der Richtung ist); Querflöte (16. Jh.); Querschläger (20. Jh.); Querschnitt (18. Jh.); Quertreiber „eigensinniger, anderen zuwiderhandelnder Mensch" (Verhochdeutschung von *niederd.* dwarsdrīver, das eigtl. ein Seemannswort ist und einen Schiffer bezeichnet, der schlecht steuernd querab treibt oder anderen in die Quere kommt, 18. Jh.; beachte das seit dem 17. Jh. bezeugte *niederl.* dwarsdrijver); dazu Quertreiberei *w*.

quetschen: Die Herkunft des nur im *Dt.* und *Niederl.* nachweisbaren Verbs ist dunkel. Da sichere *außergerm.* Entsprechungen fehlen, liegt für *mhd.* quetschen, quetzen, *mnd.* quetten, quetsen, *niederl.* kwetsen Entlehnung aus dem *Roman.* nahe, und zwar aus der Sippe von *lat.* quatere, quassāre „schütteln, schlagen usw.", beachte *afrz.* quasser „zerdrücken, zerbrechen, verletzen". Abl.: Quetsche *w landsch.* und *ugs.* für „Presse; Beengung, kleiner Raum, bes. kleines Geschäft, kleine Schankwirtschaft, kleines Gut" (*mitteld.* quetcze „Presse, Kelter"), beachte auch Nasenquetsche[r] *ugs.* scherzh. für „enger Sarg"; Quetschung *w* (*mhd.* quetzunge „Quetschung, Wunde"). Zus.: Quetschkommode *ugs.* scherzh. für „Ziehharmonika" (20. Jh.).

quicklebendig: Die junge Zusammensetzung enthält als Bestimmungswort die *landsch.* (*niederd.*) Form von *nhd.* → *keck*, beachte ‚erquicken' und ‚verquicken' sowie die Nebenform ‚queck' in Quecksilber (s. diese Artikel). In ‚quicklebendig' ist quick „lebhaft, munter, frisch" lediglich verstärkend, während

in den veralteten Zus. Quickborn „Jungbrunnen" und Quicksand „Triebsand, Flugsand" die eigtl. Bedeutung bewahrt ist.

quieken: Das seit dem 16. Jh. bezeugte Verb, das sich vom *niederd.* Sprachraum ausgebreitet hat, ist lautnachahmenden Ursprungs und gibt hauptsächlich den Laut der Ferkel und schrille Töne wieder. Verstärkende Weiterbildungen von quieken sind quieksen (17. Jh.) und quietschen (17. Jh.), beachte die Zus. quietschvergnügt *ugs.* für „sehr vergnügt" (20. Jh.).

Quinta *w*: Die Bezeichnung für die zweite Klasse einer höheren Schule geht zurück auf *lat.* 'quīnta classis' „fünfte Klasse" (vgl. über die Bedeutungsentwicklung den Artikel Sexta). Die zugrunde liegende *lat.* Ordinalzahl quīntus „fünfter", die auch in den FW → Quintett, → Quintessenz erscheint, gehört zu der mit *dt.* → *fünf* urverwandten Kardinalzahl *lat.* quīnque „fünf". – Abl.: Quintaner *m* „Schüler einer Quinta".

Quintessenz *w* „Wesen einer Sache, Hauptgedanke; Endergebnis": *Mlat.* quīnta essentia (eigtl. „das fünfte Seiende"), das unserem FW zugrunde liegt, bezeichnete als Übersetzung von *gr.* 'pémptē ousíā' das den vier sichtbaren natürlichen Elementen (nach der Lehre der Pythagoreer und Aristoteles) hinzukommende fünfte Element, einen feinsten unsichtbaren Luft- oder Ätherstoff. Die Alchimisten übernahmen das Wort in ihre Fachsprache zur Bezeichnung feinster Stoffauszüge. Danach entwickelte sich dann die heute gültige, ins Allgemeine übertragene Bedeutung des Wortes.

Quintett *s* „Tonstück für fünf Singstimmen oder fünf Instrumente; die Gruppe der fünf ausführenden Künstler": Im 18. Jh. aus gleichbed. *it.* quintetto entlehnt, das als Ableitung zu *it.* quinto (< *lat.* quīntus) „fünfter" gehört (vgl. *Quinta*).

Quirl *m*: Gerätename *germ.* Alters. *Mhd.* twir[e]l, *ahd.* dwiril, *aengl.* dwirel, *isl.* þyrill gehen auf *germ.* *þwerila- „Rührstock" zurück, das – in der Bed. auch „Meißel" und ‚Schlegel' – mit dem Instrumentalsuffix -ila gebildet ist, und zwar im *Nhd.* untergegangenen starken Verb *þweran „drehen, rühren", vgl. z. B. *ahd.* dweran, *mhd.* twern „drehen; bohren; rühren; mengen". Dieses starke Verb gehört zu der *idg.* Wortgruppe der Wz. *tu̯er- „drehen, wirbeln", vgl. z. B. *lat.* trua „Rühr-, Schöpfkelle", erweitert turba „Verwirrung, Lärm, Gedränge", turbāre „verwirren" (s. turbulent, Trubel), turbō „Wirbel, Sturm, Kreisel" (s. Turbine). – Die *nhd.* Form Quirl stammt aus dem *Mitteld.*, beachte zum *mitteld.* Anlautswechsel tw- zu qu- den Artikel quer. Abl.: quirlen (18. Jh.); quirlig „unruhig, lebhaft" (20. Jh.).

quitt ,,ausgeglichen, wett, fertig; los und ledig", nur noch in den *ugs.* Wendungen 'miteinander quitt sein' und 'jmdn. quitt sein' gebräuchlich: Das seit etwa 1200 bezeugte Adjektiv (*mhd.* quīt) ist aus *afrz.* quite (= *frz.* quitte) ,,frei, ledig" entlehnt, das seinerseits auf *lat.-mlat.* quiētus (gesprochen: quiĕtus) ,,ruhig; untätig; frei von Störungen; frei von Verpflichtungen; frei, losgelöst" beruht. Das zugrunde liegende Verb *lat.* quiēscere (quiētum) ,,ruhen; ungestört sein" gehört zu dem mit *dt.* →*Weile* etymologisch verwandten Subst. *lat.* quiēs ,,Ruhe; Friede". – Dazu die FW →quittieren und Quittung.

Quitte *w*: Der Name des zu den Rosengewächsen gehörenden, in Transkaukasien beheimateten Baumes und seiner apfel- oder birnenförmigen Früchte (*mhd.* quiten, *ahd.* qitina) geht auf *vlat.* quidonea zurück, das für *lat.* cydōnea (māla) ,,Quittenäpfel" (= *lat.* cotōnea [māla]) steht. Die *lat.* Wörter selbst beruhen auf gleichbed. *gr.* kydōnia (mēla). Das Wort ist wohl kleinasiat. Ursprungs und wurde im *Gr.* volksetymologisch auf den Namen der antiken Stadt Kydōnía (auf Kreta) bezogen.

quittieren: Das Verb erscheint im *Dt.* zuerst im 14. Jh. mit der Bed. ,,von einer Verbindlichkeit befreien". Es ist in diesem Sinne von dem unter →*quitt* behandelten Adjektiv abgeleitet nach dem Vorbild von *frz.* quitter ,,freimachen" und dem diesem zugrunde liegenden Verb *mlat.* quiētāre,

quit[t]āre ,,befreien, entlassen; aus einer Verbindlichkeit entlassen". Seit dem 15. Jh. begegnet das Wort in der Kaufmannssprache, wo es heute allgemein üblich ist im Sinne von ,,die Befreiung von einer Verbindlichkeit durch erfolgte Leistung schriftlich bestätigen, den Empfang einer Zahlung bescheinigen"; beachte das dazugehörige Subst. Quittung *w* ,,Empfangsbescheinigung, -bestätigung [über eine Zahlung]" (15. Jh.), das gelegentlich auch im übertragenen Sinne von ,,unangenehme Folgen als Bestätigung eines Verhaltens, Denkzettel" gebraucht wird. Seit dem 17. Jh. schließlich steht das Verb quittieren auch für ,,ein Amt niederlegen, eine Tätigkeit aufgeben". Es ist mit dieser speziellen Bedeutung unmittelbar von *frz.* quitter ,,freimachen; verlassen, aufgeben, sich trennen von, sich zurückziehen (von einer Tätigkeit)" abhängig.

Quiz *s* ,,Frage-und-Antwort-Spiel": In jüngster Zeit aus dem *Amerik.* entlehnt. Die weitere Herkunft des *engl.-amerik.* Wortes quiz, das eigtl. ,,schrulliger Kauz; Neckerei, Ulk" bedeutet, ist dunkel.

Quote *w* ,,Anteil": Um 1600 aus gleichbed. *mlat.* quota (pars) entlehnt. Zugrunde liegt *lat.* quotus ,,der wievielte?", das zu *lat.* quot ,,wie viele?" gehört. – Gleichen Ausgangspunkt (*lat.* quot) hat das FW Quotient *m* ,,Ergebnis einer Division" (15. Jh.), das aus *lat.* quotiēns ,,wie oft?, wievielmal?" substantiviert ist (gemeint ist hiermit ,,wievielmal" eine Zahl durch eine andere teilbar ist).

R

Rabatt *m* ,,Preisnachlaß": Im 17. Jh. aus gleichbed. *it.* rabatto (= *frz.* rabat) entlehnt. Zu *it.* rabattere (= *frz.* rabattre) ,,niederschlagen, abschlagen; einen Preisnachlaß gewähren", das die Grundbedeutung des vorausliegenden *vlat.* Verbs *re-abatt[u]ere ,,wieder abschlagen, niederschlagen" ins Kaufmänn. übertragen hat. Stammverb ist *lat.* battuere (*vlat.* battere) ,,schlagen" (vgl. das FW *Bataillon*). – Mittelbar wortverwandt ist das FW **Rabatte** *w* ,,Randbeet", das als Fachwort *niederl.* Gartenbaukunst im 18. Jh. aus gleichbed. *niederl.* rabat entlehnt wurde. Das *niederl.* Wort bedeutete wie das vorausliegende *frz.* Subst. rabat zunächst ,,Aufschlag am Halskragen" und erst sekundär in bildl. Übertragung ,,schmales Beet entlang einer Erdaufschüttung". Über das dem Wort zugrunde liegende *frz.* Verb rabattre s. oben unter Rabatt.

Rabe *m*: Der *altgerm.* Vogelname *mhd.* rabe, raben, *ahd.* hraban. *niederl.* raaf, *engl.* raven,

aisl. hrafn gehört zu der unter →*Harke* dargestellten lautnachahmenden Wurzel. Der Rabe ist also nach seinem heiseren Geschrei (als ,,Krächzer") benannt. Zu dieser lautnachahmenden Wurzel gehören z. B. aus anderen *idg.* Sprachen *gr.* krázein ,,krächzen, schreien", kórax ,,Rabe", *lat.* crōcīre ,,krächzen", corvus ,,Rabe" und *russ.* krákat' ,,krächzen". – Eine Bildung zu 'Rabe' ist das unter →*Rappe* behandelte Wort. Auf die früher verbreitete Ansicht, daß der Rabe sich wenig um seine Jungen kümmert und sie, wenn sie sich nicht mehr füttern will, aus dem Nest stößt, beziehen sich die Zus.: Rabenmutter (17. Jh.), Rabenvater (16. Jh.) usw. – Zus.: Rabenaas (17. Jh.); rabenschwarz (*mhd.* rabenswarz).

rabiat ,,wütend; grob, roh": Am Ende des 17. Jh.s aus *mlat.* rabiātus ,,wütend", dem Part. Perf. von *mlat.* rabiāre ,,wüten" (= *klass.-lat.* rabere) entlehnt. Stammwort ist *lat.* rabiēs ,,Wut, Tollheit, Raserei", das mit

Rabitzwand

einer *vlat.* Nebenform *rabia in *frz.* rage
„Wut" fortlebt.

Rabitzwand *w*: Die Leichtbauwand ist nach
ihrem Erfinder Karl Rabitz benannt. Der
Berliner Maurer erfand diese Wand 1878.

Rachen *m*: Die *westgerm.* Benennung des
Schlundes *mhd.* rache, *ahd.* rahho, *mnd.* rake,
aengl. hrace, -u stellt sich zu *ahd.* rachisōn
„sich räuspern", *aengl.* hrāca „Räusperung;
Speichel, Schleim", *aisl.* hrāki „Speichel"
und ist weiterhin verwandt z. B. mit *gr.*
krázein „krächzen, schreien" und *russ.*
krákat' „krächzen". Diese Wörter gehören
zu der unter →*Harke* dargestellten lautnachahmenden Wurzel. Zus.: Rachenput-
zer *m ugs.* für „schlechtes oder starkes, in
der Kehle brennendes alkoholisches Getränk" (19. Jh.).

rächen: *Mhd.* rechen, *ahd.* rehhan „vergelten, rächen, strafen", *got.* wrikan „verfolgen", *aengl.* wrecan „treiben, stoßen; vertreiben; rächen, strafen; hervorstoßen, äußern", *aisl.* reka „treiben, jagen; verfolgen;
werfen" gehören vermutlich zu einer *idg.*
Wurzelform *u̯[e]reg- „stoßen, drängen,
[ver]treiben", vgl. z. B. *lat.* urgēre „[be]-
drängen, pressen". – Um das *gemeingerm.*
Verb gruppieren sich die Bildungen →Rek-
ke (eigtl. „Vertriebener") und →Wrack
(eigtl. „herumtreibender Gegenstand") sowie
Rache *w* (*mhd.* rāche, *ahd.* rāhha „Rache,
Strafe", vgl. *got.* wrēkei „Verfolgung"). –
Das Verb rächen flektierte früher stark, beachte das heute veraltete, aber noch scherzh.
verwendete 2. Partizip gerochen.

Rad *s*: Das auf das *dt.* und *niederl.* Sprachgebiet beschränkte Wort (*mhd.* rat, *ahd.* rad,
niederl. rad) beruht mit Entsprechungen in
anderen *idg.* Sprachen auf *idg.* *roto-, vgl.
vgl. z. B. *lit.* rātas „Rad", *ir.* roth „Rad",
und *lat.* rota „Rad", beachte dazu rotulus
„Rädchen" (s. die FW-Gruppe um Rolle),
rotāre „sich kreisförmig herumdrehen" (s.
rotieren), rotundus „scheibenförmig" (s.
rund). *Idg.* *roto- „Rad" ist eine Bildung zu
der *idg.* Verbalwurzel *ret[h]- „rollen, kullern, laufen", vgl. z. B. *air.* rethim „laufe"
und *lit.* risti „rollen". Aus dem *germ.* Sprachbereich gehören zu dieser Wurzel die unter
→²*gerade* (urspr. „schnell, behend") und
wohl auch unter →*rasch* behandelten Wörter. – Im übertragenen Gebrauch bezeichnet
'Rad' im *Dt.* Dinge, die mit der Form eines
Rades Ähnlichkeit haben, so z. B. das Hinrichtungsrad, beachte dazu 'rädern' 'radebrechen' und die Wendung 'aufs Rad flechten', ferner den gespreizten Schwanz eines
Pfaus und dgl. Weiterhin wird 'Rad' kurz
für „Mühlrad" und speziell für „Fahrrad"
gebraucht, beachte *roto- „rollen" und Radfahrer'. – Abl.: radeln „radfahren" (2.
Hälfte des 19.Jh.s, für 'velozipedieren'), dazu
Radler *m* (um 1900, zunächst ironisch für
'Velozipedist') und rädern „auf den Rad hin-

richten" (*mhd.* rederen; beachte dazu das
2. Partizip gerädert „völlig zerschlagen,
todmüde"). Zus.: radebrechen (s. d.);
Radfahrer und radfahren (2. Hälfte des
19. Jh.s). Siehe auch den Artikel Rädelsführer.

Radar *m* oder *s*: Das im 20. Jh. aus dem *Amerik.* übernommene Neuwort, das eine Abkürzung für 'radio detecting and ranging'
darstellt, ist die Sammelbezeichnung für Geräte und Verfahren zur Entfernungsmessung
und Ortung von Objekten im Raum mit
Hilfe gebündelter Funkstrahlen.

Radau *m* (*ugs.* für:) „Lärm, Krach": Das seit
dem 19. Jh. bezeugte Wort, das von Berlin
ausgehend in die Umgangssprache drang, ist
wahrscheinlich lautnachahmenden Ursprungs
(vgl. den Artikel Klamauk).

radebrechen „[eine Fremdsprache] stümperhaft sprechen": Das Verb (*mhd.* radebrechen) enthält als Bestimmungswort das
unter →*Rad* behandelte Substantiv und
als Grundwort das im *Mhd.* untergegangene
schwache Verb *ahd.* brehhōn „niederschlagen" (vgl. *brechen*). Es bedeutete im *mhd.* Zeit
„auf den Hinrichtungsrad die Glieder brechen". Im *Nhd.* wurde es dann übertragen
im Sinne von „quälen" und seit dem 17. Jh.
im Sinne von „eine Sprache grausam zurichten" verwendet.

Rädelsführer, früher auch Rädlein[s]füh-
rer *m*: Das seit dem 16. Jh. bezeugte Wort
bezeichnete urspr. den Anführer einer Abteilung von Landsknechten, dann den Anführer einer herrenlosen Schar und schließlich
den Anführer einer Verschwörung, eines
Aufruhrs oder dgl. Das Bestimmungswort
Rädlein (*mhd.* redelīn „Rädchen") ist eine
Verkleinerungsbildung zu →*Rad* und bezeichnete im 16. Jh. die kreisförmige Formation einer Schar von Landsknechten.

Radieschen *s*: Verkleinerungsbildung zu dem
früher üblichen Maskulinum Radies *m*, das
im ausgehenden 17. Jh. aus *niederl.* radijs,
frz. radis entlehnt wurde. Letzte Quelle des
Wortes ist *lat.* rādīx (rādīcis) „Wurzel", das
dem *Frz.* durch *lat.* radice „Wurzel; Radieschen" vermittelt wurde. – Gleichen Ursprungs (*lat.* rādīx) ist auch unser LW →*Rettich.*

radieren: Das seit dem 15. Jh. bezeugte Verb,
das in den kulturgeschichtlichen Zusammenhang der unter →*schreiben* genannten Fremd-
und Lehnwörter des Schriftwesens im engeren Sinne gehört, geht zurück auf *lat.* rādere
(rāsum) „kratzen, schaben, auskratzen; reinigen" (wurzelverwandt mit *dt.* →*Ratte*).
Beachte dazu die Zus. Radiermesser
(15. Jh.) und Radiergummi (Ende 19. Jh.).
Als Fachwort der Kupferstecher erscheint
radieren im Anfang des 18. Jh.s mit der Bed.
„eine Zeichnung auf eine Kupferplatte einritzen". Dazu seit dem Anfang des 20. Jh.s
die Substantivbildung Radierung *w* „Bild-
abzug von einer auf eine Kupferplatte ein-

546

geritzten und geätzten Zeichnung". – Zu *lat.*
rādere gehören die Intensivbildung *vlat.*
rāsāre „abschaben, abscheren" und die
Substantivabl. *lat.* rāster (daneben rāstrum)
„Hacke, Karst", die den FW →rasieren und
→Raster zugrunde liegen.

radikal „gründlich"; rücksichtslos": Im
18. Jh. aus *frz.* radical, *spätlat.* rādicālis, „an die
Wurzel gehend" von Grund auf, gründlich"
entlehnt. Über das zugrunde liegende Subst.
lat. rādīx (rādīcis) „Wurzel" vgl. das LW
Rettich.

Radio s (auch *m,* bes. *schweiz.*) „Rundfunk-
[gerät]": Junge, aus dem *Amerik.* übernommene Kurzform für *amerik.* radiotelegraphy
„Übermittlung von Nachrichten durch Ausstrahlung elektromagnetischer Wellen". Als
Bestimmungswort dient *lat.* radius „Strahl"
(vgl. *Radius).*

radioaktiv: So heißen Stoffe, deren Atom-
kerne die Eigenschaft haben, ohne äußeren
Einfluß ständig Energie in Form von Strahlen abzugeben. Das Wort ist eine gelehrte
Neubildung (20. Jh.) zu *lat.* radius „Strahl"
(vgl. *Radius)* und zu →*aktiv.* – Dazu das
Subst. Radioaktivität *w.*

Radium s: Das zu den Schwermetallen zäh-
lende weißglänzende chem. Element wurde
von dem franz. Physikerehepaar Curie 1898
entdeckt. Sein *nlat.* Name, der abgeleitet ist
von *lat.* radius „Strahl" (vgl. *Radius),* bezieht sich auf die hervorstechendste Eigenschaft dieses Metalls, unter Aussendung von
„Strahlen" in radioaktive Bruchstücke zu
zerfallen.

Radius m „Halbmesser" (Geometrie): Entlehnt aus *lat.* radius „Stab; Speiche; Strahl",
dessen etymolog. Zugehörigkeit dunkel ist. –
Das *lat.* Wort spielt eine Rolle in zahlreichen
gelehrten Neubildungen, u. a. in den FW
→Radio, →Radar, →Radium und →radio-
aktiv.

raffen: *Mhd.* raffen „zupfen, rupfen, raufen;
an sich reißen", *niederl.* rapen „an sich
reißen, einsammeln", *engl.* to rap „fassen,
packen", *norw.* rapa „zusammenraffen"
sind eng verwandt mit den unter →*ras*-
peln behandelten Wörtern und gehören
wahrscheinlich zu der unter →¹*scheren* dargestellten *idg.* Wortgruppe. Abl.: Raffke *m*
ugs. abschätzig für „ungebildeter Neureich"
(1. Hälfte des 20. Jh.s). Siehe auch den Artikel frappieren.

raffiniert „durchtrieben, schlau": Das in
diesem Sinne seit dem 17./18. Jh. bezeugte
Wort ist das in adjektivische Funktion übergegangene zweite Partizip des schon im
16. Jh. aus dem *Frz.* entlehnten Verbs raffinieren in dessen älterer u. eigtl. Bed.
„verfeinern, läutern" (aus gleichbed. *frz.*
raffiner, einer Präfixbildung zu *frz.* fin „fein";
vgl. hierüber den Artikel *fein).* Die nach dem
Vorbild von *frz.* raffiné „durchtrieben" vollzogene Bedeutungsübertragung des Parti-

zipialadjektivs raffiniert beruht auf der gleichen oder einer ähnlichen Vorstellung, die in
synonymen Ausdrücken wie →'abgefeimt',
→ 'gerieben', → 'durchtrieben' und 'mit
allen Wassern gewaschen' bei der Begriffsbildung vorschwebte. Zu 'raffiniert'
bzw. *frz.* raffiné stellen sich sinngemäß
die FW Raffinesse *w* „Überfeinerung;
Durchtriebenheit, Schlauheit" (französierende Neubildung des 19.Jh.s nach →Finesse)
und Raffinement *s* „Verfeinerung; ver-
führerische Durchtriebenheit; kunstvolles
Arrangement delikater Genüsse" (18./19. Jh.;
aus gleichbed. *frz.* raffinement). – Mit einer
auf technische Vorgänge übertragenen Bedeutung „verfeinern, von Beistoffen reinigen" begegnet *frz.* raffiner (daraus mit
der gleichen Bed. unser techn. Fachwort
'raffinieren') in den abgeleiteten Substantiven *frz.* raffinade „feingemahlener, gerei-
nigter Zucker" und *frz.* raffinerie „Anlage zur Reinigung von Zucker, Öl u. a.".
Diese lieferten im 18./19. Jh. unsere gleichbed. Fremdwörter Raffinade *w* und Raffinerie *w.*

ragen: Die Herkunft des Verbs *(mhd.* ragen;
vgl. *aengl.* ofer-hrægan „überragen") ist
nicht sicher geklärt. Vielleicht ist es verwandt mit der *baltoslaw.* Sippe von *russ.*
krókva „Stange, Dachsparren" und mit *gr.*
króssai „Zinnen". – Zusammensetzungen
mit 'ragen' sind auf-, empor-, heraus-, her-
vor- (beachte hervorragend), überragen.

Ragout s „Fleischmischgericht in pikanter
Tunke": Im 17. Jh. aus gleichbed. *frz.* ra-
goût entlehnt, einer Substantivbildung zu
frz. ragoûter „den Gaumen reizen, Appetit
machen", das seinerseits von *frz.* goût
(< *lat.* gustus) „Geschmack, Geschmackssinn" abgeleitet ist.

Rahe *w* „waagerechte, am Schiffsmast befestigte Stange": Das Wort, das heute nur
noch als seemänn. Ausdruck verwendet wird,
bedeutete früher ganz allgemein „Stange".
Mhd. rahe, *mnd.* rā, *niederl.* ra, *schwed.* rå
hängen mit den unter →regen behandelten
Wörtern zusammen und sind weiterhin verwandt mit *lit.* rėklès „Stangengerüst zum
Trocknen". – Das Wort wurde früher unter
niederl. Einfluß auch 'Raa' geschrieben. –
Siehe auch den Artikel Reck.

Rahm m *(landsch.* für:) „Sahne": Das *west-*
germ. Wort *mhd.* roum, *mnd.* rōm[e], *niederl.*
room, *aengl.* rēam steht im Ablaut zu der
nord. Sippe von *aisl.* rjōmi „Sahne". Welche
Vorstellung diesen *germ.* Benennungen der
Sahne zugrunde liegt, läßt sich nicht mit
Sicherheit klären. Sie können im Sinne von
„das, was oben schwimmt" zu der unter
→Strom dargestellten Wortgruppe gehören
oder aber mit *awest.* raoγna „Butter", *pers.*
roūǧan [ausgelassenes] Butter" verwandt
sein. – Die heute übliche Form Rahm mit
mdal. a hat sich gegenüber älter *nhd.* Raum

(*mhd.* roum) und Rom (*mnd.* rŏm[e]) durchgesetzt. – Gebräuchlich sind auch die Verben ab-, entrahmen und das Adjektiv rahmig (19. Jh.).

Rahmen *m*: Mhd. rame „Stütze, Gestell; [Web-, Strick]rahmen", *ahd.* rama „Stütze, Säule", *mnd.* rame „Gestell, Einfassung", *niederl.* raam „Einfassung, Gestell; Fenster" sind im *germ.* Sprachbereich eng verwandt mit *ahd.* ramft, *mhd.* ranft „Einfassung, Rand", *nhd. mdal.* Ranft *m* „Brotkanten" und mit der unter →Rand behandelten Wortgruppe. *Außergerm.* sind z. B. verwandt *lit.* ram̃tis, ram̃stis „Stütze, Pfeiler, Balken" und *aind.* rambhá-ḥ „Stütze, Stab". Diese Wörter gehören zu der *idg.* Verbalwz. *rem[ə]- „stützen; sich aufstützen, ruhen", vgl. z. B. *got.* rimis „Ruhe", *lit.* rem̃ti „stützen" und *aind.* rámatē „ruht, steht still". – Im heutigen Sprachgebrauch wird 'Rahmen' auch übertragen (im Sinne von „Umgrenzung; Umgebung") verwendet, beachte z. B. die Wendungen 'aus dem Rahmen fallen', 'nicht in einen Rahmen passen'. Abl.: rahmen „mit einem Rahmen versehen" (um 1800; beachte ein- und umrahmen).

Rain *m* „Ackergrenze": Das *altgerm.* Wort *mhd.* rein, *ahd.* (nur in Zus.) rein, *mniederl.* rein, reen, *schwed.* ren ist mit *mir.* rŏen „Bergkette", *bret.* rūn „Erhöhung, Hügel" verwandt. Die weiteren Beziehungen dieser Wortgruppe sind unklar.

Rakete *w*: Das Wort Rakete als Bezeichnung für fliegende Feuerwerkskörper, in jüngster Zeit speziell für die mit Treibstoff gefüllten, röhrenförmigen Flugkörper, die sich nach Zündung der Treibladung durch den Rückstoß fortbewegen, stammt aus dem *It.* Quelle des Wortes (wie auch für entspr. *engl.* rocket „Rakete") ist gleichbed. *it.* rocchetta (rocchetto), das als Verkleinerungsbildung zu *it.* rocca „Spinnrocken" (LW aus dem *Germ.*; vgl. →Rocken) eigtl. „kleiner Spinnrocken" bedeutet. Der Feuerwerkskörper ist also wohl nach seiner spinnrockenähnlichen, zylindrischen Form benannt (vgl. zur Begriffsbildung *frz.* fusée „Rakete" zu fuseau „Spindel"). Im Deutschen erscheint das LW seit dem 16. Jh., zuerst als 'rogetttzeug' und 'Rogeten', dann mit Vokalwechsel als 'Racketlein' (Ende 16. Jh.).

Ramme *w*: Der Ausdruck für „Fallhammer" (*mhd.* ramme) gehört zu einem im *Nhd.* untergegangenen *westgerm.* Wort für „Widder, Schafbock": *Frühnhd.* Ramm, *mhd.* ram, *ahd.* ram[mo] „Widder", *niederl.* ram „Widder" und „Rammbug (eines Schiffes): Fallhammer", *engl.* ram „Widder" und „Rammbug (eines Schiffes): Fallhammer". Der übertragene Wortgebrauch im Sinne von „Fallhammer; Rammbug" geht demnach von der Beobachtung des mit gesenktem Kopf gegen etwas anrennenden Schafbocks aus. Von 'Ramme' abgeleitet ist das Verb

rammen „mit der Ramme eintreiben; auffahren, durch Zusammenstoß beschädigen oder versenken" (*spätmhd.* rammen).

rammeln „belegen, decken; sich begatten" (bes. von Hasen und Kaninchen): Das Verb *mhd.* rammeln, *ahd.* rammalōn gehört zu dem im *Nhd.* untergegangenen *westgerm.* Wort *mhd.* ram, *ahd.* ram[mo], *niederl.* ram, *engl.* ram „Widder, Schafbock" (vgl. Ramme). Es bedeutet demnach eigtl. „widdern, bocken". – Das Wort für „Widder, Schafbock" gehört wahrscheinlich zu der *germ.* Wortgruppe von *aisl.* ram[m]r „stark, heftig, scharf". Der Schafbock wäre demzufolge nach seinem starken oder strengen Geruch benannt. Abl.: **Rammler** *m* „Schafbock; Männchen", bes. von Hasen und Kaninchen (*spätmhd.* rammeler).

Rampe *w* „schiefe Ebene zur Überbrückung von Höhenunterschieden (bei Brücken, Tunneln usw.); Auffahrt, Verladebühne", daneben in der Bühnensprache mit der speziellen Bed. „Vorbühne" (beachte dazu die Zus. **Rampenlicht**): Das Wort wurde im 18. Jh. aus *frz.* rampe „geneigte Fläche, schiefe Ebene, Abhang; Verladerampe" entlehnt. Als Bühnenwort erscheint es seit dem 19. Jh. Frz. rampe ist abgeleitet von *frz.* ramper „klettern; kriechen", das *germ.* Ursprungs ist und wohl auf *afränk.* *rampōn „sich zusammenkrampfen" beruht. Letzteres steht im Ablaut zu dem unter →rümpfen behandelten Wort.

¹Ramsch *m*: Die Herkunft des seit dem 18. Jh. bezeugten *ugs.* Ausdrucks für „bunt zusammengewürfelte Ausschußware, Schleuderware, wertloses Zeug" ist nicht gesichert. Abl. und Zus.: ¹ramschen „Ramschware billig aufkaufen" (*ugs.*), dazu die *ugs.* Präfixbildung verramschen „zu einem Schleuderpreis verkaufen, verhökern"; Ramschladen „Geschäft, in dem minderwertige Ware verkauft wird". – Von ¹Ramsch verschieden ist das im ausgehenden 19. Jh. aus dem *Frz.* aufgenommene Homonym **²Ramsch** *m* als Name eines beim Skat, wenn alle passen, gespielten Kartenspiels. Das zugrunde liegende Wort *frz.* rams, das wohl im Jargon der Spieler entstanden ist aus *frz.* ramas „das Auflesen, das Sammeln" (zu *frz.* ramasser „sammeln"), bezeichnet ebenfalls, ähnlich unserem Ramsch, ein eingeschobenes Kartenspiel, bei dem der Verlierer Spielmarken „sammeln" muß (wer als erster seine Spielmarken los ist, ist der Gewinner). – Dazu das gelegentlich in der Spielersprache gebrauchte Verb ²ramschen „einen Ramsch spielen".

Rand *m*: Das *altgerm.* Wort *mhd.*, *ahd.* rant, *niederl.* rand, *aengl.* rand, *schwed.* rand gehört (mit n aus m vor Dental) zu der unter →Rahmen dargestellten *idg.* Wurzel. Das Wort bedeutete demnach urspr. etwa „[schützendes] Gestell, Einfassung". – In der Umgangssprache wird 'Rand' im Sinne von „Mund" verwendet (19. Jh., zunächst studentisch), beachte die Wendungen 'den Rand halten' und 'einen großen Rand riskieren'. Die Wendung 'außer Rand und Band' stammt aus der Böttchersprache, in der 'Rand' den Bodenreifen des Fasses bezeichnet (vgl. den Artikel ¹Band). Abl.: **rändern** „mit einem Rand versehen" (18. Jh.).

randalieren „lärmen, Krach machen": Das seit der ersten Hälfte des 19. Jh.s bezeugte Verb stammt aus der Studentensprache und ist von dem heute veralteten Subst. **Randal** m „Lärm, Krach" (1. Hälfte des 19. Jh.s) abgeleitet. Das gleichfalls urspr. studentensprachliche Substantiv ist wahrscheinlich eine Kontamination von mdal. Rand „Possen" (das zu der Wortgruppe von →*rinnen* gehört) und dem unter →*Skandal* behandelten Wort.

Rang m „berufliche oder gesellschaftliche Stellung; Reihenfolge, Stufe; Stockwerk im Zuschauerraum eines Theaters; Gewinnklasse (Toto, Lotto)": Im Verlauf des Dreißigjährigen Krieges aus frz. rang „Reihe, Ordnung" (afrz. renc „Kreis der zu Gerichtssitzungen Geladenen; Zuschauerreihe bei Kampfspielen") entlehnt. Das frz. Wort selbst ist germ. Ursprungs (vgl. den Artikel Ring). Dazu das Fremdwort **rangieren** „einen bestimmten Rang innehaben; (fachsprachl.:) Eisenbahnwagen verschieben" (17./18. Jh.; aus frz. ranger „ordnungsgemäß aufstellen, ordnen"); ferner →*arrangieren*, Arrangement, Arrangeur.

rank „schlank": Das im 17. Jh. aus dem Niederd. ins Hochd. übernommene Adjektiv geht zurück auf mnd. ranc „schlank, dünn, schwach", dem im germ. Sprachbereich niederl. rank „dünn, schlank", aengl. ranc „gerade; stolz; kühn, tapfer" und schwed. rank „schlank, geschmeidig" entsprechen. Das altgerm. Adjektiv beruht auf einer nasalierten Nebenform der unter →*recht* dargestellten idg. Wurzel und bedeutete urspr. etwa „aufgerichtet, gereckt". – Im heutigen Sprachgebrauch wird 'rank' gewöhnlich nur noch in der Verbindung 'rank und schlank' verwendet.

Ranke w: Der Ursprung des Wortes mhd. ranke, ahd. (in mlat. Glossaren) hranca ist dunkel. Unklar ist auch, in welchem Sinne das Wort verwendet wurde, bevor die Germanen von den Römern den Weinbau kennenlernten. Abl.: **ranken**, [sich] „Ranken treiben; mittels Ranken emporklettern" (18. Jh.).

Ränke Mehrz. „Listen, Intrigen": Das heute nur noch mdal. gebräuchliche **Rank** m „List", älter auch „Wegkrümmung" (mhd. ranc „schnelle drehende Bewegung") gehört zu der Sippe von →*renken*. Das Wort ist auch noch in der Wendung 'jemandem den Rang ablaufen' bewahrt, in der 'Rank' aber vom Sprachgefühl an das aus dem Frz. entlehnte →Rang angeschlossen ist. Eigentlich bedeutet diese Wendung „jemandem die Wegkrümmung abschneiden, um ihm zuvorzukommen". Beachte dazu auch schweiz. 'den Rank finden' eigtl. „den Dreh finden". Zus.: **Ränkeschmied** „Intrigant" (18. Jh.).

Ränzel s „Schultertasche": Das im 16. Jh. aus dem Niederd. ins Hochd. übernommene Wort geht zurück auf gleichbed. mnd. rentsel, dessen weitere Herkunft dunkel ist. Neben 'Ränzel' findet seit dem 16. Jh. im Hochd. die (sekundäre) Bildung **Ranzen** m „Schultertasche", ugs. auch für „Buckel; Bauch".

ranzig „durch Zersetzung verdorben, stinkend (von Fetten und Ölen)": Im 18. Jh. durch Vermittlung von gleichbed. niederl. ransig (älter ranstig) und frz. rance aus lat. rancidus „stinkend, ranzig" entlehnt. Zu lat. rancēre „stinken, faulen".

rapid[e] „reißend, blitzschnell, stürmisch": Im 18./19. Jh. über gleichbed. frz. rapide aus lat. rapidus „raffend, reißend; schnell, ungestüm" entlehnt. Zu lat. rapere „fortreißen".

Rappe m: Der seit dem 16. Jh. bezeugte Ausdruck für „schwarzes Pferd" geht zurück auf mhd. rappe „Rabe", eine (expressive) Nebenform von mhd. rabe (vgl. Rabe). Ähnlich wird 'Fuchs' als Bezeichnung für ein rotbraunes Pferd gebraucht. Zur Bildung beachte z. B. das Verhältnis von „Knappe" zu „Knabe". - Siehe auch den Artikel Rappen.

Rappen m: Der Name der seit dem 14. Jh. im Oberrheingebiet geschlagenen Münze beruht auf einer (expressiven) Nebenform von dem unter →*Rabe* behandelten Wort (s. auch den Artikel Rappe). Mhd. rappe „Rabe" bezeichnete zunächst spöttisch den auf die Münze geprägten Vogelkopf und wurde dann zur offiziellen Münzbezeichnung. Seit der Mitte des 19. Jh.s ist 'Rappen' deutschsprachige Bezeichnung für den schweizerischen Centime.

Raps m: Der seit dem 18. Jh. bezeugte Name der Nutzpflanze ist gekürzt aus nordd. Rapsaat, niederd. rapsâd, vgl. niederl. raapzaad „Raps", und engl. rape-seed „Raps" nach lat. sēmen rāpīcium (vgl. Rübe). Beachte dazu den Pflanzennamen Rübsen m, der aus 'Rübsamen' gekürzt ist. – Die Kohlpflanze ist so benannt, weil sie hauptsächlich wegen der ölhaltigen Samen angebaut wird. – Im Südd. ist statt 'Raps' die Form Reps m gebräuchlich.

Rapunzel w: Der seit dem Anfang des 16. Jh.s bezeugte Name der zu den Baldriangewächsen gehörigen Pflanze ist entlehnt aus gleichbed. mlat. rapuncium (aus *radice puntium, zu lat. rādīx „Wurzel" und lat. phū, Akk. phūn „Baldrianart"). Neben 'Rapunzel' sind als Bezeichnung der beliebten Salatpflanze auch Rapunze und Rapünzchen, Rapünzlein gebräuchlich.

rar „selten": Das im *Hochd.* seit dem 17. Jh., im *Niederd.* bereits im 16. Jh. (*mnd.* rār „selten; kostbar") bezeugte Adjektiv wurde über gleichbed. *frz.* rare aus *lat.* rārus „locker, dünn; vereinzelt, selten" entlehnt. – Dazu: **Rarität** w „Seltenheit; seltenes und darum kostbares Stück" (17. Jh.; aus *lat.* rāritās „Lockerheit; Seltenheit").

rasant: Das seit dem 19. Jh. bezeugte Adjektiv bedeutet zunächst „sehr flach, gestreckt (insbesondere von der Flugbahn eines Geschosses)". Es ist entlehnt aus *frz.* rasant „bestreichend, den Erdboden streifend", eigtl. adjektivisch gebrauchten Part. Präs. von *frz.* raser „scheren, rasieren" (vgl. *rasieren*) in dessen allgemein übertr. Bed. „darüber hinstreichen, streifen; schleifen". In der *dt.* Umgangssprache entwickelte 'rasant' durch volksetymologische Anlehnung an das Zeitwort →rasen die neue Bed. „sehr schnell, rasend, schneidig; wildbewegt". Abl.: **Rasanz** w „rasante Flugbahn eines Geschosses; Schnelligkeit, rasende Geschwindigkeit" (20. Jh.).

rasch: Das *westgerm.* Adjektiv mhd. rasch, *ahd.* rasc, *niederl.* ras, *engl.* (eventuell *mniederl.* LW) rash hat sich wahrscheinlich aus einer Vorform *raþsk(w)a- entwickelt und stellt sich dann zu dem unter →²gerade urspr. „schnell, behende" behandelten Adjektiv (vgl. *Rad*). – Von 'rasch' abgeleitet ist →überraschen.

rascheln: Das erst seit dem 17. Jh. bezeugte Verb ist eine Iterativbildung zu dem *mdal.* (*schles.*) bewahrten raschen „ein rauschendes Geräusch verursachen", das – wie auch *mdal.* rischeln und *mdal.* ruscheln – lautnachahmenden Ursprungs ist.

rasen „ungestüm laufen, stürzen; toben, wüten, heftig erregt sein": Die *germ.* Verben mhd., ahd. rāsen, *niederl.* razen, *aengl.* rǣsan, *aisl.* rāsa gehören mit verwandten Wörtern in anderen *idg.* Sprachen zu der Wurzelform *[e]res- „sich heftig bewegen, laufen", vgl. z. B. *aind.* árṣati „läuft, fließt", rása-ḥ „Flüssigkeit, Saft", irasyáti „zürnt, ist neidisch". Zu dieser Wurzelform (vgl. *rinnen*) gehört auch die Wortgruppe von →irre (eigtl. „[planlos] umherlaufend" oder „rasend, erregt"). Abl.: **Raserei** w (*mitteld.* rāserīe). Siehe auch den Artikel Rosenmontag.

Rasen m: Das auf das *dt.* Sprachgebiet beschränkte Wort (*mhd.*, *mitteld.* rase, *mnd.* wrase) ist dunklen Ursprungs.

rasieren „den Bart wegnehmen": Im 17. Jh. durch Vermittlung von *niederl.* raseren aus *frz.* raser „kahl scheren, rasieren" entlehnt. Der französische Einfluß in der Körperpflege im allgemeinen und in der Haar- und Bartpflege im besonderen zeigt sich auch in zahlreichen anderen FW, die etwa im gleichen Zeitraum ins *Dt.* übernommen wurden (beachte z. B. →frisieren, →Perücke, →Poma-

de, →Puder, →Parfüm, →Maniküre, →Pediküre u. a.). *Frz.* raser stammt seinerseits aus *vlat.* *rāsāre, einer Intensivbildung zu *lat.* rādere (rāsum) „kratzen, schaben; abscheren; darüber hinstreichen" (vgl. *radieren*). – Dazu: **Rasur** w „Rasieren, Entfernung des Bartes" (15. Jh.; aus *lat.* rāsūra „Schaben, Kratzen; Abscheren, Abrasieren"). Siehe auch rasant, Rasanz.

Räson w: Das seit dem 17. Jh. bezeugte FW bedeutet zunächst „Vernunft, Einsicht; Zucht". Allerdings lebt es heute mit dieser Bed. eigtl. nur noch in der Wendung 'jmdn. zur Räson bringen'. Daneben gilt das Wort mit der neueren Bed. „Grundsatz; berechtigter Anspruch" in der Zus. **Staatsräson** zur Bezeichnung des nationalstaat. Rechtsgrundsatzes, daß private Interessen den staatlichen Interessen unterzuordnen sind. Entlehnt ist das FW aus *frz.* raison „Vernunft, Verstand; Grund; Recht, Grundsatz", das seinerseits auf *lat.* ratiō (Akk.: ratiōnem) „Berechnung; Erwägung; Denken, Vernunft usw." zurückgeht (vgl. *Rate*). – Dazu **räsonieren** „viel und laut reden; seiner Unzufriedenheit Luft machen, schimpfen" (*ugs.*; zuerst im 17. Jh. mit der neutralen Bed. „verständig worüber reden, nach Vernunftgründen untersuchen"; entlehnt aus entspr. *frz.* raisonner „überlegen, vernunftgemäß handeln und reden usw.").

raspeln: Das seit dem 16. Jh. bezeugte Verb ist eine Iterativbildung zu dem heute veralteten raspen „scharren, kratzen", mhd. raspen, ahd. raspōn „an sich reißen, raffen", das zu dem untergegangenen starken Verb ahd. hrespan „zupfen, rupfen" gehört, vgl. aengl. ge-hrespan „reißen". Diese Sippe, in der -sp- aus -ps- entstanden ist, gehört mit den unter →raffen behandelten Wörtern wahrscheinlich zu der umfangreichen *idg.* Wortgruppe von →¹scheren. – Im heutigen Sprachgebrauch wird 'raspeln' – durch Anlehnung an 'Raspel' – gewöhnlich im Sinne von „mit der Raspel arbeiten" verwendet. Das Substantiv **Raspel** w „grobe Feile" (16. Jh.) ist aus dem Verb 'raspeln' rückgebildet.

Rasse w: Ein naturwissenschaftlicher Ordnungsbegriff zur Bezeichnung einer Gruppe von Individuen innerhalb einer Art, die in typischen Merkmalen übereinstimmen. In allgemein übertragenem Sinne bedeutet das Wort auch „edles Geschlecht mit ausgeprägten, hervorstechenden Eigenschaften". Es wurde im 17. Jh. über *frz.* race „Geschlecht, Stamm; Rasse" aus gleichbed. *it.* razza entlehnt, dessen weitere Herkunft umstritten ist. – Abl.: **rassisch** „die Rasse betreffend" (20. Jh.). **rassig** „von edler, ausgeprägter Eigenart" (20. Jh.).

rasseln: Die *nhd.* Form geht zurück auf *mhd.* raʒʒeln „toben, lärmen", das eine Weiterbildung zu gleichbed. *mhd.* raʒʒen ist. Diesem Verb entsprechen im *germ.* Sprachbereich *aengl.* hratian „stürzen, sich beeilen" und *aisl.* hrata „stürzen, sich beeilen; taumeln, schwanken; fallen". – Das weitergebildete ‘rasseln’ wurde in *frühnhd.* Zeit in der Bed. von *niederd.* ratelen „klappern, rattern" beeinflußt, vgl. *niederl.* ratelen „rasseln, klappern, rattern; schwatzen" und *engl.* to rattle „rasseln, klappern; röcheln". Diese Verben sind – wie den ratschen, rätschen und →rattern – lautnachahmenden Ursprungs. – Abl.: Rassel *w* „Lärminstrument" (16. Jh.). Zus.: Rasselbande *ugs.* für „Kinderschar", eigtl. „lärmende Horde" (19. Jh.).

Rast *w*: *Mhd.* rast[e], *ahd.* rasta „Ruhe, Ausruhen; Wegstrecke, Meile; Weile, Zeitraum", *got.* rasta „Meile", *engl.* rest „Ruhe; Erholung; Unterkunft", *aisl.* rost „Wegstrecke, Meile" gehören zu der unter →*Ruhe* dargestellten *idg.* Wurzel. Die Verwendung des *gemeingerm.* Wortes im Sinne von „Wegstrecke, Meile" geht von „Ruhe, Pause (während einer Wanderung, eines Marsches)" aus und meint eigtl. die Entfernung, die man ohne eine Rast gehen kann, die Wegstrecke zwischen zwei Rasten. Abl.: rasten „ausruhen" (*mhd.* rasten, *ahd.* rastōn).

Raster *m* „in ein Liniennetz oder Punktsystem aufgelöste Bildfläche (zur Zerlegung eines Bildes in kleinste Punkte)": Das im 19. Jh. aufgekommene FW beruht auf *lat.* räster (daneben rästrum) „Hacke, Karst" (*mlat.* = „Rechen"), das hier in bildlich übertragener Verwendung erscheint. Über etymologische Zusammenhänge vgl. den Artikel *radieren.* – Abl.: rastern „ein Bild durch Raster in Rasterpunkte zerlegen" (20. Jh.).

Rat *m*: Das *altgerm.* Wort *mhd.*, *ahd.* rāt, *niederl.* raad, *aengl.* rǣd, *schwed.* råd gehört zu dem unter →*raten* behandelten Verb. Es wurde urspr. im Sinne von „Mittel, die zum Lebensunterhalt notwendig sind" verwendet. In dieser Bedeutung steckt ‘Rat’ in →*Vorrat* und →*Unrat* sowie der Kollektivbildung →*Gerät* auch Hausrat unter *Haus.* Daraus entwickelte sich der Wortgebrauch im Sinne von „Besorgung der notwendigen Mittel" und weiterhin im Sinne von „Beschaffung, Abhilfe, Fürsorge", beachte dazu →*Heirat* (eigtl. „Hausbesorgung"). Daran schließt sich die Verwendung von ‘Rat’ im Sinne von „gutgemeinter Vorschlag, Unterweisung, Empfehlung" an, beachte dazu ratsam „empfehlenswert" (16. Jh., früher auch „Rat erteilend") und Ratschlag (s. u.). Bereits seit *ahd.* Zeit wird ‘Rat’ auch im Sinne von „Beratung, beratende Versammlung" gebraucht, beachte dazu z. B. die Zus. Familienrat, Stadtrat, Rathaus. Von diesem Wortgebrauch geht die Verwendung von ‘Rat’ im Sinne von „Angehöriger einer Ratsversammlung, Ratgeber" und dann als Titel aus, beachte z. B. Geheimrat, Regierungsrat, Studienrat und Rätestaat. Zus.: Ratschlag „gut-

gemeinter Vorschlag" (15. Jh., früher auch „Beratung, Beschluß"); ratschlagen „beraten" (*mhd.* rātslagen, *ahd.* rātslagōn), eigtl. „den Beratungskreis schlagen, den Kreis für die Beratung abgrenzen"), dazu beratschlagen (16. Jh.).

Rate *w* „Anteil; Teilbetrag": Der seit dem 16. Jh. bezeugte kaufmänn. Terminus erscheint zuerst als ‘Rata’ mit der Bed. „berechneter Anteil". Daran schließt sich seit dem Anfang des 19. Jh.s die spezielle Verwendung des Wortes im Sinne von „Teilbetrag (einer Zahlung)" an. Quelle des Wortes ist *it.* rata < *mlat.* rata (pars) „berechneter Anteil". Zu *lat.* rērī (ratum) „(im Geiste) ordnen; schätzen, meinen", ratus „berechnet, ausgerechnet; bestimmt" (s. auch die FW ratifizieren, Ratifikation). Die *lat.* Wörter stellen sich zusammen mit *lat.* ratiō „Rechnung; Rechenschaft; Geschäftssache; Gebiet; Gattung; Berücksichtigung, Vorteil; Überlegung, Erwägung; Vernunft usw." (s. dazu die FW Ration, rationieren und Räson, räsonieren; s. auch den Artikel *Rede*) in den weiteren Zusammenhang der unter →*Arm* dargestellten *idg.* Wortsippe. – Zus.: Ratenzahlung „Teilzahlung" (19. Jh.).

raten: Das *gemeingerm.* Verb *mhd.* rāten, *ahd.* rātan, *got.* [ga]rēdan, *engl.* to read, *schwed.* råda gehört mit der Substantivbildung →*Rat* zu der unter →*Rede* dargestellten Wortgruppe (vgl. *Arm*). Eng verwandt mit ‘raten’ sind *außergerm.* z. B. *aind.* rādhyati „macht zurecht, bringt zustande" und die *slaw.* Sippe von *russ.* radét’ „für jemanden sorgen". – Das *gemeingerm.* Verb bedeutete urspr. etwa „[sich etwas geistig] zurechtlegen, überlegen, [aus]sinnen", dann auch „Vorsorge treffen, für etwas sorgen" und weiterhin „vorschlagen, empfehlen" und „erraten, deuten". Zum Wortgebrauch im letzteren Sinne, an den sich die Bildung →*Rätsel* anschließt, beachte *engl.* to read (*aengl.* rǣdan) in der Bed. „lesen", eigtl. „[Runen] deuten". – Eng an die Bedeutungen des einfachen Verbs schließen sich an ab-, an-, be-, er- und zuraten. In der Bedeutung gelöst haben sich dagegen →*verraten, geraten* „gelingen, glücken; gelangen, kommen; zu etwas werden" (*mhd.* gerāten, *ahd.* girātan, urspr. „anraten, Rat erteilen") und mißraten (s. *miß...*).

ratifizieren „einen völkerrechtlichen Vertrag (von seiten der gesetzgebenden Körperschaft eines Staates) bestätigen, genehmigen und damit in Kraft setzen": Das seit dem 15./16. Jh. bezeugte Fachwort der Politik und Diplomatie ist aus *mlat.* ratificāre „bestätigen, genehmigen" entlehnt (zu *lat.* ratus „berechnet; bestimmt, gültig", vgl. *Rate*, und zu *lat.* facere „machen, tun", vgl. *Fazit*). Dazu mit der dem Verb entsprechenden Bed. das

Subst. Ratifikation w (16. Jh.; aus *mlat.* ratificātiō ,,Bestätigung, Genehmigung").

Ration w ,,zugewiesener Anteil, Menge; täglicher Verpflegungssatz (bes. der Soldaten)": Das seit dem Ende des 17. Jh.s bezeugte, von Anfang an der Heeressprache angehörende FW ist über gleichbed. *frz.* ration aus *mlat.* ratiō ,,berechneter Anteil [an Mundvorrat]" entlehnt, das seinerseits *lat.* ratiō ,,Rechnung; Rechenschaft usw." (vgl. den Artikel **Rate**) fortsetzt. – Dazu als jüngere Abl. das Verb **rationieren** ,,auf bestimmte Rationen setzen, sparsam zumessen, haushälterisch einteilen" (20. Jh.; aus gleichbed. *frz.* rationner).

Rätsel s: Das seit dem 15. Jh. bezeugte Wort (*spätmhd.* rǣtsel, rätsel), das durch Luthers Bibelübersetzung gemeinsprachliche Geltung erlangte, ist eine Bildung zu dem unter →**raten** behandelten Verb, vgl. gleichbed. *asächs.* rādisli, *niederl.* raadsel, *engl.* riddle. Abl.: **rätseln** ,,sich den Kopf zerbrechen" (19. Jh.); **rätselhaft** ,,dunkel, unverständlich, unerklärlich" (17. Jh.).

Ratte w: Die Herkunft der *germ.* Bezeichnungen des Nagetiers *mhd.* ratte, rat, *ahd.* ratta, rato, *niederl.* rat, *engl.* rat ist dunkel. Die *nord.* Sippe von *schwed.* rätta stammt aus dem *Mnd.* – Vielleicht handelt es sich um ein altes Wanderwort, das auch in den *roman.* Sprachen gebräuchlich ist, vgl. *frz.* rat ,,Ratte", *it.* ratto ,,Ratte" und *span.* rata ,,Ratte". – Neben 'Ratte' sind im *Dt.* auch gebräuchlich **Ratz** m *landsch.* für ,,Ratte; Hamster", *weidmänn.* für ,,Iltis" und **Ratze** w *ugs.* für ,,Ratte" (*mhd.* ratz[e], *ahd.* ratza). – Der *ugs.* Ausdruck **ratzekahl** ,,ganz kahl, völlig leer" ist dagegen eine volksetymologische Umbildung von →**radikal** nach 'Ratz[e]'.

rattern: Das seit dem 17. Jh. bezeugte Verb ist – wie z. B. auch 'knattern' (s. d.) – lautnachahmenden Ursprungs. Beachte die unter →**rasseln** behandelten ähnlichen Lautnachahmungen.

Raub m: Mhd. roup ,,[Kriegs]beute; Räuberei, Plünderung; Ernte", *ahd.* roub ,,Beute, Raub", *niederl.* roof ,,Raub, Beute", *aengl.* rēaf ,,Raub, Beute; Kleidung, Rüstung" gehören zu einem im *Dt.* untergegangenen starken Verb mit der Bed. ,,brechen, [ab-, ent]reißen", vgl. *aengl.* rēofan ,,brechen, zerreißen", *aisl.* rjūfa ,,zerreißen; brechen, verletzen" (vgl. **raufen**). Das *westgerm.* Wort bedeutet demnach eigtl. ,,Ab-, Entreißen; Entrissenes" und bezeichnete urspr. das, was dem (getöteten) Feinde abgerissen oder entrissen wird, die Kriegsbeute, speziell die dem Feinde abgenommene Rüstung und Kleidung, beachte das aus dem *Afränk.* stammende *frz.* robe ,,Gewand, Kleidung" (s. den Artikel **Robe**). Zu dem oben genannten starken Verb stellt sich das *gemeingerm.* Verb **rauben** ,,gewalt-

sam wegnehmen, entreißen": *mhd.* rouben, *ahd.* roubōn ,,entreißen; verheeren", *got.* bi-raubōn ,,berauben", *aengl.* rēafian ,,rauben, plündern; entreißen; verwüsten; fortnehmen, ausziehen", *aisl.* raufa ,,zerbrechen, zerreißen, zerfleischen". – Abl.: **Räuber** m (*mhd.* roubǣre, *ahd.* roubāre); **räuberisch** (17. Jh., für älteres reubisch, *mhd.* röubisch, roubisch). Zus.: **Raubbau** ,,rücksichtslose Ausnützung" (18. Jh., zunächst bergmänn. Bezeichnung für den schnellen Abbau des Erzes ohne Sicherung zukünftigen Ertrages); **Raubritter** ,,Ritter, der Raubzüge unternimmt" (19. Jh.); **Raubtier** (18. Jh.); **Raubvogel** (16. Jh.).

Rauch m: Das *altgerm.* Wort *mhd.* rouch, *ahd.* rouh, *niederl.* rook, *engl.* reek, *schwed.* rök gehört zu dem unter →**riechen** behandelten Verb in dessen älterer Bed. ,,dampfen, rauchen". Abl.: **rauchig** (*mhd.* rouchic ,,voller Rauch; dunstig; [übel]riechend"). Zus.: **Rauchfang** ,,Schornstein" (16. Jh.). Das *altgerm.* Verb **rauchen** (*mhd.* rouchen, *ahd.* rouhhen, *niederl.* rooken, *engl.* to reek, *schwed.* röka) ist entweder von 'Rauch' abgeleitet oder ist das Veranlassungswort zu 'riechen'. Im *Dt.* wird das Verb seit dem 17. Jh. auch transitiv im Sinne von ,,Tabak, Pfeife usw. rauchen" verwendet; beachte dazu **Raucher** m und **Nichtraucher** m. Das seit dem 15. Jh. bezeugte Verb **räuchern** ,,mit Rauch erfüllen, rauchig machen; durch Rauch haltbar machen" ist eine Weiterbildung von *mhd.* röuchen ,,rauchen, rauchig machen", beachte dazu die Präfixbildungen **beräuchern** und **verräuchern**.

Räude w: Die *germ.* Bezeichnungen für ,,Schorf, Räude, Krätze" *mhd.* riude, rūde, *ahd.* riudī, rūda, *niederl.* ruit, *aengl.* hrūðe, *aisl.* hrūðr sind dunklen Ursprungs. Abl.: **räudig** (*mhd.* riudec, rūdec, *ahd.* rūdig).

raufen: Das *altgerm.* Verb *mhd.* roufen, *ahd.* rouf[f]en, *got.* raupjan, *mniederl.* roopen, *aengl.* rīepan gehört mit verwandten Wörtern in anderen *idg.* Sprachen zu der vielfach erweiterten *idg.* Wz. *reu- ,,reißen, brechen; [auf]wühlen, kratzen, scharren; ausreißen, rupfen", vgl. z. B. *lat.* ruere ,,wühlen, scharren", *rūdus* ,,zerbröckeltes Gestein, Geröll, Schutt", rumpere ,,brechen" (s. Rotte), *lit.* ráuti ,,raufen, rupfen, ausreißen, jäten", raũsti ,,scharren, wühlen", *russ.* ryt' ,,wühlen, graben". Aus dem *germ.* Sprachbereich gehören zu dieser Wurzel auch die Sippen von →**rupfen** (→**Raub** (eigtl. ,,das Ab-, Entreißen; Abgerissenes, Entrissenes"), →**roden** (eigtl. ,,aufreißen, ausreißen, wühlen") und →**räuspern** (eigtl. ,,im Halse kratzen"), ferner wahrscheinlich auch das unter →¹**Riemen** (eigtl. wohl ,,abgerissener Hautstreifen") behandelte Substantiv und die Wortgruppe von →**rauh** (eigtl. wohl ,,ausgerupft", vom Schaffell oder dgl.). – Im

Dt. wird 'raufen' seit *mhd.* Zeit auch im Sinne von ,,sich balgen, handgemein werden" (urspr. ,,[sich] an den Haaren reißen") gebraucht, beachte dazu Rauferei *w* ,,Schlägerei, Handgemenge" (Anfang des 19. Jh.s) und Raufbold *m* ,,Schläger, Streitlustiger" (18. Jh.). Abl.: Raufe *w* ,,Futtergestell, aus dem das Vieh das Futter rupft" (*spätmhd.* roufe).

rauh: Das *westgerm.* Adjektiv *mhd.* rûch, *ahd.* rûh, *niederl.* ruig, *engl.* rough ist verwandt mit *aind.* rūksá-ḥ ,,rauh" und gehört wahrscheinlich im Sinne von ,,ausgerupft" zu der unter →*raufen* dargestellten *idg.* Wurzel, zu der z. B. auch *aisl.* rȳja ,,den Schafen die Wolle ausreißen" gehört. Das Adjektiv bezog sich demnach urspr. auf die durch das Ausreißen von Wollzotten entstandene Rauheit. – Im *Dt.* wird 'rauh' als Gegenwort zu 'glatt' verwendet und ferner in den Bedeutungen ,,streng, hart, unfreundlich; grob, ungeschliffen" und im Sinne von ,,heiser" gebraucht. Neben der Form 'rauh' war bis ins 19. Jh. hinein auch die Form rauch mit der speziellen Bed. ,,haarig, behaart" gebräuchlich, die heute noch in den Zus. Rauchware ,,Pelzware" (17. Jh.) und Rauchwerk ,,Pelzwerk" (16. Jh.) bewahrt ist. Zum Nebeneinander von 'rauch' und 'rauh' beachte z. B. das Verhältnis von 'hoch' und 'hohe'. Abl.: rauhen ,,rauh machen (*mhd.* riuhen). Zus.: Rauhbein ,,nach außen grober, aber im Herzen guter Mensch" (2. Hälfte des 19. Jh.s, rückgebildet aus dem Adjektiv rauhbeinig); Rauhreif (um 1800). Siehe auch den Artikel Rochen.

Raum *m:* Das *gemeingerm.* Wort *mhd.*, *ahd.* rûm, *got.* rûm, *engl.* room, *schwed.* rum ist eine Substantivierung des im *Nhd.* veralteten *gemeingerm.* Adjektivs raum: *mhd.* rûm[e], *ahd.* rûmi ,,weit, geräumig", *got.* rûms ,,geräumig", *aengl.* rûm ,,geräumig, weit; reichlich; freigebig", *aisl.* rûmr ,,geräumig, weit". Zu diesem Adjektiv gehört die Bildung geraum (*mhd.* gerûm[e], *ahd.* Adv. girûmo), von dem wiederum geräumig (17. Jh.) abgeleitet ist. Im heutigen Sprachgebrauch bezieht sich 'geraum' nur noch auf zeitliche Bestimmungen, während 'geräumig' örtliche Geltung hat. – Das *gemeingerm.* Adjektiv *rûma- ,,weit, geräumig" ist z. B. verwandt mit *awest.* ravah- ,,Weite, Raum" und *lat.* rûs, Gen. rûris ,,Land, Feld; Landgut". Abl.: räumen ,,Platz schaffen, leer, freimachen; verlassen; fortschaffen" (*mhd.* rûmen, *ahd.* rûm[m]an; beachte weiter ab-, ein-, aufräumen, ausgeräumt ,,heiter, froh gestimmt"); räumlich ,,im Raum befindlich, zum Raum gehörig" (17. Jh.), dazu Räumlichkeit *w* (17. Jh.). Zus.: Raumpflegerin ,,Putzfrau" (Mitte des 20. Jh.s).

raunen: *Mhd.* rûnen, *ahd.* rûnēn ,,heimlich und leise reden, flüstern", *mniederl.* rûnen ,,flüstern", *aengl.* rûnian ,,flüstern; sich verschwören", *aisl.* rŷna ,,sich vertraulich unterhalten; Runenzauber ausüben" sind von dem unter →*Rune* behandelten Substantiv abgeleitet.

Raupe *w:* Die auf das *dt.* und *niederl.* Sprachgebiet beschränkte Bezeichnung für die Larve der Schmetterlinge (*spätmhd.*, *mnd.* rûpe, *mniederl.* rûpe, weitergebildet *niederl.* rups) ist dunklen Ursprungs. – Im übertragenen Gebrauch wird 'Raupe' – wie z. B. auch 'Grille' (s. d.) – im Sinne von ,,komischer Einfall" verwendet. Zus.: Raupenschlepper ,,Fahrzeug, das sich auf Gliederketten fortbewegt" (1. Hälfte des 19. Jh.s; LÜ von *engl.* caterpillar tractor).

rauschen: Das *westgerm.* Verb *mhd.* rûschen, riuschen, *mnd.* rûschen, *niederl.* ruischen, *engl.* to rush (,,eilen, stürmen, rasen") ist wahrscheinlich lautnachahmenden Ursprungs. Wie andere lautnachahmende Verben – beachte z. B. 'sausen' – wird auch 'rauschen' im Sinne von ,,sich schnell bewegen, stürmen, rasen" verwendet. Aus dem Verb rückgebildet ist das Substantiv Rausch *m* (*mhd.* rûsch ,,Rauschen, rauschende Bewegung, Ansturm"), das seit dem 16. Jh. im Sinne von ,,Umnebelung der Sinne, Trunkenheit; Erregungszustand" gebraucht wird, beachte dazu berauschen ,,in einen Rauschzustand versetzen" (17. Jh.) und Rauschgift (1. Hälfte des 20. Jh.s). Zu 'rauschen' ist auch das Substantiv →Geräusch gebildet.

räuspern: Das im *germ.* Sprachbereich nur im *Dt.* gebräuchliche Verb (*mhd.* riuspern) bedeutet eigtl. ,,[im Halse] kratzen" und ist näher verwandt mit *lat.* ruspâri ,,durchforschen, untersuchen", eigtl. ,,kratzen, aufwühlen" (vgl. *raufen*). Zur Bedeutungsentwicklung beachte z. B. *niederl.* de keel schrapen ,,räuspern", eigtl. ,,die Kehle kratzen" und *schwed.* harkla ,,räuspern", eigtl. ,,kratzen, scharren".

¹Raute *w:* Die *nhd.* Form geht zurück auf *mhd.* rûte ,,gleichseitiges, schiefwinkliges Viereck", dessen weitere Herkunft dunkel ist. Dieses Wort ist nicht identisch mit dem Pflanzennamen **²Raute** *w* (*mhd.* rûte, *ahd.* rûta), der aus *lat.* rûta ,,Raute" entlehnt ist.

Razzia *w* ,,[polizeiliche] Fahndungsstreife": Im 19. Jh. aus gleichbed. *frz.* razzia übernommen, das seinerseits aus *algerisch-arabisch* ġâziya (zu *arab.* ġazwa) ,,Kriegszug; militärische Expedition" stammt.

re..., Re...: Aus dem *Lat.* stammende Vorsilbe mit der Bed. ,,zurück; wieder". – Das substantivierte Re *s*, ein Kartenspielerausdruck zur Bezeichnung der Gegenansage auf ein →Kontra, hat sich wohl aus der Verbindung Rekontra *s* herausgelöst.

reagieren „[Gegen]wirkung zeigen; auf etwas ansprechen, eingehen; eine chem. Reaktion zeigen": Das in der chem. Fachsprache des 18. Jh.s aufgekommene FW ist eine Präfixneubildung zu *lat.* agere „treiben, tun, handeln usw." (vgl. *agieren*). Während nun das Zeitwort reagieren heute vorwiegend gemeinsprachliche Geltung hat, bleiben die folgenden dazugehörigen Abl. und Zus. mehr der Fachsprache verhaftet: Reagen *s* „chem. Reaktionen auslösender Stoff" (19. Jh.), dazu Reagenzglas; Reaktor *m* „Atombrenner" (*nlat.* Bildung des 20. Jh.s; die Benennung bezieht sich auf die Kettenreaktionen, die in einem Reaktor stattfinden); Reaktion *w* „chem. Vorgang, der unter stofflichen Veränderungen abläuft" (*nlat.* Bildung des 19. Jh.s in Analogie zu 'Aktion'). Letzteres wird nach entspr. *frz.* réaction häufig als polit. Schlagwort zur Bezeichnung für die Gesamtheit aller nicht fortschrittlichen polit. Kräfte gebraucht, ferner im allgemeinen Sinne von „Gegenwirkung, Rückwirkung, Gegenhandlung; Rückschlag"; dazu das FW Reaktionär *m* „wer sich einer [polit.] fortschrittlichen Entwicklung entgegenstellt" (19. Jh.; aus gleichbed. *frz.* réactionnaire).

real „dinglich; sachlich; wirklich, tatsächlich": Im 17. Jh. aus *mlat.* reālis „sachlich, wesentlich" entlehnt, das von *lat.* rēs „Sache, Ding" abgeleitet ist. – Dazu: irreal „unwirklich" (junge Gegenbildung des 20. Jh.s mit dem verneinenden Präfix → ²*in*...); Realität *w* „Wirklichkeit, tatsächliche Lage, Gegebenheit" (Anfang 18. Jh.; nach gleichbed. *frz.* réalité); realisieren „verwirklichen" (18. Jh.; nach gleichbed. *frz.* réaliser); Realismus *m* „Wirklichkeitssinn; wirklichkeitsnahe Darstellung (vor allem in der bildenden Kunst)", *nlat.* Bildung des 18. Jh.s; Realist *m* „nüchterner und sachlicher Mensch, der sein Handeln an der gegebenen Wirklichkeit orientiert" (18. Jh.); realistisch „sachlich, nüchtern; wirklichkeitsgetreu, lebensecht" (18. Jh.). Gleichen Ursprungs wie real ist das in der Bed. spezieller gefaßte Adj. reell „den Erwartungen entsprechend; zuverlässig, ehrlich, redlich" (um 1700), das uns durch *frz.* réel „tatsächlich, wirklich; zuverlässig" vermittelt wurde.

Rebe *w*: Die Herkunft von *mhd.* rebe, *ahd.* reba (daneben rebo *m*), *schwed.* reva ist nicht sicher geklärt. Vielleicht ist das Wort verwandt mit *lat.* rēpere „kriechen, schleichen" (s. Reptil) und mit der *balt.* Sippe von *lit.* rèplióti „kriechen". – Urspr. bezeichnete 'Rebe' die Ranke oder den Wurzelausläufer einer Pflanze, dann auch das rankende Gewächs selbst. Im *Dt.* wird in den Weinländern die *Einz.* Rebe gewöhnlich im Sinne von „Weinstock" und die *Mehrz.* Reben im Sinne von „Weingarten, Weinberg" ver-

wendet. Zus.: Rebensaft, dichterisch für „Wein" (15. Jh.); Reblaus (19. Jh.; so benannt, weil das zu den Pflanzenläusen gehörige Insekt die Reben schädigt).

Rebell *m* „Aufrührer, Aufständischer": Im 16. Jh. aus *frz.* rebelle „aufrührerisch; Rebell" entlehnt, das auf gleichbed. *lat.* rebellis (eigtl. „den Krieg erneuernd") zurückgeht. Das Grundwort gehört zu *lat.* bellum „Krieg", dessen *alat.* Vorform duellum Ausgangspunkt ist für unser FW → *Duell.* – Dazu: rebellisch „aufrührerisch; aufsässig, widersetzlich" (16. Jh.); rebellieren „sich auflehnen, sich widersetzen, sich empören" (16. Jh.; aus gleichbed. *lat.* re-bellāre); Rebellion *w* „Aufruhr, Aufstand; Widerstand, Empörung" (16. Jh.; aus gleichbed. *lat.* rebelliō).

Rebhuhn *s*: Der Name des Feldhuhns (*mhd.* rephuon, *ahd.* rep[a]-, rebhuon, *mnd.* raphōn) enthält als ersten Bestandteil ein als selbständiges Wort im *germ.* Sprachbereich untergegangenes Farbadjektiv, das mit der *slaw.* Sippe von *russ.* rjabój „bunt, scheckig, gesprenkelt" verwandt ist, beachte dazu die Bildung *russ.* rjábka „Rebhuhn". Das Feldhuhn ist also nach der Farbe seines Gefieders als „rotbraunes oder scheckiges Huhn" benannt. Im *Oberd.* wurde das nicht mehr verstandene Bestimmungswort 'Reb-' schon früh volksetymologisch an 'Rebe' angelehnt, im *Niederd.* dagegen an *mnd.* rap „schnell". Das Bestimmungswort ist weiterhin verwandt mit dem unter → *Erpel* behandelten Wörtern.

Rechen *m* „Harke": Die vorwiegend *südd.* und *mitteld.* Bezeichnung des Feld- und Gartengeräts (*mhd.* reche, *ahd.* rehho) gehört zu dem heute veralteten starken Verb *frühnhd.* rechen, *mhd.* rechen, *ahd.* [be]rehhan „zusammenscharren, kratzen, raffen", entspr. *got.* rikan „anhäufen". Im Ablaut zu diesem starken Verb stehen *mnd.* raken „umwühlen, scharren, graben", *schwed.* raka „scharren, kratzen, stochern", beachte dazu die Substantivbildungen *mnd.* rake „Harke", *engl.* rake „Harke, Kratze, Schüreisen", *schwed.* raka „Kratze, Schaber, Harke". – *Mhd.* reche, *ahd.* rehho entsprechen im *germ.* Sprachbereich *mniederl.* reke „Harke" und *aisl.* reka „Harke". Abl.: rechen „harken" (*mhd.* rechen „harken").

rechnen: Das *westgerm.* Verb *mhd.* rechenen, rechen, *ahd.* rehhanōn, *niederl.* rekenen, *engl.* to reckon ist eine Ableitung von einem im *Hochd.* untergegangenen Adjektiv mit der Bed. „ordentlich", vgl. *mnd.* reken „ordentlich; genau; unbehindert", *aengl.* recen „bereit, schnell". Dieses Adjektiv ist eine alte Partizipialbildung zu der unter → *recht* dargestellten *idg.* Wurzel. – Das abgeleitete Verb bedeutete demnach urspr. „in Ordnung bringen, ordnen". Abl.: Rechenschaft *w* (14. Jh.; *mitteld.* rechinschaft

„[Geld]berechnung, Rechnungsablegung", heute „Auskunft über das, was man getan und gelassen hat, Verantwortung"; Rechnung *w* (*mhd.* rech[e]nunge „das Rechnen, Be-, Abrechnung; Rechenschaft", heute auch „Kostenforderung"). Zus. und Präfixbildungen: abrechnen „Rechnung ablegen; vergelten, Rache üben" (*mhd.* abrechnen), dazu Abrechnung *w*; berechnen „kalkulieren, ausrechnen; etwas in bestimmter Absicht tun" (*mhd.* berechnen, *ahd.* birehhanōn), dazu Berechnung *w*; verrechnen „Rechnung ablegen, ausgleichen", reflexiv „falsch rechnen, sich irren" (*mhd.* verrechnen, -rechen).

recht: Das *gemeingerm.* Adjektiv *mhd., ahd.* reht, *got.* raíhts, *engl.* right, *schwed.* rätt beruht auf einer alten Partizipialbildung zu der *idg.* Wz. *reg̑- „aufrichten, recken, geraderichten", dann auch „richten, lenken, führen, herrschen", vgl. z. B. *lat.* rēctus „gerade, geradlinig; richtig, recht; sittlich gut". Zu dieser Wurzel gehören aus anderen *idg.* Sprachen z. B. *aind.* raji-ḥ „sich aufrichtend, gerade", *gr.* orégein „recken, ausstrecken", *lat.* regere „geraderichten; lenken, leiten; herrschen" (s. die umfangreiche FW-Gruppe um regieren, zu der u. a. Regent, Regie, Rektor, direkt, korrekt gehören), rēgula „gerades Stück Holz, Latte; Richtschnur" (s. Regel), regiō „Richtung; Gegend" (s. Region), regimen „Lenkung, Leitung" (s. Regime, Regiment), rēx, Genitiv rēgis „Lenker, Herrscher, König", rogāre „fragen, ersuchen", eigtl. „[bittend die Hand] ausstrecken" (s. arrogant), *air.* regrig- „ausstrecken", rī, Genitiv rīg „König", *mir.* rīge „Königreich" (vgl. den Artikel Reich). Aus dem *germ.* Sprachbereich gehören ferner zu dieser Wurzel die Sippen von →recken und →rechnen (eigtl. „ordentlich machen"), vermutlich auch die Sippe von →geruhen (mit ruchlos und verrucht), die auf einer Bedeutungsentwicklung von „aufrichten, stützen" zu „helfen, für etwas Sorge tragen" beruht. Weiterhin gehört hierher das unter →rank behandelte Adjektiv, das auf einer nasalierten Nebenform beruht und eigtl. „aufgerichtet, aufgereckt" bedeutet. – Um das Adjektiv 'recht' gruppieren sich die Bildungen →gerecht, →richten, →richtig und →²Gericht. Das *gemeingerm.* Adjektiv hatte urspr. die Bed. „gerade". Diese Bedeutung hat 'recht' im heutigen *dt.* Sprachgebrauch noch in den mathematischen Ausdrücken 'rechter Winkel' und 'Rechteck' und in Zus. wie senkrecht, waagerecht, aufrecht. Aus diesem Wortgebrauch entwickelte sich die Verwendung von 'recht' im Sinne von „richtig" und weiterhin im Sinne von „den Gesetzen und Geboten entsprechend, sittlich gut", beachte das Substantiv Recht (s. u.). Von der Bed. „richtig" geht auch die Verwendung von

'recht' als Gegenwort zu 'link' aus, und zwar bezeichnete 'recht' zunächst die rechte Hand, deren Gebrauch allgemein als richtig empfunden wird, während der Gebrauch der linken Hand als ungewöhnlich und nicht richtig angesehen wird, beachte dazu die Substantivierung Rechte *w* „rechte Hand" und 'rechter Hand' „auf der rechten Seite". Das Adverb rechts ist der erstarrte Genitiv Einz. des Adjektivs. Zusammensetzungen mit 'recht' sind rechtfertigen, [sich] „[sich] vom Verdacht befreien, [sich] verantworten" (*mhd.* rehtvertigen, abgeleitet von *mhd.* rehtvertic, älter *nhd.* rechtfertig „gerecht, gut, ordentlich", also eigtl. „gerecht, gut machen"; zum zweiten Bestandteil s. *fertig*); rechtgläubig (15. Jh.; LÜ von *gr.-lat.* orthodoxus, s. orthodox), rechtschaffen „tüchtig, ehrlich, ordentlich" (16. Jh., eigtl. „recht beschaffen", vgl. *schaffen*), Rechtschreibung (16. Jh.; LÜ von *gr.-lat.* orthographia, s. Orthographie). Eine *westgerm.* Substantivierung des *gemeingerm.* Adjektivs ist Recht *s* „das Richtige, Billigkeit; Anspruch, Befugnis; die Gesetze": *mhd., ahd.* reht, *niederl.* recht, *engl.* right. Im *Nord.* ist dagegen eine alte Bildung (tu-Stamm) gebräuchlich, beachte z. B. *schwed.* rätt „Recht, Gesetz", die *air.* recht „Gesetz" entspricht. Abl.: rechten „streiten, sein Recht verlangen" (*mhd.* rehten, *ahd.* rehtōn); rechtlich „dem Recht entsprechend, gesetzlich; ordentlich, redlich" (*mhd.* rehtlich, *ahd.* rehtlīh). Zus.: Rechtsanwalt (Anfang des 19. Jh.s, für älteres 'Advokat', s. d.); Rechtswissenschaft (18. Jh., für älteres 'Rechtsgelehrsamkeit').

Reck *s:* Die Bezeichnung des Turngerätes wurde zu Beginn des 19. Jh.s von F. L. Jahn in die Turnersprache eingeführt, und zwar aus dem *Niederd.*, wo [m]*niederd.* reck[e] eine Querstange zum Aufhängen der Wäsche, zum Aufsitzen der Hühner oder dgl. bezeichnet. Das Wort steht im Ablaut zu *niederd.* rack „Gestell, Regal" und ist mit der Sippe von →Rahe „waagerechte, am Schiffsmast befestigte Stange" verwandt.

Recke *m* „Krieger, Held": *Mhd.* recke, „Verfolgter, Verbannter; Abenteurer; Kämpe, Held", *ahd.* reckeo „Flüchtling, Verbannter; Krieger", *asächs.* wrekkio „Fremdling", *aengl.* wrecca „Flüchtling, Verbannter; Abenteurer" (*engl.* wretch „elender Mensch, Schurke") gehören im Sinne von „Vertriebener" zu dem unter →rächen behandelten Verb in dessen alter Bed. „vertreiben, verfolgen". – Im *Nhd.* wurde 'Recke' erst im 18. Jh. im Rahmen der Beschäftigung mit der *mhd.* Dichtung neu belebt und wird heute als altertümliche Bezeichnung verwendet.

recken: Das *gemeingerm.* Verb *mhd.* recken, *ahd.* recchen, *got.* [uf]rakjan, *aengl.* reccan, *schwed.* räcka gehört zu der unter →recht dargestellten *idĝ.* Wz. *reĝ- „aufrichten, recken, geraderichten". Siehe auch den Artikel verrecken.

Rede *w: Mhd.* rede, *ahd.* red[i]a, radia „Rechenschaft; Vernunft, Verstand; Rede und Antwort, Gespräch, Erzählung; Sprache", *asächs.* redia „Rechenschaft", *got.* raþjō „Zahl; [Ab]rechnung; Rechenschaft" gehören zu der Wurzelform *rē- der unter →*Arm* dargestellten *idĝ.* Wz. *ar[ə]- „fügen, zupassen". Eng verwandt sind im *germ.* Sprachbereich die Sippe von →raten (urspr. „[sich] etwas geistig zurechtlegen, überlegen, aussinnen"), die Adjektivbildung →¹gerade (urspr. „gleichzählend") und der zweite Bestandteil von dem unter→hundert behandelten Zahlwort. *Außergerm.* entspricht 'Rede' genau *lat.* ratiō „Berechnung; Rechenschaft; Zahl; Erwägung; Denken, Vernunft", aus dem 'Rede' auch entlehnt sein könnte. – Abl.: reden (*mhd.* reden, *ahd.* red[i]ōn, daneben redinōn; beachte dazu ab-, an-, aus-, be-, ein-, zureden, auch verabreden), dazu Redensart (Anfang des 17. Jh.s; LÜ von *frz.* façon de parler), Redner *m* (*mhd.* rednǣre, *ahd.* redināri, dazu wiederum rednerisch (17. Jh.); beredt (s. d.); beredt „redegewandt, mundfertig" (*mhd.* beredet; das Adjektiv könnte auch das 2. Partizip des Präfixverbs bereden, *mhd.* bereden sein, zu dem sich beredsam stellt, beachte dazu Beredsamkeit *w*, um 1600). Zus. redselig „geschwätzig" (15. Jh.).

redigieren „ein Manuskript überarbeiten und druckfertig machen": Das seit dem 18. Jh. bezeugte FW gehört zu einer Reihe von Fachwörtern der Publizistik und des Zeitungswesens (wie →annoncieren, →Feuilleton, →Journalist usw.), die aus dem *Frz.* übernommen worden sind. Das zugrunde liegende *frz.* Verb rédiger bedeutet eigtl. „zurückführen" (aus *lat.* red-igere „zurücktreiben, zurückführen; in Ordnung bringen", einem Kompositum von *lat.* agere „treiben, führen, handeln usw.", vgl. agieren), dann speziell etwa „einen Manuskripttext auf eine druckfertige Form zurückführen, einen Text in Ordnung bringen". – Dazu die abgeleiteten FW Redakteur *m* „wer Beiträge für die Veröffentlichung (in Zeitungen, Zeitschriften, Sachbüchern u. a.) bearbeitet und redigiert; Schriftleiter" (18. Jh.; aus gleichbed. *frz.* rédacteur) und Redaktion *w* „Tätigkeit des Redakteurs; Gesamtheit der Redakteure und deren Arbeitsräume, Schriftleitung" (19. Jh.; aus gleichbed. *frz.* rédaction).

redlich: Das auf das *dt.* Sprachgebiet beschränkte Adjektiv (*mhd.* redelich, *ahd.* redilîh) ist eine Bildung zu dem unter →*Rede* behandelten Substantiv, an das es sich in den älteren Sprachzuständen in der Bedeutung eng anschloß. Ursprünglich

wurde 'redlich' im Sinne von „so, wie man darüber Rechenschaft ablegen kann" verwendet, heute ist es im Sinne von „ehrlich, anständig" gebräuchlich. Abl.: Redlichkeit *w* (*mhd.* redlîcheit).

reduzieren „zurückführen; herabsetzen, einschränken, verkleinern, mindern": Im 16. Jh. aus *lat.* re-dūcere „[auf das richtige Maß] zurückführen" entlehnt, einem Kompositum von *lat.* dūcere „ziehen; führen" (vgl. das LW *Dusche*).

Reede *w* „Ankerplatz vor dem Hafen": Das im 17. Jh. aus dem *Niederd.* in die Schriftsprache übernommene Wort geht zurück auf *mnd.* rēde, reide „Ankerplatz", vgl. gleichbed. *niederl.* ree, älter reede und *schwed.* redd. Die Herkunft der Bezeichnung des Ankerplatzes vor dem Hafen ist unklar. Einerseits kann 'Reede' im Sinne von „Platz, an dem die Schiffe [aus]gerüstet werden" zu der Sippe von *mnd.* [ge]rēde „bereit, fertig", rēden „bereit, fertigmachen, rüsten" gehören (vgl. *bereit*). Andererseits kann 'Reede' im Sinne von „Platz, an dem die Schiffe vor dem Hafen auf den Wellen reiten" zu dem unter →*reiten* behandelten Verb gehören. – Beachte dazu die Bildungen Reeder *m* „Schiffseigner" (16. Jh.; *mnd.* rēder) und Reederei *w* „Geschäft eines Reeders" (18. Jh.).

referieren „Bericht erstatten, vortragen": Das aus der Kanzleisprache stammende FW wurde im 16. Jh. über gleichbed. *frz.* référer aus *lat.* re-ferre „zurücktragen; überbringen; mitteilen, berichten" entlehnt, einem Kompositum von *lat.* ferre „tragen, bringen" (vgl. *offerieren*). – In der Kanzleisprache entwickelten sich auch die folgenden abgeleiteten FW: Referat *s* „Bericht; Vortrag" (19. Jh.; entstanden aus *lat.* referat „es möge berichten...". Bei formelhaften Wendungen wie dieser handelt es sich urspr. um Aktenvermerke, die verselbständigt und substantiviert wurden. Über ähnlich entstandene FW vgl. den Artikel Dezernat); Referent *m* „Berichterstatter; Gutachter; Sachbearbeiter" (17./18. Jh.; aus *lat.* referēns, dem Part. Präs. Akt. von referre); Referendar *m* „Anwärter auf die höhere Beamtenlaufbahn nach der ersten Staatsprüfung" (17./18. Jh.; eigtl. etwa „wer aus den Akten Bericht erstattet"; aus entspr. *mlat.* referendārius); Referenz *w* „Empfehlung; Beziehung" (19. Jh.; eigtl. „Bericht, Auskunft, Gutachten über jmdn."; aus gleichbed. *frz.* référence).

reffen (seemänn. für:) „eine Segelfläche verkleinern": Das zu Beginn des 18. Jh.s in die *hochd.* Schriftsprache übernommene *niederd.* reffen ist eine Ableitung von dem Seemannsausdruck *niederd.* ref[f], riff „Vorrichtung zum Verkürzen eines Segels". Das *niederd.* Substantiv stammt - wie auch *niederl.* „Reff" (daraus gleichbed. *engl.* reef) – vermutlich aus dem *Nord.*, vgl. *aisl.* rif „Reff", das vielleicht zu der *germ.* Wortgruppe von *aisl.* rífa „[zer]reißen" gehört (vgl. *reiben*).

reflektieren „zurückstrahlen, spiegeln; nachdenken, grübeln, erwägen; etwas in Betracht ziehen, erstreben, im Auge haben": Im 17. Jh. aus *lat.* re-flectere (reflexum) „zurückbiegen, zurückwenden" (bzw. *lat.* 'animum reflectere' „seine Gedanken auf etwas hinwenden") entlehnt. Das einfache Verb *lat.* flectere „biegen, beugen" erscheint in unserem FW →*flektieren*. – Dazu: Reflektor *m* „Vorrichtung zum Reflektieren von Lichtstrahlen" (19. Jh.; gelehrte *nlat.* Bildung nach entspr. *frz.* réflecteur). Zum Perfektstamm (reflexum) von *lat.* reflectere gehören die folgenden FW: **Reflex** *m* „Widerschein, Rückstrahlung; unwillkürliches Ansprechen auf einen Reiz": Im 18./19. Jh. über gleichbed. *frz.* réflexe aus *lat.* reflexus „das Zurückbeugen" entlehnt. **Reflexion** *w* „Rückstrahlung (von Licht, Schall, Wärme u. a.); Vertiefung in einen Gedankengang, Überlegung, Betrachtung" (17. Jh.; nach entspr. *frz.* réflexion aus *lat.* reflexiō „Zurückbeugung"); **reflexiv** „rückbezüglich" (Sprachw.); gelehrte *nlat.* Bildung des 19. Jh.s.

reformieren „verbessern, [geistig, sittlich] erneuern; neugestalten": Im 15. Jh. wie entspr. *frz.* réformer aus *lat.* re-fōrmāre „umgestalten, umbilden, neugestalten" entlehnt (vgl. *Form*). – Dazu: Reform *w* „Umgestaltung, Neuordnung; Verbesserung des Bestehenden" (18. Jh.; aus gleichbed. *frz.* réforme); Reformer *m* „Erneuerer, Verbesserer" (19. Jh.; aus gleichbed. *engl.* reformer entlehnt, das von *engl.* to reform „erneuern, verbessern" < *lat.* refōrmāre abgeleitet ist); Reformation *w* „verbessernde Umgestaltung; sittliche, religiöse Erneuerung", insbesondere Bezeichnung für die von Luther ausgelöste christliche Glaubensbewegung des 16. Jh.s, die zur Bildung der evang. Kirchen führte (im 15./16. Jh. aus *lat.*refōrmātiō, „Umgestaltung; Erneuerung" entlehnt); Reformator *m* „[sittlicher, kirchlicher] Erneuerer" (speziell als Bezeichnung für die geistigen Väter der Reformation wie Luther, Zwingli, Calvin u. a.), im 16. Jh. aus *lat.* refōrmātor „Umgestalter, Verbesserer, Erneuerer" entlehnt.

Refrain *m* „Kehrreim": Im 18. Jh. aus gleichbed. *frz.* refrain entlehnt. Die eigtl. Bed. des *frz.* Wortes ist „Rückprall (der Wogen von den Klippen)". Es ist abgeleitet von *afrz.* refraindre „[zurück]brechen; wiederholt unterbrechen; modulieren", das ein *vlat.* Verb *re-frangere (= klass.-lat. re-fringere) „auf-, zurückbrechen; brechend zurückwerfen" fortsetzt. Über etymolog. Zusammenhänge vgl. den Artikel *Fragment*.

Regal *s* „gefächertes Brettergestell für Bücher, Waren u. a.": Die Herkunft des seit

dem 17. Jh. bezeugten Wortes, das mit gleichbed. *niederd.* rijöl zusammenhängt, ist nicht gesichert.

Regatta *w* „Bootswettkampf": Ein im 18. Jh. aus dem *Venez.* übernommenes FW, das zuerst nur von Wettfahrten der Gondeln in Venedig galt. Die weitere Herkunft von *venez.* regata ist ungewiß.

rege: Das seit dem 16. Jh. bezeugte Adjektiv ist eine Bildung aus dem unter →*regen* behandelten Verb.

Regel *w*: „Richtschnur, Richtlinie, Norm, Vorschrift": Das Subst. *mhd.* regel[e], *ahd.* regula wurde mit der urspr. Bed. „Ordensregel" als Klosterwort aus gleichbed. *mlat.* regula aufgenommen, das *lat.* rēgula „Richtholz; Richtschnur, Maßstab, Regel" fortsetzt (zu *lat.* regere „geraderichten; lenken; herrschen", vgl. das FW *regieren*). Die eigtl. Bedeutungen des *lat.* Wortes wurden im Laufe der Zeit von 'Regel' mitübernommen. Neben den unmittelbar zu 'Regel' gehörenden Abl. und Zus. regeln „in Ordnung bringen; durch Verordnungen Richtlinien geben" (16. Jh.) – dazu die Substantivbildungen Reg[e]lung *w* und Regler *m* „Vorrichtung zur Regelung technischer Vorgänge" –, regelmäßig „der Regel gemäß; in bestimmten Zeitabständen wiederkehrend" (17. Jh.) und regelrecht „der Regel, der Vorschrift entsprechend" (Anfang 18. Jh.) stehen die mittelbar abgeleiteten FW regulär „der Regel gemäß; vorschriftsmäßig; üblich, gewöhnlich" (18. Jh.; aus *spätlat.* rēgulāris „einer Richtschnur gemäß; regelmäßig") und regulieren „regeln, in Ordnung bringen; für den gleichmäßigen Ablauf einer Sache (insbesondere auch einer Maschine, einer Uhr u. a.) sorgen" (in *mhd.* Zeit aus *spätlat.* rēgulāre „regeln, einrichten").

regen: Das schwache Verb *mhd.* regen „aufrichten, in Bewegung setzen; bewegen; erregen, erwecken; anrühren" ist das Veranlassungswort zu dem im *Nhd.* untergegangenen starken Verb *mhd.* regen „emporragen, sich erheben; steif gestreckt sein, starren". Dieses Verb, das gleichfalls auf das *dt.* Sprachgebiet beschränkt ist, hängt mit den unter →Rahe behandelten Wörtern zusammen. – Abl.: rege (s. d.); regsam (18. Jh.); Regung *w* „Bewegung, Gemütsbewegung" (17. Jh.). Beachte auch die zusammengesetzten Verben an-, aufregen und die Präfixbildung erregen (16. Jh.).

Regen *m*: Das *gemeingerm.* Wort *mhd.* regen, *ahd.* regan, *got.* rign, *engl.* rain, *schwed.* regn ist dunklen Ursprungs. Abl.: regnen (*mhd.* reg[en]en, *ahd.* reganōn, vgl. *got.* rignjan, *engl.* to rain, *schwed.* regna), dazu regnerisch (17. Jh., für älteres regnicht, regnig, *mhd.* regenic). Zus.: Regenbogen (*mhd.* regenboge, *ahd.* reginbogo; vgl. *niederl.* regenboog, *engl.* rainbow, *schwed.* regnbåge);

Regenpfeifer (18. Jh.; der Vogel ist so benannt, weil er durch besonders lautes Pfeifen Regen ankündigen soll); Regenschirm (Anfang des 18. Jhs; Lehnübertragung von *frz.* parapluie); Regenwurm (*mhd.* regenwurm, *ahd.* reganwurm; so benannt, weil der Wurm nach einem Regenfall das Erdreich verläßt und in größerer Zahl auf dem Erdboden zu finden ist).

regenerieren „erneuern, auffrischen; wiederherstellen": Gelehrte Entlehnung aus *lat.* re-generāre „von neuem hervorbringen" (vgl. *Generation*), nach entspr. *frz.* régénérer.

Regent *m* „[fürstliches] Staatsoberhaupt; verfassungsmäßiger Vertreter eines Monarchen": Im 15. Jh. aus *spätlat.* regēns (regentis) „Herrscher, Fürst", dem substantivierten Part. Präs. von *lat.* regere „geraderichten, lenken; herrschen", entlehnt (vgl. *regieren*).

Regie *w* „Verwaltung; [Spiel]leitung (z. B. bei Theater, Film usw.)": Im 18. Jh. aus *frz.* régie „verantwortliche Leitung; Verwaltung" entlehnt, das von dem auf *lat.* regere „geraderichten, lenken; herrschen" (vgl. *regieren*) beruhenden Verb *frz.* régir „leiten, lenken; verwalten" abgeleitet ist. – Dazu das FW Regisseur *m* „Spielleiter" (18./19. Jh.; aus *frz.* régisseur „Verwalter; Spielleiter").

regieren „lenken, herrschen": In *mhd.* Zeit nach *afrz.* reger aus *lat.* regere „geraderichten, lenken; herrschen" entlehnt. Dazu etwa gleichzeitig das abgeleit. Subst. Regierung *w.* – Lat. regere, das zur *idg.* Sippe von →*recht* gehört, ist Quellwort für eine Fülle von FW, die im *Nhd.* lebendig sind. So stehen neben dem unmittelbar aus dem Part. Präs. von regere entwickelten →Regent die Subst. →Regie und Regisseur, die zum entspr. *frz.* Verb régir gehören. Zahlreiche FW gehen teils auf die Grundform regere zurück in Komposita wie dī-rigere (s. dirigieren, Dirigent) und cor-rigere (s. korrigieren) oder auf das Part. Perf. [–]rēctus „aus-, aufgerichtet, gerade" (→Rektor; →direkt, →Direktor, Direktrice, →Direktion, →Direktive, →indirekt; →korrekt, inkorrekt, Korrektor, Korrektur; →Eskorte, eskortieren; →adrett, →Adresse, adressieren, Adressat; →Dreß; →dressieren, Dresseur, Dressur). Außerdem sind es etliche Nominalbildungen im *Lat.*, die zum Stamm von regere gehören und die für uns von Wichtigkeit sind: *lat.* rēgula „Richtschnur" (s. Regel, regeln, regulieren, regulär); regiō „Richtung, Gegend" (s Region, regional); regimen, regimentum „Leitung" (s. Regime, Regiment); rēx „Lenker, König" (in *frz.* roi), rēgīna „Königin" (*frz.* reine) im Mädchennamen Regine. – Mit einer etwaigen Grundbed. „sich an jmdn. richten" gehört auch *lat.* rogāre „fragen; ersuchen, bitten; verlangen" ablautend zu

regere. Das Kompositum arrogāre lebt in den FW →arrogant, Arroganz.

Regime *s* „Regierung[sform], Herrschaft": Im 18./19. Jh. aus gleichbed. *frz.* régime entlehnt, das seinerseits auf *lat.* regimen „Lenkung, Leitung; Regierung" beruht. Zu *lat.* regere „geraderichten, lenken; herrschen" (vgl. *regieren*).

Regiment *s*: Das seit dem 15. Jh. zuerst mit der auch heute noch gültigen Bed. „Leitung, Herrschaft" bezeugte FW geht auf *spätlat.* regimentum „Leitung, Oberbefehl" zurück, das zu *lat.* regere „geraderichten, lenken; herrschen" (vgl. *regieren*) gehört. Im 16. Jh. wird das Wort auch zur Bezeichnung einer Truppeneinheit, die unter dem Befehl eines Obersten steht.

Region *w* „Gegend, Bereich; Körperzone": Im 15. Jh. aus *lat.* regiō „Richtung, Gegend; Bereich, Gebiet" entlehnt, das zu *lat.* regere „geraderichten, lenken; herrschen" (vgl. *regieren*) gehört. – Abl.: regional „gebietlich, gebietsweise; auf einen bestimmten Bereich beschränkt" (*spätlat.* regiōnālis „zu einer Landschaft gehörig"), dazu die junge Zus. Regionalprogramm „Rundfunk- oder Fernsehprogramm aus einem Landesstudio".

Register *s* „[alphabetisches Inhalts]verzeichnis, Sach-, Wortweiser; Liste": Im 14. Jh. aus *mlat.* registrum „Verzeichnis" entlehnt, das aus gleichbed. *spätlat.* regesta entstellt ist. Letzteres ist das substantivierte Part. Perf. Pass. (Plur. Neutr.) von *lat.* re-gerere „zurückbringen; eintragen, einschreiben", einem Kompositum von *lat.* gerere (gestum) „tragen; ausführen usw." (vgl. *Geste*). – Abl.: registrieren „in ein Register eintragen, einordnen; selbsttätig aufzeichnen; (übertr.:) bewußt wahrnehmen, ins Bewußtsein aufnehmen" (15. Jh.; aus *mlat.* registrāre); Registratur *w* „Aufbewahrungsstelle für Karteien, Akten usw." (16. Jh.; *nlat.* Bildung).

Regreß *m* „Rückgriff[sanspruch] auf einen Zweit- oder Hauptschuldner": Im 17./18. Jh. als juristischer Terminus aus gleichbed. *lat.* regressus (eigtl. Bed.: „Rückkehr; Rückhalt, Zuflucht") entlehnt. Zu *lat.* re-gredī „zurückgehen, zurückkommen; auf jmdn. zurückkommen" (Ersatzansprüche stellen", einem Kompositum von *lat.* gradī „schreiten, gehen" (vgl. *Grad*).

Reh *s*: Der *altgerm.* Tiername *mhd.* rē[ch], *ahd.* rēh[o], *niederl.* ree, *engl.* roe, *schwed.* rå ist z. B. verwandt mit *air.* rīabach „gesprenkelt" und der *baltoslav.* Sippe von *lit.* ráibas, ráinas, ráimas „scheckig, graubunt, braungelb gesprenkelt". Das Reh ist also nach der Farbe seines Felles benannt, das im Sommer rotgelb und im Winter gelblichgrau ist. Siehe auch den Artikel Ricke.

rehabilitieren „in den früheren Stand, in die früheren [Ehren]rechte wiedereinsetzen;

rechtfertigen" (auch reflexiv): Neubildung des 18. Jh.s zu *mlat.* habilitāre „geeignet, fähig machen" (vgl. *habilitieren*), nach entspr. *frz.* réhabiliter.

reiben: Das starke Verb *mhd.* rīben, *ahd.* rīban kann urspr. anlautendes w- gehabt haben und im Sinne von „drehend zerkleinern" zu der unter →*Wurm* dargestellten vielfach weitergebildeten und erweiterten *idg.* Wz. *u̯er- „drehen, winden" gehören, vgl. *mnd.* wrīven „reiben", *niederd.* und *nordd. ugs.* wribbeln „[sich] drehen, sich hin und her bewegen". Andererseits kann 'reiben' *aisl.* rīfa „[zer]reißen" entsprechen und zu der unter →*Reibe* behandelten Wortgruppe gehören. – Abl.: Reibe *w* „[Küchen]gerät zum Reiben" (18. Jh.; älter ist die Zus. Reibeisen, *ahd.* rībīsen); Reiberei *w* „Streitigkeit" (19. Jh., im Anschluß an 'sich an jemandem reiben' „Streit suchen"). Zus. und Präfixbildungen: abreiben „frottieren; abstreifen, abwischen; entfernen", *ugs.* auch für „prügeln" (*mhd.* abrīben), beachte dazu Abreibung *w ugs.* für „Prügel"; aufreiben „aufscheuern, wund machen; schwächen, zermürben, vernichten" (16. Jh.); zerreiben „zerkleinern, pulverisieren" (*mhd.* zerrīben). Siehe auch den Artikel gerieben.

reich: Die *germ.* Adjektivbildungen *mhd.* rīch[e], *ahd.* rīhhi, *got.* reiks, *engl.* rich, *schwed.* rik gehören zu einem *germ.* Substantiv mit der Bed. „Herrscher, Fürst, König", das in *got.* reiks „Herrscher, Oberhaupt" bewahrt ist. Dieses Substantiv ist wahrscheinlich aus dem *Kelt.* entlehnt, vgl. *air.* rī, Genitiv rīg „König", das *lat.* rēx „Lenker, Herrscher, König" entspricht (vgl. *recht*). – Die Bed. „begütert, vermögend, wohlhabend" hat sich demnach aus „fürstlich, königlich, von vornehmer Abstammung, mächtig" entwickelt. Im *Dt.* spielt 'reich' eine bedeutende Rolle in der Zusammensetzung, beachte z. B. geistreich, hilfreich, segensreich, trostreich. An den Komparativ 'reicher' schließen sich an anreichern „gehaltvoller machen" (19. Jh.) und bereichern „zukommen lassen, reicher machen" (um 1600). Abl.: reichlich „ergiebig, in Fülle vorhanden; etwas viel" (*mhd.* rīchelich, *ahd.* rīchlīh); das heutigen Sprachgefühl wird 'reichlich' bisweilen auf das Verb reichen bezogen; Reichtum *m* (*mhd.* rīchtuom, *ahd.* rīhtuom, vgl. *aengl.* rīcedōm, *aisl.* rīkdōmr). Zus.: reichhaltig „ergiebig" (Anfang des 18. Jh.s, in der Form reichhalt bereits im 17. Jh.; das Wort stammt aus der Bergmannssprache und bezog sich urspr. auf den Gehalt von Gruben und Erzen; es ist wahrscheinlich aus 'reichhaltig' gekürzt). Siehe auch den Artikel Reich.

Reich *s*: Das *gemeingerm.* Substantiv *mhd.* rīch[e], *ahd.* rīhhi, *got.* reiki, *aengl.* rice (*engl.* noch in bishopric „Bistum"), *schwed.* rike stammt wahrscheinlich direkt aus dem *Kelt.*, vgl. *mir.* rīge „Königreich" (s. *recht*). Es kann aber auch von dem unter →*reich* genannten *germ.* Substantiv (*kelt.* LW) mit der Bed. „Herrscher, Fürst, König" abgeleitet sein. – Es wurde zunächst im Sinne von „einem Herrscher untertäniges Gebiet, Herrschaftsbereich" und auch im Sinne von „Herrschaft, Macht" gebraucht. Schon früh wurde 'Reich' dann auch rein räumlich im Sinne von „Bereich, Gebiet, Gegend" verwendet. Im *Dt.* bezeichnete das Wort dann auch speziell das Deutsche Reich sowie die Stände des Reiches, beachte die Zus. Reichstag (15. Jh., eigtl. „Ständetag"). Das Wort steckt in zahlreichen Zusammensetzungen, beachte z. B. Reichskanzler (17. Jh., Klammerform für 'Reichserzkanzler'), Reichsmark, Reichswehr, Pflanzen-, Tier-, Totenreich.

reichen: Das *westgerm.* Verb *mhd.* reichen, *ahd.* reichen, -ōn, *niederl.* reiken, *engl.* to reach ist verwandt mit der *balt.* Sippe von *lit.* réižti „recken, straffen, stolzieren" und mit der *kelt.* Sippe von *air.* riag „Tortur", eigtl. „Strecken (der Glieder)". Es bedeutete zunächst „sich erstrecken", dann auch „hinlangen, auskommen; genügen" und im transitiven Gebrauch „strecken, hinhalten, darbringen, geben". Um 'reichen' gruppieren sich Bereich *m* „Gebiet, Ressort" (Ende des 18. Jh.s; in der rechtssprachl. Bed. „Abgabe" bereits im 16. Jh.; das Substantiv ist eine Bildung zu dem heute veralteten bereichen „sich erstrecken, erreichen") und die Präfixbildungen erreichen „gelangen, erlangen" (*mhd.* erreichen) und gereichen „zu etwas hinführen, dienen zu" (*mhd.* gereichen), beachte auch die Zus. aus-, einreichen.

reif: Das *westgerm.* Adjektiv *mhd.* rīfe, *ahd.* rīfi, *niederl.* rijp, *engl.* ripe gehört zu einem *germ.* Verb mit der Bed. „abpflücken, ernten", das in *aengl.* rīpan „ernten" bewahrt ist (vgl. *Reihe*). Das Adjektiv bedeutet demnach eigtl. „was abgepflückt, geerntet werden kann" (Anfang des 16. Jh.s). Abl.: Reife *w* (16. Jh., statt *mhd.* rīfecheit; aber schon *ahd.* rīfī); [1]reifen (*mhd.* rīfen, *ahd.* rīfen, -ēn, vgl. *niederl.* rijpen, *engl.* to ripen); reiflich „eingehend, genau" (Anfang des 16. Jh.s).

[1]Reif *m* „Ring" (bes. als Schmuckstück und als Spielzeug): *Mhd.* reif „Seil, Strick; Streifen, Band, Fessel; Ring; Faßband; Kreis", *ahd.* reif „Seil, Strick", *got.* (skauda)raip „Lederriemen", *engl.* rope „Seil, Tau, Strang", *schwed.* rep „Seil, Strick, Strang" gehören wahrscheinlich im Sinne von „abgerissener Streifen" zu der unter →*Reihe* dargestellten *idg.* Wz. *rei- „ritzen, reißen, schneiden". Dem *hochd.* Reif entspricht *niederd.* Reep *s* „Seil, Tau" (*mnd.* rēp, vgl. *niederl.* reep „Streifen; Tau"; s. auch Fallreep unter *fallen*); dazu Reeper *m* „Seiler"

Reif

(*mnd.* rēper), beachte Reeperbahn „Dreh-
bahn des Seilers" (Name einer Straße in
Hamburg). – Die Nebenform Reifen *m*
(18. Jh.) hat sich aus den schwach gebeugten
Formen von ‘Reif’ entwickelt, von dem es
sich heute in der Bedeutung differenziert
hat. Und zwar wird ‘Reifen’ heute gewöhnlich in den Bed. „größerer Ring (als Spielzeug)" und „Faßband" verwendet, hauptsächlich aber als Bezeichnung für den aus
Schlauch und Mantel bestehenden Teil des
Rades, beachte dazu bereifen „mit [Gum-
mi]reifen versehen" (20. Jh.), dazu Bereifung *w.* Zus.: Reifrock „ein durch ein
Reifengestell gesteifter Frauenrock"(18.Jh.).
Siehe auch den Artikel Stegreif.

²**Reif** *m* „kristalline, zarte Eisablagerung":
Das auf das *dt.* und *niederl.* Sprachgebiet beschränkte Wort (*mhd.* rīfe, *ahd.* [h]rīfo,
niederl. rijp) ist im *germ.* Sprachbereich verwandt mit *mhd.* rīm „Reif", *niederl.* rijm
„Reif", *engl.* rime „Reif" und *schwed.* rim-
[frost] „Reif". Diese Wörter für „Reif" gehören wahrscheinlich im Sinne von „was
man abstreifen kann" zu der Wz. *krei-
„[ab]streifen, berühren", vgl. z. B. *ahd.*
hrīnan „berühren, streifen" und weiterhin
lett. krīet „die Sahne von der Milch ab-
schöpfen", krèims „Rahm" (eigtl. „was
man abstreifen kann"). Abl.: ²reifen
„Rauhreif ansetzen" (*spätmhd.* rīfen).

Reigen *m*: Die Bezeichnung für den ursprünglich höfischen Rundtanz (*mhd.* rei[g]e,
frühnhd. und bis ins 18. Jh. ‘Reihen’) ist aus
afrz. raie „Tanz" entlehnt, dessen weitere
Herkunft nicht gesichert ist. Heute versteht man unter Reigen insbesondere auch
einen bei Turnfesten und dgl. aufgeführten
rhythmischen Reihentanz.

Reihe *w*: Mhd. rīhe „Reihe, Linie; schmaler
Gang; Abzugsgraben; Rinne, Rille", dem
niederl. rij „Reihe, Linie; [Meß]latte" entspricht, steht im grammatischen Wechsel zu
mhd. rige „Reihe, Linie; Wassergraben",
ahd. riga „Linie" (vgl. Riege). Diese Wörter
stellen sich zu einem starken Verb *mhd.*
rīhen, *ahd.* rīhan „auf einen Faden ziehen;
durchbohrend stechen, spießen" (s. u. reihen), das zu der vielfach weitergebildeten
und erweiterten *idg.* Wz. *rei- „ritzen,
reißen, schneiden" gehört. Aus dem *germ.*
Sprachbereich gehören ferner zu dieser
Wurzel die Sippe von → reif (eigtl. „was abgepflückt werden kann") und vermutlich
auch das unter → ¹Reif (urspr. „abgerissener Streifen") behandelte Wort. Siehe
auch den Artikel reiben. In anderen
idg. Sprachen sind z. B. verwandt *aind.*
rikháti „ritzt", rēkhá „Riß, Strich,
Linie", *gr.* ereíkein „zerreißen, zerbrechen"
und *lat.* rīma „Ritze". – Das Verb reihen,
das im *Nhd.* schwach gebeugt wird und als
Ableitung von ‘Reihe’ empfunden wird,
setzt z. T. das alte starke Verb *mhd.* rīhen,

ahd. rīhan „auf einen Faden ziehen, reihenweise anheften" fort. Zus.: Reihenfolge
(Anfang des 19. Jh.s).

Reiher *m*: Die *germ.* Bezeichnungen des
Vogels *mhd.* reiger (daneben heiger), *ahd.*
reigaro (daneben heigaro), *niederl.* reiger,
aengl. hrāgra, *schwed.* häger beruhen auf
germ. *hraiʒran-, das zu der unter →*Harke*
dargestellten lautnachahmenden *idg.* Wurzel
gehört und eigtl. etwa „Krächzer, [heiserer]
Schreier" bedeutet. Die starken Abweichungen der *germ.* Formen sind durch Dissimilation entstanden. – Näher verwandt mit
dem *germ.* Vogelnamen sind z. B. *kymr.*
cryg „heiser", cregyr „Reiher" und die
baltoslaw. Sippe von *russ.* krik „Schrei, Geschrei" (s. auch den Artikel schreien). – Von
‘Reiher’ abgeleitet ist reihern *mdal.* für
„[er]brechen, sich übergeben; den Durchfall
haben".

Reim *m* „gleichklingender Ausgang zweier
Verse in einer oder mehreren Silben": Die
nhd. Form geht zurück auf *mhd.* rīm „Reim;
Verszeile; Verspaar", das im 12. Jh. aus
dem *Afrz.* entlehnt wurde. Das *afrz.* rime
„Reim" seinerseits stammt aus dem *Germ.*,
und zwar aus einer *afränk.* Entsprechung
von *ahd.* rīm „Reihe, Reihenfolge; Zahl",
aengl. rīm „Zahl; Zählung; Rechnung",
aisl. rīm „[Be]rechnung; Kalender". Dieses
germ. Substantiv gehört zu der unter →*Arm*
dargestellten *idg.* Wurzel und ist näher verwandt mit *air.* rīm „Zahl" und *gr.* arithmós
„Zählung, [An]zahl". – Die bis ins 17. Jh.
reichende Verwendung von ‘Reim’ im
Sinne von „Verszeile, Vers[paar]" spiegelt
sich heute noch in Zus. wie Kehrreim und
Kinderreim wider. Abl.: reimen (*mhd.*
rīmen „in Verse bringen, reimen").

rein: Das *altgerm.* Adjektiv *mhd.* reine, *ahd.*
[h]reini, *got.* hrains, *schwed.* ren beruht auf
einer alten Partizipialbildung zu der Wurzelform *[s]krē- „scheiden, sichten, sieben"
der unter →¹scheren dargestellten *idg.* Wz.
*[s]ker- „schneiden, scheiden". Das Adjek-
tiv bedeutete demnach urspr. etwa „gesiebt"
und ist z. B. eng verwandt mit *lat.* crībrum
„Sieb, Durchschlag" und *air.* criathar
„Sieb", beachte auch das verwandte Reiter *w*
landsch. für „[Getreide]sieb" (*mhd.* rīter,
ahd. rītra). Im heutigen Sprachgebrauch
wird ‘rein’ gewöhnlich im Sinne von „nicht
befleckt, nicht schmutzig, sauber" und im
Sinne von „ungemischt, unverfälscht" verwendet. Abl.: Reinheit *w* (17. Jh.); reinigen (*mhd.* reinegen, abgeleitet von dem
im *Nhd.* untergegangenen Adjektiv *mhd.*
reinic „rein", dazu Reinigung *w* (*mhd.*
reinigunge), bereinigen „in Ordnung
bringen, klären" (19. Jh.) und verunreinigen „beschmutzen, beflecken" (*mhd.* verunreinigen); reinlich „sauber; die Sauberkeit liebend" (*mhd.* reinlich), dazu Reinlichkeit *w* (16. Jh.).

¹**Reis** *m* ,,junger Trieb, Schößling, [dünner] Zweig": Das *altgerm.* Wort *mhd.* rīs, *ahd.* [h]rīs, *niederl.* rijs, *aengl.* hrīs, *schwed.* ris hängt wahrscheinlich zusammen mit *asächs.* hrissian ,,zittern, beben", *got.* af-, ushrisjan ,,ab-, ausschütteln", *aengl.* hrissan ,,schütteln, bewegen; beben". Das Substantiv bedeutet demnach eigtl. etwa ,,das, was sich zitternd bewegt". Verwandt sind die unter →Rispe behandelten Wörter und weiterhin z. B. *lat.* crīnis (aus *crisnis) ,,Haar, Kopfhaar", crista ,,Helmbusch; Kamm am Kopf der Tiere" und *apreuß.* craysi ,,Halm". − Von 'Reis' abgeleitet ist →Reisig.

²**Reis** *m:* Der Name der sehr alten, in den asiatischen Ländern wichtigsten Kulturpflanze (*mhd.* rīs) beruht auf gleichbed. *mlat.* rīsus (rīsum) das für *lat.* orўza (orīza) < *gr.* órўza steht. Das Wort stammt letztlich wohl aus einer südasiatischen Sprache und wurde den Griechen und damit den europ. Sprachen über Indien und Persien vermittelt (vgl. gleichbed. *aind.* vrīhí-h und *afghan.* vrīžē).

Reise *w: Mhd.* reise ,,Aufbruch; Unternehmen, Zug, Fahrt; Heerfahrt", *ahd.* reisa ,,Zug, Fahrt", *mnd.* reise, rese ,,Aufbruch; Zug, Fahrt, Kriegszug" (daraus die *nord.* Sippe von *schwed.* resa ,,Reise, Fahrt"), *niederl.* reis ,,Reise" gehören zu dem im *Nhd.* untergegangenen *gemeingerm.* starken Verb *mhd.* rīsen, *ahd.* rīsan ,,sich von unten nach oben bewegen, sich erheben, steigen; sich von oben nach unten bewegen, fallen", *got.* ur-reisan ,,aufstehen, sich erheben", *engl.* to rise ,,aufstehen, sich erheben, steigen", *aisl.* rīsa ,,sich erheben, entstehen". Zu diesem Verb stellt sich im *Dt.* →rieseln. Die *germ.* Wortgruppe ist verwandt mit der *baltoslaw.* Sippe von *russ.* ristát' ,,schnell laufen, rennen" und weiterhin z. B. mit *aind.* rịṇấti ,,läßt laufen; läßt fließen; läßt entrinnen", rītí-ḥ ,,Lauf; Strom; Lauf der Dinge, Art und Weise" und *lat.* rīvus ,,Bach" (s. Rivale eigtl. ,,Bachnachbar"). Alle diese Wörter gehören zu der unter →rinnen dargestellten *idg.* Wurzel (vgl. auch den Artikel Rille). − Abl.: reisen ,,eine Reise machen" (*mhd.* reisen, *ahd.* reisōn); reisig veralt. für ,,gewappnet; beritten" (*mhd.* reisic ,,auf der Reise befindlich; zur Heerfahrt dienend; gerüstet; beritten", beachte dazu die Substantivierung Reisige *m* histor. für ,,berittener Söldner").

Reisig *s* ,,Bündel von trockenen Reisern; Gebüsch": Das auf das *dt.* Sprachgebiet beschränkte Substantiv (*mhd.* rīsech, rīsach) ist eine Bildung zu dem unter →¹*Reis* behandelten Wort.

reißen: *Mhd.* rịẓen, ,,[zer]reißen; einritzen; schreiben; zeichnen", *ahd.* rīzan ,,reißen, schreiben" und *aisl.* rīta ,,ritzen; schreiben" hatten urspr. wahrscheinlich anlautendes w- und entsprechen dann *mnd.* wrīten ,,rei-

ßen; schreiben; zeichnen", *aengl.* wrītan ,,einritzen; schreiben; zeichnen" (*engl.* to write ,,schreiben"). Um 'reißen' gruppieren sich die Substantivbildung →Riß, die Intensivbildung →ritzen und das Veranlassungswort →reizen (eigtl. ,,einritzen machen"). Diese *germ.* Wortgruppe gehört mit verwandten Wörtern in anderen *idg.* Sprachen zu der vielfach weitergebildeten und erweiterten *idg.* Wz. *u̯er- ,,aufreißen, ritzen", vgl. z. B. *gr.* rhíně ,,Feile, Raspel". − Das Verb 'reißen' bedeutete urspr. ,,einen Einschnitt machen, ritzen". Dann wurde es speziell im Sinne von ,,[Runen]zeichen einritzen" gebraucht. Aus diesem Wortgebrauch entwickelten sich die Bed. ,,schreiben; zeichnen; entwerfen", beachte *engl.* to write ,,schreiben" und *schwed.* rita ,,zeichnen". An 'reißen' im Sinne von ,,zeichnen, entwerfen" schließen sich im *Dt.* z. B. an Reißbrett ,,Zeichenbrett" (17. Jh.) und Reißzeug ,,Gerät zum Umrißzeichnen" (17. Jh.), beachte auch die Bedeutungsverhältnisse der unten behandelten Präfixbildungen und Zusammensetzungen und des Substantivs Riß. Auch die Wendung 'Possen reißen' (danach dann auch 'Witze reißen') bedeutete urspr. wahrscheinlich ,,Possen zeichnen". Im heutigen Sprachgebrauch wird 'reißen' gewöhnlich in den Bed. ,,gewaltsam trennen; gewaltsam entfernen, fortnehmen" (trans.) und ,,auseinandergehen, sich lösen, entzweigehen" (intrans.) gebraucht. Ferner wird es im Sinne von ,,gewaltsam oder heftig ziehen, zerren" und im Sinne von ,,[sich] gewaltsam oder heftig bewegen" verwendet, beachte dazu die verschiedenen Anwendungsbereiche des Partizipialadjektivs reißend (z. B. von Tieren, von der Strömung). Beachte dazu die Präfixbildungen und zusammengesetzten Verben abreißen ,,niederreißen, abbrechen; entfernen; sich lösen, abfallen", früher auch ,,ein Bild im Umriß entwerfen" (*mhd.* aberīzen), dazu Abriß *m* ,,Umrißzeichnung; Hauptzüge, kurzgefaßte Darstellung" (16. Jh.); anreißen *ugs.* für ,,anbrechen, etwas wovon nehmen" und für ,,anlocken", dazu Anreißer *m ugs.* für ,,Anpreiser, Ausrufer"; aufreißen ,,aufbrechen, [heftig oder gewaltsam] öffnen; einen Riß bekommen", techn. für ,,zeichnen, entwerfen" (*mhd.* ūfrīzen), dazu Aufriß *m* ,,nicht perspektivische Vertikalzeichnung"; ausreißen ,,gewaltsam entfernen; sich lösen; einen Riß oder ein Loch bekommen; [ent]fliehen" (*mhd.* ūẓrīzen), beachte dazu die Wendung 'Reißaus nehmen' ,,fliehen" (16. Jh.; aus dem Imperativ reiß aus!); einreißen ,,niederreißen, abbrechen, zerstören; einen Riß bekommen; Brauch, Unsitte werden" (*mhd.* īnrīzen); hinreißen ,,fortreißen; zu etwas bringen, zu etwas verführen; entzücken" (*mhd.* hinrīzen); beachte bes. das in adjektivischen

Gebrauch übergegangene erste Partizip hinreißend ,,entzückend"); verreißen ugs. für ,,abfällig kritisieren, heruntermachen", früher ,,in Stücke reißen, vernichten" (mhd. verrīzen); zerreißen ,,gewaltsam trennen, in Stücke reißen, zerfetzen, vernichten; auseinandergehen, sich lösen, in Stücke gehen" (mhd. zerrīzen; beachte das zweite Partizip zerrissen im übertragenen Sinne von ,,Gliederschmerzen" gebraucht. Die Bildung Reißer m (,,einer, der reißt; Gerät zum Reißen oder Ritzen") wurde schon in der zweiten Hälfte des 19. Jh.s bühnensprachlich im Sinne von ,,wirkungsvolles Stück" verwendet. Siehe auch den Artikel gerissen.

reiten: Das altgerm. Verb mhd. rīten, ahd. rītan, niederl. rijden, engl. to ride, schwed. rida beruht mit verwandten Wörtern in anderen idg. Sprachen auf der Wurzelform *reidh- ,,in Bewegung sein, reisen, fahren", vgl. z. B. mir. rīad[a]im ,,fahre", ir. rīad ,,Fahren; Reiten", gall. rēda ,,vierrädriger Reisewagen". Weiterhin gehören diese Wörter wahrscheinlich zu der unter →rinnen dargestellten idg. Wortgruppe. – Um 'reiten' gruppieren sich die unter →Ritt, →Ritter und →bereit (eigtl. ,,reisefertig, fahrbereit") behandelten Wörter; s. auch den Artikel Reede. Abl.: Reiter m (mhd. rīter, spätahd. rītāre), dazu Reiterei w (um 1500). Beachte auch beritten ,,zu Pferde", das eigtl. das zweite Partizip von dem heute nur noch in der Bed. ,,zureiten" gebrauchten Präfixverb bereiten ist (mhd. berīten ,,[auf dem Pferd] reiten, reitend angreifen").

reizen: Mhd. reizen (reizen), ahd. reizzen (reizen) ,,antreiben, anstacheln; locken, verlocken; erwecken, anregen; erregen, ärgern" und die nord. Sippe von schwed. reta ,,locken; anregen; necken; ärgern" beruhen auf einer Kausativbildung zu dem unter →reißen behandelten Verb. Das Veranlassungswort reizen bedeutete demnach urspr. ,,einritzen machen" (beachte z. B. das Verhältnis von 'beißen' zu 'beizen'). Zu dem Verb ist im Dt. das Substantiv Reiz m (18. Jh.) gebildet. Das in adjektivischen Gebrauch übergegangene erste Partizip reizend ,,verführerisch, anmutig, lieblich" ist seit dem 17. Jh. gebräuchlich. Abl.: reizbar ,,leicht erregbar, jähzornig" (18. Jh.), dazu Reizbarkeit w (18. Jh.).

Reizker m: Der seit dem Anfang des 16. Jh.s (zuerst in der Mehrzahlform 'reisken') bezeugte Name des eßbaren Blätterpilzes ist aus dem Tschech. entlehnt. Tschech. ryzec bedeutet wörtlich ,,der Rötliche". Es gehört zur slaw. Sippe von russ. rúdyj ,,blutrot" (urverwandt mit dt. →rot). Der Pilz ist nach seinem orangeroten Hut oder Saft benannt.

rekapitulieren ,,wiederholen, zusammenfassen": Im 17./18. Jh. aus lat. recapitulāre ,,etwas in den Hauptpunkten zusammenfassen, wiederholen" entlehnt. Zu lat. capitulum ,,Hauptabschnitt; Hauptpunkt" (vgl. Kapitel).

rekeln, sich: Der ugs. Ausdruck für ,,sich strecken, sich nachlässig benehmen" gehört zu dem seit dem 17. Jh. bezeugten niederd. Substantiv Rekel m ,,hoch aufgeschossener, schlaksiger junger Mann, Flegel", das auf mnd. rekel ,,Bauernhund, Dorfköter" zurückgeht. Damit verwandt sind aengl. ræcc ,,Hühnerhund" und aisl. rakki ,,Hund".

Reklame w: Das seit dem 19. Jh. bezeugte FW erscheint zuerst mit der Bed. ,,bezahlte Buchbesprechung", danach dann als kaufmänn. Terminus mit der heute gültigen Bed. ,,Anpreisung [von Waren]; [Kunden]werbung; Werbemittel". Das Wort ist in beiden Bed. aus frz. réclame entlehnt, das sich etwa im Sinne von ,,das Zurückrufen, das Ins-Gedächtnis-Rufen" als postverbales Subst. zu afrz. re-clamer ,,zurückrufen" stellt, einem Präfixverb von afrz. (= frz.) clamer (< lat. clāmāre) ,,rufen" (s. unten reklamieren). – **reklamieren** ,,Einspruch erheben, Beschwerde führen; [zurück]fordern": Das seit dem 16. Jh. bezeugte, aus der Rechtssprache stammende FW geht wie gleichbed. frz. réclamer auf lat. re-clāmāre ,,dagegenschreien, laut nein rufen, widersprechen, Einwendungen machen" zurück, ein Kompositum von lat. clāmāre ,,laut rufen, schreien usw." (verwandt mit lat. clārus ,,laut, schallend; hell, klar", vgl. den Artikel klar). Abl.: Reklamation w ,,Beanstandung, Beschwerde" (16. Jh.; aus lat. reclāmātiō ,,das Gegengeschrei, das Neinrufen". – Vgl. noch die auf anderen Komposita von lat. clāmāre beruhenden FW →deklamieren und →Proklamation, proklamieren.

rekonstruieren ,,[den urspr. Zustand] wiederherstellen, nachbilden; den Ablauf eines früheren Geschehens in den Einzelheiten nachvollziehen, wiedergeben": Präfixbildung des 19. Jh.s zu →konstruieren, nach entspr. frz. reconstruire ,,wiederaufbauen". Dazu: Rekonstruktion w (mit dem Verb entsprechenden Bedeutungen; 19. Jh.).

Rekonvaleszent m ,,Genesender": Bildung des 18. Jh.s zu spätlat. reconvalēscere ,,wieder erstarken".

Rekord m ,,anerkannte sportliche Höchstleistung": Im 19./20. Jh. aus dem Engl. entlehnt. Engl. record, das von to record ,,schriftlich aufzeichnen, beurkunden" abgeleitet ist, bedeutet zunächst allgemein ,,Aufzeichnung, Beurkundung, Urkunde". In der Sprache des Sports bezeichnete es sodann die urkundliche Bestätigung einer sportlichen Leistung (bes. von Trabrennpferden), woraus sich schließlich die spezielle

Bed. „sportliche Höchstleistung" entwickelte. – *Engl.* to record geht über *afrz.* recorder „ins Gedächtnis bringen, erinnern" auf gleichbed. *vlat.* recordāre zurück, das aus *klass.-lat.* recordārī „sich vergegenwärtigen; sich erinnern" weiterentwickelt ist. Stammwort ist *lat.* cor (cordis) „Herz; Gemüt; Geist, Verstand; Gedächtnis usw.", das verwandt ist mit *dt.* → *Herz.* – Abl.: Rekordler *m* (20. Jh.).

Rekrut *m* „neu eingezogener Soldat": Im Anfang des 17. Jh.s aus *frz.* recrue „Nachwuchs [an Soldaten]; Rekrut" entlehnt. Das zugrunde liegende *frz.* Verb recroître „nachwachsen" ist ein Kompositum von *frz.* croître „wachsen" (crû = gewachsen), das auf gleichbed. *lat.* crēscere „wachsen" (vgl. *kreieren*) zurückgeht. – Abl.: rekrutieren „Rekruten ausheben, mustern" (17. Jh.; aus gleichbed. *frz.* recruter).

Rektor *m* „Leiter einer [Hoch]schule": In der Schulsprache des 16. Jh.s aus *lat.-mlat.* rēctor „Leiter, Lenker; [Hoch]schulvorsteher" aufgenommen. Zu *lat.* regere (rēctum) „geraderichten, lenken; herrschen" (vgl. *regieren*). – Abl.: Rektorat *s* „Amtsraum oder Amt eines Rektors" (17. Jh.; aus *mlat.* rēctōrātus).

Relais *s*: Das seit dem Anfang des 18. Jh.s bezeugte FW galt früher als Ausdruck des Post- und Verkehrswesens zur Bezeichnung einer Station, an der die Postpferde ausgewechselt wurden (also etwa „Umspannort"). Heute lebt es nur mehr im Bereich der Elektrotechnik mit der übertr. Bed. „Schalteinrichtung". Es ist entlehnt aus gleichbed. *frz.* relais (*afrz.* relai), das von *afrz.* relaier „zurücklassen" (= *frz.* relayer „einen frischen Vorspann nehmen") abgeleitet ist.

relativ „bezüglich; verhältnismäßig, vergleichsweise, bedingt; je nach dem Standpunkt verschieden": Im 18. Jh. über gleichbed. *frz.* relatif aus *spätlat.* relātivus „sich beziehend, bezüglich" entlehnt. Zu *lat.* relātus, dem Part. Perf. Pass. von *lat.* re-ferre „zurücktragen; vortragen, berichten; worauf beziehen". – Das hierher gehörende Subst. Relation *w* erscheint in *dt.* Texten zuerst im 15. Jh. mit der Bed. des vorausliegenden *lat.* Wortes relātio „Bericht, Berichterstattung". Erst viel später entwickelte es nach dem Adj. 'relativ' die heute gültige Bed. „Beziehung, Verhältnis".

Relief *s* „plastisches Bildwerk auf einer Fläche", daneben auch im Sinne von „Geländeoberfläche oder deren plastische Nachbildung" gebraucht: Im Anfang des 18. Jh.s aus gleichbed. *frz.* relief entlehnt, das mit einer Grundbed. „das Hervorheben" von *frz.* relever (< *lat.* re-levāre) „in die Höhe heben, aufheben" abgeleitet ist.

Religion *w*: In *frühnhd.* Zeit aus *lat.* religiō „religiöse Scheu, Gottesfurcht" entlehnt, dessen etymolog. Zugehörigkeit nicht sicher gedeutet ist. – Dazu das Adj. religiös „gottesfürchtig, fromm" (im 16. Jh. 'religios', aus *lat.* religiōsus; die heutige Form seit dem 18. Jh. nach entspr. *frz.* religieux).

Reling *w*: Der Ausdruck für „Schiffsgeländer" wurde im 18. Jh. (zuerst in der Form Regeling) aus dem *Niederd.* ins *Hochd.* übernommen. *Niederd.* regeling ist abgeleitet von *mnd.* regel „Riegel, Querholz" (vgl. *Riegel*).

Reliquie *w* „körperlicher Überrest eines Heiligen, seiner Kleider, Gebrauchsgegenstände usw. als Gegenstand religiöser Verehrung", auch allgemein übertr. gebraucht im Sinne von „kostbares Andenken": In *mhd.* Zeit aus gleichbed. *kirchenlat.* reliquiae entlehnt, das aus *klass.-lat.* reliquiae „Zurückgelassenes, Überrest" weiterentwickelt ist. Das zugrunde liegende *lat.* Adj. reliquus „zurückgelassen, übrig" gehört zu *lat.* re-linquere „zurücklassen", übriglassen; verlassen", einem Kompositum von *lat.* linquere „lassen, zurücklassen; überlassen" (verwandt mit *dt.* →*leihen*). – Ein anderes Kompositum, *lat.* dē-linquere „ermangeln, fehlen", erscheint in den FW → Delikt, Delinquent.

Reminiszenz *w* „Erinnerung; Anklang": Im 18. Jh. aus *spätlat.* reminīscentia „Rückerinnerung" entlehnt. Zu *lat.* reminīscī „zurückdenken, sich erinnern" (verwandt mit *lat.* mēns „Sinn; Verstand; Gedanke"; vgl. *Mentalität*).

remis „unentschieden (insbesondere vom Ausgang einer Schachpartie bzw. auch vom Sportwettkämpfen)": Im 19. Jh. aus gleichbed. *frz.* remis entlehnt, das eigtl. etwa „zurückgestellt (als ob nicht stattgefunden)" bedeutet. Es handelt sich dabei um das Part. Perf. von *frz.* remettre „zurückführen; zurückstellen" (eigtl. „wieder hinstellen", Kompositum von *frz.* mettre „setzen, stellen, legen"), das in diesem speziellen Sinne *lat.* re-mittere „zurückschicken; nachlassen" fortsetzt (vgl. *Mission*).

Remittende *w*: In der Fachsprache des Buchwesens Bezeichnung für ein beschädigtes oder unverkäufliches Exemplar, das vom Buchhändler an den Verlag zurückgeschickt wird. Das Wort erscheint im 19. Jh. zuerst in der *Mehrz.* 'Remittenden' oder 'Remittenda'. Es geht zurück auf *lat.* remittenda (Neutr. Plur.) „das Zurückzuschickende". Zu *lat.* re-mittere „zurückschicken" (vgl. *Mission*).

Remoulade *w*, verdeutlichend Remouladensoße: Name einer Art Kräutermayonnaise, der im 19. Jh. aus dem *Frz.* entlehnt wurde. Die weitere Herkunft von *frz.* remoulade ist nicht gesichert.

rempeln „(mit Ellbogen oder Schulter) wegstoßen; unfair behindern": Das seit der ersten Hälfte des 19. Jh.s bezeugte Verb, das zuerst in der Studentensprache der Universität Leipzig auftritt, stammt aus dem *Obersächs.* und gehört zu *obersächs.* Rämpel

,,Baumstamm, Klotz", auch Scheltwort für ,,Flegel, ungehobelter Mensch". Beachte auch die Zus. anrempeln ,,zur Seite stoßen, anpöbeln".

Ren *s*: Der seit dem 16. Jh. bezeugte Name der subarktischen Hirschgattung ist aus dem *Nord*. entlehnt, vgl. *isl*. hreinn, *norw*. rein, *schwed*. ren ,,Rentier". Das *nord*. Wort bedeutet eigtl. ,,gehörntes oder geweihtragendes Tier" und ist näher verwandt mit dem unter →Rind behandelten Wort und *außergerm*. z. B. mit *gr*. krīós ,,Widder". Über die weiteren Zusammenhänge vgl. *Hirn*. – Statt 'Ren' wird heute gewöhnlich die verdeutlichende Zusammensetzung Rentier (durch volksetymologische Verknüpfung mit 'rennen' vielfach fälschlich 'Renntier' geschrieben) gebraucht. Verdeutlichende Zusammensetzungen sind z. B. auch Murmeltier, Maultier, Elentier.

Renaissance *w*: Das Wort ist aus gleichbed. *frz*. renaissance (wörtl. ,,Wiedergeburt") entlehnt, das von *frz*. renaître ,,wiedergeboren werden; wiederaufleben" abgeleitet ist. Das zugrunde liegende einfache Verb *frz*. naître ,,geboren werden" geht auf gleichbed. *vlat*. *nascere zurück, das für *klass.-lat*. nāscī steht (vgl. *Nation*).

Rendezvous *s* ,,Stelldichein, Verabredung": Das aus dem *Frz*. übernommene FW erscheint zuerst im 17. Jh. im militär. Sinne von ,,Versammlung der Soldaten im Kriege". Die heute gültige Bedeutung folgt im 18. Jh. *Frz*. rendez-vous ist substantiviert aus der 2. Pers. Plur. Imperativ von se rendre ,,sich wohin begeben".

Reneklode, Reineklaude *w*: Die Bezeichnung der Pflaumensorte, aus gleichbed. *frz*. reine-claude entlehnt, ist zu Ehren der Gemahlin des franz. Königs Franz I. gebildet (reine-claude bedeutet also eigtl. ,,Königin Claude").

Renette *w*: Der seit dem 18. Jh. bezeugte Name für eine bestimmte saftige, süße Apfelsorte ist aus gleichbed. *frz*. reinette (daneben: rainette) entlehnt. Das *frz*. Wort wird gewöhnlich zu *frz*. reine ,,Königin" gestellt (die Renette gleichsam als ,,Königin" unter den Äpfeln). Es handelt sich dabei jedoch wohl nur um Volksetymologie. Die wirkliche Herkunft des Wortes ist nicht gesichert.

renitent ,,widerspenstig, widersetzlich; hartnäckig": Im 18. Jh. über *frz*. rénitent aus *lat*. renītēns, dem Part. Präs. von re-nītī ,,sich entgegenstemmen, sich widersetzen", entlehnt. Das zugrunde liegende einfache Verb *lat*. nītī ,,sich stemmen, sich stützen" ist verwandt mit *dt*. →neigen.

renken (veralt. für:) ,,drehend hin und her bewegen": Das Verb *mhd*., *ahd*. renken hatte urspr. wahrscheinlich anlautendes w- und entspricht dann im *germ*. Sprachbereich *engl*. to wrench ,,mit Gewalt ziehen oder reißen; entwinden; verrenken, verstauchen",

verzerren, verdrehen". Näher verwandt ist die *germ*. Sippe von →wringen ,,nasse Wäsche auswinden" (vgl. *Wurm*). – Zu 'renken' gehört das unter →Ränke behandelte Substantiv. Das einfache Verb ist heute veraltet. Gebräuchlich sind dagegen ausrenken ,,auskugeln", einrenken ,,(einen Knochen) wieder in die Gelenkpfanne bringen; in Ordnung bringen, wieder gutmachen" und die Präfixbildung verrenken ,,auskugeln, verdrehen, verstauchen" (*mhd*. verrenken).

rennen: Das gemeingerm. Verb *mhd*., *ahd*. rennen, *got*. (ur)rannjan, *niederl*. rennen, *aengl*. (mit r-Umstellung) ærnan, *schwed*. ränna ist das Veranlassungswort zu dem unter →rinnen behandelten Verb und bedeutet eigtl. ,,laufen machen". Es wurde zunächst im Sinne von ,,in Bewegung setzen, antreiben, jagen, hetzen" verwendet. Im *Dt*. bildete sich dann in *mhd*. Zeit der intransitive Gebrauch im Sinne von ,,laufen" heraus. – Beachte dazu die Präfixbildungen berennen ,,unaufhörlich angreifen, bestürmen" (*mhd*. berennen ,,begießen; laufen lassen, tummeln; angreifen, bestürmen") und verrennen, sich ,,sich in etwas verbohren" (*mhd*. verrennen ,,übergießen, bestreichen; antreiben, hetzen", reflexiv ,,zu weit rennen, sich verirren") sowie die Zus. Rennsteig, auch Rennstieg (urspr. wahrscheinlich – wie auch *ahd*. renniweg – Bezeichnung für einen schmalen Geh- und Reitweg; heute nur noch als Name des Kammweges auf der Höhe des Thüringer Waldes und Frankenwaldes gebräuchlich).

Renommee *s* ,,[guter] Ruf, Leumund, Ansehen": Im 17. Jh. aus gleichbed. *frz*. renommée entlehnt, dem substantivierten Part. Perf. Pass. von renommer ,,wieder ernennen oder erwählen; immer wieder nennen, loben, rühmen". Unmittelbar aus dem *frz*. Verb, das eine Präfixbildung zu *frz*. nommer (< *lat*. nōmināre) ,,[be]nennen, ernennen usw." ist (vgl. das FW *Nomen*), stammt unser FW **renommieren** ,,prahlen, angeben, großtun" (18. Jh.; eigtl. etwa ,,mit seinem Ruf und Ansehen hausieren gehen"); dazu mit durchaus positivem Sinn das in adjektivische Funktion übergegangene zweite Part. renommiert ,,namhaft, berühmt".

renovieren ,,erneuern, wiederherstellen, instand setzen": Im 16. Jh. aus gleichbed. *lat*. re-novāre entlehnt (vgl. *Novum*).

Rente *w* ,,regelmäßiges Einkommen aus angelegtem Kapital": Das seit etwa 1200 bezeugte Subst. (*mhd*. rente ,,Einkünfte, Ertrag; Vorteil, Gewinn usw.") aus (*a*)*frz*. rente ,,Einkommen, Ertrag; Gewinn" entlehnt, das wie entspr. *it*. rendita ,,Einkommen; Rente" auf einer roman. Bildung zu *vlat.-roman*. *rendere ,,zurückgeben; ergeben" beruht. Letzteres steht für *klass.-lat*. red-dere ,,zurückgeben; ergeben; abgeben; erstatten", ein Kompositum von *lat*. dare

„geben" (vgl. das FW *Datum*). – Abl.: **Rentner** *m* „wer Rente bezieht" (Ende 16. Jh.); **rentieren** „zinsen bringen, einträglich sein" (17./18. Jh.; mit *roman.* Endung für *mhd.* renten „Gewinn bringen"), häufig reflexiv gebraucht als sich rentieren „sich lohnen"; dazu das mit französierender Endung gebildete Adj. **rentabel** „zinsbringend, ertragreich, lohnend" (19. Jh.).

reparieren „wieder in Ordnung bringen, wiederherstellen; ausbessern": Im 16. Jh. aus gleichbed. *lat.* re-parāre entlehnt, einem Kompositum von *lat.* parāre „[zu]bereiten, ausrüsten" (vgl. *parat*). – Dazu: **Reparatur** *w* „Wiederherstellung; Ausbesserung, Instandsetzung" (18. Jh.; *nlat.* Bildung); **Reparation** *w* „Wiederherstellung"(19./20.Jh.; aus gleichbed. *lat.* reparātiō). Die *Mehrz.* **Reparationen** erscheint in jüngster Zeit mit der speziellen Bedeutung „Kriegsentschädigungen, Wiedergutmachungsleistungen".

Repertoire *s* „Stoffsammlung; Vorrat einstudierter [Theater]stücke; Spielplan": Im 18./19. Jh. aus gleichbed. *frz.* répertoire übernommen, das auf *spätlat.* repertōrium „Verzeichnis" (eigtl. „Fundstätte") zurückgeht. Zu *lat.* reperīre „wiederfinden, vorfinden".

repetieren „wiederholen": Um 1500 aus gleichbed. *lat.* re-petere (eigtl. „wieder auf etwas losgehen; von neuem verlangen") entlehnt, einem Kompositum von *lat.* petere „zu erreichen suchen, streben, verlangen" (vgl. *Appetit*). – Dazu die Zus. **Repetiergewehr** „Mehrladegewehr mit Patronenmagazin" (20. Jh.).

Reporter *m* „Berichterstatter (für Zeitung, Rundfunk u. a.)": Im 19. Jh. aus gleichbed. *engl.* reporter entlehnt, einer Substantivabl. von *engl.* to report „berichten". Voraus liegen *(a)frz.* reporter, *lat.* re-portāre „zurücktragen; überbringen" (vgl. *re...* und *Porto*). – Das dazugehörige FW **Reportage** *w* „Berichterstattung; lebensnaher (Zeitungs-, Rundfunk-, Fernseh)bericht über aktuelles Geschehen" erreicht uns im 20. Jh. aus entspr. *frz.* reportage, das seinerseits von dem aus dem *Engl.* rückentlehnten Subst. *frz.* reporter abgeleitet ist.

repräsentieren „vertreten; etwas darstellen; standesgemäß auftreten": Im 16. Jh. – wohl durch Vermittlung von gleichbed. *frz.* représenter – aus *lat.* repraesentāre „vergegenwärtigen, vorführen; darstellen usw." entlehnt. Das einfache, erst im *Spätlat.* bezeugte Verb praesentāre „gegenwärtig machen, zeigen" erscheint in →*präsentieren*. Abl.: **Repräsentant** *m* „offizieller Vertreter (z. B. eines Volkes, einer Firma); Abgeordneter" (18. Jh.; nach entspr. *frz.* représentant); **repräsentativ** „stellvertretend; ehrenvoll, würdig" (19. Jh.; nach entspr. *frz.* représentatif).

Repressalie *w* (meist *Mehrz.*) „Druckmittel; Vergeltungsmaßnahme": Im Anfang des 16. Jh.s wie entspr. *frz.* représaille aus *mlat.* reprē[n]sālia „gewaltsame Zurücknahme dessen, was einem widerrechtlich genommen wurde" entlehnt und hernach in der Stammsilbe fälschlich an das Verb pressen (sinngemäß: erpressen) angelehnt. *Mlat.* reprē[n]sālia gehört zu *lat.* re-prehendere (re-prehēnsum) „ergreifen, fassen; zurücknehmen" (vgl. *re...* und *Prise*).

Reptil *s* „Kriechtier": Im 19. Jh. über gleichbed. *frz.* reptile aus gleichbed. *kirchenlat.* rēptile entlehnt, dem substantivierten Neutrum des *lat.* Adjektivs rēptilis „kriechend". Stammwort ist *lat.* rēpere „kriechen, schleichen".

Republik *w*: Im 17. Jh. aus gleichbed. *frz.* république entlehnt, das auf *lat.* rēs pūblica „Gemeinwesen, Staatswesen, Staat, Staatsverwaltung, Staatsgewalt" (eigtl. „öffentliche Sache") zurückgeht. Über das zugrunde liegende Adj. *lat.* pūblicus „öffentlich" vgl. den Artikel *publik*. – Abl.: **Republikaner** *m* „Anhänger der republikanischen Staatsform" (18. Jh.; nach entspr. *frz.* républicain), im speziellen Sinne Bezeichnung für die Mitglieder der Republikanischen Partei in den USA (nach entspr. *amerik.* Republican).

requirieren „herbeischaffen; [für militär. Zwecke] beschlagnahmen; [um Rechtshilfe] ersuchen": Im 15. Jh. aus *lat.* re-quīrere (requīsītum) „aufsuchen; [nach]forschen; verlangen" entlehnt, einem Kompositum von *lat.* quaerere „,[auf]suchen; erstreben; verlangen" (s. auch *exquisit*). – Aus dem substantivierten Neutrum Plur. des Part. Perf. Pass. von *lat.* requīrere (requīsīta „,Erfordernisse") stammt unser seit dem 17. Jh. bezeugtes FW **Requisiten** *Mehrz.*: „,Zubehörteile, Theatergeräte", das aus der Kanzleisprache in die Bühnensprache übernommen wurde. Heute wird auch die aus dem Plural rückgebildete Einzahl **Requisit** *s* „Zubehör, Rüstzeug" gebraucht.

reservieren „aufbewahren, zurückhalten; vorbehalten; [einen Platz] freihalten, vorbelegen": Im 16. Jh. wie entspr. *frz.* réserver aus *lat.* re-servāre „aufsparen, aufbewahren; vorbehalten" entlehnt, einem Kompositum von *lat.* servāre „bewahren, erhalten" (vgl. *konservieren*). Das Partizipialadj. **reserviert** (18. Jh.) gilt auch in einer speziellen Bed. „zurückhaltend, zugeknöpft, abweisend". – Beachte auch die folgenden abgeleiteten FW **Reserve** *w* „Vorrat, Rücklage; Ersatz-[mannschaft, -truppe]" (17. Jh.; aus gleichbed. *frz.* réserve), auch als militär. Bezeichnung für die Gesamtheit der ausgebildeten, aber nicht aktiv dienenden Soldaten. Dazu die Neubildung **Reservist** *m*,(ausgedienter) Soldat der Reserve" (19. Jh.) und Zus. wie **Reserveoffizier**. – **Reservat** *s* „Vorbehalt; Sonderrecht" (18. Jh.; aus *lat.* reservātum, dem substantivierten Neutrum des Part. Perf.

Pass. von reservāre); Reservoir s „Vorratsbehälter, Wasserspeicher, Sammelbecken; Reservebestand" (18./19. Jh.; aus gleichbed. *frz.* réservoir).

resignieren „entsagen, verzichten; sich widerspruchslos fügen, sich in eine Lage schicken": Am Ende des 15. Jh.s aus *lat.* re-signāre „entsiegeln; ungültig machen; verzichten" entlehnt, einem Kompositum von *lat.* signāre „mit einem Zeichen versehen; [be]siegeln" (vgl. den Artikel *Signum*). Dazu: Resignation *w* „Verzicht, Entsagung; Schicksalsergebenheit" (16. Jh.; aus entspr. *mlat.* resīgnātiō).

resolut „entschlossen, beherzt; durchgreifend, zupackend, tatkräftig": Im 17. Jh. aus gleichbed. *frz.* résolu entlehnt, aber in der Form relativisiert nach dem zugrunde liegenden *lat.* resolūtus, dem Part. Perf. Pass. von *lat.* re-solvere „wieder auflösen, losbinden, befreien". Über das einfache Verb *lat.* solvere (solūtus) „lösen; befreien" vgl. den Artikel *absolut*. – Den gleichen Ausgangspunkt (*lat.* resolvere) hat das FW **Resolution** *w* „Beschluß, Entschließung", das im 16. Jh. aus gleichbed. *frz.* résolution entlehnt wurde. Dies setzt zwar formal *lat.* resolūtiō „Auflösung" fort, gehört aber mit seiner speziellen Bed. unmittelbar zu *frz.* résoudre „entscheiden, beschließen" (< *lat.* re-solvere, s. o.).

Resonanz *w* „Widerhall; Anklang, Verständnis, Wirkung"; daneben als physikalisch-musikalischer Terminus mit der Bed. „Mitschwingen, Mittönen", so besonders auch in der Zus. Resonanzboden: Im 17./18. Jh. aus gleichbed. *frz.* résonance entlehnt, das auf *spätlat.* resonantia „Widerschall, Widerhall" zurückgeht. Zu *lat.* resonāre „wieder ertönen; widerhallen" (vgl. *sonor*).

Respekt *m* „Ehrerbietung, Achtung; Ehrfurcht, Scheu": Im 17. Jh. aus gleichbed. *frz.* respect entlehnt, das auf *lat.* respectus „das Zurückblicken, das Sichumsehen; die Rücksicht" zurückgeht. Das zugrunde liegende Verb *lat.* re-spicere „zurückschauen; Rücksicht nehmen" ist ein Kompositum von *lat.* specere „schauen" (vgl. das LW *Spiegel*). – Dazu: respektieren „achten; anerkennen" (Anfang 17. Jh.; aus gleichbed. *frz.* respecter).

Ressort s „Geschäfts-, Amtsbereich; Arbeits-, Aufgabengebiet": Im ausgehenden 17. Jh. aus gleichbed. *frz.* ressort entlehnt, das zu *frz.* ressortir „hervorgehen; zugehören" gehört. Zugrunde liegt das etymologisch umstrittene Verb *frz.* sortir „[her]ausgehen".

Rest *m* „Rückstand, Überbleibsel": Um 1400 als kaufmänn. Terminus zur Bezeichnung für den bei einer Abrechnung übrigbleibenden Geldbetrag aus gleichbed. *it.* resto entlehnt, das von *lat.-it.* restāre „zurückstehen; übrigbleiben" abgeleitet ist, einem Kompositum von *lat.* stāre „stehen" (vgl. *stabil*).

restaurieren „wiederherstellen, ausbessern (bes. von Kunstwerken)", auch reflexiv gebraucht im Sinne von „sich erholen, sich erfrischen": Im Anfang des 16. Jh.s wie entspr. *frz.* restaurer aus *lat.* restaurāre „wiederherstellen" entlehnt. – Dazu: Restauration *w* „Wiederherstellung eines schadhaften Kunstwerkes" (16. Jh.; aus *spätlat.* restaurātiō „Erneuerung"); Restaurator *m* Berufsbezeichnung für einen Fachmann, der beschädigte Kunstwerke ausbessert und wiederherstellt (19. Jh.; aus gleichbed. *spätlat.* restaurātor); Restaurant *s* „Gaststätte", im 19. Jh. aus gleichbed. *frz.* restaurant übernommen. Das *frz.* Wort, das substantiviert ist aus dem Part. Präs. von *frz.* restaurer „wiederherstellen; stärken", bezeichnete urspr. einen nahrhaften, stärkenden Schnellimbiß, insbesondere eine Art Kraftbrühe. Erst sekundär wurde es zur Bezeichnung von Gaststätten, in denen solche Kraftbrühen verabreicht wurden.

Resultat s „Ergebnis": Im 17. Jh. aus gleichbed. *frz.* résultat, *mlat.* resultātum entlehnt. Letzteres ist das substantivierte Neutrum des Partizipialadjektivs von *mlat.* resultāre „entspringen; entstehen" (= *klass.-lat.* resultāre „zurückspringen, -prallen; widerhallen", Kompositum von *lat.* saltare „tanzen, springen"; vgl. *Salto*), das seinerseits in entspr. *frz.* résulter und in unserem daraus entlehnten Zeitwort **resultieren** „sich herleiten; sich (als Resultat) ergeben" (19. Jh.) fortlebt.

resümieren „zusammenfassen": Im 18. Jh. aus gleichbed. *frz.* résumer entlehnt, das auf *lat.* re-sūmere „wieder [vor]nehmen; wiederholen" zurückgeht. Das einfache Verb *lat.* sūmere „[an sich] nehmen" ist ein schon altes Kompositum (vermutlich entstanden aus *subs-emere) von *lat.* emere „nehmen" (vgl. hierüber den Artikel *Exempel*). – Abl.: Resümee *s* „Zusammenfassung" (19. Jh.; aus gleichbed. *frz.* résumé).

Retorte *w* „gläsernes Destillationsgefäß, Kolbenflasche": Im 16. Jh. über gleichbed. *frz.* retorte aus *mlat.* retorta entlehnt, dem substantivierten Part. Perf. Pass. von *lat.* re-torquēre „rückwärts drehen; verdrehen" (vgl. *Tortur*). Das Gefäß ist also nach seinem gedrehten, krummen Flaschenhals benannt.

retour „zurück" (veraltend, aber noch *mdal.*): Das seit dem 17./18. Jh. bezeugte Adverb hat sich aus Zus. wie Retourbillet, Retourkutsche u. a. verselbständigt. Zugrunde liegt *frz.* retour „Rückkehr", das von *frz.* retourner „zurückkehren" abgeleitet ist (vgl. *Tour*).

retten: Die Herkunft des *westgerm.* Verbs *mhd.* retten, *ahd.* [h]retten, *niederl.* redden, *aengl.* hreddan ist unklar. Vielleicht ist es mit *aind.* śrathnāti „wird locker, ist lose", śrathāyati „befreit" verwandt und bedeutete dann urspr. „entreißen, lösen, befreien". Abl.: Retter *m* (*mhd.* rettǣre); Rettung *w* (*mhd.* rettunge; beachte von den zahlreichen Zus. z. B. Rettungsboot, -anker, -medaille).

Rettich *m*: Die zu den Kreuzblütlern gehörende Gemüsepflanze ist nach ihrer (scharfschmeckenden) eßbaren Wurzelknolle benannt. *Mhd.* retich, rǣtich, *ahd.* rātĭh, entspr. *mniederl.* radic und *aengl.* rǣdic gehen auf *lat.* rādīx (rādīcis) „Wurzel" zurück (etymologisch verwandt mit *dt.* → *Wurz*), das auch die Quelle für unser LW → Radieschen ist. – Beachte auch das auf einer Ableitung von *lat.* rādīx beruhende FW → radikal. Vgl. ferner den Artikel Meerrettich.

Reue *w*: Das *westgerm.* Substantiv *mhd.* riuwe, *ahd.* [h]riuwa, *niederl.* rouw, *aengl.* hrēow, das mit der *nord.* Sippe von *aisl.* hryggr „traurig, betrübt" verwandt ist, bedeutete urspr. „seelischer Schmerz, Kummer", dann speziell „Schmerz über etwas, das man getan hat oder unterlassen hat zu tun". Im *Niederl.* wird rouw noch heute im Sinne von „Trauer" verwendet. Neben dem Substantiv steht ein starkes Verb *mhd.* riuwen, *ahd.* [h]riuwan „bekümmern, verdrießen, reuen", *niederl.* rouwen „trauern", *aengl.* hrēowan „betrüben, bekümmern" (*engl.* to rue „bereuen, beklagen"). *Nhd.* reuen – beachte auch die Präfixbildungen bereuen und gereuen – geht dagegen auf das schwache Verb *mhd.* riuwen, *ahd.* [h]riuwōn zurück. – Die Herkunft dieser *germ.* Wortgruppe ist unklar. Abl.: reuig „voller Reue, zerknirscht" (*mhd.* riuwec, *ahd.* [h]riuwig). Zus.: Reukauf „Abstandssumme; verfehltes Unternehmen" (*mhd.* riuwekouf); reumütig (17. Jh.).

Reuse *w*: Die *germ.* Bezeichnungen des Fischfanggerätes *mhd.* riuse, *ahd.* riusa, rūs[s]a, *mnd.* rūse, *schwed.* ryssja gehören im Sinne von „aus Rohr Geflochtenes" zu dem unter → *Rohr* (*germ.* *rauza*-) behandelten Wort. Vor der Verwendung von Reusen aus Garngeflechten (über Spreizringen) wurden korbartige Behältnisse aus Rohr- oder Binsengeflecht als Reusen gebraucht.

Revanche *w* „Vergeltung; Rache", in der Sprache des Sports speziell im Sinne von „Rückkampf, Rückspiel" gebraucht: Im 17./18. Jh. aus gleichbed. *frz.* revanche entlehnt. Das zugrunde liegende Verb *frz.* revancher „rächen", se revancher „sich rächen; vergelten" lieferte im 17. Jh. unser entspr. Zeitwort **revanchieren**, sich „sich rächen, Vergeltung üben" (häufig im positiven Sinne von „sich erkenntlich zeigen" gebraucht). *Frz.* revancher gehört seinerseits als Präfixbildung zu *frz.* venger „rächen, ahnden", das auf *lat.* vindicāre „gerichtlich in Anspruch nehmen; strafen; rächen" zurückgeht.

Reverenz *w* „Ehrerbietung; Verbeugung": Im 15. Jh. aus *lat.* reverentia „Scheu; Ehrfurcht" entlehnt, das von *lat.* re-verērī „sich fürchten, sich scheuen; scheu verehren" ab-

geleitet ist. Das zugrunde liegende einfache Verb *lat.* verērī „ängstlich beobachten, sich scheuen, sich fürchten" ist urverw. mit *dt.* → *wahren.*

Revers *s* oder (*östr.* nur:) *m* „Umschlag oder Aufschlag an Kleidungsstücken": Das mit dieser Bed. seit dem 19. Jh. vorkommende FW (zuvor schon im Sinne von „Kehrseite einer Münze; Verpflichtungsschein") ist aus gleichbed. *frz.* revers entlehnt, das auf *lat.* reversus „umgekehrt" zurückgeht, das Part. Perf. Pass. von *lat.* re-vertere „umkehren, umwenden" (vgl. *re...* und *Vers*).

revidieren „durchsehen, prüfen", in Fügungen wie ‚sein Urteil revidieren' mit der speziellen Bed. „nach eingehender Überprüfung zu einem anderen Urteil kommen": Im 16. Jh. aus *lat.* re-vidēre (revīsum) „wieder hinsehen" entlehnt, einem Kompositum von *lat.* vidēre (vīsum) „sehen" (vgl. *Vision*). – Dazu: Revision *w* „Überprüfung; Änderung (einer Ansicht)", als juristischer Terminus Bezeichnung für die als Rechtsmittel zulässige Überprüfung eines Urteils vor der zuständigen höchstrichterlichen Instanz. Quelle des Wortes ist *mlat.* revīsio „prüfende Wiederdurchsicht", das um 1600 entlehnt wurde. – Revisor *m* „[Wirtschafts]prüfer" (17. Jh.; *nlat.* Bildung).

Revier *s*: Das Substantiv wurde im 13. Jh. mit der urspr. Bed. „Ufergegend entlang eines Wasserlaufs" am Niederrhein über *mniederl.* riviere aus (*a*)*frz.* rivière „Ufergegend; Fluß" entlehnt, das seinerseits auf *vlat.* rīpāria „das am Ufer Befindliche" beruht (zu *lat.* rīpa „Ufer eines Gewässers"; s. auch das FW arrivieren). Aus der urspr. Bedeutung entwickelte ‚Revier' im Laufe der Zeit die verallgemeinerte übertr. Bed. „Bezirk, Gebiet; Tätigkeitsbereich". Daran schließt sich die moderne fachsprachliche Verwendung des Wortes für „kleinere Polizeidienststelle; Krankenstube; begrenzter Jagdbezirk; Abbaugebiet im Bergbau" an.

Revolte *w* „Aufruhr, bewaffneter Aufstand (einer kleineren Gruppe)": Im 17. Jh. aus gleichbed. *frz.* révolte entlehnt, das von *frz.* révolter „zurückwälzen, umwälzen; aufwiegeln, empören" abgeleitet ist. Letzteres lieferte im 17./18. Jh. unser Verb revoltieren „an einer Revolte teilnehmen; sich empören". *Frz.* révolter geht über *it.* rivoltare „umdrehen, umwenden; empören" auf *vlat.* *re-volvitāre* zurück, eine Intensivbildung zu *lat.* re-volvere „zurückrollen; zurückdrehen" (vgl. das FW *Volumen*). – Zum gleichen *lat.* Verb (re-volvere) gehört das FW **Revolution** *w* „gewaltsamer Umsturz der bestehenden polit. oder sozialen Ordnung; umwälzende neue Erkenntnis". Es wurde im ausgehenden 16. Jh. als Fachwort der Astronomie zur Bezeichnung der Umdrehung der Himmelskörper aus *spätlat.* revolūtio „das Zurückwälzen; die Umdrehung" entlehnt.

Die heute gültige Bed. des Wortes (seit dem 18. Jh.) ist von entspr. *frz.* révolution abhängig. – Abl.: R e v o l u t i o n ä r *m* „wer eine Revolution vorbereitet oder sich an ihr beteiligt; Umstürzler; wer sich gegen das Überkommene auflehnt" (Ende 18. Jh.; aus gleichbed. *frz.* révolutionnaire); r e v o l u t i o - n i e r e n „umstürzen, umwälzen; durch bahnbrechende neue Erkenntnisse völlig andere Bedingungen und Voraussetzungen schaffen" (Ende 18. Jh.; aus gleichbed. *frz.* révolutionner).

Revolver *m*: Der im 19. Jh. aus dem *Engl.-Amerik.* übernommene Name der von dem Amerikaner S. Colt erfundenen kurzen Handfeuerwaffe (*engl.* revolver) beruht auf einer Bildung zu dem *engl.* Verb to revolve „sich drehen" (< *lat.* re-volvere „zurückrollen; zurückdrehen, -wälzen; vgl. das FW *Volumen*). Der Revolver ist also nach seiner sich drehenden Kugeltrommel benannt.

Revue *w* 1. „Übersicht, Rundschau (als Titel periodischer illustrierter Zeitschriften)"; 2. „musikalische Schau": Im 18. Jh. (zuerst mit der heute nicht mehr gültigen Bed. „Heerschau") aus gleichbed. *frz.* revue entlehnt. Die 2. Bed. folgt erst im 19. Jh. Das *frz.* Wort ist das substantivierte Part. Perf. von *frz.* revoir „wiedersehen", einem Kompositum von *frz.* voir (< *lat.* vidēre) „sehen" (vgl. *Vision*).

rezensieren „(Bücher, Zeitschriften) kritisch besprechen, begutachten": Im 17. Jh. aus *lat.* re-cēnsēre „sorgfältig prüfen, durchgehen; kritisch besprechen" entlehnt, einem Kompositum von *lat.* cēnsēre „begutachten, einschätzen" (vgl. *zensieren*). – Dazu: R e - z e n s i o n *w* „kritische [Buch]besprechung; berichtigende Durchsicht eines alten, oft mehrfach überlieferten Textes" (18. Jh.; aus *lat.* recēnsiō „Musterung"); R e z e n s e n t *m* „Verfasser einer Rezension" (18. Jh.; aus *lat.* recēnsēns, dem Part. Präs. Akt. von recēnsēre).

Rezept *s*: Schriftliche Anweisungen an den Apotheker über Zusammenstellung und Verabreichung von Arzneimitteln pflegte der Arzt früher mit der Einleitungsformel 'recipe' zu versehen (d. i. zweite Pers. Sing. Imperativ von *lat.* recipere „[zurück-, auf]nehmen"). Zur Bestätigung, daß die Anweisung ausgeführt sei, vermerkte der Apotheker seinerseits 'receptum'. Daraus entwickelte sich bereits im 15. Jh. das Subst. Rezept im Sinne von „Arzneiverordnung". Das FW wurde rasch volkstümlich, später auch mit einer übertragenen Bed. „Back-, Kochanweisung".

rezitieren „(künstlerisch) vortragen": Im 16. Jh. aus *lat.* re-citāre „laut vortragen, hersagen, vorlesen" entlehnt (vgl. *zitieren*). – Dazu: R e z i t a t i v *s* „dramat. Sprechgesang" (Anfang 18. Jh.; aus gleichbed. *it.* recitativo).

Rhabarber *m*: Der Name der zu den Knöterichgewächsen gehörenden, in Asien beheimateten Nutz- und Zierpflanze wurde im 16. Jh. aus gleichbed. *it.* rabarbaro (daneben: reubarbaro) entlehnt. Das *it.* Wort hat *roman.* Entsprechungen in *frz.* rhubarbe und in *span.* ruibarbo. Deren gemeinsame Quelle ist *mlat.* rheu barbarum (rha barbarum), das eigtl. „fremdländische Wurzel" bedeutet (zu einem auf *gr.* rhā, rhēon beruhenden LW rheum „Wurzel" und *gr.-lat.* barbarus „fremdländisch").

Rhetorik *w* „Redekunst": Im 15. Jh. aus gleichbed. *gr.* (-*lat.*) rhētorikḗ (téchnē) entlehnt. Zu *gr.* rhḗtōr „Redner" (< u̯rḗtōr). Stammwort ist *gr.* eírein (< *u̯éri̯ein) „sagen, sprechen", das verwandt ist mit dem *dt.* Subst. →*Wort*. – Abl.: **rhetorisch** (17. Jh.), eigtl. „die Redekunst betreffend" (nach entspr. *gr.* rhētorikós > *lat.* rhētoricus), dann übertragen gebraucht im Sinne von „phrasenhaft, schönrednerisch".

Rheumatismus *m* „schmerzhafte Erkrankung der Gelenke, Muskeln, Nerven, Sehnen": Als Krankheitsbezeichnung wie entspr. *frz.* rhumatisme aus *lat.* rheumatismus, *gr.* rheumatismós entlehnt, das neben gleichbed. *gr.*(-*lat.*) rheûma steht. Das *gr.* Wort, das als Substantivableitung zu *gr.* rhéein „fließen, strömen" (vgl. *Rhythmus*) gehört, bedeutet eigtl. „das Fließen". Zum Krankheitsnamen wurde es, weil nach antiken medizinischen Vorstellungen der Rheumatismus von im Körper „herumfließenden" Krankheitsstoffen verursacht wird. – Dazu: R h e u m a *s* (eine vorwiegend *ugs.* Kurzform für Rheumatismus); r h e u m a t i s c h „durch Rheumatismus bedingt, ihn betreffend" (18. Jh.; nach *gr.* rheumatikós).

Rhinozeros *s* „Nashorn": *Mhd.* rinōceros, entlehnt aus gleichbed. *lat.* rhīnocerōs < *gr.* rhīnókerōs. Zu *gr.* rhís (rhīnós) „Nase" und *gr.* kéras „Horn".

Rhythmus *m* „Gleichmaß, gleichmäßig gegliederte Bewegung; periodischer Wechsel (natürlicher Vorgänge); regelmäßiger formbildender Wechsel von betontem und unbetontem Takt in der Musik": Das schon *ahd.* (zuerst im Dat. Plur. 'ritmusen') „gleichförmig abgemessene Bewegungen") bezeugte FW wurde über *lat.* rhythmus aus *gr.* rhythmós „geregelte Bewegung, Zeitmaß; Gleichmaß" entlehnt. Das *gr.* Substantiv, das eigtl. „das Fließen" bedeutet und dessen übertragene Bedeutungen sich wohl aus dem Bild von dem stetigen und gleichförmigen Auf und Ab der Meereswellen entwickelt haben, gehört als Nominalbildung zum Stamm von *gr.* rhéein (< *sréu̯ein) „fließen, strömen". Über die *idg.* Zusammenhänge vgl. den Artikel *Strom*. Andere zu *gr.* rhéein gehörende FW liegen uns vor in →*Rheumatismus* (*gr.* rheûma „das Fließen; das Gliederreißen") und →*Katarrh*. – Abl. von

Rhythmus: rhythmisch „den Rhythmus betreffend; gleichmäßig, taktmäßig" (18. Jh.; nach entspr. *spätlat.* rhythmicus < *gr.* rhythmikós).

richten: Das *gemeingerm.* Verb *mhd.*, *ahd.* rihten, *got.* ga-raihtjan, *aengl.* rihtian, *schwed.* rätta ist eine Ableitung von dem unter →*recht* behandelten Adjektiv, an dessen verschiedene Bedeutungen es sich anschließt. So bedeutet ‘richten’ zunächst „gerademachen" und „in eine gerade oder senkrechte Richtung, Lage oder Stellung bringen", beachte dazu z. B. Richtschnur (15. Jh.), seit dem 16. Jh. auch übertragen im Sinne von „Grundsatz"), Richtscheit (s. Scheit) und aufrichten und errichten. An diesen Wortgebrauch schließt sich einerseits die Verwendung von ‘richten’ im allgemeinen Sinne von „in eine bestimmte Richtung oder Lage bringen, mit etwas abstimmen, auf etwas hinlenken" an, beachte dazu Richtung *w* (um 1800), und andererseits die fachsprachliche Verwendung von ‘richten’ im Sinne „die Dachbalken setzen, ein Haus mit einem Dachstuhl versehen", beachte dazu z. B. die Zus. Richtfest und Richtkranz. Ferner wird ‘richten’ im Sinne von „recht oder richtig machen, in Ordnung bringen, [zu]bereiten, bewerkstelligen" gebraucht, beachte dazu z. B. anrichten, dazu Anrichte *w* „Tisch zum Anrichten oder Bereithalten der Speisen; Kredenz" (*mhd.* anrihte), einrichten, verrichten, vorrichten, zurichten, s. auch die Artikel ¹Gericht und berichten. Weiterhin wird ‘richten’ im Sinne von „Recht sprechen, urteilen; verurteilen", prägnant „zum Tode verurteilen, das Todesurteil vollstrecken" gebraucht, beachte dazu z. B. hinrichten, Richtstätte, Richtbeil und die Bildung Richter *m* (*mhd.* rihter, rihtǣre, *ahd.* rihtāri), dazu richterlich (16. Jh.).

richtig: Das auf das *dt.* Sprachgebiet beschränkte Wort (*mhd.* rihtec, *ahd.* rihtīg) ist von dem unter →*recht* behandelten Adjektiv abgeleitet. Im heutigen Sprachgebrauch wird ‘richtig’ gewöhnlich als Gegenwort zu ‘falsch’ verwendet. Abl.: berichtigen (18. Jh.); Richtigkeit *w* (15. Jh., in der Form richticheit). Zus. aufrichtig „ehrlich, anständig" (*mhd.* ûfrihtic „gerade aufwärts gerichtet, aufrecht; ehrlich, unverfälscht").

Ricke *w* „weibliches Reh": Das erst seit dem 18. Jh. bezeugte Wort ist wahrscheinlich eine junge Analogiebildung nach ‘Zicke' („weibliche Ziege" und ‘Sicke' weidmänn. für „Vogelweibchen".

riechen: Das *altgerm.* starke Verb *mhd.* riechen, *ahd.* riohhan, *niederl.* ricken, *aengl.* rēocan, *schwed.* ryka hat keine *außergerm.* Entsprechungen. Es bedeutete zunächst (so noch heute im *Nord.*) „rauchen, dampfen, stieben, dunsten", dann auch „ausdünsten,

einen Geruch absondern, riechen". Im *Dt.* wird ‘riechen’ seit *mhd.* Zeit auch im Sinne von „einen Geruch wahrnehmen, wittern" verwendet. Um ‘riechen’ gruppieren sich die Bildungen →Rauch, rauchen und →Geruch. Abl.: Riecher *m ugs.* für „Geruchssinn, Nase" (19. Jh.). Zus.: Riechkolben *ugs.* für „Nase" (19. Jh.).

Ried *s* „Schilf, Röhricht": Das *westgerm.* Wort *mhd.* riet, *ahd.* [h]riot, *niederl.* riet, *engl.* reed ist wahrscheinlich verwandt mit *aengl.* hrēademus „Fledermaus" und weiterhin mit der Sippe von lit. krutĕti „sich bewegen, sich rühren". Es bedeutet demnach eigtl. „sich Schüttelndes, Schwankendes".

Riege *w*: Der seit dem Anfang des 19. Jh.s gebräuchliche Ausdruck „Turnerabteilung" wurde von F. L. Jahn in die Turnersprache eingeführt. Das dem *Niederd.* entnommene Wort (*mnd.* rīge) bedeutet eigtl. „Reihe" und entspricht *mhd.* rige „Reihe, Linie; Wassergraben", *ahd.* riga „Linie" (vgl. *Reihe*).

Riegel *m*: Das auf das *dt.* Sprachgebiet beschränkte Wort *mhd.* rigel, *ahd.* rigil, *mnd.* regel (s. Reling) bedeutete urspr. ganz allgemein „Stange, Querholz", dann speziell „Querholz oder Bolzen zum Verschließen". Es hängt im *germ.* Sprachbereich vermutlich mit *norw.* mdal. rjaa „Stange zum Trocknen des Getreides" und *schwed.* mdal. ri „Pfahl, Stange" zusammen. Abl.: riegeln (*mhd.* rigelen) „den Riegel vorschieben, verschließen"; Ablautungen des einfachen Verbs heute gewöhnlich ab-, zu-, verriegeln.

¹Riemen *m* „Lederstreifen, Gurt; Gürtel": Das *westgerm.* Wort *mhd.* rieme, *ahd.* riomo, *niederl.* riem, *aengl.* rēoma gehört wahrscheinlich im Sinne von „abgerissener Hautstreifen" zu der unter →*raufen* dargestellten idg. Wz. *reu- „reißen, ausreißen, rupfen" (vgl. zur Bedeutung den Artikel ¹Reif).

²Riemen *m* „Ruder": Das auf das *dt.* und *niederl.* Sprachgebiet beschränkte Wort (*mhd.* rieme, *ahd.* riemo, *niederl.* riem) beruht auf einer frühen Entlehnung aus *lat.* rēmus „Ruder", und zwar wurde das Wort – wie z. B. auch ‘Anker' (s. d.) – von den Römern am Niederrhein übernommen. Im heutigen Sprachgebrauch bezeichnet ‘Riemen' gewöhnlich ein längeres Ruder und wird hauptsächlich in der Seemannssprache verwendet. Allgemein bekannt ist die Wendung ‘sich in die Riemen legen'. – Über den weiteren Zusammenhang von *lat.* rēmus vgl. *rudern*.

Riese *m*: Die Herkunft der *germ.* Bezeichnungen für das mythische Wesen und für die übergroße Märchengestalt ist unklar. Die *germ.* Formen *mhd.* rise, *ahd.* riso, *niederl.* reus, *schwed.* rese hatten urspr. wohl anlautendes w-, vgl. *asächs.* wrisilīk „riesenhaft", und könnten dann z. B. mit *gr.* rhíon „Bergspitze, Vorgebirge" verwandt sein. Da in der germanischen Mythologie die Riesen häufig als auf Bergen sitzend dargestellt werden, ließe sich 'Riese' etwa als „auf Bergen hausendes Wesen" deuten. – Im heutigen Sprachgebrauch wird das Wort auch im Sinne von „hünenhafter Mensch" verwendet. Abl.: riesenhaft (17. Jh.); riesig (Anfang des 19. Jh.s, für älteres riesicht). Zus.: Riesenschlange (Ende des 18. Jh.s).

rieseln: *Mhd.* riselen „tröpfeln, sacht regnen" gehört zu dem im *Nhd.* untergegangenen starken Verb *mhd.* rīsen, *ahd.* rīsan „sich von unten nach oben oder von oben nach unten bewegen, steigen, fallen" (vgl. *Reise*). Zus.: Rieselfeld „zur Düngung mit Abwässern berieseltes Feld" (2. Hälfte des 19. Jh.s).

Riesling *m*: Der seit dem Ende des 15. Jh.s bezeugte Name der Rebensorte ist dunklen Ursprungs.

Riff *s* „langgestreckte Sandbank; Klippenreihe": Das im 17. Jh. aus dem *Niederd.* ins *Hochd.* übernommene Wort geht zurück auf gleichbed. *mnd.* ref, rif, das wohl – wie auch *niederl.* rif „Riff" und *engl.* reef „Riff" – aus dem *Nord.* stammt, vgl. *aisl.* rif „Riff" (*norw.* riv, *schwed.*, *dän.* rev). Das *aisl.* Wort ist identisch mit *aisl.* rif „Rippe" (vgl. *Rippe*). Die langgestreckte Aufragung des Meeresgrundes ist also nach ihrer Ähnlichkeit mit einer Rippe benannt.

rigoros „streng, hart, unerbittlich": Im 17./18. Jh. nach gleichbed. *frz.* rigoureux aus *mlat.* rigōrōsus „streng, hart" entlehnt, das von *lat.* rigor „Steifheit; Härte, Unbeugsamkeit" abgeleitet ist. Stammwort ist *lat.* rigēre „starr sein, steif sein (z. B. vor Kälte)", das vielleicht mit *lat.* frīgus „Kälte" verwandt ist.

Rille *w*: Das im 18. Jh. in die *hochd.* Schriftsprache übernommene *niederl.* rille „Rinne, Furche, Flußbett" (entspr. *niederl.* ril „Furche") beruht auf einer Verkleinerungsbildung zu dem *westgerm.* Substantiv *mnd.* rīde „Bach, Wasserlauf", *asächs.* rīth „Bach" (in ON), *aengl.* rīð „Bach, Fluß". Es bedeutet also eigtl. „kleiner Bach". Über die weiteren Zusammenhänge vgl. *rinnen* (s. auch den Artikel *Reise*).

Rind *s*: Das *westgerm.* Wort *mhd.* rint, *ahd.* [h]rind, *mniederl.* rint (ablautend *niederl.* rund „Rind"), *aengl.* hrīð[er] gehört im Sinne von „Horntier" zu der unter → *Hirn* dargestellten *idg.* Wz. *k̑er[ə]- „Horn, Geweih; Kopf, Oberstes", vgl. die unter → *Hirsch* und → *Ren* behandelten Wörter, die eigtl. „gehörntes oder geweihtragendes Tier" bedeuten. Abl.: rindern „brünstig sein", von der Kuh (18. Jh.). Zus.: Rindvieh (15. Jh.).

Rinde *w*: Das *westgerm.* Wort *mhd.* rinde, rinte, *ahd.* rinda, rinta, *mnd.* rinde, *engl.* rind ist verwandt mit *engl.* to rend „reißen, zerreißen, losreißen" und weiterhin mit *aind.* rándhra-m „Öffnung, Spalt, Höhle" (eigtl.

„Riß"). Es bedeutet demnach eigtl. „Abgerissenes, Zerrissenes".

Ring *m*: Das *altgerm.* Substantiv *mhd.* rinc, *ahd.* [h]ring, *niederl.* ring, *engl.* ring, *schwed.* ring und das unter → *ringen* behandelte Verb stehen wahrscheinlich im Ablaut zu dem unter → *Runge* (urspr. wohl „Rundstab") behandelten Wort. *Außergerm.* ist z. B. eng verwandt die *slaw.* Sippe von *russ.* krug „Kreis, runde Scheibe". Über die weiteren Zusammenhänge vgl. *schräg.* Das *altgerm.* Wort bezeichnete zunächst den Kreis und weiterhin kreisförmige Gegenstände verschiedener Art, speziell den aus Metall gefertigten Ring. Ferner bezeichnete es früher auch die kreisförmig versammelte Menschenmenge, die ringförmige [Gerichts]versammlung, beachte das aus einer *afränk.* Entsprechung von *ahd.* [h]ring entlehnte *frz.* rang „Reihe, Folge", urspr. „[ringförmige] Versammlung" (s. die FW-Gruppe um Rang). – Das seit dem 16. Jh. gebräuchliche Adverb rings „im Kreise, rundherum" hat sekundäres s nach den aus dem Genitiv Einz. entstandenen Adverbien wie z. B. 'flugs' (s. Flug). Das Verb umringen „umstellen, von allen Seiten umgeben" (*mhd.* umbiringen, *ahd.* umbi[h]ringen) ist eine Ableitung von der im *Nhd.* untergegangenen Zusammensetzung *mhd.* umberinc, *ahd.* umbi[h]ring „Umkreis". – Eine Verkleinerungsbildung zu 'Ring' ist **Ringel** *m* „kreisförmig gewundenes", *w* veralt. für „Ringelblume" (*mhd.* ringel[e], *ahd.* ringila), von dem das Verb **ringeln** „kreisförmig winden, zu kleinen Ringen drehen", reflexiv „sich winden" (*mhd.* ringelen) abgeleitet ist. Beachte dazu die Zus. Ringelnatter (Ende des 18. Jh.s; so benannt, weil sie sich zusammenringelt, oder aber nach den Ringeln auf der Haut).

ringen: Das starke Verb *mhd.* ringen, *ahd.* [h]ringan „sich im Kreise oder hin und her bewegen; sich anstrengen, sich abmühen; kämpfen" gehört zu der unter → *Ring* behandelten Wortgruppe. Es hat sich z. T. mit dem unter → *wringen* behandelten Verb vermischt. Eine Präfixbildung mit 'ringen' ist **erringen** „erkämpfen, gewinnen, erlangen" (*mhd.* erringen, *ahd.* arringan), dazu **Errungenschaft** *w* (16. Jh.; LÜ von *mlat.* acquaestus), beachte auch die Zus. abringen und niederringen. Abl.: Ringer *m* „Ringkämpfer" (*mhd.* ringer, *ahd.* ringāri). Zus.: Ringkampf (19. Jh.).

rinnen: Das *gemeingerm.* Verb *mhd.* rinnen, *ahd.* rinnan, *got.* rinnan, *aengl.* rinnan (*engl.* to run), *schwed.* rinna gehört mit verwandten Wörtern in anderen *idg.* Sprachen zu der vielfach weitergebildeten und erweiterten *idg.* Wz. *er[ə]- (*rei-, *reu-) „[sich] in Bewegung setzen, [sich] bewegen, erregt sein", vgl. z. B. *aind.* ṛṇóti, ṛṇváti „erhebt sich, bewegt sich", r̥ti-ḥ „Angriff, Streit", árṇa-ḥ „wogend, wallend", *lat.* orīrī „sich erheben;

entstehen; geboren werden" (s. Orient), orīgō „Abstammung, Ursprung" (s. original), ruere „rennen, eilen, stürzen" und *russ.* ronit' „fallen lassen". Zu dieser Wurzel gehören auch die unter → Ernst und → irr behandelten Wörter, ferner die Sippen von → rasen und → Reise (dazu reisen, rieseln, Rille) sowie wahrscheinlich auch die Wortgruppe von → reiten. Siehe auch den Artikel gar. – Um 'rinnen' gruppieren sich im *germ.* Sprachbereich mehrere Substantivbildungen, vgl. z. B. *ahd.* runs „Lauf des Wassers, Fluß", runst „das Rinnen, Fließen" (s. blutrünstig). Das Veranlassungswort zu dem *gemeingerm.* Verb ist → rennen (eigtl. „laufen machen"). Präfixbildungen mit 'rinnen' sind z. B. → entrinnen und → gerinnen. Abl.: Rinne w (*mhd.* rinne, *ahd.* rinna „Wasserlauf; Wasserleitung, Rinne, Röhre, Traufe", vgl. *got.* rinnō „Gießbach"), dazu Rinnstein „Gosse" (16. Jh.); Rinnsal *s* „kleiner Wasserlauf" (15. Jh.). Siehe auch den Artikel randalieren.

Rippe *w*: Die *altgerm.* Körperteilbezeichnung *mhd.* rippe, *ahd.* rippa, *niederl.* rib[be], *engl.* rib, *schwed.* rev (s. Riff) ist eng verwandt mit der *slaw.* Sippe von *russ.* rebró „Rippe" und gehört zu der *idg.* Verbalwurzel *rebh- „bedecken, überdachen", vgl. z. B. *gr.* eréphein „überdecken, überdachen", órophos „Bedeckung, Dach" und aus dem *germ.* Sprachbereich *ahd.* hirni-reba „Schädel" (eigtl. „Hirnbedeckung"). Die Rippen sind demnach als Bedeckung oder Dach der Brusthöhle benannt worden. Eine Kollektivbildung zu 'Rippe' ist das seit dem 17. Jh. bezeugte Gerippe *s* „Knochengerüst des Körpers" (eigtl. „Gesamtheit der Rippen"). Zus.: Rippe[n]speer (*mnd.* ribbesper, 15. Jh.; die Zusammensetzung, deren zweiter Bestandteil das unter → Speer behandelte Wort ist, bezeichnete zunächst den Spieß, auf den das Schweinsrippenstück gesteckt wird, dann das Fleisch selbst).

Risiko *s* „Wagnis, Gefahr; Verantwortung": Im 16. Jh. aus gleichbed. *it.* risico, risco (heute rischio) entlehnt, dessen weitere Herkunft unsicher ist. Aus dem *It.* stammt auch entspr. *frz.* risque „Gefahr, Wagnis". Das davon abgeleitete Verb *frz.* risquer „in Gefahr bringen, aufs Spiel setzen, wagen" lieferte im 17. Jh. unser gleichbed. FW riskieren, um 1800 folgt das Partizipialadj. riskant „gefährlich, gewagt" (aus gleichbed. *fr.* risquant).

Rispe *w* „[büschelartiger] Blütenstand": Das auf das *dt.* Sprachgebiet beschränkte Wort (*mhd.* rispe „Gebüsch, Gesträuch", beachte *ahd.* hrispahi „Gesträuch") gehört zu der unter →¹Reis dargestellten Wortgruppe, vgl. das eng verwandte *lat.* crispus „kraus" (s. Krepp).

Riß *m*: Das *gemeingerm.* Substantiv *mhd.* riz „Riß", *ahd.* riz „Furche; Strich; Buchstabe", *got.* writs „Strich", *aengl.* writ „Buchstabe; Schrift, Urkunde" (*engl.* writ), *aisl.* rit „Schrift, Schreiben" ist eine Bildung zu dem unter → reißen behandelten Verb. Im älteren *Nhd.* wurde 'Riß' auch im Sinne von „Zeichnung" verwendet, beachte z. B. die Zus. 'Grundriß' und 'Schattenriß' und die Bedeutungsverhältnisse des Verbs reißen. Abl.: rissig „voller Risse" (17. Jh.).

Rist *m* „Hand-, Fußgelenk; Hand-, Fußrücken; Halsgelenk an der Schulter des Pferdes": Das *altgerm.* Wort *mhd.* rist, *mnd.* wrist, *engl.* wrist, *schwed.* vrist gehört im Sinne von „Dreher, Drehpunkt" (der Hand, des Fußes) zu der *germ.* Wortgruppe von *aengl.* wrīgian „sich drehen; sich winden; sich mühen, streben", vgl. auch *niederd.* wricken, daneben wriggen, wriggeln „ein Boot durch schraubenartige Bewegung des Ruders am Heck vorwärts bewegen", *niederl.* wrikken „rütteln", *engl.* to wriggle „[sich] winden, krümmen, ringeln", *schwed.* vricka „hin- und herbewegen; verrenken, verstauchen". Dazu gehört auch das nur noch *landsch.* gebräuchliche Reihen *m* „Fußrücken" (*mhd.* rīhe „Fußgelenk, Fußrücken", *ahd.* rīho „Kniekehle, Wade", vgl. *niederl.* wreef „Spann, Rist". *Außergerm.* sind z. B. verwandt *lit.* rieša[s] „Rist" und weiterhin *gr.* rhoikós und rhiknós „gekrümmt, gebogen" (vgl. *Wurm*).

Ritt *m*: Das seit dem 15. Jh. (zuerst in der Form rytte) bezeugte Wort ist eine Bildung zu dem unter → reiten behandelten Verb. Es hatte früher auch die Bed. „Reiterschar", woran sich die Zus. Rittmeister (15. Jh. in der Form Retmeister „Hauptmann einer Reiterabteilung") anschließt. Abl.: rittlings „in der Haltung eines Reiters sitzend" (17. Jh.).

Ritter *m*: *Mhd.* ritter wurde im 12. Jh., als das flandrische Rittertum hohes Ansehen genoß, aus dem *Mniederl.* übernommen oder *mniederl.* riddere „Ritter" nachgebildet. Das *mniederl.* Wort, das zu dem unter → reiten behandelten Verb gehört, ist seinerseits LÜ von *afrz.* chevalier „Ritter". – Im Gegensatz zu *mhd.* rīter, rītære „Kämpfer zu Pferd; Reiter[smann]" (vgl. *reiten*) wurde *mhd.* ritter zur Standesbezeichnung. Abl.: ritterlich (*mhd.* ritterlich „einem Ritter geziemend; stattlich, herrlich"); Rittertum *s* (Anfang des 19. Jh.s). Zus.: Rittergut (17. Jh.; urspr. „Landgut, dessen Besitzer dem Lehnsherrn Kriegsdienst zu Pferde leisten mußte"); Ritterschlag (*mhd.* ritterslac „Schlag mit dem flachen Schwert, durch den der Knappe in den Ritterstand erhoben wurde"); Rittersporn (14. Jh.; so benannt, weil die Blüte der Pflanze einem Sporn gleicht).

Ritus *m* „feierlicher religiöser Brauch; Zeremoniell": Im 17. Jh. aus gleichbed. *lat.* rītus entlehnt, das etymologisch verwandt ist mit *dt.* →*Reim.* – Dazu: rituell ,,zum Ritus gehörig, nach dem Ritus vollzogen" (18./19. Jh.; aus gleichbed. *frz.* rituel, *lat.* rituālis); Ritual *s* ,,rituelle Ordnung" (18. Jh.; aus *lat.* rītuāle, dem substantivierten Neutrum von *lat.* rītuālis ,,den Ritus betreffend").

ritzen: Das Verb *mhd.* ritzen, *ahd.* rizzen (daneben rizzōn) ist eine Intensivbildung zu dem unter →*reißen* behandelten Verb. Aus dem Verb rückgebildet ist das Substantiv Ritz *m* ,,Spalt, Schlitz, Riß" (*mhd.* riz), daneben das gleichbed. Femininum Ritze (15. Jh.).

Rivale *m* ,,Nebenbuhler, Konkurrent; Gegenspieler": Im 17./18. Jh. nach entspr. *frz.* rival aus gleichbed. *lat.* rīvālis entlehnt. Das *lat.* Wort, das von *lat.* rīvus ,,Wasserrinne, Bach" (verwandt mit *dt.* →*rinnen*) abgeleitet ist, erscheint zunächst als Adjektiv mit der Bed. ,,zum Bach, zum Kanal gehörig". Substantiviert bezeichnet es den an der Nutzung eines Wasserlaufs Mitberechtigten, den ,,Bachnachbarn". Danach dann die übertr. Bed. ,,Nebenbuhler". – Abl.: Rivalität *w* ,,Nebenbuhlerschaft; Konkurrenz, Wettstreit" (18./19. Jh.; aus gleichbed. *frz.* rivalité, *lat.* rīvālitās); rivalisieren ,,wetteifern" (18./19. Jh.; aus gleichbed. *frz.* rivaliser).

Robbe *w*: Die Bezeichnung des Seesäugetiers wurde zu Beginn des 17. Jh.s aus dem *Niederd.* ins *Hochd.* übernommen. Die Herkunft von *niederd.* rubbe, *fries.* robbe, *niederl.* rob ist dunkel. Abl.: robben ,,robbenartig kriechen" (20. Jh.).

Robe *w* ,,festliches Frauenoberkleid; Amtstracht (von Geistlichen, Juristen u. a. Amtspersonen)": Im 18. Jh. aus gleichbed. *frz.* robe übernommen. Die urspr. Bed. des *frz.* Wortes ist ,,erbeutetes Kleid". Es geht zurück auf gleichbed. *afränk.* *rauba, das *ahd.* rouba ,,Beute" entspricht (vgl. *Raub*). – Siehe auch Garderobe.

Roboter *m* ,,Maschinenmensch; (*ugs.* für:) Schwerarbeiter": Eine junge Bildung des 20. Jh.s zu dem heute nicht mehr üblichen Robot *w* ,,Frondienst" (*spätmhd.* robāt[e]), das aus gleichbed. *tschech.* robota stammt (vgl. *poln.* robota ,,Arbeit"). Vgl. *Arbeit*.

robust ,,stämmig, vierschrötig, stark, widerstandsfähig, unempfindlich, derb": Im 18. Jh. aus gleichbed. *lat.* rōbustus entlehnt, das eigtl. ,,aus Hartholz, aus Eichenholz, eichen" bedeutet und von *lat.* rōbur (*alat.* rōbus) ,,Kernholz; Kernholzbaum, Eiche" abgeleitet ist. Dies gehört vermutlich im Sinne von ,,dunkelfarbiges, rotes Kernholz" zur *idg.* Sippe der unter → *rot* genannten Wörter.

röcheln ,,rasselnd atmen": *Mhd.* rücheln, rüheln ,,wiehern; brüllen; rasselnd atmen" ist eine Iterativbildung zu dem im *Nhd.* untergegangenen Verb *mhd.* rohen, *ahd.* rohōn (daneben ruhen) ,,brüllen; grunzen" das lautnachahmenden Ursprungs ist, vgl.

die *baltoslaw.* Sippe von *russ.* rykát' ,,brüllen; grunzen". Beachte auch die unter →röhren, →Rune und →raunen behandelten Lautnachahmungen. – Im *Niederl.* entspricht rochelen ,,röcheln".

Rochen *m*: Der aus dem *Niederd.* ins *Hochd.* übernommene Name des Raubfisches geht zurück auf *mnd.* roche, ruche, vgl. *niederl.* rog ,,Rochen" und *aengl.* reohhe ,,Rochen". Aus dem *Mnd.* stammt die *nord.* Sippe von *schwed.* rocka ,,Rochen". Der Fischname gehört wohl zu dem unter →*rauh* behandelten Adjektiv und bedeutet eigtl. ,,der Rauhe". Der Rochen hat statt der Schuppen Zähnchen von dornenartiger Gestalt.

Rock *m*: Der *westgerm.* Name des Kleidungsstücks *mhd.* roc, *ahd.* roc[h], *niederl.* rok, *aengl.* rocc ist verwandt mit der *kelt.* Sippe von *air.* rucht ,,Untergewand". 'Rock' bedeutete urspr. wohl ,,Gespinst" und ist vielleicht mit dem unter → *Rocken* ,,Spinnstab" behandelten Wort verwandt. – Die *nord.* Sippe von *schwed.* rock ,,Rock, Kittel, Mantel" stammt aus dem *Westgerm.*

Rocken *m* ,,Spinnstab": Die Herkunft des *altgerm.* Wortes *mhd.* rocke, *ahd.* rocko, *niederl.* rokken, *schwed.* rock ist unklar. Vielleicht hängt es mit den unter → *Rock* behandelten Wörtern zusammen. Siehe auch den Artikel Rakete.

rodeln ,,mit dem Schlitten fahren": Das seit der ersten Hälfte des 19. Jh.s bezeugte Verb, das von Bayern ausgehend gemeinsprachliche Geltung erlangte, ist unbekannter Herkunft. Beachte dazu Rodel *m* bayr. für ,,Schlitten" (1. Hälfte des 19. Jh.s).

roden ,,abholzen und Wurzelstöcke entfernen, urbar machen": Das aus dem *Niederd.* stammende Verb (*mnd.* roden) steht im Ablaut zu gleichbed. *südd.*, *östr.* und *schweiz.* reuten (*mhd.*, *ahd.* riuten), vgl. dazu *mhd.* rieten ,,ausrotten, vernichten", roten ,,roden" (s. ausrotten), *ahd.* rūtōn ,,ausrotten, verwüsten", rod ,,Neuland", *niederl.* rooien ,,roden", *schwed.* rö[d]ja ,,roden". Siehe auch die Artikel zerrütten und rütteln. Diese *germ.* Wortgruppe gehört zu der unter → *raufen* dargestellten *idg.* Wurzel.

Rogen *m*: Das *altgerm.* Wort für ,,Fischeier" *mhd.* roge[n], *ahd.* rogo, rogan, *mniederl.* roge, roch, *engl.* (vielleicht *nord.* LW) roe, *aisl.* hrogn (*schwed.* rom) ist wahrscheinlich verwandt mit der *baltoslaw.* Sippe von *russ.* krjak ,,Froschlaich". Die weiteren Beziehungen sind unklar.

Roggen *m*: Die *germ.* Bezeichnungen der seit der Bronzezeit in Mitteleuropa angebauten Getreideart (*mhd.* rocke, *ahd.* rocko, *niederl.* rogge, *engl.* rye, *schwed.* råg) sind verwandt mit der *balt.* Sippe von *lit.* rugỹs ,,Roggenkorn-, -halm" und mit der *slaw.* Sippe von *russ.* rož' ,,Roggen". Welche Vorstellung diesen Benennungen der Getreideart zugrunde liegt, ist dunkel. – Bis ins 18. Jh. wurde das Wort mit -ck- geschrieben. Dann setzte sich zur Unterscheidung von 'Rocken' ,,Spinnstab" die Schreibung mit -gg- durch.

roh: Das *altgerm.* Adjektiv *mhd.* rō, *ahd.* rō, rāwer, *niederl.* rauw, *engl.* raw, *schwed.* rå gehört mit verwandten Wörtern in anderen *idg.* Sprachen zu der *idg.* Wz. *kreu-, *kreu̯ə- ,,gerinnen" (vom Blut), vgl. z. B. *aind.* krūrá-ḥ ,,blutig; grausam", *lat.* cruor ,,rohes, dickes Blut", crūdus ,,roh; rauh; hart" und die *baltoslaw.* Sippe von *russ.* krov' ,,Blut". Das *altgerm.* Wort bedeutete demnach urspr. ,,blutig". – Zu dieser mit s erweiterten *idg.* Wurzel in der Bedeutungswendung ,,gerinnen, erstarren" gehören z. B. *gr.* krýos ,,Eiskälte", krýstallos ,,Eis" (s. Kristall), *lat.* crusta ,,Rinde, Kruste, Schorf" (s. Kruste) und aus dem *germ.* Sprachbereich z. B. *ahd.* [h]roso ,,Eis, Kruste". Abl.: Roheit *w* (15. Jh.); Rohling *m* ,,grausamer, niederträchtiger Mensch" (15. Jh.); verrohen ,,gefühllos, grausam werden" (Ende des 19. Jh.s). Zus.: Rohstoff (19. Jh.).

Rohr *s*: *Mhd.*, *ahd.* rōr, *niederl.* roer, *schwed.* rör stehen im grammatischen Wechsel zu *got.* raus ,,Rohr". Die Herkunft dieser *germ.* Sippe, zu der auch das unter →Reuse (eigtl. ,,Rohr-, Binsengeflecht") behandelte Wort gehört, ist unklar. Vielleicht besteht Verwandtschaft mit der Wortgruppe von *schwed.* rusa ,,sich heftig bewegen, stürmen, preschen", so daß das Rohr als ,,sich Schüttelndes, (im Winde) Schwankendes" benannt worden wäre (beachte den Artikel Ried). Ursprünglich bezeichnete 'Rohr' die hohlschäftige Pflanze, das Schilfrohr, dann wurde das Wort auch im kollektiven Sinne von ,,Schilf" gebräuchlich. Ferner bezeichnet es das aus hohlschäftigen Pflanzen Hergestellte (beachte z. B. die Zus. Rohrstock, -stuhl) und weiterhin rohrförmige Hohlkörper (beachte z. B. die Zus. Fern-, Hör-, Kanonenrohr, Rohrpost). Abl.: Röhre (s. d.); Röhricht *s* (*mhd.* rōrach, rōrach, *ahd.* rōrahi ,,Schilf[dickicht]"; die heute übliche Form mit auslautendem -t findet sich seit dem 15. Jh.). Zus.: Rohrdommel (*mhd.* rōrtumel, -trumel, *ahd.* rōredumbil; der zweite Bestandteil des Namens des Reihervogels ist lautmalenden Ursprungs und ahmt den eigentümlichen Paarungsruf des Vogels nach; der erste Bestandteil bezieht sich auf den Nistplatz des Vogels im Schilf, wie z. B. auch das Bestimmungswort der Vogelnamen Rohrsänger und Rohrspatz, beachte zum letzteren die seit dem 18. Jh. gebräuchliche Redewendung 'wie ein Rohrspatz schimpfen').

Röhre *w*: Das auf das *dt.* Sprachgebiet beschränkte Substantiv (*mhd.* rēre, *ahd.* rōr[r]a) ist eine Ableitung von dem unter →Rohr behandelten Wort, mit dem es urspr.

gleichbedeutend war. Im heutigen Sprachgebrauch bezeichnet 'Röhre' gewöhnlich einen länglichen zylindrischen Körper, wobei sich der Anwendungsbereich von 'Röhre' mit demjenigen von 'Rohr' überschneidet. Zum Teil bezeichnet das Wort auch Dinge, die heute nicht mehr rohrförmig hohl sind, beachte z. B. die Zus. Bratröhre und Radio-, Fernsehröhre.

röhren ,,brüllen" (vom Hirsch): Das *westgerm.* Verb *mhd.* rēren, *ahd.* rērēn ,,brüllen, blöken", *mnd.* rāren ,,brüllen", *engl.* to roar ,,brüllen, schreien, tosen, dröhnen" ist lautnachahmenden Ursprungs, vgl. die elementarverwandten Verben *aind.* rā́yati ,,bellt" und *russ.* rájat' ,,lärmen, schallen". Beachte auch die unter →röcheln, →Rune und → raunen behandelten Lautnachahmungen.

Rokoko *s*: Die Bezeichnung für jene charakteristische Stilphase der europ. [Bau]kunst des 18. Jh.s, die die Zeit des →Barock ablöste, stammt aus dem *Frz.*, wie denn auch die Grundlagen dieses Kunststils selbst in Frankreich zu suchen sind. *Frz.* rococo (Adj. und Subst.) ist eine in der familiären Sprache der Pariser Ateliers aufgekommene Ableitung von *frz.* rocaille ,,Geröll; aufgehäufte Steine; Grotten-, Muschelwerk usw." (zu *frz.* roc ,,Felsen"). Das Wort spielt also auf die großzügige dekorative Verwendung von allerlei Grotten-, Muschel- und Steinwerk in der Bauweise dieser Zeit an.

Rolle *w*: Das seit dem 14./15. Jh. bezeugte Subst. (*mhd.* rolle, rulle) bedeutet zunächst speziell ,,kleines Rad, kleine Scheibe oder Walze", dann allgemeiner ,,rollenförmiger Gegenstand". Daran schließen sich die im Laufe der Zeit entwickelten, verschiedenen übertragenen Bedeutungen des Wortes an. Aus der Kanzleisprache stammt die spezielle Verwendung des Wortes für ,,zusammengerolltes Schriftstück, Schriftrolle; Urkunde (in gerollter Form)". In der Bühnensprache versteht man unter 'Rolle' den einem Schauspieler zugewiesenen Darstellungspart (nach dem urspr. auf handlichen Schriftrollen für die Proben eines Stückes aufgezeichneten Text). Von daher bedeutet dann 'Rolle' auch allgemein ,,persönliches Auftreten und Wirken; Leistung des einzelnen in einem größeren Rahmen" (beachte dazu die Wendung 'eine Rolle spielen'). Quelle des Wortes ist *afrz.* ro[l]le (= *frz.* rôle) ,,Liste; Register", das seinerseits auf *mlat.* rotulus (bzw. rotula) ,,Rädchen; Rolle, Walze" beruht, einer Verkleinerungsbildung zu *lat.* rota ,,Rad; Scheibe" (urverwandt mit *dt.* →Rad). – Das hierhergehörende Zeitwort **rollen** (*mhd.* rollen), das vom Sprachgefühl unmittelbar mit 'Rolle' verbunden wird, ist jedoch unabhängig von diesem aus *afrz.* rol[l]er (= *frz.* rouler) ,,rollen" entlehnt, das seinerseits ein von *mlat.* rotulus abgeleitetes Verb *rotulāre ,,ein Rädchen, eine Scheibe rollen" fortsetzt. Zu 'rollen' stellen sich die folgenden Abl. und Zus.: Roller *m* als Name eines Kinderspielgerätes; ferner als Fahrzeugbezeichnung (beachte die Zus. Motorroller); Rollmops „gerollter marinierter Hering" (19. Jh.); Rollstuhl, Rolladen u. a.; s. auch Geröll. – Vgl. noch die verwandten Fremdwörter: Roulade, Rouleau, Roulett, Kontrolle (kontrollieren, Kontrolleur).

Roman *m*: Im 17. Jh. aus gleichbed. *frz.* roman (*afrz.* romanz) entlehnt. Das *frz.* Wort, das ein *vlat.* Adverb **rōmānicē* „auf romanische Art; in romanischer Sprache" fortsetzt, bezeichnete urspr. eine in lateinisch-romanischer Volkssprache (im Gegensatz zur Gelehrtensprache des klassischen Lateins) verfaßte oder aus dieser übersetzte Erzählung. Seit dem 14./15. Jh. wurde es zur speziellen Bezeichnung für die abenteuerlichen Ritterdichtungen des Mittelalters, um schließlich im 17. Jh. die heutige allgemeinere Bed. anzunehmen. – Dazu: Romancier *m* „Romanschriftsteller" (20. Jh.; aus gleichbed. *frz.* romancier), ferner mit spezieller Bedeutungsentwicklung die folgenden FW →romantisch, Romantik, Romantiker und →Romanze.

romantisch: Das seit dem 17. Jh. bezeugte Adjektiv ist im 18. Jh. wie das vorausliegende *frz.* Adjektiv romantique (zu *afrz.* romanz, romant; vgl. *Roman*) zunächst „dem Geist der mittelalterlichen Ritterdichtung gemäß; romanhaft". Erst im 18. Jh. entwickelte sich im *Frz.* wie im *Dt.* unter dem Einfluß des entspr. *engl.* Adjektivs romantic, das selbst aus dem *Frz.* stammt, die heute gültige Bed. „poetisch, phantastisch, stimmungsvoll; malerisch". Dazu: Romantik *w* (18. Jh.; gebildet in Analogie zu →Klassik); Romantiker *m* (19. Jh.).

Romanze *w*: Das Substantiv gelangte mit der spanischen Romanze, einer unserer →Ballade vergleichbaren Kunstgattung episch-lyrischen Charakters, im 18. Jh. durch *frz.* Vermittlung (*frz.* romance) ins Deutsche. Heute wird das Wort fast ausschließlich übertragen gebraucht, und zwar einmal im Sinne von „schwärmerisches, sentimentales Musikstück", andererseits (gerade in jüngster Zeit) als Modewort zur Bezeichnung einer romantischen Liebesepisode. – *Span.* romance stammt aus *aprov.* romans, das *afrz.* romanz in →*Roman* entspricht.

Römer *m* „bauchiges, kelchförmiges Weinglas": Das seit dem 16. Jh. – zuerst im Niederrheingebiet – bezeugte Wort ist aus dem *Niederl.* entlehnt. *Niederl.* roemer gehört zu dem Verb *niederl.* roemen „rühmen, preisen", älter „großtun, prahlen, prunken" (vgl. *Ruhm*) und bedeutet demnach eigtl. „Prunkglas".

Röntgenstrahlen *w*: Die elektromagnetischen Strahlen sind nach dem Physiker W. C. Rönt-

gen (1845–1923) benannt, der diese Strahlen entdeckte und 1896 zuerst demonstrierte. Röntgen selbst benutzte die X-Strahlen (= unbekannte Strahlen). Beachte dazu das Verb röntgen „mit Röntgenstrahlen durchleuchten, eine Röntgenaufnahme machen".

rosa „blaßrot, rosenfarbig": Das im 18./19. Jh. aufgekommene Farbadjektiv ist aus dem Blumennamen *lat.* rosa hervorgegangen (vgl. *Rose*). Der gleiche Farbton wurde vorher durch Bezeichnungen wie *mhd.* rōsenvarwec, *nhd.* rosenfarbig beschrieben. – Das Bedürfnis nach einer Nuancierung des rosa Farbtons läßt im 20. Jh. aus dem *Frz.* das Adj. rosé „zartrosa; rosig" übernehmen (*frz.* rosé ist seinerseits von *frz.* rose „Rose; rosa" abgeleitet).

Rose *w*: Der Blumenname *mhd.* rōse, *ahd.* rōsa (entspr. z. B. *niederl.* roos, *aengl.* rōse, *schwed.* ros) beruht auf einer Entlehnung aus *lat.* rosa (*vlat.* *rōsa) „Edelrose". Das *lat.* Wort hängt mit gleichbed. *gr.* rhódon (< **ṷrhódon) zusammen und stammt mit diesem (oder durch das *gr.* vermittelt) aus einer gemeinsamen kleinasiat. Quelle (vgl. z. B. *armen.* vard „Rose" und *pers.* gul < *apers.* *varda- „Rose"). – Abl. und Zus.: rosig „rosenrot; (übertr.:) erfreulich, heiter" (älter: rosicht; *mhd.* rōsic); Rosenkranz als Bezeichnung für die Gebetsschnur der Katholiken (15. Jh.); Übersetzung von gleichbed. *mlat.* rosārium, das urspr. eine Rosengirlande bezeichnete, mit der man das Bildnis der Jungfrau Maria bekränzte); Rosenkohl (Anfang 19. Jh.; so benannt nach den als Gemüse verwendeten rosenförmigen Blattachselknospen). – Vgl. auch die Artikel rosa und Rosette.

Rosenmontag *m*: Die Bezeichnung für den Montag vor Fastnachtsdienstag hat sich aus *niederrhein.* rasen[d]montag (beachte *köln.* rose „toben, lärmen, ausgelassen sein") entwickelt und bedeutet demnach also eigtl. „rasender (wilder, toller) Montag". Außerhalb des Rheinlandes wird das Bestimmungswort von 'Rosenmontag' gewöhnlich als *Mehrz.* des Blumennamens 'Rose' aufgefaßt.

Rosette *w* „Ornamentmotiv in Form einer stilisierten Rose", auch übertragen gebraucht für einen bestimmten Edelsteinschliff, ferner zur Bezeichnung rosenförmiger Bandschleifen: Im 18./19. Jh. aus gleichbed. *frz.* rosette (eigtl. „Röschen") entlehnt, das als verkleinernde Abl. zu *frz.* rose (< *lat.* rosa) „Rose" gehört (vgl. *Rose*).

Rosine *w*: Der Name für die kleinen getrockneten Weinbeeren (andere Bezeichnungen siehe unter Korinthe und Sultanine), der von Norddeutschland aus gemeinsprachlich wurde (*mnd.* rosīn[e], *mhd.* rosīn), ist aus einer Mundartform von *(a)frz.* raisin „Weintraube" (*frz.* 'raisin sec', „Rosine") entlehnt, das seinerseits auf *lat.* racēmus (bzw. *vlat.* *racīmus) „Kamm der Traube; Weinbeere" beruht.

Roß *s*: Die Herkunft des *altgerm.* Wortes *mhd.* ros, *ahd.* [h]ros, *niederl.* ros, *engl.* horse, *aisl.* hross ist trotz aller Deutungsversuche unklar. Vielleicht gehört es im Sinne von „Renner" zu der *idg.* Wortgruppe von *lat.* currere „laufen" (vgl. *Kurs*) oder ist ein altes Wanderwort asiatischen Ursprungs. – Eine *oberd.* Verkleinerungsbildung zu 'Roß' ist **Rössel** *s* „Pferdchen". An die Verwendung von 'Rössel' als Bezeichnung des Springers im Schachspiel schließt sich die Zus. **Rösselsprung** (19. Jh.) an. Dieses Wort bezeichnete urspr. den Zug des Springers auf dem Schachbrett, dann eine Rätselart, die nach dem Prinzip des Springerzuges zu lösen ist. Zus.: **Roßkastanie** (16. Jh.; das Bestimmungswort des Baumnamens bezieht sich wohl darauf, daß die Samen der Roßkastanie als Heilmittel für kranke Pferde verwendet werden).

¹Rost *m* „Gitter (unter oder über dem Feuer); Grundbau (aus Pfählen und Balken)": Das auf das *dt.* und *niederl.* Sprachgebiet beschränkte Wort *mhd.*, *ahd.* rōst „Rost; Scheiterhaufen; Feuersbrunst, Glut", *mniederl.* roost „Rost; Ofenfeuer; Braten" ist unbekannter Herkunft. Die *nord.* Sippe von *schwed.* rost „Rost" stammt aus dem *Mnd.* – Vom Substantiv abgeleitet ist das Verb **rösten** (*mhd.* rœsten, *ahd.* rōsten „auf den Rost legen, braten, rösten", vgl. *niederl.* roosten „rösten"). Aus einer *afränk.* Entsprechung von *ahd.* rōsten stammt *afrz.* rostir, *frz.* rôtir „braten, rösten", dazu *frz.* rôtisserie „Bratenverkaufslokal, Garküche". Aus dem *Afrz.* wiederum stammt *engl.* to roast „braten, rösten", dazu roastbeef „Rinderbraten" (beachte das FW **Roastbeef** *s* „Rostbraten, Rinderbraten auf englische Art"; zum zweiten Bestandteil s. den Artikel **Beefsteak**).

²Rost *m*: Das *altgerm.* Wort *mhd.*, *ahd.* rost, *niederl.* roest, *engl.* rust, *schwed.* rost gehört zu der unter →*rot* dargestellten *idg.* Wurzel. Die Zersetzungsschicht auf Eisen ist also nach ihrer rötlichen Farbe benannt. Vgl. aus anderen *idg.* Sprachen z. B. *lett.* rûsa „Rost" und *lit.* rūdis „Rost", rūsti „rosten; verderben". Abl.: **rosten** „sich mit Rost überziehen" (*mhd.* rosten, *ahd.* rostēn, vgl. *niederl.* roesten, *schwed.* rosten), dazu die Präfixbildung **verrosten** (*mhd.* verrosten); **rostig** „mit Rost überzogen" (*mhd.* rostec, *ahd.* rostag). Siehe auch den Artikel **Walroß**.

rot: Das *gemeingerm.* Farbadjektiv *mhd.*, *ahd.* rōt, *got.* rauþs, *engl.* red, *schwed.* röd gehört mit verwandten Wörtern in der meisten anderen *idg.* Sprachen zu der *idg.* Wz. *reudh-* „rot", vgl. z. B. *aind.* rudhirá-ḥ „rot; blutig"; *gr.* erythrós „rot", éreuthos „Röte", *lat.* rubeus „rot" (s. *Rubin*), ruber „rot", rubrīca „rote Farbe, rote Erde" (s. *Rubrik*), *alat.* rōbus „Kernholz" (nach der dunklen rötlichen Farbe; s. den Artikel ro-

bust) und *russ.* rúdyj „rot" (s. *Reizker*). Zu dieser Wurzel gehört auch das unter → ²*Rost* „Zersetzungsschicht auf Eisen" behandelte Wort. Abl.: **Röte** *w* (*mhd.* rœte, *ahd.* rōti; beachte z. B. die Zus. Morgen-, Schamröte); **Rötel** *m* „roter Mineralfarbstoff" (*mhd.* rœtel, gekürzt aus *mhd.* rœtelstein, *ahd.* rōtilstein; beachte die Zus. Rötelstift, -zeichnung); **Röteln** Mehrz. (16. Jh.; der Name der Kinderkrankheit bezieht sich auf den rötlichen masernähnlichen Ausschlag); **röten** „rot machen; rot werden" (*mhd.* rœten, *ahd.* rōten; damit zusammengefallen ist intrans. *mhd.* roten, *ahd.* rōtēn), dazu die Präfixbildung **erröten** „rot werden" (*mhd.* erroten, *ahd.* irrōtēn); **rötlich** (*frühnhd.* für *mhd.* rœteleht). Zus.: **Rotauge** (*spätmhd.* rōtauge, *ahd.* rōtouga; die Weißfischart ist nach dem roten Ring um die Augen benannt); **Rothaut** scherzh. für „Indianer" (1. Hälfte des 19. Jh.s; LÜ von *engl.* redskin); **Rotkehlchen** (16. Jh., zunächst *ostmitteld.*; der Singvogel ist nach seiner rostroten Kehle benannt, vgl. dazu z. B. *frz.* rouge-gorge und *engl.* robin readbreast); **Rotlauf** (15. Jh. in der Form 'roit lauff' als Bezeichnung für die Krankheit Rose; der zweite Bestandteil ist vielleicht volksetymologisch nach 'Lauf' aus *mhd.*, *ahd.* louft „Hülse, Schale" umgebildet); **Rotwild** (*mhd.* rōtwilt). Siehe auch den Artikel **Rüde**.

rotieren „sich drehen, umlaufen": Im 19. Jh. aus *lat.* rotāre „[sich] kreisförmig herumdrehen" entlehnt. Dies ist abgeleitet von *lat.* rota „Rad, Scheibe; Kreis", das verwandt ist mit *dt.* →*Rad*. Dazu: **Rotation** *w* „Umdrehung, Umlauf" (19. Jh.; aus *spätlat.* rotātiō „kreisförmige Umdrehung"); **Rotor** *m* „sich drehender Teil einer elektrischen Maschine" (20. Jh.; aus dem *Engl.* übernommene *nlat.* Bildung). – Von Interesse ist in diesem Zusammenhang eine andere wichtige Ableitung von *lat.* rota, nämlich das Adj. *lat.* rotundus „scheibenrund", das dem LW →*rund* zugrunde liegt.

Rotte *w*: Das seit dem Anfang des 13. Jh.s bezeugte Wort für „Abteilung, Schar; wilder Haufen, zusammengewürfelte Horde" (*mhd.* rot[t]e) geht über gleichbed. *afrz.* rote auf *mlat.* rupta, rut[t]a „Abteilung; [Räuber]schar" zurück, das seinerseits etwa im Sinne von „abgesprengte, zersprengte Schar" zu *lat.* rumpere (ruptum) „[zer]brechen, zerreißen, zersprengen; beschädigen, verderben usw." gehört (über weitere etymolog. Zusammenhänge vgl. den Artikel *raufen*). Abl.: **rotten** „eine Rotte bilden" (*mitteld.* roten „sammeln, scharen"; heute veraltet), dazu die Zus. **zusammenrotten**, sich „[in unguter Absicht] zusammenscharen" (17. Jh.). Nicht verwandt ist *ausrotten* „völlig vernichten" (s. d.). – Vgl. in diesem Zusammenhang noch einige weitere auf Bildungen, Ableitungen oder

Komposita von *lat.* rumpere beruhende FW: → Route, → Routine, Routinier, routiniert, → abrupt, → korrupt, Korruption, ferner die zusammengesetzten FW → Bankrott, bankrott, Bankrotteur.

Rotz *m*: Mhd. ro[t]z, *ahd.* [h]roz, „[Nasen]-schleim", *aengl.* hrot „Schleim; Schaum" gehören zu *ahd.* [h]rūzan „schnarchen, knurren", *aengl.* hrūtan „rauschen, lärmen, schnarchen", *schwed.* ryta „brüllen", die lautnachahmenden Ursprungs sind. – Im heutigen Sprachgebrauch wird ‚Rotz' als Bezeichnung für eine ansteckende Tierkrankheit und als derber Ausdruck für „Nasenschleim" verwendet, beachte zum letzten Wortgebrauch z. B. **Rotzfahne** *ugs.* für „Taschentuch", **Rotzkolben** *ugs.* für „Nase", **Rotzbengel** *ugs.* für „[unverschämter] Halbwüchsiger", **rotznäsig** *ugs.* für „frech, unverschämt". Abl.: **rotzen** *ugs.* für „eine laufende Nase haben; Nasenschleim ausschneuzen, Schleim oder Speichel auswerfen" (16. Jh.), beachte dazu **anrotzen** *ugs.* für „anherrschen".

Roulade *w* „gefüllte Fleischrolle": Im 18./19. Jh. aus gleichbed. *frz.* roulade entlehnt. Dies gehört als Abl. zu *frz.* rouler „rollen" (vgl. das LW **rollen**).

Rouleau *s* „aufrollbarer Vorhang": Im 18. Jh. aus *frz.* rouleau „Rolle" entlehnt, wobei jedoch die spezielle Bed. „Rollvorhang" erst im *Dt.* entwickelt wurde. Das *frz.* Wort gehört als Abl. zu *frz.* rôle „Rolle" (vgl. das LW **Rolle**). – Neben Rouleau findet sich bei uns die eingedeutschte Form **Rollo** *s*.

Roulett *s*: Das bei uns seit dem 19. Jh. bekannte, aus Frankreich übernommene Glücksspiel trägt seinen *frz.* Namen nach dem sich drehenden Glücksrad, auf dem durch eine rollende Kugel die Gewinne ausgespielt werden. *Frz.* roulette „Rollrädchen; Roulett" ist eine Verkleinerungsbildung zu *afrz.* roele (= *frz.* rouelle) „Rädchen", das auf *spätlat.* rotella „Rädchen" zurückgeht (zu *lat.* rota „Rad", vgl. den Artikel **Rolle**).

Route *w* „Reiseweg; Weg[strecke]; Marschrichtung": Im 17./18. Jh. aus gleichbed. *frz.* route übernommen, das seinerseits auf *vlat.* (via) rupta „gebrochener (= gebahnter) Weg" zurückgeht. Über das zugrunde liegende *lat.* Verb rumpere (ruptum) „[zer]brechen" vgl. den Artikel **Rotte**. – Dazu: **Routine** *w* „[handwerksmäßige] Gewandtheit, Fertigkeit, Übung, Erfahrenheit" (18. Jh.; aus gleichbed. *frz.* routine, das als Abl. von *frz.* route eigtl. etwa „Wegerfahrung" bedeutet); **Routinier** *m* „erfahrener Praktiker, alter Fuchs" (19. Jh.; aus gleichbed. *frz.* routinier); **routiniert** „durch Übung erfahren, gewandt, geschickt" (19. Jh.; nach gleichbed. *frz.* routiné).

Rowdy *m* „Raufbold, Rohling": Im 19. Jh. aus gleichbed. *amerik.* rowdy entlehnt, dessen weitere Herkunft zweifelhaft ist.

Rübe *w*: Die *germ.* Namen der Pflanze *mhd.* rüebe, *ahd.* ruoba (daneben *mhd.* räbe, *ahd.* rāba), *mniederl.* roeve, *schwed.* rova sind verwandt mit *gr.* ráp[h]ys „Rübe", *lat.* rāpa, rāpum „Rübe" (s. Raps und Kohlrabi) und mit der *baltoslaw.* Sippe von *russ.* répa „Rübe". Wahrscheinlich handelt es sich um ein altes Wanderwort.

Rubin *m*: Der Name des rotfarbenen Edelsteins (*mhd.* rubīn) ist aus gleichbed. *mlat.* rubīnus (= *afrz.* rubin, *it.* rubino) entlehnt, einer Bildung zu *lat.* rubeus „rot" (etymolog. verwandt mit *dt.* → rot). Der Edelstein ist also nach seiner charakteristischen Färbung benannt.

Rubrik *w*: Das seit *mhd.* Zeit bezeugte FW (*mhd.* rubrik[e]) bedeutete urspr. „roter Schreibstoff" und bezeichnete danach die in Rot gehaltenen Überschriften, die in mittelalterlichen Handschriften und Frühdrucken die einzelnen Abschnitte trennten. Von daher entwickelte das Wort seine heute gültige übertr. Bed. „Abschnitt, Fach; Spalte". Quelle des Wortes ist *lat.*-*spätlat.* rubrīca (ergänze: terra) „rote Erde, roter Farbstoff; roter Schreibstoff; mit roter Farbe geschriebener Titel eines Gesetzes", das zu dem mit *dt.* → rot urverwandten Farbadjektiv *lat.* ruber „rot" gehört.

ruchbar „[durch umlaufendes Gerücht] bekannt": Die heute übliche Form hat sich aus *frühnhd.* ruchtbar entwickelt, das im 16. Jh. aus dem *Niederd.* in die *hochd.* Schriftsprache übernommen wurde. *Niederd.* ruchtbar gehört – wie auch ‚anrüchig', ‚berüchtigt' und ‚Gerücht' (s. d.) – zu *mnd.* ruchte „Ruf, Leumund" (vgl. **anrüchig**).

ruchlos: Das seit dem 16. Jh. im Sinne von „gottlos, frevelhaft, gemein, niederträchtig" verwendete Adjektiv bedeutete früher „unbekümmert, sorglos". Die heute übliche Bedeutung entwickelte sich aus „unbekümmert gegenüber dem, was geheiligt ist". *Mhd.* ruochelōs, „sorglos, unbekümmert" (entspr. *mnd.* rōkelōs „sorglos, unbesonnen"; *engl.* reckless „sorglos, unbekümmert") gehört zu *mhd.* ruoch[e] „Acht, Bedacht, Sorge, Sorgfalt" (vgl. **geruhen**; s. auch den Artikel **verrucht**).

Ruck *m*: Das *altgerm.* Substantiv *mhd.* ruc, *ahd.* rucch, *niederl.* ruk, *schwed.* ryck gehört zu dem unter → **rücken** behandelten Verb.

rücken: Das *altgerm.* Verb *mhd.* rücken, *ahd.* rucchen, *niederl.* rukken, *schwed.* rycka ist unbekannter Herkunft. Mit diesem Verb (Intensivum) hängen im *germ.* Sprachbereich zusammen die *nord.* Sippe von *schwed. mdal.* rucka „wiegen, schaukeln, schwanken" und *engl.* to rock „schaukeln, wackeln" (beachte den Namen des amerikan. Tanzes Rock and Roll, Rock 'n' Roll; zu *engl.* to roll „drehen, herumwirbeln" vgl. **Rolle**). – Zusammensetzungen und Präfixbildungen mit ‚rücken' sind z. B. ab-, an-, aus-, ein-, vorrücken, verrücken (s. verrückt) und → berücken.

Rücken *m*: Die *altgerm.* Körperteilbezeichnung *mhd.* rück[e], ruck[e], *ahd.* rucki, [h]rukki, *niederl.* rug, *aengl.* hrycg (*engl.* ridge „[Berg]rücken, Grat"), *schwed.* rygg gehört im Sinne von „Krümmung" zu der unter →*schräg* dargestellten *idg.* Wortgruppe. Näher verwandt sind z. B. *lit.* kriáuklas „Rippe; Gerippe", *lett.* kruknêt „gekrümmt sitzen, kauern" und *aind.* krúñcati „krümmt sich". – Wie in den älteren Sprachzuständen wird 'Rücken' auch heute mehrfach übertragen gebraucht, beachte z. B. die Zus. Berg-, Buch-, Handrücken. – Aus der Verbindung *ahd., mhd.* ze rucke „nach dem Rücken, auf den Rücken, im Rücken" hat sich das Adverb zurück „rückwärts; [nach] hinten, hinter; wieder her" entwickelt (bereits im *Mhd.* gelegentlich zusammengeschrieben zerucke und mit der Bed. „rückwärts"; vgl. *niederl.* terug „zurück"). In der Zusammensetzung ist – außer bei Verben und Verbalsubstantiven (beachte z. B. zurückführen, Zurückführung, zurücklassen, Zurücklassung) – statt 'zurück' gewöhnlich die verkürzte Form rück... gebräuchlich, so z. B. in Rückfall (17. Jh.; LÜ von *frz.* récidive), dazu rückfällig (17. Jh.; LÜ von *lat.* recidīvus); Rückgang (17. Jh.), dazu rückgängig (17. Jh.); Rücksicht (18. Jh.; LÜ von *lat.* respectus; beachte dazu rücksichtlos, rücksichtsvoll und berücksichtigen); Rückstand (17. Jh.; für 'Restant' „noch ausstehende Forderung"), dazu rückständig (17. Jh.). – Abl.: rücklings „nach hinten gewandt; mit dem Rücken nach vorn" (*mhd.* rückelinges, -lingen, *ahd.* ruchilingun; beachte zur Bildung z. B. 'blindlings' und 'meuchlings'). Zus.: Rückgrat „Wirbelsäule" (15. Jh., vgl. *Grat*); Rucksack (16. Jh., *schweiz.* ruggsack; die Bezeichnung, die erst in der zweiten Hälfte des 19. Jh.s von den Alpenländern ausgehend gemeinsprachliche Geltung erlangte, enthält als Bestimmungswort die umlautlose *oberd.* Form, s. o. *mhd.* rucke). Von den jungen Zusammensetzungen, die statt 'Rück...' ('Ruck...') als Bestimmungswort 'Rücken...' haben, beachte z. B. Rückenmark, Rückenschwimmen, Rückenlehne.

Rüde *m* „männlicher Hund; Hetzhund": Die Herkunft von *mhd.* rü[e]de, *ahd.* rudio, *niederl.* reu, *aengl.* (andersgebildet) ryđđa ist unklar. Vielleicht gehören die *westgerm.* Wörter zu der Wortgruppe von →*rot* und bezeichneten urspr. einen Hund von rötlichbrauner Farbe. – In den älteren Sprachzuständen bezeichnete 'Rüde' einen großen Hund (speziell zum Hetzen und Hüten). Die Verwendung des Wortes im Sinne von „männlicher Hund" stammt aus der *nhd.* Jägersprache.

Rudel *s*: Der erst seit dem 17. Jh. bezeugte weidmänn. Ausdruck für „Vereinigung einer größeren Anzahl von Hirschen, Gemsen, Wildschweinen oder Wölfen" ist dunklen Ursprungs. Im heutigen Sprachgebrauch wird 'Rudel' nicht nur auf wildlebende Tiere bezogen, beachte z. B. 'im Rudel laufen' und 'ein Rudel Rennwagen'.

Ruder *s*: Das *westgerm.* Substantiv *mhd.* ruoder, *ahd.* ruodar, *niederl.* roer („Steuerruder"), *engl.* rudder („Steuerseitenruder") gehört zu einem im *Nhd.* untergegangenen Verb mit der Bed. „rudern": *mhd.* rüejen, *mnd.* rōjen (beachte seemänn. rojen), *niederl.* roeien, *engl.* to row, *schwed.* ro. Das *westgerm.* Wort, das eine Instrumentalbildung ist, bedeutet demnach „Gerät, mit dem man rudert". Da man früher das Ruder auch zum Steuern des Schiffes verwandte, bedeutet das Wort – wie auch im *Niederl.* und *Engl.* – „Steuer", beachte dazu die Zus. Seiten-, Höhenruder, Rudergänger, Steuerruder. – Die *germ.* Wortgruppe gehört mit verwandten Wörtern in anderen *idg.* Sprachen zu der *idg.* Wz. *er[ə]-, *rē- „rudern", vgl. z. B. *gr.* erétēs „Ruder", eréssein „rudern", *lat.* rēmus „Ruder" (s. ²Riemen) und *lit.* irti „rudern". Abl.: rudern (*mhd.* ruodern, *ahd.* [ga]ruoderōn), dazu Ruderer *m* (*mhd.* ruoderǣre).

rufen: Das *gemeingerm.* Verb *mhd.* ruofen, *ahd.* [h]ruofan, *got.* (schwach) hrōpjan, *aengl.* hrōpan, *schwed.* ropa ist wahrscheinlich lautnachahmenden Ursprungs und ist dann elementarverwandt z. B. mit *aind.* carkarti „erwähnt, rühmend" und *gr.* karkaírō „erdröhne". Zu diesem Verb stellt sich das *gemeingerm.* Substantiv Ruf *m*: *mhd.* ruof, *ahd.* [h]ruof, *got.* hrōps, *aengl.* hrōp, *schwed.* rōp. Eine andere Substantivbildung ist *mhd.* ruoft, *ahd.* [h]ruoft „Ruf, Geschrei; Leumund", *mnd.* ruchte „Ruf, Leumund" (s. die Artikel anrüchig, berüchtigt, Gerücht, ruchbar). Mit diesen Wörtern ist im *germ.* Sprachbereich auch die Sippe von →*Ruhm* (urspr. „Geschrei") verwandt. Präfixbildungen mit 'rufen' sind → berufen und verrufen veralt. für „in schlechten Ruf bringen; öffentlich ausrufen" (*mhd.* verruofen „rufen"; beachte das zweite Partizip verrufen „übel beleumdet"), dazu Verruf *m* „schlechter Ruf, Mißachtung"; beachte auch die Zus. ab-, an-, auf-, aus-, zurufen. Zus.: Rufname (19. Jh.).

Rüffel *m* (*ugs.* für:) „Verweis": Das erst seit dem 19. Jh. bezeugte Wort ist eine Rückbildung aus dem Verb rüffeln „grob zurechtweisen" (18. Jh.). Dieses Verb hängt wohl im Sinne von „glätten, zurechtstutzen" mit der Sippe von *niederd. mdal.* Ruffel „Rauhhobel" zusammen.

Rugby *s*: Das im 20. Jh. aus England übernommene fußballähnliche Ballspiel (*engl.* 'Rugby football', Rugby) trägt seinen

Namen nach der mittelenglischen Kleinstadt Rugby, an deren Lateinschule es zuerst gespielt wurde.

Rüge w: Mhd. rüege, ruoge „gerichtliche Anklage, Anzeige; gerichtliche Strafe; Tadel; Gerichtsbarkeit", mnd. wröge „Anklage; Tadel", got. wröhs „Anklage, Klage", aisl. rōg „Zank, Streit; Verleumdung" haben keine sicheren außergerm. Beziehungen. Während 'Rüge' im heutigen Sprachgebrauch nur noch im Sinne von „Tadel" verwendet wird, war es früher ein wichtiges Rechtswort und bezeichnete die Anzeige eines Vergehens vor Gericht, dann auch die Bestrafung des Vergehens sowie die Gerichtsbarkeit. – Zum Substantiv stellt sich das Verb **rügen**: mhd. rüegen, ruogen, ahd. ruogen „anklagen, beschuldigen; gerichtlich anzeigen; öffentlich bekanntmachen, mitteilen, melden", got. wröhjan „anklagen, beschuldigen", aengl. wrēgan „anklagen, rügen", schwed. röja „verraten".

Ruhe w: Das altgerm. Substantiv mhd. ruo[we], ahd. ruowa (daneben ablautend rāwa), mniederl. roe, aengl. rōw, schwed. ro beruht mit verwandten Wörtern in anderen idg. Sprachen auf der idg. Wz. *er[ə]-, *rē- „ruhen", vgl. z. B. gr. erōé „Nachlassen, Ruhe". Zu dieser Wurzel gehört aus dem germ. Sprachbereich auch die Wortgruppe von →Rast. Abl.: ruhen (mhd. ruo[we]n, ahd. ruowēn, -ōn); ruhig (mhd. ruowec); dazu beruhigen (16. Jh.); ruhsam (15. Jh.). Beachte auch Unruhe „Bewegung; Ruhelosigkeit, Beunruhigung; Aufruhr" (mhd. unruowe; seit dem 18. Jh. auch als Bezeichnung für den Regler der Uhr, dafür heute die Form Unruh w).

Ruhm m: Das im heutigen Sprachgebrauch im positiven Sinne von „hohes Ansehen" verwendete Wort bedeutete urspr. „Geschrei (mit dem sich jemand brüstet), Prahlerei; Lobpreisung". Das auf das dt. und niederl. Sprachgebiet beschränkte Wort (mhd. ruom, ahd. [h]ruom, niederl. roem; vgl. aengl. hrōmig „sich rühmend") gehört zu der unter →rufen dargestellten Wortgruppe. Andersgebildet sind got. hrōþeigs „ruhmreich", aengl. hrōðor „Freude", aisl. hrōðr „Ruhm, Lob", beachte ahd. [h]ruod- „Ruhm", das in PN wie z. B. Rudolf bewahrt ist. – Abl.: rühmen „den Ruhm verkünden, preisen" (mhd. rüemen, ruomen, ahd. [h]ruomen, entspr. niederl. roemen; beachte die Präfixbildung frühnhd. berühmen, mhd. berüemen, ahd. biruomen „sich rühmen, prahlen", von dem heute noch das zweite Partizip berühmt gebräuchlich ist; beachte dazu Berühmtheit w); rühmlich „lobenswert" (mhd. rüem[e]lich „ruhmvoll; prahlerisch"). Zus.: ruhmredig (17. Jh.; umgebildet durch Anlehnung an 'Rede, reden' aus frühnhd. rumretig, das aus mhd.

*ruomreitec „sich Ruhm bereitend" entstanden ist, vgl. bereit).

Ruhr w: Das auf das dt. und niederl. Sprachgebiet beschränkte Substantiv (mhd. ruor[e], ahd. [h]ruora, niederl. roer) ist eine Bildung zu dem unter →rühren behandelten Verb und bedeutete in den älteren Sprachzuständen zunächst „[heftige] Bewegung; Unruhe". Diese Bedeutung bewahrt noch die Zus. →Aufruhr, beachte auch den Flußnamen Ruhr. In mhd. Zeit bezeichnete 'Ruhr' dann auch speziell die heftige Bewegung im Unterleib. Heute ist das Wort – wie auch im Niederl. – nur noch als Krankheitsname gebräuchlich.

rühren: Das altgerm. Verb mhd. rüeren, ruoren, ahd. [h]ruoren, niederl. roeren, aengl. hrōran, schwed. röra gehört mit verwandten Wörtern in anderen idg. Sprachen zu der idg. Wz. *ker[ə]- „mischen, mengen, rühren", vgl. z. B. aind. śrāyati „kocht; brät", srīpáti „mischt; kocht; brät" und gr. kerannýnai „vermischen", krãsis „Mischung", krātḗr „Mischkrug" (s. Krater). Um das altgerm. Verb gruppieren sich die Substantivbildung →Ruhr und das im Dt. untergegangene Adjektiv asächs. hrōr „rührig", aengl. hrōr „rührig, tätig; stark; tapfer". – In den alten Sprachzuständen wurde 'rühren' vorwiegend im allgemeinen Sinne von „in Bewegung setzen, bewegen" gebraucht. Aus der Bed. „in Bewegung setzen, den Anstoß geben" entwickelte sich im Dt. bereits in ahd. Zeit die Bed. „anstoßen, anfassen, betasten", beachte dazu anrühren und berühren. Ferner wird 'rühren' im Sinne von „in innere Bewegung, in Erregung versetzen" gebraucht, beachte dazu die adjektivisch verwendeten Partizipien rührend „zu Herzen gehend" und gerührt „innerlich bewegt, voller Mitgefühl" sowie die Substantivbildung Rührung w „innere Bewegtheit" (mhd. rüerunge). An die Verwendung von 'rühren' im Sinne von „durch drehende Bewegung vermengen, quirlen" schließen sich die Zus. auf-, ein-, umrühren und die Präfixbildung verrühren an, beachte auch die Zus. Rührei „Speise aus zerquirlten Eiern" (18. Jh.; zunächst niederd.). Abl.: rührig „emsig, geschäftig" (15. Jh.).

Ruin m „Zusammenbruch, Zerrüttung, Untergang": Das seit dem 17. Jh. bezeugte FW ist identisch mit dem etwas später aufkommenden FW **Ruine** w „zerfallenes Bauwerk, Trümmer; (übertr.:) hinfälliger Mensch". Beide führen über entspr. frz. ruine auf lat. ruīna „Einsturz, Zusammenbruch; Ruine" (zu lat. ruere „stürzen, eilen; niederreißen") zurück. Ersteres übernimmt dabei die eigentliche, einen Vorgang bezeichnende Bed. des lat. Wortes, während letzteres dessen resultative Bedeutung fortsetzt. Im Dt. wurden die beiden FW zur besseren

Unterscheidung in der Schreibung und im Genus getrennt. – Abl.: **ruinieren** „zerstören, zugrunde richten" (17. Jh., aus entspr. *frz.* ruiner, *mlat.* ruīnāre).

rülpsen: Der seit dem 17. Jh. bezeugte Ausdruck für „kräftig aufstoßen" ist – wie z. B. auch ‚glucksen' und ‚plumpsen' – lautnachahmenden Ursprungs. Dazu gehören **Rülps** *m* „lautes Aufstoßen" (17. Jh.; auch als Schimpfwort verwendet, beachte schon *mhd.* rülz „bäurischer Kerl, Flegel") und **Rülpser** *m* „lautes Aufstoßen" (19. Jh.).

Rum *m* „Edelbranntwein aus Rohrzuckermelasse oder Zuckerrohrsaft": Im Anfang des 18. Jh.s aus gleichbed. *engl.* rum entlehnt, das gekürzt ist aus älterem rumbullion. Die weitere Herkunft des Wortes ist dunkel.

Rumba *m* (fachsprachl.: *w*): Der Name wurde um 1930 aus *kubanisch-span.* rumba „Rumba", eigtl. „herausfordernder Tanz" entlehnt, das zu *span.* rumbo gehört. *Span.* rumbo bedeutet urspr. wahrscheinlich u. a. „Zauberspiel mit den Händen", dann auch „Pracht, Prunk; Herausforderung; lärmendes Vergnügen". Das *span.* Wort stammt vielleicht von *lat.* rhombus „[Zauber]kreisel, Rhombus", das aus gleichbed. *gr.* rhómbos entlehnt ist.

Rummel *m*: Der *ugs.* Ausdruck für „Lärm, Betrieb; Durcheinander; Jahrmarkt" gehört zu dem heute nur noch *landsch.* gebräuchlichen Verb **rummeln** „dumpf schallen, poltern" (*mhd.* rummeln „lärmen, poltern", vgl. *niederl.* rommelen „poltern, rollen, knurren", *engl.* to rumble „poltern, dröhnen, rasseln", *norw.* rumle „poltern, rasseln"). Dieses Verb ist mit der Nebenform → **rumpeln** lautnachahmenden Ursprungs.

rumoren „lärmen, poltern; rumpeln; [im Magen] kollern": Das seit dem 15. Jh. bezeugte Verb ist von dem heute veralteten Subst. **Rumor** *m* „Lärm, Unruhe" (*spätmhd.*) abgeleitet, das auf *lat.* rūmor „dumpfes Geräusch; Gerücht" (im *Mlat.* „Lärm, Tumult") zurückgeht. Vgl. den Artikel **Rune.**

rumpeln: Das seit *mhd.* Zeit gebräuchliche Verb (*mhd.* rumpeln „poltern, rasseln, lärmen") gehört zu den unter → *Rummel* behandelten Lautnachahmungen. Um ‚rumpeln' gruppieren sich die Zus. → **überrumpeln** (eigtl. „mit Getöse überfallen") und die Substantivbildung → **Gerümpel** (eigtl. „rumpelnd wackelnder oder zusammenbrechender Hausrat"), beachte auch die Zus. **Rumpelkammer** und **Rumpelkasten** sowie den Namen der Märchengestalt **Rumpelstilzchen** *s* (etwa „rumpelnder Kobold, Poltergeist"; der zweite Bestandteil ist eine Verkleinerungsbildung zu dem

heute veralteten **Stülz** *m* „Hinkender", vgl. *elsäss.* Stilzer *m* „Hinkender").

Rumpf *m*: Die auf das *dt.* und *niederl.* Sprachgebiet beschränkte Bezeichnung für den Körper ohne Kopf und Glieder (*mhd.* rumpf, *mitteld.*, *mnd.* rump, *niederl.* romp) ist im *germ.* Sprachbereich verwandt mit der *nord.* Sippe von *schwed.* rumpa „Steiß, Schwanz; Hinterteil, Hintern" (aus dem *Nord.* stammt *engl.* rump „Steiß; Hinterteil; Rücken", s. den Artikel Rumpsteak). Die *außergerm.* Beziehungen sind unklar. Vielleicht bedeutete ‚Rumpf' urspr. „[Baum]stamm, Klotz", vgl. *norw.* rump „Steiß, Hinterteil", *mdal.* „Felsbrocken" und *norw.* mdal. ramp „alter morscher Baumstamm".

rümpfen: *Mhd.* rümpfen „kraus, runzlig machen, in Falten legen" steht im Ablaut zu dem im *Nhd.* untergegangenen starken Verb *mhd.* rimpfen, *ahd.* [h]rimpfan „zusammenziehen, krümmen, falten, runzeln", vgl. dazu *germ.* Sprachbereich *mniederl.* rimpen „runzeln", *niederl.* rimpel „Runzel", *rimpelen* „runzeln", *aengl.* hrimpan „runzeln", ferner *mhd.* ramph[e] „Krampf". *Außergerm.* eng verwandt ist die Sippe von *gr.* krámbos „eingeschrumpft, dürr, trocken". All diese Wörter gehören mit dem unter → schrumpfen behandelten Verb zu der Wortgruppe von → *Harfe*.

Rumpsteak *s* „Fleischschnitte aus dem Nierenstück eines Rindes": Im 19. Jh. aus gleichbed. *engl.* rumpsteak entlehnt. Dessen Bestimmungswort *engl.* rump „Hinterteil, Kreuz; Lende", das selbst aus dem *Nord.* stammt, ist verwandt mit *dt.* → *Rumpf*. Über das Grundwort vgl. *Steak.*

rund: Das seit *mhd.* bezeugte Adj. (*mhd.* runt) geht wie entspr. *niederl.* rond und *engl.* round über gleichbed. *afrz.* ront, rond (= *frz.* rond) auf *lat.* rotundus „scheibenrund" zurück (zu *lat.* rota „Rad; Scheibe", urverwandt mit *dt.* → *Rad*). – Abl. und Zus.: **Rund** *s* „Rundung, Umkreis; Umgebung" (im 17. Jh. aus dem substantivierten Adj. *frz.* rond „das Runde; der Kreis, der Ring"); **Runde** *w* „Kreis; Umkreis; Umgang, Durchgang, Wettkampfabschnitt" (15. Jh. „[Um]kreis"), daneben seit dem Beginn des 17. Jh.s mit der speziellen militär. Bed. „Wachrunde, Rundgang zur Überprüfung der Wachen und Posten" (danach auch allg. „Rundgang") als Bedeutungslehnwort aus entspr. *frz.* ronde; **runden** „rund machen; (übertr.:) etwas vervollständigen, abschließen, vollenden" (15./16. Jh.; auch reflexiv gebraucht im Sinne von „rund werden; Gestalt annehmen"), dazu verschiedene Zusammensetzungen wie abrunden, aufrunden und überrunden „um eine Runde schneller sein"; **Rundung** *w* „rundliche Biegung, Wölbung" (15. Jh.); **Rundfunk**

,,Übertragung drahtloser Sendungen" (20. Jh.; amtlich eingeführte Bezeichnung für das FW →Radio).

Rune w: *Mhd.* rūne, *ahd.* rūna ,,Geheimnis; geheime Beratung; Geflüster", *got.* rūna ,,Geheimnis; [geheimer] Ratschluß", *aengl.* rūn ,,Geheimnis; Beratung; Runenzeichen", *aisl.* rūn ,,Geheimnis; Zauberzeichen; Runenzeichen" beruhen auf *germ.* *rūnō- ,,Geheimnis", das wahrscheinlich im Sinne von ,,[heimliches] Flüstern, Tuscheln, Murmeln" zu einer Gruppe von Lautnachahmungen gehört, vgl. z. B. *mhd.* rienen ,,jammern, klagen", *aengl.* rēonian ,,heimlich flüstern, sich verschwören; murren, klagen", *norw. mdal.* rjona ,,schwatzen" und *außergerm.* z. B. *lat.* rūmor ,,Geräusch; Gerücht" (s. rumoren). Von dem *gemeingerm.* Substantiv, dem *air.* rūn ,,Geheimnis" entspricht, ist das unter →raunen behandelte Verb abgeleitet (s. auch den Artikel Alraun[e]). Im Gegensatz zu 'raunen', das im *Dt.* ständig in Gebrauch blieb (daher diphthongiert), kam das Substantiv in *mhd.* Zeit außer Gebrauch. Erst im 17. Jh. wurde im Rahmen der wissenschaftlichen Beschäftigung mit dem germanischen Altertum 'Rune' als Bezeichnung für das germanische Schriftzeichen neu belebt.

Runge w ,,Halte-, Stützstrebe, Stange" (am Wagen): Das *altgerm.* Substantiv *mhd.*, *mnd.* runge ,,Stange, Stemmleiste am Wagen", *got.* hrugga ,,Stab", *niederl.* rong ,,Sprosse der Leiter am Wagen", *engl.* rung ,,Leitersprosse" gehört im Sinne von ,,Rundholz, -stab" zu der unter →Ring behandelten Wortgruppe.

Runkelrübe w: Das Bestimmungswort des seit dem 18. Jh. bezeugten Pflanzennamens gehört wahrscheinlich zu Runke[n], Runks *m landsch.* für ,,großes Stück (Brot), Knust". Die Benennung bezieht sich demnach auf die große, derbe Wurzel der Futterpflanze. Neben 'Runke[n]' steht Ranken *m landsch.* für ,,großes Stück" (Brot, Fleisch). Die Form Runks ist seit dem 16. Jh. auch als Schimpfwort für einen ungeschliffenen Menschen gebräuchlich. Davon abgeleitet ist das Verb runksen *ugs.* für ,,sich wie ein Flegel benehmen, rücksichtslos [Fußball] spielen" (20. Jh.).

Runzel m: *Mhd.* runzel, *ahd.* runzula ist eine Verkleinerungsbildung zu dem im *Nhd.* untergegangenen gleichbed. Substantiv *mhd.* runze, *ahd.* runza, das zu dem gleichfalls untergegangenen Substantiv *mhd.* runke ,,Runzel" gehört. Damit verwandt sind im *germ.* Sprachbereich *schwed.* rynka ,,Runzel, Falte", *norw.* rynke ,,Runzel, Falte", *aisl.* hrukka ,,Runzel", hrøkkva ,,sich krümmen; zurückweichen", ferner mit anlautendem s- *schwed.* skrynka ,,runzeln", skrynka ,,Runzel", *engl.* to shrink ,,schrumpfen, sich zurückziehen", *mniederl.*

schrinken ,,sich zurückziehen". Diese Wortgruppe gehört wohl zu der unter →schräg dargestellten *idg.* Wurzel. – Abl.: runz[e]lig (für älteres runzlicht, *mhd.* runzeleht, *ahd.* runziloht); runzeln (*mhd.* runzeln).

Rüpel m: Die seit dem 16. Jh. gebräuchliche Bezeichnung für einen flegelhaften Menschen ist eigtl. die als Gattungsname verwendete Kurz- oder Koseform von dem männlichen PN Ruprecht. Ähnlich wurde früher 'Nickel', die Kurz- oder Koseform von 'Nikolaus', als Gattungsname gebraucht (s. den Artikel Pumpernickel); beachte auch die Verwendung von 'Heini' für ,,dummer Mensch; Versager" im heutigen Sprachgebrauch.

rupfen: *Mhd.* rupfen, ropfen, *ahd.* ropfōn ,,ausreißen, zupfen, zausen, pflücken" (daneben gleichbed. *mhd.* rüpfen), *mhd.* roppen, *niederd.* ruppen ,,ausreißen, zupfen" (dazu das aus dem *Niederd.* stammende Adjektiv ruppig urspr. ,,gerupft", dann ,,zerlumpt, arm" und ,,flegelhaft, grob, ausfallend", *aisl.* ruppa ,,rauben, plündern" gehören zu der unter →raufen behandelten Wortgruppe. Eng verwandt sind im *germ.* Sprachbereich *niederd.* rubben ,,reiben, kratzen, raufen, zerren" (beachte dazu *ugs.* rubbeln ,,reiben, scheuern") und die *nord.* Sippe von *norw.* rubba ,,scheuern, ebnen, Fische schuppen".

Ruß m: Das auf das *dt.* und *niederl.* Sprachgebiet beschränkte Wort (*mhd.*, *ahd.* ruoz, *mnd.* rōt, *niederl.* roet) ist unbekannter Herkunft. Abl.: rußen (*mhd.* [ge-, über]ruozen); rußig (*mhd.* ruozec, *ahd.* ruozag).

Rüssel m: Die auf das *dt.* Sprachgebiet beschränkte Substantivbildung (*mhd.* rüezel) gehört zu dem *altgerm.* Verb *ahd.* ruozen ,,wühlen", *niederl.* wroeten ,,wühlen", *engl.* to root ,,aufwühlen", *schwed.* rota ,,wühlen". Das Wort bedeutet demnach eigtl. ,,Wühler, Wühler". Zur Bildung beachte z. B. 'Flügel' und 'Wirbel'. – Anders gebildet sind *niederd.* wrōte ,,Rüssel" und *aengl.* wrōt ,,Rüssel, Schnauze". *Außergerm.* ist z. B. verwandt *lat.* rōdere ,,nagen, verzehren", rōstrum ,,Schnauze, Schnabel".

rüsten: Das *westgerm.* Verb *mhd.* rüsten, rusten, *ahd.* [h]rusten, *niederl.* rusten, *aengl.* hrystan gehört zu dem im *Mhd.* untergegangenen Substantiv *ahd.* hrust ,,Rüstung", *aengl.* hryst, hyrst ,,Ausrüstung; Waffen; Schmuck". Dieses Substantiv ist im *germ.* Sprachbereich wahrscheinlich verwandt mit *aengl.* hrēodan ,,schmücken", (earm)hrēad ,,(Arm)schmuck", *aisl.* hrjōda ,,schmücken". Die weiteren *außergerm.* Beziehungen sind unklar. – Das *westgerm.* Verb bedeutete urspr. ,,herrichten, ausstatten, schmücken", dann ganz allgemein ,,bereit-, zurechtmachen, vorbereiten". In *mhd.* Zeit wurde das Verb dann auch im Sinne von ,,sich vorbereiten, Anstalten treffen" (speziell zu einer Reise oder zum Kampf) gebräuchlich. Auch im heutigen Sprachgebrauch wird 'rüsten' häufig speziell auf die Vorbereitungen zum Kriege bezogen, beachte dazu die Bedeutungsverhältnisse von 'Rüstung' (s. u.) und a b r ü s t e n ,,eine Rüstung rückgängig machen" (19. Jh., für *frz.* désarmer) und a u f r ü s t e n ,,die Rüstung verstärken" (1. Hälfte des 20. Jh.s, für *frz.* réarmer). Fachsprachlich wird 'rüsten' im Sinne von ,,ein Gerüst bauen" verwendet. – Abl.: r ü s t i g ,,[noch] kraftvoll, regsam" (*mhd.* rüstec ,,gerüstet, bereit", *ahd.* hrustig ,,geschmückt"; die heute übliche Bedeutung entwickelte sich in *frühmhd.* Zeit aus ,,bereit [zum Kampf oder Krieg], tatkräftig"); R ü s t u n g *w* ,,Vorbereitung; Kriegsvorbereitung; mittelalterliches Kampfgewand, Trägergerüst" (16. Jh.; zuvor schon *ahd.* rustunga ,,Werkzeug"); G e r ü s t (s. d.). Zus.: R ü s t z e u g ,,Werkzeug" (16. Jh.). Beachte auch die Präfixbildung e n t - r ü s t e n ,,in Unwillen versetzen", gewöhnlich reflexiv ,,unwillig werden, aufgebracht sein" (*mhd.* entrüsten ,,die Rüstung abnehmen, entwaffnen; aus der Fassung bringen, in Zorn versetzen"), dazu E n t r ü s t u n g *w* (18. Jh.).

Rüster *w*: Der auf das *dt.* Sprachgebiet beschränkte Baumname ist, wie z. B. auch 'Flieder', 'Holunder' und 'Wacholder', mit dem *germ.* Baumnamensuffix -đr[a]- (vgl.

Teer) gebildet. Der erste Wortteil (*mhd.* rust ,,Ulme") ist unbekannter Herkunft.

Rute *w*: Mhd. ruote ,,Gerte; Zucht-, Zauber-, Wünschelrute; Stab; Stange; Meßstange; Ruder[stange]", *ahd.* ruota ,,Gerte; Stange; Meßstange", *niederl.* roe[de] ,,Gerte, Rute; Stange", *engl.* rood ,,Rute", *aisl.* rōđa, ,,Rute, Stange, Kreuz" sind vermutlich verwandt mit der *slaw.* Wortgruppe von *russ.* rátovišče ,,Lanzenschaft". Die weiteren Beziehungen sind dunkel. – Im heutigen Sprachgebrauch bezeichnet 'Rute' häufig speziell die Züchtigungswerkzeug, weidmänn. den Schwanz des Haarraubwildes und den Penis des Schalenwildes. Als Maßbezeichnung ist 'Rute' heute veraltet. Siehe auch die Artikel Spießrute und Wünschelrute.

rutschen: Das seit dem 15. Jh. bezeugte Verb ist – wie z. B. auch 'flutschen' *ugs.* für ,,schnell vonstatten gehen" – wahrscheinlich lautnachahmenden Ursprungs. Dazu stellen sich die vorwiegend in der Umgangssprache gebräuchlichen Bildungen R u t s c h *m* ,,Gleiten; Sturz; kleine Reise" (beachte dazu die Zus. Erdrutsch und 'guten Rutsch!'), R u t s c h e *w* ,,Gleitbahn; schräge Fläche, Abhang", r u t s c h i g ,,glatt, schlüpfrig".

rütteln: Mhd. rütteln, rütelen ,,schütteln, hin- und herbewegen, in Erschütterung versetzen" ist eine Iterativ-Intensiv-Bildung zu gleichbed. *mhd.* rütten, das im Nhd. in der Präfixbildung → zerrütten bewahrt ist.

S

Saal *m*: Mhd., *ahd.* sal ,,Halle, Saal; Wohnung, Gebäude; Tempel, Kirche", *niederl.* zaal ,,Saal", *aengl.* sæl, sele ,,Zimmer, Wohnung; Halle, Saal; Gebäude; Palast", *aisl.* salr ,,Gebäude; Saal" (*schwed.* sal ,,Saal; Speisezimmer") gehen zurück auf *germ.* *salaz, -iz (*sali-), das das aus einem Raum bestehende Haus der Germanen bezeichnet. Dazu stellen sich im *germ.* Sprachbereich z. B. die Bildungen *got.* saljan ,,Herberge finden, bleiben", saliþwōs *Mehrz.* ,,Herberge; Speiseraum", *ahd.* selida, *mhd.* selde ,,Wohnung, Haus, Unterkunft". Eine nur *dt.* Bildung ist das unter → Geselle (eigtl. ,,der mit jemandem denselben Wohnraum teilt") behandelte Wort. Die *germ.* Bezeichnung des Einraumhauses drang auch in die *roman.* Sprachen, vgl. *frz.* salle ,,Saal; Zimmer", *it.* sala ,,Saal", salone ,,großer Saal" (s. Salon). – *Außergerm.* verwandt ist die *baltoslaw.* Sippe von *russ.* seló ,,Acker; Dorf". Die *germ.* und *baltoslaw.* Wörter bezeichneten urspr. den eingehegten, durch Flechtwerk oder Zäune geschützten Wohn- und Siedlungsraum. Zus.: Saaltoch-

ter *schweiz.* für ,,Kellnerin" (eigtl. ,,Speisesaalmädchen", vgl. *Tochter*).

Saat *w*: Mhd., *ahd.* sāt, *got.* -sēþs (in mannasēþs ,,Menschensaat, Menscheit"), *schwed.* sād und die andersgebildeten *niederl.* zaad, *engl.* seed gehören zu der unter → säen dargestellten *idg.* Wurzel, vgl. z. B. aus anderen *idg.* Sprachen *lat.* satus ,,gesät", satiō und satus ,,das Säen; Saat". Ursprünglich bezeichnete 'Saat' die Handlung des Säens, dann das Ausgesäte und schließlich das, was aus dem Gesäten hervorsprießt.

sabbern (*ugs.* für:) ,,Speichel ausfließen lassen, geifern": Das aus dem *Niederd.-Ostmitteld.* stammende Verb (vgl. *mnd.* sabben ,,speicheln, geifern, beim Essen sudeln") gehört wahrscheinlich zu der unter → Saft behandelten Wortgruppe. Zum Verb stellt sich das vorwiegend *nordd.* und *mitteld.* *ugs.* gebräuchliche Substantiv S a b b e r *m* ,,ausfließender Speichel". Neben 'sabbern' ist auch s a b b e l n *ugs.* für ,,geifern; beim Essen sudeln; schwatzen" gebräuchlich, beachte dazu S a b b e l *m nordd.*, *mitteld.* für ,,Speichel".

Damit verwandt sind im *germ.* Sprachbereich *niederl.* sabbelen, *dial.* auch sabberen „geifern, beim Essen sudeln", *norw.* sabbe „sudeln; langsam und schleppend gehen", *schwed. mdal.* sabba „schlabbern, sudeln; trödeln".

Säbel *m:* Der seit dem 15. Jh. bezeugte Name der einschneidigen Hiebwaffe ist – wahrscheinlich über gleichbed. *poln.* szabla – aus *ung.* szablya „Säbel" entlehnt. Dieses Wort gehört zu *ung.* szabni „schneiden" und bedeutet demnach eigtl. „Schneide".

sabotieren „planmäßig zerstören, beeinträchtigen (insbes. militär. und wirtschaftliche Einrichtungen); hintertreiben, vereiteln": Im 20. Jh. aus gleichbed. *frz.* saboter entlehnt, das als Abl. von *frz.* sabot „Holzschuh; Hemmschuh" eigtl. „mit den Holzschuhen treten" bedeutet. Der moderne Gebrauch des Wortes ergibt sich als Erweiterung der übertr. Bed. „trampeln, ohne Sorgfalt arbeiten, flickschustern". – Dazu: S a b o t a g e *w* „planmäßige Zerstörung, Beeinträchtigung" (20. Jh.; aus gleichbed. *frz.* sabotage); S a b o t e u r *m* „wer Sabotage treibt" (20. Jh.; aus gleichbed. *frz.* saboteur).

Sache *w:* Das im heutigen Sprachgebrauch gewöhnlich im allgemeinen Sinne von „Ding, Gegenstand, Angelegenheit" verwendete Wort stammt aus der *germ.* Rechtssprache und bezeichnete urspr. die Rechtssache, den Rechtsstreit vor Gericht. Zur Bedeutungsentwicklung von „Rechtssache, Prozeß" zu „Sache, Angelegenheit" vgl. z. B. *frz.* chose „Sache, Angelegenheit", dem *lat.* causa „Rechtssache, Rechtsstreit" zugrunde liegt (beachte auch die Bedeutungsgeschichte von 'Ding', das urspr. „Gericht" bedeutete). – *Mhd.* sache, *ahd.* sahha „Rechtssache, Rechtsstreit; Angelegenheit, Ding, Ursache, Grund", *niederl.* zaak „Sache, Angelegenheit, Geschäft", *aengl.* sacu „Rechtsstreit, Prozeß; Fehde", *schwed.* sak „Rechtssache; Sache, Angelegenheit, Ding" gehören zu dem im *Mhd.* untergegangenen starken Verb *ahd.* sahhan „prozessieren; streiten; schelten" (s. den Artikel Widersacher), *got.* sakan „streiten; schelten", *aengl.* sacan „anklagen; streiten, prozessieren; tadeln". Dieses Verb steht im Ablaut zu dem unter → *suchen* behandelten Verb und bedeutete urspr. „eine Spur verfolgen, (einen Täter) suchen". – Die alte rechtliche Geltung von 'Sache' ist heute noch deutlich erkennbar in der Zus. Sachwalter „Rechtsverteidiger, Anwalt" (*mhd.* sachwalter), beachte auch die Formel 'in Sachen' (X gegen Y). Verblaßt ist dagegen der rechtliche Sinn in Wendungen wie 'gemeinsame Sache machen' und in Zus. wie 'Hauptsache' (vgl. *Haupt*) und 'Ursache' (s. d.). Abl.: s a c h l i c h „die Sache betreffend, zur Sache gehörig; unvoreingenommen" (1. Hälfte des 19. Jh.s), dazu S a c h l i c h k e i t *w* und versachlichen; sächlich „mit neutralem

Geschlecht" (18. Jh. in der Bed. „die Sache betreffend" und als grammatischer Terminus; in der ersten Bedeutung durch 'sachlich' [s. o.] verdrängt). – Groß ist die Zahl der Zusammensetzungen mit 'Sache' als Bestimmungs- oder als Grundwort, beachte z. B. sachgemäß, sachdienlich, Sachlage, Sachverhalt, Sachverständiger und Ansichtssache, Dienstsache, Nebensache.

sacht „behutsam; leise; gemächlich, langsam": Das aus dem *Niederd.* stammende Adjektiv (*mnd.*[-*mniederl.*] sachte), das sich vom Niederrheingebiet ausgehend seit dem 16. Jh. allmählich auch im *Mitteld.* und *Oberd.* durchgesetzt hat, ist die Entsprechung von *hochd.* → *sanft.* Zu *niederd.-niederl.* -cht- statt *hochd.* -ft- vgl. den Artikel Gracht.

Sack *m:* Das *altgerm.* Subst. *mhd.*, *ahd.* sac, *got.* sakkus („Trauer-, Bußgewand aus grobem Stoff"), *niederl.* zak, *aengl.* sacc > *engl.* sack (daneben *aengl.* sæcc, das die *nord.* Sippe von entspr. *schwed.* säck lieferte) beruht auf einer sehr frühen Entlehnung im Rahmen des römisch-germanischen Kaufhandels aus *lat.* saccus „Sack". Das *lat.* Wort ist LW aus *gr.* sákkos „grober Stoff aus Ziegenhaar; (aus solchem Material hergestellter) Sack; grober Mantel; Trauer-, Büßerkleid". Das Wort ist *semit.* Ursprungs (vgl. *hebr.* saq „Stoff aus Haar; Sack"). – Abl. und Zus.: ¹s a c k e n (*landsch.* für:) „in einen Sack füllen, verpacken" (15. Jh.; nicht zu verwechseln mit dem unverwandten Zeitwort ²sacken „sich senken, absinken"; s. versacken), dafür meist das zus. Verb einsacken; Sacktuch; Sackleinwand" (*mhd.* sactuoch, seit dem 18./19. Jh. auch für „Taschentuch, Schnupftuch", vorwiegend *südd.* und *ugs.* gebräuchlich); Sackgasse „Straße, die nur einen Ausgang hat" (Anfang 18. Jh.; für älteres 'Sack', das schon im 17. Jh. im gleichen Sinne galt). Siehe auch Sakko.

säen: Das *gemeingerm.* Verb *mhd.* sǣ[je]n, *ahd.* säen, *got.* saian, *engl.* to sow, *schwed.* så gehört mit den unter → Saat und → Same behandelten Wörtern zu der *idg.* Wz. *sē[i]- in der Bedeutungswendung „säen", vgl. z. B. aus anderen *idg.* Sprachen *lat.* serere (sēvi, satum) „säen", satiō „das [Aus]säen, Saat" (s. Saison), sēmen „Samen" (s. Seminar) und die *baltoslaw.* Sippe von *russ.* séjat' „säen". Diese *idg.* Wurzel bedeutete urspr. etwa „schleudern, werfen, [aus]streuen, fallen lassen", vgl. dazu z. B. *aind.* sáyaka-ḥ, -m „Wurfgeschoß, Pfeil", prá-siti-ḥ „das Dahinschießen, Ansturm; Schuß, Wurf; Geschoß". Die Bed. „säen" hat sich demnach aus „(Korn, Samen) werfen, ausstreuen" entwickelt. Auf einem Bedeutungsübergang von „werfen, fallen lassen" zu „loslassen, nachlassen, ermatten, säumen" beruhen die unter

→seit (eigtl. „später") und →Seite (eigtl. „schlaff Herabhängendes, Flanke") behandelten Wörter; vgl. zu dieser Bedeutungswendung z. B. noch *got.* sainjan „säumen, zögern", *aisl.* seim „langsam, spät", *mhd.* seine „langsam, träge" und *lat.* sinere „lassen", *sērus* „spät". – Zus.: **Sämann** (15. Jh.).

Safe *m* „Geldschrank; Bank-, Schließfach": Im ausgehenden 19. Jh. aus gleichbed. *engl.* safe entlehnt. Dies ist substantiviert aus dem *engl.* Adj. safe „unversehrt; sicher", bedeutet also eigtl. „der Sichere". Dem *engl.* Adjektiv liegen voraus *afrz.* (= *frz.*) sauf, *lat.* salvus „gesund, heil" (vgl. *Salve*).

Saffian *m* „feines Ziegenleder": Im Anfang des 18.Jh.s durch *slaw.* Vermittlung (beachte *bulg.* sachtjan, *poln.* safian) aus *türk.* sahtiyan entlehnt, das seinerseits aus *pers.* säḥtīyān „Saffian" stammt.

Saft *m*: Das *westgerm.* Wort *mhd.* saf[t], *ahd.* saf, *niederl.* sap, *engl.* sap ist im *germ.* Sprachbereich verwandt mit der *nord.* Sippe von *aisl.* safi „in Bäumen aufsteigender Saft", vgl. auch die unter →sabbern behandelten Wörter. *Außergerm.* ist z. B. *lat.* sapa „Most" verwandt. – Die Form mit sekundärem t (*mhd.* saft) ist seit dem 14. Jh. bezeugt. Abl.: **saftig** „voller Saft; derb, unanständig" (*mhd.* saffec); **saften** „Saft herstellen" (*mhd.* saffen „Saft gewinnen; saftig sein"), beachte dazu **entsaften** „den Saft entziehen" (dazu **Entsafter** *m*) und **versaften** „zu Saft verarbeiten".

Sage *w*: Das *westgerm.* Substantiv *mhd.* sage, *ahd.* saga, *niederl.* (hochd. beeinflußt) sage, *aengl.* sagu (*engl.* saw „„Redensart, Spruch") ist eine Bildung zu dem unter →sagen behandelten Verb und bedeutet eigtl. „Gesagtes". Es wurde in den älteren Sprachzuständen im Sinne von „Rede, Bericht, Erzählung, Gerücht" gebraucht, vgl. das andersgebildete *aisl.* saga „Erzählung, Bericht" (beachte dazu **Saga** *w* als fachsprachliche Bezeichnung für die altisländische oder altnorwegische Prosaerzählung). – Die heute übliche Verwendung von 'Sage' als Bezeichnung für eine Prosaerzählung über Begebenheiten, die geschichtlich nicht beglaubigt sind, setzte sich im 18. Jh. durch.

Säge *w*: Die *nhd.* Form geht über *mhd.* sege zurück auf *ahd.* sega, das im Ablaut steht zu dem gleichbed. *altgerm.* Substantiv *mhd.* sage, *ahd.* saga, *niederl.* zaag, *engl.* saw, *schwed.* såg. Diese Wörter gehören im Sinne von „Werkzeug zum Schneiden" zu der *idg.* Wz. *sēk- „schneiden", vgl. z. B. die *baltoslaw.* Sippe von *russ.* seč' „schneiden" und *lat.* secāre „schneiden" (s. die FW-Gruppe um sezieren, zu der Segment, Sektor, Insekt gehören), sēcula „kleine Sichel" (s. Sichel), signum „Zeichen, Kennzeichen", eigtl. „Einschnitt, Eingekerbtes" (s. die umfangreiche

FW-Gruppe um Signum, zu der z. B. signieren, resignieren, Signal, Siegel und segnen gehören). Aus dem *germ.* Sprachbereich stellen sich zu dieser Wurzel auch die unter →Sense (*ahd.* segensa) und →Segel (eigtl. wohl „abgeschnittenes Stück Tuch") behandelten Wörter, ferner der zweite Bestandteil der unter →Messer behandelten alten Zusammensetzung (*ahd.* meʒʒisahs eigtl. „Speiseschwert"). Hierher gehört auch der aus dem *Niederd.* übernommene Pflanzenname **Segge** *w* (vgl. gleichbed. *niederl.* zegge, *engl.* sedge). Das Riedgras ist nach seinen schneidenden Blatträndern benannt. Abl.: **sägen** (*mhd.* segen, *ahd.* segōn, daneben *mhd.* sagen, *ahd.* sagōn). Zus.: **Sägefisch** (17. Jh.); **Sägemehl** (um 1500); **Sägemühle** (*mhd.* segemül).

sagen: Das *altgerm.* Verb *mhd.* sagen, *ahd.* sagēn (Neubildung), *niederl.* zeggen, *engl.* to say, *schwed.* säga ist z. B. verwandt mit *lat.* in-seque „sag an!, erzähle!" und mit der *baltoslaw.* Sippe von *lit.* sakýti „sagen, erzählen". Diese Wörter gehören im Sinne von „sehen lassen, zeigen" oder „bemerken" zu der unter →sehen dargestellten *idg.* Wortgruppe. – Um 'sagen' gruppieren sich die Bildungen →Sage und **unsagbar** „unaussprechlich, unvorstellbar groß" (*mhd.* unsagebære) und **unsäglich** „unvorstellbar groß" (*mhd.* unsegelich, -sagelich; wie auch 'unsagbar' eigtl. „was sich nicht sagen läßt"). Wichtige Präfixbildungen und Zusammensetzungen mit 'sagen' sind **absagen** „abbestellen, rückgängig machen; sich wovon lossagen, entsagen" (*mhd.* ab[e]sagen „zurückweisen; Fehde ankündigen"), dazu **Absage** *w*; **ansagen** „ankündigen, mitteilen, durchgeben" (*mhd.* an[e]sagen, *ahd.* anasagēn „eingestehen; zusagen, versprechen; anklagen"), dazu **Ansage** *w* und **Ansager** *m*; **aussagen** „[vor Gericht] bekunden, mitteilen" (*mhd.* üʒsagen „Rat geben"); **besagen** „ausdrücken, meinen" (*mhd.* besagen, *ahd.* bisagēn „sagen; aussagen, bezeugen; anklagen"); **entsagen** „verzichten" (*mhd.* entsagen, *ahd.* intsagēn „Fehde ankündigen; entschuldigen, verteidigen; absprechen, entziehen; das Gegenteil sagen, leugnen"), dazu **Entsagung** *w*, beachte auch **entsagungsvoll**; **untersagen** „verbieten" (*mhd.* undersagen, *ahd.* untarsagēn „gesprächsweise mitteilen", dann auch „verbieten", nach *lat.* interdīcere); **versagen** „abschlagen, verweigern; nicht funktionieren" (*mhd.* versagen, *ahd.* farsagēn), dazu **Versager** *m*; **zusagen** „zustimmen; versprechen; gefallen" (*mhd.* zuosagen), dazu **Zusage** *w*.

Sago *m* (*östr.* meist: *s*) „gekörntes Stärkemehl aus Palmenmark": Im 18. Jh. durch Vermittlung von entspr. *engl.*, *niederl.* sago aus *indones.* (veralt.) sago (heute: sagu)

„mehlartiges Pflanzenmark der Sagopalme" entlehnt.

Sahne w: Das seit dem 15. Jh., zunächst *mitteld.* und *niederd.* bezeugte Wort stammt vermutlich aus dem *Niederl.* (vgl. *mniederl.* säne, *südniederl.* zaan), und zwar wurde es wahrscheinlich im 12. Jh. von den niederländischen Siedlern in der Mark Brandenburg übernommen. Die weitere Herkunft des Wortes ist dunkel. Abl.: s a h n i g (19. Jh.). Zus.: S c h l a g s a h n e (19. Jh.).

Saison w „Hauptbetriebs-, Hauptgeschäfts-, Haupreisezeit": Im 17./18. Jh. aus entspr. *frz.* saison entlehnt, das zunächst allgemein „Jahreszeit" bedeutet, dann im engeren Sinne „günstige, für bestimmte Geschäfte usw. geeignete Jahreszeit". Das *frz.* Wort geht wohl zurück auf *lat.* satiō (Akk.: satiōnem) „Aussaat" (zu *lat.* serere, satum „säen, pflanzen", verwandt mit *dt.* →säen), das im *Vlat.* die Bed. „Zeit der Aussaat" angenommen haben muß. Eine Abl. zu „Saison" ist das Adj. **saisonal** „die Saison betreffend" (Mitte des 20. Jh.s), wohl unter Einfluß von gleichbed. *engl.* seasonal (von *engl.* season „Saison" < *afrz.* seison, das *frz.* saison entspricht).

Saite w: Mhd. seite, ahd. seita, daneben seito „Strick; Schlinge, Fallstrick; Fessel; Darmsaite", *aengl.* sāda „Strick; Halfter; Saite", *aisl.* seiðr „Band, Gürtel" gehören mit den unter →Seil und →Sehne behandelten Wörtern zu der *idg.* Wz. *sēi- „binden", vgl. z. B. *aind.* syáti, sináti „bindet", sḗtu-ḥ „Band, Fessel", *lit.* siẽtas „Strick", saĩtas „Strick, Leine, Kette, Band", *russ.* set' „Netz". – Im heutigen Sprachgebrauch bezeichnet 'Saite' nur noch den aus Därmen, Metall oder Kunststoff hergestellten dünnen, elastischen Tonerzeuger. Die seit dem 17. Jh. übliche Schreibung mit -ai- dient zur Unterscheidung von 'Seite'. Abl.: besaiten „mit Saiten bespannen" (18. Jh.; beachte bes. das auch übertragen verwendete zweite Partizip besaitet).

Sakko m (auch, *östr.* nur: *s*) „Herrenjackett": Eine italienisierende Bildung des ausgehenden 19. Jh.s zu →Sack. Schon vorher nannte man einen modischen, nicht auf Taille gearbeiteten, sondern gleichsam sackförmig geschnittenen Männerrock 'Sack', nach dem Vorbild von gleichbed. *amerik.* sack.

sakral „heilig; den Gottesdienst betreffend, kultisch": Neubildung zu *lat.* sacer „heilig" (vgl. *Sakrament*).

Sakrament s „christliches Glaubensgeheimnis, Gnadenmittel": Das aus der Kirchensprache stammende FW (mhd. sagkermente, sacrament), das verschiedene, in der christlichen Kirche geübte heilige Handlungen (wie Taufe, Abendmahl, Firmung, letzte Ölung u. a.) bezeichnet, ist aus *kirchenlat.* sacrāmentum „religiöses Geheimnis, Myste-

rium" entlehnt, das *lat.* sacrāmentum „Weihe, Verpflichtung [zum Kriegsdienst]; Treueid" in den religiösen Bereich überträgt. Zugrunde liegt das *lat.* Verb sacrāre („einer Gottheit) weihen, widmen; heilig machen". Dessen Stammwort ist *lat.* sacer „heilig, geweiht", das wohl verwandt ist mit *lat.* sancīre „heiligen; unverbrüchlich und unverletzlich machen; bekräftigen, besiegeln usw.", sānctus „heilig; unverletzlich" (s. die FW Sanktion, sanktionieren und Sankt). Die außeritalischen Beziehungen der Wortgruppe sind nicht gesichert. – Vgl. noch die auf Bildungen zu *lat.* sacer beruhende FW →sakral und →Sakristei.

Sakristei w: Das seit dem 13. Jh. bezeugte Bezeichnung des für den Aufenthalt des Geistlichen und für die Aufbewahrung der gottesdienstlichen Geräte bestimmten Nebenraumes der Kirche (mhd. sacristīe) ist aus gleichbed. *mlat.* sacristia entlehnt, einer Bildung zu *lat.* sacer „heilig, geweiht" (vgl. *Sakrament*).

Salamander m: Der Name des zur Familie der Schwanzlurche gehörenden Tieres (mhd. salamander) führt über *lat.* salamandra auf gleichbed. *gr.* salamándrā zurück, dessen Herkunft unsicher ist.

Salami w „fest gestopfte, stark gewürzte Dauerwurst": Im 19. Jh. aus *it.* salame „Salzfleisch; Schlackwurst" entlehnt, das auf einer Bildung zu *lat.* sāl (> *it.* sale) „Salz" (vgl. *Saline*) beruht.

Salat m: Das seit *spätmhd.* Zeit bezeugte Substantiv ist aus einer älteren Mundartform salata von *it.* insalata „eingesalzene, gewürzte Speise; Salat" entlehnt, einer Bildung zu *it.* insalare „einsalzen". Das zugrunde liegende einfache Verb *it.* salare (= *frz.* saler, *span.* salar) „salzen" beruht auf *vlat.* *salāre „salzen, in Salz einlegen", das für gleichbed. *lat.* sallīre, salīre steht. Über das Stammwort *lat.* sāl „Salz" vgl. den Artikel Saline. – Gleicher Herkunft (aus dem *It.*) wie unser *dt.* Wort Salat sind auch gleichbed. *frz.* salade und *span.* ensalada.

Salbader m „seichter [frömmelnder] Schwätzer": Das seit dem 17. Jh. zuerst in der Bed. „seichtes Geschwätz" bezeugte Wort ist unbekannter Herkunft. Abl.: s a l b a d e r n „seicht [frömmelnd] schwatzen" (um 1800).

Salbe w: Das *westgerm.* Wort mhd. salbe, ahd. salba, *niederl.* zalf, *engl.* salve ist z. B. verwandt mit *tochar.* B ṣalype „Fett, Öl", *aind.* sarpí-ḥ „ausgelassene Butter, Schmalz" und *gr.* élpos „Öl, Fett, Talg". – Das vom Substantiv abgeleitete Verb ist *gemeingerm.*: *nhd.* s a l b e n, mhd. salben, got. salbōn, got. salbōn, *niederl.* zalven (s. Quacksalber), *engl.* to salve, *schwed.* salva. Zu 'salben' gebildet ist S a l b u n g w (mhd. salbunge), dazu s a l b u n g s v o l l „weihevoll, von Frömmigkeit triefend" (18. Jh.).

Saldo *m* „Ausgleich (Unterschiedsbetrag) zwischen den beiden Seiten eines Kontos": Als kaufmänn. Terminus im 16. Jh. aus entspr. *it.* saldo entlehnt, das postverbal zu *it.* saldare „festmachen; (ein Konto) ausgleichen" gehört. Das Wort Saldo bezeichnet demnach den „festen Bestandteil", der bei einer Kontoführung verbleibt. – *It.* saldare, das (gleichfalls im 16. Jh.) unser Verb saldieren „(ein Konto, eine Rechnung) durch Saldo ausgleichen" lieferte, ist seinerseits abgeleitet von *it.* saldo „fest". Diesem voraus liegt ein *vlat.* saldus, das für *klass.-lat.* solidus „fest" (vgl. *solid*[*e*]) steht.

Saline *w* „Anlage zur Gewinnung von Kochsalz": Das seit dem 18. Jh. bezeugte FW geht auf *lat.* salīnae „Salzwerk, Salzgrube" zurück. Das zugrunde liegende Adj. *lat.* salīnus „zum Salz gehörig" ist von *lat.* sāl (salis) „Salz" abgeleitet (urverw. mit *dt.* → *Salz*). – Andere zu *lat.* sāl oder zu dessen *roman.* Abkömmlingen gehörende Ableitungen und Weiterbildungen erscheinen in den FW → Salami, → Salat, → Soße. Beachte auch die FW → Salmiak und → Salpeter, in denen *lat.* sāl erster Bestandteil ist.

Salizin *s* (wissenschaftliche Bezeichnung für einen besonders in der Rinde einiger Weidenarten vorkommenden Bitterstoff, der in der Medizin als Fiebermittel verwendet wird): Der Name, eine *nlat.* Ableitung von *lat.* salix (salicis) „Weide" (verwandt mit *dt.* → *Salweide*), bezieht sich auf das Vorkommen dieses Stoffes. – Von ‚Salizin' ist der Name der **Salizylsäure** *w* (einer fäulnishemmenden organ. Säure) abgeleitet, die 1838 zum ersten Mal aus Salizin gewonnen wurde.

Salm *m*: Die vorwiegend in den Rheingebieten gebräuchliche Bezeichnung für „Lachs" (*mhd.* salme, *ahd.* salmo) ist aus *lat.-gall.* salmō „Lachs" entlehnt, das auch *frz.* saumon „Lachs" zugrunde liegt.

Salmiak *m* „Ammoniumchlorid": Das zuerst im 14./15. Jh. als salarmoniak, salmiak belegte Substantiv ist verkürzt aus *mlat.* sāl armoniacum, *klass.-lat.* sāl armeniacum, das als eine LÜ aus dem *Arab.* eigtl. „armenisches Salz" (nach dem Herkunftsland) bedeutet und früh mit *lat.* sāl ammōniacum verwechselt wurde, das chemisch verschieden ist (vgl. *Ammoniak*).

Salon *m* „großes Gesellschafts- und Empfangszimmer", in neuester Zeit auch übertragen als Bezeichnung für einen großzügig und elegant ausgestatteten Geschäftsraum (beachte Zus. wie F r i s e u r s a l o n): Im ausgehenden 18. Jh. über gleichbed. *frz.* salon aus *it.* salone „großer Saal, Festsaal" entlehnt, einer Vergrößerungsbildung zu *it.* sala (= *frz.* salle) „Saal" (vgl. *Saal*).

salopp „betont ungezwungen, lässig; nachlässig (bes. in der Kleidung), ungepflegt": Im 19. Jh. aus gleichbed. *frz.* salope entlehnt, dessen etymologische Zugehörigkeit nicht gesichert ist.

Salpeter *m*: Das Substantiv *mhd.* salpeter stammt vielleicht von *lat.* sāl petrae „Salpeter", eigtl. „Salz des Steins", das wohl so genannt wurde, weil Salpeter sich am Gestein in Höhlen bildet. Andererseits kann *mhd.* salpeter aus *mhd.* salniter „Salpeter" entstanden sein, das von *lat.* sāl-nitrum „Salpeter", eigtl. „Natronsalz", stammt. *Lat.* nitrum „Natron" ist aus gleichbed. *gr.* nítron entlehnt, das wie das *hebr.* néther „Natron" auf *ägypt.* ntr(j) „Natron" zurückgeht.

Salto *m* „Luftrolle, freier Überschlag": Im 19. Jh. aus *it.* salto „Sprung, Kopfsprung" entlehnt, das auf *lat.* saltus „das Springen, der Sprung" zurückgeht. Stammwort ist *lat.* salīre „springen, hüpfen", das mit gleichbed. *gr.* hállesthai verwandt ist (s. *Halma*). – Zu *lat.* salīre stellt sich das Intensiv *lat.* saltāre „springen; tanzen", dessen Kompositum *lat.* re-sultāre „zurückprallen, -springen" in unseren FW → Resultat, resultieren erscheint. – Dazu: S a l t o m o r t a l e *m* „lebensgefährlicher artistischer Kunstsprung" (aus gleichbed. *it.* salto mortale, wörtl. „Todessprung". Dem Adjektiv liegt *lat.* mortālis „sterblich; tödlich" zugrunde).

Salve *w*: Das seit dem 16. Jh. bezeugte FW galt zuerst im Sinne von „Salutschießen (als Ehrengruß)". Diese Bedeutung wurde später im militär. Bereich verallgemeinert. So versteht man heute unter Salve ganz allgemein „das gleichzeitige Feuern mehrerer Geschütze". Das FW hat sich durch Vermittlung von entspr. *frz.* salve aus der *lat.* Grußformel salvē! „heil dir!, sei gegrüßt!" (eigtl. 2. Sing. Imperativ von *lat.* salvēre „gesund sein, sich wohl befinden") entwickelt. Das zugrunde liegende Stammwort *lat.* salvus „heil, gesund", das auch Ausgangspunkt für die FW → Safe ist, ist u. a. verwandt mit *lat.* solidus „fest, gediegen, ganz" (s. die Fremdwortgruppe um → solid[e]), ferner mit dem *außeritalischen* Sprachbereich z. B. mit *gr.* hólos „ganz, vollständig, unversehrt" (s. *holo*...).

Salweide *w*: Der seit *ahd.* Zeit bezeugte Name der Weidenart (*mhd.* salewīde, *ahd.* salewīda) ist eine verdeutlichende Zusammensetzung, deren Bestimmungswort *mhd.* salhe, *ahd.* sal[a]ha „[Sal]weide" ist. Damit verwandt sind im *germ.* Sprachbereich *engl.* sallow „Salweide", *schwed.* sälg „[Sal]weide" und außerhalb des *germ.* Sprachbereichs *lat.* salix, Genitiv salicis „Weide" (s. Salizin) und *mir.* sail „Weide". Diese Wörter gehören zu dem unter → *Salz* behandelten *idg.* Adjektiv *sal- „schmutziggrau". Die Weidenart ist also nach ihren filziggrauen Blättern benannt.

Salz *s*: Das *gemeingerm.* Wort *mhd.*, *ahd.* salz, *got.* salt, *engl.* salt, *schwed.* salt, das im

Same

Ablaut zu dem unter →Sülze (urspr. „Salzbrühe") behandelten Substantiv steht, beruht mit verwandten Wörtern in den meisten anderen *idg.* Sprachen auf *idg.* *sal- „Salz". Vgl. z. B. *gr.* hals „Salz" (beachte das FW Halogene *Mehrz.* „salzbildende chemische Grundstoffe"), *lat.* sāl „Salz" (s. Saline, Salpeter, Salmiak, Salami, Salat, Soße) und die *baltoslaw.* Sippe von *russ.* sol' „Salz" (s. Sole „salzhaltiges Quellwasser, Salzlösung"). *Idg.* *sal- „Salz" ist eigtl. ein substantiviertes Adjektiv mit der Bed. „schmutziggrau", vgl. z. B. *ahd.* salo „trübe, schmutziggrau", *aengl.* salu „dunkel, schwärzlich", *aisl.* sqlr „schmutzig; bleich" und *russ.* solovój „gelblichgrau" (s. Salweide). Das Salz, das in alter Zeit ungereinigt in den Handel kam, ist also als das „Schmutziggraue" benannt. − Zu ‚Salz' stellt sich das Verb salzen (*mhd.* salzen, *ahd.* salzan, vgl. *got.* saltan, *engl.* to salt, *schwed.* salta), beachte dazu versalzen „zu stark salzen", *ugs.* auch für „verderben, vereiteln". Das Wort Salz spielte früher auch eine bedeutende Rolle in der Namengebung, beachte z. B. den Flußnamen Salzach und die ON Salzburg, Salzwedel, Salzgitter, beachte auch den ON Selters (früher Salz[a]rissa), daher, nach dem Herkunftsort benannt, Selterswasser, gekürzt Selters (heute auch für künstliches Mineralwasser). *Abl.*: salzig (15. Jh.).

Same, Samen *m*: Das im *germ.* Sprachbereich nur im *Dt.* gebräuchliche Wort (*mhd.* sāme, *ahd.* sāmo) gehört zu der unter →*säen* dargestellten *idg.* Wurzel. *Außergerm.* eng verwandt sind z. B. *lat.* sēmen „Same" (s. Seminar) und die *baltoslaw.* Sippe von *russ.* sémja „Same". *Abl.*: Sämerei *w* „Saatgut; Samenhandlung" (18. Jh.).

sämig „dickflüssig-glatt" (von Suppen, Soßen u. dgl.): Das heute allgemein gebräuchliche Adjektiv beruht auf *mdal.* Nebenformen (z. B. *niederd.* sēmig) des Adjektivs seimig „dickflüssig" (18. Jh.), das zu Seim *m* „dicke Flüssigkeit, Wabenhonig" gehört (*mhd.* [honec]seim, *ahd.* [honang]seim, entspr. *mnd.* sēm, *niederl.* zeem, *aisl.* seimr „Honigwabe"). Das *altgerm.* Subst. wird im *Nhd.* fast nur noch bildlich gebraucht: ‚süß wie Honigseim'.

sammeln: Die *nhd.* Form geht zurück auf *mhd.* samelen, das durch Dissimilation aus älterem samenen entstanden ist (vgl. die entsprechende Entwicklung von *niederl.* zamelen aus *mniederl.* samenen). *Mhd.* samenen, *ahd.* samanōn „zusammenbringen, versammeln, vereinigen" (vgl. den Artikel gesamt), *mniederl.* samenen „zusammenbringen", *aengl.* samnian „versammeln; vereinigen, verbinden", *aisl.* samna „sammeln" gehören zu dem im *Nhd.* noch in →zusammen bewahrten *gemeingerm.* Adverb: *mhd.* samen, *ahd.* saman „bei-, zusammen", *got.*

samana „zusammen, zugleich", *aengl.* (æt-, tō)samne „zusammen", *schwed.* samman „bei-, zusammen". Dieses Adverb stellt sich zu *ahd.* samo (Pronomen) „derselbe", sama (Adverb) „ebenso", *got.* sama (Pronomen) „derselbe", *aengl.* same (Adverb) „ebenso, ähnlich", *schwed.* samma (Pronomen) „derselbe", beachte dazu das *gemeingerm.* Suffix *nhd.* ...sam (*mhd.*, *ahd.* -sam, *got.* -sams, *engl.* -some, *schwed.* -sam). Dieses Suffix war urspr. ein selbständiges Wort mit der Bed. „mit etwas übereinstimmend, von gleicher Beschaffenheit", das in *aisl.* samr (Adjektiv) „zusammenhängend, unverändert; passend, geneigt; gleich, derselbe" vorliegt. Hierher gehören ferner die unter →samt und →sanft behandelten Wörter. Die umfangreiche *germ.* Wortgruppe beruht auf *idg.* *sem- „eins" und „in eins zusammen, einheitlich, samt", vgl. das adverbial erstarrte *germ.* *sin „immerwährend, heftig, stark" (eigtl. „in einem"), das als erster Bestandteil in →Sintflut steckt. In anderen *idg.* Sprachen sind z. B. verwandt *lat.* semper „in einem fort, immer", simplex „einfach" (s. simpel), similis „ähnlich" (eigtl. „von ein und derselben Art"), *gr.* homós „gemeinsam, ähnlich, gleich" (s. homo...), háma „zusammen, zugleich", *aind.* samá-ḥ „gleich, eben, derselbe", samaná „zusammen". − *Abl.*: Sammlung *w* (*mhd.* sam[e]nunge, *ahd.* samanunga „das Zusammenbringen, Vereinigung, Versammlung"). *Zus.*: Sammelsurium (s. d.).

Sammelsurium *s*: Der seit dem 17. Jh. bezeugte *ugs.* Ausdruck für „Mischmasch, Durcheinander" ist eine scherzhafte Bildung mit *lat.* Endung zu *niederd.* sammelsūr „saures Gericht aus gesammelten Speiseresten". Der zweite Bestandteil des *niederd.* Wortes ist das substantivierte Adjektiv *niederd.* sūr „sauer" (vgl. sauer) und bedeutet also eigtl. „das Saure", beachte dazu *niederd.* swartsūr „Schwarzsauer" (Gänseklein in Essig und Blut).

Samstag *m*: Die vorwiegend in Süddeutschland und im rheinischen Sprachgebiet übliche Bezeichnung des letzten Wochentages (in Nord- und Mitteldeutschland dafür meist →Sonnabend), *mhd.* sam[e]ȝtac, *ahd.* sambaȝtac, enthält als ersten Bestandteil ein im Rahmen der arianischen Mission im Südosten aufgenommenes LW, das auf *vulgärgr.* *sámbaton (für *gr.* sábbaton < *hebr.* šabbāt „wöchentlicher Ruhetag der Juden, Sabbat") beruht.

samt „zusammen": Das *altgerm.* Adverb *mhd.* samt, same[n]t, *ahd.* samet, *got.* samaþ, *aengl.* samod gehört zu der unter →*sammeln* behandelten Wortgruppe. Als Adverb ist ‚samt' heute nur noch in allesamt und in der Verbindung ‚samt und sonders' bewahrt. Sonst wird es als Präposition mit dem Dativ verwendet. *Abl.*: sämtlich (*mhd.* samentlich).

586

Samt *m*: Das Substantiv *mhd.* samīt stammt aus *afrz.*, *aprov.* samit, das über *mlat.* samitum (alle gleichbed.) auf *gr.* hexámitos „sechsfädig" zurückgeht, eine Zus. aus *gr.* héx „sechs" und *gr.* mítos „Faden, Schlinge, Litze". Das Wort bezeichnete urspr. ein sechsfädiges [Seiden]gewebe. – Abl.: s a m t e n (*mhd.* samātīn).

Sanatorium *s* „Heilstätte, Genesungsheim": Gelehrte *nlat.* Bildung neuerer Zeit zu *lat.* sānāre „gesund machen, heilen" (vgl. *sanieren*).

Sand *m*: Das *altgerm.* Wort *mhd.*, *ahd.* sant, *niederl.* zand, *engl.* sand, *schwed.* sand ist verwandt mit *gr.* ámathos „Sand". Die weiteren Beziehungen sind unklar. Abl.: s a n d i g (*mhd.* sandic). Zus.: S a n d b a n k (17. Jh.).

Sandale *w* „leichter sommerlicher Riemenschuh": Das FW erscheint bei uns zuerst im 15. Jh. in der Pluralform sandaly (die heutige Einzahlform kommt erst gegen Ende des 18. Jh.s auf). Es geht über entspr. *lat.* sandalium auf gleichbed. *gr.* sándalon zurück, das selbst (vermutl. *iran.*) LW ist. – Dazu: S a n d a l e t t e *w* „sandalenartiger Sommerschuh" (französierende Ableitung des 20. Jh.s).

sanft: *Mhd.* senfte, *ahd.* semfti (Adverb *mhd.* sanfte, *ahd.* samfto), *mnd.* sachte (s. *sacht*), *niederl.* zacht, *aengl.* sōefte (Adverb sōfte, *engl.* soft) stellen sich im *germ.* Sprachbereich zu *got.* samjan „zu gefallen suchen", *aisl.* sama „passen, sich schicken", *schwed.* sämjas „sich vertragen, einig sein" usw. Diese Wörter gehören zu der unter →*sammeln* behandelten Wortgruppe. Für 'sanft' ist demnach also von der Vorstellung des friedlichen Zusammenseins oder guten Zusammenpassens auszugehen. – Zum -f- des *westgerm.* Adjektivs vgl. z. B. das Verhältnis von 'Zunft' zu 'ziemen' und von 'Vernunft' zu 'vernehmen'. Die *nhd.* Form sanft setzt die Form des Adverbs *mhd.* sanfte, *ahd.* sanfto fort (entspr. *engl.* soft, s. o.). Abl.: S ä n f t e (s. d.); S a n f t h e i t *w* (18. Jh., für älteres S ä n f t i g k e i t *w*, *mhd.* senfteceit, das von *mhd.* senftec „sanft; zart; leicht; weich; angenehm" abgeleitet ist; von diesem Adjektiv ist auch das heute veraltete Verb sänftigen [*mhd.* senftigen] abgeleitet, zu dem das Präfixverb b e s ä n f t i g e n gehört).

Sänfte *w*: Die seit dem 16. Jh. gebräuchliche Bezeichnung für „Tragsessel" ist identisch mit dem heute veralteten Sänfte „Sanftheit, Bequemlichkeit" (*mhd.* senfte, *ahd.* samftī, semftī „Ruhe, Gemächlichkeit, Annehmlichkeit"). Dieses Substantiv ist eine Bildung zu dem unter →*sanft* behandelten Adjektiv. Zum Wortgebrauch im konkreten Sinne vgl. z. B. die Verwendung von 'Weiche' im Sinne von „Flanke".

Sang *m*: Das *gemeingerm.* Wort *mhd.*, *ahd.* sang, *got.* saggws, *engl.* song, *schwed.* sång ist eine Bildung zu dem unter →*singen*

behandelten Verb. Zu 'Sang' stellen sich die Bildungen →Gesang und S ä n g e r *m* (*mhd.* senger, *ahd.* sangari).

sanguinisch „leichtblütig, von lebhaft-heiterem Temperament": Das seit dem Anfang des 16. Jh.s bezeugte FW, das auf *lat.* sanguineus „aus Blut bestehend; blutvoll" (zu *lat.* sanguis „Blut") zurückgeht, bezeichnet die Äußerung eines der vier Grundtemperamente (s. zum Sachlichen die Artikel →cholerisch, →Melancholie und →Phlegma). – Der Träger des sanguinischen Temperaments heißt entspr. S a n g u i n i k e r *m* (19. Jh.).

sanieren „gesund machen; desinfizieren; gesunde Lebensverhältnisse schaffen", vorwiegend reflexiv gebraucht im Sinne von „wirtschaftlich gesunden": Im neuerer Zeit aus *lat.* sānāre „gesund machen, heilen" entlehnt. Zu *lat.* sānus „gesund, heil". – Die rein medizinische Grundbedeutung des *lat.* Wortes kommt noch zum Ausdruck in den folgenden zu *lat.* sānāre gehörenden abgeleiteten FW: s a n i t ä r „gesundheitlich; das Gesundheitswesen betreffend" (20. Jh.; aus entspr. *frz.* sanitaire, einer gelehrten Abl. von *lat.* sānitās „Gesundheit"), dazu die Fügung s a n i t ä r e A n l a g e n „öffentliche Bedürfnisanstalt; Toilette", in der 'sanitär' verhüllenden Charakter hat. S a n i t ä t *w*, veralt. für „Gesundheit" (aus gleichbed. *lat.* sānitās), aber noch lebendig in Zus. wie S a n i t ä t s w e s e n, S a n i t ä t s a u t o „Krankenwagen", S a n i t ä t s o f f i z i e r usw. und in dem abgeleiteten Subst. S a n i t ä t e r *m* (20. Jh.). Siehe auch Sanatorium.

Sankt „heilig": Das aus *lat.* sānctus „geheiligt, heilig; ehrwürdig" (vgl. *Sanktion*) entlehnte Adjektiv erscheint nur in Heiligennamen und in auf solche zurückgehenden Ortsnamen (beachte z. B.: Sankt Peter, Sankt Gallen). Abk.: St. – Gleicher Herkunft sind die folgenden, aus anderen europ. Sprachen übernommenen Entsprechungen: [1]S a i n t [*ßäng*] (wie im Namen der *franz.* Kriegsschule Saint-Cyr) im *Frz.*; [2]S a i n t [*ßént*] im *Engl.* und *Amerik.* (aus dem *Frz.* entlehnt), wie im Namen der Stadt Saint Louis (in USA); S i n t im *Niederl.* (aus dem *Frz.* entlehnt), wie in Sint Niklaas (Stadt in Ostflandern); S a n im *It.* und *Span.* (beachte z. B. den *it.* Namen San Guiseppe und den Namen der *span.* Stadt San Sebastián) oder S ã o im *Port.*, wie im Namen der brasilian. Stadt São Paulo.

Sanktion *w* 1. „Bestätigung, Billigung; Erteilung der Gesetzeskraft"; 2. (nur *Mehrz.*) „Sicherungen, Sicherungsbedingungen; Zwangsmaßnahmen": Im Anfang des 18. Jh.s über entspr. *frz.* sanction aus *lat.* sānctiō (...iōnis) „Heilung, Billigung; geschärfte Verordnung, Strafgesetz; Vorbehalt, Vertragsklausel" entlehnt. Zu *lat.* sancīre (sānctum) „heiligen; als heilig und unverbrüchlich festsetzen; durch Gesetz besiegeln, genehmigen" (verwandt mit *lat.* sacer ,,heilig", vgl. *Sakrament*). Beachte auch das Partizipialadj. *lat.* sānctus ,,geheiligt, unantastbar; ehrwürdig" in dem FW →Sankt. – Abl.: s a n k t i o n i e r e n ,,bestätigen, gutheißen; Gesetzeskraft erteilen" (Ende 18. Jh.; aus gleichbed. *frz.* sanctionner).

Saphir m: Der Name des himmelblauen, farblosen oder gelben Edelsteins (*mhd.* saphīr[e]) führt über *spätlat.* sa[p]phīrus und *lat.* sappīrus auf gleichbed. *gr.* sáppheiros zurück. Das Wort ist *semit.* Ursprungs (vgl. *hebr.* sappīr ,,Saphir").

Sardine w: Der seit dem Ende des 15. Jh.s bezeugte Name des 12 bis 25 cm langen Heringsfisches (*spätmhd.* sardien, *frühnhd.* Sardinlin) ist aus *spätlat.-it.* sardina entlehnt (zu *lat.* sarda ,,Hering; Sardelle"). Die weitere Herkunft des Wortes ist zweifelhaft. Die herkömmliche Verknüpfung mit dem Namen der Insel Sardinien (als ,,sardischer Fisch") ist ganz hypothetisch. – Dazu der Name des kleineren, bis zu 15 cm langen Heringsfisches: S a r d e l l e (16. Jh.; aus gleichbed. *it.* sardella).

Sarg m: Das aus der Kirchensprache aufgenommene Wort für ,,Totenlade, Totenschrein" *mhd.* sarc, sarch ,,Sarg; Schrein; Behälter", *ahd.* sarc, saruh (entspr. *niederl.* zerk) ist aus einer nicht bezeugten *vlat.* Kurzform von *spätlat.-kirchenlat.* sarcophagus ,,Sarg" entlehnt (die volle Form ist in unserem FW S a r k o p h a g ,,Steinsarg, Prunksarg" bewahrt). Das *lat.* Wort, das selbst LW ist aus gleichbed. *gr.* sarko-phágos, ist wie das *gr.* Wort zunächst ein Adjektiv mit der Bedeutung ,,fleischfressend" (zu *gr.* sárx, sarkós ,,Fleisch" und *gr.* phageīn ,,essen, fressen"). Substantiviert (*gr.* sarkophágos líthos) wurde das Wort zur Bezeichnung eines besonders bei Assos (in Troas, Kleinasien) gebrochenen und für die Herstellung von Totenladen verwendeten Kalksteins, der die Eigenschaft hatte, das Fleisch eines Leichnams innerhalb kurzer Zeit zu zerstören und in Asche zu verwandeln. Von daher nahm das Wort dann die Bedeutung ,,Sarg" an.

Sarkasmus m ,,beißender Spott": Im Anfang des 18. Jh.s aus gleichbed. *gr.*(-*lat.*) sarkasmós entlehnt, das von *gr.* sarkázein ,,zerfleischen; (übertr.:) Hohn sprechen" abgeleitet ist. Zugrunde liegt *gr.* sárx (sarkós) ,,Fleisch" (vgl. *Sarg*). – Dazu das Adj. s a r k a s t i s c h ,,spöttisch, höhnisch" (Anfang 18. Jh.; aus entspr. *gr.* sarkastikós).

Satan m: Der Name des Höllenfürsten (auch übertr. gebraucht für ,,teuflischer Mensch") *mhd.* satanās, satān, *ahd.* satanās führt über *kirchenlat.* satan, satanās und *gr.* satanās auf *hebr.* śāṭān ,,Widersacher, Feind; böser Engel" zurück (zu *hebr.* śāṭān ,,nachstellen, verfolgen"). – Abl.: s a t a n i s c h ,,teuflisch" (16. Jh.).

Satellit m 1. abschätzige Bezeichnung für ,,Gefolgsmann, Helfershelfer"; 2. in der Astronomie Bezeichnung für einen Himmelskörper (Mond, Trabant), der einen Planeten umkreist: Das seit dem 17. Jh. als astronomischer Terminus vorkommende FW geht auf *lat.* satelles (satellitis) ,,Leibwächter, Trabant, Gefolge" zurück. – In neuester Zeit (20. Jh.) entstanden zwei wichtige Zus.: S a t e l l i t e n s t a a t als abschätzige Bezeichnung für einen Staat, der [außen]politisch nicht souverän, sondern von den Weisungen eines anderen Staates abhängig ist; E r d s a t e l l i t ,,natürl. (Mond) oder künstlicher, die Erde umkreisender Himmelskörper".

Satin m: *Mhd.* satin ,,Seidengewebe" ist entlehnt aus gleichbed. *afrz.* satin, das wohl durch *span.* Vermittlung (*span.* aceituni) aus *arab.* zaitūnī ,,Seide aus Zaitūn" stammt. Dies ist eigtl. der *arab.* Name des chines. Hafenstadt Tseutung, wo der Stoff hergestellt und exportiert wurde. Das *frz.* Wort satin ist wohl in der Form beeinflußt von *it.*, *mlat.* sēta (vgl. *Seide*).

Satire w: Bezeichnung für eine literarische Gattung kritischen Charakters, die die Schwächen einer entarteten [Um]welt mit den Stilmitteln der Ironie verspottet und geißelt: Die moderne Satire ist hervorgegangen aus den satirischen Spottgedichten römischer Dichter wie Juvenal, Persius und Horaz. Entsprechend stammt die Bezeichnung aus dem *Lat.* Sie wurde im 16. Jh. aus *lat.* satira entlehnt, einem Wort, das ursprünglich identisch ist mit dem etymolog. nicht sicher gedeuteten *lat.* Subst. satura ,,gemischte Fruchtschüssel (als alljährliche Opfergabe an die Götter)". Denn die urspr. römischen Satiren eines Ennius, Lucilius, Varro und Horaz waren einer solchen ,,Fruchtschüssel" vergleichbar. Sie zeichneten in einer bunten Mischung der betrachteten Gegenstände Lebensbilder, in denen die menschlichen Unzulänglichkeiten dem verständnisvollen Schmunzeln des Lesers preisgegeben wurden, in denen zugleich aber auch mit sittlichem Ernst Kritik an den verwerflichen Auswüchsen menschlicher Gesinnung geübt wurde. – Abl.: s a t i r i s c h ,,die Satire betreffend; spöttisch-tadelnd" (16. Jh.; nach entspr. *lat.* satiricus); S a t i r i k e r m ,,Verfasser von Satiren" (17./18. Jh.).

satt: Das *gemeingerm.* Adjektiv *mhd.*, *ahd.* sat, *got.* saþs, *aengl.* sæd (*engl.* sad) ,,beschwert, betrübt, traurig"), *aisl.* saðr geht zurück auf eine Partizipialbildung zu der *idg.* Verbalwurzel *sā-, *sǝ- ,,sättigen" und bedeutet demnach eigtl. ,,gesättigt". In anderen *idg.* Sprachen sind z. B. verwandt *aind.* a-si-nvá-ḥ ,,unersättlich", *gr.* á-atos (aus *ṇ-sǝ-tos) ,,unersättlich", *lat.* satur ,,satt" (s. saturieren), *lat.* satis ,,genug, hinreichend" und *lit.* sotùs ,,satt, reichlich, nahrhaft". Aus dem *germ.* Sprachbereich gehören zu dieser Wurzel z. B. noch *got.* ga-sōþjan „[er]sättigen", *afries.* sēde „Sättigung" und *aengl.* sœdan „sättigen". – Abl.: S a t t h e i t *w* (*mhd.* sat[e]-heit); sättigen „satt machen" (*mhd.* set-[t]igen, für älteres *mhd.* set[t]en), dazu S ä t-t i g u n g (*spätmhd.* setigunge); s a t t s a m (16. Jh.; zuerst im Sinne von „gut genährt; üppig, stolz, übermütig", im 17. Jh. „was satt macht, was ausreicht", dann nur noch übertragen „hinlänglich, genügend").

Sattel *m*: Die Herkunft der *altgerm.* Bezeichnung für den Ledersitz zum Reiten (*mhd.* satel, *ahd.* satal, *niederl.* zadel, *engl.* saddle, *schwed.* sadel) ist nicht sicher geklärt. Einerseits kann sie ein heimisches *germ.* Wort mit der urspr. Bed. „Sitz[gelegenheit]" sein, andererseits kann sie – da die Germanen der Römerzeit keinen Sattel kannten – aus einer *ostidg.* Sprache entlehnt sein (vgl. die *slav.* Sippe von *russ.* sedló „Sattel"). In beiden Fällen liegt die *idg.* Wz. *sed- „sich setzen, sitzen" zugrunde (vgl. *sitzen*). – Abl.: s a t t e l n (*mhd.* satel[e]n, *ahd.* satalōn), dazu die Substantive S a t t l e r *m* (*mhd.* sateler, *ahd.* satilari, urspr. ein Handwerker, der bes. Sättel und anderes Reitzeug herstellte) und S a t t-l e r e i *w* (19. Jh.) sowie die Zus. a b s a t t e l n „den Sattel vom Pferd nehmen" (*spätmhd.* abesatelen) und u m s a t t e l n (16. Jh., meist in übertr. Bedeutung „sein Studium oder seinen Beruf wechseln"). Zus.: s a t t e l f e s t „fest im Sattel" (18. Jh., eigentlich und bildlich).

saturieren „sättigen (im uneigtl. Sinne), [Ansprüche] befriedigen": Im 18./19. Jh. aus gleichbed. *lat.* saturāre entlehnt, einer Abl. von *lat.* satur „satt". Stammwort ist das *lat.* Adv. satis (sat) „genug, hinreichend", das urverw. ist mit *dt.* →*satt*. Dazu das adjektivisch gebrauchte 2. Partizip saturiert „zufriedengestellt, satt und bequem; keine geistigen Ansprüche mehr habend".

Satz *m*: Das nur *dt.* Substantiv *mhd.* saz, satz ist eine Bildung zu dem unter →*setzen* behandelten Verb. Die Fülle der Einzelbedeutungen des Wortes läßt sich in den meisten Fällen auf die zwei Grundbedeutungen „Tätigkeit des Setzens" und „das Gesetzte" zurückführen. Von den *mhd.* Bedeutungen „Ort, wo etwas hingesetzt ist; Lage, Stellung; Pfand, Spieleinsatz; das Festgesetzte, Bestimmung, Verordnung, Gesetz, Vertrag; der in Worten zusammengefaßter Ausspruch; Vorsatz, Entschluß; Sprung" haben nur wenige im *Nhd.* weitergewirkt. Die heutige grammat. Hauptbedeutung „Sinneinheit mit Subjekt und Prädikat" ist seit dem 16. Jh. bezeugt (wohl in Weiterführung der *mhd.* Bed. „Anordnung der Worte, in Worten zusammengefaßter Ausspruch"; vgl. seine Worte setzen; dieser Bed. schließt sich *nhd.* die von „Lehrsatz" an). Auch die Bed. „Sprung" ist schon in *mhd.* Zeit vorhanden. Erst *nhd.* jedoch sind „das Setzen eines Manu-

skripts in Lettern und das durch diese Tätigkeit Geschaffene" und „Teil eines Musikstückes", ebenso „Gruppe zusammengehöriger Gegenstände" und „Bodensatz". Ebenfalls zu 'setzen' gebildet ist S a t z u n g *w* (*mhd.* satzunge „[Fest]setzung, gesetzliche Bestimmung; Vertrag; Verpfändung, Pfand"; in der *Mehrz.* 'Satzungen' im 19. Jh. Ersatz für 'Statuten').

Sau *w*: Die *germ.* Bezeichnungen für das Mutterschwein *mhd.*, *ahd.* sū, *aengl.* sū, *aisl.* sȳr beruhen mit verwandten Wörtern in anderen *idg.* Sprachen auf *idg.* *sŭ-s „[Haus]schwein, Sau", vgl. z. B. *gr.* sȳs „Schwein", *gr.* hȳs „Schwein", bes. „Eber" (s. Hyäne) und *lat.* sūs „Schwein". Das *idg.* Wort gehört entweder im Sinne von „Gebärerin" zu der unter →*Sohn* dargestellten *idg.* Verbalwurzel *sŭ-, *seu- „gebären", oder es ist eine Bildung zu einer Nachahmung des Grunzlautes und würde dann eigtl. „[Su-[su-]Macherin" bedeuten. Andersgebildet sind *niederl.* zeug „Sau, Mutterschwein", *aengl.* sugu „Sau" (daher *engl.* sow) und *schwed.* sugga „Sau". Siehe auch den Artikel Schwein. Im 18. Jh. tritt die *Mehrz.* Sauen neben die ältere *Mehrz.* Säue, zunächst ohne Bedeutungsunterschied, dann gilt 'Sauen' bes. weidmänn. von Wildschweinen. – Abl.: sauen „(vom Schwein) Junge bekommen"; derb auch für: Zoten reißen" (17. Jh.), dazu die Präfixbildung v e r s a u e n derb für „verschmutzen, vernichten" (17. Jh.), das Substantiv S a u e r e i *w* derb für „Unreinlichkeit, Schweinerei, Zote" (17. Jh.) und das Adjektiv s ä u i s c h (*spätmhd.* seuwisch, die heutige Form seit dem 17. Jh.). – In *ugs.* Zus. wird sau-, Sau- oft als bloße Verstärkung gebraucht, z. B. s a u d u m m „sehr dumm", S a u f r a ß „sehr schlechtes Essen" (19. Jh.), S a u k e r l „sittlich schlechter Mensch" (19. Jh.).

sauber: Das *westgerm.* Adjektiv *mhd.* sūber, *ahd.* sūbar, *niederl.* zuiver, *aengl.* sȳfre ist über *vlat.* sūber „mäßig, besonnen" entlehnt aus *lat.* sōbrius „nüchtern, mäßig, enthaltsam; besonnen, verständig". Die Bedeutungen des *aengl.* Wortes „nüchtern, mäßig; keusch; rein, sauber" zeigen am besten den Gang der Bedeutungsentwicklung: Das Wort wurde zuerst von sittlicher Reinheit gebraucht und dann auf die äußere übertragen. Abl.: S a u b e r k e i t *w* (*mhd.* sūberheit, *ahd.* in der Verneinung unsūbarheit, in der heutigen Form seit *frühnhd.* Zeit); s ä u-b e r l i c h (*mhd.* sūberlich, *ahd.* in der Verneinung unsūbarlīh und als Adv. sūberlīcho); s ä u b e r n (*mhd.* sūbern, *ahd.* sūbaran, sūberen), dazu S ä u b e r u n g *w* (*mhd.* sūberunge); u n s a u b e r (*mhd.* unsūber, *ahd.* unsūbar), dazu U n s a u b e r k e i t (*mhd.* unsūberheit, -keit, *ahd.* unsūbarheit).

sauer: Das *altgerm.* Adjektiv *mhd.*, *ahd.* sūr, *niederl.* zuur, *engl.* sour, *schwed.* sur ist ver-

wandt mit der *balt.* Sippe von *lit.* sū́ras ,,salzig" und mit der *slaw.* Sippe von *russ.* syrój ,,feucht, roh; sauer". Die weiteren Beziehungen sind unsicher. – Der alte Sinn des Wortes war umfassender als heute, wo 'sauer' Gegenwort zu 'süß' ist. Übertr. wird es im Sinne von ,,mühevoll, beschwerlich", auch ,,mürrisch, unzufrieden, böse" gebraucht. – Abl.: s ä u e r l i c h ,,ein wenig sauer" (17. Jh., älter sauerlächt); S ä u e r l i n g *m* ,,säuerliches Mineralwasser" (im 16. Jh. Saurling); s ä u e r n ,,sauer machen" (*mhd.* siuren, *ahd.* sūren): die heute veraltete Abl. sauern ,,sauer sein oder werden" (*mhd.* sūren, *ahd.* sūrēn) steckt noch in versauern ,,die [geistige] Frische verlieren" (*mhd.* versūren ,,ganz sauer werden"; die übertr. Bedeutung seit dem 16. Jh.); S ä u r e *w* (*mhd.* siure, sure, *ahd.* sūrī; heute nur noch ,,saurer Geschmack, saure Flüssigkeit"). – Zus.: S a u e r a m p f e r ,,sauer schmeckender Ampfer" (16. Jh.; der zweite Bestandteil *mhd.* ampfer, *ahd.* ampf[a]ro ,,[Sauer]ampfer" ist eigtl. ein substantiviertes Adjektiv mit der Bed. ,,bitter, sauer", vgl. z. B. älter *niederl.* amper ,,scharf, bitter, sauer" und die *nord.* Sippe von *schwed.* amper ,,scharf, bitter"; 'Sauerampfer' ist also eine tautologische Bildung); S a u e r k r a u t (im 14. Jh. sawer craut, seit dem 16. Jh. Zusammenschreibung); S a u e r s t o f f (chemischer Grundstoff; 18. Jh., für *frz.* oxygène, das eigtl. ,,Säuremacher" bedeutet, nach dem sauren Charakter vieler Oxyde); s a u e r s ü ß (17. Jh.); S a u e r t e i g ,,alter, gärender Teig als Lockerungsmittel für Brotteig" (*spätmhd.* sūwerteic). – Die Zusammensetzung Sauregurkenzeit ist seit dem 18. Jh. bezeugt als urspr. Scherzwort von Berliner Geschäftsleuten, die mit diesem Wort die Zeit des Hochsommers (Juli, August) bezeichneten, in der die Gurken reifen und eingelegt werden, in der Ferien sind und daher stille Geschäftszeit herrscht. Der Ausdruck wurde dann von den Journalisten auch für die politisch ruhige Zeit des Hochsommers verwendet.
saufen: Das *altgerm.* Verb *mhd.* sūfen, *ahd.* sūfan, *niederl.* zuipen, *engl.* to sup, *schwed.* supa gehört mit verwandten Wörtern in anderen *idg.* Sprachen zu der vielfach weitergebildeten und erweiterten *idg.* Wz. *seu-, *seu̯ə- ,,schlürfen, saugen, ausquetschen", vgl. z. B. *aind.* sunṓti ,,preßt aus, keltert", *sōma-ḥ ,,Opfertrank, Soma", *sūpa-ḥ ,,Brühe; Suppe", *lat.* sūgere ,,saugen", sūcus ,,Saft", *lit.* sulà ,,Birkensaft, abfließender Baumsaft". Aus dem *germ.* Sprachbereich gehören zu dieser Wurzel auch die unter →Suppe und → saugen behandelten Wörter, ferner z. B. *ahd.* sou ,,Saft", *aengl.* sēaw ,,Saft, Feuchtigkeit" und *mhd.,* *ahd.* sol ,,Schlamm, Pfütze", *ahd.* sullen, *mhd.* süln, suln ,,sich im Schmutz wälzen, sich beschmutzen", *nhd.* s u h l e n ,sich (*mdal.* auch sühlen, sielen) ,,sich im Schmutz wälzen, sich in einer Suhle wälzen (vom Wild)". Aus dem Verb rückgebildet ist das Substantiv Suhle *w* ,,sumpfige Stelle, in der sich das Schwarzwild wälzt" (17. Jh.). Zu 'saufen' gehören die unter →Suff und →seufzen behandelten Wörter. Im heutigen Sprachgebrauch bezieht sich 'saufen' auf das Aufnehmen von Flüssigkeit bei Tieren und auf das unmäßige oder gewohnheitsmäßige Trinken bei Menschen. Zum Wortgebrauch im Sinne von ,,gewohnheitsmäßig Alkohol trinken" beachte z. B. S ä u f e r *m* ,,Gewohnheitstrinker, Trunkenbold" (16.Jh.), S a u f e r e i *w* ,,Trinkgelage" (15. Jh.) und die Präfixbildungen besaufen, sich ugs. für ,,sich betrinken" (beachte bes. das zweite Partizip besoffen) und versaufen ugs. für ,,vertrinken, durchbringen" (beachte bes. das zweite Partizip versoffen). Die Präfixbildung versaufen (*mhd.* versūfen ,,versaufen, ertrinken") wird ugs. im Sinne von ,,ertrinken, versinken" verwendet, beachte die Präfixbildung ersaufen ugs. für ,,ertrinken, untergehen" (schon *ahd.* arsūfan), dazu ersäufen ,,ertränken" (*mhd.* ersoufen). In den Präfixbildungen haben sich z. T. das starke Verb *mhd.* sūfen, *ahd.* sūfan und das im *Nhd.* untergegangene schwache Verb *mhd.,* *ahd.* soufen ,,untertauchen; versenken, ersäufen; tränken" vermischt.
saugen: Das *altgerm.* Verb *mhd.* sūgen, *ahd.* sūgan, *niederl.* zuigen, *aengl.* sūgan (daneben sūcan, *engl.* to suck), *schwed.* suga gehört zu der unter →saufen dargestellten *idg.* Wortgruppe. *Außergerm.* eng verwandt sind z. B. *lat.* sūgere ,,saugen" und sūcus ,,Saft". – Um 'saugen' gruppieren sich das aus dem *Niederd.* ins *Hochd.* übernommene S o g *m* ,,abziehende Strömung; saugende Nachströmung" (*mnd.* soch, entspr. *niederl.* zog ,,Sog", *norw.* sog ,,Sog", eigtl. ,,das Saugen"), die Intensivbildung s u c k e l n *mdal.*für ,,[in kleinen Zügen] saugen" (18.Jh.), die Substantivbildung S ä u g l i n g *m* (14. Jh., *mitteld.* sügeline; durch Luthers Bibelübersetzung gemeinsprachlich geworden) und das Veranlassungswort →säugen.
säugen: Das *altgerm.* Verb *mhd.* sögen, *ahd.* sougen, *niederl.* soogen, *norw.* *mdal.* søygja ist das Veranlassungswort zu dem unter →saugen behandelten Verb und bedeutet demnach eigtl. ,,saugen machen oder lassen". Zus.: Säugetier (18. Jh.).
Säule *w*: *Mhd.* sūl (*Mehrz.* siule), *ahd.* sūl (*Mehrz.* sūli), *niederl.* zuil, *aengl.* sȳl, *aisl.* sūl[a] stehen im Ablaut zu *got.* sauls ,,Säule". Die *außergerm.* Beziehungen dieser Wortsippe sind unklar. Die Form 'Säule' hat sich aus der *Mehrz. mhd.* siule entwickelt.
¹Saum *m* ,,Rand; Besatz": Das *altgerm.* Wort *mhd.,* *ahd.* soum, *niederl.* zoom, *engl.* seam, *schwed.* söm gehört zu dem im *Nhd.* untergangenen *gemeingerm.* Verb *mhd.,* *ahd.* siuwen ,,nähen", *got.* siujan ,,annähen", *engl.*

to sew „nähen", *schwed.* sy „nähen". Dazu stellt sich im *germ.* Sprachbereich z. B. auch *landsch.* Säule *w* „Ahle" (*mhd.* siule, *ahd.* siula; eigtl. „Gerät zum Nähen"). Diese *germ.* Wortgruppe beruht mit verwandten Wörtern in anderen *idg.* Sprachen auf der *idg.* Wz. *sjū-, *seu- „binden, nähen", vgl. z. B. *aind.* sī́vyati „näht", syūman- „Naht, Band, Riemen", sū́tra-m „Faden", *gr.* hymén „Häutchen", eigtl. „Band" (s. Hymne), *lat.* suere „nähen", sūtor „Schuster", sūbula „Ahle" und *russ.* šit' „nähen", šílo „Ahle". – Abl.: ¹säumen „mit einem Saum versehen" (15. Jh., vgl. *niederl.* zomen, *engl.* to seam, *schwed.* sömma).

²Saum siehe Saumtier.

¹säumen siehe ¹Saum.

²säumen „zögern": Das seit *mhd.* Zeit gebräuchliche einfache Verb (*mhd.* sūmen), das früher auch transitiv im Sinne von „aufhalten, abhalten, hindern, hemmen" verwendet wurde, ist unbekannten Ursprungs. Älter bezeugt als das einfache Verb ist die Präfixbildung *ahd.* firsūmen, *mhd.* versūmen, *nhd.* versäumen „ungenutzt verstreichen lassen, verpassen". Um 'säumen' gruppieren sich säumig „langsam, träge; sich verspätend" (*mhd.* sūmic, *ahd.* sūmig), Säumnis *s* „Verzögerung, Aufschub" (*mhd.* sūmnisse; beachte auch Versäumnis *s*), Saumsal *w* veralt. für „Versäumnis, Nachlässigkeit" (*mhd.* sūmesal; gebildet wie z. B. 'Labsal'), dazu saumselig „langsam, träge, nachlässig" (*mhd.* sūmeselic; dazu Saumseligkeit *w*, 17. Jh.).

Saumtier *s*: Die seit dem 16. Jh. bezeugte Bezeichnung für „Lasttier" enthält als Bestimmungswort das heute veraltete Substantiv ²Saum *m* „Last", das auch in der Zus. Saumpfad „Gebirgsweg für Saumtiere" steckt. *Mhd., ahd.* soum „Traglast; Last als Maßbezeichnung; Lasttier" ist entlehnt aus *vlat.* sauma „Packsattel", das auf gleichbed. *lat.* sagma beruht. Das *lat.* Wort ist aus *gr.* ságma „Decke, Überzug, Packsattel" entlehnt.

Sauna *w* „Dampfbad": Das Wort wurde im 20. Jh. aus gleichbed. *finn.* sauna entlehnt.

säuseln: Das seit dem 17. Jh. bezeugte Verb ist eine verkleinernde Weiterbildung zu →*sausen* und bedeutet demnach eigtl. „ein wenig sausen". Beachte dazu das zusammengesetzte Verb ansäuseln, sich *ugs.* für „sich einen kleinen Rausch antrinken", von dem besonders das zweite Partizip angesäuselt gebräuchlich ist.

sausen: *Mhd.* sūsen, *ahd.* sūsōn „brausen, rauschen; zischen; knarren; knirschen; sich schnell bewegen; *niederl.* suizen „rauschen, brausen, sausen; säuseln", *schwed.* susa „rauschen, sausen; säuseln" sind lautnachahmenden Ursprungs. Elementarverwandt ist z. B. die *baltoslaw.* Sippe von *kirchenslaw.* sysati „zischen, pfeifen". Abl.: Saus *m* nur

noch in der Wendung 'in Saus und Braus leben' (*mhd.* sūs „das Sausen, Brausen, Lärm"); Sause *w ugs.* für „Zechtour, Gelage" (20. Jh.); säuseln (s. d.).

Saxophon *s*: Das Blasinstrument ist nach dem belgischen Instrumentenbauer Adolphe Sax (1814–1894) benannt, der dieses Instrument 1841 in Brüssel erfand. Zum zweiten Bestandteil s. den Artikel Phonetik.

Schabe *w*: *Mhd.* schabe „Mottenlarve" gehört zu dem unter →*schaben* behandelten Verb in seiner Bed. „abkratzen, nagen" (vgl. *aengl.* mælsceafa, *engl.* malshave „Raupe"). Diese Bezeichnung gilt heute noch *oberd. mdal.* für „Motte". Seit *frühnhd.* Zeit wurde das Wort auch für andere schädliche Insekten gebraucht und (zuerst wohl im 18. Jh.) auf die Küchenschabe übertragen. Für diese gilt mit Anlehnung an den deutschen Stammesnamen auch die Bez. Schwabe *w* und *m* (17. Jh.).

schaben: Das *gemeingerm.*, früher starke Verb *mhd.* schaben, *ahd.* scaban, *got.* skaban, *engl.* to shave, *schwed.* skava geht zurück auf die *idg.* Wz. *[s]kē̆-bh-, [s]kā̆-bh- (-b-, -p-) „mit einem scharfen Werkzeug arbeiten, schneiden; behauen, spalten; kratzen", vgl. z. B. *lit.* skabéti „schneiden, hauen", *lit.* skóbti „aushöhlen", *lat.* scabere „schaben, reiben", scabiēs „Krätze, Räude", mit -p- *gr.* kóptein „schlagen, hauen" (s. Komma), *lat.* cāpō „verschnittener Hahn" (s. Kapaun) und wahrscheinlich *dt.* →Hippe „Sichelmesser". Auch →Schaft und →Zepter (*gr.* skēptron „Stab") gehören mit der Grundbed. „abgeschnittener Ast" wohl hierher. Auf einer nur im Germ. bezeugten Wurzelform *skab- mit der Sonderbed. „[schnitzend] gestalten, erschaffen" beruht die Wortgruppe um →*schaffen*. – Das Verb schaben, zu dem ablautend auch →Schuppe gehört, erscheint im *Got.* mit der Bed. „[die Haare] scheren" (*engl.* und *niederl.* „rasieren", *dt.* nur *ugs.* „den Bart schaben"). *Mhd.* schaben ist „kratzen, radieren, scharren, polieren; sich abscheuern, fortstoßen". Im *Nhd.* ist der Bereich des Wortes auf „[ab]kratzen, scharren" eingeschränkt. Abl.: Schabe (s. d.); schäbig (s. d.).

Schabernack *m* „übermütiger Streich, Possen": Die Herkunft des Substantivs (*mhd.* [*mitteld.*] schabırnack, *mnd.* schavernak „Beschimpfung, Spott") ist nicht geklärt.

schäbig „abgeschabt; geizig, kleinlich": Das Adjektiv gehört nicht unmittelbar zu →*schaben*, sondern zu dem veralteten Substantiv Schabe, Schäbe „Krätze, Schafräude", das zwar erst im 18. Jh. bezeugt ist, aber gleichbed. *aengl.* sceabb, *aisl.* skabb entspricht (beachte auch das wurzelverwandte *lat.* scabiēs „Räude"). Auch *mhd.* schebic bedeutet „räudig" und zeigt bereits die Bed. „abgeschabt aussehend", die vom Bild des räudigen Schafes bestimmt ist.

Schablone w „ausgeschnittene Vorlage, Muster", auch übertr. gebraucht im Sinne von „vorgeprägte, herkömmliche Form, geistlose Nachahmung": Das seit dem 18. Jh. zuerst als 'Schablon' s bezeugte Subst. geht zurück auf *mnd.* schampeliōn, schaplūn (= *mniederl.* scampelioen) „Muster, Form, Modell". Die weitere Herkunft des Wortes ist nicht gesichert.

Schach s: Das königliche Spiel, dessen Ursprünge wohl in Indien zu suchen sind, gelangte im 11. Jh. durch die Araber, die es ihrerseits von den Persern übernommen hatten, nach Europa. Der Name des Spiels *mhd.* schāch (vgl. aus anderen europ. Sprachen entspr. z. B. *engl.* chess, *russ.* šach, *span.* jaque, *port.* xaque, *it.* scacco, *frz.* échec[s]) beruht auf *pers.* šāh „König". Er hat sich aus dem Schachspiel üblichen Ausruf *pers.-arab.* 'šāh māt' „der König ist gestorben" verselbständigt (vgl. hierzu auch den Artikel matt).

schachern „feilschen, Tauschgeschäfte machen": Das seit dem Anfang des 17. Jh.s bezeugte Verb stammt aus dem *Rotwelschen.* Es gehört letztlich zu *hebr.* sächár „anwerben, kaufen, bestechen"; *hebr.* sächár „Belohnung, Bezahlung, Entgelt".

Schacht m: Als bergmänn. Bezeichnung der senkrechten Grube (Ggs.: Stollen) erscheint im 13. Jh. *ostmitteld.* schaht, urspr. wohl ein *niederd.* Wort des Harzer Bergbaus. Mit dem Blick auf *engl.* shaft, *niederl.* schacht „Schaft; Bergschacht" und *mnd.* schacht „Schaft" erklärt sich das Wort als *niederl.* Lautform von → *Schaft.* Die Grube heißt wahrscheinlich nach der Meßstange, die bei ihrer Anlage verwendet wurde (beachte das veralt. Flächenmaß Schacht „Quadratrute"). Abl.: **ausschachten** „Keller, Gräben oder Gruben ausheben" (19. Jh.).

Schachtel w: Das Substantiv *spätmhd.* schahtel, älter schattel, scatel ist im 15. Jh. zuerst in Tirol aus *it.* scatola „Behälter" entlehnt worden, dessen weitere Herkunft dunkel ist. Das entspr. *mlat.* Wort scatula „Schrein" hat im 17. Jh. in der Form Schattul, Skatulle unser FW Schatulle w ergeben, das seit dem 18. Jh. als vornehmes Wort bes. die fürstlichen Privatkassen bezeichnete. Die *ugs.* Bez. 'alte Schachtel' für eine ältliche Frau (16. Jh.) meint urspr. verhüllend die weibliche Scham. Abl.: **schachteln** (19. Jh., meist als ein-, ineinanderschachteln).

Schachtelhalm m: Der *nhd.* Name der Pflanze (18. Jh.) zeigt *niederd.* -cht- für *hochd.* -ft-. Andere Bezeichnungen sind Schafthalm und *oberd.* Schaftheu (*mhd.* schafthöuwe, schaftelhowe, *ahd.* schafthō), beachte auch *mhd.* schaftel „Binse" und *norw.* skjefte[gras] „Schachtelhalm". Das erste Wortglied ist wahrscheinlich das unter → *Schaft* behandelte Wort. Die Pflanze ist also nach ihrem auffälligsten Teil, dem Stiel,

benannt. Das heutige Sprachgefühl schließt den Namen wegen des 'ineinandergeschachtelten' Stengelglieder an 'Schachtel' an.

Schädel m: Das außerhalb des anatomischen Bereichs heute nur *ugs.* (abwertend) gebrauchte Wort ist erst *mhd.* bezeugt als schedel (im 14. Jh. auch für ein Trockenmaß), hirnschedel. Die entspr. Wörter *mnd.* schedel „Schachtel, Dose", *mniederl.* scedel „Deckel, Augenlid" (*niederl.* scheel) weisen auf eine alte Gefäßbezeichnung, die aber sonst nicht nachzuweisen und daher etymologisch nicht sicher erklärt ist. Vielleicht ist 'Schädel' mit der *schweiz.* Mundartform Schidel als „abgeschnittene Schädeldecke" an die unter → *scheiden* behandelte Wortgruppe anzuschließen. Beziehungen zu Gefäßnamen bestehen auch bei den sinnverwandten Wörtern 'Haupt' und 'Kopf' (beachte auch *frz.* tête „Schädel" zu *lat.* testa „Tongefäß"), denen gegenüber 'Schädel' vor allem das Skelett des Kopfes bezeichnet. Siehe auch den Artikel Giebel.

Schaden m: Das *altgerm.* Substantiv *mhd.* schade, *ahd.* scado, *niederl.* schade, *aengl.* sceaða, *schwed.* skada stellt sich mit dem andersgebildeten *got.* skaþis „Schaden, Unrecht" zu einem im *Got.* und *Aengl.* bewahrten starken Verb, vgl. *got.* skaþjan „schaden" und *aengl.* scieðdan „schaden". *Außergerm.* ist vielleicht verwandt *gr.* a-skēthés „unbeschädigt, unversehrt, wohlbehalten". Das n der heutigen Nominativform ist aus den obliquen Fällen übernommen. *Mhd.* schade ist durch Verwendung in der Satzaussage auch zum Adjektiv geworden und hat sich so als *nhd.* schade „bedauerlich" erhalten. Das schwache Verb schaden (*mhd.* schaden, *ahd.* scadōn, entspr. *aengl.* sceaðian, *schwed.* skada) ist vom Subst. abgeleitet. Da dies für das Sprachgefühl nicht deutlich wird, tritt vielfach schädigen „Schaden tun, bringen" an seine Stelle (*mhd.* schadegen, schedigen, zum Adjektiv *mhd.* schadec „schädlich"), dazu die Präfixbildungen beund entschädigen (*mhd.* beschedegen, entschadegen, bes. in der Rechts- und Verwaltungssprache). Wie eine Präp. mit dem Gen. wird unbeschadet „ohne Nachteil für" gebraucht (Kanzleiwort des 17. Jh.s, 2. Partizip zu dem heute veralt. beschaden „beschädigen"). Als Adjektive erscheinen **schadhaft** (*mhd.* schadehaft „schädlich; ge-, beschädigt", *ahd.* scadohaft) und **schädlich** (*mhd.* schedelich, *ahd.* un-scade-līh). Jung ist **Schädling** m (19. Jh., für schädliche Tiere und Pflanzen). Zus.: **Schadenfreude** (16. Jh.); **schadenfroh** (16. Jh.); **schadlos** (*mhd.* schadelōs „unschädlich, unbenachteiligt"; nur noch in 'sich schadlos halten').

Schaf s: Das Schaf gehört zu den wichtigsten Haustieren der Indogermanen (s. Vieh). An Stelle der *idg.* Bez. *oui-s (vgl. z. B. *lat.* ovis

„Schaf"), die in allen *germ.* Sprachen vertreten war und noch in *oberd. mdal.* Aue „Mutterschaf" fortlebt, haben sich jedoch bei West- und Nordgermanen andere Wörter durchgesetzt. Die Herkunft des *westgerm.* Substantivs *mhd.* schāf, *ahd.* scāf, *niederl.* schaaf, *engl.* sheep ist allerdings nicht geklärt. Die *nordgerm.* Sippe von *schwed.* får, *dän.* faar (in Namen der „Schafinseln" Färöer) gehört mit der Grundbed. „Wolltier" zur Wortgruppe von →*Vieh.* Die Redensart ‚sein Schäfchen ins Trockene bringen' (Ende des 16. Jh.s) bezieht sich wohl darauf, daß Schafe auf nasser Weide eingehen. Abl.: **Schäfer** *m* (*mhd.* schǣfǣre, *spätahd.* scāphare; im 17./18. Jh. Gegenstand idyllischer Naturdichtung nach antikem Vorbild, daher die Zus. **Schäferstunde**, -stündchen „Beisammensein der Verliebten" (im 18. Jh. nach *frz.* heure du berger gebildet). Zus.: **Schafgarbe** (s. d.).

Schaff *s*: Die *oberd.* Bez. des offenen Bottichs ist ein alter Gefäßname, der urspr. „Ausgehöhltes" bedeutete (zur Wz. *skab-,schaben, schnitzen"; vgl. *schaffen*). In der Bed. „offenes Gefäß, Kornmaß, kleines Schiff" ist *mhd.* schaf bezw. *ahd.* scaph, *asächs.* scap bedeuten „Gefäß". Ablautend ist →*Schoppen* verw., als alte Abl. →*Scheffel.* Auch das Verb →*schöpfen* gehört wahrscheinlich hierher.

schaffen: Das *Nhd.* unterscheidet ein starkes Verb mit der Bed. „schöpferisch gestaltend hervorbringen" und ein schwaches, das „zustande bringen, tätig sein" bedeutet und *südwestd.* für „arbeiten" gebraucht wird. In den älteren *dt.* Sprachzuständen lassen sich die beiden Verben nicht eindeutig trennen; das jüngere schwache und das ältere starke haben einander beeinflußt. *Mhd.* schaffen ;‚erschaffen, gestalten, tun, einrichten, [an]ordnen" entspricht in der starken Form (schuof, geschaffen) dem *ahd.* scaffan, in der schwachen (schaffete, geschaffet) dem gleichbed. *ahd.* scaffōn (vgl. *aisl.* skapa). Der Präsensstamm scaff- dieser *ahd.* Verben ist zu dem Prät. und dem 2. Partizip des starken Verbs *ahd.* scepfen (scuof, giscaffan) „erschaffen" neu gebildet worden. Das *ahd.* Verb scepfen setzt sich in *mhd.* schepfen und dafür *nhd.* schöpfen „erschaffen" fort, zu ihm wird um 1500 Geschöpf *s* gebildet (→Schöpfer ist schon *ahd.*). Ihm entsprechen *got.* (ga)skapjan „erschaffen", *aengl.* scieppan „schaffen, bilden, machen, anordnen" und *aisl.* skepja „schaffen, bestimmen". Die *gemeingerm.* Grundbedeutung dieses Verbs, nämlich „schaffen, gestalten", hat sich aus älterem „schnitzen, mit dem Schaber bearbeiten" entwickelt. Damit gehört das Verb zu der unter →*schaben* behandelten Wortgruppe. Zu dieser gehört auch der Gefäßname *Schaff,* eigtl. „Ausgehöhltes" (s. d. über Scheffel, schöpfen, Schoppen). Im Sinne von „anord-

nen, bestimmen" (noch *bayr.-östr.*) hat 'schaffen' zu dem Rechtswort →Schöffe geführt. Verbale Zus. kennt das *Nhd.* bes. beim schwachen Verb (z. B. abschaffen „weggeben, aufheben", anschaffen „kaufen, erwerben", ²beschaffen „besorgen", herbeischaffen „bringen"); zum starken Verb gehören u. a. das verdeutlichende erschaffen und nachschaffen „schöpferisch nachgestalten" (bes. von Künstlern); s. auch rechtschaffen. Abl.: beschäftigen (s. d.); Geschäft (s. d.); Schaffner *m* (*mhd.* schaffenǣre „Aufseher, Verwalter" ist nach Wörtern wie hafen-ǣre „Hafner" umgebildet aus gleichbed. *mhd.* schaffǣre; im 19. Jh. zuerst *nordd.* Bezeichnung des Unterbeamten bei Bahn und Post).

Schafgarbe *w*: Der *westgerm.* Name der Wiesenpflanze *mhd.* garwe (*spätmhd.* garb), *ahd.* gar[a]wa, *niederl.* gerwe, *engl.* yarrow wird im 15. Jh. als schaff-, schofgarbe näher bestimmt, weil die Schafe sie gern fressen und das unverwandte ¹Garbe (s. d.) lautlich zu nahe stand. Das Grundwort ist nicht sicher gedeutet (vielleicht zu →*gar* als „bereitgestelltes" Wundheilkraut).

Schafott *s* „erhöhte Stätte für Hinrichtungen, Blutgerüst": Im ausgehenden 16. Jh. wohl durch *niederl.* Vermittlung (vgl. entspr. *niederl.* schavot, mniederl. scafaut, scafot „Schaugerüst; Blutgerüst") aus *afrz.* chafaud, chafaut (dafür heute: échafaud „Baugerüst, Schaugerüst; (später:) Blutgerüst" entlehnt. Über weitere etymolog. Zusammenhänge vgl. den Artikel *Katafalk.*

Schaft *m*: Das *altgerm.* Substantiv *mhd.* schaft, *ahd.* scaft, *niederl.* schacht, *engl.* shaft, *schwed.* skaft bezeichnete urspr. den Speerschaft, auch den Speer als Ganzes. Es gehört im Sinne von „abgeschnittener Ast, Stab" wie *gr.* skēptron „Stab" (s. Zepter) zu dem unter →*schaben* behandelten Verb. Dasselbe Wort ist *niederl.-niederd.* Lautform ist →*Schacht* „Grube"; s. auch Schachtelhalm. Abl.: schäften „mit einem Schaft versehen" (*mhd.* scheften, schiften, *ahd.* im zweiten Part. giscaft „geschäftet").

Schakal *m*: Der Name des hundeartigen Raubtieres (Asiens, Afrikas und Südosteuropas) stammt letztlich aus *aind.* sr̥gālá-ḥ „Schakal". Er wurde den *europ.* Sprachen durch *pers.* šā́gāl und *türk.* çakal im 17. Jh. vermittelt (beachte z. B. entspr. *frz.* chacal, *it.* sciacallo und *engl.* jackal).

Schäker *m* „Tändler, Schelm, Schwerenöter", **schäkern** „kosen, tändeln, scherzen": Die seit dem 18. Jh. als Schä[k]ker und [t]schäckern, schökern u. ä. belegten Wörter sind wahrscheinlich Ableitungen von *jidd.* chek „Busen, weibl. Schoß".

schal: *Mnd.* schal „ohne Geschmack" tritt seit dem 14. Jh. in *mitteld.* Quellen als „fade, trüb, unklar" auf und wird *nhd.* für „fade"

593

(von Getränken) und für „geistlos" (von Geschwätz, Vergnügungen usw.) gebraucht. Es ist identisch mit *niederd.* schal „trocken, dürr", wie das verwandte *schwed.* skäll „fade, säuerlich" (von Milch), „mager" (vom Boden) und weiter *engl.* shallow „seicht, flach; einfältig" zeigen, und gehört mit verwandten Wörtern in anderen *idg.* Sprachen zu der *idg.* Wz. *[s]kel- „austrocknen, dörren", vgl. z. B. *gr.* skéllein „austrocknen", *gr.* skeletós „ausgetrocknet" (s. Skelett). Zu dieser Wurzel stellen sich auch die unter →behelligen genannten Wörter. Unsicher ist die Zugehörigkeit von →Hallig.

Schal *m* „langes, schmales Halstuch": Quelle des Wortes ist letztlich *pers.* šāl „Umschlagetuch", das bei uns zuerst in einer Reisebeschreibung des 17. Jh.s erscheint. Regelrecht entlehnt wurde das Wort jedoch erst um 1800 durch Vermittlung von entspr. *engl.* shawl.

¹Schale *w* „flache Schüssel": *Mhd.* schāle, *ahd.* scāla, *niederl.* schaal, *schwed.* skål bezeichnen gewöhnlich die Trinkschale (wie noch *oberd.* Schale für „Tasse" steht) oder die Waagschale. Das ablautend mit →²Schale verwandte Wort gehört zu der unter →Schild dargestellten Wz. *[s]kel- „schneiden, spalten". Ob dabei die von den Langobarden u. a. germanischen Stämmen berichtete Sitte, Trinkschalen aus den abgetrennten Schädeldecken toter Feinde zu machen, zugrunde lag, oder ob nicht eher an flach ausgeschnittene Holzschalen zu denken ist, muß offen bleiben.

²Schale *w* „Hülse": Das mit →¹Schale wurzelverwandte Wort ist in den Mundarten und in den älteren Sprachzuständen lautlich von ihm getrennt: *Mhd.* schal[e] „Fruchthülse, Eier-, Schneckenschale; Steinplatte", *ahd.* scala, *aengl.* scealu (→Hülse, Schale" (*engl.* shale „Schieferton") stehen neben andersgebildetem *mnd.* schelle, *mniederl.* schel, schil „Hülse, Schuppe" (s. Schellfisch), *got.* skalja „Ziegel" (wohl eigtl. „Schindel"), *aisl.* skel „Schale", *engl.* shell „Hülse, Muschel" und gehören mit diesen zu der unter →Schild behandelten Wortsippe. Weidmänn. bezeichnet 'Schalen' die Hufe des zweihufigen Wilds (Schalenwild). Abl.: schalen „mit einer Schale oder Schalbrettern versehen" (17. Jh.; beachte *mhd.* schale „Brettereinfassung"; jetzt meist verschalen); schälen „die Schale abtrennen" (*mhd.* scheln, *ahd.* scelan).

Schalk *m*: Das *altgerm.* Subst. *mhd.* schalc, *ahd.* scalc, *got.* skalks, *niederl.* schalk, *aengl.* scealc bedeutete urspr. „Knecht, Sklave, unfreier Dienstmann". Seine Herkunft ist nicht geklärt. In der alten Bedeutung wurde es zu *it.* scalco „Küchenmeister, Vorschneider" entlehnt. Auch die Hofämter Marschalk (eigtl. „Pferdeknecht"; s. Marschall) und

Seneschalk, -schall „ältester Diener, Oberhofmeister" wurden bes. im *roman.* Gebiet ausgebildet. In *mhd.* Zeit entwickelte 'Schalk' die Bed. „Mensch von knechtischer Sinnesart, Bösewicht" (so in Schalk[sknecht], Schalkheit der Lutherbibel), die Ende des 18. Jh.s zu „schadenfroher Spötter" gemildert wurde; heute ist sie etwa „listiger Spaßvogel". Abl.: schalkhaft „schelmisch, neckisch" (*mhd.* schalchaft „arglistig, boshaft"); Schalkheit *w* „Schelmerei" (*mhd.* schalcheit auch „Arglist, Bosheit", *ahd.* scalcheit „Sklaverei, Dienstbarkeit").

Schall *m*: *Mhd.* schal „lauter Ton, Geräusch; Gesang, Geschrei", *ahd.* scal ist wie *schwed.* skall eine ablautende Bildung zu dem im *Nhd.* untergegangenen starken Verb *mhd.* schellen, *ahd.* scellan „tönen, lärmen" (vgl. ¹Schelle). Abl.: schallen (*mhd.* schallen; durch Vermischung mit dem untergegangenen starken Verb schellen seit dem 17. Jh. teilweise stark flektiert: Prät. scholl für *mhd.* schal, 2. Part. geschallt, beachte aber erschollen und →verschollen).

schalten: Das nur *dt.*, urspr. reduplizierende Verb *mhd.* schalten, *ahd.* scaltan „stoßen, schieben" wurde bes. von der Fortbewegung eines Schiffes mit der Stange (*mhd.* schalte, *ahd.* scalta) gebraucht. Es gehört wahrscheinlich zu der unter →Schild dargestellten *idg.* Wz. *skel- „schneiden, spalten", dann auch „hauen, stoßen". Die übertr. Bed. „frei mit etwas verfahren" hat sich erst im *Nhd.* ausgebildet, z. T. unter Einfluß der Reimformel 'schalten und walten'. Dagegen schließt der weit geläufigere elektrotechn. Gebrauch des Verbs an seine konkrete Bedeutung an (s. u. Schalter). Abl.: Schalter *m* (*spätmhd.* schalter „Riegel, Schieber", daher im 18. Jh. „Schiebefenster", im 20. Jh. auch „Schieber zum Schließen oder Verändern eines elektr. Stromkreises"; beide Bezeichnungen haben sich trotz Gestaltveränderungen ihrer Gegenstände erhalten). Zus.: Schaltjahr (*mhd.* schaltjār, *ahd.* scaltjār, eigtl. „Jahr, in dem [ein Tag] eingestoßen, -geschaltet wird").

Scham *w*: Das *altgerm.* Substantiv *mhd.* scham[e], *ahd.* scheme, *ahd.* scama, *afries.* skome, *engl.* shame, *schwed.* skam bedeutete urspr. Beschämung und Schande, im *Dt.* bes. das Schamgefühl. Später wurde es auch verhüllend für „Geschlechtsteile" gebraucht. Die Herkunft des Wortes, das auch dem Subst. →Schande zugrunde liegt, ist ungeklärt. Abl.: schämen, sich (*mhd.* schemen, schāmen, *ahd.* scamēn, -ōn; auch transitiv für „schmähen, schänden" [dafür jetzt beschämen, *mhd.* beschemen]); verschämt „sich schämend, sich zierend" (*mhd.* verschamt, verschemt, 2. Part. zu *mhd.* [sich] verschamen „in Scham versinken"); dazu unverschämt „schamlos, frech" (*spätmhd.* unverschamet); schamhaft (*mhd.*

scham[e]haft, *ahd.* scamahaft); schamlos (*mhd.* scham[e]lōs, *ahd.* scamalos).

Schande w: Das *altgerm.* Wort *mhd.* schande, *ahd.* scanta, *got.* skanda, *niederl.* schande, *aengl.* scand ist eine Ableitung vom Stamm des unter →*Scham* behandelten Substantivs, wobei -md- zu -nd- angeglichen wurde. Schon *ahd.* ist ‚zuschanden werden" für „beschämt, enttäuscht werden", später mit der Bed. „verderben, vernichten" (z. B. ‚ein Pferd zuschanden reiten"; eigtl. erstarrte *Mehrz.* von ‚Schande"). Abl.: schänden „in Schande bringen" (*mhd.* schenten, *ahd.* scenten; *mdal.* auch für „schimpfen", eigtl. „erfolglos schänden"; dazu *ugs.* Schandmaul); schandbar (*mhd.* schande bǣre); schändlich (*mhd.* schantlich, schentlich, *ahd.* scantlīh).

Schank m: Zu der alten Bed. „Getränk ausschenken" des unter →*schenken* behandelten Verbs gehört die Rückbildung *mhd.* schanc „Schenkgefäß", die im *Nhd.* die Bed. „[Raum zum] Kleinverkauf von Getränken" entwickelte (vgl. *spätmhd.* weinschanc „Ausschankraum"). Sie ist heute veraltet, außer in Zus. wie Schankgerechtigkeit „behördl. Genehmigung zum Ausschank", Schankstube, -wirt. Siehe auch Schenke.

Schanker m: Die Bezeichnung der Geschlechtskrankheit wurde im 18. Jh. aus *frz.* chancre „Krebs; krebsartiges Geschwür; Schanker" entlehnt. Das *frz.* Wort selbst beruht auf *lat.* cancer „Krebs (als Tiername); Krebsgeschwür", das mit entspr. *gr.* karkínos „Krebstier; Krebsgeschwür" zusammenhängt. Vgl. zur Bedeutungsübertragung (Krebs – Krebsgeschwür) den Artikel Krebs.

[1]Schanze w: Das aus *afrz.* cheance „glücklicher Würfelfall" (vgl. *Chance*) entlehnte Wort *mhd.* schanze „Glückswurf, -spiel; Zufall", *nhd.* im 18. Jh. noch geläufig, ist jetzt nur noch in der Wendung ‚[sein Leben] in die Schanze schlagen" erhalten, die zuerst im 16. Jh. bezeugt ist. Dazu zuschanzen „jemandem heimlich zukommen lassen", ein Kartenspielerwort des 16. Jh.s, zu *frühnhd., mhd.* schanzen „Glücksspiel treiben". Siehe auch Mummenschanz.

[2]Schanze w: Die Verteidigungsanlage ist nach den Reisigbündeln benannt, mit denen sie urspr. befestigt war. *Spätmhd.* schanze „Reisigbündel, Schutzbefestigung" (15. Jh.) ist in der ersten Bed. noch *mdal.* erhalten. Die Herkunft des Wortes ist dunkel. Abl.: schanzen „Schanzen bauen, sich eingraben" (16. Jh.; seit dem 18. Jh. übertr. für „schwer arbeiten"). Zus.: Sprungschanze (zum Schispringen; 20. Jh.).

[1]Schar w „Menge": Das Substantiv *mhd.* schar, *ahd.* scara, *niederl.* schaar bezeichnete urspr. eine Heeresabteilung. Es gehört wahrscheinlich im Sinne von „Abgeschnittenes" zu dem unter →*[1]scheren* be-

handelten Verb. Schon in *mhd.* Zeit wurde die Bed. des Wortes verallgemeinert zu „Gefolge, Gesellschaft, Menge", im *Nhd.* bezeichnet es meist eine Gruppe lebender Wesen, in der Fügung 'Scharen von (Vögeln und dgl.)' eine große Menge. Mit [1]Schar' identisch ist *aengl.* scearu „Haarschnitt; Anteil; Gebiet, Grenze", dessen zweite Bedeutung (*engl.* share „Anteil, Aktie") auch im *Mhd.* und *Ahd.* als „reihum zugeteilte Fronarbeit" erscheint (s. auch den Artikel bescheren). – Abl.: scharen, sich (*mhd.* schar[e]n, *ahd.* scarōn „in Scharen einteilen oder sammeln").

[2]Schar w, (auch:) s „Pflugeisen": Das *westgerm.* Substantiv *mhd.* schar, *ahd.* scara, scar[o], *niederl.* schaar, *engl.* share ist eine ablautende Bildung zu →*[1]scheren* „schneiden": die Pflugschar schneidet ins Erdreich. Aus dem gleichbed. *ahd.* scar[a] ist →*Schere* entstanden. Die verdeutlichende Zus. Pflugschar lautet *mhd.* phluocschar, *ahd.* phluochscar (vgl. *niederl.* ploegschaar).

Schäre w: Die Felseninsel vor den nordischen Küsten heißt *mnd.* schere, *hochd.* im 17. Jh. Schere nach *schwed.* skär (*aisl.* sker) „Klippe". Das *nord.* Wort gehört im Sinne von „Abgeschnittenes" zur Sippe von →*[1]scheren.* Es ist ablautend verwandt mit *mnd.* schār, schōr „Uferland", *engl.* shore „Küste" und *mhd.* schor[re], *ahd.* scorra „schroffer Fels".

scharf: Das *altgerm.* Adjektiv *mhd.* scharf, scharpf, *ahd.* scarf, scarph, *niederl.* scherp, *engl.* sharp, *schwed.* skarp gehört im Sinne von „schneidend" zu der unter →*[1]scheren* dargestellten, vielfach erweiterten Wurzel *[s]ker- „schneiden". Näher verwandt sind die unter →schürfen und →schröpfen behandelten Wörter. Mit dem Adjektiv verwandt sind *außergerm.* z. B. *mir.* cerb „scharf, schneidend" und *lett.* skabrs „scharf, rauh". Abl.: Schärfe w (*mhd.* scher[p]fe, *ahd.* scarfī, scarphī; eigtl. „Schneide", aber auch übertr. für „Grausamkeit, Strenge"); schärfen (*mhd.* scher[p]fen, *ahd.* scerfan „scharf machen"), dazu einschärfen „scharf, eindringlich sagen" (17. Jh.). Zus.: scharfmachen (Ende des 19. Jh.s übertr. für „aufhetzen"), dazu Scharfmacher m „Hetzer"; Scharfrichter (14. Jh.; das urspr. *niederd.* und *westmitteld.* Wort bezeichnete zunächst den mit Schwert oder Beil richtenden Beamten, wurde aber im 16. Jh. auch auf den →*Henker* übertragen und ist heute die übliche Bez.); Scharfsinn (Rückbildung des 16. Jh.s aus scharfsinnig; *spätmhd.* scharpfsinnic).

Scharlach m: Der seit dem 18. Jh. zuerst in der Zus. Scharlachfieber bezeugte Name der ansteckenden Krankheit beruht wie entspr. *frz.* fièvre scarlatine, *it.* febbre scarlatina und *span.* fiebre escarlatina auf einer LÜ von *vlat.* febris scarlatīna. Das Bestimmungswort ‚Scharlach' ist identisch mit der Farbbezeichnung Scharlach *m* „rote Farbe; roter Stoff" (= entspr. *frz.* écarlate, *it.* scarlatto und *span.* escarlata; alle aus gleichbed. *mlat.* scarlatum). Die Krankheit ist also nach dem intensiv roten Hautausschlag benannt.

Scharlatan *m* „Schwätzer, Aufschneider, Schwindler; Quacksalber, Kurpfuscher": Im 17. Jh. über *frz.* charlatan aus gleichbed. *it.* ciarlatano entlehnt. Das *it.* Wort selbst ist unter dem Einfluß von *it.* ciarlare „schwatzen" aus *it.* cerretano „Kurpfuscher; Marktschreier" umgestaltet. Letzteres bedeutet eigtl. „Mann aus der Stadt Cerreto". Die Einwohner dieser Stadt waren bekannt als marktschreierisch herumziehende Verkäufer von allerlei Drogen und Heilmitteln.

Scharnier *s* „drehbares Gelenkband (an Türen, Deckeln usw.)": Im 18. Jh. aus gleichbed. *frz.* charnière entlehnt, das wohl von einem *afrz.* *charne „Türangel" abgeleitet ist. Dies geht auf gleichbed. *lat.* cardō (cardinis) zurück.

scharren: Das Verb (*mhd.* scharren) steht neben schurren „knirschend über den Boden gleiten, scharren" (*mnd.* schurren, entspr. *schwed.* skorra) und ist eine Intensivbildung zu dem im *Nhd.* untergegangenen starken Verb *mhd.* scherren, *ahd.* scerran „abkratzen, schaben", dessen Herkunft unklar ist.

Scharte *w*: Zum Stamm des unter → ¹*scheren* „schneiden" behandelten Verbs gehört ein im *Nhd.* untergegangenes Adjektiv mit der Bed. „verstümmelt, zerhauen" (*mhd.* schart, *ahd.* scart, *aengl.* sceard, *aisl.* skarðr). Aus ihm ist *mhd.* schart[e] „Einschnitt, Bruch, Öffnung" substantiviert worden, dem *engl.* shard „Scherbe", *aisl.* skarð „Scharte, Loch" entsprechen. Einen Körperschaden bezeichnet das Wort heute nur in →Hasenscharte. Schwert und Messer werden durch Scharten beschädigt, daher steht 'eine Scharte auswetzen' bildl. für „einen Fehler oder erlittenen Schaden wiedergutmachen". Abl.: schartig (im 17. Jh. für *frühnhd.* schartecht, *mhd.* schertet).

Schaschlik *m* „am Spieß gebratene Fleischstückchen": Im 20. Jh. aus dem *Slaw.* übernommen (vgl. gleichbed. *russ.* šašlýk). Das *slaw.* Wort stammt seinerseits aus dem *Turkotatarischen*.

Schatten *m*: Das *altgerm.* Substantiv lautet *mhd.* schate[we], *ahd.* scato, *got.* skadus, *niederl.* schaduw, *engl.* shade, shadow und ist verwandt mit *norw.* skodd[a] „Nebel". Es beruht mit verwandten Wörtern in anderen *idg.* Sprachen auf der *idg.* Wz. *skot- „Schatten, Dunkel", vgl. z. B. *air.* scāth „Schatten" und *gr.* skótos „Dunkel". Das n der *nhd.* Form stammt aus den flektierten Fällen. Im *Dt.* ist die Bed. „Dunkel" (z. B. Waldesschatten; bildl. 'in den Schatten stellen') aus der eigtl. Bed. „dunkles Ab-

bild" übertragen, die auch sonst vielen bildl. Wendungen zugrunde liegt. Die dicht. Bed. „Seele eines Verstorbenen" (z. B. in Schattendasein, -reich) geht auf griech. Vorstellungen vom Zustand der Toten zurück. Abl.: schatten „Schatten geben" (*mhd.* schatewen, *ahd.* scatewen; heute nur dicht.), dazu beschatten *mhd.* beschatewen; im 20. Jh. auch für „heimlich beobachten", eigtl. „wie ein Schatten folgen", nach gleichbed. *engl.* to shadow); schattieren „(eine Farbe) abtönen" (Malerwort des 16. Jh.s mit fremder Endung wie halbieren, hausieren u. a.); schattig (15. Jh.). Zus.: Schattenbild „Traumbild" (17. Jh.); Schattenriß (17. Jh.; urspr. die Umrißzeichnung [vgl. *reißen*] des auf einen Schirm geworfenen Körperschattens); Schattenspiel (17. Jh.).

Schatz *m*: Das *gemeingerm.* Substantiv *mhd.* scha[t]z, *ahd.* scaz „Geld[stück], Vermögen", *got.* skatts „Geld[stück]", *aengl.* sceatt „Schatz, Geld, Besitz, Reichtum, Tribut", *aisl.* skattr „Geld, Steuer, Besitz" ist unerklärt. *A fries.* sket zeigt auch die Bed. „Vieh", die in *russ.* skot „Vieh" wiederkehrt und an den unter →Vieh behandelten Bedeutungswandel erinnert. Vielleicht handelt es sich in beiden Sprachbereichen um ein östliches Wanderwort. In der Bed. „aufbewahrter Reichtum" ist 'Schatz' erst seit dem 13. Jh. für→ Hort eingetreten; seit Anfang des 15. Jh. steht es übertr. für „Liebste[r]". Abl.: schatzen „mit Abgaben belegen" (heute nur in →brandschatzen; *mhd.* schatzen, *ahd.* scazzōn „Schätze sammeln" entwickelte im *Mhd.* die Bed. „im Vermögen taxieren, besteuern"); schätzen (*mhd.* schetzen bedeutete wie 'schatzen' zunächst „einen Wert veranschlagen" und „besteuern", hat aber nur die erste Bedeutung bewahrt, daraus dann „beurteilen" [z. B. in gering-, wertschätzen] und „vermuten"; bes. steht 'schätzen' für „hochachten"), dazu schätzbar (17. Jh.) und Schätzung *w* (*mhd.* schetzunge „Steuer").

schaudern: Neben *mnd.* schüdden „schütte[l]n" (vgl. *schütten*) steht eine Iterativbildung *niederd.* schuddern „beben" (vgl. gleichbed. *engl.* to shudder) mit der *niederrhein.* Nebenform schüdern (14./15. Jh.). Diese gelangt im 16. Jh. als 'schaudern' ins *Nhd.* Das Verb bezeichnete zunächst fröstelndes Zittern und wurde bald auf körperl. und seelische Angstgefühle übertragen (wie schauern, s. Schauer). Dazu die Rückbildung Schauder *m* (16.Jh.) und das Adjektiv schauderhaft (Ende des 18. Jh.s für „Schauder erregend", jetzt *ugs.* für „gräßlich, sehr unangenehm").

schauen: Das *westgerm.* Verb *mhd.* schouwen, *ahd.* scouwōn „sehen, betrachten", *niederl.* schouwen „schauen, besichtigen", *engl.* to show „zeigen" (s. Show) gehört mit ablautend *aisl.* skygn „scharfsichtig" und *aisl.* skygna „spähen" zu einer Wz. *[s]keu-, *[s]kēu- „auf etwas achten, aufpassen, bemerken", die auch der Sippe von →schön zugrunde liegt (eigtl. „ansehnlich"; dazu schon und schonen). *Außergerm.* ist z. B. *gr.* thyo-skóos „Opferschauer" verwandt. Über weitere Zusammenhänge vgl. den Artikel *hören.* Im Unterschied zu sehen (s. d.) bezeichnet 'schauen' meist das absichtliche Blicken und Beobachten. In gehobener Sprache steht 'schauen' auch für das innere, geistige Sehen (s. u. an-, beschauen). Abl.: S c h a u *w* (*mhd.* schouwe „prüfendes Blicken, [amtliche] Besichtigung". Zusammensetzungen und Präfixbildungen: a n s c h a u e n (*mhd.* anschouwen, *ahd.* anascouwōn, *frühnhd.* auf geistiges Betrachten übertr.), dazu a n s c h a u l i c h (*mhd.* anschouwelich; beachte dazu veranschaulichen) und A n s c h a u u n g *w* (*mhd.* anschouwunge „Anblick", jetzt „Erkenntnis eines Gegenstandes, Meinung"); b e s c h a u e n (*mhd.* beschouwen, *ahd.* biscouwōn), dazu B e s c h a u e r *m* „amtl. Prüfer" (z. B. in Fleischbeschauer) und b e s c h a u l i c h (*mhd.* 'beschouwelichez leben' übersetzt das *lat.* vīta contemplātīva der Mönche und Mystiker); z u s c h a u e n (16. Jh.), dazu Z u s c h a u e r *m* (16. Jh.; bes. im Theater, wohl nach *lat.* spectātor). Als Bestimmungswort steht 'schauen' u. a. in S c h a u f e n s t e r (19. Jh.), S c h a u p l a t z (im 16. Jh. für „Theater", beachte die Zus. Kriegsschauplatz); S c h a u s p i e l (im 15. Jh. schowspiel), dazu S c h a u s p i e l e r (16. Jh.) und das junge s c h a u s p i e l e r n „sich aufführen, etwas vormachen".

Schauer *m* „kurzes Unwetter, Schreck": Das *gemeingerm.* Substantiv *mhd.* schūr, *ahd.* scūr „Sturm, Hagel, Regenschauer", *got.* skūra windis „Sturmwind", *engl.* shower, *schwed.* skur ist wahrscheinlich verwandt mit *lat.* caurus „Nordwestwind", *lit.* šiaurỹs „Nordwind" und *armen.* çurt „Kälte, Schauer". Als Wetterbezeichnung ist das Wort im *Nhd.* abgeschwächt (*mhd.* bedeutete es auch „Anprall, Vernichtung"). Der übertr. Sinn „Frösteln, Schreck" (schon *mnd.* bedeutet schūr „Fieberanfall") ist im *Nhd.* wohl von dem unverwandten →Schauder beeinflußt. Abl.: s c h a u e r l i c h (17. Jh.) und s c h a u r i g (18. Jh.), beide zuerst vom Wetter gebraucht, jetzt für „grausig"; s c h a u e r n (*spätmhd.* schawern; im 15. Jh. „gewittern, hageln", im 16. Jh. „frösteln"). Zus.: S c h a u e r r o m a n (20. Jh.).

Schaufel *w*: Die *germ.* Bezeichnungen des Geräts gehören (wie gleichbed. →Schippe) zu dem unter →*schieben* behandelten Verb. *Mhd.* schūvel, *ahd.* scūvala, mit kurzem Vokal *niederl.* schoffel, *engl.* shovel, *schwed.* skovel sind mit dem *germ.* l-Suffix der Gerätenamen gebildet. In der Jägersprache heißen die Geweihe von Elch- und Damwild 'Schaufeln', dazu S c h a u f l e r *m* „Elch-, Damhirsch" (18. Jh.). Das abgeleitete Verb s c h a u f e l n lautet *mhd.* schūveln.

Schaukel *w*: Das Substantiv erscheint ebenso wie das Verb s c h a u k e l n erst im 17. Jh. im *Nhd.* Es ist wohl aus einem gleichbed. *niederd. mdal.* (z. B. *ostfries.*) Schūkel verhochdeutscht worden. Daneben stehen andere *niederd.* und *mitteld.* Formen, für das Substantiv z. B. Schuckel und Schucke (*mnd., mhd.* schocke, vgl. *asächs.* scocca „schaukelnde Bewegung"), für das Verb z. B. schuckeln, schockeln und schucken (*mnd., mhd.* schocken; beachte *mniederl.* schokken „stoßen"; s. Schock), daneben die nasalierte Form →schunkeln. Zus.: S c h a u k e l p f e r d (18. Jh.); S c h a u k e l s t u h l (19. Jh.).

Schaum *m*: Das Substantiv *mhd.* schūm, *ahd.* scūm, *niederl.* schuim, *schwed.* skum gehört vielleicht im Sinne von „Bedeckendes" zu der unter →*Scheune* behandelten Sippe. Abl.: s c h ä u m e n (*mhd.* schūmen, *ahd.* scūman); s c h a u m i g (im 15. Jh. schūmig). Zus.: S c h a u m w e i n (im 18. Jh. für *frz.* vin mousseux; zum Sachlichen s. Sekt); A b s c h a u m „Unreinigkeit" (bildlich zuerst im 15. Jh. für „schlechter, ausgestoßener Mensch; Pöbel").

Scheck *m* „Zahlungsanweisung auf eine Bank (oder Post)": Als kaufmänn. Terminus im 19. Jh. aus gleichbed. *engl.* cheque (oder *amerik.* check) entlehnt. Die weitere Herkunft des *engl.* Wortes ist unklar. – Zus.: S c h e c k b u c h (19. Jh.; nach entspr. *engl.* cheque-book).

scheel „mißgünstig, neidisch": Das *altgerm.* Adjektiv *mhd.* schelch, *ahd.* scelah, *niederl.* scheel, *aengl.* sceolh, mit grammat. Wechsel *aisl.* skjalgr bedeutete urspr. „schief, krumm", dann speziell „schiefäugig, schielend". Es gehört mit verwandten *außergerm.* Wörtern, z. B. *gr.* skélos „Schenkel", skoliós „krumm, unredlich" und *lat.* stelus „Bosheit", zu der *idg.* Wz. *[s]kel- „biegen, anlehnen; krumm, verkehrt" (s. auch den Artikel Schulter). Ohne den s- Anlaut liegt die Wurzel wahrscheinlich auch in *gr.* kylíndein „wälzen" (s. Zylinder) und kōlon „(biegsames) Glied; Darm" (s. Kolik und Semikolon) zugrunde. Die *nhd.* Form von scheel geht auf *mnd.* schēl zurück. Die Bed. „schielend" galt schon im *Mhd.* fast ausschließlich, wie auch die Abl. →schielen und →schillern zeigen. Dazu die Adjektive scheeläugig und scheelsüchtig (im 17. Jh. -sichtig) mit der Rückbildung S c h e e l s u c h t „Neid" (18. Jh.).

Scheffel *m*: Das Substantiv *mhd.* scheffel, *ahd.* sceffil, *niederl.* schepel gehört zu dem unter →*Schaff* „Gefäß" behandelten Wort. Das alte Kornmaß (30–300 l) erscheint nur noch in bildlichen Wendungen wie 'sein Licht nicht unter den Scheffel stellen' für „sein Wissen und Können anwenden" (bibl.). Abl.:

597

scheffeln „in Scheffel füllen" (17. Jh.; noch bildl. in „Geld scheffeln").

Scheibe w: Das *altgerm.* Substantiv *mhd.* schibe, *ahd.* scība, *niederl.* schijf, *engl.* shive, *schwed.* skiva bezeichnete urspr. die vom Baumstamm abgeschnittene runde Platte und gehört mit dem näher verwandten →Schiefer zu der unter →Schiene dargestellten *idg.* Wz. *skēi-„schneiden, trennen". Außerhalb des *Germ.* sind z. B. *gr.* skipōn „Stab, Stock" und *lat.* scīpiō „Stab" (eigtl. „abgeschnittener Ast") verwandt. Die Scheibe war also urspr. kreisrund, wie heute noch die Zielscheibe, Dreh- und Töpferscheibe. Auch die Fensterscheibe war einst eine runde Butzenscheibe (s. d.).

Scheide w: Mhd. scheide, *ahd.* sceida, *niederl.* schede, *aengl.* scēad, *aisl.* skeiðir (*Mehrz.*), alle mit der Bed. „[Schwert]scheide", gehören zu dem unter →*scheiden* behandelten Verb und bezeichneten urspr. eine Hülse aus zwei Holzplatten, vgl. *aisl.* skeid „gespaltenes Holzstück" (z. B. als Weberkamm oder Löffel). Die *nhd.* medizin. Bed. „weibl. Scham" hat das Wort im 17. Jh. nach *lat.* vagīna „Schwertscheide; weibl. Scham" erhalten.

scheiden: Das *altgerm.* starke Verb *mhd.* scheiden, *ahd.* sceidan, *got.* skaidan, *niederl.* scheiden, *engl.* to shed gehört mit dem näher verwandten →Scheit zu einer t-Erweiterung der *idg.* Wz. *skēi-„schneiden, trennen" (vgl. *Schiene*). Die gleichbed. Nebenformen *mhd.* schīden und schiden (s. gescheit und Schiedsrichter) sind untergegangen. Die Grundbed. „spalten, trennen" (s. auch Scheide und Scheitel) gilt bis heute (bes. in der Wendung „die Ehe scheiden" und in den Zus. aus-, abscheiden); aus reflexivem 'sich scheiden' hat sich die Bed. „weggehen" entwickelt (s. Abschied; beachte auch das Hüllwort verscheiden für „sterben", s. verscheiden). Übertragen gebraucht werden die Präfixbildungen und Zus. ¹bescheiden (s. d., mit dem Adj. ²bescheiden); entscheiden (*mhd.* entscheiden „sondern; richterlich schlichten, urteilen, bestimmen", im *Nhd.* mit der Sonderbed. „den Ausschlag geben"), dazu Entscheid m, Entscheidung w (14. Jh.) und das Adj. entschieden „bestimmt, entschlossen" (18. Jh., vorher nur als 2. Part.); unterscheiden (*mhd.* underscheiden „trennen, festsetzen, erklären" *ahd.* undarsceidan), dazu Unterschied m (*mhd.* underschied, -scheit, *ahd.* untarsceid). Substantivische Zus. sind: Scheidekunst (im 17. Jh. für „[praktische] Chemie", jetzt veraltet) und Scheidemünze „kleine Münze ohne vollen Metallwert" (17. Jh., nicht gleich erklärt).

scheinen: Das *gemeingerm.* Verb *mhd.* scheinen, *ahd.* scīnan, *got.* skeinan, *engl.* to shine, *schwed.* skina gehört zu der *idg.* Wz. *skāi-„[stumpf] glänzen, schimmern", (substantivisch:) „Glanz, Abglanz, Schatten". Zu

ihr gehören die Sippen von → Schemen, →Schimmel, →schimmern und → ²schier „rein". *Außergerm.* sind z. B. *gr.* skiá „Schatten", skēné „Zelt" (s. Szene) und *russ.* siját' „glänzen". Während 'Schemen' und 'Schimmel' von der Bed. „matter Abglanz" ausgehen, hat 'scheinen' im *Germ.* von Anfang an den Sinn „leuchten, glänzen" (bes. von den Gestirnen). Daraus entwickelte sich im *Dt.* früh die Bed. „sich zeigen, offenbar werden", wofür heute nur erscheinen gilt (*mhd.* erschīnen, *ahd.* irscīnan). Weiter wird 'scheinen' auch vom trügerischen äußeren Bild gebraucht, dem keine Wirklichkeit entspricht. So drückt es schließlich, bes. im *Nhd.*, vorsichtige Vermutung aus: 'es scheint, daß ...'. An diesen Wortgebrauch schließen sich an die Adverbien wahrscheinlich (im 17. Jh.; nach *niederl.* waarschijnlijk, einer LÜ von *frz.* vraisemblable) und anscheinend „dem Aussehen, Anschein nach" (1. Part. von *frühnhd.* anscheinen „sich zeigen"; s. auch scheinbar). Die *westgerm.* Substantivbildung Schein m (*mhd.* schīn, *ahd.* scīn, *niederl.* schijn, *engl.* -shine; vgl. ablautend *schwed.* sken) bedeutete urspr. „Glanz, Helligkeit", im *Dt.* seit dem 15. Jh. auch „[trügendes] Aussehen, Vorwand" und entwickelte *spätmhd.* die konkrete Bed. „beweisende Urkunde" (eigtl. „Sichtbares"), zu der sich das *nhd.* Verb bescheinigen stellte (17. Jh., im Sinne von „offenbaren, beweisen"; in der heutigen Bedeutung seit dem 18. Jh.). Vom 'Schein' abgeleitet ist scheinbar (*mhd.* schīnbǣre, *ahd.* scīnbāre „leuchtend, sichtbar", jetzt „nur dem [trügerischen] Scheine nach"; während unscheinbar „nicht auffallend" den alten Sinn bewahrte). Zus. sind z. B. scheinheilig (16. Jh.), scheintot (19. Jh.), Scheinwerfer (Ende des 18. Jh.s für *frz.* réverbère „Lampenspiegel").

scheißen: Das *altgerm.* starke Verb *mhd.* schīzen, *ahd.* scīzan, *niederl.* schijten, *engl.* to shite, *schwed.* skita, in allen genannten Sprachen ein derbes Volkswort, bedeutet eigtl. nichts anderes als „ausscheiden", es gehört zu der unter →*Schiene* dargestellten *idg.* Wz. *skēi-„spalten, trennen, absondern". Die gleiche Begriffsbildung zeigt *lat.* ex-crēmentum „Kot", eigtl. „Ausscheidung"; (s. auch Harn). Abl.: Scheiße w (*mhd.* schīze, im *Nhd.* als derbes Kraftwort benutzt), dazu die *niederd.* Form Schiet m oder s, die *nordd.* ugs. „Dreck, Unangenehmes" steht. Erst *nhd.* ist Schiß m (16. Jh.; heute gewöhnlich übertr. für „Angst", s. als Verbalsubstantiv z. B. in ugs. Anschiß „grobe Zurechtweisung"). Übertragen wird auch bescheißen (*mhd.* bescīzen „besudeln") im Sinne von „betrügen" gebraucht. Dazu Beschiß m „Betrug" (*mhd.* beschīz).

Scheit *s*: Das *altgerm.* Wort für „gespaltenes Holzstück" *mhd.* schît, *ahd.* scît, *mnd.* schît, *aengl.* scîd, *aisl.* skîd (s. Schi) ist ablautend mit dem unter →*scheiden* behandelten Verb verwandt. Neben der *Mehrz.* Scheite gilt *ugs.* (bes. *östr.* und *schweiz.*) die Form Scheiter. Sie liegt auch dem Verb s c h e i t e r n „in Stücke gehen" (im 17. Jh. für *frühnhd.* zerscheitern; im Sinn des Schiffbruchs gern bildl. gebraucht) und der Zus. S c h e i t e r - h a u f e n (16. Jh.) zugrunde. Ein Gerät bezeichnet das Wort z. B. in R i c h t s c h e i t „Richtlatte der Bauleute" (*mhd.* rihteschît; s. *richten*).

Scheitel *m*: Zu dem unter →*scheiden* behandelten Verb gehört als alte, urspr. weibl. Ableitung *ahd.* sceitila „Kopfwirbel", *mhd.* scheitel[e] „oberste Kopfstelle, wo die Haare sich scheiden; Haarscheitel". Verwandt ist z. B. das andersgebildete *aengl.* scêada „Scheitel". Seit dem 14. Jh. bezeichnet das Wort übertr. auch Bergspitzen, in der Mathematik (S c h e i t e l p u n k t , - w i n - k e l) erscheint es um 1700 als LÜ von *lat.* vertex. Abl. s c h e i t e l n (*mhd.* scheiteln, *ahd.* [zi]sceitilôn).

¹Schelle *w* „Glöckchen, Klingel": Das auf das *dt.* und *niederl.* Sprachgebiet beschränkte Wort (*mhd.* schelle, *ahd.* scella „Glöckchen", *niederl.* schel) ist eine Bildung zu dem im *Nhd.* untergegangenen starken Verb *mhd.* schellen, *ahd.* scellan „tönen, schallen" (vgl. *aengl.* sciellan, *aisl.* skjalla), zu dem auch das unter →*Schall* behandelte Wort gehört. Eine Sonderbedeutung hat das stammverwandte →*schelten* entwickelt. Über die zugrunde liegende Wz. *[s]kel-* „schallen" vgl. den Artikel →*hell*; zu ihr gehört auch *lat.* skaļš „helltönend; klar". Neben dem starken Verb 'schellen' ist auch sein schwaches Veranlassungswort *mhd.* schellen, *ahd.* scellan „ertönen lassen" untergegangen. Beide Wörter wirken aber in *nhd.* →*zerschellen* fort; s. auch ²Schelle. An ihre Stelle ist das (teilweise stark flektierte) schallen (zu →*Schall*) getreten. Unser jetziges s c h e l l e n „läuten" ist dagegen erst im 17. Jh. zum Subst. Schelle neu gebildet worden. Im Ggs. zur gegossenen Glocke (s. d.) ist die Schelle meist kugelförmig geschmiedet, vgl. auch die Bez. S c h e l l e n s (eigtl. *Mehrz.*) als Farbe im deutschen Kartenspiel (16. Jh.). Zus.: S c h e l l e n b a u m (19. Jh.; urspr. türkisches Instrument der Militärmusik); S c h e l l e n k a p p e „Narrenkappe" (18. Jh.).

²Schelle *w* „Backenstreich": Das im 18. Jh. erscheinende, heute meist *ugs.* Wort ist gekürzt aus M a u l s c h e l l e (16. Jh.) und wohl aus *frühnhd.* schellen „schallen" abgeleitet (vgl. ¹Schelle).

Schellfisch *m*: *Mnd.* schellevisch (entspr. *niederl.* schelvis) ins *Hochd.* übernommen. Der Nordseefisch heißt nach seinem muschelig blätternden Fleisch (zu *mnd.* schelle „Hülse, Schale"; vgl. ²*Schale*).

Schelm *m*: Das heute meist scherzhaft gebrauchte Scheltwort bedeutet eigtl. „Aas, toter Körper". Das Wort ist nur im *Dt.* überliefert: *mhd.* schelm[e], schalm[e], *ahd.* scelmo, scalmo „Aas; Pest, Seuche". Seine Herkunft ist unklar. Als Schimpfwort bedeutet es schon *spätmhd.* „verworfener Mensch, Betrüger"; seit dem 18. Jh. verblaßt es zum heutigen Sinn „listiger Schalk". Abl.: s c h e l m i s c h (*frühnhd.* für „schurkisch", im 18. Jh. für „neckisch").

schelten: Das auf das *dt.* und *niederl.* Sprachgebiet beschränkte Verb *mhd.* schelten, schelden, *ahd.* sceltan „tadeln, schmähen", *niederl.* schelden „schimpfen, schmähen" ist eng verwandt mit der unter →*Schall* behandelten Wortgruppe und gehört zu der unter →¹*Schelle* dargestellten *idg.* Wurzel. Abl.: S c h e l t e *w* „Tadel, strafendes Wort" (*mhd.* schelte, *ahd.* scelta); u n b e s c h o l t e n „frei von öffentlichem Tadel" (*mhd.* unbescholten) ist eigtl. verneintes 2. Partizip zu der im *Nhd.* untergegangenen Präfixbildung *mhd.* beschelten, *ahd.* bisceltan „schmähend herabsetzen".

Schema *s* „Muster; Entwurf, Grundform": Im 17./18. Jh. aus *gr.-lat.* schêma „Haltung; Stellung; Gestalt, Figur, Form" entlehnt. Über das zugrunde liegende Stammwort *gr.* échein „haben, [fest]halten" vgl. den Artikel *hektisch*. – Abl.: s c h e m a t i s c h „in den Grundzügen dargestellt; anschaulich zusammengefaßt; (übertr.:) gleichförmig; gedankenlos" (18. Jh.).

Schemel *m*: Die kleine Bank heißt *mhd.* schemel, *ahd.* [fuoz]scamil, *niederl.* schemel, ähnl. *aengl.* scamol. Die *westgerm.* Wörter sind früh aus *spätlat.* scamillus, scamellum „Bänkchen" (zu *lat.* scamnum „Bank") entlehnt worden. Älteste Bedeutung im *Dt.* ist „Fußbank" (heute bes. *mitteld.* und *südd.*), dann „[niedriger] Sitz ohne Lehne".

Schemen *m*: Das *altgerm.* Substantiv *mhd.* schem[e] „Schatten, Schattenbild", *mniederl.* scême „Schatten, Schimmer, Lichtglanz", *aengl.* scima „Dämmerung", *aisl.* skim[i] „Glanz, Licht" gehört wie ablautendes *got.* skeima „Leuchte" zu der unter →*scheinen* dargestellten Wortgruppe; s. auch schimmern. *Außergerm.* ist z. B. *gr.* skiá „Schatten" verwandt. Das n der heutigen Nominativform ist aus den flektierten Fällen übernommen und erscheint seit dem 16. Jh. Die alte Bed. „Schatten[bild]" wandelte sich im 16. Jh. zu „Trugbild, wesenloses Gespenst" (dazu s c h e m e n h a f t [19. Jh.]). Schon *ahd.* ist die *oberd.* Bed. „Maske", dazu S c h e m b a r t *m* „Maske mit Bart" (*mhd.* schembart).

Schenke *w* „Gastwirtschaft": Die in dieser Bedeutung erst im 15. Jh. im *Ostmitteld.* auftretende Abl. von →*schenken* „einschenken" hat sich von Sachsen und Thüringen aus verbreitet. Sie hat vielfach abschätzigen Sinn, der allerdings Zus. wie Wald-, Burg-, Klosterschenke nicht anhaftet. Siehe auch Schank.

Schenkel *m*: Das *westgerm.* Substantiv *mhd.* schenkel, *niederl.* schenkel, *aengl.* scencel ist eine alte Weiterbildung eines in *mnd.* schenke, *aengl.* scanca, *engl.* shank, *schwed.* skank erhaltenen *germ.* Substantivs mit der Bed. ,,Bein'', das mit *aisl.* skakkr ,,schief, krumm'' verwandt ist. Zur Begriffsbildung vgl. das ablautende → *Schinken.* Als Bez. der Winkelseiten tritt 'Schenkel' erst im 18. Jh. auf (LÜ von *lat.* crūs angulī).

schenken: Das *westgerm.* Verb *mhd.* schenken, *ahd.* scenken, *niederl.* schenken, *aengl.* scencan bedeutete urspr. ,,zu trinken geben'' (dafür heute einschenken und ausschenken mit der Rückbildung Ausschank; s. auch Schank). Im *Spätmhd.* hat sich daraus über ,,darreichen'' die Bed. ,,unentgeltlich geben'' entwickelt, die auch im *Niederl.* erscheint. Als eigtl. Grundbedeutung des Verbs hat ,,schief halten'' anzusehen. Es ist verwandt mit *aisl.* skakkr ,,schief, lahm'' und gehört zu der *idg.* Wz. *[s]keng- ,,schief, schräg, krumm'', zu der sich auch die Sippen von → Schenkel, → Schinken und → hinken stellen. Abl.: S c h e n k e (s. d.); S c h e n k u n g *w* ,,Stiftung, Geschenk (im 14. Jh. schenkunge, älter für ,,Einschenken''; Tränken, Stillen des Kindes''); G e s c h e n k *s* (*mhd.* geschenke, im 12. Jh. ,,Eingeschenktes'', im 14. Jh. ,,Gabe'').

Scherbe *w*: *Mhd.* scherbe, schirbe, *ahd.* scirbi bezeichnen das Bruchstück eines irdenen Gefäßes. Das Wort ist eng verwandt mit *aisl.* skarfr ,,schräg abgehauenes Balkenende'', *norw.* skarf ,,Felsklippe'' und *mhd.* scharben, scherben, *ahd.* scarbōn ,,zerschneiden'', *aengl.* scearfian ,,abschneiden''. Weiterhin verwandt sind → Schorf und → schroff und ohne anlautendes s-→ Herbst, *außergerm.* z. B. *aind.* karparaḥ ,,Scherbe, [Hirn]schale'', *ukrain.* čerep ,,Scherbe, Hirnschädel'' und *lett.* šḳirpta ,,Scharte'' (vgl. ¹*scheren*). Zus.: S c h e r b e n g e r i c h t (Lehnübertragung von 1800 für *gr.* ostrakismós; im alten Athen konnten zu mächtig gewordene Bürger durch Volksabstimmung verbannt werden, wobei Scherben, *gr.* óstraka, als Stimmzettel dienten).

Schere *w*: Die älteste Form des Schneidewerkzeugs, das den Germanen in der Römerzeit bekannt wurde, war ein federnder Bügel, dessen Enden zu zwei übereinandergreifenden Klingen ausgeschmiedet waren. Die heutige Form mit vernieteten Einzelklingen wurde erst seit dem 14. Jh. allgemein. *Mhd.* schēre *w* ist aus der *Mehrz.* scāri von *ahd.* scār ,,Messer, Schere'' entstanden (vgl. ²*Schar*), die wohl einen urspr. Dual (,,zwei Messer'') vertrat. Entsprechende Mehrzahlformen zeigen *engl.* shears ,,Schere'' (wie

aengl. scēara zu scēar) und *aisl.* skǣri ,,Schere, Messer''.

¹**scheren** ,,abschneiden'': Das *altgerm.* starke Verb *mhd.* schern, *ahd.* sceran, *niederl.* scheren, *engl.* to shear, *schwed.* skära geht mit verwandten Wörtern in anderen *idg.* Sprachen (z. B. *gr.* keírein ,,abschneiden, scheren'', *lit.* skìrti ,,trennen'', *air.* scaraim ,,ich trenne'') auf die *idg.* Wz. *[s]ker- ,,schneiden'' zurück, die u. a. ,,ein-, abschneiden; abhäuten; kratzen; verstümmeln; trennen'', übertr. auch ,,geistig unterscheiden'' bedeutet. Zu dieser Wurzel gehört eine umfangreiche *idg.* Sippe, die sich im *dt.* Wortschatz vor allem um drei Bedeutungsbereiche gruppiert: 1. ,,Einschnitt, Kerbe'' in → Scharte und → Schramme. 2. ,,Abgeschnittenes'' in den Wortgruppen um → ¹Schar (eigtl. ,,Abteilung; Anteil''; s. auch bescheren), → Schirm (eigtl. ,,Fell''), → Schurz und das frühe LW → kurz, weiter in *schwed.* skär ,,Klippe'' (s. Schäre) und wohl auch in → Schornstein. Als ,,Zeit des Pflückens'' stellt sich noch → Herbst hierher. 3. ,,schneidend; scharfes Werkzeug'' in → ²Schar ,,Pfluggeisen'', → Schere, → scharf (hierzu auch → schürfen, → schröpfen) und → Scherbe (hierzu auch → Schorf, → schroff), vielleicht auch in → herb. Mit der Grundbed. ,,scharren, kratzen, rupfen'' gehören wahrscheinlich auch die Sippen von → raffen und → raspeln hierher. Die Wurzelform *[s]keru-, *[s]kreu- liegt den Sippen von → schroten ,,hauen, schneiden'' und → schrubben zugrunde. Zu der Wurzelform *[s]krēi-, *[s]krī̆- in der Bedeutung ,,[aus]scheiden, sieben'' gehören z. B. *gr.* krī́nein ,,scheiden, urteilen'' (in der FW-Gruppe um → kritisch) und *lat.* cernere ,,sondern, scheiden'' (in den zahlreichen unter → Dezernent genannten Wörtern) sowie die *dt.* Sippe von → rein (eigtl. ,,gesiebt'') und die Lehn- und Fremdwortgruppe um → schreiben. Vielleicht gehört auch → Harn im Sinne von ,,Ausgeschiedenes'' hierher. – 'Scheren' bedeutete im *Dt.* schon früh ,,glatt, kahl schneiden'' (zu der alten umfassenden Bedeutung s. den Artikel Geschirr, eigtl. ,,das [zurecht] Geschnittene''). Bis in die *nhd.* Zeit steht 'scheren' auch für ,,rasieren'' (heute noch *niederl.*; dazu die Berufsbez. 'Feldscher', s. Feld). Die Wendung 'alles über einen Kamm scheren' (16. Jh.) meint ,,ohne Unterschiede behandeln''. Auf die Schaf- und Bartschur bezog sich die heute nur mundartliche übertragene Bed. ,,ausbeuten, quälen'', im *ugs.* im Part. ungeschoren (bleiben oder lassen), in der Abl. S c h e r e r e i *w* ,,Unannehmlichkeit, unnötige Schwierigkeit'' und reflexiv als schwach gebeugtes 'sich [nicht] um etwas scheren' für ,,sich kümmern'' nachklingt. Letzteres ist wohl von dem unverwandten ²scheren (s. d.) beeinflußt. Eine Substantivbildung zu ¹scheren ist → Schur.

²**scheren,** sich „laufen, sich fortmachen": Das schwach gebeugte, heute nur *ugs.* Wort (*spätmhd.* schern „schnell weglaufen", *niederl.* zich wegscheren „sich packen") geht zurück auf *ahd.* scerōn „ausgelassen sein". Das *ahd.* Verb ist z. B. mit *gr.* skaírein „hüpfen, tanzen" verwandt und beruht auf einer *idg.* Wz. *[s]ker- „springen", die erweitert auch den Wortgruppen um →Scherz und →schrecken zugrunde liegt. Mit ²scheren' identisch ist wohl das seemänn. ³**scheren** „seitlich abtreiben, ausweichen", vor allem bekannt in der Zus. ausscheren „aus dem Kurs laufen; aus dem Schiffsverband herausfahren", *nordd. ugs.* „sich absondern". Dieses 'scheren' ist *niederd.* seit dem 18. Jh. bezeugt und bedeutet urspr. „in Bogen Schlittschuh laufen, hin und her schweben".

Scherz m: Das auf den *dt.* Sprachbereich beschränkte Substantiv (*mhd.* scherz „Vergnügen, Spiel") taucht ebenso wie das Verb scherzen (*mhd.* scherzen „lustig springen, hüpfen, sich vergnügen") erst im 13. Jh. auf. Mit dem ablautenden Substantiv *mhd.* scharz „Sprung" und schurz „Lauf" gehören die Wörter zu der unter →²scheren behandelten Wortsippe. – Zu 'Scherz' wurde im 17. Jh. scherzhaft gebildet, zu 'scherzen' verscherzen „durch Scherzen vertun; leichtfertig, gedankenlos verlieren" (*mhd.* verscherzen). Siehe auch den Artikel Scherzo.

Scherzo s „Tonstück von heiterem Charakter": Im 18. Jh. aus gleichbed. *it.* scherzo (eigtl. „Spaß, Scherz") entlehnt, einer Abl. von *it.* scherzare „spaßen, scherzen". Quelle des Wortes ist *langob.* *skerzōn, das im Grunde mit unserem Zeitwort →scherzen identisch ist.

scheu: Das *mhd.* Adjektiv schiech „scheu, verzagt; abschreckend, häßlich" (noch *bayr., östr. mdal.* schiech), dem *aengl.* sceoh (*engl.* shy) „scheu" entspricht, hat sich im *Nhd.* lautlich an die Ableitungen Scheu und scheuen (s. u.) angeglichen. Es ist verwandt mit *niederl.* schuw und *schwed.* skygg „scheu". Die *außergerm.* Beziehungen sind unklar. Abl.: Scheu w (*mhd.* schiuhe „[Ab]scheu; Schreckbild"), dazu im 16. Jh. Abscheu „Widerwille" und abscheulich „abschreckend, schauderhaft"; scheuen (*mhd.* schiuhen „scheu machen; scheu sein, meiden", *ahd.* sciuhen; s. auch scheuchen, scheußlich, schüchtern), dazu Scheusal s (*spätmhd.* schiusel „Schreckbild, Vogelscheuche"; seit dem 18. Jh. für „grauenerregendes Wesen"); zu 'scheuen' gehört auch der Zus. Scheuklappe (am Kopfgeschirr des Pferdes, 19. Jh.; gern bildlich gebraucht).

scheuchen „verjagen, vertreiben": Das mit 'scheuen' (vgl. *scheu*) identische Verb hat den *mhd.* Hauchlaut fortgebildet und ist schriftsprachlich jetzt nur noch transitiv. Das Substantiv Scheuche w (meist in Vogelscheuche; s. Vogel) steht im entspr. Verhältnis zu →Scheu.

scheuern „(mit Bürste und Sand) reinigen; reiben": Das bes. *nordd.* Wort, *frühnhd.* schewren, *mhd.* (*mitteld.*) schiuren, schüren, *mnd.* schüren, ist nicht sicher erklärt. Vielleicht geht es über [m]niederl. schuren „reiben" auf *afrz.* escurer (*frz.* écurer) „reinigen" zurück, das auf gleichbed. *vlat.* *excūrāre beruht. Die Zus. ab-, durchscheuern bedeuten „zerreiben". *Nordd.* sind Scheuerfrau, -tuch u. a.

Scheune w: *Mhd.* schiun[e] geht zurück auf *ahd.* scugin[a],,Schuppen, Obdach". Das *germ.* Wort (vgl. *norw. mdal.* skygne „Hütte, Versteck") gehört zu der *idg.* Wz. *[s]keu- „bedecken, einhüllen, verbergen", vgl. z. B. *aind.* skunāti „bedeckt". Vielfach erweitert und weitergebildet erscheint die Wurzel vor allem in Substantiven der Bed. „Dach, Decke; Bedecktes; Haus; Hülse; hüllendes Kleidungsstück". Von *dt.* Wörtern stellen sich außer 'Scheune' hierher noch die Substantive →Schuh, →Schote, vielleicht auch →Schaum, ohne s-Anlaut die Wortgruppen um →Haus (mit Hose und Hort) und →Haut (mit Hode[n] und Hütte). Aus anderen *idg.* Sprachen ist bes *lat.* obscūrus „dunkel" (eigtl. „bedeckt") zu nennen (s. obskur). Als Bez. des Gebäudes für die eingebrachte Ernte ist 'Scheune' heute das vorherrschende *dt.* Wort, es hat das wurzelverwandte *südwestd.* Wort Scheuer (*mhd.* schiur[e], *ahd.* sciura) und oberd. mdal. Stadel zurückgedrängt. *Ugs.* steht es auch für „schlechtes, baufälliges Haus". Die *ugs.* Wendung 'fressen wie ein Scheunendrescher' begegnet seit dem 17. Jh.

scheußlich: Zu 'scheuen' (vgl. *scheu*) gehört eine *mhd.* Intensivbildung schiuzen „[Ab]scheu empfinden", dazu das Adjektiv *mhd.* schiuzlich, *frühnhd.* scheutzlich „scheu; abscheulich". Es wurde schon um 1500 unter Einfluß von Scheusal umgebildet zu scheuslich, scheußlich und bedeutet jetzt „garstig, grausig", *ugs.* auch „unangenehm, schlecht".

Schi, Ski m „Schneeschuh (als Sportgerät)": Um 1900 aus gleichbed. *norw.* ski (eigtl. „Scheit") entlehnt, das seinerseits *anord.* skīd „Scheit; Schneeschuh" fortsetzt (vgl. Scheit).

Schicht w: Die Geschichte des Wortes begann im 13. Jh. auf *niederd.* und *mitteld.* Boden und wurde entscheidend durch die Bergmannssprache beeinflußt. *Mnd., mitteld.* schicht bedeutete „Ordnung, Reihe, Abteilung von Menschen" und ist eine Abl. von *mnd.* schichten, schiften „ordnen, reihen, trennen, aufteilen" (entspr. *mniederl.* schichten, *niederl.* schiften, *engl.* to shift, *schwed.* skifta), das im Sinne von „scheiden, trennen", zu der unter →Schiene dargestellten Wurzel gehört. Zu *niederd.* – cht – statt *hochd.* –ft –

601

s. den Artikel Gracht. Bergmänn. bedeutete 'schicht' schon um 1300 sowohl „[waagerechte] Gesteinslage" wie „nach Stunden eingeteilte Arbeitszeit". Das erste lebt bei Geologen und Archäologen und in der allgemeinen Bed. „künstliche Lage von Steinen, Holz u. a. Stoffen" fort (übertr. z. B. in Bevölkerungsschicht), das zweite gilt bis heute im Bergbau und in der Industrie. Das Verb schichten (s. o.) wird heute als Abl. von 'Schicht' empfunden und bedeutet „in Schichten legen" (dazu auf-, unschichten). Echte Abl. ist -schichtig, z. B. in umschichtig „abwechselnd" (19. Jh.).

Schick m: Das Subst. wird seit der zweiten Hälfte des 19. Jh.s unter dem Einfluß von frz. chic für „[modische] Feinheit" gebraucht, ist aber urspr. eine Rückbildung aus →[sich] schicken (mnd. schick „Gestalt, Form; Lebensart, Brauch", frühnhd. schick „Art und Weise, Gelegenheit"). Vielleicht ist das frz. Subst. selbst aus dem Mnd. entlehnt. Es tritt im 19. Jh. auch als Adj. auf und ist in dieser Form als schick „modisch" eingedeutscht worden (ugs. gesteigert zu todschick). Dagegen ist schicklich „geziemend, angemessen" schon im 14. Jh. bezeugt (mitteld. schicklich „geordnet").

schicken: Das Verb nhd., mnd. schicken bedeutete „[ein]richten, ordnen, ins Werk setzen; abfertigen, entsenden", reflexiv „sich vorbereiten, sich einfügen". Es ist urspr. mitteld. und niederd. und gehört, wohl als Veranlassungswort, zu dem unter →geschehen behandelten Verb. Im Nhd. erinnern nur der reflexive Gebrauch (dazu sich anschicken), und die Ableitungen (s. u.) an die alte Bedeutungsfülle, sonst steht 'schicken' nur noch für „senden". Abl.: Geschick, geschickt, Schick (s. den Artikel); Schicksal s (im 16. Jh. übernommen aus niederl. schicksel „Anordnung; Fatum"); heute gewöhnlich im Sinne des leidvollen Schickung gebraucht oder als Ersatz für 'göttliche Vorsehung'; - sal herrscht seit dem 18. Jh.; ähnlich Schickung w (spätmhd. schickunge „Anordnung, Einrichtung; göttliche Fügung").

schieben: Das gemeingerm. Verb mhd. schieben, ahd. scioban, got. (af)skiuban, engl. to shove, norw. skyve geht mit verwandten baltoslaw. Wörtern, z. B. lit. skùbti „eilen", auf die idg. Wurzelform *skeub[h]- „dahinschießen; werfen, schieben" zurück (vgl. schießen). Verwandt sind die unter →Schaufel und →Schippe behandelten Gerätenamen. Zu 'schieben' gehört die Substantivbildung →Schub. In substantiv. Zus. steht Schiebe- (z. B. Schiebedach) neben häufigerem Schub-. Abl.: Geschiebe s „durch Wasser oder Eis verschobene Steinbrocken" (im 17. Jh. bergmänn.); Schieber m (im 18. Jh. für „Schiebegerät, Schiebverschluß"; als Bezeichnung des gewinnsüchtigen [Zwischen]händlers zuerst um 1900 unter Ein-

wirkung der Gaunersprache, wie entsprechendes Schiebung w „Betrug" und die Wendung '[Waren] schieben' „fragwürdige Geschäfte machen").

Schiedsrichter m: Das heute bes. im Sport gebräuchliche Wort bezeichnete urspr. dasselbe wie Schiedsmann: einen ehrenamtlich bestellten Vermittler in privaten Streitigkeiten. Älter nhd. Schiderichter steht neben dem schon nhd. schideman. Das Bestimmungswort mhd. schit, schiet „[Ent]scheidung" (zu alten Nebenformen des unter →scheiden behandelten Verbs) lebt auch in der Abl. schiedlich (mhd. schidelich; heute nur noch in 'schiedlich und friedlich').

schief: Das Adjektiv tritt in dieser Form im 13. Jh. auf und hat sich schriftsprachl. erst in neuerer Zeit durchgesetzt. Mdal. gilt scheib, scheif (mnd. schêf, entspr. aengl. scâf, schwed. skev), andersgebildet südwestd. schepp (mhd. schep). Außergerm. sind z. B. lett. šķîbs „schief" und gr. skimbós „lahm" verwandt.

Schiefer m: Das in dünnen ebenen Platten brechende Gestein ist als „Abgespaltenes, Bruchstück" benannt worden. Mhd. schiver[e], ahd. scivaro „Stein-, Holzsplitter" entspricht engl. shiver „Splitter, Scheibe, Schiefer". Die Wörter gehören wie →Scheibe zu der unter →Schiene dargestellten idg. Wz. *skêi- „schneiden, spalten, trennen". Erst im Nhd. ist 'Schiefer' auf die heutige Bedeutung eingeschränkt worden (dafür spätmhd. schiferstein); im 17. Jh. erscheinen Zus. wie Schieferdach, -decker, -tafel. Abl.: schieferig (im 16. Jh. „splitterig", im 18. Jh. „schieferähnlich, -haltig"); schiefern „abblättern (mhd. schiveren „[zer]splittern").

schielen: Das westgerm. Verb mhd. schilhen, ahd. scilihen, mnd. schêlen, aengl. (be)scîelan (ähnlich aisl. skelgja „schielend machen") ist von dem unter →scheel behandelten Adjektiv abgeleitet. An die heute veraltete Bed. „in mehreren Farben spielen" knüpft die Intensivbildung →schillern an.

Schienbein s: Als Bez. für den vorderen Knochen des Unterschenkels treten neben mhd. schine, ahd. scina, aengl. scinu (eigtl. „spanförmiger Knochen"; vgl. Schiene) die Zusammensetzungen mhd. schinebein, niederl. scheenbeen, aengl. scinebân, engl. shinbone auf. In ihnen wird das einfache Wort durch das Subst. →Bein „Knochen" verdeutlicht. Nhd. Schienbein hat sich wegen des abweichenden Sinns von 'Schiene' als alleinige Bezeichnung durchgesetzt.

Schiene w: Das germ. Wort hat erst durch die technische Entwicklung seit dem 18. Jh. seine heutige Hauptbedeutung „Eisenbahn-, Straßenbahnschiene" bekommen (die ersten Schienen dieser Art gab es im Harzer Bergbau um 1750). Mhd. schine, ahd. scina bezeichnete wie heute noch niederl. scheen, *engl.* shin das →Schienbein. Diese und andere Bedeutungen wie „Nadel" (*ahd.*), „[Knochen]schlittschuh" (*schwed. mdal.* skener), „Holzleiste, Metallstreifen" (*mhd., nhd.*, s. u.) führen auf eine Grundbed. „schmales, abgespaltenes Stück, Span". Das Substantiv gehört mit verwandten Wörtern in anderen *idg.* Sprachen zu der vielfach weitergebildeten und erweiterten Wz. *skēi- „schneiden, spalten, trennen", vgl. z. B. *lat.* scindere „spalten" (s. Abszisse) und *gr.* schízein „spalten, trennen". Im *germ.* Sprachbereich stellen sich die unter →scheiden (mit Scheit, Scheitel usw.) und →schütter (eigtl. „zersplittert") behandelten Wörter zu dieser Wurzel. Nominalbildungen, die von der konkreten Grundbedeutung der Wurzel, ausgehen, sind die unter →Scheibe (eigtl. „abgeschnittene Platte"), →Schiefer (eigtl. „Bruchstück") und →Schiff (eigtl. „ausgehöhlter Baum") behandelten Wörter. Übertr. hat sich einerseits der Begriff „,[geistig] unterscheiden, ordnen" entwickelt (z. B. in *lat.* scīre „erfahren haben, wissen", in →¹schier „beinahe" (eigtl. „nicht trennend, unterscheidend") und in →Schicht (eigtl. „Geordnetes"), andererseits der von „auseinander, absondern" (s. scheißen). – 'Schiene' bedeutet in vielen techn. Ausdrücken noch „Leiste", so in der Zus. Reißschiene „Zeichenlineal" (18. Jh.). Das abgeleitete Verb schienen (von Knochenbrüchen) gilt als medizin. Fachwort seit dem 17. Jh.

¹schier „beinahe": Das heutige Adverb geht über *mhd.* schiere „bald" zurück auf *ahd.* scēro, scioro „schnell, sofort", das eine Adverbialbildung zu dem *ahd.* Adjektiv scēri „scharf, schnell im Aufspüren (vom Jagdhund)" ist. Dieses Adjektiv gehört zu der unter →Schiene behandelten Wz. *skēi-„schneiden, spalten, trennen; unterscheiden". Seine Grundbedeutung ist demnach etwa „leicht trennend, leicht unterscheidend". Die heutige Bedeutung tritt seit dem 15. Jh. auf.

²schier „lauter, rein": Das *gemeingerm.* Adjektiv *mhd.* schīr „lauter, hell", *got.* skeirs „klar, deutlich", *engl.* sheer „rein, lauter", *schwed.* skir „klar, rein" gehört zu der unter →scheinen dargestellten Wortgruppe. Ablautend ist z. B. *schwed.* skär „hellrot, rosig" verwandt. 'Schier' ist in *niederd.* Form (*mnd.* schīr) bereits in *mhd.* Zeit ins *Hochd.* übernommen worden. Die heutige Verwendung bezieht sich nicht mehr auf Farb- oder Lichteindrücke, sondern auf die Unvermischtheit (schieres Fleisch, schiere Butter).

Schierling *m*: Der Name der Giftpflanze (*mhd.* scherlinc, schirlinc, *ahd.* scer[i]linc) geht auf älter bezeugtes *ahd.*, *asächs.* scerning zurück und gehört wahrscheinlich zu einem im *Hochd.* untergegangenen Wort für „Mist" (*mnd.* scharn; vgl. *Harn*). beachte *niederd. mdal.* Scharnpīpen, *dän.* skarntyde

„Schierling", eigtl. „Mistpfeifen, Misttute". Die Pflanze wächst vorwiegend bei Düngerhaufen und in wucherndem Gras.

schießen: Das *gemeingerm.* Verb *mhd.* schiezen, *ahd.* sciozan, *krimgot.* schieten, *engl.* to shoot, *schwed.* skjuta gehört mit verwandten Wörtern in andern *idg.* Sprachen, z. B. *russ.* kidát' „werfen", zu der nur erweitert bezeugten *idg.* Wz. *[s]kēu- „treiben, jagen, eilen", zu der sich auch die unter →schieben behandelten Wörter stellen. Das *dt.* Verb schießen bezeichnet konkret und übertr. schnellstes Bewegen in vielerlei Arten. Zu der heute veralt. Bed. „emporragen, vorspringen" s. die Artikel ¹Schoß, Geschoß und Überschuß. In der Bed. „Geld beisteuern" gelten jetzt nur Zus. wie vor-, zu-, beischießen (dazu im 18. Jh. Vor- und Zuschuß). Eine große Zahl von Nominalbildungen hat 'schießen' hervorgebracht. Eine bereits *altgerm.* Substantivbildung ist Schuß (*mhd.* schuz, *ahd.* scuz; vgl. *niederl.* scheut, *aengl.* scyte und *aisl.* skuter „vorspringender Schiffssteven"; beachte auch die Kollektivbildung →Geschütz). Als alte Personenbezeichnung gilt bis heute →Schütze. Aber auch →¹Schoß „Pflanzentrieb, Schößling" und →Geschoß „was schießt oder geschossen wird" zählen dazu.

Schiff *s*: Das *gemeingerm.* Wort bedeutete – wie auch →Boot und →Nachen – urspr. „ausgehöhlter Stamm, Einbaum". *Mhd.* schif, *ahd.* scif, *got.* skip, *engl.* ship, *schwed.* skepp gehören zu der unter →Schiene behandelten *idg.* Wz. *skēi- „schneiden, trennen". Schon im *Ahd.* bedeutete das Wort auch „Gefäß", wie es heute noch das Wasserschiff am Herd (urspr. ein fußloses, in die heiße Asche gestelltes Gefäß) bezeichnet. Im Sinne von „Langhaus der Kirche" (16. Jh., dazu Mittel-, Seiten-, Querschiff usw.) ist es Bedeutungslehnwort nach *mlat.* nāvis. Abl.: ¹schiffen veralt. für „zu Wasser fahren" (nur noch in verschiffen, sich einschiffen, bildl. in 'Klippen, d. h. Schwierigkeiten umschiffen'; dem *mhd.* schiffen entspricht *mnd.* schēpen, das auch wie *aengl.* scipian „einschiffen; ausladen" bedeutet; dazu schiffbar (17. Jh.); ²schiffen derb *ugs.* für „harnen" (im 18. Jh. stud., zu Schiff „Gefäß", das stud. „Nachtgeschirr" bedeutet); Schiffer *m* „Schiffsführer" (15. Jh.).Zus.:Schiffbruch(*spätmhd.* schifbruch).

Schikane *w* „Schurigelei, Bosheit, böswillig bereitete Schwierigkeit": Im ausgehenden 17. Jh. aus *frz.* chicane „Spitzfindigkeit, Rechtsverdrehung, Schikane" entlehnt, dessen weitere Herkunft dunkel ist. – Dazu: schikanieren „Schikane bereiten, quälen" (Anfang 18. Jh.; aus gleichbed. *frz.* chicaner).

Schild *m* (in der Bed. „Aushängeschild" *s*): Die *gemeingerm.* Bezeichnung der alten

Schutzwaffe (*mhd.* schilt, *ahd.* scilt, *got.* skildus, *engl.* shield, *schwed.* sköld) gehört im Sinne von „Abgespaltenes" zu der *idg.* Wz. *[s]kel- „schneiden, zerspalten, aufreißen", vgl. z. B. *aist.* skilja „spalten, scheiden", *aengl.* scielian „trennen" und außerhalb des *Germ.* z. B. *lit.* skélti „spalten", skiltis „abgeschnittene Scheibe". Die Schilde der Germanen waren nach römischem Zeugnis aus Brettern hergestellt. Auf die vielfach weitergebildete und erweiterte Wurzel gehen zahlreiche *germ.* und *außergerm.* Wörter zurück, die auch im *Dt.* fortleben. Mit der Grundbed. „Ab- oder Ausgeschnittenes" gehören dazu bes. die unter → ¹Schale „Schüssel", → ²Schale „Hülse" und unter → ¹Scholle behandelten Wörter, weiter das *nord.-engl.* FW →Skalp. Gerätenamen mit der Grundbed. „abgeschnittenes Stück, Handhabe" sind z.B. Helm „[Axt]stiel" (in → Hellebarde), → ¹Holm „waagrechtes Holz" und → ¹Halfter „Zaum", aber auch → Schulter (eigtl. „tierisches Schulterblatt als Grabwerkzeug"). Von der Grundbed. „schneiden" gehen u. a. die *lat.* Verben scalpere, sculpere „kratzen, schneiden, meißeln" (s. die FW Skalpell und Skulptur) und das *dt.* Adjektiv → *halb* (eigtl. „durchgeschnitten") aus, weiter die Wortgruppe um → verschleißen „abnutzen". Auch das unter → schallen behandelte Verb gehört wohl hierher. Nicht klar abzutrennen ist schließlich die unter → Holz dargestellte Sippe der Wz. *kel- „schlagen, stoßen". – Seit der Ritterzeit trug der Schild das aufgemalte (daher → schildern) farbige Erkennungszeichen seines Besitzers, das Wappen (s. d.). Dazu gehört die Wendung „etwas [Böses] im Schilde führen" für „im Sinn haben" (aus dem Wappen erkannte man, ob Freund oder Feind sich nahte). Als Erkennungszeichen wurde der Schild auch Amts- und Hauszeichen (Wirtshausschild, später Firmen- oder Namensschild; danach übertr. das Etikett auf Heften, Behältern usw.). Bes. in dieser Bedeutung ist seit dem 18. Jh. neutrales Geschlecht üblich. Zus.: Schildbürger (16. Jh.; urspr. wohl „mit Schild bewaffneter Bürger", s. Spießbürger unter → ²Spieß, dann auf die Einwohner des sächs. Städtchens Schilda[u] bezogen, die Helden eines bekannten Schwankbuches des 16. Jh.s); Schilddrüse (am Schildknorpel des Kehlkopfs; um 1800); Schildkröte (*mhd.* schildkrote, nach ihrem Schutzpanzer; gleichbed. *niederd., niederl.* schildpad [zu *niederd.* padde „Kröte"] ergab im 18. Jh. *nhd.* Schildpatt s „Hornplatte einer Seeschildkröte"; der Name des Tieres wurde auf seinen Rückenpanzer übertragen); Schildwache (*mhd.* schiltwache, -waht[e] „Wacht in voller Rüstung", *frühnhd.* auf die Wachmannschaft bezogen, später für „Wachtposten"); dazu gehört Schilderhaus (17. Jh., gebildet mit dem damals

soldatensprachlichen Verb schildern „Schildwache stehen"). Beachte auch den Artikel Schilling.

schildern: *Mnd., niederl.* schilderen „malen, anstreichen" (16. Jh.) bezeichnete urspr. die Tätigkeit des Wappenmalers (*mhd.* schiltære, *mnd.* schilder, zu → *Schild*). Seit dem 18. Jh. erscheint es *hochd.* für „beschreiben, ausführlich darstellen" (beachte noch die Wendung 'in lebhaften Farben schildern'). Abl.: S c h i l d e r u n g *w* (im 18. Jh. für „Darstellung", vorher wie älteres S c h i l d e r e i *w, niederl.* schilderij, für „Gemälde").

Schilf *s*: Die bes. *mitteld.* Bezeichnung des Wassergrases (sonst Rohr, Ried, auch Binse genannt) ist früh aus dem *Lat.* entlehnt worden: *Mhd.* schilf, *ahd.* sciluf gehen auf *lat.* scirpus „Binse" zurück, wobei ähnlich wie in den LW Maulbeere und Pflaume r zu l gewandelt wurde. Den Anlaß zur Entlehnung mögen die römischen Flechtarbeiten aus Binsen gegeben haben.

schillern: Das erst im 15. Jh. bezeugte Verb ist eine Intensivbildung zu dem unter → schielen behandelten Verb in dessen früherer Nebenbed. „in mehreren Farben spielen".

Schilling *m*: Der heute noch in Österreich und England gebräuchliche, im Mittelalter weit verbreitete Münzname ist *gemeingerm.*: *mhd.* schillinc, *ahd.* schilling, *got.* skilliggs, *engl.* shilling, *schwed.* skilling. Das Wort ist nicht sicher erklärt. Im *Got.* bezeichnete es die röm. Goldmünze (solidus), die auch als Schmuck getragen wurde. Vielleicht ist *germ.* *skildulingaz „Schildartiges" (vgl. *Schild*) eine LÜ von *lat.* clipeolus „kleiner Schild, Medaillon".

Schimmel *m*: Die Bezeichnung des Pilzbelages *mhd.* schimel (auf die *mhd.* Form hat das verwandte schîme „Glanz" eingewirkt) gehört zu der unter → *scheinen* behandelten Wortsippe. Erst im 15. Jh. erhielt 'Schimmel' den Sinn „weißes Pferd", nachdem ältere Fügungen wie schemeliges perd, *mhd.* schimel pfert vorausgegangen waren. Das Tier wurde urspr. wohl scherzhaft als „schimmelfarben" bezeichnet. Siehe auch Amtsschimmel. Abl.: s c h i m m e l n (*mhd.* schimelen, *ahd.* scimbalōn); s c h i m m l i g (*mhd.* schimelec, *ahd.* scimbalag).

schimmern: *Mnd.* schēmeren, *mitteld.* schemmern (15. Jh.) ist eine Intensivbildung zu gleichzeitigem *mitteld.* schemen „blinken", das durch Luther schriftsprachlich wurde. Es gehört wie gleichbed. *engl.* to shimmer zur Sippe von → *scheinen* (s. auch Schemen). Rückbildung zum Verb ist S c h i m m e r *m* (18. Jh.).

Schimpanse *m*: Der Name jener dem Menschen entwicklungsgeschichtlich am nächsten stehenden Menschenaffengattung Äquatorialafrikas entstammt einer afrikanischen Eingeborenensprache.

Schimpf *m*: Das auf das *dt.* und *niederl.* Sprachgebiet beschränkte Subst. hat wie das zugehörige Verb s c h i m p f e n keine sicheren *außergerm.* Beziehungen. *Mhd.* schimph, *ahd.* scimph bedeutet „Scherz, Kurzweil, Kampfspiel", *mhd.* schimphen, *ahd.* scimphen „scherzen, spielen, verspotten". Noch im 18. Jh. steht 'Schimpf und Ernst' für „Scherz und Ernst", aber schon seit *frühnhd.* Zeit wird 'Schimpf' aus dieser Bedeutung durch die Wörter 'Scherz' und 'Spaß' verdrängt und entwickelte über „Spott, Hohn" (so *niederl.* schimp) den heutigen Sinn „Ehrenkränkung, Schmach" ('jemandem einen Schimpf antun'); dazu im 18. Jh. die Formel 'mit Schimpf und Schande'. Das Verb steht *nhd.* meist als kräftiges Wort für „schelten". Abl. s c h i m p f - l i c h (im 17. Jh. „schmachvoll"; *mhd.* schimphlich bedeutete „kurzweilig, scherzhaft, spöttisch").

Schindel *w*: Das Wort *mhd.* schindel, *ahd.* scindula, *aengl.* scindel „Holzbrettchen als Dach- und Wandbedeckung" ist (mit andern Fachwörtern des römischen Hausbaus wie Mauer, Pfosten, Ziegel) aus *lat.* scindula „[Dach]schindel" entlehnt worden. Abl.: s c h i n d e l n „mit Schindeln machen, mit Schindeln decken" (17. Jh.; aber schon im 16. Jh. im jetzt veralt. chirurg. Sinn „ein gebrochenes Glied mit Schindeln schienen").

schinden: Das nur *dt.* Verb *mhd.* schinden, *ahd.* scinten „enthäuten, schälen" ist abgeleitet von einem *germ.* Subst. mit der Bed. „Haut", das in *mhd.* schint „Obstschale", in *aisl.* skinn „Haut, Fell" (daraus gleichbed. *engl.* skin) und wohl auch in *niederd.* S c h i n - n e n *Mehrz.* „Schuppen im Haar" (*mnd.* schin „Schorf") erhalten ist. Diese *germ.* Wortgruppe ist verwandt mit der *kelt.* Sippe von *bret.* skant „Schuppen". Seine starke Flexion hat 'schinden' erst im *Mhd.* entwickelt. Es bezeichnet im eigtl. Sinn das Abhäuten gefallener Tiere (s. u. Schinder). Schon *mhd.* bedeutete es übertr. „ausrauben, mißhandeln, quälen" (dazu Leuteschin - d e r, 16. Jh.), woraus über „erpressen" die *ugs.* (stud.) Bed. „nicht bezahlen" wurde: 'eine Vorlesung, das Fahrgeld schinden' (19. Jh.). Abl.: S c h i n d e r *m* „Abdecker" (*mhd.* schindære), S c h u n d (s. d.). Zus.: S c h i n d l u d e r (im 18. Jh. *niederd.* für „gefallenes Vieh, das geschunden wird"; zum zweiten Bestandteil vgl. *Luder*; dazu im 19. Jh. die Wendung 'mit etwas, jemandem Schindluder spielen oder treiben' für „verächtlich behandeln"; S c h i n d m ä h r e „altes Pferd" (17. Jh.; zum zweiten Bestandteil vgl. *Mähre*).

Schinken *m*: Das Substantiv bezeichnete urspr. das menschliche und tierische Bein. *Mhd.* schinke „Knochenröhre, Schenkel,

Schinken", *ahd.* scinco „Knochenröhre, Schenkel" (daneben *aengl.* ge-scincio „Nierenfett") gehören wie das ablautend verwandte → Schenkel zu der unter → *schenken* dargestellten *idg.* Wz. *[s]keng- „schief, krumm", bezeichnen also einen krummen oder gekrümmten Körperteil (vgl. z. B. *gr.* skélos „Schenkel" neben skoliós „krumm"). Übertr. bedeutet 'Schinken' seit dem 18. Jh. (zuerst stud.) „altes, dickes Buch" (in Schweinsleder), jetzt *ugs.* auch „schlechtes Ölbild".

Schippe *w*: Die *nordd.* und *westd.* Bezeichnung der Schaufel gehört wie „Schaufel" selbst (s. d.) zur Sippe von → *schieben*, genauer zu der Intensivbildung s c h u p f e n (*mhd.* schupfen) „schnell und heftig schieben". *Mnd.*, *mitteld.* schüppe (16. Jh.) ist bes. in der entrundeten Form mit i weit ins *südwestd.* Gebiet eingedrungen. Beachte die *ugs.* Wendung 'jemanden auf die Schippe nehmen' „aufziehen, verspotten". Dasselbe Wort ist S c h i p p e n *s* als *dt.* Bezeichnung der Spielkartenfarbe → ¹Pik (im 17. Jh. Schüppen, eigtl. Mehrz.). Abl.: s c h i p p e n „mit der Schippe [be]arbeiten" (17. Jh.).

Schirm *m*: Das Substantiv *mhd.* schirm, *ahd.* scirm, *mnd.*, *niederl.* scherm bezeichnete urspr. den Schild des Kämpfers, das heißt eigtl. wohl den Fellüberzug des Schildes, und ist somit wie *aind.* cárman-„Fell, Haut" und *lat.* corium, scortum „Leder" zur Sippe von → ¹*scheren* zu stellen. Übertr. bezeichnete das Substantiv schon früh die Kunst des Parierens (s. u. schirmen) und entwickelte allgemein den Begriff des militär. und rechtl. Schutzes, wie er in der Formel 'Schutz und Schirm' (16. Jh.) und in S c h i r m h e r r „Protektor" (16. Jh.) deutlich wird. Anders als diese Ausdrücke der gehobenen Sprache ist 'Schirm' als „Schutzvorrichtung" allgemein verbreitet in Zus. wie Ofen-, Lampen-, Mützenschirm, während das einfache Wort heute meist den Regen- oder Sonnenschirm meint. Nach dessen Gestalt ist der Fall - s c h i r m (s. d.) ebenso benannt wie der S c h i r m p i l z oder Parasol (19. Jh.). Abl.: s c h i r m e n (*mhd.* schirmen, *ahd.* scirmen „schützen, verteidigen, [mit dem Schild] parieren"; im *Dt.* sind heute a b s c h i r m e n [20. Jh., auch technisch] und b e s c h i r m e n [*mhd.* beschirmen, *ahd.* biscirman] häufiger).

schirren: Das *dt.* Verb erscheint im 17. Jh. als Bildung zu → *Geschirr* in seiner Bed. „Bespannung". Üblicher sind die Zus. an-, ab-, ausschirren. Der S c h i r r m e i s t e r (im 15. Jh. schirremeister) ist der Geräteverwalter, bes. im Pferdestall. Als Bezeichnung eines Troßunteroffiziers wurde es im 20. Jh. wieder eingeführt.

Schlacht *w*: *Mhd.* slaht[e], *ahd.* slahta „Tötung" ist eine Bildung zu dem unter → *schlagen* behandelten Verb, mit der *aisl.* slátta „Mahd, Mähzeit", andersgebildet *aengl.* slieht „Schlag, Tötung, Kampf", und

605

got. slaúhts „das Schlachten" nahe verwandt sind. Die heutige Bed. „Kampf zwischen Heeren" tritt erst im 16. Jh. auf (dazu *nhd.* Feld-, Seeschlacht und junge Bildungen wie Abwehrschlacht). Abl.: schlachten (*mhd.* slahten, *ahd.* slahtōn „[Vieh] töten", übertr. auch vom Hinmetzeln von Menschen), dazu *nordd.* Schlachter *m*, *mitteld.* Schlächter *m* „Fleischer" (*mhd.* vleischslahter, -slehter, *ahd.* slahtari) und die Zus. ausschlachten (*nordd.*, eigtl. „ein Schwein zerlegen", übertr. abschätzig für „etwas für seine Zwecke ausnutzen").

Schlacke *w*: *Mnd.* slagge „unreiner Abfall beim Erzschmelzen" wurde im 16. Jh. in der Form schlacke[n] ins *Hochd.* übernommen. Es bezeichnete urspr. den Abfall beim Schmieden und gehört zu dem unter →*schlagen* behandelten Verb. Übertr. wird es bes. medizinisch für Rückstände des Stoffwechsels (Körper-, Blutschlacken) gebraucht.

Schlaf *m*: Das *altgerm.* Subst. *mhd.*, *ahd.* slāf, *got.* slēps, *niederl.* slaap, *engl.* sleep stellt sich zu dem Verb schlafen: *mhd.* slāfen, *ahd.* slāf[f]an, *got.* slēpan, *niederl.* slapen, *engl.* to sleep. Dieses Verb bedeutet eigtl. „schlapp, matt werden" und ist mit dem Adj. →schlaff verwandt, beachte das zu 'Schlaf' gehörende *aisl.* slāpr „träger Mensch". Die zugrunde liegende *idg.* Wz. *[s]lēb-, *[s]lāb- „schlaff [herabhängend]" hat sich bes. im *Germ.* reich entwickelt. Im *dt.* Wortschatz stellen sich zu ihr z. B. die Wörter →Lappen „herabhängendes Zeugstück", →Lippe (eigtl. „Herabhängendes", andersgebildet *oberd.* →Lefze), mit übertr. Sinn →läppisch und wohl auch →Laffe und →labberig. Außerhalb des *Germ.* ist bes. die unter →labil dargestellte Wortgruppe zu *lat.* lābī „wanken, schwanken" und *lat.* lābor „Mühe, Last, Arbeit" zu nennen. Auf einer nasalierten Wurzelform beruhen *aind.* lámbatē „hängt herab", *lat.* limbus „Kleidersaum" und bes. Bildungen wie *dt.* →Lump, →Lumpen, →glimpflich (eigtl. „schlaff, locker") und wohl auch →Schlamm (eigtl. „träge Masse"). Schließlich gibt es eine Reihe einzelsprachlicher Bildungen, die ausdrucksbetont oder schallmalend sind und sich von den genannten Wörtern nicht scharf trennen lassen, z. B. *dt.* →Schlappe „Niederlage" und →schlemmen „prassen". – Sonderbedeutungen haben die Präfixbildungen beschlafen (*mhd.* beslāfen „beschlafen", *frühnhd.* auch „bis zum nächsten Tag überdenken") und entschlafen (*mhd.* entslāfen, *ahd.* intslāfan „einschlafen", jetzt nur Hüllwort für „sterben"). Zum Verb gehören als Abl.: Schläfer *m* (*mhd.* slaffære); schläfern (nur in 'mich schläfert', *mih* slāfert, zu *slāfern*, *ahd.* slāfarōn „schlafen wollen"), dazu einschläfern (im 17. Jh. neben älterem einschläfen, entspr. *mhd.* entslæfen) und schläfrig (*mhd.* slāferic,

ahd. slāfarag; mit anderer Bed. zweischläfrig, -schläfig „2 Schläfer fassend", 18. Jh.). Zum Subst. Schlaf gehören vor allem die Körperteilbezeichnung →Schläfe und die Zus. Beischlaf (15. Jh.). Offen bleibt die Zuordnung zu Verb oder Subst. bei Zus. wie Schlafmütze (17. Jh.; schon im 18. Jh. übertr. gebraucht) und Schlafrock (*spätmhd.* slāfrock).

Schläfe *w*: Die Bez. der Stirnseite (älter *nhd.* Schlaf *m*) *mhd.*, *ahd.* slāf, *niederl.* slaap ist urspr. dasselb Wort wie →*Schlaf*. Erst seit dem 18. Jh. wird die *nhd.* Mehrz. Schläfe als Einzahl gebraucht. Die Stelle ist so benannt, weil der Schlafende darauf liegt.

schlaff: Das Adjektiv *mhd.*, *ahd.* slaf „kraftlos, träge", *mnd.* slap (daraus → schlapp), *niederl.* slap gehört zu der unter →*Schlaf* dargestellten Wortgruppe. Im *germ.* Sprachbereich ist z. B. verwandt *schwed.* slapp „schlaff, schlapp", *außergerm.* z. B. *russ.* slábyj „schwach, matt". Abl.: erschlaffen (18. Jh.; *mhd.* nicht belegt, *ahd.* arslafēn).

Schlag *m*: Das *gemeingerm.* Substantivbildung zu →*schlagen* (*mhd.* slac, *ahd.* slag, *got.* slahs, *engl.* slay, *schwed.* slag) folgt in ihren Bedeutungen dem Verb. Zur eigentl. Bed. gehören die *nhd.* Wendungen 'Schlag auf Schlag' für „schnell hintereinander" (dafür *mhd.* slage slacs) und 'mit einem Schlage' für „plötzlich" (ähnlich schlagartig; 19. Jh.). Für eine zuschlagende oder Falltür steht das Substantiv in Wagen-, Taubenschlag. Als Krankheitsname ist 'Schlag' eine schon *mhd.* Lehnübertragung für *gr.-lat.* apoplexia (dazu im 17. Jh. Schlagfluß, um 19. Jh. Schlaganfall). Die Bed. „Art" (z. B. in Pferde-, Menschenschlag) ist wohl erst vom Münzschlag her übertragen worden (*mhd.* slach „was auf einmal gemünzt wird"; Art, Gattung").

schlagen: Das *gemeingerm.* Verb lautet *mhd.* slahen, slā[he]n, *ahd.*, *got.* slahan, *engl.* to slay, *schwed.* slā. Das *Nhd.* hat den Stammauslaut des Präteritums (*mhd.* sluoc, geslagen) verallgemeinert, doch erinnern an die alten Abl. →Schlacht, →Geschlecht und →ungeschlacht an die urspr. Form. Außerhalb des *Germ.* zeigt nur das *Irische* verwandte Wörter, z. B. *mir.* slachta „geschlagen", slacc „Schwert". Das Schlagen als eine Grundform menschlicher Tätigkeit bleibt auch in dem reich entwickelten übertragenen Gebrauch des Verbs meist erkennbar. Eine Sonderbed. „in bestimmte Richtung gehen; arten" zeigt sich schon früh in den Wörtern Geschlecht und ungeschlacht (s. u.), heute bes. in ein- und umschlagen (s. u.) und in Wendungen wie 'in ein Fach schlagen', 'aus der Art schlagen'. Abl.: Schlacke (s. d.); Schlag (s. d.); Schlager *m* „erfolgreiches Lied" (um 1880 *wienerisch*, wohl nach dem zündenden Blitzschlag); Schläger *m* (in Zus. *mhd.* -sleger, *ahd.* -slagari) „schlagende Person";

nhd. seit dem 18. Jh. für „Raufbold"; seit dem 18. Jh. auch Bez. der stud. Hiebwaffe); Schlegel (s. d.). An verbalen Zus. mit übertr. Bedeutung seien genannt: abschlagen (*mhd.* abeslahen, *ahd.* abaslahan; für „verweigern" und „im Preis ermäßigen" schon *mhd.*), dazu abschlägig (16. Jh.) und Abschlag[s]zahlung (19. Jh.); anschlagen (*mhd.* aneslahen, *ahd.* anaslahan; *spätmhd.* für „ungefähr berechnen"), dazu im 19. Jh. gleichbed. veranschlagen und das Subst. Voranschlag; anders Anschlag „Attentat", das *frühnhd.* „Plan" bedeutet; aufschlagen (*mhd.* ûfslahen, in der Bed. „den Preis erhöhen" schon *mhd.*), dazu Aufschlag (*mhd.* ûfslac „Preiserhöhung"; im 17. Jh. für „umgeschlagener Teil der Kleidung"); ausschlagen (*mhd.* ûzslahen, *ahd.* ûzslahan; *spätmhd.* für „zurückweisen", eigtl. wohl „einen Fechthieb parieren"; in den *nhd.* Wendungen 'zum Nutzen oder Nachteil ausschlagen', 'den Ausschlag geben' ist urspr. der Ausschlag des Züngleins an der Waage gemeint; erst im 18. Jh. erscheint Ausschlag im medizin. Sinn (dafür *frühnhd.* außschlecht); einschlagen (*nhd.* mit der Bed. „einwickeln, in Papier schlagen", s. a. Umschlag); die Abl. einschlägig „in Betracht kommend, zugehörig" geht von der Sonderbed. „hineinreichen, -wirken" (18. Jh.) aus; überschlagen (*mhd.* überslahen, *ahd.* ubirslahan; *mhd.* für „schätzen", s. anschlagen); umschlagen (meist wie auf-, hin-, sich überschlagen für „stürzen" gebraucht, aber schon *mhd.* umbeslahen „sich ändern", eigtl. „in andere Richtung schlagen"; heute bes. von Wind und Wetter), dazu Umschlag (*mhd.* umbeslac „Wendung, Umkehr", *frühnhd.* für „[Brief]hülle; heilende Auflage"; in der kaufmänn. Bed. „Umsatz, Umladung von Waren" zuerst *mnd.* ummeslach „Tausch, Jahrmarkt"); unterschlagen (*mhd.* underslahen; *spätmhd.* für „beiseite legen, [unter etwas] verbergen", im 17. Jh. „rechtswidrig behalten"; vorschlagen (*mhd.* vürslahen; *ahd.* furislahan; die im *Nhd.* vorherrschende übertr. Bed. „anbieten, zur Entscheidung vorlegen" hat sich seit dem 16. Jh. aus allgemeinerem „vor Augen bringen, darlegen, vorhalten, zeigen" entwickelt), dazu Vorschlag „vorausgehender Schlag" (z. B. ein Verzierungston in der Musik, 18. Jh.), „Anerbieten, Rat" (16. Jh.; *mhd.* vürslac bedeutete „Sperrbefestigung; Voranschlag"). Von den Präfixbildungen zu 'schlagen' zeigen übertr. Sinn: ¹beschlagen (*mhd.* beslahen, *ahd.* bislahan „daraufschlagen; [schlagend] bedecken"; daher *nhd.* 'das Fenster beschlägt'), dazu Beschlag m „[Metall]auflage" (*mhd.* beslac) und *nhd.* Beschlagnahme w (schon *mnd.* beslän bedeutete „mit Beschlag belegen, einziehen"); das adj. Part. ²beschlagen „kenntnisreich" (17. Jh.) geht wohl vom gut beschlagenen Pferde aus;

¹verschlagen (*mhd.* verslahen, *ahd.* farslahan „erschlagen, abhauen; versperren"; im *Mhd.* u. a. übertr. für „[zu weit] wegtreiben" und „verstecken"), dazu Verschlag „[mit Brettern] abgesonderter, versperrter Raum" (18. Jh.) und das adj. Part. ²verschlagen „listig, durchtrieben" (16. Jh.; eigtl. wohl „versteckt", aber an 'schlagen' „prügeln" angelehnt; beachte die ähnl. Vorstellung bei 'verschmitzt'). Nominale Zus. sind z. B. schlagfertig (18. Jh., bes. militär. gebraucht); Schlaglicht (Malerwort des 18. Jh.s zur Bezeichnung eines scharf begrenzten Lichteinfalls; daher oft übertr. gebraucht); Schlagwort (im 18. Jh. „Stichwort des Schauspielers", später etwa „allgemein verbreitetes [scheinbar] treffendes Wort"), ähnlich Schlagzeile (in der Zeitung, 20. Jh.); Schlagzeug (im 20. Jh. für die Gruppe der „geschlagenen" Orchesterinstrumente: Trommel, Becken, Xylophon usw.). Siehe auch Schlafittchen unter *Fittich*.

Schlamassel *m* (auch: *s*) „Unglück; verfahrene Situation": In dem aus der Gaunersprache in die allgem. Umgangssprache gelangten Substantiv haben sich zwei Wörter miteinander vermischt, das *dt.* Adj.→*schlimm* und *jidd.* masol „Stern; Schicksal" (zuerst als *jüd.-dt.* schlimasel).

Schlamm *m*: Das erst von Luther ins *Hochd.* eingeführte Wort erscheint nach 1300 als *mitteld.* slam (Gen. slammes) „Kot", *mnd.* slam „Schmutz, Morast; Abfall beim Getreidemahlen". Es läßt sich mit den nasalierten Formen aus der Wortgruppe um →*schlaffen* verbinden, so daß als Grundbed. „schlaffe, weiche Masse" angesetzt werden kann. Abl.: schlämmen „von Schlamm reinigen; aufschwemmen" (im 14. Jh. *mitteld.* slemmen), dazu Schlämmkreide „gereinigtes Kreidepulver" (19. Jh.); schlammig (16. Jh.). Siehe den Artikel schlemmen.

Schlange *w*: Der Tiername *mhd.* slange, *ahd.* slango gehört ablautend zu dem unter →¹*schlingen* behandelten Verb in dessen Bedeutung „sich winden". Eine gewundene Linie heißt Schlangenlinie (16. Jh.; s. auch Serpentine), und schlängeln (17. Jh., seit dem 18. Jh. meist reflexiv) bezeichnet bildlich die schlangenartige Bewegung. In Wendungen und Redensarten ist das Bild der Schlange meist bildhaft beeinflußt ('falsche Schlange', 'klug wie die Schlangen'). Erst das 20. Jh. kennt den Ausdruck „Schlange stehen".

schlank: Das urspr. *nordd.* Adjektiv *mhd.* (*mitteld.*) slanc „mager", *mnd.* slank „biegsam", *niederl.* slank „schlank" gehört wie *mnd.*, *niederl.* slinken „dünner werden, einschrumpfen" zu der unter →¹*schlingen* behandelten Wortgruppe. Die Grundbed. „biegsam" wird z. B. in der Fügung 'schlank wie eine Tanne' deutlich. Abl.: Schlankheit *w* (17. Jh.). Zus.: schlankweg „ohne Umschweife" (19. Jh.).

schlapp: Die *niederd.* Entsprechung von →*schlaff* (*mnd., mitteld.* slap, 13. Jh.) wurde im 16. Jh. ins *Hochd.* übernommen und hat sich in neuerer Zeit bes. durch die Soldatensprache verbreitet (dazu *ugs.* schlappmachen „nicht mehr können, aufgeben"). Abl.: schlappen „lose sitzen" (*ugs.*, bes. von Schuhen; nicht klar von lautmalendem schlabben, schlabbern zu trennen); Schlappen *m* „Hausschuh" (meist *Mehrz.*; *niederd.* im 18. Jh.). Zus.: Schlapphut (17. Jh.; dafür *mhd.* slappe); Schlappschwanz *ugs.* für „Schwächling" (17. Jh.).

Schlappe *w* „[leichte] Niederlage": Das gefühlsmäßig meist zum Adj. schlapp gestellte Wort bedeutet eigtl. „Klaps, Ohrfeige" (so *frühnhd.* schlappe, *niederd.* slappe, entspr. *engl.* slap). Es gehört zum Schallwort schlapp! „patsch!" Die militär. Bedeutung ist seit dem 16. Jh. bezeugt.

Schlaraffe *m*: *Spätmhd.* slūr-affe, ein wie Maulaffe gebildetes Schimpfwort für den Faulenzer, enthält *mhd.* slūr „das Herumtreiben; träge oder leichtsinnige Person". In der Nebenform sluderaffe steckt schludern „liederlich arbeiten". Beide Formen gehören zur Sippe von →*schlummern*. *Frühnhd.* Schlau[d]raffe hat seit dem 17. Jh. durch Verlagerung des Tons (wie bei Forelle, lebendig) die heutige Form ergeben. Mit diesem Wort verband sich in Deutschland die verbreitete, schon antike Vorstellung von einem Märchenland voll guter Speisen. Es heißt zuerst bei Hans Sachs Schlauraffen-, später Schlaraffenland, das „Land der Schlemmer und Faulenzer".

schlau: Das *niederd.* Adjektiv slū „schlau" (*niederl.* sluw) ist im 16. Jh. ins *Hochd.* übernommen worden. *Mnd.* Zus. wie slū-hörer „Horcher", slū-betsch „hinterlistig" weisen auf eine Grundbed. „schleichend". Das Adjektiv gehört demnach ähnlich wie das unter →*Schlauch* behandelte Substantiv zu der unter →*schlüpfen* dargestellten Wortgruppe. Abl.: Schlauheit *w* (17. Jh.), dafür neuerdings gern Schläue *w* (um 1880, wohl nach Bläue gebildet). Zus.: Schlaukopf(18. Jh.); *ugs.* Schlauberger, -meier *m* (19. Jh.).

Schlauch *m*: Das Substantiv *mhd.* slūch „abgestreifte Schlangenhaut, Röhre, Schlauch" (*asächs.* slūk „Schlangenhaut") bedeutet eigtl. „Schlupfhülse" und gehört wie die andersgebildeten Wörter *engl.* slough „Schlangenhaut, Schorf" und *mnd.* slū „Fruchthülse, Schale" zu der unter →*schlüpfen* dargestellten Wortgruppe; siehe auch schlau. Schläuche zum Füllen der Weinfässer begegnen zuerst im 15. Jh., sie waren wohl aus Leder gebildet. Die mittelmeerisch-oriental. Verwendung ganzer Tierhäute als Weingefäße war schon früher vor allem aus der Bibel bekannt (daher ‚neuen Most in

alte Schläuche füllen'). Jung ist die Zus. Schlauchboot „aufblasbares Gummiboot" (20. Jh.). *Ugs.* schlauchen „scharf hernehmen", eigtl. „weichmachen wie einen Schlauch" ist ein Soldatenwort des ersten Weltkrieges.

Schlaufe *w*: Die *südwestd.* und *schweiz. mdal.* erhaltene ältere Form von →*Schleife* gilt in der Schriftsprache nur für Sonderbedeutungen wie „Lederring, feste Schlinge" (am Gürtel, Schistock usw.).

schlecht: Das *gemeingerm.* Adjektiv *mhd.*, *ahd.* sleht, *got.* slaihts, *aengl.* sliht, *schwed.* slät bedeutete urspr. „geglättet; glatt, eben". Es gehört zu dem unter →*schleichen* behandelten Verb in dessen Bedeutung „leise gleitend gehen". Außerhalb des *Germ.* sind z. B. *air.* sliachtad „das Glätten" und slige „Kamm" verwandt. In der alten Bedeutung ist 'schlecht' im *Nhd.* durch die Nebenform →schlicht abgelöst worden (s. a. schlichten), nachdem es seit dem 15. Jh. über „einfach" die Bed. „gering-, minderwertig" erreicht hatte. Heute ist es vor allem Gegenwort zu gut (s. d.), auch in moralischem Sinne. An die alte Bed. erinnern noch Zus. wie schlechthin „durchaus" (17. Jh.), schlechtweg „ohne Umstände" (im 14. Jh. slehtis weg, zum *mhd.* Adv. slehtes „gerade- [aus], einfach") und schlechterdings „durchaus" (im 17. Jh. schlechter Dinge; vgl. *Ding*). In der Fügung 'schlecht und recht', eigtl. „schlicht und richtig, so gut es geht", wird das Adjektiv meist im heutigen Sinn verstanden. Abl. Schlechtigkeit *w* (*spätmhd.* slehtecheit „Glätte, Ebene; Geradheit, Aufrichtigkeit"; im 17. Jh. für „Geringheit", heute für „böse Gesinnung oder Tat").

schlecken: *Spätmhd.* slecken „naschen" ist verwandt mit den unter → ²*lecken* genannten Wörtern und steht neben ähnlichen Bildungen wie *mhd.* slicken „schlingen, schlucken", *mnd.* slicken „lecken, naschen" und *aisl.* sleikja „lecken". Abl.: Schleckerei *w* (16. Jh.).

Schlegel *m*: Die *hochd.* Abl. zu →*schlagen* (*mhd.* slegel, *ahd.* slegil) bezeichnet vor allem *südd.* einen schweren, kurzen, auch keulenförmigen Hammer aus Eisen (Schmied, Maurer) oder Holz (Steinmetz, Böttcher), in der Schreibung Schlägel den Bergmannshammer. Ebenfalls in Süddeutschland heißt auch der Hinterschenkel von Schlachtvieh, Wild und Geflügel nach seiner Gestalt 'Schlegel' (*nordd.* Keule, s. d.).

Schlehe *w*: Die Frucht des Schwarzdorns gehört zu den wenigen Obstarten, die ihren *altgerm.* Namen im *Dt.* bewahrt haben. *Mhd.* slēhe, *ahd.* slēha, slēwa, *niederl.* slee, *engl.* sloe, *schwed.* slån beruhen mit verwandten *außergerm.* Wörtern, z. B. *russ.* sliva „Pflaume" (vgl. den aus dem *Slaw.* übernommenen Schnapsnamen Slibowitz), auf einer *idg.* Wz. *[s]lī- „bläulich", die auch in *lat.* līvēre „bläulich sein" und in *air.* lī „Farbe" (eigtl. „Bläue") erscheint. Die Schlehenfrucht heißt also nach ihrer blauen Farbe. Zus.: Schlehdorn „Schwarzdornstrauch" (15. Jh.). Siehe auch den Artikel Lein.

Schlei *w* oder *m*, Schleie *w*: Der karpfenartige Fisch ist nach seinen schleimigen Schuppen benannt. Das *westgerm.* Substantiv *mhd.* slīge, slīhe, *ahd.* slīo, *niederl.* slij, *aengl.* sliw gehört wie *aisl.* slȳ „schleimige Wasserpflanzen" zu der unter →*Leim* dargestellten Wortgruppe.

schleichen: Das starke Verb *mhd.* slīchen, *ahd.* slīhhan, *mnd.*, *mengl.* slīken „leise gleitend gehen" ist in andern *germ.* Sprachen nicht bezeugt. Es gehört mit →schlecht, schlicht (eigtl. „geglättet") und verwandten Wörtern anderer *idg.* Sprachen zu der unter →*Leim* dargestellten *idg.* Wz. *[s]lei- „feucht, schleimig, glitschig; gleiten, glätten". Die Grundbedeutung des Verbs ist demnach „gleiten". Abl.: Schleiche *w* (Kurzform für Blindschleiche, s. blind; seit dem 19. Jh. naturwiss. Bezeichnung einer Echsenfamilie); Schleicher *m* (*mhd.* slīchære); Schlich *ugs.* für „List, Kniff" (*mhd.* slich).

Schleier *m*: Das seit dem 13. Jh. zuerst in höfischen Kreisen gebrauchte Wort (*mhd.* sleier, sloi[g]er) ist unerklärt. Schon um 1300 wird es auf die Nonnenkleidung übertragen (daher 'den Schleier nehmen' für „ins Kloster gehen"). Heute ist der Schleier ein feines, durchsichtiges Gewebe (Braut-, Witwen-, Hutschleier). Abl.: schleierhaft (um 1900 *ugs.* für „unklar, rätselhaft"); verschleiern (18. Jh., oft übertr. für „verstecken, tarnen"). Zus.: Schleiereule (16. Jh.; nach dem weidmänn. Schleier genannten Federkranz um die Augen).

Schleife *w* „Schlinge, geknüpftes Band": Zu der unter →*schlüpfen* dargestellten Wortgruppe gehört das Veranlassungswort *mhd.*, *ahd.* sloufen „schlüpfen machen, an- und ausziehen", *got.* afslaupjan „abstreifen". Daraus abgeleitet ist *mhd.* sloufe (,,Schlupf, Hülle" (*ahd.* slouf), das *nhd.* z. T. als →Schlaufe fortlebt und über umgelautetes *frühnhd.* Schleuffe die von Luther vorgezogene entrundete Form 'Schleife' ergeben hat.

¹**schleifen** „schärfen": Das nur im *Dt.* und *Niederl.* bezeugte starke Verb *mhd.* slīfen, *ahd.* slīfan, *mnd.* slīpen, *niederl.* slijpen hat die Grundbed. „gleiten, glitschen", die sich im *Spätahd.* zu „glätten, schärfen" (durch Gleitenlassen auf dem Schleifstein) entwickelte. Es gehört mit seinem Veranlassungswort →²schleifen (dazu auch →schleppen) zu der unter →*Leim* dargestellten *idg.* Wz. *[s]lei- „schleimig, schlüpfrig; gleiten". Von einer Intensivbildung *ahd.* slipfen stammen

das unter →schlüpfrig behandelte Adjektiv und *mnd.*, *niederl.* slippen „gleiten" (daraus wohl *engl.* to slip; s. Slipper). Abl.: Schleifer *m* (z. B. Diamant-, Glas-, Scherenschleifer; *mhd.* slīfære); Schliff (*mhd.* slif; im 19. Jh. für „Bildung, gute Umgangsformen").

²**schleifen** „über den Boden ziehen": Als schwach flektiertes Veranlassungswort zu →¹*schleifen* „gleiten" bedeutete *mhd.*, *ahd.* slei[p]fen, *mnd.* slēpen „gleiten machen, schleppen" (s. auch schleppen). Schon *spätmhd.* erscheint die militär. Wendung 'eine Burg, Festung schleifen', d. h. „dem Erdboden gleichmachen".

Schleim *m*: Das *altgerm.* Wort *mhd.* slīm, *niederl.* slijm, *engl.* slime, *aisl.* slīm gehört mit *ahd.* slīmen „glatt machen" und verwandten Wörtern in andern *idg.* Sprachen (z. B. *gr.* leímāx, *russ.* slimák „Schnecke") zu der unter →*Leim* dargestellten Wortgruppe; s. auch Schlei. Die ältere Bed. ist „Schlamm, klebrige Flüssigkeit"; seit dem 17. Jh. ist das Wort vor allem auf medizin. Sprachgebrauch eingeschränkt worden. Abl.: schleimen „Schleim absetzen; von Schleim reinigen" (17. Jh.); schleimig (*mhd.* slīmic „klebrig, schlammig").

schlemmen: Das *spätmhd.* Verb slemmen „,[ver]prassen" (15. Jh.) ist eine wohl von →Schlamm beeinflußte Umbildung des gleichbed. lautmalenden *spätmhd.* slampen „schmatzen, schlürfen". Abl.: Schlemmer *m* (15. Jh.); Schlemmerei *w* (16. Jh.).

schlendern: Das im 17. Jh. aus *niederl.* slendern, slentern „gemächlich gehen" ins *Hochd.* aufgenommene und bes. von Studenten verbreitete Verb entspricht gleichbed. *niederl.* slenteren, *schwed. mdal.* slántra und ist Weiterbildung eines *germ.* Verbs, das in *norw. mdal.* slenta und *oberd. mdal.* slenzen „faulenzen, sich herumtreiben" erscheint. Die Wörter gehören wohl mit der Grundbed. „gleiten" zu der unter →²*schlingen* dargestellten Sippe. Dazu Schlendrian *m* „Schlamperei, hergebrachte Weise" (*humanist.* Bildung des 17. Jh.s, vielleicht mit *frühnhd.* jān „Arbeitsgang" als Grundwort).

schlenkern: *Spätmhd.* slenkern „schleudern" (zu *mhd.* slenker, slenger, *ahd.* slengira „Schleuder") gehört zu der unter →¹*schlingen* dargestellten Wortgruppe. Heute bedeutet es nur „wegschnellen, [die Arme] hin und her bewegen".

schleppen: *Mhd.* (*mitteld.*) slepen ist im 13. Jh. aus *mnd.* slēpen, das dem *hochd.* →²*schleifen* entspricht, übernommen worden. In dessen Bed. „am Boden hinziehen" gilt es im *Nhd.* nur begrenzt (z. B. 'ein Schiff oder Netze schleppen'). Die Hauptbed. ist „schwer tragen", reflexiv und im 1. Part. schleppend auch „langsam und mühselig gehen". Abl.: Schleppe *w* (am Kleid; im 17. Jh. aus *niederd.* slepe für älteres *hochd.* Schleife aufgenommen; entspr. *niederl.*

sleep); **Schlepper** *m* „Schleppdampfer" (im 19. Jh. nach gleichbed. *niederd.* Slepper; auch für „Traktor" und in der jungen Zus. **Sattelschlepper** „Zugmaschine für Lastwagen ohne Vorderachse"). Zus.: **Schlepptau** (im 19. Jh. seemänn.; dazu 'ins Schlepptau nehmen', *ugs.* für „behilflich sein" und das verkürzte 'in Schlepp nehmen', 19. Jh.).

schleudern: Das erst im 16. Jh. bezeugte Verb gehört mit den verwandten Bildungen schlottern, lottern und liederlich (s. d.) zu der unter →*schlummern* dargestellten *idg.* Wz. *[s]leu- „schlaff [herabhängend]". Als „billig losschlagen" erscheint [ver]schleudern seit dem 17. Jh. (dazu Schleuderpreis, -ware). Abl.: **Schleuder** *w* „Steinschleuder", (jetzt meist:) „Zentrifuge" *(frühnhd.* sleuder hat *mhd.* slinge, slenker, die älteren Bezeichnungen der Waffe, verdrängt).

schleunig: Das Adjektiv wird heute in der Grundstufe seltener gebraucht, häufiger ist das *ugs.* Adv. **schleunigst** „schnellstens". *Mhd.* sliunec „eilig", als Adv. sliune, sliume, geht zurück auf *ahd.* sliumo, älter sniumo „sofort" (n ist vor m zu l geworden). Verwandt sind die Verben *aengl.* snēowan, *got.* sniwan, sniumjan „eilen", *aisl.* snūa, *schwed.* sno „wenden, drehen; eilen". Die Bed. „schnell" scheint aus „[sich] schnell drehend" entwickelt zu sein (vgl. *nähen).* Abl.: **beschleunigen** (im 17. Jh. für „rasch fördern, wegschaffen", jetzt bes. als techn. und physikal. Fachwort für „die Geschwindigkeit erhöhen"), dazu **Beschleunigung** *w* (17. Jh.).

Schleuse *w* „Stauvorrichtung in fließenden Gewässern": Das im *Hochd.* seit dem 16. Jh. bezeugte Subst. geht über gleichbed. *niederl.* sluis *(mniederl.* slûse, sluise; daraus schon im 13. Jh. *mnd.* slûse) auf *afrz.* escluse (= *frz.* écluse) auf *mlat.* exclûsa, sclûsa „Schleuse, Wehr" zurück, eine Bildung zu *lat.* ex-clûdere „ausschließen; absondern; abhalten" (vgl. dazu den Artikel Klause). – Abl.: **schleusen** „ein Schiff durch eine Schleuse bringen" (20. Jh.), auch übertragen gebraucht im Sinne von „jmdn. oder etwas durch einen Engpaß manövrieren", dafür meist die Zus. **durchschleusen.**

schlicht: Die *mitteld.* und *niederd.* Nebenform von →*schlecht (mnd.* slicht) ist im 17. Jh. in dessen alter Bed. „eben, einfach" schriftsprachlich geworden, als schlecht schon „minderwertig, böse" bedeutete. Gestützt wird das Adjektiv durch das Verb **schlichten** „ebnen, glätten; Streitigkeiten beilegen" *(mhd., ahd.* slihten, *mnd.* slichten; zu schlecht gebildet wie richten zu recht).

schließen: Das auf das *dt.* und *niederl.* Sprachgebiet beschränkte Verb *mhd.* sliezen, *ahd.* sliozan, *niederl.* sluiten mit seinen ablautenden Substantiven →Schloß, →Schluß und →Schlüssel ist nicht sicher erklärt. Seit dem 16. Jh. steht 'schließen'

für „[logisch] folgern", d. h. „an Voraufgehendes gedanklich anschließen". Siehe auch die Artikel beschließen und entschließen. Abl.: **Schließe** *w* „Schließhaken" (18. Jh.); **Schließer** *m* „Pförtner" (17. Jh.); **schließlich** „endlich, zum Schluß" (als Adv. erst im 17. Jh., *frühnhd.* als Adj.).

schlimm: Das Adjektiv *mhd.* slim[p], Genitiv slimbes „schief, schräge" (dazu *ahd.* slimbī „Schräge") hat erst im *Nhd.* den Sinn „übel, schlecht, böse" entwickelt, zuerst wohl in Wendungen wie 'die Sache steht schlimm' (beachte die ähnl. Entwickl. von schief in schiefgehen). Die Herkunft des Adjektivs ist dunkel. Abl.: **verschlimmern** (17. Jh.); **verschlimmbessern** „durch Bessern verschlimmern" (18. Jh.).

Schlingel *m*: Das seit dem 15. Jh. zuerst im *Niederd.* bezeugte Wort hat im älteren *Nhd.* die Formen Schlüngel und Schlingel (neben ablautendem *niederd., niederl.* slungel). Es meint eigtl. den Müßiggänger und gehört zu *mhd., mnd.* slingen in der Bed. „schleichen, schlendern" (vgl. ¹schlingen). Heute bezeichnet es scherzhaft einen übermütigen Jungen.

¹schlingen: *Mhd.* slingen, *ahd.* slingan „hin und her ziehend schwingen, winden, flechten" bedeutet auch (wie *aengl.* slingan) „sich winden, kriechen, schleichen". Mit *aisl.* slyngva „werfen, schleudern" (daraus gleichbed. *engl.* to sling) und mit verwandten *baltoslaw.* Wörtern (z. B. *lit.* sliñkti „schleichen") gehören sie zu Verben zu *idg.* *slen-k-, -g- „winden, sich schlingen". Ablautend sind →Schlange und →schlank mit ¹schlingen verwandt. Zu dessen früherer Bed. „schwingen" stellen sich die unter →schlenkern behandelten Wörter, zur Bed. „schleichen" das Subst. →Schlingel (eigtl. „Müßiggänger"). Abl.: **Schlinge** *w* „geknüpftes Band, Schlaufe" (16. Jh.; *mhd.* slinge, *ahd.* slinga „Schleuder" ging im 17. Jh. unter). Zus.: **Schlinggewächs, -pflanze** (19. Jh.).

²schlingen „schlucken": Das *germ.* Verb *mhd.* [ver]slinden, *ahd.* [far]slintan, *niederl.* verslinden entspricht *got.* fra-slindan „verschlingen". Es ist erst im *Nhd.* lautlich mit ¹schlingen zusammengefallen, weil Luther die *mitteld.* Mundartform mit -ng- verwendête. Dazu gehören das ablautende Subst. →Schlund und wahrscheinlich die unter →schlendern genannten Verben. Als Grundbed. der etymologisch ungeklärten Wortgruppe ist wohl „gleiten lassen" anzusetzen. Dazu die gleich alte Präfixbildung verschlingen (s. o. die aufgezählten Verbformen).

Schlips *m*: „Krawatte": Das urspr. nur *nordd.* Wort, *niederd.* Slips, ist eine Nebenform von niederd. Slip[p]e, Slippen „Hemd-, Rock-, Tuchzipfel", *mnd.* slippe „Zipfel". Um 1840 bezeichnete es die losen Enden des seidenen Halstuchs oder der Schleifenkrawatte, später ging es auf den aus England übernommenen langen Selbstbinder über. Neben →Krawatte ist es heute der familiärere Ausdruck. In der *ugs.* Wendung 'jemandem auf den Schlips treten' für ,,beleidigen" (*berlinisch*) sind eigtl. die Rockschöße gemeint.

Schlitten *m*: Mhd. slite, ahd. slito, *niederl.* sle[d]e (daraus entlehnt *engl.* sleigh), *schwed.* släde beruhen auf einer Bildung zu dem im *Nhd.* untergegangenen starken Verb mhd. sliten, *mnd.* sliden, *engl.* to slide, älter *schwed.* slida ,,gleiten". Dieses Verb gehört zu der unter →*Leim* dargestellten *idg.* Wurzel in der Bedeutungwendung ,,schlüpfrig; gleiten". Ugs. Wendungen sind 'unter den Schlitten kommen' für ,,sittlich herunterkommen" (19. Jh.) und das wohl soldatensprachl. 'mit jemandem Schlitten fahren' für ,,rücksichtslos behandeln".

Schlittschuh *m*: Der Name des Eislaufgeräts ist im *Oberd.* des 17. Jh.s in Anlehnung an →Schlitten umgebildet worden aus älterem Schrittschuh. Auch Schrittschuh (vgl. *schreiten*) ist in dieser Bedeutung erst im 17. Jh. belegt. Mhd. schritschuoch, *ahd.* scritescuoh bezeichnet im ,,Schuh zu weitem Schritt" (vielleicht eine Art Schneereifen?). Seit Anfang des 19. Jh.s hat sich 'Schlittschuh' allgemein durchgesetzt.

Schlitz *m*: Mhd. sliz, ahd. sliz, sliz ,,Schlitz, Spalte" (bes. im Kleid) bezeichnete urspr. einen durch Reißen entstandenen Spalt, es ist wie gleichbed. *mnd.* slete, *aengl.* slite, *aisl.* slit eine Substantivbildung zu 'schleißen' (s. *verschleißen*). Das Verb schlitzen (*mhd.* slitzen, *engl.* to slit) ist eine davon unabhängige Intensivbildung zu 'schleißen'.

Schloß *s*: Das heute in zwei getrennten Hauptbedeutungen gebrauchte Substantiv ist von →*schließen* abgeleitet. Mhd., ahd. sloz bedeutete zunächst ,,[Tür]verschluß, Riegel", seit dem 13. Jh. auch ,,feste Burg, Kastell". In der Bed. ,,Burg" kann 'Schloß' sowohl passivisch als ,,Verschlossenes" gefaßt werden (entspr. →*Klause*) wie aktivisch als ,,Sperrbau" (an einer Straße oder Talenge). Jedoch sind diese Vorstellungen verblaßt, seit 'Schloß' in der Renaissancezeit zur Bezeichnung prunkvoller Wohnbauten der Fürsten und des Adels wurde und sich von 'Burg, Feste, Festung' bedeutungsmäßig absetzte. Abl.: Schlosser *m* (um 1300 *mhd.* slozzer, slozzer).

Schloße *w*: Das bes. *mitteld.* Wort für ,,Hagelkorn", *mhd.* slöz[e], entspricht *mnd.* slöten (*Mehrz.*) ,,Hagel" und ist mit *norw. mdal.* slutr ,,Schnee mit Regen" und *engl.* sleet ,,Hagel, Graupeln" verwandt. Abl.: schloßen ,,hageln" (*mhd.* slözen). Auch das Adj. schlohweiß, älter *nhd.* schlößweiß ,,weiß wie Schloßen" gehört hierher.

Schlot *m*: Die *landsch.* (bes. *ostfränk.-mitteld.*) Bez. des Schornsteins (*mhd.*, ahd. slät) ist vielleicht mit mhd. släte *w* ,,Schilfrohr" (*nhd.* Schlotte ,,Zwiebelblatt, Abfallrohr") verwandt. Dann wäre der Schornstein urspr. mit einem hohlen Halm verglichen worden.

schlottern: Mhd. slot[t]ern ,,wackeln, zittern" (entspr. *niederd.* sluddern, *niederl.* slodderen) ist eine Intensivbildung zu gleichbed. *mhd.* sloten und gehört wie →*schleudern* und →*lottern* zu der unter →*schlummern* dargestellten *idg.* Wz. *[s]leu-, ,,schlaff [herabhängend]". Im *Nhd.* wird 'schlottern' vor allem von frierenden Gliedern und losen Kleidern gesagt. Dazu die Adj. angstschlotternd (20. Jh.) und schlott[e]rig (16. Jh.).

Schlucht *w* ,,tiefer Geländeeinschnitt": Das seit dem 16. Jh. zuerst *nordd.* und *mitteld.* bezeugte Wort entspricht – mit anderer. -ft-für *hochd.* -ft- (vgl. Gracht) – dem heute veralteten Schluft (*mhd.* sluft ,,das Schlüpfen; Schlucht"). Mhd. sluft ist eine Abl. von schliefen (vgl. *schlüpfen*).

schluchzen: Das Verb schluchzen ,,krampfhaft, verzweifelt weinen" ist seit *frühnhd.* Zeit bezeugt. Es ist eine Intensivbildung zu *mhd.* slüchen ,,schlingen". Abl.: Schluchzer *m* (17. Jh.; gebildet wie Seufzer).

schlucken: Mhd., mnd. slucken, *niederl.* slokken ist eine Intensivbildung zu einem *germ.* starken Verb, das in *mnd.* slüken, *schwed.* sluka ,,hinunterschlingen" erscheint. Ahd. ist nur die Abl. slucko ,,Schlemmer" bezeugt. Zu der wohl lautmalenden Wz. *[s]leu-g-, -k- ,,schlucken" gehören auch *außergerm.* Wörter wie *gr.* lýzein ,,den Schlucken haben" und *air.* slucim ,,ich schlucke". Abl.: Schluck *m* (mhd. sluc, *niederl.* slok; heute nur vom Trinken); Schlucken *m* ,,Zwerchfell[krampf" (17. Jh.; dafür auch Schluckauf *m* nach der *niederd.* Imperativbildung Sluck-up, 19. Jh.); Schlucker *m* (*frühnhd.* für ,,Schlemmer", aber auch wie heute als ,,armer Schlucker", der alles herunterschlucken muß).

schlummern: Das zunächst nur *mitteld.* und *niederd.* Wort ist durch Luther in die Schriftsprache gelangt. Mitteld. slummern (15. Jh.), mnd. slomern (entspr. *niederl.* sluimeren, *engl.* to slumber) ist eine Weiterbildung des älteren *mitteld.* slummen, mnd. slo[m]men ,,schlafen", vgl. auch *aengl.* slūma ,,Schlummer". Die Wörter gehören mit *norw. mdal.* sluma ,,schlaff gehen", slum ,,schlaff, welk" (von Gras) zu der *idg.* Wz. *[s]leu- ,,schlaff [herabhängend]". *Außergerm.* verwandt ist z. B. *russ.* lytát' ,,sich drücken, müßig gehen". Ferner stellen sich die unter →Schlaraffe, →liederlich, →lottern, →schlottern und →schleudern genannten Wörter zu dieser Wurzel. Das Subst. Schlummer *m* (im 14. Jh. *mitteld.*

slummer) ist wohl aus dem Verb rückgebildet.

Schlund *m*: Das auf das *dt.* und *niederl.*
Sprachgebiet beschränkte Wort *mhd., ahd.*
slunt, mniederl. slont gehört als ablautende
Bildung zu →²*schlingen* „schlucken" (*mhd.*
slinden). Die Grundbed. „Schluck" ist *mhd.*
noch erhalten.

schlüpfen: *Mhd.* slüpfen, slupfen, *ahd.* slupfen „durch eine Öffnung kriechen oder gleiten" ist eine nur *dt.* Intensivbildung zu dem
altgerm. starken Verb *nhd.* s c h l i e f e n (*mhd.*
sliefen, *ahd.* sliofan, *got.* sliupan, *niederl.*
sluipen, *aengl.* slūpan), das weidmänn. für
das Hineinkriechen des Hundes in den Fuchs-
oder Dachsbau gebraucht wird. Zum gleichen Verb gehören die Substantivbildung
mhd. sluft (vgl. Schlucht) und das Veranlassungswort *mhd., ahd.* sloufen „schlüpfen
machen", das *nhd.* in → Schleife und
→Schlaufe fortlebt. Zu dieser Wortgruppe
stellt sich außerhalb des *Germ.* nur *lat.*
lūbricus „schlüpfrig, gleitend, glatt".
Zugrunde liegt die vielfach erweiterte *idg.*
Wz. *sleu- „gleiten, schlüpfen", zu der
auch die Wortgruppen um → Schlauch
(eigtl. „Schlupfhülse") und →schlau (eigtl.
„schleichend") gehören. Abl.: S c h l u p f *m*
(*mhd.* slupf „Schlüpfen", Schlinge, Strick",
nhd. bes. in Durch-, Unterschlupf); S c h l ü p-
f e r *m* „Damenhose" (20. Jh.; älter *nhd.*
Schlupfer bedeutete „Muff"). Zus.: S c h l u p f-
l o c h (*mhd.* slupfloch); S c h l u p f w e s p e
(18. Jh.); S c h l u p f w i n k e l „Versteck" (16.
Jh.).

schlüpfrig „glatt": Das Adjektiv wurde
erst seit dem 16. Jh. an das unverwandte
'schlüpfen' (s. d.) angelehnt. *Mhd.* slipfec,
slipferic „glatt, glitschig" gehört zu dem
Verb *mhd.* slipfe[r]n, *ahd.* slipfen „ausgleiten", einer Intensivbildung zu → ¹*schleifen.*
Erst im 18. Jh. wird 'schlüpfrig' in moralischem Sinn übertr. für „lüstern, zweideutig,
anstößig" gebraucht.

schlürfen Das seit dem 16. Jh. gebräuchliche
Verb ist – wie auch gleichbed. *mnd., niederl.*
slorpen und *norw.* slurpe – lautnachahmenden Ursprungs. Eine ähnliche Lautnachahmung ist z. B. *mhd.* sür[p]feln „schlürfen".
Mdal. bezeichnet 'schlürfen' wie seine Nebenform schlurfen (17. Jh.) auch das schlei-
fende Gehen.

Schluß *m*: Das Substantiv *spätmhd.* sluz
ist eine Bildung zu dem unter →*schließen*
behandelten Verb. Aus der philosoph. Fachsprache stammt die Bed. „Folgerung, Ergebnis logischen Denkens" (17. Jh.). Abl.:
s c h l ü s s i g (16. Jh.).

Schlüssel *m*: Das Substantiv *mhd.* slüzzel,
ahd. sluzzil, *niederl.* sleutel ist eine Bildung
zu dem unter →*schließen* behandelten Verb.
Bildlicher Gebrauch führt schon im 13. Jh.
zur Bed. „Musik-, Notenschlüssel", später im
Anschluß an die biblische 'clāvis scientiae'

zum 'Schlüssel der Erkenntnis', der heute in
vielen Wendungen geläufig ist. Als „Erklärung einer Geheimschrift" ist Schlüssel
erst im 18. Jh. bezeugt (dazu die jungen
Verben ent- und v e r s c h l ü s s e l n „[de]-
chiffrieren", ähnlich a u f s c h l ü s s e l n „in
bestimmter Weise aufteilen"). Zus.:
S c h l ü s s e l b e i n (im 17. Jh. für *frühnhd.*
'Schlüssel der Brust' nach gleichbed. *lat.*
clāvicula, einer LÜ aus *gr.* kleís; die S-Form
des Knochens entspricht altgriech. Schlüs-
seln für Fallriegel); S c h l ü s s e l b l u m e (um
15. Jh. slussilblome neben *mhd.* himelsslüz-
zel, nach der schlüsselähnlichen Blüten-
form; s. auch Primel).

Schmach *w*: Das nur *deutsche* Substantiv
mhd. smāch, smǣhe, *ahd.* smāhī „Kleinheit,
Geringfügigkeit" hat schon *ahd.* die Bed.
„Verachtung, Kränkung, Unehre" entwik-
kelt, in der es *nhd.* oft neben 'Schande'
steht. Es ist eine Bildung zu dem Adj. *mhd.*
smǣhe, *ahd.* smāhi „klein, gering, veräcHtlich", zu dem sich auch → schmähen,
schmählich und die unter → schmachten
und →schmächtig behandelten Wörter stellen.

schmachten: Das nur *dt.* Verb erscheint *hochd.*
im 17. Jh. mit der gleichen Bed. „heftig hungern" wie *mnd.* smachten. Im Mhd. ist nur
versmahten (*nhd.* v e r s c h m a c h t e n „verhungern, verdursten") bezeugt, im *Ahd.*
gismāhteōn „schwinden, schwach werden".
Die Wörter gehören zu dem unter →Schmach
genannten Adj. *ahd.* smāhi „klein, gering";
s. auch schmächtig. Die übertr. Bed. „seh-
nend verlangen" tritt erst im 18. Jh. auf.
Dazu ironisch sich a n s c h m a c h t e n (20.Jh.).
Die *ugs.* Wendung 'den Schmachtriemen
umschnallen' für „hungern" bezieht sich auf
einen breiten Gürtel, den Fuhrleute und
Wanderer noch im 18. Jh. zur Stützung des
leeren Magens trugen.

schmächtig: *Mhd.* smahtec, *mnd.* smachtich
„hungerleidend" (13. Jh.) ist von einem mit
→*schmachten* verwandten Subst. smaht
„Hunger, Durst" abgeleitet. Seit dem 17. Jh.
hat sich die Bed. gewandelt zu „mager, dünn,
schlecht genährt".

schmähen: *Mhd.* smǣhen, *ahd.* smāhen
„klein, gering, verächtlich machen"; erniedrigen; schwächen" gehört zu dem unter
→*Schmach* genannten Adj. *ahd.* smāhi
„klein". Im *Aisl.* vergleicht sich smā „spotten, höhnen". Früher galt 'schmähen' auch
in der Bed. „verachtend zurückweisen", wofür jetzt das urspr. nur verstärkende Präfixverb v e r s c h m ä h e n eingetreten ist (*mhd.*
versmǣhen, *ahd.* farsmāhjan). Das Adj.
s c h m ä h l i c h „schmachvoll" ist ebenfalls von
ahd. smāhi „klein" abgeleitet (*mhd.*
smǣh[e]lich „verächtlich; schimpflich", *ahd.*
smāhlīh „gering").

schmal: Das *gemeingerm.* Adj. *mhd., ahd.*
smal. *got.* smals, *engl.* small, *schwed.* smal

bedeutete urspr. „klein, gering" und wurde bes. vom Kleinvieh gebraucht (das noch *nhd. landsch.* Schmalvieh heißt, wie weidmänn. Schmaltier, -reh usw. junges Wild bezeichnet). Außerhalb des *Germ.* sind wahrscheinlich die Wörter ohne anlautendes s- *russ.* mályj „klein", *gr.* mēlon „Kleinvieh, Schaf", *air.* mīl „[kleines] Tier" verwandt; vgl. auch *niederl.* maal „junge Kuh". Die *ugs.* Wendung 'Dort ist Schmalhans Küchenmeister' begegnet *hochd.* zuerst im 17. Jh. (Schmalhans, *mnd.* smalehans bezeichnete den Hungerleider und Geizhals). Abl.: schmälern (*spätmhd.* smelern „schmäler machen", jetzt nur übertr. gebraucht).

Schmalz *s*: Als Substantivbildung zu dem unter → ¹*schmelzen* behandelten Verb bezeichnen *mhd., ahd.* smalz, *niederl.* smout (neben ablautendem *aengl.* smolt, *schwed., norw.* smult) zerlassenes tierisches Fett, urspr. ohne Einschränkung auf eine bestimmte Art. *Nordd.* gilt das Wort heute nur für Schweine- und Gänseschmalz. Beachte auch Ohrenschmalz (*spätmhd.* ōrsmalz). Abl.: schmalzen, schmälzen „mit Schmalz zubereiten" (*mhd.* smalzen, smelzen); schmalzig (*mhd.* smalzec „fettig" steht auch übertr. für „schmeichlerisch", wie die *nhd.* Form auch „sentimental" bedeutet).

schmarotzen: Das erst im 15. Jh. als smorotzen „betteln", im 16. Jh. mit der heutigen Bed. „auf Kosten anderer leben" als schmorotzen bezeugte, nur *hochd.* Verb ist unerklärt. Abl.: Schmarotzer *m* (im 15. Jh. smorotzer „Bettler", im 16. Jh. smarotzer „Parasit", seit Ende des 18. Jh.s in der biolog. Fachsprache gebraucht).

schmatzen: *Mhd.* smatzen, älter smackezen ist eine Weiterbildung zu *mhd.* smacken (vgl. *schmecken*). Es zeigt schon die heutigen Bedeutungen „behaglich laut essen" und „laut küssen". Abl. Schmatz *m landsch.* für „[lauter] Kuß" (im 15. Jh. smaz neben smuz).

schmauchen: Das behagliche [Pfeife] rauchen": Das seit dem 17. Jh. bezeugte Verb gehört zu dem heute veralteten Substantiv **Schmauch** *m* „qualmender Rauch" (*mhd.* smouch), vgl. *mnd.* smōk „Rauch, Qualm", dazu smōken „rauchen", *niederl.* smook „Rauch, Qualm", *aengl.* smīec „Rauch, Dampf", im Ablaut dazu *aengl.* smoca „Rauch", smocian „rauchen, räuchern" (*engl.* smoke, to smoke, s. Smoking). Diese Wörter gehören mit dem starken Verb *aengl.* smēocan „rauchen, räuchern" zu der *idg.* Wz. *smeu-g[h]- „rauchen", vgl. z. B. *gr.* smýchein „verschwelen lassen". Siehe auch den Artikel Schmöker.

schmausen: Das Verb taucht mit seinem Subst. Schmaus *m* erst im 17. Jh. auf. Es war bis ins 18. Jh. ein Lieblingswort der Studenten, bei denen 'Schmaus', ähnlich wie später → Kommers, ein reichhaltiges, gutes Essen bezeichnete. Urspr. meint 'schmausen' aber wohl „unsauber essen und trinken". Es

ist verwandt mit älter *niederl.* smuisteren „beschmieren, schmausen"; daneben stehen *mnd.* smudden „schmutzen" (z. B. in *nordd. ugs.* schmuddelig „unsauber [im Essen]") und gleichbed. *niederl.* smodderen, das früher ebenfalls „schmausen" bedeutete. Die Wörter gehören alle zu der unter → *Moder* dargestellten Wortsippe.

schmecken: Das Verb *mhd.* smecken „kosten, wahrnehmen; riechen, duften" ist in *nhd.* Schriftsprache auf den eigentlichen Geschmackssinn begrenzt worden. Aus der gleichbed. Nebenform *mhd.* smacken ist das unter → *schmatzen* behandelte Verb abgeleitet. Im *Ahd.* stand transitives smecken „Geschmack empfinden" neben intransitivem smakkēn „Geschmack von sich geben". Dazu die Subst. *mhd., ahd.* smac (*nhd.* → *Geschmack*) mit der Abl. schmackhaft (*mhd.* smachaft „wohlschmeckend, -riechend"). Siehe auch abgeschmackt. Die Wortgruppe, zu der noch z. B. *aengl.* smæccen „schmecken" und *engl.* smack „Geschmack" gehören, geht zurück auf die *idg.* Wz. *smeg[h]- „schmekken", die sonst nur im *Lit.* erscheint, vgl. lit. smagùris „Zeige-, Leckfinger", smaguriáuti „naschen".

schmeicheln: *Mhd.* smeicheln ist weitergebildet aus gleichbed. *mhd.* smeichen, dem *mnd.* smēken „schmeicheln", *aengl.* smēcian „streicheln, schmeicheln, verlocken" und *norw.* smeikja „liebkosen" entsprechen. Die Grundbed. „streichen" zeigt sich auch in älter *nhd.* schmeichen „Gewebe mit Brei glätten" und in dem unter → *Schminke* behandelten Wort. Im *Nhd.* ist sie ganz verblaßt, 'schmeicheln' bedeutet heute nur noch „schöntun, glatte Worte geben; sanft eingehen" (z. B. von Musik). Abl.: Schmeichelei *w* (17. Jh.); schmeichelhaft (16. Jh.); Schmeichler (*spätmhd.* smeicheler).

¹schmeißen: Das *gemeingerm.* starke Verb *mhd.* smīzen, *ahd.* [bi]smīzan, *got.* bi-, gasmeitan, *aengl.* smītan, *norw. mdal.* smita bedeutet eigtl. „beschmieren, bestreichen, beschmutzen". Es ist vielleicht mit den unter → *schmeicheln* und → *Schminke* behandelten Wörtern verwandt, *außergerm.* Beziehungen bleiben ungewiß. Die Grundbed. ist einerseits im schwachen Verb ²*schmeißen* (*mhd.* smeizen) zu „Kot auswerfen, besudeln" vergröbert worden (dazu Geschmeiß, Schmeißfliege, s. u.), andererseits hat sich (wohl über eine Zwischenstufe „,[Lehm] anwerfen") die Bed. „werfen, schleudern" entwickelt, in der 'schmeißen' heute *ugs.* gilt. Wieder veraltet ist die Bed. „schlagen" (*mhd.*, älter *nhd.* und in *engl.* to smite), mit der eigtl. wohl ein „Schmeichelter" Ruten- oder Peitschenhieb gemeint ist; an sie schließt sich das noch heute gebräuchliche Schmiß *m* „Hieb, Wurf" an (17. Jh.; *ugs.* heute auch für „Schwung", dazu schmissig „schwungvoll, flott"). Abl.:

Geschmeiß *s* (*mhd.* gesmeize „Auswurf, Unrat, Schmetterlingseier; Gezücht"; *nhd. ugs.* von Menschen). Zus.: Schmeißfliege (im 16. Jh. verdeutlichend neben gleichbed. Schmeiße; man hielt die auf das Fleisch usw. abgelegten Eier für ihren Kot).

¹**schmelzen** „flüssig werden": Das auf das *dt.* und *niederl.* Sprachgebiet beschränkte starke Verb *mhd.* smelzen, *ahd.* smelzan, *niederl.* smelten ist verwandt mit *aengl.* smolt, smylte „sanft, ruhig", *schwed. mdal.* smulter „weich". Als Grundbed. ergibt sich „weich werden, zerfließen". Ohne das anlautende s entsprechen *aengl.* meltan, *engl.* to melt, *aisl.* melta „schmelzen, auflösen, verdauen" (s. Malz), mit denen 'schmelzen' zu der großen unter →mahlen dargestellten *idg.* Sippe gehört. Neben dem starken Verb stehen das ablautende Subst. →Schmalz und das urspr. schwach flektierende Veranlassungswort ²schmelzen „flüssig machen" (*mhd., ahd.* smelzen), das heute fast durchweg die starken Formen von ¹schmelzen übernommen hat. Abl.: Schmelz *m* „glänzender Überzug; Deckschicht der Zahnkrone" (18. Jh.; entspr. *mhd.* goltsmelz „Bernstein", *ahd.* smelzi „Gold-Silber-Geschmelz"; beachte auch *mnd., mniederl.* smelt „Email" und die unter →Email genannten *roman.* Lehnwörter).

Schmerz *m*: Das *westgerm.* Subst. *mhd.* smerze, *ahd.* smerzo, *niederl., engl.* smart gehört wie das Verb schmerzen (*mhd., ahd.* smerzen, *niederl.,* smarten, *engl.* to smart) zu der erweiterten *idg.* Wz. *[s]mer- „aufreiben" (vgl. *mürbe*). *Außergerm.* sind z. B. *gr.* smerdnós „schrecklich, furchtbar" (eigtl. „aufreibend") und *lat.* mordēre „beißen" verwandt. An die frühere schwache Beugung des Substantivs erinnern noch Zus. wie Schmerzensmutter (im 18. Jh. für Mater dolorosa als Bezeichnung der trauernden Maria) und die alten Formen von schmerzhaft (*spätmhd.* smerzenhaft) und schmerzlich (*mhd.* smerz[en]lich). Jünger ist schmerzlos (17. Jh.).

Schmetterling *m*: Das urspr. *obersächs.* Wort (16. Jh.) hat sich erst seit dem 18. Jh. in der Schriftsprache verbreitet, in der es heute neben →Falter steht. Es gehört wohl zu *ostmitteld.* Schmetten *m* „Milchrahm", einem LW aus gleichbed. *tschech.* smetana. Nach altem Volksglauben fliegen Hexen in Schmetterlingsgestalt, um Milch und Rahm zu stehlen (daher auch *mdal.* Namen des Schmetterlings wie Molkendieb, Buttervogel und *aengl.* butorflēge, *engl.* butterfly).

schmettern: Das lautmalende, nur *hochd.* Wort erscheint *frühnhd.* in der Bed. „krachend hinwerfen" (*mhd.* smetern bedeutet „klappern, schwatzen"). Seit dem 18. Jh. bezeichnet es auch den durchdringenden Schall von Blechmusik oder lautem Gesang. Die *ugs.* Wendung 'einen schmettern' für „trinken" kam Ende des 19. Jh.s auf. Das Präfixverb zerschmettern „krachend zerschlagen, vernichten" (16. Jh.) schließt an die ältere Bedeutung des Grundverbs an.

Schmied *m*: Die *gemeingerm.* Handwerkerbezeichnung (*mhd.* smit, *ahd.* smid, *got.* in der Zus. aiza-smiþa „Erzarbeiter", *engl.* smith, *schwed.* smed) beruht auf einer Bildung zu der *idg.* Verbalwurzel *smēi-„schnitzen, mit scharfem Werkzeug arbeiten", zu der auch die unter →Schmiede, →schmieden und →Geschmeide genannten Wörter gehören. Die Wurzel erscheint außerhalb des *Germ.* noch in *gr.* smílē „Schnitzmesser", smínýē „Hacke". Zu ihr stellen sich ferner das *altgerm.* Substantiv **Schmiede** *w* „Schmiedewerkstatt" (*mhd.* smitte, *ahd.* smitta, entspr. *niederl.* [umgebildet] smidse, *engl.* smithy, *schwed.* smedja) und das *gemeingerm.* Verb **schmieden** (*mhd.* smiden, *ahd.* smídōn, *got.* ga-smiþōn „bewirken", *aengl.* smídian, *schwed.* smida).

schmiegen: Das *altgerm.* Verb *mhd.* smiegen „in etwas um Umschließendes drücken, sich zusammenbiegen, ducken", *niederl.* smuigen „heimlich naschen", *aengl.* smūgan „kriechen", *schwed.* smyga „schleichen, sich anschmiegen" ist verwandt mit *russ.* smýkat'sja „kriechen, schlendern", *lit.* smùkti „gleitend sinken" und gehört wohl zu der unter →Moder dargestellten *idg.* Wurzel in der Bedeutungswendung „rutschen, gleiten". Mit 'schmiegen' nächstverwandt sind die urspr. Intensivbildung →schmücken und das Verb →schmuggeln (eigtl. „sich ducken, verstecken"). Abl.: schmiegsam (im 19. Jh. für älter *nhd.* schmugsam „sich anschmiegend, gefügig").

¹**Schmiere** *w*: Der seit dem 18. Jh. bezeugte Ausdruck für „Wache", der allerdings nur in der *ugs.* weit verbreiteten Wendung 'Schmiere stehen' lebt, hat nichts zu tun mit dem Subst. ²Schmiere „fettiglebrige Masse; Schmutz" (s. schmieren). Er stammt vielmehr aus der Gaunersprache und beruht auf *jidd.* schmiro „Bewachung; Wächter" (zu *hebr.* šāmár „bewachen").

²**Schmiere** „siehe schmieren.

schmieren „mit Fett bestreichen; einfetten": Das *altgerm.* Verb *mhd.* smir[we]n, *ahd.* smirwen, *niederl.* smeren, *engl.* to smear, *schwed.* smörja) ist eine Abl. von dem *altgerm.* Subst. *mhd. mdal.* Schmer „Fett", *mhd.* smer, *ahd.* smero „Fett", *niederl.* smeer „Schmiere, Talg", *engl.* smear „Schmiere, Fettfleck", *schwed.* smör „Butter". Siehe auch Schmirgel. – Die übertr. Bed. „bestechen" (dazu *nhd.* Schmiergeld) ist seit dem 14. Jh. bekannt, die Bedeutungen „unsauber schreiben" und „prügeln" seit dem 16. Jh. *Ugs.* 'einen anschmieren' für „[leicht] betrügen" ist aus älterem „einem etwas anschmieren" „betrügerisch aufhalsen" (18. Jh.) entstanden. Abl.: ²Schmiere *w* (im

614

15. Jh. schmir „Schmierfett", heute z. B. in Wagen-, Stiefelschmiere; im 19. Jh. für „schlechte Wanderbühne"); **schmierig** „fettig, schmutzig" (16. Jh.).

Schminke w: Das Subst. erscheint *spätmhd.* als smicke, nasaliert sminke. Es entspricht *ostfries.* Smicke „fette Tonerde". Das Verb **schminken** lautet *spätmhd.* smicken, sminken. Die Wörter gehen wohl von der gleichen Grundbed. „streichen, schmieren" aus wie die unter →*schmeicheln* behandelte Wortsippe; vielleicht ist auch →*schmeißen* (eigtl. „bestreichen") wurzelverwandt.

Schmirgel m: Die Bezeichnung des mineralischen Schleifmittels (*frühnhd.* smirgel, smergel) wurde im 16. Jh. aus gleichbed. *it.* smeriglio entlehnt, das seinerseits auf einer Weiterbildung von *mgr.* smeri (*gr.* smyris) „Schmirgelpulver" beruht. Das *gr.* Wort ist wahrscheinlich verwandt mit dem unter →*schmieren* behandelten Wortgruppe. Abl.: **schmirgeln** „mit Schmirgel glätten" (18. Jh.).

Schmöker m: Die *ugs.*, urspr. stud. Bezeichnung für ein altes, minderwertiges Buch tritt zuerst im 18. Jh. als Schmöker, Schmöcher, Schmaucher auf. Sie gehört zu *niederd.* smöken „rauchen" (vgl. *schmauchen*) und meint eigtl. wohl ein altes Buch, das der Student zum 'Schmauchen' benutzte, indem er sich einen Fidibus herausriß, um die Pfeife anzustecken. Heute bezeichnet das Wort auch schlechte Unterhaltungsbücher (z. B. Kriminalschmöker). Dazu **schmökern** *ugs.* für „behaglich und viel lesen".

schmollen: Das nur im *Hochd.* verbreitete Verb (im 13. Jh. *mhd.* smollen „unwillig schweigen") ist vom 15. bis ins 18. Jh. auch in der Bed.„lächeln" bezeugt, aus der es aber durch das unverwandte schmunzeln (s. d.) verdrängt wurde. Den Übergang zwischen beiden Bedeutungen bildet wie bei grinsen und grinsen (s. d.) die Vorstellung „den Mund verziehen". Die Herkunft von 'schmollen' ist unklar; vielleicht ist es verwandt mit dem untergegangenen *mhd.* smielen „lächeln" und dem gleichbed. *engl.* to smile. Zus.: Schmollwinkel (18. Jh.).

schmoren: Das *westgerm.* Verb *niederd.*, *mnd.*, *niederl.* smoren, *aengl.* smorian (verwandt mit *engl.* smother „„Dampf, Qualm") bedeutete urspr. „ersticken", hat aber im *Niederl.* und *Mnd.* daneben die Bed. „im bedeckten Gefäß unter Dampf gar machen" entwickelt. In diesem Sinn wurde es im 17. Jh. als Küchenwort ins *Hochd.* aufgenommen und gilt seitdem bes. *nordd.* (gegenüber *südd.* dämpfen, dünsten). Zus.: Schmorbraten (18. Jh.).

schmücken: Als Intensivbildung zu dem unter →*schmiegen* behandelten Verb bedeutete *mhd.* smücken, smucken, *mnd.* smucken „in etwas hineindrücken; an sich drücken; sich ducken" (s. auch Grasmücke,

schmuggeln). Aus der *mhd.* Wendung 'sich in ein kleit smücken' ist im *Mitteld.* um 1300 über „[köstlich] kleiden" der heutige Sinn „zieren, schmücken" entwickelt worden. Er wurde im *Nhd.* verallgemeinert. Abl.: **schmuck** „hübsch" (im 17. Jh. aus gleichbed. *niederd.* smuck; *mnd.* smuk bedeutete „geschmeidig, biegsam"); **Schmuck** m (*frühnhd.* mit der Bed. „prächtige Kleidung, Ornat; Zierat" aus dem *Mitteld.* und *Niederd.*, dafür im 15. Jh. *mitteld.* gesmuck, während *mhd.* smuc „Anschmiegen, Umarmung" bedeutete).

schmuggeln: Als Wort der *germ.* Nordseesprachen ist *niederd.* smuggeln, *dän.* smugle, *engl.* to smuggle seit dem 17. Jh. bezeugt (*schwed.* smuggla ist nach 1800 entlehnt worden). Daneben stehen Formen mit -k[k]- wie *niederl.* smokkelen, *niederd.* smuckeln „schmuggeln" und *norw.* smokla „lauern, sich versteckt halten". Die letzte weist auf die Grundbed. der Wortgruppe, die zu der unter →*schmiegen* behandelten Wortsippe gehört (*mhd.* sich smucken „sich ducken"). Im *Hochd.* erscheint das Wort zu Anfang des 18. Jh.s. Abl.: **Schmuggel** m (nach 1800 aus dem Verb rückgebildet); **Schmuggler** m (18. Jh.; neben älterem Schmuckeler).

schmunzeln: Das erst seit 19. Jh. allgemein schriftsprachl. Wort erscheint im 15. Jh. als smonczeln und ist eine Iterativbildung zu älterem *mitteld.* smunzen „lächeln". Daneben stehen Formen ohne -n- wie *spätmhd.* smuceln, *mhd.* smutzen, deren weitere Beziehungen ungeklärt sind. Die Fügung 'schmutzig (auch: dreckig) lachen' ist aus einem *mhd.* smutzen gebildeten *mhd.* smutzelachen „schmunzeln" umgedeutet.

Schmus m (ugs. für:) „leeres Gerede, Geschwätz; Schöntun": Das aus dem *Rotwelschen* in die Mundarten und in die allgem. Umgangssprache gelangte Substantiv stammt aus *jidd.* schmuo (*Mehrz.* schmuoss) „Gerücht, Erzählung, Schwatzen". – Dazu das Verb **schmusen** „schwatzen; schmeicheln, schöntun; zärtlich tun" (*rotwelsch* schmußen „schwatzen").

Schmutz m: *Spätmhd.* smuz steht neben smotzen „schmutzig sein" und smutzen „beflecken" (*nhd.* schmutzen). Verwandt sind *mengl.* bismoteren „besudeln", *engl.* smut „Schmutz", ohne den s-Anlaut *mnd.* müten „das Gesicht waschen" und *niederl.* mot „feiner Regen". Über die weiteren Beziehungen vgl. die unter →*Moder* behandelte Wortgruppe. Abl.: **schmutzig** (15. Jh.; *nhd.* oft übertr. für „gemein, unflätig"); zu 'schmutzig lachen' s. schmunzeln.

Schnabel m: Das auf das *dt.* und *niederl.* Sprachgebiet beschränkte Wort *mhd.* snabel, *ahd.* snabul, *niederl.* snavel steht neben andersgebildeten Bezeichnungen wie *niederl.*, *mnd.* sneb[be], snibbe (s. a. Schnepfe) und s-losen Wörtern wie *niederl.* neb „Schnabel, Spitze, Vorsprnng", *engl.* neb „Schnabel, Spitze", *aisl.* nef „Nase". Die Wörter gehören wohl zu der unter →*schnappen* dargestellten Wortgruppe. Vgl. im *außergerm.* Sprachbereich noch *lit.* snāpas „Schnabel". Abl.: s c h n ä b e l n (*spätmhd.* snäbeln, zunächst vom Liebesspiel der Tauben, danach für „küssen"); s c h n a b u l i e r e n *ugs.* für „behaglich essen" (scherzhafte Bildung, im 17. Jh. schnabelieren).

Schnake *w*: Die nur im *dt.* Sprachbereich bezeugte, heute *landsch.* Bezeichnung der [Stech]mücke ist nicht sicher erklärt. *Spätmhd.* snäke steht neben einem älteren *oberd.* Adj. snäkelt (aus *snäkeleht) „dünn wie eine Schnake".

Schnalle *w*: Zu der unter →*schnell* behandelten Wortgruppe gehören *mhd.* snal „rasche Bewegung; Schneller" und snallen „schnellen". Davon abgeleitet ist *mhd.* snalle „[Schuh]schnalle" (wohl nach dem Auf- und Zuschnellen des Schließdorns benannt). Abl.: s c h n a l l e n (17. Jh.); s. auch schnalzen.

schnalzen: Zu dem unter →*Schnalle* genannten *mhd.* Verb snallen „schnellen, sich mit schnappendem Laut bewegen" gehört als Intensivbildung *spätmhd.* snalzen (aus *snallezen). Abl. S c h n a l z e r *m* „schnalzender Laut" (*frühnhd.*).

schnappen: Das zuerst im *Mitteld.* und *Niederd.* bezeugte Verb *mhd.* snappen (vgl. [*m*]*nd.*, [*m*]*niederl.* snappen) ist eine Intensivbildung zu *mhd.* snaben „schnappen, schnauben" (beachte auch gleichbed. *aisl.* snapa). Es ist wohl mit der unter →*Schnabel* und →*Schnepfe* behandelten Wortgruppe verwandt und ahmte urspr. den Schall und die Bewegung klappender Kiefer nach. Dazu die Interj. s c h n a p p ! (18. Jh.), mit spielerischem Ablaut (s c h n i p p, s c h n a p p ! (*spätmhd.* snippensnap); s. auch Schnippchen. Ableitungen von ‚schnappen' sind S c h n ä p p e r *m* (*frühnhd.* „leichte Armbrust", später als Vogelname und als Bezeichnung eines ärztlichen Instrumentes) und S c h n a p s (s. d.).

Schnaps *m*: Das urspr. *nordd.* Wort (*niederd.* Snaps) bezeichnet seit dem 18. Jh. den Branntwein, urspr. aber einen Mundvoll oder einen schnellen Schluck, wie er gerade beim Branntweintrinken üblich ist. Es ist eine Substantivbildung zu →*schnappen*. Abl. s c h n a p s e n *ugs.* für „Schnaps trinken" (im 18. Jh. *niederd.* snappsen).

schnarchen: *Mhd.* snarchen „schnarchen, schnauben" geht wie gleichbed. *niederd.*, *niederl.* snorken, *schwed.* snarka auf die unter →*schnarren* dargestellte Wurzel zurück, vgl. dazu *engl.* to snore „schnarchen".

schnarren: *Mhd.* snarren „schnarren, schmettern, schwatzen", *niederl.* snarren, snorren, *engl.* to snarl „knurren" sind wie das ablautende →*schnurren* und die Verben →*schnar-*

chen und →*nörgeln* lautnachahmenden Ursprungs.

schnattern: *Mhd.* snateren „schnattern, quaken, klappern (vom Storch), schwatzen", *niederl.* snateren „schnattern, plappern" (mit *nord.* Entspr. wie *schwed.* snattra) sind lautnachahmende Bildungen.

schnauben „laut atmen": Das urspr. *niederd.* und *mitteld.* Verb (im 14. Jh. *schles.* snüben „schnarchen"; entspr. *mnd.* snüven, *niederl.* snuiven „schnauben") gehört zu einer großen Gruppe lautnachahmender Bildungen mit dem Anlaut sn- und wechselndem Stammauslaut, die in den meisten *germ.* Sprachen vertreten ist und Bedeutungen wie „hörbar atmen, prusten; wittern; schneuzen", nominal „Schnupfen; Schnauze" in sich schließt. Im einzelnen s. die Artikel schnaufen, schnüffeln, schnupfen, Schnupfen und Schnuppe sowie Schnauze und schneuzen. Eine Iterativbildung zu ‚schnauben' ist das meist vom Schnüffeln der Tiere gebrauchte s c h n o b e r n (im 18. Jh. zur Nebenform schnoben gebildet). Siehe auch schnuppern unter schnupfen.

schnaufen „schwer atmen": Das erst im *Nhd.* häufigere Wort geht z. T. auf *niederd.* snüven (vgl. *schnauben*), z. T. auf *mhd.* snüfen, eine *oberd.* Nebenform von ‚schnauben' zurück. Abl.: S c h n a u f e r *m ugs.* für „Atemzug" (17. Jh.).

Schnauze *w*: Als *frühnhd.* Form von [*m*]*niederd.* snüt[e] „Schnauze" (*nhd. ugs.* Schnute; entspr. gleichbed. *niederl.* snuit, *engl.* snout; vgl. *schnauben*) erscheint im 16. Jh. ‚Schnauße', das seine Lautgestalt unter dem Einfluß des verwandten →*schneuzen* bald zu ‚Schnauze' verändert. Abl.: s c h n a u z e n „grob anfahren" (17. Jh.; meist in der Zus. a n s c h n a u z e n; diese ist vielleicht eher eine Intensivbildung zu gleichbed. *frühnhd.* anschnauen [*anschnauezen, zu *mhd.* snäwen „schwer atmen"]); S c h n a u z e r *m* (Hunderasse, um 1900). Zus.: S c h n a u z b a r t „Schnurrbart" (18. Jh.).

Schnecke *w*: Das Weichtier heißt *mhd.* snecke, snecko *m* (daher noch *oberd. mdal.* S c h n e c k *m*), entspr. *mnd.* snigge, *mengl.* snegge. Diese *germ.* Namen gehen von einer Grundbed. „Kriechtier" aus. Sie gehören zu einem *germ.* Verb für „kriechen" (im gleichbed. *ahd.* snahhan erhalten) mit dem auch *engl.* snake und *schwed.* snok „Schlange" verwandt sind. Auf die Langsamkeit des Tieres beziehen sich scherzhafte Zus. wie S c h n e c k e n g a n g (18. Jh.), Schneckenpost (17. Jh.), aber auch techn. Fachwörter wie Schnecken-r a d , -g e t r i e b e .

Schnee *m*: Das *gemeingerm.* Substantiv *mhd.* snē, *ahd.* snēo, *got.* snaiws, *engl.* snow, *schwed.* snö entspricht gleichbed. Wörtern anderer *idg.* Sprachen, z. B. *russ.* sneg, *gr.* nípha, (Akk. Einz.), *lat.* nix (Gen. nivis), *kymr.* nyf. Die *idg.* Wz. *[s]neig^{u}h- „schneien" liegt auch dem ehemals starken Verb schneien zugrunde (*mhd.* snīen, *ahd.*, *aengl.* snīwan, *aisl.* in der unpers. Form snȳr ,,es schneit"; *außergerm.* entspr. *lit.* snigti ,,schneien"; *gr.* neíphein, *lat.* nīvere ,,schneien"). Die Wendung 'sich freuen wie ein Schneekönig' meint den auch im Winter munteren Zaunkönig (*ostmitteld.* im 16. Jh. schneekȫning). Zus.: Schneeball (*mhd.* sneballe; im 16. Jh. Pflanzenname); schneeblind (*mhd.* snēblint); Schneeflocke (*mhd.* snēvlocke); Schneeglöckchen (18. Jh.); Schneeschuh (18. Jh.); schneeweiß (*mhd.* snēwīz ,,sehr weiß; rein, glänzend").

schneiden: Das *gemeingerm.* starke Verb *mhd.* snīden, *ahd.* snīdan, *got.* sneiþan, *aengl.* snīðan, *schwed.* snida hat keine sicheren *außergerm.* Beziehungen. Ablautend gehören den *dt.* Substantive →Schneise, →Schnitt, Schnitte und die Intensivbildung →schnitzen zu ihm. Seine Grundbed. ,,mit scharfem Gerät schneiden oder hauen" hat das Verb bis heute bewahrt, doch wird es im *Nhd.* meist auf Messer, Schere und Säge, weniger auf hauende Geräte wie Schwert, Sense, Axt bezogen. In mathemat. Sprachgebrauch bezeichnet 'schneiden' das Kreuzen von Linien oder Ebenen (seit dem 16. Jh.; s. auch Schnittpunkt). Eine LÜ des 19. Jh.s für *engl.* to cut a person ist 'jemanden schneiden' ,,nicht beachten". Abl.: Schneid *m* (*mdal.* auch *w*; *ugs.* für ,,Mut, Tatkraft"; seit dem 18. Jh. aus *südd.* Mundarten aufgenommen, wo Schneid[e] ,,Messerschneide, Schärfe" [s. u.] die Bed. ,,Kraft, Mut" entwickelt hatte; im 19. Jh. bes. soldatisch), dazu etwa seit 1860 schneidig ,,tatkräftig, forsch" (*mhd.* snīdec ,,schneidend, scharf, kräftig"); Schneide *w* (*mhd.* snīde ,,scharfe Seite von Waffen und Werkzeugen"), dazu zweischneidig (im 15. Jh. zweisnīdic, heute übertr. für ,,mit Vor- und Nachteilen behaftet") dazu Schneider *m* (*mhd.* snīdære), dazu das Verb schneidern (17. Jh.). Zus. abschneiden (*mhd.* abesnīden, *ahd.* abasnīdan; seit dem 19. Jh. 'gut, schlecht abschneiden' für ,,Erfolg haben"), dazu Abschnitt *m* (z. B. eines Buches oder Lebens; seit dem 17. Jh. zunächst im Festungsbau für Trennungsgräben oder -schanzen und die dadurch geschützten Teile oder 'Kampfabschnitte'); anschneiden (*mhd.* anasnīden; auch vom neuen Brot gesagt, daher übertr. 'eine Frage anschneiden'); aufschneiden (*mhd.* ūfsnīden; seit dem 17. Jh. für ,,prahlen", urspr. '[den Braten] mit dem großen Messer aufschneiden'), dazu Aufschneider *m* ,,Prahler" (17. Jh.) und Aufschnitt *m* (Scheiben von Wurst, Braten usw., 19. Jh.); durchschneiden (*mhd.* durchsnīden; im 16. Jh. wie 'schneiden' mathemat. Fachwort für ,,kreuzen", s. o.), dazu Durchschnitt *m* (s. d.); ähnlich sich überschneiden ,,kreuzen, teilweise decken" (*mhd.* übersnīden ,,übertref-

fen"; seit dem 19. Jh. in der heutigen Bedeutung, wohl nach einem älteren Zimmermannsausdruck). Präfixbildungen: beschneiden (*mhd.* besnīden, *ahd.* bisnīdan ,,stutzen, zurückschneiden", bes. von der rituellen Beschneidung der Juden); verschneiden (*mhd.* versnīden, *ahd.* farsnīdan ,,weg- oder zerschneiden, falsch schneiden", seit *mhd.* Zeit auch ,,kastrieren" und ,,zurechtschneiden"; zur ersten Bedeutung gehört das substantivierte 2. Part. Verschnittene *m* ,,Kastrierter, Eunuch", 16. Jh.; von der zweiten Bedeutung geht wohl der fachsprachl. Gebrauch für ,,Wein, Rum u. ä. durch Mischen zurichten" aus, zuerst *niederd.* im 18. Jh., dazu nach 1900 Verschnitt *m* ,,Mischung alkoholischer Flüssigkeiten").

Schneise *w* ,,[gerader] Durchhau im Walde, Waldweg": Das urspr. *mitteld.* Wort erscheint zuerst um 1400 als sneyße. Es gehört wie die gleichbed. Wörter *mhd.* sneite, *ahd.* sneida, *aengl.* snæd ,,Grenze, Grenzweg" zu der unter →*schneiden* behandelten Wortsippe.

schnell ,,rasch, geschwind": Der *nhd.* Gebrauch dieses *altgerm.* Adjektivs ist gegenüber dem der älteren Sprachzustände stark eingeschränkt (ebenso bedeutet *niederl.* snel heute nur noch ,,rasch, geschwind"). *Mhd.*, *ahd.* snel dagegen bedeutete ,,behende, kräftig, tapfer", seit Anfang des 11. Jh.s auch ,,rasch", *aengl.* snell ,,schnell, kühn, tatkräftig", *aisl.* snjallr ,,tüchtig, beredt" (*schwed.* snäll bedeutet heute ,,lieb, freundlich"). Die Grundbed. des Wortes mag also etwa ,,tatkräftig" gewesen sein, seine Herkunft ist ungeklärt. Ablautend gehören die unter →Schnalle und →schnalzen genannten Wörter hierher. Abl.: schnellen ,,[sich] rasch bewegen" (nur *dt.* Verb, *mhd.* snellen), dazu Stromschnelle *w* (Ende des 18. Jh.s); Schnelligkeit *w* (*mhd.* snel[lec]heit ,,Raschheit, Behendigkeit, Tapferkeit").

Schnepfe *w*: Der Vogel ist nach seinem langen, spitzen Schnabel benannt. *Mhd.* snepfe, *ahd.* snepfa, *niederl.* snip stehen im Ablaut zu *aisl.* [mȳri-]snīpa ,,[Moor]schnepfe" (*norw.* snipa, *engl.* snipe) und sind verwandt mit Ausdrücken für ,,Schnabel, Spitze" wie *mnd.* snippe, sneppel, snebbe und *schweiz.* mdal. Schnepf ,,Schlittenschnabel". Vgl. weiter die unter →Schnabel und →*schnappen* genannten Wörter. Die Schnepfe wird bes. bei ihrem Balzflug, dem Schnepfenstrich, geschossen.

schneuzen: Das *altgerm.* Verb *mhd.* sniuzen, *ahd.* snūzen, *niederl.* snūiten, *aengl.* snȳtan, *schwed.* snyta gehört mit den Substantiven *mhd.* snuz, *ahd.* snuzza, *engl.* snot ,,Nasenschleim" zu der unter →*schnauben* dargestellten lautmalenden Wortgruppe. Nächstverwandt ist das unter →Schnauze behandelte Wort.

617

Schnippchen *s*: Die *nhd.* Redensart 'jemandem ein Schnippchen schlagen' für „einen Streich spielen" (17. Jh.) meint eigtl. die schnellende Bewegung des Mittelfingers zum Daumenballen als Ausdruck der Geringschätzung. Schnippchen ist die Verkleinerungsbildung zu gleichbed. *frühnhd.* Schnipp und gehört zu **schnippen** „fortschnellen, schnell mit der Schere abschneiden" (*mhd.* snippen, snipfen „schnappen"), das wohl – wie das unter →*schnappen* behandelte Verb – lautnachahmenden Ursprungs ist.

schnippisch: Im 16. Jh. ist das Adjektiv aufschnüppich in der Bedeutung „hochmütig" bezeugt. Es gehört zu *ostmitteld.* aufschnuppen „die Luft durch die Nase ziehen" (vgl. *schnupfen*). Als schnuppisch, schnippisch u. ä bedeutete es später „frech, dreist", seit dem 18. Jh. „kurz angebunden, naseweis, keck" (bes. von Mädchen). Die zu -i- entrundete Form hat sich schließlich durchgesetzt.

Schnitt *m*: *Mhd.*, *ahd.* snit „Schnitt mit Messer, Säge, Sichel usw.; Ernte; Wunde", (*mhd.* auch:) „Zuschnitt von Kleidern", *aengl.* snide „Schnitt; Tötung; Säge", *aisl.* snid „Schnitt, Abgeschnittenes" sind Substantivbildungen zu dem unter →*schneiden* behandelten Verb. Abl.: **Schnitter** *m* „Erntearbeiter" (urspr. mit der Sichel schneidend; *mhd.* snitᴂre, *ahd.* snitari); **schnittig** (Ende des 19. Jh.s wie →schneidig gebraucht, jetzt „von gutem Schnitt, wohlgebaut"). Zus.: **Schnittlauch** (*mhd.* snit[e]louch, *ahd.* snitilouh); **Schnittpunkt** (mathemat. Fachwort des 19. Jh.s). Eine nur *dt.* Bildung zu →schneiden ist **Schnitte** *w* „abgeschnittenes Stück" (*mhd.* snite, *ahd.* snita „Brotschnitte, Bissen").

schnitzen: Als nur im *dt.* Sprachgebiet bezeugte Intensivbildung zu dem unter →*schneiden* behandelten Verb bedeutet *mhd.* snitzen „in Stücke schneiden; durch Ausschneiden aus Holz formen". Abl.: **Schnitz** *m* (*mhd.* sniz „Schnitt; abgeschnittenes Stück"; heute *landsch.* für „[Obst]schnittchen"), dazu die Verkleinerungsbildung **Schnitzel** *s* „abgeschnittenes Stückchen; Rippenstück zum Braten" (*spätmhd.* snitzel; in der zweiten Bedeutung im 19. Jh. *östr.*) mit dem Verb **schnitzeln** (16. Jh.; *mhd.* ver-, zersnitzelen „zerschneiden") und der Zus. **Schnitzeljagd** (19. Jh.s); **Schnitzer** *m* (*mhd.* snitzᴂre, *ahd.* snizzᴂre „Bildschnitzer"; in der Bed. „grober Fehler" [eigtl. „falscher Schnitt"] seit dem 17. Jh.), dazu **Schnitzerei** *w* „Schnitzwerk" (17. Jh.).

Schnörkel *m* „Verzierung in gewundenen Linien": Das nur *hochd.* Wort begegnet im 17. Jh. als Schnörchel, Schnörckel; daneben steht *frühnhd.* Schnirkel „unnützes Beiwerk; Laub- und Blumenwerk an Säulen und Geräten". Die Wörter sind vermutlich aus Kreuzungen von älter *nhd.* Schnögel „Schnecke, Schneckenlinie" mit Zirkel

„Kreis" und älter *nhd.* Schnirre „Schleife" entstanden. Abl.: **schnörkeln** (17. Jh.); **verschnörkeln** „,[geschmacklos] verzieren" (19. Jh.).

schnüffeln: Das erst in *nhd.* Zeit aus *niederd.* snüffeln (*mnd.*, [*m*]*niederl.* snuffelen) ins *Hochd.* aufgenommene Wort gehört zu *niederd.* Snüff „Nase, Schnauze" (vgl. *niederl.* snuff „Beriechung, Geruch") und damit zu der unter →*schnauben* dargestellten Wortgruppe. Beachte auch *engl.* to snuff, sniff „schnaufen, schnüffeln". Übertr. steht 'schnüffeln' *ugs.* für „spionieren"; dazu **Schnüffler** *m* (im 18. Jh. *niederd.*).

Schnuller *m*: Der Gummisauger des Kleinkindes war früher ein zusammengebundenes Saugläppchen. Seine *ugs.* Bezeichnung ist abgeleitet von dem lautmalenden Verb **schnullen** „lutschen, saugen" (17. Jh.).

Schnulze *w*: Das junge *ugs.* Wort für „sentimentales Kino- oder Theaterstück, Lied und dgl." soll 1948 in einer Redaktionssitzung des Nordwestdeutschen Rundfunks entstanden sein, als ein Orchesterleiter statt 'Schmalz' oder 'Schmachtfetzen' versehentlich 'Schnulze' sagte. Doch können auch ähnlich klingende Wörter wie *niederd.* snulten „gefühlvoll reden" und *ugs.* schnulle „nett, lieb, süß" bei der Entstehung des treffenden Ausdrucks mitgewirkt haben.

schnupfen: *Mhd.* snupfen „schnaufen" ist eine Intensivbildung zu dem unter →*schnauben* behandelten Verb. Im *Frühnhd.* bedeutet es „die Luft einziehen" (dazu →schnippisch) und „schluchzen", wird aber seit dem 17. Jh. bes. vom Tabakschnupfen gebraucht, das damals von Frankreich her Mode wurde. Zu dem entspr. *mitteld.* schnuppen „schnaufen, schneuzen" gehört die Iterativbildung **schnuppern**; s. auch Schnuppe. Zus.: **Schnupftabak** (17. Jh.); **Schnupftuch** (*mitteld.* im 16. Jh. schnoptüchlin; heute veraltet).

Schnupfen *m*: Das Substantiv *spätmhd.* snupfe, snüpfe gehört zu der unter →*schnauben* dargestellten lautmalenden Wortgruppe. Das auslautende n der *nhd.* Nominativform stammt aus den flektierten Fällen. Als *mitteld.* und *nordd.* Wort hat sich 'Schnupfen' gegen zahlreiche *mdal.* Bezeichnungen der Krankheit durchgesetzt.

Schnuppe *w*: Das abgeschnittene verkohlte Ende des Kerzendochts heißt *mnd.* und *mitteld.* im 15. Jh. snup[p]e, weil man das Putzen des Lichts (*mitteld.* snuppen, 16. Jh.) mit dem Schneuzen der Nase verglich (s. schnupfen). Die Zus. **Sternschnuppe** bezeichnet seit dem 18. Jh. die glühenden Meteore am Himmel, die man vor alters als Putzabfälle der Sterne ansah. Als Adjektiv mit der Bed. „gleichgültig" steht **schnuppe** in der *ugs.* Wendung 'das ist mir schnuppe' (eigtl. „wertlos wie eine Kerzenschnuppe"; Ende des 19. Jh.s *berlinisch*).

Schnur w: Mhd., ahd. snuor, niederl. snoer, norw. snor steht neben Ableitungen wie aengl. snēre ,,Harfensaite'' und got. snōrjō ,,geflochtener Korb, Netz''. Die germ. Wörter gehören wahrscheinlich zu der unter →nähen behandelten Wortgruppe; als Grundbed. ergibt sich ,,gedrehtes oder geflochtenes Band''. Von der Richtschnur des Zimmermanns stammt u. a. die Redensart 'über die Schnur hauen' für ,,übermütig sein, des Guten zuviel tun''. Auch Zus. wie schnurgerade (18. Jh.) und schnurstracks (16. Jh.; s. stracks) schließen hier an. Wenn etwas 'über die Hutschnur geht', ist dagegen ein altes Maß für die Stärke eines Wasserleitungsstrahls gemeint (14. Jh.). Die Wendung 'wie am Schnürchen gehen' (d. h. ohne Stocken) bezieht sich auf die Rosenkranzgebete. Abl.: schnüren (mhd. snüeren ,,mit einer Schnur binden, lenken, abmessen'').

schnurren: Das Verb mhd., mnd. snurren, niederl. snorren ,,rauschen, sausen'' ist wie →schnarren lautnachahmenden Ursprungs. Es bezeichnet seit alters Geräusche von Tieren (Katze, Insekten) und Geräten (Spinnrad). Ein altes Lärmgerät heißt Schnurre w (im 16. Jh. für ,,Knarre; Brummkreisel''; vgl. mhd. snurre ,,sausende Bewegung''). Da Possenreißer (mhd. snürrinc) und Bettler damit umgingen, wurde 'Schnurre' zu ,,Posse, komischer Einfall'' (bes. im 18. Jh.; dazu das Adj. schnurrig ,,possierlich, lächerlich'', frühnhd. für ,,brummig''). Die Zus. Schnurrbart, ein Soldatenwort des 18. Jh.s nach niederl. Snurbaard, besagt dasselbe wie südd. Schnauzbart (s. Schnauze); niederl. snurre (eigtl. ,,Lärmgerät'') bedeutet svw. ,,Schnauze''.

Schock m: Das in neuerer Zeit aus dem Frz. entlehnte FW lebt einerseits in einer allgemeinen Bed. ,,Stoß, Schlag'', andererseits gilt es im medizin. Bereich als spezielle Bezeichnung einer Erschütterung des Nervensystems. Diese Erschütterung kann natürliche Ursachen (Verletzung, starke seelische Erregung) haben, sie kann aber auch zum Zwecke einer psychiatrischen Heilbehandlung künstlich herbeigeführt sein (beachte Zus. wie Schockbehandlung, Elektroschock und die Verbalableitung schocken ,,mit [elektr.] Schock behandeln''). – Frz. choc ,,Stoß, Schlag; Erschütterung'', das auch ins Engl. gelangte (beachte gleichbed. engl. shock), gehört als Abl. zu frz. choquer ,,anstoßen; beleidigen'' (daraus unser FW schockieren ,,einen Schock versetzen; beleidigen; bestürzt machen, sittlich entrüsten''). Das frz. Verb stammt vermutlich aus mniederl. schokken ,,stoßen'', das seinerseits zu den unter →Schaukel genannten germ. Wörtern gehört.

schofel, schof[e]lig ,,gemein, schäbig, lumpig'': Das mdal. und ugs. weit verbreitete Adjektiv stammt aus dem Rotwelschen.

Schriftsprachlich ist es seit dem 18. Jh. bezeugt. Quelle des Wortes ist hebr. šāfál ,,niedrig'' bzw. das darauf beruhende gleichbed. jidd. schophol.

Schöffe m: Das auf dt. und niederl. Sprachgebiet beschränkte Wort mhd. scheffe[ne], schepfe[ne], ahd. sceffino, scaffin, niederl. schepen ist abgeleitet von einem germ. Verb mit der Bed. ,,[an]ordnen'' (vgl. schaffen). Die Schöffen hatten also urspr. das Urteil zu bestimmen. Heute sind sie Beisitzer des Berufsrichters, bes. im Schöffengericht (19. Jh.).

Schokolade w: Das in dt. Texten seit dem 17. Jh. bezeugte FW entstammt einer Eingeborenensprache Mexikos. Die Spanier brachten das mex. Wort chocolatl, das eine Art Kakaotrank bezeichnet, nach Europa (span. chocolate) und vermittelten es den anderen europ. Sprachen, vgl. z. B. entspr. frz. chocolat, engl. chocolate und niederl. chocolade (älter: chocolate). Uns erreichte das Wort vermutlich durch niederl. Vermittlung.

¹Scholle w ,,Erd-, Eisklumpen'': Das auf das dt. und niederl. Sprachgebiet beschränkte Wort mhd. scholle, ahd. scolla, scollo, niederl. schol gehört im Sinne von ,,Abgespaltenes'' zu der unter →Schild behandelten Wortgruppe. Dasselbe Wort ist ²Scholle w ,,Flunder'' (mnd. scholle, niederl. schol, hochd. um 16. Jh.); der Fisch ist nach seiner Form benannt.

schon: Mhd. schön[e], ahd. scōno ist das Adverb des unter →schön behandelten Adjektivs wie 'fast' das von 'fest'. Seit dem 13. Jh. hat es sich von 'schön' gelöst und ist von der Bed. ,,in schöner, gehöriger Weise'' über ,,vollständig'' zu der heutigen Bed. ,,bereits'' gelangt. Siehe auch den Artikel schonen.

schön: Das altgerm. Adjektiv mhd. schœne, ahd. scōni ,,schön, glänzend, rein'', got. *skaun[ei]s ,,anmutig'', niederl. schoon ,,schön; rein, sauber'', engl. sheen ,,glänzend'' gehört zu der unter →schauen behandelten Wortgruppe und bedeutet urspr. ,,ansehnlich, was gesehen wird''. Altes Adverb zu 'schön' ist das unter → schon behandelte Wort. Abl.: ¹Schöne w (dicht. für ,,Schönheit''; mhd. schœne, ahd. scōnī, entspr. got. skaunei ,,Gestalt''); ²Schöne w ,,schöne Frau'' (mhd. schœne, ahd. scōna ist das substantivierte Adj.); Schönheit w (mhd. schœnheit); schönen (mhd. schœnen ,,schönmachen, schmücken''; heute nur noch technisch gebraucht für ,,Färbungen verschönern'' und ,,Flüssigkeiten, bes. Wein klären'', sonst gilt jetzt verschöne[r]n), dazu beschönigen (im 18. Jh. für älteres beschönen, mhd. beschœnen ,,schönmachen''; bemänteln, entschuldigen''; s. auch Schönfärberei im Artikel Farbe). Zus.: Schöngeist (im 18. Jh. für älteres 'schöner Geist', nach frz. bel-esprit; beachte ähnliche Lehnbildungen des 18. Jh.s wie 'schöne Literatur', 'schöne Wissenschaften, Künste'), dazu schöngeistig (Anf. des 19. Jh.s für „belletristisch", im Ggs. zu 'Schöngeist' nicht ironisch gebraucht); schöntun „sich zieren; schmeicheln" (18. Jh.).

schonen: Das *mhd.* Verb schönen „schön, d. h. rücksichtsvoll, behutsam behandeln" schließt an das Adv. *mhd.* schöne in dessen Bed. „freundlich, rücksichtsvoll" an (vgl. *schön* und *schon*). Abl.: Schoner *m* „Schondecke" (19. Jh.); Schonung *w* (*mhd.* schônunge; in der Bed. „junge Baumpflanzung" erst im 18. Jh.), dazu schonungslos (18. Jh.). Zus.: Schonzeit *w* „Zeit, in der ein Wild nicht gejagt werden darf" (18. Jh.).

Schopf *m*: *Mhd.* schopf „Haar auf dem Kopfe, Haarbüschel" und die andersgebildeten Wörter *ahd.* scuft, *got.* skuft, *aisl.* skopt „Haupthaar" gehören im Sinne von „Büschel" zu der *idg.* Wz. *[s]keu-b[h]-, -p- „Büschel, Quaste". Aus dem *germ.* Sprachbereich ist z. B. *engl.* sheaf „Garbe", *außergerm.* die *slaw.* Sippe von *russ.* čub „Schopf" verwandt. Mit der Grundbed. „Strohbündel, strohgedecktes Dach" stellen sich wahrscheinlich *aengl.* scoppa „Schuppen" (*engl.* shop „Kramladen") und die unter →Schuppen genannten Wörter zu der gleichen Wurzel.

schöpfen „Flüssigkeit entnehmen": Das schwache Verb *mhd.* schepfen, scheffen, *ahd.* scephen ist kaum mit dem ehemals gleichlautenden starken Verb für „erschaffen" (s. *schaffen*) identisch, sondern gehört wohl als alte Abl. zu →*Schaff* in seiner Bed. „Schöpfgefäß". Dazu das nur übertr. gebrauchte erschöpfen (*mhd.* erschepfen „ausschöpfen, leeren") mit dem 2. Part. erschöpft „verbraucht, ermattet" und dem Adj. unerschöpflich (16. Jh.).

Schöpfer *m*: Das Wort geht über *mhd.* schepfäre auf *ahd.* scepfâri zurück, das von *ahd.* scepfen in seiner Grundbed. „erschaffen" abgeleitet ist. Es gibt als Bez. Gottes *lat.* creâtor wieder (vgl. *schaffen*). Erst seit dem 18. Jh. wird es auch auf Menschen angewandt. Abl.: schöpferisch (18. Jh., nur vom Menschen); Schöpfung *w* (*mhd.* schepf[en]unge „Schöpfung, Geschöpf" nur von Gottes Werken; im 18. Jh. dichterisch für „Welt" nach *engl.* creation, dann auch für das künstlerische Schaffen und sein Ergebnis).

Schoppen *m*: Das Viertelmaß für Getränke ist urspr. der Inhalt eines Schöpfgefäßes der Brauer. *Mnd.* schöpe[n] „Schöpfkelle", das wie gleichbed. *mhd.* schuofe ablautend zu →Schaff gehört, wurde im 12. Jh. als chopine ins *Afrz.* entlehnt und gelangte als Maßbezeichnung in der *lothring.* Form chopenne etwa im 16. Jh. in die *südwestd.* Mundarten. Als Maß ist 'Schoppen' heute noch bes. *schweiz.* und *südwestd.* verbreitet. Dazu *mdal.* schöppeln „gern oder gewohnheitsmäßig trinken" (Anfang des 19. Jh.s).

Schorf *m*: Ein nur in *aengl.* sceorfan „beißen, zerfressen", gesceorfan „kratzen, zerreißen" bewahrtes *germ.* starkes Verb, das ablautend mit dem unter →*Scherbe* behandelten Wort verwandt ist, ergab das Subst. *mhd.* schorf, *ahd.* scorf- (im Namen der Heilpflanze scorfwurz), *aengl.* sceorf „Grind, Krätze", *aisl.* skurfa „Schorf, Kruste". Es bedeutete eigtl. „rissige Haut"; vgl. auch *lit.* kárpa „Warze". Erst *nhd.* (18. Jh.) ist die Bed. „Blutkruste auf einer Wunde". Abl.: schorfig (im 17. Jh. schorbig, -ficht).

Schornstein *m*: Die *nordd.* und *westd.* Bezeichnung des anderwärts Kamin, Schlot, Esse, Rauchfang (s. d.) genannten Bauteils lautet *mhd.* schor[n]stein, *spätahd.* scor[en]stein, *niederl.* schoorsteen. Das Wort bezeichnete urspr. wohl den Kragstein, der den Rauchfang über dem Herd trug. Bestimmungswort der Zus. ist *mnd.* schore, *niederl.* schoor, *engl.* shore „Stütze", das zu dem Verb *mhd.* schorren, *ahd.* scorrēn, *aengl.* scorian „herausragen" und damit zu der unter →¹*scheren* behandelten Sippe gehört. Seit dem Verschwinden des offenen Rauchfangs (beachte noch 'etwas in den Schornstein schreiben' für „darauf verzichten") gilt die Bezeichnung nur noch für den gemauerten, aus dem Dach ragenden Abzugskanal des Rauches; im 19. Jh. wurde sie auf die Schlote der Fabriken und die entspr. Teile von Schiffen und Lokomotiven übertragen; das Grundwort -stein wird nicht mehr empfunden. Zus.: Schornsteinfeger *m* (17. Jh.).

¹Schoß *m* (Gen. Schoßes): Das *gemeingerm.* Substantiv *mhd.* schôz, *ahd.* scôz[o], scôza „Kleiderschoß, Mitte des Leibes", *got.* skaut „Schoß, Saum", *aengl.* scêat, *aisl.* skaut „Schoß, Ecke, Zipfel" ist zu dem unter →*schießen* behandelten Verb gebildet mit der Grundbed. „Vorspringendes, Ecke" (beachte *ahd.* drî-scôz „dreieckig"). 'Schoß' bezeichnete zunächst den Zipfel eines Kleides (Rockschoß), dann mit dem Wandel der Tracht vor allem die Bedeckung des Unterleibs. Dadurch wird es zur Bezeichnung der Leibesmitte bes. beim Sitzenden. Zus.: Schoßhund (16. Jh.); Schoßkind (17. Jh.).

²Schoß *m* (Gen. Schosses) „junger Trieb": *Mhd.* schoz, *ahd.* scoz, scozza, ist eine Substantivbildung zu dem unter →*schießen* behandelten Verb. Es war urspr. gleichbed. Schößling *m* (im 15. Jh. für *mhd.* schüz[ze]linc).

Schote *w* „Kapselfrucht; Schale der Hülsenfrüchte": *Mhd.* schôte gehört ebenso wie *aisl.* skaud „Schwertscheide" und das erste Glied von *got.* skauda-raip „Schuhriemen" zu der unter →*Scheune* dargestellten Wortgruppe.

Schotter *m* „Geröll; Kleinschlag von Steinen": Die Bezeichnung, die mit den unter →Schutt und →schütten behandelten Wörtern verwandt ist, wurde im 19. Jh. von Geologen und Straßenbauern aus *mitteld.* Mundarten aufgenommen. Abl.: [be]schottern „mit Schotter belegen" (19. Jh.).

schraffieren „(durch parallele Linien) stricheln": Das seit dem 15. Jh. zuerst im *niederd.* Sprachraum bezeugte Verb ist (durch Vermittlung von entspr. *mniederl.* schraeffeeren) aus *it.* sgraffiare „kratzen; stricheln" entlehnt. Dessen weitere Herkunft ist umstritten.

schräg: Das im *germ.* Sprachbereich nur im *Dt.* gebräuchliche und erst seit dem 16. Jh. bezeugte Adjektiv gehört zu der vielfach weitergebildeten und erweiterten *idg.* Wz. *[s]ker- „[sich] drehen, krümmen" und bedeutet demnach eigtl. „gekrümmt, gebogen". Eng verwandt sind die unter →Schrank und →Schranke behandelten Wörter. Aus anderen *idg.* Sprachen gehören zu dieser Wurzel z. B. *lat.* curvus „krumm" (s. Kurve) und *lat.* circus „Kreis" (s. Zirkus). Aus dem *germ.* Sprachbereich stellen sich u. a. hierher die unter →Harfe, →Ring und →Runge behandelten Wörter, ferner wohl auch die unter →schreiten (eigtl. sich „bogenförmig bewegen") und →Rücken (eigtl. „der Gekrümmte") dargestellten Wortsippen. - Abl.: S c h r ä g e *w* (*frühnhd.* schreg, *spätmhd.* schreck); s c h r ä g e n (*mhd.* schregen „mit schrägen Beinen gehen"; heute meist als a b s c h r ä g e n „schräg machen").

Schramme *w*: *Mhd.* schram[me] „lange Wunde", *niederl.* schram „Kratzer" gehören wie ablautendes *schwed.* skråma „Schramme" zu der unter → ¹scheren „schneiden" dargestellten Wurzel. Dazu das Verb s c h r a m m e n „ritzen" (*spätmhd.* schrammen).

Schrank *m*: Das nur *dt.* Substantiv hat seine heutige Bedeutung erst in *spätmhd.* Zeit ausgebildet. *Mhd.* schranc bedeutete urspr. wie *ahd.* scranc „Verschränkung, Verflechtung". Es gehört wie das Verb →schränken zu der unter →schräg dargestellten *idg.* Wortgruppe. Aus der sinnlichen Bed. „kreuzweise übereinander Gelegtes, Gitter, Einfriedigung" (s. dazu Schranke) entwickelten sich im 15. Jh. die Bedeutungen „[vergittertes] Gestell" und „abgeschlossener Raum". Der Schrank als Möbel ist aus der aufrechtgestellten Kastentruhe entstanden, auf die dann der Name des Gittergestells übertragen wurde.

Schranke *w*: *Mhd.* schranke hat im Gegensatz zu dem gleichbed. starken Substantiv schranc (s. Schrank) die alte Bed. „absperrendes Gitter" festgehalten. Heute bezeichnet es bes. die Absperrungen in Amtsräumen und die Eisenbahnschranke. Die bildl. Wendung 'für jemanden in die Schranken

treten' erinnert an die Turnierplätze der Ritterzeit. Ähnlich steht 'Schranken setzen' übertr. für „begrenzen, einengen", und in gleichem Sinne wird die *nhd.* Abl. e i n s c h r ä n k e n gebraucht (17. Jh., meist reflexiv für „sparen"; zu beschränken siehe schränken). Beachte auch das Adjektiv s c h r a n k e n l o s (18. Jh.).

schränken: Das *westgerm.* Verb *mhd.* schranken „schräg stellen, verschränken, flechten", *ahd.* screnken „schräg stellen, hintergehen", *mniederl.* screnken „betrügen, durch List zu Fall bringen", *aengl.* screncan „zu Fall bringen, täuschen" gehört wie →Schrank und →Schranke zu der unter →schräg dargestellten *idg.* Wortgruppe. Der übertr. Gebrauch im *Ahd.*, *Aengl.* und *Mniederl.* meint eigtl. „ein Bein stellen". Im *Nhd.* gilt das einfache Verb nur noch fachsprachlich: 'eine Säge schränken' bedeutet „ihre Zähne auseinanderbiegen". Häufiger sind die Präfixbildungen: beschränken (*mhd.* beschrenken „umklammern, versperren", *ahd.* biscrenken „zu Fall bringen"; vom *nhd.* Sprachgefühl wird es mit der Bed. „einengen, begrenzen" zu →Schranke gezogen, daher steht das 2. Part. beschränkt seit Anfang des 19. Jh.s für „geistig eng, unfähig"); verschränken „quer oder kreuzweise legen" (*mhd.* verschrenken „mit Schranken umgeben, einschließen; verschränken", *ahd.* forscrenchen; *nhd.* bes. von Armen und Händen gesagt). Zu einschränken siehe Schranke.

Schraube *w*: Die Herkunft des seit dem 14. Jh. bezeugten Substantivs *mhd.* schrūbe (entspr. *mnd.* schrūve, *niederl.* schroef), das irgendwie mit *frz.* écrou (*afrz.* escroue) „Schraube" (aus dem *Afrz.* vermutlich gleichbed. *engl.* screw) zusammenhängt, ist nicht gesichert. - Abl. und Zus.: s c h r a u b e n (*spätmhd.* schrūben); S c h r a u b e n z i e h e r (18. Jh.); Schraubenmutter (18. Jh.; zum Grundwort s. *Mutter*); Schraubstock (17. Jh.). Siehe auch verschroben.

¹schrecken: Das starke Verb hat seine heutige Bed. „in Schrecken geraten" aus der Grundbed. „[auf]springen" entwickelt, die sich noch im Tiernamen H e u s c h r e c k e zeigt (s. Heu) und auch in den allein noch üblichen Zus. auf-, empor-, zurück-, zusammenschrecken und in der Präfixbildung ¹erschrecken noch spürbar ist. Das Verb *mhd.* [er]schrecken „auffahren, sich erschrecken", *ahd.* screckan „springen" hat sich erst im 11. Jh. unter Anlehnung an die Flexion starker Verben wie 'brechen' aus dem schwachen *ahd.* scricken „[auf]springen" (*mhd.* schricken) entwickelt. Die genannten Verben gehören zu der unter → ²scheren dargestellten *idg.* Wz. *[s]ker- „springen", vgl. noch *niederl.* schrikken „sich erschrecken" und *norw. mdal.* skrikka „hüpfen". Abl.: S c h r e c k [e n] *m* (*frühnhd.* schreck[en], *mhd.*

schreiben

schrecke), dazu schreckhaft „leicht er-
schreckend" (15. Jh.) und schrecklich (im
15. Jh. für *spätmhd.* schriclich). Das Veranlassungswort ²schrecken „in Schrecken versetzen" (*mhd.* [er]schrecken, *ahd.* screcken),
nhd. meist als ²erschrecken gebraucht,
meint eigtl. „springen machen, aufscheuchen". Dazu die Zus. abschrecken (*mhd.*
abeschrecken „durch Schrecken von etwas
abbringen"; seit dem 16. Jh. auch für
„plötzlich abkühlen").

schreiben: Das *westgerm.* starke Verb *mhd.*
schrīben, *ahd.* scrīban, *niederl.* schrijven,
aengl. scrīfan „vorschreiben, anordnen" ist
wie die LW Brief und Tinte (s. d.) mit der
röm. Schreibkunst aus dem *Lat.* entlehnt
worden. Es beruht auf *lat.* scrībere „schreiben" (s. Manuskript, subskribieren), das
eigtl. „mit dem Griffel eingraben, einzeichnen" bedeutet und zu der unter → ¹scheren
„schneiden" dargestellten *idg.* Sippe gehört.
Die gleiche Grundbed. „ritzen" zeigt auch
aengl. wrītan, *engl.* to write „schreiben"
(eigtl. „Runen ritzen", s. reißen), das in
England auf die neue Schreibkunst übertragen wurde. Abl.: Schreiben *s* „Schriftstück,
Brief" (16. Jh.), dazu das junge Anschreiben „Begleitbrief"; Schreiber *m* (*mhd.*
schrībære, *ahd.* scrībāri; im Mittelalter Bezeichnung höherer Beamter, z. B. der Kanzler und Notare, später der niederen Kanz-
listen); Schrift (s. d.). Zus.: abschreiben
(*mhd.* abeschrīben „abschreiben, kopieren";
auf der Bed. „in einer Liste löschen" beruht
die Wendung 'jemanden abschreiben' für
„nicht mehr mit ihm rechnen"; zur Grundbed. „kopieren" gehört Abschrift [15. Jh.]);
anschreiben (*mhd.* aneschrīben für „aufschreiben", weil man die Folianten offen
auf ein Pult stellte; vom kaufmänn. Anschreiben der Schulden und Guthaben stammt
die Wendung 'bei jemandem gut, schlecht
angeschrieben sein'; jung ist 'jemanden anschreiben' für „an ihn schreiben"); ausschreiben (*mhd.* ūzschrīben; *nhd.* z. B.
vom Bekanntmachen offener Stellen oder
zu vergebender Arbeiten); einschreiben
„in eine Liste eintragen" (*mhd.* īnschrīben;
postamtl. seit 1875 für „rekommandieren",
dazu Einschreiben *s* „eingeschriebener
Brief" (20. Jh.); vorschreiben (*mhd.* vor-
schrīben; *frühnhd.* „als Muster hinschreiben", später für „befehlen, bestimmen"),
dazu Vorschrift (17. Jh.); zuschreiben
(*mhd.* zuoschrīben für „schriftlich zusichern,
melden", *ahd.* zuoscrīban „hinzu-, zusammenfügen"; be-, vermerken"; *nhd.* für „zu-
rechnen, in Verbindung bringen", von Eigenschaften, anonymen Schriften usw.), dazu Zuschrift „Brief" (18. Jh., älter für „Widmung"). Präfixbildungen: beschreiben
(*mhd.* beschrīben „aufzeichnen; darstellen,
schildern", im 16. Jh. mathemat. Fachwort
für „konstruieren", daher noch übertr. 'einen

Kreis beschreiben'), dazu Beschreibung *w*
„Schilderung" (*mhd.* beschrībunge; wie das
Verb meist ohne die Vorstellung des Schrei-
bens gebraucht); verschreiben (*mhd.* ver-
schrīben „aufschreiben, schriftlich festsetzen, zuweisen, vermachen", seit dem 17. Jh.
besonders von Arzneien; reflexiv „sich verpflichten"; in der Bed. „falsch schreiben"
erst *nhd.*).

schreien: Das nur im *dt.* und *niederl.* Sprachgebiet altbezeugte starke Verb *mhd.* schrīen,
ahd. scrīan, *mniederl.* scrīen steht neben den
schwach flektierten Verben *niederl.* schreeu-
wen, *niederd.* schrēwen „schreien", *engl.* to
scream „kreischen". Ohne den s-Anlaut
stellt sich *aisl.* hrīna „schreien, jammern"
dazu. Die Wörter gehen auf die unter
→ Harke dargestellte lautmalende Wurzel
zurück. Abl.: Schrei *m* (*mhd.* schrī,
schrei, *ahd.* screi); Schreier (*mhd.* schrī[g]er
„Ausrufer, Herold"), dazu Marktschreier
(17. Jh.) und marktschreierisch (18. Jh.);
Geschrei *s* (*mhd.* geschrei[e], *ahd.* giscreigi,
Kollektivbildung zum Substantiv Schrei).
Zus.: Schreihals (16. Jh.). Die früher
sehr wichtige Rolle des Schreiens im Recht
und im Volksglauben zeigt noch der
Gebrauch der Präfixverben beschreien
(*mhd.* beschrīen „ins Gerede bringen; öffentlich anklagen"; *nhd.* auch wie → berufen für
„unbedacht reden") und verschreien (*mhd.*
verschrīen, verschreien „sich überschreien;
öffentlich verklagen", *nhd.* „verleumden"),
dazu noch: 'verschrie[e]n sein' (z. B. als
Geizhals).

Schrein *m*: Wie andere Behälternamen (s.
die Artikel Arche, Kiste, Sarg) ist auch
'Schrein' früh aus dem *Lat.* entlehnt worden.
Zugrunde liegt *lat.* scrīnium „zylindrische
Kapsel für Buchrollen, Salben und dgl.", ein
etymologisch nicht sicher erklärtes Wort. Es
ergab einerseits *ahd.* scrīni „Behälter", *mhd.*
schrīn „Geld-, Kleiderkasten; Reliquien-
schrein; Sarg; Archivtruhe", *niederl.* schrijn
„Kasten", andererseits *aengl.* scrīn „Kiste,
Koffer, Käfig; Heiligenschrein", *engl.* shrine
„Schrein, Altar, Tempel" (daher die junge *dt.*
Nebenbed. „japanischer Tempel" [Schinto-
schrein]). In *nhd.* Zeit ist 'Schrein' allmählich
auf die dichterische und bildl. Sprachgebrauch eingeschränkt worden. Anders die
Abl. Schreiner *m* (im 13. Jh. *mhd.* schrīnæ-
re), die im *dt.* Westen und Süden den Möbel-
bauer bezeichnet wie → Tischler im Norden
und Osten. Dazu schreinern „Schreiner-
arbeit machen" (19. Jh.).

schreiten: Das *altgerm.* starke Verb *mhd.* schrī-
ten „schreiten, sich aufs Pferd schwingen",
ahd. scrītan „schreiten, gehen, weichen", *niederl.* schrijden, *aengl.* scrīdan „sich bewegen,
kriechen, gleiten", *schwed.* skrida „schreiten,
gleiten" meinte urspr. wahrscheinlich eine
gewundene, bogenförmige Bewegung. Es
stellt sich mit *balt.* Wörtern wie *lit.* skríesti

622

„im Kreise drehen", skriĕti „einen Kreis beschreiben; schnell laufen, fliegen" zu der
unter → *schräg* dargestellten *idg.* Wz.
*[s]ker- „drehen, biegen". Dazu die Sub-
stantivbildung → Schritt. Zus.: a b s c h r e i -
t e n (17. Jh.; auch für „mit Schritten messen"); a u s s c h r e i t e n „große Schritte
machen" (früher [16. Jh.] auch „vom Weg
abgehen"; dazu A u s s c h r e i t u n g *w* „Übergriff, Gewalttätigkeit", 19. Jh.); ü b e r s c h r e i -
t e n (*mhd.* überschrīten); e i n s c h r e i t e n (im
18. Jh. für „Maßregeln ergreifen"); f o r t -
s c h r e i t e n (18. Jh.), dazu F o r t s c h r i t t
(s. d.).

Schrift *w*: Die Substantivbildung zu dem
unter → *schreiben* behandelten LW (*mhd.*
schrift, *ahd.* scrift „Geschriebenes, Schriftwerk; Schreibkunst") ist wie Trift, Gift,
Kluft gebildet, steht aber auch unter dem
Einfluß von gleichbed. *lat.* scrīptum. Abl.:
s c h r i f t l i c h (*mhd.* schriftlich); S c h r i f t t u m
s (im 19. Jh. für „Literatur, Buchwesen").
Zus.: S c h r i f t g i e ß e r (16. Jh.); S c h r i f t -
s e t z e r (17. Jh.; s. setzen); S c h r i f t s p r a c h e
(Ende des 18. Jh.s für die hochd. Sprache
im Gegensatz zu den Mundarten geprägt);
S c h r i f t s t e l l e r (im 17. Jh. zusammengebildet aus Wendungen wie '[in] eine Schrift
stellen' für „verfassen"; seitdem Ersatz für
die FW Autor und Skribent und Berufsbezeichnung).

schrill: Das Adjektiv erscheint erst nach
1800 im *Nhd.*, wohl unter Einfluß des gleichbed. *engl.* shrill (*mengl.* schril[le]). Voraus
ging Ende des 18. Jh.s das Verb s c h r i l l e n
„laut tönen", das unter Einfluß von *engl.*
to shrill umgebildet ist aus älter *nhd.* schrel-
len, schrallen „laut bellen". Beachte auch
niederl. schril „schrill, gellend; grell; schroff"
(17. Jh.). Die lautnachahmenden Wörter
sind verwandt mit *schwed.* skrälla, *norw.*
skrella „krachen" und *aengl.* scrallettan
„schallen".

Schritt *m*: Die *altgerm.* Substantivbildung zu
dem unter → *schreiten* behandelten Verb
lautet *mhd.* schrit, *ahd.* scrit „Schritt",
niederl. schrede „Schritt", *aengl.* scride
„Lauf", *aisl.* skrīðr „Lauf" (beachte *aengl.*
scrid „Wagen, Sänfte"). Das *dt.* Wort wird
früh zum Längenmaß. Zus.: F o r t s c h r i t t
(18. Jh.; s. d.); R ü c k s c h r i t t (17. Jh.);
S c h r i t t m a c h e r *m* „Läufer oder Fahrer, der
das Tempo angibt" (bes. als windfangender
Kraftradfahrer im Radsport; LÜ für *engl.*
pace-maker, Ende des 19. Jh.s; oft übertr.
gebraucht).

schroff: Zu der unter → *Scherbe* behandelten
Wortgruppe gehört *mhd.* schrof[fe], schrove
„zerklüfteter Fels, Steinwand". Aus ihm
wurde im 16. Jh. das Adjektiv schroff „zerklüftet, rauh, steil" rückgebildet, das seit
dem 17. Jh. übertr. für „zurückstoßend,
abweisend, unfreundlich" auch vom mensch-

lichen Charakter gebraucht wird. Abl.:
S c h r o f f h e i t *w* (17. Jh.).

schröpfen: Das früher viel geübte Ritzen der
Haut zu kleinerem Blutentzug (im Ggs. zum
kräftigen Aderlaß, s. d.) heißt *mhd.* schreffen, schrepfen, *frühnhd.* schröpfen. Das nur
dt. Verb steht neben stark flektierendem
mhd. schreffen „reißen, ritzen, kratzen"
(*aengl.* screpan „kratzen") und gehört zu der
unter → *scharf* behandelten Wortsippe. Seit
dem 17. Jh. wird schröpfen „Blut entziehen"
übertr. gebraucht für „zuviel Geld abnehmen, übervorteilen".

Schrot *m* oder *s*: Als Substantivbildung zu
dem unter → *schroten* behandelten Verb bedeutet *mhd.* schrōt, *ahd.* scrōt zunächst
„Schnitt, Hieb", dann „abgeschnittenes
Stück". Im *Engl.* entspricht shred „Schnitzel, Fetzen". Das *dt.* Wort bedeutet jetzt
nur noch „grob zerkleinertes Getreide" (dazu
Schrotbrot, -mühle) und „körnige Flinten-
munition" (16. Jh.; urspr. gehacktes Blei;
das einzelne Korn heißt Schrotkorn). Im
Münzwesen kennt man noch die Bed. „Rauh-
gewicht" (Bruttogewicht einer Münze) im
Ggs. zum Feingehalt oder Korn; daher die
seit dem 16. Jh. bildlich gebrauchte Wendung '[ein Mann] von echtem Schrot und
Korn'. Eine Nebenform zu 'Schrot' ist
→ Schrott. Abl.: v i e r s c h r ö t i g „massiv,
plump" (*mhd.* vierschrōtic „gewaltig groß
und stark", vierschrōte „viereckig zuge-
hauen", *ahd.* fiorscrōti; 'Schrot' bedeutet
hier wohl „Ecke, Kante").

schroten „grob zerkleinern": Das auf das *dt.*
und *niederl.* Sprachgebiet beschränkte Verb
mhd. schrōten, *ahd.* scrōtan, *mniederl.* scrōden
(*niederl.* schroeien) bedeutet eigtl. „hauen,
[ab]schneiden" und gehört zu der unter
→ ¹*scheren* behandelten Wortsippe. Verwandt
ist z. B. *aengl.* screadian „abschneiden" (*engl.*
to shred „zerreißen"). Ableitungen sind
→ Schrot und → Schrott.

Schrott *m*: Die Bezeichnung des Altmetalls
stammt aus der *niederrhein.* Mundart, in der
das Wort → *Schrot* „abgeschnittenes Stück"
kurz gesprochen und seit Anfang des
20. Jh.s in der heutigen Bedeutung gebraucht
wurde. Dazu das heute seltene Verb s c h r o t -
t e n „zu Schrott machen", noch üblich in
v e r s c h r o t t e n.

schrubben: *Mnd.* schrubben „kratzen", dem
schwed. skrubba „hart reiben" entspricht,
ist in der Bed. „scheuern, putzen" im 18. Jh.
ins *Hochd.* übernommen worden. Es gehört
wohl zu der unter → ¹*scheren* dargestellten
Wortsippe. Abl. S c h r u b b e r *m* „langstieli-
ger Scheuerbesen" (18. Jh.).

schrumpfen: Das *nhd.* schwache Verb ist
erst im 17. Jh. an die Stelle des älteren, stark
flektierten schrimpfen getreten (*mhd.*
schrimpfen „rümpfen, einschrumpfen").
Daneben steht unverschobenes *mitteld.* und
niederd. schrumpen mit der noch gebräuch-

lichen Weiterbildung s c h r u m p e l n , v e r s c h r u m p e l n (17. Jh.) und dem Adj. s c h r u m p [e] l i g ,,runzlig'' (16. Jh.). Verwandt sind *niederl.* schrompelen, *dän.* skrumpe ,,schrumpfen'' und *engl.* shrimp ,,Knirps''; s. auch rümpfen. Die Wörter gehören mit der Grundbed. ,,sich krümmen, zusammenziehen'' zu der unter → *Harfe* dargestellten Wortgruppe.

Schub *m*: Die nur *dt.* Substantivbildung zu dem unter → *schieben* behandelten Verb (*mhd.* schup, schub ,,Aufschub; Abschieben der Schuld auf andere'') gehörte urspr. nur der Rechtssprache an. Erst *nhd.* wird es in weiterem Sinn gebraucht, z. B. in den Zus. S c h u b k a r r e [n] , - l a d e (16. Jh.). Im 15. Jh. erscheint das Militärwort N a c h s c h u b. Vor allem bed. 'Schub' ,,was auf einmal geschoben wird'' (z. B. 'ein Schub Brot im Backofen'); diesen Sinn hat auch die polizeisprachl. Wendung 'auf den Schub bringen' ,,zwangsweise entfernen'' (eigtl. ,,mit einem 'Schub' unerwünschter Leute''; 18. Jh.). In techn. Sprache steht 'Schub' seit dem 19. Jh. für ,,Schubkraft''. Abl.: S c h u b e r *m* ,,[Buch]kassette'' (20. Jh.).

schüchtern: Das erst im 16. Jh. als schüchter, schuchter[n] ,,scheu gemacht, ängstlich'' aus dem *Ndd.* übernommene Adjektiv wurde urspr. von Tieren gesagt. Voraus liegt das Verb *mnd.* schüchteren ,,verscheuchen; scheu weglaufen'', eine Weiterbildung von scheu[ch]en (vgl. *scheu*; ähnl. *aengl.* ā-scyhtan ,,vertreiben''). Dieses Verb lebt *nhd.* nur noch in e i n s c h ü c h t e r n und dem 2. Part. v e r s c h ü c h t e r t. Zum Auslaut des Adjektivs vgl. albern. Abl.: S c h ü c h t e r n h e i t *w* (17. Jh.).

Schuft *m*: Das im 17. Jh. aus dem *Niederd.* ins *Hochd.* übernommene Schimpfwort bezeichnete zuerst den heruntergekommenen Edelmann, dann allgemein einen ,,Lumpenhund''. Möglicherweise ist es zusammengezogen aus *niederd.* Schufut ,,Uhu; elender Mensch'' (18. Jh.), *mnd.* schūvūt ,,Uhu'', einem urspr. lautnachahmenden Wort. Der Name des lichtscheuen, als häßlich verschrieenen Vogels wäre dann auf den Menschen übertragen worden.

Schuh *m*: Das *gemeingerm.* Wort für die Fußbekleidung lautet *mhd.* schuoch, *ahd.* scuoh, *got.* skōhs, *engl.* shoe, *schwed.* sko. Es gehört ⸸ wahrscheinlich im Sinne von ,,Schutzhülle'' zu der unter → *Scheune* behandelten Wortsippe. Bis heute ist 'Schuh' (auch in den *nhd.* Zus. S c h u h w e r k , - z e u g) der Oberbegriff geblieben, der Sandalen, Stiefel, Pantoffeln u. a. umfaßt. Als Längenmaß gilt das Wort schon in *mhd.* Zeit. Zus.: S c h u h m a c h e r *m* (*mhd.* schuochmacher; s. auch Schuster; S c h u h p l a t t l e r *m* (*oberbayr.* Volkstanz, im 19. Jh. *kärnt.* Schuochplattlar, zu platteln ,,Platten zusammenschlagen'' [hier: Handflächen und Schuhsohlen]).

Schuld *w*: Als *altgerm.* Substantivbildung zu dem unter → *sollen* behandelten Verb bezeichnet *mhd.* schulde, schult, *ahd.* sculd[a], *niederl.* schuld, *aengl.* scyld, *schwed.* skuld zunächst die rechtliche Verpflichtung zu einer Leistung (Abgabe, Dienst, Strafe und dgl.). Denselben Sinn zeigen verwandte *balt.* Wörter, z. B. *lit.* skolà ,,Geldschuld'', skìlti ,,in Schulden geraten''. Aus der Bed. ,,Verpflichtung zur Buße'' erwächst schon in *ahd.* Zeit die Bed. ,,Vergehen, Übeltat, Sünde'', die im rechtl. und religiösen Bereich gilt und daneben im allgemeinen Sinn zu ,,Ursache, Grund [für Unangenehmes oder Schädliches]'' verblaßt. In 'schuld haben, sein' wird das *dt.* Substantiv seit dem 17. Jh. als Adjektiv in aussagender Stellung gebraucht. Abl.: s c h u l d e n (*mhd.* schulden ,,schuldig, verpflichtet sein; sich schuldig machen'', *ahd.* sculdōn ,,sich etwas zuziehen, es verdienen''); s c h u l d i g (*mhd.* schuldec, *ahd.* sculdig), dazu b e - , a n s c h u l d i g e n (*mhd.* [be]schuldigen, *ahd.* scūldigōn), e n t s c h u l d i g e n (*mhd.* entschuld[ig]en ,,lossagen, freisprechen''); S c h u l d n e r *m* (*mhd.* schuldenǣre, *ahd.* sculdenāre). Die verwandten Wörter U n s c h u l d , u n s c h u l d i g drücken neben dem rechtlichen Begriff schon in *mhd.* Zeit den der sittlichen Reinheit und Unverdorbenheit aus.

Schule *w*: Das Subst. *mhd.* schuol[e], *ahd.* scuola (vgl. entspr. *niederl.* school und *engl.* school) wurde im Bereich des Klosterwesens aus *lat.* schola ,,Muße, Ruhe; wissenschaftl. Beschäftigung während der Mußestunden; Unterrichtsstätte, Unterricht'' entlehnt, das seinerseits LW ist aus gleichbed. *gr.* scholé. Das *gr.* Subst. gehört im Sinne von ,,das Innehalten (in der Arbeit)'' zum Stamm von *gr.* échein ,,haben, halten, besitzen; zurückhalten; einhalten, innehalten usw.'' (vgl. den Artikel *hektisch*). – Abl.: s c h u l e n ,,unterrichten, einüben'' (18. Jh.; zuvor schon im 17. Jh. mit der Bed. ,,zurechtweisen''); S c h ü l e r *m* ,,wer in einer Schule unterrichtet wird; Lernender'' (*mhd.* schuolǣre, *ahd.* scuolāri; aus *lat.-mlat.* scholāris ,,zur Schule gehörig; Schüler'').

Schulter *w*: Die Herkunft der nur im *Westgerm.* altbezeugten Körperteilbezeichnung (*mhd.* schulter, *ahd.* scult[er]ra, *niederl.* shouder, *engl.* shoulder) ist nicht eindeutig geklärt. Das Wort bedeutete in *mhd.* und *ahd.* Zeit auch ,,Vorderschinken, Vorderbug von Tieren'' und bezeichnete urspr. wohl das Schulterblatt. Es kann wie *gr.* skélos ,,Schenkel'', skelís ,,Hinterfuß, Hüfte'' auf der unter → *scheel* behandelten Wz. *[s]kel-* ,,schief'' beruhen oder auch wie *gr.* skállein ,,graben'', skalís ,,Hacke'' zu der gleichlautenden Wz. *[s]kel-* ,,schneiden'' gehören (vgl. *Schild*; das tierische Schulterblatt diente in ältesten Zeiten als Grabschaufel). Abl.: s c h u l t e r n (17. Jh., bes. vom Ge-

wehr). Zus.: Schulterblatt (mhd. sculter-
ren-, schulterblat).

Schund m: Die frühnhd. Substantivbildung
zu →schinden erscheint im 16. Jh. mit der
Bedeutung ,,Unrat, Kot", eigtl. ,,Abfall beim
Schinden". Seit dem 18. Jh. gilt das Wort
verächtl. für ,,schlechte Ware, Trödel", bes.
auch für ,,schlechte Literatur".

schunkeln ,,schaukeln, [sich] hin und her
wiegen": Das bes. vom geselligen Singen im
Karneval bekannte und zuerst im 18. Jh.
belegte Wort ist eine niederd. und mitteld.
Nebenform zu schuckeln (vgl. schaukeln).

Schuppe w: Mhd. schuop[p]e, ahd. scuobba,
scuoppa bezeichnete urspr. die Fisch-
schuppe, die abgeschabt wird; das Wort
gehört ablautend zu dem unter →scha-
ben behandelten Verb (vgl. dän. skove
,,Kruste"). Abl.: schuppen ,,Schuppen
entfernen" (im 15. Jh. schüpen, schüppen);
schuppig (im 15. Jh. schüpig, schuppig).

Schuppen m: Die im ganzen dt. Sprachgebiet
verbreitete Bezeichnung eines Schutzbaus
(Geräte-, Wagenschuppen) ist in ihrer heutigen Form erst im 17. Jh. aus mitteld. und
niederd. Mundarten ins Hochd. übernommen
worden. Sie entspricht aengl. scypen, engl.
mdal. shippen ,,Stall" und gehört wahrscheinlich zu der unter →Schopf im Sinne von
,,Büschel, Bündel" behandelten Wortgruppe: das Schutzdach war urspr. mit Stroh-
bündeln gedeckt.

Schur w: Die Substantivbildung zu dem unter
→¹scheren behandelten Verb (mhd. schuor
,,das Scheren, Plage") ist eine nur dt. ablautende Bildung. Verwandt ist aisl. skœra
,,Streit".

schüren ,,Feuer durch Stochern anfachen":
Das nur im dt. Sprachbereich übliche Wort
(mhd. schürn ,,Feuer anfachen"; einen Anstoß geben, antreiben, reizen", ahd. scuren
,,Feuer anfachen") steht neben einem weitergebildeten mhd. schürgen, ahd. scurgan
,,stoßen, weg-, antreiben". Es ist verwandt
mit mhd. schorn ,,[an]stochen, fortschieben",
aengl. scorian ,,verwerfen, verschmähen",
ferner mit mhd. schor, ahd. scora ,,Schaufel,
Haue" und got. winþi-skaúrō ,,Worfelschau-
fel". Die Grundbedeutung des Verbs wäre
demnach etwa ,,stoßen, zusammenschieben"
gewesen. Weitere Beziehungen der Wortgruppe sind ungewiß.

schürfen: Das bergmänn. Fachwort frühnhd.
schürffen, schorfen (16. Jh.) geht zurück auf
mhd. schür[p]fen, ahd. scurphen ,,aufschnei-
den, ausweiden; [Feuer] anschlagen", das
auch vom Ritzen der Haut gebraucht wurde
(dafür heute auf-, abschürfen). Das Verb ist
verwandt mit der unter →scharf dargestellten Wortsippe.

Schurke m: Das erst seit dem 17. Jh. als
Schurk[e], Schork bezeugte dt. Wort (niederl.
schurk, schwed. skurk, poln. szurek sind
entlehnt) ist nicht sicher erklärt. Abl.:

Schurkerei w (17. Jh.); schurkisch
(17. Jh.).

Schurz m: Das zum Schutz der Unterklei-
dung getragene Tuch (mhd. schurz; aus
Leder: Schurzfell, 15. Jh.) bezeichnet
eigtl. ein ,,kurzes Kleidungsstück". Das Substantiv ist eng verwandt mit dem Adjektiv
mhd. schurz, ahd. scurz ,,abgeschnitten,
kurz" (gleichbed. engl. short, s. Shorts), das
früh durch das urverwandte lat. LW ,,kurz
verdrängt worden ist. Die weibliche Form
Schürze erscheint hochd. erst im 17. Jh.,
beachte aber mnd. schörte ,,Panzerschurz,
Schürze" und niederl. schort ,,Schürze", denen aisl. skyrta und engl. shirt ,,Hemd" entsprechen. Die Wörter gehen mit der Grundbed. ,,Abgeschnittenes" auf die unter →
¹scheren dargestellte idg. Wz. *sker- ,,schnei-
den" zurück. Seit dem 18. Jh. wird 'Schürze'
auch übertr. für ,,Frauenzimmer" gebraucht;
dazu im 19. Jh. das Spottwort Schürzenjäger. Das Verb schürzen ,,die Kleider
raffen" (mhd. schürzen) ist vom Adj. mhd.
schurz (s. o.) abgeleitet.

Schüssel w: Wie andere Gefäßbezeichnungen
(siehe bes. Becken, Kessel, Pfanne) ist auch
'Schüssel' als Fachwort der röm. Küche zu
den Germanen gekommen. Das Substantiv
mhd. schüzzel[e], ahd. scuzzila, niederl. scho-
tel, aengl. scutel ,,Schüssel" (engl. scuttle
,,Korb") geht auf lat. scutula, scutella
,,Trinkschale" zurück, eine Verkleinerungsbildung zu dem nicht sicher erklärten lat.
scutra ,,flache Schüssel, Schale, Platte".

Schuster m: Die älteste dt. Bezeichnung des
Schuhmachers ist ahd. sūtāri, mhd. sūter,
das wie aengl. sūtere auf lat. sūtor ,,[Flick]-
schuster" (eigtl. ,,Näher") zurückgeht. Dieses Wort, das gelegentlich auch den Schneider bezeichnen konnte, wurde im Mhd. verdeutlicht zu schuoch-sūter, das weiterhin
spätmhd. schuo[ch]ster, schuster ergab. Als
Bezeichnung des Handwerkers ist es vor
dem angeseheneren Wort Schuhmacher (s.
Schuh) zurückgetreten. Seit dem 17. Jh.
belegt ist die Wendung 'auf Schusters Rappen' für ,,zu Fuß". Abl.: schustern (17.Jh.;
ugs. für ,,Pfuscharbeit machen", bes. in
zurecht-, zusammenschustern), dazu
zuschustern ,,heimlich zukommen lassen"
(18. Jh.).

Schutt m: Das erst frühnhd. bezeugte Wort
(im 15. Jh. schut) ist eine Abl. von dem unter
→schütten behandelten Verb. Es bezeichnete
urspr. künstliche Aufschüttungen (z. B.
Bollwerke bei Belagerungen), aber auch wie
heute den Bauschutt und anderen Abfall,
seit dem 17. Jh. Gebäude- und Felstrüm-
mer. Siehe auch Schotter.

schütteln: Mhd. schüt[t]eln, ahd. scutilōn ist
eine nur dt. Intensivbildung zu dem unter
→schütten behandelten Verb in abgeschw.
Grundbed. ,,heftig bewegen". Zus.: Schüt-
telfrost (19. Jh.); Schüttelreim ,,Reim-

spiel mit vertauschten Silbenanlauten" (Ende des 19. Jh.s.).

schütten: Das auf das *dt.* und *niederl.* Sprachgebiet beschränkte Verb *mhd.* schüt[t]en, *ahd.* scutten, *niederl.* schudden „schütteln" steht im Ablaut zu *aengl.* scūdan „eilen" und ist mit der *baltoslaw.* Sippe von *russ.* skitát'sja „umherirren, -streichen" verwandt. Die Grundbed. hat sich schon in *mhd.* Zeit weiterentwickelt zu „ausgießen, aufhäufen, anschwemmen". Die alte Bed. setzt im *Nhd.* nur die Intensivbildung →schütteln fort. Eine andere Weiterbildung ist schüttern „beben" (16. Jh.; dazu →schaudern, → erschüttern). Siehe auch Schutt und Schotter.

schütter: Das urspr. Mundartwort (*oberd.*, *östr.*) wurde in der jungen Form mit -ü- erst im 19. Jh. schriftsprachlich. *Mhd.* schiter, *ahd.* scetar „dünn, lückenhaft" gehört wie *gr.* skidarós „dünn, gebrechlich" zu der unter → *Schiene* dargestellten Wortgruppe. Als Grundbed. ist „gespalten, zersplittert" anzusetzen.

Schutz: Als Substantivbildung zu dem unter → *schützen* behandelten Verb bedeutet *mhd.* schuz „Umdämmung, Aufstauung des Wassers" (beachte das *mhd.* Fachwort Schütz *s* „bewegl. Mühlenwehr"), übertr. „Schutz, Schirm". Im *Nhd.* bedeutet das Wort „Abschirmung, Sicherung". Zus.: Schutzengel (im 17. Jh. für *kirchenlat.* angelus tūtēlāris); Schutzmann (17. Jh.; seit dem 19. Jh. für „Polizist").

Schütze *m*: Als *altgerm.* Abl. von dem unter → *schießen* behandelten Verb bedeutet *mhd.* schütze, *ahd.* scuzz[i]o, *aengl.* scytta, *aisl.* skyti „Schießender". Es meint urspr. den Bogenschützen, später den Armbrust- und Gewehrschützen und wurde im *Dt.* zur militär. Bezeichnung vor allem des Infanteristen. Seit dem Mittelalter sind die wehrhaften Stadtbürger in Schützengilden und -bruderschaften vereinigt (beachte Schützenfest, -könig usw.). Übertr. heißt der Feldhüter Flurschütz *m* (*spätmhd.* vluorschütze), wohl unter Einfluß des Verbs →schützen.

schützen: *Mhd.* schützen „aufdämmen, (Wasser) aufstauen" entwickelte übertr. die heute allein gültige Bed. „Schutz gewähren, beschirmen". Es entspricht wohl *mnd.* schütten „stauen; einsperren; abwehren" und *aengl.* scyttan, *engl.* to shut „schließen, verriegeln", die zu dem unter → *schießen* behandelten Verb in seiner Bed. „[einen Riegel] vorstoßen" gehören. Doch kann das *mhd.* Wort auch zu *mhd.* schüten „Erde anhäufen, umwallen, bewahren", beschüten „beschützen" und damit zur Sippe von → *schütten* gestellt werden. Die Grundbed. zeigt sich noch in vorschützen (mit Akk.) „als Vorwand benutzen", eigtl. „eine Schutzwehr errichten" (17. Jh.). Abl.: Schutz

(s. d.); Schützling *m* (im 17. Jh. Schützlinger).

schwach: Das auf das *dt.* und *niederl.* Sprachgebiet beschränkte Adjektiv *mhd.* swach „schlecht, gering, unedel, armselig, kraftlos", *niederl.* zwak „schwach, geschmeidig" ist verwandt mit *mnd.* swaken, „wackeln, schwach sein" und *norw. mdal.* svaga „schwanken, schlenkern". Die Wörter gehören zu der unter →*schwingen* behandelten *germ.* Wortgruppe; als Grundbed. des Adjektivs ist demnach „schwankend, sich biegend" anzusetzen. Im *Nhd.* setzte sich die Bed. „kraftlos", übertr. „dünn, gehaltlos" durch und veränderte auch den Sinn der Ableitungen: Schwäche *w* (*mhd.* sweche „dünner Teil der Messerklinge", swache „Unehre"); Schwachheit *w* (*mhd.* swachheit „Unehre, Schmach"); schwächen (*mhd.* swechen bedeutete neben „kraftlos machen" bes. „beschimpfen, schänden"): schwächlich (*mhd.* swechlich „schmählich, schlecht", *nhd.* besonders vom Körperbau); Schwächling *m* (um 1700). Zus.: Schwachsinn (im 18. Jh. neben dem Adj. schwachsinnig für „Mangel an Empfindung und Verstand", erst später als mildernder Ausdruck für →Blödsinn in medizin. Sinne gebraucht).

Schwager *m*: Das auf das *dt.* Sprachgebiet beschränkte Wort *mhd.* swäger, Schwiegervater, -sohn", *ahd.* suágur „Bruder der Frau" (*niederl.* zwager, *dän.* svoger, *schwed.* svåger sind LW aus dem *Mnd.*) entspricht lautlich dem *aind.* Adj. śvāśura-h „zum Schwiegervater gehörig". Es stellt sich also im Sinne von „dem Schwiegervater Gehörige" zu dem *gemeingerm.*, heute noch *mdal.* Wort Schwäher *m* „Schwiegervater": *Mhd.* sweher, *ahd.* swehur, *got.* swaihra, *aengl.* swēor, *aschwed.* svēr entsprechen gleichbed. *lat.* socer (aus *svecer), *russ.* svēkor, *aind.* śvāśura-h. Beachte die weibliche Gegenbildung Schwieger (in → Schwiegermutter). Schriftsprachlich gilt 'Schwager' im *Nhd.* nur für den Schwestermann und den Bruder der Frau oder des Mannes. Im älteren *Nhd.* war es auch vertraute Anrede an Nichtverwandte (z. T. unter stud. Einfluß) und wurde so im 18. Jh. bes. zur Bezeichnung des Postillions. – Abl.: Schwägerin *w* (*mhd.* swägerinne); [sich] verschwägern (17. Jh.), meist im Part. verschwägert „durch Heirat verwandt".

Schwalbe *w*: Der *altgerm.* Vogelname (*mhd.* swalwe, swalbe, *ahd.* swal[a]wa, *niederl.* zwaluw, *engl.* swallow, *schwed.* svala) hat keine sicheren *außergerm.* Entsprechungen. Nach dem gegabelten Schwanz des Vogels heißen ein Schmetterling und eine bestimmte Holzverbindung der Zimmermanns und Schreiners seit dem 18. Jh. Schwalbenschwanz, ebenso seit Anfang des 19. Jh.s scherzhaft der Frack (beachte auch *engl.* swallow-tail „Frack").

Schwamm *m*: Die *germ.* Wörter *mhd.*, *ahd.* swamm, swamp, *aengl.* swamm, *schwed.* svamp bezeichnen urspr. den Pilz, seit alters aber auch den Meerschwamm (so schon *got.* swamms), der den Germanen erst durch die Mittelmeervölker bekannt wurde. Nächstverwandt sind die unter →Sumpf genannten ablautenden Bildungen. Die Grundbed. „schwammig, porös" zeigt auch das verwandte *gr.* Adjektiv somphós. In der biolog. Fachsprache gilt 'Schwamm' heute nur für den Badeschwamm und für bestimmte Pilzarten (Haus-, Baumschwamm, Stockschwämmchen). In der Gemeinsprache ist es seit langem dem LW →Pilz gewichen. Abl.: schwammig „unfest, porös" (17. Jh.).

Schwan *m*: Der *altgerm.* Vogelname *mhd.*, *ahd.* swan, *niederl.* zwaan, *engl.* swan, *schwed.* svan ist verwandt mit *aengl.* swinn „Musik, Gesang", *aengl.* swinsian „tönen, singen" und geht auf die lautnachahmende *idg.* Wz. *sṷen-, „tönen, schallen" zurück, die *außergerm.* z. B. *lat.* sonāre „tönen" (s. die FW-Gruppe um →sonor) und *aind.* svánati „ertönt, schallt" zugrunde liegt. Der Name bezeichnet urspr. wohl den Singschwan, der auf dem Zug Rufe ertönen läßt. Daß der Schwan vor dem Sterben singe, ist eine schon in der Antike verbreitete Sage. Danach heißt *nhd.* seit dem 16. Jh. das letzte Werk eines Dichters Schwanengesang (*schwed.* svanesång, im 19. Jh. *engl.* swansong). Ungewiß ist die Zugehörigkeit des Verbs schwanen in der nur *dt.* Fügung 'es schwant mir' für „ich ahne" (zuerst *mnd.* im 16. Jh., vielleicht mit falscher Abtrennung aus älterem 'es wanet mir' [zu →wähnen]; eher wohl ein humanistischer Sprachscherz, der *lat.* olet mihi „ich rieche, vermute etwas" mit *lat.* olor „Schwan" verknüpfte).

Schwang *m*: Das Substantiv *mhd.* swanc „schwingende Bewegung, Hieb, lustiger Streich", *ahd.* hina-swang „Ungestüm", *niederl.* zwang „Schwung", *aengl.* sweng „Streich, Schlag" ist eine alte *westgerm.* Substantivbildung zu dem unter →schwingen behandelten Verb. Im *Dt.* wurde 'Schwang' seit dem 18. Jh. durch →Schwung verdrängt; es lebt nur noch in der Wendung 'im Schwange (d. h. sehr gebräuchlich) sein'. Dasselbe Wort ist *nhd.* →Schwank „lustige Erzählung", von dem sich 'Schwang' erst in *frühnhd.* Zeit unter lautlicher Angleichung an 'schwingen' geschieden hat.

schwanger: Mhd. swanger, *ahd.* swangar, *niederl.* zwanger „ein Kind erwartend" bedeutet eigtl. „schwer[fällig]", vgl. das entsprechende *aengl.* swangor „schwer, langsam, träge". Weitere Beziehungen des *westgerm.* Adjektivs sind nicht gesichert. Bildlich gebraucht werden die Zus. unglücks-,

unheilschwanger (18. Jh.). Abl.: schwängern (*mhd.* swengern); Schwangerschaft *w* (17. Jh.).

Schwank *m*: Mhd. swanc, das auch dem *nhd.* →Schwang vorausliegt, hat aus der Bed. →Schlag, Fechthieb" im 15. Jh. den Sinn „lustiger Einfall, Streich; Erzählung eines solchen" entwickelt und wurde so zur Bezeichnung für eine bes. im 16. Jh. blühende Form derbkomischer kurzer Erzählungen (seit dem 19. Jh. auch für possenartige Bühnenstücke). Der *mhd.* Auslaut blieb bei dem literar. Fachwort erhalten. Abl.: schwankhaft „nach Art eines Schwankes" (19. Jh.).

schwanken: Das erst *spätmhd.* als swanken bezeugte Verb ist ebenso wie →schwenken vom Stamm des heute selten Adjektivs schwank „biegsam, schmächtig, unsicher" (*mhd.*, *mnd.* swanc) abgeleitet, das seinerseits mit *aisl.* svangr „dünn, biegsam, hungrig" und *aengl.* svancor „mager, geschmeidig" zu der unter →schwingen dargestellten *germ.* Wortgruppe gehört. Abl.: Schwankung *w* (16. Jh.).

Schwanz *m*: Das urspr. nur im *hochd.* Sprachbereich gültige Wort *mhd.* swanz ist eine Rückbildung aus *mhd.* swanzen „sich schwenkend bewegen", das seinerseits als Intensivbildung zur Sippe von →schwingen gehört. Mhd. swanz bedeutete zunächst „wiegende Bewegung beim Tanz", dann „Schleppe, Schleppkleid" und erhielt erst von daher die Bed. „Tierschweif". In dieser Bedeutung hat es das alte, heute nur *mdal.* Wort →Zagel verdrängt; s. auch Schweif. Das Verb **schwänzen** (*mhd.* swenzen, schwenken, putzen, zieren") stand urspr. selbständig neben dem erwähnten *mhd.* swanzen, wurde aber früh auf 'Schwanz' bezogen. Im 16. Jh. erscheint *rotw.* schwentzen „herumschlendern", auch bei Luther für „stolzieren" brauchte. Es erhielt im 18. Jh. die stud. Bed. „bummeln, eine Vorlesung versäumen" und gilt so bes. in der Schülersprache ('die Schule schwänzen'). Dem älteren Sinn blieb schwänzeln „geziert auf und ab gehen, schmeicheln" nahe (*mhd.* swenzeln „schwenken, zieren").

schwären: Das früher starke Verb *mhd.* swern „schmerzen, schwellen, eitern", *ahd.* sweran „schmerzen", *niederl.* zweren „eitern" kommt in anderen *germ.* Sprachen nicht vor. *Außergerm.* ist wahrscheinlich die Sippe von *russ.* chvóryj „kränklich" verwandt. Die Abl. Schwäre *w* „Geschwür" (*mhd.* [ge]swer, *ahd.* swero, gaswer „leiblicher Schmerz, Geschwür") zeigt, daß der allgemeine Sinn „schmerzen" schon früh bes. auf eiternde Wunden bezogen wurde. Jünger ist →Geschwür. Siehe auch schwierig.

Schwarm *m*: Das *altgerm.* Substantiv *mhd.*, *ahd.* swarm „Bienenschwarm", *niederl.* zwerm, *engl.* swarm, *schwed.* svärm „Schwarm" bezeichnete urspr. wohl den Bienenschwarm.

Es gehört mit *mhd.* surm „Gesums" und *aisl.* svarra „brausen, sausen" zu der unter →*schwirren* dargestellten lautnachahmenden Wortgruppe. Als *ugs.* Rückbildung zu 'schwärmen' bedeutet das Wort „Liebhaberei", auch „Geliebte[r]". Abl.: s c h w ä r m e n (*mhd.* swarmen, swermen; *vgl. aengl.* swierman, *schwed.* svärma „sich als Schwarm bewegen", bes. von Bienen; in der Reformationszeit für das Treiben der Sektierer gebraucht, erhält 'schwärmen' die übertr. Bed. „wirklichkeitsfern denken; sich begeistern"), dazu S c h w ä r m e r *m* (im 16. Jh. für „Sektierer", später „begeisterter Phantast"; jetzt auch für bestimmte Abendfalter und Feuerwerkskörper) und S c h w a r m g e i s t „Phantast" (bei Luther Schwermgeist).

Schwarte *w*: Das *westgerm.* Substantiv *mhd.* swart[e], *niederl.* zwoord, *engl.* sward (beachte *aisl.* svordr) bezeichnet urspr. die behaarte menschl. Kopfhaut oder die Haut von Tieren. Im *Engl.* und z. T. im *Nord.* hat sich die Bed. „Rasendecke" entwickelt. Die Herkunft des Wortes ist unbekannt. Im *Nhd.* bezeichnet 'Schwarte' vor allem die Schweinshaut (Speckschwarte; dazu S c h w a r t e n m a g e n „Preßwurst im gehackten Schwarten", 18. Jh.). Alte (in Schweinsleder gebundene) Bücher heißen seit dem 17. Jh. verächtl. 'Schwarten'. Die Bed. „rindiges Außenbrett eines zersägten Stammes" ist seit *mhd.* Zeit bezeugt.

schwarz: Das *gemeingerm.* Farbadjektiv *mhd.*, *ahd.* swarz, *got.* swarts, *engl.* swart, *schwed.* svart (dazu ablautend *aisl.* sorti „Dunkel, dichter Nebel", sorta „schwarz werden") ist verwandt mit der Sippe von *lat.* sordēre „schmutzig sein" und bedeutet urspr. etwa „dunkel, schmutzfarbig". Noch jetzt bezeichnet es oft das Dunkle, z. B. in 'schwarze Rasse', 'schwarzer Tee' und den Zus. S c h w a r z b r o t (14. Jh.) und S c h w a r z w i l d (*mhd.* swarzwilt). So wird es in neuerer Sprache auch auf Dinge übertr., die im Verborgenen geschehen (Schwarzhandel, *ugs.* schwarzfahren, -hören usw.). Abl.: S c h w ä r z e *w* (*mhd.* swerze, *ahd.* swerza; *nhd.* auch „Mittel zum Schwärzen", z. B. Druckerschwärze); s c h w ä r z e n (*mhd.* swerzen, *ahd.* swerzan „schwarz machen"), dazu a n s c h w ä r z e n „verleumden" (17. Jh.); s c h w ä r z l i c h (*frühnhd.* schwartzlich, -lecht; *mhd.* swarzlot).

schwatzen, schwätzen: *Spätmhd.* swatzen, swetzen ist umgebildet aus dem wohl lautnachahmenden *mhd.* swateren „rauschen, klappern" (älter *nhd.* schwadern „plätschern"; schlemmen; schwätzen"). Schon früher bezeugt ist das Subst. G e s c h w ä t z *s* (*mhd.* geswetze). Abl.: S c h w a t z *m*, S c h w ä t z c h e n *s ugs.* für „Geplauder" (*spätmhd.* swaz); S c h w ä t z e r *m* (*spätmhd.* swetzer); s c h w a t z h a f t (im 18. Jh. für älteres schwetzhaftig).

schweben: Das *westgerm.* Verb *mhd.* sweben, *ahd.* swebēn „sich hin und her bewegen", *niederl.* zweven „schweben", *aengl.* for[d]-swēflan „Erfolg haben" beruht auf der unter →*schweifen* genannten *idg.* Wurzel. Abl.: S c h w e b e *w* (*mhd.* swebe; meist in Wendungen wie 'in der Schwebe sein, halten, bleiben'). Zus.: S c h w e b e b a h n „hängend fahrende Seil- oder Schienenbahn" (19. Jh.); S c h w e b e b a l k e n „Turngerät für Gleichgewichtsübungen" (Anfang des 19. Jh.s Schwebebaum).

Schwefel *m*: Die *altgerm.* Bezeichnung des chemischen Stoffes lautet *mhd.* swevel, swebel, *ahd.* sweval, swebal, *got.* swibls, *mniederl.* swēvel (ablautend *niederl.* zwavel), *aengl.* swefel. Das Wort ist verwandt mit gleichbed. *lat.* sulp[h]ur und gehört wahrscheinlich zu der unter →*schwelen* dargestellten *idg.* Wurzel. Der Schwefel wäre dann als „der Schwelende" benannt worden. Abl.: s c h w e f e l n „mit brennendem Schwefel behandeln" (bes. von Weinfässern; 15. Jh.); s c h w e f [e] l i g (*mhd.* swebelic, *ahd.* swebelig). Zus.: S c h w e f e l b a n d e *ugs.* für „mutwillige Gesellschaft" (1770 Name einer rohen Studentenverbindung in Jena); S c h w e f e l s ä u r e (18. Jh.).

Schweif *m* „[langer] Schwanz": Die *germ.* Substantivbildung zu dem unter →*schweifen* behandelten Verb bedeutete urspr. „schwingende Bewegung", so noch in *mhd.* sweif und der *nhd.* Fügung 'ohne U m s c h w e i f e' „geradezu" (*mhd.* umbesweif „Kreisbewegung"). In konkretem Sinn bedeutete *ahd.* sweif „Schuhband", *aisl.* sveipr „Schlingung, gekräuseltes Haar". Die *nhd.* Hauptbedeutung „Schwanz" ist seit dem 14. Jh. bezeugt; heute gilt 'Schweif' für gewählter als →Schwanz.

schweifen: Das *altgerm.* Verb *mhd.* sweifen, *ahd.* sweifan „schwingen, in Drehung versetzen, bogenförmig gehen", *afries.* swēpa „fegen", *engl.* to swoop „sich stürzen", *aisl.* sveipa „werfen, umhüllen" gehört mit dem unter →*schweben* behandelten Verb zu der vielfach erweiterten *idg.* Wz. *su̯ei- „biegen, drehen, schwingen", vgl. z. B. *lit.* sviesti „werfen, schleudern, schlagen". Im *Nhd.* bedeutet 'schweifen' „umherstreifen", bes. vom Blick und den Gedanken. Von Gedankengängen werden auch a b - und a u s - s c h w e i f e n und die Abl. weitschweifig (*mhd.* wītsweific) gebraucht. Dagegen bezeichnen a u s s c h w e i f e n d und A u s s c h w e i f u n g *w* meist das Überschreiten moralischer Grenzen. Zu transit. schweifen „bogenförmig gestalten" gehört das adjektiv. gebr. 2. Part. g e s c h w e i f t. Siehe auch den Artikel Schweif.

schweigen: Das *westgerm.* Verb *mhd.* swīgen, *ahd.* swīgēn, *niederl.* zwijgen, *aengl.* swīgian ist im *Nhd.* mit seinem Veranlassungswort *mhd.*, *ahd.* sweigen „zum Schweigen bringen" zusammengefallen. Es ist vielleicht mit *gr.* sīgḗ „Schweigen", sīgáein „schweigen" verwandt; andere Beziehungen sind ungeklärt. Der substantivierte Infinitiv Schweigen *s* (*mhd.* swīgen) steht häufig in Fügungen wie 'eisiges Schweigen', 'sich in Schweigen hüllen'. Abl.: schweigsam (18. Jh.). Zus.: geschweigen (*mhd.* geswīgen, *ahd.* giswīgēn „stillschweigen"; heute nur in 'geschweige denn' [eigtl.: ich geschweige...] und 'zu geschweigen von...'); stillschweigen (*mhd.* stille swīgen; im *Nhd.* verstärkende Zusammenrückung [16. Jh.], s. still), dazu stillschweigend „ohne Widerrede, nicht ausdrücklich" (16. Jh.); verschweigen (*mhd.* verswīgen „nicht nennen, für sich behalten"), dazu das adjektiv. 2. Part. verschwiegen „geheimhaltend; geheim" (*mhd.* verswigen) und das Subst. Verschwiegenheit *w* (16. Jh.).

Schwein *s*: Der *gemeingerm.* Tiername *mhd.*, *ahd.* swīn, *got.* swein, *engl.* swine, *schwed.* svin ist eigtl. ein substantiviertes Adjektiv mit der Bed. „zum Schwein, zur Sau gehörig", vgl. z. B. *lat.* suīnus „vom Schwein" und *russ.* svinój „vom Schwein". Das zugrunde liegende *idg.* *suīno-s ist von dem unter →Sau behandelten Wort abgeleitet. 'Schwein' bezeichnete demnach zunächst das junge Tier, ist aber in den *germ.* Sprachen seit alters zur allgemeinen Bezeichnung des wilden wie des Hausschweins geworden (s. weiter die Artikel Sau, Eber, Ferkel, Frischling). Als Schimpfwort bezieht sich Schwein schon in *mhd.* Zeit auf die sprichwörtliche Schmutzigkeit und rohe Gefräßigkeit des Tieres. Die Wendung 'Schwein haben' für Glück haben (im 19. Jh. stud.) geht wohl auf den alten Schützenbrauch zurück, dem schlechtesten Schützen eine Sau als Trostpreis zu geben. Abl.: Schweinerei *w* (im 17. Jh. zu älter *nhd.* schweinen „sich wie ein Schwein benehmen" gebildet); schweinern „vom Schwein stammend" (im 17. Jh. für älteres schweinen, *mhd.* swīnīn); schweinisch „unflätig" (18. Jh.; anders *mhd.* swīnisch fleisch, smalz). Zus.: Schweinehund (urspr. „Hund für die Saujagd", im 19. Jh. zuerst stud. als grobes Schimpfwort); Schweinigel (im 17. Jh. volkstüml. Bezeichnung des Igels nach seiner Schnauzenform, wie gleichbed. *niederd.* Swinegel; aber schon im 18. Jh. Schimpfwort, ebenso schweinigeln „Zoten reißen").

Schweiß *m*: Die *germ.* Substantive *mhd.*, *ahd.* sveiz, *niederl.* zweet, *aengl.* swāt, *aisl.* sveiti bezeichnen seit alters die körperliche Ausdünstung bei Erhitzung und Krankheit. Sie gehen mit verwandten Wörtern gleicher Bedeutung in andern *idg.* Sprachen, z. B. *aind.* svéda-ḥ, *lat.* sūdor, lett. sviedri, auf die *idg.* Wz. *sueid- „schwitzen" zurück, zu der auch →schweißen und →schwitzen gehören. Eine Besonderheit der *germ.* Sprachen ist die Bed. „quellendes Blut von Tieren", die im *Aengl.*, *Aisl.* und vor allem seit *mhd.*

Zeit in der *dt.* Weidmannssprache begegnet. Ihr Ursprung liegt wohl in religiöser Scheu: man wollte das Blut nicht unmittelbar nennen. Zu dieser Bedeutung gehört die Zus. Schweißhund „Hund[erasse] zum Suchen krankgeschossenen Wildes" (17. Jh.). Abl.: schweißig (*mhd.* sweizic „schweißnaß, blutig", *ahd.* sweizig).

schweißen: Das *altgerm.* Verb *mhd.* sweizen, *ahd.* sweizzen, *niederl.* zweeten, *engl.* to sweat, *aisl.* sveitask gehört zu der unter →Schweiß dargestellten *idg.* Wortgruppe. Es bedeutete urspr. „Schweiß absondern" (dafür *nhd.* seit dem 18. Jh. nur →schwitzen), hat aber dem Subst. entsprechend früh die Bed. „bluten" entwickelt, die *dt.* weidmänn. noch heute gilt. Die heutige techn. Bedeutung des Verbs „Metallstücke bei Weißglut zusammenfügen" (zuerst im 14. Jh.) geht von dem schon *ahd.* bezeugten transitiven Gebrauch in der Bed. „braten, rösten" (eigtl. „schwitzen machen") aus. Dabei ist heute nur die Vorstellung „fest, untrennbar verbinden" lebendig, bes. auch bei dem häufigen bildl. Gebrauch von zusammenschweißen (19. Jh.). Dazu: Schweißer *m* „Facharbeiter, der schweißen kann" (19. Jh.).

schwelen „ohne Flamme langsam brennen": Das Verb wurde im 18. Jh. aus dem *Niederd.* ins Hochd. übernommen. Es geht zurück auf *mnd.* swelen „schwelen; dörren; Heu machen", mit dem z. B. *aengl.* swelan „[ver]brennen, sich entzünden" verwandt ist, und beruht mit verwandten Wörtern in anderen *idg.* Sprachen, z. B. *lit.* svelti „glimmen, schwelen", auf der *idg.* Wz. *suel- „schwelen, brennen". Zu dieser Wurzel stellt sich auch die unter →schwül behandelte Wortsippe. Im *Nhd.* wird 'schwelen' von Asche, Petroleumlampen und verborgenen Bränden gesagt, techn. von bestimmten Verfahren zur Gas- und Teerbereitung (dazu Schwelerei *w* „Industrieanlage zum Schwelen", 19. Jh.).

schwelgen: Das *altgerm.*, auch im *Dt.* früher starke Verb bedeutet eigtl. „[ver]schlukken, schlingen" (so in *mhd.* swelgen, *ahd.* swelgan und heute noch in *niederl.* zwelgen, *engl.* to swallow, *schwed.* svälja). Es ist verwandt mit *mhd.* swalch, *schwed.* svalg „Schlund", *mnd.* swellen „üppig leben", *engl.* to swill „verschlingen, gierig trinken" u. a. *germ.* Wörtern. Bes. in *frühnhd.* Zeit entwickelte 'schwelgen' die Bed. „unmäßig essen und trinken" (schon *mhd.* swelgen bedeutete auch „saufen"). Daraus entstand im 18. Jh. der heutige Sinn „üppig leben; übermäßig genießen". Abl.: Schwelger *m* (*mhd.* swelher „Schlucker, Säufer", *ahd.* swelgāri „Schlemmer"), dazu Schwelgerei *w* (16. Jh.) und schwelgerisch (17. Jh.).

Schwelle *w*: Das nur *dt.*, früher bes. *ostmitteld.* Wort (*mhd.* swelle, *ahd.* swelli,

swellen

swella) hat sich durch den Sprachgebrauch der Lutherbibel gegen andere *mdal.* Wörter durchgesetzt. Es ist ablautend verwandt mit gleichbed. *mnd.* süll[le], *engl.* sill, *schwed.* syll, *außergerm.* z. B. mit *gr.* sélma „Balken, Verdeck, Ruderbank" und *lit.* súolas „Bank" und gehört zu der *idg.* Wz. *s[u]el- „Balken, Brett; daraus Verfertigtes". 'Schwelle' bezeichnet also den „Grundbalken" des Hauses, der als tragender Bauteil auch unter der Türöffnung durchlief.

¹**schwellen:** Das *altgerm.* starke Verb *mhd.* swellen, *ahd.* swellan, *niederl.* zwellen, *engl.* to swell, *schwed.* svälla hat keine sicheren *außergerm.* Beziehungen. Ablautend gehören die Substantive Schwall (*mhd.* swal), →Schwiele, →Geschwulst und →Schwulst zu ihm. Das 2. Part. geschwollen wird *ugs.* gern für „aufgeblasen, hochmütig, albern" gebraucht. Das zugehörige Veranlassungswort ²**schwellen** (*mhd.*, *ahd.* swellen) flektiert schwach.

schwemmen: Als *westgerm.* Veranlassungswort zu →*schwimmen* bedeutet *mhd.*, *mniederl.* swemmen, *aengl.* be-swemman „schwimmen machen, durch Eintauchen reinigen". Insbes. werden Pferde geschwemmt. Dazu die Abl. Schwemme *w* „Badeplatz für Vieh und Pferde" (*spätmhd.* swemme; die Bed. „einfache Schankstube", zuerst im 16. Jh. belegt, beruht auf einem scherzh. Vergleich). Häufiger als das einfache Verb sind unfeste Zus. wie an-, weg-, fortschwemmen. Erst *nhd.* sind aufschwemmen „dick machen, auftreiben" und überschwemmen „überfluten" (16. Jh.), dazu Überschwemmung *w*.

schwenken: Das *westgerm.* Verb *mhd.*, *ahd.* swenken „schwingen machen, schleudern; schwanken, schweben, sich schlingen", *niederl.* zwenken „sich drehen", *aengl.* svencan „plagen, quälen" stellt sich zu dem unter →schwanken genannten Adjektivstamm und weiter zur Sippe von →*schwingen.* Im *Nhd.* hat es sich durch Ausgleich mit 'schwanken' auf seine urspr. Rolle als Veranlassungswort beschränkt. Abl.: Schwenker *m* (*ostd.* im 18. Jh. für „Schoßrock"; jetzt auch „Kognakglas"); Schwenkung *w* (17. Jh.; seit dem 18. Jh. für „Drehung").

schwer: Das *gemeingerm.* Adjektiv *mhd.* swære, *ahd.* swär[i] „schwer", *got.* swers „geachtet, geehrt", *aengl.* swær[e], *schwed.* svår „schwer" geht von der Grundbed. „Gewicht habend" aus und ist verwandt mit der *baltoslav.* Sippe von *lit.* svarùs „schwer, schwerwiegend, wichtig" und sverti „wägen, wiegen". Neben der bis heute festgehaltenen Grundbed. hat 'schwer' schon in *ahd.* Zeit den übertr. Sinn „drückend, beschwerlich, lastend" entwickelt, in dem es bes. Arbeit, Not, Krankheit und Sünde kennzeichnet. An weiteren Übertragungen ist vor allem die Bed.

„schwierig" zu nennen. Hierher gehört die Zusammenbildung schwerhörig (aus 'schwer, d. h. mit Anstrengung hörend'; (19. Jh.). Nicht sicher erklärt ist schwerfällig „unbeholfen, schwer beweglich" (18. Jh., aber schon *mnd.* swärvellich). Abl.: Schwere *w* (*mhd.* swære, *ahd.* swärī); schwerlich (als Adv. *mhd.* swærlīche „drückend, mühsam", *ahd.* swärlīhho; seit dem 16. Jh. für „kaum", eigtl. „mit Mühe"); beschweren (s. d.). Zus.: Schwerenot (*frühnhd.* verhüllende Bezeichnung der als Behexung angesehenen Epilepsie; daher später als [verwünschender] Fluch gebraucht), dazu Schwerenöter *m* (im 18. Jh. „verfluchter Kerl", im 19. Jh. gemildert zu „schlauer Geselle" und „Schürzenjäger"); Schwermut *w* (*frühnhd.* Rückbildung zum Adj. schwermütig, *mhd.* swärmüetec); Schwerkraft, Schwerpunkt (18. Jh.).

Schwert *s*: Die Herkunft des *altgerm.* Substantivs *mhd.*, *ahd.* swert, swerd, *niederl.* zwaard, *engl.* sword, *schwed.* svärd ist nicht geklärt. In der Neuzeit ist das Wort mit dem Aufkommen anderer Hiebwaffen (z. B. Degen, Säbel) außer Gebrauch gekommen und wird nur noch histor. oder bildlich angewendet (z. B. 'Schwert des Geistes'). Nach seinem langen Kieferfortsatz heißt der Schwertfisch (18. Jh.), nach ihren schwertartigen Blättern die Schwertlilie (18. Jh.).

Schwester *w*: Der *gemeingerm.* Verwandtschaftsname *mhd.*, *ahd.* swester, *got.* swistar, *aengl.* sweostor, *aisl.* systir (daraus entlehnt *engl.* sister), *schwed.* syster geht zurück auf *idg.* *su̯esor- „Schwester". Außerhalb des *Germ.* entsprechen z. B. gleichbed. *aind.* svásar-, *lat.* soror (dazu cōn-sobrīnus „Geschwisterkind", s. Cousin) und (aus *sesor-) *lit.* sesuõ, *russ.* sestrá. Wie →Bruder wird auch 'Schwester' übertr. gebraucht, bes. für die Mitglieder der religiösen Gemeinschaften. Da die Krankenpflege urspr. zu den Aufgaben geistl. Orden gehörte, ist Krankenschwester im 20. Jh. schließlich zur Berufsbezeichnung geworden (ähnlich Säuglings-, Kinderschwester). Die Zus. Betschwester (*mhd.* betswester „Nonne") bezeichnet seit dem 16. Jh. abfällig eine überfromme weibl. Person. Abl.: schwesterlich (*mhd.* swesterlich); verschwistert „als Geschwister verbunden, zusammengehörig" (2. Part. zu dem Verb sich verschwistern, 18. Jh.) Siehe auch Geschwister.

Schwiegermutter *w*: Die *nhd.* Zus. tritt erst im 16. Jh. verdeutlichend neben das gleichbed. alte Wort Schwieger *w* (*mhd.* swiger, *ahd.* swigar, *aengl.* swegar, ähnl. *got.* swaíhrō, *aisl.* sværa). Dieses Substantiv ist, ein entspr. Wörter in andern *idg.* Sprachen zeigen (z. B. *lat.* socrus, *russ.* svekróv', *aind.* śvaśrū-ḥ), eine schon *idg.* weibliche Gegenbildung zu dem unter →*Schwager* genannten

630

Wort für „Schwiegervater" (*dt. mdal.* Schwäher). Nach dem Muster von 'Schwiegermutter' entstanden ebenfalls im 16. Jh. die Zus. Schwiegervater und Schwiegersohn, später auch Schwiegertochter (17. Jh.) und Schwiegereltern (18. Jh.). Erst im Laufe des 18. Jh.s bürgern sich alle diese Zus. in der Schriftsprache ein.

Schwiele *w:* Das *westgerm.* Subst. *mhd.* swil[e], *ahd.* swil[o] „Geschwulst, harte Hautstelle", *mniederl.* swil „Schwiele", *aengl.* swile „Geschwulst, Schwellung" gehört ablautend zu dem unter →¹*schwellen* behandelten Verb. Das weibl. Geschlecht hat sich im 16. Jh. (*frühnhd.* Schwillen *w*) aus der alten schwachen *Mehrz.* entwickelt, die heutige Form erscheint zuerst im 17. Jh. Abl.: schwielig (im 17. Jh. schwillig, schwielicht).

schwierig: Das nur *dt.* Adjektiv *mhd.* swiric, sweric „voll Schwären, eitrig" wird in diesem Sinn als schwirig, schwürig bis ins 19. Jh. gebraucht. Es gehört zu der unter →*schwären* behandelten Wortsippe. Seit dem 16. Jh. steht es häufig übertr. für „aufrührerisch, aufsässig". Daraus entsteht um 1800 die Bed. „schwer zu behandeln". Vom Sprachgefühl wird das Adjektiv als Weiterbildung von →schwer aufgefaßt. Abl.: Schwierigkeit *w* (18. Jh.; in dem Wort sind die Formen *frühnhd.* schwerig-, schwirigkeit „Vereiterung" und *spätmhd.* swærecheit „Schwere, Beschwerlichkeit" zusammengeflossen).

schwimmen: Das *altgerm.* starke Verb *mhd.* swimmen, *ahd.* swimman, *niederl.* zwemmen, *engl.* to swim, *aisl.* svim[m]a (*schwed.* simma) bildet mit seinem *westgerm.* Veranlassungswort →schwemmen und einigen ablautenden Wörtern (z. B. *schwed.* svamla „faseln", eigtl. „herumplätschern") eine Wortgruppe, deren *außergerm.* Beziehungen nicht geklärt sind. Die Hauptbed. „sich im Wasser fortbewegen" gilt von Anfang an, und zwar urspr. nur vom Menschen. Die Bed. „ineinanderfließen, undeutlich werden" ('es schwimmt mir vor den Augen') kommt im 18. Jh. auf; dazu verschwimmen (18. Jh.) und bes. das 2. Part. verschwommen „nebelhaft, unklar, unscharf". Abl.: Schwimmer *m* (*spätmhd.* swimmer „schwimmender Mensch"; seit dem 19. Jh. auch für schwimmende Teile von Geräten).

schwindeln: *Mhd.* swindeln, *ahd.* swintilōn bedeutet als Weiterbildung des unter →*schwinden* behandelten Verbs urspr. „in Ohnmacht fallen", wird aber schon im *Ahd.* unpersönlich gebraucht für „Schwindelgefühle haben" ('mir schwindelt'). Rückbildung dazu ist Schwindel *m* „Taumel, Benommenheit" (*spätmhd.* swindel). Die heutige zweite Bedeutung der Wortgruppe („betrügen, Betrug") hat sich an der Abl. Schwindler *m* entwickelt, die im 17. Jh. „Schwärmer, Phantast" bedeutete,

zu Ende des 18. Jh.s aber unter dem Einfluß von *engl.* swindler „Betrüger" geriet (das als Wort selbst aus dem *Dt.* stammt). Dazu Schwindelei *w* „[leichter] Betrug" (*nordd.*, Ende des 18. Jh.s). Das Adj. schwindlig (16. Jh.) bezieht sich dagegen stets auf den körperlichen Schwindel.

schwinden: Das starke Verb *mhd.* swinden, *ahd.* swintan „abnehmen, sich verzehren, vergehen", *aengl.* swindan „abnehmen, schmachten" ist wahrscheinl. mit der *slaw.* Sippe von *russ.* vjánut' „welken" verwandt. Zu 'schwinden' gehören das Veranlassungswort *mhd.* swenden „schwinden machen, vertilgen; ausroden" (s. verschwenden) die Weiterbildung →schwindeln und die Substantivbildung Schwund *m* (Anfang des 19. Jh.s). Völliges Vergehen drückt die Präfixbildung verschwinden aus (*mhd.* verswinden, *ahd.* farsuindan), sie kann für „verzehrt, vernichtet werden" ebenso stehen wie für „außer Gebrauch kommen" und bloßes „unsichtbar werden". Die Zus. Schwindsucht (*spätmhd.* swintsucht, Wiedergabe von *gr.* phthísis „das Schwinden, Auszehrung") bezeichnete früher die Tuberkulose.

schwingen: Das *westgerm.* starke Verb *mhd.* swingen, *ahd.* swingan, *mniederl.* swingen, *engl.* to swing (s. Swing) bedeutet „mit Kraft bewegen oder schlagen", reflexiv „aufspringen, -fliegen; schweben". Nahe verwandt ist die Sippe von →schwanken, die von einer Grundbed. „biegsam, schmächtig" ausgeht, ebenso die nasallose Sippe von →schwach (eigtl. „schwankend, biegsam"). Mit diesen *germ.* Wortgruppen vergleicht sich z. B. *air.* seng „schlank". Ableitungen sind (neben den ablautenden →Schwang und →Schwung): Schwinge *w* „Schwinggerät, Vogelflügel" (*mhd.* swinge „Schwingholz für Flachs, Schwingwanne für Getreide"; als „Flügel" zuerst in der Falknerei, 16. Jh.), dazu beschwingt „beflügelt, leicht" (18. Jh.); Schwingung *w* (18. Jh., bes. in physikal. Sinn). Die Präfixbildung erschwingen (*mhd.* erswingen „schwingend in Bewegung setzen; im Schwung erreichen") bedeutet jetzt meist „Kosten aufbringen" (16. Jh.), dazu erschwinglich (18. Jh.).

Schwips *m* (*ugs.* für:) „leichter Rausch": Das Wort erscheint zuerst *östr.* im 19. Jh. Es gehört zu *mdal.* schwippen „leicht hin und her schwanken" (eigtl. von Flüssigkeiten, vgl. die Interjektion schwipp!, die lautnachahmenden Ursprungs ist).

schwirren: Das im 17. Jh. aus [*m*]*nd.* swirren ins *Hochd.* übernommene Verb entspricht gleichbed. *niederl.* zwirrelen und *aisl.* sverra „wirbeln". Die lautmalende Wortgruppe, zu der auch die unter →Schwarm und →surren behandelten Wörter gehören, läßt sich mit *außergerm.* Wörtern wie *lat.* susurrus „das Zischen" (s. absurd) und *aind.* svárati „er-

631

tönt, schallt" vergleichen, ohne daß Urverwandtschaft bestehen müßte.

schwitzen: Das nur *dt.* Verb *mhd.* switzen, *ahd.* swizzen „Schweiß absondern" (dafür früher auch →schweißen) gehört ablautend zu der unter →*Schweiß* genannten Wurzel, vgl. das entspr. gebildete *aind.* svídyati „schwitzen". Die Wendung 'etwas verschwitzen' *ugs.* für „vergessen" ist seit dem 18. Jh. belegt.

schwören: Das *gemeingerm.* starke Verb *mhd.* swern, swer[i]gen, *ahd.* swerian, *got.* swaran, *engl.* to swear, *schwed.* svär[j]a ist von Anfang an ein Wort des Rechtswesens. Die Grundbed. „sprechen, [vor Gericht] Rede stehen" zeigt sich noch in den Ableitungen *aisl.*, *schwed.* svar, *aengl.* and-swaru, *engl.* answer „Antwort". Außerhalb des *Germ.* ist z. B. die Sippe von *russ.* svára „Streit, Zank" (eigtl. „Rede und Gegenrede") verwandt. – Zu 'schwören' gehören die Substantive Geschworene (s. d.); Schwur (s. d.). Die Präfixbildung beschwören (*mhd.* beswern, *ahd.* biswerian) bedeutet urspr., wohl unter Nachwirkung der alten Grundbed. von schwören (s. o.), „inständig, feierlich bitten", seit *mhd.* Zeit auch „durch Zauberworte bannen oder rufen". Erst *nhd.* ist die Bed. „durch Eid bekräftigen". Dagegen stand verschwören (*mhd.* verswern, *ahd.* farswerian) urspr. verstärkend für 'schwören'. Seine heutige Bed. „sich heimlich [durch Eide] verbünden" ist dem *lat.* coniūrāre entlehnt, das im 16. Jh. durch 'zusammen schwören', 'sich zusammen verschwören' übersetzt worden war. Dazu Verschwörer *m* (19. Jh.; in anderem Sinn *mhd.* verswerer) und Verschwörung *w* (17. Jh.; in anderem Sinn *mhd.*, *ahd.* verswerunge).

schwül: Das Adjektiv wurde im 17. Jh. in der Form schwul aus dem *Niederd.* ins *Hochd.* übernommen. *Niederd.* swōl, swūl, swōl, *niederl.* zwoel „drückend heiß" gehört ablautend zu der unter →*schwelen* dargestellten Wortgruppe. Die *nhd.* Form ist im 18. Jh. wohl unter Einfluß von 'kühl' entstanden. Die Form 'schwul' ist seit dem 19. Jh. *ugs.* für „homosexuell" gebräuchlich (beachte dazu 'warmer Bruder' *ugs.* für „Homosexueller"). Abl.: Schwüle *w* (drükkende Hitze" (18. Jh.); eine scherzhafte stud. Bildung des 18. Jh.s ist Schwulität *w* „Bangnis", heute bes. in der *ugs.* Wendung 'in Schwulitäten (d. h. in Verlegenheit, Bedrängnis) sein'.

Schwulst *m*: *Mhd.* swulst „Schwiele, Geschwulst" gehört zu dem unter →¹*schwellen* behandelten Verb. Es ist im *Nhd.* durch die ältere Bildung →*Geschwulst* aus seiner eigtl. Bed. verdrängt worden. Der übertr. Sinn „Aufgeblasenheit" erschien im 18. Jh.; das Wort wurde bald auf den überladenen Stil der Barockdichtung angewandt. Das

abgeleitete Adj. schwulstig „aufgeschwollen, aufgeworfen" (16. Jh.) wird schon von Luther für „aufgeblasene" Worte verwendet. Im übertr. Sinn „überladen, weitläufig" gilt seit dem 18. Jh. die umgelautete Form schwülstig (s. auch geschwollen unter *schwellen*).

Schwung *m*: Das Substantiv *spätmhd.* swunc ist eine nur *dt.* Substantivbildung zu dem unter →*schwingen* behandelten Verb. Abl.: schwunghaft (Anfang des 19. Jh.s, meist in der Wendung 'einen schwunghaften Handel treiben'). Zus.: Schwungfeder (im 18. Jh. für älteres Schwingfeder); Schwungkraft, schwungkräftig; Schwungrad (18. Jh.); schwungvoll (18. Jh.).

Schwur *m*: Die nur *dt.* Substantivbildung zu dem unter →*schwören* behandelten Verb (*mhd.* swuor, *ahd.* eid-swuor) ist gegenüber dem alten Rechtswort →*Eid* immer selten geblieben. Meist bedeutet es „Beteuerung", früher auch „Fluch". Zus.: Schwurgericht (Ende des 19. Jh.s für älteres Geschworenengericht).

sechs: Das *gemeingerm.* Zahlwort *mhd.*, *ahd.* sehs, *got.* saíhs, *engl.* six, *schwed.* sex geht mit Entsprechungen in den meisten anderen *idg.* Sprachen auf *idg.* *s[u]eќs „sechs" zurück, vgl. z. B. gleichbed. *lat.* sex und *gr.* héx (s. Samt). Abl.: sechste (Ordnungszahl; *mhd.* sehste, *ahd.* seh[s]to; vgl. *außergerm.* z.B. *lat.* sextus, s. Sexta). Zus.: Sechstel *s* (*mhd.* sehsteil; vgl. *Teil*); sechzehn (*mhd.* sehzehen, *ahd.* seh[s]zēn); sechzig (*mhd.* sehzic, *ahd.* seh[s]zug; zum zweiten Bestandteil vgl. ...zig), dazu der Name des Kartenspiels Sechsundsechzig *s* (19. Jh.; nach der Zahl der zum Gewinnen nötigen Punkte).

Sediment *s* „Ablagerung; Niederschlag, Bodensatz (z. B. beim Harn)": In neuerer Zeit aus gleichbed. *lat.* sedimentum entlehnt. Zu *lat.* sedēre „sitzen; sich setzen, sich senken" (vgl. *Assessor*).

See *m* oder *w*: Das *gemeingerm.* Substantiv *mhd.* sē, *ahd.* sē[o] „Binnensee, Meer", *got.* saiws „Binnensee, Marschland", *engl.* sea „Meer", *schwed.* sjö „Meer, Binnensee" ist etymolog. unerklärt. Zu dem urspr. männl. Geschlecht kam in den *westgerm.* Sprachen das weibliche. Die Unterscheidung nach der Bedeutung hat sich erst im *Nhd.* voll ausgebildet, doch ist schon *mnd.* sē in der Bed. „Meer" meist weiblich. Zus.: Seemann (*nhd.* im 17. Jh.; älter ist *niederl.* zeeman); Seehund (*frühnhd.* für *mnd.* sēlhunt, das mit *engl.* seal „Robbe, Seehund" verwandt ist); seekrank (17. Jh.). Dagegen gehört Seerose (18. Jh.; entspr. *mhd.* sēbluome) zur Bed. „Binnensee".

Seele *w*: Das *altgerm.* Wort *mhd.* sēle, *ahd.* sē[u]la, *got.* saiwala, *niederl.* ziel, *engl.* soul ist wahrscheinlich eine Ableitung von dem unter →*See* behandelten Wort mit der

Grundbed. ,,die zum See Gehörende". Nach alter germ. Vorstellung wohnten die Seelen der Ungeborenen und der Toten im Wasser. Der heutige Inhalt des Wortes ist stark vom Christentum geprägt worden. In übertr. Sinn steht 'Seele' für ,,Inneres eines Dings", z. B. in der Bed. ,,Höhlung des Geschützrohres" (18. Jh., dazu Seelenachse). Abl.: seelisch (16. Jh.); beseelen (17. Jh.); entseelt ,,tot" (16. Jh.).

Segel s: Das altgerm. Substantiv mhd. segel, ahd. segal, niederl. zeil, engl. sail, schwed. segel gehört wahrscheinlich im Sinne von ,,abgeschnittenes Tuchstück" zu der unter →Säge behandelten Wortgruppe, vgl. die verwandten Wörter aisl. segi ,,Fleischstreifen", sōgr ,,losgerissenes Stück". Abl.: segeln (mhd. sigelen, mnd. segelen, seilen; vgl. engl. to sail, schwed. segla), dazu Segler m (spätmhd. segeler, mnd. sēgeler ,,Schiffer", seit dem 18. Jh. für ,,Segelschiff"). Zus.: Segelflug (im 20. Jh. für den motorlosen Flug); Segelschiff (seit dem 16. Jh. Gegenwort zu Ruderschiff, jetzt zu Dampfschiff); Segeltuch ,,grobes Leinen für Segel" (18. Jh.; mhd. segeltuoch bedeutete ,,Segel").

Segment s ,,Kreis- oder Kugelabschnitt; Körperabschnitt": Ein hauptsächlich mathem. Terminus, der aus lat. segmentum ,,Schnitt; Einschnitt; Abschnitt" entlehnt ist. Zu lat. secāre ,,schneiden, abschneiden" (vgl. sezieren).

segnen: Das altgerm. Zeitwort mhd. segenen ,,das Zeichen des Kreuzes machen, bekreuzigen, segnen", ahd. seganōn, niederl. zegenen, aengl. segnian, aisl. signa beruht auf einer frühen Entlehnung aus lat.-kirchenlat. sīgnāre ,,mit einem Zeichen versehen, [be]zeichnen, siegeln, versiegeln; das Zeichen des Kreuzes machen", das von lat. sīgnum ,,Zeichen, Merkzeichen, Kennzeichen; (kirchenlat.:) Zeichen des Kreuzes" abgeleitet ist. Über weitere etymolog. Zusammenhänge vgl. den Artikel Signum. – Eine alte Rückbildung aus dem Zeitwort segnen ist das Subst. Segen m (mhd., mnd. segen ,,Zeichen des Kreuzes, Segen, Segensspruch; Gnade", ahd. segan; vgl. entspr. niederl. zegen). Zu 'segnen' gehört ferner das abgeleitete Subst. Segnung w (mhd. segenunge).

sehen: Das gemeingerm. starke Verb mhd. sehen, ahd. sehan, got. saíƕan, engl. to see, schwed. se beruht mit verwandten Wörtern in anderen idg. Sprachen auf der idg. Wz. *sekʷ- ,,bemerken, sehen". Deren eigtl. Bed. ,,[mit den Augen] verfolgen" ergibt sich aus den verwandten Sippen von lat. sequī ,,[nach]folgen, verfolgen" (s. die FW-Gruppe um konsequent), aind. sácate ,,er begleitet, folgt" und lett. sekt ,,folgen, spüren, wittern". Wahrscheinlich liegt ein alter Jagdausdruck zugrunde, der sich auf den verfolgenden und spürenden Hund bezog. Aus der Bed. ,,bemerken" hat sich weiterhin über ,,zeigen,

ankündigen" die Bed. ,,sagen" entwickelt, die in der unter →sagen behandelten Wortgruppe erscheint. Siehe auch den Artikel seltsam. – Abl.: Seher m (von Luther für ,,Prophet" gebraucht, aber erst seit dem 18. Jh. eingebürgert; mhd. sternseher bedeutet ,,Astronom"; im Nhd. steht 'Seher' in Zus. wie Hell-, Fern-, Schwarzseher); Sicht (s. d.; s. auch Gesicht). Zus.: sehenswürdig (18. Jh.), dazu Sehenswürdigkeit (nach 1800); Sehkraft (im 17. Jh. Sehenskraft). Die verbalen Zus. haben wie das einfache Verb viele übertr. Bedeutungen entwickelt, z. B.: absehen (frühnhd. für ,,abmessen, -schätzen", bes. ,,mit der Büchse zielen"; daher die Wendung 'es auf jemanden abgesehen haben'), dazu absehbar ,,überschaubar" (18. Jh.) und Absicht w (im 18. Jh. für älteres Absehen, eigtl. ,,Zielrichtung, -punkt"); ansehen (mhd. anesehen, ahd. anasehan), dazu Ansicht w (mhd. anesiht, ahd. anasiht ,,Anblick", im 18. Jh. aus dem Niederd. wiederaufgenommen; jetzt meist übertr. für ,,geistige Auffassung" und für ,,Wiedergabe eines Anblicks", z. B. in Ansichtskarte, Ende des 19. Jh.s); eine andere Bed. entwickelten Ansehen s (frühnhd. für ,,Achtung, Wertschätzung"; mhd. ansehen bedeutete nur ,,Anblick, Angesicht") und die Adjektive angesehen ,,geachtet" (18. Jh.) und ansehnlich ,,auffallend, bedeutend" (16. Jh.); aussehen (mhd. ūfsehen, ahd. ūfsehan ,,emporblicken", frühnhd. für ,,auf etwas achten"), dazu im 16. Jh. Aufsehen s ,,öffentliche Beachtung", Aufseher m und Aufsicht w (schon im 15. Jh. beaufsichtigen); aussehen (mhd. ūzsehen ,,hinaussehen", nhd. für ,,sich den Augen zeigen"), dazu Aussehen s ,,äußere Erscheinung" (17. Jh.) und Aussicht w ,,Blick nach draußen, in die Zukunft" (um 1700 in der Gartenkunst gebraucht); einsehen (zu mhd. īnsehen s ,,geistiges Hineinblicken"; mhd. für ,,erkennen"), dazu Einsicht w und einsichtig (18. Jh.); nachsehen (in der Bed. ,,gewähren lassen, nicht tadeln" erst im 16. Jh.), dazu Nachsicht w (18. Jh.); vorsehen (mhd. vürsehen ,,vorwärts sehen", reflexiv ,,Vorsorge tragen"), dazu Vorsehung w (mhd. vürsehunge ,,Obsorge"; im 18. Jh. eingeengt auf die Bed. ,,göttliche Weltregierung") und die Wörter Vorsicht w (mhd. vürsiht, ahd. foresiht ,,Vorsorge") und vorsichtig (mhd. vür-, vorsihtic, ahd. foresihtīg), die sich jetzt an 'sich vorsehen' angeschlossen haben. – Die Präfixbildung [sich] versehen (mhd. versehen, ahd. far-, firsehan) hat mehrere Bedeutungen, jetzt bes.: ,,[stellvertretend] verwalten" (16. Jh.), ,,ausstatten, versorgen" (mhd.), ,,sich irren, etwas falsch machen" (nhd.; schon mhd. für ,,verwechseln"), dazu Versehen s ,,Fehler" (17. Jh.). Schon im Ahd. steht 'sich firsehan' ïur „hoffend erwarten, vertrauen" (daher *nhd.* 'ehe man sich's versieht' „unerwartet"); dazu gehört das Subst. Zuversicht *w* (*mhd.* zuoversiht, *ahd.* zuofirsiht „Vertrauen, Hoffnung").

Sehne *w*: Das *altgerm.* Substantiv *mhd.* sen[e]we, sene, *ahd.* sen[a]wa, *niederl.* zenuw, zeen, *engl.* sinew, *schwed.* sena gehört mit verwandten *außergerm.* Wörtern, z. B. *awest.* hinu- „Band, Fessel", *mir.* sin „Kette, Halsband", zu der unter → Seil dargestellten Wortgruppe. Bis in die Neuzeit hinein wurden oft auch Adern, Nerven und Muskeln als Sehnen bezeichnet, daher bedeutet das Adj. sehnig (im 15. Jh. synnig, senicht) oft auch „muskulös". Als mathemat. Begriff geht 'Sehne' schon in *mhd.* Zeit von der Vorstellung der Bogensehne aus, wird aber erst im 16. Jh. neben *lat.* chorda (eigtl. „Darmsaite") als Fachwort benutzt. Als verdunkeltes Grundwort kann 'Sehne' in den Wörtern Hachse und Ochsenziemer (s. d.) enthalten sein.

sehnen, sich: Das auf das *dt.* Sprachgebiet beschränkte Verb (*mhd.* senen „sich härmen, liebend verlangen") ist unbekannter Herkunft. An den alten Gebrauch ohne Reflexiv erinnern noch Fügungen wie 'sehnende Liebe' und die transit. Präfixbildung ersehnen (18. Jh.). Abl.: sehnlich (*mhd.* sen[e]lich „schmachtend, schmerzlich"). Zus.: Sehnsucht (*mhd.* sensuht), dazu sehnsüchtig (18. Jh.).

sehr: Das Adv. dient in der *nhd.* Schriftsprache zur Bezeichnung des hohen Grades bei Verben und Adjektiven und ist auch im *Mhd.* schon so gebraucht worden. *Mhd.* 'sēre wunt' bedeutet aber eigtl. „schmerzhaft wund", denn *mhd.* sēre „schmerzlich, gewaltig, heftig", *ahd.* sēro, *aengl.* sāre „schmerzlich" ist das Adv. des *altgerm.* Adj. *mhd.*, *ahd.* sēr „wund, verwundet, schmerzlich", *niederl.* zeer, *engl.* sore, *norw.* sår „wund". Neben diesem steht ein *gemeingerm.* Subst. *mhd.*, *ahd.* sēr, *got.* sair „Schmerz", *engl.* sore, *schwed.* sår „Wunde". Im *Dt.* ist die Bed. „wund" nur noch im Verb → versehren erhalten. Die *germ.* Wörter sind wahrscheinlich mit *lat.* saevus „wütend, schrecklich, grausam" und *air.* sāeth „Leid, Krankheit" verwandt.

seicht: Das Adjektiv ist nicht sicher erklärt. Urspr. bedeutete es wohl „sumpfig, feucht" (so *aengl.* sīhte). *Mhd.* sīht[e] wird wie das *nhd.* Adjektiv von Furten und flachen Stellen im Wasser gesagt. Die Übertr. auf geistige Flachheit ist erst *nhd.*

Seide *w*: Die Bezeichnung für das aus dem Gespinst der Raupen verschiedener Seidenspinner, dann auch künstlich hergestellte Gewebe (*mhd.* sīde, *ahd.* sīda) beruht auf einer Entlehnung aus gleichbed. *mlat.* sēta bzw. aus einem *roman.* Abkömmling von diesem, in dem das -t- zu -d- erweicht ist

(vgl. z. B. *aprov.* seda „Seide"). Die weitere Herkunft des *mlat.* Wortes, das auch die Quelle ist für entspr. *it.* seta, *span.* seda und *frz.* soie, ist nicht sicher geklärt. – Abl.: seiden „aus Seide" (*mhd.* sīdīn, sīden, *ahd.* sīdīn); seidig „seidenartig, seidenweich, wie Seide glänzend" (*frühnhd.* für „seiden", in der heutigen Bed. seit dem 19. Jh.).

Seife *w*: Das *westgerm.* Substantiv *mhd.* seife, *ahd.* seifa, seipfa, *niederl.* zeep, *engl.* soap, das im *Ahd.* und *Aengl.* auch „[tropfendes] Harz" bedeutete, gehört mit *mhd.* sīfen, *aengl.* sīpian „tröpfeln, sickern" zu der unter → Sieb behandelten Wortgruppe. Außerhalb des *Germ.* ist z. B. *lat.* sēbum „Talg" verwandt. Die *germ.* Seife wurde nach römischem Zeugnis (*lat.* sāpō „Seife" ist *germ.* LW) in fester oder flüssiger Form aus Talg, Asche und Pflanzensäften bereitet und diente vor allem zum rituellen Rotfärben der Haare vor dem Kampf. Erst später ist sie auch als Reinigungsmittel bezeugt. Abl.: seifen „mit Seife behandeln" (*frühnhd.*; dafür jetzt meist ab-, einseifen); einseifen bedeutet *ugs.* seit dem 19. Jh. auch „übervorteilen, betrunken machen" (vielleicht unter dem Einfluß von *rotw.* beseibeln, besefeln „betrügen", die zu *jidd.* sewel „Mist, Kot" gehören). Zus.: Seifenblase (17. Jh., oft bildl. gebraucht); Seifensieder *m* (15. Jh.; da das Handwerk auch Kerzen herstellte, erklärt sich die um 1810 als stud. bezeugte Wendung 'mir geht ein Seifensieder auf' als scherzhafte Verdrehung von 'mir geht ein Licht auf').

seihen: *Mhd.* sīhen, *ahd.* sīhan, *aengl.* sīon „seihen; ausfließen", ähnlich *aisl.* sīa „seihen" stehen in grammat. Wechsel mit *mhd.* sīgen, *ahd.*, *aengl.* sīgan „tröpfelnd fallen, sinken" (*nhd.* veralt. seigen; dazu → versiegen). Als Iterativum gehört → sickern zur gleichen Sippe. Die Wortgruppe beruht mit verwandten Wörtern in anderen *idg.* Sprachen, z. B. *aind.* sēcatē „gießt aus, begießt", auf der *idg.* Wz. *seik̑ʷ- „ausgießen; rinnen, träufeln". Das Verb 'seihen' (mit der häufigeren Zus. durchseihen) bezeichnet im Gegensatz zu dem Verb sieben (s. Sieb) das Klären und Reinigen von Flüssigkeiten, z. B. von frischgemolkener Milch.

Seil *s*: Das *altgerm.* Substantiv lautet *mhd.*, *ahd.* seil, *niederl.* zeel, *aengl.* sāl, *aisl.* seil „Seil, Strick, Fessel". Von ihm abgeleitet ist das Verb *mhd.*, *ahd.* seilen, *got.* in-sailjan „anseilen, herablassen", *aengl.* sǣlan „mit Seilen binden" (*nhd.* in an-, abseilen). Aus anderen *idg.* Sprachen gehören z. B. *lit.* saĩlas „Band, Eimerschnur" und *russ.* silo „Schlinge" (aus *si-dlo) hierher. Die zugrunde liegende *idg.* Wz. *sēi- „binden" erscheint mit andern Weiterbildungen auch in den *dt.* Wörtern → Sehne, → Saite und wahrscheinlich auch in → Sitte. Abl.: Seiler *m* (*spätmhd.* seiler); Seilschaft *w*

„Bergsteigergruppe an gemeinsamem Seil" (20. Jh.). Zus.: Seiltänzer (im 17. Jh. für älteres Seilgänger, *spätmhd.* seilgenger, -ganger).

sein: Die Formen des Hilfszeitworts werden in allen *germ.* Sprachen aus drei verschiedenen Stämmen gebildet: 1. Das Präteritum *nhd.* war, waren (*mhd.* was, wāren, *ahd.* was, wārun, entspr. *got.* was, *engl.* was usw.) und das zweite Part. gewesen (*mhd.* Neubildung) gehören zu dem unter → *Wesen* dargestellten *gemeingerm.* Verb *ahd.* wesan, *got.* wisan „sein". 2. Die Präsensformen *nhd.* ist, sind seid (Ind.), sei, seist, seien, seiet (Konj.) werden in allen *germ.* Sprachen mit der *idg.* Wz. *es- „sein" gebildet, die auch den Präsensformen von *lat.* esse (s. die FW um Essenz) und *gr.* eînai „sein" zugrunde liegt. Beachte bes. die Übereinstimmung von *mhd.*, *ahd.*, *got.* ist, *engl.* is, *aisl.* es mit *lat.* est, *gr.* estí, *aind.* ásti „er ist" und von *mhd.*, *ahd.* sint, *got.*, *aengl.* sind mit *lat.* sunt, *aind.* sánti „sie sind". Deutsche Neubildungen zu diesem Stamm sind der Infinitiv *mhd.*, *ahd.* sīn, *nhd.* sein, das erste Part. *mhd.* sīnde, *nhd.* seiend und der Imp. *mhd.* bis (s. unter 3), *sīt*, *nhd.* sei, seid. Hier galten früher nur Formen von *ahd.* wesan. 3. Urspr. wurden auch die 1. und 2. Pers. des Indikativs mit Formen der *idg.* Wz. *es- gebildet (z. B. *engl.* I am, *got.* im, *aisl.* em „ich bin", entspr. *gr.* eimí, *aind.* ásmi). In den *westgerm.* Sprachen hat jedoch die Wz. *bheu- „wachsen, werden, sein" eingewirkt, die z. B. in *engl.* to be „sein", aber auch in *lat.* fuī „bin gewesen" zugrunde liegt (vgl. *bauen*). So kam es zu den Mischbildungen *nhd.* bin (*mhd.*, *ahd.* bin, älter bim, entspr. *aengl.* bēom) und *nhd.* bist (*mhd.*, *ahd.* bis[t], *aengl.* bis). Der substantivierte Infinitiv Sein *s* wird erst in *nhd.* Zeit gebräuchlich und bezeichnet im Unterschied von dem urspr. gleichbed. Wort Wesen (s. d.) vor allem die Tatsache oder Art des Vorhandenseins von Lebewesen und Dingen. Siehe auch Dasein.

seit: Die *dt.* Konjunktion und Präposition *mhd.* sīt, *ahd.* sīd bedeutet eigtl. „später als". Sie hat sich in *ahd.* Zeit aus dem komparativ. Adverb *ahd.* sīd[ōr] (*mhd.* sīt, sider) „später" entwickelt, dem *aengl.* sīð „spät[er]", *aisl.* sīðr „weniger, kaum" entsprechen. Das vorausliegende Adjektiv (vgl. *got.* seiþus „spät") erscheint im *Westgerm.* nur gesteigert: *aengl.* sīðra „der spätere", sīðest „der späteste". Die *germ.* Wortgruppe stellt sich mit verwandten Wörtern in anderen *idg.* Sprachen zu der unter → *säen* dargestellten Wortgruppe, vgl. z. B. *lat.* sētius „später, weniger [gut]". In Zeitsätzen steht 'seit' als unterordnende Konjunktion, während als nebenordnende Konjunktion bzw. Adverb seitdem gebraucht wird (wohl verkürzt aus *mhd.* sīt dem māle „seit der Zeit"). Ein zweites Adv., *nhd.* seither, ist zusammengerückt aus *mhd.* sīt her, z. T. aber auch aus dem Komparativ *mhd.* sider (s. o.) umgedeutet worden.

Seite *w*: Das *altgerm.* Substantiv *mhd.* sīte, *ahd.* sīta, *niederl.* zij[de], *engl.* side, *schwed.* sida ist die Substantivierung eines alten Adjektivs mit der Grundbed. „schlaff herabfallend", vgl. *aisl.* sīðr, *aengl.* sīd „herabhängend, lang, weit, geräumig", *afries.*, *mnd.* sīde „niedrig", als Adverb *ahd.* sīto „schlaff". Es bezeichnete urspr. wohl die unter dem Arm abfallende Flanke des menschlichen Körpers, danach auch die Flanke von Tieren (dazu Speckseite), und gehört mit der Sippe von → *seit* und verwandten *außergerm.* Wörtern (z. B. *mir.* sith- „lang, andauernd") wahrscheinl. zu der unter → *säen* dargestellten Wortgruppe. Das Wort bezeichnet übertr. auch die Seitenflächen von Dingen und ist schließlich zur allgemeinen Richtungsangabe geworden. Im Buchwesen bezeichnet es die beschriebene oder bedruckte Blattseite (*spätmhd.*; die Seitenzahl gibt es neben der älteren Blattzählung etwa seit 1500). In geometr. Fachspr. bedeutet 'Seite' „begrenzende Gerade einer Figur" (15. Jh.; LÜ für *lat.* latus). – Abl.: seitens (Präp. mit Gen., im 19. Jh. neben das ältere 'von seiten' getreten); ...seitis (*nhd.* in adverbialen Zus. wie einer-, ander[er]seits, dies-, jenseits, deren -s sekundär an *mhd.* akkusativ. Formen wie ein-, ander-, dis-, jensīt getreten ist); seitlich (als Adj. erst im 19. Jh.; beachte aber *mhd.* sītelīchen „nach der Seite hin"); beseitigen (nach 1800 für „zur Seite stellen" wohl aus der *oberd.* Kanzleisprache aufgenommen, zum Adv. älter *nhd.* beseit, *mhd.* besīt „beiseite"; heute nur übertr. für „wegschaffen", verhüllend für „ermorden").

Sekret *s* „Drüsen-, Wundabsonderung" (Med.): Gelehrte Entlehnung des 19. Jh.s aus *lat.* sēcrētum, dem substantivierten Neutrum des Part. Perf. Pass. von *lat.* sēcernere „absondern, ausscheiden". Das *lat.* Verb selbst lieferte das entspr. medizin.-fachsprachl. FW sezernieren „Sekret absondern". – Über die etymolog. Zusammenhänge dieser Wörter vgl. den Artikel *Dezernent*.

Sekretär *m*: Im 15. Jh. (*spätmhd.* secrētāri) im urspr. Sinne von „Geheimschreiber" (dann allgemein „Schreiber") aus gleichbed. *mlat.* sēcrētārius entlehnt. Zu *lat.* sēcrētus „abgesondert; geheim" (vgl. *Dezernent*). Etwa seit dem 18. Jh. macht sich der Einfluß von entspr. *frz.* secrétaire auf unser Wort geltend. – Abl.: Sekretärin *w* (20. Jh.); Sekretariat *s* „Kanzlei, Geschäftsstelle; Schriftführeramt" (17. Jh.; aus *mlat.* sēcrētāriātus „Amt eines Geheimschreibers").

Sekt *m* „Schaumwein": Der früheste Beleg des Wortes in *dt.* Texten stammt aus dem

Jahre 1647. Es erscheint hier in der urspr. Form 'Seck' und bezeichnet eine Art süßen Likörweines. Die Form 'Sekt' mit unorganischem -t ist jünger (zuerst 1663 Sect). Die Herkunft des Wortes ist eindeutig gesichert. Ausgangspunkt ist *it.* 'vino secco' „trockener Wein" (zu *lat.* siccus „trocken"), das urspr. einen süßen, schweren, aus Trockenbeeren gekelterten Wein bezeichnete. Über entspr. *frz.* 'vin sec' gelangte diese Bezeichnung als Kurzform in andere europ. Sprachen: *dt.* Seck, Sekt, *niederl.* sek, *schwed.* seck und *engl.* sack. Der Bedeutungswandel von „süßer Trockenbeerwein" zu „Schaumwein" (etwa um 1830) geht wahrscheinlich von einer Episode in der Weinstube von 'Lutter und Wegner' in Berlin aus, in der sich der Schauspieler L. Devrient, indem er die Rolle des Falstaff aus Shakespeares 'König Heinrich IV.' weiterspielte, mit den Worten 'a cup of sack' ein Glas Champagner bestellt haben soll.

Sekte *w*: Die Bezeichnung kleinerer, meist von der christlichen Kirche abgespaltener religiöser Gemeinschaften (*mhd.* secte) beruht auf einer gelehrten Entlehnung aus *lat.-mlat.* secta „befolgter Grundsatz, Richtlinie; Partei; philosophische Lehre; Sekte". Das *lat.* Subst. gehört vermutlich zu *lat.* sequi (secūtum) „folgen" (vgl. *konsequent*), wohl auf Grund eines alten Partizips *sectum „befolgt". – Dazu das Subst. Sektierer *m* „Anhänger einer Sekte" (Anfang 17. Jh.; unmittelbar abgeleitet von einem älteren Verb sektieren „eine Sekte bilden").

Sektor *m* „Kreis- oder Kugelausschnitt" (Math.), auch allgemein übertr. gebraucht im Sinne von „Bezirk, Gebiet; Sachgebiet", beachte dazu die junge Zus. Sektorengrenze (20. Jh.): Als mathem. Terminus aus *lat.* sector „Kreisausschnitt" (eigtl. „Schneider, Abschneider") entlehnt. Zu *lat.* secāre „schneiden, abschneiden" (vgl. *sezieren*).

Sekunda *w*: Die Bezeichnung für die fünfte Klasse der Unterstufe einer höheren Schule geht zurück auf *lat.* secunda classis „zweite Klasse" (über die Bedeutungsentwicklung vgl. den Artikel Sexta). Zu *lat.* secundus „(der Zeit, der Reihe nach) folgend; zweiter" (vgl. *Sekunde*). Abl.: Sekundaner *m* „Schüler einer Sekunda" (18./19. Jh.).

sekundär „zur zweiten Ordnung gehörend; in zweiter Linie in Betracht kommend; nachträglich hinzukommend; Neben...", auch als Bestimmungswort von Zus. wie Sekundärliteratur: Im 18./19. Jh. über entspr. *frz.* secondaire aus gleichbed. *lat.* secundārius entlehnt und in der Lautung relatiniert. Zu *lat.* secundus „(der Zeit, der Reihe nach) folgend; zweiter" (vgl. *Sekunde*).

Sekunde *w*: Die seit dem 17. Jh. bezeugte Bezeichnung für den 60. Teil einer →Minute als Grundeinheit der Zeit wurde verselb-ständigt aus der *lat.* Fügung 'pars minūta secunda', mit der im Sexagesimalsystem des Ptolemäus (2. Jh. n. Chr.) der kleinste Teil „zweiter" Ordnung einer durch 60 teilbaren Größe bezeichnet worden war. Das zugrunde liegende Adj. *lat.* secundus „(der Reihe oder der Zeit nach) folgend; zweiter", das auch Ausgangspunkt für die FW →Sekunda, Sekundaner, →sekundär und →sekundieren, Sekundant ist, ist eigtl. ein altes Partizip (*sequondos) von *lat.* sequī „folgen" (vgl. *konsequent*).

sekundieren: Das seit dem 17. Jh. zunächst in der allg. Bed. „unterstützen, begünstigen" bezeugte Verb, das auf gleichbed. *lat.* secundāre zurückgeht, entwickelte unter dem Einfluß von entspr. *frz.* seconder die spezielle Bed. „beim Duell Beistand leisten". Ähnliches gilt von dem abgeleiteten Subst. Sekundant *m* (Ende 17. Jh.; aus *lat.* secundāns, dem Part. Präs. Akt. von secundāre), das heute einerseits im Sinne von „Beistand, Zeuge beim Duell" gilt, andererseits in dem davon übertr. Sinne „Berater, Betreuer eines Sportlers beim Wettkampf". *Lat.* secundāre ist abgeleitet von *lat.* secundus „(der Zeit, der Reihe nach) folgend; zweiter" (vgl. *Sekunde*) in dessen übertr. Bed. „begleitend; begünstigend".

selb: Das *gemeingerm.* Pron. *mhd.* selp (Gen. selbes), *ahd.* selb, *got.* silba, *engl.* self, *schwed.* själv ist etymol. nicht sicher erklärt. In der einfachen Form erscheint 'selb' heute nur noch in der-, die-, dasselbe (getrennt: am selben Tag, zur selben Zeit), in *ugs.* selber „selbst", dem schon im *Mhd.* erstarrten starken Nom. Sing., und in der Zus. selbständig (im 16. Jh. zu *frühnhd.* selbstand „Person" gebildet, dafür *spätmhd.* selbstēnde „für sich bestehend"). Die gewöhnliche Form des Pronomens ist selbst (aus dem früh erstarrten Gen. Sing. mit *frühnhd.* t-Auslaut wie in Papst, Obst). Dazu die Substantivierung Selbst *s* (18. Jh.; nach dem Vorbild von *engl.* the self; zuerst in religiös-moral. Sinn). Abl.: selbstisch „egoistisch" (18. Jh.; nach *engl.* selfish). Zus.: selbstbewußt (18. Jh.), dazu Selbstbewußtsein (18. Jh.); selbstgefällig (18. Jh.); Selbstlaut „Vokal" (im 18. Jh. neben älterem 'Selbstlauter', Gegenbildung zur LÜ Mitlaut[er]für 'Konsonant' [16.Jh.]); selbstlos „ohne Selbstsucht" (nach 1800); Selbstmord (LÜ für *nlat.* suicidium, 17. Jh.), älter bezeugt ist Selbstmörder (16. Jh.); Selbstsucht, selbstsüchtig (18. Jh.); selbstverständlich (18. Jh.); Selbstverwaltung (Anfang des 19. Jh.s nach *engl.* selfgovernment).

selig: Das Adjektiv *mhd.* sǣlec, *ahd.* sālīg „wohlgeartet, gut, glücklich; gesegnet; heilsam", *niederl.* zalig „selig", *aengl.* sǣlig, *aisl.* sǣlligr „glücklich" ist die *altgerm.* Weiterbildung eines älteren Adjektivs, das

noch in *got.* sēls „tauglich, gütig", *schwed.*
säll „glückselig" und *aengl.* un-sǣle „boshaft" erscheint. Als abgeleitetes Substantiv
steht daneben *mhd.* sǣlde „Güte, Glück,
Segen, Heil" (*ahd.* sālida, *aengl.* sǣld, *aisl.*
sǣld), das im *Nhd.* durch Seligkeit *w*
(*mhd.* sǣlec-, *ahd.* sālicheit) abgelöst wurde.
Außerhalb des *Germ.* ist vielleicht *lat.* sōlārī
„trösten" verwandt; weitere Beziehungen
bleiben ungewiß. Die heutige Bedeutung des
Wortes ist entscheidend vom Christentum
geprägt worden. Abl.: beseligen „beglücken" (16. Jh.). Von den zahlreichen
Zus. mit dem Grundwort -selig enthalten
nur wenige das Adjektiv, so glückselig
(s. Glück), gottselig (16. Jh.), leutselig
(s. Leute). Meist sind sie in Analogie zu den
Ableitungen von Substantiven auf -sal
gebildet (Mühsal – mühselig, danach z. B.
feind-, red-, rührselig). Doch empfindet das
Sprachgefühl diese Herkunft nicht mehr.
Sellerie *m* oder *w*: Der seit dem 17. Jh. bezeugte Name der Gemüsepflanze ist uns
entspr. *frz.* céleri aus der Mehrzahlform
selleri von *nordit.* sellero „Sellerie" entlehnt,
das eine Dialektform von gleichbed. *it.*
sedano darstellt. Letzte bekannte Quelle
des Wortes ist *gr.*(*-lat.*) sélīnon „Eppich;
Sellerie". Siehe auch Petersilie.
selten: Das *altgerm.* Adverb *mhd.* selten,
ahd. seltan, *niederl.* zelden, *engl.* seldom,
schwed. sällan ist nicht sicher erklärt. Im *Got.*
erscheint es nur in der Zus. silda-leiks
„wunderbar" (*aengl.* *asächs.* seld-līc, eigtl.
„von seltener Gestalt", ähnlich wie *dt.* →
seltsam). Als Adjektiv hat sich 'selten' erst
seit dem 15. Jh. entwickelt, dabei ist die
gewöhnl. Bed. „nicht häufig" zu „außergewöhnlich, vortrefflich" erweitert worden.
Abl.: Seltenheit (um 1500).
seltsam: Das nur *dt.* Adjektiv ist erst im
Nhd. an die Bildungen auf -sam (heil-,
wachsam usw.) angelehnt worden. *Mhd.*
seltsǣne, *ahd.* seltsāni „fremdartig, wunderbar, kostbar; befremdlich" enthält als
ersten Bestandteil das unter →*selten* behandelte Wort. Der zweite Bestandteil ist ein
germ. Verbaladjektiv, das zu dem unter
→ *sehen* behandelten Verb gehört und das
verneint in *ahd.* un-sāni „ungestalt" erscheint, vgl. dazu auch *got.* anasiuns, *aengl.*
ge-sīene, *aisl.* synn „sichtbar" (beachte
schwed. säll-synt „selten"). Die Grundbed.
von 'seltsam' ist also „nicht häufig zu
sehen". Heute bedeutet es nur „verwunderlich, merkwürdig, eigenartig". Abl.: Seltsamkeit *w* (*spätmhd.* selzenkeit).
Semester *s* „Studienhalbjahr": Eine gelehrte
Substantivbildung des 16. Jh.s zu *lat.*
sēmēstris (< *sex-mēns-tris) „sechsmonatlich" in der Fügung 'sēmēstre tempus'
„Zeitraum von sechs Monaten". Bestimmungswort ist *lat.* sex „sechs", Grundwort
lat. mēnsis „Monat" (vgl. *menstruieren*).

semi..., Semi...: Aus dem *Lat.* stammendes
Bestimmungswort von Zus. mit der Bed.
„halb", wie in 'Semifinale' „Halbfinale" und
→Semikolon. – *Lat.* sēmi... „halb" (in Zus.)
ist urverw. mit gleichbed. *gr.* hēmi... (s.
hemi...).
Semikolon *s* „Strichpunkt" (Zeichen ;): Der
Name des am Ende des 15. Jh.s eingeführten Interpunktionszeichens für die
Gliederung von Satzperioden ist eine
gelehrte hybride Neubildung aus *lat.* sēmi...
„halb" (vgl. *semi...*) und *gr.* kōlon in dessen
übertragener Bed. „Glied einer Satzperiode"
(über die eigtl. Bed. von *gr.* kōlon „Körperglied; gliedartiges Gebilde" vgl. den Artikel
Kolik).
Seminar *s*: *Lat.* sēminārium „Pflanzschule,
Baumschule", das von *lat.* sēmen „Samen;
Setzling; Sprößling" (urverw. mit *dt.*
→ *Samen*) abgeleitet ist, gelangte im 17. Jh.
als FW ins Deutsche. In bildlicher Übertragung seiner eigtl. Bedeutung entwickelte das
Wort im schulischen und akademischen Bereich die neue Bed. „vorbereitende Bildungsanstalt". Davon ausgehend gilt 'Seminar'
heute einerseits im Sinne von „Anstalt zur
Vorbereitung auf den geistlichen Stand"
(beachte die Zus. Priesterseminar und
Predigerseminar), andererseits bezeichnet es ein für wissenschaftliche Arbeit und
Forschung eingerichtetes Hochschulinstitut
oder die an einem solchen Institut im Rahmen des akademischen Unterrichts abge-
haltenen Übungen. ← Über die *idg.* etymologischen Zusammenhänge des *lat.* Wortes
vgl. den Artikel *säen*.
Senat *m*: *Lat.* senātus, abgeleitet von *lat.*
senex „alt, bejahrt; Greis" (vgl. *Senior*),
bedeutet wörtlich etwa „Rat der Alten"
Im antiken Rom bezeichnete es eine Art
Staatsrat (als Träger des Volkswillens),
bestehend aus erfahrenen, durch Alter und
Weisheit ausgezeichneten Männern, die über
das Wohl des Staates zu wachen hatten. In
mhd. Zeit gelangte das Wort als FW ins *Dt.*
(*mhd.* senāt „Staatsrat"). Heute lebt es in
verschiedenen staats- und verwaltungspoli-
tischen Anwendungsbereichen. In Amerika
z. B. ist der Senat die erste Kammer des
Kongresses. In Deutschland heißen die
Regierungsbehörden in Berlin, Hamburg
und Bremen 'Senat'. Ferner bezeichnet
Senat das Organ der Selbstverwaltung an
Hochschulen. Im juristischen Sinne schließlich versteht man unter 'Senat' ein Richter-
kollegium an Obergerichten. - Abl.: **Senator** *m*
„Vertreter, Mitglied des Senats; Ratsherr"
im *mhd.* Zeit aus *lat.* senātor „Mitglied des
römischen Senats").
senden: Das *gemeingerm.* Verb *mhd.* senden,
ahd. senten, *got.* sandjan, *engl.* to send,
schwed. sända gehört als Veranlassungswort
mit der Grundbed. „reisen machen" zu einem
unbezeugten *germ.* Verb *sinþan „reisen"

637

(vgl. *Sinn*). Im Präteritum stehen seit *ahd.* Zeit Formen mit und ohne Umlaut nebeneinander. Abl.: Sender *m* (*spätmhd.* für „Absender"; jetzt für „sendende Funkanlage"); Sendung *w* (*mhd.* sendunge, sandunge „Übersendung; gesandtes Geschenk", *ahd.* santunga; jetzt für „Paket, Brief" und „Funkdarbietung", übertr. seit dem 18. Jh. für „Berufung, [göttlicher] Auftrag", ähnlich wie →Mission); Gesandte (s. d.). Zur Präfixbildung versenden (*mhd.* versenden) gehört als kaufmänn. Bildung des frühen 19. Jh.s Versand *m*.

Senf *m*: 'Senf' heißen zunächst verschiedene, zu den Kreuzblütlern gehörende Futter-, Gewürz- und Ölpflanzen. Im speziellen Sinn bezeichnet das Wort ein scharfes, breiiges, aus den zerriebenen Samenkörnern des sogenannten 'weißen Senfs' mit Weinessig oder Most bereitetes Gewürz, den 'Tafelsenf' oder →Mostrich. Die Zubereitung von Tafelsenf lernten die Germanen von den Römern kennen und übernahmen von diesen auch die Bezeichnung. *Ahd.* senef, *mhd.* sen[e]f, *asächs.* senap, *aengl.* senap, senep gehen zurück auf *lat.* sināpi „Senf", das seinerseits LW aus gleichbed. *gr.* sínāpi ist. Das Wort ist vermutlich *ägypt.* Ursprungs.

sengen: Das *westgerm.* Verb *mhd.* sengen, *ahd.* bi-sengen, *niederl.* zengen, *engl.* to singe bedeutete urspr. „brennen, dörren". Es ist u. a. verwandt mit *mhd.* senge *w* „Trockenheit", sungen „anbrennen", *niederd.* sangeren „prickeln" und *norw. mdal.* sengla „brenzlig riechen". Außerhalb des *Germ.* ist vielleicht die Sippe von *kirchenslaw.* (prě)sǫčiti „trocknen" verwandt. An die alte umfassendere Bedeutung des Wortes erinnert noch die Fügung 'sengen und brennen'. Häufiger ist heute versengen (*mhd.* versengen).

senil „greisenhaft": In neuerer Zeit aus gleichbed. *lat.* senīlis entlehnt. Zu *lat.* senex „alt, bejahrt; Greis" (vgl. *Senior*).

Senior *m* „Ältester, Vorsitzender; Altmeister; Sportler einer bestimmten, der Juniorenklasse folgenden Altersstufe": Das seit dem ausgehenden 17. Jh. bezeugte FW geht zurück auf *lat.* senior „älter, bejahrter, reifer; erwachsener Mann (von 45–60 Jahren)", die Komparativform von *lat.* senex „alt, bejahrt; der Alte, der Greis" (urverwandt u. a. mit *gr.* hénos „nicht mehr neu, alt" und gleichbed. *aind.* sána-ḥ). Dazu auch *lat.* senātus „Rat der Alten, Ratsversammlung" (s. die FW Senat und Senator) und *lat.* senīlis „greisenhaft" (s. senil). – Vgl. in diesem Zusammenhang noch die folgenden auf *lat.* senior (Ablativ: seniōre) beruhenden *roman.* Wörter *frz.* seigneur „Herr", gleichbed. *it.* signore und *span.* señor (dazu als Femininbildungen *it.* signora, span. señora „Herrin, Frau" und *it.* signorina „Fräulein", gleichbed. *span.* señorita), fer-

ner mit Possessivpronomen *frz.* monseigneur = *it.* monsignore „gnädiger Herr; Euer Gnaden, Euer Hochwürden" (als Anrede für hohe Geistliche); von einer *vlat.* Kurzform *seior (für senior) geht *frz.* sire „Herr" (veralt.), Sire „Majestät" aus (dazu als alter Akkusativ sieur, noch erhalten in monsieur „mein Herr; Herr") und das aus dem *Afrz.* vermittelte Subst. sir „Herr" (in der Anrede). Fast alle diese *roman.* Wörter werden im *Dt.* gelegentlich als Fremdwörter gebraucht.

senken: Als *gemeingerm.* Veranlassungswort zu dem unter →sinken behandelten Verb bedeutet *mhd.*, *ahd.* senken, *got.* sagqjan, *aengl.* sencan, *schwed.* sänka eigtl. „sinken machen, versenken". Abl.: Senke *w* (*mhd.* senke „Vertiefung, Tal"); Senker *m* „in die Erde gesenktes Reis" (18. Jh.; heute meist Absenker); Senkung *w* (17. Jh.; auch für „unbetonte Silbe im Vers"). Zus.: senkrecht (im 17. Jh. für 'perpendikular'. Das Wort knüpft wie *lat.* an die Vorstellung des Senkbleis an, beachte die veralteten Ausdrücke 'blei-, senkelrecht' und das noch heute gebräuchliche 'lotrecht', s. d.), dazu Senkrechte *w* (im 19. Jh. für 'senkrechte Linie'). Beachte ferner die Präfixbildung versenken (*mhd.* versenken, *ahd.* far-, firsenken), dazu Versenkung *w* (16. Jh.; die *ugs.*Wendung 'in der Versenkung verschwinden' bezieht sich urspr. auf die bekannte Theatermaschine.

Sensation *w* „aufsehenerregendes Ereignis; Riesenüberraschung; verblüffende Leistung": Das noch relativ junge FW erscheint zuerst im 18. Jh. mit der neutralen Bed. „Empfindung, Sinneseindruck", entlehnt aus gleichbed. *frz.* sensation. Später (18./19. Jh.) übernimmt es dann die im *Frz.* entwickelten erweiterten Bed. „Erregung, lebhaftes Interesse (an einer Begebenheit)" und (mit Umkehrung des Aspektes) „Ereignis, das Aufsehen erregt". *Frz.* sensation geht seinerseits auf *mlat.* sēnsātiō „das Empfinden; das Verstehen" zurück. Das zugrunde liegende Adj. *spätlat.* sēnsātus „mit Empfindung, Verstand begabt" ist abgeleitet von *lat.* sēnsus „Wahrnehmung; Empfindung usw." Über das Stammverb *lat.* sentīre (sēnsum) „fühlen, empfinden, wahrnehmen" vgl. den Artikel *Sentenz*. – Abl.: sensationell „aufsehenerregend, verblüffend" (um 1900; aus gleichbed. *frz.* sensationnel).

Sense *w*: Die urspr. *mitteld.* Form des Gerätenamens hat sich gegen zahlreiche andere Mundartformen in der Schriftsprache durchgesetzt. *Mhd.* segens[e], seinse, sēnse, *ahd.* segensa gehört mit andersgebildeten *germ.* Bezeichnungen (z. B. *asächs.* segisna, *niederl.* zeis[en] und *mnd.* sichte, *engl.* scythe, *aisl.* sigd[r]) zu der *idg.* Wz. *sek- schneiden" (vgl. *Säge*). Aus anderen *idg.* Sprachen ist z. B. *lat.* sacēna (*saces-nā) „Haue des Oberpriesters" verwandt. Zus.: Sensenmann *m* (im 17. Jh. sinnbildl. Bezeichnung des Todes, der schon im späten Mittelalter als Schnitter dargestellt wird.)

sensibel „feinfühlig, empfindsam; empfindlich": Im 18. Jh. über gleichbed. *frz.* sensible aus *lat.* sēnsibilis „der Empfindung fähig" entlehnt. Zu *lat.* sentīre (sēnsum) „fühlen, empfinden; wahrnehmen". Über etymolog. Zusammenhänge vgl. den Artikel *Sentenz.*

Sentenz *w* „kurz und treffend formulierter, einprägsamer Ausspruch, Sinnspruch, Denkspruch": In *mhd.* Zeit aus *lat.* sententia „Meinung, Ansicht, Urteil; Sinn, Gedanke, Sinnspruch, Denkspruch" entlehnt, einer Bildung zu *lat.* sentīre (sēnsum) „fühlen, empfinden, wahrnehmen; urteilen, denken usw." Das *lat.* Verb gehört mit den unter →sentimental, →Sensation, →Ressentiment und →sensibel behandelten Ableitungen zu der unter →*Sinn* dargestellten *idg.* Wortsippe.

sentimental „[übertrieben] gefühlvoll; rührselig": Im 18. Jh. aus gleichbed. *engl.* sentimental entlehnt. Das dem Adjektiv zugrunde liegende Substantiv *engl.* sentiment „Gefühl, Empfindung; gefühlvolle Stimmung" geht über entspr. *afrz.* sentement (= *frz.* sentiment) auf gleichbed. *mlat.* sentīmentum zurück. Zu *lat.* sentīre „fühlen, empfinden; wahrnehmen". Über etymolog. Zusammenhänge vgl. den Artikel *Sentenz.*

separat „abgesondert; einzeln": Im 17. Jh. aus *lat.* sēparātus „abgesondert, getrennt" entlehnt, einem Partizipialadj. von *lat.* sēparāre „absondern, trennen" (eigtl. etwa „etwas für sich gesondert bereiten"; zu *lat.* sē[d] „für sich" und *lat.* parāre „bereiten", vgl. *parat*). – Gleichen Ausgangspunkt (*lat.* sēparāre) hat das sehr junge FW **Séparée** *s* „Sonderraum; Nische in einer Gaststätte". Es hat sich aus der dem *Frz.* entstammenden vollständigen Bezeichnung 'Chambre séparée' herausgelöst (zu *frz.* séparer „trennen, absondern" < *lat.* sēparāre).

September *m*: Der schon *mhd.* bezeugte Name für den neunten Monat des Jahres, der im *Ahd.* witumānōt „Holzmonat" (zu *ahd.* witu „Brennholz") und später herbstmānōt „Herbstmonat" genannt wurde, ist aus *lat.* (mēnsis) September entlehnt. Zu *lat.* septem „sieben" (verwandt mit *dt.* →*sieben*). Im altröm. Kalenderjahr, das mit dem Monat März begann, war der September der „siebte Monat". Dieser Name wurde auch nach der Kalenderreform beibehalten. (Vgl. zum Sachlichen den Artikel *Januar*).

Serenade *w* „Abendmusik; Ständchen": Im 17. Jh. über entspr. *frz.* sérénade aus gleichbed. *it.* serenata entlehnt. Das Wort, das zu *it.* sereno „heiter" (< *lat.* serēnus), serenare „aufheitern" gehört, bedeutet eigtl. etwa „heiterer Himmel". Durch sekundären Anschluß an *it.* sera „Abend" entwickelte es die neue Bed. „Abendständchen (das der

Liebhaber seiner Geliebten bei schönem Wetter unter dem geöffneten Fenster darbringt)".

Serie *w* „Reihe, Folge (gleichartiger Dinge)": Das seit *mhd.* Zeit als serje „Reihen[folge]; Streifen; Zeitlauf" bezeugte FW ist aus *lat.* seriēs „Reihe, Reihenfolge" entlehnt. Stammwort ist das *lat.* Verb serere (sertum) „fügen, reihen, knüpfen", das sich mit dem verwandten Subst. *lat.* sors (sortis) „Los, Losstäbchen; Schicksal; Stand, Rang; (*spätlat.* auch:) Art und Weise" (urspr. wohl „Reihe von Losstäbchen für das Orakel"), im außeritalischen Bereich z. B. mit *gr.* eírein „aneinanderreihen", unter einer *idg.* Wz. *ser- „aneinanderreihen, verknüpfen" vereinigen läßt. – Von dem schwundstufigen *lat.* sors (sortis) oder von dem davon abgeleiteten Verb *lat.* sortīrī „losen, erlosen; auswählen" gehen die FW →Sorte, sortieren und Sortiment aus. Dazu *lat.* cōn-sors „gleichen Loses teilhaftig; Gefährte, Genosse" in →Konsorten und Konsortium. Beachte ferner die zu *lat.* serere gehörenden Komposita *lat.* dē-serere „abreihen, abtrennen; verlassen", *lat.* dis-serere „auseinanderreihen; erörtern; entwickeln" (dazu das Intensiv *lat.* dis-sertāre „auseinandersetzen, entwickeln") und *lat.* īn-serere „einfügen, einschalten" in den FW →Deserteur, desertieren, →Dissertation und →inserieren, Inserat.

seriös „ernsthaft, ernstgemeint; gediegen, anständig; würdig": Im 18. Jh. über gleichbed. *frz.* sérieux aus entspr. *mlat.* sēriōsus entlehnt, das seinerseits zu *lat.* sērius „ernsthaft, ernstlich" gehört.

Sermon *m*: Das auf *lat.* sermō (sermōnis) „Wechselrede, Gespräch; Vortrag" (*spätlat.* auch „Predigt") zurückgehende FW galt früher im Sinne von „Rede, Gespräch; Predigt". Heute lebt das Wort nur mehr in der gehobenen Umgangssprache als abfällige Bezeichnung für „Redeschwall; langweiliges Geschwätz", wohl beeinflußt von entspr. *frz.* sermon.

Serpentine *w* „in Schlangenlinie ansteigender Weg an Berghängen; Windung, Kehrschleife": Gelehrte Ableitung des 19. Jh.s von *spätlat.* serpentīnus „von Schlangen" (Adj.), das hier mit einer *nlat.* übertr. Bed. „schlangenförmig (sich windend)" verwendet wird. Das dem Adjektiv zugrunde liegende Subst. *lat.* serpēns (serpentis) „Schlange" ist seit *lat.* serpere „kriechen" abgeleitet.

Serum *s* „wäßriger Bestandteil des Blutes und der Lymphe; Impfstoff": Gelehrte Entlehnung des 19. Jh.s aus *lat.* serum „wäßriger Teil der geronnenen Milch, Molken" (verwandt mit den unter →*Strom* genannten Wörtern).

¹**Service** [...wíβ] *s* „zusammengehörendes Tafelgeschirr": Im 17. Jh. aus gleichbed. *frz.* service entlehnt. Das *frz.* Wort bedeutet – entsprechend seiner Herkunft aus *lat.* servitium „Sklavendienst" (zu *lat.* servīre „die-

639

nen", vgl. *servieren*) – eigtl. „Dienst, Dienstleistung, Bedienung". Erst durch Rückanlehnung an das Stammwort *frz.* servir „dienen; aufwarten; die Speisen auftragen, servieren" entwickelte es die sekundäre Bed. „Tafelgeschirr (in dem serviert wird)". – Die Grundbed. des *frz.* Wortes ist uns noch faßbar in dem jungen FW ²**Service** [*bö̆r wiß*] *m* oder *s* „Kundendienst, Kundenbetreuung" (20. Jh.), das aus dem *Engl.* entlehnt ist (*engl.* service stammt seinerseits aus dem *Afrz.*).

servieren „bei Tisch bedienen, Speisen und Getränke auftragen": Im 18. Jh. aus gleichbed. *frz.* servir (eigtl. allg. „dienen") entlehnt, das auf *lat.* servîre „Sklave sein; dienen" zurückgeht. Stammwort ist *lat.* servus „Sklave, Diener". – Abl.: Servi ererin *w* „weibliche Bedienung in einer Gaststätte" (20. Jh.). – Zu *lat.* servîre oder *frz.* servir gehören auch die FW → ¹Service, → ²Service, → Serviette und → Dessert.

Serviette *w* „Tellertuch, Mundtuch": Im 16. Jh. aus gleichbed. *frz.* serviette entlehnt. Das *frz.* Wort ist von *frz.* servir „dienen; aufwarten; die Speisen auftragen, servieren" abgeleitet (vgl. *servieren*), bedeutet also urspr. etwa „Gegenstand, der beim Servieren benötigt wird".

Sessel *m*: Das *gemeingerm.* Substantiv *mhd.* sezzel, *ahd.* sezzal, *got.* sitls, *aengl.* seotul, (mit anderer Bed.) *aisl.* sjǫtull „wer etwas zum Stehen bringt, Beendiger" gehört zu der unter → *sitzen* dargestellten *idg.* Wurzel. Es ist verwandt mit *außergerm.* Wörtern wie *lat.* sella „Sitz", *gr.* hellá „Sitz", *russ.* sedló „Sattel". Neben der allgemeinen Bed. wird das *germ.* Wort schon im *Got.* auch für den ausgezeichneten Fürstenthron, im *Ahd.* für den Hoch- und Richtersitz verwendet (der urspr. neben den üblichen Bänken der einzige Stuhl war).

setzen: Das *gemeingerm.* Verb *mhd.* setzen, *ahd.* sezzen, *got.* satjan, *engl.* to set, *schwed.* sätta bedeutet als Veranlassungswort zu dem unter → *sitzen* behandelten Verb eigtl. „sitzen machen". *Außergerm.* ist es z. B. verwandt mit *aind.* sādayati „er setzt" und *russ.* sadít' „setzen, pflanzen". Die alte Bed. „bestimmen, anordnen" (14. –18. Jh.; eigtl. „Recht setzen", dazu → Gesetz und → Satzung) bewahrt noch in den Zus. festsetzen (Zusammenschreibung seit dem 19. Jh.). Abl.: Satz (s. d.); Setzer *m* (*mhd.* setzer „Aufsteller, Taxator", *ahd.* sezzari „Stifter"; *nhd.* in Zus. wie Ofen-, Steinsetzer, auch Tonsetzer „Komponist"; bes. aber seit dem 16. Jh. Bez. des Schriftsetzers im Druckgewerbe); Setzling *m* „junge Pflanze; Zuchtfisch" (*mhd.* sezelinc, im Weinbau); gesetzt (als Adj. für „ruhig, ernst" seit dem 18. Jh.; als Part. z. B. in der seit dem 16. Jh. bezeugten Wendung 'gesetzt, [daß] ...' „wir wollen einmal annehmen"). – Zus.: absetzen „heruntersetzen, von einem Amt entfernen", (15. Jh., eigtl. „vom Amtssessel setzen"), „verkaufen" (18. Jh., urspr. wohl „vom Frachtwagen heruntersetzen"), „ab-, unterbrechen; sich zurückziehen" (17. Jh.), dazu Absatz *m* (*mhd.* abesaz „Verringerung"; kaufmänn. seit dem 18. Jh.) und Absetzung *w* (15. Jh.); aufsetzen (*mhd.* ûfsetzen, *ahd.* ûfsezzan; seit dem 18. Jh. auch „schriftlich entwerfen"), dazu Aufsatz *m* (z. B. Tafelaufsatz; seit dem 18. Jh. bes. „schriftliche Darstellung"; *mhd.* ûfsaz bedeutete „[Auflagen von] Steuern; Verordnung, Plan usw."); aussetzen „hinaussetzen; preisgeben; beanstanden" (in der letzten Bed. eigtl. „bei der Warenprüfung als fehlerhaft aus der Reihe setzen", 15. Jh.; s. auch Ausschuß), intrans. „unterbrechen, aufhören" (18. Jh.); zu *mhd.* ûzsetzen in der Bed. „absondern" gehört Aussatz, s. d.; beisetzen (im 17. Jh. für „neben anderes setzen, Geld zuschießen", auch in der Bed. „einen Sarg neben andere in die Gruft setzen", daher heute noch gehobener Ausdruck für „begraben"), dazu Beisetzung *w* „Bestattung" (Ende des 19. Jh.s); ¹durchsetzen „seinen Willen durchführen" (18. Jh.); ²durchsetzen „vollständig besetzen, durchdringen" (*mhd.* durchsetzen); einsetzen „hineinsetzen; bestimmen, ernennen; verpfänden; zweckbestimmt verwenden", reflexiv „für etwas eintreten", intrans. „beginnen" (*mhd.* însetzen, „hineinsetzen, -legen"), dazu Einsatz *m* (*mhd.* insaz); nachsetzen (in der Bed. „nachjagen, verfolgen" seit dem 17. Jh.; beachte schon *spätmhd.* nächsetzig „nachstellend" [von der Schlange]); ¹übersetzen „über ein Wasser bringen" (*mhd.* übersetzen, *ahd.* ubarsezzen); ²übersetzen „übermäßig besetzen" (schon *mhd.* übersetzen), „in eine andere Sprache übertragen" (17. Jh.; wohl nach gleichbed. *lat.* trādûcere, trânsferre), dazu Übersetzung *w* (eines Buches und dgl., 17. Jh.; in techn. Sinn, z. B. beim Fahrrad, erst um 1900); umsetzen „an einen andern Ort setzen" (*mhd.* umbesetzen, 14. Jh.; die kaufmänn. Bed. „auf dem Waren- und Geldmarkt um-, eintauschen" wurde im 17. Jh. aus dem *Niederd.* aufgenommen [*mhd.* ummesetten „tauschen"], ebenso das Subst. Umsatz *m* [*mhd.* ummesat „Tausch"]); ¹untersetzen „daruntersetzen" (*mhd.* undersetzen), dazu Untersatz *m* (*mhd.* undersaz); zu veralt. ²untersetzen „stützen" (*mhd.* undersetzen) gehört das adjekt. Part. untersetzt „gedrungen, kräftig" (16. Jh., eigtl. „gestützt, gefestigt"); vorsetzen (*mhd.* vürsetzen, *ahd.* furisezzen „vor Augen setzen, voranstellen"; in der Bed. „sich etwas vornehmen" zuerst *mhd.*), dazu das subst. Part. Vorgesetzte *m* (18. Jh.) und die Abl. Vorsatz „Vorgesetztes; Vorhaben, Plan" (*mhd.* vür-, vorsaz,

wohl nach *lat.* prōpositum); z u s e t z e n
,,hinzufügen; bedrängen" (*mhd.* zuosetzen
,,auf jemanden eindringen, ihn verfolgen"
[zuerst wohl vom Schwertkampf gesagt]),
dazu Z u s a t z *m* ,,Hinzugefügtes" (*spätmhd.*
zuosaz). – Präfixbildungen: b e s e t z e n (*mhd.*
besetzen, *ahd.* bisezzen), dazu B e s a t z *m*
(z. B. eine Kleiderborte, 18. Jh.), B e -
s a t z u n g *w* (*spätmhd.* besatzunge ,,Be-
festigung", seit dem 16. Jh. in der heutigen
Bed.); e n t s e t z e n (s. d.); e r s e t z e n ,,an die
Stelle setzen, erstatten" (*mhd.* ersetzen, *ahd.*
irsetzen), dazu E r s a t z *m* (18. Jh.); v e r s e t -
z e n (*mhd.* versetzen, *ahd.* firsezzen; zu den
mhd. Bed. ,,hinsetzen, verpfänden, versperren, abwehren usw." traten im *Nhd.* zahlreiche weitere Verwendungen, so um 1600
,,entgegnen, erwidern" und ,,einen Schlag
geben"; die Bed. ,,an einen anderen Platz
bringen", bes. auf Beamte und Schüler bezogen, lebt verblaßt auch in Fügungen wie
'in Furcht, in die Notwendigkeit versetzen');
z e r s e t z e n ,,[sich] auflösen, verderben"
(im 18. Jh. bergmänn. für ,,zerschlagen";
erst seit dem 19. Jh. im heutigen Sinn).
Seuche *w*: *Mhd.* siuche, *ahd.* siuhhī, *got.*
siukei sind Substantivbildungen zu dem
unter →*siech* behandelten Adjektiv mit der
Grundbed. ,,Krankheit, Siechtum" (vgl.
das andersgebildete *niederl.* ziekte ,,Krank-
heit"; s. a. Sucht). Im *Dt.* bezeichnet 'Seuche'
seit dem 17./18. Jh. die ,,ansteckende Epidemie" und gilt in dieser Bedeutung bes. im
amtlichen Bereich (Seuchenpolizei) und in
der Tierheilkunde. Abl.: v e r s e u c h e n ,,mit
Krankheitskeimen verunreinigen" (19. Jh.).
seufzen: Das in dieser Form nur *hochd.* Wort
(*mhd.* siufzen) ist unter dem Einfluß von
Wörtern ähnl. Bedeutung wie 'ächzen', 'lechzen' umgebildet worden aus älterem *mhd.*
siuften, *ahd.* sūft[e]ōn (vgl. *mnd.* suften,
suchten, *niederl.* zuchten ,,seufzen"). Dieses
Verb gehört zu einer noch in *mhd.* sūft
,,Seufzer" bewahrten Abl. von *ahd.* sūfan
,,schlürfen" (vgl. *saufen*): Seufzen ist also
das hörbare Einziehen des Atems. Abl.:
S e u f z e r *m* (im 17. Jh. für älteres Seufze,
mhd. siufze, siufte, eine Nebenform von *mhd.*
sūft, s. o.).
Sex *m* ,,Geschlecht, Geschlechtstrieb; Erotik": Im 20. Jh. aus gleichbed. *engl.* sex
übernommen, das wie entspr. *frz.* sexe auf
lat. sexus ,,männliches oder weibliches) Geschlecht" zurückgeht. Aus dem *Engl.*-
Amerik. stammt auch die Zus. S e x - A p p e a l
m ,,erotische Anziehungskraft (insbesondere einer Frau) auf das andere Geschlecht"
(20. Jh.; der zweite Bestandteil *engl.* appeal
bedeutet ,,Appell, Anziehungskraft, Reiz"). –
Beachte in diesem Zusammenhang auch die
Adjektive s e x u a l und s e x u e l l ,,geschlecht-
lich", die *spätlat.* sexuālis ,,zum Geschlecht
gehörig" fortsetzen. Sie erscheinen als FW
im 18./19. Jh., wobei letzteres unmittelbar

aus entspr. *frz.* sexuel entlehnt ist. Dazu als
nlat. Bildung das Subst. S e x u a l i t ä t *w*
,,Geschlechtsleben; geschlechtliches Verhalten" (19. Jh.).
Sexta *w* ,,die erste Klasse der Unterstufe
einer höheren Lehranstalt": Die Bezeichnung stammt aus der Reformationszeit, in
der die Einteilung und Benennung der Unter-
richtsklassen nach römischen Ordinalzahlen
allgemein üblich wurde. Man zählte damals
von der obersten Klasse der Oberstufe (der
→Prima) abwärts. Die unterste Klasse, die
'sexta classis' (daraus die Kurzform) war
also urspr., wie der *lat.* Name besagt, die
,,sechste Klasse". Diese wie auch die anderen
entspr. Bezeichnungen (→Quinta, →Quarta
usw.) behielt man später bei, als man in
umgekehrter Folge der Unterstufe aufwärts zählte. Die zugrunde liegende Ordinalzahl *lat.* sextus ,,sechster" entspr. der *lat.*
Kardinalzahl sex ,,sechs" (urverw. mit *dt.*
→*sechs*). – Abl.: S e x t a n e r *m* ,,Schüler einer
Sexta".
sezieren ,,einen Leichnam öffnen und anatomisch zerlegen" (Med.): Im Anfang des
18. Jh.s aus *lat.* secāre (sectum) ,,[ab]schnei-
den; mähen; zerschneiden, zerlegen; operieren" (urverw. mit *dt.* →*Säge*) entlehnt. –
Dazu das Subst. S e k t i o n *w* ,,kunstgerechte
Leichenöffnung" (18. Jh.; aus *lat.* sectiō ,,das
[Zer]schneiden, das Zerlegen"). Letzteres
lebt auch allgemeinsprachlich mit einer seit
dem 18. Jh. bezeugten, von entspr. *frz.*
section übernommenen neuen Bed. ,,Abtei-
lung, Gruppe, Zweig[verein]". – Zu *lat.*
secāre als Stammwort gehören auch die
FW →Segment, →Sektor, →Insekt, ferner
das LW →Sichel.
Shorts *Mehrz.* ,,kurze, sportliche (Damen-
oder Herren)kniehose": Das noch sehr junge
FW gehört zu den zahlreichen, im 20. Jh.
aus den angelsächsischen Ländern übernommenen Bezeichnungen für Kleidungsstücke
wie →Blue jeans, →Petticoat, →Pullover
u. a. *Engl.* shorts bedeutet wörtlich ,,die
Kurzen". Es ist der substantivierte Plural
des Adjektivs short ,,kurz", das gleichbed.
ahd. scurz (vgl. *Schurz*) entspricht.
Show *w* ,,Schau, Darbietung; buntes, auf-
wendiges Unterhaltungsprogramm": Im
20. Jh. aus gleichbed. *engl.*-*amerik.* show
entlehnt, einer Substantivbildung zu *engl.*
to show ,,zeigen, darbieten, zur Schau stellen" (verwandt mit *dt.* →*schauen*).
Sichel *w*: Der *westgerm.* Gerätename (*mhd.*
sichel, *ahd.* sihhila, *niederl.* sikkel, *engl.*
sickle) beruht auf einer frühen Entlehnung
aus *vlat.* Form von *lat.* sēcula ,,kleine
Sichel". Dies gehört im Sinne von ,,Werk-
zeug zum Mähen" zum Stamm von *lat.* secāre
,,[ab]schneiden; mähen" (vgl. *sezieren*).
sicher: Das *westgerm.* Adjektiv *mhd.* sicher,
ahd. sichur, *niederl.* zeker, *aengl.* sicor ist
schon früh aus *lat.* sēcūrus ,,sorglos, unbe-

641

kümmert, sicher" entlehnt worden, einer Bildung zu *lat.* cūra ,,Sorge; Pflege" (vgl. *Kur; lat.* sē[d] bedeutet ,,ohne; beiseite, weg"). Urspr. wurde 'sicher' in der Rechtssprache mit der Bed. ,,frei von Schuld, Pflichten, Strafe" gebraucht. Abl. : S i c h e r h e i t *w* (*mhd.* sicherheit, *ahd.* sihhurheit); s i c h e r l i c h ,,gewiß" (nur als Adv.; *mhd.* sicherlīche, *ahd.* sihhurlīcho); s i c h e r n ,,sicher machen, sicherstellen" (*mhd.* sichern, *ahd.* sihhurōn; urspr. Rechtswort mit der Bed. ,,rechtfertigen"), dazu S i c h e r u n g *w* (*mhd.* sicherunge ,,Bürgschaft, Schutz"; heute bes. im techn. Sinn); das Präfixverb v e r - s i c h e r n (*mhd.* versichern ,,sicher machen; erproben; versprechen") bedeutet heute ,,beteuern, garantieren, sicherstellen" und bes. ,,gegen Schaden vertraglich sichern" (in dieser Bed. seit dem 17. Jh. zuerst im Seehandel neben dem FW assekurieren [*it.* assicurare] gebraucht; doch hatte 'versichern' im *Dt.* schon vorher den ähnlichen Sinn ,,für etwas bürgen" entwickelt), dazu V e r s i c h e r u n g *w* ,,Beteuerung; vertragl. Risikoschutz" (*mhd.* versicherunge ,,Sicherstellung, Sicherheit"; im 18. Jh. für ,,Assekuranz").

Sicht *w*: Die *westgerm.* Substantivbildung zu dem unter →*sehen* behandelten Verb (*mhd.*, *ahd.* siht, *niederl.* zicht, *engl.* sight) bezeichnet wie Gesicht (s. d.) eigtl. das Sehen und Anblicken wie das Gesehene. So steht es in *nhd.* Zus. wie Fern-, Rund-, Rücksicht und in zahlreichen Ableitungen zu den verbalen Zus. von 'sehen' (s. d.). In der heutigen Hauptbed. ,,Sehweite" (*mhd.* sicht, 15. Jh.) wurde das Wort erst im 19. Jh. aus der Seemannssprache ins *Hochd.* übernommen. Auch als Fachwort des Wechselverkehrs stammt 'Sicht' aus dem *Niederd.* ('auf, bei Sicht zahlbar'; *mnd.* [ge]sicht, 15. Jh., ist in dieser Bed. LÜ von *it.* vista). Dazu auch die Wendung 'auf lange Sicht' (eigtl. ,,Laufzeit des Wechsels", 18. Jh.). Abl.: s i c h t b a r (16. Jh.); s i c h t i g ,,klar" (vom Wetter, um 1800 aus der Seemannssprache; *mhd.* sihtec ,,sichtbar, sehend" hat sich nur in Zus. erhalten, z. B. durch-, umsichtig, kurz-, weitsichtig); s i c h t l i c h ,,deutlich, offenbar" (*mhd.* sihtlich bedeutete ,,sichtbar"); [1]s i c h t e n ,,erblicken" (im 19. Jh. aus der Seemannssprache); älter ist b e s i c h t i g e n (im 16. Jh. weitergebildet aus älterem besichten ,,in Augenschein nehmen", dazu B e s i c h t i g u n g *w* (16. Jh.).

[1]**sichten** siehe Sicht.

[2]**sichten** ,,auswählen, ausscheiden": Das urspr. *niederd.* Verb bedeutet eigtl. ,,durch Sieben reinigen". *Mnd.* sichten ,,sieben" ist wie gleichbed. *niederl.* ziften, *engl.* to sift von dem unter →*Sieb* behandelten Substantiv abgeleitet (zu *niederd.* -cht- statt *hochd.* -ft- vgl. den Artikel Gracht). Durch Luther, der das Wort auch schon bildlich gebrauch-

te, ist 'sichten' in die *nhd.* Schriftsprache gelangt.

sickern: Das in *dt.* Mundarten als sikern, sickern weit verbreitete Verb gelangte erst im 17. Jh. in die Schriftsprache. Es entspricht *aengl.* sicerian ,,tröpfeln, einsickern" und gehört als alte Iterativbildung zu dem unter →*seihen* behandelten Verb in dessen intransitiver Bed. ,,ausfließen".

sie: Die im *Ahd.* noch unterschiedenen Formen des weibl. Personalpronomens der 3. Pers. Mehrz. (Nom. siu, sī, Akk. sīa) und der 3. Pers. Einz. aller Geschlechter (Nom., Akk. sie *m*, sio *w*, siu *s*) sind im *Mhd.* zu sī, si, sie vereinfacht worden und im *Nhd.* in der Form 'sie' zusammengefallen. In anderen *germ.* Sprachen entspricht nur *got.* si ,,sie" (Nom. Einz.), außerhalb des *Germ.* gleichbed. *air.* sī und der Akk. *aind.* sīm. Das *nhd.* Sie der Anrede stand urspr. als Pron. der 3. Pers. neben einem der im 16. Jh. für hochgestellte Personen aufgekommenen plural. Titel (z. B. 'Euer Gnaden haben ..., sie haben ...'). Seit dem 17. Jh. wird 'Sie' auch ohne vorherige Nennung des Titels gebraucht, im 18. Jh. ist es als Anrede unter Adligen und Bürgern von Stand neben dem älteren 'Ihr' allgemein üblich geworden und wird seitdem groß geschrieben. Dazu s i e z e n ,,mit Sie anreden" (17. Jh.; s. auch duzen unter *du*).

Sieb *s*: Das *westgerm.* Substantiv *mhd.* sip, *ahd.* sib, *niederl.* zeef, *engl.* sieve bezeichnet seit alters ein Flechtwerk zum Reinigen von Getreide, Mehl und dgl. Aus Roßhaaren geflochtene Haarsiebe (*aengl.* hǣrsife) waren schon in *germ.* Zeit bekannt. Als alte Abl. gehört →[2]*sichten* ,,auswählen" (eigtl. ,,sieben") zu 'Sieb'. Die zugrunde liegende *idg.* Wz. *seip-, ,,ausgießen, sieben" ist auch in *serb.* sípiti ,,rieseln, fein regnen" enthalten; zu ihrer Nebenform *seib- gehört die Sippe von →*Seife*. Abl.: [1]s i e b e n (*spätmhd.* si[e]ben; *nhd.* ugs. auch für ,,aussondern, untaugliche Personen entfernen", ähnlich wie →[2]*sichten*).

[1]**sieben** siehe Sieb.

[2]**sieben:** Das *gemeingerm.* Zahlwort *mhd.* siben, *ahd.* sibun, *got.* sibun, *engl.* seven, *schwed.* sju geht mit Entsprechungen in den meisten anderen *idg.* Sprachen auf *idg.* *septm̥ ,,sieben" zurück, vgl. *lat.* septem ,,sieben" (s. September), *gr.* heptá ,,sieben" und *aind.* saptá ,,sieben". – Die Bez. 'böse Sieben' für ein böses Weib greift auf die Trumpfkarte eines alten Kartenspiels (16. Jh.) zurück. In den Abl. ist sieb... jetzt an Stelle der alten Form sieben... getreten: s i e b t e (Ordnungszahl; *mhd.* sibende, sib[en]te, *ahd.* sibunto; mit verwandten Bildungen in vielen *idg.* Sprachen, z. B. *lat.* septimus). Zus. : S i e b t e l *s* (im 16. Jh. siebenteil; vgl. *Teil*); s i e b z e h n (*mhd.* siben-

zehen); siebzig (mhd. sibenzec, ahd. sibun-
zug; zum zweiten Bestandteil vgl. ...zig).

siech: Das *gemeingerm.* Adjektiv *mhd.* siech,
ahd. sioh, *got.* siuks, *engl.* sick, *schwed.* sjuk
„krank" ist in *spätmhd.* Zeit aus seiner allgemeinen Bedeutung durch das jüngere
Wort krank (s. d.) verdrängt worden, nachdem es schon vorher bes. für den ansteckenden Zustand der Aussätzigen gebraucht worden war. Im *Nhd.* bedeutet es „schwer leidend, hinfällig". Zusammen mit dem gleichfalls alten Verb siechen „krank sein" (*mhd.*
siechen, *ahd.* siuchan, siuchēn; vgl. *got.*
siukan „krank sein", *aisl.* sjukask „erkranken"; *nhd.* meist in der Zus. dahinsiechen)
und den Substantiven → Seuche und
→ Sucht bildet 'siech' eine *germ.* Wortsippe,
deren *außergerm.* Beziehungen unklar sind.
Abl.: Siechtum *s* „langwierige Krankheit"
(*mhd.* siechtuom, *ahd.* siohtuom).

siedeln: *Mhd.* sidelen, *ahd.* gi-sidalen „einen
Sitz anweisen, ansässig machen" ist eine nur
hochd. Abl. zu dem *westgerm.* Substantiv
mhd. sedel, *ahd.* sedal, *asächs.* sedal, *aengl.*
sedel „Sitz, Wohnsitz" (vgl. *sitzen*). Das
Verb wird erst im *Nhd.* intrans. gebraucht;
häufiger sind die *nhd.* Zus. an-, über-, um-
siedeln und das ältere besiedeln (*mhd.*
besidelen). Abl.: Siedler *m* (im 17. Jh.
[Land]siedler, *spätmhd.* in der Zus. sidler-
guot; dazu Bildungen wie An-, Um-, Neu-
siedler; das *ahd.* Subst. sidilo „Landbauer",
zu *ahd.* sedal „Sitz" gebildet, liegt in der
Zus. *ahd.* einsidilo dem Wort → Einsiedler voraus); Siedlung *w* (*spätmhd.* in der Zus.
sidlungrecht „Siedlungsabgabe"; im 19. Jh.
allgemein für „bewohnter Ort", bes. in wissenschaftlichen Fachwörtern wie Siedlungs-
geschichte, -geographie; auch für „Stadt-
randsiedlung").

sieden: Das *altgerm.* starke Verb *mhd.* sieden,
ahd. siodan, *niederl.* zieden, *engl.* to seethe,
schwed. sjuda „kochen, aufwallen" ist etymologisch nicht sicher erklärt. Als ablautende Substantive gehören dazu *got.* sauþs
„Opfer", *aisl.* saudr „Schaf", eigtl. „was
zum Opfer gekocht wird"), ferner das heute
im *Dt.* veraltete Wort Sod, das unter → Sodbrennen behandelt ist. – In übertr. Sinne
bedeutet hartgesotten (18. Jh.) „seelisch
verhärtet". Eine junge Zusammenbildung
ist Tauchsieder *m.* Zus.: Siedehitze
(Anfang des 19. Jh.s; eigtl. die Temperatur,
bei der eine Flüssigkeit kocht, heute meist
übertr. gebraucht); Siedepunkt (19. Jh.).

Sieg *m*: Das *gemeingerm.* Substantiv *mhd.*
sic, sige, *ahd.* sic, sige, *got.* sigis, *aengl.* sige,
schwed. seger geht auf die *idg.* Wz. *seĝh-
„festhalten, im Kampf überwältigen; Sieg"
zurück, vgl. z. B. *aind.* sáhatē „er bewältigt,
vermag, erträgt" (mit dem Subst. sáhas-
„Gewalt, Sieg") und *gr.* échein (ischein)
„halten, besitzen, haben" (s. die FW-Gruppe
um hektisch). Abl.: siegen (*mhd.* sigen,

ähnlich *ahd.* ubarsiginōn, -sigirōn), dazu
Sieger *m* (16. Jh.; *rhein.* im 13. Jh. segere);
sieghaft (*mhd.* sigehaft, *ahd.* sigihaft „siegreich"; heute nur übertr.). Zus.: siegreich
(*mhd.* sigerīche).

Siegel *s* „Stempelabdruck (als Verschluß von
Briefen u. a. oder zur Beglaubigung von
Urkunden und dgl.)", auch übertr. im Sinne
von „Bekräftigung", ferner im Sinne von
„geheimnisvoll Verschlossenes, großes Ge-
heimnis, Unverständliches" (beachte die
Wendung 'ein Buch mit sieben Siegeln'):
Das Subst. *mhd.* sigel, *mnd.* seg[g]el beruht
wie z. B. auch entspr. *niederl.* zegel auf einer
Entlehnung aus *lat.* sigillum „kleine Figur,
Bildchen; Abdruck des Siegelrings", das als
Verkleinerungsbildung (Grundform *signolom) zu *lat.* signum „Zeichen, Kennzeichen;
Bildnis; Siegel" gehört (vgl. das FW *Signum*).
Abl. und Zus.: siegeln „mit einem Siegel
versehen" (*mhd.* sigelen), dazu die Präfixbildungen besiegeln „durch ein Siegel be-
kräftigen; unabdingbar festsetzen, entscheiden" (*mhd.* besigelen) und versiegeln „mit
einem Siegel verschließen" (*mhd.* versigelen);
Siegellack (17. Jh.); Siegelring (16. Jh.).

Signal *s* „Zeichen mit festgelegter Bed.;
Warnzeichen, Startzeichen": Im 17. Jh.
aus gleichbed. *frz.* signal (*afrz.* seignal) entlehnt, das seinerseits auf *spätlat.* signāle,
dem substantivierten Neutrum zu *lat.*
signālis „bestimmt, ein Zeichen zu geben",
beruht. Zu *lat.* signum „Zeichen" (vgl. *Signum*). Abl.: signalisieren „Signal geben;
ankündigen, benachrichtigen; warnen"
(17./18. Jh.; französierende Bildung; im *Frz.*
entspricht gleichbed. signaler).

Signatur *w* „Kurzzeichen (als Unterschrift,
Namenszug usw.); Künstlerzeichen; Kenn-,
Bildzeichen; [Buch]nummer": Im Anfang
des 17. Jh.s aus *mlat.* signātūra „Siegelzeichen, Unterschrift" entlehnt. Zu *lat.* signum
„Zeichen" (vgl. *Signum*) oder dem davon
abgeleiteten Verb *lat.* signāre „mit einem
Zeichen versehen, besiegeln, unterzeichnen".
Letzteres lieferte im 15. Jh. unser FW signieren „mit einer Signatur versehen; unterzeichnen, abzeichnen".

Signum *s* „Zeichen; Siegel; Unterschrift in
Form einer Abkürzung": Übernommen aus
lat. signum „Zeichen, Kennzeichen, Vorzeichen", das seinerseits vermutlich im
Sinne von „(auf Holzstäben) eingekerbtes,
eingeschnittenes Zeichen" zum Stamm von
lat. secāre „schneiden" und damit zu der
unter → *Säge* dargestellten Wortsippe der
idg. Wz. *sek- „schneiden" gehört. – Verschiedene Abl. von *lat.* signum sind in diesem Zusammenhang von Interesse, soweit
sie Ausgangspunkt für Lehn- oder Fremdwörter sind. Beachte im einzelnen: *lat.*
signāre „mit einem Zeichen versehen; bezeichnen" im LW → segnen und in dem jüngeren FW → signieren, dazu als Komposita

643

lat. dē-sīgnāre „im Abriß zeichnen; abgrenzen" (z. B. Dessin) und *lat.* re-sīgnāre „entsiegeln; ungültig machen; verzichten" (s. resignieren, Resignation); *lat.* sīgnālis „bestimmt, ein Zeichen zu geben" (s. Signal, signalisieren); *mlat.* sīgnātūra „Siegelzeichen" (s. Signatur); die Verkleinerungsbildung *lat.* sigillum (< *signolom) „kleine Figur, kleines Bildnis; Abdruck des Siegelrings" (in →Siegel, siegeln usw.); *lat.* īnsīgnis „ausgezeichnet; auffallend", dazu *lat.* īnsīgnia „die Abzeichen" (s. Insignien).

Silbe *w*: Das Subst. *mhd.* silbe, sillabe, *ahd.* sillaba wurde im Bereich der klösterlichen Schulsprache aus *lat.* syllaba „Silbe" entlehnt, das selbst aus gleichbed. *gr.* syl-labḗ stammt. Das *gr.* Wort bedeutet eigtl. „das Zusammenfassen, das Zusammengefaßte", im speziellen Sinne als grammat. Terminus demnach etwa „die zu einer Einheit zusammengefaßten Laute". Es gehört zu *gr.* syllambánein „zusammennehmen, -fassen" (lambánein „nehmen, fassen, ergreifen").

Silber *s*: Der *gemeingerm.* Metallname *mhd.* silber, *ahd.* sil[a]bar, *got.* silubr, *engl.* silver, *schwed.* silver ist wahrscheinlich ebenso wie die *baltoslaw.* Wörter *lit.* sidãbras, *russ.* serebró „Silber" ein sehr altes Lehnwort aus einer unbekannten *nichtidg.* Sprache. Abl.: silb[e]rig „silberfarben" (älter *nhd.* neben silbericht in der Bed. „silberhaltig" [von Erzen]); silbern (*mhd.* silberīn, *ahd.* silbarīn; vgl. *got.* silubreins, *engl.* silvern); versilbern „mit Silber überziehen" (*mhd.*, *ahd.* silber[e]n; in der jetzt *ugs.* Bed. „zu Geld machen" schon im 15. Jh. bezeugt). Zus.: silberhell (17. Jh.); Silberhochzeit (im 18. Jh. für den 50. Jahrestag, jetzt für den 25.); Silberpappel (18. Jh.; nach der hellen Unterseite der Blätter).

Silo *m* „Großspeicher (für Getreide, Erz u. a.); Gärfutterbehälter": Im 19. Jh. aus *span.* silo „Getreidegrube" entlehnt, dessen weitere Herkunft unsicher ist.

Silvester *s*: Der letzte Tag des Jahres heißt nach dem Tagesheiligen des 31. Dezembers, dem Papst Silvester I. (314–335 n. Chr.).

simpel „einfach; einfältig": *Mnd.*, *spätmhd.* simpel „einfältig" ist aus *frz.* simple „einfach" entlehnt, das seinerseits auf *lat.* simplex (Akk. simplicem) „einfach" beruht (vgl. *sammeln*). – Dazu: Simpel *m* „Einfaltspinsel, Dummkopf" (*mdal.* und *ugs.*; zuerst im 17. Jh. für das *Oberd.* bezeugt).

Sims *m* oder *s* „vorspringende Baukante, Rand, Leiste": Die Herkunft des nur *dt.* Wortes *mhd.* sim[e]z, *ahd.* verdeutlichend simizstein „Säulenknauf" ist nicht gesichert. Es hängt vermutlich irgendwie mit *lat.* sīma „Rinnleiste, Glied des Säulenkranzes" zusammen. – Dazu als Kollektivbildung Gesims *s* „waagerecht vorspringender Mauerstreifen an Gebäuden" (14. Jh.).

simulieren „[eine Krankheit] vortäuschen; sich verstellen": Im 16. Jh. aus *lat.* simulāre „ähnlich machen, nachbilden; nachahmen; etwas zum Schein vorgeben, sich den Anschein von etwas geben, etwas vortäuschen" entlehnt, das von *lat.* similis „ähnlich" abgeleitet ist. Über weitere etymologische Zusammenhänge vgl. den Artikel *sammeln*. Abl.: Simulant *m* „wer eine Krankheit vortäuscht" (aus dem Part. Präs. von *lat.* simulāre). – Vgl. auch die zum gleichen Stammwort gehörenden FW →assimilieren, Assimilation, →Faksimile und →Ensemble.

Sinfonie, Symphonie *w* „mehrsätziges, auf das Zusammenklingen des ganzen Orchesters hin angelegtes Instrumentaltonwerk": Sinfonia hießen im 17. Jh. selbständige Vor- oder Zwischenspiele einer Oper, Kantate oder Suite. Ihren musikalischen Eigencharakter als vollendete Instrumentalkomposition entwickelte die Sinfonie jedoch erst im 18. Jh. Die Bezeichnung selbst geht über *it.* sinfonia, *lat.* symphōnia auf *gr.* symphōnía „Zusammenstimmen, Einklang; mehrstimmiger musikal. Vortrag" zurück, eine Substantivbildung zu *gr.* sým-phōnos „zusammentönend". Über das Stammwort *gr.* phōnḗ „Stimme; Ton, Klang usw." vgl. den Artikel *Phonetik*. – Abl.: sinfonisch „im Stil und Charakter einer Sinfonie" (19. Jh.); Sinfoniker *m* „Mitglied eines Sinfonieorchesters" (20. Jh.).

singen: Das *gemeingerm.* starke Verb *mhd.* singen, *ahd.* singan, *got.* siggwan, *engl.* to sing, *schwed.* sjunga geht auf *idg.* *sengᵘh-„mit feierlicher Stimme vortragen" zurück, vgl. *gr.* omphḗ (*songᵘhā) „Stimme, Prophezeiung". Es bezeichnete urspr. wohl das feierliche Sprechen von Weissagungen und religiösen Texten, in christlicher Zeit zuerst das Vorlesen der heiligen Schriften und den liturgischen Gesang. Von den Abl. ist die unter →Sang behandelte Wortgruppe wichtig, ferner: singbar (18. Jh.); Singer *m* (*mhd.* „Sänger, lyrischer Dichter", heute nur noch in der Zus. Meistersinger). Die *ugs.* lautnachahmende Bildung Singsang *m* erscheint im 18. Jh.

singulär „vereinzelt [vorkommend]; selten": Im 18. Jh. – zuerst auch mit der heute unüblichen Bed. „sonderbar" – aus *lat.* singulāris „zum einzelnen gehörig; vereinzelt; eigentümlich" entlehnt. Zu *lat.* singulus „jeder einzelne; je einer, einzeln". – Gleichen Ausgangspunkt (*lat.* singulāris) hat der grammatische Terminus **Singular** *m* „Einzahl": Im 18. Jh. aus *lat.* 'numerus singulāris' gekürzt.

sinken: Das *gemeingerm.* starke Verb *mhd.* sinken, *ahd.* sinkan, *got.* sigqan, *engl.* to sink, *schwed.* sjunka bildet mit seinem unter →senken dargestellten Veranlassungswort eine *germ.* Wortgruppe, deren weitere Beziehungen nicht geklärt sind. Die Präfixbildung versinken bedeutet schon zu *mhd.*

Zeit auch übertr. „sich in etwas vertiefen". Siehe auch den Artikel versacken.

Sinn m: Das auf das dt. und niederl. Sprachgebiet beschränkte Substantiv (mhd., ahd. sin, niederl. zin) wurde schon in ahd. Zeit wie heute auf Verstand und Wahrnehmung bezogen. Auf eine ältere Bed. weist das starke Verb sinnen (s. d.), das im Ahd. „streben, begehren", urspr. aber „gehen, reisen" bedeutete. Diese Grundbedeutung „Gang, Reise, Weg" hat ein anderes gemeingerm. Substantiv, das z. B. als mhd. sint, ahd. sind „Reise, Weg" und als got. sinþs „Gang, Mal" (in Zahladverbien) erscheint und auch das Stammwort des Substantivs →Gesinde (eigtl. „Begleitung, Gefolgschaft") ist. Zu ihm gehört ein unbezeugtes germ. Verb mit der Bedeutung „reisen", dessen Veranlassungswort →senden (eigtl. „reisen machen") ist. Die gesamte germ. Wortgruppe beruht auf der idg. Wz. *sent- „gehen, reisen, fahren", deren urspr. Bed. wohl „eine Richtung nehmen, eine Fährte suchen" war. Zu dieser Wurzel gehören außerhalb des Germ. z. B. air. sēt „Weg" und die Sippe von lat. sentīre „fühlen, wahrnehmen" und sēnsus „Gefühl, Sinn, Meinung" (s. die FW-Gruppe um Sentenz), deren Bedeutungsgehalt dem der dt. Wörter Sinn und sinnen genau entspricht. Vergleiche auch lit. sintēti „denken". Zahlreiche Zus. mit Adjektiven, z. B. Scharf-, Stumpf-, Leicht-, Eigen-, Froh-, Tiefsinn, Blöd-, Schwach-, Wahnsinn bestimmen Teile des Gesamtbegriffs von ‚Sinn' näher. Sie sind meist erst im Nhd. aus entspr. Adjektiven wie scharf-, blöd-, tiefsinnig rückgebildet worden. Aus dem alten unsinnig (mhd. unsinnec, ahd. unsinnig „verrückt, töricht, rasend") entstand die Rückbildung Unsinn (mhd. unsin „Unverstand, Torheit, Raserei"), die im 18. Jh. unter dem Einfluß von engl. nonsense ihre jetzige Bed. „Albernheiten" bekam. Abl.: sinnig (das Adjektiv mhd. sinnec „verständig, besonnen, klug", ahd. sinnig „empfänglich, gedankenreich" wurde Ende des 18. Jh.s wieder belebt und bedeutet heute meist „sinnreich, sinnvoll", oft mit Nebenton); sinnlich (mhd. sin[ne]lich wurde meist auf die Empfindung der Sinne bezogen und entwickelte sich zum Gegenwort von ‚geistig'; im Nhd. bedeutet es vor allem „sexuell triebhaft"), dazu Sinnlichkeit w (mhd. sin[ne]lîcheit) und übersinnlich „über die Sinne hinausgehend" (18. Jh.), gesinnt (s. d.). Zus.: Sinnbild (im 17. Jh. für ‚Emblem' „allegorisches Bildzeichen" geprägt, heute für „bedeutsames Zeichen, Symbol" gebraucht); sinnlos (mhd., ahd. sinnelōs „wahnsinnig; bewußtlos, von Sinnen"; jetzt oft für „zwecklos" gebraucht); sinnreich (mhd. sinnerîche „verständig, scharfsinnig"); sinnvoll (im 18. Jh. „gehaltvoll", jetzt auch „zweckdienlich").

sinnen: Mhd. sinnen, ahd. sinnan bedeutete „die Gedanken auf etwas richten; streben, begehren", aengl. sinnan auch „achthaben, für etwas sorgen". Die unter →Sinn dargestellte Grundbed. „gehen, reisen" wurde in frühmhd. Zeit aufgegeben, doch behielt das Verb neben der überwiegenden Bed. „nachdenken" bis heute den richtungsbestimmten Sinn „streben, planen, vorhaben" (z. B. ‚auf Abhilfe sinnen, Verderben sinnen'), entspr. bed. ‚gesonnen sein' „etwas vorhaben" (s. aber gesinnt). Auf mhd. ansinnen „begehren, zumuten" beruht das frühmhd. Subst. Ansinnen s. Unter den Präfixbildungen ist neben sich entsinnen (mhd. für „in den Sinn aufnehmen, erkennen, sich erinnern") und ersinnen (mhd. für „erforschen, erdenken, erwägen"), bes. sich besinnen wichtig (mhd. besinnen bedeutete transitiv „über etwas nachdenken, etwas ausdenken", reflexiv „sich bewußt werden, überlegen"; heute steht das Verb nur reflexiv: ‚sich auf etwas besinnen', ‚sich eines Besseren besinnen'), dazu das adj. 2. Part. besonnen (mhd. besunnen „verständig, klug"), die Abl. besinnlich „nachdenklich" (spätmhd. besinlich „verständig") und das Subst. Besinnung w „ruhige Überlegung, Bewußtsein" (18. Jh.). Aus untergegangenen Präfixbildungen stammen →Gesinnung und →versonnen. Eine erst im 19. Jh. bezeugte ugs. Weiterbildung von sinnen ist sinnieren „grübeln, in Gedanken versunken sein".

Sintflut w: Das Substantiv mhd., ahd. sin[t]vluot (mit eingeschobenem Gleitlaut -t-) bezeichnet die „große, allgemeine Überschwemmung", in der nach bibl. Bericht die sündige Menschheit unterging. Gebildet ist es mit der gemeingerm. Vorsilbe mhd. sin[e]-, ahd. sin[a]-, got. sin-, aengl. sin[e]-, aisl. sī- „immerwährend, durchaus, gewaltig", die wie z. B. lat. sem-per „immer" zu der unter →sammeln dargestellten Wortgruppe gehört. Seit mhd. Zeit wurde das Wort auch zu Sündflut (spätmhd. süntvluot) umgedeutet, die ältere Form setzte sich erst im 20. Jh. wieder durch. Da die Sintflut (lat. dīluvium) seit dem 17. Jh. auch in der zeitl. Einteilung der Erdgeschichte eine Rolle spielte, wurde das Adj. vorsintflutlich (um 1800, LÜ für antediluvianisch) zuerst in geolog. Sinn gebraucht. Heute steht es ugs. für „uralt, unmodern".

Siphon m „Ausschankgefäß mit Schraubverschluß; Geruchsverschluß bei Wasserausgüssen": Im 19. Jh. über entspr. frz. siphon aus lat. sīphō (sīphōnis) < gr. sīphōn „[Wasser]röhre; Saugröhre, Heber" entlehnt.

Sippe w: Das Substantiv mhd. sippe, ahd. sipp[e]a bezeichnete in erster Linie das Verhältnis der Blutsverwandtschaft und die darauf aufgebauten vaterrechtlichen Gruppen, die in german. Zeit von großer politischer Bedeutung gewesen waren. Es entspricht *got.* sibja „Verwandtschaftsverhältnis", *aengl.* sibb „Verwandtschaft, Freundschaft, Liebe, Friede" und *aisl.* sifjar (*Mehrz.*) „Verwandtschaft". Das *gemeingerm.* Wort bedeutete urspr. „eigene Art" und beruht auf einer Bildung zu der *idg.* Wz. *se- „abseits, getrennt, für sich". Heute ist es in den meisten *germ.* Sprachen untergegangen. Im *Nhd.* wurde 'Sippe' erst seit Anfang des 19. Jh.s wieder belebt. Es bezeichnet heute die Gruppe der entfernten Verwandten im Gegensatz zur engeren 'Familie' (s. d.). Abl.: Sippschaft *w* (*mhd.* sippeschaft „Verwandtschaft[sgrad]"; seit dem 16. Jh. für „Gesamtheit der Verwandten", jetzt verächtlich); versippt „durch Verwandtschaft verknüpft" (16. Jh.; 2. Part. eines heute ungebräuchlichen Verbs versippen).

Sirene *w* „Warnvorrichtung, Alarmanlage; Warnsignal": Die Sirene in ihrer urspr. Verwendung als Dampfpfeife (in Fabriken) und als Nebelhorn (auf Schiffen) ist eine franz. Erfindung des beginnenden 19. Jh.s. Erst im 20. Jh. wird die Sirene auch speziell für den zivilen Luftwarndienst entwickelt. Das Wort selbst wurde im 19. Jh. aus entspr. *frz.* sirène entlehnt. Dies ist im Grunde eins mit dem aus *gr.* Seirēn (> *spätlat.* Sīrēn[a]) entlehnten, schon *afrz.* (als syrene) bezeugten *frz.* sirène (= *mhd.* sirēn[e], syrēn[e]), dem Namen jener aus Homers 'Odyssee' bekannten sagenhaften Meerfrauen in der altgriech. Mythologie, die durch ihren betörenden Gesang dem Seefahrer zum Verhängnis wurden. Dieses Bild vom „helltönenden, betörenden Gesang" schwebte dem franz. Erfinder bei der Benennung der Sirene vor.

Sirup *m* „eingedickter brauner Zuckerrübenauszug; dickflüssiger Fruchtsaft": Das seit *mhd.* Zeit belegte Subst. (*mhd.* sirup, syrop) galt zuerst im Bereich der Medizin und Pharmazie als Bezeichnung für einen schwerflüssigen, süßen Heiltrank. Quelle des Wortes ist *arab.* šarāb „Trank", das den europ. Sprachen durch *mlat.* sirōpus, sirūpus vermittelt wurde (beachte z. B. gleichbed. *frz.* sirop, *it.* s[c]iroppo). Unmittelbar aus dem *Arab.* stammt hingegen entspr. *span.* jarope.

Sitte *w*: Das *gemeingerm.* Substantiv *mhd.* site, *ahd.* situ, *got.* sidus, *aengl.* sidu, *aisl.* siðr (*schwed.* sed) bezeichnete urspr. die Gewohnheit, den Brauch, die Art und Weise des Lebens. Wahrscheinlich gehört es mit der Grundbed. „Bindung" zu der unter →Seil dargestellten Wortgruppe und steht dann mit →Saite im Ablautsverhältnis. *Mhd.* site *m* wird meist in der *Mehrz.* gebraucht, was die Entstehung der *nhd.* weibl. Form begünstigte (zuerst *mitteld.* im 14. Jh.). Aus dem Gemeinschaftscharakter der Sitte ergab sich schon früh die Bed. „Anstand, geziemendes Verhalten", die dann in neuerer Zeit 'Sitte' und 'Sittlichkeit' zu moralischen Begriffen

werden ließ. Beachte dazu das Gegenwort Unsitte (*mhd.* unsite „üble Sitte, unfeines Benehmen") und die Ableitungen sittlich (*mhd.* sitelich, *ahd.* situlīh „dem Brauche gemäß"; seit dem 15. Jh. für „moralisch") und unsittlich (*mhd.* und *ahd.* für „unziemlich, ungesittet"; seit dem 18. Jh. in moralischem, bes. in sexuellem Sinn), ferner sittsam „gesittet" (im 15. Jh. für „ruhig"; *ahd.* situsam bedeutete „geschickt").

Situation *w* „[Sach]lage, Stellung, [Zu]stand": Im 17./18. Jh. aus gleichbed. *frz.* situation entlehnt, einer Substantivbildung zu *frz.* situer „in die richtige Lage bringen" (vgl. hierzu das folgende Adj.). – situiert „gestellt" fast nur in Verbindung mit Eigenschaftswörtern, wie in gutsituiert u. a.: Im 18. Jh. aus gleichbed. *frz.* situé entlehnt, das als Partizipialadj. zu *frz.* situer „in die richtige Lage bringen" gehört. Diesem voraus liegt gleichbed. *mlat.* situāre. Zu *lat.* situs „Lage, Stellung".

sitzen: Das *gemeingerm.* starke Verb *mhd.* sitzen, *ahd.* sizzen, *got.* sitan, *engl.* to sit, *schwed.* sitta gehört mit verwandten Wörtern in anderen *idg.* Sprachen zu der *idg.* Wz. *sed-, „sich setzen; sitzen", vgl. z. B. *lit.* sedéti, *russ.* sidét' „sitzen", *gr.* hézesthai „sitzen, sich setzen" (s. die FW Kathedер und Kathedrale) und *lat.* sedēre „sitzen" (s. die FW um Assessor). Auf einem Bedeutungsübergang von „sitzen" zu „gehen" beruht u. a. *gr.* hodós „Weg" (s. die FW um Periode). Zahlreiche mit der *idg.* Wurzel gebildete Nominalbildungen der *idg.* Wurzel bezeichnen den Platz, auf dem man sitzt, den Ort, wo man sich aufhält. *Germ.* Substantive dieser Bed. und Abl. aus ihnen leben in mehreren *nhd.* Wörtern fort, s. im einzelnen die Artikel Sessel, siedeln, Gesäß, ansässig, aufsässig, Sattel, Insasse (unter →in). Auch zwei schon sehr früh verselbständigte Zus. mit Bildungen der *idg.* Wz. gehören hierher, nämlich →Ast (eigtl. „was [am Stamm] ansitzt" und →Nest (eigtl. „Niedersetzung"). Veranlassungswort zu 'sitzen' ist →setzen. Eine *dt.* Substantivbildung zu 'sitzen' ist Sitz *m* (*mhd.*, *ahd.* siz). Das jüngere Subst. Sitzung *w* (im 15. Jh. für „Sichniedersetzen") bezeichnet meist die Versammlung einer Körperschaft, seit dem 18. Jh. auch das Modellsitzen für ein Porträt und dgl. Von Zus. sind bes. Sitzfleisch (im 17. Jh. Sitzefleisch) und vorsitzen zu nennen (im 15. Jh. für „obenan sitzen, eine Versammlung leiten"), dazu das substantivierte 1. Part. Vorsitzende *m* (18. Jh.) und die Ableitungen Vorsitz *m* (17. Jh.) und Vorsitzer *m* (16. Jh.). Die Präfixbildung besitzen (*mhd.* besitzen, *ahd.* bisizzen; vgl. *aengl.* besittan, *got.* bisitan) bedeutete urspr. „um etwas sitzen" (daher *mhd.* auch „belagern"), dann „sich auf etwas setzen; etwas in Besitz nehmen; haben" (*mhd.*; als Rechtswort z. T. unter

dem Einfluß des verwandten *lat.* possidēre
„besitzen"), dazu Besitz *m* (im 15. Jh.
für *mhd.* besez), Besitzung *w* (*mhd.* be-
sitzunge „Besitznahme Eigentum") und
Besitzer *m* (*spätmhd.*); das 2. Part.
besessen wird schon im *Mhd.* selbständiges
Adj. (*mhd.* besezzen „besetzt, bewohnt; ansässig"; im 13. Jh. erscheint die Bed. „vom
Teufel bewohnt", die auf antik-christlicher
Vorstellung beruht und heute zu „leidenschaftlich, fanatisch" abgeschwächt ist). Die
ähnlich gebrauchte Wendung 'auf etwas
versessen sein' begegnet erst Anfang des
18. Jh.s und gehört zu veraltetem 'sich ver-
sitzen' „hartnäckig auf etwas bestehen".

Skala *w* „Maßeinteilung auf Meßinstrumen-
ten": Gelehrte Entlehnung des 18. Jh.s aus
it. scāla „Treppe, Leiter" von gleichbed.
lat. scālae (*Mehrz.*). Dies gehört mit
einer Grundform *scand-sla „Steiggerät"
zu *lat.* scandere „[be]steigen" (verwandt mit
gr. skándalon „Fallstrick; Anstoß, Ärgernis"
in →Skandal). – Siehe auch transzendent.

Skalp *m*: Einem getöteten Feind die Kopfhaut abzuziehen gehörte früher bei den Indianern Nordamerikas zum Siegeszeremoniell.
Die *engl.* Bezeichnung für eine solche abgezogene Kopfhaut, *engl.* scalp, gelangte im
18. Jh. als FW ins *Deutsche*. Heute begegnet
das Wort zuweilen noch in scherzhafter Verwendung für „Kopf, Leben". Das *engl.* Wort,
das urspr. „Hirnschale, Schädel" bedeutete
und wohl selbst aus dem *Skand.* entlehnt ist
(beachte z. B. *dän.* skalp „Schale, Hülse"),
gehört letztlich zu den b-Erweiterungen der
unter →*Schild* dargestellten *idg.* Wz. *[s]kel-
„schneiden, spalten". – Abl.: skalpieren
„den Skalp nehmen" (18./19. Jh.).

Skalpell *s* „kleines chirurgisches Messer": In
neuerer Zeit aus gleichbed. *lat.* scalpellum
entlehnt, einer Verkleinerungsbildung zu
lat. scalprum „scharfes Schneidewerkzeug,
Messer usw." Stammwort ist *lat.* scalpere
(scalptum) „kratzen, ritzen, schneiden, meißeln", das zusammen mit *lat.* sculpere (sculp-
tum) „schnitzen, meißeln usw." (s. Skulptur)
zu den p-Erweiterungen der unter →*Schild*
dargestellten *idg.* Wz. *[s]kel- „schneiden,
spalten" gehört.

Skandal *m* „Ärgernis; Aufsehen": Im Anfang
des 18. Jh.s über gleichbed. *frz.* scandale aus
kirchenlat. scandalum < *gr.* skándalon „Fallstrick; Anstoß, Ärgernis" entlehnt, das zu
älterem *gr.* skandálēthron „krummes Stell-
holz in der Falle" (eigtl. „losschnellend")
gehört. Das *gr.* Wort ist mit *lat.* scandere
„steigen, besteigen" etymolog. verwandt
(vgl. *Skala*). – Abl.: skandalös „ärgerniser-
regend, anstößig; unerhört, unglaublich"(Anfang 18. Jh.; nach entspr. *frz.* scandaleux).

Skat *m*: Das seit dem Anfang des 19. Jh.s
bekannte Kartenspiel ist nach den zwei
beiseitegelegten Karten benannt, die der
Solospieler in sein Blatt aufnehmen und ge-

gen andere, schlechtere Karten austauschen
darf. Quelle des Wortes ist *it.* scarto „das
Wegwerfen der Karten; die abgelegten, ge-
drückten Karten", das von *it.* scartare „Karten wegwerfen, ablegen" abgeleitet ist, einer
Präfixbildung zu *it.* carta (< *lat.* charta)
„Papier; Karte; Spielkarte" (vgl. das LW
Karte). Die urspr. Form des Lehnwortes ist
in der noch in Tirol gebräuchlichen Zus.
'Scartkarte' bewahrt. Die r-lose Form beruht
auf Erleichterung der Konsonanz. – Abl.:
skaten „Skat spielen" (19. Jh.).

Skelett *s* „Knochengerüst, Gerippe": Im
17. Jh. aus *gr.* skeletón (ergänze: sõma)
„Mumie" entlehnt, das wörtl. „ausgetrock-
neter Körper" bedeutet. Das zugrunde liegende Adj. *gr.* skeletós „ausgetrocknet, ausgedörrt" ist von *gr.* skéllein „austrocknen,
dörren; vertrocknen" abgeleitet (verwandt
mit *dt.* Adj. →*schal*).

Skepsis *w* „Zweifel, Bedenken (auf Grund
sorgfältiger Überlegung)": Gelehrte Entlehnung des 19. Jh.s aus *gr.* sképsis „Betrachtung, Untersuchung, Prüfung; Bedenken". Dazu: skeptisch „zweifelnd, mißtrauisch; kühl abwägend" (18. Jh.; aus
entspr. *gr.* skeptikós „zum Betrachten, Bedenken gehörig") und Skeptiker *m* „Zweif-
ler, mißtrauischer Mensch" (18. Jh.). Allen
zugrunde liegt das *gr.* Verb sképtesthai
(< *spékjesthai) „schauen, spähen; betrachten", das urverwandt ist mit *dt.* →*spähen*. –
Ablautend gehören hierher verschiedene
o-stufige Bildungen, die von *gr.* skopeĩn
„schauen, beobachten" ausgehen. Vgl. hierzu
im einzelnen die Fremd- und Lehnwörter
→Horoskop, →Kaleidoskop, →Mikroskop
und →Bischof (*gr.* epískopos „Aufseher").

Sketch *m* „dramatische, wirkungsvoll pointierte Kurzszene": Im 20. Jh. aus gleichbed.
engl. sketch (eigtl. „Skizze; Entwurf; Steg-
reifstudie) entlehnt, das seinerseits aus
niederl. schets „Entwurf" stammt. Letzteres
ist seiner Herkunft nach mit unserem FW
→*Skizze* identisch.

Skizze *w* „[erster] Entwurf; flüchtig entworfene Zeichnung": Das seit dem 17. Jh. –
zuerst in der Form scizzo *m* – bezeugte FW
ist aus *it.* schizzo „Spritzen, Spritzer;
Skizze" entlehnt. Gleicher Herkunft ist z. B.
niederl. schets „Skizze". Aus letzterem
stammt *engl.* sketch „Skizze", das unserem
FW →Sketch zugrunde liegt. – *It.* schizzo
bedeutet urspr. „Spritzen, Spritzer", woraus
sich über „Spritzer mit der Feder" usw. die
Bedeutung „Entwurf, Skizze" entwickelte.
It. schizzo ist lautnachahmender Herkunft. –
Abl.: skizzieren „entwerfen; in den Umrissen zeichnen; andeuten" (18. Jh.; nach
it. schizzare „spritzen; skizzieren").

Sklave *m* „Leibeigener; unfreier, entrechteter Mensch": Das Subst. *mhd.* slave, spät-
mhd. sclave ist aus gleichbed. *mlat.* slavus,
sclavus entlehnt. Das auch in den *roman.*

Sprachen lebendige Wort (vgl.z.B. gleichbed. *frz.* esclave, *span.* esclavo und *it.* schiavo) geht zurück auf *mgr.* sklábos „Slawe; Sklave" (zu gleichbed. sklabēnós). Es ist letztlich identisch mit dem Volksnamen der 'Slawen'. Die appelativische Bedeutung „Sklave" geht auf den Sklavenhandel im mittelalterlichen Orient zurück, dessen Opfer vorwiegend Slawen waren. Abl.: S kl averei *w* „Knechtschaft" (17. Jh.); sklavisch „knechtisch, unterwürfig" (17. Jh.); versklaven „in die Sklaverei führen; knechten" (17. Jh.).

Skorpion *m*: Der schon im *Ahd.* bezeugte Name (*ahd.* [Akk.] scorpiōn, *mhd.* sc[h]orpiōn, *mnd.* schorpie *w*) des tropischen und subtropischen giftigen Spinnentieres ist aus gleichbed. *lat.* scorpiō (scorpiōnis) entlehnt, das seinerseits aus gleichbed. *gr.* skorpíos stammt.

Skrupel *m* (meist *Mehrz.*) „ängstliche Bedenken; Gewissensbisse": Gelehrte Entlehnung des 16. Jh.s aus *lat.* scrūpulus „spitzes Steinchen" (Verkleinerungsbildung zu *lat.* scrūpus „scharfer, spitzer Stein") in dessen bildlich übertragener Bed. „stechendes, ängstliches Gefühl, Besorgnis; Bedenken, peinigender Zweifel".

Skulptur *w* „Bildhauerkunst; Bildhauerarbeit": Im 18. Jh. aus gleichbed. *lat.* sculptūra entlehnt. Zu *lat.* sculpere „(durch Graben, Stechen, Schneiden usw.) etwas schnitzen, bilden, meißeln", das mit *lat.* scalpere „ritzen, schneiden usw." verwandt ist (vgl. *Skalpell*).

skurril „possenhaft": Im 18. Jh. aus gleichbed. *lat.* scurrilis entlehnt, das zu dem wohl aus dem *Etrusk.* stammenden Subst. *lat.* scurra „Spaßmacher, Witzbold" gehört.

Slalom *m* „Torlauf" (Schi- und Kanusport): Im 20. Jh. aus gleichbed. *norw.* slalåm (eigtl. „geneigte Schispur") entlehnt.

Slipper *m* „bequemer Schlupfschuh": Im 20. Jh. aus *engl.* slipper „Hausschuh, Pantoffel" entlehnt. Das zugrunde liegende Verb *engl.* to slip „gleiten, [ent]schlüpfen" ist verwandt mit *dt.* → ¹*schleifen*.

Slogan *m* „Werbespruch; Schlagwort": Junges, im 20. Jh. aus dem *Engl.* übernommenes FW. *Engl.* slogan stammt seinerseits aus *gälisch* sluaghghairm „Kriegsgeschrei".

Smaragd *m*: Der Name des grünen Edelsteins *mhd.* smaragt, smarāt, *ahd.* smaragdus führt über gleichbed. *lat.* smaragdus auf *gr.* smáragdos „Smaragd" zurück. Die weitere Herkunft des Wortes ist dunkel.

Smoking *m* „(meist schwarzer) Gesellschaftsanzug": Das im Anfang des 20. Jh.s aufkommende FW ist als Kurzform aus *engl.* Bezeichnungen wie smoking-suit oder smokingjacket „Rauchjackett, Rauchanzug" hervorgegangen. Gemeint ist ein Jackett (oder Anzug), das man in England nach dem Mittagsmahl zum „Rauchen" anzog, um den Frack zu schonen. – Das zugrunde liegende

Verb *engl.* to smoke „rauchen" ist verwandt mit *dt.* →schmauchen.

Snob *m* „vornehm tuender, eingebildeter Mensch; Geck; Protz": Im 19. Jh. aus gleichbed. *engl.* snob übernommen. Die Herkunft des *engl.* Wortes ist dunkel. Allgemein verbreitet ist die Deutung, daß snob urspr. eine Kurzform von *lat.* 's(ine) nōb(ilitäte)' „ohne Adel" sei. Angeblich sollen im 18. Jh. die nichtadligen, bürgerlichen Studenten an der *engl.* Universität Cambridge mit dem Vermerk s. nob. in die Matrikel eingetragen worden sein. Das ist nichts weiter als eine, wenn auch hübsche, Erfindung. – Abl.: Snobismus *m* „Geckenhaftigkeit; Vornehmtuerei" (Ende 19. Jh.; *nlat.* Bildung, aus entspr. *engl.* snobism). Dazu das Adj. snobistisch „geckenhaft, vornehmtuerisch" (20. Jh.).

so: Die *gemeingerm.* Partikel lautet *mhd.*, *ahd.* sō, *niederl.* zo, *engl.* so, *schwed.* så. Außerhalb des *Germ.* ist z. B. *alat.* suad „so" verwandt. Urspr. ist 'so' nur Adverb mit der Bed. „in dieser Weise", die sich weiter zu „derartig, folgendermaßen, in diesem Grade; etwa" entwickelte. Schon früh wurde es zur Konjunktion, bes. mit der Bed. „dann, deshalb", oft in der Zus. →also. Siehe auch die Artikel sofort, sogar. Eine verdunkelte Zus. ist →solch.

Socke *w, landsch.* auch Socken *m* „kurzer Strumpf": Das Subst. *mhd.*, *ahd.* soc ist wie entspr. *niederl.* sok und *engl.* sock aus *lat.* soccus „leichter (griechischer) Schlupfschuh (besonders des Komödienschauspielers)" entlehnt. Das *lat.* Wort stammt aus dem *Gr.* (vgl. *gr.* sykchís, sýkchos „eine Art Schuh") und wurde wohl im Bereich des Theaters von dort aufgenommen. – Vgl. auch den Artikel Sockel.

Sockel *m* „Unterbau, Fußgestell (z. B. für Statuen); unterer Mauervorsprung": Als Terminus der Baukunst im 18. Jh. aus gleichbed. *frz.* socle entlehnt, das seinerseits aus entspr. *it.* zoccolo stammt. Quelle des Wortes ist *lat.* socculus „kleiner Schuh, leichte Sandale", eine Verkleinerungsbildung zu *lat.* soccus „leichter griechischer Schuh" (daraus unser LW →*Socke*), dessen Bed. ins *Roman.* übertragen wurde.

Soda *w* oder *s* „Natriumkarbonat": Im 18. Jh. aus gleichbed. *span.* soda, *it.* soda entlehnt, dessen Herkunft umstritten ist.

Sodbrennen *s*: Das erste Glied der zuerst im 16. Jh. bezeugten verdeutlichenden Zus. geht zurück auf *frühnhd.* sod, *mhd.* sōt[e], sōdem „heißes Aufwallen, Sodbrennen", vgl. *aengl.* sēaða „Sodbrennen". Es gehört ablautend zu dem unter →*sieden* behandelten Verb.

Sofa *s*: Quelle dieses seit dem Ende des 17. Jh.s bezeugten Fremdwortes ist *arab.* ṣuffa „Ruhebank", das mit einer erweiterten Bed. „gepolsterte Sitzbank" in die europ.

Sprachen gelangte (beachte gleichbed. *it.* sofà, *frz.* sofa, *span.* sofá und *russ.* sofá).

sofort: *Mnd.* vōrt „vorwärts" (vgl. *fort*) bedeutete auch „alsbald". Verstärktes `[al]so` vōrt' wurde dann im 16. Jh. *nordd.* zu 'sofort' zusammengerückt. Abl.: **sofortig** (Adj.; 19. Jh.).

sogar: Die *frühnhd.* (16. Jh.) Fügung 'so gar' „so vollständig, so sehr" (vgl. *gar*) erscheint seit dem 17. Jh. auch zusammengerückt und hat sich im 18. Jh. zu einer bloß steigernden Partikel entwickelt.

Sohle *w*: Das urspr. nur *dt.* und *niederl.* Subst. (*mhd., mnd.* sole, *ahd.* sola, *niederl.* zool) beruht auf einer Entlehnung aus *vlat.* *sola, dem als Femininum Sing. aufgefaßten Neutrum Plur. von *lat.* solum „Unterfläche, Grundfläche; Grund, Boden; Fußsohle; Schuhsohle". – Abl.: **sohlen** „Schuhwerk mit (neuen) Sohlen versehen" (im 13. Jh. *niederrheinisch* solen), dafür meist **besohlen**. In der Umgangssprache weit verbreitet ist das Präfixverb **versohlen** mit der übertragenen Bed. „verprügeln" (18. Jh.; vielleicht eigtl. „mit der Schuhsohle oder mit dem Pantoffel verprügeln").

Sohn *m*: Wie die anderen Verwandtschaftsnamen für die engsten Familienangehörigen (s. bes. Tochter, Mutter) ist auch 'Sohn' ein Wort *idg.* Alters. Das *gemeingerm.* Substantiv *mhd.* sun, son, *ahd.* sun[u], son, *got.* sunus, *engl.* son, *schwed.* son ist verwandt mit gleichbed. *aind.* súnu-ḥ, *lit.* sūnùs, *russ.* syn und beruht mit diesen auf *idg.* sū́nú-s „Sohn", einer Bildung zu der Verbalwurzel *seu-, *sū̆- „gebären" (vgl. *aind.* sūtḗ, sūyatḗ „gebiert, zeugt").

solch: Das *gemeingerm.* hinweisende Fürwort *mhd.* solch, *ahd.* solīh, *got.* swaleiks, *aengl.* swelc, swylc (*engl.* such), *schwed.* slik ist eine Zus. aus dem unter → *so* dargestellten Adverb und dem Grundwort *germ.* *-līka-z „die Gestalt habend" (vgl. *...lich*; s. auch welch). Die Grundbed. „so gestaltet, so beschaffen" zeigt das Pronomen noch heute.

Sold *m* „Soldatenlöhnung": Das Subst. (*mhd.* solt „Lohn für geleistete [Kriegs]dienste") ist aus *afrz.* solt „Goldmünze; Sold" entlehnt, das seinerseits wie entspr. *it.* soldo „Münze; Sold" (dazu *it.* soldare „in [Wehr]sold nehmen", s. das FW Soldat) auf *spätlat.* sol[i]dus (nummus) „gediegene Goldmünze" zurückgeht. Über das zugrunde liegende Adj. *lat.* solidus „gediegen, fest; echt" vgl. den Artikel *solid[e]*. – Dazu: **solden** „entlohnen, bezahlen" (*mhd.* solden), heute nur mehr in dem gleichbed. Präfixverb **besolden** gebräuchlich; **Soldbuch** (20. Jh.); **Söldner** *m* „Berufssoldat in fremdem Kriegsdienst" (*mhd.* soldenære, soldenier).

Soldat *m*: Das seit dem 16. Jh. bezeugte FW ist wie entspr. *frz.* soldat aus *it.* soldato „Soldat" (eigtl. „der in Wehrsold genommene

Mann") entlehnt, dem substantivierten Part. Perf. Pass. von *it.* soldare „in Sold nehmen" (vgl. den Artikel *Sold*). – Abl.: **soldatisch** „in Art und Haltung eines Soldaten" (17. Jh.).

Sole *w* „salzhaltiges Quellwasser, [Koch]salzlösung": Das im 16. Jh. aus *mnd.* ins *Hochd.* aufgenommene Wort (entspr. *spätmhd.* sul, sol „Salzbrühe zum Einlegen") steht neben gleichbed. *niederd.* Sale (*mnd.* zalen „Salzwasser", 14. Jh.). Es ist mit dem unter → *Salz* behandelten Wort verwandt und geht wahrscheinlich auf ein zur Sippe von *russ.* sol' „Salz" gehöriges *westslaw.* Wort zurück, das im Gebiet der Lüneburger Salzquellen entlehnt und in der Fachsprache der Salinen weitergegeben wurde. Zus.: **Solbad** (19. Jh.); **Solei** „in [Quell]sole gekochtes Ei" (18. Jh.).

solidarisch „gemeinsam; miteinander übereinstimmend, füreinander einstehend, eng verbunden", häufig in der Wendung 'sich mit jmdm. solidarisch erklären': Das seit dem Anfang des 19. Jh.s bezeugte Adjektiv (urspr. Rechtswort, dann polit. Schlagwort) ist mit *dt.* Suffix umgebildet aus entspr. *frz.* solidaire „wechselseitig für das Ganze haftend, solidarisch". Das *frz.* Wort selbst ist eine juristensprachliche Neubildung zu *lat.* solidus „gediegen, echt; fest, unerschütterlich; ganz" (vgl. *solid[e]*) in Fügungen wie 'in solidum (dēbērī)' „für das Ganze verantwortlich sein, als Gesamtschuldner haften". Abl.: **Solidarität** *w* „Zusammengehörigkeitsgefühl, Gemeinsinn, enge Verbundenheit" (19. Jh.; aus entspr. *frz.* solidarité).

solid[e] „fest, haltbar; gediegen; zuverlässig; ordentlich, anständig": Im Anfang des 18. Jh.s aus gleichbed. *frz.* solide entlehnt, das seinerseits auf *lat.* solidus „gediegen, echt; fest, unerschütterlich; ganz" beruht. – Das *lat.* Wort, das auch Ausgangspunkt ist für die FW → solidarisch, Solidarität, → Sold, Söldner, → Saldo und → konsolidieren, ist mit *lat.* salvus „heil, gesund" verwandt (vgl. den Artikel *Salve*).

sollen: Die *dt.* u. *niederl.* Formen des Modalverbs (*mhd.* soln, suln, *mnd.* solen, *niederl.* zullen) sind durch Vereinfachung der alten *gemeingerm.* Form mit sk- entstanden: *ahd.* sculan, *got.* skulan „schuldig sein, sollen, müssen", *engl.* shall, *schwed.* skola „sollen, werden". Zu dieser alten Form gehört die Substantivbildung → Schuld (eigtl. „Verpflichtung"). Aus anderen *idg.* Sprachen ist nur die *balt.* Sippe von *lit.* skelẽti „schuldig sein" mit der *germ.* Wortgruppe verwandt. – Als Vollverb mit der alten Bed. „schuldig sein" war 'sollen' bis Ausgang des 18. Jh.s noch in der Kaufmannssprache üblich ('er soll mir 10 Taler'). Ein Rest der eigtl. Sinn des in der Kaufmannssprache üblichen substantivierten S o l l *s* (nach der seit dem 16. Jh. bezeugten Seitenüberschrift '[ich] soll", d. h. „bin schuldig", '[Cassa] soll' u. ä. in kaufmänn. Rechnungsbüchern).

Solo s „Einzelgesang, Einzelspiel, Einzelvortrag": Ein zunächst nur musikalischer Terminus, der allerdings gerade in jüngster Zeit vielfach auf andere Bereiche übertragen wird (z. B. im Sport „Alleinspiel, Dribbling"). Das Wort wurde im Anfang des 18. Jh.s aus dem *it.* Adj. und Adv. solo (< *lat.* sōlus) „allein; einzig" entlehnt. Seine spezielle substantivische Verwendung verdankt es dabei vermutlich *it.* Fügungen wie 'musica a solo'. Das in unserer Umgangssprache weit verbreitete Adv. solo bedeutet „allein, unbegleitet, ohne Partner". – Abl.: Solist *m* „Künstler (Musiker oder Sänger), der einen Solopart [mit Orchesterbegleitung] vorträgt" (19. Jh.; aus gleichbed. *frz.* soliste, *it.* solista). Dazu: Solistin *w* und das Adj. solistisch (19./20. Jh.).

Sommer *m*: Die *altgerm.* Bezeichnung der Jahreszeit (*mhd.* sumer, *ahd.* sumar, *niederl.* zomer, *engl.* summer, *schwed.* sommar) geht mit verwandten *außergerm.* Wörtern wie *aind.* sámā „[Halb]jahr, Jahreszeit", *awest.* ham- „Sommer", *air.* sam[rad] „Sommer" auf *idg.* *sem- „Sommer" zurück. Abl.: sommerlich (*mhd.* sumerlich, *ahd.* sumarlīh); sommers (Adv.; *mhd.* [des] sumers). Zus.: Sommerfrische (s. frisch); Sommersprosse (meist *Mehrz.*; verdeutlichende Zus. des 16. Jh.s für gleichbed. *frühnhd.* sprusse, *mhd.* sprote[le]; das Grundwort gehört zur Sippe von →*sprießen* und bedeutet wahrscheinlich „aufsprießender Hautfleck").

Sonate *w* „Instrumentaltonstück aus drei oder vier Sätzen": Im 17./18. Jh. aus gleichbed. *it.* sonata entlehnt. Das *it.* Wort seinerseits ist eine gelehrte Ableitung von *it.* sonare „tönen, klingen usw." (vgl. *sonor*) und bedeutet eigtl. etwa „Klingstück" (zum Unterschied von der als „Singstück" benannten →*Kantate*). – Dazu die Bezeichnung für eine kleinere (und auch leichter zu spielende) Sonate die Verkleinerungsbildung *it.* sonatina in unserem FW Sonatine *w* (19. Jh.).

Sonde *w*: Das seit dem Anfang des 18. Jh.s bezeugte FW erscheint zuerst einerseits mit einer eigtl. Bed. „Lot, Senkblei", andererseits als medizinischer Terminus zur Bezeichnung eines stab- oder schlauchförmigen Instrumentes, das der Arzt zu diagnostischen und therapeutischen Zwecken in Körperöffnungen oder Hohlorgane einführt. Im letzteren Sinne spielt das Wort heute eine wichtige Rolle. Daneben wird es heute aber auch vielfach übertragen im Bereich der Technik gebraucht (beachte z. B. die bergmänn. Bed. „Erdbohrer; Probebohrung"). Das Wort ist in allen Bed. aus entspr. *frz.* sonde entlehnt, dessen weitere Herkunft nicht gesichert ist. Neben dem Substantiv

findet sich das Verb sondieren „mit einer Sonde untersuchen; (allg. übertr.:) vorsichtig erkunden, vorfühlen, ausforschen", das aus entspr. *frz.* sonder bereits im 17. Jh. entlehnt wurde.

sonder: Das *gemeingerm.* Adv. *mhd.* sunder, *ahd.* suntar, *got.* sundrō, *engl.* a-sunder, *schwed.* sönder bedeutet „abseits, für sich, auseinander". Außerhalb des *Germ.* entsprechen ihm *aind.* sanu-tár „abseits, weit weg" und *gr.* áter „ohne". Zugrunde liegt *idg.* *sn̥-tér „für sich, abgesondert", eine Bildung zu gleichbed. *idg.* *seni- (vgl. z. B. *lat.* sine „ohne"). Als Adverb ist 'sonder' im älteren *Nhd.* untergegangen (beachte noch die Fügung 'samt und sonders'), an seine Stelle trat das Adv. „besonders". Auch das *mhd.* Adj. sunder „abgesondert, eigen" ist durch →*besonder* abgelöst worden. Es lebt aber noch in zahlreichen Zus. wie Sonderrecht, -[ab]druck, -zug (die z. T. das FW extra übersetzen) und in der Abl. Sonderling *m* (16. Jh.). Die Weiterbildung ¹sondern (*mitteld.* im 14. Jh. sundern „ohne, außer, aber") steht *nhd.* als Konjunktion nach einem verneinten Satzteil. Noch voll gebräuchlich sind die folgenden Abl.: sonderbar (*mhd.* sunderbǣre, -bar „besonder, ausgezeichnet", *spätahd.* sundirbǣr, -bāre „abgesondert"; seit Anfang des 19. Jh.s meist für „seltsam, merkwürdig"); sonderlich (*mhd.* sunderlich, *ahd.* suntarlīh „abgesondert", später „ungewöhnlich"; *nhd.* meist verneint gebraucht); ²sondern (das Verb *mhd.* sundern, *ahd.* suntarōn [vgl. *engl.* to sunder, *schwed.* söndra) bedeutete „trennen, unterscheiden"; im *Nhd.* sind absondern [*mhd.* absundern] und aussondern [*mhd.* ūzsundern] gebräuchlicher).

Sonett s: Als Bezeichnung für eine in Italien entstandene Gedichtform seit dem ausgehenden 16. Jh. bezeugt. Das vorausliegende *it.* Subst. sonetto bedeutet eigtl. etwa „Klinggedicht". Es ist eine gelehrte Abl. von *it.* s[u]ono (< *lat.* sonus) „Klang, Ton". Zu *lat.* sonāre „tönen, klingen" (vgl. *sonor*).

Sonnabend *m*: Der bes. *mitteld.* und *nordd.* Name des letzten Wochentags (s. auch Samstag) beruht auf einer *aengl.* Bildung, die mit der angelsächs. Mission (Bonifatius) auf das Festland kam. *Aengl.* sunnan-ǣfen bezeichnete unter Einsparung des Grundwortes -dæg von *aengl.* sunandæg „Sonntag" den „Vorabend vor Sonntag" (s. den Artikel Abend). Auf diesem Wort beruhen *ahd.* sunnūnāband, *mhd.* sun[nen]ābent. Die Bezeichnung wurde früh auf den ganzen Tag ausgedehnt. Gegenüber dieser christlichen Bezeichnung des Tages hat sich sein römischer Name Sāturnī diēs „Tag des Saturn" in *niederl.* zaterdag und *engl.* Saturday erhalten.

Sonne *w*: Das *gemeingerm.* Substantiv *mhd.* sunne, *ahd.* sunna, *got.* sunnō, *engl.* sun, *aisl.* sunna setzt einen *idg.* n-Stamm fort, während *got.* sauil „Sonne" und *schwed.* sol „Sonne" einen *idg.* l-Stamm fortsetzen. Zugrunde liegt *idg.* säuel- „Sonne", vgl. z. B. aus anderen *idg.* Sprachen *lat.* sōl, *lit.* sáulè und *gr.* hḗlios (s. Helium). In den *germ.* Sprachen ist ‚Sonne' gewöhnlich weiblich (beachte aber die männl. Nebenformen *mhd.* sunne, *ahd.* sunno, *aengl.* sunna). Abl.: sonnen „der Sonne aussetzen" (*mhd.* sunnen; oft reflexiv gebraucht); sonnig (im 18. Jh. neben sönnig und älterem sonnicht; *mhd.* dafür sunneclich). Zus.: Sonnabend (s. d.); Sonnenblume (16. Jh.; nach der Gestalt der großen Blütenköpfe und weil die Pflanze sich stets zur Sonne kehrt); Sonnenfinsternis (16. Jh.; *mhd.* sunnenvinster *w*); Sonnenfleck (17. Jh.); Sonnenschein (*mhd.* sunne[n]schīn); Sonnenstich (im 16. Jh. für „stechende Sonnenhitze", im 18. Jh. auf die Bed. „Hitzschlag" eingeengt); Sonnenstrahl (17. Jh.; s. Strahl); Sonnenwende (erst *mhd.* als sunne[n]wende „Umkehr der Sonne" bezeugt, aber als Jahres- und Fruchtbarkeitsfest uralt; bes. der Johannistag am 24. Juni wurde mit dem Sonnwendfeuer, *mhd.* sunnewentviur, gefeiert, das der Sonne neue Kraft geben sollte); Sonntag (s. d.).

Sonntag *m*: Wie andere Wochentagsnamen (s. den Artikel Dienstag) ist auch der des Sonntags eine altgerm. LÜ. *Ahd.* sunnūn tag, *mhd.* sun[nen]tac, *niederl.* zondag, *engl.* Sunday, *schwed.* söndag sind eine Wiedergabe des *lat.* diēs Sōlis, das selbst eine LÜ von *gr.* hēmérā Hēlíou ist (die Alten rechneten die Sonne zu den Planeten). Die *roman.* Sprachen haben dagegen mit *it.* domenica, *frz.* dimanche (aus *lat.* dominica [diēs] „Tag des Herrn") den kirchlichen Ersatz des heidnischen Namens übernommen (s. auch Mittwoch, Samstag). Zus.: Sonntagskind (16. Jh.; der am Sonntag Geborene hat nach altem Glauben Glück). Siehe auch Sonnabend.

sonor „klangvoll, volltönend": Im 18. Jh. über entspr. *frz.* sonore aus *lat.* sonōrus „schallend, klingend, klangvoll" entlehnt, das von *lat.* sonor (sonōris) „Klang, Ton" abgeleitet ist. Stammwort ist das *lat.* Verb sonāre (älter sonere) „[er]tönen, schallen, klingen usw." (wohl verwandt mit *dt.* →*Schwan*), das auch Ausgangspunkt für die FW →Sonate, Sonatine, →Sonett, →Dissonanz, →Konsonant und →Resonanz ist.

sonst: Das Adverb hat seine heutige Bed. „in anderen Fällen, zu anderer Zeit; außerdem" seit *mhd.* Zeit allmählich aus der urspr. Bed. „so" entwickelt, vielleicht über Zwischenstufen wie „so aber", „so nicht". Die Formen *mhd.* sunst, sus[t], *ahd.* sus „so", *niederl.* zus „so" sind vielleicht aus einer gleichbed. Form mit anderem Anlaut umgebildet worden, die in *asächs.* thus, *engl.* thus „so" erscheint und zu dem unter →*der* genannten Pronominalstamm

gehört. Dabei hat das unverwandte Adverb so (s. d.) eingewirkt. Im *Nhd.* hat sich für *mhd.* sunst die *mitteld.* Form mit -o- durchgesetzt. Abl.: sonstig (Adj.; im 18. Jh. *oberd.*). Zus.: umsonst (*mhd.* umbe sus bedeutet „um, für ein So", d. h. „für nichts" [wobei man sich eine wegwerfende Handbewegung vorzustellen hat]; daraus entstand einerseits die Bed. „kostenlos", andererseits die Bed. „ohne Erfolg; zweck-, grundlos").

Sophist *m*: *Gr.* sophistḗs, das unserem FW zugrunde liegt, bezeichnete urspr. entsprechend seiner Zugehörigkeit zu *gr.* sophós „geschickt; klug, weise" (s. auch Philosoph) einen Menschen, der im Besitz einer besonderen Geschicklichkeit oder Kunst ist, im speziellen Sinne dann den im öffentlichen oder privaten Leben erfahrenen Praktiker. Dieser positive Sinn des Wortes ging verloren, als in Athen jene berühmten Sophisten (wie Gorgias, Hippias u. a.) auftraten, die das Volk gegen gute Bezahlung öffentlich in praktischer Philosophie und vor allem in der Rednerkunst unterrichteten. Ihr Wollen wurde von Sokrates als vordergründig entlarvt. Ihre Mittel waren in der Hauptsache Trugschlüsse und rednerische Gaukeltricks. Es ging ihnen nicht um wirkliche Einsicht und Weisheit, sondern vor allem um Ruhm und Gewinn. So entwickelte das Wort sophistḗs seit Sokrates und Platon den verächtlichen Nebensinn des „Großprahlers, geschwätzigen Scheingelehrten, spitzfindigen Wortverdrehers". Mit diesen Bedeutungen gelangte das Wort im Anfang des 16. Jh.s über entspr. *lat.* sophistēs, sophista als FW ins *Dt.* – Abl.: sophistisch „spitzfindig" (Anfang 16. Jh.; aus entspr. *gr.* sophistikós > *lat.* sophisticus).

Sopran *m* „höchste [weibliche] Stimmlage": Im Anfang des 18. Jh.s als musikal. Bezeichnung aus gleichbed. *it.* soprano entlehnt. Das *it.* Wort ist das substantivierte Adj. *it.* soprano „darüber befindlich; oberer", das ein *mlat.* Adj. superānus „darüber befindlich; überlegen" fortsetzt. Zu *lat.* super (Adv. und Präp.) „oben, auf, über" (vgl. *super...*). – Abl.: Sopranistin *w* „Sopransängerin" (20. Jh.).

Sorge *w*: Das *gemeingerm.* Substantiv *mhd.*, *mnd.* sorge, *ahd.* sorga, *got.* saúrga, *engl.* sorrow, *schwed.* sorg geht von der Grundbed. „Kummer, Gram" aus, die im *Niederd.*, *Schwed.* und *Engl.* noch erhalten ist. Außerhalb des *Germ.* sind wahrscheinlich *air.* serg „Krankheit" und die *baltoslaw.* Sippe von *lit.* sir͂gti „krank sein", *russ.* soróga „mürrischer Mensch" verwandt. Im *Dt.* bestehen seit *ahd.* Zeit zwei Hauptbedeutungen des Wortes. Einerseits bedeutet es als Schattierung der oben genannten Grundbedeutung „Unruhe, Angst, quälender Gedanke" und wird so oft in der *Mehrz.* gebraucht (Sorgen haben). Dazu gehören Zus. wie sorgenfrei (*mhd.* sorgenvrī), sorgenvoll (17. Jh.), Sorgenkind (20. Jh.). Andererseits entsteht die Bed. ,,Bemühung um Abhilfe", so bes. in dem Verb sorgen und seinen Präfixbildungen (s. u.) sowie in Vorsorge (17. Jh.) und Fürsorge (*mhd.* vürsorge ,,Besorgnis vor Zukünftigem"; seit dem 16. Jh. im heutigen Sinn; die Abl. Fürsorger *m* ,,amtl. Pfleger" [16. Jh.] und Fürsorgerin *w* [Anfang des 19. Jh.s] beruhen auf dem veralteten *frühnhd.* Verb fürsorgen). In dieser Richtung haben sich auch die Adjektive sorglich (*mhd* sorclich, *ahd.* sorglīh) und sorgsam (*mhd.* sorcsam, *ahd.* sorgsam) entwickelt, die beide urspr. ,,Sorge erregend, bedenklich; besorgt" bedeuteten, aber früh den Sinn ,,fürsorgend, aufmerksam, genau" zeigen. Ähnliches gilt für sorgfältig (*spätmhd.* sorcveltic, *mnd.* sorchvoldich ,,sorgenvoll, bekümmert", eigtl. wohl ,,mit Sorgenfalten auf der Stirn"), das seit dem 14. Jh. zuerst im *Niederd.* und *Mitteld.* für ,,achtsam, genau" gebraucht wird. Rückbildung dazu ist Sorgfalt *w* (17. Jh.). – Das *gemeingerm.* Verb sorgen (*mhd.*, *mnd.* sorgen, *ahd.* sorgēn, *got.* saúrgan, *engl.* to sorrow, *schwed.* sörja) entspricht in seinen Bedeutungen dem Substantiv. Die Präfixbildung besorgen (*mhd.* besorgen, *ahd.* bisorgēn ,,befürchten; für etwas sorgen") wird heute fast nur für ,,betreuen, beschaffen" gebraucht; den älteren Sinn zeigen noch die Ableitungen besorgt ,,ängstlich" (*mhd.* besorget) und Besorgnis *w* (18. Jh.). Auch versorgen bedeutet im *Nhd.* nur noch ,,betreuen, sicherstellen, mit etwas versehen" (*mnd.* auch ,,sich in Sorge verzehren").

Sorte *w* ,,Art, Gattung; Güteklasse, Qualität": Bei der Entlehnung dieses seit dem 16. Jh. allgemein üblichen Handelswortes sind *frz.* sorte ,,Art; Qualität" und entspr. *it.* sorta, das selbst wohl aus dem *Frz.* stammt, gleichermaßen beteiligt. Ersteres gelangte bereits im 14. Jh. durch *niederl.* Vermittlung in den *niederd.* Sprachraum, während letzteres seit dem 15. Jh. vom *Oberd.* her eindrang. – Quelle des *frz.* Wortes ist *lat.* sors (sortis) ,,Los[stäbchen]; Stand, Rang" mit seiner im *Spätlat.* entwickelten Bed. ,,Art und Weise". Über die etymolog. Zusammenhänge des *lat.* Wortes vgl. den Artikel *Serie*. – Dazu: sortieren ,,in [Güte]klassen einteilen, auslesen, sondern, ordnen" (16. Jh.; aus gleichbed. *it.* sortire, das seinerseits *lat.* sortīrī ,,[er]losen; auswählen" fortsetzt); Sortiment *s* ,,Warenauswahl, Warenangebot" (Anfang 17. Jh.; aus gleichbed. *it.* sortimento), häufig auch als Kurzform für Sortimentsbuchhandel gebraucht.

Soße *w* ,,Brühe, Tunke", zuweilen auch in *frz.* Schreibung als Sauce dargestellt: Das aus dem *Frz.* entlehnte FW ist im *dt.* Sprachbereich bereits für das 16. Jh. mit der Form

Saus[s]en bezeugt. *Frz.* sauce (älter sausse) ,,Tunke, Brühe" geht auf *vlat.* salsa zurück (daraus, unabhängig vom *Frz.*, *mhd.* salse ,,Brühe"), das im Grunde nichts anderes bedeutet als ,,die Gesalzene (nämlich: Brühe)". Es handelt sich um das substantivierte Femininum von *lat.* salsus ,,gesalzen". Über weitere etymolog. Zusammenhänge vgl. den Artikel *Saline*. – Dazu: Sauciere *w* ,,Soßenschüssel, Soßengießer" (18. Jh.; aus gleichbed. *frz.* saucière).

soufflieren ,,den Rollentext der Schauspieler flüsternd vorsprechen": Im 18. Jh. als Terminus der Bühnensprache aus gleichbed. *frz.* souffler entlehnt. Das *frz.* Wort, das eigtl. ,,blasen, hauchen usw." bedeutet (die übertragene Bed. ist etwa im Sinne von ,,flüsternd zuhauchen" zu verstehen), geht seinerseits auf *lat.* suf-flāre ,,[an]blasen, hineinblasen" zurück, ein Kompositum von *lat.* flāre ,,wehen, blasen" (vgl. *Inflation*). – Abl.: Souffleur *m* ,,ein Mann, der dem Schauspieler den Rollentext souffliert" (18. Jh.; aus gleichbed. *frz.* souffleur). Dazu als entspr. weibliche Form Souffleuse *w* (20. Jh.; aus gleichbed. *frz.* souffleuse).

soupieren ,,exklusiv zu Abend essen": Im 19. Jh. aus gleichbed. *frz.* souper entlehnt. Das *frz.* Wort ist von *frz.* soupe ,,Fleischbrühe, Suppe" abgeleitet (vgl. *Suppe*). Es bedeutet demnach eigtl. ,,eine Suppe zu sich nehmen". Abl.: Souper *s* ,,exklusives Abendessen" (19. Jh.; aus entspr. *frz.* souper, dem substantivierten Verb).

Soutane *w* ,,langer, enger Leibrock des kathol. Geistlichen": Im Anfang des 19. Jh.s aus gleichbed. *frz.* soutane entlehnt, das seinerseits aus entspr. *it.* sottana (eigtl. ,,Untergewand") stammt. Zugrunde liegt das *it.* Adj. sottano ,,unter, unterst", das von *it.* sotto (< *lat.* subtus) ,,unten, unterwärts" abgeleitet ist.

Souterrain *s* ,,bewohnbares Kellergeschoß": Im Anfang des 18. Jh.s aus gleichbed. *frz.* souterrain entlehnt. Das *frz.* Wort ist eigtl. Adjektiv mit der Bed. ,,unterirdisch". Es geht auf *lat.* subterrāneus zurück. Zu *lat.* sub ,,unter, unterhalb" (vgl. *sub...*) und *lat.* terra ,,Erde" (vgl. *Terrain*).

souverän ,,die staatlichen Hoheitsrechte uneingeschränkt ausübend", auch allgemein übertragen gebraucht im Sinne von ,,jeder Situation gewachsen, überlegen": Im 17. Jh. aus gleichbed. *frz.* souverain entlehnt, das seinerseits ein *mlat.* Adj. superānus ,,darüber befindlich; überlegen" fortsetzt. Zu *lat.* super (Adv. und Präp.) ,,oben, auf, darüber" (vgl. *super...*). – Dazu das Subst. Souveränität *w* ,,Staatshoheit" (17. Jh.; aus gleichbed. *frz.* souveraineté).

sozial ,,die menschliche Gesellschaft oder Gemeinschaft betreffend; gesellschaftlich; gemeinnützig, wohltätig, menschlich": Im 18. Jh. über entspr. *frz.* social aus gleichbed.

lat. sociālis entlehnt. Das zugrunde liegende Stammwort *lat.* socius „gemeinsam (Adj.); Genosse, Gefährte, Teilnehmer (Subst.)" gehört vermutlich mit einer urspr. Bed. „mitgehend; Gefolgsmann" zum Stamm von *lat.* sequī „[nach]folgen, begleiten usw." (vgl. *konsequent*). Als Stammform für socius wäre dann ein *soqʷios anzusetzen. – Abl.: asozial „außerhalb der menschlichen Gesellschaft stehend; gemeinschädlich" (gelehrte Gegenbildung des 20. Jh.s; über das Präfix vgl. ²*a*...); Sozialismus *m*, eine im 19. Jh. aus gleichbed. *frz.* socialisme übernommene *nlat.* Bildung zur Bezeichnung jener antikapitalistischen Bewegung, die namentlich durch eine gerechtere Güterverteilung eine Besserung der sozialen Verhältnisse im Staat erstrebt. – Dazu: Sozialist *m* „Anhänger des Sozialismus" (19. Jh.; aus entspr. *frz.* socialiste); sozialistisch „den Sozialismus betreffend" (20. Jh.). – Beachte in diesem Zusammenhang noch die FW →Sozius und →assoziieren, Assoziation, die gleichfalls zu *lat.* socius gehören.

Sozius *m*: Das seit dem Anfang des 18. Jh.s bezeugte FW, das auf *lat.* socius „Gefährte, Genosse, Teilnehmer" (vgl. *sozial*) zurückgeht, bezeichnet im wirtschaftl. Bereich den „Geschäftsteilhaber". Die spezielle Bed. „Beifahrer auf einem Motorrad" (auch übertr. „Beifahrersitz") erscheint erst im 20. Jh. (beachte auch die junge scherzhafte Neubildung Sozia *w* „Beifahrerin"). Ebenfalls jung ist der *ugs.* scherzhafte Gebrauch des Wortes im Sinne von „Genosse, Kumpel".

Spaghetti *Mehrz.*: Die Bezeichnung der stäbchenförmigen Teigware wurde im 20. Jh. aus dem *It.* übernommen. Gleichbed. *it.* spaghetti gehört als Verkleinerungsbildung zu *it.* spago „dünne Schnur", dessen weitere Herkunft unbekannt ist.

spähen „scharf hinsehen, Ausschau halten": Das nur im *Dt.* und *Niederl.* altbezeugte Verb (*mhd.* spehen, *ahd.* spehōn, *niederl.* [mit d-Einschub] spieden) geht mit verwandten Wörtern in andern *idg.* Sprachen auf die *idg.* Wz. *speḱ- „scharf hinsehen, spähen" zurück. Verwandt sind u. a. *lat.* specere „[hin]sehen", *lat.* speculum „Spiegel" (s. die FW-Gruppe um Spiegel) und *gr.* sképtesthai „schauen, betrachten" (mit Umstellung der Anfangssilbe; s. die unter Skepsis genannten Lehn- und Fremdwörter). Das *germ.* Verb ist früh in *roman.* Sprachen entlehnt worden, s. den Artikel Spion. Abl.: Späher *m* (*mhd.* spehǣre, *ahd.* spehari „Kundschafter, Spion").

Spalier *s* „Lattengerüst zum Hochziehen und Anbinden von [Obst]pflanzen", auch übertragen gebräuchlich im Sinne von „Ehrenformation beiderseits eines Weges": Das seit dem 17. Jh. bezeugte FW ist in beiden Bedeutungen aus *it.* spalliera entlehnt. Das *it.* Wort, das von *it.* spalla „Schulter"

(< *lat.* spatula „Rührlöffel; Schulterblatt", vgl. *Spatel*) abgeleitet ist, bedeutet eigtl. „Schulterstütze, Rückenlehne", dann allgemein „Stütze, Stützwand" und schließlich „Pflanzenteppich entlang einer Stützwand".

spalten: Das nur im *Dt.* und *Niederl.* altbezeugte Verb (*mhd.* spalten, *ahd.* spaltan, *mniederl.* spalden, spouden, *niederl.* spouwen) steht neben ablautenden *germ.* Substantiven wie *got.* spilda „[Schreib]tafel", *mhd.* spelte „[Lanzen]splitter", *aengl.* speld „Holzstück, Fackel". Es gehört mit verwandten Wörtern in anderen *idg.* Sprachen zu der *idg.* Wz. *[s]p[h]el- „platzen, bersten, splittern, [sich] spalten", vgl. z. B. *gr.* sphalássein „spalten; stechen" und *aind.* phálati „birst, springt entzwei". Zu ihr stellt sich wahrscheinlich auch das unter → Spule behandelte Wort. Nächstverwandt mit 'spalten' ist wohl der alte Getreidename → Spelt. Abl.: Spalt *m* „durch Spaltung entstandene Öffnung" (*mhd.*, *ahd.* spalt), dazu die Nebenform Spalte *w* (15. Jh.; im 13. Jh. *mitteld.* spalde; seit dem 17. Jh. auch für „Kolumne einer Druckseite"); vom Verb ist auch das zweite Glied von zwiespältig abgeleitet (*spätmhd.* zwispeltic, *mhd.* zwispaltig „in zwei Teile gespalten"; zum ersten Glied vgl. *zwei*); dazu die Rückbildung Zwiespalt *m* (16. Jh.).

Span *m*: Das *altgerm.* Wort *mhd.*, *ahd.* spān „[Holz]span", *niederl.* spaan „Span; Butterstecher; Ruderblatt", *engl.* spoon „Löffel", *schwed.* spån „Span; Schindel" bezeichnete urspr. ein flaches, lang abgespaltenes Holzstück, wie es bei der Holzbearbeitung abfällt oder zu Schindeln, Löffeln und dgl. zugeschnitten wird. Es ist vielleicht mit *gr.* sphēn „Keil" verwandt und gehört zu *idg.* *sp[h]ē- „langes, flaches Holzstück", auf dem auch das unter → Spaten „Grabscheit" behandelte Wort beruht.

Spanferkel *s*: In der nur *dt.* und *niederl.* Bezeichnung des jungen, noch saugenden Ferkels (*mitteld.* im 15. Jh. spenferkel, *mhd.* spenvarch, spünne verkelin, *ahd.* spen-, spunnifarah, *niederl.* speenvarken; s. auch Ferkel) lebt eine sonst im *Dt.* untergegangene *altgerm.* Bez. der Zitze fort: *mhd.* spen, spünne, *ahd.* spunni „Mutterbrust, Muttermilch", *niederl.* speen „Zitze", *aengl.* spane „Mutterbrust", *schwed.* spene „Zitze". Diese Wörter gehen mit gleichbed. *air.* sine und *lit.* spenýs auf *idg.* *speno- „Zitze" zurück.

Spange *w*: Das Substantiv *mhd.* spange, *ahd.* spanga bezeichnete urspr. die haltgebenden Querbalken (Riegel) im Holzbau, dann auch Eisenbänder und Beschläge an Bauteilen und Waffen (dazu der Handwerkername → Spengler). In *mhd.* Zeit übertrug man die Bezeichnung auf Schnallen und Armringe, auf die Heftnadeln zum Schließen der Kleidung und auf andere, oft als Schmuck gestaltete Stücke. Dem *dt.* Wort entsprechen *niederl.* spang „Spange" und *schwed.* spång „schmale Brücke, Steg", vgl. auch das weitergebildete *engl.* spangle „Metallplättchen, Flitter". Die *germ.* Wortgruppe gehört wahrscheinlich zu der unter →*spannen* behandelten Sippe (beachte *mnd.* span[n] und *schwed.* spänne „Spange").

Spaniel *m*: Die im 19. Jh. aus dem *Engl.* übernommene Rassenbezeichnung für einen langhaarigen kleinen Jagd- und Luxushund (*engl.* spaniel) stammt aus gleichbed. *afrz.* espagneul (= *frz.* épagneul), das auf *span.* español (< *lat.* hispāniolus) „spanisch" zurückgeht. Das Wort bedeutet also eigtl. „Spanier" (= „spanischer Hund").

spannen: Das früher starke Verb *mhd.* spannen, *ahd.* spannan „[sich] dehnen; ziehend befestigen" (entspr. *aengl.* spannan „spannen, befestigen") ist im *Frühnhd.* mit seinem Veranlassungswort *mhd.* spennen (entspr. *schwed.* spänna „[an]spannen, schnallen") zusammengefallen. Nahe mit ihm verwandt ist *mhd.* spanen, *ahd.* spanan „locken" (eigtl. „anziehen"), von dem →*Gespenst* und →*abspenstig* abgeleitet sind (anders widerspenstig, s. d.). Die genannten Wörter, zu denen wahrscheinlich auch →*Spange* gehört, gehen auf die vielfach weitergebildete und erweiterte *idg.* Wz. *sp[h]e- „ziehen, spannen, sich ausdehnen" zurück, vgl. *gr.* spáein „ziehen, zerren, verrenken" und *gr.* spasmós „Ziehen, Zuckung, Krampf" (beachte das medizinische Fachwort Spasmus „Krampf"). Aus dem *germ.* Sprachbereich gehören vor allem noch die unter →*spinnen* (eigtl. „Fäden ziehen") behandelte Wortgruppe und wahrscheinlich auch die unter →*sputen* genannten Wörter (s. dort über spät und sputen) hierher. – Die häufige übertr. Verwendung von 'spannen' geht urspr. vom Bild des gespannten Jagdbogens aus; schon *mhd.* spannen bedeutete auch „begehrlich, freudig erregt sein". Heute liegt eher die Vorstellung der Stahlfeder oder der gespannten Muskeln zugrunde, bes. im adjektiv. Gebrauch der Partizipien spannend „erregend" und gespannt „erwartungsvoll" (seit dem 19. Jh.); beachte auch angespannt „aufmerksam", abgespannt „ermüdet" (um 1800), überspannt „geistig überreizt" (18. Jh.) und die Präfixbildung [sich] entspannen „die Spannung lösen, [sich] ausruhen" (*mhd.* entspannen „losmachen"). Dagegen beziehen sich einspannen „für seine Zwecke verwenden" (*mhd.* înspannen „in Fesseln legen") wohl auf das Einspannen in den Schraubstock und ausspannen „sich erholen" (16. Jh.) auf das Absträngen der Zugtiere. Zu dem ähnlich gebrauchten vorspannen gehört das Subst. Vorspann *m* „[zusätzlich] vorgespannte Pferde" (17. Jh.; heute übertr. für „Titel und Verzeichnis der Mitwirkenden

eines Films"); s. auch Gespann. Ableitungen von 'spannen' sind: Spann *m* „obere Fußwölbung, Rist" (so im 18. Jh.; zu *mhd.* span s. *widerspenstig*); Spanne *w* „Maß der ausgespannten Hand zwischen Daumen und Zeigefinger oder kleinem Finger" (*mhd.* spanne, *ahd.* spanna, vgl. *engl.* span, *schwed.* spann; seit dem 18. Jh. auch für „kurzer Zeitabschnitt"); Spanner *m* (17. Jh.; seit dem 18. Jh. für eine Raupenart, die sich bogenspannend fortbewegt, und den zugehörigen Schmetterling, z. B. Frostspanner); Spannung *w* (17. Jh., meist für „Zustand des Gespanntseins"; seit dem 19. Jh. vielfach in techn. Verwendung, bes. bei Dampf und elektr. Strom), dazu Hochspannung „elektr. Spannung über 500 Volt" (20. Jh.; oft bildl. gebraucht). Zus.: Spannkraft (im 18. Jh. für 'Elastizität'; meist auf den Menschen bezogen).

sparen: Das altgerm. Verb *mhd.* sparn, *ahd.* sparen, -ōn, *niederl.* sparen, *engl.* to spare, *schwed.* spara hatte urspr. den Sinn „bewahren, unversehrt erhalten, schonen", der in andern *germ.* Sprachen bis heute fortlebt. Daraus ist bes. im *Dt.* die Bed. „für später zurücklegen; nicht gebrauchen; weniger ausgeben" entstanden, die seit dem 16. Jh. üblich wird und heute vorherrscht. Das Verb ist abgeleitet von einem *altgerm.* Adjektiv, das in *ahd.* spar „sparsam, knapp", *engl.* spare „spärlich", *aisl.* sparr „sparsam, karg" erscheint und urspr. wohl „weit-, ausreichend" bedeutet hat. Das zeigen die *außergerm.* Entsprechungen *russ.* spóryj „reichlich" (eigtl. „lang ausreichend") und *aind.* sphirá-ḥ „feist, reichlich". Mit ihnen beruht das *germ.* Adj. auf der vielfach weitergebildeten und erweiterten *idg.* Wz. *sp[h]ē[i]- „sich ausdehnen, gedeihen, vorwärtskommen" (s. auch den Artikel Speck). Zu dieser Wurzel gehören auch die *lat.* Wörter spatium „Raum, Strecke, Dauer" (s. das LW spazieren), spēs „Erwartung, Hoffnung" und spērāre „hoffen" sowie die unter →*sputen* (eigtl. „gelingen") und →*spät* (eigtl. „sich hinziehend") behandelten *germ.* Wörter. Weiterhin besteht wohl ein Zusammenhang mit der unter →*spannen* dargestellten Wortgruppe. Abl.: Sparer *m* (16. Jh.); spärlich „knapp, kümmerlich" (das Adv. *mhd.* sperlīche, *ahd.* sparalīhho „auf karge Weise" gehört zum Adj. *ahd.* spar [s. o.] und wird erst seit dem 16. Jh. selbst als Adj. gebraucht, anfangs in der Bed. „sparsam, geizig"); sparsam „haushälterisch; knapp" (im 16. Jh. wohl zum Verb sparen gebildet), dazu Sparsamkeit *w* (16. Jh.). Zus.: Sparbüchse (*mhd.* sparbuchse, -buss); Sparkasse (Ende des 18. Jh.).

Spargel *m*: Der Name der Gemüsepflanze wurde im 15. Jh. (*spätmhd.* sparger, *frühnhd.* spargen, sparg[e], spargel) durch *roman.* Vermittlung (vgl. *it.* sparagio, älter sparago, *frz.* asperge, *afrz.* sparge, *mlat.* sparagus) aus gleichbed. *lat.* asparagus entlehnt, das seinerseits LW aus *gr.* asp[h]áragos „Spargel; junger Trieb" ist. Die weitere Herkunft des Wortes ist nicht gesichert.

Sparren *m*: Das *altgerm.* Substantiv *mhd.* sparre, *ahd.* sparro, *niederl.* spar, *engl.* spar, *schwed.* sparre gehört zu der unter →*Speer* behandelten Wortgruppe. Es bezeichnet einen Schrägbalken oder eine Stange, vor allem die paarweise gegeneinanderstehenden Balken des Dachgerüsts, die das eigentliche Dach tragen (sog. Sparrendach; dazu im 16. Jh. die heute *ugs.* Wendung 'er hat einen Sparren [zuviel oder zuwenig]' für „er ist nicht richtig im Kopf"). Eine alte Abl. von dem Substantiv ist →*sperren*.

spartanisch „streng und hart gegen sich selbst, genügsam, einfach, anspruchslos": Das im 19. Jh. aufgekommene Adjektiv bezieht sich auf die sprichwörtlich strenge und anspruchslose Lebensweise der Einwohner der altgriech. Stadt Sparta.

Spaß *m* „Scherz, Vergnügen, Jux": Das seit dem 16./17. Jh. zuerst als 'Spasso' bezeugte Subst. ist aus *it.* spasso „Zerstreuung, Zeitvertreib, Vergnügen" entlehnt, einer Substantivbildung zu *it.* spassare „zerstreuen, unterhalten" (spassarsi „sich zerstreuen, sich vergnügen"). Das *it.* Wort setzt ein *vlat.* Verb *ex-passāre „ausbreiten; zerstreuen" voraus, das zu *lat.* ex-pandere (expassum) „auseinanderspannen, ausbreiten" gehört, einem Kompositum von *lat.* pandere (passum) „ausspannen, ausbreiten, ausspreizen" (vgl. *Paß*). – Abl. und Zus.: s p a ß e n „Spaß machen, scherzen" (18. Jh.); s p a ß i g „lustig, vergnüglich" (17. Jh.); S p a ß v o g e l „witziger, lustiger Mensch" (18. Jh.).

spät: Das Adjektiv *mhd.* spāte, *ahd.* spāti, *niederl.* spa[de] ist außerhalb des *Dt.* und *Niederl.* nur im *got.* Steigerungsformen spēdiza „der spätere" und spēd[um]ists „der späteste" bezeugt. Neben ihm steht das umlautlose, heute veraltete Adv. spat (*mhd.* spāt[e], *ahd.* spāto). Mit der Grundbedeutung „sich hinziehend" gehört 'spät' wahrscheinlich zu der unter →*sparen* dargestellten *idg.* Wortgruppe. Abl.: S p ä t l i n g *m* „spätgeborenes Tier, späte Frucht" (16. Jh.; oft übertr. gebraucht); sich v e r s p ä t e n „zu spät kommen" (*mhd.* [sich] verspāten „[sich] versäumen").

Spatel, **Spachtel** *m* oder *w*: Die Bezeichnung des kleinen schaufel- oder messerförmigen Werkzeugs, *spätmhd.* spatel „schmales und flaches Schäufelchen", *frühnhd.* spattel, spathel (daneben mit eingeschobenem, unorganischem -ch- wie in →*Schachtel* die *frühnhd.* Form Spachtel), beruht auf einer Entlehnung aus *lat.* spatula „kleiner Rührlöffel; Spatel; Schulterblatt" (s. auch *Spalier*). Dies gehört als Verkleinerungsbil-

dung zu *gr.-lat.* spatha „länglicher, breiter Rührlöffel, Spatel; breites, flaches Weberholz" (< *gr.* spáthē „breites, flaches Weberholz; breites Unterende am Ruder; Schulterblatt").

Spaten *m*: *Spätmhd.* spat[e] ist trotz seiner späten Bezeugung ein alter Gerätename, wie gleichbed. *mnd.* spade, *asächs.* spado, *aengl.* spada (*engl.* spade) zeigen. Der Spaten war urspr. ein hölzernes Grabscheit. Mit der Grundbed. „langes, flaches Holzstück" gehört das Substantiv zu der unter →*Span* dargestellten Wortgruppe. Das n der heutigen Nominativform stammt aus den flektierten Fällen.

Spatz *m*: *Mhd.* spaz, spatze „Sperling" ist eine Koseform zu gleichbed. *mhd.* spare, *ahd.* sparo (vgl. *Sperling*, das gleichbed. *mhd.* sparo mit demselben z-Suffix gebildet ist wie die PN Heinz, Fritz (zu Heinrich, Friedrich). *Schwäb.* S p ä t z l e (*Mehrz.*) als Bez. einer Art kleiner Mehlklöße ist zuerst im 18. Jh. in der Form 'Wasserspatzen' bezeugt.

spazieren: Das seit dem 13. Jh. bezeugte Zeitwort (*mhd.* spacieren, spazieren) ist aus *it.* spaziare „sich räumlich ausbreiten; sich ergehen" entlehnt, das seinerseits *lat.* spatiārī „einherschreiten, sich ergehen, lustwandeln" fortsetzt. Stammwort ist *lat.* spatium „Raum, Zwischenraum; Zeitraum; Wegstrecke; Spaziergang", das zu der unter →*sparen* dargestellten *idg.* Wortfamilie gehört. – Zus.: S p a z i e r g a n g (15. Jh.); S p a z i e r s t o c k (17. Jh.).

Specht *m*: Der Vogelname ist urspr. nur im *Dt.* und in den *nord.* Sprachen bezeugt. *Mhd.*, *ahd.* speht entspricht *aisl.* spettr, *schwed.* hackspett (eigtl. „hackender Specht") und ist aus gleichbed. *mhd.* specht, *ahd.* speh (ähnl. *schwed.* mdal. hackspik) weitergebildet. Die *germ.* Wörter sind wahrscheinlich verwandt mit *lat.* pīcus „Specht" und *lat.* pīca „Elster". Welche Vorstellung diesen Benennungen zugrunde liegt, ist unklar. Von den einheimischen Spechtarten sind bes. S c h w a r z s p e c h t (16. Jh.), G r ü n- s p e c h t (*mhd.* grüen-, *ahd.* gruonspeht) und B u n t s p e c h t (18. Jh.) bekannt.

Speck *m*: Das *altgerm.* Substantiv *mhd.* spec, *ahd.* spek, *niederl.* spek, *aengl.* spic, *aisl.* spik ist wohl verwandt mit *aind.* sphik „Hinterbacke, Hüfte" und gehört vielleicht im Sinne von „Dickes, Feistes" zu der unter →*sparen* behandelten *idg.* Wortgruppe. Das Wort bezeichnet seit alters vor allem das feste Fett unter der Schwarte des Schweines. Abl.: s p e c k i g „speckartig; wie Speck glänzend; schmutzig" (im 17. Jh. speckicht „fett"); s p i c k e n (s. d.). Zus.: S p e c k s e i t e „Seitenspeck des Schweins, der als Ganzes geräuchert wird" (16. Jh.; dafür *spätmhd.* ein sīte specks).

Spediteur *m* „Transportunternehmer": Das seit dem Anfang des 18. Jh.s bezeugte Handelswort ist eine französierende Bildung zu dem heute nur noch selten gebrauchten Zeitwort s p e d i e r e n „Güter abfertigen und versenden" (um 1600), das seinerseits aus dem *It.* entlehnt ist. *It.* spedire „abfertigen, versenden" setzt *lat.* ex-pedīre „losmachen, entwickeln, aufbereiten" fort und ist somit im Grunde identisch mit unserem FW →*expedieren*. – Dazu: **Spedition** *w* „Transportunternehmen" (17. Jh.; aus entspr. *it.* spedizione „Absendung, Beförderung", das seinerseits *lat.* expedītiō „Erledigung, Abfertigung" fortsetzt; vgl. *Expedition*).

Speer *m*: Das *altgerm.* Substantiv *mhd.* sper, spar[e], *ahd.* sper, *niederl.* speer, *engl.* spear, *aisl.* spjǫr „Speer" ist nahe verwandt mit dem unter →Sparren „Balken" behandelten Wort und dessen Abl. →sperren. Zugrunde liegt die *idg.* Wz. *[s]per- „Sparren, Stange, Speer", die außerhalb des *Germ.* z. B. in *lat.* sparus „kurzer Jagdspeer" erscheint. Im 18. Jh. wurde das Wort durch die Ritterdichtung neu belebt. Zus.: R i p p e [n] - s p e e r (s. d.).

Speiche *w*: Das *westgerm.* Substantiv *mhd.* speiche, *ahd.* speihha, *niederl. mdal.* speek, *engl.* spoke bezeichnet die Radspeiche, urspr. wohl als „langes zugespitztes Holzstück". Es gehört wie das ablautend verwandte *engl.* spike „Nagel" (s. Spikes) zu der unter →*spitz* behandelten *idg.* Wortgruppe. Auf den Unterarmknochen wurde *nhd.* Speiche erst im 18. Jh. übertragen, wohl in Anlehnung an *lat.* radius in den Bedeutungen „Rad-, Armspeiche".

Speichel *m*: Das auf den *dt.* und *niederl.* Sprachbereich beschränkte Wort (*mhd.* speichel, *ahd.* speihhil[a], *mniederl.* spēkel, *niederl.* mit anderer Endung speeksel) ist eine Substantivbildung zu dem unter →*speien* behandelten Verb. Zus.: S p e i c h e l - l e c k e r *m*, abschätzig für „Schmeichler" (18. Jh.).

Speicher *m* „Lagerraum, Vorratshaus; Dachboden": Das auf das *dt.* und *niederl.* Sprachgebiet beschränkte Subst., *mhd.* spīcher, *ahd.* spīhhāri, *niederl.* spijker, ist aus *spätlat.* spīcārium „Getreidespeicher" entlehnt (zu *lat.* spīca „Ähre", eigtl. „Spitze", etymologisch verwandt mit *dt.* →*spitz*). – Abl.: s p e i c h e r n , [Vorräte] sammeln, aufhäufen" (18. Jh.).

speien: Das *gemeingerm.* starke Verb *mhd.* spī[w]en, *ahd.* spī[w]an, *got.* speiwan, *engl.* to spew, *schwed.* spy geht mit verwandten Wörtern in anderen *idg.* Sprachen auf die *idg.* Wz. *[s]p[h]i̯ēu- „speien, spucken" zurück, vgl. z. B. die gleichbed. Verben *lat.* spuere (dazu das medizin. Fachwort Sputum „Auswurf"), *gr.* ptȳ́ein und *lit.* spiáuti. Im *germ.* Sprachbereich gehören bes. die unter →spucken und (mit abweichender Bed.) →spotten behandelten Verben hierher. Von mehreren alten Substantivbildun-

gen zu 'speien' hat sich im *Nhd.* nur →Speichel erhalten. Das Verb selbst ist gegenüber dem allgemein üblichen Wort spucken auf die gehobene Sprache eingeschränkt worden; z. T. steht es verhüllend für „sich erbrechen". Eine Abl. enthält das kunstgeschichtl. Fachwort W a s s e r s p e i e r *m* „Figur an Brunnen oder Dachtraufen" (19. Jh.).

Speise *w*: Das Subst. *mhd.* spīse „feste Nahrung, Kost, Lebensmittel; Lebensunterhalt", *ahd.* spīsa (entspr. *niederl.* spijs) wurde im klösterlichen Bereich aus *mlat.* spē[n]sa „Ausgaben, Aufwand; Nahrung" entlehnt, das seinerseits *lat.* expēnsa (pecūnia) „Ausgabe, Aufwand" fortsetzt. Letzteres lieferte durch *it.* Vermittlung auch unser FW →*Spesen*. – Abl. und Zus.: s p e i s e n „essen, dinieren; zu essen geben, nähren; versorgen" (*mhd.* spīsen), dazu die Zus. und Präfixbildung a b s p e i s e n „jmdn. auf billige Weise abfertigen, loswerden" (urspr. „jmdm. zu essen geben"), v e r s p e i s e n „aufessen, verzehren" und das Subst. S p e i s u n g *w* „Verköstigung" (*mhd.* spīsunge, auch im Sinne von „Proviant"); S p e i s e k a m m e r „Vorratskammer" (*mhd.* spīsekamer).

Spektakel *m*: *Lat.* spectāculum „Schauspiel", das von *lat.* spectāre „schauen" abgeleitet ist (vgl. hierzu das LW *Spiegel*), gelangte im 16. Jh. als FW ins *Deutsche* (*frühnhd.* spectacul *s*), ohne sich jedoch auf die Dauer in seiner eigtl. Bed. neben der schon älteren *dt.* Bezeichnung →Schauspiel halten zu können. Gleichwohl ging das FW als solches nicht unter, sondern erlangte im 18./19. Jh. besonders wohl unter dem Einfluß der Studentensprache einen neuen Geltungsbereich. So verstehen wir heute unter 'Spektakel' „Lärm, Krach, Gepolter, lautes Sprechen und dgl.". In diesem Sinne hat sich das Wort *ugs.* fest eingebürgert. Für den Genuswechsel (von sächlich zu männlich) war wohl entspr. *frz.* le spectacle Vorbild.

spekulieren: Das schon *mhd.* bezeugte FW ist aus *lat.* speculārī „ausspähen, beobachten; sich umsehen, ins Auge fassen" entlehnt, das seinerseits zu *lat.* specere „sehen, schauen" gehört (vgl. das LW *Spiegel*). Gegenüber dem *lat.* Verbum hat 'spekulieren' im Laufe der Zeit spezielle Bedeutungen entwickelt. Es lebt heute einerseits in unserer Umgangssprache im Sinne von „auf etwas rechnen", daneben im Sinne von „etwas ausforschen, auskundschaften", andererseits gilt es seit dem 18. Jh. als kaufmännischer Terminus mit der Bed. „riskante [Börsen]geschäfte tätigen". – Vorwiegend kaufmännische Geltung haben auch die zu spekulieren gehörenden abgeleiteten FW S p e k u l a n t *m* „Kaufmann, der sich in gewagte Geschäfte einläßt; Spieler" (18. Jh.; aus *lat.* speculāns, -antis, dem Part. Präs. Akt. von speculārī) und S p e k u l a t i o n *w* „[kaufmänn.] Berechnung; gewagtes Geschäft" (18. Jh.; aus *lat.* speculātiō „das Ausspähen, Auskundschaften; die Betrachtung"). Letzteres lebt auch im Bereich der Philosophie zur Bezeichnung eines rein gedanklichen Erkenntnisstrebens, unabhängig von sinnlicher Wahrnehmung und Erfahrung.

Spelt, Spelz *m*: Die *westgerm.* Bezeichnung der Weizenart (*mhd.* spelte, spelze, *ahd.* spelta, spelza, *niederl.* spelt, [*a*]*engl.* spelt) gehört wohl zu der unter →*spalten* behandelten Wortgruppe. Sie würde damit ihr Entstehen dem Umstand verdanken, daß die Ähren beim Dreschen in einzelne Teile zerfallen (deren Körner in ihren Hülsen bleiben). Wie bei anderen Getreidebezeichnungen (z. B. 'Korn') wäre dann der Name der Frucht auf die ganze Pflanze übertragen worden. Gleichbed. *spätlat.* spelta (Anfang des 4. Jh.s; daher *it.* spelta, *frz.* épeautre „Spelt") ist wahrscheinlich ein LW aus *westgerm.* Sprachen, hat aber seinerseits die Erhaltung der unverschobenen Form 'Spelt' im *Hochd.* bewirkt. In ihrem südwestd.-schweiz. Anbaugebiet heißt die Weizenart meist →*Dinkel*. Dasselbe Wort ist Spelze *w* „Getreidehülse; Hüllblatt der Gräserblüten" (im 17. Jh. Speltz, Spälze; der Spelt ergab sehr viel Dreschabfall).

Spelunke *w* (verächtl. Bezeichnung für:) „schlechter, unsauberer Wohnraum; Schlupfwinkel; verrufene Kneipe": Das seit dem 15. Jh. (zuerst am Niederrhein) bezeugte FW ist aus *lat.* spēlunca „Höhle, Grotte" entlehnt. Dies stammt seinerseits aus gleichbed. *gr.* spḗlygx oder aus dessen Akkusativ spḗlygga (möglicherweise durch das *Etrusk.* vermittelt).

spenden: Das schwache Zeitwort *mhd.* spenden „als Geschenk austeilen, Almosen geben", *ahd.* spentōn, spendōn (vgl. entspr. *mniederl.* spinden und *engl.* to spend „ausgeben, aufwenden") beruht auf Entlehnung aus *mlat.* spendere „ausgeben, aufwenden", das seinerseits *lat.* ex-pendere „gegeneinander aufwägen; (Gold oder Silber) auf der Waage zuwiegen; auszahlen, ausgeben; aufwenden" fortsetzt, ein Kompositum von *lat.* pendere (pēnsum) „wägen; erwägen; schätzen; zahlen usw" (vgl. hierzu den Artikel *Pensum*). – Dazu: Spende *w* (*mhd.* spende „Geschenk, Gabe, Almosen", *ahd.* spenta, spenda; nach gleichbed. *mlat.* spanda, spanta); Spender *m* „Schenker, Geber, Stifter" (*mhd.* spendǣre, *ahd.* spentāri); spendieren „schenken, zur Verfügung stellen, ausgeben, freihalten" (Anfang 17. Jh.; mit *roman.* Endung gebildet); spendabel „freigebig, großzügig" (18. Jh.; mit *roman.* Endung gebildet). – Vgl. noch die auf Substantivbildungen zu *lat.* ex-pendere beruhenden Lehn- und Fremdwörter →Spesen, →Speise, →Spind.

Spengler *m*: Wie andere Bezeichnungen des Installateurs (z. B. Klempner, Flaschner,

Blechner) galt auch das im *südd.*, *schweiz.*, *östr.* und *westmitteld.* Gebiet verbreitete Wort Spengler urspr. für ein Spezialgewerbe, die Verfertigung von Spangen und Beschlägen verschiedener Art. *Spätmhd.* speng[e]ler ist abgeleitet von *mhd.* spengel[in] „kleine Spange" (vgl. *Spange*).

Sperber *m*: Der Raubvogel ist wohl nach seiner häufigsten Beute (Sperlinge und Finken) als „Sperlingsaar" benannt. *Mhd.* sperwǣre, *ahd.* sparwāri, *niederl.* sperwer gehen wahrscheinlich zurück auf eine Zus. aus den unter →*Sperling* und → *Aar* genannten Wörtern. Ähnlich heißt der Vogel im *Engl.* sparrowhawk „Sperlingshabicht".

Sperling *m*: Der *dt.* Vogelname *mhd.*, (*mitteld.*) sperlinc, *ahd.* sperilig, *mnd.* sper-, sparlink bezeichnete urspr. wohl den jungen Sperling (ähnlich wie das verwandte →*Spatz*). Das Wort ist abgeleitet von dem *gemeingerm.* Namen des gleichen Vogels (*mhd.* spar[e], sparwe, *ahd.* sparo, *got.* sparwa, *engl.* sparrow, *schwed.* sparv). Dieser ist z. B. verwandt mit *gr.* sparásion „sperlingartiger Vogel", ferner mit *gr.* spérgoulos „kleiner Vogel" und *apreuß.* spurglis „Sperling" (beachte auch *spätahd.* sperch „Sperling").

sperren: Das *altgerm.* Verb *mhd.* sperren, *ahd.* sperran, *niederl.* sperren, *schwed.* spärra ist abgeleitet von dem unter →*Sparren* behandelten Substantiv und bedeutete daher urspr. „mit [Dach]sparren versehen" (so *mhd.* und *aisl.* bezeugt) sowie „mit Balken abschließen, verrammeln". Schon früh erhielt es der übertr. Sinn „ein-, ab-, verschließen". Im Buchdruck bedeutet 'sperren' seit dem 18. Jh. „mit Zwischenräumen setzen und drucken" (meist: „gesperrt drucken"). Abl.: Sperre *w* „Sperrung, Sperrvorrichtung" (*mhd.* sperre „Klammer, Buchverschluß, Riegel"); sperrig „gespreizt" (*mhd.* sperric „was beschlagnahmt werden kann; widersetzlich"). Zus.: sperrᵗ angelweit „sehr weit" (von geöffneten Türen; im 18. Jh. neben älterem sperrweit, 17. Jh.); Sperrholz „aus Holzschichten unter Kreuzung der Faserrichtung zusammengeleimtes Holz" (das sich gegen Verwerfung sperrt; Ende des 19. Jh.s); Sperrsitz „bestimmter Theatersitzplatz" (Anfang des 19. Jh.s; früher abgesperrt und nur dem Mieter zugänglich).

Spesen Mehrz. „Auslagen, Unkosten": Als kaufmänn. Terminus zu Beginn des 17. Jh.s aus gleichbed. *it.* spese, der Mehrzahlform von *it.* spesa „Ausgabe, Aufwand", entlehnt. Das *it.* Wort seinerseits beruht auf gleichbed. *lat.* expēnsa (pecūnia), das auch die Quelle für unser LW →Speise ist. Über das zugrunde liegende Verb *lat.* ex-pendere „gegeneinander aufwägen, abwägen; auszahlen, (Geld) ausgeben" vgl. den Artikel *spenden*.

spezial „besonder; eigentümlich; einzeln; eingehend": Das seit dem Anfang des

17. Jh.s bezeugte Adjektiv, das wie entspr. *frz.* spécial auf *lat.* speciālis „besonder; eigentümlich" zurückgeht, ist heute weitgehend durch das im 18. Jh. mit französierender Endung hinzugebildete s p e z i e l l ersetzt. Hingegen lebt es noch als Bestimmungswort in zahlreichen Zus. wie S p e z i a l - g e b i e t, S p e z i a l a r z t u. a. – *Lat.* speciālis ist von *lat.* speciēs „Ausschauen, Erscheinung; Vorstellung, Begriff; Art; Eigenheit" abgeleitet, das seinerseits zum Stamm von *lat.* specere „sehen, schauen" gehört (über weitere etymolog. Zusammenhänge vgl. den Artikel *Spiegel*). – Abl.: S p e z i a l *m* „vertrauter Freund" (*mdal.*), dafür meist die vom *Oberd.* her vordringende Kurzform S p e z i *m*; Spezialität *w* „Besonderheit; besondere Fähigkeit, Fachgebiet; Liebhaberei" (Anfang 17. Jh.; aus *spätlat.* speciālitās „besondere Beschaffenheit" > *frz.* spécialité); s p e z i a l i s i e r e n „gliedern, sondern, einzeln anführen" (19. Jh.; aus entspr. *frz.* spécialiser), in jüngster Zeit vorwiegend reflexiv gebraucht im Sinne von „sich [beruflich] einem Spezialgebiet widmen, um darin besondere Fähigkeiten zu entwickeln" (nach entspr. *frz.* se spécialiser); Spezialist *m* „Fachmann, Facharbeiter, Facharzt" (19. Jh.; aus entspr. *frz.* spécialiste übernommene *nlat.* Bildung). – Ferner stellt sich in diesen Zusammenhang das FW **spezifisch** „einer Sache ihrer Eigenart nach zukommend, arteigen, kennzeichnend" (18. Jh.). Es führt über entspr. *frz.* spécifique auf *spätlat.* specificus „von besonderer Art, eigentümlich" zurück (dessen Grundwort zu *lat.* facere „machen, tun" gehört).

Sphäre *v*: Gr. sphaīra „Ball, Kugel, Himmelskugel", das die Quelle unseres Fremdwortes ist, gelangte bereits in *ahd.* Zeit über gleichbed. *lat.* sphaera ins *Dt.* (beachte *ahd.* himelspēra, *mhd.* sp[h]ēre). Humanisten stellten im 16. Jh. auf gelehrtem Weg die relativisierte Form her. Seit dem 18. Jh. ist das FW allgemein üblich, sowohl im Bereich der Astronomie als auch (nach entspr. *frz.* sphère) allgemeinsprachlich im übertr. Sinne von „[Geschäfts]bereich, Wirkungskreis, Machtbereich usw." – Abl.: s p h ä - r i s c h „die [Himmels]kugel betreffend" (18. Jh.; nach entspr. *gr.* sphairikós, *lat.* sphaericus). – Beachte noch FW wie → Atmosphäre, in denen Sphäre als Grundwort erscheint.

Sphinx *w*: In der griech. Mythologie war die Sphinx ein sagenhaftes Ungeheuer mit dem Leib eines geflügelten Löwen und dem Kopf einer Frau. Sie saß vor den Toren der Stadt Theben. Jedem Vorüberkommenden gab sie ein Rätsel auf und tötete ihn, wenn er es nicht lösen konnte. Von daher wurde der Name Sphinx zum Sinnbild des rätselhaften Geheimnisses.

Spickaal *m* „geräucherter Aal": Das *niederd.* Wort ist seit Ende des 18. Jh.s im *Hochd.*

bezeugt. Schon im 13. Jh. kommt *mnd.* spic-herinc „Bückling" vor. Das erste Glied dieser Zusammensetzungen hat nichts mit 'Speck' zu tun. Vielmehr liegt das Adjektiv *mnd.* spik „geräuchert" zugrunde, das verwandt ist mit *schwed.* spicken „gesalzen, geräuchert", *norw.* spiken „dürr, geräuchert" (beachte *schwed.* spickelax „Räucherlachs") und wahrscheinlich selbst aus dem *Nordischen* kommt. Die weiteren Beziehungen des Adjektivs sind ungeklärt.

spicken: Das von dem unter → *Speck* behandelten Substantiv abgeleitete Verb *mhd.* spicken, *mnd.* specken, *niederl.* spekken bedeutet im eigtl. Sinn „mageres Fleisch mit Speckstreifen bestecken" (dazu S p i c k n a d e l, 16. Jh.), im älteren *Nhd.* auch „Speisen mit Füllung versehen". Man spricht daher übertr. von einem gespickten (gut gefüllten) Geldbeutel und gebraucht 'spicken' auch für „bestechen" (17. Jh.). In der Bed. „eine Rede oder schriftliche Arbeit mit Zitaten schmücken" wird 'spicken' schon *frühnhd.* bildlich gebraucht. Ein Plagiator (der sich 'mit fremden Federn schmückt') wird im 17. Jh. als 'Spicker' bezeichnet. Das Schülerwort s p i c k e n „heimlich abgucken, abschreiben" (Anfang des 18. Jh.s bezeugt, ähnlich schon im 17. Jh. nachspicken) kann von hier ausgegangen sein, es kann aber auch eine Intensivbildung zu dem unter → spähen behandelten Verb sein. Dazu *ugs.* S p i c k e r *m* „Buch oder Zettel zum Absehen" und Spickzettel (19. Jh.).

Spiegel *m*: Das auf das *dt.* und *niederl.* Sprachgebiet beschränkte Subst. *mhd.* spiegel, *ahd.* spiagal, *mnd.* spēgel, *niederl.* spiegel (die *nord.* Sippe von entspr. *schwed.* spegel stammt unmittelbar aus dem *Niederd.*) ist aus einer *roman.* Folgeform von *lat.* speculum „Spiegel; Spiegelbild, Abbild" entlehnt (vgl. *mlat.* spēglum und *it.* speglio). Das *lat.* Subst., das gleichbed. *gr.* kát-optron (zum Stamm *gr.* op- „sehen") wiedergibt, gehört als Ableitung zu dem mit *dt.* → spähen urverwandten Verb *lat.* specere (spectum) „sehen, schauen". Das Verb ist in der klass. Zeit als Simplex nicht bezeugt. Es findet sich hingegen in zahlreichen Komposita wie aspicere „hinsehen, anblicken" (s. das FW Aspekt), Inspicere „hin[ein]blicken, besehen, in Augenschein nehmen" (s. die FW inspizieren; Inspizient, Inspektor, Inspektion, Inspekteur), perspicere „mit dem Blick durchdringen, deutlich sehen, besehen" (s. Perspektive), prōspicere „aus der Ferne herabschauen, von fern besehen; sich umsehen; überblicken" (s. Prospekt) und *lat.* respicere „zurücksehen; Rücksicht nehmen" (s. Respekt, respektieren). – Einige andere Bildungen zu *lat.* specere spielen in unserem Fremdwortschatz eine Rolle. Vgl. hierzu im einzelnen die Artikel spezial (Spezialität, speziell, spezialisieren, Spezialist,

Spezi, spezifisch), spekulieren (Spekulant, Spekulation) und Spektakel. – Abl. und Zus. von 'Spiegel': s p i e g e l n ,,ein Spiegelbild geben, abbilden; (reflexiv:) sich abbilden'' (*mhd.* spiegeln ,,wie ein Spiegel glänzen; hell wie einen Spiegel machen''), davon das Subst. S p i e g e l u n g *w* ,,glänzender Widerschein'' (*mhd.* spiegelunge) und das zus. Verb v o r - s p i e g e l n ,,vortäuschen'' (18. Jh.; eigtl. etwa ,,ein Scheinbild von etwas geben, wie in einem Spiegel'') mit dem abgeleiteten Subst. V o r s p i e g e l u n g *w* ,,Vortäuschung'' (18. Jh.); Spiegelbild (16. Jh.); S p i e g e l - e i e r *Mehrz.* (18. Jh.; nach dem spiegelnden Glanz der Dotter); Spiegelfechten *s* ,,Scheinkampf, leeres Getue'' (Anfang 16. Jh.; der urspr. Sinn des Wortes ist nicht ganz klar, vielleicht ist eigtl. der Scheinkampf mit dem eigenen Spiegelbild gemeint, den ein Fechter zum Training vor einem Spiegel aufführt), davon das Subst. S p i e g e l f e c h t e r *m* ,,wer mit imaginären Gegnern kämpft; Aufschneider'' (Anfang 18. Jh.); E u l e n - s p i e g e l (s. Eule); R ü c k s p i e g e l (20. Jh.). **Spiel** *s*: Die Herkunft des Substantivs *mhd.*, *ahd.* spil, *niederl.* spel und des zugehörigen Verbs spielen (s. u.) ist unbekannt. Das Subst. bewahrte seine vermutliche Grundbed. ,,Tanz, tänzerische Bewegung'' (s. u. Spielmann) bis in *mhd.* Zeit, doch bedeutete es von Anfang an meist ,,Kurzweil, unterhaltende Beschäftigung, fröhliche Übung''. Länger als das Substantiv bewahrte das Verb s p i e l e n (*mhd.* spiln, *ahd.* spilōn, *niederl.* spelen, *aengl.* spilian) seine älteste Bed. ,,sich lebhaft bewegen, tanzen'', die freilich vom heutigen Sprachgefühl als ,,sich spielerisch bewegen'' empfunden wird (z. B. von Muskeln, Wellen, Lichtern, beachte die Zus. S p i e l r a u m, 18. Jh., eigtl. in techn. Sinn ,,Bewegungsraum eines Körpers in einem Hohlkörper''. Meist jedoch bedeutet 'spielen' ,,ein Spiel treiben, musizieren, mimisch darstellen'', es wird wie eine Zus. vielfach übertragen gebraucht. Beachte bes.: s p i e l e n d ,,leicht, mühelos'', sich a b s p i e l e n ,,vor sich gehen'', sich a u f s p i e l e n ,,großtun'' (beides vom Bühnenspiel stammend, 19. Jh.), 'jemandem etwas in die Hand spielen', z u s p i e l e n ,,heimlich verschaffen'', 17. Jh., wohl vom Kartenspiel), 'auf etwas a n s p i e l e n' ,,leicht andeuten'' (18. Jh., wohl eine LÜ von *lat.* allūdere; dazu A n - s p i e l u n g *w* ,,Andeutung'', 18. Jh., wohl eine LÜ von *lat.* allūsio). Abl.: S p i e l e r *m* (*mhd.* spilǣre ,,[Würfel]spieler'', *ahd.* spilāri ,,Handpaukenschläger, Mime'', *nhd.* bes. für ,,gewohnheitsmäßiger Glücksspieler''), dazu S p i e l e r e i *w* ,,unnützes oder leichtes Spielen; aus Spieltrieb geformter Gegenstand'' (16. Jh.) und s p i e l e r i s c h ,,tändelnd, verspielt'' (17. Jh.). Zum Subst. Spiel gehört u. a. die Zus. S p i e l m a n n (*mhd.* spilman, *ahd.* spiliman, *Mehrz.* *mhd.* spilliute; das

Wort bezeichnete urspr. den Schautänzer und Gaukler [zu *ahd.* spil ,,Tanz''], später den fahrenden Sänger und Musikanten des Mittelalters; seit dem 18. Jh. hießen bes. die Trommler und Pfeifer beim Militär 'Spielleute'). Zu 'spielen' stellen sich S p i e l a r t (18. Jh.), Spielsachen, -w a r e n (18. Jh.), S p i e l z e u g (17. Jh.; *frühnhd.* spilzög bedeutete ,,Brettspiel, Würfel und Karten'').

¹Spieß *m* ,,Bratspieß'': Der Name des alten Küchengeräts ist erst im *Nhd.* mit dem der Waffe zusammengefallen. *Mhd.*, *ahd.* spiz, *niederl.* spit ,,Bratspieß'', *engl.* spit ,,Bratspieß'', *schwed.* [stek]spett ,,[Brat]spieß'' beruhen auf einer Bildung zu dem unter → *spitz* behandelten Adjektiv und bedeuten eigtl. ,,Spitze, spitze Stange'' (der Bratspieß war urspr. ein zugespitzter Holzstab). Zum Unterschied von der Waffe wird das Gerät im *Nhd.* meist B r a t s p i e ß (*frühnhd.* bratspiß) genannt. Siehe auch den Artikel Spießrute.

²Spieß *m* ,,Kampf-, Jagdspieß'': Die Herkunft des Substantivs *mhd.* spiez, *ahd.* spioz, *mniederl.* spiet, *schwed.* spjut ist nicht geklärt. Der Spieß war eine Wurf- und Stoßwaffe, die erst im 13. Jh. durch den Speer des Ritters zurückgedrängt wurde, jedoch als typische Waffe der Landsknechte, Stadtbürger (s. u.) und Bauern weiterlebte. Die soldatensprachl. Bezeichnung 'Spieß' für den [Kompanie]feldwebel (um 1900) bezieht sich auf den Offizierssäbel, den dieser früher trug. Abl.: s p i e ß e n ,,auf den Spieß stecken, durchbohren'' (im 17. Jh. vermengt aus *spät-mhd.* [*mitteld.*] spiẓen ,,aufspießen'' und *mhd.* spiẓẓen ,,an den Bratspieß stecken'' [zu → ¹Spieß], heute meist in der Zus. aufspießen. Zus.: S p i e ß b ü r g e r ,,engstirniger Mensch'' (zuerst im 17. Jh. als stud. Scheltwort bezeugt, urspr. wohl, ähnlich wie Schildbürger [s. Schild], spöttische Bezeichnung des bewaffneten Stadtbürgers; seit dem 18. Jh. im heutigen Sinn), dafür zeist meist die Kurzform S p i e ß e r *m* (Ende des 19. Jh.s *mdal.*); entsprechend steht neben dem Adjektiv spießbürgerlich (nach 1800) die Kurzform s p i e ß i g ,,engstirnig, kleinlich'' (um 1900); S p i e ß g e s e l l e ,,Mittäter eines Verbrechers'' (im 16. und 17. Jh. soldat. für ,,Waffengefährte, Kamerad'', aber wegen der Zuchtlosigkeit der damaligen Soldaten seit dem 17. Jh. meist im heutigen Sinn gebraucht). **Spießrute** *w*: Als Bez. eines biegsamen spitzen Zweiges, der als Reitgerte und zur Züchtigung diente, gehörte älter *nhd.* spiß-, spießrute (17. Jh., ähnl. *mhd.* spizholz) zu dem unter → *¹Spieß* behandelten Wort. Die Wendung 'Spießruten laufen' bezeichnete urspr. eine harte militär. Strafe (17.—19. Jh.), wobei der Verurteilte durch eine Gasse seiner Kameraden laufen mußte, die ihn mit Spießruten schlugen. In übertr. Sinn bedeutete die Wendung früher auch ,,verleumdet, durchgehechelt werden", seit dem 19. Jh. bis heute nur ,,vielen [spöttischen] Blicken ausgesetzt sein".

Spikes *Mehrz.*: Die Bezeichnung für ,,Rennschuhe" wurde im 20. Jh. aus dem *Engl.* übernommen. *Engl.* spikes (*Mehrz.* von spike) bedeutet eigtl. ,,lange Nägel, Bolzen, Stacheln, Dornen usw." Es gehört etymologisch zu den unter →*Speiche* genannten Wörtern. Der Rennschuh ist also nach seinen charakteristischen, auf der Sohle angebrachten spitzen Stahldornen benannt.

spinal ,,zur Wirbelsäule, zum Rückenmark gehörig", häufig in der Fügung 'spinale Kinderlähmung': Gelehrte Entlehnung neuerer Zeit aus *lat.* spīnālis ,,zum Rückgrat gehörig" (beachte *lat.* spīnālis medulla ,,Rückenmark"). Stammwort ist *lat.* spīna ,,Dorn, Stachel; (übertr.) Rückgrat" (etymolog. verwandt mit *dt.* →*spitz*).

Spinat *m*: Die Heimat der Gemüsepflanze liegt im Orient, vermutlich in Persien. Die Araber brachten die Pflanze im 11. Jh. mit ihrem *pers.-arab.* Namen (*pers.* ispānāḫ, *arab.* isfānāḫ, isbānāḫ) nach Spanien (*hispanoarab.* ispināch, *span.* espinaca). Von dort aus gelangte sie in die anderen europ. Länder (vgl. z. B. *frz.* épinard, *it.* spinace, *niederl.* spinazie, *engl.* spinach). Die *roman.* und *germ.* Abkömmlinge des Wortes (im *Dt.* zuerst im 12. Jh. *mhd.* spinät) zeigen dabei lautlichen Anschluß an die Sippe von *lat.* spīna ,,Dorn" (wohl wegen der spitz auslaufenden Blätter der Pflanze).

Spind *m*: Das durch die Soldatensprache verbreitete Wort für ,,Kleider-, Vorratsschrank" stammt aus dem *Niederd.* Es geht zurück auf *mnd.* spinde ,,Schrank" (vgl. entspr. *niederl.* spinde ,,Speiseschrank"), das seinerseits aus *mlat.* spinda, spenda ,,Gabe, Spende; Vorrat zum Austeilen; Vorratsbehälter" entlehnt ist. Das *mlat.* Wort ist eine Substantivbildung zu dem unter →*spenden* entwickelten Verb *mlat.* spendere (< *lat.* ex-pendere) ,,ausgeben, aufwenden".

Spindel *w* ,,Vorrichtung zum Verdrillen der Fasern beim Spinnen": Das *westgerm.* Substantiv *mhd.* spinnel, spindel, *ahd.* spin[n]ala, *afries.* spindel, *engl.* spindle ist von dem unter →*spinnen* behandelten Verb abgeleitet (d ist als Gleitlaut zwischen n und l entstanden). Eine Nebenform *ahd.* spilla, *mhd.* spille ,,Spindel" lebt noch *mdal.* und in seemänn. Spill *s* ,,Seil-, Kettenwinde" (z. B. Ankerspill). Zus.: spindeldürr ,,mager wie eine Spindel" (19. Jh.).

Spinett *s*: Das bei uns seit dem 16. Jh. bekannte cembaloartige Musikinstrument trägt seinen aus dem *It.* entlehnten Namen (*it.* spinetta) vermutlich nach seinem Erfinder, einem Venezianer namens Giovanni Spinetti.

Spinne *w*: Der auf das *dt.* und *niederl.* Sprachgebiet beschränkte Name des Tieres (*mhd.*

spinne, *ahd.* spinna, *niederl.* spin) gehört zu dem unter →*spinnen* (eigtl. ,,Fäden ziehen") behandelten Verb und bedeutet ,,die Spinnende, Fadenziehende". Auch die andersgebildeten Wörter *engl.* spider (*aengl.* spīðra) ,,Spinne" und *schwed.* spindel (*aschwed.* spinnil) ,,Spinne" gehören zum gleichen Verb. Demnach hat also der Faden, nicht das Netz, die Germanen zur Namengebung veranlaßt. Zus.: spinnefeind ,,tödlich verfeindet" (in der jetzt ugs. Wendung ,,jemandem spinnefeind sein", im 16. Jh. spinne[n]feind; nach der Beobachtung, daß eine Spinne die andere anfällt und tötet); Spinn[en]gewebe *s*, *landsch.* Spinnwebe *w*, -web *s* ,,Spinnennetz" (*mhd.* spinne[n]weppe, *ahd.* spinnunweppi; zum Grundwort vgl. *Gewebe*).

spinnen: Das *gemeingerm.* starke Verb *mhd.* spinnen, *ahd.* spinnan, *got.* spinnan, *engl.* to spin, *schwed.* spinna ist verwandt mit der unter →*spannen* dargestellten *idg.* Wortgruppe und bezeichnet wohl das Ausziehen und Dehnen der Fasern, das dem Drehendes Fadens vorangeht. Bildungen zu 'spinnen' sind die unter →Spinne und →Spindel genannten Substantive; außerhalb des *Germ.* sind *lit.* spęsti ,,spannen, Fallstricke legen" und (ohne s-Anlaut) *lit.* pinti ,,flechten" zu vergleichen. Das Spinnen von Wolle, Flachs, Hanf und dgl. war seit alters vor allem Frauenarbeit. Seit dem 17. Jh. gab es Spinnhäuser als Strafanstalten, daher bedeutet 'spinnen' noch heute ugs. ,,im Zuchthaus sitzen". Auf die Spinnarbeit beziehen sich bildl. Wendungen wie 'Gedanken, Ränke spinnen', seemänn. 'ein Garn spinnen' (,,phantasievoll erzählen"; s. Garn) und das ugs. 'er spinnt' für ,,er ist verrückt" (im 19. Jh. *mdal.*, eigtl. ,,er spinnt Gedanken", d. h. ,,er grübelt zuviel"). Siehe auch den Artikel versponnen. Abl.: Gespinst (s. d.); Spinner *m* (im 15. Jh. ,,Spinnender", seit dem 18. Jh. Bezeichnung bestimmter Schmetterlinge, deren Raupen Fäden spinnen, z. B. des Seidenspinners). Zus.: Spinnrad (zuerst im 15. Jh. als spinnredlain bezeugt).

Spion *m* ,,Späher, Horcher; Person, die verbotene Informationen heimlich übermittelt": Das seit dem Anfang des 17. Jh.s bezeugte FW ist gleichbed. *it.* spione entlehnt. Dies gehört als Abl. zu *it.* spia ,,Späher, Beobachter" und damit weiter zu *it.* spiare ,,spähen; heimlich erkunden" (wie entspr. *frz.* espion ,,Spion" zu *afrz.* espier ,,ausspähen"). Die *roman.* Wörter stammen ihrerseits aus dem *Germ.* und beruhen letztlich auf dem unter →*spähen* genannten Verb. — Abl.: spionieren ,,für eine fremde Macht als Spion tätig sein; aushorchen, auskundschaften" (Ende des 17. Jh.s; nach gleichbed. *frz.* espionner); dazu seit dem 19. Jh. Abl. Spionage *w* ,,Tätigkeit eines Spions" (nach gleichbed. *frz.* espionnage).

Spirale w „ebene Kurve, die in unendlich vielen, immer weiter werdenden Windungen einen festen Punkt umläuft; Uhrfeder". Eine Neubildung des 18. Jh.s zu *mlat.* spīrālis „schneckenförmig sich windend". Das zugrunde liegende Subst. *lat.* spīra „gewundene Linie, in Schneckenlinie gewundener Körper" geht auf *gr.* speīra „Windung; Spirale" zurück.

Spiritismus m „Lehre von den vermeintlichen Beziehungen zwischen Verstorbenen und Lebenden; Geisterglaube": Gelehrte *nlat.* Bildung des 19. Jh.s zu *lat.* spīritus „Hauch, Atem; Seele, Geist" (vgl. *Spiritus*). – Dazu: S p i r i t i s t m „Anhänger des Spiritismus" (19. Jh.); s p i r i t i s t i s c h (19./20. Jh.).

Spirituosen *Mehrz.* „alkoholische Getränke": Eine junge Neubildung nach dem Vorbild von gleichbed. *frz.* spiritueux (*Mehrz.*) zu dem aus dem *Frz.* übernommenen und relativisierten Adj. spirituos „Weingeist enthaltend" (< *frz.* spiritueux), das heute nicht mehr gebräuchlich ist. Das *frz.* Adj. beruht auf einer gelehrten Abl. von dem unter →*Spiritus* genannten Alchimistenwort (spīritus „Weingeist").

Spiritus m ist die volkstümliche Bezeichnung für vergällten Äthylalkohol, der zu technischen und medizin. Zwecken verwendet wird; demgegenüber ist 'Spiritus' in der Apothekerfachsprache die übliche Bezeichnung für „Weingeist, Alkohol": Das aus *lat.* spīritus „Hauch, Lufthauch; Atem; Leben; Seele; Geist usw." beruhende FW gelangte im 16. Jh. in die Sprache der Alchimisten und wurde dort zur Bezeichnung einer aus Pflanzen oder anderen Stoffen destillierten Flüssigkeit. Von da aus ging das Wort im 17. Jh. in allgemeinen Sprachgebrauch über. Die spezielle Bed. „Weingeist" findet sich seit dem 18. Jh. – *Lat.* spīritus, das auch die Quelle für das aus dem *Frz.* aufgenommene FW → Esprit ist, gehört als Substantivbildung zu *lat.* spīrāre „blasen; hauchen, atmen; leben" (beachte dazu die auf spīrāre beruhenden Komposita FW → Aspirant und → Inspiration, inspirieren). – Jüngere, zu 'Spiritus' (bzw. *lat.* spīritus) gehörende Neubildungen erscheinen in den FW → Spirituosen, → Sprit und → Spiritismus, Spiritist.

spitz: Das urspr. nur *hochd.* Adjektiv *mhd.* spiz, spitze, *ahd.* spizzi ist nahe verw. mit dem unter → ¹Spieß „Bratspieß" (eigtl. „Spitze") behandelten *altgerm.* Substantiv. Beide Wörter gehen mit verwandten Wörtern in anderen *idg.* Sprachen zurück auf die vielfach erweiterte und weitergebildete *idg.* Wz. *[s]p[h]ēi- „spitz, spitzes Holzstück", vgl. z. B. *aind.* sphyá-ḥ „Holzspan, Stab", *lat.* spīna „Dorn, Rückgrat" (s. spinal) und *lat.* spīca „Ähre" (s. das LW → Speicher). Aus dem *germ.* Bereich stellen sich noch die unter → Speiche behandelten Substan-

tive hierher. Abl.: S p i t z m „Hunderasse mit spitzer Schnauze und spitzen Ohren" (im 18. Jh. zuerst in Pommern bezeugt, wohl das substantivierte Adj. spitz); S p i t z e w „spitzes Ende" (*mhd.* spitze, *ahd.* spizza, spizzī; in der Bed. „Garngeflecht", eigtl. „in Zacken auslaufende Borte", zuerst im 17. Jh.); S p i t z e l m „Aushorcher, Spion" (zuerst in Wien Anfang des 19. Jh.s, eigtl. wohl Verkleinerungsform des Hundenamens Spitz; der Spitz ist besonders wachsam), dazu das Verb [be]spitzeln (19. Jh.) und die Zus. Lockspitzel (s. locken); s p i t z e n „spitz machen" (*mhd.* spitzen, *ahd.* gispizzan); s p i t z i g (*mhd.* spitzec). Zus.: S p i t z - bube (s. Bube); spitzfindig (s. finden); S p i t z m a u s (Insektenfresser mit spitzer Schnauze; *mhd.* spitz-, *spätahd.* spizzimūs; dafür *ahd.* spizza „die spitze [Maus]"); S p i t z n a m e „scherzhafter oder spottender Name" (17. Jh.); urspr. als „beleidigender Name" empfunden, zu 'spitz' in der Bed. „verletzend").

Spleen m „verrückter Einfall; wunderliche Angewohnheit; Verschrobenheit; Eingebildetheit": Das seit dem 18. Jh. bezeugte FW ist aus dem *Engl.* entlehnt. *Engl.* spleen, das auf *gr.-lat.* splēn „Milz" beruht, bedeutet wie dieses zunächst „Milz", dann auch etwa „Milzsucht" und schließlich im übertr. Sinne „(durch Erkrankung der Milz verursachte) Gemütsverstimmung, Mißlaune usw." Abl.: spleenig „schrullig, verrückt, überspannt; eingebildet" (18. Jh.).

spleißen (*landsch.* für:) „fein spalten", seemänn. für „Stränge ineinanderflechten": Das nur im *mitteld.-niederd.* und im *niederl.* Sprachgebiet gebräuchliche Verb *mnd.* splīzen „bersten, [sich] spalten", *mnd.* splīten, *niederl.* splijten „spalten" erscheint mit mehreren Nebenformen, z. B. gleichbed. *niederd.*, *mniederl.* splitten (daraus *engl.* to split „spalten" mit dem neuerdings ins *Dt.* entlehnten steuertechn. Fachwort Splitting s, eigtl. „das Aufspalten, Teilen") und das jüngere *niederd.* splissen, *niederl.* splitsen (s. u.). Als Substantivbildung gehört das unter → Splitter behandelte Wort zu dieser Sippe, die sich weiterhin an die unter → spalten dargestellte *idg.* Wortgruppe anschließt. Verwandt sind wahrscheinlich auch die unter → Fliese und → Flinte genannten *germ.* Substantive (ohne s-Anlaut). In der *dt.* Seemannssprache erscheinen 'spleißen' und 'splissen' seit Anfang des 18. Jh.s mit der Bed. „Stränge kunstgerecht ineinanderflechten". Urspr. war damit wohl das Auflösen des Taues in seine Stränge gemeint, das dem Flechten vorausgeht.

Splitter m „abgespaltenes oder abgesprungenes Stück": Das Substantiv *mhd.* splitter, *mnd.* splittere gehört zu der unter → *spleißen* behandelten Wortgruppe. Es wurde erst durch die Lutherbibel gemeinsprachlich.

Abl.: splittern (16. Jh.). Zus.: splitternackt ugs. verstärkend für „völlig nackt" (mnd. im 15. Jh. splitternaket), mit weiterer Verstärkung splitterfasernackt (17. Jh.; beide Ausdrücke sind nicht sicher zu erklären). Gedankensplitter „Aphorismus" (20. Jh.).

spontan „aus eigenem innerem Antrieb, einer plötzlichen Eingebung folgend; unmittelbar; freiwillig; von selbst": Gelehrte Entlehnung des 18. Jh.s aus spätlat. spontáneus „freiwillig; frei". Stammwort ist lat. spóns (spontis) „[An]trieb, freier Wille".

sporadisch „vereinzelt [vorkommend]; verstreut; gelegentlich; selten": Im 18./19. Jh. aus gleichbed. frz. sporadique entlehnt, das seinerseits auf gr. sporadikós „verstreut" zurückgeht. Zu gr. speírein „streuen; säen; sprengen, spritzen" (verwandt mit dt. →sprühen).

Spore w 1. „ungeschlechtliche Fortpflanzungszelle von Pflanzen", 2. „Dauerform von Bakterien": Gelehrte Entlehnung des 19. Jh.s aus gr. sporá „das Säen, die Saat; der Same". Zu gr. speírein „streuen; säen usw." (verwandt mit dt. →sprühen).

Sporn m: Das altgerm. Substantiv mhd. spor[e], ahd. sporo, niederl. spoor, engl. spur, schwed. sporre gehört zu der unter → Spur dargestellten Wortgruppe. Das -n der nhd. Form ist aus den flektierten Fällen in den Nominativ eingedrungen (beachte die Mehrz. Sporen). An die alte Stachelform des Sporns erinnert u. a. noch die Übertragung des Wortes auf die Blütenfortsätze bestimmter Pflanzen (z. B. des Rittersporns, s. Ritter). Goldene Sporen waren früher ein Vorrecht des Ritters, das vor dem Ritterschlag verdient werden mußte; daher bedeutet 'seine Sporen verdienen' noch heute „sich erstmals bewähren". Abl.: spornen „dem Pferd die Sporen geben" (17. Jh., dafür älter nhd. und mhd. sporen; die frühere zweite Bed. „mit Sporen versehen" ist noch in der Fügung 'gestiefelt und gespornt' erhalten), dazu anspornen „antreiben, ermuntern" (im 17. Jh. ansporen, fast immer übertr. gebraucht) mit der Rückbildung Ansporn m „Antrieb zu tatkräftigem Handeln" (19. Jh.). Zus.: Heißsporn (s. unter heiß); spornstreichs „in größter Eile" (im 16. Jh. spornstraichs „in schnellstem Galopp", adverbieller Gen. zu älter nhd. Sporenstreich „Schlag mit dem Sporn"; zur Bildung vgl. flugs).

Sport m: Die großen sportlichen Bewegungen in Europa des 19. und 20. Jh.s sind nicht denkbar ohne die entscheidenden Einflüsse und Impulse, die von England und den angelsächsischen Ländern, in jüngster Zeit gerade auch von Amerika (USA) ausgegangen sind und die für die strukturelle Entwicklung des Sports als Ausgleichs- und Leistungssport in den anderen Nationen maßgebend geworden sind. Diese Situation

spiegelt sich wider in der Fülle von Fremdwörtern auf dem Gebiet des Sports, die im 19. und 20. Jh. aus dem Engl. und Amerik. gerade auch ins Deutsche übernommen wurden und weiterhin übernommen werden. Es sind dies nicht nur allgemeine Sportausdrücke wie →fair, Fairneß, →trainieren, Training, Trainer, →Champion, →Rekord, →Handikap u. a. Es sind vor allem Fachausdrücke aus den verschiedensten sportlichen Disziplinen wie →foul, foulen, →dribbeln, Dribbling, →kicken, →stoppen, stopper (Fußball); beachte auch LÜ wie →Aus und →Halbzeit), →boxen, Boxer (Boxsport), →Sprint, sprinten, Sprinter, →Spurt, spurten, →Start, starten (Leichtathletik), →Derby, →Jockei, →Box (Pferdesport), →¹kraulen, →Kanu, →Paddel, paddeln (Schwimmen u. Wassersport) und zahlreiche andere mehr. – Zu den allgemeinen Sportausdrücken, die aus dem Engl. aufgenommen wurden, gehört auch das Wort 'Sport' selbst. Es wurde in den zwanziger Jahren des 19. Jh.s als umfassende Bezeichnung für alle mit der planmäßigen Körperschulung und mit der körperlichen Betätigung im Wettkampf und Wettspiel zusammenhängenden Belange aus gleichbed. engl. sport entlehnt. Das engl. Wort seinerseits, das eigtl. „Zerstreuung, Vergnügen, Zeitvertreib, Spiel" bedeutet und das seine spezielle Bedeutung mit der Entwicklung des modernen Wettkampfes und Leistungssports erlangte, ist eine Kurzform von engl. disport „Zerstreuung, Vergnügen". Dies ist entlehnt aus gleichbed. afrz. desport, einer Substantivbildung zu afrz. [se] de[s]porter „[sich] zerstreuen, [sich] vergnügen". Dessen Quelle ist lat. dē-portāre „fortbringen" (zu lat. portāre „tragen, bringen", vgl. Porto) mit einer im Vlat.-Roman. entwickelten Spezialbedeutung „zerstreuen, vergnügen". – Abl. und Zus.: sportlich (Ende 19. Jh.); Sportler m (20. Jh.); Sportsmann (19./20. Jh.; nach engl. sportsman).

spotten: Das altgerm. Verb mhd. spotten, ahd. spottōn, niederl. spotten, schwed. spotta steht mit ausdrucksbetonter Konsonantenverdoppelung neben gleichbed. ahd. spotōn, spotisōn mit einfachem t. Es ist sehr wahrscheinlich verwandt mit dt. Mundartwörtern für „speien" wie westmitteld. spützen (14. Jh., entspr. engl. to spit) und oberd. speuzen (16. Jh.), bedeutet also eigtl. „vor Abscheu ausspucken". Zur Bedeutungsentwicklung vgl. lat. dēspuere „ausspucken; verabscheuen". Neben 'spotten' steht das Subst. Spott m „Hohn" (mhd., ahd. spot, niederl. spot, schwed. spott). Abl. vom Verb: spötteln „leicht, ironisch spotten" (16. Jh.); Spötter m (mhd. spottære „Spottender", spätahd. spottari „gewerbsmäßiger Spaßmacher"; seit dem 18. Jh. auch Bezeichnung verschiedener Vögel, die die Stimmen anderer

Vögel nachahmen); spöttisch (16. Jh.; als Adv. *spätmhd.* spöttischen). Zus.: Spottvogel (wie 'Spötter' früher Bezeichnung verschiedener Vögel; seit dem 15. Jh. auf spöttische Menschen übertragen).

Sprache *w*: Das *westgerm.* Wort *mhd.* sprâche, *ahd.* sprâhha, *niederl.* spraak, *aengl.* sprǣc ist eine Substantivbildung zu dem unter →*sprechen* behandelten Verb. Es bezeichnet eigtl. den Vorgang des Sprechens und das Vermögen zu sprechen. Die noch im *Mhd.* vorhandenen Bedeutungen „Rede; Beratung, Verhandlung" sind im *Nhd.* auf Zus. wie An-, Aus-, Mit-, Rücksprache beschränkt, die meist von verbalen Zus. mit →*sprechen* abgeleitet sind; s. auch den Artikel Gespräch. Abl.: sprachlich „die Sprache betreffend" (19. Jh.). Zus.: Sprachforscher (18. Jh.); Sprachlehre „Grammatik" (im 17. Jh. neben gleichbed. älterem 'Sprachkunst'); sprachlos „im Augenblick unfähig zu sprechen" (*mhd.* sprâchlōs, *ahd.* sprâhhalōs); Sprachwissenschaft (18. Jh.).

Spray *m* „Flüssigkeitszerstäuber; Sprühflüssigkeit": Im 20. Jh. aus gleichbed. *engl.* spray entlehnt. Neben dem Substantiv steht das Verb *engl.* to spray „[be]spritzen; sprühen, zerstäuben", das unser gleichbed. sprayen (20. Jh.) lieferte. Über weitere etymolog. Zusammenhänge vgl. den Artikel *sprühen*.

sprechen: Das *westgerm.* starke Verb, zu dem als Substantive →Sprache →Spruch und die Zus. →Sprichwort gehören, lautet *mhd.* sprechen, *ahd.* sprehhan, *niederl.* spreken, *aengl.* sprecan. Es ist nicht sicher erklärt; möglicherweise besteht Verwandtschaft mit *aisl.*, *schwed.* spraka „knistern, prasseln", so daß 'sprechen' urspr. vielleicht ein lautmalendes Wort war. Unklar bleibt auch das Verhältnis zu den r-losen Verben *ahd.* spehhan, *aengl.* specan, *engl.* to speak „sprechen". – Abl.: Sprecher *m* „Sprechender; Wortführer einer Gruppe" (*mhd.* sprechǣre, *spätahd.* sprehhari; die ältere Bildung *ahd.* [furi]sprehho lebt noch in *schweiz.* Fürsprech *m* „Rechtsanwalt" fort), dazu die Gerätenamen Fernsprecher (s. fern) und Lautsprecher (s. laut). Zus.: absprechen (*spätmhd.* für „aberkennen"; „verabreden"), dazu Absprache „Vereinbarung" (18. Jh.), und absprechend „ungünstig urteilend" (18. Jh.); ansprechen „anreden, bitten; gefallen" (*mhd.* anesprechen, *ahd.* anasprehhan), dazu Ansprache „kurze Rede" (älter *nhd.* für „Anspruch, Anklage", wie *mhd.* ansprâche, *ahd.* anasprâhha), Anspruch „rechtl. Forderung" (*mhd.* anspruch) und ansprechend „wohlgefällig" (um 1800); zu veraltetem einsprechen „hineinreden, widersprechen" (*spätmhd.* însprechen) stellt sich Einspruch „Widerrede" (16. Jh.), „gerichtl. Beschwerde" (18. Jh.); zusprechen „trösten, ermuntern, beruhigen; ge-

richtlich zuerkennen; (Trank und Speise) genießen" (*mhd.* zuosprechen „zu jemandem sprechen, anklagen"), dazu Zuspruch „Trost; Zulauf" (17. Jh.). Präfixbildungen: besprechen „über etwas reden" (im 20. Jh. 'ein Buch, eine Aufführung besprechen' „rezensieren"), früher auch „anreden" (dazu 'eine Krankheit besprechen', d. h. „beschwörend anreden", 16. Jh.; *mhd.* besprechen „anreden, sich beraten, verabreden", *ahd.* bisprehhan), dazu Besprechung *w* (18.Jh.); entsprechen „gemäß sein" (*mhd.* entsprechen „entgegnen, antworten"; im 16. Jh. *südwestd.* [wohl nach dem Vorbild von *frz.* répondre] „gemäß sein", im 18. Jh. in dieser Bedeutung schriftsprachlich), dazu das adjektiv. 1. Part. entsprechend (19. Jh.); versprechen „zusichern; hoffen, erwarten lassen", (reflexiv:) „versehentlich falsch sprechen" (*mhd.* versprechen, *ahd.* farsprehhan in teilweise abweichenden Bedeutungen), dazu Versprechen *s* „Zusicherung" (substantiv. Infinitiv, 16. Jh.) und gleichbed. Versprechung *w* (*spätmhd.* versprechunge; heute meist in der *Mehrz.* gebraucht).

spreizen: Das nur *dt.* Verb ist die entrundete Form von älter *nhd.*, *spätmhd.* spreutzen (*mhd.* spriuzen, spriuzen, *ahd.* spriuzan) und bedeutete urspr. „stemmen, mit einem Strebebalken stützen". Erst im *Nhd.* hat es die Bed. „auseinanderstrecken, -breiten", reflexiv übertr. „sich sperren, sich zieren; großtun" entwickelt. Das Wort gehört zu dem unter →*sprießen* dargestellten Verb; es geht wohl von der Vorstellung des gewachsenen Zweiges aus.

Sprengel *m* „Amtsbezirk [eines Bischofs oder Pfarrers]": *Mhd.*, *mnd.* sprengel „Weihwasserwedel" gehört als Gerätname zu →sprengen in dessen Bed. „spritzen". Das Gerät galt als Amtszeichen und Sinnbild der geistlichen Gewalt, sein Name wurde daher im *Mnd.* des 15. Jh.s auf den kirchlichen Amtsbezirk übertr. (eigtl. „soweit der Bischof Weihwasser spenden darf"). Durch Luther wurde das Wort in dieser Bed. im *Nhd.* üblich, wo es später auch für weltliche Bezirke (Gerichtssprengel) gebraucht werden konnte.

sprengen: Das *altgerm.* Verb *mhd.*, *ahd.* sprengen, *niederl.* sprengen, *aengl.* sprengan, *schwed.* spränga bedeutet als Veranlassungswort zu dem unter →*springen* behandelten Verb eigtl. „springen machen". Im *Dt.* hat es drei verschiedene Bedeutungen ausgebildet: Intransitiv steht es für „galoppieren" (früher in der Wendung 'das Pferd sprengen'; schon *mhd.* oft unter Weglassung des Objekts). Transitiv bedeutet 'sprengen' einerseits „spritzen" ('Wasser sprengen', mit Objektswechsel 'die Wäsche, den Rasen sprengen'; dazu besprengen [*mhd.* besprengen] und die Wendung 'Lügen, Gerüchte aussprengen' „verbreiten", 16. Jh.; s. a.

Sprengel). Anderseits hat das Wort die Bed. ,,bersten lassen, mit Gewalt auseinandertreiben, zerstreuen" entwickelt, wobei seit dem 17. Jh. bes. das Sprengen (von Pulver und anderen 'Sprengstoffen' gemeint ist; dazu zersprengen ,,durch Sprengen zerstören" (*mhd.* für ,,zerstreuen") und versprengen ,,auseinanderjagen, abseits treiben" (16. Jh.) mit dem adjektiv. 2. Part. versprengt (bes. von Herden und Soldaten).

Sprenkel *m* ,,Fleck": Das auf das *dt.* und *niederl.* Sprachgebiet beschränkte Substantiv (*mhd.* sprinkel, *mitteld.* sprenkel, *niederl.* sprenkel ,,Tupfen, Spritzfleck") steht als nasalierte Form neben gleichbed. *mhd.* spreckel, dem außerhalb des *Dt.* z. B. *schwed. mdal.* spräkkel ,,kleiner Fleck" entspricht. Häufiger ist das abgeleitete Verb sprenkeln ,,durch Flecken bunt machen" (17. Jh.; *niederl.* sprenkelen; älter *nhd.* auch spreckeln) mit dem adjektiv. 2. Part. gesprenkelt ,,getupft" (zum entspr. *engl.* to sprinkle ,,besprengen" gehört das FW Sprinkler *m* ,,Berieselungsgerät"). Diese *germ.* Wörter gehören wohl zu der unter →*sprühen* dargestellten *idg.* Wortgruppe.

Spreu *w* ,,Getreidehülsen, Abfall beim Dreschen": Das nur *dt.* Wort (*mhd.* spriu, *ahd.* spriu) gehört zu der unter →*sprühen* dargestellten *idg.* Wortgruppe und bedeutet eigtl. ,,Stiebendes, Sprühendes". Das gedroschene Korn wurde urspr. in den Wind geworfen, wobei die leichte Spreu verstob und die Körner zu Boden fielen. Die übertr. Bed. ,,Wertloses" (schon *mhd.*) schließt vor allem an den Gebrauch des Wortes in biblischen Gleichnissen an.

Sprichwort *s*: Das erste Glied der Zusammensetzung *mhd.* sprichwort ,,geläufiges Wort, sprichwörtl. Redensart, Sprichwort" gehört zu dem unter →*sprechen* behandelten Verb; doch ist die Entstehung der Zusammensetzung nicht sicher erklärt. Die jetzt veraltete Form Sprüchwort (16. Jh.) war irrtümlich an 'Spruch' angelehnt worden; gleichbed. *niederl.* spreekwoord (15. Jh., eigtl. ,,Sprechwort") ist anders gebildet. Urspr. bezeichnete 'Sprichwort' wie die älteren *mhd.* Fügungen 'altsprochen wort', 'gemeinez wort' eine geläufige Redewendung, erst in neuerer Zeit wurde es eingeengt auf die Bed. ,,kurzer, volkstümlicher Satz, der eine praktische Lebensweisheit enthält" (z. B. 'Gelegenheit macht Diebe'). Abl.: sprichwörtlich (18. Jh.).

sprießen: Neben dem starken Verb *mhd.* sprieʒen ,,auseinander-, emporwachsen" stehen ablautend mit gleicher Bed. *mhd.* sprūʒen, *asächs.* sprūtan, *niederl.* spruiten, *engl.* to sprout, mit anderer Bed. *schwed.* spruta, *dän.* sprude ,,spritzen" (älter *dän.* auch ,,sprießen"). Dazu treten die unter →Sprosse und →Sproß behandelten Substantive

sowie die unter →spritzen und →spreizen dargestellten Verben. Mit der Grundbed. ,,aufspringen, schnell hervorkommen" gehört 'sprießen' zu der unter →*sprühen* dargestellten *idg.* Wortgruppe. – Das übertr. gebrauchte Adj. ersprießlich ,,gedeihlich, förderlich" (zu *mhd.* erspri: eʒen ,,aufsprießen, frommen, helfen") ist eine Bildung der *frühnhd.* Kanzleisprache (16. Jh.).

springen: Das *altgerm.* Verb *mhd.* springen, *ahd.* springan, *niederl.* springen, *engl.* to spring, *schwed.* springa bedeutete urspr. ,,aufspringen, hervorbrechen". Es ist verwandt mit *gr.* spérchesthai ,,einherstürmen, eilen" und gehört mit der unter →Sprung behandelten Substantivbildung zu der unter →Spur dargestellten *idg.* Wortgruppe. Im *Dt.* wurde 'springen' zuerst von Quellen gesagt (wie heute noch entspringen, s. u.). Die Bed. ,,bersten" (schon im *Aisl.* bezeugt) zeigt sich erst im 17. Jh. (z. B. 'ein Glas springt', 'Knospen springen [auf]'). Zus. und Präfixbildungen: beispringen ,,helfen" (17. Jh.); überspringen ,,überholen, übergehen, auslassen" (schon *ahd.* ubarspringan wurde bildlich gebraucht); vorspringen ,,nach vorn springen; [weit] hervorstehen" (*mhd.* vor-, vürspringen ,,besser springen, vortanzen"; in der Bed. ,,[weit] hervorstehen" erst im 18. Jh.), dazu Vorsprung ,,Raumgewinn im Wettlauf; Hervorstehendes" (in der 1. Bed. *mhd.* vorsprunc); bespringen ,,begatten" (von Tieren, 18. Jh.; älter *nhd.* auch für ,,angreifen, belagern"); entspringen ,,hervorquellen; entlaufen" (*mhd.* entspringen, *ahd.* intspringan; im *Mhd.* auch für ,,hervorsprießen"). – Abl.: Springer *m* (*mhd.* springer ,,Tänzer, Gaukler"; seit dem 17. Jh. Name einer Schachfigur). – Nominale Zus.: Springbrunnen (im 17. Jh. für ,,Quelle"; nach 1700 als Verdeutschung für Fontäne, s. d.); Springflut ,,große Flut bei Neu- oder Vollmond" (17. Jh.); Springkraut (16. Jh., Name verschiedener Pflanzen, die ihre Samen wegschleudern); Springinsfeld *m* (eigtl. ,,ich springe ins Feld", urspr. Spitzname von Landsknechten, Handwerksburschen und dgl., seit Ende des 16. Jh.s allgemeine Bezeichnung des Leichtfüßigen, Unbekümmerten).

Sprint *m* ,,Kurzstreckenlauf" (Sport): Im 20. Jh. aus gleichbed. *engl.* sprint entlehnt. Das Verb *engl.* to sprint ,,schnell rennen; über eine Kurzstrecke laufen" lieferte gleichzeitig unser gleichbed. FW sprinten. Dazu als Substantivbildung Sprinter *m* ,,Kurzstreckenläufer" (20. Jh.; aus gleichbed. *engl.* sprinter).

Sprit *m*: Eine im 19. Jh. zuerst in Norddeutschland aufgekommene volkstümliche Umbildung von →Spiritus ,,Weingeist, Alkohol", formal stark an *frz.* esprit ,,Geist, Weingeist" angelehnt. Heute ist das Wort in der allgem. Umgangssprache als Bezeichnung für „Treibstoff, Benzin" weit verbreitet.

spritzen: Das nur *dt.* Verb ist die entrundete Form (seit dem 16. Jh.) von älter *nhd.*, *mhd.* sprützen (entspr. *niederd.* sprütten). Es gehört mit der Grundbed. „hervorschießen" zu der unter →*sprießen* behandelten Wortgruppe (*spätmhd.* sprutzen bedeutet auch „sprossen"). Abl.: Spritze *w* „Gerät zum Spritzen" (*mhd.* sprütze, sprutze; seit dem 15. Jh. in der Bed. „Feuerspritze", seit dem 17. Jh. für ärztl. Instrumente gebraucht, jetzt auch für „Injektion"); Spritzer *m* „angespritzter Fleck" (19. Jh.; älter *nhd.* für „Spritzender; Spritzgerät"); spritzig „prickelnd, anfeuernd" (im 17. Jh. spritzicht). Zus.: Spritzfahrt, -tour *ugs.* für „kleiner Ausflug" (vor 1850, stud.).

spröde: Das erst Ende des 15. Jh.s bezeugte, nur *dt.* Adjektiv bedeutet „unbiegsam, brüchig, leicht springend" (bes. im Hüttenwesen von Metallen gesagt). Es ist wohl verwandt mit *fläm.* sprooi „gebrechlich", *mengl.* sprēþe „gebrechlich", weiterhin vielleicht mit der unter →*sprühen* dargestellten Wortgruppe. Von Anfang an oft übertr. gebraucht, bedeutet 'spröde' sowohl „unbildsam, schwer zu bearbeiten" (von [literarischen] Stoffen) wie „unfreundlich, abweisend" (vom menschlichen Charakter). Abl.: Sprödigkeit *w* (17. Jh.).

Sproß *m* „Pflanzentrieb": Das urspr. von →*Sprosse* nicht klar geschiedene *dt.* Wort erscheint im 15. Jh. als spruß, sproß mit der heutigen Bedeutung. Im 18. Jh. kommt die übertr. Bed. „Kind, Nachkomme" auf. Abl.: sprossen, „Sprossen treiben, wachsen" (16. Jh.); Sprößling scherzh. für „Sohn" (im 15. Jh. sprößling „Pflanzenschößling", sprüßling „heranwachsender Knabe").

Sprosse *w* „Querholz der Leiter", (weidmänn. für:) „Ende am Hirschgeweih oder Rehgehörn": Das *altgerm.* Substantiv *mhd.* sprozze, *ahd.* sprozzo „Leitertritt", *mniederl.* sprote (*niederl.* sport) „Leitertritt", *aengl.* sprota „Zweig, Sproß, Pflock, Nagel", *aisl.* sproti „Zweig, Stab" ist eine Bildung zu dem unter →*sprießen* behandelten Verb. Das Wort bewahrt vielleicht die Erinnerung an die älteste Form der Leiter, den Baumstamm mit Aststümpfen; doch kann ihm auch der Begriff „kurze Stange" zugrunde liegen. Die Nebenform →*Sproß* wird erst seit dem 18. Jh. von 'Sprosse' getrennt. Die weidmänn. Bed. „Geweihende" zeigt 'Sprosse' (seltener 'Sproß') ebenfalls erst im 18. Jh., sie kann als „Querstange" oder als „Zweig" verstanden werden.

Spruch *m*: Das auf das *dt.* und *niederl.* Sprachgebiet beschränkte Wort (*mhd.* spruch, *mniederl.* sproke, spröke, *niederl.* spreuk) ist eine Substantivbildung zu dem unter →*sprechen* behandelten Verb und bedeutete zunächst „Gesprochenes" (heute in Zus. wie Funkspruch und abgeleiteten Bildungen wie An-, Ein-, Zuspruch). Gewöhnlich aber bezeichnet es einen einmaligen Ausspruch (z. B. Trinkspruch, jurist. Schieds-, Urteilsspruch) oder in einer bestimmter Form gefaßte [lehrhafte] Aussage (Wahl-, Sinn-, Bibelspruch, Zauberspruch usw.). Als literaturwiss. Fachwort (schon *mhd.* spruch bedeutete auch „gesprochenes Gedicht") meint 'Spruch' ein lyrisches Gedicht mit polit. oder moral. Inhalt. Die *ugs.* Wendung 'Sprüche machen' für „leere oder prahlende Reden führen" stammt aus der *südd.* Soldatensprache um 1900. Zus.: spruchreif „reif zur Entscheidung" (Ende des 19. Jh.s).

sprudeln: Das seit Ende des 17. Jh.s bezeugte *hochd.* Verb bed. „heftig aufwallen" (von kochendem Wasser, Quellen und dgl.), übertr. auch „schnell, überhastet reden". Es ist wohl unter Einwirkung von *landsch.* prudeln „brodeln" aus →*sprühen* weitergebildet worden. Dazu Sprudel *m* „[Heil]quelle; kohlensaures Mineralwasser" (18. Jh.; bes. Name der Hauptquelle in Karlsbad).

sprühen: Das *dt.* Wort, dem *niederl.* sproeien „besprengen" entspricht, ist erst im 16. Jh. bezeugt (beachte aber das früh entlehnte *afrz.* esproher „besprengen"). Es steht ablautend neben *mhd.* sprǣjen „spritzen, stieben" und gleichbed. *mniederl.* spraeien (daraus wohl *engl.* to spray, s. Spray). In den *nord.* Sprachen ist z. B. *schwed. mdal.* språ „spritzen, sich öffnen, bersten" verwandt. Die genannten *germ.* Verben gehören mit verwandten Wörtern in anderen *idg.* Sprachen zu der vielfach weitergebildeten und erweiterten *idg.* Wz. *sp[h]er[ə]- „streuen, sprengen, sprühen, spritzen", vgl. z. B. *gr.* speírein „streuen, säen, spritzen" (s. die FW Spore und sporadisch). Aus dem *germ.* Sprachbereich stellt sich u. a. das unter →*Spreu* (eigtl. „Stiebendes") dargestellte Substantiv in diesen Zusammenhang, vielleicht auch die unter →*Sprenkel* (eigtl. „Spritzer") und →*spröde* (eigtl. „leicht springend") behandelten Wörter. Ferner gehört die unter →*sprießen* (s. dort über spritzen, spreizen, Sproß, Sprosse) behandelte Wortsippe zu der genannten *idg.* Wurzel. Diese ist wahrscheinlich identisch mit der unter →*Spur* dargestellten *idg.* Wz. *sp[h]er[ə]- „zucken, schnellen". Siehe auch den Artikel sprudeln.

Sprung *m*: Das auf den *dt.* und *niederl.* Sprachbereich beschränkte Wort (*mhd.*, *spätahd.* sprunc, *niederl.* sprong) ist eine Substantivbildung zu dem unter →*springen* behandelten Verb. Die Bed. „aufgesprungener Spalt" (in Glas, Porzellan und anderen harten Stoffen) erscheint erst zu Anfang des 18. Jh.s. Abl.: sprunghaft „unstet; jäh" (19. Jh.). Zus.: Gedankensprung (Ende des 18. Jh.s). Zur *mhd.* Bed. „Quelle" s. Ursprung.

spucken: Das zuerst im 16. Jh. im *Ostmitteld.* bezeugte Verb hat im neueren Sprachgebrauch das alte →*speien* verdrängt, zu dessen großer Sippe es, wohl als Intensivbildung, gehört. Abl.: S p u c k e *w ugs.* für „Speichel" (18. Jh.).

Spuk *m* „Gespenst[ererscheinung], gespenstiges Treiben": Das urspr. nur *niederd.* und *niederl.* bezeugte Wort (*mnd.* spōk, spūk, *niederl.* spook) wurde erst im 17. Jh. ins *Hochd.* übernommen. Seine Herkunft ist nicht geklärt. Das zugehörige Verb s p u k e n (um 1600 *hochd.* aus *mnd.* spōken, *niederl.* spoken) bedeutet „als Geist umgehen", übertr. auch „sein Wesen treiben". Das Adj. s p u k h a f t „gespenstisch" (19. Jh.) geht auf *niederd.* spōkhaftig, *mnd.* spōkaftich zurück.

Spule *w*: Die *germ.* Substantive *mhd.* spuol[e], *ahd.* spuolo, spuola, *niederl.* spoel, *schwed.* spole bezeichneten urspr. eine Art flaches, langes Holzstück zum Aufwickeln der Webfäden. Es gehören wahrscheinlich im Sinne von „Span, abgespaltenes Holzstück" zu der unter →*spalten* dargestellten Wortgruppe. Abl.: s p u l e n (*mhd.* spuolen, *niederl.* spoelen; heute meist als auf- oder abspulen gebraucht). Zus.: S p u l w u r m (15. Jh., nach der Gestalt).

spülen: Herkunft und Verwandtschaft des *westgerm.* Verbs (*mhd.* spüelen, *ahd.* ir-spuolen, *niederl.* spoelen, *aengl.* ǣ-spylian) sind nicht geklärt. Abl.: S p ü l i c h t *s* „gebrauchtes Spülwasser" (bes. vom Geschirrspülen; im 17. Jh. für *frühnhd.* spülig, *mhd.* spüelach).

Spur *w*: Das *altgerm.* Substantiv *mhd.* spur, spor, *ahd.* spor, *niederl.* spoor, *aengl.* spor, *schwed.* spår ist im Sinne von „Tritt, Fußabdruck" verwandt mit *ahd.* spurnan „spornen", *aengl.* spurnan „anstoßen, verschmähen" und *aisl.* sporna, sperna „treten, fortstoßen" sowie mit der Sippe von →*Sporn.* Außerhalb des *Germ.* sind z. B. *lat.* spernere „zurückstoßen, verschmähen" und *gr.* spairein „zucken, zappeln" verwandt. Zugrunde liegt die vielfach weitergebildete und erweiterte *idg.* Wz. *sp[h]er[ə]- „zucken, zappeln, mit dem Fuß ausschlagen oder treten, schnellen". Zu ihr gehört auch die unter →*springen* dargestellte Wortsippe. Weiterhin vgl. den Artikel sprühen. Das Subst. Spur war urspr. ein Jägerwort (beachte Wendungen wie 'auf die Spur bringen', die sich auf den Jagdhund beziehen). Schon früh entsteht die übertr. Bed. „hinterlassenes Zeichen", die sich im *Nhd.* mit dem Begriff des Geringen, kaum Merkbaren verbindet (keine Spur von Leben). Ferner bezeichnet das Wort die Wagengeleise auf Wegen und übertr. den Querabstand der Wagenräder (auch: Spurweite; dazu Schmal-, Normalspur und das Adj. großspurig „prahlerisch"). Abl.: s p u r e n „Spur halten" (Anfang des 19. Jh.s von Wagen, danach *ugs.* für „sich einordnen"), „(mit Schiern) eine

Spur legen" (20. Jh.); s p ü r e n (*mhd.* spürn; *ahd.* spurian „eine Spur suchen, ihr folgen"; seit dem 13. Jh. im Sinne von „wahrnehmen" gebraucht, seit dem 18. Jh. für „empfinden, fühlen"), dazu s p ü r b a r „fühlbar, merklich" (18. Jh.), S p ü r h u n d „Jagdhund zur Fährtensuche" (*mhd.* spürhunt, *ahd.* spurihunt), S p ü r s i n n (18. Jh.). Zus.: s p u r l o s (18. Jh.).

Spurt *m*: Ein noch sehr junges FW aus dem Bereich des Sports (insbesondere der Leichtathletik), das im 20. Jh. aus dem *Engl.* übernommen wurde. Es bezeichnet die vorübergehende Steigerung der Geschwindigkeit innerhalb eines Rennens (Z w i s c h e n s p u r t) oder zum Schluß eines Rennens (E n d s p u r t). Das *engl.* Subst. spurt „Spurt" gehört zu *engl.* to spirt (Nebenform: to spurt) „hervorspritzen, aufspritzen", dessen weitere Herkunft zweifelhaft ist. – Dazu: s p u r t e n „einen Spurt machen" (20. Jh.; aus gleichbed. *engl.* to spurt).

sputen, sich „sich beeilen": Das im 17. Jh. aus dem *Niederd.* ins *Hochd.* übernommene Verb geht zurück auf *mnd.* spōden, dem *niederl.* spoeden „beeilen", *engl.* to speed „eilen, fördern" und *ahd.* gi-spuoten „gelingen lassen, sich eilen" entsprechen. Dieses *westgerm.* Verb ist abgeleitet von dem Substantiv *mhd.*, *ahd.* spuot „glückliches Gelingen, Schnelligkeit", *niederl.* spoed „Eile", *engl.* speed „Eile", einer Bildung zu dem im *Nhd.* untergegangenen Verb *mhd.*, *ahd.* spuon „vonstatten gehen, gelingen, gedeihen", vgl. das gleichbed. *aengl.* spōwan. Über die weiteren Zusammenhänge vgl. *sparen.*

Sputnik *m*: Der Name für die ersten sowjetischen Erdsatelliten (1957) geht zurück auf *russ.* spútnik, das eigtl. „Weggenosse, Gefährte, Begleiter" bedeutet.

Staat *m*: Das seit dem frühen 15. Jh. bezeugte Subst. (*spätmhd.* sta[a]t „Stand; Zustand; Lebensweise; Würde", vgl. entspr. *mnd.* stāt „Stand; Ordnung; hohe Stellung; Pracht, Herrlichkeit" und gleichbed. *mniederl.* staet > *niederl.* staat; s. auch stattlich) ist aus *lat.*-*mlat.* status „das Stehen; Stand, Stellung; Zustand, Verfassung; Rang; (im *Mlat.* auch:) Stand der Rechnungsführung" (zu *lat.* stāre „stehen", vgl. *stabil*) entlehnt worden. Im 17. Jh. entwickelte das Wort Staat nach dem Vorbild von *frz.* état, das gleicher Herkunft ist, die heute vor allem gültige politische Bedeutung; beachte dazu die abgeleiteten und zusammengesetzten Bildungen s t a a t l i c h (18./19. Jh.), v e r s t a a t l i c h e n (19./20. Jh.) und S t a a t s m a n n (17. Jh.), S t a a t s a n w a l t (19. Jh.). An die schon ältere Verwendung von 'Staat' im Sinne von „kostspieliger Aufwand in der Hofhaltung eines Fürsten; Pracht, Prunk, prunkvolle äußere Aufmachung" schließen sich die Zus. H o f s t a a t (17. Jh.) und die

Wendung '[keinen] Staat mit etwas machen' an. – Siehe auch Etat.

Stab m: Das *gemeingerm.* Substantiv *mhd.* stap, *ahd.* stab, *got.* stafs, *engl.* staff, *schwed.* stav geht mit verwandten Wörtern wie *ahd.* staben „starr sein" und *ostfries.* staf „steif, lahm" auf die *idg.* Wz. *stĕb[h]- „stehen machen, aufstellen, stützen, versteifen" zurück. Auf dieser Wurzel beruhen in mehreren *idg.* Sprachen Wörter für „Ständer, Pfosten", beachte bes. *lit.* stãbas „Pfosten" und aus dem *germ.* Sprachbereich das unter →Stapel behandelte Wort sowie seemänn. Steven m „vordere und hintere Verlängerung des Schiffskiels", ein Nordseewort, das urspr. „Pfosten" bedeutete. Mit der Bedeutungswendung „treten, stampfen" und „Tritt, Fußlauf, Stufe" schließen sich weitere Verben und Substantive an. Zu ihnen gehören im *germ.* Sprachschatz die Wortgruppen um →Stapfe, →Staffel und →Stufe sowie (zu einer nasalierten Wurzelform *stemb[h]-) die Sippe von →stampfen (mit Stempel). Siehe auch den Artikel Stumpf. Das Wort 'Stab' zeigt nur im *Aisl.* die Bed. „Pfosten, Pfeiler", sonst bezeichnet es einen glatten, meist runden Stock, der bes. als Stütze oder Amtsabzeichen verwendet wird (Hirten-, Bischofsstab, Zepter und dgl.). Nach dem Befehlsstab des Feldherrn (Marschallstab) heißt seit dem 17. Jh. auch der Kreis der führenden Offiziere einer Truppe 'Stab' (entspr. *engl.* staff). Die im *Aengl.*, *Aisl.* und wahrscheinlich auch im *Got.* bezeugte Bed. „Buchstabe" meint eigtl. den senkrechten Hauptstrich des Runenzeichens (s. Buchstabe). Zu ihr gehört die Zus. Stabreim als Bezeichnung der altgerm. Reimformen mit gleichem Anlaut (Stab) betonter Silben (in der ersten Hälfte des 19. Jh.s unter der Einfluß einer *aisl.* Verslehre des 13. Jh.s gebildet). Dazu staben „durch gleichen Anlaut reimen".

stabil „beständig, dauerhaft, fest, haltbar; widerstandsfähig": Im 18. Jh. aus *lat.* stabilis „feststehend, standhaft, dauerhaft usw." entlehnt. Das *lat.* Adj. gehört mit zahlreichen anderen verwandten Wörtern (vgl. hierzu im einzelnen die Artikel assistieren, Distanz, etablieren, Instanz, konstant, Rest, Etage, Staat, Station, Statist, Stativ, Statue, Statur, Statut, Institut, Konstitution, prostituieren und Substanz) zur Sippe von *lat.* stāre „stehen", das urverwandt ist mit *dt.* →stehen. – Abl.: stabilisieren „festigen"; Stabilität w „Festigkeit, Beständigkeit" (18. Jh.; aus gleichbed. *lat.* stabilitās).

Stachel m: Die auf das *dt.* Sprachgebiet beschränkte Substantivbildung aus der Sippe von →Stich (*mhd.* stachel, *spätahd.* stachil, ähnl. *ahd.* stachila) bezeichnete urspr. spitze Geräte, z. B. den alten Viehstock mit Eisenspitze (s. löcken), dann aber

vor allem stechende Spitzen bei Pflanzen und Tieren. Abl.: stach[e]lig (im 16. Jh. stachlich[t]); stacheln „antreiben" (eigtl. mit dem Viehstachel; meist übertr. in an-, aufstacheln gebraucht). Zus.: Stachelbeere (17. Jh.); Stacheldraht (Ende des 19. Jh.s); Stachelschwein (16. Jh.; dafür *mhd.* dornswīn, Lehnübertragung von *mlat.* porcus spīnōsus; das Nagetier grunzt wie ein Schwein).

Stadion s „mit Zuschauerrängen versehenes ovales Sportfeld; Kampfbahn": Das FW beruht auf einer gelehrten Entlehnung neuester Zeit aus *gr.* stádion „Rennbahn, Laufbahn". Das *gr.* Wort ist eigtl. Bezeichnung für ein Längenmaß von etwa 185 m. Die spezielle Bed. „Rennbahn" geht zurück auf die berühmte Rennbahn der altgriech. Kampfstätte in Olympia, die gerade die Länge eines 'Stadions' (etwa 185 m) hatte. – Aus der gleichen Quelle wie 'Stadion' stammt das seit dem 18./19. Jh. gebuchte FW **Stadium** s „Entwicklungsstufe, Abschnitt; Zustand", das uns durch Vermittlung von *lat.* stadium „Rennbahn, Laufbahn" zuerst übertr. als medizin. Fachwort (stadium morbī) begegnet zur Bezeichnung vorübergehender symptomatischer Zeitabschnitte im Verlauf einer Krankheit. Aus der medizin. Fachsprache gelangte das Wort in den allgemeinen Sprachgebrauch.

Stadt w: Das unter →Statt behandelte Substantiv *mhd.*, *ahd.* stat „Ort, Stelle" hat schon früh die Sonderbed. „Wohnstätte, Siedlung" erhalten, die meist in den alten ON auf -stadt, -statt, -städt[en], -stett[en] steckt. Erst im 12. Jh. wurde *mhd.* stat zur Bezeichnung des mittelalterl. Rechtsbegriffs 'Stadt' (der u. a. mit dem Marktrecht und dem Recht einer Siedlung auf eigene Verwaltung und persönliche Freiheit ihrer Insassen verbunden war). Das Wort löste in dieser Bed. die ältere Bezeichnung Burg (s. d.) ab. Zuerst im 16. Jh., durchgängig seit dem 18. Jh. wurde 'Stadt' dann auch durch die Schreibung von 'Statt' abgehoben. Abl.: Städter m „Stadtbewohner (*mhd.* steter; anders als das ältere Wort Bürger [s. Burg] meist ohne polit. Sinn gebraucht), dazu verstädtern „städtische Art annehmen" (19. Jh.); städtisch (15. Jh.).

Stafette w: Das seit dem 17. Jh. bezeugte, aus dem *It.* entlehnte FW erscheint zuerst mit der heute nicht mehr üblichen Bed. „reitender Eilbote". Heute wird das Wort im Sinne von „Staffel[lauf]" verwendet. *It.* staffetta „reitender Eilbote" gehört als Verkleinerungsbildung zu *it.* staffa „Steigbügel", das selbst aus dem *Germ.* stammt (vgl. *Stapfe*). Es hat seine Bed. aus Wendungen wie 'andare a staffetta' „im Steigbügel gehen" (also: „nicht einmal vom Pferd heruntersteigen") entwickelt.

Staffel w: Das *hochd.* Wort, dem *niederd.* →Stapel lautlich entspricht, gehört zu der unter →*Stab* dargestellten Wortgruppe. *Mhd.* staffel, stapfel „Stufe, Grad", *ahd.* staffal, staphal „Grundlage, Schritt" gehen wohl von einer Grundbed. „erhöhter Tritt" aus (beachte die verwandten Wörter Stapfe und Stufe). In der Bed. „Truppenabteilung" (Gefechts-, Fliegerstaffel) verdeutscht 'Staffel' seit Ende des 19. Jh.s das FW Echelon (*frz.* échelon „Sprosse, Stufe; gestaffelte Truppenaufstellung"). In der Sportsprache trat 'Staffel' seit den zwanziger Jahren unseres Jh.s für älteres Stafette[nlauf] ein und bezeichnet hier sowohl die Wettkampfart wie die beteiligte Mannschaft. Abl.: Staffelei w „Arbeitsgestell des Malers mit verstellbarem Stufenbrett" (17. Jh.); staffeln „abstufen, in Staffeln aufstellen" (19. Jh., meist übertr.).

staffieren „ausrüsten, ausstatten (insbesondere mit Wäsche, Kleidungsstücken usw.)": Das heute nur noch in dem Kompositum ausstaffieren übliche Verb erscheint in *frühnhd.* Texten seit dem 16. Jh. Es beruht auf *afrz.* estoffer (= *frz.* étoffer) „mit Stoff oder Zubehör versehen; ausstatten" (vgl. das LW *Stoff*), das unserer Schriftsprache durch entspr. *mniederl.* stofféren und *mnd.* stofféren, stafféren (15. Jh.) vermittelt wurde. – Dazu: Staffage w „Ausschmückung; nebensächliches Beiwerk" (18. Jh.; mit französierender Endung gebildet).

stagnieren „stocken, sich stauen; sich festfahren": Gelehrte Entlehnung des 18. Jh.s aus *lat.* stägnäre „überschwemmt sein". Zu *lat.* stägnum „künstliches Gewässer, See, Lache".

Stahl m: Die *altgerm.* Bezeichnung des schmied- und härtbaren Eisens *mhd.* stäl, stahel, *ahd.* stahal, *niederl.* staal, *engl.* (andersgebildet) steel, *schwed.* stål ist eigtl. die Substantivierung eines Adjektivs mit der Bed. „fest, hart", das mit *awest.* staxra „stark, fest" verwandt ist. Bildlich steht 'Stahl' für „Härte", bes. in Zus. wie stahlhart (Anfang des 19. Jh.s) und den Abl. stählen „stahlhart machen" (*mhd.* stehelen, stǣlen; urspr. von Eisengeräten, seit dem 16. Jh. auch übertr. gebraucht) und stählern „aus Stahl" (im 17. Jh. für älteres stählin, *mhd.* stehelin).

Stall m: Das *altgerm.* Substantiv *mhd.*, *ahd.* stal, *niederl.* stal, *engl.* stall, *schwed.* stall bedeutet eigtl. „Standort, Stelle" (z. T. bis in *frühnhd.* Zeit; s. auch die Artikel installieren und Gestell). Von ihm ist das unter →*stellen* behandelte Verb abgeleitet (vgl. dort die verwandten *germ.* und *außergerm.* Wörter). 'Viehstall' bezeichnet also eigtl. den „Standort" der Haustiere.

Stamm m: Das nur im *dt.* und *niederl.* Sprachgebiet altbezeugte Substantiv (*mhd.*,

ahd. stam, *niederl.* stam) gehört wahrscheinlich im Sinne von „Ständer" zu der unter →*stehen* dargestellten *idg.* Wortgruppe, vgl. z. B. aus anderen *idg.* Sprachen *gr.* stamĩnes *Mehrz.* „Schiffsrippen, Ständer", *air.* tamun „Baumstamm" und *tochar. A* ṣtām „Baum". 'Stamm', das zunächst den Baumstamm bezeichnete, wurde schon früh auch übertr. gebraucht. Nach dem Bild des Äste und Zweige treibenden Baumes entstanden die Bedeutungen „Geschlecht" (schon in *ahd.* liutstam „Volksstamm") und „Grundstock" (zuerst *mhd.*; heute z. B. in Zus. wie Stammkapital, -mannschaft, für die auch einfaches 'Stamm' eintreten kann). In der Sprachwissenschaft meint 'Stamm' den Grundkörper eines Wortes ohne die Flexions- und Wortbildungssilben. Abl.: stammen „seinen Ursprung haben" (*mhd.* stammen), dazu abstammen, Abstammung w (17. Jh.) sowie das adjektiv. 2. Part. angestammt „ererbt, überkommen" (im 16. Jh. *niederd.* ahngestemmet); stämmig „nach Art eines Baumstamms; fest, gedrungen" (17. Jh.; von Bäumen nur in Zusammenbildungen wie hochstämmig „mit hohem Stamm" gebraucht). Zus.: Stammbaum „baumartig gestaltetes Verzeichnis der Nachkommen eines Stammvaters" (17. Jh.; Lehnübertragung von *mlat.* arbor cōnsanguinitātis, im Anschluß an das bibl. Bild der 'Wurzel Jesse', Jesaja 11, 1); Stammbuch (im 16. Jh. für „Geschlechtsregister", dann „Gedenkbuch, in das sich Verwandte [und Freunde] eintragen"); Stammhalter „erstgeb. männl. Nachkomme" (18. Jh.).

stammeln „stockend sprechen, stottern": Die Verben *mhd.* stammeln, stamelen, *ahd.* stam[m]alōn, *niederl.* stamelen gehören zu einem untergegangenen Adjektiv, das in *ahd.* stam[m]al „stammelnd" erhalten ist. Dieses *ahd.* Adjektiv ist eine Bildung zu dem *gemeingerm.*, bereits im *Mhd.* untergegangenen Adjektiv *ahd.* stam, *got.* stamms, *aengl.* stamm, *aisl.* stamr „stammelnd, stotternd" (dazu das *schwed.* Verb stamma „stammeln"), das ablautend mit dem unter →*stumm* behandelten Adjektiv verwandt ist und zu der unter →*stemmen* dargestellten Wortgruppe gehört. Als Grundbed. von 'stammeln' ergibt sich somit „anstoßen, gehemmt sein". Abl.: Stammler m „Stammelnder" (*spätmhd.* stameler, stem[e]ler, *ahd.* stamilari).

stampfen: Das *altgerm.* Verb *mhd.* stampfen, *ahd.* stampfōn, *niederl.* stampen, *engl.* to stamp, *schwed.* stampa bedeutet eigtl. „mit einem Stoßgerät im Mörser zerstoßen", dann auch „mit den Füßen stampfen" (z. B. von Pferden). Es steht neben einem Substantiv, das in *ahd.* stampf, *asächs.* stamp „Stoßgerät" erscheint. Eine alte Abl. ist das unter →*Stempel* behandelte Substantiv. Die *germ.* Wörter gehören als nasalierte

Formen zu der unter →*Stab* behandelten *idg.* Wortgruppe; *außergerm.* ist z. B. *gr.* stémbein „stampfen, mißhandeln, schmähen" verwandt. Abl.: Stampfer *m* „Stampfwerkzeug" (17. Jh.; bes. in der Zus. Kartoffelstampfer).

Stand *m*: Die Substantive *mhd.* stant „Stehen, Ort des Stehens" (14. Jh.), *ahd.* firstand „Verstand", ur-stand „Auferstehung", *aengl.* stand „Aufenthalt, Verzug", *niederl.* stand „Stand, Standort" sind Bildungen zu dem *gemeingerm.* starken Verb *mhd.* standen, *ahd.* stantan, *got.* standan, *engl.* to stand, *aisl.* standa „stehen", das sich aus einer Form mit präsentischer Nasalierung der unter → *stehen* behandelten Verbalwurzel entwickelt hat. Dazu stellt sich das unter →Stunde behandelte Wort. Als Verbalsubst. bildet 'Stand' meist Ableitungen zu den verbalen Zus. von 'stehen' (s. d.). Abl.: Ständchen *s* „kleine Huldigungsmusik vor dem Fenster" (im 17. Jh. stud.); standhaft (um 1500); ständig „fortdauernd, stets wiederkehrend" (16. Jh.); ständisch „einen [Berufs]stand betreffend" (18. Jh.). Zus.: Standbild (Ende des 18. Jh.s, Lehnübertragung für →Statue); Standesamt „Behörde zur Beurkundung des Personen- und Familienstandes" (Ende des 19. Jh.s); Standort (erstmals im 17. Jh. belegt; seit Ende des 19. Jh.s Verdeutschung für das FW Garnison; s. auch Standarte); Standpauke *ugs.* für „kräftige Strafrede" (im 19. Jh. zuerst stud., verstärkend für gleichbed. Standrede, 18. Jh., das eigtl. eine im Stehen angehörte Grabrede bezeichnete); Standpunkt (18. Jh., meist übertr. gebraucht); Standrecht, -gericht (seit dem 16. Jh. für kurze, urspr. im Stehen durchgeführte Gerichtsverfahren, bes. im Kriege).

Standard *m* „Normalmaß, Richtschnur; herkömmliche Normalausführung (z. B. einer Ware)", vorwiegend in Zus. wie Standardmodell, Standardwert u. a.: Das als Terminus der Kaufmannssprache seit dem 19. Jh. allgemein übliche FW ist aus gleichbed. *engl.* standard entlehnt. Die eigtl. Bed. des *engl.* Wortes ist „Standarte, Fahne" (danach dann die Übertragung etwa im Sinne von „Standmuster"). Es geht auf *afrz.* estandart (= *frz.* étendard) „Standarte, Flagge" zurück (vgl. *Standarte*). – Abl.: standardisieren „(nach einem Muster) vereinheitlichen, normen" (20. Jh.; nach entspr. *engl.* to standardize).

Standarte *w* „Banner; Feldzeichen; Fahne berittener und motorisierter Truppen": Das seit *mhd.* Zeit bezeugte Subst. (*mhd.*, *mnd.* stanthart) ist aus *afrz.* estandart „Sammelplatz der Soldaten; Fähnlein; Flagge usw." entlehnt. Quelle des Wortes ist vermutlich *afränk.* *standôrd „Aufstellungsort". – Siehe auch Standard.

Stange *w*: Das *altgerm.* Substantiv *mhd.* stange, *ahd.* stanga, *niederl.* stang, *engl.* stang, *schwed.* stång (daneben anders gebildet *niederl.* steng „Verlängerung des Schiffsmastes") ist verwandt mit dem starken Verb *engl.* to sting, *schwed.* stinga „stechen" und mit Substantiven wie *schwed.* stagg „stechendes Gras" und *engl.* stag „Hirsch" (eigtl. „Stecher"). Die *germ.* Wortgruppe, zu der auch das unter →Stengel behandelte Substantiv gehört, geht mit verwandten *außergerm.* Wörtern (z. B. *gr.* stóchos „aufgerichtetes Ziel") auf die *idg.* Wz. *ste[n]gh- „stechen; Stange, Spitze" zurück. Die Wendung 'jemandem die Stange halten' für „helfen, in Schutz nehmen" erinnert an den gerichtl. Zweikampf des Mittelalters, bei dem der Aufseher (Grießwart) den Unterlegenen mit einer Stange schützen konnte. Die Wendung 'bei der Stange bleiben' „ausharren, nicht ablassen" erklärt sich wohl am besten als Ausdruck der Spießfechter, die die Waffe des Gegners mit der eigenen zu parieren suchten.

Stanniol *s* „zinn- oder silberglänzende Aluminiumfolie": Das seit dem 17. Jh. zuerst als 'Stagnol' bezeugte FW ist eine gelehrte *nlat.* Bildung zu *lat.* stagnum (Nebenform: stannum) „Mischung aus Blei und Silber; Zinn".

Stapel *m*: Das *altgerm.* Substantiv *mnd.*, *niederl.* stapel, *engl.* staple, *schwed.* stapel, dem *hochd.* → Staffel lautlich entspricht, gehört zu der unter →Stab behandelten Wortgruppe und bedeutete urspr. „Pfosten, Block, Stütze, Säule", auch (*aengl.*, *niederl.*, *mnd.*) „geschichteter Haufen; Warenlager, Verkaufsplatz". In diesen übertr. Bedeutungen kam das Wort im 15. Jh. aus der Sprache der niederd. Hansekaufleute ins *Hochd.*, wo es heute meist im Sinn von „aufgeschichteter Haufen" gebraucht wird (dazu die *nhd.* Zus. Stapelplatz und Stapelware „Massenware"; s. a. den Artikel Etappe). – Die andere Bedeutung „Stütze, Unterlage" wird später eingeengt zu „Gerüst aus Blöcken als Unterlage zum Bau eines Schiffes". So kommt das Wort seit dem 17. Jh. auch in *hochd.* Texten vor (das Schiff wird 'auf Stapel gelegt', 'läuft vom Stapel'). Dazu die Zus. Stapellauf (19. Jh.). Abl.: stapeln „in Haufen schichten" (18. Jh., auch in der Zus. aufstapeln). Ein anderes 'stapeln' steckt in Hochstapler (s. d.).

Stapfe *w*, Stapfen *m* „Fußabdruck": Die Substantivbildungen *mhd.* stapfe, *ahd.* stapfo „Schritt, Fußspur, Stufe", *niederl.* stap, *engl.* step „Schritt" (s. Step) stehen neben einem Verb, das in *nhd.* stapfen „fest auftretend gehen" (*mhd.* stapfen, *ahd.* stapfōn) und *niederl.* stappen „schreiten" erscheint. Die Wörter gehören wie die unter →Staffel und →Stufe behandelten Substantive zu der

669

unter →*Stab* dargestellten Wortgruppe. Aus dem *germ.* Subst. ist *it.* staffa „Steigbügel" (s. Stafette) entlehnt worden. Zu der Zus. Fuß[s]tapfe s. den Artikel Fuß.

¹Star *m*: Die *germ.* Bezeichnungen des Singvogels (*mhd.* star, *ahd.* stara, *engl.* stare [mit der Verkleinerungsform starling, vgl. die Bildung von *dt.* Sperling], *schwed.* stare) sind verwandt mit *niederl.* stern „Seeschwalbe", *engl.* starn „Seeschwalbe" und weiterhin mit *lat.* sturnus „Star". Die genannten Wörter ahmten urspr. wohl die Stimmen der Vögel nach.

²Star *m*: Der *dt.* Name der Augenkrankheit ist erst in *frühnhd.* Zeit aus dem zusammengesetzten Adjektiv starblind (*mhd.* starblint, *ahd.* staraplint; vgl. *mniederl.* staerblint, *aengl.* stærblind) verselbständigt worden. Das erste Glied der Zus. geht wahrscheinlich auf ein *germ.* Adjektiv mit der Bed. „starr blickend" zurück, das zu der unter →*starren* dargestellten *idg.* Wurzel gehört (vgl. noch *mnd.* star „Starrheit des Auges" und *mniederl.* 'te stāre staen" „gebrochen sein", von den Augen eines Toten). Die heute *ugs.* Wendung 'jemandem den Star stechen' „ihm die Augen über etwas öffnen" (17. Jh.) bezog sich urspr. auf die alte Form der Staroperation, bei der die getrübte Linse nur zurückgedrückt wurde.

³Star *m*: Die im 19./20. Jh. aus dem *Engl.* übernommene Bezeichnung für eine gefeierte (insbesondere weibliche) Bühnen- oder Filmgröße hat in jüngster Zeit große Popularität erlangt (beachte die Zus. Filmstar). *Engl.* star bedeutet eigtl. „Stern". Es ist etymolog. mit *dt.* →*Stern* verwandt. – Abl.: Starlet[t] *s* „Nachwuchs[film]schauspielerin mit den Ambitionen eines Stars" (20. Jh.; aus *engl.* starlet „Sternchen").

stark: Das *altgerm.* Adjektiv *mhd.* starc, *ahd.* star[a]ch, *niederl.* sterk, *engl.* stark, *schwed.* stark ist ablautend verwandt mit den Verben *ahd.* gistorchanēn „erstarren", *got.* gastaúrknan „vertrocknen", *aisl.* storkna „starr werden" und gehört zu der unter →*starren* dargestellten *idg.* Wortgruppe. Die wahrscheinliche Grundbed. „steif, starr" ist im *Engl.* bis heute erhalten, in den anderen *germ.* Sprachen hat sie sich früh zu „fest, kraftvoll" gewandelt, wobei vor allem die Körperkräfte gemeint sind. Abl.: ¹Stärke *w* „Kraft, Dicke, Heftigkeit, Zahl, Gehalt" (*mhd.* sterke, *ahd.* starchī, sterchī); stärken „stark machen" (*mhd.* sterken, *ahd.* sterchen; beachte auch die Zus. be- und verstärken). Zu der vereinzelt schon *mhd.* bezeugten Bed. von 'stärken' „Wäsche steif machen" gehört als Rückbildung ²Stärke *w* „Weizen- oder Reismehlbrei zum Steifen" (Anfang des 17. Jh.s, beachte schon *mhd.* im 13. Jh. sterke „Stärkmehl" und sterc-chlei „Stärkkleie"; das Wort bezeichnet heute fachspr. einen Vorratsstoff bestimmter Pflanzen).

starren: In dem *nhd.* Verb starren „steif sein, strotzen" und „unbeweglich blicken" sind zwei im *Mhd.* noch getrennte Verben zusammengefallen: 1. *Mhd.* starren, sterren „steif sein" (dazu ablautend *ahd.* storrēn „steif hervorstehen" und die unter →störrisch genannten Wörter) ist verwandt mit dem Adjektiv *mhd.* sterre „steif, starr" (vgl. gleichbed. *aisl.* starr). Aus diesem Verb ist das *nhd.* Adjektiv starr „steif" (17. Jh.; dazu Starrheit *w*, 17. Jh.) rückgebildet worden; beachte auch *frühnhd.* starrig in halsstarrig (16. Jh.). 2. *Mhd.* star[e]n, *ahd.* starēn „unbeweglich blicken" (entspr. *aengl.* starian, *aisl.* stara) ist wahrscheinlich abgeleitet von einem *germ.* Adjektiv mit der Bed. „starr blickend", das in der Zus. *ahd.* staraplint „starblind" enthalten ist (s. ²Star). Beide Verben gehen auf eine gemeinsame *idg.* Wz. *[s]ter-, *[s]terə- „starr, steif, hart" zurück, die ohne den s-Anlaut auch dem unter →Dorn behandelten Wort zugrunde liegt. Auf dieser vielfach weitergebildeten und erweiterten Wurzel beruht eine große Zahl *germ.* Wörter, die auch im *dt.* Wortschatz lebendig sind. Sie gruppieren sich um Bedeutungswendungen wie „steif, fest sein oder werden; steif gehen" und „steif emporstehen, prall sein". Zur ersten Gruppe gehören z. B. die Sippen von →sterben (eigtl. „erstarren"), →derb (eigtl. „steif, fest"), →stark (eigtl. „steif, fest") →stracks „straff", dazu strecken) und →Storch (eigtl. „Stelzer"). Zur zweiten Gruppe z. B. die Sippen von →Sterz „Schwanz" (mit stürzen), →strotzen (mit ¹Strauß, ²Strauß und ²Drossel) und →sträuben (mit struppig, Gestrüpp usw.), vielleicht auch die unter →Strauch, →Strunk und →Strumpf (eigtl. „Baumstumpf, Reststück") behandelten Wörter. Schließlich läßt sich eine Bedeutungsentwicklung zu „angespannt, widerspenstig sein" erkennen, zu der sich wohl die unter →Streit, →stramm, →streben und →straff behandelten Wörter stellen; s. auch den Artikel strafen.

Start *m* „Ablauf[stelle], Abfahrt, Abflug, Absprung; Beginn, Anfang": Im 19./20. Jh. aus gleichbed. *engl.* start entlehnt. Das zugrunde liegende Verb *engl.* to start „fortstürzen, auffahren, losgehen, ablaufen; beginnen usw.", das mit *dt.* →*stürzen* verwandt ist, lieferte etwa gleichzeitig unser Zeitwort starten „ein Rennen, einen Flug, einen Wettkampf usw. beginnen oder beginnen lassen". Dazu: Starter *m* „wer ein Rennen startet" (19./20. Jh.; aus entspr. *engl.* starter). 'Starter' wird in jüngster Zeit häufig auch im motortechnischen Bereich mit der Bed. „Anlasser (eines Motors)" gebraucht. Beim Motorrad kennt man den Kickstarter „Anlasser in Form eines Trethebels" (20. Jh.; aus gleichbed. *engl.* kickstarter; zu *engl.* to kick „treten"; vgl. *kicken*).

Station *w* „Haltestelle, Bahnhof; Haltepunkt; Aufenthalt; Bereich, Krankenhausabteilung; Ort, an dem sich eine technische Anlage befindet, Sende-, Beobachtungsstelle": In *frühnhd.* Zeit aus *lat.* statiō „das Stehen, das Stillstehen; Standort, Aufenthaltsort; Aufenthalt; Quartier, Bereich usw." entlehnt, einer Substantivbildung zum Stamm von *lat.* stāre (statum) „stehen" (vgl. *stabil*). – Abl.: **stationär** „an einem Standort verbleibend, ortsfest; den Aufenthalt und die Behandlung in einem Krankenhaus betreffend" (18. Jh.; nach *frz.* stationnaire, *spätlat.* statiōnārius „stillstehend; am Standort verbleibend; zum Standort gehörig"); **stationieren** „an bestimmten Plätzen aufstellen; Truppen an einen bestimmten Standort verlegen" (18. Jh.).
Statist *m* „bedeutungslose Nebenfigur", insbesondere Bezeichnung für den stummen Schauspieler ohne Sprechrolle, der gleichsam nur „herumsteht": Eine *nlat.* Bildung des 18. Jh.s zu *lat.* stāre (statum) „stehen" (vgl. *stabil*).
Stativ *s* „dreibeiniges Gestell zum Aufstellen von Geräten": Gelehrte Entlehnung des 18. Jh.s aus *lat.* statīvus (-vum) „stehend, feststehend, stillstehend". Zu *lat.* stāre (statum) „stehen" (vgl. *stabil*).
Statt *w*: Das *gemeingerm.* Substantiv *mhd.*, *ahd.* stat, *got.* staþs, *engl.* stead, *schwed.* stad ist eine Bildung zu der unter →*stehen* dargestellten *idg.* Verbalwurzel und bedeutet „[Stand]ort, Stelle", eigtl. „das Stehen". Verwandte Wörter aus anderen *idg.* Sprachen sind z. B. *gr.* stásis „Stellung" und *lat.* statiō „Standort" (s. Station). Im *Dt.* hat 'Statt' im 12. Jh. die Bedeutung „Ortschaft" (eigtl. „Wohnstätte") erhalten, die später durch die abweichende Schreibung →*Stadt* ausgedrückt wurde. Heute erscheint 'Statt' in der Bed. „Stelle" fast nur noch als Grundwort in Zus. wie Werk-, Lager-, Ruhestatt, in denen es aber mit der gleichbed. Weiterbildung **Stätte** *w* konkurriert (*spätmhd.* stete, entstanden aus den flektierten Formen von *mhd.* stat). Auch steht 'Statt' noch in bestimmten Fügungen wie 'an meiner Statt', 'an Kindes, an Eides Statt', die eine Stellvertretung bezeichnen. Daraus hat sich im 15. Jh. die Präp. **anstatt** ergeben (zusammengerückt aus *mhd.* an-stat, an-stete). Sie wird seit dem 17. Jh.meist zu statt verkürzt und in den Verbindungen '[an]statt zu', '[an]statt daß' auch als Konjunktion gebraucht. Eine Abl. von Statt „Stelle" ist das im *Frühnhd.* untergegangene Verb **staten** „an eine Stelle bringen", das fortlebt in den Zus. und Präfixbildungen **abstatten** (17. Jh., bes. „einen Besuch abstatten), **bestatten** (s. d.) und **erstatten** (*mhd.* erstaten „ersetzen", *nhd.* auch für „leisten", bes. in der Fügung 'Bericht erstatten'). Dagegen gehören die unter →*gestatten* behandelten Wörter zu einem

andersgebildeten Subst. *mhd.* stat[e], *ahd.* stata „rechter Ort, Gelegenheit", das im *Spätmhd.* mit stat „Stelle" lautlich zusammenfiel. Auch die erst *nhd.* zusammengerückten Verben **stattfinden** „vor sich gehen" (so im 19. Jh.; eigtl. „eine Stelle finden", *mhd.* stat, state vinden) und **stattgeben** „Raum, Gelegenheit geben" (16. Jh.) gehen wohl vor allem auf dieses *mhd.* state zurück. Die Zus. **Statthalter** „Stellvertreter (eines Fürsten)" (*spätmhd.* stathalter) ist eine Lehnbildung nach *mlat.* locum tenens „der die Stelle (des Abwesenden) Innehabende" (s. auch den Artikel Leutnant).
stattlich „ansehnlich, prächtig": Das in dieser Eed. *nhd.* erst seit dem 17. Jh. bezeugte Adjektiv geht wohl zurück auf *mnd.* statelik „ansehnlich" (entspr. gleichbed. *niederl.* statelijk, *engl.* stately), eine Abl. von dem unter →*Staat* behandelten Wort in seiner Bed. „Prunk, äußere Aufmachung".
Statue *w* „Standbild": Im 17./18. Jh. aus gleichbed. *lat.* statua entlehnt, das zum Stamm von *lat.* stāre (statum) „stehen" gehört (vgl. *stabil*).
Statur *w* „[Körper]gestalt, Wuchs": Im 16. Jh. aus gleichbed. *lat.* statūra entlehnt. Zu *lat.* stāre (statum) „stehen" (vgl. *stabil*).
Statut *s* „Satzung": In *mhd.* Zeit aus dem substantivierten Neutr. des Part. Perf. Pass. von *lat.* statuere (statūtum) „hinstellen, aufstellen; errichten; festsetzen, bestimmen" entlehnt. Zu *lat.* stāre (statum) „stehen" (vgl. *stabil*). – Auf Komposita von *lat.* statuere beruhen die FW →*Institut*, Institution, →*Konstitution*, →*prostituieren*.
Staub *m*: *Mhd.*, *ahd.* stoup ist eine nur *dt.* Substantivbildung zu dem unter →*stieben* behandelten Verb (anders gebildet sind *niederl.* stof „Staub" und das untergegangene *ahd.* stüppe, *ahd.* stuppi „Staub", vgl. *got.* stubjus „Staub"). 'Staub' bedeutet demnach „das Stieben[de]". Abl.: **staubig** (*mhd.* stoubec). Zus.: **Staubfaden**, **Staubgefäß** (Teile der Blüte, die den Pollen oder Blütenstaub tragen; 18. Jh.). Die Verben **stauben** „aufwirbeln" (meist unpersönl. 'es staubt') und **stäuben** „Staub erregen; zerstieben" werden vom Sprachgefühl zu 'Staub' gezogen, beruhen aber wohl beide auf *mhd.* stouben, stöuben, *ahd.* stouben „stieben machen, Staub erregen, aufscheuchen", dem Veranlassungswort zu dem unter →*stieben* behandelten Verb (entspr. *mnd.* stöven, s. stöbern). Unmittelbar zum Substantiv gehören Zus. und Präfixbildungen wie **abstauben** „Staub entfernen" (19. Jh.; jetzt *ugs.* auch für „entwenden"), **verstauben** „durch Staub verderben" (im 18. Jh. neben gleichbed. verstäuben; das 2. Part. **verstaubt** bedeutet auch „überholt, altmodisch") und **bestäuben** „Blüten befruchten" (1. Hälfte des 19. Jh.s; *mhd.* bestouben

671

„mit Staub bedecken"). Dagegen gehört zerstäuben „versprühen" (18. Jh.; mhd. zerstouben „auseinanderscheuchen") enger zur Bed. „stieben machen"; dazu Zerstäuber m „Sprühgerät" (19. Jh.).

Staude w „strauchartige Pflanze": Das nur im Dt. bezeugte Wort (mhd. stūde, ahd. stūda „Staude, Strauch, Busch") gehört wahrscheinlich zu der unter →stauen behandelten Wortgruppe. Beachte vor allem die unter →stützen genannten ablautenden Substantive.

stauen: Das Verb, das im Sinne von „(Wasser) im Lauf hemmen" und „(Waren) fest schichten" (verstauen, s. u.) verwendet wird, ist im 17. Jh. aus dem Niederd. ins Hochd. übernommen worden. Es beruht auf mnd. stouwen, dem niederl. stouwen „hemmen, fest schichten", engl. to stow „verstauen", das in frühnhd. Zeit untergegangene mhd., ahd. stouwen „anklagen, schelten", (mhd. auch:) „Einhalt tun, gebieten" und got. stōjan „richten, urteilen" (eigtl. wohl „festsetzen") entsprechen. Mit der Grundbed. „stehen machen, stellen" (vgl. z. B. das verwandte russ. stávit' „stellen, setzen") gehören diese Verben zu der unter →stehen dargestellten idg. Wortgruppe. Von nahestehenden Bedeutungen wie „festmachen, versteifen; starr sein" gehen wohl die verwandten unter →stützen, →Staude und →staunen behandelten Wörter aus, vielleicht auch der Krankheitsname →Staupe. Mit der Grundbed. „Stütze, Pfahl" gehören die beiden Substantive → ¹Steuer und → ²Steuer hierher. Zu „stauen" „Wasser hemmen" stellen sich die Rückbildung Stau m „Stillstand des Wassers" (18. Jh.; heute auch in der Bed. „gestautes Wasser") und Zus. wie Staudamm, -mauer, -see (19. Jh.), ferner die Abl. Stauung w (im 18. Jh. aus dem Niederd. [mnd. stouwinge]). Dagegen bezeichnet nordd. Stauer m (19. Jh.) den Facharbeiter, der Schiffsladungen 'staut'. Die Präfixbildung verstauen „fest einpacken" wurde im 19. Jh. aus der Seemannssprache übernommen.

staunen „sich wundern, verwundert blicken": Das erst im 18. Jh. aus dem Schweiz. in die hochd. Schriftsprache übernommene Wort (aleman.stūnen „träumend vor sich hinstarren") bedeutet eigtl. „starr sein" und entspricht mnd., mniederl. stūnen „sich widersetzen". Die Wörter gehören wohl zu der unter →stauen dargestellten Wortgruppe. Schon im 16. Jh. ist, gleichfalls zuerst schweiz., die Präfixbildung erstaunen bezeugt, die im älteren Nhd. auch „erstarren" bedeuten kann. Dazu das Adj. erstaunlich „zum Staunen bringend" (17. Jh.).

Staupe w „ansteckende Hundekrankheit": Das Wort wurde seit dem 17. Jh., bes. in mitteld. Umgangssprache, im allgemeinen Sinn von „Krankheitsanfall, Epidemie bei Menschen und Vieh" gebraucht. Die urspr. Bed. zeigt wohl der älteste Beleg mniederl. stuype „Krampf-, Schüttelanfall" (Ende des 16. Jh.s; niederl. stuip „Krampf; Grille, Laune"). Vielleicht läßt sich das Wort mit der Grundbed. „Starrheit, Steifwerden" an die unter →stauen behandelte Wortgruppe anschließen.

Steak s „kurz gebratene Fleischschnitte", häufig als Bestimmungswort in Zus. wie Beefsteak und →Rumpsteak: Im 20. Jh. aus gleichbed. engl. steak entlehnt. Das engl. Wort stammt seinerseits aus aisl. steik „Braten" (eigtl. wohl „an den Spieß gestecktes Fleisch"). Zu aisl. steikja „braten" (urspr. „an den Bratspieß stecken"), das mit dt. →stechen verwandt ist.

stechen: Das starke Verb mhd. stechen, ahd. stehhan, niederl. steken, afries. steka gehört zu der unter → Stich dargestellten idg. Wz. *[s]teig- „stechen". Zu diesem (in die e- Ablautreihe übergetretenen) Verb stellen sich die unter →stecken behandelten Verben. – Bei den mittelalterl. Turnieren versuchten die Gegner einander aus dem Sattel zu stechen(beachte die Wendung 'jemanden ausstechen' „übertreffen, verdrängen", 17. Jh.). Daher wird jetzt noch das Austragen bestimmter sportlicher Entscheidungen bei gleicher Leistung der Besten 'stechen' genannt; auch im Kartenspiel 'sticht' eine Karte die andere (nimmt sie weg; 16. Jh.). Siehe auch den Artikel bestechen. Abl.: Stecher m „Gerät zum Stechen; Kupferstecher" (mhd. stechǣre „Mörder; Turnierkämpfer; Stichwaffe"; s. auch Feldstecher unter Feld). Zus.: Stechapfel (Giftpflanze; 16. Jh.); Stechmücke (19. Jh.); Stechpalme (16. Jh.); abstechen „herunterstechen; schlachten; sich auffällig unterscheiden" (mhd. abestechen; in der letzten Bedeutung seit dem 18. Jh.); zu veraltetem seemänn. abstechen „ein Boot mit der Stange abstoßen" (niederl. afsteken) gehört Abstecher m „kleine Nebenreise" (eigtl.: mit dem Beiboot eines Schiffes, 18. Jh.); anstechen „in etwas stechen; (ein Faß) anzapfen (schon spätmhd. „den Wein anstechen"; ahd. anastehhan „durchstechen"), dazu Anstich m „Anzapfen eines Fasses" (18. Jh.).

stecken: In der nhd. Form 'stecken' sind zwei im Ahd. noch getrennte Verben zusammengefallen: ein duratives ahd. stecchēn „festhaften, steckenbleiben" (ähnlich wohl in →ersticken) und ein Veranlassungswort ahd. stecchen „stechend befestigen". Beide gehören zu den unter →stechen behandelten starken Verb. Erst seit dem 16. Jh. hat 'stecken' in der Bed. „festhaften" auch starke Formen angenommen ('ich stak' neben 'ich steckte'). Abl.: Stecker m (17. Jh.; jetzt ein elektr. Gerät); Steckling m „zur Bewurzelung in die Erde gesteckter Pflanzenteil" (18. Jh.). Zus.: Steckbrief „öffentliche Aufforderung zur Festnahme eines gesuchten Verbrechers" (16. Jh., urspr. für „Haftbefehl"; beachte die Wendung 'ins Gefängnis stecken' „verhaften"); Steckdose (20. Jh.); Stecknadel (15. Jh.); Steckrübe (16. Jh.; die jungen Pflanzen werden umgesetzt, „gesteckt"). Verbale Zus. und Präfixbildungen: abstecken „(eine Entfernung) durch gesteckte Pflöcke u. ä. bezeichnen" (18. Jh.); anstecken „an etwas befestigen; anzünden, in Brand stecken; eine Krankheit übertragen" (mhd. anestecken „anzünden", eigtl. wohl „Feuer daran stecken", danach bildlich seit dem 16. Jh. in der letzten Bed.; beachte das adjektiv. 1. Part. ansteckend); aufstecken „auf etwas befestigen" (mhd. ûfstecken; beachte die Wendung 'jemandem ein Licht aufstecken' [nordd. Licht „Kerze"]; die ugs. Bed. „aufhören, verzichten", seit dem 19. Jh. bezeugt, meint eigtl. wohl „eine unfertige Handwerksarbeit am Feierabend hochstecken"); bestecken „darauf-, hineinstecken" (mhd. bestecken), dazu Besteck s „Eßgerät oder sonstiges Werkzeug" (17. Jh.; eigtl. Bezeichnung eines Werkzeugfutterals und seines Inhalts); verstecken „wegstecken, verbergen" (so seit dem 16. Jh. bezeugt, beachte gleichbed. mnd. verstēken), dazu Versteck s (im 18. Jh. aus dem Niederd. aufgenommen, urspr. des. „Hinterhalt"; mnd. vorstecke „Heimlichkeit, Hintergedanke").

Stecken m: Die Substantive mhd. stecke, ahd. stecko (daneben mhd. steche, ahd. stehho), mniederl. stecke können einerseits verwandt sein mit mhd. stake „langer Stock, Stange" und mit der baltoslaw. Wortgruppe von lit. stãgaras „dürrer Stengel oder Ast". Andererseits können sie mit engl. stick „Stock" und schwed. sticka „Span, Splitter" zu der Wortgruppe von → Stich gehören. Zus.: Steckenpferd (seit dem 17. Jh. für das Kinderspielzeug; in der übertr. Bed. „Liebhaberei; [kindische] Neigung" zuerst in der zweiten Hälfte des 18. Jh.s im Anschluß an gleichbed. engl. hobby horse).

Steg m: Das altgerm. Substantiv mhd. stec „Steg, schmaler Fußpfad", ahd. steg „Steg, Aufstieg", niederl. steg „schmaler Weg, Pfad", älter schwed. stegh „Pfad" gehört zu dem unter → steigen behandelten Verb und bezeichnete zunächst einen schmalen, erhöhten Übergang über ein Gewässer, auf dem man meist hinaufsteigen mußte. Die reimende Fügung 'Weg und Steg' ist schon mhd. bezeugt. In ihr bedeutet 'Steg' bereits „Pfad".

Stegreif m: In Wendungen wie 'aus dem Stegreif (d. h. ohne Vorbereitung) dichten, reden und dgl.' und in Zus. wie Stegreifspiel „improvisiertes Schauspiel" (20. Jh.) lebt eine alte, im Dt. bis ins 18. Jh. übliche Bezeichnung des Steigbügels fort. Die Zus. mhd. steg[e]reif, ahd. stegareif (andersge-

bildet: aengl. stigrāp, engl. stirrup, aisl. stigreip „Steigbügel") gehören mit dem ersten, nicht eindeutig bestimmbaren Glied zur Sippe von → steigen. Das zweite Glied ist das unter → ¹Reif behandelte Substantiv in seiner alten Bed. „Strick": Das Wort 'Stegreif' bezeichnete demnach wohl urspr. eine Seil- oder Riemenschlinge am Sattel. Die oben genannte Fügung 'aus dem (älter: im) Stegreif' kam im 17. Jh. auf und meinte urspr. soviel wie „ohne vom Pferd zu steigen, schnell entschlossen".

stehen: Die Verben mhd., ahd. stān, stēn, niederl. staan, schwed. stå beruhen mit verwandten Wörtern in den meisten anderen idg. Sprachen auf der idg. Wz. *st[h]ā- „stehen, stellen", vgl. bes. lat. stāre „stehen, stellen" (s. die FW-Gruppe um stabil) und gr. histánai „stellen" (s. die FW Ekstase und System), ferner lit. stóti „sich hinstellen, stehenbleiben" sowie russ. stat' „werden, anfangen, sich stellen", und russ. stoját' „stehen". Germ. Nominalbildungen aus der gleichen, vielfach weitergebildeten Wurzel sind vor allem die unter → Statt (mit Stadt, Stätte), → gestatten und → Gestade genannten Wörter mit der Grundbed. „Standort, Stelle" sowie das Adj. → stet „beständig", ferner → Stuhl (eigtl. „Gestell") und vielleicht auch das unter → Stamm behandelte Substantiv; s. auch den Artikel Stute. Als zweiter Bestandteil ist die idg. Wurzel in den unter → First (eigtl. „Hervorstehendes") genannten verdunkelten Zus. enthalten. Eine erweiterte Wurzelform *st[h]āu- „stehen; stehen machen, stützen" liegt der unter → stauen behandelten Wortgruppe zugrunde, eine Wurzelform *st[h]eu- „feststehend, dick, groß" dem Adj. → stur. Andere Erweiterungen sind unter → stellen und → Stab mit ihren zugehörigen Wortgruppen dargestellt. Möglicherweise gehört auch die Sippe von → stemmen (eigtl. „zum Stehen bringen, hemmen") hierher. – Die Präsensformen mhd., ahd. stēn, stān sind wahrscheinlich durch die entsprechenden Formen mhd., ahd. gēn, gān (von → gehen) beeinflußt. Die Formen des Präteritums (nhd. stand, gestanden) gehören dagegen zu dem gemeingerm. Verbalstamm *stand- „stehen", der im Artikel → Stand behandelt ist (s. dort auch über Stunde). Zus.: abstehen „ablassen, verzichten; von etwas entfernt stehen" (mhd. abestēn „absteigen, abtreten"; in der 2. Bed. seit dem 17. Jh.), dazu Abstand m „Verzichtleistung; Entfernung zwischen zwei Punkten" (16. Jh.; in der 2. Bed. verdeutlicht es seit dem 17. Jh. das FW → Distanz); aufstehen (mhd. ûferstēn, ahd. ûfarstēn „sich erheben, vom Tode erstehen"; erst nhd. auf den religiösen Sinn eingeengt, s. auch aufstehen und erstehen), dazu Auferstehung w (16. Jh.); aufstehen „sich erheben; sich empören" (*mhd., ahd.* ūfstēn; in der 2. Bed. seit dem 17. Jh.), dazu Auf stand *m* ,,Aufruhr, Empörung" (17. Jh.) und aufständisch (im 19. Jh. neben jetzt veraltetem 'aufständig'); ausstehen ,,aushalten, ertragen, überstehen" (16. Jh.), kaufmänn. für ,,noch nicht eingetroffen sein" (*spätmhd.* ūzstēn ,,ausbleiben"), dazu Aus stand *m* (*spätmhd.* ūzstant ,,ausstehendes Geld", wofür heute meist Außenstände *Mehrz.* gilt; in der Bed. ,,Streik" wurde 'Ausstand' Ende des 19. Jh.s aus *oberd.* Mundart aufgenommen, wo 'ausstehen' u. a. ,,aus dem Dienst gehen" bedeutete); beistehen ,,Hilfe leisten" (*mhd., ahd.* bīstēn, eigtl. ,,im Kampfe bei jemandem stehen"), dazu Beistand *m* (*spätmhd.* bīstant ,,Hilfeleistung"; als Bezeichnung einer Person in *nhd.* Rechtsbeistand, 19. Jh.); einstehen ,,sich verbürgen" (16. Jh.; die Wendung 'seinen Einstand geben' ,,als Neuling der Kollegen bewirten" bezog sich urspr. [17. Jh.] auf eine Abgabe beim Antritt eines Amtes und dgl.); umstehen (s. Umstand); ¹unterstehen ,,unter einem Schutzdach stehen" (16. Jh.; auch *mhd.* understēn bedeutete ,,sich unter etwas stellen"), dazu Unterstand *m* ,,Obdach, Unterkunft" (*mhd.* understant; Ende des 19. Jh.s militär. für ,,gedeckter Schutzraum"); ²unterstehen ,,jemandem unterstellt sein" (17. Jh.), reflexiv ,,etwas unternehmen, wagen" (*spätmhd.*; heute meist in der Wendung 'untersteh dich nicht ...'); vorstehen ,,nach vorne ragen; ein Amt oder Unternehmen leiten" (*mhd.* vorstēn ,,bevorstehen; sorgen für, regieren"; im älteren *Nhd.* auch in der Bed. ,,vorne, vor etwas stehen", daher bedeutet das adjektiv. Part. vorstehend auch ,,in einem Schriftstück weiter vorn stehend"; beachte noch die weidmänn. Wendung 'der Hund steht vor' ,,bleibt vor einem Wilde stehen" und die Bezeichnung Vorstehhund für bestimmte Hunderassen; 18. Jh.); Abl. von 'vorstehen' sind Vorsteher *m* ,,Leiter" (16. Jh.) und Vorstand *m* ,,[Gesamtheit der] Vorsteher" (im 16. Jh. in der Bed. ,,Vorsitz", später persönl. gefaßt als ,,Bürge, Verteidiger" [17. Jh.], seit Anfang des 19. Jh.s im heutigen Sinn); widerstehen ,,entgegen sein" (*mhd.* widerstēn, *ahd.* widarstēn), dazu Widerstand *m* (*mhd.* widerstant); zustehen ,,zugehören, gebühren" (*mhd.* zuostēn ,,geschlossen sein; beistehen, zuteil werden, zukommen, angehören, zuständig sein"), dazu Zustand *m* ,,Art und Weise des Bestehens" (16. Jh.; seit dem 17. Jh. im heutigen Sinn), zuständig (16. Jh. für ,,zugehörig"; seit dem 19. Jh. für ,,kompetent", d. h. 'zuständig' ist, ,,wem die Entscheidung zusteht"). – Präfixbildungen: bestehen ,,vorhanden sein, existieren; fest bleiben; (aus etwas) zusammengesetzt sein; etwas erfolgreich durchstehen" (*mhd.* bestēn, *ahd.* bistān), dazu Bestand *m* ,,Fortdauer,

Vorrat" (15. Jh.), beständig ,,festbleibend, ausdauernd" (*mhd.* bestendec) und die Zus. Bestandteil (18. Jh.); entstehen ,,werden, zu sein beginnen" (älter *nhd.* auch ,,fernbleiben, mangeln"; *mhd.* entstēn ,,wegtreten, entgehen, sich erheben, werden"); erstehen ,,kaufen; auferstehen" (in der 1. Bed. seit dem 17. Jh., eigtl. vom langen Stehen bei Versteigerungen; *mhd.* erstēn ,,sich erheben, [vom Tode] aufstehen, entstehen, vor Gericht stehend erwerben", *ahd.* irstēn ,,aufstehen"); gestehen ,,bekennen" (eigtl. ,,zur Aussage vor Gericht treten"; *mhd.* gestēn, *ahd.* gistān war verstärktes 'stēn', es bedeutete in der *mhd.* Rechtssprache auch ,,beipflichten, bekennen, einräumen"; beachte die Zus. eingestehen ,,bekennen" und zugestehen ,,einräumen"), dazu geständig ,,seine Schuld bekennend" (16. Jh.; *mhd.* gestendec ,,beständig, beistehend, zustimmend" und Geständnis (17. Jh.); verstehen (s. d.).

stehlen: Das *gemeingerm.* Verb *mhd.* steln, *ahd.* stelan, *got.* stilan, *engl.* to steal, *schwed.* stjäla ist nicht sicher erklärt. Es bezeichnet von Anfang an das heimliche Wegnehmen einer Sache (im Gegensatz zum offenen Raub). Die Vorstellung der Heimlichkeit zeigt sich auch in dem seit *mhd.* Zeit bezeugten reflexiven Gebrauch des Verbs für ,,unbemerkt weggehen" (jetzt gewöhnlich sich davon-, sich wegstehlen). Vgl. dazu *aengl.* stalgang ,,heimlicher Gang", s. auch den Artikel verstohlen. Eine alte Substantivbildung zu 'stehlen', *ahd.* stāla (andersgebildet *aengl.* stalu) ist in der Zus. Diebstahl enthalten, s. Dieb.

steif: Das *westgerm.* Adjektiv *mnd., mitteld.* stīf, *niederl.* stijf, *engl.* stiff ist wohl verwandt mit dem unter →¹Stift behandelten Wort, außerhalb des *Germ.* z. B. mit *lat.* stīpes ,,Pfahl, Stamm", *lat.* stīpāre ,,dicht zusammendrücken" und *lat.* stipula ,,Getreidehalm" (s. Stoppel) sowie mit der *balt.* Sippe von *lit.* stìpti ,,steif oder starr werden". Das Adj. steif hatte die Grundbed. ,,unbiegsam, starr, aufrecht" und wurde urspr. wohl von Holzpfählen und dgl. gebraucht (vgl. *mnd., mnd.* stivel ,,Stütze, Reben-, Bohnenstange"). Das urspr. *niederd.* Adjektiv hat sich seit dem 14. Jh. auch im *Hochd.* durchgesetzt. Abl.: Steife *w* ,,Steifheit" (16. Jh.); steifen ,,steif machen, (Wäsche) stärken" (im 16. Jh. aus *mnd.* stīven); versteifen ,,(mit Stützen) fest machen", (Anfang des 19. Jh.s; beachte gleichbed. *mnd.* vorstīven, *niederl.* verstijven); Steifheit *w* (15. Jh.). Zus.: Steifleinen ,,aus steifem Leinen", auf Menschen übertr. ,,langweilig, unzugänglich" (19. Jh.); stocksteif *ugs.* für ,,völlig steif" (17. Jh.).
steigen: Das *gemeingerm.* starke Verb *mhd.* stīgen, *ahd.* stīgan, *got.* steigan, *aengl.* stīgan, *schwed.* stiga geht mit verwandten Wörtern in andern *idg.* Sprachen auf die *idg.* Wz.

*steigh- „schreiten, steigen" zurück, vgl. z. B. *aind.* stighnōti „steigt" und *gr.* steíchein „schreiten". Die Bed. „schreiten" ist in den *germ.* Sprachen nur resthaft erhalten, z. B. in Steig m „Fußweg" (*mhd.* stīc, *ahd.* stīg), das Verb hat hier von Anfang an die Bed. „hinauf-, hinabschreiten, klettern". *Germ.* Nominalbildungen sind bes. die unter →Steg, →Stiege und →steil behandelten Wörter; s. auch den Artikel Stegreif. Die *dt.* Zus. des Verbs (z. B. ab-, an-, auf-, einsteigen) bilden männl. Verbalsubstantive auf -stieg (beachte schon *ahd.* ufstic, nidarstic). Siehe auch den Artikel →steigern. Abl. Steiger m „Aufsichtsbeamter im Bergbau" (16. Jh.; *mhd.* stīger „Kletterer, Bergsteiger, Besteiger einer Sturmleiter"). Zus.: Steigbügel (17. Jh.); Steigeisen (18. Jh.). Die Präfixbildung sich versteigen „zu weit, falsch steigen" (16. Jh.) wird meist übertragen gebraucht, s. den Artikel versteigen.

steigern: *Spätmhd.* steigern „erhöhen" ist eine Weiterbildung des im *Nhd.* untergegangenen Verbs *mhd.* steigen „steigen machen, erhöhen, aufrichten". Dieses ist das Veranlassungswort zu dem unter → steigen (*mhd.* stīgen) behandelten Verb. In der allgemeinen Bed. „an Menge, Grad oder Wert zunehmen lassen" ist 'steigern' bes. seit dem 18. Jh. gebräuchlich und dient seit der gleichen Zeit auch als grammat. Fachwort. Präfixbildungen: ersteigern „durch Steigern erwerben" (so im 19. Jh.; beachte gleichbed. *mhd.* ersteigen); versteigern „durch eine Auktion verkaufen" (*oberd.* im 18. Jh.), dazu das schon vorher bezeugte Subst. Versteigerung w (17. Jh.).

steil: Das Adjektiv *spätmhd.*, *mhd.* steil (15. Jh.), [m]*niederl.* steil ist zusammengezogen aus einer älteren Form, die als *mhd.* steigel, *ahd.* steigal, ähnl. *aengl.* stǣgel „steil" erscheint und ablautend zu dem unter →steigen behandelten Verb gehört. Vgl. auch *asächs.* stēgili „abschüssige Stelle". 'Steil' bedeutet also eigtl. „(auf- oder ab)steigend". Es ist in der verkürzten Form zuerst am Niederrhein aufgetreten. Abl.: Steile w (18. Jh.); Steilheit w (Anfang des 19. Jh.s); steilen „steil emporsteigen" (17. Jh.; dichterisch).

Stein m: Das *gemeingerm.* Substantiv *mhd.*, *ahd.* stein, *got.* stains, *engl.* stone, *schwed.* sten beruht wie das *slaw.* Sippe von *russ.* stená „Wand, Mauer", *serbokroat.* stijèna „Felswand, Stein" auf einer Bildung zu der *idg.* Wz. *stāi- „sich verdichten, gerinnen" (vgl. *aind.* styāyatē „gerinnt, wird hart"). Aus andern *idg.* Sprachen sind z. B. *gr.* stéar „stehendes Fett, Talg" und *gr.* stīā „Steinchen" verwandt. Der Stein ist demnach wohl als „der Harte" benannt worden. – In der seit dem 16. Jh. bezeugten Wendung 'Stein und Bein schwören' stehen die Substantive wohl nur bekräftigend als Sinnbilder der Härte

('Bein', s. d., bedeutet hier noch „Knochen"). Als bloße Verstärkungen werden auch Zus. wie steinhart, -alt, -reich empfunden, doch bedeutete z. B. *spätmhd.* steinrīche eigtl. „reich an Edelsteinen". Abl.: steinern „aus Stein" (16. Jh., dafür *mhd.*, *ahd.* steinīn); steinig „mit vielen Steinen" (*mhd.* steinec, *ahd.* steinag); steinigen „mit Steinwürfen töten" (15. Jh., dafür *mhd.* steinen, *ahd.* steinōn); versteinern „zu Stein werden oder machen" (17. Jh., oft übertr. gebraucht; dafür älter *nhd.* auch versteinen, *mhd.* versteinen), dazu Versteinerung w (18. Jh.). Zus.: Steinadler (17. Jh.); Steinbock (*mhd.* steinboc; beide Tiere sind nach ihrem Leben auf den Felsen benannt); Steinbrech m (Pflanzenname, *mhd.* steinbreche w, nach gleichbed. *lat.* saxifraga gebildet); Steinbruch (15. Jh.); Steingut „porzellanartige Tonware" (18. Jh.); Steinmetz m „Steinbearbeiter" (*mhd.* steinmetze, *ahd.* steinmezzo; der zweite Bestandteil ist aus dem *Galloroman.* entlehnt; das vorausliegende *vlat.* matiō, maciō „Maurer, Steinmetz" [vgl. *frz.* maçon „Maurer"] gehört aber letztlich zur *germ.* Sippe von → machen in dessen alter Bed. „bauen, errichten"); Steinpilz (Anfang des 18. Jh.s, nach dem festen Fleisch oder dem steinähnlichen Aussehen der jungen Pilze).

Steiß m: Das auf das *dt.* und *niederl.* Sprachgebiet beschränkte Wort (*mhd.*, *ahd.* stiuz, *niederl.* stuit) bezeichnet das Hinterteil von Vögeln und Menschen. Auf entsprechendem *mnd.* stūt „dicker Teil der Oberschenkels" beruht *niederd.* Stuten m „längliches (schenkelförmiges) Weißbrot" (*mnd.* stute[n]). Die Wörter gehören mit der Grundbed. „abgestutzter Körperteil" ablautend zur Sippe von →stoßen. Im *Nhd.* hat die entrundete *mitteld.* Form 'Steiß' seit dem 17. Jh. älter *nhd.* steuß verdrängt. Zus.: Steißbein „unterstes Ende der Wirbelsäule" (18. Jh.; zum zweiten Bestandteil vgl. Bein).

stellen: Das *westgerm.* Verb *mhd.*, *ahd.* stellen, *niederl.* stellen, *aengl.* stiellan ist abgeleitet von dem unter → Stall behandelten *altgerm.* Substantiv und bedeutet eigtl. „an einen Standort bringen, aufstellen". Doch wird es allgemein als Veranlassungswort zu 'stehen' gebraucht, bes. in den Bedeutungen „stehen machen, richten, festsetzen". Die zugrunde liegende *idg.* Wz. *stel- „stehen machen, [auf]stellen; stehend, unbeweglich, steif; Stand[ort], Ständer, Pfosten, Gestell" ist wahrscheinlich eine Erweiterung der unter →stehen dargestellten *idg.* Wurzel. Zu dieser vielfach weitergebildeten und erweiterten Wurzel *stel- gehören aus dem *germ.* Sprachbereich Nominalbildungen wie die unter →still (eigtl. „stehend"), →Stollen (eigtl. „Pfosten, Stütze") und →Stelze (eigtl. „Pfahl, Holzbein"; s. dort über stolz) behandelten Wörter sowie die unter →stolpern und →stülpen (mit der Grundbed. „steif sein") dargestellten Verben. Von verwandten *außergerm.* Wörtern sind zu nennen *gr.* stéllein „aufstellen, ausrüsten, senden" und *lat.* locus „Stelle, Ort" (*alat.* stlocus; s. die Fremdwörter um lokal). Auf den alten Präteritumstamm von 'stellen' (älter *nhd.*, *mhd.* stalte „stellte", *mhd.* gestalt neben gestel[le]t) gehen Bildungen wie die unter →Anstalt, →Gestalt und →verunstalten behandelten zurück. – Abl.: Stelle *w* „Ort, Platz; Amt, Behörde" (wahrscheinlich junge Rückbildung zum Verb, die im 16. Jh. mit der Bed. „Ort des Stehens" für gleichbed. *mhd.* stal [s. Stall] eintrat; mit anderer Bed. *mhd.* stelle *w* „Gestell", das in *nhd.* Bettstelle fortlebt; beachte auch den Artikel Gestell); Stellung *w* „Art des Stehens, Haltung; Amt, Posten; befestigter Standort" (*spätmhd.* stellung). – Zus.: abstellen „niedersetzen, (Übelstände) beseitigen, (Maschinen) anhalten" (*mhd.* abestellen „absetzen, entfernen"; die letzte Bed. seit dem 19. Jh.); anstellen „an etwas stellen; in eine Stelle einsetzen; ins Werk setzen, unternehmen" (*mhd.* anestellen „aufschieben"; die zweite Bedeutung zuerst *oberd.* im 18. Jh.), dazu Angestellte *m* oder *w* (19. Jh., substantiviertes 2. Part.), Anstellung *w* (19. Jh.; im 16. Jh. für „Einrichtung, Verrichtung", s. auch Anstalt) und anstellig „geschickt" (im 18. Jh. aus dem *Schweizerischen* aufgenommen); ausstellen „ausfertigen; zur Schau stellen; tadeln" (zuerst im 16. Jh. für „herausgeben"; zu der letzten Bed. vgl. aussetzen unter setzen), dazu Ausstellung *w* (18. Jh.); darstellen „vor Augen stellen, zeigen, schildern" (im 16. Jh. „offen aufstellen"), dazu Darsteller *m* „Schauspieler" (18. Jh.) und Darstellung *w* „Schilderung" (18. Jh.; im 16. Jh. „öffentliches Zeigen"); herstellen „an einen Ort setzen" (16. Jh.), „anfertigen" (so erst um 1900, entwickelt aus der älteren Bed. „restaurieren, reparieren", das aus „herstellen" aus wiederherstellen gekürzt war [18. Jh.]), dazu Hersteller *m* (im 19. Jh. für „Restaurator") und Herstellung *w* „Anfertigung" (im 19. Jh. aus Wiederherstellung gekürzt, dessen Bedeutung es zuerst hatte); nachstellen „verfolgen" (16. Jh., eigtl. vom Fallenstellen des Jägers gesagt); vorstellen „nach vorn rücken; vorführen, bekannt machen; geistig vor Augen stellen" (seit dem 16. Jh. neben jetzt veraltetem fürstellen), dazu Vorstellung *w* „Vor-, Aufführung; geistiges Bild, Gedanke, Begriff; Einwand, Vorhaltung" (17. Jh.). – Präfixbildungen: bestellen „an einen Ort bringen; in Auftrag geben, kommen lassen; einsetzen; (den Acker) bearbeiten" (*mhd.* bestellen „rings umstellen, besetzen; bringen; anordnen; einrichten, ordnen", *ahd.* bistel-

len „umstellen, umgeben"), dazu Bestellung *w* (*mhd.* bestellunge); entstellen „verunstalten" (*mhd.* entstellen, eigtl. „aus der rechten Stelle oder Gestalt bringen"); erstellen „auf-, herstellen" (19. Jh.); zu veraltetem 'sich stellen' „sich vor Gericht, bei einer Behörde einfinden" (*mhd.* gestellen, *ahd.* gistellen „herbeischaffen, zum Stehen bringen") gehört das militär. Fachwort Gestellungsbefehl (19. Jh.); verstellen „weg-, umstellen, versperren", reflexiv für „heucheln" (*mhd.* [sich] verstellen bedeutete auch „[sich] unkenntlich machen"), dazu Verstellung *w* „Heuchelei" (17. Jh.).

Stelze *w:* Die Substantive *mhd.* stelze, *ahd.* stelza „Holzbein, Krücke", *niederl.* stelt „Stelze, Stelzbein", andersgebildet *engl.* stilt „Stelze", *schwed.* stylta „Stelze" bedeuten urspr. „Pfahl, Stütze". Sie beruhen wie das zweite Glied des Vogelnamens →Bachstelze und das unter →stolz behandelte Adjektiv auf der unter →stellen dargestellten *idg.* Wurzel. Die heutige Bed. von 'Stelze' „Stange mit Trittklötzen zu erhöhtem Gehen", ist im *Nhd.* erst seit dem 16. Jh. bezeugt. 'Auf Stelzen gehen' (16. Jh.) gilt auch übertragen für „hochmütig, geschraubt sein". Abl.: stelzen „steif gehen" (15. Jh.; eigtl. „auf einem Holzbein gehen"). Zus.: Stelzfuß (17. Jh.; *spätmhd.* stelzervuoz).

stemmen: Das *altgerm.* Verb *mhd.* stemmen, *mniederl.* stemmen, *aengl.* forstemman, *schwed.* stämma bedeutet eigtl. „zum Stehen bringen, hemmen", auch „steif machen". Es steht neben *mhd.* [ge]stemen, *ahd.* gistemēn, gistemōn „Einhalt tun" (dazu →ungestüm) und ist verwandt mit den unter →stammeln und →stumm genannten Wörtern, vielleicht auch mit der unter →stehen dargestellten *idg.* Wortgruppe. Im älteren *Nhd.* (seit dem 15. Jh.) bedeutete 'stemmen' bes. „Wasser stauen", heute nur noch „gegen etwas drücken", bildl. „sich widersetzen", in der Sportsprache seit Anfang des 19. Jh.s „drückend hochheben". 'Ein Loch stemmen' bedeutet „ein Loch herausstoßen" (dazu Stemmeisen, 16. Jh.).

Stempel *m:* Die Gerätebezeichnung *mhd.* stempfel „Stößel, [Münz]prägestock", *spätahd.* stemphil „Stößel" gehört zu der unter →stampfen behandelten Wortgruppe. Im *Nhd.* drang Ende des 17. Jh.s die *niederd.* Form durch (*mnd.* stempel, entspr. *niederl.* stempel). In der Bed. „aufgedrücktes Zeichen" wird das Wort erst seit dem 18. Jh. gebraucht, heute bes. für den Abdruck des Gummistempels. Seit dem 18. Jh. heißt auch das weibl. Organ der Pflanzenblüte nach seiner Stößelform 'Stempel'. Eine Sonderbed. „kurzer Stützpfosten" hat 'Stempel' seit Anfang des 14. Jh.s in der Bergmannssprache. Abl.: stempeln „einen Stempel aufdrücken" (im 18. Jh. stempffeln, *mnd.* stempelen). Oft übertr. gebraucht; dazu um

1930 die Wendung 'stempeln gehen' ,,auf Grund eines amtl. Stempels Arbeitslosenunterstützung beziehen").

Stengel *m*: *Mhd.* stengel, *ahd.* stengil ist eine nur *dt.* Ableitung von dem unter →*Stange* behandelten Wort. Sie bezeichnet seit alters vor allem den Blatt- oder Blumenstiel.

Stenographie *w* ,,Kurzschrift": Die Stenographie ist eine englische Erfindung des ausgehenden 16. Jh.s. Am Ende des 18. Jh.s gelangte das System zusammen mit der Bezeichnung nach Deutschland. *Engl.* stenography ist eine gelehrte Neubildung aus *gr.* stenós ,,eng, schmal" und *gr.* gráphein ,,schreiben" (vgl. *Graphik*). – Dazu: stenographieren ,,in Stenographie schreiben" (19. Jh.); Stenograph *m* ,,wer berufsmäßig stenographische Aufzeichnungen macht" (Anfang 19. Jh.); stenographisch ,,kurzschriftlich" (19. Jh.). Das gleichfalls hierher gehörende Subst. Stenogramm *s* ,,in Stenographie nachgeschriebenes Diktat, stenographische Aufzeichnung" (20. Jh.) enthält als Grundwort *gr.* grámma ,,Geschriebenes, Schrift".

Stenotypistin *w*: Berufsbezeichnung für eine weibliche Angestellte, zu deren Aufgabenbereich Stenographieren und Maschineschreiben gehören. Das im 20. Jh. aufkommende FW ist die weibliche Form zu der heute nicht mehr üblichen Berufsbezeichnung Stenotypist *m*. Es handelt sich bei diesem durch Vermittlung von entspr. *frz.* sténotypiste aus *engl.* stenotypist übernommenen FW um eine künstliche Neubildung zu →Stenographie (*engl.* stenography) und *engl.* typist ,,Maschinenschreiber" (abgeleitet von *engl.* type ,,Druckbuchstabe", type-writer ,,Schreibmaschine"; vgl. *Type*).

Step *m* ,,artistischer Tanz, bei dem der Rhythmus durch Klappen mit den Fußspitzen und Hacken hörbar gemacht wird": Im 20. Jh. aus gleichbed. *engl.* step (eigtl. ,,Schritt, Tritt; Tanzschritt") entlehnt, das mit *dt.* →Stapfe verwandt ist. – Abl.: ¹steppen ,,einen Step tanzen" (20. Jh.; aus entsprechend *engl.* to step).

Steppe *w* ,,überwiegend baumlose, trockene Graslandschaft außertrop. Klimazonen": Im 18. Jh. aus gleichbed. *russ.* step' entlehnt.

¹**steppen** siehe Step.

²**steppen** ,,Stofflagen zusammennähen": *Mhd.* steppen ,,stellenweise stechen, reihenweise nähen, durchnähen, sticken" stammt aus dem *mitteld.-niederd.* Sprachgebiet, vgl. *asächs.* steppōn ,,(Vieh) durch Einstiche kennzeichnen". Die Grundbed. ist ,,stechen". Zus.: Steppdecke (19. Jh.). – Nahe verwandt mit 'steppen' ist stippen *nordd. ugs.* für ,,tupfen, [ein]tunken" (*mnd.* stippen ,,stechen, in etwas stoßen, punktieren"). Zu dessen Abl. Stipp *m* ,,Punkt; kleiner (eingetunkter) Happen; Augenblick"

gehört die Zus. Stippvisite *ugs.* für ,,kurzer Besuch" (18. Jh.).

sterben: Das *westgerm.* Verb *mhd.* sterben, *ahd.* sterban, *niederl.* sterven, *aengl.* steorfan ,,sterben" (*engl.* to starve ,,verhungern, erfrieren") war urspr. ein verhüllender Ausdruck, der ,,erstarren, steif werden" bedeutete. Es gehört zu der unter →*starren* dargestellten *idg.* Wortgruppe; vgl. die verwandten Wörter *norw. mdal.* starva ,,mühsam gehen, frieren, dem Tode nahe sein" und *mnd.* starven ,,starr werden". Die Fügung 'kein sterbendes Wörtchen' (18. Jh., im Sinne von ,,schwach, vergehend") wurde im 19. Jh. zu ,,kein Sterbenswörtchen" (d. h. ,,nichts") zusammengezogen. Abl.: sterblich (*mhd.* sterblich), dazu Sterblichkeit *w* (*spätmhd.* sterblīcheit; jetzt als Fachwort der Statistik für ,,Zahl der Todesfälle") und die Gegenwörter unsterblich (*mhd.* unsterbelich) und Unsterblichkeit *w* (*mhd.* unsterbelīcheit). Zus. und Präfixbildungen: absterben ,,eingehen" (18. Jh.; bes. von Pflanzen und Körperteilen); aussterben ,,untergehen" (*spätmhd.* ūzsterben; bes. von Familien, Völkern, Pflanzen- und Tiergattungen); ersterben ,,vergehen" (nur übertr. gebraucht; *mhd.* ersterben ,,absterben"); versterben ,,sterben" (nur von Menschen gesagt, *mhd.* versterben), dazu das substantivierte 2. Part. Verstorbene *m* oder *w* (16. Jh.).

steril ,,unfruchtbar; keimfrei": Das im 18. Jh. über gleichbed. *frz.* stérile aus *lat.* sterilis ,,unfruchtbar, ertraglos" entlehnte Adjektiv erscheint zuerst als ,,unfruchtbar" im medizin. Bereich. Die anderen, übertragenen Bed. sind jünger (beachte auch den Gebrauch des Wortes im Sinne von ,,geistig unfruchtbar, unschöpferisch"). Abl.: sterilisieren ,,unfruchtbar, zeugungsunfähig machen; (Nahrungsmittel, Obst usw.) keimfrei und dadurch haltbar machen" (19./20. Jh.; aus gleichbed. *frz.* stériliser).

Stern *m*: *Mhd.* stern[e], *ahd.* sterno, *got.* staírnō, *schwed.* stjärna ,,Stern" stehen neben andersgebildetem *mhd.* (*mitteld.*) sterre, *ahd.* sterro, *niederl.* ster, *engl.* star (s. ³Star). Außergerm. sind z. B. verwandt *gr.* astḗr, ástron ,,Stern" (s. die FW um Aster) und *lat.* stēlla (aus *stēr-la; s. Konstellation). Die genannten Wörter beruhen auf *idg.* stḗr- ,,Stern", das möglicherweise im Sinn von ,,am Himmel Ausgestreutes" zu der unter →*Strahl* behandelten Wortgruppe gehört. **Deutsche** Bildungen zu 'Stern' sind →Gestirn und →gestirnt. – Zus.: Sternbild ,,als Bild zusammengefaßte Sterngruppe" (17. Jh., dafür *spätmhd.* himelzaichen); Sternfahrt ,,Wertungsfahrt, meist mit Kraftwagen, bei der die Teilnehmer von verschiedenen Richtungen aus nach einem gemeinsamen Ziel fahren" (1. Hälfte des 20. Jh.s); Sternschnuppe (s. Schnuppe); Sternstunde ,,Schicksalsstunde"(um 1800 Sternstunde);

677

Sternwarte (18. Jh., für 'Observatorium'); Ordensstern (18. Jh.); Seestern (Tiername, 18. Jh.); Unstern „unheilbringender Stern" (17. Jh., für älteres 'Unglücksstern').

Sterz m „Schwanz": Das altgerm. Substantiv mhd., ahd. sterz, niederl. staart, engl. start schwed. stjärt bezeichnet den Tierschwanz, auch das hervorstehende Hinterteil (Steiß, Bürzel) von Vögeln; es gehört mit der urspr. Bed. „Starres, Steifes" zu der unter →starren dargestellten idg. Wortgruppe; s. auch stürzen. Während niederd. Stert m (mnd. stert) die Bed. „Schwanz, Hinterteil" bis heute festhält (s. den Vogelnamen Wippstert unter Bachstelze), gilt hochd. Sterz fast nur noch in der Zus. Pflugsterz „Griff zum Führen des Pfluges" (im 12. Jh. [ploch]-sterz).

stet „beständig, gleichmäßig fortdauernd": Das nur dt. Adjektiv (mhd. stæt[e], ahd. stäti, „fest[stehend], beständig") ist eine Bildung zu der unter →stehen dargestellten idg. Wurzel. Im Nhd. häufiger ist die gleichbed. Abl. stetig (mhd. stætec, ahd. stätīg) mit dem Subst. Stetigkeit w (mhd. stætecheit, ahd. stätckheit) und dem Verb bestätigen (s.d.). Das Adverb stets (mhd. stætes) ist der erstarrte Genitiv des Adjektivs stet.

¹Steuer w „Abgabe": Das Substantiv mhd. stiure, ahd. stiura „Stütze, Unterstützung; Steuerruder" (beachte mniederl. sture „Unterstützung") ist nächstverwandt mit den unter →²Steuer behandelten Wörtern und bedeutete wie diese urspr. „Stütze, stützender Pfahl" (vgl. das ablautend verwandte aisl. staurr, schwed. stör „Stange, Pfahl"). Die Wörter gehören zu der unter →stauen „stehen machen" behandelten Wortgruppe. Schon im Ahd. Zeit wurde '¹Steuer' übertragen gebraucht, zunächst mit der Bed. „Unterstützung, Hilfe, Beistand", dann auch im Sinne von „materielle Unterstützung, Gabe; befohlene Abgabe". In der letzten Bedeutung das Wort eng mit der Entwicklung der Geldwirtschaft im Mittelalter verbunden; es bezeichnet in der neueren Sprache ausschließlich die Abgaben an den Staat. Das abgeleitete Verb steuern (mhd. stiuren, ahd. stiurren „stützen, lenken", s. unter ²Steuer) hat seine zuerst im Mhd. bezeugte übertr. Bed. „ausstatten, beschenken" heute nur in den Zus. beisteuern „zu etwas beitragen" (18. Jh.; dazu Beisteuer, 18. Jh.) und aussteuern „ein Kind ausstatten" (mhd. ūʒstiuren, dazu Aussteuer, 18. Jh.) erhalten. Die Präfixverben besteuern „Steuern auferlegen" (spätmhd. besteuren) und versteuern „Steuer für etwas zahlen" (spätmhd. verstiuren) sind Bildungen zu 'Steuer' „Abgabe".

²Steuer s „Lenkvorrichtung": Das Wort erscheint in dieser sächl. Form zuerst in nordd. Büchern des 17. Jh.s und ist von daher in der Schriftsprache üblich geworden (die weibl. Form [s. ¹Steuer] hatte ihre alte Bed. „Steu-

erruder, Schiffsheck" im Hochd. schon vorher eingebüßt). Das nordd. Wort beruht auf mnd. stur[e] s (mitteld. stūr [um 1300] „Steuerruder"), dem gleichbed. niederl. stuur, schwed. styre entsprechen; beachte auch aengl. stēorrōdor „Steuerruder"). Diese west- und nordgerm. Substantive sind nächstverwandt mit dem unter →¹Steuer behandelten Wort und gehören wie dieses mit der urspr. Bed. „Stütze, Pfahl" zur Sippe von →stauen. Aus einer langen Stange, mit der ein Schiff in flachem Wasser fortgestoßen und gelenkt werden kann, hat sich zunächst ein langes Ruder an der rechten hinteren Schiffsseite (Steuerbord, s. u.) und schließlich die heutige Form des Steuers am Schiffsheck entwickelt. Abl.: steuern „[ein Schiff] lenken" (mhd. stiuren, ahd. stiur[r]en, mnd. stūren, „stützen; lenken, abwehren", vgl. niederl. sturen „lenken, nach etwas schicken", got. stiurjan „[Behauptungen] aufstellen", engl. to steer „lenken", schwed. styra „lenken, regieren"; das Verb ist im Dt. von steuern „ausstatten; Abgaben zahlen" [s. ¹Steuer] nicht geschieden; die übertr. Bed. „abwehren" meint eigtl. wohl „in die gewünschte Richtung lenken"). Zus.: Steuerbord „rechte Schiffsseite (von hinten gesehen)" (im 17. Jh.; nhd. entspr. mnd. sturbord, niederl. stuurbord, engl. starboard, schwed. styrbord; benannt nach dem urspr. an dieser Seite angebrachten Steuerruder; s. auch Backbord); Steuermann (mhd. stiur[e]man, mnd. sturman); Steuerruder (mhd. stiurruoder, ahd. stiurruodar; s. Ruder).

Steward m: Im ausgehenden 19. Jh. als Berufsbezeichnung für den offiziellen Betreuer von Passagieren auf Schiffen (später auch in Flugzeugen u. a.) aus dem Engl. übernommen. Engl. steward „Verwalter, Aufwärter, Steward" setzt aengl. stig-weard „Hauswart" fort (vgl. Wart). – Dazu die entspr. weibliche Bezeichnung Stewardeß w (20. Jh.; aus engl. stewardess).

Stich m: Das altgerm. Substantiv mhd. stich, ahd. stih, got. stiks, niederl. steek, engl. stitch beruht auf einer Bildung zu der idg. Verbalwurzel *[s]teig- „stechen", auf die im germ. Sprachbereich auch die unter →stechen (s. d. über stecken und ersticken) und →sticken behandelten Verben zurückgehen. Weitere germ. Substantive gleicher Herkunft sind unter →Stichel und →Stachel genannt. Ohne den s-Anlaut ist die Wurzel auch im Pflanzennamen →Distel enthalten. Verwandte Wörter in anderen idg. Sprachen sind z. B. gr. stízein „stechen, tätowieren", gr. stígma „Stich, Punkt", lat. instīgāre „anstacheln" und lat. stinguere „stechen" (s. Instinkt). – Fügungen wie 'hieb- und stichfest', 'im Stich lassen' (eigtl. „im Kampf verlassen", um 1500) und 'Stich halten' „sich bewähren" (16. Jh.; dazu Anfang des 19. Jh.s die Zusammenbildung stichhaltig) gehen wohl auf alte Turnier- und Fechterausdrücke zurück. Zus.: Stichentscheid, Stichwahl (19. Jh.; zu 'stechen' [s. d.] in der Bed. ,,eine Entscheidung herbeiführen"); Stichprobe (urspr. als Fachwort des Hüttenwesens ,,herausgestochene Probe" [eigtl. ,,beim Anstich des Hochofens entnommene Metallprobe], 16. Jh.); Stichwort (15.–19. Jh. ,,verletzendes [eigtl. stechendes] Wort, Beleidigung", seit dem 18. Jh. ,,Endwort eines Schauspielers, nach dem ein anderer einsetzt oder auftritt", Ende des 19. Jh.s ,,behandeltes Wort in Nachschlagewerken" und [Mehrz.] ,,Leitwörter für den Aufbau einer Rede und dgl.", in diesen letzten Bedeutungen wohl eigtl. ,,herausgestelltes, -gegriffenes [herausgestochenes] Wort").

Stichel m: Das altgerm. Substantiv mhd. stichel, ahd. stihhil, niederl. stekel, aengl. sticel ,,Stachel, Dorn, Spitze", aisl. stikill ,,Spitze eines Trinkhorns" gehört zu der unter →Stich behandelten Wortgruppe, vgl. ahd. stehhal, got. stikls ,,Becher" (eigtl. ,,Spitzbecher zum Einstecken in die Erde"). Gewöhnlich bezeichnet das Wort ein spitzes Gerät, im Nhd. bes. den Grabstichel der Graveure und Kupferstecher (16. Jh.; ähnlich spätmhd. grabstickel). Beachte auch den abgeleiteten Fischnamen Stichling m (spätmhd. stichelinc, vgl. mengl. stikeling, schwed. stickling, nach den Stacheln des Fisches). Das Verb sticheln ,,wiederholt stechen", übertr. ,,reizen, ärgern" (mhd. [aleman.] stichelon ,,umgraben") kann von 'Stichel' abgeleitet oder eine Iterativbildung zu →stechen sein. Dazu Stichelei w ,,[boshafte] Neckerei" (17. Jh.).

sticken ,,farbige Muster oder Figuren nähen": Das westgerm. Verb mhd. sticken ,,heften, stecken, sticken; mit Pfählen versehen", ahd. sticken ,,fest zusammenstecken", niederl. stikken ,,steppen, sticken", engl. to stitch ,,nähen, sticken" beruht auf der unter →Stich dargestellten idg. Wurzel und bedeutet eigtl. ,,sticken". Die heutige Bedeutung ist seit mhd. Zeit bezeugt. Abl.: Sticker m (Berufsbezeichnung seit dem 15. Jh.); Stickerei w (17. Jh.).

Stickstoff m: Das in der zweiten Hälfte des 18. Jh.s als Bestandteil der Luft entdeckte Gas wurde zuerst Stickluft oder -gas und schließlich Stickstoff genannt, weil es brennende Flammen erstickt und rein nicht geatmet werden kann. Der erste Bestandteil des Namens gehört zu dem im 16. Jh. aus →ersticken rückgebildeten, heute veralteten Verb sticken ,,ersticken". Beachte auch das Adjektiv stickig ,,dumpf, dick" (von Stubenluft, Qualm u. ä.; 18. Jh.) sowie die Zus. Stickhusten ,,Keuchhusten" (18. Jh.) und Stickluft ,,stickige Luft" (18. Jh.).

stieben: Das auf das dt. und niederl. Sprachgebiet beschränkte starke, im Nhd. auch schwach gebeugte Verb (mhd. stieben, ahd.

stioban, niederl. stuiven) ist verwandt mit den unter →Staub, →stäuben und →stöbern behandelten Wörtern. Die weitere Herkunft dieser germ. Wortgruppe ist unbekannt. Übertr. bedeutet ,,stieben" schon mhd. ,,sich schnell bewegen, fliegen" (bes. von Pferden und Vögeln; hierher wahrscheinlich das Grundwort von Nasenstüber, s. Nase). Beachte auch nhd. Zus. wie auseinander-, davonstieben und die Präfixbildung zerstieben (mhd. zerstieben).

Stief...: Beziehungen innerhalb der Familie, die durch Wiederverheiratung eines Elternteils entstanden sind, drücken die germ. Sprachen durch Zusammensetzungen aus. Deren Bestimmungswort mhd. stief-, ahd. stiof-, stiuf-, niederl. stief-, engl. step-, schwed. styv- (beachte auch aisl. stjúpr ,,Stiefsohn") bedeutet urspr. wohl ,,abgestutzt, beraubt, verwaist", vgl. die abgeleiteten Verben aengl. ā-, be-stiepan ,,berauben", ahd. ar-, bi-stiufan ,,(der Eltern oder Kinder) berauben". Die Wörter gehören wohl zu der unter →stoßen dargestellten idg. Wortgruppe, vgl. mit anderem Stammauslaut niederd. Stubben m ,,Baumstumpf" (mnd. stubbe, engl. stub, schwed. stubbe). Als Beispiele für die Zus. seien bes. genannt: Stiefkind (mhd. stiefkint, ahd. stiufchint; nhd. auch übertr. für ,,vernachlässigter Gegenstand", z. B. der Gesetzgebung) und Stiefmutter (mhd., ahd. stiefmuoter, seit alters als Typ der bösen Frau angesehen), dazu stiefmütterlich (15. Jh.) und der Blumenname Stiefmütterchen (16. Jh.; die zugrunde liegende Vorstellung ist nicht eindeutig erklärt).

Stiefel m: Die Bezeichnung des hochgeschlossenen [Männer]schuhs (mhd. stival, stivel, ahd. stival, mnd., mniederl. stevel) ist aus dem Roman. entlehnt, vgl. z. B. gleichbed. afrz. estivel, it. stivale und (veraltet:) span. estival. Die Herkunft der roman. Wörter selbst ist umstritten. Abl.: stiefeln ugs. für ,,derb-klobig daherschreiten, tüchtig ausschreiten" (18. Jh.; älter im Sinne von ,,Stiefel anziehen"). Zus.: Stiefelknecht ,,Stiefelauszieher" (17. Jh.; zum Grundwort s. Knecht).

Stiege w: Das Substantiv mhd. stiege ,,Treppe, Leiter, Stufe", ahd. stiega ,,Anstieg, Treppe" ist eine nur dt. Bildung zu dem unter →steigen behandelten Verb, die heute bes. im Oberd. für ,,Treppe" gebraucht wird.

Stieglitz m: Der seit dem 13. Jh. bezeugte, weitverbreitete Name des Distelfinks (mhd. stigeliz) ist aus dem Slaw. ins Deutsche entlehnt worden, vgl. tschech. stehlík ,,Stieglitz". Das slaw. Wort ist wohl lautmalenden Ursprungs.

Stiel m: Das Substantiv mhd., ahd. stil bedeutet seit alters sowohl ,,Handhabe, Griff an Geräten" wie ,,Pflanzenstengel". Es ist entweder urverwandt mit dem unter →Stil genannten *lat.* stilus „spitzer Pfahl, Gartengerät, Pflanzenstengel", oder aber das *lat.* Wort ist als gärtnerischer Fachausdruck ins *Dt.* entlehnt worden.

Stier m: Das *gemeingerm.* Wort (*mhd.* stier, *ahd.* stior, *got.* stiur, *engl.* steer, *aisl.* stjörr) bezeichnete urspr., wie heute noch im *Engl.*, das Jungtier (Stierkalb). *Außergerm.* ist z. B. *awest.* staora- „Großvieh" verwandt. Weiterhin verwandt sind wahrscheinlich gleichbed. Wörter ohne s-Anlaut wie *aisl.* þjörr, *schwed.* tjur „Stier", *gr.* taũros, *lat.* taurus „Stier" (s. Torero), *mir.* tarb „Stier" und *lit.* taũras „Büffel, Auerochse". Der Ursprung dieser Wörter ist unklar. Siehe auch die Artikel Bulle und Ochse.

stieren „unbeweglich, wild blicken": Das seit Ende des 18. Jh.s bezeugte, nur *dt.* Verb ist abgeleitet von dem Adjektiv st i e r „wildblickend" (17. Jh.). Dieses Adjektiv ist wahrscheinlich eine Umbildung des unter → stur behandelten *niederd.* und *niederl.* Wortes unter → Stier. Schon *mniederl.* stuur „streng, barsch" wird um 1600 im Sinne von „wild, drohend, nach Art eines Stieres blickend" verwendet.

¹Stift m „länglicher [zugespitzter] Gegenstand; Nagel [ohne Kopf]": Das urspr. auf das *hochd.* Sprachgebiet beschränkte Wort (*mhd.* stift, steft „Stachel, Dorn, Stift", *ahd.* steft „Stachel; Zapfen; Radnabe") geht wahrscheinlich auf die zu der unter →*steif* dargestellten *idg.* Wortgruppe. Die heute überwiegende Bed. „Schreib-, Zeichen- oder Malgerät" ist seit dem 17. Jh. bezeugt, beachte Zus. wie Bleistift (s. Blei), Farb-, Kopierstift, Lippenstift. Erst im 20. Jh. erscheint Stiftzahn „künstliche, mit einem Stift befestigte Zahnkrone". Mit ¹Stift identisch ist wohl **²Stift** m ugs. für „halbwüchsiger Junge, Lehrling" (eigtl. „etwas Kleines, Geringwertiges"; zuerst im 17. Jh. als *rotw.* Stifftgen „Knäblein" bezeugt).

³Stift siehe stiften.

stiften: Das nur im *Dt.* und *Afries.* bezeugte Verb (*mhd.*, *ahd.* stiften, *mnd.* stiften „gründen, ins Werk setzen, einrichten", *afries.* stifta „gründen, erbauen, in Ordnung bringen") ist unbekannter Herkunft. Das gleichbed. *mnd.* stichten, *niederl.* stichten kann mit ihm identisch sein (vgl. den Artikel Gracht), es kann aber auch mit *aengl.* stiht[i]an „regieren, ordnen, einrichten" zur Sippe von → steigen gehören (eigtl. „auf eine Unterlage stellen"). 'Stiften' gilt seit alters bes. im kirchlichen Bereich im Sinne von „gründen" (ein Kloster, eine Kirche stiften) und „schenken" (eine Messe stiften). Beides wurde in *nhd.* Zeit auf den weltlichen Bereich übertragen ('eine Schule, einen Verein stiften', scherzh. 'eine Flasche Wein stiften' u. ä.). In der alten Bed. „ins Werk setzen"

wird das Verb heute noch in Wendungen wie 'Frieden, Unheil, Verwirrung stiften' gebraucht; beachte auch die Zus. anstiften „verursachen, anrichten, verleiten" (16. Jh.). Abl.: ³Stift s „gestiftete geistl. oder weltl. Einrichtung; zugehöriges Gebäude" (*mhd.* stift, vgl. *mnd.* sticht[e], *niederl.* sticht, stift; in der Bed. „Bistum" [auch: Hoch-, Erzstift] zuerst im 15. Jh.), dazu viele Zus., z. B. Stiftskirche (16. Jh.), Stiftsdame (18. Jh.); Stifter m „Gründer, Schenker" (*mhd.* stiftǣre); Stiftung w „Schenkung; gestiftete Einrichtung" (*mhd.* stiftunge, *ahd.* stiftunga).

Stil m „Eigenart der sprachlichen Ausdrucksmittel; Darstellungsweise; Einheit der [besonderen] Ausdrucksformen eines Kunstwerks": Das seit dem 15. Jh. bezeugte FW geht wie entspr. *it.* stile und *frz.* style auf *lat.* stilus „spitzer Pfahl; Stiel, Stengel; Schreibgerät, Griffel" zurück in dessen übertr. Bed. „Schreibart, Ausdrucksform". Abl.: Stilist m „wer über gute sprachliche Ausdrucksmittel verfügt" (18. Jh.); Stilistik w „Stilkunde" (Ende 18. Jh.; nach entspr. *frz.* stylistique); stilistisch „den Stil betreffend" (Anfang 19. Jh.); stilisieren „einheitlich durchformen; natürliche Strukturen in künstlerisch vereinfachten Formen darstellen" (17. Jh.; französisierende Neubildung). – Vgl. auch den Artikel Stiel.

still: Das *westgerm.* Adjektiv *mhd.* stille, *ahd.* stilli, *niederl.* stil, *engl.* still ist eine Bildung zu der unter →*stellen* dargestellten *idg.* Wurzel und bedeutete urspr. „stehend, unbeweglich" (so in den erst *nhd.* zusammengerückten Verbindungen stillstehen, -sitzen, -halten usw.). Schon im *Ahd.* wird das Adjektiv auch in der Bed. „ruhig, schweigend, verborgen" gebraucht (beachte Fügungen wie stillschweigen, *mhd.* stille swigen, und 'im stillen' „unbemerkt" [17. Jh.]). Abl.: Stille w (*mhd.* stille, *ahd.* stillī); stillen (*mhd.*, *ahd.* stillen „still machen, beruhigen, zum Schweigen bringen"; vgl. *niederl.* stillen, *engl.* to still, *schwed.* stilla; im *Nhd.* gilt seit dem 16. Jh. 'ein Kind stillen' für „säugen", eigtl. „zum Schweigen bringen, wenn es vor Hunger schreit"). Zus.: Stilleben „künstlerische Darstellung von Gruppen lebloser Gegenstände" (als Malerfachwort in der 2. Hälfte des 18. Jh.s aus *niederl.* stilleven entlehnt, z. T. unter Einfluß des gleichfalls aus dem *Niederl.* entlehnten *engl.* still-life).

Stimme w: Die Herkunft des *altgerm.* Substantivs *mhd.* stimme, *ahd.* stimma, stimna, *got.* stibna, *niederl.* stem, *aengl.* stefn, stemn ist unbekannt. – In der Bed. „abgegebenes Urteil, Votum" erscheint 'Stimme' seit dem 14. Jh., beachte dazu Wendungen wie 'jemandem seine Stimme geben' (*mnd.* um 1500), 'Sitz und Stimme haben' (18. Jh.) und Zus. wie Stimmrecht (18. Jh.), Stimmenmehrheit (18. Jh.). Abl.: stimmen (*mhd.* stimmen bedeutete „seine Stimme hören lassen, rufen" [vgl. *nhd.* 'ein Lied anstimmen'], „festsetzen, benennen" [s. bestimmen] und „gleichstimmend, -lautend machen"; aus der ersten Bedeutung entwickelte sich im 16. Jh. der Sinn „sein Votum abgeben" [dazu Zus. wie ab-, bei-, zustimmen]; die dritte Bedeutung gilt bes. von Musikinstrumenten, übertr. vom menschlichen Gemüt [dazu umstimmen, verstimmen, auf etwas abstimmen]; hierher gehört auch die intransitive Bed. „in Einklang stehen, passend, richtig sein" [16. Jh., dazu übereinstimmen]). Von 'stimmen' abgeleitet ist Stimmung *w* (seit dem 16. Jh. von Musikinstrumenten, seit dem 18. Jh. vom Menschen gesagt; beachte die Zus. stimmungsvoll, 19. Jh.). Zu veraltetem stimmig „eine Stimme habend" (17. Jh.) gehören Zus. wie einstimmig (18. Jh.), mehrstimmig (19. Jh.) usw.

stinken: *Mhd.* stinken, *ahd.* stincan „stinken, riechen", *niederl.* stinken „üblen Geruch verbreiten", *aengl.* stincan „Geruch, Duft verbreiten; Geruch wahrnehmen; stieben; dampfen", *engl.* to stink „stinken" entsprechen genau *got.* stigqan „[zusammen]stoßen" und *aisl.* støkkva „springen, bersten, spritzen". Das *gemeingerm.* Verb bedeutete demnach urspr. „stoßen, puffen", woraus sich im *Westgerm.* die Bedeutung „stieben, dampfen, ausdünsten" entwickelte. Die *außergerm.* Beziehungen des Verbs sind unklar. Schon in *mhd.* Zeit überwiegt die Bed. „übel riechen". Im Ablaut zu 'stinken' stehen die unter →Gestank behandelten Substantive und das Subst. Stunk *m* *ugs.* für „Zank, Nörgelei" (Ende des 19. Jh.s aus *Berliner* und *obersächs.* Mundart). Eine Weiterbildung des alten Veranlassungswortes *mhd.* stenken, *ahd.* stenchen „stinken machen" ist stänkern *ugs.* für „die Luft verpesten; nörgeln, Unfrieden stiften" (17. Jh.). Zu heute veraltetem erstinken „stinkend werden" (*mhd.* erstinken) gehört die Wendung „das ist erstunken und erlogen" (16. Jh.). Zus.: Stinkbombe (18. Jh.); stinkfaul *ugs.* für „sehr faul" (17. Jh.; vgl. *faul*); Stinktier (Ende des 18. Jh.s; das Tier bespritzt seinen Gegner mit einem stinkenden Afterdrüsensekret).

Stipendium *s* „Stiftung; Geldbeihilfe (insbesondere für Studierende)": Das seit dem 16. Jh. bezeugte FW wurde im Bereich der Schulsprache aus *lat.* stipendium „Steuer, Abgabe; Sold; Unterstützung" übernommen. Es handelt sich bei dem *lat.* Wort um eine zusammengesetzte Bildung (urspr. wohl *stipi-pendium) zu *lat.* stips (stipis) „Geldbeitrag, Spende" und *lat.* pendere „wägen, zuwägen" (vgl. *Pensum*). Die urspr. Bed. von *lat.* stipendium wäre dann etwa „das Geldzuwägen".

Stirn[e] *w*: Das auf das *dt.* und *niederl.* Sprachgebiet beschränkte Substantiv *mhd.* stirn[e], *ahd.* stirna, *mnd.* sterne, *mniederl.* stern[e] ist verwandt mit *aengl.* steornede „dreist" (eigtl. „mit breiter Stirn", beachte *nhd.* 'die Stirn bieten' „offen entgegentreten", 'die Stirne haben' „sich erdreisten"). Mit der Grundbed. „ausgebreitete Fläche", die auch das verwandte *gr.* stérnon „Brust" zeigt, stellt sich 'Stirn' zu der unter →Strahl dargestellten Wortgruppe. Die Vorstellung „[breite] Vorderfläche" liegt übertragen auch den *nhd.* Zus. Stirnfläche (eines Gegenstands, 17. Jh.) und Stirnwand (18. Jh.) zugrunde. Beachte noch die junge Zusammenbildung engstirnig „mit enger Stirn, beschränkt" (20. Jh.).

stöbern: In der *nhd.* Form sind zwei verschiedene Verben zusammengefallen. Intransitives 'stöbern' „aufwirbeln, flockenartig umherfliegen" (18. Jh.; dafür im 16. Jh. stobern) ist eine Iterativbildung zu *niederd.* stöwen, stöben „stieben" (= *hochd.* stäuben, s. d.). Zu ihr gehört das Subst. Gestöber *s* (*spätmhd.* gestobere, gestöber; z. B. in Schneegestöber). Transitives 'stöbern' „Wild aufscheuchen; hastig durchsuchen" (16. Jh.) ist dagegen als urspr. Jägerwort abgeleitet von Stöber *m* „Jagdhund zum Aufscheuchen" (17. Jh.; *mnd.* stöver), der *niederd.-mitteld.* Form für gleichbed. älter *nhd.* Stäuber, *mhd.* stöuwer. Dieses Subst., heute durch Stöberhund ersetzt, ist von dem oben genannten *niederd.* Verb stöben in dessen Bed. „aufscheuchen" abgeleitet.

stochern „in etwas herumstechen, (Feuer) schüren": Das seit dem 16. Jh. gebräuchliche Verb ist eine Iterativbildung zu dem heute veralteten Verb stochen „Feuer schüren", das wohl auf *mnd.* stöken „stochern, schüren" beruht (vgl. entspr. *niederl.* stoken, *engl.* to stoke „schüren, einheizen"). Mit der Grundbed. „stoßen, stechen" gehören diese Verben wahrscheinlich zu der unter →stoßen dargestellten Wortgruppe, s. auch verstauchen. Ebenfalls von 'stochern' abgeleitet ist Stocher *m* „Gerät zum Stochern" (z. B. Zahnstocher, 17. Jh.).

Stock *m*: Das *altgerm.* Substantiv *mhd.*, *ahd.* stoc, *niederl.* stok, *engl.* stock, *schwed.* stock bezeichnet seit alters sowohl den Baumstumpf (Wurzelstock oder Klotz) wie den Knüttel. Es gehört wahrscheinlich mit der urspr. Bed. „abgeschlagener Stamm oder Ast" zu der unter →stoßen dargestellten *idg.* Wortgruppe. Als Bezeichnung des ausschlagenden Wurzelstocks oder des Haupttriebes einer Pflanze steht 'Stock' z. B. in Zus. wie Wein-, Rosen-, Blumenstock, übertragen in Grundstock „Fonds, Grundbestand" (Ende des 18. Jh.s; vgl. *engl.* stock „Kapital"). Einen „ausgehöhlten Klotz" meint es urspr. z. B. in Bienenstock (s.

Biene). Auch die seit dem 16. Jh. bezeugten verstärkenden Zus. stockdumm, -taub, -steif usw. (heute ugs.) gehen von der Bed. „Klotz" aus. Schon mhd. stoc hat aus der Bed. „Balken" auch den kollektiven Sinn „Geschoß eines Hauses", eigtl. „Balkenwerk", entwickelt (daher noch die Zählung 'erster, zweiter Stock' usw.). Es wurde in diesem Sinn um 1500 durch die Zus. Stockwerk verdeutlicht. Von der zweiten Grundbed. „Pfahl, Ast" her entstand die Bed. „Stab" (z. B. in Prügel-, Spazier-, Taktstock). Hierher gehören auch die Zus. Stockfisch „gedörrter Kabeljau" (spätmhd. im 14. Jh. aus mnd. stokvisch, wohl nach dem Trocknen auf Stangengerüsten benannt) und Stöckelschuh (19. Jh.; zu der Verkleinerungsbildung Stöckel m „hoher Absatz", um 1700). Siehe auch den Artikel stocken.

stocken „nicht weiterkommen": Das nur dt. Verb bedeutete urspr. „fest, dickflüssig werden, gerinnen" und wurde zuerst im 16. Jh. als medizin. Fachwort vom Blut und den Körpersäften gebraucht (beachte die Zus. Stockschnupfen, 18. Jh.). Es gehört wohl zu dem unter →Stock behandelten Substantiv und bedeutet eigtl. etwa „steif wie ein Stock, fest wie ein Klotz werden". Schon spätmhd. erscheint gleichbed. verstocken mit dem noch heute adjektivisch gebrauchten 2. Part. verstockt „verhärtet, unempfindlich" ('ein verstocktes Herz'). Zu der Sonderbed. „durch Feuchtigkeit verderben" (16. Jh.; eigtl. wohl „unter der Einwirkung stockender Dünste faulen") gehören die Abl. stockig „dumpf, verdorben" und die Zus. Stockfleck (um 1800).

Stoff m „Gewebe, Tuch; Material; Gegenstand der Betrachtung und Untersuchung": Im 17. Jh. wohl durch niederl.-nieder d. Vermittlung (vgl. entspr. niederl. stof) aus afrz. estoffe (= frz. étoffe) „Gewebe; Tuch; Zeug" entlehnt, das auch die unmittelbare Quelle für entspr. span. estofa und it. stoffa ist. Das frz. Wort gehört wohl als Substantivbildung zu frz. étoffer (afrz. estoffer) „versehen mit etwas, ausstaffieren", das urspr. „ausstopfen, verstopfen" bedeutete. Die weitere Herkunft des frz. Wortes ist umstritten. Vielleicht beruht es auf einem afränk. *stopfōn, das mit ahd. stopfōn „ausstopfen" identisch ist (vgl. stopfen). Zus.: Stoffwechsel als Bezeichnung für die im Organismus stattfindenden chemischen Umwandlungsprozesse (19. Jh.). – Siehe auch den Artikel staffieren.

stöhnen: Die seit dem 16. Jh. bezeugte nhd. Form geht zurück auf mitteld. (14. Jh.) stenen, mnd. stenen „mühsam atmen, ächzen", dem die gleichbed. starken Verben mniederl. stenen, aengl. stenan entsprechen; vgl. auch ablautend niederl. steunen, schwed. stöna „stöhnen". Die germ. Verben sind

z. B. verwandt mit gr. sténein „dröhnen, ächzen, jammern" und der baltoslaw. Sippe von russ. stenát' „stöhnen". Sie gehören damit zu der unter →Donner behandelten idg. Wortgruppe.

stoisch „von unerschütterlicher Ruhe, gleichmütig": Das diesem seit dem 16. Jh. vorkommenden FW zugrunde liegende Adjektiv gr. stōikós (> lat. stōicus) bedeutet „die Philosophie der Stoa betreffend". Die Stoa, um 308 v. Chr. von dem Philosophen Zenon in einer Säulenhalle Athens (gr. der berühmten 'stoã poikílē') begründet und in der Folge nach dieser Säulenhalle benannt, verlangte von ihren Anhängern als oberste und wichtigste Regel die unerschütterliche Ruhe der Seele in allen Lebenslagen. Hier ist der Ausgangspunkt für den späteren allgemeinen Gebrauch des Wortes, der zuerst in den roman. Sprachen einsetzt (beachte entspr. frz. stoïque). – Dazu das Subst. Stoiker m „Anhänger der Stoa; stoischer Mensch" (17. Jh.).

Stollen m: Das nur dt. Wort (mhd. stolle, ahd. stollo) bedeutet eigtl. „Pfosten, Stütze" und gehört wohl zu den Nominalbildungen des unter →stellen dargestellten Verbs. Außergerm. ist z. B. gr. stélē „Säule" verwandt. Heute bezeichnet 'Stollen' u. a. ein längliches „pfostenähnliches" Gebäck (im 14. Jh. ostmitteld. stollen Mehrz., seit dem 18. Jh. auch Stolle w genannt, bes. Christstolle[n]) und einen waagrechten Gang im Bergwerken (mhd. um 1300; vielleicht nach der Abstützung mit Pfosten). Siehe auch den Artikel Stulle.

stolpern „mit dem Fuß anstoßen, beinahe fallen": Das im Hochd. seit dem 16. Jh. bezeugte Verb ist eine Iterativbildung zu dem gleichbed., später untergegangenen stolpen, stölpen (16. Jh.), vgl. norw. stolpre „stolpern", dän. stolpe, norw. mdal. stolpa „mit steifen Schritten gehen, stolpern". Weiterhin ist wohl die Sippe von →stülpen verwandt; die Wörter gehören im Sinne von „steif sein" zu der unter →stellen behandelten Wortgruppe.

stolz: Das auf den dt. und niederl. Sprachbereich beschränkte Adjektiv mhd. stolz, mnd. stolt „stattlich, prächtig, hochgemut", spätahd. stolz „hochmütig", [m]niederl. stout „verwegen, kühn, hochmütig" bedeutete urspr. wohl „steif aufgerichtet" und gehört demnach ablautend zu der unter →Stelze behandelten Wortgruppe (vgl. die verwandten Verben mniederl. stulten „steif werden, gerinnen", schwed. stulta „tappen, trollen", eigtl. „steif gehen"). Abl.: Stolz m „Selbstbewußtsein, Hochmut" (16. Jh.); stolzieren „stolz einhergehen" (mhd. stolzieren, mit roman. Endung neben mhd. stolzen „stolz sein oder gehen", das im 18. Jh. unterging).

stopfen: Das *westgerm.* Verb *mhd.* stopfen, *ahd.* (bi-, ver)stopfōn „dicht machen, verschließen", *niederl.* stoppen „[ver]stopfen, flicken; anhalten", *engl.* to stop „[ver]stopfen, aufhalten" ist wohl entlehnt aus *mlat.* stuppāre „mit Werg verstopfen" (zu *lat.* stuppa „Werg"). Im *Dt.* haben sich aus der urspr. Bed. „ein Loch verschließen" die Bedeutungen „füllen" und „hineinstecken" entwickelt, wobei wohl ein einheimisches Verb (*mhd.* stopfen, *ahd.* stopfōn „stechen") eingewirkt hat. Die Bed. „mit Nadel und Faden ausbessern" zeigt 'stopfen' erst im 18. Jh. Siehe auch den Artikel stoppen. – Abl.: Stopfen *m landsch.* für „Korken" (18. Jh.), dazu Steppke *m ugs.*, besonders *berlin.* für „kleiner Kerl" (19. Jh.; *niederd.* Verkleinerungsbildung); Stöpsel (s. d.). Zus. und Präfixbildungen: ausstopfen (17. Jh.); vollstopfen (16. Jh.); verstopfen (schon *ahd.*, s. o.), dazu Verstopfung *w* (15. Jh.; seit dem 16. Jh. Bezeichnung für die Darmverstopfung). – Siehe auch den Artikel Stoff.

Stoppel *w* „Halmstumpf": Das im *germ.* Sprachbereich nur *dt.* und *niederl.* Wort (*mhd.* stupfel, *ahd.* stupfala, *mnd.*, *niederl.* stoppel) hat sich im *Nhd.* in der von Luther gebrauchten *niederd.-mitteld.* Form Stoppel durchgesetzt. Es ist wahrscheinlich entlehnt aus *spätlat.* stupula „Strohhalm", einer Nebenform von *lat.* stipula „Halm" (vgl. *steif*). Die übertr. Bed. „kurzes Barthaar" zeigt das *dt.* Wort seit dem 17. Jh. Abl.: stopp[e]lig „mit Stoppelhaaren besetzt" (17. Jh.); stoppeln „im Stoppelfeld Ähren lesen" (15. Jh.; ähnlich *mhd.* stupfeln; seit dem 16. Jh. übertr. für „wahllos zusammensuchen; aus Büchern kompilieren", bes. in der Zus. zusammenstoppeln, 18. Jh.).

stoppen „anhalten, haltmachen": Das *niederd.-mitteld.* Form von →*stopfen* bedeutet seit dem 16. Jh. auch „im Lauf aufhalten" (eigtl. „durch ein Hindernis sperren") und wird so seit dem 18. Jh. in der Jagd ('die Meute stoppen') und bes. im Seewesen gebraucht ('ein Tau, eine Maschine stoppen'). Hier und in der neueren Sportsprache (beachte die Abl. Stopper *m* „Mittelläufer im Fußballspiel") hat auch das entspr. *engl.* to stop „anhalten" eingewirkt. Die Befehlsform stopp! „halt!" (*engl.* stop!) ist als seemänn. Zuruf seit Anfang des 19. Jh.s bezeugt, ihre Substantivierung Stopp *m* „Einhalt" schon im 18. Jh. Die Zus. Stoppuhr „Uhr zum genauen Messen von Zeitspannen" erscheint Anfang des 19. Jh.s als LÜ von *engl.* stop-watch (18. Jh.).

Stöpsel *m* „Flaschenverschluß aus Glas, Holz, Kork und dgl.": Das urspr. *nordd.* Wort (18. Jh.) ist eine Substantivbildung zu dem unter →*stopfen* (*niederd.*, *mitteld.* stoppen) dargestellten Verb. Abl.: zustöpseln (18. Jh.).

Stör *m*: Die Herkunft des *altgerm.* Fischnamens *mhd.* stör[e], stür[e], *ahd.* stur[i]o, *niederl.* steur, *aengl.* styria, *schwed.* stör ist nicht geklärt.

Storch *m*: Der *altgerm.* Vogelname *mhd.* storch[e], storc, *ahd.* stor[a]h, *niederl.* stork, *engl.* stork, *schwed.* stork gehört zu der unter →*starren* dargestellten *idg.* Wortgruppe. Näher verwandt sind die bei →*stark* genannten *germ.* Verben für „steif werden, erstarren"; der Storch ist nach seinem steifen Gang als „Stelzer" benannt worden. Die gleiche Vorstellung zeigen noch die *ugs.* Wendung 'er geht wie der Storch im Salat' (erste Hälfte des 19. Jh.s) und das gleichfalls *ugs.* Verb storchen „steif gehen" (um 1900). Zus.: Storchschnabel (als Pflanzenname *mhd.* storcksnabel, *ahd.* storkessnabul, nach der schnabelförmigen Frucht; seit dem 18. Jh. Bezeichnung eines Zeichengeräts mit spitzwinklig gekreuzten Schienen).

stören: *Mhd.* stœren, *ahd.* stör[r]en, *niederl.* storen bedeuteten urspr. „verwirren, zerstreuen, vernichten" und stehen im Ablaut zu *mhd.* stürn „stochern, antreiben", *engl.* to stir „aufrühren". Weiterhin verwandt sind *aisl.* styrr „Tumult, Kampf" und wohl auch das unter →*Sturm* behandelte Substantiv. *Außergerm.* Beziehungen der Wortgruppe sind nicht gesichert. Präfixbildungen: entstören „eine (Rundfunk)störung beseitigen" (1. Hälfte des 20. Jh.s); verstört „verwirrt" (16. Jh.; eigtl. 2. Part. zu dem heute veralteten verstören [*mhd.* verstœren „vertreiben; beunruhigen, verwirren; vernichten"]) und zerstören „verwüsten, vernichten" (*mhd.* zerstœren), dazu Zerstörer *m* (*spätmhd.* zerstœrer; seit dem 19. Jh. Bezeichnung eines schnellen Kriegsschiffstyps). Beachte noch die Zusammenrückung Störenfried *m* (16. Jh.; eigtl. '[ich] störe den Frieden').

störrisch „mürrisch, widerspenstig": Das seit dem 16. Jh. neben seltenerem störrig bezeugte Adjektiv ist eine Ableitung von dem heute nur *mdal.* gebräuchlichen Storren *m* „Baumstumpf" (*mhd.* storre, *ahd.* storro), das ablautend zur Sippe von →*starren* gehört. Das Adjektiv bedeutet also eigtl. „starr wie ein Baumstumpf".

Story *w* „[Kurz]geschichte, Erzählung": Junges LW des 20. Jh.s aus gleichbed. *engl.-amerik.* story (bzw. short story „Kurzgeschichte"). Dies steht mit anderer lautlicher Entwicklung neben history und geht wie dieses auf *lat.* historia (vgl. *Historie*) zurück, vermittelt durch *afrz.* estoire (entspr. *frz.* histoire).

stoßen: Die *germ.* starken Verben *mhd.* stōzen, *ahd.* stōzan, *got.* stautan, *niederl.* stoten, *aisl.* (schwach) stauta sind eng verwandt mit *lat.* tundere „stoßen, schlagen, hämmern" und *aind.* tudáti „stößt, schlägt, sticht". Sie gehören mit diesen zu der vielfach weiter-

gebildeten und erweiterten *idg.* Wz. *[s]teu-
,,stoßen, schlagen". Aus dem *germ.* Sprachbereich stellen sich zu dieser Wurzel z. B.
die unter →Steiß (eigtl. ,,Abgestutztes"),
→¹stutzen (eigtl. ,,anstoßen"), →²stutzen
,,beschneiden" und →stottern (eigtl. ,,wie-
derholt anstoßen"), ferner die unter →Stief...
(eigtl. ,,abgestutzt, beraubt") und →Tüpfel
(eigtl. ,,[leichter] Stoß, Schlag") und wohl
auch die unter →verstauchen (eigtl. ,,ge-
waltsam stoßen, zerren"), →stochern (eigtl.
,,stoßen, stechen"), →Stück (eigtl. ,,Abge-
schlagenes") und →Stock (eigtl. ,,abge-
schlagener Ast oder Stamm") behandelten
Wörter. *Außergerm.* sind z. B. verwandt *gr.*
týptein ,,schlagen", *gr.* týpos ,,Schlag, Eindruck" (s. Typ) und *lat.* stupēre ,,betäubt,
starr sein" (s. stupid). – Abl.: S t o ß *m*
(*mhd.*, *ahd.* stōz ,,Stoß, Stich"; seit dem
15. Jh. auch ,,aufgeschichteter [Holz]hau-
fen"); S t ö ß e l *m* ,,Stoßgerät" (*mhd.* stœzel,
ahd. stōzil); S t ö ß e r *m* ,,Stößel; Sperber"
(15. Jh.; im 16. Jh. stosser ,,Habicht"). Zus.
und Präfixbildungen: a b s t o ß e n ,,weg-, zurückstoßen; verkaufen; (das Schiff) vom
Ufer lösen" (*mhd.* abestōzen, *ahd.* abastōzan
,,hinabstoßen, entfernen"), dazu das adjektiv. 1. Part. a b s t o ß e n d ,,Abscheu erregend" (Anfang des 19. Jh.s, eigtl. wie 'anziehend' vom Magneten gesagt); a n s t o ß e n
,,an etwas stoßen; die Gläser klingen lassen"
(*mhd.* anestōzen, *ahd.* anastōzan; in der
zweiten Bed. seit dem 18. Jh. bezeugt), dazu
A n s t o ß *m* ,,Anregung; Ärgernis" (*mhd.*
anstōz ,,Angriff, Anfechtung") und a n s t ö -
ß i g ,,Ärgernis erregend" (16. Jh.; gehäuft
für ,,strittig"); v e r s t o ß e n ,,forttreiben;
zuwiderhandeln" (*mhd.* verstōzen, *ahd.* fir-
stōzan), dazu V e r s t o ß *m* ,,Fehler, Vergehen" (17. Jh.); v o r s t o ß e n ,,nach vorn
stoßen, angreifen" (*ahd.* furistōzan, *mhd.*
nicht belegt; als militär. Fachwort erst im
19. Jh.), dazu V o r s t o ß *m* ,,Angriff"
(19. Jh.; älter in der Bed. ,,Kleid-, Uniform-
besatz").

stottern: Das im 16. Jh. aus *niederd.* stotern,
stötern ins *Hochd.* übernommene Verb ist
eine Iterativbildung zu *niederd.* stōten ,,sto-
ßen" (vgl. stoßen) und bezeichnet eigtl. das
wiederholte Anstoßen mit der Zunge beim
Sprechen (als Sprachfehler oder in Erregung,
Trunkenheit und dgl.). Mit scherzhafter
Übertragung gilt 'stottern', bes. in der Zus.
abstottern, auch *ugs.* für ,,ratenweise
[ab]zahlen" (20. Jh.). Abl.: S t o t t e r e r *m*
(17. Jh.).

stracks ,,geradeaus, sofort": Das *dt.* Adverb,
dem *niederl.* straks ,,vorhin, bald, gleich"
entspricht, ist der erstarrte Genitiv des heute
veralteten und nur noch *mdal.* gebräuchlichen Adjektivs strack ,,gerade, straff"
(s. u.). Es hat sich schon in *mhd.* Zeit (*mhd.*
strackes) verselbständigt, wahrscheinlich
durch Kürzung von Fügungen wie 'stracks

laufs' ,,in geradem Laufe", 'stracks wegs'
,,geradewegs", die seit dem 15. Jh. bezeugt
sind. In räumlichem Sinn wird heute meist
die Zus. schnurstracks (s. Schnur) gebraucht.
Das Adj. s t r a c k (*mhd.*, *ahd.* strac, *niederl.*
strak, *aengl.* stræc) gehört im Sinne von
,,steif, straff" zu der unter →starren dargestellten Wortgruppe. Von 'strack' abgeleitet ist das Verb →strecken.

strafen: Das Verb *mhd.* sträfen ,,tadelnd
zurechtweisen, schelten" (ähnlich *mnd.*
straffen, [m]*niederl.* straffen ,,tadeln, bestrafen", *afries.* straffia ,,anfechten, schelten") ist nicht sicher erklärt. Möglicherweise
besteht ein Zusammenhang mit den unter
→straff genannten Wörtern. Die Bedeutungen ,,mit einer [gerichtlichen] Strafe belegen" und ,,züchtigen" treten erst im 13. Jh.
auf. Neben dem Verb steht das Subst. S t r a -
f e *w* (*mhd.* sträfe ,,Schelte, Tadel, Züchtigung", entspr. *mnd.* straffe, *niederl.* straf).
Abgeleitete Bildungen sind strafbar (15.
Jh.), sträflich (*mhd.* strǣflich ,,tadelns-
wert") und S t r ä f l i n g *m* ,,Strafarbeiter,
Strafgefangener" (18. Jh.).

straff ,,angespannt" (übertr.:) ,,streng, diszipliniert": Das auf das *dt.* und *niederl.*
Sprachgebiet beschränkte Adjektiv (*spätmhd.* straf ,,streng, hart", *niederl.* straf) ist
wohl verwandt mit *mnd.* stref ,,angespannt"
(von der Bogensehne) und *ostfries.* strabben
,,ausdehnen", weiterhin vielleicht mit der
unter →starren behandelten Wortgruppe;
s. auch streben und strafen. Abl.: s t r a f f e n
,,fest anziehen" (18. Jh.).

Strahl *m*: Das *westgerm.* Substantiv *mhd.*
strāl[e], *ahd.* strāla, *niederl.* straal, *aengl.*
strǣl wurde in den älteren Sprachzuständen
in der Bed. ,,Pfeil" gebraucht. Es ist verwandt mit der *baltoslaw.* Sippe von *russ.*
strelá ,,Pfeil" und gehört im Sinne von
,,Streifen, Strich" zu der *idg.* Wz. *ster[i]-
,,über etwas hinwegstreifen, -streichen; ausbreiten, hinstreuen". Urspr. ,,Streifen,
Strich" bedeuten auch die unter →Strieme
und →Strähne behandelten verwandten
Wörter. Zu der vielfach weitergebildeten
und erweiterten *idg.* Wurzel stellen sich aus
dem *germ.* Sprachbereich ferner die Sippen
von →streichen, →streifen und →streuen
(mit Streu und →Stroh) sowie die unter
→Stirn (eigtl. ,,ausgebreitete Fläche") und
→Strand (eigtl. ,,Streifen") behandelten
Substantive. Als ,,Ausgestreutes" gehört
vielleicht auch →Stern hierher. *Außergerm.* sind z. B. verwandt *aind.* strṇā́ti
,,streut hin, bestreut", *russ.* pro-sterét' ,,aus-
breiten, -dehnen", *lat.* sternere ,,hinbreiten,
-streuen", dazu strāta via ,,gepflasterter
Weg" (s. Straße), *lat.* strāmen ,,Streu" und
lat. struere ,,aufschichten, übereinanderlegen" (s. Struktur). – Die Bed. ,,Pfeil" hat
'Strahl' im *Dt.* bis ins 16. Jh. bewahrt, aber
schon in *ahd.* Zeit wurde es, wohl unter dem

Einfluß antiker Vorstellungen, auf den Blitz (*ahd.* donarstrāla, eigtl. „Donnergeschoß"), übertragen. Auch in der Bed. „Sonnen-, Lichtstrahl" (seit dem 16. Jh.) war das Wort zunächst bildlich gemeint. Heute ist dieser Ursprung vergessen, der allgemeine wie der fachsprachliche Gebrauch des Wortes geht nur noch von der Vorstellung des geradlinigen Lichtstrahls aus, so bes. in der Physik (seit dem 18. Jh.). Abl.: **strahlen** (16. Jh.; zuerst vom Blitz; oft übertr. für „glänzen"), dazu **Strahlung** *w* (17. Jh.; als physikal. Begriff bes. im 19. Jh. ausgebildet; **strahlig** (18. Jh.; neben älterem strahlicht).

Strähne *w*: Das auf das *dt.* und *niederl.* Sprachgebiet beschränkte Wort (*mhd.* stren[e], *ahd.* streno, *niederl.* streen) bezeichnet einen Streifen oder eine Flechte von Haar, Garn und dgl., das entspr. *schwed. mdal.* strena einen Striemen auf der Haut. Die Wörter gehören mit der Grundbed. „Streifen" zu der unter →*Strahl* dargestellten *idg.* Wortgruppe. Abl.: **strähnig** (19. Jh.; *mhd.* in drīstrenec „dreifädig").

stramm „gespannt, prall, kräftig; streng": Das zu Anfang des 18. Jh.s aus dem *Niederd.* ins *Hochd.* übernommene Wort wurde erst im 19. Jh. durch die preuß. Militärsprache allgemeiner verbreitet. Es geht zurück auf *mnd.* stram „gespannt, steif, aufrecht" (vgl. *niederl.* stram „steif"). Die Wörter sind vielleicht verwandt mit *norw. mdal.* stremba „ausspannen", *norw.* stremben „aufgebläht" und gehören wohl zu der unter →*starr* dargestellten Wortgruppe. Seit Ende des 19. Jh.s erscheinen die jetzt zusammengerückten Fügungen **strammstehen** „militärisch geradestehen" und **strammziehen** ('die Hosen strammziehen' „züchtigen").

strampeln „mit den Beinen zappeln" (bes. von Kleinkindern): Das im *Hochd.* seit dem 15. Jh. bezeugte Verb ist wohl eine Iterativbildung zu *mnd.* strampen (*oberd.* strampfen) „mit den Füßen stampfen". Vgl. auch *mnd.* strumpeln, *niederl.* strompelen „stolpern". Die weitere Herkunft der Wörter ist ungewiß.

Strand *m*: Die Bezeichnung des flachen Uferstreifens am Meer (seltener des Fluß- und Seeufers) ist urspr. ein *nordgerm.* Wort (*aisl.* strǫnd, *schwed.* strand), das ins *Aengl.* (*engl.* strand) und Ende des 13. Jh.s ins *Dt.* und *Niederl.* entlehnt worden ist (*mhd., mnd.* strant, *niederl.* strand). Es ist ablautend verwandt mit *aisl.* strind „Seite, Rand" und gehört wahrscheinlich im Sinne von „Streifen" zu der unter →*Strahl* behandelten Wortgruppe. Abl.: **stranden** „mit dem Schiff auf den Strand geraten, scheitern" (15. Jh.; seit dem 17. Jh. oft übertr. gebraucht). Zus.: **Strandbad** (20. Jh.); **Strandgut** „am Strand angetriebene Sachen" (17. Jh.).

Strang *m* „Strick": Das *altgerm.* Substantiv *mhd., ahd.* stranc, *niederl.* streng „Strähne, Strang", *engl.* string „Schnur, Saite", *schwed.* sträng „Saite, Bogensehne, Strang" gehört mit verwandten Wörtern *idg.* Sprachen zu einer Wurzelform *stren-k-, *stren-g[h]- „straff, beengt, zusammengedreht", vgl. z. B. *gr.* straggós „gedreht", straggaláein „erdrosseln" (s. strangulieren), *ir.* sreang „Strang" und *lett.* stringt „stramm werden". Im *germ.* Sprachbereich ist z. B. das unter →streng behandelte Adjektiv verwandt. Abl.: **strängen** „[Pferde] anspannen", meist in der Zus. **ansträngen** (18. Jh.; s. auch anstrengen unter streng).

strangulieren „erdrosseln": Im 16. Jh. aus gleichbed. *lat.* strangulāre entlehnt, das seinerseits aus gleichbed. *gr.* straggaláein stammt. Das *gr.* Wort ist mit *dt.* →*Strang* verwandt.

Strapaze *w* „große Anstrengung, Beschwerlichkeit": Das seit dem 17. Jh. zuerst als 'Strapatz' *m* bezeugte FW (Genuswandel wohl nach deutschen Synonymen wie 'Mühe', 'Anstrengung') ist aus gleichbed. *it.* strapazzo entlehnt. Das zugrunde liegende Verb *it.* strapazzare „überanstrengen", dessen etymolog. Zugehörigkeit nicht gesichert ist, lieferte seinerseits unser Zeitwort **strapazieren** „übermäßig anstrengen, beanspruchen; abnutzen, verbrauchen" (Anfang 17. Jh.). – Dazu das Adj. **strapaziös** „anstrengend, beschwerlich" (19. Jh.; mit französierender Endung gebildet).

Straße *w*: Das *westgerm.* Subst. *mhd.* strāze, *ahd.* strāz[z]a, *niederl.* straat, *engl.* street beruht auf einer frühen Entlehnung aus *spätlat.* strāta (via) „gepflasterter Weg, Heerstraße". Das *lat.* Wort, das auch in *roman.* Sprachen weiterlebte (vgl. z. B. *it.* strada „Straße, Weg" und *span.* estrada „Landstraße"), ist eine Bildung zu *lat.* sternere (strātum) „ausbreiten, hinbreiten, hinstreuen; ebnen; bedecken, bestreuen" (etymologisch verwandt mit *dt.* →*streuen*) bzw. sinngemäß zu 'sternere viam' „einen Weg (mit Steinen) bestreuen, pflastern". – Beachte in diesem Zusammenhang das *lat.* Kompositum cōn-sternere „hin-, ausbreiten; niederstrecken", dessen Intensivum *lat.* cōnsternāre „scheu, stutzig machen, verwirren" unserem FW →*konsterniert* zugrunde liegt.

Stratege *m* „Feldherr, [Heer]führer": Im 19. Jh. nach dem Vorbild von gleichbed. *frz.* stratège aus *gr.* strat-ēgós „Heerführer, Feldherr; Leiter" entlehnt. Zu *gr.* stratós „Heer" und *gr.* ágein „führen" (vgl. *Achse*). – Dazu: **Strategie** *w* „Kunst der Heerführung, Feldherrnkunst; [geschickte] Kampfplanung" (Anfang 19. Jh.; nach entspr. *frz.* stratégie aus *gr.* strat-ēgía „Heerführung; Feldherrnkunst"); **strategisch** „die Strategie betreffend'' (19. Jh.; nach entspr. *frz.* stratégique aus *gr.* stratēgikós).

sträuben: Das nur *dt.* Verb (*mhd.* strūben, *ahd.* strūbēn) gehört zu dem Adjektiv älter *nhd.* straub, *mhd.* strūp ,,emporstarrend, rauh'' (vgl. *niederl.* stroef ,,schroff, trotzig''), das im 17. Jh. durch das verwandte →struppig abgelöst wurde; s. auch strubbelig. Die Wortgruppe stellt sich mit verwandten *außergerm.* Wörtern (z. B. *lit.* strùbas ,,kurz, abgestutzt'') zu der *idg.* Wz. *[s]ter- ,,starr'' (vgl. *starren*). Im *Nhd.* bedeutet 'sträuben' zunächst ,,(Federn oder Haare) emporrichten'' (wie es angegriffene Tiere tun), danach reflexiv übertr. ,,sich gegen etwas wehren'' (seit dem 14. Jh.). Beachte die Zus. haarsträubend ,,entsetzlich'' (19. Jh.).

Strauch *m*: Das zuerst im *mitteld.* und *niederd.* Sprachgebiet bezeugte Wort (*mhd.* strūch, *mnd.* strūk; *niederl.* struik) bezeichnet ein niedriges, verzweigtes Holzgewächs (z. B. Brombeer-, Rosenstrauch). Es ist wahrscheinlich verwandt mit *lit.* strùgas ,,kurz, verstümmelt'', weiterhin mit der unter →*starren* dargestellten *idg.* Wortgruppe. Abl.: Gesträuch *s* ,,Gebüsch'' (*spätmhd.* gestriuche); strauchig (16. Jh.). Die Zus. Strauchdieb (*mnd.* strūkdēf) bezeichnete urspr. den Straßenräuber; sie wird heute noch abschätzig oder scherzhaft gebraucht.

straucheln ,,stolpern, einen Fehltritt tun'': *Spätmhd.* (*mitteld.*) strūcheln, *niederl.* struikelen sind wahrscheinlich Intensivbildungen zu dem allerdings nur *oberd.* bezeugten Verb *mhd.* strūchen, *ahd.* strūchōn ,,anstoßen, stolpern, stürzen'', dessen Herkunft nicht geklärt ist. In der übertr. Bed. ,,eine (sittliche) Verfehlung begehen'' ist 'straucheln' zuerst durch die Lutherbibel üblich geworden.

¹Strauß *m* ,,Kampf, Streit'': Das heute nur noch übertr. gebrauchte Wort (*mhd.* strūz), dem außerhalb des Deutschen nur *engl.* *mdal.* strout ,,Streit, Hader'' entspricht, ist verwandt mit dem im *Nhd.* untergegangenen Verb *mhd.* striuzen ,,sträuben, spreizen'' und bezeichnete urspr. den heftigen, plötzlich entstehenden Streit. Über weitere Beziehungen vgl. *strotzen*.

²Strauß *m* ,,[Blumen]büschel'': Das nur *dt.* Wort ist zuerst im 16. Jh. bezeugt und bedeutete anfangs ,,Federbusch'' (bei Vögeln und auf Helmen), z. T. auch ,,Strauch'' (beachte die schon *mhd.* Kollektivbildungen gestriuze, striuzah ,,Buschwerk''). Die heutige Hauptbed. ,,zusammengebundener Blumenstrauß'' begegnet seit Ende des 16. Jh.s. Wahrscheinlich gehört das Wort mit der Grundbed. ,,Hervorstehendes'' zu der unter →*strotzen* behandelten Wortgruppe (vgl. *aisl.* strūtr ,,kegelförmige Hutspitze''). Zus.: Straußwirtschaft ,,Schankstätte für selbstgezogenen Wein'' (Mitte des 19. Jh.s; durch einen ausgesteckten [Tannen]busch gekennzeichnet).

³Strauß *m*: Der Name des flugunfähigen Laufvogels *mhd.* strūz[e], *ahd.* strūz (vgl. entspr. *niederl.* struis und *aengl.* strūta, strȳta) beruht auf sehr früher Entlehnung aus einer *vlat.* Form von *lat.* strūthiō ,,Vogel Strauß'', das seinerseits LW aus gleichbed. *gr.* strouthíōn ist. Letzteres steht für *gr.* stroûthos (mégas) ,,(großer) Vogel; Strauß''. Die weitere Herkunft des Wortes ist nicht gesichert.

streben: Das auf das *dt.* und *niederl.* Sprachgebiet beschränkte Verb (*mhd.* streben, *ahd.* strebēn, *niederl.* streven) bedeutete urspr. ,,sich [angestrengt] bewegen, kämpfen'' und geht auf ein gleichbed., resthaft noch im *Mhd.* erhaltenes starkes Verb zurück. Daneben zeigt sich in älteren Sprachzuständen die Bed. ,,steif sein, sich strecken'', die auf Verwandtschaft mit *mnd.* stref ,,straff, ausgespannt'' weist (s. auch den Artikel straff). Beide Bedeutungsrichtungen gestatten wohl die Verknüpfung mit der unter →*starren* dargestellten *idg.* Wortgruppe. Schon in *mhd.* Zeit wurde 'streben' von der körperlichen Bewegung her auf die Anspannung der Gedanken und des Willens übertragen. Die alte Vorstellung der Bewegung im Sinne von Schub und Druck zeigen noch die bautechnischen Fachwörter Strebe *w* ,,schräge Stütze'' (16. Jh.; dazu verstreben ,,mit Streben versteifen'', 19. Jh.), Strebebogen ,,Stützbogen'' (16. Jh.) und Strebepfeiler (15. Jh.); sie werden erst seit dem 18. Jh. als ,,emporragende'' Stützen empfunden. Sonst schließen sich die Abl. und Zus. an die übertragene Bed. des Verbs an: Streber *m* (im 16. Jh. ,,wer widerstrebt'', später ,,wer nach etwas trachtet''; seit der zweiten Hälfte des 19. Jh.s abschätzig für ,,ehrgeiziger, übertrieben fleißiger Mensch''); strebsam ,,fleißig, zielbewußt'' (Anfang des 19. Jh.s); zielstrebig (Ende des 19. Jh.s). Schon *mhd.* erscheint widerstreben ,,Widerstand leisten''.

strecken: Das *westgerm.* Verb *mhd.* strecken, *ahd.* strecchen, *niederl.* strekken, *engl.* to stretch ist das Bewirkungswort zu dem unter →*stracks* behandelten Adjektiv und bedeutet eigtl. ,,gerade, strack machen'', dann ,,ausdehnen, recken'' und ,,ausgestreckt hinlegen''. Zu der letzten Bed. gehört die Wendung 'die Waffen strecken' ,,sich ergeben'' (18. Jh.). Abl.: Strecke *w* ,,Linie oder Weg von bestimmter Länge'' (17. Jh.; *mhd.* in zilstrecke ,,Strecke Wegs''), bergmänn. für ,,waagerechter Grubenbau'' (17. Jh.), weidmänn. für ,,Gesamtheit des auf einer Jagd erlegten Wildes, das nach bestimmten Regeln in Reihen 'gestreckt' wird'' (19. Jh.; dazu die Wendung 'zur Strecke bringen' ,,erlegen''). Zus.: niederstrecken „zu Boden werfen; töten" (Ende des 18. Jh.s; *mhd.* niderstrecken „ausgestreckt hinlegen"); vollstrecken (s. voll); vorstrecken „nach vorn strecken; leihen" (*mhd.* vürstrecken, *ahd.* furistrecchen; in der 2. Bed. seit dem 16. Jh. bezeugt). Die Präfixbildung erstrecken (*mhd.* erstrecken „ausstrecken, ausdehnen") wird heute nur reflexiv im Sinne von „ausgedehnt sein, umfassen" gebraucht.

Streich *m*: Das Substantiv *mhd.* streich „Schlag, Hieb", dem gleichbed. *engl.* stroke entspricht, ist eine Bildung zu dem unter →*streichen* behandelten Verb in dessen heute veralteter Bed. „schlagen"; beachte die Zus. Backenstreich (15. Jh.) und Zapfenstreich (s. Zapfen). Übertr. bezeichnet das Wort seit dem 17. Jh. unerwartete Schläge und Unternehmungen (z. B. Handstreich, s. Hand), vor allem mutwillige oder [hinter]listige Handlungen gegen andere (dazu die Wendung „jemandem einen Streich spielen", 18. Jh.).

streicheln: Zu dem unter →*streichen* (*mhd.* strīchen) behandelten starken Verb gehört das *westgerm.* schwache Verb *mhd.* streichen, *ahd.* streihhōn, *mnd.* strēken, *aengl.* strācian (*engl.* to stroke) „streichen, streicheln". Es ist im *Nhd.* mit seinem Grundverb lautlich zusammengefallen und durch die gleichbed. Weiterbildung 'streicheln' (16. Jh.) ersetzt worden.

streichen: Das *westgerm.* starke Verb *mhd.* strīchen, *ahd.* strīhhan, *niederl.* strijken, *engl.* to strike (s. Streik) geht mit verwandten Wörtern in anderen *idg.* Sprachen auf die unter →*Strahl* dargestellte idg. Wz. *ster[ə]-* „streifen, streichen" zurück, vgl. z. B. *lat.* stringere „[ab]streifen", *lat.* striga „Strich, Streifen" und *lat.* strigilis „Schabeisen" (daher unser LW Striegel *m* „Pferdekamm", *mhd.* strigel, *ahd.* strigil), ferner die *baltoslaw.* Sippe von *russ.* strič' „scheren". Nahe mit 'streichen' verwandt sind die ablautenden unter →Streich, →streicheln und →Strich behandelten *dt.* Wörter. – Abl.: **Streicher** *m* „Spieler eines Streichinstruments (im Orchester)" (19. Jh.; Neubildung zu der jetzt veralteten Fügung 'die Geige streichen', beachte schon *mhd.* strīchen in der Bed. „musizieren"; älter *nhd.* Streicher, *spätmhd.* strīcher bezeichnete verschiedene Handwerker und Kontrollbeamte; s. auch Landstreicher). Zus. und Präfixbildungen: **Streichholz** „Zündholz" (19. Jh.; mit anderem Sinn seit dem 15. Jh. Name eines Geräts zum Abstreichen von Maßgefäßen, die 'gestrichen voll' sein sollten); **abstreichen** „Überflüssiges abstreifen und entfernen" (*mhd.* abestrīchen), dazu **Abstrich** *m* „unreiner Schaum beim Erzschmelzen" (16. Jh.), „Probe von Körperabsonderungen" (medizin. Fachwort, 20. Jh.), „Kürzung [von Geldmitteln]" (19. Jh.); **anstreichen**

„durch Striche bezeichnen; anmalen" (*mhd.* anestrīchen „salben"), dazu **Anstreicher** *m* „Tüncher" (19. Jh.), **Anstrich** *m* „Tünche, Bemalung" (16. Jh.; oft übertr. gebraucht; in anderm Sinn *mhd.* anstrich „Strich auf der Geige"); **verstreichen** „glattstreichen, verschmieren; (von der Zeit:) vorübergehen, vergehen" (*mhd.* verstrīchen „überstreichen; vergehen", *ahd.* farstrīchan „tilgen").

streifen: Das nur *dt.* Verb (*mhd.* streifen „gleitend berühren; abhäuten; ziehen, marschieren") gehört wie das ablautende, im *Nhd.* lautlich mit ihm zusammengefallene Subst. →Streif[en] zu der unter →*Strahl* behandelten Wortgruppe. Es entspricht in seinen Bedeutungen dem verwandten →streichen, doch hat sich der Sinn „umherziehen, schweifen" bes. im *Nhd.* stärker ausgebildet. Beachte die Zus. abstreifen „[eine Hülle] abziehen, entfernen" (*mhd.* abestreifen). Abl.: **Streife** *w* „Polizeipatrouille" (Ende des 18. Jh.s; seit dem 16. Jh. neben veraltetem Streif *m* für „militär. Streifzug"). Zus.: **Streifband** (19. Jh.); **Streifschuß** (18. Jh.).

Streif[en] *m*: *Mhd.* strīfe, *mnd.*, *mniederl.* strīpe „Streifen" und die *nord.* Sippe von *schwed.* stripa „Strähne" gehören wie das Verb →streifen zu der unter →*Strahl* behandelten Wortgruppe. Außerhalb des *Germ.* entspricht nur *air.* srīab „Streifen". Das Wort bezeichnet im *Dt.* schmale, bandartige Gegenstände oder farbige Linien auf Stoffen, Fellen und dgl. Abl.: **streifig** (18. Jh.; älter *nhd.* streificht, *mhd.* strīfeht, *ahd.* strīphat); **gestreift** (*frühnhd.* gestryfft, gestreifft, zu *mhd.* strīfen „mit Streifen versehen").

Streik *m* „gemeinsame, meist gewerkschaftlich gelenkte Arbeitsniederlegung": Im 19. Jh. aus gleichbed. *engl.* strike entlehnt. Das zugrunde liegende Verb *engl.* to strike „die Arbeit einstellen", das seinerseits unser Zeitwort **streiken** (19. Jh.) lieferte, bedeutet eigtl. „streichen; schlagen usw.". Es ist mit *dt.* →*streichen* verwandt. Die sekundäre übertr. Bed. des *engl.* Verbs entwickelte sich wohl aus der Fügung 'to strike work' „die Arbeit streichen" (im Sinne von „die Arbeitsgeräte wegstellen").

Streit *m*: Das *altgerm.* Substantiv *mhd.*, *ahd.* strīt, *niederl.* strijd „Kampf, Hader, Wettstreit, Rechtskonflikt, Meinungsstreit", *schwed.* strid „Kampf, Streit" geht vermutlich von einer Grundbed. „Widerstreben, Starrsinn, Aufruhr" aus, die in den älteren *dt.* Sprachstufen im *Nord.* mehrfach erscheint (vgl. z. B. *aisl.* strīðr „hartnäckig, widerspenstig"). Es gehört also wohl zu der unter →*starren* dargestellten Wortgruppe. Als Bezeichnung des Waffenkampfes gilt Streit heute nur dichterisch und in Namen historischer Waffen wie **Streitaxt** (*spätmhd.* strītax) und **Streitwagen** (15. Jh.); beachte noch Streitmacht „bewaffneter Verband" (18. Jh.). Sonst bezeichnet 'Streit' heute bes. den Rechts- und den Meinungsstreit (dazu Streitfall [19. Jh.] und Streitschrift „polemische Abhandlung" [16. Jh.]) sowie den persönlichen Zank (z. B. in ugs. Streithammel „zänkischer Mensch", nach 1800). Abl.: streitbar (mhd. strītbǣre „kriegerisch, kampftüchtig"); streitig „umstritten" (in der Wendung 'jemandem etwas streitig machen' „anfechten", 16. Jh.; mhd. strītec, ahd. strītig bedeutete u. a. „kampflustig; starrsinnig"; s. auch strittig), dazu Streitigkeit w „Zwist" (17. Jh.; meist Mehrz.). Das Verb streiten (mhd. strīten, ahd. strītan, niederl. strijden, mit schwacher Flexion asächs. strīdian, aisl. strīða) entspricht in seinen Bedeutungen dem Substantiv. Zu dessen Bed. „Wortstreit" stellen sich im Nhd. die Zus. abstreiten „leugnen" (mhd. abestrīten „im Kampf abgewinnen") und das adjektiv. umstritten (19. Jh.) sowie die Präfixbildung bestreiten „(einen Satz, eine Meinung) anfechten" (so seit dem 18. Jh.; vorher wie mhd. bestrīten für „angreifen, bekämpfen" gebraucht; die Sonderbed. „leisten, die Kosten decken" hat sich im 17. Jh. aus der übertr. Bed. „einer Sache gewachsen sein" entwickelt). Abl. zum Verb sind Streiter m „Kämpfer" (mhd. strīter, ahd. strītare) und Streiterei w „Gezänk" (19. Jh.).

streng: Mhd. strenge, ahd. strengi „stark, tapfer, tatkräftig", niederl. streng „streng, stramm", engl. strong „stark, kräftig", aisl. strangr „heftig, stark, hart" (schwed. sträng „streng") gehören zu der unter →Strang genannten Wurzelform. Die alte Hauptbedeutung „stark, kräftig" geht wohl auf eine Grundbed. „fest gedreht, straff" zurück. Im Dt. haben sich daraus die Bedeutungen „hart, grimmig" (strenger Winter), „scharf" (strenger Geruch) und seit frühnhd. Zeit bes. „unnachgiebig, unerbittlich, genau" (von Menschen gesagt) entwickelt. Abl.: Strenge w (mhd. strenge, ahd. strengī; anders gebildet engl. strength „Stärke"); zu veraltetem strengen „einengen; straff anziehen" (mhd., ahd. strengen „stark machen; bedrängen") gehört wohl die Zus. [sich] anstrengen „[sich] bemühen, die Kräfte spannen" (im 15. Jh. für „inständig bitten; gerichtlich belangen", beachte die Wendung 'einen Prozeß anstrengen'), doch hat dabei auch eine Abl. von →Strang eingewirkt (s. dort über nhd. anstrāngen), denn vom 15. bis 17. Jh. bedeutet 'anstrengen' auch „in der Folter befragen" (eigtl. „mit Stricken festbinden").

streuen: Die heutige Form des Verbs hat sich unter einer großen Zahl mdal. Formen allein durchgesetzt. Das gemeingerm. Verb mhd. streuwen, ströuwen, strouwen, ahd. strewen, strouwen, got. straujan, engl. to strew, schwed. strö, zu dem sich auch das unter →Stroh behandelte Substantiv stellt, ist eng verwandt mit lat. struere „über-, nebeneinanderbreiten, aufschichten" (vgl. Strahl). Abl.: Streu w „untergebreitetes Lager des Stallviehs" (mhd. strewe, ströu[we], andersgebildet ahd. gistreuui); gleichbed. war urspr. Streusel s (19. Jh.; mdal. für „Streu", wie schon mnd. strouwelse; als „Streuklümpchen" bes. in der Zus. Streuselkuchen, Anfang des 19. Jh.s). Die Präfixbildung zerstreuen (mhd. zerströuwen) zeigt seit dem 14. Jh. die übertr. Bed. „ablenken"; dazu das adjektiv. 2. Part. zerstreut (das im 18. Jh. durch frz. distrait „abgezogen, abgelenkt" beeinflußt wurde) und das Subst. Zerstreuung w „Ablenkung, Träumerei, Zeitvertreib" (spätmhd. zerströuwunge).

Strich m: Das altgerm. Substantiv mhd., ahd. strich, got. striks, niederl. streek, engl. streak (beachte auch schwed. streck „Strich") gehört ablautend zu dem unter →streichen behandelten Verb. Urspr. bedeutete es „gezogene, gestrichene Linie" (bes. beim Zeichnen und Schreiben), dann auch „Vorgang und Richtung des Streichens" (als Erstreckung oder Fortbewegung). So steht 'Strich' für „Landschaft, Zone" (schon ahd., dazu die Zus. Landstrich, 17. Jh.), für „Haar-, Faserrichtung" (dazu die ugs. Wendung 'gegen den Strich gehen' „zuwider sein", 18. Jh.), für „Flug, das Hinundherstreifen der Vögel" (17. Jh.) und das Umherstreifen der Dirnen (17. Jh.; dazu die Wendung 'auf den Strich gehen', 18. Jh.). Abl.: stricheln „mit kleinen Strichen zeichnen, schraffieren" (18. Jh., schon im 17. Jh. als adjektiv. 2. Part. gestrichelt). Zus.: Beistrich (s. d.); Strichpunkt (1641 von Schottel als 'Strichpünctlein' zur Verdeutschung von →Semikolon gebraucht).

Strick m: Die Herkunft des auf das dt. und niederl. Sprachgebiet beschränkten Wortes (mhd., ahd. stric „Schlinge, Fessel", niederl. strik „Schleife, Schlinge, Strick") ist nicht sicher erklärt. Aus der ältesten Bed. „Schlinge" (bes. zum Tierfang), die noch in Fallstrick (16. Jh.; meist übertr. gebraucht), in stricken (s. u.) und den Präfixbildungen →bestricken und →verstricken bewahrt ist, hat sich in mhd. und frühnhd. Zeit die heutige Bed. „kurzes gedrehtes Seil" entwickelt. Wie Strang (s. d.) bezeichnet 'Strick' das Werkzeug des Henkers, beachte das heute nur scherzh. gebrauchte Scheltwort Galgenstrick (16. Jh.). Abl.: stricken (mhd. stricken, ahd. stricchen „knüpfen, schnüren, flechten"; vgl. aengl. strician „[Netze] ausbessern"; seit dem 12. Jh. werden gestrickte Kleidungsstücke hergestellt), dazu Stricknadel (15. Jh.).

Strieme w, **Striemen** m: Mhd. strieme „farbiger Streifen", blutunterlaufenes Hautmal", niederl. striem „Strieme" gehören zu einer

Gruppe gleichbed. *dt.* und *niederl.* Wörter mit verschiedenem Stammvokal, die sonst nur *mdal.* erhalten sind, z. B. *mhd.* sträm, strîme, *ahd.* strîmo, *niederl. mdal.* straam. Die genannten Wörter gehen alle im Sinne von „Streifen, Strich" auf die unter →*Strahl* dargestellte *idg.* Wortgruppe zurück.

strikt „streng; genau; pünktlich": Das seit dem 17. Jh. bezeugte FW, das lange Zeit vorwiegend in der Adverbform st r i k t e (so gelegentlich noch heute) gebräuchlich war, ist entlehnt aus *lat.* strictus „zusammengeschnürt; dicht, straff, eng; streng" (als Adv.: strictē „streng; genau"), dem Partizipialadj. von *lat.* stringere (strictum) „schnüren, zusammenziehen, straffen". – Vgl. auch das auf einem Kompositum von *lat.* stringere beruhende FW Distrikt.

strittig „umstritten": Das seit dem 15. Jh. bezeugte urspr. *oberd.* Adjektiv gehört zu dem heute nur noch *mdal.* erhaltenen Substantiv Stritt *m* „Streit", einer Substantivbildung zu →streiten (vgl. *Streit*). Es wurde in denselben Bedeutungen wie 'streitig' (s. Streit) gebraucht und hat dieses Wort in der Bed. „umstritten" seit dem 18. Jh. weitgehend abgelöst.

Stroh *s*: Das *altgerm.* Substantiv *mhd.* strō, *ahd.* strao, strō, *niederl.* stro, *engl.* straw, *schwed.* strä gehört zu der unter →*streuen* behandelten Wortgruppe und bedeutet demnach eigtl. „Ausgebreitetes, Hingestreutes". Abl.: strohern (älter, 16. Jh.; für älteres strohin, *mhd.* strōewīn) Zus.: Strohblume (17. Jh.); Strohhalm (15. Jh.); Strohmann (seit dem 16. Jh. für „Strohpuppe", seit dem 19. Jh. kaufmänn. für „vorgeschobene Person", nach *frz.* homme de paille); Strohwitwe („Frau, deren Mann verreist ist" (wie Strohwitwer seit Anfang des 18. Jh.s bezeugt; eigtl. „auf dem [Bett]stroh Alleingelassene[r]").

Strom *m*: Das *altgerm.* Substantiv *mhd.* stroum, strōm, *ahd.* stroum, *niederl.* stroom, *engl.* stream, *schwed.* strōm beruht auf einer Bildung zu der *idg.* Verbalwurzel *sreu- „fließen", vgl. z. B. *aind.* srávati „fließt", *gr.* rhéein „fließen" (s. die FW-Gruppe um Rhythmus) und *lit.* sravéti „fließen, sickern". Mit dem *germ.* Substantiv vergleichen sich näher *gr.* rheūma „das Fließen", *air.* srúaim „Fluß" und *russ.* strúmen „Bach". Auch 'Strom' bedeutet eigtl. „das Fließen", doch ist die konkrete Bed. „fließendes Gewässer" schon alt und überwiegt in *nhd.* Zeit. Seit dem 19. Jh. gilt 'Strom' in diesem Sinne nur für große Flüsse. Die Verwendung des Wortes im Sinne von „fließende Elektrizität" (seit dem 18. Jh.) ist von der Vorstellung einer Strömung ausgegangen. Abl.: strömen „heftig fließen" (17. Jh.), dazu Strömung *w* (Ende des 18. Jh.s). Zus.: Stromlinie „Bewegungslinie, die jedes Teilchen einer Strömung beschreibt" (20. Jh.), auch *ugs.* für

Stromlinienform „der [Luft]strömung angepaßte Gestalt (eines Fahrzeugs und dgl.)"; Stromschnelle (s. schnell).

Strophe *w* „mehrere zu einer rhythmischen Einheit zusammengeschlossene Verse; Gedicht-, Liedabschnitt": Gelehrte Entlehnung des 17. Jh.s aus gleichbed. *gr.* strophḗ > *lat.* stropha. Das *gr.* Subst. bedeutet eigtl. „das Drehen, das Wenden, die Wendung" (zu *gr.* stréphein „drehen, wenden usw."; vgl. dazu auch die auf Komposita von stréphein beruhenden FW Apostroph und Katastrophe). Im speziellen Sinne bezeichnete es die schnelle Tanzwendung des Chors in der Orchestra und das der jeweiligen Wendung entsprechende, zum Tanz vorgetragene Chorlied. Aus diesem Gebrauch des Wortes entwickelte sich dann die allgemeine Bed. „Strophe".

strotzen: *Mhd.* strotzen „[an]schwellen" bedeutet eigtl. „steif emporragen, von etwas starren". Ihm entsprechen *engl.* to strut „stolzieren" und *schwed.* strutta „trippeln, stolzieren" (eigtl. „steif, gespreizt gehen"). Weiterhin sind im *germ.* Sprachbereich verwandt *mhd.* striuzen „spreizen, sträuben" und *aengl.* strūtian „steif hervorstehen" sowie wahrscheinlich die unter →¹*Strauß* „Streit" und →²*Strauß* „Büschel" behandelten Substantive, ferner ohne anlautendes s z. B. *aengl.* drūtian „vor Zorn schwellen", *aisl.* þrūtinn „geschwollen" und die unter ²Drossel genannten Bezeichnungen der Luftröhre. Außergerm. eng verwandt ist z. B. *kymr.* trythu „schwellen". Alle diese Wörter gehören zu der unter →*starren* dargestellten *idg.* Wurzel.

strubbelig (*ugs.* für:) „wirr, struppig": Das auch in der Form strobelig gebräuchliche Wort (im 15. Jh. strobelecht, strubbelich) ist abgeleitet von dem Verb s t r o b e l n „struppig sein oder machen" (*mhd.* strobelen, *ahd.* astropolōn), das wie das unter →struppig behandelte Wort zur Sippe von →*sträuben* gehört. Derselbe Verbalstamm steckt in der urspr. *mitteld. mdal.* Zus. Struwwelpeter *m* „Mensch mit wirrem Haar" (im 18. Jh. Strubbelpeter), die bes. durch das Bilderbuch Heinrich Hoffmanns (Frankfurt 1844) bekannt wurde.

Strudel *m*: Das zuerst *spätmhd.* als strodel, strudel „Strömung, Stromschnelle" bezeugte, nur *dt.* Wort gehört wie das Verb s t r u d e l n (*spätmhd.* strodeln, strudeln „sieden, brodeln") zu dem untergegangenen starken Verb *ahd.* stredan „wallen, (leidenschaftlich) glühen" zurück. Zu der seit dem 16. Jh. auftretenden, heute allein gültigen Bed. „Kreisdrehung, Wasserwirbel" stellt sich wahrscheinlich *oberd.* Strudel als Name einer oft schneckenförmig gedrehten Mehlspeise.

Struktur *w* „Gefüge, Bau; Aufbau, innere Gliederung": Das vereinzelt schon im *Mhd.* belegte, aber erst in neuerer Zeit allgemeiner üblich gewordene FW geht zurück auf *lat.* strūctūra „ordentliche Zusammenfügung, Ordnung, Schichtung, Gefüge; Bauwerk; Bau", das von *lat.* struere (strūctum) „schichten, neben- oder übereinanderlegen, zusammenfügen, aufbauen, errichten" (urverwandt mit *dt.* →*streuen*) abgeleitet ist. – Beachte die auf Komposita von *lat.* struere beruhenden FW →instruieren, instruktiv, Instruktion, →Instrument, →konstruieren, konstruktiv, Konstruktion, Konstrukteur, →rekonstruieren, Rekonstruktion.

Strumpf *m:* Das seit dem 13. Jh. bezeugte Wort (*mhd.* strumpf, *mnd.* strump) bedeutete urspr. und z. T. bis ins 18. Jh. „[Baum]stumpf, Rumpf" (vgl. *norw. mdal.* strump „schmaler Kübel", eigtl. „ausgehöhlter Baumstamm"). Es ist verwandt mit der *baltoslaw.* Sippe von *lit.* strampas „Knüttel, Stumpf" und gehört vielleicht im Sinne von „Steifes, Festes" zu der unter →*starren* dargestellten *idg.* Wortgruppe. Zur Bezeichnung eines Kleidungsstücks wurde 'Strumpf' erst im 16. Jh., als man die damals als Ganzes gearbeitete Bekleidung der unteren Körperhälfte ('Hose' genannt, s. d.) wieder teilte und nun das obere Stück als 'Hose', das untere als 'Strumpf' (eigtl. „Reststück, Stumpf") bezeichnete. Die weitere Entwicklung der Mode hat diesen Ursprung der Bezeichnung bald vergessen lassen. Zu Blaustrumpf s. den Artikel blau.

Strunk *m* „Stumpf, dicker Stengel" (bes. von Kohl, Salat usw.): Das auf das *dt.* und *niederl.* Sprachgebiet beschränkte Wort (*spätmhd.* [*mitteld.*] strunk, *niederl.* stronk) ist verwandt mit *norw. mdal.* strokk „kleiner Holzkübel" (eigtl. „[ausgehöhlter] Baumstumpf") und gehört vielleicht mit der Grundbed. „gestutzt, verstümmelt" zu der unter →*starren* dargestellten *idg.* Wortgruppe (beachte *lit.* strùngas „gestutzt, gekappt" neben gleichbed. strùgas; s. Strauch).

struppig „rauh behaart": Das urspr. *niederd.* Adjektiv (im 15. Jh. strubbich, älter *nhd.* auch strupficht) gehört zur Sippe von →*sträuben*. Es wird auch von wirrem, blattarmem Gesträuch gesagt (s. Gestrüpp).

Stube *w:* Das *altgerm.* Substantiv *mhd.* stube, *ahd.* stuba „heizbares Gemach, Baderaum", *niederl.* stoof „heizbarer Fußschemel, Feuerkieke; Ofen", *engl.* stove „Ofen", *schwed.* stuga „Häuschen, Wohnstube" bezeichnete wahrscheinlich zunächst einen heizbaren Baderaum oder den darin befindlichen Ofen. Dieser Baderaum befand sich urspr. außerhalb des Hauses und wurde später in das Haus einbezogen. Das Wort ging dann auf die heizbare Wohnstube über. Die Herkunft des *germ.* Wortes ist umstritten, seine Ähnlichkeit mit *roman.* Wörtern wie *frz.* étuve, *it.* stufa „Badestube, Schwitzbad" (zu *vlat.* *extūphāre* „mit Dämpfen erfüllen" und *gr.* typhos „Dampf") ist vielleicht nur zufällig.

Stück *s:* Das *altgerm.* Substantiv *mhd.* stücke, *ahd.* stucki, *niederl.* stuk, *aengl.* stycce, *schwed.* stycke gehört zu der unter →*stoßen* dargestellten Wortgruppe. Es bedeutete urspr. „abgeschlagener Teil eines Ganzen; Bruchstück", danach „für sich bestehender Teil" (z. B. 'ein Stück Brot', s. Frühstück) und „(gezähltes) Exemplar" (z. B. 'fünf Stück Vieh'). Übertragene Bedeutungen sind z. B. „Kanone" (16.–18. Jh., dann veraltet, dazu noch be- stücken „mit Geschützen ausrüsten", 18. Jh.) und „Schauspiel, Bühnenstück" (18. Jh.). Abl.: stückeln „in Stücke [auf]- teilen" (*spätmhd.* stückeln), dazu zerstük- keln (16. Jh.). Zus.: Stückwerk „Unvollkommenes" (so seit Luther; im 15. Jh. für „Akkordarbeit", vgl. Stücklohn „Akkordlohn", um 1600).

studieren „lernen, [er]forschen; die Hochschule besuchen": Das seit dem 13. Jh. bezeugte FW geht auf *lat.* studēre „etwas eifrig betreiben; sich wissenschaftlich betätigen, studieren" zurück. Aus dessen Part. Präs. Akt. *lat.* studēns (...dentis) stammt das in der *mlat.* Schulterminologie entwickelte Subst. Student *m* (schon *mhd.* im Sinne von „Lernender, Schüler"); dazu das Adj. studentisch (16. Jh.) und die scherzhafte Neubildung Studiker *m* „Studierender" (*ugs.*, 20. Jh.). – Neben dem *lat.* Verb wurde das dazugehörige Subst. *lat.-mlat.* studium „eifriges Streben; intensive Beschäftigung, wissenschaftl. Betätigung" entlehnt, und zwar auf mehreren Wegen. In einer unmittelbaren gelehrten Übernahme lebt es fort in unserem FW Studium *s* „wissenschaftl. [Er]forschung; intensive Beschäftigung mit einer Sache; Hochschulausbildung" (15. Jh.). Die Mehrzahlform Studien, die als Vorderglied in zahlreichen Zus. wie Studienrat (19. Jh.), Studienreise (19. Jh.) vorkommt, liefert den daraus rückgebildeten selbständigen Singular Studie *w* „Übung[sstück]; Vorarbeit, Entwurf, skizzenhafte Darstellung" (Anfang 19. Jh.). Der zweite Entlehnungsweg, der über *it.* studio „Studium; Studie; Arbeitszimmer, Atelier" führt, bringt im 18./19. Jh. das FW Studio *s* „Künstlerwerkstatt, Atelier; Aufnahmeraum (bei Film, Funk und Fernsehen); Versuchsbühne (für moderne Kunst)".

Stufe *w:* *Mhd.* stuofe, *ahd.* stuof[f]a „Treppen-, Leiterstufe", *niederl.* stoep „Freitreppe, Bürgersteig" entsprechen *asächs.* stōpo „Trift, Spur", das wohl die älteste Bedeutung des Wortes zeigt (vgl. *aengl.* stōpel „Fußspur"). Die Wörter sind ablautend mit den unter →*Stapfe* und →*Staffel* behandelten Substantiven verwandt (vgl. *Stab*). Abl.: stufen „in Stufen ordnen" (Anfang des 19. Jh.s, meist in den Zus. abstufen und einstufen). Zus.: stufenweise (16. Jh.).

Stuhl *m*: Das *gemeingerm.* Substantiv *mhd.,
ahd.* stuol, *got.* stōls, *engl.* stool, *schwed.* stol
gehört zu den Nominalbildungen des unter
→*stehen* dargestellten Verbs und bedeutet
eigtl. ,,Gestell" (vgl. das verwandte *lit.*
pa-stōlas ,,Gestell, Ständer", weiterhin die
slaw. Sippe von *russ.* stol ,,Tisch, Thron").
In den *germ.* Sprachen bezeichnete das Wort
zuerst den aufgebauten Hochsitz des Fürsten (so z. B. *got.* stōls ,,Thron") oder des
Richters, im *Dt.* seit dem Mittelalter auch
das Katheder des Gelehrten (Lehrstuhl,
mhd. lērstuol). Das gewöhnliche Sitzgerät in
german. Zeit war die Bank (s. d.), doch ist
schon früh auch der Stuhl im heutigen Sinn
des Wortes bekannt. Die Zus. Stuhlgang
(15. Jh.) bedeutet eigtl. ,,Gang zum [Nacht]-
stuhl"; das 1. Glied bezieht sich auf ein Gerät
für Kranke oder auf den Abortsitz. Aus der
zugehörigen Wendung 'zu Stuhl gehen' (14.
Jh., vgl. *nhd. ugs.* 'er kann nicht zu Stuhle
kommen' ,,mit etwas nicht fertig werden")
ergab sich schon *spätmhd.* für 'Stuhl' die
Bed. ,,menschliche Exkremente", die vor
allem im medizinischen Sprachgebrauch gilt.

Stulle *w*: Die *nordd.*, bes. *berlin.* Bezeichnung der [bestrichenen] Brotschnitte (im
18. Jh. Butterstolle, *mdal.* immer mit -u-)
ist wohl keine Nebenform des Gebäcknamens
Stolle (s. Stollen). Das Wort geht zurück auf
südniederl., ostfries. stul ,,Brocken, Butter-
klumpen, Torfstück", ein Wort, das die
flämischen Siedler des Mittelalters nach
Brandenburg gebracht haben können. Die
Grundbed. von 'Stulle' wäre demnach
,,Brocken, derbes Stück Brot".

stülpen ,,umkehren, darüberdecken": Das
im *Hochd.* seit dem 15. Jh. bezeugte Verb
(heute meist um-, aufstülpen) stammt wahrscheinlich aus dem *Niederl.* (*mnd.* stulpen
,,umstürzen"; vgl. *niederl.* stolpen, stulpen
,,umstürzen, darüberdecken"). Es ist ablautend verwandt mit *schwed.* stjälpa ,,um-
stürzen, -kippen" und [m]*niederl., mnd.*
stelpen ,,hemmen". Vgl. weiterhin die unter
→*stolpern* genannten Wörter und die Substantive *mnd.* stolpe, *schwed.* stolpe ,,Pfo-
sten, Pfahl", dazu die *baltoslaw.* Sippe von
russ. stolb ,,Pfeiler, Säule" entspricht. Alle
genannten Wörter gehören zu der unter
→*stellen* dargestellten idg. Wz. *stel- ,,auf-
stellen; steif; Pfosten". Die Bed. ,,umstürzen"
hat sich bei 'stülpen' wohl aus ,,steif sein"
entwickelt. Das Substantiv Stulpe *w* ,,Auf-
schlag an Ärmeln, Handschuhen, Stiefeln
und dgl." (im 16. Jh. Stulp ,,Hutrand", seit
18. Jh. Stulpe, Stülpe ,,Ärmelaufschlag",
aus dem *Niederd.*) ist wohl eine Rückbildung
zu 'stülpen'; dazu die Zus. Stulp[en]-
stiefel, Stulphandschuh (um 1800). Unmittelbar zum Verb gehört Stülpnase ,,auf-
gebogene Nase" (17. Jh.).

stumm: Das auf das *dt.* und *niederl.* Sprachgebiet beschränkte Adjektiv (*mhd., ahd.*

stum, *niederl.* stom) bedeutete urspr.
,,sprachlich gehemmt"; es gehört mit den
unter →*stammeln* genannten Wörtern zur
Sippe von →*stemmen* (eigtl. ,,Einhalt tun").
In der Hauptbed. ,,unfähig zu sprechen" hat
es das *gemeingerm.* Wort dumm (s. d.) abgelöst. Abl.: Stummheit *w* (*spätmhd.* stum-
heit); verstummen ,,stumm werden,
schweigen" (*mhd.* verstummen, neben *mhd.,
ahd.* erstummen). Zus.: taubstumm (s.
taub).

Stummel *m*: Das Substantiv *mhd.* stumbel
(entspr. [m]*niederl.* stommel ,,Reststück,
Stumpf") geht auf das substantivierte Adjektiv *ahd.* stumbal ,,verstümmelt" zurück
und ist mit den unter →*Stumpf* behandelten
Wörtern verwandt. Beachte die Zus. Stum-
melschwanz (19. Jh.) und die Präfixbildung
verstümmeln ,,beschneiden, (ein Körperglied) abschneiden" (17. Jh., *mhd.* ver-
stumeln).

Stumpen *m*: Neben →*Stumpf* steht eine
oberd. Form Stumpe[n] ,,[Baum]stumpf,
verstümmeltes Glied" (im 14. Jh. *mhd.*
stumpe). Sie ist heute als 'Stumpen' gemeinsprachlich in den Sonderbedeutungen
,,Grund- oder Rohform eines Filzhutes"
(19. Jh.) und ,,stumpf abgeschnittene, kurze
Zigarre" (20. Jh.; zuerst *schweiz. mdal.*).

Stümper *m* (*ugs.* für:) ,,Nichtskönner": Das
seit dem 14. Jh. zuerst im *Niederd.* und *Mit-
telld.* bezeugte Wort (*mnd.* stumper, stümper,
entspr. *niederl.* stumper) ist eine Abl. von
mnd. stump ,,Stumpf" (vgl. *Stumpf*) und bedeutete urspr. ,,schwächlicher, armseliger
Mensch, der bemitleidet oder verachtet
wird". Erst im 17. Jh. entwickelt sich daraus
der heutige Sinn ,,untüchtiger Mensch, der
nichts von seinem Handwerk versteht".
Abl.: stümperhaft (17. Jh.); stümpern
(17. Jh.).

stumpf: Das mit dem Substantiv →*Stumpf*
eng verwandte Adjektiv war urspr. bes. im
niederd. und *niederl.* Sprachgebiet verbreitet
(*mhd.* stumpf, *spätahd.* stumph, *mnd., mit-
telld.* stump, *niederl.* stomp). Es bedeutete
zunächst ,,verkürzt, verstümmelt", dann
,,ohne Spitze und Schärfe" (übertr. ,,un-
brauchbar") und ,,rund, breit". Der mathemat. Fachausdruck ,,stumpfer Winkel"
(von über 90°) erscheint zuerst um 1400 und
ist wohl LÜ von *lat.* angulus obtūsus. Abl.:
stumpfen ,,stumpf machen" (seit dem
18. Jh. meist in der Zus. abstumpfen gebraucht); Stumpfheit *w* (*spätmhd.* stumpfheit ,,Gefühllosigkeit von Geist und Sinn"; im
18. Jh. neu aufgekommen). Zus.: stumpfsinnig ,,geistesschwach, dumm, träge"
(15.Jh.), dazu die Rückbildung Stumpfsinn
(Ende des 18. Jh.s).

Stumpf *m*: Das nur im *dt.* und *niederl.* Sprachgebiet altbezeugte Substantiv lautet *mhd.*
stumpf[e], *ahd.* stumph, *mnd.* stump (s.
Stümper), *niederl.* stomp; daneben steht mit

691

abweichendem Stammauslaut *oberd.* Stumpe[n] ,,Stumpf" (s. Stumpen). Diese Substantive bilden mit dem nahe verwandten Adjektiv →stumpf und den unter →Stummel genannten Wörtern eine Wortgruppe, die von Bedeutungen wie ,,verstümmelt; steifer Rest eines Baumes oder Körperteils" ausgeht und weiterhin vielleicht mit der unter →*Stab* dargestellten *idg.* Wortgruppe verwandt ist. Beachte die dorthin gehörigen Wörter *lit.* stam̃bas ,,[Pflanzen]strunk" und *aind.* stambha-ḥ ,,Pfosten". Die eigtl. Bedeutung ,,Baum-, Pflanzenrest" zeigt 'Stumpf' auch in der Wendung 'mit Stumpf und Stiel (d. h. völlig) ausrotten' (16. Jh.).

Stunde *w*: Das *altgerm.* Wort *mhd.* stunde, stunt ,,Zeit[abschnitt], Zeitpunkt; Gelegenheit, Mal; Frist", *ahd.* stunta ,,Zeit[punkt], Stunde", *niederl.* stond[e] ,,Stunde", *aengl.* stund ,,Zeitpunkt, Augenblick, Stunde", *schwed.* stund ,,Weile, Augenblick" ist wahrscheinlich eine ablautende Bildung zu dem unter →*Stand* genannten *gemeingerm.* Verb mit der Bed. ,,stehen" (*ahd.* stantan usw.). Es bedeutete demnach urspr. ,,Stehen, Aufenthalt, Rast, Pause", dann ,,Weile, [Zeit]raum, -[punkt]" (vgl. den Artikel Weile). Zur Bezeichnung eines genau bemessenen Tagesabschnitts (60 Minuten) ist 'Stunde' erst im 15. Jh. geworden. Abl.: stunden ,,Frist geben" (17. Jh.; schon *mnd.* stunden bedeutete ,,aufschieben"), dazu Stundung *w* (17. Jh.; meist von Zahlungen gesagt; *mnd.* stundinge); **stündlich** (17. Jh.; *spätmhd.* stundelich).

stupid ,,stumpfsinnig; beschränkt, dumm": Im Anfang des 18. Jh.s über gleichbed. *frz.* stupide aus *lat.* stupidus ,,betäubt; verdutzt, verblüfft; borniert, dumm" entlehnt. Das zugrunde liegende Verb *lat.* stupēre ,,starr sein, verblüfft sein" gehört zu den p-Erweiterungen der unter →*stoßen* entwickelten *idg.* Wz. * [s]teu- ,,stoßen, schlagen". Für die Bedeutungsentwicklung von stupēre finden sich zahlreiche Parallelen in anderen Sprachen, beachte z. B. *dt.* ,,betroffen sein" und *ugs.* 'bekloppt sein'.

stur (*ugs.* für:) ,,unbeweglich, unnachgiebig, hartnäckig, stumpfsinnig": Das erst im 19. Jh. aus dem *Niederd.* ins *Hochd.* übernommene Adjektiv geht zurück auf *mnd.* stūr ,,groß, schwer; störrisch, widerspenstig", dem *mniederl.* stuur ,,streng, hartherzig, barsch", *ahd.* stūri, stiuri ,,stattlich, stolz, wild" und *aschwed.* stūr ,,groß" entsprechen. Die Wörter gehören mit der Grundbed. ,,standfest, dick, breit" zu der unter →*stehen* dargestellten *idg.* Wortgruppe. Aus anderen *idg.* Sprachen ist z. B. *aind.* sthūrá-ḥ ,,dick, stark" verwandt. Siehe auch den Artikel stieren.

Sturm *m*: Das *altgerm.* Substantiv *mhd.*, *ahd.* sturm, *niederl.* storm, *engl.* storm, *schwed.* storm gehört wahrscheinlich zu der unter →*stören* behandelten Wortgruppe und bedeutet daher eigtl. ,,Verwirrung, Unruhe, Tumult". Seit alters bezeichnet es sowohl das Unwetter wie den heftigen Kampf, militärisch seit *mhd.* Zeit bes. den Angriff auf eine Festung (beachte die Wendung 'gegen etwas Sturm laufen', *frühnhd.* 'den sturm anlaufen'). Im Sinne von ,,innerer Aufruhr, geistig-seelischer Trieb" entstand Ende des 18. Jh.s das Schlagwort 'Sturm und Drang' als Bezeichnung der sog. Geniezeit der deutschen Dichtung. Abl.: **stürmen** ,,heftig wehen; angreifen, rennen" (*mhd.* stürmen, *ahd.* sturmen), dazu **anstürmen** ,,angreifen, berennen" (*mhd.* anestürmen) und die Rückbildung Ansturm (19. Jh.); **Stürmer** *m* (*mhd.* sturmǣre ,,Kämpfer"; heute bes. Bezeichnung der angreifenden Spieler im Fußball, Hockey usw.); **stürmisch** (*mhd.* als Adverb stürmische).

stürzen: Das *westgerm.* Verb *mhd.* stürzen, sturzen, *ahd.* sturzen ,,umstoßen, umstülpen; fallen", *niederl.* storten ,,hineinstoßen, schütten; fallen", *aengl.* styrtan ,,losstürzen, aufspringen" (dazu wahrscheinlich gleichbed. *engl.* to start, s. Start) ist ablautend verwandt mit *mhd.* sterzen ,,steif emporragen" (heute nur *mdal.*) und dem unter →*Sterz* ,,Schwanz, Bürzel" behandelten Substantiv. Die Wörter gehören zu der unter →*starren* behandelten *idg.* Wurzel. 'Stürzen' bedeutete demnach urspr. wohl ,,auf den Kopf stellen oder gestellt werden" (vgl. das Verhältnis von 'purzeln' zu 'Bürzel". Die Bed. ,,eilen" (eigtl. ,,absichtlich fallen") hat sich im *Dt.* erst spät entwickelt, sie gilt bes. seit dem 18. Jh. Abl.: Sturz *m* ,,Fall; Umstülpung; Übergestülptes" (*mhd.*, *ahd.* sturz; die zweite Bedeutung z. B. in Kassensturz, die dritte in Glassturz, Türsturz). Zus. und Präfixbildungen: **bestürzen** (s. d.); **umstürzen** ,,umwerfen, umfallen" (*mhd.* ummesturzen; seit dem 16. Jh. auf polit. Gewaltakte bezogen), dazu Umsturz *m* ,,Revolution" (18. Jh.).

Stute *w*: Das *altgerm.* Wort *mhd.*, *ahd.* stuot, *mnd.* stōt, *aengl.* stōd, *aisl.* stōd bezeichnete urspr. eine Herde von Pferden, dann speziell eine Herde von Zuchtpferden, die halbwild im Gelände gehalten wurde, wie es heute z. B. noch im westfäl. Emscherbruch üblich ist. Das Wort ist vermutlich eine Bildung zu dem unter →*stehen* behandelten Verb und bedeutet eigtl. ,,Stand, zusammenstehende Herde" oder ,,Standort" (einer Herde). Während *engl.* stud ,,Gestüt" den kollektiven Sinn bis heute bewahrt hat, wurde *mhd.* stuot seit Anfang des 15. Jh.s zur Bezeichnung des einzelnen weiblichen Zuchtpferdes (ebenso *schwed.* sto ,,Stute"; die Herden bestanden überwiegend aus weibl. Tieren). Für die alte Bedeutung, die z. B. auch dem ON Stuttgart (eigtl. ,,Pferdegehege") zugrunde liegt, trat im 16. Jh. die Neubildung →Gestüt ein.

¹**stutzen** „stehenbleiben, zurückschrecken, aufmerken": *Spätmhd.* stutzen „zurückscheuen" bedeutet eigtl. „anstoßen, gehemmt werden" (vgl. *ahd.* stotzōn „heftig, stoßweise ausführen" und *ahd.* erstutzen „wegscheuchen". Die genannten Verben sind Intensivbildungen zu dem unter →*stoßen* behandelten Wort. Abl.: stutzig „bedenklich, zögernd" (16. Jh.).

²**stutzen** „beschneiden, verkürzen": Das erst im 16. Jh. bezeugte *dt.* Verb ist wahrscheinlich von dem Substantiv Stutz[en] *m* „Stumpf, verkürztes Ding" abgeleitet, einer auf das *dt.* Sprachgebiet beschränkten Bildung aus der Sippe von →*stoßen*. Das Substantiv erscheint seit dem 14. Jh. in mehreren Sonderbedeutungen (z. B. *mhd.* stotze „Stamm, Klotz", *mhd.* stutze „Trinkbecher"), seit dem 18. Jh. *oberd.* für „kurzes Gewehr", „Wadenstrumpf" u. ä.

stützen: Das auf das *dt.* und *niederl.* Sprachgebiet beschränkte als *ahd.* er-, untarstuzzen, *mnd.* stutten, *niederl.* stutten) gehört als Intensivbildung zu einem Verb, das in *ahd.* studen, *aisl.* stydja „feststellen, stützen" erscheint. Dieses Verb ist von einem als *spätmhd.* stud, *engl.* stud, *schwed.* stöd „Stütze, Pfosten" bezeugten Substantiv abgeleitet. Über weitere Beziehungen vgl. *stauen.* Als einfaches Verb ist 'stützen' im *Hochd.* seit dem 17. Jh. gebräuchlich. Das Verb 'stützen' bedeutet also eigtl. „Stützen unter etwas setzen, von unten halten". Es wird vielfach übertr. gebraucht, bes. in der Zus. unterstützen (*mhd.* understützen, *ahd.* untarstuzzen). Abl.: Stütz *m* „das Aufstützen" (Anfang des 19. Jh.s in der Turnersprache); Stütze *w* (*mhd.* stütze; seit dem 16. Jh. bildlich auf helfende Personen übertr.). Zus.: Stützpunkt (Anfang des 19. Jh.s; bes. in militär. Sinn).

sub..., **Sub...**, vor Konsonanten vielfach angeglichen zu suf..., sug..., suk..., sur...: Aus dem *Lat.* stammende Vorsilbe mit den Bed. „unter; unterhalb; von unten heran; nahebei", wie z. B. in →subskribieren und →Subjekt. – *Lat.* sub „unter; unterhalb; von unten heran; nahebei usw." (Präfix und Präpos.) gehört mit den verwandten Wörtern *lat.* super „oben auf, darüber usw." (s. super...), suprā „oben darauf; darüber hinaus" und *lat.* summus (< *sup-mos) „höchste, äußerste, größte" (s. Summe) zu der unter →*auf* dargestellten *idg.* Wortfamilie.

Subjekt *s* „Satzgegenstand"; in der Philosophie Bezeichnung für das anerkennende, mit Bewußtsein ausgestattete Ich; auch *ugs.* gebräuchlich für „Person" (meist mit dem Nebensinn des Verächtlichen): Im 16. Jh. entlehnt aus *lat.* subiectum „Satzgegenstand; Grundbegriff". Dies gehört im Sinne von „das Daruntergeworfene, das (einer Aussage oder Erörterung) zugrunde Gelegte" zu *lat.* subicere „darunterwerfen, unterlegen, zugrunde legen", einem Kompositum von *lat.* iacere „werfen usw." (vgl. das FW *Jeton*). – Dazu: **subjektiv** „auf die (handelnde) Person bezogen; ichbezogen; einseitig, parteiisch" (18. Jh.; formal nach *lat.* subiectīvus „zum Subjekt gehörig").

sublim „erhaben, fein, nur einem geläuterten Verständnis oder Empfinden zugänglich": Im 18. Jh. aus *lat.* sublīmis „in die Höhe gehoben, schwebend; erhaben" entlehnt. – Dazu: sublimieren „erhöhen, läutern, veredeln (im geistigen Sinne)", in *spätmhd.* Zeit aus *lat.* sublīmāre „erhöhen" entlehnt. Im Bereich der Chemie gilt das Verb seit dem 16. Jh. mit einer neuen Bed. „unmittelbar vom festen in den gasförmigen Zustand übergehen und umgekehrt".

subskribieren „ein Buch vor dem Erscheinen durch Namensunterschrift vorausbestellen": Ein Fachwort des Buchhandels, das in diesem Sinne seit dem Ende des 18. Jh.s erscheint. Mit einer ganz allg. Bed. „unterschreiben" ist das Wort hingegen schon für das 16. Jh. bezeugt. Es ist aus *lat.* sub-scrībere „unterschreiben", einem Kompositum von *lat.* scrībere (scrīptum) „schreiben" entlehnt (vgl. das LW *schreiben*). – Dazu: Subskribent *m* „wer ein Buch subskribiert" (18. Jh.; aus dem Part. Präs. Akt. *lat.* subscrībēns); Subskription *w* „namentliche Zeichnung auf ein später erscheinendes Buch" (18. Jh.; aus *lat.* subscrīptiō „Unterschrift").

Substantiv *s* „Hauptwort, Dingwort": Das Wort erscheint in der heutigen Form im 18. Jh. Als grammat. Terminus ist es aus gleichbed. *spätlat.* (verbum) substantīvum entlehnt, einer Lehnübersetzung von entspr. *gr.* (rhēma) hyparktikón. Das *lat.* Wort bedeutet eigtl. etwa „Wort, das für sich selbst bestehen kann". Es gehört als Abl. zu *lat.* substantiā „Bestand; Wesenheit, Existenz, Wesen, Inbegriff" (von *lat.* substāre „darunter sein, darin vorhanden sein", einem Kompositum von *lat.* stāre „stehen", vgl. *stabil*). Letzteres ist die Quelle für unser im Bereich der philosophischen Fachsprache aufgenommenes FW **Substanz** *w* „das Beharrende, Dauernde; Wesen einer Sache; Grundbestand" (schon *mhd.* substancie).

subtil „zart, fein; sorgsam, genau; schwierig": Das seit *mhd.* Zeit bezeugte Adjektiv ist aus gleichbed. *lat.* subtīlis entlehnt.

subtrahieren „abziehen, vermindern" (Math.): Gelehrte Entlehnung des 16. Jh.s aus *lat.* sub-trahere „unter etwas hervorziehen; entziehen, wegnehmen", einem Kompositum von *lat.* trahere (tractum) „ziehen, schleppen" (vgl. das LW *trachten*).

Dazu das Subst. Subtraktion *w* „das Abziehen (als zweite Grundrechnungsart)", im 16. Jh. aus *spätlat.* subtractiō „das Abweichen".

suchen: Das *gemeingerm.* Verb *mhd.* suochen, *ahd.* suohhen, *got.* sōkjan, *engl.* to seek, *schwed.* söka bedeutet eigtl. „suchend nachgehen, nachspüren". Es ist z. B. verwandt mit *lat.* sāgīre „scharf spüren, ahnen", *air.* saigim „gehe nach, suche" und *gr.* hēgeîsthai „vorangehen, führen" (s. Hegemonie). Die zugrunde liegende *idg.* Wz. *sāg- „witternd nachspüren" bezog sich urspr. wohl auf den die Fährte aufnehmenden Jagdhund. Zu ihr gehört auch das unter → Sache behandelte Substantiv, das zu einem *gemeingerm.* Verb der Bed. „anklagen, streiten", eigtl. „eine Spur verfolgen" gehört. Als Verb der Bewegung wird 'suchen' bis in die neuere Zeit gebraucht (s. unten besuchen; beachte Wendungen wie 'einen Weg suchen', 'das Weite suchen'), aber schon im *Ahd.* erscheint die übertr. Bed. „[er]streben, nach etwas trachten". Abl.: Suche *w* (*mhd.* suoche, *ahd.* in hūs-suacha „Durchsuchung"; seit dem 16. Jh. bes. weidmänn. für die Arbeit des Spürhundes); Sucher *m* (*mhd.* suochǣre, *ahd.* suochari „Suchender"; im älteren *Nhd.* medizin. für „Sonde", heute bes. für Teile optischer Geräte); veraltetes Suchung *w* (*mhd.* suochunge, *ahd.* suochunga) lebt noch in Zus. wie Haus-, Heimsuchung. Zus. und Präfixbildungen: aussuchen „auswählen" (im 16. Jh. für „durchsuchen"), dazu das adjektiv. 2. Part. ausgesucht „erlesen" (18. Jh.); besuchen (*mhd.* besuochen, *ahd.* bisuohhen war urspr. verstärktes 'suchen' und galt besonders in der Rechtssprache für „untersuchen, prüfen"; schon im *Mhd.* wird es auch in der heutigen Bed. „an einen Ort, zu jemandem gehen" gebraucht), dazu Besuch *m* (im 18. Jh. rückgebildet aus älterem Besuchung, *mhd.* besuochunge; mit anderen Bedeutungen *mhd.* besuoch „[Recht auf einen] Weideplatz", *ahd.* besuoh „Prüfung") und Besucher *m* (18. Jh., älter *nhd.* für „Aufseher, Visitator"); ersuchen „[dringlich, förmlich] bitten" (so zuerst im 16. Jh.; mit anderen Bedeutungen *mhd.* ersuochen, *ahd.* irsuohhen); heimsuchen (s. Heim); untersuchen „prüfen, erforschen" (*spätmhd.* undersuochen), dazu Untersuchung *w* (*spätmhd.* undersuochunge; heute bes. in jurist., medizin. und wissenschaftl. Sprachgebrauch); versuchen „erproben, sich bemühen" (*mhd.* versuochen bedeutete in weiterem Sinne „zu erfahren suchen"), dazu Versuch *m* (*mhd.* versuoch; in der Bed. „Experiment" zuerst im 16. Jh.), Versucher *m* (*mhd.* versuocher „[amtl.] Prüfer, Probierer"; auch schon für „Satan") und Versuchung *w* „Verlockung [zur Sünde]" (*mhd.* versuochunge „das Prüfen; das Auf-

die-Probe-Stellen"). Siehe auch den Artikel Gesuch.

Sucht *w*: Die Substantive *mhd.*, *ahd.* suht, *got.* saúhts, *niederl.* zucht, *schwed.* sot „Krankheit" sind ablautende Bildungen zu dem unter → *siech* behandelten Verb 'siechen' „krank sein". Im *Nhd.* steht 'Sucht' fast nur in Zus. (z. B. Bleich-, Gelb-, Wassersucht; s. auch Schwindsucht). In Wörtern wie Mondsucht, Tobsucht konnte das Grundwort als „krankhaftes Verlangen" verstanden werden, wie es auch schon früh übertr. für „Sünde, Leidenschaft" gebraucht wurde. Das *nhd.* Sprachgefühl hat das etymolog. undurchsichtige Wort deshalb mit suchen (s. d.) verknüpft, und Zus. wie Gefall-, Selbst-, Herrschsucht werden ebenso in diesem Sinn verstanden wie die älteren Bildungen Eifer- und Sehnsucht (s. d.). Das einfache Wort bed. medizin. heute „krankhaftes Verlangen nach Rauschgiften und dgl.". Dazu das Adj. süchtig „suchtkrank" (*mhd.* sühtec, *ahd.* suhtig „krank").

Süd: Das *dt.* Wort ist seit dem 12. Jh. zweimal von *Niederl.* beeinflußt worden. Auf *mniederl.* suūt „im, nach Süden" beruht *mhd.* sūd „Südwind" und älter *nhd.* Sud „Süden", auf der *niederl.* *mdal.* Aussprache mit -ū- die seit dem 15. Jh. bezeugte *nhd.* Form Süd, die sich bes. seit dem 17. Jh. ausgebreitet hat. Die älteren Formen *mhd.* sunt, *ahd.* sund, sunt „Süd" (heute nur in Orts- und Landschaftsnamen wie Sonthofen, Sundgau erhalten), entsprechen gleichbed. *niederl.* zuid, *engl.* south (mit lautgesetzlichem Ausfall des -n-). Zugrunde liegt ein substantiviertes *germ.* Raumadverb mit der Bed. „nach Süden", dessen Herkunft nicht geklärt ist. Vielleicht hatte es als Gegenwort zu dem unter → *Nord* genannten Adverb urspr. die Bed. „nach oben" (d. h. in der Richtung der aufsteigenden Sonnenbahn). Es wäre dann verwandt mit *lat.* super, *gr.* hypér „über, über - hinaus". Auch die heute üblichere Form Süden *m*, die ebenfalls aus dem *Niederl.* stammt (*mhd.* sūden, sunden, *ahd.* sundan, entspr. *niederl.* zuiden), geht auf ein solches Raumadverb zurück, vgl. *mhd.* sunden, sūden, *ahd.* sundan[a] „von, im Süden" und gleichbed. *aengl.* sūdan, *aisl.* sunnan. – Abl.: südlich (17. Jh., aus *mnd.* sutlich, *mniederl.* zuydelik, 15. Jh.); Zus.: Südpol (17. Jh.).

Suff *m* (*ugs.* für:) „[gewohnheitsmäßiges] Trinken": Die seit dem 16. Jh. bezeugte Substantivbildung zu → *saufen* bezeichnete urspr. einen guten Schluck oder Zug. Abl.: süffeln *ugs.* für „gern trinken" (*oberd.* im 19. Jh.); süffig *ugs.* für „gut trinkbar, angenehm mundend" (*oberd.* im 19. Jh.). Siehe auch Gesöff.

süffisant „selbstgefällig, spöttisch": Im 19. Jh. aus *frz.* suffisant „genüglich, dünkelhaft, selbstgefällig", dem Part. Präs. von *frz.* suffīre „genügen" entlehnt, das auf gleichbed. *lat.* sufficere (vgl. *Fazit*) zurückgeht.

Suffix *s* „Nachsilbe" (im Gegensatz zu →Präfix): Gelehrte Entlehnung neuerer Zeit aus *lat.* suffixum, dem substantivierten Neutrum des Part. Perf. Pass. von *lat.* suffīgere „unten anheften". Über das einfache Verb *lat.* fīgere „anheften" vgl. den Artikel ¹*fix*.

suggerieren „gefühlsmäßig beeinflussen; etwas einreden": Das seit dem 17./18. Jh. bezeugte Fremdwort ist entlehnt aus *lat.* sug-gerere (< *sub-gerere) „von unten herantragen; unter der Hand beibringen, eingeben; einflüstern", einem Kompositum von *lat.* gerere (gestum) „tragen, bringen; zur Schau tragen usw." (vgl. *Geste*). – Dazu: Suggestion *w* „seelische Beeinflussung, gezieltes Erwecken bestimmter Vorstellungen" (17./18. Jh.; aus *lat.* suggestiō „Eingebung; Einflüsterung"); suggestiv „beeinflussend, einwirkend; verfänglich" (19. Jh.; *nlat.* Bildung nach entspr. *engl.* suggestive, *frz.* suggestif), häufig in Zus. wie Suggestivfrage.

Sühne *w*: Das nur im *Dt.* und *Niederl.* altbezeugte Substantiv *mhd.* süene, suone „Versöhnung, Schlichtung, Friede", *ahd.* suona „Urteil, Gericht, Versöhnung", *niederl.* zoen „Versöhnung, Buße; Kuß" ist ein altes Wort der Rechtssprache. Im *Nhd.* Ende des 18. Jh.s neu belebt, bedeutet es heute vor allem „Wiedergutmachung, Bußleistung, Strafe". Die Bed. „Versöhnung" ist noch in dem juristischen Ausdruck Sühneversuch (19. Jh.) enthalten. Das zugehörige Verb sühnen „büßen, wiedergutmachen" (*mhd.* süenen, *ahd.* suonan, vgl. *niederl.* zoenen auch für „küssen") ist ablautend verwandt mit *norw. mdal.* svaana „einschläfern, stillen", svana „abnehmen; gelindert, gestillt werden". Zu ihm gehört als Präfixbildung das unter →versöhnen behandelte Verb. Die Wortgruppe, für die weitere Beziehungen nicht gesichert sind, geht vielleicht von einer Grundbed. „still machen, beschwichtigen; Beschwichtigung, Beruhigung" aus.

Suite *w*: Das am Ende des 17. Jh.s aus dem *Frz.* übernommene FW bedeutet wörtlich „Folge". Verschiedene übertragene Bed. schließen sich an, mit denen das Wort früher eine Rolle gespielt hat. Heute lebt es eigtl. nur noch im Bereich der Musik zur Bezeichnung einer musikal. Kompositionsform, bestehend aus einer Folge zunächst lose, später innerlich verbundener Tanzsätze. – *Frz.* suite „Folge usw." beruht auf einer zu *lat.* sequī „folgen" (vgl. *konsequent*) gehörenden *galloroman.* Form *sequita.

Sujet *s* „Gegenstand, Stoff, Vorwurf (einer künstlerischen Gestaltung)": Im 18. Jh. aus gleichbed. *frz.* sujet entlehnt. Das *frz.* Wort entspricht nach seiner Herkunft genau unserem FW →*Subjekt*.

sukzessiv „allmählich eintretend": Das seit dem 17./18. Jh. zuerst in der noch heute üblichen Adverbialform sukzessive „nach und nach" bezeugte FW geht auf *spätlat.* successīvus „nachfolgend, einrückend" (Adv. successīvē) zurück. Das zugrunde liegende Verb *lat.* suc-cēdere „von unten nachrücken, nachfolgen usw." ist ein Kompositum von *lat.* cēdere „einhergehen; vonstatten gehen usw." (vgl. *Prozeß*).

Sultan *m* (Titel mohammed. Herrscher): Das in dieser Form seit dem 16. Jh. bezeugte FW, das jedoch als soldān bereits im *Mhd.* (13. Jh.) vorhanden ist (< *it.* [veraltet:] soldano „Sultan"), geht auf *arab.* sultān „Herrscher" (urspr. „Herrschaft") zurück. – Dazu: **Sultanine** *w* als Bezeichnung für eine besonders große (gleichsam „fürstliche") kernlose Rosinenart (seit dem Beginn des 20. Jh.s).

Sülze *w* „Fleisch oder Fisch in Gallert": Das auf das *dt.* und *niederl.* Sprachgebiet beschränkte Wort (*mhd.* sulz[e], *mitteld.* sülze, *ahd.* sulza, sulcia „Salzwasser, Gallert", *niederl.* zult „Sülze") bedeutet eigtl. „Salzwasser, Sole" und steht im Ablaut zu dem unter →*Salz* behandelten Wort. Abl.: sülzen „als Sülze bereiten" (15. Jh.).

Summe *w* „Ergebnis einer Addition; Gesamtzahl; Geldbetrag": Das seit dem 13. Jh. bezeugte Subst. (*mhd.* summe) geht wie entspr. *frz.* somme „Summe" auf *lat.* summa „Gesamtheit; Gesamtzahl, Summe" (eigtl. „die an der Spitze stehende Zahl, die das Ergebnis einer von unten nach oben ausgeführten Addition ausdrückt") zurück. Zu *lat.* summus „oberster, höchster, äußerster" (< *sup-mos), einer Bildung zum Stamm von *lat.* sub „unter, unterhalb; von unten heran; von unten hinauf", *lat.* super „oben auf, darüber" (vgl. *sub*...). – Abl.: summarisch „kurz zusammengefaßt" (16. Jh.; aus gleichbed. *mlat.* summārius); summieren „zusammenzählen; (reflexiv:) anwachsen" (*spätmhd.* summieren).

summen: Das seit *spätmhd.* Zeit bezeugte Verb ist lautnachahmenden Ursprungs. Abl.: Summer *m* „summendes Insekt" (19. Jh.), „elektr. Signalvorrichtung" (Anfang des 20. Jh.s).

Sumpf *m*: Das urspr. nur *dt.* Wort *mhd.* sumpf, *mnd.* sump[t], *ahd.* (andersgebildet) sunft ist ablautend mit den unter →*Schwamm* genannten *germ.* Wörtern verwandt. Es steht vor allem *nordd.* und *mitteld.* neben ²Bruch und Moor zur Bezeichnung nasser, grasbewachsener oder schlammiger Orte. Abl.: sumpfen (im 18. Jh. für „sumpfig werden", im 19. Jh. stud. für „liederlich leben", dazu versumpfen [18. Jh., im übertr. Sinn 19. Jh.]); sumpfig (17. Jh.).

Sünde *w*: Die Herkunft des *westgerm.* Substantivs (*mhd.* sünde, sunde, *ahd.* sunt[e]a, *niederl.* zonde, *engl.* sin) ist dunkel. In die *nord.* Sprachen (*schwed.* synd) gelangte es wohl als LW mit dem Christentum. 'Sünde' bezeichnet von Anfang an einen Begriff der christl. Kirche. Etwa seit dem 16. Jh. bedeutet es im *Dt.* auch allgemein ,,Übertretung des Sittengesetzes", in der Neuzeit (18. Jh.) kann es auch ohne besondere Wertung im Sinne von ,,Fehler, Irrtum, Torheit" stehen. Abl.: S ü n d e r *m* (*mhd.* sündære, sünder, *ahd.* sundāre); s ü n d h a f t (*mhd.* sündehaft, *ahd.* sunt[a]haft ,,mit Sünde behaftet, sündig"; seit dem 19. Jh. *ugs.* auch für ,,sehr", z. B. 'sündhaft teuer'); s ü n d i g (*mhd.* sündec, *ahd.* suntig); s ü n d i g e n (*mhd.* sundigen, Weiterbildung des häufigeren *mhd.* sünden, sunden ,,sündigen" unter Einfluß des Adjektivs sündec, s. o.); dazu sich v e r s ü n d i g e n (*mhd.* [sich] versündigen). Zus.: S ü n d e n b o c k (17. Jh.; urspr. nach 3. Mose 16 der mit den Sünden des jüd. Volkes beladene und in die Wüste gejagte Ziegenbock, seit Ende des 18. Jh.s übertr. für ,,Person, die für die Schuld anderer büßen muß"); S ü n d e n f a l l (*mhd.* sunden val ,,sündiges Vergehen", seit dem 17. Jh. bes. für den 'Fall' Adams und Evas); S ü n d f l u t (s. Sintflut).

super...: Aus dem *Lat.* stammendes Präfix mit der Bed. ,,über, über - hinaus". *Lat.* super ,,oben, auf, darüber; über - hinaus", das mit *lat.* sub ,,unter, unterhalb" verwandt ist (vgl. *sub...*), ist auch Ausgangspunkt für die FW → souverän und → Sopran.

Superintendent *m* ,,höherer evang. Geistlicher, Vorsteher eines Kirchenkreises": Ein Wort der Kirchensprache, das als FW seit dem 16. Jh. bezeugt ist. Es geht auf *kirchenlat.* superintendēns zurück, das substantivierte Part. Präs. Akt. von *kirchenlat.* superintendere ,,die Aufsicht haben".

Suppe *w*: Das im *Dt.* seit dem 14. Jh. bezeugte Wort bezeichnete urspr. eine flüssige Speise mit Einlage oder eingetunkte Schnitte (vgl. *aengl.* sopp ,,eingeweichter Bissen"). Es steht neben Verben wie *frühnhd.* suppen, supfen, *mhd.* supfen ,,schlürfen, trinken" und *niederl.* soppen, *aengl.* soppian ,,eintunken", die als Intensivbildungen zu dem unter → *saufen* (eigtl. ,,schlürfen") behandelten Verb gehören. Die genannten Substantive können auch unmittelbar zu den alten Formen von 'saufen' gebildet worden sein, beachte z. B. noch *ahd.* suphili ,,Süppchen", gasopho ,,Unrat, Abfall (als Viehfutter bereitet)". Auf die Bedeutung des *dt.* Wortes 'Suppe' hat aber zweifellos auch *frz.* soupe ,,Fleischbrühe mit Brot, Suppe" (12. Jh.; s. soupieren) eingewirkt, das selbst wieder aus dem *Germ.* stammt (beachte *galloroman.* supa ,,überbrühte Brotschnitte", 6. Jh.).

surren: Das Wort erscheint *nhd.* erst im 17. Jh. Es gehört zu der unter → *schwirren* dargestellten lautnachahmenden Wortgrup-

pe, vgl. *mnd.* surringe ,,leises Sausen" und *schwed.* surra ,,summen, schwirren". Vor allem bezeichnet 'surren' die Geräusche von Insekten und Maschinenrädern.

Surrogat *s* ,,Ersatz[mittel], Behelf": Gelehrte Neubildung des 18. Jh.s zu *lat.* surrogāre ,,jmdn. an die Stelle eines anderen wählen lassen".

suspendieren ,,aus einem Amt, einer Stellung entlassen, des Dienstes entheben": Im 16. Jh. aus *lat.* suspendere ,,aufhängen"; in der Schwebe lassen; aufheben, beseitigen" entlehnt. Über weitere etymolog. Zusammenhänge vgl. den Artikel *Pensum*.

süß: Das *altgerm.* Adjektiv *mhd.* süeze, *ahd.* suoʒi, *niederl.* zoet, *engl.* sweet, *schwed.* söt geht mit verwandten Wörtern in anderen *idg.* Sprachen auf die *idg.* Wz. *suād- ,,süß, wohlschmeckend" zurück, vgl. z. B. *lat.* suāvis ,,lieblich, angenehm", *gr.* hēdýs ,,süß, erfreulich" und *aind.* svādú-ḥ ,,süß, lieblich". Abl.: S ü ß e *w* (*mhd.* süeze, *ahd.* suoʒī); s ü ß e n ,,süß machen" (*mhd.* süeʒen, *ahd.* suoʒen ,,angenehm machen"; in älterer. Sinn gilt heute nur v e r s ü ß e n [*mhd.* versüeʒen]); S ü ß i g k e i t *w* (*mhd.* süeʒecheit ,,Süße", zu dem weitergebildeten Adjektiv *mhd.* süeʒec ,,süß"; in der *Mehrz.* 'Süßigkeiten' seit dem 18. Jh. für ,,Näscherei, Konfekt"); s ü ß l i c h ,,etwas süß, widerlich süß; weichlich, geziert, fade" (*mhd.* süeʒlich, *ahd.* suoʒlih ,,süß, freundlich"; in übertr. Sinn bes. seit dem 18. Jh.). Zus.: S ü ß h o l z (Name eines Strauches und seiner als Droge verwendeten zuckerhaltigen Wurzel, *spätmhd.* süeʒholz), dazu S ü ß h o l z r a s p l e r ,,Schmeichler" (19. Jh.; Zusammenbildung aus der *ugs.* Wendung 'Süßholz raspeln', übertr. für ,,schmeicheln, den Hof machen"); S ü ß s t o f f ,,Saccharin" (Ende des 19. Jh.s).

Swing *m*: Die Bezeichnung der von etwa 1930 bis 1945 charakteristischen Jazzstiles ist aus dem *Engl.* übernommen. *Engl.* swing bedeutet wörtl. ,,das Schwingen, das Schaukeln, der Rhythmus". Es gehört zu *engl.* to swing ,,schwingen, schaukeln usw.", das unserem Verb → *schwingen* entspricht. - Abl.: s w i n g e n ,,im Swingrhythmus tanzen" (20. Jh.).

Symbol *s* ,,Sinnbild; Zeichen; Kennzeichen": Das seit dem 16. Jh. bezeugte FW ist aus *lat.* symbolum < *gr.* sýmbolon ,,Kennzeichen, Zeichen" entlehnt. *Gr.* Wort, das zu *gr.* symbállein ,,zusammenwerfen; zusammenfügen usw." gehört (vgl. hierzu *ballistisch*), bezeichnet eigtl. ein zwischen Freunden oder Verwandten vereinbartes Erkennungszeichen, bestehend aus Bruchstücken (z. B. eines Ringes), die ,,zusammengefügt" ein Ganzes ergeben und dadurch die Verbundenheit ihrer Besitzer erweisen. - Abl.: s y m b o l i s c h ,,sinnbildlich" (17. Jh.; nach entspr. *gr.* symbolikós ,,durch Zeichen andeutend"); S y m b o l i k *w* ,,sinnbildliche Bedeutung oder

Darstellung; Bildersprache; Verwendung von Symbolen" (18. Jh.).

Symmetrie w „Gleich-, Ebenmaß; Spiegelungsgleichheit": Im Anfang des 18. Jh.s aus *gr.-lat.* symmetría „Ebenmaß" entlehnt. Zu *gr.* sým-metros „abgemessen, verhältnismäßig, gleichmäßig". Dessen Grundwort gehört zu *gr.* métron „Maß" (vgl. *Meter*). – Abl.: symmetrisch „gleich-, ebenmäßig; spiegelungsgleich, spiegelbildlich" (18. Jh.).

Sympathie w „[Zu]neigung; Wohlgefallen" (im Gegensatz zu →Antipathie): Das seit dem 17. Jh. in eigtl. Sinne von „Mitleid; Mitgefühl" bezeugte FW ist aus *lat.* sympathía, *gr.* sym-pátheia „Mitleiden, Mitgefühl; Einhelligkeit, gleiche Empfindung" entlehnt. Zu *gr.* sym-pathés „mitleidend, mitfühlend". Dessen Grundwort gehört zu *gr.* páthos „Leid; Schmerz" (vgl. *Pathos*). – Abl.: sympathisch „zusagend, angenehm; anziehend, ansprechend" (18. Jh.; nach gleichbed. *frz.* sympathique).

Symptom s „Anzeichen; Krankheitszeichen; Kennzeichen, Merkmal; Vorbote": Gelehrte Entlehnung des 18. Jh.s aus *gr.* sym-ptōma „Zufall; vorübergehende Eigentümlichkeit; zufälliger Umstand einer Krankheit". Das zugrunde liegende Verb *gr.* sym-píptein „zusammenfallen, -treffen; sich zufällig ereignen" ist ein Kompositum von *gr.* píptein „fallen" (dazu als Nominalbildung *gr.* ptōma „Fall"), das etymologisch mit *dt.* →*Feder* verwandt ist. – Abl.: symptomatisch „bezeichnend; alarmierend; Krankheitsmerkmale zeigend" (Ende des 18. Jh.s; nach *gr.* symptōmatikós „zufällig").

syn..., Syn..., (vor b, p und m angeglichen zu:) sym..., Sym... (vor l zu:) syl..., Syl..., (in bestimmten Fällen verkürzt zu:) sy..., Sy...: Aus dem *Gr.* stammende Vorsilbe von FW mit der Bed. „zusammen mit, gemeinsam; gleichzeitig; gleichartig usw.", wie in →Synthese, synthetisch, →Symmetrie, →System u. a. – *Gr.* sýn, (älter:) xýn „zusammen mit, gemeinsam; samt; zugleich mit usw.", gebraucht als Adv., Präp. und Vorsilbe, ist ohne sichere außergriech. Verwandte.

Synagoge w: Die seit *mhd.* Zeit bezeugte Bezeichnung für die gottesdienstlichen Versammlungsstätten der Juden geht auf *gr.* syn-agōgé „Versammlung" zurück (> *kirchenlat.* synagōga „Synagoge"). Zu *gr.* syn-ágein „zusammenführen". Über das Stammverb *gr.* ágein „führen" vgl. den Artikel *Achse*.

synchron „gleichzeitig, zeitgleich; gleichlaufend": Das noch sehr junge FW (20. Jh.), das für älteres synchronisch (19. Jh.) steht, ist eine künstliche Neubildung zu *gr.* sýn „zusammen, zugleich" (vgl. *syn...*) und *gr.* chrónos „Zeit, Zeitdauer" (vgl. *chrono...*). Abl.: synchronisieren „verschiedenartige Bewegungen in zeitlichen Gleichlauf bringen" (20. Jh.), dazu das Subst. Synchronisation w (20. Jh.; *nlat.* Bildung).

Synthese w 1. „Zusammenfügung, Verknüpfung einzelner Teile zu einem höheren Ganzen" (philos. und allg.); 2. „Aufbau einer [komplizierten] chem. Verbindung aus einfachen Stoffen": Das seit dem 18. Jh. zuerst als philosoph. Terminus bezeugte FW ist auf gelehrtem Wege aus *gr.*(-*lat.*) sýnthesis „Zusammenlegen, Zusammensetzen; [logische] Verknüpfung" entlehnt. Zu *gr.* syn-tithénai „zusammenstellen, -setzen, -fügen", einem Kompositum von *gr.* tithénai „setzen, stellen, legen" (vgl. den Artikel *These*). – Abl.: synthetisch „zusammengesetzt; verbindend, verknüpfend; (in der Chemie:) aus einfacheren Stoffen aufgebaut; künstlich hergestellt" (18. Jh.; nach *gr.* synthetikós „zum Zusammenstellen gehörig").

System s „Gliederung, Aufbau, Ordnungsprinzip; einheitlich geordnetes Ganzes; Regierungs-, Staatsform; Lehrgebäude": Das in dieser Form seit dem 18. Jh. bezeugte FW, das sowohl allgemeinsprachlich als auch in verschiedenen Fachbereichen eine Rolle spielt, geht auf *gr.* (-*lat.*) sýstēma „das aus mehreren Teilen zusammengesetzte und gegliederte Ganze" zurück. Zu *gr.* syn-istánai „zusammenstellen, -fügen, vereinigen, verknüpfen", einem Kompositum von *gr.* histánai (< *si-stánai) „[hin]stellen, aufstellen usw.". Über weitere etymolog. Zusammenhänge vgl. den Artikel *stehen*. – Abl.: systematisch „in ein System gebracht, ordentlich gegliedert; planvoll, folgerichtig" (18. Jh.; nach *gr.* systēmatikós > *lat.* systēmaticus „zusammenfassend; ein System bildend"); Systematik w „planmäßige Darstellung; methodisch geordneter Aufbau" (19. Jh.).

Szene w „Schauplatz einer [Theater]handlung, Bühne; Auftritt (als kleinste Einheit eines Dramas)", auch allgemein übertr. gebraucht im Sinne von „Vorgang, Anblick; theatralischer Auftritt; Streiterei, Vorhaltungen usw.": Im 18. Jh. über gleichbed. *frz.* scène aus *lat.* scēna, scaena „Schaubühne, Schauplatz" entlehnt, das seinerseits auf *gr.* skēné „Zelt; Laube, Hütte; Bühne, Szene" beruht. – Dazu: szenisch „die Szene betreffend, bühnenmäßig" (19. Jh.); Szenerie w „Bühnenbild, Landschaftsbild; Schauplatz" (18. Jh.; zuerst als Scenerey belegt); inszenieren „(ein Theaterstück) szenisch vorbereiten; in Szene setzen; (allg. übertr.:) vorbereiten, organisieren, vom Zaun brechen usw." (latinisierende Neubildung des 20. Jh.s).

T

Tabak *m*: Der Name der zu den Nachtschattengewächsen gehörenden Kulturpflanze, deren getrocknete und fermentierte Blätter in Form von Rauch-, Kau- oder Schnupftabak als Genußmittel dienen, ist in *dt.* Texten seit dem 16. Jh. bezeugt. Er stammt von gleichbed. *span.* tabaco. Die weitere Herkunft des Wortes ist unsicher. Vielleicht wurde es von den Spaniern aus einer *karaibischen* Sprache entlehnt.

Tabelle *w* ,,Zahlentafel, Liste, Übersicht, Zusammenstellung": Im 17. Jh. aus *lat.* tabella ,,Täfelchen, Brettchen, Merktäfelchen" entlehnt, einer Verkleinerungsbildung zu *lat.* tabula ,,Brett, Tafel usw." (vgl. das LW *Tafel*). – Dazu: **tabellarisch** ,,tabellenmäßig; übersichtlich" (18./19. Jh.).

Tablett *s* ,,Speisenbrett, Auftragebrett": Am Ende des 18. Jh.s aus *frz.* tablette ,,Tafel; Holzbrett; Platte (zum Abstellen von Geschirr und dergleichen)" entlehnt. – Das gleiche *frz.* Wort, das von *frz.* table ,,Tafel; Brett; Tisch" (< *lat.* tabula) abgeleitet ist (vgl. das LW *Tafel*), liefert in neuerer Zeit (19./20. Jh.) auch das FW **Tablette** *w* ,,Arzneitäfelchen".

tabu ,,unantastbar, unverletzlich", auch substantiviert gebraucht als **Tabu** *s*: Das im 19. Jh. bezeugte FW, das wie entspr. *engl.* taboo und *frz.* tabou aus einer Eingeborenensprache Polynesiens entlehnt ist, stammt aus der Sakralsphäre. Es bezeichnet urspr. alle jene gottgeweihten, heiligen Dinge, die aus religiöser Scheu dem tatsächlichen oder sprachlichen Zugriff des Profanen verboten sind.

Tachometer *m* ,,Geschwindigkeits-, Drehzahlmesser; Kilometerzähler": Künstliche zusammengesetzte Neubildung des 20. Jh.s zu *gr.* tachýs ,,schnell", táchos ,,Geschwindigkeit" und *gr.* métron ,,Maß" (hier im modernen Sinne von ,,Meßgerät"; vgl. den Artikel *Meter*).

Tadel *m*: Die *nhd.* Form geht zurück auf *mhd.* tadel ,,Fehler, Mangel, Gebrechen", das aus dem *Mnd.* übernommen ist.*Im hochd.* Sprachgebiet entspricht *mhd.* zādel, *ahd.* zādal ,,Fehler, Mangel". Im *germ.* Bereich ist *aengl.* tǣl ,,Tadel, Vorwurf; Verleumdung, Lästerung" verwandt. Die *außergerm.* Beziehungen sind dunkel. – Die heute übliche Bedeutung ,,Vorwurf" entwickelte sich im 17. Jh. unter dem Einfluß des Verbs ,,tadeln" (s. u.). Die alte Bedeutung ist noch bewahrt in der Wendung 'ohne Furcht und Tadel'. Abl.: **tadeln** (15. Jh., zunächst in der Bedeutung ,,verunglimpfen", seit dem 16. Jh. im Sinne von ,,vorwerfen"). Zus.: **tadellos** ,,fehlerfrei, ausgezeichnet" (17. Jh.).

Tafel *w*: Die *nhd.* Form geht über *mhd.* tavel[e] zurück auf *ahd.* taval, das nach der Lautverschiebung durch *roman.* Vermittlung (vgl. *it.* tavola) aus *lat.* tabula ,,Brett, Tafel, Schreibtafel" entlehnt wurde (s. die Artikel *Tabelle*, *Tablett*, *Tablette*). – Im heutigen Sprachgebrauch wird 'Tafel' außer im umfassenden Sinne von ,,[recht]eckige Platte aus einem festen Stoff" speziell im Sinne von ,,Schreibtafel" und ,,[festlich] gedeckter Tisch" verwendet. Da man im Mittelalter die Tischplatten auf Gestelle legte und nach dem Essen wieder wegräumte, bedeutet die Wendung 'die Tafel aufheben' soviel wie ,,das Essen beenden". Abl.: **tafeln** ,,speisen" (*mhd.* tavelen); **täfeln** ,,Wände mit Holztäfelchen bekleiden" (*mhd.* tevelen, *ahd.* tavalōn). Zus.: **Tafelrunde** ,,um einen Tisch sitzende Personen, Tischgesellschaft" (im 18. Jh. wiederaufgenommen aus *mhd.* tavelrunde, das von der höfischen Epik dem *afrz.* table ronde ,,Tafelrunde des Königs Artus" – eigtl. ,,runde Tafel" – nachgebildet ist; die Tafel des Königs Artus war rund, damit kein Ritter vor dem anderen einen Vorzug habe; heute wird der zweite Bestandteil von 'Tafelrunde' als Substantiv enpfunden).

Tag *m*: Das *gemeingerm.* Wort *mhd.* tac, *ahd.* tag, *got.* dags, *engl.* day, *schwed.* dag gehört wahrscheinlich zu der idg. Wz. *dheg[u]h- ,,brennen" und bedeutet demnach eigtl. ,,Zeit, da die Sonne brennt". Zu dieser Wurzel gehören aus anderen *idg.* Sprachen z. B. *aind.* dáhati ,,brennt", dāha-ḥ ,,Brand, Hitze" und *lit.* dègti ,,brennen", dãgas ,,Brennen; Sommerhitze; Ernte". Das *gemeingerm.* Wort bezeichnete also urspr. die Zeit zwischen Sonnenaufgang und Sonnenuntergang, später dann auch den Gesamttag von 24 Stunden (vgl. zum Sachlichen den Artikel Nacht). Den früher – besonders in der Rechtssprache – üblichen Gebrauch von 'Tag' im Sinne von ,,festgesetzter Tag, Termin, Verhandlung" spiegeln noch Zus. wie 'Landtag' und 'Reichstag' und 'tagen', 'vertagen' (s. u.) wider. – Abl.: **tagen** ,,Tag werden" (*mhd.* tagen, *ahd.* tagēn; die Bed. ,,auf einer Tagung verhandeln" kam zuerst in der älteren Rechtssprache auf [14. Jh.; s. o. unter Tag], blieb im wesentlichen *schweiz.* und wurde erst im 18. Jh. allgemein), dazu die Präfixbildungen **vertagen** ,,aufschieben" (*mhd.* vertagen, *landsch.* noch erhalten, dann Ende des 19. Jh.s im parlamentarischen Leben neu gebildet als Ersatz für *frz.* ajourner und danach allgemein gebraucht) und **betagt** (*mhd.* betaget, ,,ein gewisses Alter habend", 2. Partizip von *mhd.* sich betagen „alt werden"); täglich (*mhd.* tagelich, *ahd.* tagalīh); tags (*mhd.* tages, *ahd.* dages, adverbiell erstarrter Genitiv Einz.). – Zus.: 1. mit Tage-, mit altem Stammauslaut (*mhd.* tage-, *ahd.* tago-), z. B. Tagebau „Abbau von der Erdoberfläche" (19. Jh.; bergmänn.), Tageblatt (im 19. Jh. als Ersatzwort für das FW Journal), Tagebuch (17. Jh.; Ersatz für *lat.* diurnum und für das FW Journal, zuerst kaufmänn., dann allgemein), Tagedieb „wer dem lieben Gott den Tag stiehlt" (Ende 17. Jh.), Tagegelder (18. Jh.; Ersatzwort für das FW Diäten), Tagewerk „Arbeit eines Tages" (*mhd.* tagewerc, *ahd.* tagawerch). 2. mit Tages-, z. B. Tagesordnung (Ende des 18. Jh.s nach *frz.* ordre du jour, einem Ausdruck des französ. Revolutionsparlamentarismus, der wiederum auf *engl.* order of the day beruht).

Taille *w* „schmalste Stelle des Rumpfes; Gürtelweite; enganliegendes Kleidoberteil": Im 17. Jh. aus *frz.* taille „Schnitt; Körperschnitt, Wuchs, Figur" entlehnt, einer Substantivbildung zu *frz.* tailler „[zer]schneiden" (vgl. hierzu den Artikel *Teller*). – Siehe auch den Artikel Detail, detaillieren.

¹Takt *m*: „das abgemessene Zeitmaß einer rhythmischen Bewegung": Das aus *lat.* tāctus „das Berühren, die Berührung; das Gefühl, der Gefühlssinn" (von *lat.* tangere, tāctum „berühren", vgl. *Tangente*) entlehnte FW erscheint zuerst im 16. Jh. mit der allg. Bed. „Berührung". Die gleichfalls schon im 16. Jh. aufkommende musikal. Bed. des Wortes ist davon übertragen, und zwar zunächst wohl im Sinne von „Taktschlag, der den Rhythmus angibt". – Mit ¹Takt ursprünglich identisch ist das seit dem 18. Jh. bezeugte Subst. **²Takt** *m* „Gefühl für Schicklichkeit und Anstand, Feingefühl, vornehme Zurückhaltung", das in diesem speziellen Sinne jedoch unmittelbar aus gleichbed. *frz.* tact übernommen ist. Dazu die zusammengesetzten Bildungen taktvoll und taktlos (beide im 19. Jh.).

Taktik *w*: Zusammenfassende Bezeichnung für das Verhalten der Truppenführung und der Truppe auf dem Kampffeld. Dies ist die ursprüngliche, noch heute gültige Bed. des über gleichbed. *frz.* tactique aus *gr.* taktikḗ (téchnē) entlehnten und seit dem Anfang des 18. Jh.s bezeugten Fremdwortes. Davon übertragen gilt Taktik heute auch allgemein im Sinne von „kluges, planmäßiges Vorgehen, geschicktes Ausnützen einer Situation". *Gr.* taktikḗ (téchnē) bedeutet wörtlich „die Kunst der Anordnung und Aufstellung". Das zugrunde liegende Adj. *gr.* taktikós ist abgeleitet von *gr.* tássein, táttein „auf den rechten Platz stellen, anordnen, aufstellen usw." Dazu das Adj. taktisch „die militär. Taktik betreffend; geschickt und planvoll vorgehend" (Ende des 18. Jh.s).

Tal *s*: Das *gemeingerm.* Wort *mhd.* tal, *ahd.* tal, *got.* dal, *engl.* dale, *schwed.* dal ist z. B. verwandt mit der *slaw.* Sippe von *russ.* dol „Tal" und *gr.* thólos „Kuppel" und geht zurück auf die *idg.* Wz. *dhel- „Biegung, Höhlung; Wölbung". Das Wort bedeutet demnach eigtl. „Biegung, Vertiefung, Senke". Siehe auch den Artikel Delle.

Talar *s* „weites langes Amtskleid des evang. Geistlichen und (als Festtracht) des akademischen Lehrers": Im 16. Jh. aus gleichbed. *it.* talare entlehnt, das seinerseits auf *lat.* tālāris (vestis) „knöchellanges Gewand" beruht. Zu *lat.* tālus „Fußknöchel, Fesselknochen".

Talent *s* „Geistesanlage, hohe Begabung": Das seit dem 16. Jh. bezeugte FW beruht auf einer gelehrten Entlehnung aus *gr.* tálanton „Waage; das Gewogene; bestimmtes Gewicht" > *lat.* talentum. Das *gr.* Wort war speziell die offizielle Handelsbezeichnung eines bestimmten Gewichts und einer diesem Gewicht entsprechenden Geldsumme. Im Neuen Testament erscheint es mit der erweiterten konkreten Bed. „anvertrautes Vermögen, anvertrautes Gut", woraus sich dann die ins Geistige übertragene Bed. „die (einem von Gott anvertraute) geistige Anlage" entwickelte. Der gleiche Vorgang wird an der Gewichtsbezeichnung 'Pfund' faßbar in der Redewendung 'mit seinen (anvertrauten) Pfunden wuchern'. – Abl.: talentiert „begabt" (20. Jh.).

Taler *m*: Der Name der heute nicht mehr gültigen Münze entstand im 16. Jh. durch Kürzung aus 'Joachimstaler'. Die Münze ist nach dem Ort St. Joachimstal in Böhmen benannt, wo sie seit der ersten Hälfte des 16. Jh.s aus dem Bergwerk gewonnenen Silber geprägt wurde. – Die Münzbezeichnung wurde in viele europäische Sprachen übernommen (vgl. auch den Artikel Dollar).

Talg *m*: Das im 16. Jh. aus dem *Niederd.* ins *Hochd.* übernommene Wort geht zurück auf *mnd.* talch, das mit gleichbed. *niederl.* talk, *engl.* tallow, *schwed.* talg verwandt ist. Diese Wörter stehen vielleicht im Ablaut zu *got.* tulgus „fest", so daß 'Talg' eigtl. „das Festgewordene" bedeuten würde. Beachte zu diesem Benennungsvorgang *gr.* stéar „stehendes Fett, Talg", das wahrscheinlich zu der Wortgruppe von →Stein gehört (daher unser Fremdwort Stearin *s*). – Abl.: talgig (17. Jh.).

Talisman *m* „Glücksbringer, Maskottchen": Das in *dt.* Texten seit dem 17. Jh. bezeugte FW ist aus gleichbed. *it.* talismano entlehnt. Dies stammt seinerseits wie entspr. *frz.* talisman, *span.* talisman aus *arab.* ṭilasm „Zauber" bzw. aus dessen Pluralform *arab.* ṭilismān. Quelle des Wortes ist *mgr.* télesma „geweihter Gegenstand" (zu *gr.* teleïn „vollenden, vollbringen; weihen").

tändeln „scherzen, verspielt sein (von jungen Mädchen)": Das seit dem 17. Jh. bezeugte

Verb ist eine Iterativbildung zu *spätmhd.* tenten „Possen treiben". Dieses ist abgeleitet von dem Substantiv *mhd.* tant „leeres Geschwätz, Possen", *nhd.* Tand *m* „Wertloses, wertlose Gegenstände; (veralt. für:) Kinderspielzeug" (vgl. *mnd.* tant van Nurenberch „Nürnberger Spielwaren"). Die Herkunft dieses Substantivs ist nicht sicher geklärt. Vielleicht geht es über ein *roman.* Kaufmannswort (vgl. *span.* tanto „Kaufpreis, Spielgeld") auf *lat.* tantum „so viel" zurück.

Tang *m*: Die Bezeichnung der Meeresalgen wurde im 18. Jh. aus den *nord.* Sprachen (*dän.*, *norw.* tang, *schwed.* tång; vgl. *aisl.* þang) ins *Nhd.* entlehnt. Gleichbed. *mnd.* danc (15. Jh.) ist nicht erhalten geblieben. Das Wort 'Tang' gehört wahrscheinlich mit der eigtl. Bed. „dichte Masse (von Pflanzen)" zu der unter →*gedeihen* behandelten Wortgruppe; s. auch den Artikel dehnen.

Tangente *w* „Gerade, die eine Kurve in einem bestimmten Punkt berührt" (Math.): Gelehrte Entlehnung des 18. Jh.s aus *lat.* tangēns (-entis) „berührend", dem Part. Präs. von *lat.* tangere (tāctum) „berühren, anfassen usw." – Zu *lat.* tangere (tāctum) als Stammwort stellen sich neben einigen Präfixbildungen wie *lat.* at-tingere „berühren, beeinflussen" und *lat.* con-tingere „berühren, treffen; zuteilwerden, zustreben" (s. die FW Kontingent, kontingentieren und Kontakt) u. a. die Adjektiv- und Substantivbildungen *lat.* tāctus (Partizipialadj.) „berührt", intāctus „unberührt" (s. intakt), *lat.* tāctus (Subst.) „Berührung; Gefühl[s-sinn]" (s. die FW ¹Takt und ²Takt) und *lat.* integer (< *en-tag-ros) „unberührt, unversehrt; ganz" (s. die FW integer, integrieren usw.). Auf einer Iterativbildung zu tangere, *lat.* taxāre „berühren, antasten; prüfend betasten, im Wert abschätzen" (davon *vlat.* *taxitāre) beruhen die unter →taxieren und →tasten behandelten Fremd- und Lehnwörter.

Tango *m*: Der in Europa kurz vor dem ersten Weltkrieg aufgekommene Gesellschaftstanz im langsamen ²/₄- oder ⁴/₈-Takt stammt wie auch sein Name aus Südamerika. Er wurde uns durch die Spanier vermittelt (*span.* tango).

Tank *m* „(meist transportabler) Flüssigkeitsbehälter (z. B. für Benzin)", früher auch mit der übertr. Bed. „Panzerwagen" (uspr. als Deckname) gebraucht: Das seit dem 18. Jh. bezeugte FW ist in beiden Bedeutungen aus *engl.* tank entlehnt, dessen weitere Herkunft umstritten ist. – Abl.: tanken „Treibstoff aufnehmen" (20. Jh.; nach gleichbed. *engl.* to tank), in der Umgangssprache scherzhaft übertr. gebraucht für „einen heben". Zu dem Verb tanken gehören Zus.wie Tankstelle (20. Jh.) und Tankwart (20. Jh.), ferner die Substantivbildung Tanker *m* „Tank-

schiff" (20. Jh.; nach gleichbed. *engl.* tanker).

Tanne *w*: Der im *germ.* Sprachbereich nur im *Dt.* gebräuchliche Baumname (*mhd.* tanne, *ahd.* tanna) ist wahrscheinlich verwandt mit *aind.* dhánu-ḥ „Bogen", eigtl. „Bogen aus Tannenholz".

Tantalusqualen *Mehrz.* „quälende Begierde nach Unerreichbarem": Nach dem phrygischen König Tantalus der griech. Sage, der zur Strafe für seine Freveltaten in der Unterwelt bis zum Kinn im Wasser stehen mußte. Gleichwohl konnte er seinen Durst an dem Wasser nicht stillen. Es wich vor ihm zurück, sobald er trinken wollte. Auch von den köstlichen Früchten, die über seinem Kopfe wuchsen, konnte er niemals essen. Der Wind blies sie weg, sobald er nach ihnen greifen wollte.

Tante *w* „Mutters-, Vatersschwester; nahe Verwandte": Im 17. Jh. aus gleichbed. *frz.* tante entlehnt, das eine in der Kindersprache entstandene Spielform von gleichbed. *afrz.* ante darstellt. Quelle des Wortes ist *lat.* amita „Vatersschwester; Tante", eine Weiterbildung von dem auch in *lat.* amāre „lieben" (vgl. das FW *Amateur*) vorliegenden kindlichen Lallwort *am[m]a.

Tanz *m*: Das seit dem 12./13. Jh. bezeugte Subst. (*mhd.* tanz, *mnd.* dans, danz) wurde im Bereich des höfischen Rittertums aus gleichbed. (*a*)*frz.* danse entlehnt, wahrscheinlich durch *niederl.* Vermittlung. Das dem *frz.* Subst. zugrunde liegende Verb danser (*afrz.* dancier) „tanzen" lieferte etwa gleichzeitig unser Zeitwort tanzen (*mhd.* tanzen, *mnd.* dansen). Abl.: Tänzer *m* (*mhd.* tenzer, tanzer); tänzeln „in kleinen Tanzschritten gehen" (16. Jh.). – Die *frz.* Wörter, deren weitere Herkunft nicht gesichert ist, gelangten auch in die anderen Nachbarsprachen, vgl. z. B. entspr. *niederl.* dans „Tanz", dansen „tanzen", *engl.* dance „Tanz", to dance „tanzen", *it.* danza „Tanz", danzare „tanzen" und *span.* danza „Tanz", danzar „tanzen".

Tapete *w* „Wandbekleidung": Im 16. Jh. aus *mlat.* tapēta, dem als Femininum Sing. genommenen Neutr. Plur. von *lat.* tapētum „Teppich (auf Fußböden, Tischen, Sofas, Wänden usw.)", entlehnt. Über weitere etymolog. Zusammenhänge vgl. das LW *Teppich*. Unmittelbar aus *lat.* tapētum stammt das heute veraltete FW Tapet *s* „Teppich; Decke des Konferenztisches; Konferenztisch" (16. Jh.). Es lebt nur noch in der Redewendung 'etwas aufs Tapet bringen' „etwas zur Sprache (d. h. eigtl. auf den Konferenztisch) bringen". Diese Redensart kam um 1700 auf als Übersetzung von entspr. *frz.* 'mettre (une affaire) sur le tapis'. – Im weiteren Sinne stellt sich zu 'Tapete' auch das jüngere FW tapezieren „[Wände] mit Tapeten verkleiden" (19. Jh.), das aus gleichbed.

it. tappezzare stammt. Die früher übliche Form tapessieren (16. Jh.) ist aus entspr. *frz.* tapisser aufgenommen. Dazu die Berufsbezeichnung **Tapezierer** *m* (17. Jh.), in Süddeutschland auch **Tapezier** *m* (18. Jh.).

tapfer: *Mhd.* tapfer „fest, gedrungen; schwer, gewichtig; wichtig, bedeutend, ansehnlich; streitbar", *ahd.* tapfar „schwer, gewichtig", *niederl.* dapper „tapfer, kühn, herzhaft", *norw.* daper „trächtig; schwermütig, traurig" sind wahrscheinlich verwandt mit der *baltoslaw.* Sippe von *russ.* debélyj „dick, fett, stark". Die weiteren Beziehungen sind unklar. – Die Verwendung von 'tapfer' im Sinne von „mutig, kühn", die heute allein üblich ist, kam erst im 15. Jh. auf. – Abl.: **Tapferkeit** *w* (15. Jh.).

tappen „mühsam, unsicher, tastend, (auch:) ungeschickt gehen": Das seit dem 16. Jh. bezeugte Verb ist abgeleitet von *frühnhd.* tappe, *mhd.* tāpe „Tatze, Pfote", dessen Herkunft unklar ist. Vielleicht ist es lautnachahmenden Ursprungs oder beruht auf einer Umstellung von *roman.* *patta (vgl. *frz.* patte „Pfote"). Eine verhochdeutschende Form Tapfe trifft sich lautlich mit dem in 'Fußstapfe' aus falscher Trennung hervorgegangenen Grundwort Tapfe (s. Fuß[s]tapfe). Von dem Substantiv Tappe, das heute *mdal.* noch weiterlebt, ist **täppisch** „linkisch" abgeleitet (*mhd.* tǣpisch). Eine Präfixbildung ist **ertappen** „bei Verbotenem überraschen" (16. Jh.). Siehe auch den Artikel Depp.

Tarantel *w*: Der Name der südeurop. giftigen Wolfsspinne, in *dt.* Texten seit dem 16. Jh. bezeugt, stammt aus dem *It.* Die weitere Herkunft von *it.* tarantola (Nebenform: tarantella) „Tarantel" ist dunkel. – Nach dem Insekt heißt ein urspr. neapolitanischer Volkstanz *it.* tarantella, daraus um 1700 unser FW **Tarantella** *w.* Der Name spielt vermutlich auf die leidenschaftlichen Bewegungen der Tänzer an, die gleichsam 'wie von der Tarantel gestochen' herumspringen.

Tarif *m* „Preis-, Lohnstaffel, Gebührenordnung": Das seit dem 17./18. Jh. allgemein übliche Kaufmannswort stammt aus gleichbed. *it.* tariffa, das uns durch gleichbed. *frz.* tarif vermittelt wurde. Quelle des Wortes ist *arab.* ta'rīf „Bekanntmachung" (zu *arab.* 'arafa „wissen").

tarnen: Das Verb *mhd.* tarnen, *ahd.* tarnan ist abgeleitet von dem Adjektiv *ahd.* tarni „heimlich, verborgen", das auch als erster Bestandteil in Tarnkappe steckt. Diese Zus. (*mhd.* tarnkappe „Tarnmantel"; zu *mhd.* kappe „Mantel mit Kapuze"; s. *Kappe*) wurde zu Beginn des 19. Jh.s neu belebt. Durch die Wiederaufnahme von 'Tarnkappe' wurde auch das Verb tarnen, das mehrere Jahrhunderte verschollen war, wieder ins Blickfeld gerückt. Schon während des 1. Weltkrieges, bes. aber nach dem 1. Weltkrieg wurde es militär. Ersatzwort für das FW camou-

flieren (und camouflage „Tarnung"). Verwandt mit dem *ahd.* Adjektiv ist *asächs.* derni „verborgen", *aengl.* dierne „geheim, heimlich (wozu *aengl.* diernan „verbergen"). **Tasche** *w*: Die Herkunft des urspr. auf das *dt.* und *niederl.* Sprachgebiet beschränkten Substantivs (*mhd.* tasche „Tasche", *ahd.* tasca „Ranzen, Säckchen, kleines Behältnis", *niederl.* tas „Tasche, Mappe, Geldbeutel") ist dunkel. Zus.: **Taschenbuch** „Buch in Taschenformat, d. h. in einem Format, das man in die Tasche stecken kann" (18. Jh.); **Taschengeld** „in die Tasche gegebenes Geld für kleinere Ausgaben" (18. Jh.); **Taschenlampe** (20. Jh.); **Taschenmesser** (*mhd.* taschenmezzer); **Taschenspieler** „wer Gegenstände zur Überraschung der Zuschauer aus der Tasche zieht oder in sie hineinzaubert" (17. Jh.); **Taschentuch** „Schnupftuch" (19. Jh.).

Tasse *w*: Der Name des Trinkgefäßes, im 16. Jh. aus gleichbed. *frz.* tasse übernommen, stammt letztlich aus *pers.* ṭāšt „Becken; Untertasse" (> *arab.* ṭās[a] „Schälchen"). **tasten** „herumfühlen, befühlen, berühren": Das seit *mhd.* Zeit bezeugte Verb ist aus dem *Roman.* entlehnt. Die entspr. *roman.* Wörter *it.* tastare und *afrz.* taster (= *frz.* tâter) beruhen ihrerseits auf einem erschlossenen Verb *vlat.* *tastāre (kontrahiert aus *vlat.* *taxitāre), einem Intensivum von *lat.* taxāre „berühren, antasten; prüfend betasten" (vgl. *taxieren*). – Dazu das Subst. **Taste** *w* „Griffsteg zum Anschlagen der Saiten eines Saiteninstruments (insbesondere eines Klaviers); Griffbrettchen" (im 18. Jh. aus gleichbed. *it.* tasto [eigtl. „das Tasten"; das Werkzeug zum Tasten"] entlehnt).

Tat *w*: Das *gemeingerm.* Substantiv *mhd.* tāt, *ahd.* tāt, *got.* ga-dēþs, *engl.* deed, *schwed.* dåd gehört zu der unter →*tun* dargestellten *idg.* Wurzel. Es ist z. B. verwandt mit *lat.* conditiō „Gründung", *gr.* thésis „Satzung" (s. These) und *lit.* dětis „Last, Ladung". Abl.: **Täter** *m* (*mhd.* -tǣter, nur in Zusammensetzungen, z. B. übeltǣter, erst im 15. Jh. selbständig und heute zu 'tun' gezogen); **tätig** (*mhd.* -tǣtec, *ahd.* -tātig, nur in Zusammensetzungen, z. B. übeltǣtec, und erst im 16. Jh. als selbständiges Wort auftretend); **tätigen**, kaufmänn. in 'einen Abschluß usw. tätigen' (18. Jh.), dazu **betätigen** (17. Jh.; aus der Kanzlei- und Geschäftssprache übernommen und allgemein geworden); **tätlich** „handgreiflich, gewaltsam" (16. Jh., älter *mnd.* dātlīk). Zus.: **Tatkraft** (18. Jh.; Ersatzwort für 'Energie'); **Tatsache** (18. Jh.; Nachbildung von *engl.* matter of fact, das wiederum *lat.* rēs factī wiedergibt). Siehe auch Missetat unter miß...

tätowieren „Muster, Figuren usw. mit Farbstoffen in die Haut einritzen", dafür in der Fachterminologie der Völkerkunde die Form **tatauieren**: Das seit dem 18. Jh. bezeugte

701

FW, durch gleichbed. *engl.* to tattoo und *frz.* tatouer vermittelt, stammt aus dem *malaio-polynesischen* Sprachbereich. Quelle des Wortes ist *tahit.* tatau „Zeichen, Malerei".

tätscheln „streicheln, [mit sanften Schlägen] liebkosen": Das seit dem 16. Jh. gebräuchliche Verb ist eine Weiterbildung zu *mhd.* tetschen „klatschen, patschen, panschen", das lautnachahmenden Ursprungs ist.

Tatterich *m*: Der *ugs.* Ausdruck für „[krankhaftes] Zittern" gehört zu dem unter → *verdattert* behandelten Verb tattern „schwatzen; stottern; zittern", beachte die Adjektivbildung **tatterig** *ugs.* für „zittrig". 'Tatterich' wurde zuerst in der Studentensprache verwendet und bezeichnete zunächst das Zittern der Hände nach starkem Alkoholgenuß. – Das in Darmstädter Mundart geschriebene Lustspiel „Der Datterich" (1841) von Niebergall bezieht sich dagegen auf 'tattern' in der Bed. „schwatzen".

Tattersall *m* „geschäftliches Unternehmen für reitsportliche Veranstaltungen; Reitbahn, -halle": Die im 19. Jh. aus dem *Engl.* übernommene Bezeichnung ist von dem Namen eines *engl.* Stallmeisters und Reitlehrers abgeleitet, der im 18. Jh. in London das erste Unternehmen dieser Art gründete.

Tatze *w* „Pfote der Raubtiere, bes. des Bären": Die Herkunft des *nur dt.* Wortes (*mhd.* tatze) ist unklar. Vielleicht handelt es sich um eine Koseform zu einem kindersprachlichen oder lautnachahmenden 'tat'.

¹Tau *m* „in Tropfen niedergeschlagene Luftfeuchtigkeit": Das *altgerm.* Wort *mhd.*, *ahd.* tou, *niederl.* dauw, *engl.* dew, *schwed.* dagg gehört zu der *idg.* Wortgruppe von → *Dunst*. Abl.: ¹ **tauen** „Tau ansetzen" (*mhd.* touwen, *ahd.* touwōn).

²Tau *s* „starkes Seil": Das im 16. Jh. aus dem *Niederd.* ins *Hochd.* übernommene Wort geht zurück auf *mnd.* tou[we] „Werkzeug, [Schiffs]gerät, Tau", das zu einem im *Nhd.* untergegangenen Verb mit der Bed. „tun, machen" gehört: *mhd.*, *ahd.* zouwen „machen, verfertigen, bereiten", *mnd.* touwen „ausrüsten, bereiten, zustande bringen", *got.* taujan „machen, tun" usw. Die Substantivbildung bedeutete also urspr. ganz allgemein „Werkzeug, mit dem etwas gemacht wird, [Schiffs]gerät", dann speziell „[Schiffs]seil".

taub: Das *gemeingerm.* Adjektiv *mhd.* toup „nicht hörend, nichts empfindend, nichts denkend, unsinnig, abgestorben, dürr", *ahd.* toub „gehörlos, unempfindlich, ungereimt, stumpf[sinnig], dumm", *got.* daufs „taub; verstockt", *engl.* deaf „taub, unempfindlich", *schwed.* döv „taub" gehört im Sinne von „benebelt, verwirrt, betäubt" zu der *idg.* Wortgruppe von → *Dunst*. In den alten Sprachzuständen wurde es zunächst in der Bed. „empfindungslos, stumpf[sinnig]" verwendet, dann aber auf den Gehörsinn eingeengt und schon früh speziell im Sinne von „gehörlos,

schwerhörig" gebraucht. Aus der *mhd.* Bed. „abgestorben, dürr" entwickelte sich die Bed. „gehaltlos", beachte 'taube Nuß' und 'Taubnessel' (s. u.). Die *niederd.* Entsprechung von *hochd.* taub ist → doof. Zu 'taub' stellen sich die unter → toben behandelten Verben. Abl.: b e t ä u b e n (*mhd.* betouben, eigtl. „taub machen"). Zus.: T a u b n e s s e l (eigtl. „taube Nessel", d. h. „der Nessel ähnliche Pflanze, die nicht brennt", *mhd.* toupnezzel); t a u b - s t u m m (in der Formel 'taub und stumm' vom 16. bis zum 18. Jh. zurückgehend auf Mark. 7, 32 „Und sie brachten zu ihm einen Tauben, der stumm war", in der Zusammenziehung zuerst 2. Hälfte des 18. Jh.s).

Taube *w*: Die Herkunft des *gemeingerm.* Vogelnamens (*mhd.* tūbe, *ahd.* tūba, *got.* [hraiwa] dūbō, *engl.* dove, *schwed.* duva) ist nicht sicher geklärt. Er kann auf einer Nachahmung des Taubenlauts ('dū') beruhen oder aber zu der Wortgruppe von → *Dunst* gehören. Im letzteren Falle wäre die Taube nach ihrem rauchfarbenen oder dunklen Gefieder benannt, vgl. die *kelt.* Sippe von *air.* dub „schwarz". Abl.: T a u b e r *m* (*mhd.* tūber); T ä u b e r i c h *m* (17. Jh.; nach 'Enterich', s. u. Ente).

tauchen: Das *westgerm.* Verb *mhd.* tūchen, *ahd.* īn-tūhhan, *niederl.* duīken, *engl.* to duck ist unbekannter Herkunft. Eine Intensivbildung zu 'tauchen' ist → ducken. Abl.: T a u - c h e r „einer, der taucht; tauchender Wasservogel" (*mhd.* tūcher, *ahd.* tūhhāri; vgl. *aengl.* dūce „Ente", eigtl. „Taucher", daher *engl.* duck).

¹tauen siehe ¹Tau.

²tauen „schmelzen"; Das *altgerm.* Verb *mhd.* touwen, *ahd.* douwen, *niederl.* dooien, *engl.* (andersgebildet) to thaw, *schwed.* töa gehört mit verwandten Wörtern in anderen *idg.* Sprachen zu der vielgestaltigen *idg.* Wz. *tā[u]- „schmelzen, sich auflösen, dahingehen", vgl. z. B. *russ.* tájat' „schmelzen, tauen" und *lat.* tābēre „schmelzen, hinsiechen". – Die seit *mhd.* Zeit übliche Form mit anlautendem t- beruht auf Anlehnung an → ¹Tau. Den alten Anlaut bewahrt die Präfixbildung → verdauen.

taufen: Das *gemeingerm.* Verb *mhd.* toufen, *ahd.* toufan, *got.* daupjan, *diepan*, *schwed.* döpa ist abgeleitet von dem unter → *tief* behandelten Adjektiv. Es bedeutet also eigtl. „tief machen", d. h. „ein-, untertauchen". Die Verwendung des Verbs in christlichem Sinne geht von *got.* daupjan aus, das im 5. Jh. mit arianischen Glaubensboten donauaufwärts nach Bayern gelangte. Von dort breitete sich dann die christliche Verwendung des Verbs aus. Abl.: T a u f e *w* (*mhd.* toufe, *ahd.* touf[i]n); *got.* daupeins); T ä u f e r *m* (*mhd.* toufære, *ahd.* toufari); T ä u f l i n g *m* (16. Jh.). Siehe auch die Artikel → dopen und → tupfen.

taugen: Das *nhd.* Verb geht auf *mhd.* tougen zurück, das im 12./13. Jh. aus alten Präteritopräsensformen der 1. und 3. Person (z. B. *ahd.* touk, *got.* daug [Ind. Präs.]) entstanden ist, vgl. entsprechend *niederl.* deugen, *aengl.* dugan, *schwed.* duga. Außergerm. sind z. B. verwandt *gr.* tycheĩn „ein Ziel erreichen", teicheĩn „tauglich herrichten, verfertigen". Um 'taugen' gruppieren sich im *germ.* Sprachbereich die unter →tüchtig und →Tugend behandelten Bildungen. Abl.: **tauglich** „brauchbar, geeignet" (16. Jh.).

taumeln „benommen schwanken": Das auf das *dt.* Sprachgebiet beschränkte Verb *mhd.* tūmeln, *ahd.* tūmilōn ist eine Iterativbildung zu dem im *Nhd.* untergegangenen Verb *mhd.* tūmen, *ahd.* tūmōn „sich im Kreise drehen, schwanken", das zu der Wortgruppe von →*Dunst* gehört. Eine Nebenform von 'taumeln' ist → **tummeln**. Abl.: **Taumel** *m* (17. Jh.; Rückbildung aus dem Verb); **taum[e]lig** (17. Jh.).

tauschen: Die *nhd.* Form tauschen geht zurück auf *mhd.* tūschen „unwahr reden, lügnerisch versichern, anführen", eine Nebenform von gleichbed. *mhd.* tiuschen (vgl. *täuschen*). Die heute allein übliche Bed. „Waren oder dgl. auswechseln, gegen etwas anderes geben", in der das Verb zuerst im 15. Jh. bezeugt ist, hat sich demnach aus „unwahr reden, in betrügerischer Absicht aufschwatzen" entwickelt. Aus dem Verb rückgebildet ist das Substantiv **Tausch** *m* (16. Jh.). Beachte dazu die Zus. **Tauschhandel** (18. Jh.) und die Präfixbildung **vertauschen** „irrtümlich oder unabsichtlich auswechseln" (*mhd.* vertūschen, „umtauschen"; in der heutigen Bed. um 1700).

täuschen: Die *nhd.* Form täuschen geht zurück auf *mhd.* tiuschen „unwahr reden, lügnerisch versichern, anführen", neben dem gleichbed. *mhd.* tūschen steht (vgl. tauschen). Das Verb stammt aus dem *Niederd.*, vgl. *mnd.* tūschen „anführen, betrügen; tauschen" und weiterhin *niederl.* tuisen „betrügen, übervorteilen; schachern". Die weitere Herkunft ist unbekannt. – Die Präfixbildung **enttäuschen** bedeutet eigtl. „aus einer Täuschung herausreißen" und wurde um 1800 als Ersatz für 'desabusiren' (*frz.* désabuser) und 'detrompiren' (*frz.* détromper) geschaffen. Abl.: **Täuscher** *m* „Betrüger" (*mhd.* tiuschære), beachte dazu **Roßtäuscher** „Pferdehändler" (*mhd.* rostiuscher, -tüscher).

tausend: Das *gemeingerm.* Zahlwort *mhd.* tūsunt, *ahd.* dūsunt, *got.* þūsundi, *engl.* thousand, *schwed.* tusen ist wahrscheinlich eine verdunkelte Zusammensetzung (*þūs-hundi) und bedeutet eigtl. „vielhundert". Das Grundwort gehört zu dem unter →*hundert* behandelten Zahlwort, das Bestimmungswort gehört zu der unter →*Daumen* dargestellten *idg.* Wz. *teu- „schwellen" (adjek-

tivisch: „geschwollen, dick, stark"), vgl. z. B. *aind.* taráḥ „stark, kräftig". Zus.: **Tausendfüß[l]er** *m*, früher **Tausendfuß** (18. Jh.; LÜ von *lat.* milipeda, das seinerseits LÜ von *gr.* chiliópous ist); **Tausendkünstler** (16. Jh.; eigtl. „wer tausend Künste kann", früher meist auf den Teufel bezogen); **Tausendsasa** *m* *ugs.* für „Schwerenöter, Alleskönner" (18. Jh.; Substantivierung der durch 'tausend' verstärkten Interjektion sa, sa [vgl. hopsasa], eines Lockrufes für Hunde, der aus dem *Frz.* stammt [*frz.* çà aus *lat.* ecce hāc = hierher]).

Taxi *s* „Mietauto": Eine junge Bildung des 20. Jh.s, gekürzt aus 'Taxameter', offenbar nach dem Vorbild von entspr. *frz.* taxi (aus taximètre). Das Wort, das zusammengesetzt ist aus →Taxe „Preis; Gebühr" und →...meter (im Sinne von „Meßgerät") bezeichnete urspr. nur die in Mietwagen angebrachte Meßuhr mit Fahrpreisanzeiger. Hernach ging die Bezeichnung auf den Mietwagen selbst über.

taxieren „schätzen, abschätzen, veranschlagen, den wahrscheinlichen Wert ermitteln": Als Wort der Kaufmannssprache im 15. Jh. aus gleichbed. *frz.* taxer entlehnt, das seinerseits auf *lat.* taxāre „berühren, antasten; prüfend betasten, im Wert abschätzen" beruht, ein Iterativbildung von *lat.* tangere „berühren" (vgl. *Tangente*). – Dazu: **Taxe** *w* „Schätzung des Wertes; [amtlich] festgesetzter Preis; Gebühr" (15. Jh.; aus *mlat.* taxa, *frz.* taxe). – Siehe auch → Taxi, →tasten, Taste.

Teakholz *s*: Der aus dem *Engl.* übernommene Name (*engl.* teak) des asiat. Nutzholzes stammt von gleichbed. *port.* teca, das auf gleichbed. *tēkka* der südindischen Drawidasprache *Malayalam* zurückgeht.

Team *s* „Arbeitsgruppe; Mannschaft": Im 20. Jh. aus gleichbed. *engl.* team entlehnt. Das *engl.* Wort selbst, das *aengl.* tēam „Nachkommenschaft, Familie; Gespann" fortsetzt, ist mit *dt.* →Zaum verwandt. – Dazu als Zus.: **Teamwork** *s* „Gemeinschaftsarbeit, gemeinsam Erarbeitetes" (20. Jh.; aus gleichbed. *engl.* team-work).

Technik *w* „Handhabung, [Herstellungs]verfahren, Arbeitsweise; Hand-, Kunstfertigkeit", im speziellen Sinne zusammenfassende Bezeichnung für die Ingenieurwissenschaften: Im 18. Jh. aufgenommen aus gleichbed. *frz.* technique. Das *frz.* Wort, eigtl. Adjektiv mit der Bed. „kunst-, handwerksmäßig; kunstgerecht, kunstfertig" und als solches Vorbild für unser entspr. Adj. **technisch** „die Technik betreffend; kunstgerecht, fachgemäß" (18. Jh.), beruht seinerseits auf *gr.* technikós „kunstvoll, kunstgemäß; sachverständig, fachmännisch". Das diesem zugrunde liegende Subst. *gr.* téchnē (< *téksnā) „Handwerk, Kunst, Kunstfertigkeit; Wissenschaft" stellt sich zu *gr.*

téktōn „Zimmermann, Baumeister" (s. auch Architekt). Mit diesen Wörtern verwandt sind in anderen *idg.* Sprachen z. B. *aind.* tákṣan- „Zimmermann", *aind.* tákṣati „bearbeitet, verfertigt, zimmert", *lat.* texere (textum) „flechten, weben; bauen, zimmern; kunstvoll zusammenfügen" (s. die Fremdwortgruppe um → Text), ferner der Gerätename *ahd.* dehsa[la] „Queraxt (zur Holzbehauung)", daraus *dt. mdal.* Dechsel *w* „Querbeil". Abl. von Technik: Techniker *m* „Fachmann auf einem Gebiet der Ingenieurwissenschaften; technischer Facharbeiter" (19. Jh.); Technikum *s* „technische Fachschule, Ingenieurschule" (20. Jh.; *nlat.* Neubildung).

Teddy[bär] *m*: Das beliebte, seit Anfang des 20. Jh.s zuerst in Deutschland hergestellte Kinderspielzeug ist in Amerika nach dem Spitznamen Teddy (Theodor) des amerikan. Präsidenten Theodore Roosevelt (1901–1909) benannt worden (*engl.* teddy bear ist seit 1907 belegt).

Tee *m*: Das seit dem Ende des 17. Jh.s bezeugte FW stammt aus dem *Chin.* Quelle ist ein *südchin.* tē „Tee", das in andere westeuropäische Sprachen übernommen wurde (beachte z. B. *engl.* tea, *frz.* thé, *niederl.* thee, *it.* tè).

Teenager *m*: In den fünfziger Jahren des 20. Jh.s als Bezeichnung für ein junges Mädchen zwischen 13 und 19 Jahren aus Amerika aufgenommen. Das in der *amerik.* Umgangssprache entstandene Wort teenager bedeutet wörtlich „wer im Teen-Alter ist" (gemeint sind alle mit -teen gebildeten Zehnerzahlen, also thirteen, fourteen usw. bis nineteen „13–19 Jahre").

Teer *m*: Das im 16. Jh. aus dem *Niederd.* ins *Hochd.* übernommene Wort geht zurück auf *mnd.* ter[e], dem im *germ.* Sprachbereich gleichbed. *niederl.* teer, *engl.* tar, *schwed.* tjära entsprechen (vgl. die verwandten Wörter *lit.* dervà „Teer", *lett.* darva „Teer"). Das den Nord- und Ostsee-Randvölkern, für die der Teer ein unentbehrliches Hilfsmittel beim Schiffsbau war, gemeinsame Wort bedeutet eigtl. „der zum Baum Gehörige" und gehört zu *idg.* *deru- „Eiche, Baum", vgl. *asächs.* trēo „Baum", *got.* triu „Holz", *engl.* tree „Baum". Beachte auch das *germ.* Baumnamensuffix -dr[a], das im *Dt.* z. B. in → Flieder, → Rüster, → Holunder und → Wacholder bewahrt ist. *Außergerm.* sind z. B. verwandt *gr.* dóry „Baumstamm; Holz; Speer" und *russ.* dérevo „Baum". Zu diesem *idg.* Wort für „Baum, Eiche" gehört auch das unter → Trog (eigtl. „hölzernes Gefäß") behandelte Substantiv sind die Sippe von → treu (eigtl. „stark, fest, hart wie ein Baum"; s. dort über Treue, trauen, Trost). Abl.: teeren „mit Teer tränken" (18. Jh.).

Teich *m*: Das im *Hochd.* seit dem 13. Jh. bezeugte Wort (*mhd.* tīch) bezeichnet eigtl. ein künstlich angelegtes Gewässer für die Fischzucht. Es stammt aus dem *nordd.* und *ostd.* Sprachgebiet und ist urspr. identisch mit dem unter → Deich „Damm" behandelten Wort. Das *altgerm.* Substantiv *mnd.* dīk „Deich, Teich", *mniederl.* dijc „Damm, Pfuhl" (*niederl.* dijk „Deich"), *aengl.* dīc „Erdwall, Graben" (*engl.* ditch „Graben", dike „Wall, Graben"), *schwed.* (andersgebildet) dike „Wall, Graben" geht zurück auf die *idg.* Wz. *dhēiĝ⁵- „stechen, stecken", die auch der Sippe von *lat.* fīgere „anheften" (s. ¹fix) und der *balt.* Sippe von *lit.* diegti „stechen, stecken" zugrunde liegt. Die Grundbed. „Ausgestochenes" konnte sowohl auf einen Graben wie auf den daraus aufgeworfenen Erdwall bezogen werden; die Scheidung der Bedeutungen wurde erst mit der Ausbildung des *hochd.* Wortes vollzogen. Siehe auch den Artikel Weiher.

Teig *m*: Das *gemeingerm.* Wort *mhd.* teic, *ahd.* teig, *got.* daigs, *engl.* dough, *schwed.* deg gehört mit verwandten Wörtern in anderen *idg.* Sprachen zu der *idg.* Wz. *dheiĝh- „Lehm kneten und damit arbeiten; Teig kneten", vgl. z. B. *lat.* fingere „kneten, formen, bilden, gestalten; ersinnen, erdichten, vorgeben" (s. fingieren), *lat.* figūra „Gebilde, Gestalt, Erscheinung" (s. Figur), *aind.* dēha-ḥ, -m „Körper", *gr.* teîchos „Mauer" und *gr.* toîchos „Wand". Vgl. auch das unter → Laib behandelte *engl.* Lady (eigtl. „Brotkneterin").

Teil *m*: Das *gemeingerm.* Wort *mhd.*, *ahd.* teil, *got.* dails, *engl.* deal, *schwed.* del ist verwandt mit der *baltoslaw.* Sippe von *russ.* del „Teilung". Die weiteren Beziehungen sind unsicher. — Eine alte Ableitung von 'Teil' ist teilen (*mhd.*, *ahd.* teilen, *got.* dailjan, *aengl.* dǣlan, *schwed.* dela), dazu teilbar (17. Jh.) und Teilung *w* (*mhd.* teilunge, *ahd.* teilunga). Präfixbildungen und Zusammensetzungen mit 'teilen' sind z. B. abteilen (*mhd.* abeteilen), dazu Abteilung *w* (*frühnhd.* „[Erb]teilung", der heutige Sinn „durch Abtrennen entstandener Teil" im 18. Jh.) und Abteil *s* „Eisenbahnabteil" (aus 'Abteilung' verkürzt, in der 2. Hälfte des 19. Jh.s als Ersatzwort für 'Coupé'; beteiligen (19. Jh.; urspr. *oberd.*, für älteres beteilen „Anteil geben"); erteilen (*mhd.* erteilen, *ahd.* irteilen „Recht zuteilen, ein Urteil sprechen", später auf bestimmte Verbindungen eingeschränkt wie 'einen Rat, Befehl usw. erteilen'), dazu die Substantivbildung Urteil *s* (s. d.); mitteilen (*mhd.* mite teilen „etwas mit jemandem teilen, einem etwas zukommen lassen", früher allgemein, seit dem 15. Jh. allmählich eingeschränkt auf Nachrichten, Kenntnisse u. a.), dazu Mitteilung *w* (16. Jh.; die Bedeutungsentwicklung wie beim Verb); verteilen

Tempo

(*mhd.* verteilen „einen Urteilsspruch fällen", *ahd.* farteilen „des Anteils berauben, verurteilen", im heutigen Sinne, den bereits *got.* fradailjan zeigt, seit dem 16. Jh.). – Abl. von 'Teil': teilhaftig, älter teilhaft (*mhd.* teilhaft[ic]); teils (17. Jh.; urspr. adverbialer Genitiv). – Zus. mit 'Teil': Anteil *m* (*mhd.* anteil; im 18. Jh. auch übertr. als „Mitgefühl" in der Wendung 'Anteil an etwas nehmen'), dazu Anteilnahme *w* (19. Jh.; vielleicht für ein älteres 'Anteilnehmung'; vgl. Teilnahme); Gegenteil *s* (*mhd.* gegenteil „Gegenpartei im Rechtsstreit", seit dem 16. Jh. im heutigen allgemeineren Sinn), dazu gegenteilig (16. Jh.); Nachteil *m* (15. Jh.; Gegenwort zu 'Vorteil'), dazu nachteilig (15. Jh.) und benachteiligen (19. Jh.); Vorteil *m* (*mhd.* vorteil, urspr. „was jemand vor anderen im voraus bekommt"), dazu übervorteilen „seinen Vorteil über jemanden erringen" (15. Jh.). Als zweiter Bestandteil steckt 'Teil' in Zusammensetzungen wie 'Viertel' usw. (*mhd.* virteil, *ahd.* fiorteil). Es dient heute als Ableitungssilbe zur Bildung jeder beliebigen Bruchzahl. – Zusammenschreibungen sind teilhaben (*mhd.* teil haben, *ahd.* teil habēn), dazu Teilhaber *m* (18. Jh.; Ersatzwort für 'Kompagnon') und teilnehmen (*mhd.* teil nemen, *ahd.* teil neman, schon früh übertr. gebraucht), dazu Teilnahme *w* (19. Jh.; für älteres 'Teilnehmung'; s. oben Anteilnahme).

Teint *m* „Beschaffenheit oder Tönung der menschlichen [Gesichts]haut": Im 18. Jh. aus gleichbed. *frz.* teint (eigtl. „gefärbter Stoff; Färbung, Tönung") entlehnt, dem substantivierten zweiten Partizip von *frz.* teindre (< *lat.* tingere) „färben". Über weitere etymologische Zusammenhänge vgl. den Artikel *Tinte*.

tele..., Tele...: Bestimmungswort von Zus. mit der Bed. „fern, weit", wie in → Telephon, telephonieren, → Telegramm u. a. Zugrunde liegt das gleichbed. *gr.* Adverb tēle (daraus gleichbed. *frz.* télé...).

Telegramm *s* „telegraphisch übermittelte Nachricht": Eine im 19. Jh. aus gleichbed. *frz.* télégramme, *engl.* telegram übernommene gelehrte Neubildung zu *gr.* tēle „fern, weit" (vgl. tele...) und *gr.* grámma „Geschriebenes; Buchstabe; Schreiben usw." (von *gr.* gráphein „schreiben", vgl. *Graphik*). – Zum jeweils gleichen Etymon stellt sich die Neubildung Telegraph *m* „Apparat zur Übermittlung von Nachrichten durch vereinbarte Zeichen, Fernschreiber" (18./19. Jh.; aus gleichbed. *frz.* télégraphe) mit den Ableitungen Telegraphie *w* „elektrische Fernübertragung von Nachrichten" (18./19. Jh.; aus gleichbed. *frz.* télégraphie), telegraphisch (18./19. Jh.; nach gleichbed. *frz.* télégraphique) und telegraphieren

„Nachrichten telegraphisch übermitteln" (19. Jh.; nach gleichbed. *frz.* télégraphier).

Telephon *s* „Fernsprecher": Der Name des von Reis im Jahre 1860 erfundenen Apparates zur elektromagnetischen Übermittlung der menschlichen Stimme über Drahtleitungen ist eine gelehrte Neubildung zu *gr.* tēle „fern, weit" (vgl. tele...) und *gr.* phōnḗ „Stimme" (vgl. *Phonetik*). – Abl.: telephonisch „per Telephon, fernmündlich" (20. Jh.); telephonieren „jmdn. anrufen, per Telephon mit jmdm. sprechen" (20. Jh.); Telephonist *m* „Angestellter im Fernsprechdienst" (20. Jh.), entspr. Telephonistin *w* (20. Jh.).

Teller *m*: Das seit dem 13. Jh. bezeugte Subst. (*mhd.* tel[l]er, telier) ist aus dem *Roman.* entlehnt, vgl. *afrz.* tailleor „Vorlegeteller; Hackbrett" > *frz.* tailloir „Hackbrett", *it.* tagliere „Hackbrett, kleine Platte". Die *roman.* Wörter ihrerseits gehören im Sinne von „Vorlegeteller, auf dem das Fleisch für die Mahlzeiten zerlegt wird" als Ableitungen zu den auf *vlat.* tāliāre „spalten; schneiden, zerlegen" beruhenden Verben, *frz.* tailler „[zer]schneiden, zerteilen" (s. auch die FW *Taille* und *Detail, detaillieren*) und gleichbed. *it.* tagliare.

Tempel *m* „einer Gottheit geweihte Stätte; [heidnisches] Heiligtum": Das Subst. *mhd.* tempel, *ahd.* tempal ist aus gleichbed. *lat.* templum entlehnt. Die Zugehörigkeit des *lat.* Wortes, das eigtl. einen vom Augur mit dem Stab am Himmel und auf der Erde zur Beobachtung und Deutung des Vogelfluges abgegrenzten Beobachtungsbezirk bezeichnet, ist umstritten.

Temperament *s* „Wesens-, Gemütsart; Lebhaftigkeit, Schwung, Feuer": Im 17. Jh. aus gleichbed. *frz.* tempérament entlehnt, das seinerseits auf *lat.* temperāmentum „das richtige Verhältnis gemischter Dinge, die gehörige Mischung; das rechte Maß" beruht. Stammwort ist *lat.* temperāre „in das gehörige Maß setzen; in das richtige Mischungsverhältnis bringen". – Dazu das Adj. temperamentvoll „lebhaft, schwungvoll". Zum gleichen Stammwort wie 'Temperament' gehört das FW Temperatur *w* „(in Graden gemessener) Wärmezustand eines Körpers oder der Luft" (16. Jh.). Es beruht auf der gelehrten Entlehnung aus *lat.* temperātūra „gehörige Mischung, Beschaffenheit".

Tempo *s*: Das seit dem 17. Jh. bezeugte, aus *it.* tempo übernommene FW erscheint zuerst mit der dem zugrunde liegenden Subst. *lat.* tempus eigenen, heute nicht mehr üblichen Bed. „rechte Zeit, rechte Gelegenheit". Heute lebt das Wort einerseits mit der später (nach *it.* tempo) neu hinzugekommenen Bed. „Zeitmaß" (namentlich im Bereich der Musik), und zwar „Zeitmaß der Bewegung oder eines Vortrages", andererseits mit der davon spezialisierten Bed. „Geschwindig-

705

keit, Schnelligkeit; Hast" (im Sinne von
,,schnelles Zeitmaß"). – *Lat.* tempus, das
vielleicht mit einer urspr. Bed. ,,Zeitspanne"
zu der unter →*dehnen* genannten p-Erweiterung der *idg.* Wz. *ten- ,,dehnen, ziehen,
spannen" gehört, lebt übrigens auch als
grammatischer Terminus in unserem FW
T e m p u s *s* ,,Zeitstufe des Verbs" fort.

tendieren ,,hinstreben, zuneigen, abzielen,
auf etwas ausgerichtet sein": Das noch recht
junge Zeitwort (19./20. Jh.), das aus dem
älteren Subst. T e n d e n z *w* ,,Zweckstreben;
Hang, Neigung, Zug, Strömung, Entwick-
lungslinie; allgemeine Grundstimmung
[an der Börse]" (18. Jh.) rückgebildet ist,
setzt formal *lat.* tendere (> *frz.* tendre)
,,spannen, [aus]strecken; abzielen; sich hin-
neigen" fort. Das Substantiv Tendenz seinerseits beruht auf gleichbed. *frz.* tendance
(< *nlat.* *tendentia). Dazu das Adj. t e n -
d e n z i ö s ,,etwas bezweckend, beabsichti-
gend; parteilich, gefärbt" (19./20. Jh.; nach
entspr. *frz.* tendancieux). – *Lat.* tendere, das
noch mit zahlreichen Komposita in unserem
Fremdwortschatz vertreten ist (beachte im
einzelnen die FW →Intendant, →Intensi-
tät, →intensiv, →Intention, →extensiv und
→ostentativ), gehört mit verwandten Wörtern wie *lat.* tenēre (tentum) ,,(gespannt)
halten, festhalten, anhalten usw." (s. die
auf Komposita beruhenden FW →Absti-
nenz, →impertinent, →Kontinent und
→kontinuierlich) und *lat.* tenor (tenōris)
,,ununterbrochener Lauf, Schwung; Fortgang; Zusammenhang; Sinn, Inhalt" (s. die
FW →¹Tenor und →²Tenor) zu der unter
→*dehnen* dargestellten *idg.* Wortfamilie.
Tenne *w*: Die Herkunft des auf den *dt.*
Sprachbereich beschränkten Substantivs
(*mhd.* tenne, *ahd.* tenni ,,Dreschplatz") ist
nicht geklärt.
¹Tenor *m* ,,Inhalt, Sinn, Wortlaut": Im
17./18. Jh. aus *lat.* tenor ,,ununterbrochener
Lauf; Fortgang; Zusammenhang, Sinn, Inhalt" entlehnt. Über weitere etymolog. Zusammenhänge vgl. den Artikel *tendieren*. –
Gleichen Ausgangspunkt hat das Homonym
²Tenor *m* ,,hohe männliche Stimmlage;
Tenorsänger": Es ist als musikal. Fremdwort
seit dem 15. Jh. gebucht und ist unmittelbar
aus gleichbed. *it.* tenóre aufgenommen (eigtl.
die Hauptstimme, welche die Melodie ,,hält"
und nach der sich die anderen Stimmen
richten sollen).
Teppich *m*: Das Subst. *mhd.* tep[p]ich, *ahd.*
tep[p]ih ist mit Suffixwechsel aus einer *vlat.*-
roman. Folgeform von *lat.* tapēte, tap[p]ē-
tum ,,Teppich; Decke" entlehnt, das seinerseits ein *gr.* LW ist (vgl. *gr.* tápēs *m* ,,Tep-
pich; Decke" und gleichbed. tápis). Das
Wort ist vermutlich südasiat. Ursprungs. –
Siehe auch den Artikel Tapete.
Termin *m* ,,festgesetzter Zeitpunkt; Liefer-,
Zahlungs-, Gerichtsverhandlungstag": Das

in Texten des *hochd.* Sprachbereichs seit dem
16. Jh. bezeugte FW geht auf *lat.* terminus
,,Grenzzeichen, Grenzstein, Grenze; Ziel,
Ende" zurück. Dazu das Zeitwort t e r m i -
n i e r e n ,,befristen" (20. Jh.). – Im *Mlat.*
entwickelte das *lat.* Subst. terminus die
übertr. Bed. ,,inhaltlich abgegrenzter, fest-
umrissener Begriff". Darauf beruht unser
entspr. FW *Terminus* *m* ,,Fachwort, Fachausdruck, Begriff". Beachte auch die dazugehörige hybride Neubildung T e r m i n o l o -
g i e *w* ,,Gesamtheit der in einem Fachgebiet
üblichen Fachwörter und Fachausdrücke"
(zum Grundwort vgl. den Artikel *Logik*).
Terrain *s* ,,Gebiet, Gelände; Boden, Bauge-
lände, Grundstück": Im Anfang des 17. Jh.s
aus gleichbed. *frz.* terrain entlehnt, das seinerseits auf *lat.* terrēnum (*vlat.* *terrānum)
,,Erdstoff; Erde, Acker" beruht. Das diesem
zugrunde liegende Adj. *lat.* terrēnus ,,aus
Erde bestehend, erdig, irden" ist von *lat.*
terra ,,Erde; Erdboden; Land" (urspr. ,,die
Trockene"; etymologisch verwandt mit *dt.*
→*dürr*) abgeleitet. – Zum gleichen Stammwort (*lat.* terra) gehören auch die FW
→Souterrain, →Terrasse, →Terrine, →Terri-
torium, territorial und →Terrier.
Terrasse *w* ,,Stufe, Absatz; stufenförmige
Erderhöhung; mit überdachter Austritt
am Erdgeschoß eines Gebäudes": Am Anfang
des 18. Jh.s aus gleichbed. *frz.* terrasse entlehnt. Das Frz. Wort selbst beruht auf einem
nicht bezeugten *galloroman.* *terrācea, einer
Kollektivbildung zu *lat.* terra ,,Erde" (vgl.
Terrain). Es bedeutete urspr. etwa ,,Erdauf-
häufung".
Terrier *m* ist die Sammelbezeichnung für
mehrere Hunderassen, wie Foxterrier,
Scotchterrier u. a. Der Name wurde in
neuester Zeit aus dem *Engl.* übernommen.
Engl. terrier (Kurzform für terrier dog) bedeutet wörtlich ,,Erdhund". Der Terrier ist
demnach nach seiner charakteristischen
Eignung als Jagdhund für die Erdwildjagd
benannt. Das dem Wort zugrunde liegende
Adj. *engl.* terrier- ,,den Erdboden betreffend"
geht auf gleichbed. *spätlat.* terrārius zurück
(zu *lat.* terra ,,Erde"). Über weitere etymolog. Zusammenhänge vgl. den Artikel *Terrain*.
Terrine *w* ,,[Suppen]schüssel": Im 18. Jh.
aus gleichbed. *frz.* terrine entlehnt, das aus
afrz. terrin ,,irden" substantiviert ist, also
eigtl. ,,irdene Schüssel" bedeutet. Zugrunde
liegt ein *vlat.* Adj. *terrīnus ,,irden", eine
Abl. von *lat.* terra ,,Erde" (vgl. *Terrain*).
Territorium *s* ,,Grund (und Boden); Bezirk;
Staats-, Hoheitsgebiet": Im 17./18. Jh.
nach entspr. *frz.* territoire aus *lat.* territō-
rium ,,zu einer Stadt gehörendes Ackerland,
Stadtgebiet" entlehnt. Zu *lat.* terra ,,Erde;
Land" (vgl. *Terrain*). – Abl.: territorial
,,zu einem [Staats]gebiet gehörig, es betreffend" (18./19. Jh.; aus *frz.* territorial).

Terror *m* „Schreckensherrschaft, rücksichtsloses Vorgehen, Unterdrückung": In neuerer Zeit aus *lat.* terror „Schrecken, Angst und Schrecken bereitendes Geschehen" übernommen. Zu *lat.* terrēre „schrecken, erschrecken". – Abl.: t e r r o r i s i e r e n „Terror ausüben, Schrecken verbreiten; unterdrücken, geistig vergewaltigen, einschüchtern" (18./19. Jh.; aus gleichbed. *frz.* terroriser).

Tertia *w*: Die Bezeichnung für die vierte Klasse der Unterstufe einer höheren Schule geht zurück auf *lat.* tertia classis „dritte Klasse" (über die Bedeutungsentwicklung vgl. den Artikel Sexta). Zu *lat.* tertius „dritter" (vgl. *tri...*). Abl.: T e r t i a n e r *m* „Schüler einer Tertia".

Test *m* „Probe; experimentelle Untersuchung, Prüfung": In neuester Zeit (20. Jh.) aus gleichbed. *engl.* test übernommen. Das davon abgeleitete Verb *engl.* to test „prüfen, erproben, ausprobieren" lieferte unser entspr. Zeitwort t e s t e n „durch Test feststellen, prüfen, untersuchen, erproben" (20. Jh.). – Das *engl.* Wort geht auf *afrz.* test „irdener Topf; Tiegel (für alchimistische Experimente)" zurück, das seinerseits auf *lat.* testum „Geschirr, Schüssel" beruht. Stammwort ist *lat.* testa „Platte, Deckel, Tonschale; Scherbe usw." – Die Übernahme des Fremdwortes Test aus dem *Engl.* wurde durch das bereits in *mhd.* Zeit aus dem *Afrz.* entlehnte Subst. *mhd.* test „Topf, Tiegel usw." erleichtert, das sich bis ins 19. Jh. erhalten hat.

Testament *s* „letztwillige Verfügung"; im christlich-religiösen Bereich bezeichnet 'Testament' speziell die Verfügung, die Ordnung Gottes, d. h. den Bund Gottes mit den Menschen (danach das 'Alte und Neue Testament'): In *spätmhd.* Zeit aus gleichbed. *lat.* (bzw. *kirchenlat.*) testāmentum entlehnt. Zu *lat.* testārī „bezeugen; als Zeugen nehmen; ein Testament machen". Stammwort ist *lat.* testis „Zeuge". – Siehe auch die FW →Attest und →protestieren, Protest, Protestant.

teuer: Die Herkunft des *altgerm.* Adjektivs (*mhd.* tiure, *ahd.* tiuri, *niederl.* duur, *engl.* dear [s. Darling], *schwed.* dyr) ist unbekannt. Zu 'teuer' gehören die unter → ²dauern „leid tun" behandelten Wörter. Schon in den älteren Sprachzuständen wurde es in den heutigen Bedeutungen „lieb, wert, hochgeschätzt; viel kostend" gebraucht. Abl.: T e u e r u n g *w* (*spätmhd.* tiurunge, urspr. nur „Preis"); v e r t e u e r n (*mhd.* vertiuren). Siehe auch den Artikel beteuern.

Teufel *m*: Der Name des nach der christlichen Lehre von Gott abgefallenen und zum Widersacher Gottes gewordenen Engels, *mhd.* tiuvel, tievel, *ahd.* tiufal wurde im Zuge der arianischen Mission aus *got.* diabaúlus, diabulus aufgenommen, das seinerseits über *kir-*chenlat. diabolus, diabulus auf *gr.* diá-bolos „verleumdend, schmähend; Verleumder; (im A. T.:) Widersacher, Feind; (im N. T.:) Teufel" zurückgeht. Das *gr.* Wort ist eine Bildung zu *gr.* dia-bállein „durcheinanderwerfen; entzweien, verfeinden; schmähen, verleumden", einem Kompositum von *gr.* bállein „werfen; treffen" (vgl. *ballistisch*). Gleichen Ursprungs wie unser LW Teufel, das im *Dt.* die einheimische Bezeichnung 'Unhold' (*ahd.* unholdo) ablöste, sind aus den *roman.* Sprachen z. B. gleichbed. *it.* diavolo, *span.* diablo und *frz.* diable, die ihrerseits unmittelbar aus dem *Kirchenlat.* stammen. – In übertragener Verwendung begegnet das Wort Teufel als Bezeichnung für einen boshaften, heimtückischen Menschen, beachte dazu die Ableitungen teuflisch „boshaft, grausam, heimtückisch" (*mhd.* tiuvelisch) und T e u f e l e i *w* „Bosheit, hinterhältige Gemeinheit, Grausamkeit" (16. Jh.). Siehe auch diabolisch.

Text *m* „Wortlaut, Beschriftung; [Bibel]-stelle": In *spätmhd.* Zeit aus *lat.* textus „Gewebe, Geflecht; Verbindung, Zusammenhang; zusammenhängender Inhalt einer Rede, einer Schrift" entlehnt. Stammwort ist *lat.* texere „weben, flechten; fügen, kunstvoll zusammenfügen", das etymolog. verwandt ist mit *gr.* téktōn „Zimmermann, Baumeister", *gr.* téchnē „Handwerk, Kunst, Kunstfertigkeit" (vgl. das FW Technik). – Abl.: t e x t e n „einen [Schlager-, Werbe]text gestalten" (20. Jh.), dazu das Subst. T e x t e r *m* „Verfasser von [Schlager-, Werbe]texten" (20. Jh.). – Zu *lat.* texere gehören ferner die FW →textil, Textilien.

textil „gewebt, gewirkt; Gewebe, Tuche oder Stoffe betreffend", nur in Zus. wie Textilindustrie, Textilkaufmann u. a.: Im 19. Jh. aus gleichbed. *frz.* textile entlehnt, das seinerseits auf *lat.* textilis „gewebt, gewirkt" beruht. Über das Stammwort *lat.* texere (textum) „weben, flechten; fügen" vgl. den Artikel Text. – Abl.: T e x t i l i e n *Mehrz.* „gewebte, gestrickte oder gewirkte, aus Faserstoffen hergestellte Waren" (20. Jh.).

Theater *s* „Schaubühne, Schauspielhaus; Aufführung eines Schauspiels", daneben in der Umgangssprache in der übertr. Bed. „Gezeter, Geschrei, Lärm; Getue": Im 18. Jh. nach entspr. *frz.* théâtre eingedeutscht aus *lat.* theātrum, das seinerseits aus *gr.* théātron „Zuschauerraum, Theater" stammt. Stammwort ist *gr.* théā „das Anschauen, die Schau; das Schauspiel", das als Vorderglied in *gr.* theōrós „Zuschauer" (s. Theorie) erscheint. – Dazu das Adj. t h e a t r a l i s c h „das Theater betreffend; schauspielerhaft, gespreizt" (18. Jh.; von gleichbed. *lat.* theātrālis).

Theke *w* „Schanktisch; Ladentisch": Quelle dieses Fremdwortes ist *gr.* thḗkē „Abstellplatz; Behältnis, Aufbewahrungsort; Kasten,

Kiste, Lade" (> *lat.* thēca „Hülle, Decke, Scheide; Büchse, Etui, Kästchen, Schachtel"), das als Substantivbildung zum Stamm von *gr.* tithénai „setzen, stellen, legen" (vgl. *Thema*) gehört. – Das *gr.* Wort erscheint auch als zweites Glied in einigen zusammengesetzten Bildungen wie *gr.* apo-thḗkē „Abstellplatz, Aufbewahrungsraum; Vorratslager, Magazin" (s. Apotheke, Apotheker, Butike und Bottich), *gr.* hypo-thḗkē „Unterlage; Unterpfand" (s. Hypothek), *gr.* biblio-thḗkē „Bücherablage, -gestell; Bücherei" (s. Bibliothek). Nach dem Vorbild solcher Zus. entstanden Neuwörter wie → Diskothek.

Thema *s* „Aufgabe, [zu behandelnder] Gegenstand; Gesprächsthema; Leitgedanke; Leitmotiv": Im 16. Jh. aus *gr.-lat.* théma „das Aufgestellte, der Satz; der abzuhandelnde Gegenstand" entlehnt. Stammwort ist das mit *dt.* → *tun* verwandte Verb *gr.* tithénai „setzen, stellen, legen". Abl.: **thematisch** „zum Thema gehörend, dem Thema entsprechend" (19. Jh.); **Thematik** *w* „Komplexität eines Themas; Aufgabenstellung" (19. Jh.). – Neben *gr.* théma sind in diesem Zusammenhang noch zwei weitere zum Stamm von *gr.* tithénai gehörende Nominalbildungen von Interesse, die in unserem Fremdwortschatz eine Rolle spielen: *gr.* thésis „das Setzen, Stellen, Legen; die Ordnung, die Satzung; der Satz" und *gr.* thḗkē „Behältnis, Kasten, Lade". Siehe hierzu im einzelnen die FW um → These und → Theke.

Theologie *w* „Wissenschaft von Gott und seiner Offenbarung und vom Glauben und Wesen der Kirche, von den Glaubensvorstellungen einer Religion oder Konfession": Gelehrte Entlehnung des 16. Jh.s aus *gr.-lat.* theo-logía „Götterlehre, Göttersage, Lehre von den göttlichen Dingen". Auf dem zugrunde liegenden Adj. und Subst. *gr.* theo-lógos „der göttlichen Dinge kundig; Gottesgelehrter" (eigtl. „von Gott redend"), das als zusammengesetzte Bildung zu *gr.* theós „Gott, Gottheit" und *gr.* légein „reden", lógos „Wort, Rede; Lehre, Kunde" (vgl. *Lexikon*) gehört, beruht unser entspr. FW **Theologe** *m* „wissenschaftlicher Vertreter der Theologie, Geistlicher" (16. Jh.; vermittelt durch *lat.* theologus). – Dazu das Adj. **theologisch** „die Theologie betreffend" (16. Jh.).

Theorie *w*: Das seit dem 18. Jh. bezeugte FW, das gewöhnlich als Gegenwort zu → Praxis gebraucht wird, ist aus *gr.-lat.* theōría „das Zuschauen; die Betrachtung, die Untersuchung; die wissenschaftl. Erkenntnis usw." entlehnt. Zugrunde liegt das *gr.* Substantiv theōrós „Zuschauer", das zusammengezogen ist aus *theā-(u)orós „wer eine Schau sieht". Zu *gr.* théā „Anschauen, Schau" (vgl. *Theater*) und *gr.* horáein „sehen". – Dazu: **theoretisch** „rein wissenschaftlich; gedanklich; gedacht, vorstellungsmäßig; ohne hinreichenden

Bezug auf die Wirklichkeit" (im Gegensatz zu → praktisch), im 17. Jh. aus entspr. *gr.* theōrētikós > *lat.* theōrēticus „beschauend, untersuchend"; **Theoretiker** *m* „Wissenschaftler, Gelehrter; (abschätzig für:) wirklichkeitsfremder Mensch" (18. Jh.).

Therapie *w* „Kranken-, Heilbehandlung": Im 18. Jh. als medizin. Terminus aus gleichbed. *gr.* therapeía (eigtl. „das Dienen, der Dienst; die Pflege") entlehnt. Stammwort ist *gr.* therápōn „Diener; Gefährte". – Dazu: **Therapeut** *m* „behandelnder Arzt, Heilkundiger" (18. Jh.; aus entspr. *gr.* therapeutḗs „Diener; Pfleger", heute eigtl. nur noch in der Zus. Psychotherapeut (s. Psyche) üblich; **therapeutisch** „zur Therapie gehörend" (19. Jh.).

thermo..., Thermo...: Aus dem *Gr.* stammendes Bestimmungswort von Zus. mit der Bed. „Wärme, Wärmeenergie; Temperatur", wie in den Zus. → Thermometer, Thermosflasche und Thermostat. Zugrunde liegt das *gr.* Adj. thermós „warm, heiß" oder vielmehr das davon abgeleitete Subst. *gr.* thérmē „Wärme, Hitze". – **Thermometer** *s* „Temperaturmeßgerät" (18. Jh.; *nlat.* Bildung; über das Grundwort vgl. den Artikel *Meter*). **Thermosflasche** *w* Ⓦ „doppelwandiges Gefäß zum Warm- oder Kühlhalten von Getränken" (hybride Bildung des 20. Jh.s). **Thermostat** „Vorrichtung zur Erhaltung konstanter Temperaturen" (gelehrte Neubildung des 19. Jh.s; das Grundwort ist von *gr.* statós „stehend, feststehend" genommen, vgl. den Artikel *stehen*).

These *w* „aufgestellter [Lehr-, Leit]satz; (zu beweisende) Behauptung": Im 18. Jh. aus gleichbed. *frz.* thèse entlehnt, das seinerseits auf *gr.-lat.* thésis „das Setzen, das [Auf]stellen; aufgestellter Satz; Behauptung" beruht (vgl. *Thema*). – Das *gr.* Wort erscheint auch als Hinterglied in verschiedenen Präfixbildungen. Siehe hierzu im einzelnen die FW → Antithese, → Hypothese, → Prothese und → Synthese.

Thriller *m* „ganz auf Spannungseffekte abgestellter [Kriminal]film, Nervenreißer": Ein noch jung junges FW, das im 20. Jh. aus dem *Amerik.* übernommen wurde. *Amerik.* thriller bedeutet der Bildung nach wörtlich etwa „was in gespannte Erregung versetzt". Es ist von *engl.* to thrill „durchbohren, durchdringen, zittern machen, durchschauern" abgeleitet.

Thron *m* „Herrschersitz, Fürstensitz": Das seit etwa 1200 bezeugte Subst. (*mhd.* t[h]rōn) wurde über gleichbed. *afrz.* tron (= *frz.* trône) aus gleichbed. *lat.* thronus entlehnt, das seinerseits LW ist aus *gr.* thrónos „Sessel, Sitz; Herrschersitz, Thron". – Abl.: **thronen** „auf dem Thron sitzen, regieren; feierlich dasitzen" (17. Jh.).

Thunfisch *m*: Der Name des makrelenartigen Speisefisches, der in allen warmen und gemäßigten Meeren vorkommt, geht auf gleichbed. *gr.* thýnnos > *lat.* thynnus, thunnus zurück. Er erscheint in *dt.* Texten zuerst im 16. Jh. als 'Thunnfisch' (mit dem verdeutlichenden Grundwort Fisch, ähnlich wie in →Walfisch). Gleicher Herkunft sind in anderen europ. Sprachen z. B. entspr. *it.* tonno, *frz.* thon und *engl.* tunny.

Tick *m*: Die in der Umgangssprache weit verbreitete Bezeichnung für „wunderliche Eigenart, Schrulle; Fimmel, Stich", in *dt.* Texten seit dem 18. Jh. bezeugt, ist aus dem *Frz.* entlehnt. Das Wort spielt außerdem eine Rolle in der medizin. Fachterminologie, meist in der Form Tic, mit der Bed. „nervöse Muskelzuckung". Die Herkunft von *frz.* tic, das in beiden Bedeutungen zugrunde liegt, ist nicht gesichert.

ticken: Die Interjektion tick! ahmt den Laut nach, wie ihn Uhren, Holzwürmer u. a. hervorbringen; verbunden mit tack! steht sie in ticktack! (18. Jh.). Dazu stellt sich das Verb ticken (18. Jh., *niederd.*).

tief: Das *gemeingerm.* Adjektiv *mhd.* tief, *ahd.* tiof, *got.* diups, *engl.* deep, *schwed.* djup gehört mit verwandten Wörtern in anderen *idg.* Sprachen zu der *idg.* Wz. *dheu-b- „tief, hohl", vgl. z. B. *lit.* dubùs „eingesunken, tief". Zu dieser Wurzel stellen sich aus dem *germ.* Sprachbereich auch die unter →taufen (eigtl. „tief machen") und →tupfen (eigtl. „tief machen, eintauchen") behandelten Wörter. Auf einer nasalierten Form beruht das unter →Tümpel (eigtl. „Vertiefung") dargestellte Substantiv. Siehe auch den Artikel Topf. Abl.: Tiefe *w* (*mhd.* tiefe, *ahd.* tiufe; vgl. *got.* diupei, *engl.* depth, *schwed.* djup). Zus.: tiefsinnig (im 16. Jh. „scharfsinnig, schlau", in der heutigen Bed. seit dem 18. Jh.), daraus rückgebildet Tiefsinn (18. Jh., aber bereits *mhd.* der tiefe sin).

Tiegel *m* „Pfanne": Das *nhd.* Wort geht über *mhd.* tegel, tigel „Tiegel" zurück auf *ahd.* tegal „irdener Topf", dessen weitere Beziehungen nicht geklärt sind. Vielleicht beruht das Substantiv im Sinne von „geformtes irdenes Gefäß" auf einer Bildung zu der unter →Teig dargestellten *idg.* Wurzel, wobei in der Bedeutung *spätlat.* tēgula „Bratpfanne" (entlehnt aus gleichbed. *gr.* tëganon) eingewirkt haben mag. Die *niederd.* -niederl. Formen des Wortes haben d-Anlaut (*mnd.* dēgel, *mniederl.* degel „Pfanne, Topf"), ebenso *aisl.* digull „Tiegel".

Tier *s*: Das *gemeingerm.* Wort *mhd.* tier, *ahd.* tior, *got.* dius, *engl.* deer, *schwed.* djur bezeichnete urspr. das wildlebende Tier im Gegensatz zum Haustier (s. Vieh). So benennt jetzt noch weidmänn. 'Tier' das weibliche Stück Rotwild und *engl.* deer das Rotwild überhaupt. Das *germ.* Wort ist eine Bildung zu der unter →Dunst dargestellten *idg.* Wz. *dheu- „stieben, blasen" und bedeutet wahrscheinlich eigtl. „atmendes Wesen",

beachte das verwandte *aslaw.* duša „Atem, Seele" (s. Düse und das ähnliche Verhältnis von *lat.* animal „Tier" zu *lat.* anima „Lebenshauch; Seele"; s. animieren). Abl.: tierisch „zum Tier gehörig; nach Tierart dumpf, sinnlich, bestialisch" (16. Jh.; für *mhd.* tierlich). Zus.: Tiergarten „Wildpark" (zur alten Bed. „Wild"; *mhd.* tiergarte); Tierkreis *m* (im 17. Jh. für älteres 'Tierzirkel' als Lehnübertragung von *gr.-lat.* zōdiacus); Untier *s* „ungestaltes Tier, Ungeheuer" (*mhd.* untier, wohl mit verstärkendem Präfix, s. un...).

Tiger *m*: Der Name des Raubtiers (*mhd.* verdeutlichend tigertier, ebenso *ahd.* tigirtior) geht zurück auf gleichbed. *gr.-lat.* tigris, das selbst vermutlich *iranischen* Ursprungs ist.

Tinte *w*: Die Bezeichnung der Schreibflüssigkeit *mhd.* tincte, (mit Konsonanzerleichterung:) tinte, *ahd.* tincta ist aus *mlat.* tīncta (aqua) „gefärbte Flüssigkeit; Tinktur" entlehnt. Zugrunde liegt das mit *dt.* →tunken urverwandte Verb *lat.* tingere (tīnctum) „färben". – Im *Frz.* wurde *lat.* tincta zu teindre „färben", s. dazu das FW Teint.

Tip *m* „Änderung, Wink; Hinweis auf gute Gewinnaussichten (bei Sportwetten); Voraussage des wahrscheinlichen Ergebnisses eines Sportwettkampfes (bes. im Fußballtoto)": Das seit dem Ende des 19. Jh.s zuerst im Bereich der Börsensprache und des Pferderennsports bezeugte FW ist entlehnt aus *engl.* tip „Anstoß, Andeutung, geheime Information, Wink; Hinweis auf eine Gewinnaussicht" (wohl zu *engl.* to tip „(sich berühren, anstoßen"). – Dazu das Zeitwort ¹tippen (20. Jh.), das einerseits im speziellen Sinne von „eine Wettvoraussage abgeben (Toto)" gilt – beachte auch die Zus. Tippzettel – und das daneben auch allgemein „auf jmdn. oder etwas setzen; annehmen, vermuten" (vorwiegend *ugs.*) bedeutet. Es ist nach entspr. *engl.* to tip „einen [Gewinn]hinweis geben" gebildet. Vgl. aber →²tippen.

¹tippen siehe Tip.

²tippen „[mit einer Spitze] leicht berühren": Das seit dem 16. Jh. bezeugte, urspr. *niederd.*-*mitteld.* Verb ist vermutlich lautnachahmenden Ursprungs, hat sich aber früh mit den *niederd.-mitteld.* Formen dippen, tippen des unter →tupfen behandelten Verbs vermischt.

Tirade *w* „Worterguß, Wortschwall": Im 18. Jh. aus gleichbed. *frz.* tirade (wörtlich etwa „länger anhaltendes Ziehen", danach „langgezogener Vortrag") entlehnt. Das *frz.* Subst. gehört entweder unmittelbar als Abl. zu *frz.* tirer „ziehen", oder es ist selbst aus gleichbed. *it.* tirata entlehnt, das von entspr. *it.* tirare „ziehen" abgeleitet ist.

Tisch *m*: Das *westgerm.* Subst. *mhd.* tisch „Speisetafel; Ladentisch", *ahd.* tisc „Schüssel; Tisch", *niederl.* dis „Tisch", *engl.* dish „Platte, Schüssel; Gericht, Speise" (die *nord.* Sippe von *schwed.* disk „Teller; Ladentisch" stammt wohl unmittelbar aus dem *Aengl.* oder *Asächs.*) beruht auf einer frühen Entlehnung aus *lat.* discus „Wurfscheibe; flache Schüssel, Platte", das seinerseits LW ist aus *gr.* dískos „Wurfscheibe; scheibenförmiger Gegenstand; Teller, Schüssel" (urspr. Bed.:„Wurfscheibe", zu *gr.* dikeĩn „werfen"; s. das FW Diskus). Der Bedeutungswandel von „flache Schüssel" zu „Tisch" (so auch im *Roman.*; vgl. z. B. *it.* disco „[Wurf]scheibe" neben *it.* desco „[Eß]tisch", beide aus *lat.* discus) erklärt sich aus der Tatsache, daß in alter Zeit zu den Mahlzeiten jede einzelne Person ihren eigenen Eßtisch, der zugleich Eßschüssel war, vorgesetzt bekam (für germanische Verhältnisse von dem römischen Schriftsteller Tacitus überliefert). – Abl.: tischen „tafeln; den Tisch decken, zu essen geben" (16. Jh.; heute veraltet), dafür heute die Zus. auftischen (18. Jh.); Tischler *m* „Holzhandwerker, Möbelschreiner" (eigtl. „Tischmacher", *spätmhd.* tischler, tischer), dazu Tischlerei *w* „Tischlerhandwerk; Tischlerwerkstatt" (18. Jh.).

Titel *m* „‚Überschrift, Aufschrift; Name eines Buches; Amts-, Dienstbezeichnung; Ehrenbezeichnung, Anredereform": Das Subst. *mhd.* tit[t]el, *ahd.* titul[o] ist aus gleichbed. *lat.* titulus entlehnt. Die weitere Herkunft des *lat.* Wortes, das auch die Quelle ist für entspr. *frz.* titre, ist nicht gesichert. – Abl.: titeln „einen Titel geben, mit einem Titel versehen" (*spätmhd.* titeln), dafür heute nur mehr das Präfixverb betiteln; titulieren „[mit dem Titel] anreden; bezeichnen, nennen, heißen; mit einem Schimpfnamen belegen" (14. Jh.; aus gleichbed. *spätlat.* titulāre).

Toast *m* 1. „geröstete Weißbrotschnitte"; 2. „Trinkspruch": Das in beiden Bed. aus dem *Engl.* entlehnte FW erscheint in *dt.* Texten zuerst im 18. Jh. mit der 2. Bed., während die 1. Bed. erst im 19. Jh. übernommen wird. Der Bedeutungswandel von *engl.* toast „geröstete Brotschnitte; Trinkspruch", das von *engl.* to toast „rösten" abgeleitet ist, erklärt sich wohl aus einer früher in England geübten Trinksitte, wonach derjenige, der einen Trinkspruch anbringen wollte, zuvor eine Scheibe gerösteten Brotes in sein Glas eintunkte. – *Engl.* to toast „rösten" (< gleichbed. *afrz.* toster) beruht auf *lat.* tostus „gedörrt, getrocknet", dem Part. Perf. Pass. des mit *dt.* →dürr etymologisch verwandten Verbs *lat.* torrēre „dörren, trocknen". – Abl.: toasten „Brot rösten; einen Trinkspruch ausbringen" (18. oder 19. Jh.; nach entsprechend *engl.* to toast); Toaster *m* „Brotröster" (20. Jh.; aus gleichbed. *engl.* toaster).

toben: *Mhd.* toben, *ahd.* tobōn, tobēn, *aengl.* dofian gehören zu dem unter → *taub* behandelten Adjektiv und bedeuten eigtl. „taub, dumm, unsinnig werden" (vgl. über

die weiteren Zusammenhänge den Artikel Dunst). Zus.: Tobsucht (*mhd.* tobesuht), dazu tobsüchtig (*mhd.* tobesühtic).

Tochter *w*: Die gemeingerm. Verwandtschaftsbezeichnung *mhd.*, *ahd.* tohter, *got.* daúhtar, *engl.* daughter, *schwed.* dotter beruht mit Entsprechungen in anderen *idg.* Sprachen auf *idg.* *dhug[h]əter- „Tochter", vgl. z. B. gleichbed. *aind.* duhitár-, *gr.* thygátēr, *lit.* duktē̃. Zur Bildung vgl. den Artikel Mutter. – An die bes. *schweiz.* Verwendung von ‚Tochter' im Sinne von „Mädchen; Fräulein" schließen sich an Töchterschule (18. Jh.; heute in Deutschland veraltet) und Saaltochter (s. Saal).

Tod *m*: Das gemeingerm. Substantiv *mhd.* tōd, *ahd.* tōt, *got.* dauþus, *engl.* death, *schwed.* död gehört zu dem unter →*tot* behandelten Verb. Abl.: tödlich (*mhd.* tōtlich, *ahd.* tōdlih; entsprechend *niederl.* doodelijk, *engl.* deadly). Zus. (als 1. Glied seit *mhd.* Zeit oft übertragen in verstärkender Bedeutung „sehr, überaus"): Todfeind (*mhd.* tōtvīent); todkrank „bis auf den Tod krank" (16.Jh.); todmüde „sehr müde" (18. Jh.); Todsünde (*mhd.* tōtsünde); Todesangst (17. Jh.); Todesfall (16.Jh.); Todesstrafe (17.Jh.).

Tohuwabohu *s* „Wirrwarr, Durcheinander": Übernommen aus dem *hebr.* Urtext der Bibel 1. Moses 1,2 tōhū wa-bōhū' „(die Erde war) wüst und leer".

Toilette *w*: Das *frz.* toilette, eine Verkleinerungsform zu *frz.* toile „Tuch" (< *lat.* tēla „Tuch") mit der ursprünglichen Bedeutung „Tüchlein", bezeichnet vom 16. Jh. an das auf den Tisch gebreitete Tuch, worauf man Waschzeug und Gegenstände zur Haarpflege legte. Später bezeichnete es die Tätigkeit des Sichwaschens und Kämmens sowie die Ausstattung (Kleidung, Haartracht usw.) einer Dame der Gesellschaft. Im 18. Jh. wurde das Wort mit diesen späteren Bedeutungen aus dem *Frz.* entlehnt. Seit Ende des 19. Jh.s bezeichnet es auch verhüllend einen Waschraum mit Abort (*frz.* cabinet de toilette) oder einfach den Abort.

tolerieren „dulden, gewähren lassen": Im 16. Jh. aus *lat.* tolerāre „tragen, ertragen, erdulden" (etymolog. verwandt mit *dt.* →*dulden*) entlehnt. Dazu das Adj. tolerant „duldsam, nachsichtig; großzügig, weitherzig" (18. Jh.; über gleichbed. *frz.* tolérant aus dem Part. Präs. *lat.* tolerāns) mit der Gegenbildung intolerant „unduldsam; keine andere Meinung, Weltanschauung usw. gelten lassend als die eigene" (18. Jh.; nach entspr. *frz.* intolérant), ferner das Subst. Toleranz *w* „Duldsamkeit, großzügige Geisteshaltung" (16. Jh.; aus *lat.* tolerantia „Ertragen, Erdulden, Geduld") mit der Gegenbildung Intoleranz *w* „Unduldsamkeit" (18. Jh.; nach entspr. *frz.* intolérance).

toll: Das *westgerm.* Adjektiv *mhd.*, *ahd.* tol, *niederl.* dol, *engl.* dull „stumpf, unempfindlich" gehört im Sinne von „getrübt, umnebelt, verwirrt" zu der unter → *Dunst* behandelten Wortgruppe. Verwandt sind z. B. *got.* (ablautend) dwals „einfältig, töricht" und weiterhin *lett.* duls „betäubt, dunkel", *air.* dall „blind" und *gr.* tholerós „trübe, verwirrt". Abl.: tollen (15. Jh.; urspr. „toll sein", heute eingeengt auf Kinder: „ausgelassen umherspringen"); Tollheit *w* (*mhd.* tolheit). Zus.: Tollhaus „Irrenhaus" (17. Jh.); Tollkirsche (17. Jh.; wegen der Erregung und Verwirrtheit, die der Genuß der mit Kirschen verglichenen glänzend schwarzen Beeren des Nachtschattengewächses beim Menschen hervorruft); tollkühn „in toller Weise kühn" (17. Jh.); Tollwut (Hundekrankheit, Ende des 18. Jh.s, Zusammenrückung aus älterem 'tolle Wut').

Tolle *w* (*ugs.* für:) „Büschel, Haarschopf, Quaste": Das bes. *nordd.* und *mitteld.* Wort ist eine Nebenform von *mhd.* tolde „Pflanzenkrone, Quaste" (vgl. *Dolde*), die zuerst im 16. Jh. als tollen „Baumwipfel", doln „Quaste" erscheint.

Tolpatsch *m* „ungeschickter, tapsiger Mensch; Tölpel": Das in der Umgangssprache weitverbreitete Subst. ist in *dt.* Texten seit dem Ende des 17. Jh.s bezeugt (zuerst in der Form Tolbatz). Es war urspr. Neckname für den ungar. Fußsoldaten und wurde in diesem Sinne aus *ung.* talpas „breiter Fuß, Infanterist, Bär, Tolpatsch" (zu *ung.* talp „Sohle, Fuß") entlehnt.

Tölpel *m* (*ugs.* für:) „plumper, ungeschickter Mensch": Die seit dem 16. Jh. bezeugte Form Tölpel hat sich aus *mhd.* dorpære, dörper (dörpel, törpel) „Bauer" entwickelt. Dieses Wort wurde in der 2. Hälfte des 12. Jh.s aus der *afläm.* Rittersprache übernommen (*mniederl.* dorper[e], das wiederum von *mniederl.* dorp „Dorf" abgeleitet ist, s. Dorf). Das *afläm.-mhd.* Wort gibt ein *afrz.* villain „Dorfbewohner" wieder, das in der altfranzösischen höfischen Literatur den gleichen Bedeutungsgehalt hatte: Es kennzeichnete den plumpen, ungeschlachten, unedlen Bauern im Gegensatz zum Ritter. Abl.: Tölpelei *w* (17. Jh.); tölpisch (16. Jh., zu einem vermutlich aus 'Tölpel' rückgebildeten Substantiv 'Tölp', das im 18. Jh. in der Schriftsprache ausstirbt). Beachte jedoch den Artikel übertölpeln.

Tomate *w*: Der Name der zu den Nachtschattengewächsen gehörenden, aus Mittelamerika eingeführten Kulturpflanze wurde im Anf. des 17. Jh.s über *frz.* tomate < *span.* tomate aus gleichbed. *mex.-nahuatl* tomatl entlehnt.

Tombola *w* „Warenlotterie (besonders bei Festveranstaltungen)": In neuerer Zeit aus gleichbed. *it.* tombola entlehnt.

¹Ton *m* (verwittertes Sedimentgestein): Die *nhd.*, durch die Lutherbibel verbreitete Form des Wortes ist durch Verdumpfung der *frühnhd.* Form tahen, than entstanden. Das auslautende -n stammt aus den flektierten Formen des urspr. weiblichen Wortes. Das *altgerm.* Substantiv *mhd.* tāhe, dāhe (Gen. dāhen), *ahd.* dāha, *got.* þāhō, *mnd.* dā, *aengl.* dō[he] bedeutet eigtl. „(beim Austrocknen) Dichtwerdendes" und gehört zu der unter → *gedeihen* behandelten Wortgruppe (beachte z. B. *steir.* dahen „trocknen, dorren"). Vom Lehm wird der Ton als feinerer Stoff erst in neuerer Zeit unterschieden. Abl.: tönern „aus [gebranntem] Ton" (17. Jh.; für *frühnhd.* thenen); tonig „tonhaltig, -artig (17. Jh.). Zus.: Tonerde (18. Jh.).

²Ton *m* „Klang, Laut, Hall; Akzent; Farbton; Umgangston": Das Subst. *mhd.* tōn, dōn „Melodie, Lied; Laut, Ton, Stimme", *ahd.* tonus ist aus *lat.* tonus „das [An]spannen; die Spannung der Saiten; Ton, Laut, Klang" entlehnt, das seinerseits LW aus gleichbed. *gr.* tónos ist. Das *gr.* Substantiv steht im Ablaut dazu mit *dt.* → *dehnen* urverwandten Verb *gr.* teínein (< *tén-i̯ein) „spannen, anspannen, dehnen usw." Abl. und Zus.: betonen „mit Nachdruck sprechen, akzentuieren; hervorheben" (18. Jh.), dazu das Subst. Betonung *w* „Nachdruck, Akzent"; vertonen „die Musik zu einem Text komponieren" (19./20. Jh.); Tonart (18. Jh.); Tonleiter (18. Jh.); tönen „[er]klingen, hallen" (*mhd.* dœnen, tœnen „singen, spielen; [er]klingen"; heute meist im Präfixverb ertönen), in neuerer Zeit auch übertragen gebraucht (vorwiegend im zweiten Part. getönt) im Sinne von „im Farbton abstufen, abschattieren; färben" (beachte auch das zusammengesetzte Verb abtönen). – Siehe auch die FW Bariton und monoton.

Tonne *w* „größeres Faß; Boje, verankertes, schwimmendes Seezeichen", auch Bezeichnung eines Raum- und Gewichtsmaßes (1000 kg): Das Subst. *mhd.* tunne, tonne, *ahd.* tunna (vgl. entspr. *niederl.* ton und *engl.* tun) beruht auf Entlehnung aus *mlat.* tunna „Faß", das vermutlich *kelt.* Ursprungs ist. – Das *mlat.* Wort lebt auch in den *roman.* Sprachen fort, vgl. z. B. *frz.* tonne „Tonne, großes Faß" mit den Ableitungen tonneau „Faß, Gewichtstonne", tonnelle „Tonnengewölbe". Letzteres findet durch *engl.* Vermittlung unser FW → Tunnel.

Tonsur *w*: Das Subst. bezeichnet die kreisrund ausgeschorene Platte auf dem Haupt der katholischen Mönche und Weltgeistlichen (das Standeszeichen des Klerikers): Das in der Kirchensprache aufgenommene FW, in dieser Form seit dem frühen 17. Jh. bezeugt, geht auf *lat.* tōnsūra „das Scheren, die Schur" zurück. Zu *lat.* tondēre (tōnsum) „scheren, abschneiden".

Topas *m*: Der seit *mhd.* Zeit bezeugte Edelsteinname (*mhd.* topāze, daneben *mhd.* topasius) geht auf gleichbed. *lat.* topāzus (Ne-

benform: topázius) zurück, das seinerseits
aus gleichbed. *gr.* tópazos (Nebenformen: to-
pázios und topázion) stammt. Die weitere
Herkunft des Wortes ist dunkel.

Topf *m*: Die Herkunft des im 16. Jh. durch
den Einfluß der Lutherschen Bibelübersetzung aus dem *Ostmitteld.* in die Schriftsprache gelangten Substantivs (*mhd.* [*mitteld.*]
topf) ist nicht sicher erklärt. Vielleicht gehört es im Sinne von ,,trichterförmige Vertiefung" zu der unter →*tief* dargestellten
Wortgruppe, vgl. *mnd.* dop (top), das ,,Topf",
aber auch ,,Schale, Kappe, Kapsel, Deckel,
Kelch von Eicheln oder Eckern, Knauf" bedeutet. – Abl.: Töpfer *m* (14. Jh.), dazu
Töpferei *w* (17. Jh.).

¹Tor *s* ,,große Tür": Das *altgerm.* Substantiv
mhd., *ahd.* tor, *got.* daúr ,,Pforte", *asächs.*
dor, *engl.* door gehört zu dem unter → *Tür*
behandelten Wort.

²Tor *m* ,,Dummkopf": Das Substantiv *mhd.*
tōre ist eigtl. ein substantiviertes Adjektiv,
dessen r aus altem s entstanden ist. Dieser
sog. grammatische Wechsel wird bezeugt
durch verwandte Wörter wie z. B. →dösen,
→Dusel, *aengl.* dysig ,,töricht, unwissend,
blödsinnig", *aisl.* dos ,,Stille", *aisl.* dūsa
,,still sein", *engl.* to doze ,,schlummern, dösen". Das zugrunde liegende Adjektiv bedeutete etwa ,,umnebelt, verwirrt" und gehört zu der unter →*Dunst* behandelten Wortgruppe. Abl.: Torheit *w* (*mhd.* tōrheit);
töricht (*mhd.* tōreht); betören (*mhd.* be-
tōren).

Torero *m* ,,Stierkämpfer (zu Fuß)", gegenüber dem Toreador *m* ,,berittener Stier-
kämpfer": Beide FW wurden im 19./20. Jh.
aus dem *Span.* übernommen. Die *span.* Wörter selbst, torero und toreador, gehören zu
dem auf *lat.* taurus ,,Stier" (etymolog. verwandt mit *dt.* →Stier) zurückgehenden
Subst. *span.* toro ,,Stier". Während jedoch
toreador eine *span.* Bildung zu dem von
span. toro abgeleiteten Verb *span.* torear
,,mit dem Stier kämpfen" ist, setzt torero
unmittelbar *lat.* taurārius ,,Stierkämpfer"
fort.

Torf *m* ,,Brennstoff aus vermoderten Pflan-
zenresten": Das im 16. Jh. aus dem *Niederd.*
ins *Hochd.* übernommene Wort geht zurück
auf *mnd.* torf ,,Rasen[stück], Torf", vgl.
asächs. turf ,,Rasen; Torf", *ahd.* zurf, zurba
,,Rasen[stück]", *niederl.* turf ,,Torf", *engl.*
turf ,,Rasen" und *schwed.* torv ,,Torf". Damit
verwandt ist z. B. die *slaw.* Sippe von *russ.*
děrn ,,Rasen". Diese Wörter gehören zu der
idg. Wz. *der- ,,spalten, reißen". 'Torf' bedeutet also eigtl. das ,,Abgestochene, Los-
gelöste". Zu Torfmull vgl. den Artikel Müll.

Tornister *m*: Die zu Beginn des 18. Jh.s aus
der Soldatensprache in die Gemeinsprache
gelangte Bezeichnung für den Fell- oder Se-
geltuchranzen (speziell der Soldaten) ist umgebildet aus gleichbed. 'Tanister', das im

ostmitteld. Sprachbereich bereits für das
17. Jh. bezeugt ist. Das aus dem *Slaw.* entlehnte Wort (vgl. *tschech.* tanystra, *slowak.*
tanistra und *ung.* tanisz[t]ra ,,Ranzen") hat
die ältere einheimische Bezeichnung 'Haber-
sack' (beachte das daraus entlehnte *frz.*
havresac ,,Tornister") abgelöst.

Torpedo *m* ,,Unterwassergeschoß": Der Torpedo ist eine Erfindung des 19. Jh.s. Die
Bezeichnung ist bildlich übertragen vom
lat. Namen des Zitterrochens (der seinen
Gegner bei Berührung durch elektrische
Schläge ,,lähmt"), *lat.* torpēdō (eigtl.: ,,Er-
starrung, Lähmung", zu *lat.* torpēre ,,er-
starrt sein"). – Abl.: torpedieren ,,ein
Schiff mit Torpedos beschießen" (20. Jh.),
auch allgemein übertr. gebraucht im Sinne
von ,,(einen Plan u. a.) durchkreuzen, vereiteln".

Torso *m* ,,Bruchstück, insbesondere einer
Bildhauerarbeit; (übertr.:) unvollendetes
Werk": Im 18. Jh. aus gleichbed. *it.* torso
entlehnt. Das *it.* Wort bedeutet eigtl. ,,Kohl-
strunk, Fruchtkern". Es beruht auf *spätlat.*
tursus, das für *klass.-lat.* thyrsus ,,Stengel
(eines Gewächses), Strunk" steht. Quelle des
Wortes ist *gr.* thýrsos ,,Bacchusstab (ein
leichter mit Efeu und Weinblättern umwun-
dener Stab, in einen Pinienzapfen auslau-
fend)".

Torte *w*: Der Name des Feingebäcks wurde
in *nhd.* Zeit aus gleichbed. *it.* torta entlehnt,
das u. a. mit entspr. *frz.* tourte ,,Fleischtorte;
Ölkuchen" und *span.* torta ,,Torte" auf
spätlat. tōrta ,,rundes Brot, Brotgebäck"
beruht. Die weitere Herkunft des Wortes ist
dunkel.

Tortur *w* ,,Folter, Qual, Quälerei": Im 16. Jh.
aus *lat.* tortūra ,,die Krümmung; das Grimmen; die Verrenkung" entlehnt, das im
Mlat. die übertr. Bed. ,,Folterung, Marter,
Peinigung" entwickelt hat. Stammwort ist
lat. torquēre (tortum) ,,drehen, verdrehen;
martern", das etymolog. verwandt ist mit
dt. →drechseln. – Siehe auch Retorte.

tosen: Das bis zum 16. Jh. selten bezeugte
Verb (*mhd.* dōsen, *ahd.* dōsōn) ist im *germ.*
Sprachbereich z. B. verwandt mit *aengl.* (in
Zus.) đyssa ,,Tos[end]er", *aisl.* þysja ,,stür-
zen, stürmen", þyss ,,Getümmel", *norw.* tosa
,,rasseln". Die Wörter gehören zu der unter
→*Daumen* dargestellten *idg.* Wz. *teu-
,,schwellen, anschwellend rauschen". *Nhd.*
t für altes d tritt seit dem 16. Jh. auf und
herrscht seit dem Ende des 18. Jh.s.

tot: Das *gemeingerm.* Adjektiv *mhd.*, *ahd.*
tōt, *got.* dauþs, *engl.* dead, *schwed.* dōd ist eine
alte Partizipialbildung zu dem im *Mhd.* untergegangenen Verb *ahd.* touwen, *asächs.* dō-
ian, *aisl.* deyja ,,sterben" (*schwed.* dö; beachte das aus dem *Nord.* entlehnte *engl.* to die).
Dieses Verb gehört im Sinne von ,,betäubt,
bewußtlos werden; hinschwinden" zu der
unter →*Dunst* behandelten Wortgruppe. –

Abl.: **töten** (*mhd.* tœ̄ten, *ahd.* tōden, entsprechend *got.* dauþjan; Bewirkungswort zu 'tot', also eigtl. „tot machen"), dazu **abtöten** (16. Jh.; schon *got.* afdauþjan, aber *ahd.* und *mhd.* nicht bezeugt) und **ertöten** (*mhd.* ertœ̄ten, *ahd.* artōdan „töten", seit dem 18. Jh. übertragen im heutigen Sinn). Das substantivierte Adjektiv zu 'tot' ist **Tote** *m* und *w* (*mhd.* tōte, *ahd.* tōto), dazu Zus. mit dem Genitiv des schwach gebeugten Substantivs: **Totenbahre** (*mhd.* tōtenbāre), **Totenbett** (*mhd.* tōt[en]bette), **Totensonntag** (17. Jh.; urspr. der Sonntag Lätare, an dem der Tod ausgetrieben wurde, später evangelischer Feiertag zur Erinnerung an die Toten, meist der letzte Sonntag des Kirchenjahres) und **Totentanz** (16. Jh., im 14. Jh. aufkommende allegorische Darstellung des Tanzes, zu dem der Tod als Spielmann die Menschen sammelt und zu dem er ihnen aufspielt).

total „ganz und gar, vollständig, restlos; Gesamt..."; Am Anfang des 17. Jh.s aus gleichbed. *frz.* total übernommen, das seinerseits auf *mlat.* tōtālis „gänzlich" beruht. Stammwort ist *lat.* tōtus „ganz; gänzlich". – Zu 'total' gehörende Weiterbildungen liegen in den folgenden FW vor: **Totalisator** *m* „amtliche Wettstelle auf Pferderennplätzen", eine von *frz.* totaliser „alles zusammenzählen, addieren" ausgehende *nlat.* Bildung des 19. Jh.s (beachte entspr. *frz.* totalisateur). Das Wort bedeutet eigtl. etwa „Buchung und Überwachung sämtlicher Wetten bei Pferderennen". Aus 'Totalisator' ist die junge Kurzbezeichnung **Toto** *m* (20. Jh.; heute vorwiegend im Sinne von 'Fußballtoto' verstanden) hervorgegangen, die lautliche Anlehnung an das dem gleichen Bereich (des Glücksspiels) angehörende Wort → Lotto zeigt. – **totalitär** heißt ein Staat, in dem alle Bürger mit ihrem Leben und ihrem Eigentum ohne Sicherung durch Grundrechte einem diktatorischen Regime unterworfen sind. Das Wort, im 20. Jh. mit französierender Endung gebildet, bedeutet wörtlich etwa „alles erfassend, alles beanspruchend".

Tour *w* 1. (meist *Mehrz.*:) „Umlauf, [Um]drehung (z. B. eines Maschinenteils)"; 2. „Wendung, Runde (z. B. beim Tanz)"; 3. (übertr.:) „Ausflug, Wanderung; [Geschäfts]reise; Fahrt, Strecke"; 4. „Art und Weise" (*ugs.*): Das seit dem 17. Jh. bezeugte FW ist in allen Bed. aus *frz.* tour (Grundbed. „Dreheisen", danach „Drehung, Wendung usw.") entlehnt. Das *frz.* Wort seinerseits (*afrz.* torn, tor) beruht auf *gr.-lat.* tornus „Dreheisen" (vgl. *Turnus*). – Dazu: **Tourist** *m* „Urlaubsreisender; Ausflügler, Wanderer" (19. Jh.; wohl unmittelbar aus gleichbed. *engl.* tourist übernommen, einer Neubildung zu *frz.* > *engl.* tour „Ausflug").

Trabant *m* „abhängiger, unselbständiger Begleiter einer einflußreichen Persönlichkeit, Gefolgsmann (allg.); künstlicher Erdmond, Satellit", die *Mehrz.* 'Trabanten' gilt daneben in der Umgangssprache als scherzhafte Bezeichnung für „lebhafte Kinder, Rangen": Die Herkunft des in *dt.* Texten seit dem 15. Jh. zuerst als drabant „Krieger zu Fuß; Landsknecht" (später auch „Leibwächter") bezeugten Substantivs ist bis heute nicht sicher geklärt. Als mögliche und wohl auch wahrscheinlichste Quelle kommt gleichbed. *tschech.* drabant in Frage, das dann im Verlauf der Hussitenkriege übernommen worden wäre. Im heutigen Sprachgefühl jedenfalls wird Trabant auf das sicher unverwandte *dt.* Verb → traben bezogen.

traben „Trab reiten": Das im 12. Jh. aus dem *Niederd.* ins *Hochd.* übernommene Verb (*mhd.* draben, *mnd.* draven, *asächs.* thrabōn) gehört zu der *idg.* Wurzel *trep- „trampeln, treten", die sicher lautnachahmenden Ursprungs ist. [Elementar]verwandt sind z. B. *gr.* trapeīn „keltern, die Trauben austreten" und die slaw. Wortgruppe von *russ.* tropát' „stampfen". Die *nord.* Sprachen haben das Wort aus dem *Fries.* entlehnt (*dän.* trave, *norw.* trave, *schwed.* trava). Das Verb ist als flandrischer Ritterausdruck in die hochd. höfische Epik gelangt. Die Begrenzung auf die mittelschnelle Bewegung des Pferdes zwischen Schritt und Galopp ist später Festlegung. Abl.: **Trab** *m* (*mhd.* drap); **Traber** *m* (14. Jh.; erst seit dem 16. Jh. geläufig, in sportlichem Sinn „Rennpferd, das Trab läuft" erst seit Ende des 19. Jh.s).

Tracht *w* „Kleidung": Das auf das *dt.* und *niederl.* Sprachgebiet beschränkte Substantiv (*mhd.* traht[e], *ahd.* draht[a], *niederl.* dracht [*dän.* dragt, *norw.* dragt, *schwed.* dräkt sind Entlehnungen aus dem *Mnd.*]) gehört zur Wortgruppe von → tragen und bedeutet urspr. ganz allgemein „das Tragen; das Getragenwerden; das, was getragen wird". Von den früher üblichen Bedeutungen sind heute noch bewahrt „Kleidung" (15. Jh.) und „Honigeinbringen" (von Bienen). In der Verbindung 'eineTracht Prügel' (17. Jh.) liegt die alte Bedeutung „aufgetragene Speise" vor. Prügel werden gern mit Gerichten verglichen, vgl. z. B. 'Prügelsuppe', 'Steckensalat', 'die Rute zu kosten geben' u. a. Abl.: **trächtig** (*mhd.* trehtec „Leibesfrucht tragend", zum heute veralteten 'Tracht' „Last, Leibesfrucht, Schwangerschaft", früher auch von Frauen, heute nur noch von Säugetieren, oft auch übertragen gebraucht). Siehe auch die Artikel **Eintracht** (mit Zwietracht) und **Niedertracht** (mit niederträchtig; unter nieder).

trachten: Das schwache Zeitwort *mhd.* trahten „an etwas denken, über etwas nachdenken; auf etwas achten; erwägen; streben nach; bedenken, aussinnen", *ahd.* trahtōn (entspr. *niederl.* trachten) ist aus *lat.* tractāre „herumzerren; behandeln, sich mit

713

Tradition

etwas beschäftigen, bearbeiten, untersuchen, erwägen usw." entlehnt, einer Intensivbildung zu *lat.* trahere (tractum) „ziehen, schleppen usw." Auf einer jüngeren Entlehnung aus *lat.* tractāre beruht das in der Umgangssprache gebräuchliche FW **traktieren** „plagen, quälen, mißhandeln" (schon *frühnhd.* im Sinne von „be-, abhandeln, gestalten"). Eine wichtige Präfixbildung zu trachten ist →betrachten. – Verschiedene Ableitungen, Komposita und Weiterbildungen von *lat.* trahere spielen in unserem Fremdwortschatz eine Rolle, vgl. hierzu im einzelnen die Artikel abstrahieren (abstrakt, Abstraktion), Attraktion (attraktiv), Extrakt, kontrahieren (Kontrahent, Kontrakt), Porträt (porträtieren), subtrahieren (Subtraktion) und trainieren (Training, Trainer).

Tradition w „Überlieferung, Herkommen; Brauch, Gepflogenheit": Im 16. Jh. aus *lat.* trāditiō „Übergabe; Überlieferung" entlehnt. Zu *lat.* trādere „übergeben; überliefern", einem Kompositum von *lat.* dare „geben" (vgl. *Datum*). – Abl.: **traditionell** „überliefert, herkömmlich; dem Brauch entsprechend, üblich" (19. Jh.; aus gleichbed. *frz.* traditionnel).

träg[e]: Das auf das *dt.* und *niederl.* Sprachgebiet beschränkte Adjektiv (*mhd.* træge, *ahd.* trāgi, *niederl.* traag) steht im Ablaut zu *aisl.* tregr „widerstrebend, langsam" und *got.* trigō „Trauer". *Außergerm.* verwandt ist wahrscheinlich die *balt.* Sippe von *lit.* drìžti „schwach, elend werden; fürchten, erschrecken". Abl.: **Trägheit** (*mhd., ahd.* trācheit, mit Umlaut seit dem 15. Jh.).

tragen: Das *gemeingerm.* Verb *mhd.* tragen, *ahd.* tragan „tragen", *got.* ga-dragan „ziehen", *engl.* to draw „ziehen", *aisl.* draga „ziehen" hat keine *außergerm.* Beziehungen. Im *germ.* Sprachbereich gehören zu ihm die unter →Tracht und →Getreide behandelten Wörter. Abl.: **Trage** w „Transportgerät" (15. Jh.); **tragbar** „was getragen werden kann" (18. Jh.), dazu **untragbar** (18. Jh.); **Träger** m (*mhd.* trager, *ahd.* tragari, seit dem 14. Jh. mit Umlaut). Zus.: **Tragbahre** w (s. den Artikel Bahre); **Tragweite** w (Anfang des 19. Jh.s; urspr. von Geschützen, LÜ des *frz.* portée, Mitte des 19. Jh.s auch übertragen gebraucht). Präfixbildungen und verbale Zusammensetzungen: **abtragen** (*mhd.* abetragen), davon das heute veraltete **Abtrag** m „Schaden" (*mhd.* abetrac), von diesem wieder **abträglich** „schädlich" (17. Jh.); **antragen** (*mhd.* anetragen, *ahd.* anatragan „herantragen"), daraus rückgebildet **Antrag** m (*mhd.* antrac „Anschlag", in der heutigen Bedeutung seit dem 16. Jh., ein Wort der Rechts- und Verwaltungssprache), von diesem wieder **beantragen** (Neubildung des 19. Jh.s anstelle des älteren

'antragen'); **auftragen** (*mhd.* ūftragen, seit dem 17. Jh. in der Bedeutung „einen Auftrag geben"), daraus rückgebildet **Auftrag** (17. Jh.), von diesem wieder **beauftragen** (Anfang des 19. Jh.s); **betragen** (*mhd.* betragen, im Sinne von „ausmachen" 17. Jh., reflexiv im Sinne von „sich aufführen, sich benehmen" seit dem 18. Jh.), daraus rückgebildet **Betrag** m (*mhd.* betrac „Vergleich", in der heutigen Bedeutung „Summe" seit dem 18. Jh.); **eintragen** (*mhd.* In tragen „hineintragen", in der Bedeutung „Gewinn bringen" seit dem 16. Jh., im Sinne von „einen Eintrag machen" seit dem 17. Jh.), dazu **Eintrag** m (*mhd.* Intrac „Schaden, Nachteil" [noch in 'Eintrag tun', wozu **beeinträchtigen**, 17. Jh., aus der *ostmitteld.* Form 'Eintracht' für 'Eintrag'], dann auch, seit dem 16. Jh., „Gewinn", wozu **einträglich**); **ertragen** (im Sinne von „einbringen, Nutzen abwerfen" 16. Jh., heute veraltet, daraus aber rückgebildet **Ertrag** m [17.Jh.], im Sinne von „aushalten" 16. Jh., dazu **erträglich** [17. Jh.], **unerträglich** [16. Jh.]); **vertragen** (*mhd.* vertragen, *ahd.* fartragan im Sinne von „ertragen", dazu **verträglich** [*mhd.* vertregelich], im Sinne von „etwas abmachen, einen Vertrag abschließen" heute veraltet, daraus aber rückgebildet **Vertrag** m [15. Jh.]); **zutragen** [sich] (16. Jh.), dazu **Zuträger** m „wer einem etwas heimlich berichtet" (*mhd.* zuotrager) und **zuträglich** „nicht schädlich" (17. Jh., zu 'zutragen' in der heute veralteten Bedeutung „nützen" oder zu dem veralteten Substantiv 'Zutrag' „Nutzen").

Tragödie w „Trauerspiel" (eine der Hauptgattungen des Dramas); auch übertragen gebraucht im allgemeinen Sinne von „Unglück": Das seit dem 16. Jh. belegte FW führt über *lat.* tragoedia auf gleichbed. *gr.* trag-ōidía zurück. Das *gr.* Wort, eine zusammengesetzte Bildung zu *gr.* trágos „Bock" und *gr.* ōidḗ „Gesang", bedeutet wörtlich „Bocksgesang". Über die Entstehung der Bezeichnung gibt es verschiedene Theorien, die sich auf den Ursprung der Tragödie aus den kultischen Feiern zu Ehren des Fruchtbarkeitsgottes Dionysos beziehen. Nach der wahrscheinlichsten unter diesen sollen bei den kultischen Chorgesängen, aus denen sich im Laufe der Zeit die Tragödie als Drama entwickelt hat (durch Einführung des Dialogs zwischen Chorführer und Chor und durch Einführung eines, später mehrerer Schauspieler), die Mitglieder des Chors urspr. in Bocksfellen als Satyrn verkleidet aufgetreten sein. Mit der Ausgestaltung des kultischen Chorgesanges zur dramatischen Form empfing die Bezeichnung 'trag-ōidía' ihren neuen Sinn. Dazu **tragisch** „schicksalhaft; erschütternd, ergreifend" (17. Jh.; davon: **Tragik** w, 19. Jh.), das gleichbed. *gr.* tragikós > *lat.* tragicus fortsetzt.

714

trainieren „sich oder andere systematisch auf einen Wettkampf vorbereiten; üben": Das im 19. Jh. aufkommende, zuerst im Bereich des Pferdesports übliche FW ist aus gleichbed. *engl.* to train entlehnt. Das *engl.* Verb, das eigtl. „ziehen; aufziehen, erziehen; abrichten" bedeutet, führt über *frz.* traîner „ziehen, nachziehen, nachschleppen" auf ein *vlat.* *tragīnāre „ziehen, schleppen" zurück. Zu *vlat.* *tragere, das für *klass.-lat.* trahere „ziehen, schleppen usw." steht (vgl. das LW *trachten*). – Dazu: Training *s* „systematische Wettkampfvorbereitung; Übung" (19. Jh.; aus gleichbed. *engl.* training), Trainingsanzug (19./20. Jh.); Trainer *m* „Sportlehrer" (19. Jh.; aus gleichbed. *engl.* trainer).

trällern: Das erst seit dem 18. Jh. bezeugte Verb ist eine Ableitung von der lautnachahmenden Bildung 'tralla', die so oder in ähnlicher Form als Liedanfang, Liedende oder Kehrreim auftritt und eine Melodie ohne Worte trägt. 'Trällern' bedeutet also eigtl. 'tralla singen', dann „eine Melodie ohne Worte singen". Vielleicht hat das unverwandte →*trillern* eingewirkt.

trampeln „derb auftreten": Das seit *spätmhd.* Zeit bezeugte Verb ist eine Iterativbildung zu dem heute veralteten trampen „derb, geräuschvoll auftreten", einer Nebenform mit ausdrucksbetonter Nasalierung zu →*trappen* (wie pantschen aus patschen). Verwandt sind *engl.* to tramp „derb auftreten, wandern", tramp „Landstreicher", die in neuerer Zeit aus dem *Engl.* ins Deutsche als trampen „ein Auto anhalten und sich mitnehmen lassen" und Tramp *m* „Landstreicher" entlehnt wurden. Aus dem Verb rückgebildet ist Trampel *m, s* (auch: *w*) „plumpe, schwerfällige Person" (17. Jh.). Zus.: Trampeltier „[zweihöckriges] Kamel" (16. Jh.; nach dem plumpen Gang; übertr. „plump, schwerfällig auftretender Mensch").

Tran *m*: Das im 16. Jh. aus dem *Niederd.* ins Hochd. übernommene Wort (*mnd.* trān; *niederl.* traan) gehört zu der unter →*Träne* behandelten Wortgruppe. Grundbedeutung ist „[durch Auslassen von Fischfett gewonnener] Tropfen". Die Wendung 'im Tran sein' *ugs.* für „betrunken sein" bezieht sich auf die *mdal.* Bedeutung „alkoholischer Tropfen, geistiges Getränk".

Trance *w* „schlafähnliche Bewußtseinszustand": Im 20. Jh. aus gleichbed. *engl.* trance entlehnt, das seinerseits auf *afrz.* transe „das Hinübergehen (in den Todesschlaf); Angstzustand" beruht. Das zugrunde liegende Verb (*a*)*frz.* transir „hinübergehen; verscheiden" geht auf *lat.* trānsīre „hinübergehen" zurück, ein Kompositum von *lat.* īre „gehen" (vgl. hierzu das FW *Abiturient*).

tranchieren „Fleisch und Geflügel kunstgerecht in Stücke schneiden, zerlegen": Vor 1600 aus *frz.* trancher „abschneiden, zerschneiden, zerlegen" entlehnt. Die Herkunft des *frz.* Wortes selbst ist unsicher. – Zus.: Tranchiermesser „Vorschneidemesser" (19. Jh.).

Träne *w*: *Mhd.* trēne, worauf die heutige Form beruht, ist eigtl. eine starke Mehrzahlform von 'tran', die im 15. Jh. nicht mehr als solche verstanden und als Singular aufgefaßt wurde. Zu dieser Form wurde dann ein neuer schwacher Plural 'trenen' gebildet. *Mhd.* tran ist zusammengezogen aus trahen, *ahd.* trahan „Träne, Tropfen". Das nur deutsche Wort geht zusammen mit →*Zähre* und verwandten *außergerm.* Wörtern, z. B. *gr.* dákryon „Träne, Harz[tropfen]" und *lat.* lacrima (*alat.* dacruma) „Träne" auf *idg.* *d(r)aḱru- „Träne" zurück. Ob die engere Bedeutung „Träne" oder die allgemeinere des „Tropfens" die ursprüngliche ist, ist nicht zu entscheiden. Abl.: tränen (*mhd.* trahenen, kontrahiert trēnen).

Trank *m*: Das *altgerm.* Wort *mhd.* tranc, *ahd.* trank, *got.* dragk, *niederl.* drank, *engl.* drench ist eine Bildung zu dem unter →*trinken* behandelnden Verb. Es ist im heutigen Sprachgebrauch durch die Kollektivbildung →*Getränk* zurückgedrängt, ist aber in Zus. wie Liebestrank (17. Jh.), Zaubertrank (16. Jh.) usw. noch gebräuchlich.

tränken: Das *gemeingerm.* Wort *mhd.* trenken, *ahd.* trenkan, *got.* dragkjan, *engl.* to drench, *schwed.* dränka ist das Veranlassungswort zu dem unter →*trinken* behandelten Verb und bedeutet demnach eigentlich „trinken machen". Abl.: Tränke *w* (*mhd.* trenke, *ahd.* trenka). Präfixbildung: ertränken (*mhd.* ertrenken, *ahd.* irtrenchen; Veranlassungswort zu 'ertrinken', vgl. *trinken*).

trans..., **Trans...**: Aus dem *Lat.* stammende Vorsilbe mit der Bed. „hindurch, hinüber, durch; über - hinaus", wie in den FW →*transparent*, →*transzendent* u. a. *Lat.* trāns (Präpos. und Präfix) „hinüber, hindurch; darüber hinaus, jenseits usw." ist etymologisch verwandt mit *dt.* →*durch*.

Transformator *m* „Gerät zur Umformung von Stromspannungen": Eine *nlat.* Bildung des 19./20. Jh.s nach entspr. *frz.* transformateur zu *lat.* trāns-fōrmāre „umformen, verwandeln" (vgl. den Artikel *Form*).

Transistor *m* „Teil eines Verstärkers (z. B. für Fernsprechanlagen, Rechenmaschinen u. a.)": Ein noch ganz junges FW, das in den fünfziger Jahren des 20. Jh.s aus dem *Engl.-Amerik.* übernommen wurde. Der Bildung nach bedeutet *engl.* transistor, das zusammengezogen ist aus *engl.* transfer „Übertragung" (von *lat.* trānsferre „hinübertragen") und *nlat.* resistor „Widerstand" (von *lat.* re-sistere „sich widersetzen"), wörtlich „Übertragungswiderstand".

Transit *m* „Durchgang, Durchfuhr [von Waren]", meist in Zus. wie Transithandel,

Transitverkehr u. a.: Im 18. Jh. aus gleichbed. *it.* transito eingedeutscht, das seinerseits *lat.* trānsitus „Übergang, Durchgang" fortsetzt. Zu *lat.* trāns-īre „hinübergehen", einem Kompositum von *lat.* īre „gehen" (vgl. *Abiturient*).

transparent „durchscheinend, durchsichtig (auch übertr.)": Im Anfang des 18. Jh.s aus gleichbed. *frz.* transparent entlehnt, das seinerseits *mlat.* trānsparēns fortsetzt. Zu *mlat.* trāns-pārēre „durchscheinen", einem Kompos᾽tum von *lat.* pārēre „erscheinen, sichtbar werden, sich zeigen; Folge leisten" (vgl. ³*parieren*).–Dazu das Subst. T r a n s p a r e n t s „durchscheinendes Bild; Spruchband" (18. Jh.).

transportieren „befördern, versenden; fortschaffen": Im 17. Jh. aus gleichbed. *frz.* transporter entlehnt, das seinerseits *lat.* trānsportāre „hinüberbringen" fortsetzt. Über das einfache Verb *lat.* portāre „tragen, bringen" vgl. den Artikel *Porto.* – Dazu: T r a n s p o r t *m* „Versendung, Beförderung (von Menschen, Tieren oder Sachen); Fracht" (17. Jh.; aus gleichbed. *frz.* transport; auch *it.* trasporto hat eingewirkt); T r a n s p o r t e r *m* „Transportflugzeug, -schiff" (20. Jh.; aus *engl.* transporter).

transzendent „die Grenzen der Erfahrung und des sinnlich Erkennbaren übersteigend, übersinnlich, übernatürlich": Der von dem Philosophen Kant aus der scholastischen Philosophie übernommene Terminus beruht auf *lat.* trānscendēns (...dentis), dem Part. Präs. Akt. von *lat.* trānscendere (< trānscendere) „hinübersteigen; übersteigen, überschreiten". Über das zugrunde liegende einfache Verb *lat.* scandere „[be]steigen" vgl. *Skala.*

Trapez *s* „Viereck mit zwei parallelen, aber nicht gleichlangen Seiten (Geom.); Schaukelreck (Artistik)": Das seit dem 18. Jh. zuerst als geometr. Terminus bezeugte FW geht auf *gr.* trapézion > *lat.* trapezium „ungleichseitiges Viereck" (eigtl. Bed. „Tischchen") zurück, eine Verkleinerungsbildung zu *gr.* trápeza „Tisch, Tafel".

trappen „laut auftreten, stampfen": Das im 17. Jh. aus dem *Niederd.* ins *Hochd.* übernommene Verb geht zurück auf gleichbed. *mnd.* trappen, das mit *niederl.* trappen „treten" und *schwed. mdal.* trappa „trippeln" verwandt ist. Diese Sippe ist – wie auch das unter → *trippeln* behandelte Verb – lautnachahmenden Ursprungs. Weiterbildungen von 'trappen' sind t r a p p e l n (16. Jh.) und t r a p s e n (19. Jh.). Eine nasalierte Nebenform ist → t r a m p e l n. Zur gleichen Wortfamilie gehören das unter → Treppe behandelte Wort und das *afränk.* Substantiv *trappa „(Fuß-, Tret)falle", das *frz.* trappe „Falle" (s. Attrappe) zugrunde liegt.

Traube *w*: Die Herkunft des nur *dt.* und *niederl.* Wortes (*mhd.* trūbe, *ahd.* thrūbo, *nie-*

derl. druif) ist nicht sicher geklärt. Vielleicht hängt es mit *ostfries.* drūv[e] „Klumpen" und *niederd.* drubbel „Klumpen" zusammen. Es würde dann eigtl. „Büschel, Klumpen" bedeuten. Zus.: T r a u b e n z u c k e r (19. Jh.; natürliche Zuckerart, urspr. aus Trauben gewonnen).

trauen: Das *gemeingerm.* Verb *mhd.* trūwen, *ahd.* trū[w]ēn, *got.* trauan, *engl.* to trow, *schwed.* tro gehört im Sinne von „fest werden" zu der unter → *treu* behandelten Wortgruppe. Aus dem urspr. Wortgebrauch im Sinne von „glauben, hoffen, zutrauen" entwickelte sich die Bed. „Vertrauen schenken" und aus reflexivem 'sich trauen' die Bed. „wagen". Seit dem 13. Jh. bedeutet das Verb auch „ehelich verbinden", urspr. „dem Manne zur Frau geben". Die Bedeutung hat sich aus „anvertrauen" entwickelt. – Abl.: T r a u u n g *w* „Eheschließung" (*spätmhd.* trūunge „Vertrauen", im heutigen Sinne seit 16. Jh.). Zus.: T r a u r i n g „Ehering" (16. Jh.); T r a u z e u g e „Zeuge bei einer Eheschließung" (19. Jh.). Präfixbildungen und verbale Zus.: b e t r a u e n „mit Wichtigem beauftragen" (im 17. Jh. „anvertrauen"), dazu bes. das 2. Partizip betraut; ver-trauen „glauben, Vertrauen schenken" (*ahd.* fettrūen, *mhd.* vertrūwen), dazu der substantivierte Infinitiv V e r t r a u e n *s* (*mhd.* vertrūwen), das Adjektiv vertraulich „intim, diskret" (16. Jh.) und die Präfixbildung a n v e r t r a u e n „vertrauensvoll der Obhut eines anderen übergeben" (im 16. Jh. im Sinne von „zutrauen, vertrauen"); zu-trauen „etwas von jemandem erwarten" (16. Jh.), dazu Z u t r a u e n *s* (18. Jh.) und z u t r a u l i c h „Vertrauen, Zutrauen habend, vertrauend" (18. Jh.). – Wohl in Analogie zu der Entsprechung vertraulich-vertraut wurde im 18. Jh. das Adjektiv t r a u l i c h „gemütlich, anheimelnd" zu dem unverwandten 'traut' (s. d.) gebildet. In der Bed. ist diese Bildung stark von 'traut' ,'vertraulich' und 'zutraulich' beeinflußt.

trauern: Das Verb *mhd.* trūren, *ahd.* trūrēn (*niederl.* treuren ist aus dem *Dt.* entlehnt) ist wahrscheinlich verwandt mit *got.* driusan „fallen", *aengl.* dreosan „[nieder]fallen" und *aengl.* drūsian „sinken; matt, kraftlos werden". Seine eigtl. Bedeutung wäre demnach etwa „den Kopf sinken lassen" oder „die Augen niederschlagen" als typische Trauergebärde des Menschen. Zu 'trauern' stellen sich das Adjektiv t r a u r i g (*mhd.* trū-rec, *ahd.* trūrac) und das Substantiv T r a u e r *w* (*mhd.* trūre), das in zahlreichen Zus. erscheint, z. B. T r a u e r k l o ß *ugs.* scherzh. für „langweiliger, energieloser, unlustiger Mensch" (19. Jh.; zunächst soldatensprachlich; zum zweiten Bestandteil vgl. *Kloß*), T r a u e r s p i e l (17. Jh.; Ersatzwort für → Tragödie, nach dem Vorbild von 'Lustspiel' für → Komödie) und T r a u e r w e i d e

,,Weide mit herabhängenden Ästen" (18. Jh.).
Traufe w ,,Unterkante des Daches; das von
der Unterkante des Daches ablaufende Wasser": Das auf das *dt.* Sprachgebiet beschränkte
Wort (*mhd.* trouf[e], *ahd.* trouf) ist eine Bildung zu dem unter →*triefen* behandelten
Verb und bedeutet demnach eigtl. ,,die
Triefende". Die Redensart 'vom Regen in
die Traufe kommen' (17. Jh.) bezieht sich
darauf, daß ein vor dem Regen unter einem
Dach Schutz suchender Mensch unter der
Traufe erst recht naß wird.
träufeln: Das seit dem 16. Jh. bezeugte Verb
ist eine Iterativbildung zu dem heute veralteten **träufen** ,,tropfen" (*mhd.* tröufen,
ahd. troufan), das das Veranlassungswort zu
dem unter →*triefen* behandelten Verb ist.
Traum m: Das *altgerm.* Substantiv *mhd.*,
ahd. troum, *niederl.* droom, *engl.* dream,
schwed. dröm gehört zu der unter →*trügen*
behandelten Wortgruppe. Abl.: **träumen**
(*mhd.* troumen, troumen, *ahd.* troumen),
dazu die Abl. **Träumer** m ,,weltfremder
Mensch" (*mhd.* troumære), wovon wiederum
träumerisch ,,versonnen" (18. Jh.), und
die Präfixbildung **verträumen** ,,das Leben
nutzlos vertun" (17. Jh.) mit dem 2. Partizip **verträumt** ,,gedankenverloren".
traut ,,innig zugeneigt, geliebt": Das auf das
dt. und *niederl.* Sprachgebiet beschränkte
Adjektiv (*mhd.*, *ahd.* trūt, *mniederl.* druut)
ist wahrscheinlich verwandt mit *ir.* drūth
,,unkeusch". Die weiteren Beziehungen sind
unklar. Vom heutigen Sprachgefühl wird
'traut' mit 'trauen' verbunden, mit dem es
jedoch nicht verwandt ist.
Treber *Mehrz.* ,,Rückstand beim Keltern
oder Bierbrauen": Das *altgerm.* Substantiv
mhd. treber *Mehrz.*, *ahd.* trebir *Mehrz.*, *niederl.* draf, *engl.* draff, *schwed.* drav gehört zu
der unter→*trüb[e]* behandelten Wortgruppe.
Außergerm. eng verwandt sind z. B. *mir.* drab
,,Treber, Hefe" und die *slaw.* Sippe von
russ. drobá ,,Bodensatz, Bierhefe, Treber".
trecken ,,von einer Gegend in eine andere
ziehen, ein Schiff mit einem Tau längs des
Ufers ziehen": Das auf das *dt.* und *niederl.*
Sprachgebiet beschränkte Verb (*mhd.* trecken, *mnd.* trecken, *niederl.* trekken) ist eine
Intensivbildung zu dem heute veralteten Verb
trechen ,,ziehen" (*mhd.* trechen, vgl. das
zweite Partizip *ahd.* pi-trohhan), dessen weitere Herkunft unsicher ist. Das Verhältnis von
'trechen' zu 'trecken' entspricht dem von
'stechen' zu 'stecken'. Abl.: **Treck** m
,,Zug; Flucht" (*mnd.* trek ,,Zug, Kriegszug,
Prozession"); **Trecker** m (im 15. Jh. ,,Zap-
fen"; im 17. Jh. ,,Schiffszieher"; die heutige
Bed. ,,Zugmaschine, Schlepper" seit der
1. Hälfte des 20. Jh.s; eine entsprechende
Bildung ist das gleichbed. **Traktor** m (aus
engl. tractor, eigtl. ,,Zieher, Schlepper", zu
lat. trahere, tractum ,,ziehen, schleppen"]).
Eine alte Präfixbildung *mhd.* vertrecken

,,verziehen, verzerren, verwirren" ist noch
erhalten in dem adjektivisch gebrauchten
2. Partizip **vertrackt** *ugs.* für: ,,verzwickt,
unangenehm" (17. Jh.).
treffen: Das *altgerm.* Verb *mhd.* treffen, *ahd.*
treffan, *mniederl.* drepen, *aengl.* drepan, *aisl.*
drepa bedeutete urspr. ,,schlagen, stoßen"
und ist im *germ.* Sprachbereich verwandt mit
der Sippe von *got.* ga-draban ,,aushauen".
Außergerm. ist verwandt die *slaw.* Sippe von
russ. drobit', ,,zerstückeln", *russ.* drob'
,,Bruch[teil]; Schrot". – Der substantivierte
Infinitiv **Treffen** s in der Bed. ,,kleines
Gefecht" (zu der alten Bed. von 'treffen'
,,dem Feind begegnen, ein Gefecht liefern")
ist seit dem 15. Jh. bezeugt (beachte die
übertr. gebrauchte Wendung 'ins Treffen
führen' für ,,als Beweis anführen"); die Bed.
,,Versammlung von Angehörigen einer Gemeinschaft" ist ganz jung (1. Hälfte des
20. Jh.s). – Abl.: **Treffer** m ,,Schuß, der
trifft; Gewinnlos" (16. Jh.); **trefflich** ,,vor-
züglich, ausgezeichnet" (15. Jh.; für *mhd.*
treffe[n]lich). Zus.: **Treffpunkt** ,,Versam-
lungsplatz" (18. Jh.). Präfixbildungen und
verbale Zusammensetzungen: **betreffen**
,,ertappen, überraschen" (16. Jh.), dazu das
2. Partizip **betroffen** ,,unangenehm berührt, betreten" (18. Jh.); **eintreffen** ,,an-
kommen, in Erfüllung gehen" (16. Jh.);
übertreffen ,,besser sein" (*mhd.* übertreffen, *ahd.* ubartreffan), dazu **unübertroffen** ,,nicht besser vorhanden" (19. Jh.)
und **unübertrefflich** ,,nicht besser möglich" (2. Hälfte des 18. Jh.s); **zutreffen**
,,einer Sache gemäß sein" (16. Jh.), dazu
zutreffend ,,angemessen, richtig" (adj.
gebrauchtes 1. Partizip). Siehe auch den
Artikel **vortrefflich.**
treiben: Das *gemeingerm.* Verb *mhd.* trīben,
ahd. trīban, *got.* dreiban, *engl.* to drive,
schwed. driva hat keine *außergerm.* Entsprechungen. Zu ihm stellen sich die unter
→*Trift*, →*Trieb* und →*Getriebe* behandelten Wörter. Außer im allgemeinen Sinne
von ,,in Bewegung setzen" wird 'treiben'
vielfach speziell verwendet, so z. B. auf
Pflanzen bezogen im Sinne von ,,wachsen lassen" (s. u. Treibhaus). – Abl.: **Treiber** m
(*mhd.* trīber, *ahd.* trīpāri, heute meist ,,Helfer
bei der Treibjagd"). Zus.: **Treibeis** ,,auf dem
Wasser treibendes Eis" (18. Jh.); **Treibhaus** ,,heizbares Glashaus zum Treiben von
Pflanzen" (18. Jh.); **Treibjagd** ,,Jagd, bei
der das Wild auf die Schützen zugetrieben
wird" (18. Jh.); **Treibriemen** ,,Riemen
zur Übertragung einer Bewegung" (19. Jh.);
Treibstoff (18. Jh.; im heutigen Sinne von
,,Brennstoff für Verbrennungskraftmaschi-
nen" seit der 1. Hälfte des 20. Jh.s). Präfixbildungen und verbale Zusammensetzungen: **abtreiben** ,,aus der Richtung
bringen oder geraten; entfernen"; veralt. für
,,durch Treiben ermüden" (*mhd.* abetrīben;

zur 2. Bed. gehört **Abtreibung** w „Beseitigung eines ungeborenen Kindes", zur 3. Bed. **abgetrieben** „erschöpft [von Zugtieren]"); **antreiben** (*mhd.* anetrīben), dazu **Antrieb** m „antreibende Kraft, Anreiz" (16. Jh.); **auftreiben** (*mhd.* ūftrīben, *ahd.* ūftrīban; die Bed. „ausfindig machen" seit dem 16. Jh.), dazu **Auftrieb** m „nach oben wirkender Druck von Flüssigkeiten oder Gasen" (als physikal. Fachausdruck 19. Jh., dann auch übertr. als „Belebung, Aufschwung"); **betreiben** „sich mit etwas beschäftigen" (17. Jh.), dazu **Betrieb** m „kaufmänn. oder gewerbl. Unternehmen; lebhaftes Treiben" (18. Jh.), davon wieder **betriebsam** „emsig, unternehmend" (18. Jh.); **durchtrieben** (s. d.); **vertreiben** (*mhd.* vertrīben, *ahd.* fartrīban), dazu **Vertrieb** m „Verkauf" (16. Jh.).

Trenchcoat m „Wettermantel": Der Name des Kleidungsstückes wurde im 20. Jh. aus dem *Engl.* entlehnt. Der Trenchcoat ist eine Errungenschaft des Ersten Weltkrieges. Er wurde als wetterfester Gabardinemantel urspr. für die britischen Frontsoldaten geschaffen. So bedeutet denn auch engl. trenchcoat wörtlich „Schützengrabenmantel". Über das Grundwort *engl.* coat vgl. den Artikel ¹*Kotze*.

Trend m „Grundrichtung einer statistisch erfaßten Entwicklung, [wirtschaftl.] Entwicklungstendenz": Im 20. Jh. aus gleichbed. *engl.* trend entlehnt. Zu *engl.* to trend „sich neigen, sich erstrecken, in einer bestimmten Richtung verlaufen".

trennen: Das auf das *dt.* und *niederl.* Sprachgebiet beschränkte Verb (*mhd.* trennen, *ahd.* en-, za-trennan, *niederl.* torfen) gehört zu der unter →*zehren* dargestellten *idg.* Wortgruppe. Eng verwandt sind im *germ.* Sprachbereich z. B. aus *ahd.* antrunneo „Flüchtling", *ahd.* ab[a]trunnig „treulos" (s. abtrünnig), *mhd.* trünne „Schar, Herde, Schwarm" (eigtl. „Teil, Abteilung") und *schwed. mdal.* trinna „Zaunstange" (eigtl. „abgespaltenes Stück Holz"). Abl.: **Trennung** w „Auflösung einer Gemeinschaft; Abschied; Silbentrennung" (16. Jh.).

Trense w „leichter Pferdezaum" (gegenüber der →*Kandare*): Das seit dem 16. Jh. bezeugte FW wurde durch Vermittlung von älter *niederl.* trensse (heute: trens) aus *span.* trenza „Flechte, Seil" entlehnt.

Treppe w „Stiege, Aufgang aus Stufen": Das *dt.* und *niederl.* Wort (*mhd.* treppe, *mnd.* treppe, *niederl.* trap) gehört zu der unter →*trappen* behandelten Wortgruppe und ist z. B. verwandt mit *aengl.* treppan „treten". Es bedeutet demnach eigtl. „Tritt". Das Wort war dem *Oberd.* urspr. fremd und wurde in *mhd.* Zeit aus dem *Mnd.* übernommen. Es bezeichnete anfänglich die Einzelstufe; die Bed. „Gesamtheit der Stufen" setzt sich erst im 16. Jh. durch. Zus.: **Treppenwitz**

(19. Jh.; Wiedergabe von *frz.* esprit d'escalier, das einen Einfall bezeichnet, der einem zu spät kommt, d. h. wenn man nach einem Besuch die Treppe wieder hinuntergeht; die Fügung „Treppenwitz der Weltgeschichte" nach dem Titel des 1882 erschienenen Buches von Hertslet; die Bed. entwickelte sich über „verspäteter Einfall, versäumte Gelegenheit" zu „wie ein alberner Witz wirkende Begebenheit, die zu einem sie begleitenden historisch bedeutsamen Vorgang in keinem angemessenen Verhältnis steht").

Tresor m „Panzerschrank, Stahlkammer (zur Aufbewahrung von Geld und Wertsachen)": Das bereits in *mhd.* Zeit mit der Bed. „Schatz, Schatzkammer" bezeugte FW, das aber erst im 19. Jh. mit seiner modernen Bed. üblich wird, ist aus gleichbed. *frz.* trésor entlehnt. Das *frz.* Wort seinerseits beruht auf *gr.* thēsaurós > *lat.* thēsaurus „Schatz, Schatzkammer, Vorratskammer; Geldkasten".

Trester *Mehrz.*: Die Bezeichnung für den Rückstand beim Keltern (*mhd.* trester, *ahd.* trestir) gehört zu der unter →*trüb[e]* dargestellten Wortgruppe. Eng verwandt ist *aengl.* dræst „Hefe; Bodensatz; Abfall".

treten: Das *westgerm.* Verb (jüngere Neubildung) *mhd.* treten, *ahd.* tretan, *niederl.* treten, *got.* trudan und *aisl.* troda. Die Herkunft dieser Wortgruppe ist unbekannt. *Außergerm.* Beziehungen fehlen. Eine Substantivbildung zu 'treten' ist →*Tritt*. Zus.: **Tretmühle** (15. Jh.; urspr. die von Menschen oder Tieren durch Treten in Gang gesetzte Mühle; seit dem 19. Jh. übertr. *ugs.* für „einförmige tägliche Berufsarbeit"). Präfixbildungen und verbale Zusammensetzungen: **abtreten** „beiseite treten, wegtreten; überlassen" (*mhd.* abetreten), dazu **Abtritt** m (16. Jh.; in der Bed. „Abort" seit dem 18. Jh.); **antreten** „anfangen, übernehmen; sich aufstellen" (*mhd.* anetreten), dazu **Antritt** m (*mhd.* anetrit); **auftreten** „auf den Boden treten, sich öffentlich zeigen" (*mhd.* ūftreten), dazu **Auftritt** m (*mhd.* ūftrit; die Bed. „Szene eines Bühnenstückes" seit dem 18. Jh.); **austreten** (*mhd.* ūztreten; die seit dem 17. Jh. bezeugte verhüllende Bed. „seine Notdurft verrichten" beruht auf der alten Bed. „aus dem Zimmer gehen"), dazu **Austritt** m „Verlassen eines Vereins" (*mhd.* ūztrit „Ausgang, Entweichung"); **betreten** (*mhd.* betreten „antreffen, überraschen, ergreifen"), dazu das adjektivisch gebrauchte 2. Partizip **betreten** „überrascht, verlegen" (16. Jh.); **übertreten** „gegen eine Vorschrift verstoßen; sich einer anderen Gemeinschaft anschließen; über die Ufer fließen" (*mhd.* übertreten in teilweise anderen Bedeutungen), dazu **Übertritt** m (*mhd.* übertrit „Fehltritt, Vergehen", auch schon „Abfall"); **vertreten** (*mhd.* vertreten, *ahd.* fartretan „niedertreten, zertreten", die Bed. „an jemandes Stelle treten" ist schon *mhd.*), davon Vertreter *m* (*mhd.* vertreter); vortreten „nach vorn treten; herausragen" (*mhd.* vortreten), dazu Vortritt *m* „das Recht, vorauszugehen" (*mhd.* vortrit „das Vortreten"); zu einem heute veralt. Verb 'zutreten' „heran-, herzutreten" ist Zutritt *m* „Zugang, Eintritt" gebildet (*mhd.* zuotritt).

treu: Die heutige Form geht zurück auf *mhd.* triuwe, das im 14. Jh. neben gleichbed. älteres *mhd.* getriuwe, *ahd.* gitriuwi (daraus *nhd.* getreu) trat. Aus anderen *germ.* Sprachen vgl. *got.* triggws „treu, zuverlässig", *aengl.* [ge]triewe „treu, ehrlich" (*engl.* true „treu, wahr, richtig, echt") und *schwed.* trygg „sicher, getrost". *Außergerm.* ist z. B. *lit.* drūtas „stark, fest, dick" verwandt. Die Wortgruppe gehört zu dem unter→*Teer* dargestellten *idg.* *deru- „Eiche, Baum", zu dem auch die unter→*Trost* (eigtl. „[innere] Festigkeit") und →*trauen* (eigtl. „fest werden") behandelten Wörter gehören. Das Adjektiv treu bedeutet demnach eigtl. „stark, fest wie ein Baum". Dazu Treue *w* (*mhd.* triuwe, *ahd.* triuwa, *got.* triggwa, *niederl.* trouw, *aengl.* trēow, dazu im Ablaut die *nord.* Sippe von *schwed.* tro „Treue, Glauben"). Zum Substantiv stellt sich das Verb betreuen (*mhd.* betriuwen „in Treue erhalten, schützen"). Zus.: Treuhänder *m* „Person, der etwas zu treuen Händen übergeben worden ist" (13. Jh.; ein Begriff der alten Rechtssprache).

tri..., Tri...: Aus dem *Lat.* oder *Gr.* stammendes Bestimmungswort von Zus. mit der Bed. „drei", in FW wie trivial, Trigonometrie u. a.: Zu *lat.* trēs (tria) „drei" (davon auch das FW →*Trio*) bzw. gleichbed. *gr.* treĩs (tría). Über die *idg.* Zusammenhänge vgl. den Artikel *drei*. – Beachte noch die von der zu *lat.* trēs gehörenden Ordnungszahl *lat.* tertius (= *gr.* trítos) „dritter" ausgehenden FW →*Tertia*, Tertianer.

Tribunal *s* „[hoher] Gerichtshof": Das FW geht auf *lat.* tribūnal „Hochsitz der Tribunen; erhöhte Feldherrnbühne; Gerichtshof" zurück (vgl. hierzu *Tribut*). Es erscheint zuerst in *mhd.* Zeit mit der Bed. „Richterstuhl" in einer unmittelbaren Übernahme aus dem *Lat.* Im 16. Jh. wird es im heutigen Sinne neu über entspr. *frz.* tribunal entlehnt. – Gleichen Ausgangspunkt wie Tribunal hat das FW **Tribüne** *w* „Rednerbühne, Empore; erhöhtes Zuschauergerüst" (18. Jh.), das aus *frz.* tribune (< *it.* tribuna) „Rednerbühne; Galerie usw." aufgenommen ist.

Tribut *m*: Das in *spätmhd.* Zeit aus *lat.* tribūtum „öffentliche Abgabe, Steuer, Beitrag usw." aufgenommene FW erscheint zuerst mit der heute veralteten eigtl. Bed. „Steuer, Abgabe". Heute lebt das Wort nur mehr in der übertragenen Bed. „Opfer; pflichtschuldige Verehrung", aber auch so vorwiegend in festen Wendungen wie 'Tribut zollen". – *Lat.* tribūtum ist das substantivierte Neutrum

des Part. Perf. Pass. von *lat.* tribuere „[zu]teilen, zuwenden; einteilen", das seinerseits zu *lat.* tribus „Gau, Bezirk für die Steuererhebung und Aushebung" gehört. *Lat.* tribūtum bedeutet demnach eigtl. etwa „die den einzelnen Bürgern zugeteilte Abgabeleistung". Ebenfalls zu *lat.* tribus stellen sich die Bildungen *lat.* tribūnus „Gauvorsteher; Zahlmeister; Oberst" und *lat.* tribūnal „Hochsitz der Tribunen; erhöhte Feldherrnbühne; Gerichtshof". Letzteres liegt unseren FW →*Tribunal* und →*Tribüne* zugrunde. – Siehe auch *Attribut*.

Trichine *w* „parasitischer Fadenwurm": Eine aus dem *Engl.* übernommene gelehrte *nlat.* Bildung des 19. Jh.s zu *gr.* thríx, trichós „Haar".

Trichter *m*: Das *westgerm.* Subst. *mhd.* trahter, trehter, trihter, *spätahd.* trahtare, trahter, træhter, *aengl.* tracter, *niederl.* trechter beruht auf einer frühen Entlehnung im Zuge der Übernahme römischer Weinkultur und der dazugehörigen Fachausdrücke (s. den Artikel *Wein*) aus *lat.* träiectōrium „Trichter" (eigtl.: „Gerät zum Hinüberschütten"). Das zugrunde liegende Verb *lat.* trā-icere (trāiectum) „hinüberwerfen; hinüberbringen; hinübergießen, -schütten" ist ein Kompositum von *lat.* iacere „werfen, schleudern" (vgl. das FW *Jeton*). – Dazu einrichtern „jmdm. etwas mühsam beibringen" (18. Jh.; eigtl. etwa „wie durch einen Trichter Wissen in jmdn. hineinschütten". In seiner eigtl. konkreten Bed. „Flüssigkeit durch einen Trichter einfüllen" erscheint das Zeitwort schon im 16. Jh.).

Trick *m* „Kniff, Kunstgriff": Im 19. Jh. aus gleichbed. *engl.* trick entlehnt, das seinerseits aus dem *Frz.* stammt, und zwar aus einem Mundartwort [*a*]*norm.* trique „Betrug, Kniff". Das zugrunde liegende Verb *norm.* trekier, das *frz.* tricher „beim Spiel betrügen, mogeln" entspricht, setzt ein etymolog. ungeklärtes *vlat.* Verb *triccāre voraus. – Dazu die Zus. Trickfilm (20. Jh.) und das in der Umgangssprache entwickelte Verb tricksen „einen Gegner geschickt ausmanövrieren, ausspielen, umspielen" (20. Jh.; Sportjargon), dafür meist die Zus. austricksen.

Trieb *m*: „innere treibende Kraft; Keimkraft; Keim, Schößling": Das Substantiv *mhd.* trîp ist eine Bildung zu dem unter →*treiben* behandelten Verb und bedeutet demnach eigtl. „das Treiben", früher und *landsch.* noch heute „Treiben des Viehs oder des Wildes; Viehweg; Trift". Es ersetzte allmählich das ältere →*Trift* in dessen allgemeiner Bedeutung. Abl.: triebhaft „sinnlich, leidenschaftlich" (18. Jh.). Zus.: Triebfeder „treibende Feder im Uhrwerk, Antrieb" (18. Jh.); Triebwagen „Schienenfahrzeug mit eigenem Antrieb" (19. Jh.).

triefen „in Tropfen fallen; ganz naß sein": Das *altgerm.* Verb *mhd.* triefen, *ahd.* triufan, *niederl.* druipan, *aengl.* drēopan (daneben gleichbed. dryppan, *engl.* to drip), *schwed.* drypa hat keine sicheren *außergerm.* Entsprechungen. Um dieses Verb gruppieren sich im *germ.* Sprachbereich die unter →Traufe, →träufeln, →Tropf, →Tropfen und →Tripper behandelten Bildungen.

Trift *w* „Weide; Holzflößung, Meeresströmung": Das *altgerm.* Substantiv *mhd.* trift, *mnd.* drift, *niederl.* drift, *engl.* drift, *schwed.* drift ist eine Bildung zu dem unter →*treiben* behandelten Verb und bedeutet demnach eigtl. „das Treiben" (vgl. den Artikel Trieb).

triftig „beweisend, stichhaltig": Das seit dem 15. Jh. bezeugte Adjektiv ist eine Bildung zu dem unter →*treffen* behandelten Verb und bedeutete urspr. „[zu]treffend".

Trikot *m* oder *s* „maschinengestricktes Gewebe; enganliegendes, gewirktes, hemdartiges Kleidungsstück": Im 18. Jh. aus gleichbed. *frz.* tricot entlehnt, dessen etymolog. Zugehörigkeit unsicher ist.

Triller *m* „schnelle Wiederholung nebeneinanderliegender Töne": Das seit dem 17. Jh. bezeugte Substantiv ist aus gleichbed. *it.* trillo entlehnt, das selbst wohl lautnachahmenden Ursprungs ist. Davon abgeleitet: **trillern** (17. Jh.).

trinken: Das *gemeingerm.* Verb *mhd.* trinken, *ahd.* trinkan, *got.* drigkan, *engl.* to drink, *schwed.* dricka hat keine sicheren *außergerm.* Beziehungen. Um das Verb gruppieren sich die unter →Trank, →tränken, →Trunk und →trunken behandelten Wörter. Abl.: **Trinker** *m* „gewohnheitsmäßiger Trinker" (*mhd.* trinker, *ahd.* trinkari). Zus.: **Trinkgeld** „kleines Geldgeschenk für Dienstleistungen" (14. Jh.; urspr. zum Vertrinken bestimmt); **Trinkspruch** „kurze Rede auf jemandes Wohl oder zu Ehren eines festlichen Ereignisses, wozu [angestoßen und] getrunken wird" (17. Jh.). Präfixbildungen: **betrinken**, sich „zuviel Alkohol trinken" (*mhd.* betrinken „aus etwas trinken"; die jetzige Bedeutung seit dem 18. Jh.), dazu das adjektivisch gebrauchte 2. Partizip **betrunken** „stark berauscht"; **ertrinken** „im Wasser umkommen" (*mhd.* ertrinken, *ahd.* irtrinkan), dazu das Veranlassungswort **ertränken** (s. d. unter *tränken*).

Trio *s* „Musikstück für drei Instrumente", auch Bezeichnung für die drei ausführenden Musiker; daneben in allgemeiner Verwendung im Sinne von „Dreizahl [von Menschen]": Im Anfang des 18. Jh.s als musikal. Bezeichnung aus gleichbed. *it.* trio entlehnt, einer Substantivbildung zu *lat.*-*it.* tri- „drei-" (vgl. *tri*...).

trippeln „kleine, schnelle Schritte machen": Das seit dem 15. Jh. bezeugte, auf das *dt.* und *niederl.* Sprachgebiet beschränkte Verb ist lautnachahmenden Ursprungs wie trappen und trappeln (s. d.).

Tripper *m* „Gonorrhoe": Das seit dem 17. Jh. bezeugte Substantiv ist eine Bildung (mit verhochdeutschtem Anlaut) zu *niederd.* drippen „tropfen, in Tropfen fallen", das zu der unter →*triefen* behandelten Wortgruppe gehört. Das Wort bedeutet demnach eigtl. „Tropfer".

trist „traurig, trostlos; öde; langweilig": Das bereits in *mhd.* Zeit bezeugte Adj. (*mhd.* triste), das jedoch erst seit dem Ende des 18. Jh.s durch die Studentensprache allgemeinere Geltung erlangte, ist aus gleichbed. *frz.* (bzw. *afrz.*) triste entlehnt. Quelle des Wortes ist *lat.* trīstis „traurig; finster gestimmt".

Tritt *m*: Das auf das *dt.* und *niederl.* Sprachgebiet beschränkte Substantiv *mhd.* trit, *niederl.* tred ist eine Bildung zu dem unter →*treten* behandelten Verb. Der formelhafte Ausdruck 'Schritt und Tritt' (17. Jh.) kehrt in vielen Redensarten wieder und setzt 'Schritt' und 'Tritt' in der Bedeutung gleich. Zus.: **Trittbrett** „Brett am Wagen zum Auf- und Absteigen" (19. Jh.).

Triumph *m* „Siegesfreude, -jubel; Sieg, Erfolg; Genugtuung": Das seit dem 15. Jh. bezeugte FW, das aus *lat.* triumphus „feierlicher Einzug des siegreichen Feldherrn, Siegeszug; Sieg" entlehnt ist, hatte zu allen Zeiten einen beschränkten Geltungsbereich. Es ist bis heute einer gehobenen Sprachschicht vorbehalten. Das aus 'Triumph' hervorgegangene Wort →Trumpf hingegen, das eine für die Volkssprache charakteristische Vereinfachung in der Lautung zeigt, gehört mit seiner speziellen Bed. zum festen Sprachbesitz aller Volksschichten. – Dazu: **triumphieren** „als Sieger einziehen; in Siegesjubel ausbrechen, frohlocken; Erfolg haben über jmdn." (15. Jh.; aus entspr. *lat.* triumphāre); **triumphal** „sieghaft, herrlich" (19. Jh.; für älteres 'triumphalisch'; aus entspr. *lat.* triumphālis).

trivial „platt, abgedroschen, alltäglich, niedrig": Im 17./18. Jh. aus gleichbed. *frz.* trivial entlehnt, das seinerseits auf *lat.* triviālis „zum Dreiweg gehörig; jedermann zugänglich, allbekannt, gewöhnlich" beruht. Das zugrunde liegende Subst. *lat.* trivium „Ort, wo drei Wege zusammenstoßen, Wegkreuzung; (übertr.:) öffentlicher Weg" gehört als Zus. zu *lat.* tri- „drei-" (vgl. *tri*...) und *lat.* via „Weg, Straße".

trocken: Die auf das *dt.* Sprachgebiet beschränkte Adjektivbildung (*mhd.* trucken, *ahd.* truckan) ist im *germ.* Sprachbereich verwandt mit dem andersgebildeten *niederl.* droog „trocken" und mit *engl.* dry „trocken". Die weiteren *außergerm.* Entsprechungen dieser Sippe sind unsicher. In der Ableitung **trocknen** sind zwei urspr. verschiedene Verben zusammengefallen, nämlich intr. *mhd.*

truckenen, *ahd.* truckanēn „trocken werden"
und trans. *mhd.* trücke[ne]n, *ahd.* trucknen
„trocken machen" (Bewirkungswort zu
'trocken'). Beachte dazu auch austrocknen
(16. Jh.) und vertrocknen (*mhd.* vertrucke-
nen). Im heutigen Sprachgebrauch ist 'trok-
ken' vor allem Gegenwort zu 'naß', wird aber
auch vielfach übertragen verwendet, beachte
z. B. trocken Brot, trockener Humor, trok-
kener Husten. Zus.: Trockenbeere „an der
Rebe eingetrocknete Beere" (19. Jh.). Siehe
auch den Artikel →Droge.
Troddel *w* „Quaste, Fransenbündel": Das
seit dem 15. Jh. bezeugte Wort beruht auf
einer Bildung zu dem in *mhd.* Zeit untergegangenen Substantiv *ahd.* trādo „Franse,
Quaste".
Trödel *m* „Kleinhändel, Altwaren": Die
Herkunft des seit dem 15. Jh. bezeugten
Wortes für „Kleinhandel; Kleinkram, Altwaren" ist dunkel. Abl.: ¹trödeln „mit altem Kram handeln" (16. Jh.), dazu Trödler
m „Altwarenhändler" (15. Jh.). Unklar ist
das Verhältnis zu dem seit dem 16. Jh. bezeugten Verb ²trödeln „unentschlossen
sein, zaudern, zögern".
Trog *m*: Das *altgerm.* Substantiv *mhd.* troc,
ahd. trog, *niederl.* troch, *engl.* trough, *schwed.*
tråg gehört im Sinne von „hölzernes Gefäß,
[ausgehöhlter] Baumstamm" zu dem unter
→Teer behandelten *idg.* Wort für „Baum,
Eiche". Die Zus. mit dem Wort weisen auf
den jeweiligen Verwendungszweck hin, beachte z. B. Backtrog, Futtertrog und
Waschtrog.
Troll *m* „Kobold, Dämon": Das im 17. Jh.
aus dem *Nord.* (vgl. gleichbed. *schwed.* troll)
entlehnte Substantiv hat sich mit einem heimischen Wort älter *nhd.* Troll (*mhd.* troll
„grober, ungeschlachter Kerl" vermischt,
das wohl zu dem unter → trollen behandelten
Verb zu stellen ist.
trollen, sich (*ugs.* für:) „fortgehen, sich entfernen": Die Herkunft des seit *mhd.* Zeit bezeugten Verbs (*mhd.* trollen), das wahrscheinlich mit *engl.* to troll „umhergehen,
hin und her gehen, rollen" verwandt ist, ist
nicht geklärt. Vielleicht gehört es zu der
unter →zittern behandelten *idg.* Wortgruppe.
Trommel *w*: Die *nhd.* Form geht zurück auf
gleichbed. *mhd.* trumel, das von dem lautnachahmenden *mhd.* trum[m]e „Schlagin-
strument" abgeleitet ist. Zus.: Trommel-
fell „über die Trommel gespanntes Fell"
(17. Jh.), „Häutchen, das den Gehörgang des
Ohres abschließt" (18. Jh.). Abl.: trommeln
(15. Jh.), dazu Trommler *m* (18. Jh.;
für älteres Trommelschläger [17. Jh.]) und
die Zus. Trommelfeuer „anhaltendes,
starkes Artilleriefeuer" (seit dem 1. Weltkrieg).
Trompete *w*: Der Name des Blasinstrumentes (*mhd.* trum[p]et) ist aus gleichbed. *frz.*

trompette entlehnt, einer Weiterbildung von
(*a*)*frz.* trompe „Trompete". Das Wort ist sehr
wahrscheinlich *germ.* Ursprungs (vgl. *ahd.*
trumba, *ahd.* trumbe „Posaune, Trompete").
Abl.: trompeten „Trompete blasen; (*ugs.*
für:) laute Töne von sich geben; sich laut die
Nase schneuzen" (15. Jh.); Trompeter *m*
(Anfang 15. Jh.).
Tropen *Mehrz.*: Die seit dem Beginn des
19. Jh.s bezeugte geographische Bezeichnung
für die heißen Zonen zwischen den Wendekreisen ist eine zuerst im *Engl.* vorkommende
(beachte *engl.* [veraltet:] trope „Wende der
Sonne am Sonnenwendkreis") gelehrte Entlehnung von *gr.* tropé (bzw. von der *Mehrz.*
tropaí) „Wende" (hier im Sinne von „Sonnenwende"). Zu *gr.* trépein „wenden". – Abl.
tropisch „die Tropen betreffend; südlich,
heiß" (18. Jh.; von gleichbed. *engl.* tropic).
Tropf *m* „einfältiger Mensch": Das seit dem
15. Jh. gebräuchliche Substantiv gehört zu
der unter →triefen behandelten Wortgruppe.
Diese Bezeichnung eines einfältigen Menschen geht von der Vorstellung „nichtig, unbedeutend wie ein Tropfen" aus.
Tropfen *m*: Das *altgerm.* Wort *mhd.* tropfe,
ahd. tropfo, *niederl.* drop, *engl.* drop (s. Drops),
schwed. droppe ist eine Bildung zu dem unter
→triefen behandelten Verb. Das Sprichwort
'Steter Tropfen höhlt den Stein' ist eine Übertragung von *lat.* gutta cavat lapidem. Abl.:
tropfen (*mhd.* tropfen, *ahd.* tropfōn), dazu
die Weiterbildung tröpfeln (15. Jh.) und
die Zus. Tropfstein „durch Kalkabsonde-
rung aus tropfendem Wasser entstandener
Stein, bes. in Höhlen" (18. Jh.).
Trophäe *w* „Siegeszeichen; Jagdbeute": Das
seit dem Anfang des 17. Jh.s bezeugte FW
geht auf gleichbed. *lat.* tropaeum (*spätlat.* tro-
phaeum) zurück. Eine Mittlerrolle mag entspr. *frz.* trophée gespielt haben. Quelle des
lat. Wortes ist *gr.* trópaion „Siegeszeichen",
das zu *gr.* trépein „wenden; sich umwenden,
die Flucht ergreifen" oder unmittelbar zu
gr. tropé „Wendung; Flucht" gehört und
urspr. wohl im Sinne von „Fluchtdenkmal"
(d. h.: Denkmal, das an der Stelle, wo die
Feinde geschlagen wurden und die „Flucht
ergriffen", errichtet wurde) zu verstehen
ist.
Trost *m*: Das *altgerm.* Substantiv *mhd.*, *ahd.*
trōst, *niederl.* troost, *schwed.* tröst gehört mit
dem andersgebildeten *got.* trausti „Vertrag,
Bündnis" zu der unter →treu dargestellten
idg. Wortgruppe. Das Wort bedeutete demnach eigtl. „[innere] Festigkeit", vgl. *aisl.*
traustr „stark, fest". Abl.: trösten (*mhd.*
trœsten, *ahd.* trōsten) „Trost
spenden" (*mhd.* trœsten, *ahd.* trōsten), dazu
die Abl. Tröster *m* (*mhd.* trœster „Heiliger
Geist") und die Präfixbildung vertrösten
„durch das Erwecken von Hoffnung hinhalten" (*mhd.* vertrœsten, *ahd.* fertrōsten
„Bürgschaft leisten"); tröstlich „Trost ge-
während" (*mhd.* trœstelich). Zus.: trostlos

Trott

„ohne Trost" (*mhd.* trōst[e]lōs, *ahd.* drōstolōs). Siehe auch den Artikel Trust.

Trott *m* „Trab": Das seit dem 16. Jh. bezeugte Substantiv stammt wahrscheinlich aus dem *Roman.*, vgl. *ital.* trotto „Trab" und *frz.* trot „Trab", die zu *it.* trottare „traben" und *frz.* trotter „traben" gehören. Die *roman.* Wörter können ihrerseits zu der *germ.* Wortgruppe von →treten gehören. Abl.: trotten „traben; schwankend laufen" (16. Jh.), dazu die Weiterbildung trotteln (16. Jh.). Siehe auch die Artikel Trottoir und Trottel.

Trottel *m* „Schwachsinniger, Dummkopf": Das im 19. Jh. aus dem *Oberd.* in die Schriftsprache gelangte Wort gehört wahrscheinlich im Sinne von „Mensch mit täppischem Gang" zu den unter →*Trott* behandelten Verben trotten, trotteln (beachte das Verhältnis von 'Trampel' zu 'trampeln').

Trottoir *s* „Bürgersteig, Gehsteig": Am Ende des 18. Jh.s aus gleichbed. *frz.* trottoir übernommen. Das *frz.* Wort ist eine Substantivbildung zu *frz.* trotter „traben, trippeln", das seinerseits wohl *germ.* Ursprungs ist (vgl. *Trott*).

Trotz *m* „Widersetzlichkeit, Unfügsamkeit, Widerspruchsgeist": Das nur *dt.* Wort (*mhd.* traz, *oberd.* truz, *mitteld.* trotz) ist dunkeln Ursprungs. Während 'Tratz' zu Beginn des 17. Jh.s ausstarb, sind 'Trotz' und 'Trutz', allerdings in der Bedeutung differenziert, heute noch gebräuchlich, 'Trutz' allerdings nur noch in bestimmten Verbindungen wie 'zu Schutz und Trutz' und 'Schutz-und-Trutz-Bündnis'. Aus formelhaften Wendungen wie 'Trotz sei...', 'zu[m] Trotz' entwickelte sich seit dem 16. Jh. die Verwendung von 'Trotz' als Präposition, der Entstehung gemäß urspr. mit dem Dativ, dann mit Genitiv (18. Jh.), beachte aber trotzdem (19. Jh.; als unterordnende Konjunktion entstanden aus '..., trotz dem, daß...') und trotz allem. Abl.: trotzen „Trotz bieten" (*mhd.* tratzen, trutzen); trotzig (*mhd.* tratzic, *mitteld.* trotzic). Zus.: Trotzkopf „trotziger Mensch" (17. Jh.).

trüb[e]: Das auf das *dt.* und *niederl.* Sprachgebiet beschränkte Adjektiv (*mhd.* trüebe, *ahd.* truobi, *niederl.* droef; beachte das andersgebildete *aengl.* drōf) ist wahrscheinlich eine Rückbildung aus dem *altgerm.* Verb trüben (*mhd.* trüeben „trüb machen, betrüben", *ahd.* truoben „verwirren, in Unruhe bringen", *got.* drōbjan „irremachen, aufwiegeln", *mniederl.* droeven „trüb sein", *aengl.* drēfan „Unruhe machen"). Das Adjektiv bedeutete demnach urspr. „aufgerührt, aufgewühlt". Das *altgerm.* Verb ist mit verwandten Wörtern in anderen *idg.* Sprachen zu der *idg.* Wz. *dher[ə]- „trüber Bodensatz einer Flüssigkeit, Schmutz", vgl. z. B. *russ.* dróžži „Hefe" und *lit.* dérgti „beschmutzen". Es bedeutete eigtl. „den Bodensatz aufrühren". Zu dieser Wurzel gehören auch die unter

→Treber und →Trester behandelten Wörter. Zus. mit 'trüb': Trübsinn „krankhafte Schwermut" (18. Jh.; entweder aus 'trübsinnig' rückgebildet oder in Analogie zu älteren Bildungen mit 'Sinn'); trübsinnig (18. Jh.).– Abl. von 'trüben': Trübsal *w* „Leiden, Kummer" (*mhd.* trüebesal, *ahd.* truobisal; die Wendung 'Trübsal blasen' „trüben Gedanken nachhängen" bezieht sich wohl auf die Blasmusik bei einem Trauerfall), dazu trübselig (16. Jh.; älter bezeugt ist die Abl. Trübseligkeit *w*, 15. Jh.). Präfixbildung zu 'trüben': betrüben „Kummer bereiten" (*mhd.* betrüeben auch „verdunkeln, trübe machen"), dazu das adjektivisch gebrauchte 2. Partizip betrübt und das Adjektiv betrüblich (16. Jh.).

Trubel *m* „lärmendes Treiben; wirres Durcheinander": Im 17. Jh. aus *frz.* trouble „Verwirrung; Unruhe" entlehnt. Dies gehört als postverbales Subst. zu *frz.* troubler „trüben; verwirren, beunruhigen", das seinerseits auf *vlat.* *turbulāre (für *lat.* turbidāre „trüben") beruht. Zugrunde liegt *lat.* turba „Verwirrung; Lärm, Schar, Haufe" bzw. das davon abgeleitete Adj. *lat.* turbidus „verwirrt, unruhig". Über weitere etymolog. Zusammenhänge vgl. turbulent.

Trüffel *w*: Der seit dem 18. Jh. bezeugte Name des zu den Schlauchpilzen gehörenden eßbaren Erdschwamms ist aus einer Nebenform truffle von gleichbed. *frz.* truffe entlehnt. Das *frz.* Wort selbst ist durch *it.* oder *aprovenz.* Vermittlung aus *vlat.* tūfera aufgenommen, das auf einer *italischen* Dialektform (*oskisch-umbrisch*) *tūfer von *klass.*-*lat.* tūber „Höcker, Beule, Geschwulst; Wurzelknollen; Erdschwamm, Trüffel" beruht. Die Trüffel ist also nach ihrem unterirdischen, knollenartigen (kartoffelförmigen) Fruchtkörper benannt. – Siehe auch den Artikel Kartoffel.

trügen „irreführen, täuschen": Das auf das *dt.* und *niederl.* Sprachgebiet beschränkte Verb (*mhd.* triegen, *ahd.* triugan, *mniederl.* driegen) ist im *germ.* Sprachbereich eng verwandt mit *aisl.* draugr „Gespenst" und weiterhin mit dem unter →Traum (eigtl. etwa „Trugbild") behandelten Substantiv. Außergerm. sind z. B. verwandt *aind.* drúhyati „sucht zu schaden, tut zuleide", *awest.* druj- „Lüge, Trug" und *mir.* aur-ddrach „Gespenst". Zum Verb gebildet ist das Substantiv Trug *m* (16. Jh.; zu älteres *mhd.* trüge, *ahd.* trugī; heute nur noch in der Fügung 'Lug und Trug'), dazu die Zus. Trugbild (*mhd.* trugebilde „Teufelsbild, Gespenst", *ahd.* trugebilde „täuschendes Bild", im 18. Jh. wohl neugebildet als Ersatz für 'Phantom') und Trugschluß „irreführender Schluß" (18. Jh.). Von dem heute veralteten Substantiv Trüger *m* ist das Adjektiv trügerisch (16. Jh.) abgeleitet. Präfixbildung zu 'trügen': betrügen (*mhd.* betriegen, *ahd.* bitriogan), dazu Betrug *m* (16. Jh.; für *mhd.* betroc). Das ü in 'trügen' und 'betrügen' hat sich erst im 19. Jh. völlig durchgesetzt (zuvor [be]triegen).

Trümmer *Mehrz.* ,,[Bruch]stücke": Das Wort ist die Mehrzahlform (seit dem 15. Jh.) zu dem heute nur noch *ugs.* und *mdal.* gebräuchlichen Trumm *s* ,,Ende, Stück; Fetzen" (*mhd., ahd.* drum ,,Endstück, Splitter", entspr. *niederl.* drom ,,Menge, Haufen", *engl.* thrum ,,Stück, Ende, Saum", *schwed. mdal.* trum ,,Klotz, Strunk"). Die weitere Herkunft dieses *altgerm.* Wortes ist unbekannt. Die *nhd.* Form mit t- ist seit dem 15. Jh. bezeugt.

Trumpf *m*: Das seit dem 16. Jh. bezeugte Substantiv, das aus dem FW → *Triumph* durch (in der Volkssprache vollzogene) Lautvereinfachung hervorgegangen ist, gilt von Anfang an vorwiegend als Fachwort des Kartenspielers. Es bezeichnet dabei eine der [wahlweise] höchsten Karten eines Spiels, mit denen Karten anderer Farbe gestochen werden können. Diese spezielle Bed. hat das Wort von dem unserem FW Triumph entsprechenden *frz.* Wort triomphe übernommen. Gelegentlich wird 'Trumpf' aber auch in einem übertragenen Sinne gebraucht, ohne daß dabei jedoch der unmittelbare Bezug zum Kartenspiel verlorengeht. Beachte z. B. Wendungen wie 'seine Trümpfe gegen jmdn. ausspielen'. Noch deutlicher wird dieser bildliche Gebrauch an den Zuss. auftrumpfen ,,sich stark machen, nachdrücklich seinen Standpunkt vertreten" (18. Jh.; im eigtl. Sinne bereits für das 16. Jh. bezeugt) und übertrumpfen ,,eine mit Trumpf gestochene Karte überstechen; jmdn. überbieten, ausstechen" (19. Jh.). Beide Zus. gehören zu dem von 'Trumpf' abgeleiteten einfachen Verb trumpfen ,,Trumpf ausspielen, mit Trumpf stechen" (16. Jh.).

Trunk *m* ,,das Trinken; gewohnheitsmäßiger Genuß von Alkohol": Das *altgerm.* Substantiv *mhd.* trunc, *ahd.* trunk, *niederl.* dronk, *engl.* drink (beachte das FW Drink ,,alkohol. Mischgetränk"), *schwed.* dryck ist eine Bildung zu dem unter → *trinken* behandelten Verb. Zus.: trunksüchtig ,,dem Trunk ergeben" (17. Jh.), davon rückgebildet Trunksucht (19. Jh.); Umtrunk ,,Rundtrunk" (17. Jh.).

trunken ,,stark berauscht" (auch übertr.): Das *gemeingerm.* Wort *mhd.* trunken, *ahd.* trunchan, trunkan, *got.* drugkans, *engl.* drunk[en], *aisl.* drukkenn ist ein altes Partizipialadjektiv zu dem unter → *trinken* behandelten Verb. Abl.: Trunkenheit *w* ,,Rausch" (*mhd.* trunkenheit, *ahd.* drunkanheit); Trunkenbold *m* ,,Trinker, Säufer" (*mhd.* trunkenbolt, zum zweiten Bestandteil s. *bald*).

Trupp *m* ,,Zug, Schar, Haufen, Gruppe (militär. und allg.)": Im 17. Jh. aus gleichbed. *frz.* troupe *w* entlehnt. Aus dem gleichen *frz.* Wort, jedoch unabhängig von 'Trupp' entlehnt, stammt das FW **Truppe** *w* ,,[größerer] militär. Verband, Heeresabteilung, das Landheer im Kampfeinsatz" (17. Jh.), in dem das feminine Geschlecht von *frz.* troupe bewahrt ist. Die Herkunft des *frz.* Wortes ist nicht gesichert.

Trust *m* ,,Zusammenschluß von wirtschaftlichen Unternehmungen zum Zwecke der Monopolisierung, wobei die einzelnen Unternehmen ihre rechtl. wirtschaftl. Selbständigkeit aufgeben": Im ausgehenden 19. Jh. aus gleichbed. *engl.-amerik.* trust entlehnt, das als Kurzbezeichnung für 'trust-company' (wörtl. etwa ,,Treuhandgesellschaft") steht. Zugrunde liegt *engl.* trust ,,Vertrauen; Treuhand usw.", das seinerseits aus dem mit *dt.* → *Trost* verwandten Subst. *aisl.* traust ,,Zuversicht" stammt.

Truthahn *m*: Die seit dem 17. Jh. bezeugte Bezeichnung für den Puter, der im 16. Jh. aus Amerika eingeführt wurde, enthält als ersten Bestandteil den Ruf 'trut', mit dem man den Vogel anlockte, vgl. den Lockruf 'put', zu dem → *Pute* gebildet ist.

Tube *w* ,,röhrenförmiger, biegbarer Behälter (für Farben, Salben u. a.)": Im 19. Jh. aus gleichbed. *engl.* tube entlehnt, das seinerseits über *frz.* tube auf *lat.* tubus ,,Röhre" zurückgeht.

Tuberkel *m* (*östr.* auch *w*) ,,knötchenförmige, umschriebene Zellwucherung im Organismus, hervorgerufen durch Bazillen": Gelehrte Entlehnung des 19. Jh.s aus *lat.* tüberculum ,,kleiner Höcker, kleine Geschwulst", einer Verkleinerungsbildung zu *lat.* tüber ,,Höcker, Beule, Geschwulst". – Dazu das Adj. tuberkulös ,,mit Tuberkeln durchsetzt; an Tuberkulose leidend, schwindsüchtig" (19. Jh.; nach entspr. *frz.* tuberculeux) und die Krankheitsbezeichnung Tuberkulose *w* ,,durch Tuberkelbazillen hervorgerufene chronische Infektionskrankheit" (19. Jh.; *nlat.* Bildung).

Tuch *s*: Das auf das *dt.* und *niederl.* Sprachgebiet beschränkte Wort (*mhd., ahd.* tuoch, *niederl.* doek) ist dunklen Ursprungs. Die im *Dt.* üblichen verschiedenen Mehrzahlformen 'Tuche', ,,Tucharten" und 'Tücher' ,,Tuchstücke (für einen bestimmten Zweck)" sind erst im 19. Jh. bedeutungsmäßig streng geschieden worden.

tüchtig ,,fähig, wertvoll; viel": Das Adjektiv *mhd.* tühtic ist eine Bildung zu dem im *Nhd.* untergegangenen Substantiv *mhd., ahd.* tuht ,,Tüchtigkeit, Tapferkeit, Gewalt", das zu der unter → *taugen* behandelten Wortgruppe gehört. *Dt.* tüchtig entsprechen *niederl.* duchtig ,,tüchtig; gehörig" und *engl.* dicht. doughty ,,tapfer, tüchtig". Abl.: Tüchtigkeit *w* (*mhd.* tühteheit). Für die vereinzelt auftretende verbale Abl. tüchtigen wird heute ertüchtigen (19. Jh.) gebraucht.

Tücke *w*: *Mhd.* tücke, tucke „Handlungsweise, Benehmen, Tun, Gewohnheit; Arglist, Tücke" ist entweder eine Femininbildung zu *mhd.* tuc „Schlag, Stoß, Streich; schnelle Bewegung, Gebärde; Handlungsweise, Benehmen, Tun, Gewohnheit; listiger Streich, Kunstgriff, Arglist" oder hat sich aus der Mehrzahl dieses Wortes gebildet. Seine heutige abschätzige Bedeutung erhielt das Substantiv durch die Zusammenstellung mit abwertenden Adjektiven. Abl.: tükkisch „boshaft" (15. Jh.; Ableitung von *mhd.* tuc, s. o.). Zus.: Heimtücke „hinterlistige Bosheit" (18. Jh.).

tüfteln „schwierige, kleinliche Arbeit leisten; grübeln": Das erst seit dem 18. Jh. bezeugte Verb ist dunkler Herkunft. Abl.: Tüftelei *w* „Arbeit, die besondere Geschicklichkeit erfordert, schwierige Überlegung" (19. Jh.); Tüft[e]ler *m* „Kleinigkeitskrämer, Pedant" (18. Jh.); tüft[e]lig „kleinlich, übergenau bei der Arbeit" (19. Jh.). Beachte auch die Zus. austüfteln „herausfinden" (19. Jh.), herumtüfteln „an einer Sache langwierig arbeiten" (20. Jh.).

Tugend *w*: Das *westgerm.* Substantiv *mhd.* tugent, *ahd.* tugund, *niederl.* deugd, *aengl.* dugud gehört mit den andersgebildeten *schwed.* dygd zu dem unter →*taugen* behandelten Verb und bedeutete urspr. „Tauglichkeit, Kraft, Vortrefflichkeit". Unter dem Einfluß der Anschauungen des Christentums bekam das Wort einen sittlichen Sinn (als Gegensatz zu Laster). Abl.: tugendhaft „ehrbar, keusch" (*mhd.* tugenthaft „tüchtig, gewaltig, mächtig; edel, fein gesittet"; die heutige Bedeutung seit dem 16. Jh.); Tugendbold *m* „ein mit seiner Anständigkeit prahlender Mensch" (19. Jh.; zum zweiten Bestandteil vgl. *bald*).

Tüll *m* „netzartiges Gewebe": Im 19. Jh. aus gleichbed. *frz.* tulle entlehnt. Die Bezeichnung beruht auf dem Namen der franz. Stadt Tulle, in der solches Gewebe zuerst hergestellt wurde.

Tulpe *w*: Der Name der im 16. Jh. aus dem Vorderen Orient nach Europa eingeführten Blume erreicht uns zuerst in Reiseberichten des 16. Jh.s als 'Tulipa[n]'. Durch *niederl.* Vermittlung erscheint im 17. Jh. die Form 'Tulpe', die später allgemein üblich wurde. Das aus dem *Türk.* aufgenommene Lehnwort ist in fast allen europäischen Sprachen vertreten, vgl. z. B. entspr. *it.* tulipano, *frz.* tulipe (älter: tulipan), *span.* tulipán, *port.* tulipa, *engl.* tulip, *niederl.* tulp[e], *schwed.* tulpan u. a. Diese alle gehen letztlich auf *pers.-osmanisch* tülbant, tülbent „Turban" zurück. Die Pflanze ist also (von Europäern!) nach ihrem turbanförmigen Blütenkelch benannt worden.

...tum: Das *altgerm.* Suffix *mhd.*, *ahd.* -tuom, *niederl.* -dom, *engl.* -dom, *schwed.* -dom war urspr. ein selbständiges Wort, das erst im *Nhd.* unterging: *mhd.*, *ahd.* tuom „Macht; Würde, Besitz; Urteil", *got.* dōms „Urteil, Ruhm", *aengl.* dōm „Urteil, Gesetz", *schwed.* dom „Urteil". Dieses *gemeingerm.* Wort gehört zu der unter →*tun* dargestellten *idg.* Wurzel. – Beachte z. B. die Bildungen Altertum (s. alt), Königtum (s. König), Irrtum (s. irre), Eigentum (s. eigen).

tummeln „lebhaft bewegen; ausreiten": Das auf das *dt.* Sprachgebiet beschränkte Verb *mhd.*, *ahd.* tumelen gehört zu dem unter →*taumeln* behandelten Wort. Zus.: Tummelplatz „Vergnügungsplatz" (16. Jh.; zuerst als „Reitbahn", dann als „Kampfplatz", seit dem 17. Jh. auch übertr.). Siehe auch den Artikel →Getümmel.

Tümpel *m* „Wasserlache, Pfütze": Die heute gemeinsprachliche, urspr. *mitteld.* Form Tümpel, die sich erst im 19. Jh. in der Schriftsprache allgemein durchgesetzt hat, entspricht älterem *hochd.* Tümpfel (*mhd.* tümpfel, *ahd.* tumphilo). Die auf das *dt.* Sprachgebiet beschränkte Substantivbildung gehört im Sinne von „Vertiefung" zur Wortgruppe von →*tief* und ist z. B. verwandt mit *engl.* dump „tiefes, mit Wasser gefülltes Loch", *engl.* dimple „Wangengrübchen" und *norw.* dump „Vertiefung in der Erde", *außergerm.* z. B. mit *lit.* dumburỹs „Einsenkung, Grube, Wasserloch".

Tumult *m* „Lärm, Unruhe; Auflauf, Aufruhr": Das seit dem 16. Jh. verzeichnete FW ist aus gleichbed. *lat.* tumultus entlehnt. Dies ist mit *lat.* tumēre „geschwollen sein" verwandt.

tun: Das *westgerm.* Verb *mhd.*, *ahd.* tuon, *niederl.* doen, *engl.* to do gehört mit verwandten Wörtern in andern *idg.* Sprachen zu der vielfach weitergebildeten *idg.* Wz. *dhē- „setzen, legen, stellen", vgl. z. B. *aind.* dádhāti „setzt, stellt, legt", *gr.* tithénai „setzen, stellen, legen", *gr.* théma „hinterlegtes Geld, aufgestellte Behauptung, Satz" (s. Thema), *gr.* thésis „Satzung, Satz, Ordnung" (s. These), *gr.* thēkē „Kiste, Behältnis" (s. Theke), *lat.* addere „hinzufügen" (s. addieren), *lat.* facere „tun, machen" (s. die FW-Gruppe um Fazit). Aus dem *germ.* Sprachbereich gehören ferner zu dieser Wurzel die unter → Tat und →...tum behandelten Wörter (s. auch Ungetüm). – Abl.: tunlich „zu tun, zum Tun geeignet, möglich" (16. Jh.). Präfixbildungen und Zusammensetzungen: abtun „erledigen" (*mhd.* abetuon „eine Sache aufgeben"); antun „anlegen; zufügen" (*mhd.* reflexiv für „sich ankleiden", *ahd.* anatuon „auferlegen, zufügen"); zu einem heute veralteten Verb betun, sich „sich geschäftig zeigen" stellt sich das Adjektiv betulich „in umständlicher Weise freundlich und geschäftig" (18. Jh.); umtun „umlegen"; refl. für „sich umsehen, bemühen" (16. Jh.); vertun „vergeuden" (*mhd.* vertuon, *ahd.* fertuon); zutun „hinzufügen" (mhd., ahd. zuotuon), dazu der substantivierte Infinitiv Zutun s „Beihilfe" (seit dem 14. Jh.) und das Substantiv Zutat (im 16. Jh. „zweckvolles Tun"; in der Bed. „das Hinzugetane" heute meist in der Mehrz. Zutaten (18. Jh.). Siehe auch den Artikel Witwe.

tünchen: Das schwache Zeitwort mhd. tünchen, ahd. '(mit kalke) tunihhōn' „mit Kalk bekleiden, verputzen" bedeutete eigtl. etwa „bekleiden, verkleiden" und ist eine Ableitung von ahd. tunihha „Gewand, Kleid", das seinerseits LW ist aus lat. tunica „Untergewand; Haut, Hülle" (über weitere etymologische Zusammenhänge vgl. den Artikel Kattun). – Dazu die Substantive Tünche w „Kalkputz, weißer Überzug, Anstrich; (übertr:) Schminke; oberflächlicher Putz; beschönigender, verhüllender Aufputz; Schein" (frühnhd. tünche, mhd. tuniche, ahd. tunicha „[Kalk]verputz, weißer Überzug, Anstrich"; aus dem Zeitwort rückgebildet) und Tüncher m „Weißbinder, Verputzer" (frühnhd.) als Berufsbezeichnung.

tunken: Das auf das dt. Sprachgebiet beschränkte Verb mhd. tunken, ahd. thunkōn gehört mit verwandten Wörtern in andern idg. Sprachen zu der idg. Wz. *teng- „benetzen, anfeuchten", vgl. z. B. lat. tingere, tinctum „benetzen, anfeuchten; färben" (s. Tinte), lat. tinctūra „Färben" (beachte das FW Tinktur w „farbiger [Arznei]auszug"), gr. téggein „benetzen, befeuchten". Abl.: Tunke w „Soße" (17. Jh.).

Tunnel m „Unterführung; unterirdische Straße": Im 19. Jh. aus engl. tunnel „unterirdischer Gang, Stollen; Tunnel" entlehnt, das seinerseits aus afrz. tonnel (= frz. tonnelle) „Tonnengewölbe; Faß" stammt, einer kollektiven Femininbildung zu frz. tonneau „Faß, Tonne" (vgl. den Artikel Tonne).

Tüpfel m „Punkt, runder Fleck": Das seit dem 15. Jh. bezeugte Wort ist eine Verkleinerungsbildung zu dem noch im Oberd. gebräuchlichen Tupf m „Punkt, Fleck" (mhd. topfe, ahd. topho). Dieses Substantiv gehört im Sinne von „[leichter] Stoß, Schlag" zu der unter →stoßen dargestellten idg. Wz. *[s]teu- „stoßen, schlagen". Es hat sein u im Nhd. durch Anlehnung an das unverwandte 'tupfen' erhalten. Die Verkleinerungsbildung Tüpfelchen s „kleiner Punkt" ist besonders in der Redewendung 'das Tüpfelchen auf dem i' gebräuchlich.

tupfen „benetzen, sprenkeln; leicht stoßen": Das westgerm. Verb ahd. tupfen, niederl. dippen, engl. to dip gehört mit der nord. Sippe von schwed. doppa „[ein]tauchen, tunken" zu der unter →tief behandelten Wortgruppe und bedeutet demnach eigtl. „tief machen, eintauchen". In der Bedeutung wurde 'tupfen' schon früh von 'stup-

fen' „[an]stoßen" beeinflußt, so daß die beiden Wörter in ihrer Bedeutung nicht mehr streng geschieden werden können. Beachte die Präfixbildung betupfen „leicht anrühren" (18. Jh.). Abl.: Tupfer m „leichte Berührung; kleiner Mull- oder Wattebausch zum Abtupfen von Flüssigkeiten" (17. Jh.). Siehe auch den Artikel ²tippen.

Tür w: Das altgerm. Substantiv mhd. tür, ahd. turi, niederl. deur, aengl. (u-Stamm) duru, schwed. dörr beruht mit verwandten Wörtern in anderen idg. Sprachen auf idg. *dhu̯ĕr-, *dhu̯r- „Tür", vgl. z. B. gr. thýrā „Tür, Torflügel" und lit. dùrys „Tür, Pforte". Mit 'Tür' eng verwandt ist im germ. Sprachbereich das unter →¹Tor behandelte Wort. Zus.: Türangel „Drehzapfen, an dem die Tür hängt" (15. Jh.).

Turbine w „Kraftmaschine, die Strömungsenergie mit Hilfe eines Schaufelrades unmittelbar in Drehenergie umsetzt": Das im 19. Jh. aus dem Frz. übernommene technische Neuwort (frz. turbine) resultiert aus einer gelehrten Entlehnung aus lat. turbō, turbinis „Wirbel; Sturm; Kreisel". Das lat. Wort ist mit lat. turba „Verwirrung; Lärm; Gedränge" verwandt (vgl. turbulent).

turbulent „stürmisch, lärmend": Im 17. Jh. entlehnt und eingedeutscht aus lat. turbulentus „unruhig, bewegt, stürmisch usw.". Stammwort ist lat. turba „Verwirrung; Lärm; Gedränge; Schar, Haufe", das zusammen mit lat. turbō (turbinis) „Wirbel; Sturm; Kreisel" (s. Turbine) zu der unter →Quirl genannten idg. Wortfamilie gehört. Beachte auch das LW →Trubel.

Türkis m: Der Name des blauen bis blaugrünen Edelsteins erscheint in dt. Texten seit mhd. Zeit (mhd. turkīs, turkoys). Er ist aus frz. turquoise entlehnt, dem substantivierten Femininum des afrz. Adjektivs turquois „türkisch" und bedeutet demnach eigtl. „türkischer (Edelstein)". Vermutlich fand man die ersten Türkise in der Türkei und benannte sie dementsprechend. Der gleiche Name ist auch in anderen europ. Sprachen üblich, beachte z. B. entspr. it. turchina, span. turquesa, niederl. turkoois und engl. turquoise.

Turm m: Das Substantiv mhd. turn, jünger: turm, spätahd. torn ist durch Vermittlung von afrz. *torn, *torn „Turm" (das man wegen der vorhandenen Verkleinerungsbildung frz. tournelle „Türmchen" voraussetzen muß) aus dem Akkusativ turrem von lat. turris „Turm" entlehnt. Auf einer älteren Entlehnung unmittelbar aus dem Lat. beruhen demgegenüber die nicht wirksam gewordenen Formen ahd. turri, turra. – Abl.: ¹türmen „turmähnlich aufbauen" (mhd. turmen, türnen; jünger: turmen „mit einem Turm versehen"), dafür heute das zusammengesetzte Verb auftürmen (auch reflexiv gebraucht). – Damit nicht verwandt ist das in der Umgangssprache weit verbreitete, aus der Gaunersprache stammende Zeitwort ²**türmen** ,,weglaufen, ausreißen, abhauen'' (20. Jh.; aus *nhebr.* thārám ,,entfernen'').

turnen: Das im Anfang des 19. Jh.s von Fr. L. Jahn als angeblich urdeutsches Wort in die Sportsprache eingeführte Zeitwort ist eine Bildung zu dem in *ahd.* turnēn ,,drehen, wenden'' und auch in *frühnhd.* Turner *m* ,,junger Soldat; muntrer Geselle'' vorliegenden Wortstamm. In Wirklichkeit handelt es sich bei diesen Wörtern um Lehnwörter. *Ahd.* turnēn ist entlehnt aus *lat.* tornāre ,,mit dem Dreheisen runden, drechseln'' (vgl. *Turnus*). – Abl.: T u r n e r *m* ,,wer turnt'' (19. Jh.).

Turnier *s* ,,sportlicher Wettkampf'': Das seit *mhd.* Zeit bezeugte Substantiv, *mhd.* turnier, turnīr ,,ritterliches Waffenspiel, Kampfspiel, Wettkampf'', ist eine Bildung zu *mhd.* turnieren ,,die Rosse tummeln; am ritterlichen Kampfspiel teilnehmen''. Letzteres ist entlehnt aus *afrz.* torn[e]ier, tourn[o]ier ,,Drehungen, Bewegungen machen; die Rosse wenden, tummeln; am ritterlichen Kampfspiel teilnehmen'', das von *afrz.* torn ,,Dreheisen; Drehung, Wendung'' (< *lat.* tornus ,,Dreheisen'', vgl. *Turnus*) abgeleitet ist.

Turnus *m* ,,festgelegte, bestimmte Wiederkehr, regelmäßiger Wechsel; Reihenfolge'': Im 17./18. Jh. aus *mlat.* turnus ,,Wechsel; Reihenfolge'' entlehnt, das im übertragenen Sinne *lat.* tornus ,,Dreheisen; Grabstichel'' fortsetzt. Quelle des Wortes ist *gr.* tórnos ,,Zirkel; Dreheisen; Kreisbewegung'', das etymologisch mit *dt.* → *drehen* verwandt ist. – Auf *lat.* tornus und auf dem davon abgeleiteten Verb *lat.* tornāre ,,mit dem Dreheisen runden, drechseln'' beruhen letztlich auch die Lehn- und Fremdwörter → turnen, → Turnier, → Tour, Tourist und → Kontur.

Turteltaube *w*: Der erste Bestandteil der *westgerm.* Zusammensetzung *mhd.* turteltūbe, *ahd.* turtul[a]tūba, *niederl.* tortelduif, *engl.* turtledove ist entlehnt aus lautnachahmendem *lat.* turtur ,,Turteltaube'' unter Dissimilation des r zu l. Zum zweiten Bestandteil vgl. Taube.

Tusche *w* ,,Zeichentinte'': Das seit dem Anfang des 18. Jh.s bezeugte Substantiv ist eine Rückbildung aus dem Zeitwort **tuschen** ,,mit Tusche zeichnen'' (17. Jh.; zuerst im Sinne von ,,einfarbig ausgestalten, darstellen''), das seinerseits aus *frz.* toucher ,,streichend berühren; Farbe auftragen'' stammt. Das *frz.* Wort ist vermutlich lautmalenden Ursprungs. – Dazu: retuschieren ,,Lichtbilder nachbessern, nachzeichnen'' (19. Jh.; aus gleichbed. *frz.* retoucher).

tuscheln ,,flüstern'': Das seit dem 18. Jh. bezeugte Verb ist eine Weiterbildung zu dem heute nur noch *mdal.* gebrauchten 'tuschen', ,,zum Schweigen bringen, stillen'' (*mhd.* tuschen), das wahrscheinlich lautnachahmender Herkunft ist. Zur Bildung beachte z. B. das Verhältnis von 'zischeln' zu 'zischen'.

Tüte *w* ,,[trichterförmiger] Papierbeutel'': Das im 16. Jh. aus dem *Niederd.* ins *Hochd.* übernommene Wort geht zurück auf *mnd.* tute ,,Trichterförmiges'', dem *mniederl.* tute entspricht. Die Herkunft ist dunkel. Das Substantiv ist eine umgelautete Nebenform des heute nicht mehr gebräuchlichen 'Tute', das zunächst ganz allgemein etwas Horn- oder Trichterförmiges bezeichnete, aber dann – seit dem 17. Jh. – unter Anlehnung an → tuten ,,blasen'' die Bed. ,,Blashorn, Blasrohr'' annahm. Die Schriftsprache hat jetzt 'Tüte' ,,Papiertüte'' und 'Tute' ,,Tuthorn'' streng geschieden.

tuten: Das im 14. Jh. aus dem *Niederd.* ins *Hochd.* übernommene Verb beruht auf *mnd.* tūten, dem *mniederl.* toeten, tuten, *niederl.* tuiten entspricht. *Engl.* to toot, *dän.* tude, *schwed.* tuta ,,tuten'' stammen aus dem *Mnd.* Die Wörter sind lautnachahmenden Ursprungs. Über 'Tute' ,,Blashorn'' s. den Artikel Tüte.

Twist *m*: Der Name eines sehr jungen, am Anfang der sechziger Jahre des 20. Jh.s aus Amerika übernommenen Modetanzes im ⁴/₄-Takt. *Amerik.* twist bedeutet wörtlich etwa ,,das Drehen, das Verrenken (der Glieder)''. Es ist substantiviert aus *engl.* to twist ,,drehen; flechten, winden; verrenken'' (etymologisch verwandt mit *dt.* → *Zwist*).

Typ, Typus *m* ,,Urbild, Grundform, Muster, durch bestimmte gemeinsame Merkmale, die einer Gruppe von Individuen in vergleichbarer Weise eigentümlich sind, ausgeprägtes Persönlichkeits- oder Erscheinungsbild; Gattung, Bauart, Modell'': Das seit dem 18. Jh. sowohl fachsprachlich als auch gemeinsprachlich übliche Fremdwort wurde auf gelehrtem Wege über *lat.* typus ,,Gepräge, Figur, Bild; Muster'' aus *gr.* týpos ,,Schlag; Gepräge, Form, Gestalt, Abbild; Vorbild, Muster, Modell'' entlehnt. Stammwort ist das mit *dt.* → *stoßen* etymologisch verwandte Verb *gr.* týptein ,,schlagen, hauen''. – Dazu: Type *w* ,,gegossener Druckbuchstabe, Letter; (*ugs.* auch:) Mensch von ausgeprägt absonderlicher, schrulliger Eigenart'' (19. Jh.; nach dem Vorbild von entspr. *frz.* type ,,Typ; Type'' aus der Mehrzahlform 'Typen' rückgebildet); typisch ,,einen Typus kennzeichnend; ausgeprägt, mustergültig; eigentümlich; bezeichnend; unverkennbar'' (18. Jh.; nach *spätlat.* typicus < *gr.* typikós ,,figürlich, bildlich'').

Typhus *m*: Das Substantiv ist die in der Gemeinsprache übliche Kurzbezeichnung für 'Typhus abdominalis', den medizinischen Namen einer mit schweren Bewußtseinsstörungen verbundenen fieberhaften Infektionskrankheit des Unterleibs. Die Bezeichnung kommt im 19. Jh. auf, auch in anderen europ. Sprachen, vgl. z. B. gleichbed. *engl.*, *frz.* typhus, *schwed.* tyfus, *it.* tifo. Sie ist eine gelehrte Entlehnung (mit latinisierender Endung) von *gr.* týphos „Qualm, Rauch, Dampf; Umnebelung der Sinne" (zu *gr.* týphein „dampfen; Qualm, Rauch machen"), das bereits in der antiken Medizin auch als Krankheitsname (wohl für die „Blödsinnskrankheit") bezeugt ist.

Tyrann *m* „unumschränkter Gewaltherrscher", heute vorwiegend übertr. gebraucht im Sinne von „Gewaltmensch, herrschsüchtiger Mensch, Bedrücker, Peiniger":

In *mhd.* Zeit über *lat.* tyrannus „Gewaltherrscher" aus *gr.* týrannos „Herr, Gebieter; Alleinherrscher, Gewaltherrscher" entlehnt. Das *gr.* Wort ist selbst wohl kleinasiatischer Herkunft – Dazu: T y r a n n e i *w* „Gewaltherrschaft; Willkür[herrschaft]" (Ende 15. Jh.; zuerst im *Niederd.* nachweisbar; Denominativbildung nach entspr. *frz.* tyrannie = *engl.* tyranny zur Wiedergabe von gleichbed. *gr.* tyrannís); t y r a n n i s c h „herrschsüchtig, herrisch, diktatorisch, grausam" (15. Jh.; nach gleichbed. *gr.* tyrannikós > *lat.* tyrannicus); t y r a n n i s i e r e n „tyrannisch behandeln, unterdrücken" (16. Jh.; aus gleichbed. *frz.* tyranniser).

U

übel: Die Herkunft des *altgerm.* Adjektivs *mhd.* ubel, *ahd.* ubil, *got.* ubils, *niederl.* euvel, *engl.* evil ist nicht sicher geklärt. Vermutlich gehört es mit den unter →*über*, →*ob* und →*obere* behandelten Wörtern zu der *idg.* Wortgruppe von →*auf*. Es bedeutete demnach urspr. etwa „über das Maß hinausgehend, überheblich" (vgl. *ahd.* uppi „bösartig"). – Substantivierung : Ü b e l *s* (*mhd.* übel, *ahd.* ubil). Abl.: Ü b e l k e i t *w* „Neigung zum Erbrechen" (18. Jh.); v e r ü b e l n „übelnehmen" (17. Jh.). Zus.: Ü b e l s t a n d „Mißstand" (16. Jh.); Ü b e l t ä t e r (*mhd.* übeltäter, zu dem heute veralteten Ü b e l t a t [*mhd.* übeltât, *ahd.* ubiltât] ; urspr. „Verbrecher", heute meist nur noch scherzhaft für jemanden, der etwas Unrechtes getan hat).

üben: Das auf das *dt.* Sprachgebiet beschränkte Wort (*mhd.* üeben, uoben „bebauen; hegen, pflegen; ausüben, ins Werk setzen; beständig gebrauchen", *ahd.* uoben „Landbau treiben; etwas wiederholt zur Pflege treiben; verehren") ist im *germ.* Sprachbereich verwandt mit den andersgebildeten Verben *niederl.* oefenen „üben", *aengl.* efnan „ausführen, vollbringen, tun" und *aisl.* efna „ausführen, leisten". Zu ‚üben' stellen sich im *Dt.* z. B. *ahd.* uobo „Landbauer", *ahd.* uoba „Feier" und *mhd.* uop „Landbau; Gebrauch, Sitte". Diese *germ.* Wortgruppe geht mit verwandten Wörtern in anderen *idg.* Sprachen zurück auf die *idg.* Wz. *op- „verrichten, ausführen" (speziell Feldarbeit und gottesdienstliche Handlungen), vgl. z. B. *aind.* ápas- „Werk, heilige Handlung", *lat.* opus „Arbeit, Werk" (s. Opus), *lat.* operārī „arbeiten, mit etwas beschäftigt sein; opfern" (s. operieren und opfern), *lat.* opera „Arbeit, Mühe, Tätigkeit" (s. Oper) und *lat.* ops „Reichtum, Vermögen" (s. opulent). –

Die heutige Hauptbedeutung des *dt.* Verbs „etwas zum Erwerben einer Fähigkeit wiederholt tun" erscheint im 15. Jh. – Abl.: ü b l i c h „was geübt wird" (16. Jh.); Ü b u n g *w* (*mhd.* üebunge, *ahd.* uobunga).

über: Das *gemeingerm.* Wort (Adv., Präp.) *mhd.* über, *ahd.* ubar (Adv.: ubiri), *got.* ufar, *engl.* over, *schwed.* över gehört mit den unter →*ob*, →*obere* und →*offen* behandelten Wörtern zu der Wortgruppe von →*auf.* Außergerm. eng verwandt sind z. B. *gr.* hypér „über, über-hinaus" und *lat.* super „über[-hin], über-hinaus" in den zahlreichen aus dem *Gr.* und *Lat.* entlehnten Wörtern als erster Bestandteil stecken (s. hyper... und super...). – Die *nhd.* Form über (mit Umlaut) geht auf das Adverb *ahd.* ubiri zurück. Groß ist die Zahl der festen und unfesten Zusammensetzungen von 'über' mit Verben, beachte z. B. übersetzen „über einen Fluß, See fahren", aber übersetzen „in eine andere Sprache übertragen", der Zusammensetzungen mit Substantiven, beachte z. B. Übergang, Übermut, und mit Adjektiven, beachte z. B. übereifrig, überreif. Abl.: ü b r i g „überschüssig, über das erforderliche Maß hinaus vorhanden" (*mhd.* überec), dazu übrigens (17. Jh.) und e r ü b r i g e n (das im 17. Jh. in der Kanzleisprache ein älteres 'erübern' ersetzt).

überantworten „(der Gerechtigkeit) ausliefern": Das seit dem 15. Jh. bezeugte zusammengesetzte Verb hat die Bedeutung „übergeben, überlassen" bewahrt, die das einfache Verb antworten bis in *frühnhd.* Zeit hatte (vgl. *Antwort*). Es erscheint von Anfang an häufig als Wort der Rechtssprache, ist heute jedoch kaum noch gebräuchlich.

Überbein *s* „verhärtete Sehnengeschwulst an den Gelenken": Die Zusammensetzung *mhd.* überbein (entspr. *niederl.* overbeen, *schwed.* överben) bedeutet eigentlich „obenliegender

727

Knochen". Man hielt in früherer Zeit diese Geschwulst fälschlich für einen Knochenauswuchs. Zum zweiten Bestandteil des Wortes vgl. *Bein.*

Überdruß m „Übersättigung, Unlust, Widerwillen": Der zweite Bestandteil des seit dem 16. Jh. bezeugten Wortes gehört zu dem starken Verb *mhd.* -driezen, *ahd.* -driuzan, das im *Nhd.* in der Präfixbildung →*verdrießen* bewahrt ist. Abl.: überdrüssig (16. Jh.).

Überfluß m: *Mhd.* übervluz „große Fülle, Reichlichkeit", das *lat.* abundantia „Überfluß, reicher Ertrag" oder *mlat.* superfluitäs „das Überflüssige" wiedergibt, gehört zu dem zusammengesetzten Verb *nhd.* überfließen, *mhd.* übervliezen, *ahd.* ubarvliozan (vgl. *fließen*). Es bedeutet demnach wie das *lat.* und *mlat.* Wort eigtl. „das Überquellen, -strömen". Abl.: überflüssig (*mhd.* übervlüzzec „überströmend; überreichlich", nach *lat.* superfluus; seit dem 16. Jh. nur noch im Sinne von „überreichlich", woraus sich seit dem 18. Jh. die Bed. „nutzlos, zwecklos" entwickelte).

überhaupt „aufs Ganze gesehen, im allgemeinen; ganz und gar (bei Negationen)": *Spätmhd.* über houbet „ohne die Köpfe der einzelnen Tiere nochmals zu zählen" war ein Ausdruck des Viehhandels, in dem 'houbet' (vgl. *Haupt*) ein Stück Vieh bezeichnete. Noch im 17. Jh. drückte 'überhaupt kaufen oder verkaufen' den Gegensatz zu 'stückweise, einzeln kaufen oder verkaufen' aus, bis sich dann im 18. Jh. die heutige Bedeutung durchsetzte.

überlegen: Das seit dem 16. Jh. im Sinne von „stärker, leistungsfähiger" verwendete Wort ist das in adjektivischen Gebrauch übergegangene zweite Partizip von dem zusammengesetzten Verb *frühnhd.* überliegen „überwinden", *mhd.* überligen „im Ringkampf oben zu liegen kommen; überlagern, besetzen" (vgl. *liegen*). Abl.: Überlegenheit w (18. Jh.).

überraschen: Das seit dem 16. Jh. bezeugte Verb ist eine Bildung zu dem Adj. →*rasch* und bedeutete urspr. „plötzlich über jemanden herfallen, (im Krieg) überfallen". Erst seit dem 18. Jh. wird es häufig verwendet. Abl.: Überraschung w (17. Jh.).

überrumpeln „überraschend überfallen, unvermutet erwischen, überwinden": Das seit dem Anfang des 16. Jh.s bezeugte Verb hat sich in der Bedeutung von einfachen Verb →*rumpeln* „poltern, rasseln, dumpf schallen" gelöst. Es bedeutete urspr. „mit Getöse überfallen".

Überschuß m: Das seit dem 14. Jh. bezeugte Substantiv (*mhd.* überschuz „das über etwas Hinausragende", bes. „der über die senkrechte Linie hinausragende Teil eines Gebäudes") ist eine Bildung zu dem zusammengesetzten Verb *mhd.* überschiezen „über etwas hinwegschießen; über etwas hinausragen, überragen"

(vgl. *schießen*). Es bedeutet demnach eigtl. „das Überschreiten eines erwarteten Maßes" In der Kaufmannssprache des 16. Jh.s ist es erstmals bezeugt als „ein bestimmtes Maß übersteigender Betrag; Gewinn". Dann wurde das Wort auch im Sinne von „Rest" gebräuchlich. Abl.: überschüssig (18. Jh.).

Überschwang m: *Mhd.* überswanc „Überfließen, -strömen; Ent-, Verzückung" ist eine Bildung zu dem zusammengesetzten Verb *mhd.* überswingen „überwallen" (vom Gemüt; vgl. *schwingen*). In der Sprache der *mhd.* Mystiker bedeutete es svw. „Ekstase", heute ist es beschränkt auf allzu starke Gefühle. Abl.: überschwenglich (*mhd.* überswenclich „übermäßig groß, übermächtig").

übertölpeln (*ugs.* für:) „in grober Weise betrügen, übervorteilen": Das seit dem 16. Jh. bezeugte Verb hängt mit der vom 16. bis zum 18. Jh. häufig verwendeten Redensart „über den Tölpel werfen" „anführen, übervorteilen" zusammen. Diese Redensart bedeutet eigtl. „über ein Stück Holz werfen" und bezieht sich wahrscheinlich auf einen alten Handwerksbrauch oder auf ein bestimmtes Spiel. Die Herkunft von älter *nhd.* Tölpel „Stück Holz, Knüttel" ist unbekannt. Später wurde 'übertölpeln' als zu 'Tölpel' „ungeschickter Mensch" gehörig empfunden.

überwinden „besiegen": Das zusammengesetzte Verb, *mhd.* überwinden, überwinnen, *ahd.* ubarwintan, ubarwinnan, enthält als zweiten Bestandteil das im *Nhd.* untergegangene einfache Verb *mhd.* winnen, *ahd.* winnan „kämpfen, sich abmühen, erobern" (vgl. *gewinnen*). Mit 'winden' hatte es also ursprünglich nichts zu tun, das -d- (*mhd.* -d-, *ahd.* -t-) ist sekundär. Volksetymologisch wurde das Verb dann an 'winden' angelehnt. Ein ähnliches Schicksal erlitt das Präfixverb verwinden „überwinden" (*mhd.* verwinden, *ahd.* firwintan). Abl.: Überwindung w (*mhd.* überwindunge).

Ufer s: Das *westgerm.* Wort *mhd.* uover, *mnd.* över, *niederl.* oever, *aengl.* öfer ist verwandt mit *gr.* épeiros „Küste". Zugrunde liegt diesen Wörtern wahrscheinlich eine alte Komparativbildung zu einer unter →*ab* dargestellten *idg.* *ap[o]- „ab, weg". Die Komparativbildung bedeutete etwa „weiter rückwärts gelegener Teil" (vom Binnenland aus gesehen). – Im *oberd.* Sprachraum war 'Ufer' urspr. nicht heimisch (s. den Artikel *Gestade*). Es hat sich von Norddeutschland ausgehend erst allmählich im *dt.* Sprachgebiet durchgesetzt. Zus.: uferlos (18. Jh.).

Uhr w: Das seit *mhd.* Zeit bezeugte Subst. ist durch *roman.* Vermittlung aus dem *Lat.* entlehnt worden. *Lat.* höra „Zeit, Jahreszeit; Tageszeit, Stunde" (*Mehrz.* hörae:) Uhr", das selbst LW aus *gr.* höra „Jahreszeit; Tageszeit; Stunde" (urverwandt mit *dt.* →*Jahr*), wurde im *Roman.* zu *afrz.* [h]ore, eure (= *frz.* heure), *it.* ora, *span.* hora. In unmittelbarer Übernahme aus dem (*A*)*frz.*, das auch die Quelle für entspr. *engl.* hour „Stunde" ist, erscheint das Wort im 14. Jh. am Niederrhein (*mnd.* ūr[e] „Stunde"), von wo es sich allmählich über das gesamte *dt.* Sprachgebiet ausgebreitet hat (*mhd.* ūr[e], [h]ōre „Stunde"). Die alte Bedeutung des Wortes (nämlich „Stunde") hat sich bewahrt in Fügungen wie 'es ist zwei Uhr', 'wieviel Uhr ist es?'. Demgegenüber hat das Substantiv in selbständiger Verwendung in neuerer Zeit die spezielle Bedeutung „Stundenmesser, Zeitanzeiger" entwickelt, beachte dazu Zus. wie Taschenuhr, Sanduhr, Armbanduhr, Uhrmacher, Uhrwerk u. a. – Siehe auch das FW Horoskop.

Uhu *m*: Der seit dem 16. Jh. bezeugte Name der größten Eulenart ist lautmalend und beruht auf der Nachahmung des diesem Vogel eigentümlichen Rufes, vgl. z. B. *lat.* būbō „Uhu", *gr.* býas „Uhu", *armen.* bu „Eule". Unter vielen lautmalenden Bildungen im *dt.* Sprachbereich (z. B. Schuhu, Buhu) hat sich *ostmitteld.* Uhu gegenüber *frühnhd.* Huhu durchgesetzt.

Ulk *m* „harmloser Unfug": Das seit dem 17. Jh. gebräuchliche Wort, das aus den Mundarten über die Studentensprache in die Umgangssprache gedrungen ist, stammt aus dem *niederd.-ostfries.* Raum, vgl. *mnd.* ulk „Lärm, Unruhe, Händel". Es handelt sich um eine Rückbildung aus dem Verb *niederd.* ulken „sich auffallend herausputzen", *ostfries.* ulken „sein Unwesen treiben, schreien, spotten", das verwandt ist mit *schwed. mdal.* alken „knurren, keifen" und mit *norw. mdal.* alka „Händel anfangen". Diese Sippe ist lautnachahmenden Ursprungs. Abl.: ulken „spotten, Unsinn treiben" (19. Jh.), dazu verulken „jemanden auf gutmütige Weise anführen oder aufziehen" (19. Jh.); ulkig „scherzhaft, komisch" (19. Jh.).

Ulme *w*: Die seit dem 15. Jh. bezeugte, heute gebräuchliche Form des Baumnamens (älter ist die Zus. *mhd.* ulmboum „Ulmbaum", 12. Jh.) ist entweder mit *lat.* ulmus „Ulme" urverwandt oder daraus entlehnt. Die nichtentlehnten, heimischen Bezeichnungen des Baumes, die im Ablaut zu 'Ulme' stehen könnten, spielen im *Nhd.* nur noch in Namen eine Rolle, beachte den Bergnamen Elm und und den Fluß- und Stadtnamen Ilmenau. Sie lauten *mhd.* elm[boum], ilm[boum], *mnd.* elm, *ahd.* elm[boum], vgl. dazu im *germ.* Sprachbereich *engl.* elm und *schwed.* alm. Die *germ.* Bezeichnungen und der *lat.* Name gehören zu der unter → *Eller* dargestellten *idg.* Wz. *el-, ol- „rötlich, bräunlich" glänzend". Der Baum wurde demnach nach der rotbraunen Farbe seines Holzes benannt.

Ultimatum *s* „letzte, äußerste Aufforderung (zur befriedigenden Lösung einer schweben-

den Angelegenheit innerhalb einer bestimmten Frist)": Das dem Bereich der internationalen Politik entstammende FW ist eine gelehrte *nlat.* Bildung der Diplomatensprache des 18. Jh.s zu *lat.* ultimus „der äußerste, letzte" (vgl. *ultra*...). Dazu das junge Adj. ultimativ „in Form eines Ultimatums; nachdrücklich" (20. Jh.). – Von *lat.* ultimus stammt auch das FW **Ultimo** *m* „Monatsletzter, Monatsende" (um 1500), urspr. ein Fachwort der Kaufmannssprache, das heute auch in der allg. Umgangssprache gebräuchlich ist. Das Wort ist unmittelbar aus dem *It.* aufgenommen, und zwar aus der Fügung *it.* 'a dì ultimo' „am letzten Tag".

ultra..., Ultra...: Aus dem *Lat.* stammende Vorsilbe mit der Bed. „jenseits von; über - hinaus", wie z. B. in den jungen Bildungen Ultrakurzwelle (dafür meist die Abkürzung UKW), Ultraschall und ultraviolett. – *Lat.* ultrā (Adv. und Präp.) „jenseits; über - hinaus" ist urspr. der erstarrte Ablativ Femin. des Adjektivs *lat.* ulter „jenseitig", das seinerseits von *lat.* uls (Präp.) „jenseits" abgeleitet ist. Als Superlativ von *lat.* ulter fungiert *lat.* ultimus „der am weitesten jenseits gelegene; der entfernteste, äußerste, letzte" (s. die FW Ultimatum, ultimativ und Ultimo).

um Das *altgerm.* Wort (Adv., Präp.) *mhd.* umbe, *ahd.* umbi, *niederl.* om, *aengl.* ymb[e], *schwed.* om geht mit Entsprechungen in anderen *idg.* Sprachen auf *idg.* *ambhi „umherum, zu beiden Seiten" zurück. Verwandt sind z. B. *gr.* amphí „um" und *lat.* am[b]... „[her]um, ringsum", die in zahlreichen aus dem *Gr.* und *Lat.* entlehnten Wörtern als erster Bestandteil stecken (s. amphi... und amb...). Zu diesem *idg.* *ambhi gehören auch die unter →bei und →beide behandelten Wörter. Die urspr. räumliche Bed. von 'um' „rings, um - herum" hat sich bis heute erhalten. Daneben wird es in vielfacher Weise übertragen verwendet. In Zusammensetzungen behält es die räumliche Vorstellung des Umfassens bei (z. B. in umarmen, umzingeln), oder es gibt die Änderung einer Richtung, Haltung oder eines Standpunktes an (wie in umkehren, umstürzen, umziehen) oder die Veränderung der Gestalt (wie in umformen).

umfangen „umarmen, umschließen": Die heute übliche Form umfangen hat sich im *Frühnhd.* gegenüber der älteren Form umfahen (*mhd.* umbevāhen, *ahd.* umbifāhan) durchgesetzt, wie auch beim einfachen Verb die jüngere Form fangen die ältere Form fahen verdrängt hat (vgl. *fangen*). Das Wort ist eine Zus. aus →um und →fangen in dessen alter Bedeutung „fassen". Abl. Umfang *m* (Rückbildung aus dem Verb, *mhd.* umbevanc „umschließende Linie, Kreis; Umarmung", *nhd.* übertragen „Ausdehnung"), dazu umfänglich „ausgedehnt" (18. Jh.).

Umstand m „Sachverhalt", in der *Mehrz.*
„besondere Verhältnisse": Das Substantiv
(*mhd.* umbestant) ist eine Bildung zu dem
zusammengesetzten Verb umstehen „um
etwas herumstehen" (*mhd.* umbestēn, *ahd.*
umbistēn; vgl. *stehen*) und bedeutete zunächst
„das Herumstehen, die Herumstehenden".
Daraus entwickelte sich der heutige allgemeine Wortgebrauch. In der Bildung und
n der Bedeutungsgeschichte vergleichen
sich *lat.* circumstantia, das in *frz.* circon-
stance „Umstand" weiterlebt, und *gr.* perísta-
sis „Umstand, Verhältnis". Die Redewendung
'in anderen Umständen sein' wird seit dem
18. Jh. verhüllend für „schwanger sein" gebraucht. Abl.: umständlich „viele Einzelheiten berücksichtigend, zeitraubend"
(16. Jh.).

un...: Die *gemeingerm.* verneinende Vorsilbe
mhd., *ahd.* un, *got.* un, *engl.* un, *schwed.* o
geht mit Entsprechungen in anderen
idg. Sprachen auf die *idg.* Wortnegation *ņ̥-
zurück. Verwandt sind z. B. *gr.* a[n]... und
lat. in..., die in zahlreichen aus dem *Gr.* und
Lat. entlehnten Wörtern als erster Bestandteil stecken (s. ²a... und ²in...). Die *idg.* Wortnegation *ņ̥- steht im Ablaut zur der *idg.*
Satznegation *nē, *nei, die im *germ.* Sprachbereich z. B. bewahrt ist in den unter →nein,
→nicht, →nie und →nur behandelten Wörtern. Das besonders häufig mit Partizipien
und Adjektiven verbundene Präfix verneint
einen Begriff und verkehrt ihn dadurch in
sein Gegenteil, beachte z. B. ungesäuert, unrein. Es kann aber auch das Abweichen von
einer Idealvorstellung angeben, von dem,
was sein sollte, beachte z. B. unangebracht,
vor allem auch bei Substantiven, die keinen
Gegensatz zulassen, beachte z. B. Unmensch.
In Zusammensetzungen, in denen das Grundwort einen negativen Begriff enthält, konnte
'un-' vielfach als Steigerung empfunden
(beachte z. B. Ungewitter, Unkosten) und
daher auch verstärkend und nachdrücklich
gebraucht werden (beachte z. B. Unsumme,
Unmenge).

unbedarft „unerfahren, harmlos, ungeschickt": Das erst zu Beginn des 20. Jh.s ins
Hochd. übernommene Adjektiv *niederd.* unbedarft geht zurück auf *mnd.* unbederve, un-
bedarve „untüchtig", das Gegenwort zu *mnd.*
bederve „bieder, tüchtig" (= *hochd.* bieder,
s. d.). Die Form des *niederd.* Adjektivs ist
wohl vom 2. Part. des verwandten
mnd. bedarven, einer Nebenform von →be-
dürfen, beeinflußt.

Unbill w „Unrecht", *Mehrz.*: Unbilden (bes.
der Witterung): In den Formen der *Einz.* und
der *Mehrz.* liegen zwei verschiedene, wenn
auch etymologisch eng verwandte Wörter
vor. Die *Einz.* Unbill erscheint im 16. Jh. in
der Schriftsprache. Sie ist urspr. *schweiz.* und
die Substantivierung des Adjektivs *mhd.* un-
bil „ungemäß" (vgl. *billig*). Die *Mehrz.* Un-

bilden dagegen gehört zu einer *Einz.* 'Un-
bild[e]' (*mhd.* unbilde „Unrecht", *ahd.* un-
pilide „Unförmlichkeit"), die heute unüblich
geworden ist und die wahrscheinlich eine Bildung zu dem oben aufgeführten Adjektiv
mhd. unbil „ungemäß" ist.

und: Die *westgerm.* Konjunktion *mhd.* und[e],
ahd. unta, unti, älter enti, anti, *niederl.* en,
engl. and, die im *germ.* Sprachbereich mit
aisl. enn „auch, und, aber" verwandt ist,
ist unbekannter Herkunft. Vielleicht besteht
Verwandtschaft mit *aind.* átha „darauf,
dann".

unentwegt „beharrlich, stetig": Das urspr.
schweiz. Wort ist die Verneinung des ebenfalls *schweiz.* entwegt „unruhig", dem zweiten Partizip von *schweiz.* entwegen „von der
Stelle rücken" (*mhd.* entwegen „auseinan-
derbewegen, scheiden, trennen", vgl. *bewegen*). Als *schweiz.* Modewort der vierziger
Jahre des 19. Jh.s fand das Wort auch in
Deutschland Eingang und wurde hier im
letzten Drittel des 19. Jh.s ebenfalls zum
Modewort.

Unfall m: Das seit dem 15. Jh. bezeugte Wort
(*spätmhd.* unval „Unglück, Mißgeschick")
enthält als zweiten Bestandteil das unter
→Fall (s. *fallen*) behandelte Substantiv, dessen konkrete Bedeutung wie z. B. auch in den
Zus. Anfall, Notfall, Zufall völlig verblaßt
ist. 'Un-' steht in dieser Bildung im Sinne von
„übel, schlecht, miß...".

Unflat m „ekelhafter Schmutz; sich unflätig
aufführende Person": Das seit dem 12. Jh.
bezeugte Substantiv *mhd.* unvlāt „Schmutz,
Unsauberkeit" ist eine Bildung aus der verneinenden Vorsilbe →un... und dem Substantiv *mhd.* vlāt, *ahd.* flāt „Sauberkeit,
Schönheit", das mit dem im *Nhd.* untergegangenen Verb *mhd.* vlǣjen, *ahd.* flāwen
„spülen, waschen, säubern" verwandt ist.
'Unflat' bedeutet demnach eigtl. „Unsauberkeit". Die Beziehung auf eine Person ist seit
dem 16. Jh. üblich. Abl.: unflätig „unanständig; abscheulich" (*mhd.* unvlǣtic
„schmutzig, unsauber").

ungefähr: Die *nhd.* Form hat sich über *frühnhd.* ongefer aus *mhd.* āne gevǣre „ohne böse
Absicht, ohne Betrug" (vgl. *Gefahr*) entwik-
kelt. Die heutige Bedeutung „etwa" (16. Jh.)
erklärt sich daraus, daß man in der alten
Rechtssprache bes. bei der Angabe von Zahlen und Maßen häufig die Erklärung abgab,
daß eine evtl. Ungenauigkeit „ohne böse Absicht" gewesen sei. – Das Zusammenwachsen
der beiden Wörter zu einem Wort begann im
15. Jh. Durch *mdal.* Kürzung des langen ā in
āne zu kurzem u oder o und durch Anlehnung
an das un- eines gleichbedeutenden 'ungefährlich' (*mhd.* ungevǣrliche) wurde die
Präp. 'ohne' langsam zur Vorsilbe un... umgedeutet. Seit dem 16. Jh. wird 'ungefähr'
auch als Adjektiv verwendet.

ungeschlacht „roh, grob": Das nur *dt.* Adj. *mhd.* ungeslaht „von anderem, niedrigem Geschlecht, übelgeartet, roh", *ahd.* ungislaht „entartet" ist die Verneinung des im *Nhd.* untergegangenen *mhd.* geslaht, *ahd.* gislaht „wohlgeartet, fein, schön". Dies gehört zu *mhd.* slahte, *ahd.* slahta „Geschlecht, Herkunft, Art", einer Substantivbildung zu dem unter →*schlagen* behandelten Verb in dessen Bed. „arten".

ungestüm „heftig, wild": Das Adjektiv *mhd.* ungestüeme, *ahd.* ungistuomi ist die Verneinung der im *Nhd.* untergegangenen Adjektivbildung *mhd.* gestüeme „sanft, still, ruhig". Dieses Adjektiv stellt sich zu *mhd.* [ge]stemen „Einhalt tun, besänftigen" und gehört zu der unter →*stemmen* behandelten Wortgruppe. Beachte dazu die Substantivierung **Ungestüm** *s* (*mhd.* ungestüeme „Ungestüm, Sturm", *ahd.* ungistuomi „Ausgelassenheit, Getöse").

Ungetüm *s* „riesiges, ungeschlachtes Wesen, übergroßes Gebilde": Das seit dem 16. Jh. bezeugte Wort, dem im *Nord.* genau *aisl.* ūdēmi „Greuel, beispiellose Begebenheit" entspricht, enthält als zweiten Bestandteil eine im *germ.* Sprachbereich als selbständiges Wort untergegangene Substantivbildung (*germ.* *ga-dōmia-), die sich zu *mhd.*, *ahd.* tuom „Macht, Herrschaft, Würde, Stand; Besitz; Zustand, Art" stellt (vgl. *...tum*). 'Ungetüm' bedeutet demnach eigtl. etwa „was nicht seine rechte Stelle hat".

Ungeziefer *s*: Das auf das *dt.* Sprachgebiet beschränkte Wort (*mhd.* ungezībere) enthält als zweiten Bestandteil eine Bildung zu dem in *mhd.* Zeit untergegangenen Substantiv *ahd.* zebar „Opfertier", dem *aengl.* tīber „Opfer" und *aisl.* tivurr „Opfer" entsprechen. Die Herkunft dieser Wörter ist nicht geklärt. 'Ungeziefer' bezeichnete demnach urspr. alles das, was sich nicht als Opfertier eignete. Nach dem Schwinden der alten heidnischen Vorstellungen engte sich der Begriff immer mehr auf kleinere schädliche oder lästige Tiere, bes. Insekten ein. – Das Wort **Geziefer** (17. Jh.), *landsch.* noch als Bezeichnung für kleinere Haustiere wie Ziegen, Schafe u. a. gebraucht, ist erst eine Rückbildung aus 'Ungeziefer'.

uni „einfarbig, nicht gemustert": In neuester Zeit aus gleichbed. *frz.* uni (eigtl. „einfach; eben") entlehnt, dem adjektivisch gebrauchten Part. Perf. Pass. von *frz.* unir „verbinden, vereinigen; ebnen, glätten, vereinfachen". Von entspr. *kirchenlat.* ūnīre „vereinigt" (vgl. *Union*).

Uniform *w* „einheitliche Dienstkleidung (bes. des Militärs)": Im 18. Jh. aus gleichbed. *frz.* uniforme entlehnt, dem substantivierten Adj. *frz.* uniforme „einförmig, gleichförmig, einheitlich", das seinerseits auf *lat.* ūnifōrmis „einförmig" beruht. Zu *lat.* ūnus „einer, ein einziger" (vgl. *Union*) und *lat.* fōrma „Form,

Bild, Gestalt usw." (vgl. *Form*). – Dazu die Abl. **uniformieren** „einheitlich kleiden, in Uniformen stecken" (19./20. Jh.).

Unikum *s* „einziges Exemplar, Einzelstück (eines Druckes, einer Münze u. a.)", in der Gemeinsprache ist das Wort weit verbreitet mit der übertr. Bed. „origineller Mensch, Type, Sonderling": In neuester Zeit aus *lat.* ūnicum entlehnt, dem Neutrum von *lat.* ūnicus „der einzige; einzig in seiner Art; ungewöhnlich". Zu *lat.* ūnus „einer, ein einziger" (vgl. *Union*).

Union *w* „Bund, Vereinigung, Verbindung (besonders im politischen und kirchlichen Bereich)": Im 16./17. Jh. aus *kirchenlat.* ūniō „Einheit; Vereinigung" entlehnt. Stammwort ist *lat.* ūnus „einer, ein einziger", das etymologisch mit *dt.* →*ein* verwandt ist. Andere wichtige Abl. von *lat.* ūnus sind *kirchenlat.* ūnīre „vereinigen" und *lat.* ūnicus „der einzige; einzig in seiner Art, ungewöhnlich". Sie spielen eine Rolle in den FW →uni und →*Unikum*. Als Bestimmungswort erscheint *lat.* ūnus in zahlreichen Zus. Unter diesen sind für uns von Interesse: *lat.* ūnifōrmis „einförmig" (s. Uniform) und *lat.* ūniversus „in eins gekehrt; ganz, sämtlich; umfassend; allgemein" (s. die FW universal, universell, Universität, Universum).

universal „allgemein, gesamt, umfassend; weltweit": Im 17. Jh. aus *spätlat.* ūniversālis „zur Gesamtheit gehörig, allgemein" aufgenommen. Das zugrunde liegende Adj. *lat.* ūniversus „in eins gekehrt, zu einer Einheit zusammengefaßt; ganz, sämtlich; allgemein; umfassend" gehört als zusammengesetzte Bildung zu *lat.* ūnus „einer, ein einziger" (vgl. *Union*) und *lat.* versus „gewendet" (vgl. *Vers*). Neben 'universal' begegnet seit dem 18. Jh. gleichbed. das Adj. **universell**, das aus entspr. *frz.* universel übernommen ist. – Zu *lat.* ūniversus gehören auch die beiden folgenden FW: **Universität** *w* „Hochschule" (dafür auch das studentische Kurzwort **Uni** *w*). Die Bezeichnung wurde in *mhd.* Zeit im urspr. Sinn von „Gesamtheit der Lehrenden und Lernenden" ('universitas magistrorum et scolarium') aufgenommen aus *lat.* ūniversitās „Gesamtheit; gesellschaftlicher Verband; Rechtskollegium". **Universum** *s* „Weltall": Das Wort in diesem Sinne ist seit dem 18. Jh. bezeugt. Es ist aus *lat.* ūniversum „das Ganze als Inbegriff aller Teile; die ganze Welt, das Weltall" entlehnt worden.

Unke *w*: Die *nhd.* Form beruht auf der Verschmelzung dreier verschiedener Wörter, nämlich von *mhd.*, *ahd.* unc „Schlange" (verwandt mit *lat.* anguis „Schlange") mit *mhd.* ūche, *ahd.* ūcha „Kröte" und älter *mhd.* eutze „Kröte" (vgl. gleichbed. *mnd.* ütze). Die Verschmelzung erklärt sich daraus, daß die Kröte wie die Schlange früh in den abergläubischen Vorstellungen der Menschen als etwas Unheimliches und Ekelhaftes eine große Rolle spielten. Erst seit Ende des 18. Jh.s setzt sich auf Grund des weiblichen Geschlechts von 'uche' die weibliche Form 'Unke' als volkstümliche Bezeichnung für 'Kröte' sowie als wissenschaftliche Bezeichnung für die gelbbauchige Tiefland- und die rotbauchige Berglandkröte durch. Abl.: **unken** *ugs.* für „[immer wieder] jammernd Unheil verkünden" (18. Jh.).

Unrat *m*: *Mhd.* unrāt „schlechter Rat; Mangel, Schaden; nichtige Dinge; Unkraut", *ahd.* unrāt „übler Rat" enthält als zweiten Bestandteil das unter →*Rat* behandelte Wort in dessen alter Bed. „Mittel, die zum Lebensunterhalt notwendig sind". Es bedeutete demnach urspr. „Mangel, Not [an Mitteln, die zu Gebote stehen sollten], Hilflosigkeit" und dann „der daraus entstehende Nachteil, Schaden", auch „Unheil" (vgl. die Wendung 'Unrat wittern'). Über „Wertloses" entwickelte sich die jetzige Bed. „Schmutz, Kot".

uns: Der *gemeingerm.* Dat. und Akk. Mehrz. des Personalpronomens der 1. Person *mhd.*, *ahd.* uns, *got.* uns, *engl.* us, *schwed.* oss ist z. B. verwandt mit *lat.* nōs „wir" und *aind.* naḥ „uns, unser". Abl.: **unser** (Possessivpron., *mhd.* unser, *ahd.* unsēr, entspr. *got.* unsar, *engl.* our), dazu **unsrig** (16. Jh.). Siehe auch den Artikel Vaterunser.

unter: In dem *gemeingerm.* Wort (Adv., Präp.) *mhd.* under, *ahd.* untar, *got.* undar, *engl.* under, *schwed.* under sind zwei urspr. verschiedene Wörter zusammengefallen: 1. ein z. B. mit *aind.* antár „zwischen" und mit *lat.* inter „zwischen" (s. inter...) verwandtes Wort (vgl. *in*); 2. ein z. B. mit *lat.* infrā „unter[halb]" (s. infra...) verwandtes Wort, das auf *idg.* *ndheri „unter" beruht. Beide Bedeutungen leben noch heute in 'unter' weiter. Das Adverb dient häufig als Verbzusatz in festen und unfesten Zusammensetzungen mit Verben, z. B. unterbrechen, unterbringen, erscheint aber auch als erster Bestandteil in zusammengesetzten Substantiven, z. B. **Unterseeboot** (19. Jh.) und Partizipien, z. B. unterernährt, unterentwickelt. Abl.: **untere** (zur Präp. 'unter' gebildetes Adjektiv, *mhd.* under, *ahd.* untaro), dazu Zusammensetzungen wie **Unterwelt** (16. Jh.) u. a.; **Unter** *m* „Spielkarte" (15. Jh.; urspr. der Untere; s. Ober).

untertan: Das Adjektiv *mhd.* undertān, *ahd.* untartān „unterjocht, verpflichtet" ist eigtl. das zweite Partizip des zusammengesetzten Verbs *mhd.* undertuon, *ahd.* untartuon „unterwerfen" (vgl. *tun*). Dazu die Substantivierung **Untertan** *m* (*mhd.* undertān[e], durch den Kampf gegen den Obrigkeitsstaat zurückgedrängt, heute nur noch spöttisch oder gehässig); eine Weiterbildung zu 'untertan' ist **untertänig** (*mhd.* untertǣnec).

unverfroren „keck, frech, unverschämt": Das seit der 2. Hälfte des 19. Jh.s gebräuch-

liche Wort ist wahrscheinlich eine auf Anlehnung an 'verfrieren' beruhende volksetymologische Umbildung des nicht mehr verstandenen *niederd.* unverfehrt (*mnd.* unvorvērt „unerschrocken"). Dieses Wort ist eigtl. das verneinte zweite Partizip von *mnd.* [sik] vorvēren „erschrecken", einer Ableitung aus *mnd.* vāre „Gefahr, Angst" (vgl. *Gefahr*). Abl.: **Unverfrorenheit** *w* (19. Jh.).

unwirsch: Die seit dem 18. Jh. übliche Form unwirsch hat sich über *frühnhd.* unwirdsch aus *mhd.* unwirdesch „unwert, verächtlich, schmählich, unwillig, zornig" entwickelt, einer Ableitung von dem Substantiv *mhd.* unwirde „Unwert" (s. Wert und Würde). Seit dem 19. Jh. wird 'unwirsch' gewöhnlich im Sinne von „unfreundlich, mürrisch" gebraucht.

üppig: Die Herkunft des Adjektivs *mhd.* üppic, *ahd.* uppīg „überflüssig, unnütz, nichtig, übermütig" ist nicht gesichert. Vielleicht ist es mit den unter →*über* und →*übel* behandelten Wörtern verwandt und bedeutet demnach eigtl. „über das Maß hinausgehend". Diese Bedeutung führte negativ gesehen zu der in älterer Zeit häufigeren Bed. „nichtig, eitel", positiv gesehen zu der heute üblichen von „überquellend, strotzend". Siehe auch den Artikel auf.

ur..., Ur...: Das *gemeingerm.* Präfix *mhd.*, *ahd.* ur-, *got.* us-, uz-, *aengl.* or-, *aisl.* ōr wird, außer im *Got.*, nur in nominalen Zus. gebraucht. Vor Verben erscheint es im *Dt.* als →*er...* (z. B. in 'erlauben' neben →*Urlaub*). Das im *Got.*, *Aisl.* und *Ahd.* auch als Präposition in der Bedeutung „aus, von - her" auftretende Wort gehört zu dem unter →*aus* behandelten idg. Adverb. Die Grundbed. „[her]aus" zeigt 'ur...' noch in Wörtern wie →*Ursprung* „Quelle" und →*Ursache* „Veranlassung". Heute bezeichnet das Präfix vor allem den Anfangszustand einer Sache oder den ersten Vertreter einer Gattung: Urwald, Urmensch. In 'uralt', 'urgemütlich', 'urplötzlich' u. ä. Wörtern wirkt es nur noch verstärkend. Abl.: **urig**, *schweiz.* **urchig** „urwüchsig, echt", auch „originell" (nhd. urich); **urtümlich** (im 18. Jh. rückgebildet aus 'Urtümlichkeit', einer Lehnbildung nach 'Originalität'); s. auch urbar.

Uran *s*: Das im ausgehenden 18. Jh. entdeckte metallische Element mit dem höchsten Atomgewicht und der höchsten Kernladung erhielt seinen fachsprachlichen Namen (*nlat.* Uranium) nach dem ebenfalls im 18. Jh. entdeckten Planeten 'Uranus'.

urbar (meist nur noch in: urbar machen): Das seit dem 17. Jh. gebräuchliche Wort stammt aus dem *Niederd.* Das zugrunde liegende *mnd.* Adjektiv ist zwar nicht bezeugt, wird aber durch das Substantiv *mnd.* orbarheit „Nutzen, Vorteil" und das Verb *mnd.* orbaren „Land durch Bearbeitung ertragbringend machen" vorausgesetzt (vgl. *mniederl.* orbare ,,nützlich"). Es hat sich aus dem Substantiv *mnd.* orbor, orbar ,,Ertrag, Nutzen, Vorteil" entwickelt, vgl. *mhd.* urbor ,,zinstragendes Grundstück, Einkünfte, Rente", auf dem *nhd.* U r b a r *s* ,,Grundbuch" beruht. Das *mnd.* Substantiv ist eine Bildung zu dem im *Nhd.* untergegangenen Präfixverb *mhd.* erbern, *ahd.* urberan ,,hervorbringen" (vgl. *gebären*). Die Grundbedeutung von 'urbar' ist demnach ,,ertragreich"; die heutige Bedeutung ist eingeschränkt auf die erste Bestellung eines Bodens, der dann ,,zum Anbau geeignet" ist.

Urheber *m* ,,der für eine Tat Verantwortliche; Verfasser, Erfinder": Das seit dem 15. Jh. bezeugte Substantiv ist eine Ableitung von *mhd.* urhap, *ahd.* urhab ,,Anfang, Ursache, Ursprung" (vgl. *heben*). Bei der Herausbildung der Bedeutung wirkte vor allem *lat.* auctor mit, als dessen Übersetzung 'Urheber' verwendet wurde. Zus.: U r h e b e r r e c h t (19. Jh.).

Urin *m* ,,Harn": Gelehrte Entlehnung des 17. Jh.s aus gleichbed. *lat.* ūrīna. Das *lat.* Wort gehört im Sinne von ,,Feuchtigkeit, Wasser" zu der unter → *Wasser* dargestellten *idg.* Wortfamilie.

Urkunde *w* ,,rechtskräftiges Schriftstück": Das auf das *dt.* und *niederl.* Sprachgebiet beschränkte Wort (*mhd.* urkünde, *ahd.* urchundi, *niederl.* oorkonde) ist eine Bildung zu dem unter → *erkennen* behandelten Präfixverb. Es bedeutete demnach urspr. ,,Erkenntnis". In der Rechtssprache wurde es dann im Sinne von ,,Bekundung, Beweis" verwendet. Dies wurde entscheidend für den Übergang zur heutigen Bedeutung. Abl.: b e u r k u n d e n ,,durch Urkunde bezeugen" (19. Jh.); u r k u n d l i c h ,,durch Urkunde beglaubigt" (17. Jh.).

Urlaub *m*: Das Substantiv *mhd.*, *ahd.* urloup ist eine Bildung zu dem unter → *erlauben* behandelten Präfixverb und bedeutete urspr. ganz allgemein ,,Erlaubnis". In der höfischen Sprache der *mhd.* Zeit bezeichnete es dann die Erlaubnis wegzugehen, die ein Höherstehender oder eine Dame dem Ritter zu geben hatte. In der Neuzeit bezeichnet 'Urlaub' die [amtliche] vorübergehende Freistellung von einem Dienstverhältnis. Abl.: U r l a u b e r *m* ,,vom [Militär]dienst vorübergehend Freigestellter" (19. Jh.; wahrscheinlich urspr. östr.); b e u r l a u b e n ,,Urlaub gewähren" (15. /16. Jh.; Präfixbildung zu dem heute untergegangenen Verb urlauben).

Urne *w* ,,Ton- oder Metallgefäß, vornehmlich zur Aufbewahrung von Totenasche": Im 17. Jh. auf gelehrtem Wege aus *lat.* urna ,,Wasserkrug; Topf, Krug; Aschenkrug; Lostopf" entlehnt.

Ursache *w*: Das aus der Rechtssprache stammende Wort ist eine Bildung aus dem unter → *ur*... dargestellten Präfix und dem unter → *Sache* behandelten Substantiv in dessen alter Bedeutung ,,Streitsache, Rechtshandel". 'Ursache' bedeutete also demnach urspr. ,,erster, eigentlicher Anlaß zu einem gerichtlichen Vorgehen". Anfänglich neben und für 'Sache' gebraucht, das schon früh im allgemeinen Sinne verwendet wurde, teilt es bald mit diesem das Schicksal der Verallgemeinerung und wird zum mehr oder weniger fest umrissenen Begriff der Kausalität (vgl. *lat.* causa, das den gleichen Weg gegangen ist und die Bedeutungen von 'Sache' und 'Ursache' wesentlich mit beeinflußt hat). Abl.: u r s ä c h l i c h (15. Jh.); v e r u r s a c h e n (16. Jh.).

Ursprung *m*: Das Substantiv *mhd.* ursprunc, *ahd.* ursprung (*niederl.* oorsprong, *schwed.* ursprung sind aus dem *Dt.* entlehnt) ist eine Bildung zu dem im *Nhd.* untergegangenen Präfixverb *mhd.* erspringen, *ahd.* irspringan ,,entsprießen, entstehen, entspringen" und bedeutete urspr. ,,das Hervorspringen (bes. von Wasser), Quelle". Die konkrete Bedeutung hält sich bis weit ins *Nhd.*, während umgekehrt die übertragene Verwendung bis ins *Ahd.* hinaufreicht. Abl.: u r s p r ü n g l i c h (*mhd.* ursprunclich, ein Wort der Mystik, das aber erst im 18. Jh. unter dem Einfluß des *frz.* original gebräuchlich wird), dazu U r s p r ü n g l i c h k e i t *w* (*mhd.* ursprunclicheit, Entwicklung wie bei 'ursprünglich').

Urteil *s*: Das Substantiv *mhd.* urteil, *ahd.* urteil[i] ist eine Bildung zu dem unter → *Teil* behandelten Präfixverb 'erteilen' und bedeutete urspr. ,,was man erteilt". Diese allgemeine Bedeutung ging früh über zu ,,Wahrspruch, den der Richter erteilt". Erst in jüngerer Zeit wird das Wort auch im Sinne von ,,Äußerung einer Ansicht über etwas" verwendet. Abl.: urteilen (*mhd.* urteilen, die Bedeutungsentwicklung wie beim Substantiv), dazu a b u r t e i l e n (18.Jh.), b e u r t e i l e n (18. Jh.) und v e r u r t e i l e n (*mhd.* verurteilen).

usurpieren ,,sich widerrechtlich aneignen; widerrechtlich die Staatsgewalt an sich reißen": Im 16. Jh. aus *lat.* ūsurpāre ,,in Anspruch nehmen, in Besitz nehmen; sich widerrechtlich aneignen" entlehnt. Das *lat.* Wort seinerseits ist zusammengezogen aus 'ūsū rapere' ,,durch Gebrauch rauben" (d. h. ,,durch tatsächlichen Gebrauch eine Sache in seinen Besitz bringen"). – Dazu U s u r p a t o r *m* ,,wer widerrechtlich die Staatsgewalt an sich reißt; Thronräuber" (18. Jh.; aus gleichbed. *spätlat.* ūsurpātor).

Usus *m* ,,Brauch, Gewohnheit, Herkommen, Sitte; Rechtsbrauch": Im 17. Jh. durch die Studentensprache aus *lat.* ūsus ,,Gebrauch; Übung, Praxis" aufgenommen. Stammwort ist *lat.* ūtī (ūsum) ,,von etwas Gebrauch machen, etwas anwenden, benutzen usw." –

733

Dazu auch das FW Utensilien *Mehrz.* „Gebrauchsgegenstände; Hilfsmittel; Zubehör" (18. Jh.; aus *lat.* ūtēnsilia „brauchbare Dinge, Gebrauchsgegenstände").

uzen „hänseln, necken": Das seit dem 16. Jh. bezeugte, den südwestdeutschen Mundarten und der Umgangssprache angehörende Verb ist vermutlich eine Ableitung von U z, der im südwestdeutschen Raum gebräuchlichen Koseform zu Ulrich, die zur Bezeichnung eines Menschen geworden war, den man verspottet oder verächtlich behandelt.

V

Vagabund *m* „Landstreicher, Herumtreiber": Das seit etwa 1700 zuerst als Vagabond bezeugte Subst. führt über gleichbed. *frz.* vagabond (Adj. und Subst.) auf *spätlat.* vagābundus „umherschweifend; unstet" zurück (vgl. *vage*). Die heutige, seit dem Ende des 18. Jh.s übliche Form 'Vagabund' ist relatinisiert. – Abl.: vagabundieren „herumstrolchen, zigeunern" (18./19. Jh.; aus gleichbed. *frz.* vagabonder).

vage „unbestimmt, unsicher; dunkel, verschwommen": Das seit dem 18. Jh. zuerst auch mit der eigtl. Bed. „umherschweifend; unstet" bezeugte Adjektiv führt über gleichbed. *frz.* vague auf *lat.* vagus „umherschweifend; unstet" zurück. – Dazu das *lat.* Verb vagārī „umherschweifen" mit dem abgeleiteten Adj. *spätlat.* vagābundus „umherschweifend; unstet" (in →Vagabund) und ū. a. dem Kompositum *mlat.* extrā-vagārī „ausschweifen" (in unserem FW →extravagant).

vakant „frei, leer; unbesetzt, offen": Ein Wort der Verwaltungssprache, das seit dem 16. Jh. bezeugt ist. Es beruht auf *lat.* vacāns (-antis), dem Part. Präs. Akt. von *lat.* vacāre „leer sein; frei sein von etwas; unbesetzt sein". – Zum gleichen Stamm gehört das FW Vakuum *s* „luftverdünnter, d. h. nahezu luftleerer Raum; Leere" (18. Jh.). Es geht unmittelbar auf *lat.* vacuum „leerer Raum; Leere" zurück, das substantivierte Neutrum von *lat.* vacuus „leer; entblößt; frei". – Dazu das denominative Verb *lat.* vacuāre „leer machen, leeren" mit dem Kompositum *lat.* ē-vacuāre „leer machen, räumen" (s. evakuieren).

Valuta *w* „Währungsgeld; Wert, Gegenwert": Im 16. Jh. als Wort der Kaufmanns- und Handelssprache aus gleichbed. *it.* valuta übernommen. Das *it.* Subst. seinerseits ist abgeleitet von *it.* valere (valuto) „gelten, wert sein", das auf *lat.* valēre „stark sein; gelten, vermögen; wert sein" (etymologisch verwandt mit *dt.* →*walten*) beruht. – Zum gleichen Stamm (*lat.* valēre) gehört u. a. das *lat.* Adj. validus „stark, gesund", dessen Gegenbildung *lat.* in-validus „kraftlos, schwach" unserem FW →invalid[e] zugrunde liegt.

Vanille *w*: Die im tropischen Amerika beheimatete, auf Bäumen wachsende Orchideenpflanze ist nach ihren Fruchtschoten benannt, die nach Fermentation ein wertvolles Gewürz liefern. Die seit dem ausgehenden 17. Jh. (zuerst als 'Vanilla') bezeugte Bezeichnung beruht wie gleichbed. *frz.* vanille, das die Form unseres Wortes beeinflußt hat, auf Entlehnung aus gleichbed. *span.* vainilla. Das *span.* Wort bedeutet eigtl. „kleine Scheide; kleine Schote". Es ist eine Verkleinerungsbildung zu *span.* vaina „Scheide; [Samen]hülse; Schote", das aus *lat.* vagīna „Schwertscheide; Scheide; Ährenhülse" stammt.

Varieté *s* „Theater mit bunt wechselndem Programm artistischer, tänzerischer und gesanglicher Darbietungen": Die im 19. Jh. aufkommende Bezeichnung hat sich als Kurzform für 'Varietétheater' durchgesetzt, das seinerseits nach gleichbed. *frz.* 'théâtre des variétés' gebildet ist. Das zugrunde liegende Subst. *frz.* variété „Abwechslung, bunte Vielfalt" beruht auf gleichbed. *lat.* varietās. Stammwort ist *lat.* varius „verschiedenartig; mannigfaltig, bunt; wechselnd" (vgl. *variieren*).

variieren „verschieden sein, abweichen; verändern, abwandeln": Das in dieser Form seit dem 17./18. Jh. bezeugte Verb (für das 16. Jh. ist varirn „verändern" gesichert) führt über gleichbed. *frz.* varier auf *lat.* variāre „mannigfaltig machen; verändern; wechseln (transitiv); verschieden sein, bunt schillern (intransitiv)" zurück. Stammwort ist das *lat.* Adj. varius „verschiedenartig; mannigfaltig, bunt; wechselnd". – Dazu: variabel „veränderlich, abwandelbar; schwankend" (19. Jh.; aus gleichbed. *frz.* variable < *spätlat.* variābilis); Variante *w* „Abweichung, Abwandlung; Spielart; verschiedene Lesart" (18./19. Jh.; aus gleichbed. *frz.* variante); Variation *w* „Abwechslung; Abwandlung; melodische Veränderung eines musikal. Themas" (Anfang des 18. Jh.s; aus *frz.* variation < *lat.* variātiō „Verschiedenheit; Veränderung"); ferner das FW →Varieté.

Vase *w* „Ziergefäß (meist für Blumen)": Das bereits im 16. Jh. bezeugte, aber erst seit dem 18. Jh. allgemein übliche FW führt über gleichbed. *frz.* vase auf *lat.* vās (vāsis) „Gefäß, Geschirr" zurück.

Vater *m*: Die *gemeingerm.* Bezeichnung für „Haupt der Familie, Erzeuger, Ernährer" (*mhd.* vater, *ahd.* fater, *got.* fadar, *engl.* father, *schwed.* fader) geht mit Entsprechungen in anderen *idg.* Sprachen auf *idg.* *pǝtḗr „Vater, Haupt der Familie" zurück, vgl. z. B. *aind.* pitár „Vater", *gr.* patḗr „Vater" (s. Patriot), *lat.* pater „Vater" (s. die FW um Pater). Die Deutung des *idg.* Wortes ist unsicher. Der alte *idg.* Verwandtschaftsname, der mit demselben Suffix gebildet ist wie die Verwandtschaftsbezeichnungen Mutter, Bruder und Tochter, ist möglicherweise eine Bildung zu einem alten Lallwort der Kindersprache wie Papa (vgl. auch *gr.* páppas, *lat.* pāpa) oder gehört zur *idg.* Wz. *pō[i]- „hüten, schützen". Eine alte Bildung zu 'Vater' ist das unter →Vetter behandelte Wort. Siehe auch den Artikel Gevatter. Abl.: väterlich (*mhd.* veterlich, *ahd.* faterlīh). Zus.: Vaterland (12. Jh., *mhd.* vaterlant; freie Übertragung von *lat.* patria „Vaterland", mit dem heutigen Gehalt erst seit dem Zeitalter des Humanismus [16. Jh.]), dazu vaterländisch (18. Jh.); Vatermörder *ugs.* für „hoher, steifer Stehkragen" (19. Jh.; durch volksetymologische Umdeutung von *frz.* parasite „Mitesser" [an den langen, nach oben gerichteten Ecken blieben leicht Speisereste hängen] zu parricide „Vatermörder", ein Wort also, das einem Mißverständnis seine Existenz verdankt); Vaterunser *s* (nach den Anfangsworten des Gebetes, zu denen Jesus Matth. 6, 9 spricht, mit nachgestelltem Possessivpronomen, *mhd.* vater unser, *ahd.* fater unser, *got.* atta unsar, nach *lat.* pater noster).

Vegetarier *m* „wer ausschließlich von pflanzlicher Kost lebt": Im 19. Jh. nach gleichbed. *engl.* vegetarian gebildet, einer gelehrten Neuschöpfung zu *mlat.* *vegetālis „zum Leben gehörig", in neuerer Zeit „pflanzlich" (von *lat.* vegetāre „beleben", vgl. unten *Vegetation*). Dazu das Adj. vegetarisch „pflanzlich, Pflanzen..." (20. Jh.).

Vegetation *w* „Pflanzenwuchs; gesamte Pflanzenwelt eines Gebietes": Gelehrte Entlehnung des 18. Jh.s aus *spätlat.* vegetātiō „Belebung, belebende Bewegung". Das zugrunde liegende Verb *lat.* vegetāre „in Bewegung setzen, beleben" gehört zu *lat.* vegetus „rührig, lebhaft, munter" und weiter zu *lat.* vegēre „munter, lebhaft sein" (etymologisch verwandt mit *dt.* → *wecken*). – Auf dem *lat.* Verb vegetāre beruht formal unser FW **vegetieren** „kümmerlich, kärglich [dahin]leben" (18. Jh.). Gleichen Ausgangspunkt haben die FW → Vegetarier, vegetarisch.

vehement „heftig, stürmisch, ungestüm": Am Anfang des 18. Jh.s aus gleichbed. *lat.*

vehemēns (-entis) entlehnt. Das *lat.* Adj. seinerseits gehört wahrscheinlich mit einer urspr. Bed. „einherfahrend, auffahrend" zu *lat.* vehere „fahren" (vgl. *Vehikel*). – Abl.: **Vehemenz** *w* „Heftigkeit, Wildheit; Schwung" (Anfang 18. Jh.; aus gleichbed. *lat.* vehementia).

Vehikel *s* „klappriges, altmodisches Fahrzeug": Im 18. Jh. aus *lat.* vehiculum „Fahrzeug" entlehnt. Zu *lat.* vehere (vectum) „fahren; führen usw." (etymolog. verwandt mit *dt.* → *bewegen*). – Vom gleichen Stamm kommt das FW → vehement. Es beruht auf dem *lat.* Adj. vehemēns „heftig, stürmisch" (urspr. wohl „einherfahrend, auffahrend").

Veilchen *s*: Der in der heute üblichen Form seit dem 16. Jh. bezeugte Blumenname ist eine Verkleinerungsbildung zu gleichbed. älter *nhd.* Vei[e]l (*mhd.* viel, *frühmhd.* vīol[e], *ahd.* viola). Der Name ist aus *lat.* viola „Veilchen" entlehnt (s. auch das FW violett), das seinerseits mit gleichbed. *gr.* ion (s. Levkoje und Jod) zusammenhängt. Beide stammen vermutlich in unabhängiger Entlehnung aus einer gemeinsamen Quelle, vielleicht aus einer nicht *idg.* Mittelmeersprache.

Veitstanz *m*: Die Krankheitsbezeichnung ist eine *frühnhd.* LÜ (16. Jh.) von *mlat.* chorea sancti Viti. Der hl. Vitus, *hochd.* Veit, wurde als Helfer bei dieser Krankheit angerufen, die sich in nervösen Muskel- und Gliederzuckungen äußert. Weshalb gerade der hl. Vitus, ein sizilianischer Märtyrer des 4. Jh.s, angerufen wurde, ist nicht sicher geklärt.

Velours *m* „samtartiges Gewebe mit gerauhter, weicher Oberfläche": In neuerer Zeit aus *frz.* velours „Samt" aufgenommen, das für älteres gleichbed. velous steht. Das *frz.* Wort stammt aus gleichbed. *aprov.* velos (eigtl. „zottig, haarig"), das seinerseits auf *lat.* villōsus „zottig, haarig" beruht. Zu *lat.* villus „zottiges Tierhaar" und weiter zu *lat.* vellus „abgeschorene, noch zusammenhängende Schafwolle" (etymolog. verwandt mit *dt.* → *Wolle*). – Siehe auch ²Flor.

Vene *w* „Blutader": Im 18./19. Jh. aus *lat.* vēna „Blutader" eingedeutscht.

Ventil *s* „Luft-, Dampfklappe; Absperrvorrichtung": Gelehrte Entlehnung des 16. Jh.s aus *mlat.* ventile „Schleuse eines Wasserkanals". Für den Bedeutungsübergang spielt die Anlehnung an das zugrunde liegende Stammwort *lat.* ventus „Wind" (vgl. unten *ventilieren*) eine Rolle. – **ventilieren** „lüften, die Luft erneuern", auch bildlich übertragen gebraucht im Sinne von „sorgfältig erwägen, von allen Seiten durchdenken, eingehend erörtern": Das mit seiner eigtl. Bed. „lüften" schon im 16. Jh. bezeugte Verb (der eigtl. Bed. erst im 18. Jh. nach entspr. *frz.* ventiler) geht zurück auf *lat.* ventilāre „in die

Luft schwenken, schwingen; Luft fächeln; eingehend erörtern". Stammwort ist das mit *dt.* →*Wind* urverwandte Subst. *lat.* ventus „Wind". Abl.: Ventilation *w* „Lufterneuerung, Lüftung, Luftwechsel" (19. Jh.; aus gleichbed. *frz.* ventilation, *lat.* ventilātiō „das Lüften"); Ventilator *m* „Gerät zum Absaugen und Bewegen von Luft oder Gasen" (eine im 18. Jh. aus dem *Engl.* übernommene *nlat.* Bildung; *engl.* ventilator).

ver...: In dem Präfix ver... (*mhd.* ver-, *ahd.* fir-, far-, *mnd.* vör-, vor-) sind mehrere Vorsilben zusammengeflossen, die im *Got.* als faír- „heraus-", faúr „vor-, vorbei-" und fra- „weg-" noch getrennt sind, vgl. z. B. die *außergerm.* Entsprechungen *lat.* per-, por-, pro-, *gr.* peri-, par-, pro- und *aind.* pári, pṛ-, prá-. Die zugrunde liegenden *idg.* Formen *per[i], *pṛ-, *pro gehören zu dem *idg.* Wurzelnomen *per, das etwa „das Hinausführen über ..." bedeutete und die Grundlage zahlreicher Adverbien, Präpositionen und Präfixe bildet. Außer den obengenannten (s. die Artikel per..., peri..., pro...) gehören hierher z. B. noch *lat.* prae „vor, voraus" (s. prä...), *dt.* →*für* (mit Fürst), →*vor* (mit vorn, vorder, fordern; nahe verwandt mit *gr.* pará „entlang, über - hinaus", s. para...), →*fort* (mit fördern), →*früh* (mit Frühling) und →*fern*. Darüber hinaus liegt *idg.* *per-, vielfach weitergebildet und erweitert, zahlreichen Nominalbildungen in fast allen *idg.* Sprachen zugrunde. Aus dem *dt.* Wortschatz gehören hierher die unter →*Frau* (mit Fron), →*fremd*, →*frommen* (mit fromm) behandelten Wörter, ferner die verdunkelte Zus. →*First* (eigtl. „Hervorstehendes") und das ähnlich gebildete Wort →*Frist* (eigtl. „Bevorstehendes"), dem *gr.* présbys „alt" (s. Priester) nahesteht. Zu der gleichen großen Sippe stellen sich schließlich die unter →*fahren* (mit →*hinüberführen*, -kommen, -übersetzen") und →*Gefahr* (zu *per- in der Bed. „unternehmen, wagen") behandelten *idg.* Wortgruppen, deren Bedeutungen sich schon sehr früh selbständig ausgebildet haben. – Die heutige Verwendung des Verbalpräfixes ver... ist sehr vielseitig und mit den Bedeutungen der drei *got.* Präfixe kaum zu verbinden. Am ehesten entspricht 'ver...' *got.* fra- „weg" in den Verben, die ein Verarbeiten, Verbrauchen, Verderben oder Verschwinden bezeichnen. Dem stehen die Begriffe des „Verschließens" (in verkleben, verbauen), des „Hinbringens der Zeit" (in verschlafen, versäumen) und das „Irregehens oder -führens" (in verlaufen, verführen) nahe. Zu Adjektiven bildet ver... Bewirkungsverben (vergüten, verschönern, anders: verblassen), zu Substantiven Verben des Verwandelns (versklaven, verfilmen) und Versehens (vergolden, verschalen). Zu Weiterem s. die folgenden Artikel. *Ugs.* und *mdal.* ist ver... oft an die Stelle von er... und

zer... getreten (verzählen für erzählen, verreißen für zerreißen).

Veranda *w*: Im 19. Jh. als Bezeichnung für einen gedeckten und an den Seiten verglasten Anbau oder Vorbau an [Land]-häusern aus gleichbed. *engl.* veranda[h] übernommen. Das *engl.* Wort seinerseits stammt aus *port.* varanda (= *span.* baranda) „Veranda". Die weitere Herkunft des Wortes ist ungewiß.

Verb, Verbum *s* „Zeitwort": Gelehrte Entlehnung *nhd.* Zeit aus *lat.* verbum „Wort, Ausdruck; Zeitwort" (urverwandt mit *dt.* →*Wort*). Abl.: verbal „das Zeitwort betreffend; wörtlich, mit Worten, mündlich" (18. Jh.; aus *spätlat.* verbālis „das [Zeit]wort betreffend"). Siehe auch Adverb.

verballhornen „aus Unkenntnis entstellen, bes. ein Wort": Das seit Beginn des 19. Jh. *s* bezeugte Verb ist von dem Namen des Lübecker Buchdruckers Joh. Ballhorn abgeleitet, bei dem im 16. Jh. eine fehlerhaft korrigierte Ausgabe des lübischen Rechtes erschien. Eine gleichbed. Abl. ist ballhornisieren.

verbleichen „bleich, farblos werden": Das Verb *mhd.* verblīchen, *ahd.* farblīchan ist eine Präfixbildung zu dem im *Nhd.* außer in 'verbleichen' und →*erbleichen* nicht mehr erhaltenen *altgerm.* einfachen starken Verb *mhd.* blīchen, *ahd.* blīchan „glänzen", *niederl.* blijken „klar, deutlich sein, sich zeigen", *aengl.* blīcan „glänzen, leuchten; erscheinen", *aisl.* blīkja „glänzen, scheinen". Das Verb ist eng verwandt mit dem unter →*bleich* behandelten Adjektiv und gehört mit diesem zu der unter →*Blei* dargestellten *idg.* Wurzelform. Im Gegensatz zu →*erbleichen* hat sich bei 'verbleichen' die starke Beugung erhalten, beachte bes. das substantivierte 2. Part. Verblichene *m* und *w*, altertümlich verhüllend für „Verstorbene[r]".

verblüffen: *Mnd.* vorblüffen „überraschen, überrumpeln", dem *niederl.* verbluffen „einschüchtern" entspricht, wurde im 18. Jh. schriftsprachlich. Das einfache Verb *niederl.* bluffen (18. Jh.) „Schrecken einjagen", [m]*niederl.* bluffen, *engl.* to bluff „prahlen, großtun" ist wohl lautnachahmenden Ursprungs.

verbrämen „[ein Kleidungsstück] mit einem Rand, bes. aus Pelz verzieren"; übertr. „schmücken, verdecken": Das Verb *mhd.* verbremen ist eine Präfixbildung zu dem einfachen Verb *mhd.* bremen „verbrämen", das von dem Substantiv *mhd.* brem „Einfassung, Rand" abgeleitet ist (beachte das noch in der Kürschnersprache gebräuchliche *nhd.* Bräme *w* „kostbarer Kleider-, bes. Pelzbesatz"). Verwandt sind z. B. *niederl.* braam „Rand" und *engl.* brim „Rand". Die Herkunft der Wortgruppe ist ungewiß.

Verdacht *m*: Das zuerst im 16. Jh. bezeugte Substantiv (beachte aber schon *mnd.* vordacht „Argwohn") ist eine Bildung zu dem unter →*denken* behandelten Präfixverb verdenken in dessen alter Bedeutung „Übles von jemandem denken, jemanden in Verdacht haben". Abl.: verdächtig (*mhd.* verdǣhtic „überlegt, vorbedacht", dann „argwöhnisch, Verdacht hegend", die passivische Bedeutung „mit Verdacht behaftet" erst seit dem 17. Jh.), dazu verdächtigen (17. Jh.).

verdammen „für strafwürdig erklären, verurteilen, verwerfen": Das nur *dt.* Zeitwort *mhd.* verdam[p]nen, *ahd.* firdamnōn ist aus *lat.* damnāre „büßen lassen, verurteilen, verwerfen" entlehnt, das von *lat.* damnum „[Geld]buße; Verlust, Schaden, Nachteil" abgeleitet ist. Daß das Zeitwort verdammen urspr. (wie auch noch heute) in der Kirchensprache im Sinne von „aus der göttlichen Gnade ausstoßen, verfluchen" eine bes. Rolle spielte, zeigt einerseits das zum Fluchwort gewordene zweite Partizip verdammt!, andererseits das abgeleitete Subst. Verdammnis *w* „ewige Verworfenheit vor Gott, ewige Strafe" (*mhd.* verdam[p]nisse).

verdauen „genossene Speisen im Körper verarbeiten": Das auf das *dt.* und *niederl.* Sprachgebiet beschränkte Präfixverb (*mhd.* verdöu[we]n, *ahd.* firdouwen, *niederl.* verduwen) gehört vermutlich zu dem unter →¹*Tau* behandelten Verb und bedeutet eigtl. „verflüssigen, auflösen". Abl.: verdaulich „bekömmlich" (*mhd.* verde[u]wlich); Verdauung *w* (15. Jh.).

verderben „schlecht werden, zugrunde gehen, beschädigen, zugrunde richten": Das seit *mhd.* Zeit bezeugte starke intr. Verb (*mhd.* verderben „zunichte werden, umkommen, sterben"), mit dem sich das zugehörige schwache Veranlassungswort (*mhd.* verderben „zu Schaden bringen, zugrunde richten, töten") im *Nhd.* vermischt hat, ist im *germ.* Sprachbereich z. B. verwandt mit *aengl.* deorfan „sich anstrengen; arbeiten; in Gefahr sein; umkommen", *asächs.* derbi „kräftig, böse" und *aisl.* djarfr „kühn", *außergerm.* z. B. mit der *balt.* Sippe von *lit.* dìrbti „arbeiten". Abl.: Verderb *m* „Verderben, Untergang" (*mhd.* verderp); Verderben *s* (*mhd.* verderben, substantivierter Infinitiv); verderblich „Schaden bringend, nicht haltbar (von Speisen)" (15. Jh.); das Subst. Verderbnis *w* (*mhd.* verderpnisse) und das adjektivisch gebrauchte 2. Partizip des schwachen Verbs verderbt bezeichnen den Zustand moralischer Verkommenheit; das adjektivisch gebrauchte 2. Partizip des starken Verbs verdorben bedeutet „schlecht, unbrauchbar; verkommen".

verdrießen „Unwillen erregen": Die Präfixbildung (*mhd.* verdrieʒen „Überdruß, Lange-weile erregen") enthält ein im *Dt.* untergegangenes einfaches Verb, das sich in Präfixbildungen wie *mhd.* be-, er-, verdriezen, *ahd.* ar-, bidriuʒan erhalten hat, vgl. *got.* us-þriutan „beschwerlich fallen", *aengl.* drēotan „plagen, ermüden", *aisl.* þrjōta „ermüden, mangeln". Dieses Verb gehört mit verwandten Wörtern in anderen *idg.* Sprachen zur *idg.* Wurzelform *treu-d- „quetschen, stoßen, drücken", vgl. z. B. *lat.* trūdere „stoßen, drängen" (s. abstrus) und die *slaw.* Sippe von *russ.* trudít'sja „sich mühen". Unter den Artikel Überdruß. Beachte das adjektivisch gebrauchte 2. Partizip verdrossen (*mhd.* verdroʒʒen) mit der Verneinung unverdrossen (*mhd.* unverdroʒʒen). Eine Substantivbildung zu 'verdrießen' ist Verdruß *m* (*mhd.* verdruʒ). Abl.: verdrießlich (15. Jh.).

verdutzt: Das 2. Part. von *mnd.* vordutten „verwirren" erscheint im 17. Jh. als verduttet, im 18. Jh. als vertutzt in *nhd.* Texten. Das *mnd.* Verb gehört wie *mniederl.* dutten „verrückt sein", *engl.* *mdal.* dudder „verwirren", *norw.* *mdal.* dudra „zittern" zu der unter →*Dunst* dargestellten *idg.* Wortgruppe.

vereinbaren: *Mhd.* vereinbǣren „einträchtig machen, vereinigen, übereinkommen" ist eine Präfixbildung zu *mhd.* einbǣren, das von dem Adj. *mhd.* einbǣre „einhellig, einträchtig" (zu →¹*ein* und →*...bar*) abgeleitet ist. Abl.: Vereinbarung *w* (16. Jh.).

verfahren: Die *westgerm.* Präfixbildung zu dem unter →*fahren* behandelten Verb (*mhd.* vervarn, *mnd.* vorvāren, *ahd.* firfaran, *aengl.* forfaran) hat neben der eigtl. Bed. „vorüber-, weggehen (sterben, verderben), irrefahren" zuerst in der *mnd.* Rechtssprache den Sinn „vorgehen, behandeln" entwickelt. Die Bed. „irrefahren" lebt in 'sich verfahren' und bildl. in der Wendung 'eine verfahrene Situation' fort. Abl.: Verfahren *s* „Behandlungsweise; Prozeß" (18. Jh.).

verfügen: Das Präfixverb *mhd.* vervüegen „passen, anstehen" (vgl. *fügen*) hat wie *mnd.* vorvögen auch die Bed. „veranlassen" (eigtl. „einrichten") und ist in dieser Bed. *nhd.* ein typisches Behördenwort geworden. *Frühnhd.* bedeutete es auch „schicken", daher noch jetzt das papierdt. 'sich an einen Ort verfügen'. Als 'über etwas verfügen' (19. Jh.) bedeutet es „etwas zu sagen haben". Abl.: verfügbar (19. Jh.); Verfügung *w* (im 17. Jh. für „Anordnung"; auch in der Wendung 'zur Verfügung stellen oder stehen').

vergattern „vor der Wachablösung zusammenrufen": Das Grundwort der *mhd.* Präfixbildung vergatern „versammeln" entspricht *mnd.* gāderen „sammeln, zusammenbringen" und *engl.* to gather „sammeln". Es ist eng verwandt mit den unter →*Gatte*, →*Gatter* und →*Gitter* behandelten Wörtern (vgl. *gut*). Abl.: Vergatterung *w* (*mhd.* vergaterunge „Vereinigung, Versammlung").

737

vergessen: Das *westgerm.* Präfixverb *mhd.* vergeꝫꝫen, *ahd.* firgeꝫꝫan, *niederl.* vergeten, *aengl.* forgietan enthält, wie auch *got.* bigitan „finden", als Grundwort ein einfaches Verb, das in *aisl.* geta „erreichen" (aus dem *Nord.* entlehnt *engl.* to get „bekommen, erhalten") erhalten ist und urspr. svw. „erlangen, erhalten" bedeutete. Es geht mit verwandten Wörtern in anderen *idg.* Sprachen auf die *idg.* Wz. *ghed-, „fassen, ergreifen" zurück, zu deren nasalierter Form *ghend-* z. B. auch *lat.* praehendere „fassen, ergreifen" (s. Prise) gehört. Die Grundbedeutung von 'vergessen' ist also, da die Vorsilbe →*ver*... die Bedeutung des Verbs in ihr Gegenteil verkehrt, „aus dem [geistigen] Besitz verlieren". Das Veranlassungswort zu dem einfachen Verb steckt in dem unter →ergötzen behandelten Verb. Abl.: **Vergessenheit** w (*mhd.* vergeꝫꝫenheit); **vergeßlich** (*mhd.* vergeꝫꝫe[n]lich, die heutige kürzere Form seit dem 15. Jh.), dazu **Vergeßlichkeit** w (16. Jh.). Siehe auch den Artikel →*Vergißmeinnicht*.

vergeuden „nutzlos vertun": *Mhd.* vergiuden ist eine Präfixbildung zu dem im *Nhd.* untergegangenen einfachen Verb *mhd.* giuden „prahlen, großtun; verschwenderisch leben". Dieses Verb gehört vermutlich im Sinne von „den Mund aufreißen" zu der unter →*gähnen* behandelten *idg.* Wortgruppe.

Vergißmeinnicht *s*: Der Blumenname ist seit dem 15. Jh. bezeugt. Er setzt sich aus der verneinten Befehlsform von →*vergessen* und ihrem Objekt, dem heute veralteten Gen. Einz. des Personalpronomens der 1. Pers., zusammen. Liebende pflegten die Blumen einander beim Abschied zu schenken, um die Erinnerung wachzuhalten.

vergnügen: Das Verb *mhd.* vergenüegen ist eine Bildung zu dem *mhd.* Adjektiv genuoc „hinreichend" (vgl. *genug*). Mit dem urspr. Sinn „zufriedenstellen, befriedigen" verband sich leicht die Vorstellung „eine Freude machen" und seit dem 18. Jh. sogar die von „fröhlich machen, ergötzen". Die urspr. Bed. ist in *niederl.* vergenoegen „zufriedenstellen" bewahrt. Sehr gebräuchlich ist das adjektivisch verwendete 2. Partizip **vergnügt** „heiter und zufrieden; fröhlich". Der substantivierte Inf. **Vergnügen** *s* „Freude, Belustigung" war urspr. ein Wort der Geschäfts- und Rechtssprache (*mhd.* vergenüegen „Bezahlung, Zufriedenstellung"), lehnte sich jedoch in der Bedeutungsentwicklung an das Verb an. Abl.: **vergnüglich** „besinnlich, heiter" (17. Jh.); **Vergnügungen** *Mehrz.* (in der Einz. seit dem 16. Jh., ganz gegenüber 'Vergnügen' zurücktretend, aber als Ersatz für die nicht übliche Mehrz. von 'Vergnügen' seit dem 18. Jh.).

Verhängnis *s*: *Mhd.* verhencnisse „Zulassung, Einwilligung, Schickung" ist eine Substantivbildung zu dem zusammengesetzten Verb *mhd.* verhengen „hängen oder schießen lassen; nachgeben, geschehen lassen; ergehen lassen" (vgl. *hängen*). In der Reformationszeit wurde 'Verhängnis' im Sinne von „[göttliche] Fügung", in der Aufklärungszeit im Sinne von „Schicksal" gebraucht. Heute bedeutet das Wort bes. „schlimmes Schicksal, Unheil, Unglück".

verhaspeln, sich (*ugs.* für:) „sich beim Sprechen verwirren": Das seit dem 16. Jh. bezeugte Wort ist eine Präfixbildung zu dem heute wenig gebräuchlichen Verb **haspeln** „[auf]winden, -spulen; hastig sprechen" (*spätmhd.* haspelen „Garn wickeln"). Es wird von Anfang an nur im übertr. Sinne von „verwirren" gebraucht. Das einfache Verb haspeln ist eine Ableitung von dem Substantiv **Haspel** *w* „Seil-, Garnwinde, -spule" (*mhd.* haspel „Seil-, Garnwinde", *ahd.* haspil „Garnwinde"), einer Bildung zu dem Substantiv **Haspe** *w* „Fenster-, Türhaken" (*mhd.* haspe „Türhaken; Garnwinde", *ahd.* haspa „Strang oder Knäuel Garn"; vgl. *engl.* hasp „[Tür-, Fenster]haken, Spange; Spule [für Garn]", *schwed.* hasp „[Tür-, Fenster]haken, Krampe"). Die Herkunft dieser *germ.* Wortgruppe ist ungeklärt. Der heute refl. Gebrauch und die Bedeutung „sich beim Sprechen verwirren" sind verhältnismäßig jung (18. Jh.).

verheddern, [sich] (*ugs.* für:) „[sich beim Sprechen] verwirren": Das seit dem Ende des 18. Jh.s bezeugte, urspr. *niederd.* Verb ist abgeleitet von *niederd.* →*Hede* „Werg, in der Hechel zurückbleibendes Gewirr kürzerer Fasern".

verheeren „verwüsten, zerstören": Das Verb *mhd.* verhern, *ahd.* farheriōn „mit einer Heeresmacht überziehen, verwüsten, verderben" ist eine verstärkende Präfixbildung zu dem im *Nhd.* untergegangenen einfachen Verb *mhd.* her[e]n, herjen, *ahd.* heriōn „verwüsten, rauben, plündern", *engl.* to harry, to harrow „verwüsten, plündern, berauben", *aisl.* herja „einen Raubzug unternehmen". Dieses Verb ist von dem unter →*Heer* behandelten Substantiv abgeleitet. Beachte dazu das adjektivisch verwendete erste Partizip **verheerend** und **Verheerung** *w* (*spätmhd.* verherunge).

verkehren: Das Verb *mhd.* verkēren „umkehren, umwenden, verdrehen, ins Entgegengesetzte verändern, eine falsche Richtung geben" ist eine Präfixbildung zu dem unter →¹*kehren* „[um]wenden" behandelten einfachen Verb. Die urspr. Bedeutung ist bes. noch im adjektivisch gebrauchten 2. Partizip **verkehrt** „entgegengesetzt, falsch" bewahrt. Die jetzt vorherrschende Bed. des Verbs „Umgang mit jemandem haben" ist erst im 18. Jh. entwickelt, vielleicht aus dem Wortgebrauch von „in Austausch bringen, Handel treiben", vgl. bereits *mnd.* vorkēren „in Handelsverkehr treten; unterwegs sein, um Handel zu treiben". Dies wird gestützt durch die Substantivbildung Verkehr *m* (18. Jh.), deren urspr. Bedeutung „Handel[sverkehr]", Umsatz, Vertrieb von Waren" war. Aus ihr hat sich die allgemeinere Bedeutung „Umgang, gesellschaftliche Berührung" entwickelt. Die heute sehr übliche Verwendung des Wortes im Sinne von „Hinundhergehen, -fahren, Straßenverkehr" ist noch ziemlich jung (2. Hälfte des 19. Jh.s). Abl. zum 2. Partizip: Verkehrtheit *w* (*spätmhd.* verkērtheit „Arglist"; die heutige Bedeutung seit der 2. Hälfte des 18. Jh.s).

verlangen „begehren, fordern": *Mhd.* verlangen „sehnlichst begehren' ist eine Präfixbildung zu dem einfachen Verb *mhd.* langen, *ahd.* langēn „verlangen, gelüsten", dem *engl.* to long „sich sehnen" und *aisl.* langa „sich sehnen" entsprechen. Die Verben sind von dem unter → *lang* behandelten Adjektiv abgeleitet. 'Verlangen' wurde urspr. unpersönlich gebraucht. Die Bedeutung „begehren" entwickelte sich aus „(zeitlich) lang dünken". Der substantivierte Infinitiv Verlangen *s* ist seit dem 16. Jh. bezeugt.

Verlaub *m*: Die im *Hochd.* seit dem 16. Jh. belegte Formel 'mit Verlaub' setzt *mnd.* 'mit vorlōve' „mit Erlaubnis" fort, das ebenfalls schon zur Einführung einer freimütigen Bemerkung diente. *Mnd.* vorlōf ist eine Substantivbildung zu *mnd.* vorlōven „erlauben, genehmigen", einer Nebenform zu dem unter → *erlauben* behandelten Verb.

verlegen „befangen, leicht verwirrt, beschämt, unsicher": Das Adjektiv *mhd.* verlegen ist eigtl. das 2. Partizip zu einem heute nicht mehr gebräuchlichen Verb *mhd.* verligen „durch Liegen Schaden nehmen, durch zu langes Liegen in Trägheit versinken" (vgl. *liegen*). Die Bedeutungsgeschichte führt von „untätig" über „unschlüssig, zweifelhaft, ratlos" zu dem heutigen, seit dem 18. Jh. geltenden Sinn. Abl.: Verlegenheit *w* (*mhd.* verlegenheit „schimpfliche Untätigkeit"; erst im 18. Jh. im Anschluß an die heutige Bedeutung von 'verlegen' im Sinne von „Befangenheit, Unsicherheit").

verlieren: Das Präfixverb *mhd.* verliesen, *ahd.* farliosan (beachte auch *got.* fraliusan und *aengl.* forlēosan) enthält ein im *germ.* Sprachbereich untergegangenes einfaches Verb, das zu der unter → *los* behandelten Wortgruppe gehört. Das r von 'verlieren' (gegenüber *mhd.* verliesen) stammt aus Formen mit grammatischem Wechsel; die alten s-Formen kamen erst in *frühnhd.* Zeit völlig außer Gebrauch, sie sind aber bewahrt in den dazugehörigen Bildungen → *Verlies* und → *Verlust*.

Verlies *s*: Das im 18. Jh. durch die Ritterromane in die Schriftsprache gelangte *niederd.* Wort ist eine Substantivbildung zu dem unter → *verlieren* behandelten Verb. Urspr. bedeutete es auch noch „Verlust"

(vgl. *niederl.* verlies „Verlust"), dann „das Sichverlieren; Zustand, in dem man unsichtbar für andere wird", schließlich „unterirdischer Raum, der sich verliert oder in dem man sich verliert; unterirdischer Kerker".

Verlust *m*: Die Substantive *mhd.* verlust, *ahd.* farlust, *got.* fralusts sind Bildungen zu dem unter → *verlieren* behandelten Verb. Zur Bildung vgl. das Verhältnis von Frost und frieren. Abl.: verlustig (*mhd.* verlustec „Verlust erleidend", heute fast nur in festen Verbindungen wie 'jemanden einer Sache verlustig erklären' und 'einer Sache verlustig gehen').

vermählen: Das seit dem 15. Jh. bezeugte Verb (*spätmhd.* vermehelen) ist eine Präfixbildung zu dem einfachen Verb *mhd.* mehelen „versprechen, verloben, vermählen", *ahd.* mahelen „vermählen", einer Ableitung von dem Substantiv *mhd.* mahel, *ahd.* mahal „Versammlung[sort], Gericht[sstätte]; Vertrag; Ehevertrag" (vgl. *Gemahl*). In der Bed. „heiraten" gehört das Verb heute als Reflexiv dem gehobenen Sprachgebrauch an. Abl.: Vermählung *w* (16. Jh.).

Vernunft *w*: Das nur *dt.* Substantiv *mhd.* vernunft, *ahd.* vernumft ist eine Bildung zu dem unter → *nehmen* behandelten Präfixverb vernehmen in dessen veraltete Bedeutung „erfassen, ergreifen" (beachte zur Bildung z. B. das Verhältnis von 'Zukunft' zu 'Zukommen'). 'Vernunft' bedeutete zunächst „Erfassung, Wahrnehmung", dann, auf Geistiges übertragen, „Erkenntnis[kraft], Einsicht". Abl.: vernünfteln „die Vernunft übertrieben genau anwenden" (17. Jh.); vernünftig (*mhd.* vernünftic).

verpönt „verrufen, allgemein abgelehnt, mißbilligt": Das Wort ist das in adjektivischen Gebrauch übergegangene zweite Partizip des heute veralteten Zeitwortes verpönen (*mhd.* verpēnen) „mit einer Geldstrafe bedrohen, bei Strafe verbieten; mißbilligen". Das Zeitwort selbst ist Ableitung zu *mhd.* pēn[e] „Strafe", das wie das LW → *Pein* auf *lat.* poena „Buße, Sühnegeld; Strafe; Kummer" zurückgeht.

verquicken: Das seit dem 17. Jh. bezeugte Wort war ein Fachausdruck der Alchimisten und Goldmacher und bedeutete urspr. „Metalle mit Quecksilber legieren" (vgl. *Quecksilber*). Seit dem 18. Jh. wird das Verb nur noch ganz allgemein im Sinne von „fest vereinigen, vermengen" gebraucht.

verraten: In dem *westgerm.* Präfixverb *mhd.* verrāten, *ahd.* farrātan, *niederl.* verraden, *aengl.* forrǣdan gibt die Vorsilbe → *ver*... dem Grundwort → *raten* die negative Bed. „durch falschen Rat irreleiten; auf jemandes Verderben sinnen". Diese Bed. ging bald über in „etwas zu jemandes Verderben unternehmen", woraus dann später „durch die Preisgabe von Geheimnissen · verderben". Diese negative Bedeutung, die bei der übertr.

Anwendung des Verbs „etwas erkennen lassen" vollständig verloren gegangen ist, ist im Substantiv Verrat m (17. Jh.) erhalten. Abl.: Verräter m (mhd. verräter, verræter). Die Zus. Hochverrat, in der 'hoch' eine Steigerung des Grundwortes bezeichnet, ist seit dem 17. Jh. bezeugt.

verrecken (derb für:) „jämmerlich sterben, krepieren": Das Wort mhd. verrecken „die Glieder starr ausstreckend sterben" ist eine Präfixbildung zu dem unter →recken behandelten Verb. Es konnte urspr. ohne verächtlichen Nebensinn das Sterben des Menschen bezeichnen, wurde aber seit dem 17. Jh. fast nur noch auf das Vieh angewandt.

verrotten „durch Fäulnis mürbe werden und zerbröckeln": Das im 17. Jh. aus dem Niederd. ins Hochd. übernommene Verb geht zurück auf mnd. vorrotten „verfaulen", eine Präfixbildung zu dem einfachen Verb mnd. rotten „faulen" (vgl. entspr. mniederl. rotten „faulen"). Damit sind im germ. Sprachbereich verwandt z. B. ahd. roẓēn „faulen", engl. to rot „faulen", schwed. rutten „verfault", ruttna „verfaulen", weiterhin mnd. röten „Flachs faulen lassen", niederl. roten „Flachs faulen lassen", schwed. röta „faulen", röta „Fäulnis, Eiterung verursachen; rösten" und mhd. ræzen „Flachs faulen lassen". Die außergerm. Beziehungen sind unklar.

verrucht „verbrecherisch, verworfen": Das Adj. mhd. verruochet „achtlos, sorglos; ruchlos" ist eigtl. das 2. Part. zu mhd. verruochen „sich nicht kümmern, vergessen", dessen Präfix das Grundwort mhd. ruochen „sich kümmern, Sorge tragen" ins Gegenteil verkehrt. Verwandt sind die unter →geruhen und →ruchlos behandelten Wörter. Die heute übliche Bedeutung hat sich aus „achtlos gegenüber dem, was als geheiligt gilt", entwickelt.

verrückt „überspannt, närrisch": Das seit dem 16. Jh. gebräuchliche Adjektiv ist eigtl. das 2. Part. von verrücken (mhd. verrücken „von der Stelle rücken; aus der Fassung bringen, verwirren"; vgl. rücken).

Vers m „Gedichtzeile; kleinster Abschnitt des Bibeltextes": Das Substantiv mhd., ahd. vers „Vers; Strophe" ist wie entspr. niederl. vers und aengl. fers aus lat. versus „das Umwenden; die gepflügte Furche; Reihe, Linie, Zeile; Vers" entlehnt worden. Das lat. Wort stellt sich im urspr. Sinne von „das Umwenden der Erde durch den Pflug und die dadurch entstandene Erdfurche" zu lat. vertere (versum, älter auch: vorsum) „umwenden, drehen", das u. a. mit lat. vertex „Wirbel, Scheitel" (s. vertikal) zu der unter →Wurm entwickelten idg. Wortsippe gehört. Zahlreich sind die Komposita und Bildungen von lat. vertere, die in unserem Fremdwortschatz eine Rolle spielen. Vgl. hierzu im einzelnen die Artikel versiert, Version, Aversion, Konvertit (konvertieren), Kontro-

verse, pervers, Prosa (prosaisch), Revers, universal (universell), Universität, Universum.

versacken „wegsinken, untergehen": Das seit dem 19. Jh. zuerst in der Seemannssprache bezeugte Wort ist eine Präfixbildung zu dem niederd. Verb ²sacken „sich senken" (mnd. sik sacken, entspr. niederl. zakken, beachte auch gleichbed. engl. to sag), das seinerseits wahrscheinlich eine Intensivbildung zu dem unter →sinken behandelten Verb ist. Seit Anfang des 20. Jh.s wird 'versacken' ugs. für „verkommen, liederlich leben" gebraucht. Beachte auch absacken „weg-, untertauchen" (19. Jh.).

verschieden: Das zuerst im 17. Jh. mit der Bed. „unterschiedlich" bezeugte Adjektiv bedeutet eigtl. „sich getrennt habend" und ist das 2. Partizip zu verscheiden (mhd. verscheiden „weggehen, verschwinden; sterben"; vgl. scheiden). Abl.: Verschiedenheit w (18. Jh.).

verschleißen „abnutzen": Mhd. verslīzen, ahd. farslīzan „abfasern [machen], abnutzen, aufbrauchen" ist eine verstärkende Präfixbildung zu mhd. slīzen, ahd. slīzan „spalten, reißen, abschälen" (entspr. aengl. slītan, schwed. slita), das heute nur noch begrenzt als 'Federn schleißen' „den Flaum vom Kiel lösen" üblich ist und zu der unter →Schild behandelten idg. Wz. *[s]kel- „schneiden, zerspalten, aufreißen" gehört. Bekannter ist das 2. Partizip verschlissen „zerfasert, abgenutzt" (bes. von Kleidern). Siehe auch Schlitz.

verschmitzt: Das 2. Partizip zu frühnhd. verschmitzen „mit Ruten schlagen" entwickelte im 16. Jh. die Bed. „listig, schlau", eigtl. „durch Schlagen klug geworden" (s. verschlagen unter schlagen). Das einfache Verb mhd. smitzen kann aus *smick[e]zen entstanden sein und zu mhd. smicke „Rute, Peitschenende" gehören oder aber unmittelbar zu mhd. smīzen in seiner Bed. „schlagen" (vgl. schmeißen).

verschollen: Das starke 2. Partizip des ungebräuchlichen Verbs verschallen (vgl. Schall) steht nur selten für „verhallt, verklungen", gilt aber seit Ende des 18. Jh.s als gerichtl. Ausdruck: verschollen ist, von wem man seit langem nichts mehr gehört hat und wer sich auf wiederholte öffentl. Aufforderung nicht meldet.

verschroben „seltsam, wunderlich": Das seit dem 18. Jh. bezeugte Adjektiv ist eigtl. das im Niederd. und Mitteld. stark flektierte 2. Partizip des Verbs verschrauben „falsch schrauben", einer nicht mehr gebräuchlichen Präfixbildung zu dem Verb schrauben, das von dem unter →Schraube behandelten Substantiv abgeleitet ist.

verschwenden: Das Präfixverb mhd., ahd. verswenden „verschwinden machen, vernichten, vertilgen, aufbrauchen" ist das

Veranlassungswort zu dem unter →*schwin-den* behandelten starken Verb verschwinden. Aus der urspr. Bedeutung „verschwinden machen" hat sich die heutige Bed. „leichtsinnig und nutzlos vertun", positiv gesehen im gehobenen Sprachgebrauch „in reicher Fülle austeilen, verschenken" entwickelt. Abl.: **Verschwender** *m* (16. Jh.), dazu ver-schwenderisch (17. Jh.); Verschwen-dung *w* (16. Jh.).

versehren (veralt. für:) „verletzen, beschädigen": Das Präfixverb *mhd.* versēren „verletzen, verwunden" ist als Verstärkung zu dem im *Nhd.* untergegangenen Verb *mhd.* sēren „verwunden" gebildet, das von dem Substantiv *mhd.*, *ahd.* sēr „Schmerz" abgeleitet ist (vgl. *sehr*). Die Grundbedeutung ist also „Schmerz verursachen". In allgemeinerem Gebrauch sind heute noch das verneinte 2. Partizip unversehrt (*mhd.* unversēret), dazu Unversehrtheit *w* (18. Jh.), und das substantivierte (verharmlosend-verhüllend gebrauchte) 2. Partizip Versehrte *m* „Körperbehinderter" (vor dem 2. Weltkrieg; urspr. „durch Wehrdienstbeschädigung körperlich beeinträchtigter Soldat"), dazu die Zusammensetzungen Kriegsversehrte, Versehrtensport u. a.

versiegen „aufhören hervorzuquellen, vertrocknen": Das seit dem 17. Jh. bezeugte schwache Verb geht aus von dem 2. Partizip versiegen des heute veralteten starken Verbs *frühnhd.* versigen, versihen (*mhd.* versīhen, 2. Partizip versigen) „vertrocknen", einer Präfixbildung zu dem unter →*seihen* behandelten einfachen Verb.

versiert „erfahren, bewandert, beschlagen, gewitzt" ist das in adjektivischen Gebrauch übergegangene zweite Partizip des heute veralteten Zeitwortes versieren „sich aufhalten, verkehren; sich mit etwas beschäftigen". Vorbild war *frz.* versé „versiert". Quelle des Zeitwortes ist *lat.* versārī „sich irgendwo herumbewegen; sich aufhalten, verkehren; sich mit einer Sache abgeben, sich beschäftigen" (eigtl. etwa „sich herumdrehen"), dessen zweites Partizip versātus gleichfalls schon im Sinne von „versiert" galt. Zugrunde liegt *lat.* versāre „drehen, wälzen", eine Intensivbildung zu *lat.* vertere (versum) „kehren, wenden, drehen" (vgl. *Vers*).

Version *w* „Lesart; Fassung, Wiedergabe, Darstellung": Das FW ist in *dt.* Texten bereits für das 16. Jh. mit der Bed. „Übersetzung (eines Textes)" bezeugt. Die heutige Bed. erscheint erst später. Das Wort ist in beiden Bedeutungen aus *frz.* version entlehnt, das seinerseits auf einer *nlat.* Bildung (versiō, -iōnis) zu *lat.* vertere (versum) „kehren, wenden, drehen" beruht (vgl. *Vers*).

versöhnen: Die *nhd.* Form mit urspr. *mdal.* -ö- hat sich im 19. Jh. gegenüber älterem 'versühnen' durchgesetzt. *Mhd.* versüenen,

versuonen „sühnen, gutmachen; aussöhnen, versöhnen" ist eine urspr. nur verstärkende Präfixbildung zu dem unter →*Sühne* behandelten Verb sühnen. Abl.: versöhnlich (*spätmhd.* versüenlich); Versöhnung *w* (*mhd.* versüenunge).

versonnen „in sich gekehrt, gedankenverloren": Das Adj. ist eigtl. das 2. Partizip zu dem heute nicht mehr gebräuchlichen Verb 'sich versinnen' „sich in Gedanken verlieren" (vgl. *sinnen*). *Mhd.* sich versinnen bedeutete noch „sich besinnen, verständig sein", das 2. Partizip versunnen „wohlbedacht, besonnen".

versponnen „in sich gekehrt, verträumt": Das Adjektiv ist eigtl. das 2. Part. des heute nur selten gebrauchten Verbs sich verspinnen (vgl. *spinnen*), von dessen Bedeutung „sich [wie ein Seidenwurm] durch Einspinnen verbergen" der heutige Wortgebrauch ausgeht.

Verstand *m* „Auffassungsgabe, Denkfähigkeit, rechnende Klugheit": Das vereinzelt schon in älterer Zeit vorkommende Wort (*mhd.* verstant, *ahd.* firstand „Verständigung, Verständnis") hat seinen heutigen Sinn erst seit dem 16. Jh. entwickelt und im 18. Jh. ausgeprägt. Es ist eine Bildung zu *ahd.* firstantan „verstehen" (vgl. *verstehen*). Zum Substantiv gehört das Adjektiv **verständig** „mit Verstand begabt, klug" (*mhd.* verstendic „verständig, aufmerkend") mit dem abgeleiteten Verb [sich] verständigen „mitteilen, sich verständlich machen; sich einigen" (17. Jh.). Das Adjektiv **verständlich** „gut zu verstehen" (*mhd.* verstentlich, *ahd.* firstantlīh) ist dagegen vom Verb *ahd.* firstantan abgeleitet, ebenso das Substantiv **Verständnis** *s* „Verstehen; Einfühlungsvermögen" (*mhd.* verstentnisse, *ahd.* firstantnissi, entspr. *mniederl.* verstandenisse), das im *Mhd.* und *Ahd.* noch in der Bed. von *nhd.* Verstand (s. o.) gebraucht wurde. Dazu die Zus. verständnislos und verständnisvoll (19. Jh.).

verstauchen „(ein Gelenk) durch gewaltsame Bewegung verzerren": Das im 17. Jh. aus dem *Niederd.* ins *Hochd.* übernommene Verb (*niederd.* verstüken, entspr. *niederl.* verstuiken) ist eine Präfixbildung zu dem heute nur noch fachsprachlich gebrauchten Verb stauchen „auf-, breitstoßen" (16. Jh.; *niederd.* stüken, entspr. *niederl.* stuiken). Das einfache Verb, zu dem auch *ugs.* zusammenstauchen „derb zurechtweisen" gehört, stellt sich wohl zu der unter →*stoßen* dargestellten Wortgruppe. Siehe bes. den Artikel stochern.

verstehen: *Mhd.* verstēn, verstān, *ahd.* firstān, *niederl.* verstaan, firstantan, *aengl.* forstandan sind *westgerm.* Präfixbildungen zu dem unter →*stehen* behandelten Verb. Sie zeigen schon im *Ahd.* und *Aengl.* die übertr. Bed. „wahrnehmen, geistig auffassen, erkennen", deren Entstehung nicht sicher erklärt ist. Dazu tritt in *mhd.* Zeit die Bed. „klare Vorstellung von etwas haben, etwas können" (z. B. '[sich auf] sein Handwerk verstehen'). Eine Substantivbildung zu 'verstehen' ist →Verstand. Zu einer veralteten Zus. 'sich einverstehen' „übereinstimmen" (18. Jh.) gehören die Wendung 'einverstanden sein' und das Substantiv **Einverständnis** *s* „Zustimmung, Übereinstimmung" (18. Jh.).

verstiegen „überspannt": Das seit dem 17. Jh. bezeugte Wort ist eigtl. das 2. Partizip des Verbs '(sich zu etwas) versteigen' „in etwas zu weit gehen" (vgl. *steigen*). Abl.: **Verstiegenheit** *w* (19. Jh.).

verstohlen „heimlich, unbemerkt": Das schon seit *mhd.* Zeit in der heutigen Bed. bezeugte Adjektiv (*mhd.* verstoln) ist eigtl. das 2. Partizip zu *mhd.* versteln „heimlich wegnehmen" (vgl. *stehlen*).

verstricken „in etwas verwickeln": Das Verb *mhd.* verstricken „mit Stricken umschnüren, verflechten" ist eine verstärkende Präfixbildung zu *mhd.* stricken „knüpfen, schnüren, flechten" (vgl. *Strick*). Es ist heute nur noch in der übertragenen Bed. gebräuchlich, wobei aber das Bild eines Netzes oder Garns häufig gewahrt bleibt.

verteidigen: Zu dem unter →*Ding* behandelten Substantiv in seiner alten Bed. „Gericht[sversammlung]" gehört die Zus. *mhd.* tage-dinc, teidinc, *ahd.* taga-ding „Verhandlung [an einem bestimmten Tage]" (vgl. *Tag*). Von ihr ist das Verb *mhd.* tagedingen, teidingen „tagen, gerichtlich verhandeln" abgeleitet, das mit der Vorsilbe ver... die Bed. „vor Gericht vertreten" erhielt. Sie wurde seit dem 14. Jh. verallgemeinert. Danach wurde 'verteidigen' im allgemeinen Sinne von „[vor Angriffen] schützen" gebräuchlich. – Abl.: **Verteidiger** *m*, **Verteidigung** *w* (16. Jh.).

vertikal „senkrecht, lotrecht": Am Anfang des 18. Jh.s aus gleichbed. *spätlat.* verticālis (wörtl. etwa „scheitellinig") aufgenommen. Zu *lat.* vertex (verticis) „Wirbel, Scheitel". Stammwort ist *lat.* vertere (versum) „kehren, wenden, drehen" (vgl. den Artikel *Vers*).

Vertiko *m* oder *s*: Der mit einem Aufsatz versehene Zierschrank soll nach einem Berliner Tischler namens Vertikow benannt sein (19. Jh.).

vertuschen „einen peinlichen Vorfall nicht öffentlich bekannt werden lassen": Die Herkunft des Präfixverbs (*mhd.* vertuschen „bedecken, verbergen, verheimlichen"), das im heutigen Sprachgefühl fälschlich mit dem unter →Tusche behandelten Wort verbunden wird, ist unklar.

verunstalten „entstellen": Das seit dem 16. Jh. bezeugte Verb gehört zu dem Adjektiv **ungestalt** „übel beschaffen, häßlich" (*mhd.* ungestalt, *ahd.* ungistalt). Das Adjek-

tiv entstand als Gegenwort zu *mhd.* gestalt, *ahd.* gistalt „beschaffen, eingerichtet" (vgl. die Artikel *Gestalt* und *stellen*).

verwahrlosen: Das auf das *dt.* und *niederl.* Sprachgebiet beschränkte urspr. tr. Verb (*mhd.* verwarlōsen „unachtsam behandeln oder betreiben", *niederl.* verwaarlozen „vernachlässigen, verwahrlosen") ist abgeleitet von dem Adjektiv *mhd.* warlōs „unbewußt" (beachte dazu das Subst. *mhd.* warlōese „Achtlosigkeit"), *ahd.* waralōs „achtlos" (vgl. *wahren*). Die heute übliche intr. Verwendung des Verbs findet sich seit dem 16. Jh.

verwandt „zur gleichen Familie gehörig; innere Übereinstimmungen oder Beziehungen aufweisend": Das seit dem 15. Jh. bezeugte Wort *spätmhd.* verwant „zugewandt, zugehörig, verwandt" (vgl. das gleichbed. *niederl.* verwant) ist eigtl. das 2. Partizip von *mhd.* verwenden in der Bed. „hinwenden" (vgl. *wenden*). Dazu die Substantivierung **Verwandte** *m* und *w* (16. Jh.). Abl.: **Verwandtschaft** *w* (16. Jh.).

verwegen „[toll]kühn, draufgängerisch, dreist": Das Wort *mhd.* verwegen „frisch entschlossen" ist eigtl. das 2. Partizip zu dem starken Verb *mhd.* sich verwegen „sich frisch zu etwas entschließen", einer Präfixbildung zu dem einfachen Verb *mhd.* [sich] wegen „die Richtung wohin nehmen, sich wohin bewegen" (vgl. *wägen*).

¹verweisen: *Mhd.* verwīzen, *ahd.* farwīzan „strafend oder tadelnd vorwerfen", *got.* fraweitan „Recht verschaffen, rächen", *niederl.* [ver]wijten „vorwerfen" sind Präfixbildungen zu dem im Nhd. untergegangenen einfachen Verb *mhd.* wīzen, *ahd.* wīzan „strafen, peinigen". Dieses Verb gehört im Sinne von „wahrnehmen" zu der unter →*wissen* dargestellten *idg.* Wz. *ueid- „erblicken, sehen". Die heutige Bedeutung „tadeln, vorwerfen" hat sich aus dem Wortgebrauch im Sinne von „eine Schuld wahrnehmen, ein Vergehen bemerken" entwickelt (vgl. die gleiche Bedeutungsentwicklung bei *lat.* animadvertere „wahrnehmen, bemerken; rügen, ahnden, strafen"). Eine Rückbildung aus dem Verb ist **Verweis** *m* (*spätmhd.* verwīz). – Verwandt mit ¹verweisen ist ²**verweisen** „hinweisen; an eine andere Stelle weisen; verbannen" (*mhd.* verwīsen; vgl. *weisen*). Die beiden heute gleichlautenden Verben sind seit dem 15. Jh. formal, aber nicht bedeutungsmäßig zusammengefallen.

verwesen „verfaulen, vermodern": In dem Verb *mhd.* verwesen sind zwei in *ahd.* Zeit noch getrennte Verben zusammengefallen, nämlich ein schwaches intr. Verb *ahd.* verwesen „verfallen, vergehen" und ein starkes tr. Verb *ahd.* firwesan „aufbrauchen, verzehren" (eigtl. „verschmausen", beachte z. B. *aengl.* wesan „schmausen"). Die heute allein gültige Bed. 'vermodern' ist seit dem

Ende des 15. Jh.s bezeugt. Abl.: **verwes-lich** (17. Jh.); **Verwesung** w (*spätmhd.* verwesunge).

Verweser m „Stellvertreter, Verwalter eines Amtes oder Landes": Das Substantiv *mhd.* verweser „Stellvertreter, Verwalter" ist abgeleitet von dem Verb *mhd.* verwesen, *ahd.* firwesan „jemandes Stelle vertreten", dessen Grundwort 'wesen' „sein" bedeutet (vgl. *Wesen*) und dessen Präfix ver... hier den Sinn von „vor, für, an Stelle" hat. Häufiger als das einfache Wort sind heute die Zusammensetzungen Amts-, Pfarr-, Reichsverweser u. a.

verwirren: Das Verb *mhd.* verwirren, verwerren, *ahd.* farwerran ist eine Präfixbildung zu gleichbed. veraltetem **wirren**, älter *nhd.*, *mhd.* werren, *ahd.* werran. Dieses einfache Verb beruht vielleicht auf einer Erweiterung der unter →*Wurm* behandelten *idg.* Wurzel und bedeutete urspr. „drehen, [ver]wickeln". – Hierher kann auch das unter →*Wurst* behandelte Substantiv gehören. – Eine Bildung zu 'wirren' ist das bis ins 16. Jh. vorkommende Substantiv *mhd.* werre, *ahd.* werra „Krieg, Verwirrung", das dem seit der ersten Hälfte des 19. Jh.s auftretenden Subst. **Wirren** *Mehrz.* „politische Verwicklungen" und dem FW →*Guerilla* zugrunde liegt. – Eine Rückbildung aus 'wirren' ist das Adjektiv →*wirr*. Das heute meist als Adjektiv gebrauchte 2. Partizip des ehemals starken Verbs verwirren ist **verworren** (*mhd.*, *ahd.* verworren), dazu die Ableitung **Verworrenheit** w (16. Jh.). Eine weitere Präfixbildung zu 'wirren' ist **entwirren** (*mhd.* entwirren), beachte auch **Gewirr** s (*mhd.* gewerre). Eine lautspielerische Reduplikationsbildung zu 'wirren' ist **Wirrwarr** m (Ende des 15. Jh.s). Abl.: **Verwirrung** w (15. Jh.).

verwittern „durch Witterungseinwirkung zerfallen, zerbröckeln": Das Verb stellt sich zu dem Substantiv Witterung, das in der alten Bergmannssprache „Dämpfe, die sich über Erzgängen lagern" bedeutete (vgl. *wittern*). 'Verwittern' ist als bergmänn. Wort zuerst im 18. Jh. bezeugt und wurde urspr. nur auf den Verfall von Mineralien bezogen.

verwöhnen: *Mhd.* verwenen „in übler Weise an etwas gewöhnen; verwöhnen" ist eine Präfixbildung zu dem im *Nhd.* untergegangenen einfachen Verb *mhd.* wenen „gewöhnen", das auch in den unter →*gewöhnen* und →*entwöhnen* behandelten Verben steckt (vgl. *gewinnen*). Die Form mit -ö- tritt seit dem 16. Jh. auf. Das Wort bedeutete urspr. ganz allgemein „zu schlechten Gewohnheiten veranlassen", dann (meist mit Beziehung auf Kinder) „verziehen, verzärteln, verweichlichen". Häufig ist der adjektivische Gebrauch des 2. Partizips **verwöhnt** s (*mhd.* verwenet „verzogen, anspruchsvoll" (*mhd.* verwenet „verwöhnt, bevorzugt, köstlich").

¹verzetteln „vertun, vergeuden": Das seit

dem 16. Jh. bezeugte Verb ist eine Iterativbildung zu dem heute veralteten verzetten „aus-, verstreuen, vereinzelt fallen lassen, verlieren" (*mhd.* verzetten). Dieses Verb ist eine Präfixbildung zu *mhd.* zetten „[ver-, aus]streuen, vereinzelt fallen lassen", *ahd.* zetten „ausbreiten", das mit der *nord.* Sippe von *aisl.* tedja „düngen" (eigtl. „Mist streuen") verwandt ist (vgl. ¹*Zettel*).

²verzetteln siehe ²*Zettel*.

Verzicht m: Das Substantiv *mhd.* verziht „Verzichtleistung, Entsagung", das urspr. vorwiegend im Bereich der Rechtssprache erscheint, ist eine Bildung zu dem unter →*zeihen* behandelten Präfixverb verzeihen. Auszugehen ist von „zeihen" in der urspr. Bed. „sagen", die bei der Präfixbildung 'verzeihen' zu der im 18. Jh. veraltenden Bedeutung „versagen, verzichten" führte. Diese Bedeutung hat sich im Subst. 'Verzicht' erhalten. Das seit Ende des 18. Jh.s bezeugte, von 'Verzicht' abgeleitete Verb **verzichten** „einen Anspruch aufgeben" löst das bis dahin gebräuchliche Verb 'verzeihen' in der entspr. Bedeutung ab.

Vesper w „Abendandacht, Abendgottesdienst", in Süddeutschland und Österreich auch für „Zwischenmahlzeit (bes. am Nachmittag); Abendbrot": Das Subst. *mhd.* vesper, *ahd.* vespera „die vorletzte kanonische Stunde (6 Uhr abends)" wurde im Bereich des Klosterwesens aus *lat.-kirchenlat.* vespera „Abend, Abendzeit; die Zeit von sechs Uhr abends" (urverwandt mit *gr.* hespéra „Abend[zeit]") entlehnt. Vgl. *Westen.* – Abl.: **vespern** „einen [Nachmittags- oder Abend]imbiß einnehmen" (18. Jh.; vorwiegend in Süddeutschland und in Österreich gebräuchlich).

Veteran m „altgedienter Soldat; im Dienst ergrauter, bewährter Mann": Im 18. Jh. aus gleichbed. *lat.* veteránus entlehnt, das seinerseits zu *lat.* vetus „alt" gehört. Über weitere etymolog. Zusammenhänge vgl. den Artikel *Widder*. – Zum gleichen Stamm stellt sich wahrscheinlich das FW **Veterinär** m „Tierarzt": Das im Anfang des 19. Jh.s im Heerwesen als Amtsbezeichnung aufgekommene FW führt über gleichbed. *frz.* vétérinaire auf *lat.* veterínárius „Tierarzt" zurück. Zu *lat.* veterínae (oder veterína Neutr. Plur.) „Zugvieh" und weiter zu *lat.* veterínus „zum Lastziehen geeignet (vom Zugvieh)". Die Verbindung der Wörter mit *lat.* vetus „alt" erklärt sich wohl aus der Tatsache, daß die „alten" und schwächeren Tiere im Heerestroß als Zugvieh verwendet wurden, während die jungen und kräftigen Tiere im eigentlich militär. Zugvieh.

Veto s „Einspruch[srecht]": Das seit dem 18. Jh. bezeugte, aus gleichbed. *frz.* veto übernommene FW, das dem politischen und parlamentarischen Sprachbereich angehört, ist substantiviert aus *lat.* vetō „ich verbiete", der ersten Pers. Sing. Präs. Akt. von *lat.* vetare „verbieten".

Vetter *m*: Die *westgerm.* Verwandtschaftsbezeichnung *mhd.* veter, *ahd.* fetiro, *mnd.* vedder[e], *vēdere*, *aengl.* fædera ist eine Bildung zu dem unter → *Vater* behandelten Wort und bedeutete urspr. „Vatersbruder". Die Bezeichnung wurde dann auf den Bruder der Mutter und später auf alle männlichen Verwandten übertragen. Heute bez. 'Vetter' nur noch den Sohn des Onkels oder der Tante. Beachte auch den Bedeutungswandel von → *Base* und → *Neffe*. Zus.: Vetternwirtschaft „Begünstigung von Verwandten oder aus bestimmten Gründen bevorzugten Personen bei der Stellenbesetzung" (20. Jh.); Namensvetter (s. d.).

Vexierbild *s* „Suchbild, das eine nicht sofort erkennbare Figur enthält": Das Bestimmungswort dieser jungen Zus. gehört zu dem heute veralteten Zeitwort vexieren „plagen; necken, zum besten haben, irreführen" (16. Jh.), das auf *lat.* vexāre „stark bewegen, schütteln; plagen, quälen" beruht.

Viadukt *m* „Talbrücke; Überführung": Künstliche, zusammengesetzte Neubildung des 19. Jh.s aus *lat.* via „Weg, Straße" und *lat.* dūcere (ductum) „ziehen; führen".

vibrieren „schwingen; zittern, beben": Im 18. Jh. aus *lat.* vibrāre „in zitternde Bewegung setzen; sich zitternd bewegen, schwingen, zittern" entlehnt.

Vieh *s*: Das *gemeingerm.* Substantiv *mhd.* vihe „Vieh", *ahd.* fihu „Vieh", *got.* faíhu „Vermögen, Geld", *aengl.* feoh „Vieh; Eigentum, Geld" (vgl. *engl.* fee „Eigentum, Besitz; Gebühr"), *schwed.* fä „Vieh" beruht auf *idg.* *péḱu- „[Klein]vieh". Dieses *idg.* Wort gehört zu der *idg.* Verbalwurzel *peḱ- „Wolle, Haare rupfen, zausen", vgl. z. B. *gr.* pékein „kämmen", pékos, pókos „[Schaf]fell, Vlies", *lat.* pectere „kämmen", *lit.* pèšti „rupfen" (s. auch fechten). Die Grundbedeutung des *idg.* Wortes war demnach „Wolltier, Schaf". Im *außergerm.* Sprachbereich sind mit 'Vieh' z. B. verwandt *aind.* paśú-ḥ „Vieh" und *lat.* pecu[s] „Vieh". – Die Bedeutung des Wortes entwickelte sich von „Schaf" zu „Gesamtheit nützlicher Haustiere". Da das als Tauschmittel wie als Götteropfer gleich wertvolle Vieh den Hauptbesitz ausmachte, erklärt sich leicht der sowohl im *germ.* wie in anderen *idg.* Sprachen vorliegende Bedeutungsübergang zu „Vermögen, Besitz", beachte z. B. das *germ.* Lehnwort *mlat.* feum, feudum „Lehen, Lehngut" (dazu →feudal) und das von *lat.* pecu[s] „Vieh" abgeleitete Substantiv pecūnia „Geld" (s. pekuniär). Abl.: viehisch „verroht" (*mhd.* vihisch). Die *mdal.* Form Viech *s* (*mhd.* vich) ist in der Umgangssprache meist als abschätzige Bez. für ein Tier gebräuchlich. Davon abgeleitet ist Viecherei *w* „Schinderei, Gemeinheit, wüstes Treiben".

viel: Das *gemeingerm.* Wort *mhd.* vil, *ahd.* filu, *got.* filu, *aengl.* fela, *aisl.* fjǫl- ist das sustantivierte Neutrum eines im *germ.* Sprachbereich untergegangenen Adjektivs und beruht mit verwandten Wörtern in anderen *idg.* Sprachen auf *idg.* *pelu- „viel", vgl. z. B. *aind.* purú-ḥ „viel" und *gr.* polýs „viel" (beachte auch poly..., Poly... in Fremdwörtern wie polyphon, Polygamie). Zugrunde liegt die vielfach weitergebildete und erweiterte *idg.* Verbalwurzel *pel[ə]- „gießen, schütten, füllen". Zu ihr stellen sich aus dem *germ.* Sprachbereich noch die Wortgruppen von →voll (eigtl. „gefüllt"), →Fülle (Substantivbildung zu 'voll'), →füllen (eigtl. „voll machen") und wahrscheinlich auch das unter →Volk behandelte Substantiv, auf dem die *slaw.* Wortgruppe von *russ.* polk „Regiment, Schar (Soldaten)" beruht (s. Pulk). Aus dem *außergerm.* Bereich gehören hierher z. B. *lat.* plēbs „Volksmenge" (s. Plebs), *lat.* plēnus „voll" (s. die FW-Gruppe um Plenum) und *lat.* mani-pulus „eine Handvoll" (s. Manipulation). Von der aus „gießen, schütten" entwickelten Bedeutung „triefen, fließen, sich im Wasser bewegen, schwimmen, strömen, treiben" geht die Wortgruppe um →fließen (mit Fluß, Flut, Floß, flößen, Flosse, flott, Flotte) aus. Auf der Bedeutungswendung „treiben, schweben, fliegen, flattern" beruht die Wortgruppe um →fliegen (mit Fliege, Flug, ¹Flucht, Flügel, flügge; s. auch Flitzbogen und Flocke) und die um →flattern (mit Fledermaus, Falter, flittern; s. auch das FW Pavillon). – Abl.: vielerlei (16. Jh.; zur Bildung vgl. ...lei); vielfach (16. Jh.; vgl. ...fach unter *Fach*); Vielfalt *w* „große Mannigfaltigkeit" (18. Jh.; als Gegenwort zu →Einfalt gebildet), dazu vielfältig (16. Jh.; Erweiterung des älteren, heute untergegangenen Adjektivs vielfalt) und vervielfältigen (17. Jh.; an Stelle eines älteren, heute nicht mehr gebrauchten 'vielfältigen). – Zus.: vielleicht (im 15. Jh. zusammengerückt aus *mhd.* vil līhte „sehr leicht, vermutlich, möglicherweise"); Vielweiberei *w* (17. Jh.; nach gleichbed *gr.* polygamia). – Vgl. aber Vielfraß.

Vielfraß *m*: *Mnd.* vilvrāz, *ahd.* vilifrāz „der Gefräßige" ist eine Zus. mit *ahd.* frāz „Fresser" (vgl. *fressen*). Zum Namen der nordischen Marderart wurde das Wort wohl durch hansische Pelzhändler des 15. Jh.s, die den älteren *norw.* Namen des Tieres, fjeldfross „Bergkater" (zum ersten Glied vgl. *Fels*), zu *mnd.* vēlvratze, velevras „Vielfresser" umdeuteten.

vier: Das *gemeingerm.* Zahlwort *mhd.* vier, *ahd.* fior, *got.* fidwōr, *engl.* four, *schwed.* fyra beruht mit verwandten Wörtern in anderen *idg.* Sprachen auf *idg.* *kʷetu̯er- „vier", vgl. z. B. *aind.* cátur- „vier", *russ.* četýre „vier", *lat.* quattuor „vier" (s. die

FW-Gruppe um Quader). Vgl. auch den Artikel acht. – Abl.: Geviert *s* „Rechteck, Quadrat" (16. Jh.); vierte (*mhd.* vierde, *ahd.* fiordo); vierzig (*mhd.* vierzec, *ahd.* fiorzug; zum zweiten Bestandteil vgl. ...*zig*). Zus.: Viereck (16. Jh.; substantiviert aus dem untergegangenen Adjektiv *mhd.* vierecke, *ahd.* fiorecki, einer LÜ von *lat.* quadrangulus „viereckig"; vgl. *Eck*), dazu viereckig (*mhd.* viereckeht; die heutige Form seit *frühnhd.* Zeit); Viertel *s* (*mhd.* viertel, *ahd.* fiorteil; zum zweiten Bestandteil vgl. *Teil*); vierzehn (*mhd.* vierzehen, *ahd.* fiorzehan).

Vikar *m* „Stellvertreter in einem geistlichen Amt (kathol. Kirche; Kandidat der evang. Theologie nach der ersten theolog. Prüfung": Das in älteren Sprachzuständen noch allgemein im Sinne von „Stellvertreter; Verweser" (so *mhd.* vicār[i]) gebräuchliche Subst. beruht auf einer gelehrten Entlehnung aus *lat.* vicārius „stellvertretend; Stellvertreter; Statthalter", das von *lat.* vicis „Wechsel; Wechselseitigkeit; Platz, Stelle, Rolle" (vgl. *Vize...*) abgeleitet ist.

Villa *w* „Landhaus, vornehmes Einfamilienhaus, Einzelwohnhaus": Im 18. Jh. aus gleichbed. *it.* villa aufgenommen, das seinerseits auf *lat.* vīlla „Landhaus, Landgut" beruht. Das *lat.* Wort stellt sich wohl mit einer Grundform *vīcsla zu *lat.* vīcus „Gehöft, Häusergruppe; Dorf, Flecken" (vgl. hierüber das LW *Weichbild*). – Beachte in diesem Zusammenhang von *lat.* vīlla abgeleitete Adj. *lat.* vīllāris „zum Landgut gehörig", das Ausgangspunkt ist für unser LW → Weiler.

violett „veilchenblau": Das bereits in *spätmhd.* Zeit als fīolet bezeugte, aber erst seit dem 17./18. Jh. häufiger gebrauchte Farbadjektiv ist aus gleichbed. *frz.* violet entlehnt. Das *frz.* Wort seinerseits ist von *frz.* violette „Veilchen" abgeleitet, einer Verkleinerungsbildung zu *afrz.* viole (< *lat.* viola). Über weitere etymolog. Zusammenhänge vgl. das LW *Veilchen*.

Violine *w* „Diskantgeige": Im 17. Jh. mit Genuswandel aus gleichbed. *it.* violino *m* entlehnt. Das *it.* Wort selbst ist eine Verkleinerungsbildung zu *it.* viola „Bratsche", das vermutlich wie entspr. *frz.* viole und *span.* viola auf *aprov.* viola, viula beruht. Die weitere Herkunft des Wortes ist nicht gesichert. – Über Violoncello s. Cello.

Virtuose *m* „ausübender Künstler (insbesondere Musiker), der seine Kunst mit vollendeter Meisterschaft beherrscht": Im Anfang des 18. Jh.s aus gleichbed. *it.* virtuoso entlehnt. Das *it.* Wort ist eigtl. Adj. mit der Bed. „tüchtig". Es gehört als Abl. zu *it.* virtù < *lat.* virtus (Akk. virtūtem) „Mannhaftigkeit; Tüchtigkeit; Tugend". Stammwort ist *lat.* vir „Mann" (etymolog. verwandt mit *ahd.* wer „Mann" in → Werwolf). – Dazu das Adj.

virtuos „meisterhaft, technisch vollendet" (19./20. Jh.; aus dem Subst. Virtuose rückgebildet) und das Subst. Virtuosität *w* „vollendete Beherrschung der musikal. Technik; meisterhaftes Können" (Anfang 19. Jh.).

Virus *s* (*ugs.* auch: *m*): In der Naturwissenschaft Bezeichnung für sehr kleine, im Ultramikroskop sichtbare, zum großen Teil aus Eiweiß bestehende Körper, von denen sehr viele als Krankheitserreger bei Mensch, Tier und Pflanze auftreten können. Im medizin. Sinne versteht man darum unter 'Virus' auch ganz allgemein „Krankheitserreger": Das FW ist eine gelehrte Entlehnung neuester Zeit aus *lat.* vīrus „Schleim, Saft, Gift" (etymolog. verwandt u. a. mit *gr.* īós „Gift" und *aind.* viṣá-m „Gift").

Visage *w* (*ugs.* verächtlich für:) „Gesicht": Im 17./18. Jh. mit Genuswechsel aus *frz.* (le) visage „Gesicht, Antlitz" entlehnt. Das *frz.* Wort seinerseits ist von dem im *Frz.* untergegangenen Subst. *afrz.* vis „Antlitz" abgeleitet (noch erhalten in dem Adverb vis-à-vis „gegenüber"), das auf *lat.* vīsus „Anblick, Erscheinung; Gesicht" beruht. Zu *lat.* vidēre (vīsum) „sehen" (vgl. *Vision*). – Siehe auch ¹Visier.

¹Visier *s* „beweglicher, das Gesicht bedeckender Teil des [mittelalterl.] Helms": In *mhd.* Zeit aus *frz.* visière „Helmgitter" (eigtl. etwa „Gesichtseinfassung, Gesichtsschutz") entlehnt, das seinerseits von *afrz.* vis „Gesicht" (vgl. *Visage*) abgeleitet ist.

²Visier *s* „Zielvorrichtung an Handfeuerwaffen": Das in diesem Sinne seit dem 18. Jh. bezeugte FW aus dem militär. Sprachbereich stammt aus gleichbed. *frz.* visière. Dies ist wortgeschichtlich von *frz.* visière „Helmgitter" (s. ¹Visier) zu trennen, denn es ist unmittelbar von *frz.* viser „aufmerksam hinblicken; ins Auge fassen, nach etwas zielen" abgeleitet, auf dem unser Zeitwort visieren „aufs Korn nehmen, zielen" beruht (18. Jh.; dazu das Kompositum anvisieren). Quelle von *frz.* viser ist ein *vlat.* Verb *vīsāre, ein Intensivum zu *lat.* vidēre (vīsum) „sehen" (vgl. *Vision*).

Vision *w* „Erscheinung; Trugbild": Das schon in *mhd.* Zeit mit der Bed. „Traumgesicht" bezeugte FW geht auf *lat.* vīsio (vīsiōnis) „das Sehen, der Anblick; die Erscheinung" zurück. Stammwort ist das mit *dt.* → *wissen* urverwandte Verb *lat.* vidēre (vīsum) „sehen". – Zahlreich sind die Ableitungen und Komposita von *lat.* vidēre, die in unserem Fremdwortschatz eine Rolle spielen. Siehe hierzu im einzelnen die FW → Visage, → ¹Visier, → ²Visier, visieren, → Visite, → visitieren, Visitation, → Visum, → Provision, Provisor, provisorisch, → improvisieren, Improvisation, → revidieren, Revision, Revisor, → Revue, → Interview, interviewen.

Visite w ,,Besuch (veraltet, aber noch scherzhaft); Krankenbesuch des Arztes": Im 17. Jh. aus gleichbed. *frz.* visite entlehnt, das seinerseits von *frz.* visiter ,,besuchen; besichtigen; durchsuchen" (s. u.) abgeleitet ist. Dazu die Zus. Visitenkarte ,,Besuchskarte" (Anfang 19. Jh.). – Auf dem *frz.* Verb visiter selbst, das auf *lat.* vīsitāre ,,oft sehen; besichtigen" zurückgeht (zu *lat.* vidēre, vīsum ,,sehen"; vgl. *Vision*), beruht unser FW **visitieren** ,,durchsuchen" (*mhd.*). Dazu das Subst. Visitation w ,,Durchsuchung" (16. Jh.; nach entspr. *frz.* visitation < *lat.* vīsitātiō ,,Besichtigung").

Visum s ,,Sichtvermerk im Reisepaß": In neuester Zeit aus *lat.* vīsum ,,gesehen" substantiviert. Zu *lat.* vidēre ,,sehen" (vgl. *Vision*).

vital ,,lebenskräftig; lebensvoll, wendig, munter, unternehmungsfreudig; lebenswichtig": Im 19. Jh. über gleichbed. *frz.* vital aus *lat.* vītālis ,,zum Leben gehörig; Leben enthaltend, Lebenskraft habend" entlehnt. Das zugrunde liegende Subst. *lat.* vīta ,,Leben" gehört zum Stamm von *lat.* vīvere (vīctum) ,,leben" (vgl. das LW *Weiher*). – Dazu das abgeleitete Subst. Vitalität w ,,Lebenskraft, Lebensfülle, Lebendigkeit" (19. Jh.; über gleichbed. *frz.* vitalité aus *lat.* vītālitās ,,Lebenskraft"). – Als Bestimmungswort steht *lat.* vīta in der zusammengesetzten gelehrten Neubildung **Vitamin** s (20. Jh.). Das Wort bezeichnet die für den Organismus wichtigen Wirkstoffe ('Amine' sind organische Stickstoffverbindungen).

Vitrine w ,,gläserner Schaukasten, Glas-, Schauschrank": In neuester Zeit aus gleichbed. *frz.* vitrine entlehnt. Das *frz.* Wort selbst ist nach *frz.* vitre ,,Glas-, Fensterscheibe" umgebildet aus *frz.* verrine ,,Glaskasten", das auf *spätlat.* vitrīnus ,,gläsern, aus Glas" beruht. Zu *lat.* vitrum ,,Glas".

vivat! er lebe hoch!": Im 17. Jh. im Bereich der Studentensprache aus *lat.* vīvat ,,er soll leben!" aufgenommen, der 3. Pers. Sing. Konj. Präs. Akt. von *lat.* vīvere ,,leben" (vgl. hierzu das LW *Weiher*). – Dazu das substantivierte Vivat s ,,Lebehoch, Hochruf" (Anfang 18. Jh.).

Vize...: Bestimmungswort von Zus. mit der Bed. ,,an Stelle von ..., stellvertretend", wie in 'Vizekanzler', 'Vizepräsident' u. a. Das Wort ist übernommen aus *lat.* vice ,,an Stelle von", dem zum Adverb erstarrten Abl. Sing. von *lat.* vicis ,,Wechsel, Wechselseitigkeit; Platz, Stelle" (etymolog. verwandt mit *dt.* →*Wechsel*). – Siehe auch Vikar.

Vlies s ,,[Schaf]fell, Rohwolle": Während *mhd.* vlius, vlus ,,Schaffell" (vgl. *Flaus*) früh untergegangen ist, wurde seit dem 16. Jh. die *niederl.* Form vlies übernommen, vor allem als Name des 1429 in Brügge gestifteten burgundischen (später habsburgischen) Ordens vom Goldenen Vlies und des mit ihm symbolisch erneuerten goldenen Widderfells der griech. Argonautensage. Erst im 18. Jh. wird das Wort, zunächst literarisch, allgemein für ,,Schaffell" gebraucht; bei den Schafzüchtern bezeichnet es die zusammenhängende Wolle nach der Schur, in der Spinnerei eine breite Faserschicht.

Vogel m: Das *gemeingerm.* Substantiv *mhd.* vogel, *ahd.* fogal, *got.* fugls, *engl.* fowl, *schwed.* fågel hat keine *außergerm.* Entsprechungen. Seine Herkunft ist nicht sicher geklärt. Vielleicht gehört es zu der unter →*fliegen* behandelten Wortgruppe. Der Ausfall des l wäre dann durch Dissimilation bewirkt. – Die *ugs.* Wendung 'den Vogel abschießen' ,,die beste Leistung erzielen" (16. Jh.) bezieht sich auf den künstlichen Vogel, der auf dem Schützenfest, auf der 'Vogelwiese' das Ziel der Schützen bildet. Die Übertragung auf den Menschen (ein lockerer, seltsamer usw. Vogel) ist üblich. 'Vogel' als ,,fixe Idee" (*ugs.* 'einen Vogel haben') geht wohl von der Vorstellung aus, daß ein Vogel den Betreffenden gepickt hat. – Abl.: **vögeln** (*mhd.* vogelen, *ahd.* fogalōn ,,Vögel fangen"; die Bedeutung ,,begatten [vom Vogel]" ist bereits in *mhd.* Zeit vorhanden, in derber Redeweise auch übertragen vom Menschen; **Vogler** m (*mhd.* vogelære, *ahd.* fogalāri ,,Vogelfänger, -steller", noch bekannt durch den Namen 'Heinrich der Vogler'). Zus.: Vogelbauer s (*mhd.* vogelbūr; zum zweiten Bestandteil vgl. ¹*Bauer*); Vogelbeere (17. Jh.; so benannt, weil die rote Frucht der Eberesche als Köder beim Vogelfang verwendet wurde); vogelfrei (15. Jh., ,,völlig frei von Diensten wie die Vögel"; in der heutigen Bedeutung ,,rechtlos, geächtet", eigtl. ,,den Vögeln [zum Fraß] freigegeben wie ein Gehenkter", seit dem 16. Jh.); Vogelperspektive (19. Jh.; für *frz.* à vue d'oiseau, dafür in freierer Verwendung auch Vogelschau); Vogelscheuche (15. Jh.; zum zweiten Bestandteil vgl. *scheuchen*).

Vokabel w ,,[Einzel]wort": Gelehrte Entlehnung *frühnhd.* Zeit aus *lat.* vocābulum ,,Benennung, Bezeichnung; Nomen, Hauptwort". Zu *lat.* vocāre ,,nennen, rufen" (vgl. *Vokal*).

Vokal m ,,Selbstlaut": Gelehrte Entlehnung *frühnhd.* Zeit aus gleichbed. *lat.* vōcālis (littera). Das zugrunde liegende Adj. *lat.* vōcālis ,,stimmreich, tönend" ist von *lat.* vōx (vōcis) ,,Laut, Ton, Schall; Stimme; Wort; Rede" abgeleitet, das etymologisch zu der unter →*erwähnen* entwickelten *idg.* Sippe gehört. – Zu *lat.* vōx als Stammwort bzw. zu dem abgeleiteten Verb *lat.* vocāre ,,nennen, rufen; anrufen" gehören auch die FW →*Vokabel*, →*Advokat* und →*provozieren*.

Volk s: Die Herkunft des *altgerm.* Substantivs *mhd.* volc ,,Leute, Volk; Kriegsschar" *ahd.* folc ,,Haufe, Kriegerschar; Volk", *nie-*

derl. volk „Volk", *engl.* folk „Leute, Angehörige", *schwed.* folk „Leute, Volk" ist nicht sicher geklärt. Wahrscheinlich gehört es zu der unter →*viel* behandelten *idg.* Wurzel, so daß *lat.* plēbs „Volksmenge" verwandt wäre. Eine der ältesten Bedeutungen des *germ.* Substantivs „Kriegerschar, Heerhaufe" liegt sowohl in PN wie Volkhart und Volkmar als auch in Zus. wie Fußvolk, Kriegsvolk vor. Die Bed. „Gesamtheit der durch Sprache, Kultur und Geschichte verbundenen (und zu einem Staat vereinten) Menschen" hat sich eigentlich erst mit dem Erwachen eines Nationalbewußtseins im Zeitalter des Humanismus herausgebildet. Die Romantik erweiterte den Begriff um eine gefühlsmäßige Nuance, von der Wörter wie 'Volkslied' (s. unten) und 'Volkstum' (s. unten) zeugen. Daneben bezeichnete 'Volk' schon früh die Masse der Bevölkerung (im Gegensatz zu einer Oberschicht). – Abl.: b e völkern (17. Jh.), dazu Bevölkerung *w* (18. Jh.); völkisch (15. Jh.); Volkstum *s* (Anfang des 19. Jh.s), dazu volkstümlich. Zus.: Volkslied (18. Jh.; wahrscheinlich nach *engl.* popular song); Volksschule (18. Jh.; urspr. „Schule für die Kinder der niederen Stände"); Volkswirtschaft (19. Jh.; für *engl.* national economy).

voll: Das *gemeingerm.* Adjektiv *mhd.* vol, *ahd.* fol, *got.* fulls, *engl.* full, *schwed.* full beruht auf einer alten Partizipialbildung zu der unter →*viel* dargestellten *idg.* Verbalwurzel und bedeutet eigtl. „gefüllt". Verwandt ist z. B. *lat.* plēnus „voll". – Abl.: vollends (Adv., *mhd.* vollen „völlig", erscheint im 16. Jh. mit d und seit dem 17. Jh. mit adverbialem s); völlig (*mhd.* vollic). Zus.: Vollblut (19. Jh.; für *engl.* full blood); vollkommen (*mhd.* volkomen „ausgebildet, vollständig", eigtl. das 2. Partizip zu *mhd.* volkomen „zu Ende führen, vollendet werden"), dazu vervollkommnen (16. Jh.); Vollmacht (14. Jh.; LÜ von *lat.* plēnipotentia) vollständig (16. Jh.; zu *mhd.* volstān „bis zu Ende stehen, ausharren", dann im Sinne von „vollen Stand, d. h. alle nötigen Teile habend"); vollstrecken (15. Jh.; eigtl. „bis zu Ende strecken", dann [zeitlich] „verlängern, ausdehnen" und „ins Werk setzen, durchführen"). Siehe auch die Artikel Fülle und füllen.

Volontär *m* „wer sich ohne oder gegen eine nur kleine Vergütung in die Praxis eines (insbesondere kaufmännischen) Berufs einarbeitet; Anwärter": Das seit dem Ende des 17. Jh.s bezeugte FW erscheint zuerst im militär. Sprachbereich als Bezeichnung für einen „freiwillig" ohne Sold dienenden Soldaten. In die Kaufmanns- und Handelssprache gelangt das Wort erst im 18. Jh. im Sinne von „unbesoldeter Handlungsgehilfe". Entlehnt ist das FW aus *frz.* volontaire „freiwillig; Freiwilliger; Volontär", das sei-

nerseits auf *lat.* voluntārius „freiwillig" beruht. Zu *lat.* voluntās „Wille" und weiter zu dem mit *dt.* →*wollen* etymolog. verwandten Verb *lat.* velle (volō) „wollen". Abl.: volontieren „als Volontär arbeiten" (20. Jh.).

Volt *s*: Internationale Bezeichnung für die Einheit der elektrischen Spannung. Das Wort ist von dem Namen des italienischen Physikers A. Volta (1745–1827) genommen, dessen Arbeiten auf dem Gebiet der Elektrizitätslehre bahnbrechend waren.

Volumen *s*: Das seit dem 17. Jh. bezeugte FW erscheint zuerst mit der auch heute noch fachsprachlich vorhandenen Bedeutung „Schriftrolle, Band", die der Bedeutung des zugrunde liegenden *lat.* Wortes volūmen „was gerollt, gewickelt oder gewunden wird; Schriftrolle, Buch, Band" entspricht. Mit der heute vor allem gültigen Bed. „Rauminhalt" ist „Volumen" Bedeutungslehnwort aus *frz.* volume, das gleicher Herkunft ist. – *Lat.* volūmen ist abgeleitet von *lat.* voluere (volvere), volūtum „rollen, wälzen; drehen, wirbeln", das zu der unter → ¹*wallen* „sprudeln" dargestellten Wortsippe der *idg.* Wz. *uel- „drehen, winden, wälzen" gehört. – Vgl. noch die auf einem Kompositum von *lat.* voluere beruhenden FW Revolver, Revolte, revoltieren und Revolution.

von: Die Herkunft der auf das *dt.* und *niederl.* Sprachgebiet beschränkten Präposition (*mhd.* von, *ahd.* fon, *niederl.* van) ist nicht gesichert. Vielleicht ist sie verwandt mit *lat.* po-, z. B. in po-situs „ab-, weggelegt" (s. Position) und der *russ.* Präposition po „auf, nach, weg". Dann gehörte sie zu *idg.* *[a]po- „ab, weg" (vgl. *ab*). Die Präposition gibt die Trennung, den Ausgangspunkt in Raum und Zeit, die Herkunft und die Ursache an. Außerdem dient sie zur Angabe von Quantitäts- und Qualitätsbestimmungen.

vor: Das *gemeingerm.* Wort (Adv., Präp.) *mhd.* vor, *ahd.* fora, *got.* faúr[a], *aengl.* for, *schwed.* för[e] beruht mit verwandten Wörtern in anderen *idg.* Sprachen auf der unter →*ver...* dargestellten *idg.* Wz. *per- „über etwas hinaus" und ist z. B. eng verwandt mit *gr.* pará „an etwas entlang, über etwas hinaus (s. para...). Eine Komparativbildung zu 'vor' ist →*vorder*, davon abgeleitet →*fordern*. Vgl. auch die Wortgruppe um →*fort*. – Im *Dt.* wird 'vor' seit alters in räumlichem und zeitlichem Sinn gebraucht (über das Verhältnis zu 'für' s. d.); Gegenwörter sind 'hinter' und 'nach'. Aus der räumlichen hat sich schon im *Ahd.* die kausale Bedeutung abgezweigt (z. B. 'den Wald vor lauter Bäumen nicht sehen', entspr. 'vor Schreck, Freude'). Als Adv. ist 'vor' durch davor, hervor, voran, voraus, vorher u. a. Zus. verdrängt worden, vor allem aber durch →*vorn* (s. auch bevor). Ein Rest ist die Fügung 'nach wie vor'. Auch in zahlreichen verbalen und nominalen Zus. ist vor... Adverb, s. die folgenden Beispiele.

vorder: Das Adjektiv *mhd.* vorder, *ahd.* fordaro „vorn befindlich, früher" ist eine allein im *Dt.* erhaltene *germ.* Komparativbildung zu →vor, die heute nur räumlich gebraucht wird. Als Gegenwort zu →hinter bildet es Zus. mit Substantiven, z. B. Vorderfuß (17. Jh.), Vordergrund (18. Jh.), Vordermann (18. Jh.). Eine Ableitung ist →fordern.

vorlaut: Das seit dem 16. Jh. bezeugte Adjektiv ist urspr. ein Wort der Jägersprache und kennzeichnet einen Hund, der zu früh anschlägt, also „vor der Zeit laut" wird (vgl. *laut*). Später wird es auf den Jäger übertragen, der voreilig das Wild erkennen und beurteilen will, dann allgemein auf Menschen, die sich vorschnell zu einer Sache äußern.

Vormund *m* „rechtlicher Vertreter minderjähriger oder entmündigter Personen": *Mhd.* vormunde „Beschützer, Fürsprecher, Vormund", *ahd.* foramundo „Beschützer, Fürsprecher" ist eine Bildung zu dem Substantiv älter *nhd.* Mund „Schutz, Vormundschaft", *mhd., ahd.* munt „[Rechts]schutz, Schirm" (s. die Artikel Mündel, mündig, mundtot), vgl. entspr. *aengl.* mund „Schutz, Vormundschaft; Hand" und *aisl.* mund „Hand". *Außergerm.* ist z. B. verwandt *lat.* manus „Hand" (s. die FW-Gruppe um manuell). – Das Wort wandelt früh seine Bedeutung von „(schützend über jemanden gehaltene) Hand" zu „Schutz" oder „Macht", bes. „Macht über Sippenangehörige ohne rechtliche Selbständigkeit". Abl.: bevormunden „jemanden an der freien Willensentscheidung hindern; gängeln" (16. Jh.; an Stelle eines älteren *mhd.* vormunden „Vormund sein, sich als Vormund betätigen").

vorn, (*ugs.*:) vorne: Das Adv. *mhd.* vorn[e] „vorn, vorher", *ahd.* forna „vorn" ist eine nur *dt.* Abl. zu dem unter →vor behandelten Wort, das es als Raumadverb ersetzt hat.

vornehm: Der Bildung *mhd.* vürnæme „wichtig, hauptsächlich, vorzüglich, ausgezeichnet" liegt ein zu →nehmen gebildetes Verbaladjektiv zugrunde, das auch in 'angenehm' und 'genehm' (s. d.) steckt. Grundbedeutung des Wortes ist also „[aus einer weniger wichtigen oder wertvollen Menge] hervor-, herauszunehmen". Im *Nhd.* wurde sie auf die Vorzug durch Geburt, Rang, Stand, Gesinnung eingeengt, erhielt sich aber im Superlativ des Adjektivs im Sinne von „hauptsächlich" und im Adverb vornehmlich „vorzugsweise, hauptsächlich". Über das Verhältnis von 'vor' und 'für' siehe den Artikel für.

Vorrat *m*: Das auf das *dt.* Sprachgebiet beschränkte Substantiv (*mhd.* vorrāt „Vorrat; Vorbedacht, Überlegung") ist eine Bil-

dung zu dem unter → *Rat* behandelten Wort, das in der alten Bedeutung „was an Mitteln zur Befriedigung der Bedürfnisse zu Gebote steht" auch →Gerät, →Hausrat (s. Haus) und →Unrat zugrunde liegt, vgl. auch Heirat. Abl.: vorrätig (17. Jh.); bevorraten (20. Jh.).

vortrefflich: Das seit dem 16. Jh. bezeugte Adjektiv trat an die Stelle des älteren 'fürtrefflich', das sich noch bis ins 19. Jh. hielt und zu einem untergegangenen Verb *mhd.* vürtreffen „vorzüglicher, mächtiger sein", *ahd.* furitreffan „sich auszeichnen, übertreffen, hervorragen" (vgl. *treffen*) gehört.

Vorwand *m* „vorgeschützter Grund": Das seit dem 15. Jh. vorwiegend als Wort der Rechtssprache bezeugte Substantiv ist zu dem heute veralteten Verb 'vorwenden' „vorbringen, einwenden" gebildet (vgl. *wenden*). Es hat urspr. die neutrale Bed. „was jemand zu seiner Rechtfertigung vorbringt; Einwand". Daher ist die Annahme, es handle sich um eine LÜ von *lat.* praetextus „Vorwand" zweifelhaft.

Vorwitz *m*: Das *westgerm.* Wort *mhd.* virwiz, vorwiz, *ahd.* firiwizzi, furewizze, *mniederl.* veurwitte, *aengl.* fyrwit ist gebildet aus dem unter →*Witz* behandelten Substantiv in dessen alter Bedeutung „Kenntnis, Wissen" und einer alten Nebenform der unter →*ver*... behandelten Vorsilbe im Sinne von „hinüber, über etwas hinaus". Die Grundbedeutung von 'Vorwitz' ist also „das über das übliche Wissen Hinausgehende; Wunder". Der tadelnde Sinn „ungehörige Neugier, Naseweisheit, unpassendes Besserwissen" ist schon in *ahd.* Zeit vorhanden, aber hier zunächst noch religiös bestimmt. Das Adjektiv vorwitzig (*mhd.* vir-, vür-, vorwitzec, *ahd.* fir[i]wizic) ist nicht von 'Vorwitz' abgeleitet, sondern die Weiterbildung eines untergegangenen Adjektivs *mhd.* virwiz, *ahd.* firiwizi „neugierig").

Vorwurf *m*: Bei diesem Substantiv handelt es sich um zwei verschiedene Bildungen: 1. Als „tadelnde Vorhaltung" ist es eine seit dem 16. Jh. bezeugte Bildung zu 'vorwerfen' in dessen übertragener Bed. „vorbringen, geltend machen, tadelnd vorhalten" (vgl. *werfen*). 2. In der Bed. „Gegenstand künstlerischer Bearbeitung" ist es eine seit dem 14. Jh. bezeugte LÜ (*mhd.* vür-, vorwurf) von *lat.* obiectum „Gegenstand", das seinerseits *gr.* próblēma wiedergibt. Das Wort bezeichnete in der Sprache der Mystiker zunächst „das vor die Sinne Geworfene, das Sinnen, dem Subjekt Gegenüberstehende", später den „Gegenstand seelischer Anteilnahme" oder „wissenschaftlicher Betrachtung" und seit dem 18. Jh. besonders „Stoff, Thema, Motiv der Literatur, Musik oder bildenden Kunst".

Votum *s* „Gelübde; Urteil, Stimmabgabe; [Volks]entscheid; Gutachten": Im 17. Jh.

nach gleichbed. *engl.* vote aus *lat.-mlat.* vōtum ,,Gelübde; Stimme, Stimmrecht" entlehnt. Zu *lat.* vovēre (vōtum) ,,feierlich versprechen, geloben". Siehe auch devot. **vulgär** ,,gewöhnlich; gemein, niedrig": Im ausgehenden 17. Jh. aus gleichbed. *frz.* vulgaire entlehnt, das seinerseits auf *lat.*

vulgāris ,,allgemein; alltäglich, gewöhnlich; gemein, niedrig" beruht. Zu *lat.* volgus (vulgus) ,,die Menge, das gemeine Volk".
Vulkan *m* ,,feuerspeiender Berg": Im 17. Jh. aus *lat.* Vulcānus ,,Gott des Feuers; Flamme, Feuer" entlehnt. Abl.: vulkanisch (18./19. Jh.).

W

Waage *w*: Das *altgerm.* Substantiv *mhd.* wāge, *ahd.* wāga, *niederl.* waag, *aengl.* wǣg, *schwed.* våg gehört zu der unter → ¹*bewegen* behandelten *idg.* Wurzel **u̯eĝh-* ,,sich bewegen, schwingen, fahren, ziehen". Es bedeutet eigtl. ,,das (auf und ab) hin und her Schwingende". Daraus entstand die *germ.* Grundbedeutung ,,Gewicht, Gerät zum Wiegen". Die im *Ahd.* verbreitete Bedeutung ,,Gewicht" war schon im *Mhd.* fast ganz geschwunden. Eine Abl. von *mhd.* wāge, die auch die übertr. Bed. ,,Wagnis" hatte, ist →*wagen.* Vgl. auch wägen. Zus.: waag[e]-recht (16. Jh.; eigtl. ,,wenn die Waage recht steht, wenn der Waagebalken in der Ausgangsstellung steht"); Waagschale (15. Jh.).
Wabe *w*: Das Subst. *mhd.* wabe, *ahd.* waba, wabo gehört zu dem unter →*weben* behandelten Verb und bedeutet also eigtl. ,,Gewebe (der Bienen)". Vgl. die ähnliche Bedeutungsentwicklung bei → Wachs. Siehe auch Waffel.
wach: Das seit dem 16. Jh. bezeugte Adjektiv hat sich aus dem unter →*Wache* behandelten Substantiv entwickelt, und zwar in Sätzen wie 'er ist (in) Wache', d. h. er befindet sich im Zustand des Wachens.
Wache *w*: Das *altgerm.* Substantiv *mhd.* wache, *ahd.* wacha, *niederl.* waak, *engl.* wake, *aisl.* vaka ist eine Ableitung von dem unter →*wachen* behandelten Verb. Sie ist wohl jünger als das ebenfalls zu 'wachen' gebildete → Wacht. Aus 'Wache' hat sich das Adjektiv →*wach* entwickelt. Abl.: wachsam (17. Jh.; heute auf 'wachen' bezogen), dazu Wachsamkeit *w* (17. Jh.).
wachen: Das *gemeingerm.* Verb *mhd.* wachen, *ahd.* wachēn, *got.* wakan, *engl.* to wake, *schwed.* vaka gehört zu der unter →*wecken* behandelten *idg.* Wurzel. Es bedeutet eigtl. ,,frisch, munter sein". Zu 'wachen' gebildet sind → Wache und → Wacht. Präfixbildungen: bewachen (*mhd.* bewachen); erwachen (*mhd.* erwachen, *ahd.* irwachen).
Wacholder *m*: Das Substantiv *mhd.* wecholter, *ahd.* wechalter ist mit dem *germ.* Baumnamensuffix -dr[a]- (vgl. *Teer*) gebildet. Der erste Wortteil gehört wahrscheinlich zu der

unter →*wickeln* dargestellten *idg.* Wurzel. Danach würde sich die Benennung auf die Zweige des Baumes beziehen, die zum Flechten benutzt worden sind.
Wachs *s*: Das *altgerm.* Substantiv *mhd.*, *ahd.* wahs, *niederl.* was, *engl.* wax, *schwed.* vax gehört zu der unter →*wickeln* dargestellten *idg.* Wurzel. Vgl. auch die urverwandten Wörter *lit.* vãškas ,,Wachs", *russ.* vosk ,,Wachs". Das Wort bedeutet eigtl. ,,Gewebe (der Bienen)". Eine ähnliche Bedeutungsentwicklung liegt bei → Wabe vor. Eine Ableitung zu 'Wachs' ist das heute nur *mdal.*, *mhd.* nicht belegte Verb wächsen ,,mit Wachs bestreichen" (*ahd.* wahsen), das von seiner Nebenform →*wichsen* seit dem 18. Jh. verdrängt worden ist. Die Bedeutung ,,mit Wachs glätten" ist heute nur noch mit ¹*wachsen* (15. Jh.) verbunden.
¹**wachsen** siehe Wachs.
²**wachsen**: Das *gemeingerm.* Verb *mhd.* wahsen, *ahd.* wahsan, *got.* wahsjan, *engl.* (veraltet) to wax, *schwed.* växa geht mit den nahe verwandten Verben *aind.* vakṣáyati ,,läßt wachsen" und *gr.* aéxein ,,mehren", aéxesthai ,,wachsen" auf die *idg.* Wz. **[a]u̯eg-, *aug-* ,,vermehren, zunehmen" zurück. Aus dem *germ.* Bereich gehören zu dieser Wurzel noch *got.* aukan ,,sich mehren" und die unter →*auch* behandelten Substantive sowie das unter → *Wucher* behandelte Wort. Vgl. im *außergerm.* Bereich z. B. *lat.* augēre ,,vermehren" (s. Autor) und *lit.* áugti ,,wachsen". Bildungen zu 'wachsen' sind → Wuchs und → Gewächs. Abl.: Wachstum *s* (*mhd.* wahstuom). Präfixbildungen und Zus.: erwachsen (*mhd.* erwahsen, *ahd.* irwahsan); nachwachsen (17. Jh.), dazu Nachwuchs *m* (1. Hälfte des 19. Jh.s); zuwachsen (16. Jh.), dazu Zuwachs *m* (Ende des 16. Jh.s).
Wacht *w*: Das nur im *Dt.* und *Niederl.* bezeugte Substantiv *mhd.* wachte, *ahd.* wahta, *niederl.* wacht (vgl. dazu das andersgebildete *got.* wahtwō ,,Wache") ist eine Bildung zu dem unter →*wachen* behandelten Verb. Es ist wohl älter als das ebenfalls zu 'wachen' gebildete → Wache. Mit Ausnahme des poetischen Bereiches ist 'Wacht' heute meist

Wächte

durch 'Wache' verdrängt worden. Abl.: Wächter *m* (*mhd.* wahtære, *ahd.* wahtāri). Zus.: Wachtmeister (*spätmhd.* wache-, wachtmeister „mit der Einteilung der städt. Nachtwachen beauftragter Zunftmeister", seit dem 16. Jh. als Bezeichnung des Befehlshabers der Wachen ins Kriegswesen übernommen, später auf die reitenden Truppen eingeschränkt).

Wächte *w* „Schneeanwehung": Das seit dem 19. Jh. belegte, urspr. *schweizerische* Substantiv ist eine Bildung zu dem unter → *wehen* behandelten Verb. Es bedeutet eigtl. „[An]gewehtes".

Wachtel *w*: Der Vogelname *mhd.* wahtel[e], *ahd.* wahtala (entspr. *niederl.* wachtel) ist eine Bildung zu einem lautmalenden 'wak', das den Ruf des Vogels wiedergibt. Zus.: Wachtelkönig (im 16. Jh. wachtelkünig; der der Wachtel ähnliche Wiesenvogel ist größer als diese).

wackeln: Das seit dem 14. Jh. bezeugte Verb ist eine iterativ-diminutive Bildung zu dem bis ins 16. Jh. gebräuchlichen Verb wacken „sich hin und her bewegen", *mhd.* wacken (vgl. watscheln). Das untergegangene Verb ist seinerseits eine Intensivbildung zu *mhd.* wagen, *ahd.* wagōn „sich hin und her bewegen", das wohl eine Ableitung von dem zu → *bewegen* gehörenden Substantiv *mhd.* wage, *ahd.* waga „Bewegung" ist. Das Verb 'wackeln' bedeutet demnach eigtl. „sich wiederholt oder ein bißchen hin und her bewegen".

wacker: Das *altgerm.* Adjektiv *mhd.* wacker „wach, wachsam, frisch, tüchtig, tapfer", *ahd.* wacchar „wach, wachsam", *niederl.* wakker „wach, munter, tüchtig", *aengl.* wacor „wach, wachsam", *schwed.* vacker „schön" gehört zu der unter → *wecken* behandelten *idg.* Wortgruppe. Es bedeutet eigtl. „frisch, munter".

Wade *w*: Das Substantiv *mhd.* wade, *ahd.* wado „Muskelbildung der Unterschenkels", *mniederl.* wade „Kniekehle, Kniescheibe", *aisl.* vǫdvi „(dicke) Muskeln (an Armen und Beinen)" ist wahrscheinlich verwandt mit *lat.* vatāx „krumm- oder schiefbeinig" und *lat.* vatius „einwärtsgebogen, krumm[beinig]". Das Wort bedeutet demnach wohl eigtl. etwa „Krümmung, Biegung (am Körper)".

Waffe *w*: Die *gemeingerm.* Bezeichnung für „Kampfgerät" *mhd.* wāfen, *ahd.* wāf[f]an, *got.* wēpn, *engl.* weapon, *schwed.* vapen ist ohne sichere *außergerm.* Anknüpfungen. Im *Mhd.* bedeutet das Wort auch „Schildzeichen, Wappen" (eigtl. „Zeichen auf der Waffe"), eine Bedeutung, die vom 16. Jh. an der Nebenform → Wappen zufällt. Abl.: waffnen, sich (*mhd.* wāfenen, *ahd.* wāffanen „Waffen anlegen"), dazu die Präfixbildungen bewaffnen (18. Jh.), entwaffnen (*mhd.* entwāfenen).

Waffel *w*: Die Bezeichnung für ein flaches Gebäck mit wabenähnlichem Aussehen erscheint im 17. Jh. im *Hochd.* Sie geht auf *niederl.* wafel (*mniederl.* wāfel) zurück. Das Wort bezeichnete sowohl das Gebäck als auch die Eisenplatte, mit der es gebacken wurde. Es gehört zu der unter → *weben* behandelten *idg.* Wurzel. Das Wort bedeutete demnach ursprünglich „Gewebe, Geflecht", dann „Wabe, Wabenförmiges".

wagen: Das Verb *mhd.* wāgen ist eine Abl. von dem unter → *Waage* behandelten Substantiv. Es bedeutet eigtl. „etwas in die Waage setzen; etwas riskieren, dessen Ausgang ungewiß ist". Abl.: Wagnis *s* (16. Jh.). Zus.: Wagehals (15. Jh.; substantiviert aus 'ich wage den Hals' [= wage das Leben], beachte zur Bildung z. B. 'Habenichts'), dazu die Abl. wag[e]halsig (18. Jh.).

Wagen *m*: Das *altgerm.* Substantiv *mhd.* wagen, *ahd.* wagan, *niederl.* wagen, *engl.* (dichterisch) wain, *schwed.* wagn gehört zu der unter → *bewegen* entwickelten *idg.* Wurzel. Das Wort bedeutet eigtl. „das sich Bewegende, Fahrende". Vgl. aus anderen *idg.* Sprachen *aind.* váhana-m „eine Art Wagen", *gr.* óchos „Wagen", *lat.* vehiculum „Fahrzeug" (s. das FW Vehikel), *russ.* voz „Wagen". Vgl. das FW Waggon. Abl.: Wagner *m* landsch. für „Stellmacher" (*mhd.* wagener, *ahd.* waginari).

wägen: Das *gemeingerm.* Verb *mhd.* wegen „sich bewegen; Gewicht haben, wiegen", *ahd.* wegan „bewegen, wiegen", *got.* [ga]wigan „(sich) bewegen", *aengl.* wegan „bewegen, wiegen", *engl.* to weigh „wiegen", *aisl.* vega „schwingen, heben; wiegen" ist mit dem unter → [1]*bewegen* behandelten Verb (vom Präfix be... abgesehen) identisch. Im *Nhd.* wurde das Wort zunächst im Sinne von „Gewicht haben, auf die Waage legen" verwendet, wofür heute fast ausschließlich die Neubildung → [2]*wiegen* gebraucht wird. In Anlehnung an das nächstverwandte Substantiv → Waage setzte sich seit dem 16. Jh. die Schreibung mit -ä- durch. Heute gilt 'wägen' in der Schriftsprache nur noch übertragen im Sinne von „vorsichtig bedenken". Zus. und Präfixbildungen: abwägen (16. Jh.); erwägen (*mhd.* erwegen „bewegen, erheben; bedenken"). Um 'wägen' gruppieren sich die unter → Gewicht, → verwegen, → wagen und → Wucht behandelten Wörter.

Waggon *m* „Eisenbahnwagen, Güterwagen": Im 19. Jh. mit anderen Fachwörtern aus dem Bereich des Eisenbahnwesens wie → Lokomotive, → Lore und → Tender aus dem *Engl.* entlehnt. Die bei uns übliche gewordene *frz.* Aussprache von 'Waggon' steht in Analogie zu anderen FW auf -on wie Salon, Perron u. a. – *Engl.* waggon beruht auf *niederl.* wagen (vgl. *Wagen*).

Wahl *w*: Das Substantiv *mhd.* wal[e], *ahd.* wala ist eine Bildung zu dem unter → *wäh-*

len behandelten Verb. Zus.: **wahllos** (19. Jh.); **Wahlspruch** (17. Jh.).

wählen: Das *gemeingerm.* Verb *mhd.* weln, *ahd.* wellan, *got.* waljan, *schwed.* välja gehört zu der unter →*wollen* behandelten *idg.* Wurzel. Eine Bildung zu 'wählen' ist →Wahl. Beachte auch die Präfixbildung **erwählen** (*mhd.* erweln, *ahd.* irwellen), dazu **auserwählen** (*mhd.* ūzerweln), meist ist nur das adjektivisch gebrauchte 2. Partizip **auserwählt** (*mhd.* ūzerwelt) üblich. Abl.: **Wähler** *m* (*mhd.* welēre), dazu **wählerisch** (Ende des 17. Jh.s).

Wahn *m*: Das *gemeingerm.* Substantiv *mhd.*, *ahd.* wān ,,Meinung, Hoffnung, Verdacht'', *got.* wēns, *aengl.* wōn, *aisl.* vān ,,Hoffnung'' gehört zu der unter →*gewinnen* behandelten *idg.* Wurzel. Die Bedeutung ,,krankhafte Einbildung'' hat sich erst in neuester Zeit ergeben. Beachte auch die Zus. →Argwohn (*mhd.* arcwān). 'Wahn' ist schon früh mit dem unter →Wahnwitz behandelten Kompositionsglied wahn- in Beziehung gebracht worden, ist aber damit nicht verwandt. Abl.: **wähnen** (*mhd.* wēnen, *ahd.* wān[n]en).

Wahnsinn *m*: Das nur *dt.* Substantiv ist im 16.Jh.aus dem älteren Adjektiv **wahnsinnig** (15. Jh.) rückgebildet worden. Beide Wörter sind in Analogie zu →Wahnwitz, wahnwitzig entstanden.

Wahnwitz *m*: Das seit dem 16. Jh. belegte Substantiv ist eine Bildung zu dem im *Frühnhd.* untergegangenen Adjektiv wahnwitz ,,wahnwitzig'' (*mhd.* wanwiz, *ahd.* wanawizzi), das eigtl. ,,des Verstandes mangelnd'' bedeutet. Der erste Bestandteil wahn- (*mhd.*, *ahd.* wan ,,leer'', *got.* wans ,,mangelnd''), der mit *gr.* eūnis ,,ermangelnd'', *lat.* vānus ,,leer'' urverwandt ist, gehört zu der unter →*wüst* entwickelten *idg.* Wurzel. Über den zweiten Bestandteil vgl. *Witz.* Neben 'wahnwitzig' tritt im 15. Jh. auch 'wahnsinnig' auf, das heute 'wahnwitzig' weitgehend verdrängt hat. Abl.: **wahnwitzig** (15. Jh.; dieses Adjektiv hat das alte 'wahnwitz' seit dem 16. Jh. ersetzt). Siehe auch Wahnsinn.

wahr: Das Adjektiv *mhd.*, *ahd.* wār (vgl. *niederl.* waar) ist urverwandt mit *lat.* vērus ,,wahr'' und *air.* fīr ,,wahr''. Diese Wörter gehören im Sinne von ,,vertrauenswert'' zu der *idg.* Wurzel *μer- ,,Gunst, Freundlichkeit [erweisen]'', vgl. *gr.* ēra phérein ,,einen Gefallen tun'' und die *slaw.* Sippe von *russ.* véra ,,Glaube'' (davon der weibl. Vorname Wera). Vgl. dazu auch *mhd.* wāre, *ahd.* wāra ,,Vertrag, Treue''. Zu der genannten *idg.* Wurzel gehören aus dem *germ.* Sprachbereich auch der zweite Bestandteil des unter →*albern* behandelten Adjektivs und die unter →*gewähren* und →*Wirt* behandelten Wörter. Abl.: **wahrhaft** (*mhd.*, *ahd.* wārhaft); **Wahrheit** *w* (*mhd.*, *ahd.* wārheit); **wahrlich** (*mhd.* wārlich, *ahd.* wārlīh). Zus.: **Wahrsager** *m* (*frühnhd.*; dafür

mhd. wārsage ,,Wahrsager'', *asächs.* wārsago ,,Prophet''; der zweite Bestandteil gehört zu 'sagen'.); **wahrscheinlich** (17. Jh.; vermutlich nach dem Vorbild des gleichbed. *niederl.* waarschijnlijk; das *niederl.* Adjektiv ist wohl eine Lehnübertragung von *lat.* vērisimilis ,,wahrscheinlich'' [aus *lat.* vērus ,,wahr'' und *lat.* similis ,,ähnlich'']).

wahren: Das *altgerm.* Verb *mhd.* war[e]n, *ahd.* bi-warōn, *mniederl.* waren, *aengl.* warian, *aisl.* vara gehört zu dem untergegangenen Substantiv Wahr *w* (*mhd.* war, *ahd.* wara ,,Aufmerksamkeit, Acht, Hut, Aufsicht''), ein Wort, das in →wahrnehmen (eigtl. ,,in Wahr [= Hut] nehmen'') und in →verwahrlosen (eigtl. ,,wahrlos [= aufsichtslos] werden'') weiterlebt. Demnach bedeutet 'wahren' eigtl. ,,beachten, in Hut nehmen''. Damit verwandt ist auch das Adjektiv *got.* war[s], *aengl.* wær, *aisl.* varr ,,behutsam'', das in der Präfixbildung →gewahr steckt. Ferner hängen damit zusammen die unter →warnen und →Warte behandelten Wörter. Vgl. im *außergerm.* Bereich *gr.* epì órontai ,,sie beaufsichtigen'', *lat.* verērī ,,verehren, fürchten'' (s. das FW Reverenz), *lett.* vērties ,,beachtet werden''. Alle genannten Wörter gehören zu der unter →*wehren* behandelten *idg.* Wurzel und bedeuten eigtl. ,,hüten, aufpassen, schützen''. – Abl.: **Wahrung** *w* (*mhd.* warunge). Präfixbildungen: **bewahren** (*mhd.* bewarn,*ahd.* biwarōn); **verwahren** (*spätmhd.* verwarn). Siehe auch Wahrzeichen.

währen ,,dauern'': Das Verb *mhd.* wern, *ahd.* werēn gehört zu dem unter →*Wesen* behandelten Verb *mhd.* wesen, *ahd.* wesan ,,sein, aufhalten, dauern''. Es bedeutet eigtl. ,,dauernd sein''. Vgl. auch langwierig. Aus dem ersten Partizip von 'währen' hat sich seit dem 18. Jh. **während** als Präposition und Konjunktion entwickelt.

wahrnehmen: Das unfeste Verb *mhd.* war nemen, *ahd.* wara neman enthält als ersten Teil das unter →*wahren* behandelte Substantiv Wahr ,,Aufmerksamkeit, Acht, Hut, Aufsicht''. Das Verb bedeutet demnach eigtl. ,,in Aufmerksamkeit nehmen, einer Sache Aufmerksamkeit schenken''. Abl.: **Wahrnehmung** *w* (16. Jh.).

Währung *v*: Das Substantiv *mhd.* werunge ist eine Bildung zu *mhd.* wern ,,gewähren'' (vgl. *gewähren*). Es bedeutete ursprünglich ,,Gewährleistung (eines Rechts, einer Qualität, ein Maßes, eines Münzgehalts)''.

Wahrzeichen *s*: Die Zusammensetzung *mhd.* warzeichen, *ahd.* wortzeichen (wohl durch 'Wort' beeinflußt) enthält als ersten Bestandteil das unter →*wahren* behandelte Substantiv Wahr ,,Aufmerksamkeit, Acht, Hut, Aufsicht''. 'Wahrzeichen' bedeutet demnach eigtl. ,,Zeichen zur Aufmerksamkeit''.

Waise w: Das auf das *dt.* und *niederl.* Sprachgebiet beschränkte Wort *mhd.* weise, *ahd.* weiso, *niederl.* wees ist verwandt mit *mhd.* entwisen „verlassen von, leer von", und wīsan „meiden" und gehört wahrscheinlich zu der unter →*Witwe* entwickelten *idg.* Wz. *ṷeidh-, *ṷidh- „trennen". Eine Ableitung von 'Waise' ist ver **waisen** (*mhd.* verweisen).

Wal m „Walfisch": Die Herkunft des *altgerm.* Tiernamens *mhd.*, *ahd.* wal, *niederl.* wal[visch], *engl.* whale, *schwed.* val ist nicht sicher geklärt. Vielleicht besteht Verwandtschaft mit *apreuß.* kalis „Wels" und *lat.* squalus „Meersaufisch". Mit 'Wal' verwandt ist der unter →*Wels* behandelte Fischname.

Wald m: Das *altgerm.* Substantiv *mhd.*, *ahd.* walt, *niederl.* woud „Wald", *engl.* wold „Hügelland", *schwed.* vall „Weide" bezeichnete urspr. das nicht bebaute Land. Es ist vielleicht mit der Wortgruppe von *lat.* vellere „rupfen, zupfen, raufen" (vgl. *Walstatt*) verwandt und bedeutet dann eigtl. „gerupftes Laub" (vgl. zum Sachlichen den Artikel Laub). Mit 'Wald' können auch die unter →*wild* behandelten Wörter verwandt sein. Abl.: **waldig** (16. Jh.), **Waldung** w (17. Jh.). Zus.: **Waldmeister** (*spätmhd.* waltmeister; die im Walde wachsende Pflanze ist vielleicht wegen ihrer bedeutenden [„meisterhaften"] Heilkraft so benannt).

Walhall w „Aufenthalt der im Kampf Gefallenen": Das *nhd.* Substantiv ist eine im 18. Jh. aufgekommene Nachbildung des gleichbedeutenden *aisl.* valhǫll. Der erste Bestandteil ist das unter →*Walstatt* behandelte Wal- (*aisl.* valr „Toter auf dem Kampfplatz"), der zweite Bestandteil entspricht dem unter →*Halle* behandelten Substantiv. 'Walhall' bedeutet demnach eigtl. „die Halle der auf dem Kampfplatz Gefallenen".

walken: Das *altgerm.* Verb *mhd.* walken „walken, prügeln", *ahd.* walchan „kneten", *niederl.* walken „walken", *mengl.* walken „[sich] wälzen, gehen", *engl.* to walk „gehen", *schwed.* valka „walken" ist z. B. verwandt mit *aind.* válgati „hüpft, springt" (eigtl. „dreht sich") und gehört zu der unter →¹*wallen* dargestellten Wortgruppe.

Walküre w „Kampfjungfrau, die die Toten nach Walhall geleitet": Das *nhd.* Substantiv ist eine seit dem 18. Jh. auftretende Nachbildung des *aisl.* valkyria „Walküre", deren erster Bestandteil das unter →*Walstatt* behandelte Wal- (*aisl.* valr „Toter auf dem Kampfplatz") ist. Der zweite Bestandteil gehört zu →*Kür* „Wahl[übung]". 'Walküre' bedeutet eigtl. „Wählerin der Toten auf dem Kampfplatz".

Wall m: Das Substantiv *mhd.* wal, *niederl.* wal, *engl.* wall wurde von den Germanen aus *lat.* vallum entlehnt, das in der römischen Militärsprache „Pfahlwerk auf dem Schanzwall" bedeutete und zu *lat.* vallus „[Schanz]pfahl" gehört.

Wallach m „kastriertes männliches Pferd": Das seit dem Ende des 15. Jh.s belegte Substantiv bezeichnete ursprünglich das aus der Walachei eingeführte kastrierte Pferd. Der Volksname 'Walachen' stammt aus dem *Slaw.*, vgl. *bulgar.* vlach „Walache". Das *slaw.* Wort ist seinerseits aus dem unter →*welsch* behandelten Wort entlehnt.

¹**wallen** „sprudeln, bewegt fließen": Das *westgerm.* Verb *mhd.* wallen, *ahd.* wallan, *mniederl.* wallen, *aengl.* weallan gehört zur *idg.* Wurzel *ṷel- „drehen, winden, wälzen". Vgl. aus anderen *idg.* Sprachen *aind.* válati „wendet sich, dreht sich", *gr.* eileīn „drehen, winden", *lat.* voluere „rollen, wälzen, drehen" (s. Volumen), *russ.* volná „Welle". Zu dieser auch weitergebildeten und erweiterten *idg.* Wurzel gehören ferner die unter →*Welle* und →*wühlen* behandelten Wörter, vermutlich auch →*Wulst*, weiterhin →²*walzen*, →*Walze* und →*walken* sowie der zweite Bestandteil des unter →*Wurzel* behandelten Substantivs. Vgl. auch den Artikel Wolle. Abl. **Wallung** w (17. Jh.).

²**wallen** „gehen, pilgern": Das *westgerm.* Verb *mhd.* wallen, *ahd.* wallōn, *mniederl.* wallen, *aengl.* weallian geht wohl auf *germ.* *wādlō-jan zurück und ist dann mit dem unter →*Wedel* behandelten Substantiv näher verwandt (vgl. *wehen*). Es bedeutete urspr. etwa „[umher]schweifen, unstet sein". Zus.: **Wallfahrt** (*mhd.* wallevart); **wallfahren** (bei Luther); **Wallfahrer** (17. Jh.).

Walnuß w: Das im *Hochd.* seit dem 18. Jh. bezeugte Wort stammt aus dem *Niederd.* (vgl. *mnd.* walnut „Walnuß"). Der erste Bestandteil der Zus. geht auf das unter →*welsch* behandelte *germ.* Substantiv zurück. Die Frucht, die aus Italien zu uns kam, hieß deshalb auch bis ins 18. Jh. 'welsche Nuß'.

Walroß s: Das Substantiv wurde aus *niederl.* walrus übernommen, das auf Umstellung und Vermischung von *aisl.* hrosshvalr „eine Art Wal" und *aisl.* rosmhvalr „Walroß" beruht. Der zweite Bestandteil der beiden *aisl.* Wörter -hvalr ist das unter →*Wal* behandelte Wort. Der erste Bestandteil hross- ist das unter →*Roß* behandelte Wort. Der Bestandteil rosm-, der mit *ahd.* rosamo „Röte, Rost" näher verwandt ist, gehört zu der unter →*Rost* behandelten Wortgruppe. 'Walroß' ist demnach eigtl. eine Mischung von 'Roßwal' und 'Ro[s]twal'. Das Tier hat eine leicht rotbraune Farbe.

Walstatt w „Kampfplatz, Schlachtfeld": Der erste Bestandteil der Zus. (*mhd.* walstat) ist das im *Nhd.* untergegangene Substantiv *mhd.*, *ahd.* wal „Kampfplatz", *aengl.* wæl „Walstatt; Gefallene", *aisl.* valr „Toter auf dem Kampfplatz". Es ist verwandt mit

Wange

tochar. A wäl- „sterben" und mit der *balt.*
Sippe von *lit.* vélês „geisterhafte Gestalten
der Verstorbenen". Weiterhin gehören diese
Wörter wohl zu der *idg.* Wz. *ṷel- „[an sich]
reißen, rauben; ritzen, verwunden; töten",
vgl. *lat.* vellere „[aus]rupfen", vulnus „Wunde", *air.* fuil „Blut", *mir.* fuili „blutige
Wunden". Weitere Zus. mit demselben ersten Bestandteil sind → Walhall und → Walküre. Es ist möglich, daß auch → Wolle
(eigtl. „die Gezupfte") und → Wolf (eigtl.
„der Reißer") zu der obigen *idg.* Wurzel gehören.
walten: Das *gemeingerm.* Verb *mhd.* walten,
ahd. waltan, *got.* waldan, *aengl.* wealdan,
schwed. válla gehört zu *idg.* *ṷal-dh-
„stark sein, beherrschen", vgl. z. B. *lit.*
valdýti „regieren" und *russ.* vladét' „besitzen, [be]herrschen". *Idg.* *ṷal-dh- ist seinerseits eine Erweiterung zu *idg.* *ṷal- „stark
sein", vgl. z. B. *lat.* valēre „stark sein" (s.
Valuta). Bildungen zum Verb 'walten' sind
die unter → Anwalt und → Gewalt behandelten Wörter. Präfixbildung: **verwalten**
(*mhd.* „verwalten, in Gewalt haben, für etwas sorgen"). Dazu **Verwalter** *m* (16. Jh.)
und **Verwaltung** *w* (15. Jh.).
Walze *w:* Die Substantive *spätmhd.* walze
„Seilrolle", *ahd.* walza „Falle, Schlinge",
mnd. walte „Walze", *aengl.* wealte „Ring",
aisl. vǫlt „Walze, Rolle, Winde" sind Bildungen zu den unter → *walzen* behandelten
Verben und bedeuten eigtl. „Gedrehtes".
Im *Nhd.* ist die Bed. „zylindrische Rolle"
(z. B. Ackerwalze) seit dem 16. Jh. bezeugt.
Abl.: ¹**walzen** „mit der Walze bearbeiten"
(18. Jh.). Zu der Wendung 'auf die Walze
sein' siehe ²walzen.
¹**walzen** siehe Walze.
²**walzen:** Das ehemals starke Verb älter
nhd., mhd. walzen „[sich] rollen, drehen",
spätahd. walzan „rollen; erwägen" steht im
Ablaut zu *aisl.* velta „sich wälzen" und gehört zu der unter → ¹*wallen* dargestellten
Wortgruppe. Im *Oberd.* wird 'walzen' seit
der 2. Hälfte des 18. Jh.s in der Bed. „mit
drehenden Füßen auf dem Boden schleifen,
tanzen" gebraucht. Zu dieser Bed. gehört
die Abl. **Walzer** *m* „Drehtanz" (Ende des
18. Jh.s). Entsprechend gilt 'walzen' heute
ugs. für „Walzer tanzen". Die gleichfalls
ugs. Bed. „auf der Wanderschaft sein" erscheint im 19. Jh. zuerst in der Handwerkersprache und beruht wohl auf *mdal.* walzen
„müßig hin und her schlendern". Dazu gehört die Wendung 'auf die Walze (d. h. Wanderschaft) gehen' (19. Jh.). Siehe auch wälzen.
wälzen: Das *gemeingerm.* Verb *mhd., ahd.*
welzen, *got.* waltjan, *aengl.* wieltan, *schwed.*
välta ist das Veranlassungswort zu dem in
aisl. velta „sich wälzen" bewahrten starken
Verb (vgl. ²*walzen*). Abl.: **Wälzer** *m* „unhandliches Buch" (Ende des 18. Jh.s; eigtl.

„Ding das so schwer ist, daß man es nur
durch Wälzen fortbewegen kann"; wahrscheinlich scherzhafte LÜ von *lat.* volūmen
„Schriftrolle, Band", das zu voluere „drehen, wälzen" gehört).
Wamme *w* „Bauch, Mutterleib; Eingeweide;
vom Hals herabhängende Hautfalte": Das
gemeingerm. Substantiv *mhd.* wamme, wambe, *ahd.* wamba, *got.* wamba, *engl.* womb,
schwed. vamb ist unbekannter Herkunft.
Wams *s:* Das Substantiv *mhd.* wams ist
entlehnt aus *afrz.* wambais „Wams", *mlat.*
wambasium, dem das unter → *Bombast* behandelte *gr.* pámbax „Baumwolle" zugrunde liegt. Abl.: **wamsen** (18. Jh.; *ugs.*
für „verprügeln", eigtl. „das Wams ausklopfen").
Wand *w:* Das *dt.* und *niederl.* Substantiv
(*mhd., ahd.* want, *niederl.* wand) gehört zu
dem unter → *winden* behandelten Verb.
Es bedeutet also eigtl. „das Gewundene, das
Geflochtene". Wände wurden ursprünglich
geflochten (s. Fach).
wandeln: Das Verb *mhd.* wandeln, *ahd.*
wantalōn (entspr. *niederl.* wandelen) ist –
ähnlich wie → *wandern* – eine Iterativbildung zu *ahd.* wantōn „wenden", das seinerseits zu dem unter → ²*winden* behandelten
Verb gehört. Es bedeutet demnach eigtl.
„wiederholt wenden". Die Bedeutung
„hin und her gehen" tritt im 14. Jh. hervor.
Die Bedeutung „[sich] ändern" ist schon
ahd. vorhanden. Abl.: **Wandel** *m* (*mhd.*
wandel, *ahd.* wandil); **wandelbar** (*mhd.*
wandelbære); **Wandlung** *w* (*mhd.* wandelunge, *ahd.* wantalunga). Präfixbildung:
verwandeln (*mhd.* verwandeln, *ahd.* farwantalōn), dazu **Verwandlung** *w* (*mhd.*
verwandelunge).
wandern: Das *westgerm.* Verb *mhd.* wanderen,
mniederl. wanderen, *engl.* to wander ist –
ähnlich wie → *wandeln* – eine Iterativbildung
und stellt sich zu *ahd.* wantōn „wenden"
und den unter → ²*winden* und → *wenden* behandelten Verben. Es bedeutet demnach
eigtl. „wiederholt wenden". Daraus entwickelten sich die Bedeutungen „hin und her
gehen, irgendwohin gehen, seinen Standort
ändern". Abl.: **Wand[e]rer** *m* (14. Jh.);
Wanderschaft *w* (um 1500); **Wand[e]rung** *w* (*spätmhd.* wanderunge). – Das adjektivisch verwendete 2. Partizip **bewandert** „aus eigener Erfahrung kennend", eigtl.
„vielgereist" (17. Jh.), gehört zu einem ungebräuchlichen Verb 'bewandern'.
Wange *w:* Das *altgerm.* Subst. *mhd.* wange,
ahd. wanga, *niederl.* wang, *aengl.* wange, *aisl.*
vangi ist wahrscheinlich verwandt mit *bayr.-
östr.* Wang „Wiesenabhang", *got.* waggs
„Paradies" (eigtl. „Wiese"), *aengl.* wang
„Feld, Ebene, Land", *aisl.* vangr „Feld,
eingefriedigter Platz". Allen diesen Substantiven ist wahrscheinlich die Grundbedeutung „Biegung, Krümmung" gemeinsam,

753

vgl. z. B. *aengl.* wōh (*wanha-) „krumm, verkehrt".

Wankelmut *m*: Das Subst. *mhd.* wankelmuot ist eine Zus. mit dem heute nicht mehr gebräuchlichen Adj. wankel „schwankend, unbeständig" (*mhd.* wankel, *ahd.* wanchal, entsprechend *niederl.* wankel, *aengl.* wancol „schwankend, unbeständig, schwach"). Dieses Adjektiv ist von dem unter →*wanken* behandelten Substantiv 'Wank' abgeleitet. Zum zweiten Bestandteil vgl. *Mut.*

wanken: Das *altgerm.* Verb *mhd.* wanken, *ahd.* wankōn, *mniederl.* wanken, *aisl.* vakka ist vermutlich eine Ableitung von dem veralteten Substantiv Wank *m* „Bewegung nach einer Richtung hin, Schwanken, Zweifel" (*mhd.*, *ahd.* wanc, *mniederl.* wanc). Dieses Substantiv gehört zu der unter →*winken* behandelten Wortgruppe.

wann, wenn: *Mhd.* wanne, wenne, *ahd.* hwanne, hwenne, *engl.* when (vgl. auch *got.* han „wann") gehören zu dem unter →*wer*, was behandelten *idg.* Stamm. Die schriftsprachliche Scheidung zwischen 'wann' als Adverb und 'wenn' als Konjunktion hat sich erst im 19. Jh. durchgesetzt.

Wanne *w* „Becken, Gefäß": Das Subst. *mhd.* wanne „Wanne; Getreide-, Futterschwinge", *ahd.* wanna „Getreide-, Futterschwinge" ist aus *lat.* vannus „Getreide-, Futterschwinge" entlehnt. Die Bezeichnung der Getreideschwinge wurde zusammen mit dem Gegenstand von den Römern übernommen. Erst im 14. Jh. wurde das Wort 'Wanne' auf das wie eine Getreideschwinge geformte Gefäß zum Baden übertragen.

Wanst *m*: Das Substantiv *mhd.* wanst, *ahd.* wanast steht im Ablaut zu der andersgebildeten Sippe von *isl.* vinstr „Blättermagen". *Außergerm.* lassen sich damit vergleichen *aind.* vaniṣṭú-ḥ „Mastdarm", *gr.* énystron „Labmagen", *lat.* vē[n]sīca „Blase".

Wanze *w*: Der auf das *dt.* Sprachgebiet beschränkte Insektenname (*mhd.* wanze) ist eine vom ersten Wortteil aus gebildete Kurzform zu *mhd.*, *ahd.* wantlūs „Wanze", eigtl. „Wandlaus".

Wappen *s*: Die *nhd.* Form geht zurück auf *mhd.* wāpen „Waffe, Wappen", das in der Blütezeit des flandrischen Rittertums aus *mniederl.* wāpen „Waffen, Wappen" (= *hochd.* Waffe, s. d.) entlehnt wurde. 'Wappen' wurde früher als Nebenform von 'Waffe' verwendet. Es bedeutete im *Dt.* zunächst „Waffe", vom Ende des 12. Jh.s an auch „Schildzeichen, Wappen". Erst im 16. Jh. vollzieht sich die Scheidung zwischen 'Waffe' als „Kampfgerät" und 'Wappen' als „[Schild]zeichen". Die Bedeutung „Waffe" hat sich in dem von 'Wappen' abgeleiteten, heute noch übertragen und dichterisch verwendeten Verb wappnen (*mhd.* wāpenen) erhalten.

Ware *w*: Das *altgerm.* Substantiv *mhd.* war[e], *niederl.* vaar, *engl.* ware, *schwed.* vara ist unsicherer Herkunft. Vielleicht gehört es zu dem unter →*wahren* behandelten Substantiv Wahr „Aufmerksamkeit, Acht, Hut, Aufsicht". 'Ware' würde demnach eigentlich „das, was man in Verwahrung nimmt" bedeuten.

warm: Das *altgerm.* Adjektiv *mhd.*, *ahd.* warm, *niederl.* warm, *engl.* warm, *schwed.* varm (vgl. *got.* warmjan „warm machen") gehört wohl zur *idg.* Wurzel *u̯er-„[ver]brennen, schwärzen". Vgl. aus anderen *idg.* Sprachen *armen.* varem „zünde an", *russ.* varit' „kochen", *hethit.* u̯ar-„[ver]brennen". Abl.: Wärme *w* (*mhd.* werme, *ahd.* warmī); wärmen (*mhd.*, *ahd.* wermen), dazu erwärmen (*mhd.* erwermen).

warnen: Das *altgerm.* Verb *mhd.* warnen, *ahd.* warnōn, *mniederl.* warnen, *engl.* to warn, *schwed.* varna gehört zu der unter →*wahren* entwickelten *germ.* Wortgruppe. Die eigtl. Bedeutung ist „[sich] vorsehen". Aus dem *germ.* Sprachbereich stammt die *roman.* Sippe von *frz.* garnir, eigtl. „zum Schutz mit etwas versehen" (s. garnieren). Abl.: Warnung *w* (*mhd.* warnunge, *ahd.* warnunga). Präfixbildung: verwarnen (16. Jh.), dazu Verwarnung *w* (*mhd.* verwarnunge).

Wart *m*: *Mhd.*, *ahd.* wart, *got.* daúra-wards („Türhüter"), *aengl.* weard (s. Steward), *aisl.* vǫrðr gehören mit der unter →*Warte* behandelten Substantivbildung zu der Wortgruppe von →*wahren.* Im heutigen *dt.* Sprachgebrauch ist 'Wart' hauptsächlich in Zusammensetzungen gebräuchlich, beachte z. B. Haus-, Tank-, Torwart.

Warte *w* „Ort der Ausschau": Das *altgerm.* Substantiv *mhd.* warte, *ahd.* warta „Ausschauen, Lauern; Ausguck, Wachtturm", *mniederl.* waerde „Wacht[turm]", *engl.* ward „Wache, Hut, Verwahrung", *aisl.* varða „Steinhaufen (als Wegzeichen)" gehört zu der unter →*wahren* behandelten *germ.* Wortgruppe. Eine Abl. von 'Warte' ist das Verb →warten.

warten: Das *altgerm.* Verb *mhd.* warten, *ahd.* wartēn „ausschauen, aufpassen, erwarten", *mniederl.* waerden „wachen, [er]warten", *aengl.* weardian „warten, hüten; bewohnen", *schwed.* vårda „pflegen" ist von dem unter →*Warte* behandelten Substantiv abgeleitet. Es bedeutet also eigtl. „Ausschau halten". Heute ist es auf die Bed. „Kommendem entgegensehen" eingeschränkt. Eine zweite Bed. „pflegen" hat sich in *mhd.* Zeit aus „auf etwas achthaben" entwickelt; sie lebt bes. in den Ableitungen Wärter *m* (*mhd.* werter, *ahd.* wartari) und Wartung *w* (15. Jh.). Das Adjektiv gewärtig „erwartend" (*mhd.* gewertec) ist von der heute veralteten Präfixbildung *mhd.* gewarten, *ahd.* giwartēn „beobachten, erwarten" abgeleitet. Siehe auch

Anwärter. Weitere Zus. und Präfixbildungen: **abwarten** (16. Jh.); **aufwarten** (*mhd.* ûfwarten), dazu **Aufwärter** *m* (im 16. Jh. auffwarter „höflischer Diener") und **Aufwartung** *w* (17. Jh.); **erwarten** (*mhd.* erwarten, *ahd.* erwartēn). Siehe auch den Artikel Garde.

...wärts: Das seit alters nur in Zus. auftretende Wort (*mhd., ahd.* wertes) ist der adverbiale Genitiv des nur in der Zus. vorkommenden Adjektivs *mhd., ahd.* -wert, vgl. entspr. *got.* -waírþs, *aengl.* -weard, *aisl.* -verdr. Dieses *gemeingerm.* Adjektiv bedeutet eigtl. „auf etwas hin gewendet oder gerichtet" und gehört zu der unter →*werden* behandelten Wortgruppe, vgl. *außergerm.* z. B. *lat.* versus, adversus „in die Richtung von, gegen". Am bekanntesten sind Zus. wie **aufwärts** (*mhd.* ûfwert[es]), **vorwärts** (*mhd.* vorwert). Aus *mhd., ahd.* -wert weitergebildet ist *nhd.* ...wärtig (*mhd.* -wertec, *ahd.* -wertig); s. 'gegenwärtig' unter →gegen und 'widerwärtig' unter →wider.

Warze *w*: Das *altgerm.* Substantiv *mhd.* warze, *ahd.* warza, *niederl.* wrat, *engl.* wart, *schwed.* vårta gehört zu einer Erweiterung der *idg.* Wurzel *uer-* „erhöhte Stelle (im Gelände oder in der Haut)". Vgl. dazu aus anderen *idg.* Sprachen *aind.* várṣiṣṭha- „höchst", *lat.* verrûca „Warze", *russ.* véred „Geschwür, Eiterbeule".

waschen: Das *altgerm.* Verb *mhd.* waschen, weschen, *ahd.* wascan, *niederl.* wassen, *engl.* to wash, *schwed.* vaska gehört wahrscheinlich zu der unter →*Wasser* behandelten *idg.* Wz. *[a]ued-* „benetzen, befeuchten, fließen". Abl.: **Wäsche** *w* (*mhd.* wesche, *ahd.* wesca); **Wäscherin** *w* (*mhd.* wescherinne). Zus.: **Waschlappen** (Ende des 17. Jh.s; in der Bed. „schwacher, willenloser Mensch" seit Mitte des 19. Jh.s).

Wasser *s*: Das *gemeingerm.* Subst. *mhd.* waz̧z̧er, *ahd.* waz̧z̧ar, *got.* watô, *engl.* water, *schwed.* vatten geht auf *idg.* *uédōr, *uódōr, Gen. *udnés „Wasser" zurück. Vgl. aus anderen *idg.* Sprachen *gr.* hýdōr „Wasser" (s. hydro... und die darunter erwähnten FW) und *russ.* vodá „Wasser" (s. das FW Wodka, eigtl. „Wässerchen"). Dazu stellt sich auch der unter →¹Otter (eigtl. „der zum Wasser Gehörige") behandelte Tiername. Das *idg.* Wort gehört zu einer *idg.* Wz. *[a]ued- „benetzen, befeuchten, fließen", vgl. z. B. *aind.* undáti „quellt, benetzt" und *lat.* unda „Woge" (s. das FW ondulieren, eigtl. „Wellen machen"), ferner das unter →waschen behandelte Verb. Ob auch das unter →Winter (vielleicht eigtl. „nasse Jahreszeit") behandelte Wort dazu gehört, ist unsicher. Neben *idg.* *[a]ued- steht *idg.* *[a]uer-, vgl. z. B. *aind.* vắr „Wasser" und *lat.* ûrîna „Harn" (s. das FW Urin). Zu dieser Wurzelform gehört wahrscheinlich auch der erste Bestandteil des unter →Auerochse (eigtl.

„Befeuchter, [Samen]spritzer") behandelten Wortes. – Abl.: **wässerig** (*mhd.* wez̧z̧eric, *ahd.* waz̧z̧irig); **wässern** (*mhd.* wez̧z̧eren), dazu die Präfixbildung **verwässern** (16. Jh.). Zus.: **Wasserfall** (*spätmhd.* waz̧z̧erval); **Wasserfarbe** (zum Malen; 15. Jh.); **Wasserhose** („Wasser mitführender Wirbelsturm"; 18. Jh.); **Wasserkopf** (18. Jh.; wohl LÜ von *nlat.* hydrocephalus aus *gr.* hydroképhalos „Wasserkopf"); **Wassermann** (*mhd.* waz̧z̧erman „Schiffer; Wasserungetüm", *ahd.* waz̧z̧irman „Wasserträger"; als Bez. des elften Sternbildes im Tierkreis [*lat.* aquârius] seit dem 15. Jh.); **Wasserratte** (16. Jh.; seit dem 19. Jh. auch übertragen für „guter Seemann, Schwimmer"); **Wasserstoff** (Ende des 18. Jh.s; für *frz.* hydrogène „Wasserstoff"); **Wassersucht** (*mhd.* waz̧z̧ersuht, *ahd.* waz̧z̧arsuht; für *lat.* hydrōps „Wassersucht" von gleichbed. *gr.* hýdrōps).

waten: Das *altgerm.* Verb *mhd.* waten „gehen", *ahd.* watan „gehen", *niederl.* waden „waten", *engl.* to wade „waten", *schwed.* vada „waten" ist verwandt mit *lat.* vâdere „gehen, schreiten" (s. das FW Invasion), vadum „Furt". Eine Bildung zu 'waten' ist →Watt.

watscheln: Das seit dem 16. Jh. bezeugte Verb ist eine Verkleinerungsbildung zu dem Verb *spätmhd.* wakzen „hin und her bewegen". Das *spätmhd.* Verb ist seinerseits eine Intensivbildung zu dem unter →*wackeln* behandelten Verb wacken.

Watt *s* „seichter Streifen der Nordsee zwischen Küste und vorgelagerten Inseln; Untiefe": Das im 17. Jh. aus dem *Niederd.* in die *hochd.* Schriftsprache übernommene Wort geht zurück auf gleichbed. *mnd.* wat, vgl. entspr. *ahd.* wat „Furt", *niederl.* wad „Watt", *aengl.* wæd „Furt; Wasser, See", *schwed.* vad „Furt". Dieses *altgerm.* Wort gehört zu dem unter →*waten* behandelten Verb und bedeutet eigtl. „Stelle, die sich durchwaten läßt".

Watte *w*: Das seit Ende des 17. Jh.s belegte Wort wurde über *niederl.* watte „Watte" aus gleichbed. *mlat.* wadda entlehnt. Die weitere Herkunft des Wortes, das auch in den *roman.* Sprachen lebendig ist (vgl. z. B. entspr. *frz.* ouate und *it.* ovatta), ist dunkel.

weben: Das *altgerm.* Verb *mhd.* weben, *ahd.* weban, *niederl.* weven, *engl.* to weave, *schwed.* väva beruht mit verwandten Wörtern in anderen *idg.* Sprachen auf der *idg.* Wz. *uebh- „weben, flechten, knüpfen; sich hin und her bewegen, wimmeln", vgl. z. B. *aind.* ûrṇa-vábhi-ḥ „Spinne" (eigtl. „Wollweber"), *gr.* hýphos „das Weben", *lit.* vebz̧déti „wimmeln, durcheinander bewegen". Eine alte Bildung zu dieser Verbalwurzel ist der unter →Wespe behandelte Insektenname. Um 'weben' gruppieren sich die Bildungen →Wabe (eigtl. „Gewebe, Geflecht") und →Waffel (eigtl. „Gewebe, Geflecht"). Abl.: Weber *m* (*mhd.* webære, *ahd.* weberi) dazu die Abl. Weberei *w* (16. Jh.). Zus.: Webstuhl (Beginn des 16. Jh.s). Siehe auch den Artikel Gewebe.

Wechsel *m*: Das *westgerm.* Substantiv *mhd.* wehsel, *ahd.* wehsal, *niederl.* wissel, *aengl.* wrixl (aus *wixl unter dem Einfluß von *aengl.* wrígian „sich wenden") ist mit dem unter → *weichen* behandelten Verb verwandt. Es bedeutet eigtl. „das Weichen, Platzmachen". Daraus entwickelten sich Bedeutungen wie „Tausch, Abwechslung, Reihenfolge". Besonders nah ist 'Wechsel' mit →Woche (eigtl. „Wechsel, Reihenfolge") verwandt. *Außergerm.* läßt sich *lat.* vicis „Wechsel, Reihenfolge, Stelle, Rolle" vergleichen (s. das FW Vikar). Im *Dt.* gehört 'Wechsel' seit ältester Zeit der Sprache des Handels an, zuerst in der Bed. „Austausch von Waren oder Geld" (s. u. Wechsler). Seit dem 14. Jh. tritt es als LÜ von *it.* cambio, *mlat.* cambium „Wechselzahlung" auf; zu seiner heutigen Bed. „Urkunde mit Zahlungsanweisung an Dritte" ist das Wort seit Ende des 16. Jh.s durch Kürzung der Zus. 'Wechselbrief' (*spätmhd.* wehselbrief) gelangt. Abl.: wechseln (*mhd.* wehseln, *ahd.* wehsalōn), dazu abwechseln (16. Jh.; dazu Abwechslung *w* 16. Jh.), verwechseln (*mhd.* verwehseln, *ahd.* farwehsalōn), dazu Verwechslung *w* (16. Jh.); Wechsler *m* (*mhd.* wehselære, *ahd.* wehselari). Zus.: Wechselbalg „mißgebildetes oder untergeschobenes Kind" (*mhd.* wehselbalc, wehselkint, dafür *ahd.* wihseling; nach german. Volksglauben stehlen Zwerge oder Geister neugeborene Menschenkinder und tauschen sie gegen ihre eigenen häßlichen Kinder aus; zum Grundwort vgl. *Balg*); Wechselfieber (17. Jh.); wechselseitig (Mitte des 18. Jh.s).

Weck *m*, **Wecken** *m* „Weizenbrötchen": Das *altgerm.* Substantiv *mhd.* wecke, *ahd.* wecki „Keil; keilförmiges Gebäck", *niederl.* wegge „Weizenbrötchen", älter „Keil", *engl.* wedge „Keil", *aisl.* veggr „Keil" ist vielleicht urverwandt mit *lit.* vãgis „hölzerner Haken". Das Gebäck ist also nach seiner keilartigen Form benannt worden. Die ursprüngliche Bedeutung „Keil", die *mdal.* noch weiterlebt, schwand in der Schriftsprache im 17. Jh.

wecken: Das *gemeingerm.* Verb *mhd.* wecken, *ahd.* wecchen, *got.* us-wakjan, *aengl.* weccan, *schwed.* väcka ist das Veranlassungswort zu einem nicht bezeugten Verb *germ.* *wekan „munter sein", das zur *idg.* Wurzel *u̯eĝ- „frisch, stark sein" gehört. Vgl. aus anderen *idg.* Sprachen *aind.* vāja-ḥ „Kraft, Schnelligkeit", *lat.* vegēre „munter sein" (s. das FW Vegetation). Das Verb 'wecken' bedeutet demnach „frisch, munter machen". Zu dieser Wurzel gehören auch die unter →wachen

(eigtl. „frisch, munter sein") und →wacker (eigtl. „frisch, munter") behandelten Wörter. Abl.: Wecker *m* „Weckuhr" (17. Jh.). Präfixbildungen und Zus.: aufwecken (16. Jh.); erwecken (*mhd.* erwecken, *ahd.* erwekken), dazu auferwecken (*mhd.* ūferwecken).

Wedel *m* „Gerät mit einem Büschel (zum Sprengen, Wischen oder dgl.), Quaste; Schwanz": Das Substantiv *mhd.* wedel, *ahd.* wadil (vgl. *aisl.* vēli „Vogelschwanz") gehört zu der unter →wehen dargestellten *idg.* Wurzel und bedeutet wohl eigtl. „[Hinundher]schwingendes", vgl. die unter → ²wallen (eigtl. „schweifen, unstet sein") behandelten verwandten Wörter und *ahd.* wadal, *mhd.* wadel „schweifend, unstet", *ahd.* wadalōn, *mhd.* wadelen „schweifen, schwanken". Abl.: wedeln (*mhd.* wedelen).

Weg *m*: Das *gemeingerm.* Substantiv *mhd.*, *ahd.* wec, *got.* wigs, *engl.* way, *schwed.* väg gehört zu der unter →*bewegen* dargestellten *idg.* Wz. *u̯eĝh- „sich bewegen, schwingen, fahren, ziehen". Ursprünglich dasselbe Wort wie das Subst. Weg ist das mit kurzem e ausgesprochene Adj. weg „von einem Ort entfernt oder sich entfernend" (entstanden aus *mhd.* enwec, in wec „auf den Weg"; vgl. *nhd.* 'sich auf den Weg machen, weggehen' und *engl.* away „weg" aus *aengl.* on weg „auf den Weg"). – Eigentlich der Dativ Mehrz. von 'Weg' ist die Präposition wegen. Sie ist durch Kürzung aus *mhd.* von-wegen „von seiten" entstanden. Als erster Bestandteil tritt 'Weg' auch in dem Pflanzennamen →Wegerich auf. – Zus.: Wegweiser *m* (*mhd.* wegewīser).

Wegerich *m*: Der auf das *hochd.* Sprachgebiet beschränkte Pflanzenname *mhd.* wegerīch, *ahd.* wegarīh enthält als ersten Bestandteil das unter → *Weg* behandelte Wort (die Pflanze wächst häufig auf Wegen). Er ist wohl nach dem Muster der altdeutschen PN auf -rich (z. B. Dietrich, Heinrich) gebildet, vgl. das ähnlich gebildete Wort 'Wüterich' (s. Wut).

weh!: Die *gemeingerm.* Interjektion *mhd.*, *ahd.* wē, *got.* wai, *engl.* woe, *schwed.* ve ist z. B. [elementar]verwandt mit *awest.* vayōi „wehe!", *lat.* vae „wehe!" und *lett.* vaī „wehe!, ach!". Eine Bildung zu 'weh!' ist das unter →weinen (eigtl. „weh rufen") behandelte Verb. Die Interjektion wird seit *ahd.* Zeit als Adverb gebraucht (z. B. in der Wendung „weh[e] tun", *mhd.*, *ahd.* wē tuon). Auch die Substantivierung geht auf *ahd.* Zeit zurück: Weh *s* (*mhd.* wē, *ahd.* wē[wo]). Die Verwendung von 'weh' als Adjektiv findet sich erst im 18. Jh. Zu beachten ist auch das Substantiv **Wehe** *w* „[Geburts]schmerz" (16. Jh.; meist in der *Mehrz.*, z. B. in Geburtswehen). Zus.: Wehklage (16. Jh.; dazu wehklagen, 16. Jh.). Das Adjektiv wehleidig (17. Jh.; zuerst *mdal.*) ist wohl aus der früher geläufigen Fügung 'Weh und Leid' zusammengebildet. Siehe auch den Artikel Wehmut.

wehen: *Mhd.* wǣjen, *ahd.* wāen, *niederl.* waaien, daneben (reduplizierend) *got.* waian, *aengl.* wāwan gehören zur *idg.* Wurzel *[a]u̯ē- ,,wehen, blasen, hauchen", vgl. z. B. aus anderen *idg.* Sprachen *aind.* vāyati, vāti ,,weht" und *russ.* véjat' ,,wehen". Zu dieser Wurzel gehören auch die unter →Wind (eigtl. ,,der Wehende") und →Wetter (eigtl. ,,das Wehen"), ferner die unter →²wallen (eigtl. ,,[umher]schweifen, unstet sein") und →Wedel (eigtl. ,,[Hinundher]-schwingendes") behandelten Wörter. Eine Bildung zu 'wehen' ist →Wächte.

Wehmut *w*: Das Substantiv (*spätmhd.* wēmuot) ist im 15. Jh. aus *mnd.* wēmōd ins *Hochd.* übernommen worden. Das *mnd.* Wort ist seinerseits eine Rückbildung aus dem Adj. *mnd.* wēmōdich (*nhd.* im 16. Jh. wehmütig, beachte schon *spätmhd.* wēmüetecheit ,,Zorn"). – Der erste Bestandteil von 'Wehmut' ist das unter →weh! behandelte Wort. Zum zweiten Bestandteil vgl. *Mut.* Im 16. Jh. hatte das Wort noch die Bedeutung ,,Zorn". Seit Ende des 17. Jh.s bedeutet es nur noch ,,innerer Schmerz, Trauer".

¹Wehr *w*: Das Substantiv *mhd.* wer[e], *ahd.* werī, warī ,,Befestigung, Verteidigung, Schutzwaffe", *niederl.* weer ,,Verteidigung", *aisl.* verja ,,Verteidigung" (*schwed.* värja ,,Degen") ist eine Bildung zu dem unter →wehren behandelten Verb. Damit ist vielleicht →²Wehr ,,Stauwerk" identisch. Eine Kollektivbildung zu ¹Wehr ist das unter →Gewehr behandelte Substantiv. Abl.: wehrhaft (*mhd.* werehaft); wehrlos (*mhd.* werlōs).

²Wehr *s*: ,,Stauwerk": Das Substantiv *mhd.* wer (vgl. *aengl.* wer ,,Stauwerk, Wehr; Fischfang, Zug") kann mit →¹Wehr identisch sein und bedeutet dann eigtl. ,,Befestigung gegen das Wasser". Andererseits kann es im Sinne von ,,Flechtwerk, Geflecht" unmittelbar zu der unter →wehren dargestellten Wortgruppe gehören und bezeichnete dann urspr. das Fischwehr.

wehren: Das *gemeingerm.* Verb *mhd.* wern, *ahd.* werian, *got.* warjan, *aengl.* werian, *schwed.* värja ist näher verwandt mit →Werder, außerhalb des *Germ.* z. B. mit *aind.* vr̥ṇóti ,,umschließt, wehrt", *gr.* érysthai ,,abwehren, bewahren". Alle diese Wörter gehören zu der *idg.* Wz. *u̯er- ,,mit einem Flechtwerk, Zaun, Schutzwall umgeben, verschließen, bedecken, schützen" (vgl. über die weiteren Zusammenhänge den Artikel *Wurm*). Mit 'wehren' ist die unter →wahren behandelte Wortgruppe verwandt. Bildungen zu 'wehren' sind die unter →¹Wehr und →²Wehr behandelten Wörter. Zu 'wehren' gehört auch der zweite Bestandteil von →Bürger (eigtl. ,,Burgverteidiger").

Präfixbildungen und Zus.: abwehren (17. Jh.), dazu Abwehr *w* (18. Jh.); verwehren (*mhd.* verwern, *ahd.* firwerian).

Weib *s*: Das *altgerm.* Substantiv *mhd.* wīp, *ahd.* wīb, *niederl.* wijf, *engl.* wife, *schwed.* viv ist unsicherer Herkunft. Vielleicht gehört es zu *idg.* *u̯ei-b-, *u̯ei-p- ,,drehen, umwinden, umhüllen; sich drehend, schwingend bewegen", vgl. z. B. *aind.* vēpatē ,,regt sich, zittert", *lat.* vibrāre ,,zittern" (s. das FW vibrieren), *lett.* viepe ,,Decke, Hülle der Weiber", *lett.* viebt ,,sich drehen" (vgl. über die weiteren Zusammenhänge ¹*Weide*). 'Weib' würde demnach eigtl. ,,die sich hin und her bewegende, geschäftige [Haus]frau" bedeuten (vgl. das unter →Feldwebel genannte *ahd.* weibōn ,,schwanken, unstet sein; sich hin und her bewegen"). Es wäre auch möglich, daß 'Weib' eigtl. die ,,umhüllte Braut" bezeichnet (vgl. die zur obigen Wurzelform gehörenden Verben *got.* biwaibjan ς,umwinden", *aisl.* vīfa ,,umhüllen"). Siehe auch die Artikel Wimpel, Wipfel, wippen. Abl.: Weibchen *s* (15. Jh.); weibisch (*spätmhd.* wībisch); weiblich (*mhd.* wīplich, *ahd.* wīblīh).

weich: Das *altgerm.* Adjektiv *mhd.* weich, *ahd.* weih, *niederl.* week, *aengl.* wāc, (*engl.* weak), *schwed.* vek gehört zu dem unter →weichen behandelten Verb. Es bedeutet eigtl. ,,nachgebend". Abl.: ¹Weiche *w* (*mhd.* weiche, *ahd.* weihhī ,,Weichheit"; übertr. verwendet seit *frühnhd.* Zeit; als ,,weicher Körperteil" seit dem 16. Jh.); ¹weichen (*mhd.*, *ahd.* weichen ,,weich werden oder machen"), dazu erweichen (*mhd.* erweichen, *ahd.* irweichen); Weichheit *w* (*mhd.* weichheit); weichlich (*mhd.* weichlich), dazu verweichlichen (2. Hälfte des 18. Jh.s); Weichling *m* (*mhd.* weichelinc). Zus.: Weichteile (1. Hälfte des 19. Jh.s); Weichtier (1. Hälfte des 19. Jh.s; für *frz.* mollusque ,,Weichtier").

Weichbild *s* ,,Ortsgebiet": Das urspr. *niederd.-mitteld.* Wort (*mhd.* wīchbilde, *mnd.* wīkbelde, entspr. *mnieder.* wijcbelt) enthält als erstes Glied das Substantiv *mhd.* wīch-, *ahd.* wīh, *mnd.*, *asächs.* wīk (*mnieder.* wīk, *aengl.* wīc) ,,Wohnstätte, Siedlung", das in die *westgerm.* Sprachen aus *lat.* vīcus ,,Dorf, Gehöft" entlehnt worden ist. Das *lat.* Wort, mit dem auch *lat.* vīlla ,,Landgut" (s. Villa) zusammenhängt, ist urverwandt mit *gr.* oĩkos ,,Haus" (s. Ökumene) und *got.* weihs ,,Dorf, Flecken". Das zweite Glied der Zus. 'Weichbild' ist vielleicht das unter →*Bild* behandelte Wort, dann hätte 'Weichbild' urspr. ein Marktkreuz oder ein anderes Sinnbild des Ortsrechts bezeichnet. Doch ist '...bild' wohl eher eine Substantivbildung mit der Bed. ,,Recht" und gehört dann zu den unter →*Unbill* behandelten Wörtern. 'Weichbild' würde demnach urspr. ,,Ortsrecht" bedeutet haben. Die Bed. ,,[Rechts]-

gebiet einer Siedlung" ist auf jeden Fall erst durch Übertragung entstanden.

¹Weiche siehe weich.

²Weiche w: Das seit dem 18. Jh. belegte Wort bezeichnet urspr. eine Ausweichstelle in der Flußschiffahrt. Seit der ersten Hälfte des 19. Jh.s wird es für die Umstellvorrichtung bei Eisenbahngleisen verwendet. Das Wort kann auf [m]niederd. wîk „Bucht" zurückgehen oder aber eine Bildung zu →²weichen sein.

¹weichen siehe weich.

²weichen: Das altgerm. Verb mhd. wîchen, ahd. wîchan, niederl. wijken, aengl. wîcan, schwed. vika ist eng verwandt mit den unter →Wechsel (eigtl. „Weichen, Platzmachen") und →Woche (eigtl. „Wechsel, Reihenfolge") behandelten Wörtern. Außergerm. sind z. B. verwandt aind. vijátē „flieht" und gr. eíkein „weichen". Diese Wörter gehören im Sinne von „ausbiegen, nachgeben" zu der unter →¹Weide dargestellten idg. Wurzel. – Zu 'weichen' gehören die unter →weich und →²Weiche behandelten Wörter. Zus.: abweichen (15. Jh.), dazu Abweichung w (18. Jh.); ausweichen (Anfang des 16. Jh.s). Präfixbildung: entweichen(mhd. entwîchen, ahd. entwîchan).

Weichsel w: Die Obstbaumbezeichnung mhd. wîhsel, ahd. wîhsela ist verwandt mit der slaw. Sippe von russ. víšnja „Kirsche" und weiterhin mit gr. ixós „Vogelleim", lat. viscum „Vogelleim" (Kirschgummi diente als Vogelleim).

¹Weide w: Der altgerm. Baumname mhd. wîde, ahd. wîda, mnd. wîde, engl. withy, schwed. vide ist eng verwandt mit gr. itéā „Weide", lat. vītis „Ranke, Rebe", apreuß. witwan „Weide" und russ. vítvina „Rute, Zweig". Diese Wörter gehören zu der vielfach weitergebildeten und erweiterten idg. Wz. *u̯ei-, *u̯ei̯ə- „biegen, winden, drehen", vgl. z. B. aind. váyati „flicht, webt", lat. viēre „binden, flechten", russ. vit' „winden", vgl. auch gr. íris „Regenbogen" (s. Iris). Zu dieser Wurzel gehören auch die Wortgruppen von →weichen (eigtl. „ausbiegen, nachgeben") und →Wisch (eigtl. „[zusammengedrehtes] Büschel") sowie die unter →Weib behandelten Wörter. – Die Weide ist also nach ihren biegsamen, zum Flechten dienenden Zweigen benannt.

²Weide w „Grasland": Mhd. weide, ahd. weida „Jagd, Fischfang, Nahrungserwerb; Futter, Speise; Weideplatz; Unternehmung, Fahrt, Tagereise, Weg", niederl. weide „Grasland, Weideplatz", aengl. wād „Jagd, Verfolgung; Unternehmung, Reise", aisl. veiðr „Jagd" gehören mit verwandten Wörtern in anderen idg. Sprachen zu der idg. Wz. *u̯ei-, *u̯ei̯ə- „auf Nahrungssuche, auf die Jagd gehen, nach etwas trachten", vgl. z. B. aind. véti, váyati „verfolgt, strebt", gr. híemai „eile, strebe, trachte, begehre" und die bal-

toslaw. Sippe von lit. výti „nachjagen, verfolgen". Dazu gehört wohl auch der unter →Weih (eigtl. „Jäger, Fänger") behandelte Vogelname. – Von 'Weide' im Sinne von „Futter, Speise" geht →Eingeweide aus (s. dort über ausweiden und weidwund). An 'Weide' im Sinne von „Unternehmung, Fahrt, Tagereise, Weg, Mal" schließt sich der zweite Bestandteil von 'anderweitig' (vgl. ander) an. Die alte Bed. „Jagd" bewahren z. B. die Zus. weidgerecht (Ende des 18. Jh.s), Weidmann (mhd. weideman „Jäger; Fischer"), dazu weidmännisch (16. Jh.), Weidwerk „Jagd[kunst]" (mhd. weidewerc „Jägerei; die zur Jagd gehörigen Tiere"). Abl.: weiden „auf die Weide führen, grasen lassen; hüten", reflexiv „sich laben, sich erfreuen" (mhd. weiden, ahd. weidōn, daneben mhd. weidenen, ahd. weidanōn „jagen, Futter suchen; weiden", vgl. niederl. weiden „grasen lassen, weiden", aengl. wǣdan „wandern, streifen; jagen", aisl. veiða „jagen, erbeuten"). Zus.: Augenweide „was den Augen gefällt" (mhd. ougenweide, eigtl. „Speise, Labsal für die Augen", beachte die Bildung 'Ohrenschmaus"). Siehe auch weidlich.

weidlich „gehörig, tüchtig": Das Adjektiv mhd. weide[n]lich ist wahrscheinlich eine Bildung zu mhd. weiden, weidenen, ahd. weidōn, weidanōn „jagen, weiden" (vgl. ²Weide). Es bedeutet demnach eigtl. „dem Jagen gemäß". Aus der Bedeutung „jagdgemäß" entwickelte sich die Bedeutung „tüchtig, gehörig", die sich in adverbieller Verwendung (z. B. 'sich weidlich freuen') am längsten gehalten hat.

weigern: Das Verb mhd. weigeren, ahd. weigarōn ist eine Ableitung von dem Adjektiv mhd. weiger, ahd. weigar „widerstrebend, tollkühn", das zu dem Verb mhd. wîgen „streiten", aengl. wîgan „streiten" gehört, vgl. got. weihan „kämpfen". Diese Wörter sind z. B. verwandt mit lat. vincere „[be]siegen", air. fichid „kämpft" und lit. apveíkti „bezwingen". Abl.: Weigerung w (mhd. weigerunge). Präfixbildung: verweigern (16. Jh.).

Weih m, **Weihe** w: Der Vogelname mhd. wîe, ahd. wîo ist unsicherer Herkunft. Vielleicht gehört er zu dem unter →²Weide entwickelten idg. *u̯ei- „jagen". 'Weih' würde also „Jäger, Fänger" bedeuten.

weihen: Das Verb mhd., ahd. wîhen ist eine Bildung zu dem im 16. Jh. ausgestorbenen Adjektiv weich „heilig" (vgl. Weihnachten, Weihrauch), mhd. wîch, ahd. wîh, got. weihs, wozu sich im außergerm. Bereich lat. victima „Opfer[tier]" (eigtl. „das für das Opfer Geweihte") stellt. – Zus.: einweihen (16. Jh.), dazu Einweihung w (16. Jh.).

Weiher m: Das Substantiv mhd. wî[w]ǣre, ahd. wî[w]ǣri ist LW aus lat. vivārium „Fischteich; Behälter oder Gehege für lebende Tiere", das zu *lat.* vīvere „leben" (s. Konvikt und vivat) gehört. Über die weiteren Zusammenhänge vgl. *keck.*

Weihnacht *w*: Die seit der 2. Hälfte des 12. Jh.s belegte Zusammensetzung *mhd.* wīhenaht besteht aus dem unter → *weihen* behandelten, untergegangenen Adjektiv weich „heilig" und dem Substantiv → *Nacht.* Die Form Weihnachten (*mhd.* wīhennahten) beruht auf einer alten Dativ *Mehrz. mhd.* ze wīhen nahten „in den heiligen Nächten". Damit waren urspr. die schon in germ. Zeit als heilig gefeierten Mittwinternächte gemeint.

Weihrauch *m*: Die Zusammensetzung *mhd.* wī[h]rouch, *ahd.* wīhrouch enthält als ersten Bestandteil das unter → *weihen* behandelte, untergegangene Adjektiv weich „heilig", bedeutet also „heiliger Rauch". Der aus Arabien und Äthiopien stammende Weihrauch wurde im 7. Jh. vom Christentum nach dem Westen gebracht. Eine ähnliche Zusammensetzung ist das Substantiv Weihwaſſer (*mhd.* wī[c]hwaʒʒer).

Weile *w*: Das *altgerm.* Substantiv *mhd.* wīl[e], *ahd.* [h]wīla, *got.* ƕeila, *engl.* while, beruht auf einer Bildung zu der *idg.* Wz. *kʷei̯ə- „ruhen". Vgl. aus anderen *idg.* Sprachen z. B. *aind.* cirá-ḥ „lang[dauernd]", *lat.* quiētus „ruhig" (s. quitt). ‚Weile' bedeutete also urspr. „Ruhe, Rast, Pause", woraus sich die Bed. „Zeit[raum]" entwickelt hat. Die Konj. weil (*spätmhd.* wīle „während", vgl. *engl.* while „während") ist eigtl. der Akk. *Einz.* des Substantivs; sie ist durch Kürzung der Fügung *mhd.* die wīle, *ahd.* dia wīla so „in der Zeitspanne[, als]" entstanden. Seit dem 18. Jh. wird das bis dahin temporale ‚weil' nur noch als kausale Konj. verwendet. Abl.: weiland veraltet für „ehemals" (*mhd.* wīlen[t]; *ahd.* wīlōn, eigtl. Dat. *Mehrz.* zu ‚Weile'); weilen (*mhd.* wīlen, *ahd.* wīlōn), dazu verweilen (*spätmhd.* verwīlen). Zus.: Langeweile (s. *lang*).

Weiler *m*: Das Substantiv *mhd.* wīler, *ahd.* -wīlāri (nur in zusammengesetzten Ortsnamen) ist aus *mlat.* vīllāre „Gehöft" entlehnt, das von *lat.* vīlla „Landhaus, -gut" abgeleitet ist (vgl. Villa).

Wein *m*: Das *gemeingerm.* Substantiv *mhd., ahd.* wīn, *got.* wein, *engl.* wine, *schwed.* vin ist aus *lat.* vīnum „Wein" entlehnt. *Lat.* vīnum stammt wahrscheinlich aus einer pontischen Sprache (vgl. *georgisch* gwino „Wein". Der Pontus war die Heimat der Weinkultur. Die Germanen lernten die Weinkultur durch die Römer kennen (s. auch Kelch, Kelter, Kufe, Most, Presse, Trichter). Vgl. auch Winzer. Zus.: Weinberg (*mhd.* wīnberc); Weinbrand (der Name bezeichnet seit 1921 die in Deutschland hergestellten Trinkbranntweine, weil der Name Kognak dafür im Versailler Vertrag verboten worden war).

weinen: Das *altgerm.* Verb *mhd.* weinen, *ahd.* weinōn, *niederl.* weenen, *aengl.* wānian, *aisl.* veina ist eine Bildung zu dem unter → *weh*! behandelten Wort. Es bedeutet demnach eigtl. „weh rufen". Abl.: weinerlich (Anfang des 16. Jh.s; für *mhd.* wein[e]lich, wohl nach dem Muster von ‚jämmerlich' gebildet).

weise: Das *altgerm.* Adjektiv *mhd., ahd.* wīs, *niederl.* wijs, *engl.* wise, *schwed.* vis gehört zu der unter → *wissen* dargestellten *idg.* Wortgruppe und bedeutet eigtl. „wissend" (s. auch weismachen). Abl.: weisen (s. d.); Weisheit *w* (*mhd., ahd.* wīsheit); Weistum (s. d.).

Weise *w*: Das *altgerm.* Substantiv *mhd.* wīs[e], *ahd.* wīsa, *niederl.* wijs, *engl.* wise (veraltet), *schwed.* vis gehört zu der unter → *wissen* behandelten *idg.* Wortgruppe und bedeutet eigtl. „Aussehen, Erscheinungsform", woraus sich die Bedeutung „Art und Weise" entwickelt hat, die sich auch in dem seit *frühnhd.* Zeit gebräuchlichen Adverbialsuffix -weise (wie in ‚glücklicherweise') findet. ‚Weise' in der Bedeutung „Melodie, Lied" (schon *ahd.*) ist wohl unter dem Einfluß von *lat.* modulātiō „Modulation, taktmäßiges Singen, melodisches Singen" entstanden.

Weisel *m*: Das im heutigen Sprachgebrauch im Sinne von „Bienenkönigin" verwendete Wort geht auf *mhd.* wīsel „[An]führer, Oberhaupt; Bienenkönigin" zurück, das zu dem unter → *weisen* behandelten Verb gebildet ist. Die Bienenkönigin ist demnach als „[An]führer" benannt worden. Ihr weibliches Geschlecht hat man erst später erkannt.

weisen: Das *altgerm.* Verb *mhd., ahd.* wīsen, *niederl.* wijzen, *aengl.* wīsan, *schwed.* visa ist eine Ableitung von dem unter → *weise* behandelten Adjektiv. Das Verb, das bis ins 16. Jh. schwach flektierte, bedeutet eigtl. „wissend machen". Siehe auch Weisel. Präfixbildungen und Zus.: ausweisen (*mhd.* ūʒwīsen), dazu Ausweis *m* (17. Jh.); überweisen (in *frühnhd.* Zeit aus *mnd.* overwīsen „[Geld] überweisen" übernommen), dazu Überweisung *w* (16. Jh.); unterweisen (*mhd.* underwīsen), dazu Unterweisung *w* (*mhd.* underwīsunge); verweisen „hinweisen" (s. ²*verweisen*).

weismachen „vorschwindeln": Das Verb (*mhd.* wīs machen „klug machen, belehren, kundtun") enthält als ersten Bestandteil das unter → *weise* behandelte Adj. Die heutige abwertende Bedeutung „vormachen, vorschwindeln" tritt seit dem 16. Jh. auf.

weiß: Das *gemeingerm.* Adjektiv wīʒ, *ahd.* (h)wīʒ, *got.* ƕeits, *engl.* white, *schwed.* vit gehört mit dem unter → *Weizen* behandelten Wort zu der *idg.* Wurzelform *ku̯ei̯- „leuchten, glänzen; leuchtend, licht, hell", vgl. z. B. *aind.* śvindatē „glänzt" und *gr.* Píndos (Bergname, eigtl. „der Weiße"), ferner z. B. *aind.* śvetá-ḥ „weiß", *lit.* šviẽsti „leuchten", *russ.* svet „Licht".

weissagen „prophezeien": Das auf das *dt.* Sprachgebiet beschränkte Verb lautete in *ahd.* Zeit urspr. wīʒagōn. Diese Form wurde durch volksetymologische Anlehnung an *ahd.* wīs (vgl. *weise*) und *ahd.* sagēn (vgl. *sagen*) in wīssagen umgedeutet, woraus sich über *mhd.* wīssagen dann *nhd.* weissagen entwickelte. – *Ahd.* wīʒagōn ist eine Ableitung von *ahd.* wīʒago „Prophet" (vgl. *aengl.* wīt[e]ga „Weiser, Prophet" und *aisl.* vitki „Zauberer") und bedeutet demnach eigtl. „als Prophet wirken". Das *ahd.* Wort ist eine Substantivierung des Adjektivs *ahd.* wīʒ[ʒ]ag „merkend, sehend, wissend", das zu der unter → *wissen* dargestellten *idg.* Wortgruppe gehört. – Abl.: **Weissagung** w (*mhd.* wīssagunge, *ahd.* wīʒagunga).

Weistum s: Das *altgerm.* Substantiv *mhd.*, *ahd.* wīstuom, *engl.* wisdom, *schwed.* visdom ist eine Bildung zu dem unter → *weise* behandelten Adjektiv. Es bedeutete urspr. – so noch im *Engl.* und *Schwed.* – „Weisheit". Unter dem Einfluß des Verbs 'weisen' kam das Wort im *Dt.* zur Bedeutung „Rechtsspruch, gesetzliche Bestimmung". Die *Mehrz.* 'Weistümer' in der Bedeutung „Sammlungen von alten Rechtssatzungen" wurde im 18. Jh. neu geschaffen.

weit: Das *altgerm.* Adjektiv *mhd.*, *ahd.* wīt, *niederl.* wijd, *engl.* wide, *schwed.* vid beruht auf der alten Zusammensetzung *idg.* *ui̯-itós „auseinandergegangen". Der erste Bestandteil *ui̯- „auseinander" steckt auch in → wi[e]der und → Witwe, vgl. dazu *aind.* vi- „auseinander", *lat.* vitium „Fehler" (eigtl. „Abweichung"). Der zweite Bestandteil *itós gehört zu der unter → *eilen* dargestellten *idg.* Wurzel. Abl.: **Weite** w (*mhd.* wīte, *ahd.* wītī); **weiten** (*mhd.*, *ahd.* wīten); **erweitern** (Anfang des 16. Jh.s; Präfixbildung zu dem heute veralteten einfachen Verb weitern, *mhd.* wītern). Zusammenbildungen: **weitläufig** (16. Jh.); **weitsichtig** (16. Jh.).

Weizen m: Das *gemeingerm.* Substantiv *mhd.* weize, *ahd.* [h]weizi, *got.* ƕaiteis, *engl.* wheat, *schwed.* vete gehört zu der unter → *weiß* behandelten *idg.* Wortgruppe. Das Getreide verdankt seinen Namen der weißen Farbe des daraus gewonnenen Mehls.

welch: Das Pronomen *mhd.* wel[i]ch, *ahd.* [h]welich (vgl. auch *got.* ƕileiks „wie beschaffen", *engl.* which „welcher", *schwed.* vilken „welcher") beruht auf einer Zusammensetzung. Der erste Bestandteil gehört zu dem unter → *wer*, was behandelten *idg.* Stamm, der zweite ist das unter → ...*lich* behandelte Wort. Das Pronomen 'welch' bedeutet demnach eigtl. „was für eine Gestalt habend".

welk: Das auf das *dt.* und *niederl.* Sprachgebiet beschränkte Adj. *mhd.* welc, *ahd.* welk „feucht; milde; welk", *mniederl.* welc „verwelkt" gehört zu der unter → *Wolke* behandelten Wortgruppe. Die ursprüngliche Bedeutung des Adjektivs ist also „feucht". Der Bedeutungswandel von „feucht" zu „nicht feucht" vollzog sich bereits in *ahd.* Zeit, vermutlich unter dem Einfluß von *ahd.* arwelkēn „an Feuchtigkeit, die Säfte verlieren". Die Bedeutung dieses Präfixverbs hat sich dann auf das einfache Verb **welken** (*mhd.* welken, *ahd.* welkēn) und auf das Adjektiv 'welk' übertragen. Neben dem einfachen Verb 'welken' steht seit *mhd.* Zeit die Präfixbildung **verwelken**.

Welle w: Das Substantiv *mhd.* welle „Reisigbündel; zylindrischer Körper; Wasserwoge", *ahd.* wella „Wasserwoge" (vgl. *mniederl.* welle „Walze") ist eine Bildung zu dem heute veralteten Verb wellen „wälzen" (*mhd.* wellen, *ahd.* wellan), das zu der unter → *wallen* behandelten *idg.* Wortgruppe gehört. Zu 'Welle' in der Bedeutung „Wasserwoge" gehört die junge Ableitung **wellen** „wellig formen" (19. Jh. z. B.; vom Haar) und die Zus. **Wellblech** (19. Jh.).

Wels m: Der seit dem 15. Jh. belegte Fischname ist mit dem unter → *Wal* behandelten Wort verwandt.

welsch: Das *altgerm.* Adjektiv *mhd.* walhisch, welsch, *ahd.* wal[a]hisc „romanisch", *niederl.* Waals „wallonisch", *engl.* Welsh „walisisch", *schwed.* välsk „romanisch" geht auf ein *germ.* Subst. zurück, das urspr. die keltischen Bewohner westeuropäischer Gebiete bezeichnete und dem der keltische Stammesname *lat.* Volcae zugrunde liegt. Dieses Substantiv ist in *mhd.* walch, *ahd.* walah, *aengl.* wealh „Welscher" erhalten. Nach der Besetzung der keltischen Gebiete durch die Römer ging die Bez. auf die dortige romanische Bevölkerung über, besonders auf diejenige in Gallien und Italien. Mit 'welsch' verwandt ist auch → Wallach und das erste Glied der Zus. → Walnuß. In der Bezeichnung der Gaunersprache **Rotwelsch** bedeutet '-welsch' soviel wie „fremde, unverständliche Sprache". Siehe auch den Artikel kauderwelsch.

Welt w: Das *altgerm.* Substantiv *mhd.* we[r]lt, *ahd.* weralt „Zeitalter; Welt; Menschengeschlecht", *niederl.* wereld, *engl.* world, *schwed.* värld „Welt" ist urspr. eine Zusammensetzung, deren erster Bestandteil das unter → *Werwolf* behandelte *germ.* Wort für „Mann, Mensch" ist. Der zweite Bestandteil ist ein z. B. in *got.* alds „Menschenalter, Zeit", *aisl.* ǫld „Menschheit, Zeit" bewahrtes *germ.* Subst., das zu der unter → *alt* entwickelten *idg.* Wurzel gehört. Demnach bedeutet 'Welt' eigtl. „Menschenalter, Menschenzeit". Abl.: **weltlich** (*mhd.* wereltlich, *ahd.* weraltlīh), dazu **verweltlichen**

(Mitte des 17. Jhs). Zus.: Umwelt (um 1800); Weltalter (17. Jh.); Weltmann (*mhd.* werltman „weltlich Gesinnter", *ahd.* weraltman „irdischer Mensch"; seit dem 16. Jh. „Mann von Welt").

Wendeltreppe *w*: Die seit dem 16. Jh. bezeugte Zusammensetzung hat das *frühnhd.* Wendelstein „gewundene steinerne Treppe" (*mhd.* wendelstein) verdrängt. Das Bestimmungswort beider Zus. gehört zu dem Verb →*wenden*.

wenden: Das *gemeingerm.* Verb *mhd.* wenden, *ahd.* wenten, *got.* wandjan, *engl.* to wend „sich wenden, gehen" (veraltet; vgl. *engl.* went „ging"), *schwed.* vända ist das Veranlassungswort zu dem unter →*winden* behandelten Verb und bedeutet eigtl. „winden machen". Siehe auch die Artikel bewenden, gewandt, verwandt, Vorwand. Abl.: Wende *w* (*mhd.* wende, *ahd.* wendī), dazu die Zusammensetzungen Wendekreis (LÜ aus *gr.* tropikòs kýklos; 17. Jh.) und Wendepunkt (2. Hälfte des 18. Jh.s); wendig (*mhd.* wendec, *ahd.* wendīg), dazu wohl auswendig „auf der Außenseite; aus dem Gedächtnis" (*mhd.* ūzwendec) und inwendig (*mhd.* in[ne]wendic). Präfixbildungen und Zus.: anwenden, „beziehen; gebrauchen" (*mhd.* an[e]wenden, *ahd.* anawenten „auf etwas hinwenden"); aufwenden (17. Jh.), dazu Aufwand *m* (18. Jh.); einwenden (17. Jh.), dazu Einwand *m* (17. Jh.); entwenden (*mhd.* entwenden „abwendig machen, entziehen"); verwenden (*mhd.* verwenden „abwenden, umwenden, seit dem 16. Jh. „aufwenden, gebrauchen"), dazu Verwendung *w* (16. Jh.).

wenig: Das Adjektiv *mhd.* weinic, wēnec „klein, gering, schwach, beklagenswert", *ahd.* wēnag „bejammernswert", *got.* wainahs „geplagt, elend", *niederl.* weinig „wenig" ist eine Bildung zu dem unter →*weinen* behandelten Verb und bedeutet demnach eigtl. „beweinenswert". Daraus entwickelte sich die Bedeutung „schwach, gering". Eine Bildung zu 'wenig' ist das unter→*winzig* behandelte Adjektiv.

wer, was: Das Pronomen *mhd.* wer, waʒ, *ahd.* [h]wer, [h]waʒ (vgl. *got.* ƕas, ƕa, *engl.* who, what, *schwed.* vem, vad) gehört zum *idg.* Pronominalstamm *kʷo-, *kʷe- „wer, was". Vgl. aus anderen *idg.* Sprachen *aind.* kaḥ „wer", *lat.* quī „wer", quod „was", *lit.* kàs „wer, was". Zu diesem *idg.* Pronominalstamm gehören auch →*wann* →*wie* und →*wo*. Siehe auch welch.

werben: Das *gemeingerm.* Verb *mhd.* werben, *ahd.* hwerban „sich drehen, bewegen, sich umtun, bemühen", *got.* ƕaírban „wandeln", *aengl.* hweorfan, *aisl.* hverfa „sich wenden, gehen" ist z.B. verwandt mit *gr.* karpós „Handwurzel" (Drehpunkt der Hand) und *tochar. A* kärp „sich wenden nach, gehen". Aus dieser Grundbedeutung des Verbs hat sich die

heutige Bedeutung „sich [um jemanden] bemühen" entwickelt. Die spezielle Bedeutung „sich um einen Kunden bemühen" besteht erst seit dem Ende des 19. Jh.s. Bildungen zu 'werben' sind die unter →Wirbel, →Werft (eigtl. „Ort, wo man geschäftig hin und her geht") und →Gewerbe behandelten Wörter. Abl.: Werbung *w* (*spätmhd.* werbunge). Präfixbildungen: bewerben, sich (*mhd.* bewerben „erwerben, anwerben", *ahd.* bihwerban „erwerben"; unsere heutige Bed. „sich bemühen [bes. um ein Amt, eine Stellung]" hat sich seit dem 17. Jh. entwickelt); erwerben (*mhd.* erwerben, *ahd.* irhwerban „durch tätiges Bemühen erreichen"), dazu Erwerb *m* (17. Jh.).

werden: Das *gemeingerm.* Verb *mhd.* werden, *ahd.* werdan, *got.* waírþan, *aengl.* weorðan, *schwed.* varda ist z.B. verwandt mit *aind.* vártati „dreht", *lat.* vertere (vertī, versum) „kehren, wenden, drehen" (s. Vers), *lat.* vertex „Wirbel, Scheitel" (s. vertikal) und *lit.* veřsti „drehen, wenden, kehren". Es bedeutet eigtl. „[sich] drehen, wenden", woraus sich die Bedeutung „sich zu etwas wenden, etwas werden" entwickelt hat. Das Verb 'werden' ist schon im *Got.* als Hilfszeitwort verwendet worden. Alle diese Wörter gehören zu der unter →*Wurm* behandelten Wortgruppe. Vielleicht lassen sich hier auch die unter→*wert* und→*Wurst* genannten Wörter anschließen. Eine Bildung zu 'werden' ist das unter→*Wirtel* behandelte Substantiv. Siehe auch den Artikel ...wärts. Zus.: Werdegang (19. Jh.).

Werder *m* und *s* „Flußinsel; Landstrich zwischen Fluß und stehendem Gewässer": Das in Norddeutschland gebräuchliche Wort (*mnd.*, *ostmitteld.* werder) geht zurück auf eine Nebenform von *mhd.* wert, *ahd.* warid, werid „Insel", das *nhd.* noch in ON wie Kaiserswerth und Wörth erscheint. Beachte auch *niederl.* waard „eingedeichtes Land", *aengl.* waroð „Ufer". Die Wörter gehören zu der unter→*wehren* behandelten *idg.* Wortgruppe (vgl. z. B. *aind.* várū-tha-m „Schutz, Schild"); sie bedeuten eigtl. „gegen Wasser geschütztes oder schützendes Land".

werfen: Das *gemeingerm.* Verb *mhd.* werfen, *ahd.* werfan, *got.* waírpan, *engl.* to warp „sich werfen, krümmen", *schwed.* värpa „Eier legen" ist verwandt mit *lit.* veřpti „spinnen" (eigtl. „drehen"), *russ.* vérba „Weide" (nach den biegsamen, zum Flechten dienenden Zweigen benannt). Das Verb 'werfen' bedeutet demnach eigtl. „drehen, winden", woraus sich die Bedeutung „mit drehend geschwungenem Arm schleudern" entwickelt hat. Alle erwähnten Wörter gehören zu der unter →*Wurm* dargestellten *idg.* Wortgruppe. Bildungen zu 'werfen' sind → Wurf und → Würfel. – Präfixbildungen und Zus.: abwerfen (*mhd.* ab[e]werfen); anwerfen (*mhd.* an[e]werfen, *ahd.* anawerfan), dazu

Anwurf m (in der Bed. „Schmähung" 2. Hälfte des 19. Jh.s); **aufwerfen** (mhd. ūfwerfen; im Sinne von „eine Frage aufwerfen" seit dem 16. Jh.); **auswerfen** (mhd. ūzwerfen, ahd. ūzwerfan), dazu **Auswurf** m (im 14. Jh. auzwurf); **einwerfen** (mhd. īnwerfen, ahd. inwerfan), dazu **Einwurf** m (in der Bed. „Einwand" frühnhd.); **entwerfen** (s. d.); **überwerfen** (mhd. überwerfen, ahd. ubarwerfan; 'sich überwerfen mit' im Sinne von „streiten mit" seit dem 16. Jh.), dazu **Überwurf** m (in der Bed. „Kleidungsstück" seit dem 17. Jh.); **unterwerfen** (mhd. underwerfen, ahd. untarwerfan), dazu mhd. underwürfig „Unterwerfung", das dem Adj. unterwürfig (15. Jh.) zugrunde liegt; **verwerfen** (mhd. verwerfen, ahd. farwerfan), dazu **verwerflich** (17. Jh.) und **Verwerfung** w (mhd. verwerfunge); **vorwerfen** (mhd. vürwerfen, ahd. furiwerfan; in der Bed. „tadeln" seit dem 15. Jh.), dazu **Vorwurf** (mhd. vürwurf „Gegenstand, Objekt"; in der Bed. „Tadel" seit dem 16. Jh.).

Werft w „Schiffsbauplatz": Das im 17. Jh. aus dem Niederl. ins Hochd. übernommene Wort stammt aus niederl. werf „Schiffszimmerplatz". Es gehört zu dem unter → werben behandelten Verb und bedeutet wohl eigtl. „Ort, wo man geschäftig ist". Das t ist sekundär hinzugetreten (wie z. B. in → Saft).

Werg s „Flachs-, Hanfabfall": Das Substantiv (mhd. werc, ahd. werich) ist urspr. identisch mit dem unter → Werk behandelten Wort. Es bedeutet eigtl. „das, was bei jmdm. durch Werk (= Arbeit) abfällt".

Werk s: Das altgerm. Substantiv mhd. werc, ahd. werc[h], niederl. werk, engl. work, schwed. verk ist – wie das unter → wirken behandelte Verb – verwandt mit gr. érgon „Arbeit, Werk" (s. Energie) und armen. gorc „Arbeit", weiterhin wahrscheinlich mit aind. vrajá-ḥ „Hürde, Umhegung", awest. varəz- „absperren", gr. eírgein „einschließen", air. fraig „Wand". Alle diese Wörter bedeuten wahrscheinlich „flechten, mit Flechtwerk umgeben" und gehören damit zu der unter → Wurm behandelten idg. Wortgruppe. Ursprünglich mit 'Werk' identisch ist das unter → Werg behandelte Substantiv. Siehe auch den Artikel Wurst. – Eine Bildung zu 'Werk' ist das heute veraltete **Gewerke** m (mhd. gewerke „Handwerks-, Zunftgenosse; Teilhaber an einem Bergwerk"). Dazu tritt im 16. Jh. die Ableitung **Gewerkschaft** w „Angehörige eines bestimmten Berufes", besonders aber „bergbauliche Genossenschaft". Die Bedeutung „Zusammenschluß von Industriearbeitern" verbindet sich mit diesem Wort erst im Jahre 1868. Eine weitere Bildung zu 'Werk' ist das Verb **bewerkstelligen**, das Ende des 17. Jh.s die Fügung 'werkstellig machen' „ins Werk setzen" verdrängte. Abl.: **werken** (mhd.

werken, ahd. werkōn). Zus.: **Werkstatt** w (spätmhd. wercstat); **Werkstoff** (als Ersatzwort für 'Material' zu Beginn des 19. Jh.s geschaffen); **Werktag** (mhd. werctac); **werktätig** (16. Jh.), dazu **Werktätige** m (erste Hälfte des 20. Jh.s).

Wermut m: Der westgerm. Pflanzenname mhd. wermuot, ahd. wer[i]muota, mniederl. wermoede, aengl. vermōd ist dunklen Ursprungs. Das Wort bezeichnet heute auch ein mit Wermut angesetztes Weingetränk.

wert: Das gemeingerm. Adjektiv mhd. wert, ahd. werd, got. wairþs, engl. worth, schwed. värd gehört vielleicht zu der unter → werden behandelten idg. Wortgruppe. Es würde dann eigtl. „gegen etwas gewendet" bedeuten, woraus sich die Bed. „einen Gegenwert habend" ergeben hätte. Das Adjektiv wert erscheint auch in substantivierter Form als **Wert** m (mhd. wert, ahd. werd). Siehe auch die Artikel unwirsch und Würde. Abl.: **werten** (mhd. werden, ahd. werdōn), dazu die Präfixbildungen und Zus. **abwerten** (19. Jh.), **bewerten** (2. Hälfte des 19. Jh.s), **entwerten** (ahd. antwerdōn „verachten, zurückweisen"; im heutigen Sinne seit der Mitte des 19. Jh.s), **verwerten** (19. Jh.), und das Subst. **Wertung** w „Einschätzung, Würdigung" (19. Jh.). Zus. mit dem Subst. Wert: **wertlos** (Anfang des 19. Jh.s); **Wertpapier** (19. Jh.); **Werturteil** (19. Jh.); **wertvoll** (1. Hälfte des 19. Jh.s). Beachte auch „...wertig" in Zusammenbildungen mit dem Subst. Wert, wie z. B. in gleichwertig, minderwertig, vollwertig (alle 19. Jh.).

Werwolf m „Mensch, der sich zeitweise in einen Wolf verwandelt": Das Subst. Werwolf (mhd. werwolf; vgl. niederl. weerwolf, aengl. wer[e]wulf, schwed. varulv) ist eine Zus., deren Grundwort der unter → Wolf behandelte Tiername ist. Das Bestimmungswort ist das gemeingerm. Subst. ahd. wer, got. waír, aengl. wer, aisl. verr „Mann, Mensch", das auch als erster Bestandteil in → Welt steckt. Es ist z. B. verwandt mit aind. vīrá-ḥ „Mann, Held", lat. vir „Mann" (s. das FW Virtuose) und lit. výras „Mann". Der 'Werwolf' ist also eigtl. der Mannwolf, Menschenwolf. Der Volksglaube, daß ein Mensch Wolfsgestalt annehmen könne, war in alter Zeit weit verbreitet.

Wesen s: Das Subst. mhd. wesen, ahd. wesan „Sein; Aufenthalt; Hauswesen; Wesenheit, Ding" ist die Substantivierung des im Nhd. veralteten gemeingerm. Verbs wesen, mhd. wesen „sein, sich aufhalten, dauern, geschehen", ahd. wesan (vgl. aber den Artikel sein), got. wisan, aengl. wesan, aisl. vesa. Es gehört zur idg. Wurzel *ṷes- „verweilen, wohnen, übernachten". Vgl. aus anderen idg. Sprachen z. B. aind. vásati „verweilt, wohnt, übernachtet", vástu-ḥ „Aufenthalt, Übernachten". Eine Bildung zu dem gemein-

germ. starken Verb ist das unter →**währen** behandelte Verb. Siehe auch die Artikel **Verweser**, **Anwesen** und **hiesig**. – Abl.: **wesentlich** (*mhd.* wesen[t]lich, *ahd.* als Adv. wesentliho „wesentlicherweise"). Zus. (mit dem Verb): **abwesend** (*frühnhd.*; LÜ aus *lat.* absens „abwesend"), dazu **Abwesenheit** (16. Jh.; LÜ aus *lat.* absentia „Abwesenheit").

Wespe w: Der *altgerm.* Insektenname *mhd.* wespe, wefse, *ahd.* wefsa, wafsi, *niederl.* wesp, *engl.* wasp, *dän.* hveps beruht mit verwandten Wörtern in anderen *idg.* Sprachen auf *idg.* *u̯obhsā „Wespe", einer Bildung zu der unter →*weben* behandelten *idg.* Wurzel. Wegen seines gewebeartigen Nestes wurde das Insekt wohl als „die Webende" benannt. Vgl. aus anderen *idg.* Sprachen *russ.* osá „Wespe", *lit.* vapsvà „Wespe" und *lat.* vespa „Wespe". Es ist möglich, daß *lat.* vespa die Formentwicklung des *dt.* Substantivs Wespe beeinflußt hat.

Weste w: Im 17. Jh. aus *frz.* veste in dessen älterer Bed. „ärmelloses Wams" entlehnt. Das *frz.* Wort selbst führt über *it.* veste „Kleid, Gewand" auf *lat.* vestis „Kleid, Gewand" zurück. Beachte auch *lat.* vestīre „bekleiden", dessen Kompositum *lat.* in-vestīre „einkleiden" unserem FW →**investieren** zugrunde liegt.

Westen m: Der Name der Himmelsrichtung *mhd.* westen, *ahd.* westan ist das substantivisch gebrauchte *altgerm.* Richtungsadverb *mhd.* westen[e] „von, nach, im Westen", *ahd.* westana, *aengl.* westan[e], *aisl.* vestan „von, nach, im Westen". Die kürzere Form West – in Analogie zu ‚Nord' und ‚Süd' gebildet – ist erst seit dem 15. Jh. gebräuchlich. Daneben wurde früher auch das Richtungsadverb und Adjektiv *mhd.* wester, *ahd.* westar „nach Westen; westlich" verwendet, das z. B. im Namen des Westerwaldes erhalten ist. In den anderen *germ.* Sprachen sind als Bezeichnung der Himmelsrichtung gebräuchlich *niederl.* west[en], *engl.* west, *schwed.* väster. Die *germ.* Wortgruppe ist wahrscheinlich verwandt mit *gr.* hésperos „Abend" und *lat.* vesper „Abend" und gehört vielleicht zu der unter →*öde* behandelten *idg.* Wurzel mit der Bed. „von etwas weg, fort", vgl. z. B. *aind.* áva „von etwas herab". ‚Westen' würde demnach den Ort (oder die Zeit) bedeuten, wo die Sonne fort-, hinabgeht. – Abl.: **westlich** (*hochd.* seit der Mitte des 17. Jh.s; im 15. Jh. bereits *mnd.*).

wett: Das Adjektiv hat sich in formelhaften Verbindungen aus dem unter →*Wette* behandelten Substantiv in *mhd.* Zeit entwickelt. Bereits im *Mhd.* wird das Subst. wette (s. Wette) als Artangabe verwendet, und zwar in der Bed. „abbezahlt, beendet". Die ältere Form des Subst. wette „Pfand" ist dementsprechend ‚wette'. Die Form ohne Schluß-e setzte sich im 17. Jh. durch. Zus.: **wettmachen**

(15. Jh.; die Zusammenschreibung wurde erst im 19. Jh. fest).

Wette w: Das *gemeingerm.* Substantiv *mhd.* wet[t]e „Wette; Pfand, Einsatz, Preis; Bezahlung, Vergütung; Geldbuße", *ahd.* wet[t]i, *got.* wadi „Pfand", *aengl.* wed „Pfand", *aisl.* veð „Pfand, Einsatz, Spiel" ist verwandt mit *lat.* vas, vadis „Bürge" und *lit.* vãdas „Pfand, Bürge". Das Wort bedeutete ursprünglich „Pfand". Daraus entstand die Bedeutung „Pfand oder Einsatz beim Spiel, Wette". Siehe auch das Adjektiv **wett**. Vgl. auch das FW **Gage**. Abl.: **wetten** (*mhd.* wetten, *ahd.* wettōn). Zus.: **Wettbewerb** m (im 19. Jh. als Ersatz für ‚Konkurrenz' geschaffen); **Wettkampf** (16. Jh.); **Wettlauf** (15. Jh.); **Wettrennen** (16. Jh.); **Wettstreit** (Ende des 17. Jh.s).

Wetter s: Das *altgerm.* Substantiv *mhd.* weter, *ahd.* wetar, *niederl.* weder, *engl.* weather, *schwed.* väder gehört zu der unter →*wehen* entwickelten *idg.* Wurzel. Das Wort bedeutet eigtl. „Wehen, Wind, Luft". Eng verwandt ist die *slaw.* Sippe von *russ.* védro „schönes Wetter". Bildungen zu ‚Wetter' sind die unter →**Gewitter** und →**wittern** behandelten Wörter. Abl.: **wettern** (*mhd.* wetern „an der Luft trocknen"; in der Bed. „donnern und blitzen", übertr. „fluchen, schimpfen" seit dem 16. Jh.). Zus.: **Wetterleuchten** (s. d.); **wetterwendisch** (eigtl. „sich wie das Wetter wendend"; 16. Jh.).

Wetterleuchten s: Das nur *dt.* Wort entstand in *frühnhd.* Zeit durch Umdeutung des *mhd.* Substantivs weterleich „Blitz" (noch *aleman. mdal.*, vgl. *norweg.* vederleik „Blitzstrahl, Nordlicht") unter dem Einfluß von ‚leuchten'. Der zweite Bestandteil des *mhd.* Wortes ist das unter →*Leich* behandelte Substantiv in seiner älteren Bed. „Tanz, Spiel" (vgl. *mhd.* leichen „hüpfen, spielen"); *mhd.* weterleich bedeutet also eigtl. „Wettertanz, -spiel".

wetzen: Das *altgerm.* Verb *mhd.* wetzen, *ahd.* wezzen, *niederl.* wetten, *engl.* to whet, *aisl.* hvetja ist das Bewirkungswort zu einem in *ahd.* hwaz „scharf", *aengl.* hwæt „scharf, lebhaft, munter", *aisl.* hvatr „rasch, feurig" vorliegenden *germ.* Adj. und bedeutete demnach eigtl. „scharf machen". Außerhalb des *Germ.* ist wahrscheinlich *lat.* tri-quetrus „dreispitzig" verwandt.

Whisky m „aus Getreide oder Mais hergestellter Trinkbranntwein": Im 19. Jh. aus gleichbed. *engl.* whisky übernommen. Das *engl.* Wort selbst steht als Kurzform für whiskybae (< *gälisch* uisge-beatha) „Lebenswasser". Es entspricht also in der Bildung der Bezeichnung →**Aquavit**. Stammwort ist das mit *dt.* →*Wasser* verwandte Subst. *air.* uisce „Wasser".

wichsen: Das seit dem 15. Jh. belegte *dt.* Verb ist eine Nebenform von *mdal.* wächsen

„mit Wachs bestreichen" (vgl. *Wachs*), das es seit dem 18. Jh. verdrängt hat. Es bedeutet meist „blank machen, putzen", seit dem 18. Jh. *ugs.* auch „prügeln" (dafür heute verwichsen, 19. Jh.), beachte auch das adjektivisch gebrauchte zweite Partizip gewichst *ugs.* für „schlau, aufgeweckt, flink" (19. Jh.). Dazu die Rückbildung Wichse *w* „Putzmittel", *ugs.* „Prügel" (18. Jh.), die seit Ende des 18. Jh.s auch in der kürzeren Form Wichs *m* (stud. für „Putz, Staat", *ugs.* für „bester Anzug") erscheint.

Wicht *m* „Wesen, Kobold; elender Kerl": Das *gemeingerm.* Substantiv *mhd.*, *ahd.*wiht „Kobold, Kerl, Etwas", *got.* waihts „Ding, Sache", *engl.* (veraltet) wight „Wicht, Kerl", *schwed.* vätte „Erdgeist, Wicht, Heimchen" ist verwandt mit der *slaw.* Sippe von vešč' „Ding, Sache". Es handelt sich demnach um ein Tabuwort. Man scheute sich, die Kobolde mit ihrem eigtl. Namen zu nennen. In der urspr. Bedeutung ist das Subst. auch in der Negation → *nicht* enthalten. Der Bedeutungswandel von „Kobold" zu „elender Kerl" vollzog sich schon im *Ahd.* Dazu: Wichtelmännchen „Heinzelmännchen" (16. Jh.; verdeutlichende Zus. für *mhd.* wihtel[in] „kleiner Wicht").

wichtig: Das Adjektiv geht über *mhd.* (*mitteld.*) wihtec auf *mnd.* wichtich[t], eine Ableitung von *mnd.* wicht[e] „Gewicht" (vgl. *Gewicht*). Das Adj. hatte urspr. einen konkreten Sinn und bedeutete „abgewogen, volles Gewicht besitzend". Vom 16. Jh. an wandelte sich die konkrete Bedeutung zu der heutigen, abstrakten „bedeutend". Abl.: Wichtigkeit *w* (16. Jh.; von Anfang an fast nur abstrakt). Die Form Wichte *w* wird seit der 1. Hälfte des 20. Jh.s als Terminus für „spezifisches Gewicht" verwendet.

Wicke *w*: Der auf das *dt.* und *niederl.* Sprachgebiet beschränkte Pflanzenname *mhd.* wicke, *ahd.* wicca, *niederl.* wikke ist aus *lat.* vicia „Wicke" entlehnt.

wickeln: Das Verb (*mhd.* wickeln) ist eine Ableitung vom Subst. Wickel *m* (*mhd.*, *ahd.* wickel „Faserbündel"). Dies Substantiv ist wie *ahd.* wicchiln eine Verkleinerungsbildung zu *ahd.* wich[a], *mhd.* wicke „Faserbündel, Docht", das im *germ.* Sprachbereich z. B. mit *engl.* wick „Docht" verwandt ist. Zugrunde liegt die *idg.* Wurzel *u̯eg- „weben, knüpfen; Gespinst". Vgl. aus anderen *idg.* Sprachen *aind.* vāgurā́ „Fangstrick, Netz zum Wildfang, Garn", *lat.* vēlum „Segel, Hülle, Tuch", *air.* figim „webe". Zu derselben Wurzel gehören das unter → Wachs (eigtl. „Gewebe der Bienen") behandelte Substantiv und wahrscheinlich auch der erste Bestandteil der unter → Wacholder behandelten Zusammensetzung. Das abgeleitete Verb wickeln bedeutet eigtl. „ein Faserbündel um

einen Rocken winden", aber schon in den ersten Belegen zeigt sich der allgemeine Sinn „um etwas winden". Diese Bedeutung hat sich dann vom 15. Jh. an auch auf das Substantiv 'Wickel' ausgedehnt, das seitdem „etwas zum Wickeln" bedeutet. – Abl.: Wick[e]lung *w* (16. Jh.). Präfixbildungen und Zus.: abwickeln (18. Jh.); einwickeln (16. Jh.); entwickeln (im 17. Jh. für „auf-, auseinanderwickeln", seit dem Ende des 18. Jh.s im übertragenen Sinne von „entfalten", seit der zweiten Hälfte des 19. Jh.s auch als phototechn. Ausdruck), dazu Entwicklung *w* (17. Jh.); verwickeln (*spätmhd.* verwickeln), dazu verwickelt (im Sinne von „kompliziert", 18. Jh.) und Verwicklung *w* (Anfang des 16. Jh.s; in der Bed. „Komplikation" seit dem 18. Jh.).

Widder *m*: Die *altgerm.* Bezeichnung des Schafbocks (*mhd.* wider, *ahd.* widar, *niederl.* weder, *engl.* wether, *schwed.* vädur) gehört wie das andersgebildete Wort *got.* wiþrus „Lamm" zu *idg.* *u̯et- „Jahr" (vgl. dazu *aind.* vatsará-ḥ „Jahr", *gr.* étos „Jahr" und *lat.* vetus „alt, bejahrt" [s. Veteran]). Beachte *außergerm.* Bildungen gleicher Herkunft, z. B. *aind.* vatsá-ḥ „Jährling, Kalb, Rind", *gr.* ételon „Jährling von Haustieren". Das Subst. 'Widder' bedeutet also eigtl. „einjähriges Tier, Jährling".

wider, wieder: Das *gemeingerm.* Wort (Präp., Adv.) *mhd.* wider, *ahd.* widar[i], *got.* wiþra, *aengl.* wider, *aisl.* viðr geht auf einen *idg.* Komparativ *u̯i-t[e]ro- „mehr auseinander, weiter weg" zurück, vgl. *aind.* vítaram „weiter, ferner", wohl auch *russ.* vtorój „der zweite" (eigtl. „der, der weiter weg ist"). Dieser Komparativ ist eine Bildung zu dem unter → *weit* behandelten *idg.* *u̯i- „auseinander". Aus der Bedeutung „weiter weg" entwickelte sich „gegenüber, gegen", dann „hin und zurück, zurück, abermals". Die unterschiedliche Schreibung der Präp. 'wider', 'gegen' und des Adverbs 'wieder' 'abermals' geht auf Gelehrte des 17. Jh.s zurück. Als Adverb wird 'wider' heute nur in verbalen Zus. (s. u.) und in zuwider (16. Jh.) gebraucht. Abl.: widerlich (16. Jh.); widern (*mhd.* wider[e]n, *ahd.* widarōn „entgegen sein, entgegentreten, sich sträuben"; heute meist in der Zus. anwidern [um 1800]), dazu erwidern (*mhd.* erwideren „entgegnen, antworten", in anderer Bedeutung *ahd.* irwidarōn „verwerfen"); widrig (16. Jh.). Zus.: Widerhall (*spätmhd.* widerhal, Ersatzwort von 'Echo'); widerlegen (*mhd.* widerlegen „ersetzen, vergelten"; seit dem 16. Jh. in der Bed. „als unrichtig erweisen"), dazu Widerlegung *w* (*mhd.* widerlegunge „Gegengabe"; seit dem 16. Jh. im heutigen Sinn); widerrufen (*mhd.* widerruofen „zurückrufen; für ungültig erklären"), dazu Widerruf (*mhd.* widerruof[t] „Wider-

spruch, Weigerung"); Widersacher (s. d.);
widerspenstig (s. d.); widersprechen
(*mhd.* widersprechen, *ahd.* widarsprechan),
dazu Widerspruch (*spätmhd.* widerspruch);
widerstehen (*mhd.* widerstēn, *ahd.* widarstēn), dazu Widerstand (*spätmhd.* widerstant); widerwärtig (*mhd.* widerwertec,
ahd. widarwartīg „entgegengesetzt, feindlich"; Ableitung von einem im *Nhd.* untergegangenen Adverb *mhd.* widerwert, *ahd.*
widarwert „entgegen; verkehrt", vgl.
...*wärts*; *mhd.* auch schon für „unangenehm,
abstoßend"), dazu Widerwärtigkeit *w*
(*mhd.* widerwerticheit „Gegensatz, Unglück"); Widerwille (*mhd.* widerwille „Ungemach, Widersetzlichkeit"; seit dem 16. Jh.
für „Abscheu"), dazu widerwillig; wiederholen (*mhd.* nicht bezeugt, *ahd.* widarholōn
„zurückrufen"; seit dem 15. Jh. für
„noch einmal sagen oder tun" neben unfe-
stem 'wiederholen' „zurückholen", 16 Jh.),
dazu Wiederholung *w* (17. Jh.).

Widersacher *m*: Das Substantiv ist eine seit
dem 14. Jh. nachgewiesene Ableitung von
dem Verb *mhd.* widersachen „widerstreben",
ahd. widarsachan „rückgängig machen". Der
erste Teil dieses zusammengesetzten Verbs
ist das unter → *wider* behandelte Wort
in der Bed. „gegen", der zweite Teil gehört
zu *mhd.* sachen, *ahd.* sahhan „streiten, anklagen" (vgl. *Sache*). 'Widersacher' bezeichnete also ursprünglich den Gegner in einem
gerichtlichen Streitfall.

widerspenstig „widersetzlich, widerstrebend": Das nur *dt.* Adj. erscheint im 15. Jh.
und hat gleichbed. ältere Bildungen wie
mhd. widerspēne[c], -spen[n]ic verdrängt,
beachte die Bildungen *mhd.* span, spän
„Spannung, Streitigkeit", widerspän „Streit,
Zank; Härte des Holzes", die zu → *spannen*
gehören, aber früher vom Sprachgefühl auch
mit 'Span' „Holzspan" verbunden wurden.

widmen: Das Verb *mhd.* widemen, *ahd.* widi-
men ist von dem unter → *Wittum* behandelten Substantiv *mhd.* wideme, *ahd.* widimo
„Brautgabe, Kirchengut" abgeleitet. Es
bedeutet eigtl. „mit einer Schenkung ausstatten". Daraus entwickelte sich in *nhd.*
Zeit die hochsprachliche Verwendung für
„schenken" im allgemeinen und übertragenen Sinne. Abl.: Widmung *w* (*spätmhd.*
widemunge „Ausstattung"; in der Bed.
„Widmungstext" seit dem 18. Jh.).

wie: Das Wort *mhd.* wie, *ahd.* [h]wio, *got.*
hvaiwa (vgl. auch *engl.* how „wie") gehört zu
dem unter → *wer*, was behandelten *idg.*
Stamm. Zus.: wieso (16. Jh.).

Wiedehopf *m*: Der Vogelname *mhd.* wite-
hopf[e], *ahd.* witihopfa ist lautnachahmenden
Ursprungs. Zugrunde liegt etwa *wudhup,
das den Paarungsruf des Vogels wiedergibt,
vgl. gleichbed. *lat.* upupa und *gr.* épops und *lett.*
pupuƙis.

Wiege *w*: Das auf das *dt.* und *niederl.*
Sprachgebiet beschränkte Substantiv (*mhd.*
wige, wiege, *spätahd.* wīga, wiega, *niederl.*
wieg) gehört wahrscheinlich zu der unter
→ ¹*bewegen* entwickelten *idg.* Wz. ʋeĝh-
„sich bewegen, schwingen, fahren, ziehen".
Das Subst. würde dann eigtl. „das sich
Bewegende, Schwingende" bedeuten. Ablautend verwandt sind z. B. *aisl.* vagga
„Wiege" und *engl.* to wag „schütteln, bewegen". Abl.: ¹wiegen (15. Jh.; das Verb
bedeutete anfänglich nur „ein Kind in der
Wiege wiegen", seit dem 18. Jh. wird es auch
übertragen im Sinne von „[sich] schwankend
bewegen" verwendet). Siehe auch den Artikel gewiegt. Zus.: Wiegendruck (Ende
des 19. Jh.s; Lehnübertragung aus *nlat.*
incūnābula [beachte das FW Inkunabel],
das im 17. Jh. zu *lat.* cūnābula „Wiege"
geschaffen worden war und Drucke aus der
Frühzeit der Buchdruckerkunst bis 1500 bezeichnete); Wiegenlied (15. Jh.).

¹wiegen siehe Wiege.

²**wiegen** „ein bestimmtes Gewicht haben;
das Gewicht von etwas bestimmen": Das
nhd. Verb ist eine Neubildung des 16. Jh.s
zu → *wägen*, und zwar aus den Formen der
2. und 3. Person Einz. 'du wiegst, er
wiegt' dieses Verbs.

wiehern: Das Verb *mhd.* wiheren ist eine
Iterativbildung zu *mhd.* wihen „wiehern",
das zus. mit den verwandten Bildungen
ahd. [h]weiōn, *mhd.* weien „wiehern" lautnachahmenden Ursprungs ist.

Wiese *w*: Die Herkunft des auf das *dt.*
Sprachgebiet beschränkten Substantivs
mhd. wise, *ahd.* wisa ist nicht sicher geklärt.
Einerseits könnte es zu der *idg.* Wz. *ʋeis-
„sprießen, wachsen" gehören. Vgl. dazu
auch *aengl.* wīse „Sproß, Stengel", *aisl.* vīsir
„Keim, Sproß". Außergerm. stellen sich zu
dieser Wurzel *lat.* viridis „grün" (s. Wirsing), *lit.* veĩstis „sich vermehren". Anders-
seits kann das Subst. aber auch zusammen
mit dem andersgebildeten *engl.* ooze
„Schlamm" und dem ablautenden *aisl.* veisa
„Schlamm" auf die *idg.* Wz. *ʋeis- „[zer]flie-
ßen (besonders von faulenden Pflanzen und
stinkenden Flüssigkeiten) beruhen. Vgl.
dazu *aind.* vēṣati „zerfließt", *aind.* viṣá-m
„Gift", *gr.* īós „Gift", *lat.* vīrus „Schleim,
Gift" (s. Virus). Zu dieser Wurzel gehören vielleicht auch die unter → Wiesel
und Wisent genannten Wörter.

Wiesel *s*: Die Herkunft des *altgerm.* Tiernamens *mhd.* wisele, *ahd.* wisula, *niederl.*
wezel, *engl.* weasel, *schwed.* vessla ist nicht
sicher geklärt. Vielleicht beruht er auf der
unter → *Wiese* entwickelten *idg.* Wz. *ʋeis-
„[zer]fließen (besonders von faulenden Pflanzen und stinkenden Flüssigkeiten)".
Das Subst. würde dann eigtl. „Stinker" bedeuten. Vgl. auch → Wisent. Die vermutete
Verwandtschaft mit dem zweiten Kompo-

765

sitionsglied der unter →Iltis behandelten Zus. ist ebenfalls fraglich.

wild: Das *gemeingerm.* Adjektiv *mhd.* wilde, *ahd.* wildi, *got.* wilþeis, *engl.* wild, *aisl.* villr ist unsicherer Herkunft. Vielleicht gehört es zu der unter →*Wald* genannten Wortsippe. Dann könnte es urspr. „im Wald wachsend, nicht angebaut" bedeutet haben. Siehe auch den Artikel Wild. — Abl.: W i l d - h e i t *w* (17. Jh.); v e r w i l d e r n (17. Jh.; für älteres verwilden); W i l d l i n g *m*(16. Jh.); W i l d n i s *w* (*mhd.* wiltnisse). – Zus.: W i l d - b r e t *s* (*mhd.* wildbrēte, wildbrāt; der zweite Teil gehört zu dem unter →*Braten* behandelten Wort, das ursprünglich „Fleisch" bedeutete); W i l d f a n g *m* (*spätmhd.* wiltvanc „eingefangene Person, die umherirrte"; die urspr. Bed. ist „eingefangenes, wildes Tier"; die heutige Bed. „lebhaftes Kind" ist bereits im 17. Jh. belegt); W i l d s c h w e i n (*mhd.* wiltswīn); W i l d w e s t (20. Jh.; LÜ aus *amerik.-engl.* Wild West, Bezeichnung des westl. Teils der Vereinigten Staaten zur Zeit der Landnahme und des Goldrausches, als dort noch Gesetzlosigkeit herrschte; heute vielfach auch übertr. gebraucht).

Wild *s*: Das *westgerm.* Substantiv *mhd.* wilt, *ahd.* wild, *niederl.* wild, *aengl.* wild, wildor ist unsicherer Herkunft. Vielleicht ist es eine Kollektivbildung zu dem unter →*wild* behandelten Adjektiv. Abl.: W i l d e r e r *m* (*mhd.* wilderǣre „Jäger"; seit dem 16. Jh. „Wilddieb"), dazu wildern (Ende des 18. Jh.s). Zus.: W i l d d i e b (17. Jh.); W i l d - s c h ü t z (16. Jh.; zuerst „Jäger", dann „Wilddieb").

Wille *m*: Das *gemeingerm.* Substantiv *mhd.* wille, *ahd.* willio, *got.* wilja, *engl.* will, *schwed.* vilja ist eine Bildung zu dem unter →²*wollen* behandelten Verb. Abl.: w i l l i g (*mhd.* willec, *ahd.* willig), dazu w i l l i g e n (*mhd.* willigen „willig machen, bewilligen, einwilligen") mit der Präfixbildung b e w i l l i g e n (15. Jh.) und der Zus. e i n w i l l i g e n (17. Jh.). Siehe auch die Artikel willkommen und Willkür.

Willkommen: Die Zusammensetzung *mhd.* willekomen, *spätahd.* willechomen enthält als zweiten Bestandteil das 2. Partizip von 'kommen'. Der erste Bestandteil ist das Substantiv →*Wille*. Die Zusammensetzung bedeutet demnach eigtl. „(du bist) nach Willen (d. h. nach Wunsch) gekommen".

Willkür *w*: Das Substantiv *mhd.* wil[le]kür ist eine Zusammensetzung aus den unter →*Wille* und →*Kür* behandelten Wörtern. Es bedeutet demnach eigtl. „Entschluß, Beschluß des Willens", d. h. „freie Wahl oder Entschließung". Die abwertende Bedeutung (wie in 'Willkürherrschaft'), die in Ansätzen schon im *Mhd.* da war, gilt seit der zweiten Hälfte des 18. Jh.s fast ausschließlich. Abl.: w i l l k ü r l i c h (*spätmhd.* willekürlich), beachte dazu die Verneinung u n w i l l k ü r l i c h „ohne Absicht" (18. Jh.).

wimmeln: Das Verb *mhd.* wimelen ist eine Iterativbildung zu *mhd.* (*mitteld.*) wimmen „sich schnell hin und her bewegen". Vgl. dazu auch das *ahd.* Verb wimidōn „sprudeln, zittern". Die *außergerm.* Beziehungen sind unsicher.

wimmern: Das seit dem 16. Jh. bezeugte Verb ist eine Ableitung von *mhd.* wimmer „Gewinsel", das lautnachahmenden Ursprungs ist. Vgl. dazu *engl.* to whimper „wimmern".

Wimpel *m*: Das *altgerm.* Substantiv *mhd.* wimpel „Binde zum Zusammenhalten des Haares, Kopfschutz", *ahd.* wimpal „Frauengewand, Schleier", *niederl.* wimpel „[Schiffs]wimpel", *engl.* wimple „Schleier, Wimpel", *aisl.* vimpill „Schleier" bedeutete urspr. wohl „Hülle, Binde". Die Herkunft des Wortes ist unklar. Es beruht vielleicht auf einer nasalierten Form der unter →*Weib* entwickelten *idg.* Wurzelform in ihrer Bedeutung „umhüllen". Seit dem 15. Jh. breitet sich die heutige Bed. „Schiffswimpel, Fähnlein" vom *Niederd.* her aus.

Wimper *w*: Das Substantiv *mhd.* wintbrā[we], *ahd.* wintbrāwa ist eine Zusammensetzung, deren zweiter Teil das unter →*Braue* behandelte Wort ist. Die Herkunft des ersten Bestandteiles (*mhd.*, *ahd.* wint-) ist unsicher. Vielleicht ist er mit *gr.* íonthos „junger Bart, Flaum" und *mir.* find „Haupthaar" verwandt. 'Wimper' würde dann eigtl. „Haarbraue" bedeuten. Es ist aber auch möglich, daß das Wort zu dem unter →¹*winden* behandelten Verb gehört. In diesem Falle würde 'Wimper' eigtl. „die gewundene Braue" oder „die sich windende Braue (= sich auf und ab bewegende) Braue" bedeuten.

Wind *m*: Das *gemeingerm.* Substantiv *mhd.* wint, *ahd.* wind, *got.* winds, *engl.* wind, *schwed.* vind gehört mit Entsprechungen in anderen *idg.* Sprachen zu der unter →*wehen* entwickelten *idg.* Wurzel, vgl. z. B. *tochar. A* wänt „Wind", *lat.* ventus „Wind" (s. Ventil) und die *kelt.* Sippe von *kymr.* gwynt „Wind". Es bedeutet demnach eigtl. „der Wehende". Nicht zu 'Wind' gehört der erste Bestandteil von →Windhund und →windschief. Abl.: ¹w i n d e n „wehen" (*spätmhd.* winden); w i n - d i g (*mhd.* windic). Zus.: W i n d b e u t e l (18. Jh.; eigtl. „mit Luft gefüllter Beutel"; heute nur übertr. gebraucht im Sinne von „hohles Gebäck", *ugs.* für „leichtfertiger Mensch"); W i n d f a n g „Vorrichtung zum Abfangen des Windes" (*mhd.* wintvanc, *ahd.* wintvanga).

Windel *w*: Das Substantiv *mhd.* windel, *ahd.* windila ist eine Bildung zu dem unter →²*winden* behandelten Wort und bedeutet eigtl. „Binde zum Winden, Wickeln". Zus.: w i n - d e l w e i c h (19. Jh.), nur in 'windelweich prügeln'.

¹winden siehe Wind.

²**winden:** Das *gemeingerm.* Verb *mhd.* winden, *ahd.* wintan, *got.* bi-windan „umwinden", *engl.* to wind, *schwed.* vinda gehört mit verwandten Wörtern in anderen *idg.* Sprachen zu der *idg.* Wurzelform *ᵫendh- „drehen, winden, wenden, flechten", vgl. z. B. *aind.* vandhúra-ḥ „Wagensitz" (ursprünglich „geflochtener Wagenkorb") und *gr.* kánn-athron „geflochtener Wagen[korb]". Um 'winden' gruppieren sich die Bildungen → Wand (eigtl. „Gewundenes, Geflochtenes"), → Windel, das Bestimmungswort von → Wendeltreppe und → Gewinde. Das Veranlassungswort zu 'winden' ist → wenden. Das Verb 'winden' steckt auch in → windschief (eigtl. „gewunden schief") und vielleicht in → Wimper. Die Verben 'überwinden' und 'verwinden' haben ursprünglich nichts mit 'winden' zu tun (vgl. *überwinden*). Abl.: Winde *w* (als Bezeichnung einer Hebevorrichtung *mhd.* winde, *ahd.* wazȝar-winda „Wasserwinde"; als Pflanzenname *mhd.* winde, *ahd.* winda, eigtl. „die sich Windende"); Windung *w* (16. Jh.; voraus geht *ahd.* wintunga „Bauchgrimmen"). Zus.: umwinden (15. Jh.), dazu das verneinte 2. Partizip unumwunden „offen, freiheraus" (Ende des 18. Jh.s).

Windhund *m:* Die seit dem 16. Jh. bezeugte verdeutlichende Zusammensetzung ist an die Stelle des einfachen Substantivs älter *nhd.* Wind „Windhund" (*mhd.*, *ahd.* wint) getreten, das nichts mit dem unter → Wind behandelten Wort zu tun hat, sondern wohl zur slawischen Völkerbezeichnung 'Wenden' gehört. Demnach würde 'Windhund' eigtl. „wendischer Hund" bedeuten.

windschief: Das seit dem 18. Jh. bezeugte Adjektiv hat nichts mit dem Substantiv → Wind zu tun, sondern gehört zu dem unter → ²*winden* behandelten Verb. Es bedeutet eigtl. „gewunden schief" und bezog sich urspr. auf Bäume mit Drehwuchs.

Winkel *m:* Das *westgerm.* Substantiv *mhd.* winkel, *ahd.* winkil, *niederl.* winkel, *aengl.* wincel gehört zu der unter → *winken* behandelten *idg.* Wortgruppe. Es bedeutet demnach eigtl. „Biegung, Krümmung, Knick". Abl.: wink[e]lig (19. Jh.; für älteres winklicht); winkeln (15. Jh.; beachte dazu ab-, abwinkeln). Zus.: Winkeladvokat (1. Hälfte des 19. Jh.s; eigtl. der „unbefugte, heimlich im 'Winkel' arbeitende Advokat"; heute meist „schlechter, unbedeutender Advokat"); Winkelzug (16. Jh.; zuerst im *Niederd.* bezeugt; meist *Mehrz.* „Intrigen, Ränke").

winken: Das Verb *mhd.*, *ahd.* winken „schwanken, winken" (entspr. *engl.* to wink „blinzeln") gehört – wie das unter → wanken behandelte ablautende Verb – zu *idg.* *ᵫe-n-g- „sich biegen, schwankende Bewegungen machen". Vgl. aus anderen *idg.* Sprachen *aind.* váṅgati „geht, hinkt", *alban.* vank „Felge", *lit.* véngti „meiden" (eigtl.

„ausbiegen"). Zur gleichen *idg.* Wurzel gehört auch das unter → Winkel behandelte Substantiv. Abl.: Wink *m* (*mhd.* wink, *ahd.* winch).

winseln: Das Verb *mhd.* winseln ist eine Weiterbildung zu dem untergegangenen gleichbedeutenden Verb *mhd.* winsen, *ahd.* winsōn, das wohl lautmalender Herkunft ist.

Winter *m:* Das *gemeingerm.* Subst. *mhd.* winter, *ahd.* wintar, *got.* wintrus, *engl.* winter, *schwed.* vinter gehört vielleicht zu der unter → *Wasser* entwickelten *idg.* Wz. *[a]ᵫed- „benetzen, befeuchten, fließen". Das Wort würde dann eigtl. „feuchte Jahreszeit" bedeuten. Zum Sachlichen vgl. den Artikel Jahr.

Winzer *m:* Das Substantiv *spätmhd.* winzer, *mhd.* winzürl, *ahd.* winzuril ist aus *lat.* vinitor „Weinleser" (zu *lat.* vinum „Wein", vgl. *Wein*) entlehnt. Das *lat.* Wort wurde bei der Übernahme in der Form an *ahd.* -il (wie in → Büttel) angeglichen. Das Suffix ging später wieder verloren.

winzig: Das nur *dt.* Adjektiv *mhd.* winzic ist eine intensivierende Bildung zu dem unter → *wenig* behandelten Wort.

Wipfel *m:* Das Substantiv *mhd.* wipfel, *ahd.* wiphil ist eine Bildung zu dem im *Nhd.* untergegangenen Verb *mhd.* wipfen „sich schwingend bewegen, hüpfen, springen" (vgl. *wippen*). Es bedeutet also eigtl. „das hin und her Schwingende".

wippen: Das im 16. Jh. aus dem *Niederd.* ins *Hochd.* übernommene Verb geht zurück auf *mnd.* wippen „springen, hüpfen", vgl. *niederl.* wippen „schaukeln, wippen", *engl.* to whip „sich bewegen, springen", *schwed.* vippa „wippen, kippen" (vgl. über die weiteren Zusammenhänge den Artikel *Weib*). Das entspr. *oberd.* Verb *mhd.* wipfen „hüpfen, springen" (dazu → Wipfel) ist untergegangen. Abl.: Wippe *w* (im 17. Jh. aus *niederd.* wippe übernommen, dort seit dem 14. Jh. als Rückbildung zu 'wippen' bezeugt).

Wirbel *m:* Das *altgerm.* Substantiv *mhd.* wirbel, *ahd.* wirbil, *niederl.* wervel, *schwed.* virvel ist eine Bildung zu dem unter → *werben* behandelten Verb in dessen alter Bed. „sich drehen". Die Bedeutung „Haarwirbel" ist seit dem 12. Jh., die Bedeutung „Knochenwirbel" seit dem 16. Jh. bezeugt. Abl.: wirbeln (16. Jh.). Zus.: Wirbelsturm (17. Jh.).

wirken: Das *westgerm.* Verb *mhd.*, *ahd.* wirken, *niederl.* werken, *aengl.* wircan ist wahrscheinlich eine jüngere Ableitung von dem unter → *Werk* behandelten Substantiv. Es steht neben dem älteren *gemeingerm.* Verb *ahd.* wurchen, *mhd.* würken (*nhd.* veraltet: würken), *got.* waúrkjan, *aengl.* wyrc[e]an (*engl.* to work), *schwed.* yrka, das zu der unter → *Werk* dargestellten *idg.* Wurzel gehört. Abl.: wirklich (*mhd.* würke[n]lich, würk-

767

lich, 13. Jh.; *spätmhd.* wirkelich „tätig, wirksam, wirkend"; die heutige Bed. ist zuerst im 15. Jh. bezeugt), dazu **Wirklichkeit** *w* (*spätmhd.* wirkeliceit) und **verwirklichen** (2. Hälfte des 18. Jh.s); **wirksam** (16. Jh.), dazu **Wirksamkeit** *w* (17. Jh.); **Wirkung** *w* (*spätmhd.* wirkunge). Präfixbildungen: **bewirken** (*mhd.* bewirken „umfassen"; die heutige Bed. seit dem 18. Jh.); **verwirken** (*mhd.* verwirken „einfassen, verlieren", *ahd.* firwirken „verlieren").

wirr: Das seit dem 17. Jh. bezeugte Adjektiv ist eine Rückbildung aus dem unter →*verwirren* behandelten Verb 'wirren'. Abl.: **Wirrnis** *w* (19. Jh.); **Wirrsal** *s* (19. Jh.). Zus.: **Wirrkopf** (17. Jh.).

Wirsing *m*: Das in dieser Form seit dem 17. Jh. bezeugte Substantiv beruht auf einer Entlehnung aus *lombardisch* verza „Wirsingkohl", das auf *lat.* viridia „grüne Gewächse" (zu *lat.* viridis „grün", vgl. *Wiese*) zurückgeht.

Wirt *m*: *Mhd.*, *ahd.* wirt „Ehemann, Gebieter, Gastfreund, Gastwirt", *got.* waírdus „Gastfreund", *niederl.* waard „[Gast]wirt" (vgl. *aisl.* verðr „Mahlzeit, Speise") gehören wohl zu der unter →*wahr* behandelten *idg.* Wurzel **u̯er-* „Gunst, Freundlichkeit [erweisen]". Eine Bildung zu 'Wirt' ist → Wirtschaft. Abl.: **wirten** *schweiz. mdal.* für „den Wirtsberuf ausüben" (*mhd.* wirten „bewirten"), dazu **bewirten** (*mhd.* bewirten); **wirtlich** (*mhd.* wirtlich „einem Wirt angemessen"; die Bed. „gastlich, einladend" seit dem 17. Jh.), dazu **unwirtlich** (18. Jh.). Zus.: **Wirtshaus** (*mhd.* wirtshūs).

Wirtel *m* „Spulenring": Das seit *spätmhd.* Zeit bezeugte Substantiv ist eine Bildung zu dem unter →*werden* behandelten Verb in dessen alter Bed. „[sich] drehen".

Wirtschaft *w*: Das auf das *dt.* und *niederl.* Sprachgebiet beschränkte Wort *mhd.* wirtschaft, *ahd.* wirtscaft, *niederl.* waardschap ist von dem unter →*Wirt* behandelten Substantiv abgeleitet und bezeichnete zunächst die Tätigkeit des Hausherrn und Wirtes, dann bedeutete es auch „Gastmahl" und seit dem 16. Jh. auch „Gastwirtschaft". Im 17. Jh. tritt die Bedeutung „Verwaltung (eines Hauses, Hofes), Hauswesen, Haushalt" auf. Aus diesem Wortgebrauch entwickelte sich die Verwendung von 'Wirtschaft' als Bezeichnung für die Gesamtheit der Einrichtungen und Maßnahmen zur Deckung des menschlichen Bedarfs an Gütern und persönlichen Leistungen. Abl.: **wirtschaften** (*mhd.*, *ahd.* wirtscheften); **Wirtschafter** *m* (15. Jh.; seit dem 18. Jh. in den heutigen Bedeutungen), dazu **Wirtschafterin** *w* (18. Jh.); **wirtschaftlich** (in der heutigen Bed. seit der ersten Hälfte des 18. Jh.s).

Wisch *m*: Das *altgerm.* Substantiv *mhd.* wisch, *ahd.* ars-wisc „Arschwisch", *mniederl.* wisch, *engl.* whisc, *aisl.* visk ist z. B. näher verwandt mit *aind.* věṣká-ḥ „Schlinge" und *lat.* vīscus „Gekröse, Eingeweide" (vgl. ¹*Weide*). Es bedeutete urspr. „zusammengedrehtes Bündel, Strohbüschel", weiter „Mittel zum Wischen" und übertr. „wertloses Zeug". Siehe auch → Flederwisch. Abl.: **wischen** (*mhd.* wischen „wischen; sich schnell bewegen", *ahd.* wisken „wischen"), dazu **entwischen** (*mhd.* entwischen, *ahd.* intwisken); **Wischer** *m* (15. Jh.).

Wisent *m*: Der *westgerm.* Tiername *mhd.* wisent, *ahd.* wisant, *mniederl.* wesent, *aengl.* wesand gehört vielleicht zu der unter →*Wiese* behandelten *idg.* Wz. **u̯eis-* „[zer]fließen" (besonders von faulenden Pflanzen und stinkenden Flüssigkeiten). Das Tier würde dann nach seinem eigentümlichen Moschusgeruch während der Brunstzeit benannt worden sein. Siehe auch den Artikel Wiesel. Beachte das FW **Bison** *m*, von *lat.* bisōn „Auerochs", das seinerseits aus einer dem Subst. Wisent zugrunde liegenden *germ.* Form entlehnt ist.

Wismut *s*: Die Herkunft der seit dem 15. Jh. bezeugten Metallbezeichnung ist unklar. Vielleicht bezieht sich der Name auf den ersten *Mut*ungsort 'in den *Wiesen*' bei St. Georgen (Schneeberg, Erzgebirge). Vgl. muten unter *Mut*.

wispern: Das seit dem 16. Jh. bezeugte Verb ist lautnachahmenden Ursprungs, vgl. *engl.* to whisper „wispern".

wissen: Das *gemeingerm.* Verb (Präteritopräsens) *mhd.* wiჳჳen, *ahd.* wiჳჳan, *got.* witan, *aengl.* witan, *schwed.* veta gehört mit verwandten Wörtern in anderen *idg.* Sprachen zu der *idg.* Wz. **u̯eid-* „erblicken, sehen", dann auch „wissen" (eigtl. „gesehen haben"). Vgl. z. B. *gr.* ideĩn „sehen, erkennen", eidénai „wissen", idéa „Erscheinung, Gestalt, Urbild" (s. die FW-Gruppe um Idee), *lat.* vidēre „sehen" (s. die FW-Gruppe um Vision) und *russ.* vídet' „sehen". Aus dem *germ.* Sprachbereich gehören ferner zu dieser Wurzel die unter →weise, →weissagen, →¹verweisen, →Witz und →gewiß behandelten Wörter. Von der urspr. Bed. „erblicken, sehen" geht die Substantivbildung →Weise (eigtl. „Aussehen, Erscheinung") aus. – Im *Dt.* gruppieren sich um 'wissen' die Bildungen →Gewissen und →bewußt. – Abl.: **Wissenschaft** *w* (*mhd.* wiჳჳen[t]schaft „Wissen, Vorwissen, Genehmigung"; seit dem 16./17. Jh. als Entsprechung für *lat.* scientia „geordnetes, in sich zusammenhängendes Gebiet von Erkenntnissen"), dazu **Wissenschafter** *m* („ein Wissenschaft Treibender", um 1800; heute veraltet, dafür das urspr. abwertend gebrauchte **Wissenschaftler** *m*, Ende des 18. Jh.s); **wissenschaftlich** (17. Jh.); **wissentlich** „bewußt" (*mhd.* wiჳჳen[t]lich „bewußt, bekannt, offenkundig"). Beachte auch die Zusammen-

bildung Besserwisser *m* (19. Jh., aus
'[wer alles] besser weiß').

wittern: Das Verb *mhd.* witeren „ein bestimmtes Wetter sein oder werden", weidmänn.
„Geruch in die Nase bekommen" ist eine Bildung zu dem unter →*Wetter* behandelten
Wort. Im heutigen Sprachgebrauch wird
'wittern' auch übertragen im Sinne von
„ahnen, vermuten, argwöhnen" verwendet.
Abl.: Witterung *w* (16. Jh.). Siehe auch
verwittern.

Wittum *s* (veralt. für:) „Brautgabe": Das
Substantiv geht auf *mhd.* wideme, *ahd.*
widimo „Brautgabe; Dotierung einer Kirche
mit Grundstücken" zurück, vgl. dazu *aengl.*
wituma „Brautgabe". Diese Wörter sind
z. B. mit *gr.* hédna „Brautgeschenke; Mitgift" näher verwandt und gehören zu der
idg. Wz. *u̯edh- „[heim]führen; heiraten
(vom Mann)". Vgl. aus anderen *idg.* Sprachen *aind.* vadhū́-ḫ „Braut", *air.* fedid
„führt, geht, trägt, bringt" und *lit.* vedýs
„Freier". – Seit dem 15. Jh. stellt sich neben
die alte Form *mhd.* wideme, die nur *mdal.*
als Widem *s* in der Bedeutung „Pfarrgut" fortlebt, die in Anlehnung an die Wörter auf -tum gebildete neue Form 'Wittum'
mit der Bed. „Brautgabe". Volksetymologisch wird das Wort seitdem an 'Witwe' angelehnt und als „Witwengut" verstanden.
Eine Ableitung von 'Widem' ist das Verb
→widmen.

Witwe *w*: Das *altgerm.* Substantiv *mhd.*
witewe, *ahd.* wituwa, *got.* widuwō, *niederl.*
weduwe, *engl.* widow beruht mit Entsprechungen in anderen *idg.* Sprachen auf *idg.*
u̯idheu̯ā „Witwe", vgl. z. B. *aind.* vidhávā
„Witwe", *lat.* vidua „Witwe", *russ.* vdová
„Witwe". Das *idg.* Wort gehört wahrscheinlich zu der *idg.* Wz. *u̯eidh-, *u̯idh- „trennen" (wohl aus *u̯i- „auseinander" [s. *weit*]
und *dhē- „setzen" [s. *tun*] entstanden), vgl.
aind. vídhyati „durchbohrt", *lat.* dī-videre
„trennen" (s. dividieren). Es würde demnach
etwa „die (ihres Mannes) Beraubte" bedeuten. Hierher gehört vielleicht auch das
unter →*Waise* behandelte Wort. Abl.:
Witwer *m* (*mhd.* witewǣre).

Witz *m*: Das Substantiv *mhd.* witz[e], *ahd.*
wizzī (entspr. *engl.* wit) gehört mit der
andersgebildeten *nord.* Sippe von *schwed.*
vett „Verstand" zu der unter →*wissen* dargestellten *idg.* Wurzel und bedeutete urspr.
„Wissen", woraus sich die Bedeutung „Verstand, Klugheit, Schlauheit" entwickelte.
Im 17. Jh. tritt im *Dt.* die Bedeutung „Esprit,
Gabe des geistreichen Formulierens" unter
dem Einfluß von *frz.* esprit „Geist, Witz" und
engl. wit „Geist, Witz" auf. Die Bedeutung
„Spott, Scherz; scherzhafte Äußerung" erscheint seit dem 18. Jh. Abl.: witzeln (Ende
des 16. Jh.s für „klug reden"; im heutigen
Sinne seit dem 18. Jh.), dazu Witzelei *w*
(18. Jh.); witzig (*mhd.* witzec „kundig, ver-

ständig, klug", *ahd.* wizzig), dazu gewitzigt
„erfahren" (*mhd.* gewitziget, 2. Part. zu jetzt
veraltetem witzigen, *mhd.* witzegen „klug
machen"). Beachte auch Witzbold *m* (im
16. Jh., „Klügling", seit Anfang des 19. Jh.s
„Spaßmacher, Spötter"; zum zweiten Bestandteil vgl. *bald*).

wo: Das *westgerm.* Ortsadverb *mhd.* wā, *ahd.*
[h]wār, *niederl.* waar, *engl.* where (vgl. auch
mit Kürze *got.* ƕar, *schwed.* var „wo") gehört
zu dem unter →*wer*, was behandelten *idg.*
Stamm. Es bedeutet eigtl. „an was (für
einem Ort), zu was (für einem Ort)". Das
schon im *Mhd.* geschwundene r hat sich in
Zusammensetzungen mit anlautendem Vokal gehalten: woran, worin, worüber. Das a
des *Mhd.* und *Ahd.* hat sich in warum (*mhd.*
warumbe) erhalten.

Woche *w*: Das *gemeingerm.* Substantiv *mhd.*
woche, *ahd.* wohha, wehha „Woche", *got.*
wikō „(an jemanden kommende) Reihenfolge", *engl.* week „Woche" (beachte das
FW Weekend „Wochenende"), *schwed.*
vecka „Woche" ist verwandt mit dem unter
→*weichen* behandelten Verb. Besonders nah
ist es mit dem unter →*Wechsel* behandelten
Substantiv verwandt und bedeutet wie dieses eigtl. „das Weichen, Platzmachen". Daraus entwickelte sich die Bedeutung „Reihenfolge (in der Zeit), regelmäßig wiederkehrender Zeitabschnitt". Als die Germanen von
den Römern den Begriff des kalendarischen
Abschnitts von sieben Tagen kennenlernten,
verwendeten sie als Bezeichnung dafür das
heimische Wort 'Woche'. – Beachte auch die
Mehrz. 'Wochen' im Sinne von „Wochenbett, Kindbett"; gemeint sind die sechs
Wochen, während deren die junge Mutter
Bett und Zimmer zu hüten pflegte. Abl.:
wöchentlich (*mhd.* wochenlich); Wöchnerin *w* (17. Jh., gekürzt aus älterem 'Sechswöchnerin'). Zus.: Wochenbett (16. Jh.).

Wodka *m* „russischer Trinkbranntwein":
In neuester Zeit aus gleichbed. *russ.* vódka
entlehnt. Das *russ.* Wort bedeutet eigtl.
„Wässerchen". Es gehört als Verkleinerungsbildung zu *russ.* vod' „Wasser" (urverwandt mit *dt.* →*Wasser*).

Woge *w*: Das aus dem *Niederd.* in das *Mitteld.* eingedrungene Substantiv (*mhd.*, *mitteld.* wage) ist durch Luthers Bibelübersetzung in der Form 'Woge' schriftsprachlich
geworden. Es ist verwandt mit *ahd.* wāc,
ahd. wāg „[bewegtes] Wasser, Fluß, See",
got. wēgs „Sturm, Brandung", *aengl.* wǣg
„Woge, Flut", *aisl.* vāgr „Meer". Alle diese
Wörter gehören zu der unter →¹*bewegen* dargestellten *idg.* Wortgruppe. 'Woge' bedeutete
also urspr. „bewegtes Wasser". Abl.:
wogen „Wellen schlagen" (18. Jh.).

wohl: Das *altgerm.* Adverb *mhd.* wol[e], *ahd.*
wola, wela, *niederl.* wel, *engl.* well, *schwed.*
väl (vgl. auch *got.* waila „wohl") gehört zu
der unter →*wollen* entwickelten *idg.* Wurzel.

Es bedeutet demnach eigtl. „erwünscht, nach Wunsch". Es tritt auch in der Zus. →Wollust auf. Seit dem 15. Jh. begegnet die substantivierte Form W o h l s. Abl.: w o h l i g (Anfang des 18. Jh.s). Zus.: W o h l s t a n d (16. Jh.); W o h l t a t (mhd. woltāt, ahd. wolatāt; LÜ von lat. beneficium), dazu W o h l t ä t e r m (mhd. woltæter) und w o h l t ä t i g (mhd. woltætic „rechtschaffen; milde"); W o h l w o l l e n s (16. Jh.; LÜ von lat. benevolentia).

wohnen: Mhd. wonen, ahd. wonēn „sich aufhalten, bleiben, wohnen; gewohnt sein", got. unwunands „sich nicht freuend" (verneintes Partizip), aengl. wunian „bleiben, wohnen; gewohnt sein", aisl. una „Behagen empfinden, zufrieden sein; bleiben" gehören zu der unter →gewinnen dargestellten idg. Wurzel. Die eigtl. Bedeutung des Verbs ist demnach „nach etwas trachten, gern haben", woraus sich die Bedeutungen „Gefallen finden, zufrieden sein, sich gewöhnen" (vgl. gewohnt) und schließlich die heute allein bestehende Bedeutung „wohnen, sich aufhalten" entwickelt haben. Abl.: W o h n u n g w (mhd. wonunge „Wohnung, Gegend, Gewohnheit"); w o h n h a f t (mhd. wonhaft „ansässig, bewohnbar").

wölben: Das altgerm. Verb mhd. welben, niederl. welven „bogenförmig gestalten, wölben", aengl. be-hwielfan „bedecken", schwed. välva „wölben" ist das Veranlassungswort zu einem z. B. in aschwed. hvälva „sich wölben" vorliegenden starken Verb. Außergerm. ist z. B. verwandt gr. kólpos „Busen", eigtl. „Rundung" (s. das FW Golf). Abl.: W ö l b u n g w (Ende des 16. Jh.s). Siehe auch Gewölbe.

Wolf m: Der gemeingerm. Tiername mhd., ahd. wolf, got. wulfs, engl. wolf, schwed. ulf beruht mit verwandten Wörtern in anderen idg. Sprachen auf idg. *u̯l̥ko-s „Wolf", vgl. z. B. lat. lupus „Wolf", gr. lýkos „Wolf" (s. Lyzeum). Das idg. Wort ist wahrscheinlich eine Bildung zu einer k-Erweiterung der unter →Walstatt dargestellten idg. Wz. *u̯el- „[an sich] reißen". Der Wolf wäre dann als der „Reißer" benannt worden. In übertragenem Sinne bezeichnet nhd. 'Wolf' auch reißende (wie ein Wolf gierig fressende) Geräte und Maschinen (z. B. Fleischwolf, Reißwolf; vgl. die ähnlichen Bedeutungsübertragungen bei →Kran und →Ramme). Als Bezeichnung einer schmerzhaften Hautkrankheit, bes. der Entzündung zwischen den Beinen bei langem Reiten, ist 'Wolf' seit Ende des 15. Jh.s bezeugt.

Wolfram s: Das zuerst im 16. Jh. belegte Substantiv bezeichnet bis zum 19. Jh. das Wolframerz, seitdem das chemische Element Wolfram. Es enthält als erstes Bestandteil den Tiernamen 'Wolf' (weil eine Beimischung von Wolframerz das Zinn in der Schmelze verringerte, sozusagen auffraß). Der zweite Bestandteil ist das landsch.

noch vorkommende Wort Rahm m „Ruß, Schmutz" (mhd., ahd. rām; vgl. aind. rāmá-ḥ „dunkelfarbig, schwarz"; nicht mit 'Rahm' „Sahne" verwandt); es bezieht sich auf die schwärzliche Farbe und die leichte Zerreibbarkeit des Wolframs. Der Metallname ist also urspr. ein Scheltwort mit der Bed. „Wolfsschmutz".

Wolke w: Das Substantiv mhd. wolke, ahd. wolka w, niederl. wolk ist eine jüngere Form des gleichbed. westgerm. Substantivs mhd. wolken, ahd. wolkan s, mniederl. wolken, aengl. wolcen (vgl. engl. Wolkenhimmel"). Die Wörter gehören wie das unter →welk (eigtl. „feucht") behandelte Adjektiv zu idg. *u̯elg- „feucht, naß", vgl. z. B. lit. vilgýti „befeuchten" und russ. vológa „Feuchtigkeit". 'Wolke' bedeutet also eigtl. „die Feuchte" (d. h. „die Regenhaltige"). Abl.: w o l k i g (15. Jh.). Präfixbildungen: b e w ö l k e n, sich (17. Jh., meist im 2. Part. b e w ö l k t gebräuchlich), dazu B e w ö l k u n g w (Anfang des 19. Jh.s); G e w ö l k s (mhd. gewülke).

Wolle w: Das gemeingerm. Substantiv mhd. wolle, ahd. wolla, got. wulla, engl. wool, schwed. ull beruht mit Entsprechungen in anderen idg. Sprachen auf idg. *u̯l̥nā „Wolle", vgl. z. B. aind. ū́rṇā „Wolle", lit. vílna „Wollfaser" und russ. vólna „Wolle". Damit verwandt sind z. B. aind. valkā-ḥ „Bast", lat. villus „zottiges Tierhaar" (s. Velours), kymr. gwlan „Wolle" (s. Flanell), russ. voloknó „Faser". Die eigtl. Bedeutung von 'Wolle' ist unklar. Vielleicht gehört das Wort zu der unter →Walstatt dargestellten idg. Wz. *u̯el- „[an sich] reißen, rupfen" oder aber zu der unter →¹wallen entwickelten idg. Wz. *u̯el- „drehen, winden". Je nachdem könnte 'Wolle' urspr. „das Ausgerissene, Gerupfte" oder „das Gedrehte, Gekräuselte" bedeutet haben. Abl.: ¹ w o l l e n „aus Wolle" (mhd. wullīn, ahd. wullinen); w o l l i g (16. Jh.).

¹wollen siehe Wolle.

²wollen: Das gemeingerm. Verb mhd. wollen, wellen, ahd. wellen, got. wiljan, engl. will, schwed. vilja gehört zu der idg. Wz. *u̯el- „wollen, wählen". Vgl. aus anderen idg. Sprachen z. B. aind. vára-ḥ „Wunsch", lat. velle „wollen" (s. Volontär), russ. velét' „befehlen". Zu dieser Wurzel gehören auch die unter →wählen und →wohl behandelten Wörter. Eine Bildung zu 'wollen' ist →Wille.

Wollust w: Das Subst. mhd., spätahd. wollust „Wohlgefallen, Freude, Genuß" (entspr. niederl. wellust „Wonne, Sinnenlust") ist eine Zus. aus den unter →wohl und →Lust behandelten Wörtern. Die Verwendung des Wortes im erotischen Sinne begegnet schon im Mhd.

Wonne w: Das Substantiv mhd. wünne, wunne, ahd. wunn[i]a, aengl. wynn gehört zu der unter →gewinnen entwickelten idg. Wz.

*u̯en[ə]- ,,umherziehen, streifen, nach etwas suchen oder trachten". 'Wonne' bedeutete zunächst ,,Verlangen, Lust, Freude, Genuß", dann ,,was Genuß, Freude bereitet", anfänglich mehr in materiellem Sinne, später auch in geistigem. Schon in *ahd.* Zeit konnte das Subst. 'Wonne' auch für das damit verwandte, bereits damals absterbende *ahd.* winne ,,Weide[platz]" in dessen Bedeutung eintreten. Vgl. dazu Wonnemonat. Abl.: **wonnig** (im 14. Jh., *mitteld.* wunnic).

Wonnemonat *m* ,,Mai": Die heute veraltete Monatsbezeichnung wurde im 16. Jh. aus der Monatsliste Karls des Großen wiederaufgenommen. Im *Ahd.* sind die beiden Formen winnimānōd, wunnimānōd ,,Weidemonat" belegt. Die erste Form enthält als Bestimmungswort das Subst. *ahd.* winne ,,Weide[platz]", dem *got.* winja ,,Weide, Futter" und *aisl.* vin ,,Weideplatz" entsprechen. Diese Wörter beruhen auf einer Bildung zu der unter →*gewinnen* entwickelten *idg.* Wz. *u̯en[ə]- ,,umherziehen, streifen, nach etwas suchen oder trachten". – Die zweite Form 'wunnimānōd' enthält als Bestimmungswort das verwandte Subst. *ahd.* wunnia (s. Wonne), das das bereits damals veraltende 'winne' ersetzte. Dieser Austausch bewirkte, daß bei der Neuaufnahme des Wortes im 16. Jh. 'Wonnemonat' als ,,Monat der Freude" und nicht als ,,Weidemonat" verstanden wurde.

Wort *s*: Das gemeingerm. Substantiv *mhd.*, *ahd.* wort, *got.* waúrd, *engl.* word, *schwed.* ord ist z. B. verwandt mit *lat.* verbum ,,Wort" (s. Verb) und *lit.* vařdas ,,Name" und gehört mit diesen zu der *idg.* Wurzel *u̯er- ,,feierlich sprechen, sagen" (vgl. *gr.* eírein ,,sagen" [s. Rhetorik] und *russ.* vrat' ,,lügen, faseln"). Siehe auch den Artikel Antwort. Abl.: **wörtlich** (*mhd.* wortlich, *ahd.* als Adverb wortlīcho). Zus.: **Wortbildung** (18. Jh.); **Wörterbuch** (1. Hälfte des 17. Jh.s); **Wortführer** (16. Jh.); **Wortschatz** (17. Jh.); **Wortwechsel** (17. Jh.); **wortwörtlich** (19. Jh.).

Wrack *s*: Das am Anfang des 18. Jh.s aus dem *Niederd.* ins *Hochd.* übernommene Wort geht zurück auf *mnd.* wrack, vgl. *niederl.* wrak ,,Wrack", *engl.* wrack ,,Strandanschwemmung von Algen, Tang, Unrat", *schwed.* vrak ,,Wrack". Dieses *altgerm.* Substantiv gehört zu der unter →*rächen* behandelten Wortgruppe. Es bedeutet eigtl. ,,herumtreibender Gegenstand". Dazu gehört das Verb **abwracken** ,,ein unbrauchbares Schiff verschrotten" (Anfang des 20. Jh.s für älteres gleichbed. wracken).

wringen ,,nasse Wäsche auswinden": Das aus dem *Niederd.* stammende Verb geht zurück auf *mnd.* wringen ,,zusammendrehen, winden, drücken, pressen", vgl. gleichbed. *niederl.* wringen, *engl.* to wring. Dieses Verb beruht auf einer nasalierten Nebenform der unter →*würgen* behandelten *idg.* Wurzelform. Eng verwandt ist es auch mit dem unter →*renken* behandelten Verb. In Gebieten, in denen wr- am Wortanfang nicht vorkommt, hat sich 'wringen' z. T. mit dem unverwandten →*ringen* vermischt.

Wucher *m*: Das *altgerm.* Substantiv *mhd.* wuocher, *ahd.* wuochar ,,Frucht, Nachwuchs, [Zins]gewinn", *got.* wōkrs ,,Zins", *niederl.* woeker ,,Wucher", *aengl.* wōcor ,,Zuwachs, Nachkommen" gehört zu der unter →*wachsen* behandelten *idg.* Wurzel und bedeutet eigtl. ,,Vermehrung, Zunahme". Die Verwendung des Wortes für ,,Gewinn von ausgeliehenem Geld" ist von Anfang an bezeugt; den herabsetzenden Sinn erhält das Wort erst seit *mhd.* Zeit. Abl.: **Wucherer** *m* (*mhd.* wuocherǣre, *ahd.* wuocherari; das Wort könnte auch vom Verb 'wuchern' abgeleitet sein); **wuchern** (*mhd.* wuochern, *ahd.* wuocherōn ,,Gewinn erstreben; Frucht bringen, sich vermehren"); **Wucherung** *w* (*mhd.* [*mitteld.*] wocherunge, *ahd.* wuocherunga; in medizinischer Bedeutung seit der 1. Hälfte des 19. Jh.s).

Wuchs *m*: Das seit Beginn des 18. Jh.s bezeugte Substantiv ist eine Bildung zum Verb →²*wachsen*. Abl.: **wüchsig** ,,gut wachsend" (forstliches Fachwort des 17. Jh.s, seit Mitte des 18. Jh.s meist in Zusammenbildungen wie hoch-, schnellwüchsig; beachte auch **urwüchsig**, 19. Jh.).

Wucht *w*: Das *nhd.*, seit dem 17. Jh. bezeugte Substantiv beruht auf einer *mdal.* Form *niederd.* wicht ,,Gewicht" (s. →*Gewicht*). Es gewinnt erst im 19. Jh. allgemeine Verbreitung. Abl.: **wuchten** ,,hochstemmen, [auf]laden; schwer arbeiten"(Ende des 18. Jh.s); **wuchtig** ,,schwer, stark, gewaltig" (seit dem 17. Jh.; üblicher erst seit Mitte des 19. Jh.s).

wühlen: Das auf das *dt.* und *niederl.* Sprachgebiet beschränkte Verb *mhd.* wüelen, *ahd.* wuol[l]en, *niederl.* woelen gehört zu der unter →¹*wallen* behandelten *idg.* Wurzel. Es bedeutet eigtl. ,,[um]wälzen". Abl.: **Wühler** *m* (17. Jh.; die Bedeutung ,,Hetzer, Aufwiegler" tritt in der 1. Hälfte des 19. Jh.s auf und ist wohl in der deutschsprachigen Schweiz entstanden). Zus.: **Wühlmaus** (Ende des 18. Jh.s).

Wulst *m*: Die Herkunft des Substantivs *mhd.* wulst[e], *ahd.* wulsta ist unsicher. Vielleicht gehört es zu der unter →¹*wallen* behandelten Wortgruppe. Es würde dann eigtl. ,,das Gedrehte, das Gewundene" bedeuten. Abl.: **wulstig** (18. Jh.).

wund: Das *altgerm.* Adjektiv *mhd.*, *ahd.* wunt, *got.* wunds, *niederl.* wond, *aengl.* wund beruht auf einer Partizipialbildung zu der *idg.* Verbalwurzel *u̯en- ,,schlagen, verletzen". Die eigentliche Bedeutung des Adjektivs ist ,,geschlagen, verletzt". Vgl. das verwandte Subst. *engl.* wen ,,Geschwulst" (eigtl.

„geschlagene Beule") und die *kelt.* Sippe von *mkymr.* gweint „ich durchbohrte". Zu einem im 17. Jh. untergegangenen Verb wunden „verletzen" (*mhd.* wunden, *ahd.* wuntōn) gehört die Präfixbildung verwunden (*mhd.* verwunden). Das *altgerm.* Substantiv **Wunde** *w* (*mhd.* wunde, *ahd.* wunta, *niederl.* wond, *engl.* wound, *aisl.* und) ist wohl eine selbständige Bildung zu der obengenannten *idg.* Wurzel und bedeutet eigtl. „Schlag, Verletzung". Dazu gehören die Zus. W u n d - a r z n e i veraltet für „Chirurgie" (15. Jh.), W u n d a r z t „Chirurg" (*mhd.* wuntarzāt) und W u n d f i e b e r (17. Jh.).

Wunder *s*: Das *altgerm.* Substantiv *mhd.* wunder, *ahd.* wuntar, *niederl.* wonder, *engl.* wonder, *schwed.* under ist außerhalb des *Germ.* ohne sichere Anknüpfung. – Abl.: w u n d e r b a r (*mhd.* wunderbǣre); w u n d e r - l i c h (*mhd.* wunderlich, *ahd.* wuntarlīh); w u n d e r n (*mhd.* wundern, *ahd.* wuntarōn), dazu [sich] v e r w u n d e r n (*mhd.* [sich] verwundern). Zus.: W u n d e r k i n d (16. Jh.).

Wunsch *m*: Das *altgerm.* Substantiv *mhd.* wunsch, *ahd.* wunsc, *mniederl.* wonsc, *aengl.* wūsc-, *aisl.* ōsk gehört zu der unter →*gewinnen* dargestellten *idg.* Wortgruppe. Eine Abl. von 'Wunsch' ist wohl →wünschen.

Wünschelrute *w*: Die seit dem 13. Jh. bezeugte Zusammensetzung (*mhd.* wünschelruote) enthält als ersten Bestandteil das nicht selbständig vorkommende *mhd.* wünschel-, eine Bildung zu dem unter →*wünschen* behandelten Verb, die etwa „Mittel, einen Wunsch zu erfüllen" bedeutet. Die Verwendung von Wünschelruten zum Aufspüren von Erzen und Wasseradern ist seit dem 16. Jh. bezeugt.

wünschen: Das *altgerm.* Verb *mhd.* wünschen, *ahd.* wunsken, *niederl.* wenschen, *engl.* to wish, *aisl.* ōeskja ist wohl eine Ableitung von dem unter →*Wunsch* behandelten Substantiv. Eine Bildung zum Verb wünschen ist der erste Bestandteil der Zus. →Wünschelrute. Abl.: w ü n s c h b a r (Beginn des 18. Jh.s).

Würde *w*: Das Substantiv *mhd.* wirde, *ahd.* wirdī ist eine Bildung zu dem unter →*wert* behandelten Adjektiv. Abl.: w ü r d i g (*mhd.* wirdec, *ahd.* wirdīg), dazu w ü r d i g e n (*mhd.* wirdigen) mit der Präfixbildung e n t w ü r d i - g e n (um 1800). Zus.: W ü r d e n t r ä g e r (Anfang des 19. Jh.s); w ü r d e v o l l (Ende des 18. Jh.s).

Wurf *m*: Das *westgerm.* Substantiv *mhd.*, *ahd.* wurf, *niederl.* worp, *aengl.* wyrp ist eine Bildung zu dem unter → *werfen* behandelten Verb.

Würfel *m*: Das Substantiv *mhd.* würfel, *ahd.* wurfil ist eine Bildung zu dem unter →*werfen* behandelten Verb. Es bedeutet eigtl. „Mittel zum Werfen" und bezeichnet in *mhd.* und *ahd.* Zeit den Spielwürfel, besonders den sechsflächigen. Erst seit *frühnhd.*

Zeit bezeichnet 'Würfel' den von sechs Quadraten begrenzten geometrischen Körper. Abl.: w ü r f e l i g (18. Jh.); w ü r f e l n (16. Jh.).

würgen: Das Verb *mhd.* würgen, *ahd.* wurgen (entspr. *aengl.* wyrgan ist verwandt mit *lit.* veřžti „einengen, schnüren, pressen", *russ.* ot-verzát' „öffnen" (eigtl. „los-binden"). Es bedeutet eigtl. „drehend [zusammen]pressen, schnüren". Die genannten Wörter gehören zu der Erweiterung *u̯er-ĝh* der unter →*Wurm* dargestellten *idg.* Wurzel. Auf einer nasalierten Nebenform dieser Erweiterung beruht das unter →wringen behandelte Wort. Abl.: W ü r g e r *m* (*spätmhd.* würger; als Vogelname seit dem 18. Jh.). Präfixbildungen und Zus.: a b w ü r g e n (*mhd.* ab[e]würgen); e r w ü r g e n (*mhd.* erwürgen, *ahd.* erwurgen).

Wurm *m*: Das *gemeingerm.* Substantiv *mhd.*, *ahd.* wurm „Kriechtier, Schlange, Insekt", *got.* waúrms „Schlange", *engl.* worm „Wurm", *schwed.* orm „Schlange" beruht mit verwandten Wörtern in anderen *idg.* Sprachen auf einer Bildung zu der *idg.* Wz. *u̯er-* „drehen, biegen, winden, flechten", vgl. z. B. *lat.* vermis „Wurm" und *russ.* vermie „Würmer, Heuschrecken". 'Wurm' bedeutet demnach eigtl. „der sich Windende". Zu der vielfach weitergebildeten und erweiterten *idg.* Wurzel gehören auch die Sippen von →*werfen* (eigtl. „mit drehend geschwungenem Arm schleudern"; s. dort über Wurf, Würfel), →werden (eigtl. „[sich] drehen, wenden"; s. dort über Wirtel, ...wärts; dazu können auch →wert, →Würde und →unwirsch gehören), →würgen (eigtl. „drehend [zusammen]pressen, schnüren"; s. dort über wringen), →Rist (eigtl. „Dreher, Drehpunkt der Hand, des Fußes"), →renken („drehend hin und her bewegen"; s. dort über Ränke). Verwandt sein können ferner die unter →Werk, →Wurst, →reiben und →verwirren behandelten Wörter. – Aus anderen *idg.* Sprachen gehören zu der genannten Wurzel z. B. *aind.* várjati „wendet, dreht", vártati „dreht", *gr.* rémbein „im Kreis herumdrehen", ratáně „Rührlöffel", *lat.* vertere „kehren, wenden, drehen" (s. Vers, vertikal), vergere „sich neigen", *lit.* veřpti „spinnen", veřsti „wenden, drehen", *russ.* vérba „Weide", vertét' „drehen". – Weiterhin verwandt sind die umfangreichen Wortgruppen von →wehren und →wahren, die auf einem alten Bedeutungsübergang von „flechten, mit einem Flechtwerk, mit einem Zaun umgeben" zu „verschließen, bedecken, schützen" und weiter zu „hüten, aufpassen, beobachten" beruhen. – 'Wurm' mit der früher üblichen Bed. „Schlange, Drache" steckt in der verdeutlichenden Zus. →Lindwurm. Eine Kollektivbildung zu 'Wurm' ist G e w ü r m *s* (*mhd.* gewürme). Abl.: w u r m e n (15. Jh.; bes. in der

Bed. „Würmer haben"; die heute übliche Bed. „ärgern" [eigtl. „wie ein Wurm nagen, bohren"] tritt seit der 2. Hälfte des 18. Jh.s auf); wurmig „wurmstichig" (mhd. wurmec). Zus.: Wurmfortsatz (Anfang des 19. Jh.s; Übersetzung von gleichbed. lat. processus vermiformis); wurmstichig (16. Jh.; eigtl. „vom Wurm gestochen").

Wurst w: Das auf das dt. und niederl. Sprachgebiet beschränkte Substantiv (mhd., ahd. wurst, niederl. worst) ist unsicherer Herkunft. Folgende drei Verwandtschaftsbeziehungen sind möglich: 1. 'Wurst' gehört im Sinne von „etwas Gemischtes, Vermengtes" zu der unter → verwirren behandelten Wortgruppe um → wirren; 2. 'Wurst' gehört im Sinne von „etwas Gemachtes" zur Wortsippe von → Werk; 3. 'Wurst' gehört im Sinne von „etwas Gedrehtes" zur Wortsippe von → werden. Die Herkunft der Wendung 'das ist mir Wurst' ist unklar. Abl.: wursten „Würste machen" (15. Jh.; ugs. für „drehen, verwirren, unordentlich arbeiten" seit dem 17. Jh.s), dazu wursteln ugs. für „unordentlich arbeiten" (19. Jh.); wurstig ugs. für „gleichgültig" (19. Jh.), dazu Wurstigkeit w (19. Jh.).

Wurz w „Wurzel, Pflanze": Das gemeingerm. Substantiv mhd., ahd. wurz, got. waúrts, engl. wort, schwed. ört beruht auf idg. *u̯[e]rād- „Zweig, Rute; Wurzel". Vgl. aus anderen idg. Sprachen z. B. lat. rādīx „Wurzel" (s. Radieschen, radikal und Rettich). Das seit dem 17. Jh. aus der Hochsprache verdrängte 'Wurz' wurde in seiner Bedeutung „Wurzel" durch → Wurzel ersetzt. Bildungen zu 'Wurz' sind die unter → Würze behandelten Wörter. Zus.: Nieswurz (mhd., spätahd. nies[e]wurz; aus der Pflanze wurde Niespulver bereitet; vgl. niesen).

Würze w: Das Substantiv mhd. würze ist eine Ableitung von dem unter → Wurz behandelten Wort, die inhaltlich von mhd. wirz „Bierwürze", das unsicherer Herkunft ist, beeinflußt wurde. Abl.: würzig (Ende des 18. Jh.s) Das Verb würzen (mhd. würzen „mit wohlschmeckenden oder wohlriechenden Kräutern versehen") ist eine Ableitung von → Wurz, die seit frühnhd. Zeit auf 'Würze' bezogen wurde.

Wurzel w: Das westgerm. Substantiv mhd. wurzel, ahd. wurzala, niederl. wortel, aengl. wyrtwalu beruht auf einer Zusammensetzung *wurt-walu-, die etwa „Krautstock" bedeutet. Der erste Bestandteil ist das unter → Wurz behandelte Wort. Dem zweiten entsprechen z. B. got. walus „Stab" und aisl. vǫlr „Stab", die zu der unter → ¹wallen entwickelten idg. Wurzel gehören und eigtl. „das Gewundene, Runde" bedeuten. Abl.: wurzeln (mhd. wurzeln, ahd. wurzellōn), dazu verwurzeln (14. Jh.).

Wust m „Durcheinander, Schutt; Unrat": Das Substantiv mhd. wuost ist eine Rückbildung aus dem unter → wüst behandelten Adjektiv und dem davon abgeleiteten Verb wüsten. 'Wust' bedeutet demnach eigtl. „Wüstes, Verwüstetes".

wüst: Das westgerm. Adjektiv mhd. wüeste, ahd. wuosti, niederl. woest, aengl. wēste gehört mit den engverwandten lat. vāstus „leer, öde, wüst" und air. fás „leer" zur idg. Wz. *eu̯ə-, *eu̯ə- „mangeln; leer". Zu dieser Wurzel gehört auch der erste Bestandteil des Wortes Wahnwitz (s. d.). Abl.: Wüste w (mhd. wüeste, ahd. wuostī), dazu Wüstenei w (mhd. wüestenīe); wüsten (mhd. wüesten, ahd. wuosten), dazu verwüsten (mhd. verwüesten); Wüstling m „ausschweifender Mensch" (17. Jh.). Siehe auch Wust.

Wut w: Das Substantiv mhd., ahd. wuot ist eine Abl. aus dem gemeingerm. Adj. ahd. wuot „unsinnig", got. wōds „wütend, besessen", aengl. wōd, aisl. ōðr „rasend". Daneben steht das andersgebildete Subst. aengl. wōð „Ton, Stimme, Dichtung", aisl. ōðr „Dichtung, Dichtkunst". Damit ist wohl der Göttername ahd. Wuotan, aengl. Wōden, aisl. Óðinn verwandt, der wahrscheinlich eigtl. „rasender Gott, Dämon" bedeutet. Die germ. Wörter sind wohl verwandt mit lat. vātēs „Wahrsager, Seher" und air. fáith „Seher, Prophet". Das Subst. Wut tritt als erster Bestandteil des Wortes Wüterich m (mhd. wüeterīch, ahd. wuoterīch) auf, das nach dem Muster der PN auf -rich gebildet ist. Das Wort diente schon frühzeitig als Übersetzung von gr.-lat. tyrannus „Tyrann". In dieser Bedeutung ist es heute völlig von 'Tyrann' und 'Despot' verdrängt worden. Abl.: wüten (mhd. wüeten, ahd. wuoten); wütig (mhd. wuotic, ahd. wuotac). Zus.: Tollwut (eine Tierkrankheit; Anfang des 19. Jh.s zusammengerückt aus älterem 'tolle Wut', 18. Jh.).

X

Xanthippe w „zanksüchtiges Eheweib, Hausdrachen": Die Bezeichnung geht auf den Namen der Ehefrau des altgriech. Philosophen Sokrates (gr. Xanthíppē) zurück, die in der griech. Literatur (speziell in Xenophons 'Gastmahl') als zanksüchtig geschildert wird.

Xylophon m: Der Name des noch sehr jungen Schlaginstrumentes, bei dem auf einem Holzrahmen befestigte Holzstäbe mit zwei Holzschlegeln angeschlagen werden, ist eine künstliche zusammengesetzte Neubildung aus gr. xýlon „Holz" und gr. phōnḗ „Stimme".

Y

Yard *s* (englisches Längenmaß, 91,44 cm): Im 19. Jh. aus gleichbedeutendem *engl.* yard übernommen. Das *engl.* Wort bedeutet eigentlich „Gerte; Meßrute". Es ist etymologisch verwandt mit *dt.* →*Gerte.*

Yucca *w*: Die Bezeichnung für eine Art Palmlilie stammt aus gleichbed. *span.* yuca. Das Wort wurde wahrscheinlich im 17. Jh. aus einer zentralamerikan. Eingeborenensprache ins *Spanische* entlehnt.

Z

Zacke *w*, **Zacken** *m*: *Mhd.* (*mitteld.*) zacke *m*, *w* „vorragende Spitze, Zinke", *mnd.* tacke „Spitze, Zacke; Zweig", *niederl.* tak „Zweig, Ast", *engl.* tack „Stift, kleiner Nagel" stehen neben *mnd.* tagge „Spitze, Zacke", *engl.* tag „Stift", *schwed.* tagg „Zinke, Zacke, Stachel, Dorn". Die *außergerm.* Beziehungen dieser Wortgruppe sind unklar. Unsicher ist auch, ob mit diesen Wörtern das aus der *niederd.* Seemannssprache stammende **Takel** *s* „Talje, Tauwerk und Hebezeug eines Schiffes" (*mnd.* takel, vgl. gleichbed. *niederl.* takel, *engl.* tackle) zusammenhängt. Beachte dazu **Takelage** *w* und **takeln** (gewöhnlich ab-, auftakeln). – Abl. **zackig** (18. Jh., für älteres zackicht, 16. Jh.; die *ugs.* Bed. „schneidig" [erste Hälfte des 20. Jh.s] stammt aus der Soldatensprache). Siehe auch den Artikel **zanken.**

zag: Das auf das *dt.* Sprachgebiet beschränkte Adjektiv ist seit *mhd.* Zeit bezeugt: *mhd.* zage „feige, furchtsam". Älter bezeugt ist das Verb **zagen** (*mhd.* zagen „feige, furchtsam sein", *ahd.* in er-zagēn „furchtsam werden"), zu dem sich das Substantiv *mhd.* zage, *ahd.* zago „Feigling, furchtsamer Mensch" stellt. Die weiteren Beziehungen sind unklar. Üblicher als ‚zagen' ist die Präfixbildung **verzagen** „den Mut verlieren" (*mhd.* verzagen). Zum Substantiv gehört die Abl. **zaghaft** (*mhd.* zag[e]haft).

Zagel *m* (*mdal.* für:) „Schwanz": Das *gemeingerm.* Substantiv *mhd.* zagel, *ahd.* zagal „Schwanz", *got.* tagl „einzelnes Haar", *engl.* tail „Schwanz" (im FW →Cocktail, eigtl. „Hahnenschwanz"), *schwed.* tagel „Roßhaar" gehört wahrscheinlich im Sinne von „Faser, Haarbüschel" zu der *idg.* Wz. *deḱ- „[zer]-reißen, zerfasern", vgl. z. B. *aind.* daśā „Fransen" und *ir.* dūal „Locke".

zäh: Die Herkunft der *westgerm.* Adjektive *mhd.* zǣhe, *ahd.* zāhi, *niederl.* taai, andersgebildet *mhd.*, *ahd.* zāch, *engl.* tough ist unsicher. Vielleicht sind sie verwandt mit

ahd. gizengi „eindringend, beharrend", *aengl.* getenge „drückend, auf etwas ruhend". Sie könnten dann im Sinne von „fest anliegend" zu der unter →*Zange* behandelten *idg.* Wortgruppe gehören. Abl.: **Zähigkeit** *w* (17. Jh.).

Zahl *w*: Das *altgerm.* Substantiv *mhd.* zal, *ahd.* zala „Zahl; Menge; Aufzählung; Bericht, Rede", *niederl.* taal „Sprache", *engl.* tale „Erzählung", *dän.* tale „Rede" gehört wahrscheinlich zur *idg.* Wurzel *del[ə]- „spalten, kerben, schnitzen, behauen", vgl. z. B. *aind.* dāláyati „spaltet", *lat.* dolāre „behauen", *lit.* dìlti „sich abnutzen, abschleifen". ‚Zahl' würde demnach eigtl. „Eingekerbtes, Einschnitt" bedeuten. Man pflegte früher Merkstriche auf Holz einzukerben, vgl. dazu **armen.** tał „Einprägung, Eindruck, Zeichen, Vers". Die sogenannten Kerbhölzer (zum Zählen, Abrechnen usw.) waren noch im Mittelalter gebräuchlich. Aus der Bedeutung „eingekerbtes Merkzeichen" entwickelte sich die Bed. „Zahl, Zählen", daraus dann „Aufzählung, Erzählung, Rede, Sprache". Zu derselben *idg.* Wurzel gehört auch die Maßbezeichnung →²Zoll, eigtl. „abgeschnittenes Holz". Zu ‚Zahl' stellt sich das unter →*zählen* behandelte Verb. Eine *ahd.* Abl. vom Substantiv ist zahlen (*mhd.* zal[e]n, *ahd.* zalōn „zählen, [be]rechnen"), das seine heutige Bed. „eine Geldsumme hingeben" (16. Jh.) bewahren, weil das mittelalterl. Zahlbrett zugleich ein Rechengerät war. Dazu gehören die Ableitungen **zahlbar** kaufmänn. für „zu [be]zahlen" (18. Jh.) und **Zahlung** *w* (15. Jh.), ferner Zus. wie **ab-**, **an-**, **aus-**, **einzahlen** und die Präfixbildung **bezahlen** (*mhd.* bezaln). Zus. mit dem Substantiv: **Anzahl** (*spätmhd.* anzal[e] „zukommende Zahl, Anteil"; später auch für „bestimmte Menge"); **Zahlwort** (17. Jh., Übersetzung von *lat.* nōmen numerāle).

zählen: Das *altgerm.* Verb *mhd.* zel[le]n, *ahd.* zellan „zählen; rechnen; aufzählen, berich-

ten, sagen", *niederl.* tellen „zählen", *engl.*
to tell „erzählen, zählen", *aisl.* telja „zählen, erzählen" stellt sich zu dem unter
→*Zahl* behandelten Substantiv. Im *Nhd.*
hat sich seine Anwendung wie beim Substantiv auf das Rechnerische eingeschränkt,
während die Bed. „berichten" der Präfixbildung →erzählen zugefallen ist. Abl.:
Zähler *m* (*mhd.* zel[l]er „Zählender, Rechner"; in der mathemat. Bed. „Zahl über dem
Bruchstrich" [die die Bruchteile „zählt"]
zuerst um 1400 als LÜ von *mlat.* numerātor;
seit dem 19. Jh. auch für mechan. Geräte);
Zählung *w* (17. Jh.).

zahm: Das *altgerm.* Adjektiv *mhd., ahd.* zam,
niederl. tam, *engl.* tame, *schwed.* tam ist entweder rückgebildet aus einem untergegangenen, nur in *mhd.* zamen „zähmen, vertraut
werden", *ahd.* zamōn „zähmen" bezeugten
Verb oder es gehört unmittelbar zu der unter
→*zähmen* dargestellten *idg.* Wurzel.

zähmen: Das *gemeingerm.* Verb *mhd.* zem
[m]en, *ahd.* zemmen, *got.* ga-tamjan, *aengl.*
temian, *schwed.* tämja gehört zu der *idg.* Wz.
*dem[ə]- „zähmen, bändigen", die wahrscheinlich mit der unter →*ziemen* behandelten *idg.* Wz. *dem[ə]- „zusammenfügen,
bauen" identisch ist und demnach wohl
eigtl. „ans Haus fesseln, domestizieren" bedeutet. Vgl. aus anderen *idg.* Sprachen z. B.
aind. damyáti „ist zahm; zähmt", *gr.* damnánai „bezwingen" (s. Diamant < *gr.*
a-dámās „unbezwingbar"), *lat.* domāre
„bändigen, zähmen" (s. Dompteur). Siehe
auch den Artikel zahm.

Zahn *m:* Das Substantiv *mhd.* zant,
zan, *ahd.* zand, zan, *niederl.* tand, *engl.* tooth,
schwed. tand (vgl. das ablautende *got.* tunþus
„Zahn") geht auf ein *idg.* Substantiv
*[e]dont- „Zahn" zurück, das eine Partizipialbildung zu der unter →*essen* entwickelten *idg.* Wz. *ed- „kauen, essen" ist. Vgl.
aus anderen *idg.* Sprachen *gr.* odṓn „Zahn",
lat. dēns „Zahn" (beachte das veraltete FW
Dentist „Zahnarzt ohne Hochschulbildung")
und *lit.* dantìs „Zahn". Das Substantiv bedeutet demnach eigtl. „der Kauende". Siehe
auch den Artikel zanken. Abl.: zahnen
„Zähne bekommen" (16. Jh.), dazu verzahnen „durch Zahnreihen, zahnartig
verbinden" (im 18. Jh. fachsprachl.). Zus.:
Zahnarzt (18. Jh.); Zahnfleisch (*mhd.*
zan[t]vleisch, *spätahd.* zandfleisc); Zahnrad
(18. Jh.). Siehe auch den Artikel Zinke und
Zinne.

Zange *w:* Das *altgerm.* Substantiv *mhd.* zange, *ahd.* zanga, *niederl.* tang, *engl.* (*Mehrz.*)
tongs, *schwed.* tång ist eine Bildung zu der
idg. Wurzelform *denk- „beißen", vgl. *aind.*
dáśati „beißt", *gr.* dáknein „beißen". Das
Wort bedeutete also urspr. „Beißerin".
Nimmt man eine alte Bedeutungsverschiebung zu „die Kneifende, Zusammendrükkende" an (vgl. die Zus. Beißzange

neben Kneifzange, beide 17. Jh.), so lassen sich vielleicht die unter →zäh (eigtl.
„fest anliegend") behandelten Wörter anschließen.

zanken: Die Herkunft des seit dem 15. Jh.
bezeugten Verbs (*spätmhd.* zanken) ist nicht
sicher geklärt. Es kann zu dem unter →*Zahn*
behandelten Substantiv gehören und bedeutet dann eigtl. „mit den Zähnen reißen",
andererseits kann es von *mhd.* zanke „Spitze",
einer Nebenform des unter →*Zacke* behandelten Wortes, abgeleitet sein. Abl.: Zank *m*
(Ende des 15. Jh.s), dazu zänkisch (16. Jh.);
Zänker *m* (16. Jh.). Zus.: Zankapfel
(16. Jh.; Lehnübertragung aus *lat.* pōmum
Eridos; nach der griechischen Sage warf
Eris, die Göttin der Zwietracht, einen Apfel
mit der Aufschrift „der Schönsten" unter
die Gäste bei der Hochzeit der Thetis und
des Peleus, was zum Streit und schließlich
zum Trojanischen Krieg führte).

Zapfen *m:* Das *altgerm.* Substantiv *mhd.*
zapfe, *ahd.* zapho, *niederl.* tap, *engl.* tap,
isl. tappi (ähnlich *schwed.* tapp) bezeichnet
einen spitzen Holzpflock, der ein Loch verschließt und herausgezogen werden kann.
Es ist verwandt mit den unter →*Zipfel* und
→*Zopf* behandelten Wörtern. *Außergerm.*
Anknüpfungen fehlen. Nach ihrer länglichspitzen Gestalt sind Gebilde wie der Eiszapfen (16. Jh.) und der Tannenzapfen
(15. Jh.) benannt. Abl.: Zäpfchen *s*
(18. Jh.; älter „Zäpflein", in den Bed. „Halszäpfchen" und „Arzneizäpfchen" seit dem
16. Jh.); zapfen (*mhd.* zapfen, zepfen), dazu anzapfen (15. Jh.). Zus.: Zapfenstreich (17. Jh.; eigtl. „Streich [= Schlag]
auf den Zapfen des Fasses, um den Soldaten
das Ende des Trinkgelages bekanntzugeben",
dann die „Begleitmusik dazu", schließlich
„militärisches Abendsignal zur Rückkehr in
die Unterkunft").

zappeln: Das seit dem 16. Jh. bezeugte urspr.
oberd. Verb steht neben gleichbed. *mdal.*
zabbeln (*mhd.* zabelen, *ahd.* zabalōn). Die
Herkunft dieser Wörter ist ungewiß.

zart: Das urspr. auf das *hochd.* Sprachgebiet
beschränkte Adjektiv *mhd.* zart „lieb, geliebt, wert, vertraut; lieblich, fein, schön;
zart, weich, schwächlich", *ahd.* zart, schwächlich" ist dunklen Ursprungs. Abl.: zärtlich
(*mhd.* zertlich, zartlich „anmutig, liebevoll,
weich", *ahd.* zartlich), dazu Zärtlichkeit *w*
(*spätmhd.* zertlīcheit „Anmut"); verzärteln (16. Jh., für *mhd.* verzerten). Zus.:
Zartgefühl (18. Jh.; als Ersatzwort für
'Delikatesse').

Zäsur *w* „Verseinschnitt" (Metrik), auch allgemein „gedanklicher Einschnitt": Im
17. Jh. als spezieller Terminus der Metrik
aus gleichbed. *lat.* caesūra (wörtl. Bed. „das
Hauen, der Hieb; der Schnitt") entlehnt.
Stammwort ist *lat.* caedere (caesum) „schlagen, hauen", in Komposita -cīdere, -cīsum

(beachte z. B. *lat.* prae-cīdere „vorn abschneiden", prae-cīsus „vorn abgeschnitten; abgekürzt, zusammengefaßt" in unserem FW →präzis). – Zum gleichen Stamm gehören das FW→ziselieren und das LW→Zement.

Zauber *m*: Das *altgerm.* Substantiv *mhd.* zouber, *ahd.* zaubar „Zauberhandlung, -spruch, -mittel", *mniederl.* töver „Zauberei", *aengl.* tēafor „rote Farbe, Ocker, Rötel", *aisl.* taufr „Zauber[mittel]" ist dunkeln Ursprungs. Die Bedeutung des *aengl.* Wortes erklärt sich daraus, daß Zauberzeichen (Runen) mit roter Farbe versehen wurden. Abl.: Zauberei *w* (*mhd.* zouberīe); Zauberer *m* (*mhd.* zouberǣre, *ahd.* zaubarari; vom Sprachgefühl heute gewöhnlich zum Verb gestellt); zauberisch (16. Jh.); zaubern (*mhd.* zoubern, *ahd.* zouberōn), dazu die Präfixbildungen bezaubern (*mhd.* bezoubern, *ahd.* bizouberōn) und verzaubern (*mhd.* verzoubern, *ahd.* firzaubirōn). Zus.: Zauberflöte (18. Jh.); Zauberstab (16. Jh.).

zaudern: Das zu Anfang des 16. Jh.s im *ostmitteld.* Sprachgebiet aufkommende Verb ist eine Iterativbildung zu dem untergegangenen starken Verb *mhd.* (*mitteld.*) zūwen „[weg]ziehen, sich hinwegbegeben". Dieses hängt wohl mit dem ablautenden *mhd.* zouwen, *ahd.* zawēn „vonstatten gehen, eilen" zusammen. Ähnlich wie bei 'zögern' (s. d.) wurde aus der Vorstellung eines wiederholten schnellen Tuns die des langsamen Vorankommens gewonnen. Abl.: Zauderer *m* (17. Jh.).

Zaum *m* „Kopflederzeug für Zug- und Reittiere": Das *altgerm.* Substantiv *mhd.* zoum, *ahd.* zaum „Seil; Riemen; Zügel", *niederl.* toom „Zaum; Zügel", *aengl.* tēam „Gespann (Ochsen); Stamm, Familie" (*engl.* team „Gespann; Gruppe"; s. das FW Team), *schwed.* töm „Zügel, Leine" ist eine Bildung zu dem unter →*ziehen* behandelten Verb. Es bedeutet eigtl. – wie das andersgebildete →Zügel – „das, womit man zieht". Abl.: zäumen (*mhd.* zöumen, zoumen), dazu aufzäumen (16. Jh.).

Zaun *m*: Das *altgerm.* Substantiv *mhd.*, *ahd.* zūn „Umzäunung, Hecke, Gehege", *niederl.* tuin „Garten", *engl.* town „Stadt" (*aengl.* tūn „Zaun; Garten; Hof; Dorf, Ortschaft"), *aisl.* tūn „eingezäuntes Land, Hof, Ortschaft" ist verwandt mit *air.* dūn „Burg" und *gallisch* -dūnum, das als zweites Glied in Städtenamen auftritt, vgl. *lat.* Noviodūnum („Neuenburg", Name mehrerer keltischer Städte). Weitere Anknüpfungen sind unsicher. Abl.: zäunen (*mhd.* zūnen, *ahd.* zūnen „einen Zaun errichten", jetzt meist in Zus. wie ein-, umzäunen). Zus.: Zaunkönig (Vogelname; im 15. Jh. *mitteld.* czune künnyck neben *mhd.* zūnslüpfel „Zaunschlüpfer"; der Vogel heißt *mhd.* auch kü-

niclīn, *ahd.* kuningilīn „Königlein", was LÜ von *lat.* rēgulus [eigtl. Name des Goldhähnchens] ist und an die schon antike Sage von der Königswahl der Vögel anschließt, bei der der Zaunkönig gewinnen wollte, indem er sich im Gefieder des Adlers verbarg und noch höher flog als dieser).

zausen: Das einfache Verb kommt erst seit dem 16. Jh. vor. Aus älterer Zeit sind nur Präfixbildungen wie zerzausen (*mhd.* zerzūsen, *ahd.* zerzūsōn) belegt. In anderen *germ.* Sprachen sind *engl.* to touse „zausen" und *schwed. mdal.* tösa „Heu ausbreiten" verwandt. *Außergerm.* Beziehungen sind unsicher.

Zebra *s*: Der in *dt.* Texten seit dem 17. Jh. bezeugte Tiername stammt aus einer südafrikanischen Eingeborenensprache.

Zeche *w*: Das erst seit *mhd.* Zeit bezeugte Substantiv (*mhd.* zeche „reihum gehende Verrichtung; Anordnung; Reihenfolge; Einrichtung; Gesellschaft, Genossenschaft") steht neben dem älter bezeugten Verb *mhd.* zechen „anordnen, veranstalten", *ahd.* [gi]zehōn „in Ordnung bringen, [wieder]herstellen, färben". In anderen *germ.* Sprachen sind *aengl.* tiohh „Geschlecht, Schar, Gesellschaft", tiohhian, tiogan „bestimmen, vorschlagen, urteilen", vielleicht auch *aisl.* tē (aus *tehwa) „Erlaubnis". *Außergerm.* Beziehungen der Wortgruppe sind nicht gesichert. Das Substantiv 'Zeche', scheint von einer urspr. Bed. „Ordnung, geordneter Kreis, Versammlung" auszugehen. In *mhd.* Zeit konnte es Genossenschaften, Zünfte und Bruderschaften aller Art bezeichnen. Die heutige Hauptbed. „Wirtshausrechnung" (seit dem 15. Jh.) ist aus der älteren Bed. „Beitrag zu gemeinsamem Gelage einer Gesellschaft" entstanden. Mit der seit dem 13. Jh. bezeugten Bed. „Bergwerk, Grube" (jetzt bes. für „Kohlengrube") war urspr. die an einer solchen Grube beteiligte bergmänn. Genossenschaft gemeint. Das Verb zechen „[in Gesellschaft] trinken" (*spätmhd.* zechen) setzt wohl nicht das alte Verb (s. o.) fort, sondern ist eine jüngere Abl. von *mhd.* zeche in der Bed. „gemeinsamer Schmaus". Dazu Zecher *m* „Zechender" (16. Jh.) und die Präfixbildung bezecht „betrunken" (16. Jh.), dazu bezechen (17./18. Jh.).

Zecke *w*: Das *westgerm.* Substantiv *mhd.* zecke, *ahd.* cecho, *niederl.* teek, *engl.* tick ist mit *armen.* tiz „Zecke" und *mir.* dega „Hirschkäfer" verwandt.

Zeder *w*: Der Baumname (*mhd.* zēder, cēder-[boum], *ahd.* cēdarboum) ist entlehnt aus *lat.* cedrus „Zeder[wacholder]" < *gr.* kédros „Wacholder; Zeder".

Zehe *w*: Das *altgerm.* Substantiv *mhd.* zēhe, *ahd.* zēha, *niederl.* teen, *engl.* toe, *schwed.* tå gehört vielleicht zu der unter →*zeihen* entwickelten *idg.* Wurzel *deik̑- „zeigen". Es würde dann eigtl. „Zeiger" bedeuten und wäre urspr. eine Bezeichnung des Fingers gewesen, die auf die Zehe als „Finger des Fußes" erst übertragen wurde. Vgl. die entsprechende Bedeutungsübertragung bei *lat.* digitus „Finger, Zehe", das vielleicht auf die gleiche Wurzel zurückgeht.

zehn: Das *gemeingerm.* Zahlwort *mhd.* zehen, *ahd.* zehan, *got.* taíhun, *engl.* ten, *schwed.* tio geht mit Entsprechungen in den meisten anderen *idg.* Sprachen auf *idg.* *dek̑m̥ „zehn" zurück, vgl. z. B. *aind.* dáśa „zehn", *gr.* déka „zehn" (s. deka...), *lat.* decem „zehn" (s. dezi...). Siehe auch den Artikel → ...zig. Abl.: zehnte Ordnungszahl (*mhd.* zehende, *ahd.* zehanto), dazu die Substantivierung Zehnt[e] *m*, früher für „Abgabe im Betrag des zehnten Teiles der Einnahmen" (*mhd.* zehende, zehent, *ahd.* zehanto); beachte auch die Zus. Jahrzehnt *s* (im 18. Jh. Jahrzehend, wohl nach 'Jahrhundert' gebildet). Zus.: Zehntel *s* (*mhd.* zehenteil; die heutige Form seit dem 18. Jh.; zum zweiten Bestandteil s. *Teil*).

zehren: Das nur *dt.* und *niederl.* Verb (*mhd.* zern „für Essen und Trinken aufwenden, sich nähren, [essend] verbrauchen", *niederl.* teren „zehren, Geld ausgeben") gehört zu dem in *mhd.* Zeit untergegangenen starken Verb *ahd.* zeran „zerreißen, kämpfen", dem *got.* (ga-, dis-)taíran „zerreißen" und *engl.* to tear „[zer]reißen" entsprechen. Die *germ.* Verben gehen mit verwandten Wörtern anderer *idg.* Sprachen auf die *idg.* Wz. *der-„schinden, [ab]spalten" zurück, vgl. z. B. *gr.* dérein „schinden, abhäuten", *derma* „Haut", eigtl. „das Abgezogene" (beachte das FW Dermatologe „Hautarzt"). Aus dem *germ.* Sprachbereich gehört auch das unter → zerren behandelte Verb hierher, ferner die Sippen von → trennen (eigtl. „abspalten") und möglicherweise von → Zorn. – Die Bed. „(essend) verbrauchen" hat sich demnach aus „vertilgen, vernichten, zerreißen" entwickelt. Beachte die heute üblichere Präfixbildung verzehren (*mhd.* verzern „aufzehren, verbrauchen", vgl. *ahd.* firzeran „zerreißen, vernichten"), dazu die Rückbildung Verzehr *m* „Verbrauch von Lebensmitteln" (18. Jh.). Nur übertr. (von Krankheiten) wird die Zus. auszehren (*spätmhd.* ūzzern) gebraucht; dazu Auszehrung *w* „krankhafte Abmagerung, Schwindsucht" (18. Jh.). Zu veralt. Zehrung *w* „Nahrung, Zehrgeld" (*mhd.* zerunge) gehört die Zus. Wegzehrung „Reiseproviant" (16. Jh.).

Zeichen *s*: Das *gemeingerm.* Substantiv *mhd.* zeichen, *ahd.* zeihhan „[An]zeichen, Merkmal; Sinnbild; Sternbild; Vorzeichen; Wunder", *got.* taikn, taikns „[Wunder]zeichen", *engl.* token „Zeichen, Merkmal", *schwed.* tecken „Zeichen" gehört zu der unter

→ zeihen entwickelten *idg.* Wurzel. Eine *gemeingerm.* Bildung dazu ist das Verb → zeichnen. Zus.: Abzeichen (18. Jh.); Anzeichen (17. Jh.); Kennzeichen (s. *kennen*); Vorzeichen (*mhd.* vorzeichen „Vorzeichen, Sinnbild", *ahd.* forazeihhan „Wunderzeichen, Sinnbild"; seit dem 19. Jh. auch für „vorgesetztes Zeichen [in der Mathematik und Musik]").

zeichnen: Das *gemeingerm.* Verb (*mhd.* zeichenen, *ahd.* zeihhannen, zeihhonōn, *got.* taiknjan, *aengl.* tǣcnan, *schwed.* teckna) ist eine Ableitung von dem unter → *Zeichen* behandelten Verb. Es ist seit alters in den beiden Hauptbedeutungen „mit einem Zeichen ausdrücken, anzeigen, nachbilden" und „mit einem Zeichen versehen" überliefert. Zur ersten Bedeutung gehören die heutigen *dt.* Verwendungen des Wortes für „mit Linien und Strichen [künstlerisch] darstellen" (16. Jh.), „niederschreiben" (*spätmhd.*; jetzt nur in auf-, einzeichnen und verzeichnen, s. u.) und „rechtsgültig unterschreiben" (seit dem 17. Jh. kaufmänn., sonst meist in unterzeichnen, s. u.). Die zweite Bedeutung erscheint z. B. in 'Wäsche, Vieh zeichnen' oder in der Wendung 'er ist vom Tode gezeichnet' (dazu noch aus-, bezeichnen, s. u.). Abl.: Zeichner *m* „zeichnender Künstler oder Techniker" (17. Jh.; in der älteren Bed. „Zeichengeber, -macher" wie *mhd.* zeichenäre „Wundertäter" vom Substantiv 'Zeichen' abgeleitet), dazu zeichnerisch (17. Jh.); Zeichnung *w* (*mhd.* zeichenunge, *ahd.* zeichenunga „Bezeichnung, Kennzeichnung", seit dem 17. Jh. bes. für „zeichnerische Darstellung"). Zus. und Präfixbildungen: auszeichnen (*mhd.* ūzzeichenen „mit einem Zeichen versehen", seit dem 18. Jh. 'sich auszeichnen' „hervorragen"), dazu ausgezeichnet „hervorragend" (18. Jh.) und Auszeichnung *w* „Hervorhebung" (18. Jh.); bezeichnen „mit Zeichen kenntlich machen, benennen" (*mhd.* ahd. bezeichenen „bildlich vorstellen, bedeuten"), dazu Bezeichnung *w* „Kennzeichnung, Benennung" (*mhd.* bezeichenunge, *ahd.* pizeihhinunga „Vorzeichen, Symbol"); unterzeichnen (17. Jh.; eigtl. „mit seinem gekürzten Namenszeichen versehen"), dazu Unterzeichnung *w* (17. Jh.); verzeichnen „listenmäßig aufschreiben; eintragen" (15. Jh.), dazu Verzeichnis *s* (15. Jh.).

zeigen: Das Verb *mhd.* zeigen, *ahd.* zeigōn ist eine nur *dt.* Bildung zu dem unter → *zeihen* behandelten Verb. Abl.: Zeiger *m* (*mhd.* zeiger „Zeigefinger; An-, Vorzeiger", seit dem 14. Jh. auch „Uhrzeiger", *ahd.* zeigari „Zeigefinger"). Zus. und Präfixbildungen: anzeigen (16. Jh.), dazu Anzeige *w* „Ankündigung, Meldung" (um 1500); bezeigen (*mhd.* bezeigen „kundtun"); erzeigen (*mhd.* erzeigen „dartun, erweisen"); Zeigefinger (15. Jh.).

zeihen: Das *gemeingerm.* Verb mhd. zīhen, *ahd.* zīhan „be-, anschuldigen", *got.* ga-teihan „anzeigen", *aengl.* tēon „anklagen", *aisl.* tjā „anzeigen" gehört mit verwandten Wörtern in anderen *idg.* Sprachen zu der *idg.* Wz. *deik-, (-ĝ-) „zeigen", vgl. z. B. *aind.* diśáti „zeigt", *gr.* deiknýnai „zeißen", *lat.* dīcere „sagen" (s. diktieren). Das Verb 'zeihen' bedeutete ursprünglich „[an]zeigen, kundtun", dann speziell „auf einen Schuldigen hinweisen, anzeigen, beschuldigen". Das einfache Verb 'zeihen' kommt heute nur noch dichterisch vor. Zu derselben *idg.* Wurzel gehört wahrscheinlich →Zehe (eigtl. „Zeiger, Finger"). Ferner gehört zu ihr (mit auslautendem -ĝ-) das unter →Zeichen behandelte Wort. Eine *dt.* Bildung zu 'zeihen' ist →zeigen. Präfixbildungen sind das heute ungebräuchliche bezeihen „beschuldigen" (*mhd.* bezīhen, *ahd.* bizīhan; dazu →bezichtigen) und verzeihen „Verschuldetes nicht anrechnen" (älter *nhd.* „einen Anspruch aufgeben"; *mhd.* verzīhen „versagen, abschlagen, sich lossagen", *ahd.* farzīhan „versagen, verweigern"; dazu →Verzicht).

Zeile *w*: Das auf das *dt.* Sprachgebiet beschränkte Substantiv *mhd.* zīle, *ahd.* zīla „Reihe, Linie" gehört wahrscheinlich zu der unter → *Zeit* behandelten Wortgruppe. Es bedeutet wohl eigtl. „abgeteilte Reihe". Seit dem 16. Jh. wird 'Zeile' gewöhnlich im Sinne von „geschriebene oder gedruckte Wortreihe" verwendet.

Zeisig *m*: Der Vogelname *mhd.* zīse ist aus dem gleichbedeutenden *tschech.* čiž entlehnt, das lautnachahmenden Ursprungs ist, vgl. auch *russ.* čiž „Zeisig". Die heutige Form (*spätmhd.* zīsic) beruht auf der *tschech.* Verkleinerungsform čížek.

Zeit *w*: Das *altgerm.* Substantiv *mhd., ahd.* zīt „Zeit; Tages-, Jahreszeit; Lebensalter", *niederl.* tijd „Zeit", *engl.* tide „Gezeiten", *schwed.* tid „Zeit" gehört im Sinne von „Abgeteiltes, Abschnitt" zu der *idg.* Wz. *dā[i]- „teilen; zerschneiden; zerreißen", vgl. z. B. aus anderen *idg.* Sprachen *aind.* dáti „schneidet ab; mäht; trennt; teilt", dīti-ḥ „das Verteilen", *armen.* ti „Lebenszeit, Alter, Jahre" und *gr.* daíesthai „[ver]teilen" (s. Dämon). Zu derselben Wurzel gehört auch das andersgebildete Wort *engl.* time (*aengl.* tīma) „Zeit" (entspr. *schwed.* timme „Stunde"), das sich im *Engl.* durchgesetzt hat, während *engl.* tide auf die Bed. „Gezeiten (des Meeres)" eingeschränkt wurde (vgl. dazu *niederd.* Tide *w* „Gezeiten"; s. auch den Artikel Gezeiten). Mit *engl.* time ist z. B. *gr.* dēmos „Volk, Gau" (eigtl. „Volksabteilung"; s. Demo...) näher verwandt. *Germ.* Bildungen zur Wz. *dā[i]- sind u. a. wahrscheinlich das unter →Zeile (eigtl. „abgeteilte Reihe") und vielleicht auch das unter →Ziel (eigtl. „Eingeteiltes, Abgemessenes") behandelte Wort. Siehe auch den Artikel Zeitung. Abl.: zeitig „früh" (*mhd.* zītig, *ahd.* zītec „zur rechten Zeit geschehend", *mhd.* auch „reif"), dazu zeitigen „reifen lassen" (*mhd.* zītigen „reifen"); zeitlich (*mhd.* zītlīch, *ahd.* zītlīh). Zus.: Zeitalter (18. Jh.); Zeitgenosse (16. Jh.); Zeitlose *w* (der Blumenname *mhd.* zītelōse, *ahd.* zītelōsa bezeichnete urspr. sehr frühe Frühlingsblumen [Krokus u. a.] und bedeutet eigtl. „nicht zur richtigen Zeit blühende Blume"; seit dem 16. Jh. wurde der Name auf die spätblühende Herbstblume übertragen, die seit dem Anfang des 18. Jh.s genauer Herbstzeitlose genannt wird); Zeitschrift (18. Jh.); Zeitwort (17. Jh.; Übersetzung für *lat.* verbum in der Grammatik).

Zeitung *w*: Das zuerst um 1300 als zīdunge „Nachricht, Botschaft" im Raum von Köln bezeugte Wort stammt aus *mnd.*(-*mniederl.*) tīdinge „Nachricht". Dieses Substantiv ist eine Bildung zu *mnd., mniederl.* tīden „streben, gehen" (in der Bedeutungswendung „vor sich gehen, vonstatten gehen, sich ereignen"), vgl. das zu *aengl.* tīdan „vor sich gehen, sich ereignen" gebildete tīdung „Ereignis, Nachricht". Das Verb ist von dem unter →*Zeit* behandelten Substantiv im Sinne von „Begebenheit[en], Ereignis[se]" abgeleitet. – Bis ins 19. Jh. hinein wurde 'Zeitung' im Sinne von „Nachricht von einer Begebenheit" gebraucht. Der heutigen Verwendung des Wortes als Bezeichnung für ein Druck-Erzeugnis, das einen breiten Leserkreis in regelmäßiger Folge über allgemeine [Tages]ereignisse unterrichtet, geht der Gebrauch des Wortes in der Mehrz. im Sinne von „periodisch ausgegebene Zusammenstellungen der neuesten Nachrichten" voraus.

zelebrieren „feierlich begehen; eine Messe lesen": Am Anfang des 17. Jh.s aus *lat.* celebrāre „häufig besuchen; festlich begehen, feiern, preisen" entlehnt. Zu *lat.* celeber „häufig; gefeiert".

Zelle *w*: Das Substantiv ist in *ahd.* Zeit aus *lat.* cella „Vorratskammer, enger Wohnraum" entlehnt worden, und zwar in dessen *kirchenlat.* Sonderbed. „Wohnraum eines Mönches, Klause". Es ist zuerst in *ahd.* ON wie Hupoldes-, Eberhardescella (nach dem Namen des ersten Bewohners) überliefert, als selbständiges Wort aber erst in *mhd.* zelle „Kammer, Zelle, kleines Kloster". Zur Zeit der Entlehnung von *lat.* cella wurde *lat.* c vor e, i schon wie z gesprochen. Die älteren Lehnwörter →Keller und Kellner (zu dem von cella abgeleiteten *lat.* cellārium „Vorratskammer") beruhen dagegen auf der alten *lat.* k-Aussprache von c. Die *lat.* Substantive gehören mit ihrer Grundbed. „Vorratskammer" zu der unter →okkult genannten Verben der Bed. „verbergen" und weiterhin zu der unter →*hehlen* dargestellten *idg.* Wortgruppe. In übertragenem Sinne bezeichnet 'Zelle' im *Dt.* seit dem 14. Jh. die Bienenzelle (nach gleichbed. *lat.* cella), seit dem 18. Jh. auch die Gefängniszelle. Als biologisches Fachwort wird 'Zelle' seit der ersten Hälfte des 19. Jh.s gebraucht, nachdem schon im 17. Jh. das Pflanzengewebe mit den Bienenzellen verglichen worden war. **Zelt** *s*: Das *altgerm.* Substantiv *mhd., ahd.* zelt, *mniederl.* telt, *aengl.* teld, *aisl.* tjald gehört zu einem noch in *aengl.* be-teldan „überdecken, umgeben" bewahrten *germ.* starken Verb, dessen *außergerm.* Beziehungen unklar sind. 'Zelt' bedeutet demnach „Decke, Hülle". Abl.: zelten (Anfang des 17. Jh.s).

Zement *m*: Das Wort erscheint *mhd.* als zīment[e], das aus *afrz.* ciment „Zement" entlehnt ist. Das *afrz.* Wort geht zurück auf *spätlat.* cīmentum, *klass.-lat.* caementum „Bruchstein" (zu *lat.* caedere „[mit dem Meißel] schlagen", vgl. *Zäsur*). Bruchstein wurde mit Kalkmörtel und Lehm vermischt als Bindemasse beim Bauen verwendet. Im *Spätmhd.* wurde dann *mhd.* zīment[e] zu cēment, wohl in Anlehnung an *frz.* cément „Zementierpulver", das auf den obengenannten *klass.-lat.* caementum beruht. Abl.: zementieren (Ende des 15. Jh.s).

Zenit *m* „senkrecht über dem Beobachtungspunkt gelegener höchster Punkt des Himmelsgewölbes, Scheitelpunkt" (Astron.), häufig auch bildlich übertragen gebraucht im Sinne von „Gipfelpunkt, Höhepunkt": Das seit dem 16. Jh. bezeugte FW ist aus gleichbed. *it.* zenit[h] entlehnt. Das *it.* Wort selbst stammt aus *arab.* samt (ar-ra's) „Weg, Richtung" (des Kopfes). Bei der Übernahme wurde das m des *arab.* Wortes zu ni verschrieben.

zensieren „prüfen, beurteilen; bewerten, benoten": Im 16. Jh. aus *lat.* cēnsēre „begutachten, schätzen, taxieren, beurteilen" entlehnt. – Dazu: Zensur *w* „behördliche Prüfung und Überwachung von Druckschriften; Bewertung einer Leistung, Note" (16. Jh.; aus *lat.* cēnsūra „Prüfung; Beurteilung"). Ferner gehören hierher das LW →Zins (*lat.* cēnsus „Abschätzung, Vermögensschätzung; Vermögenssteuer") und das FW →rezensieren (*lat.* re-cēnsēre „sorgfältig prüfen; kritisch besprechen").

Zentner *m*: Das Substantiv *mhd.* zentenære, *ahd.* centenāri ist entlehnt aus *mlat.* centenārius „Hundertpfundgewicht" (von *klass.-lat.* centenārius „aus hundert bestehend", zu *lat.* centum „hundert", vgl. *hundert*). Vgl. auch Zentimeter unter *Meter*.

Zentrum *s* „Mittelpunkt", meist bildlich übertragen gebraucht im Sinne von „innerster Bezirk; Brennpunkt; Innenstadt": Das seit *mhd.* Zeit (zuerst in der eingedeutschten Form 'zenter') bezeugte Subst. geht wie entspr. *frz.* centre über *lat.* centrum „Mittelpunkt" auf *gr.* kéntron „Stachel, Stachel-

stab; ruhender Zirkelschenkel; Mittelpunkt eines Kreises" zurück. Dieses gehört zu *gr.* kenteīn (älter *kénteīn) „stechen". – Zahlreiche zu 'Zentrum' gehörende Ableitungen und Neubildungen sind von Interesse: zentrisch „mittig, im Mittelpunkt befindlich" (19.Jh.); zentral „im Zentrum befindlich, vom Zentrum ausgehend: bedeutend, entscheidend, wichtig; Haupt..., Sammel... usw." (17./18. Jh.; von *lat.* centrālis „in der Mitte befindlich"), häufig in Zus. wie Zentralbehörde „oberste Behörde" (19. Jh.), Zentralheizung „von einer Ofenanlage gespeiste Gesamtheizung eines Gebäudes" (19. Jh.); Zentrale *w* „Mittel-, Ausgangspunkt; Hauptort; Hauptgeschäft[stelle]; Hauptfernsprechvermittlung eines Betriebs" (20. Jh.); zentralisieren „zusammenziehen, straffen, straff organisieren" (Anfang 19. Jh.; aus gleichbed. *frz.* centraliser; zentrifugal „vom Mittelpunkt wegstrebend" (18./19. Jh.; *nlat.* Neubildung, deren Grundwort zu *lat.* fugere „fliehen, meiden" gehört), meist in der Zus. Zentrifugalkraft „Fliehkraft" (18./19. Jh.); dazu die Substantivbildung Zentrifuge *w* „Schleudergerät zur Trennung von Stoffgemischen" (19./20. Jh.; aus gleichbed. *frz.* centrifuge übernommen). – Vgl. ferner die FW exzentrisch, konzentrisch, konzentrieren, Konzentration usw.

Zeppelin *m*: Das Luftschiff ist nach seinem Erfinder Ferdinand Graf von Zeppelin (1838–1917) benannt (Anfang 20. Jh.s).

Zepter *s*: Das Substantiv *mhd.* cepter ist entlehnt aus *lat.* scēptrum „Zepter", das auf *gr.* skēptron „Stab, Zepter, Stütze", zu *gr.* skēptein „stützen", zurückgeht (vgl. *Schaft*).

zer...: Das Präfix *mhd.* zer-, *ahd.* zar-, zur- ist wohl eine Verquickung von *ahd.* zi-, zeund *ahd.* ir- (vgl. *er...*). *Ahd.* zi-, ze- (vgl. entspr. *aengl.* te- „zer...") gehört wahrscheinlich zu dem unter →*zwei* behandelten Zahlwort. Es bedeutet „zerstreut, auseinander" und ist verwandt mit *gr.* diá „durch, entzwei, auseinander" (s. dia...) und *lat.* dis-„auseinander, zer..." (s. dis...).

Zerberus *m*: Der Name des die Unterwelt bewachenden Höllenhundes der altgriech. Sage (*gr.* Kérberos) dient seit der zweiten Hälfte des 19. Jh.s in *lat.* Form (*lat.* Cerberus) zur scherzhaften Bezeichnung für einen grimmigen Wächter, heute speziell für einen fast unüberwindlichen, tollkühnen Torhüter (besonders im Fußball).

Zeremonie *w* „Gesamtheit der zu einem Ritus gehörenden äußeren Zeichen und Handlungen; feierliche Handlung; Förmlichkeit": Das seit *frühnhd.* Zeit bezeugte FW beruht teils unmittelbar auf *lat.* caerimōnia „religiöse Handlung; Feierlichkeit" (> *mlat.* cēremōnia), teilweise ist es auch durch entspr. *frz.* cérémonie vermittelt. Letzteres gilt insbesondere für die allgemeine Bed. „feierliche Handlung" und hinsichtlich der heute vorwiegend üblichen Endbetonung des Wortes. – Dazu: **zeremoniell** „feierlich; förmlich; steif, umständlich" (18. Jh.; mit Suffixwechsel aus gleichbed. *frz.* cérémonial entlehnt, das seinerseits auf *spätlat.* caerimōniālis „zur Gottesverehrung gehörig; feierlich" beruht). Das substantivierte Z e r e m o n i e l l *s* „Gesamtheit der durch die Etikette vorgeschriebenen Regeln des höfischen und gesellschaftlichen Verkehrs" (aus gleichbed. *frz.* le cérémonial) erscheint gleichfalls im 18. Jh.

zerfledern „auseinanderreißen, zerfetzen, zerlesen": Das erst seit dem 19. Jh. bezeugte Präfixverb gehört zu mhd. vlederen „flattern" (vgl. *Fledermaus*).

zerknirscht: Das Wort ist das zweite Partizip zu dem heute veralteten Verb zerknirschen „zermalmen; mit Reue erfüllen", in dem sich wohl zwei verschiedene Verben vermischt haben: *mhd.* zerknürsen, zerknüs[t]en „zerdrücken, zerquetschen" und das lautmalende 'knirschen' (vgl. *knirren*). In religiöser Sprache bedeutet seit *frühnhd.* Zeit ein 'zerknirschtes' Herz soviel wie ein „von Reue gebrochenes" Herz. Von da aus entwickelte sich die Bedeutung „niedergedrückt" im allgemein seelischen Bereich.

zerren: Das Verb *mhd.*, *ahd.* zerren gehört zu der unter →*zehren* dargestellten *idg.* Wurzel. Es bedeutete zunächst „.[zer]reißen", dann „(ruckweise) ziehen", beachte das verwandte z e r g e n *mitteld.* und *nordostd.* für „necken" (eigtl. „reißen, zerren"). Präfixbildung und Zus.: v e r z e r r e n (*mhd.* verzerren „auseinanderzerren"), dazu V e r z e r r u n g *w* (18. Jh.); Z e r r b i l d (Ende 18. Jh.; urspr. als Ersatz für das heute üblichere →*Karikatur* geschaffen).

zerrütten: Das Verb *mhd.* zerrütten ist eine Präfixbildung zu dem im *Nhd.* untergegangenen einfachen Verb *mhd.* rütten „erschüttern", das im Sinne von „Bäume losrütteln" zu der unter →*roden* behandelten Wortgruppe gehört. Eine Weiterbildung zu 'rütten' ist das unter →*rütteln* behandelte Verb. Abl.: Z e r r ü t t u n g *w* (*spätmhd.* zerrüttunge).

zerschellen: Das heute schwach gebeugte und gewöhnlich intransitiv gebrauchte Verb geht zurück auf ein starkes *mhd.* zerschellen „schallend zerspringen", hat aber schon *frühnhd.* die schwachen Formen von *mhd.* schellen „mit Schall zerschlagen" übernommen (vgl. [1]*Schelle*).

Zervelatwurst *w*: Der erste Bestandteil der seit Beginn des 18. Jh.s belegten Zusammensetzung ist aus *it.* cervellata „Hirnwurst" entlehnt, das zu *it.* cervello „Gehirn" gehört (aus *lat.* cerebellum, einer Verkleinerungsform von *lat.* cerebrum „Gehirn"; zum Weiteren vgl. den Artikel *Hirn*).

[1]**Zettel** *m* „Längsfaden, Kette (in der Weberei)": Das Substantiv (*spätmhd.* zettel) gehört zu dem unter →[1]*verzetteln* behandelten *mhd.* Verb zetten „ausstreuen, ausbreiten". Dazu: a n z e t t e l n „anstiften" (16. Jh.; eigtl. ein Gewebe durch das Aufziehen der Längsfäden beginnen).

[2]**Zettel** *m*: Das Substantiv mhd. zedel[e] ist entlehnt aus *it.* cedola, das über *mlat.* cedula auf älteres schedula, eine Verkleinerungsbildung zu *lat.* scheda „Zettel", zurückgeht. Eine Präfixbildung zu dem von [2]Zettel abgeleiteten, im *Nhd.* untergegangenen einfachen Verb *mhd.* zedelen „eine schriftliche Abmachung ausfertigen" ist das Verb [2]v e r z e t t e l n (im 15. Jh. in der gleichen Bedeutung wie das einfache Verb; in der Bedeutung „in Zettelkarteien festhalten" seit Mitte des 18. Jh.s), das nicht mit →[1]*verzetteln* verwandt ist.

Zeug *s*: Das altgerm. Substantiv mhd.[ge]ziuc, *ahd.* [gi]ziuch, *niederl.* tuig, *aengl.* in sulh-getēog „Pfluggerät", *schwed.* tyg gehört zu dem unter →*ziehen* behandelten Verb. Es bedeutet eigtl. „das Ziehen", dann „Mittel zum Ziehen". Daraus entwickelten sich Bedeutungen wie „Mittel, Gerät, Stoff, Vorrat". Seit dem 18. Jh. wird 'Zeug' auch abwertend im Sinne von „Kram, Plunder" gebraucht. Eine Ableitung zu 'Zeug' ist →[2]z é u g e n. – Zus.: Z e u g h a u s (16. Jh.).

Zeuge *m*: Das Substantiv *mhd.* [ge]ziuc, geziuge „Zeugnis, Beweis; Zeuge" gehört zu dem unter →*ziehen* behandelten Verb. Es bedeutete urspr. „das Ziehen", dann speziell „das Ziehen vor Gericht", schließlich „die vor Gericht gezogene Person". Eine Bildung zu 'Zeuge' ist Z e u g n i s *s* (*mhd.* [ge]ziugnisse). Abl.: [1]z e u g e n „Zeugnis ablegen" (*mhd.* ziugen, *ahd.* ge-ziugōn), dazu b e z e u g e n (*mhd.* beziugen) und ü b e r z e u g e n (*mhd.* überziugen, ursprünglich „vor Gericht durch Zeugen überführen", seit dem 18. Jh. in allgemeiner Bedeutung „mit Beweismitteln usw. überzeugen"), Ü b e r z e u g u n g *w* (16. Jh.).

[1]**zeugen** siehe Zeuge.

[2]**zeugen** „erschaffen": Das Verb mhd. ziugen, geziugen, *ahd.* gi-ziugōn ist eine Ableitung von dem unter →*Zeug* behandelten Substantiv. Es bedeutete ursprünglich „Zeug, Gerät usw. anschaffen, besorgen", dann „herstellen, erzeugen"; heute gilt es nur noch in der Bed. „Kinder erzeugen". Abl.: Z e u g u n g *w* (*mhd.* ziugunge „Machen, Tun"). Präfixbildung: e r z e u g e n (*mhd.* erziugen), dazu E r z e u g e r *m* (18. Jh.), E r z e u g n i s *s* (18. Jh.) und E r z e u g u n g *w* (18. Jh.).

Zichorie *w*: Der seit dem 16. Jh. bezeugte Pflanzenname der Wegwarte, aus deren Wurzeln ein Kaffee-Ersatz hergestellt wird, führt über gleichbed. *it.* cicoria, *mlat.* cichōrea auf *gr.* kichórion (> *lat.* cichōrium), richtiger kichórion „Wegwarte; Endivie" zurück. Die weitere Herkunft des Wortes ist dunkel. – Eine veredelte Form der Zichorie findet seit dem 20. Jh. unter dem Namen Chicorée *w* als Salatpflanze Verwendung. Die Bezeichnung ist aus *frz.* chicorée (< *mlat.* cichōrea) übernommen.

Ziege *w*: Der Name des Haustieres (*mhd.* zige, *ahd.* ziga) ist vielleicht verwandt mit *gr.* díza „Ziege" oder *armen.* tik „Schlauch aus Tierfell" (wohl ursprünglich aus Ziegenfell) oder ist eine unabhängige Bildung aus einem Lockruf. Abl.: Zicke *w* (*ahd.* zikkīn „junge Ziege, [junger] Bock", vgl. *aengl.* ticcen „junge Ziege"), dazu Zickel, Zicklein *s* (*mhd.* zickel[īn]). Zus.: Ziegenpeter „Mumps" (19. Jh.; vielleicht kommt die Bezeichnung daher, daß eine ähnliche Krankheit bei Ziegen auftritt. Der PN 'Peter' steht hier als Gattungsname im Sinne von „Tölpel" und meint den durch die Krankheit entstellten, dumm aussehenden Menschen).

Ziegel *m*: Das *westgerm.* Substantiv *mhd.* ziegel, *ahd.* ziagal, *niederl.* tegel, *engl.* tile (die nord. Sippe von *schwed.* tegel stammt wohl aus dem *Niederl.*) ist LW aus *lat.* tēgula „Dachziegel", einer Bildung zu *lat.* tegere „decken" (vgl. decken). Abl.: Ziegelei *w* (zuerst *niederd.* im 18. Jh.; *hochd.* Anfang des 19. Jh.s).

ziehen: Das *altgerm.* Verb *mhd.* ziehen, *ahd.* ziohan, *got.* tiuhan, *aengl.* tēon (vgl. *aisl.* togenn „gezogen") gehört zu einer *idg.* Wurzel *deuk- „ziehen"; vgl. aus anderen *idg.* Sprachen z. B. *lat.* dūcere „ziehen, führen" (s. die Fremdwortgruppe um Dusche) und *mkymr.* dygaf „bringe". Im *germ.* Sprachbereich stellen sich zu 'ziehen' die unter →Zaum, →Zeug, →Zeuge, →zögern, →Zögling, →Zucht, →zucken, →Zug, →Zügel behandelten Wörter. Auch in →Herzog (eigtl. „Heerführer") steckt eine Substantivbildung zu 'ziehen'. Die intransitive Verwendung im Sinne von „sich fortbewegen" hat sich im *Dt.* erst seit *frühnhd.* Zeit durchgesetzt. Zu dem 2. Part. gezogen im Sinne von „erzogen" gehört das Adj. ungezogen (*mhd.* ungezogen, *ahd.* ungazogan). Zus. und Präfixbildungen: abziehen (*mhd.* abeziehen „weg-, herunter-, zurückziehen", *ahd.* abaziohan „herunterziehen"), dazu Abzug *m* (*mhd.* abezuc) und abzüglich (19. Jh.); anziehen (*mhd.* aneziehen „an sich ziehen, bekleiden; beschuldigen [eigtl. „etwas als Beweis heranziehen"; zu ziehen anfangen"), dazu Anzug *m* (in der Bed. „Kleid" erst seit dem 18. Jh.; *spätmhd.* anzuc bedeutete „Stellung von Zeugen; Beschuldigung; Ankunft"; zu der *spätmhd.* Verwendung stellt sich im 17. Jh. das Adj. anzüglich „auf etwas Unangenehmes anspielend"); aufziehen (*mhd.* ūfziehen „in die Höhe zie-

hen, auf-, erziehen", *ahd.* ūfziohan „emporziehen"), dazu Aufzug *m* (*mhd.* ūfzuc bedeutete u. a. „Vorrichtung zum Aufziehen"; seit dem 17. Jh. in der Bed. „Schauspielakt", nach dem Aufziehen des Vorhangs oder nach dem feierlichen Auftreten der Schauspieler); ausziehen (*mhd.* ūzziehen „[her]ausziehen", *ahd.* ūzziohan „herausziehen"), dazu Auszug *m* (*mhd.* ūzzuc; seit dem 16. Jh. für „gekürzte Wiedergabe einer Schrift"); beziehen (*mhd.* beziehen „zu etwas kommen, erreichen; überziehen; an sich nehmen, einziehen", *ahd.* biziohan „überziehen, wegziehen"; seit dem 17. Jh. reflexiv für „gerichtlich appellieren", dann „beweisend anführen"), dazu Beziehung *w* (17. Jh.), Bezug *m* (18. Jh.; vgl. *mhd.* bezoc „Unterfutter"), dazu bezüglich „sich auf etwas beziehend" (um 1800); erziehen (*mhd.* erziehen, *ahd.* irziohan, eigtl. „herausziehen"; nach dem Vorbild von *lat.* ēducāre „großziehen, ernähren, erziehen" entwickelte sich seit *ahd.* Zeit die heutige Bedeutung), dazu Erzieher *m* (17. Jh.) und Erziehung *w* (17. Jh.); nachziehen (*mhd.* nāchziehen, *ahd.* nāhziohan), dazu Nachzügler *m* (Ende des 18. Jh.s zu jetzt veraltetem Nachzug „Nachhut eines Heeres" gebildet); überziehen (*mhd.* überziehen), dazu Überzieher *m* (Mitte des 19. Jh.s für „Wettermantel", Überzug *m* (15. Jh.); umziehen (*mhd.* umbeziehen „herumziehen"), dazu Umzug *m* (seit dem 16. Jh., „festlicher Aufmarsch"; seit dem 19. Jh. für „Wohnungswechsel"); verziehen (*mhd.* verziehen „auseinanderziehen; hinziehen, verzögern", *ahd.* farziohan „wegnehmen; falsch erziehen"), dazu Verzug *m* (*mhd.* verzuc, verzoc); vollziehen (*mhd.* vollziehen, *ahd.* follaziohan), dazu Vollzug *m* (*mhd.* volzuc); vorziehen (*mhd.* fürziehen, *ahd.* furiziohan „davorziehen"; die Bed. „bevorzugen" entwickelte sich im *Mhd.*), dazu Vorzug *m* (im 15. Jh. für „bevorzugte Eigenschaft") und vorzüglich (18. Jh.); zuziehen (*mhd.* zuoziehen), dazu im 19. Jh. zuzüglich (wohl nach 'abzüglich' gebildet).

Ziel *s*: Das Substantiv *mhd.*, *ahd.* zil (vgl. *got.* tila-rids „zum Ziel strebend" als Name eines Speers und *aisl.* aldr-tili „Lebensende") gehört vielleicht zu der unter →*Zeit* behandelten Wortgruppe. Es würde demnach eigtl. „das Eingeteilte, Abgemessene" bedeuten, woraus sich dann die Bedeutung „räumlicher oder zeitlicher Endpunkt" entwickelt hätte. In anderen *germ.* Sprachen sind verwandt *engl.* till „bis [zu]", *schwed.* till „bis [zu]". Abl.: zielen (*mhd.* zil[e]n, *ahd.* zilēn, zilōn). Zus.: ziellos (17. Jh.; zuerst in der Bed. „endlos"; seit dem 19. Jh. in der Bed. „ohne Ziel").

ziemen: *Mhd.* zemen, *ahd.* zeman, *got.* gatiman, *mniederl.* temen gehören zur *idg.* Wurzel *dem[ə]- „[zusammen]fügen, bauen" und sind mit dem unter →Zimmer behandelten Substantiv eng verwandt. Vgl. aus anderen *idg.* Sprachen z. B. *gr.* démein „bauen", despótēs (s. das FW Despot), *lat.* domus „Bau, Haus" (s. das FW Dom), *russ.* dom „Haus". Das Verb 'ziemen' bedeutet demnach eigtl. „sich fügen, passen". Mit der genannten *idg.* Wurzel ist wahrscheinlich die unter →zähmen behandelte Wurzel identisch. Eine Bildung zu 'ziemen' ist →Zunft. Abl.: ziemlich (*mhd.* zimelich „gebührend", *ahd.* zimilīh; das Adjektiv bedeutete ursprünglich „was sich ziemt", die Bedeutung „maßvoll, mäßig, ausreichend" entwickelte sich im 15. und 16. Jh. Seit dieser Zeit ist das Wort auch im Sinne von „beträchtlich, in nicht geringem Maße" gebräuchlich).

Zier *w*: Das Substantiv *mhd.* ziere, *ahd.* ziarī „Schönheit, Pracht, Schmuck" ist eine Ableitung von dem heute ungebräuchlichen Adj. zier „glänzend, prächtig, herrlich" (*mhd.* ziere, *ahd.* ziari) das auf einer Bildung zu der *idg.* Wurzel *dei-, *deiə- „hell glänzen, schimmern, scheinen" beruht, vgl. im *germ.* Sprachbereich *aisl.* tīrr „Glanz, Ruhm, Ehre", *aengl.* tīr „Ruhm, Ehre, Schmuck". *Außergerm.* sind z. B. verwandt *aind.* dīdēti „strahlt, leuchtet", dyáu-ḥ „Himmel, Tag" (auch als Gottheit), eigtl. „der Leuchtende, Strahlende", *gr.* Zeús „Himmelsgott", *lat.* deus „Gott", *altlat.* deivos, eigtl. „Himmlischer" (s. die FW adieu und Diva), *lat.* Iovis, *altlat.* auch Diovis (s. das FW jovial), *lat.* diēs „Tag" und diurnus „täglich" (s. das FW Journal). Aus dem *germ.* Sprachbereich gehört dazu der Göttername *ahd.* Ziu (s. den Artikel Dienstag). – Weitere Ableitungen vom Adj. zier sind Zierde *w* (*mhd.* zierde, *ahd.* zierida) und zieren (*mhd.* zieren, *ahd.* ziarōn). Zu 'zieren' gehören Zierat *m* (*mhd.* zierōt) und die Präfixbildung verzieren (15. Jh.), dazu Verzierung *w* (16. Jh.).

Ziffer *w*: Das Substantiv *spätmhd.* zifer wurde im 15. Jh. aus *afrz.* cifre „Null" entlehnt, das auf *mlat.* cifra „Null" zurückgeht. Beachte auch *it.* cifra, *span.* cifra. Das *mlat.* Wort ist aus *arab.* ṣifr „Null" (zu *arab.* ṣafira „leer sein") entlehnt, das seinerseits eine Lehnübertragung von *aind.* śūnya-m „das Leere" ist. Für den Bedeutungswandel von „Null" zu „Zahlzeichen" gilt folgendes: Als im *It.* das Wort *it.* nulla „Nichts" (vgl. *Null*) an die Stelle von *it.* cifra „Null" trat, übernahm *it.* cifra die Aufgabe von *it.* figura, das bisher „Zahlzeichen" bedeutet hatte. Entsprechend verlor im *Deutschen* das Wort Ziffer die Bedeutung „Null" und bekam die heute übliche Bedeutung „Zahlzeichen". Vom 15./16. Jh. an treten die Ziffern in Geheimschriften anstelle von Buchstaben auf, so daß 'Ziffer' auch „Geheimschrift",

dann „Buchstaben (ohne geheimen Sinn)" bedeuten kann. Im Sinne von „Geheimschrift" verwendet man seit dem 17./18. Jh. das *frz.* LW →Chiffre, das denselben Ursprung hat. Das obenerwähnte *afrz.* cifre, das bis zum 17. Jh. „Null" und vom 15. Jh. an auch „Ziffer", später zudem „Geheimschrift" bedeutete, war im 16. Jh. zu chiffre geworden, wahrscheinlich infolge lautlicher Beeinflussung durch *it.* cifra, wohl im Zusammenhang mit dem Geldverkehr. Zu 'Ziffer' in der Bedeutung „Geheimschrift" gehört das heute nicht mehr gebräuchliche Verb ziffern „Ziffern schreiben, rechnen; in Geheimzeichen schreiben; Schriftzeichen schreiben" (um 1700), dazu vielleicht entziffern (18. Jh.), das aber wohl eher eine Nachbildung von *frz.* déchiffrer „entziffern, dechiffrieren" ist (s. dechiffrieren unter →Chiffre).

...zig: Die für die Zehnerzahlen von zwanzig bis neunzig charakteristische Endung *mhd.* -zec, *ahd.* -zig, -zug, *niederl.* -tig, -ty, *aisl.* -tigr (vgl. *got.* tigus „Zehner") gehört zu dem unter →zehn behandelten *idg.* Zahlwort. Sie bedeutet eigtl. „Zehner, Zehnheit". Zur unbestimmten Angabe von Zehnerstellen tritt '...zig' *ugs.* auch als selbständiges Wort in der Bedeutung „sehr viel" auf, z. B. 'er fuhr zig Kilometer'.

Zigarre *w*: Der Name der aus walzenförmig gerollten Tabakblättern hergestellten Rauchware, in *dt.* Texten seit dem 18. Jh. (zuerst als 'Cigarr') bezeugt, beruht wie entspr. *frz.* cigare, *engl.* cigar, *it.* sigaro u. a. auf gleichbed. *span.* cigarro. Die weitere Herkunft des Wortes ist unsicher. – Dazu: Zigarette *w* (19. Jh.; aus gleichbed. *frz.* cigarette, einer Verkleinerungsbildung zu *frz.* cigare); Zigarillo *m* oder *s* „kleine Zigarre, deren Spitze abgeschnitten ist" (20. Jh.; aus *span.* cigarrillo, einer Verkleinerungsbildung zu cigarro).

Zimmer *s*: Das *altgerm.* Substantiv *mhd.* zimber, *ahd.* zimbar „Bau[holz]", *mniederl.* timmer „Baumaterial; Gebäude", *engl.* timber „Bauholz", *schwed.* timmer „Bauholz" gehört zu der unter →ziemen entwickelten *idg.* Wurzel *dem[ə]- „[zusammen]fügen, bauen". Es bedeutete urspr. „Bauholz", woraus sich im *Westgerm.* die Bed. „[Holz]gebäude" entwickelte. Auf das *Dt.* beschränkt ist die weitere Bedeutungsentwicklung zu „Wohnraum" (15. Jh.). Das -b- in den *mhd.*, *ahd.* und *engl.* Formen ist der leichteren Aussprache wegen eingeschoben. Abl.: zimmern (*mhd.* zimbern, *ahd.* zimbrōn). Zus.: Zimmermann (*mhd.* zimberman, *ahd.* zimbarman).

zimperlich „geziert, überempfindlich": Das im 16. Jh. belegte Adjektiv ist eine Ableitung vom gleichbed. Adj. *mdal.* zimper, das dunklen Ursprungs ist. – Abl.: Zimperlichkeit *w* (18. Jh.).

Zimt *m*: Das Substantiv *mhd.* zinemīn, zinment, *spätmhd.* zimet ist LW aus *lat.* cinnamum, das seinerseits aus *gr.* kínnamon entlehnt ist. Das *gr.* Wort stammt aus dem *Semitischen*, vgl. *hebr.* qinnāmōn „Zimt".

Zink *s*: Das seit dem 16. Jh. in den Formen Zinken, Zink belegte Substantiv ist wohl urspr. identisch mit dem unter →Zinke behandelten Wort. Das Destillat des Metalls setzt sich nämlich an den Wänden des Schmelzofens in Form von Zinken, d. h. Zacken, ab.

Zinke *w*, **Zinken** *m* „Zacke, Spitze": Das Substantiv *mhd.* zinke, *ahd.* zinko ist wohl eine Bildung zu dem untergegangenen Substantiv Zind „Zahn, Zacke" (*mhd.* zint), das – wie →Zinne – auf einer *idg.* Form beruht, die zu dem unter →Zahn behandelten *idg.* *[e]dont- „Zahn" gehört. 'Zinke' würde demnach eigtl. „Zahn" bedeuten. Siehe auch den Artikel →Zink.

Zinn *s*: Die *altgerm.* Metallbezeichnung *mhd.*, *ahd.* zin, *niederl.* tin, *engl.* tin, *schwed.* tenn ist unsicherer Herkunft. Vielleicht ist sie verwandt mit dem *gemeingerm.*, im *Dt.* nur noch *mdal.* Wort Zain *m* „Zweig, Metallstab, Rute", *mhd.*, *ahd.* zein, *got.* tains, *engl.* -toe (in *engl.* mistletoe „Mistel", eigtl. „Mistelzweig"), *schwed.* ten „Metallstäbchen". Das Metall wurde in Stäben gegossen. 'Zinn' würde demnach eigtl. „Stab[förmiges]" bedeuten.

Zinne *w*: Das Substantiv *mhd.* zinne, *ahd.* zinna (entspr. *niederl.* tinne) gehört wie →Zinke zu der unter →Zahn dargestellten *idg.* Wortgruppe. 'Zinne' bedeutet eigtl. „Zahn, Zacke".

Zinnober *m*: Der Name des roten Minerals (*mhd.* zinober) ist über *afrz.* cenobre aus *lat.* cinnabaris entlehnt, das seinerseits aus *gr.* kinnábari „Zinnober" stammt.

Zins *m*: Das Substantiv *mhd.*, *ahd.* zins „Abgabe, Tribut, [Pacht-, Miet]zins" ist aus *lat.* cēnsus „Vermögensschätzung, Steuerliste, Vermögen" entlehnt (vgl. *Zensur*). Die Bed. „Entgelt für die Überlassung von Kapital" ist seit *mhd.* Zeit belegt, für sie gilt seit Ende des 18. Jh.s meist die *Mehrz.* Zinsen. Abl.: zinsen, veraltet für „Zins[en] zahlen" (*mhd.*, *ahd.* zinsen), dazu verzinsen (*mhd.* verzinsen „Zins bezahlen", seit dem 16. Jh. auf die Kapitalzinsen bezogen).

Zipfel *m*: Das erst *spätmhd.* auftretende Substantiv ist eine Bildung zu *mhd.* zipf „spitzes Ende, Spitze" (*mhd.* *niederl.* tip „Zipfel", *engl.* tip „Spitze, Zipfel", *schwed.* tipp „Spitze" entsprechen. Im *germ.* Sprachbereich sind die unter →Zapfen und →Zopf behandelten Wörter verwandt. *Außergerm.* Anknüpfungen sind unsicher.

zirka, circa „ungefähr, etwa" (Abk.: ca.): Im 17. Jh. aus *lat.* circā „ringsherum, nahe bei; ungefähr, gegen" (Adv. und Präp.) übernommen. Das *lat.* Adv. selbst ist abge-

leitet von *lat.* Subst. circus „Kreis, Kreislinie" (vgl. *Zirkus*) nach dem Vorbild anderer Adverbien auf -ā wie *lat.* extrā „außerhalb", īnfrā „unterhalb".

Zirkel *m*: Das Substantiv *mhd.* zirkel, *ahd.* círcil ist aus *lat.* circinus „Zirkel als Instrument" unter möglicher Beeinflussung durch *lat.* circulus „Kreis[linie]" entlehnt. *Lat.* circinus und *lat.* circulus sind Bildungen zu *lat.* circus „Ring, Kreis" (vgl. *Zirkus*). Zur Bedeutung „Zirkel als Instrument, damit gezogener Kreis" kam im 18. Jh. die Bedeutung „Gesellschaftskreis" hinzu als Übersetzung von *lat.* circulus „gesellschaftlicher Kreis" unter Anlehnung an *frz.* cercle „Kreis" (< *lat.* circulus). Siehe auch zirkulieren. – Abl.: abzirkeln (16. Jh.). Zus.: Zirkelschluß (18. Jh.; Übersetzung von *lat.* probātiō circulāris [eigtl. „sich im Kreis drehender Beweis"] „Beweis, bei dem das zu Beweisende bereits in der Voraussetzung enthalten ist").

zirkulieren „in Umlauf sein, umlaufen, kreisen": Das vereinzelt bereits in *frühnhd.* Zeit, häufiger seit dem 17. Jh. bezeugte FW geht auf *lat.* circulāre „im Kreis herumgehen" zurück. Zugrunde liegt *lat.* circulus „Kreis, Kreislinie, Ring", eine Verkleinerungsbildung zu gleichbed. *lat.* circus (vgl. *Zirkus*). – Abl.: Zirkulation *w* „Kreislauf, Umlauf; Blutkreislauf" (17. Jh.; aus *lat.* circulātiō „Kreislauf, Umlauf").

zirkum..., **Zirkum...**: 'Zirkum...' stammt aus *lat.* circum- „um..." (z. B. in Zirkumflex von *lat.* circumflexus „umgebogen", zu circumflectere; vgl. flektieren). *Lat.* circum- entspricht dem Adverb *lat.* circum „rings[um]", das eine Bildung zu *lat.* circus „Ring" (vgl. *Zirkus*) ist.

Zirkus *m*: Das Substantiv ist seit dem 18. Jh. belegt. Es ist unter *frz.* und *engl.* Einfluß aus *lat.* circus „Zirkus, Rennbahn, Kreis, Ring" entlehnt, das vielleicht auf *gr.* kírkos „Ring" (vgl. *schräg*) zurückgeht. Zu *lat.* circus in der Bedeutung „Kreis" gehören auch die FW zirka, Zirkel, zirkulieren, zirkum...

zirpen: Das seit dem 17. Jh. belegte Verb ist lautnachahmenden Ursprungs, wie die ähnlichen Lautnachahmungen s c h i r p e n und s c h i l p e n, *engl.* to chirp „zirpen, zwitschern".

zischen: Das seit dem 16. Jh. belegte Verb ist lautnachahmenden Ursprungs.

ziselieren „Metall mit Grabstichel, Meißel, Feile u. a. bearbeiten; Figuren und Ornamente aus Gold oder Silber herausarbeiten": Im 18. Jh. aus gleichbed. *frz.* ciseler entlehnt. Das *frz.* Verb ist abgeleitet von *frz.* ciseau „Meißel", das ein *vlat.* Subst. *cīsellus voraussetzt. Letzteres ist wohl umgebildet aus *vlat.* *caesellus „Schneidewerkzeug" nach Vorbildern wie *lat.* abscīsus „abgeschnitten" und *spätlat.* cīsōrium „Schneidewerkzeug".

Alle diese Wörter gehören letztlich zum Stamm von *lat.* caedere, caesum (in Komposita: -cīdere, -cīsum) ,,(die Bäume) schneiden, stutzen; abhauen, abschlagen'' (vgl. *Zäsur*).

Zisterne *w*: Das Substantiv *mhd.* zisterne ist entlehnt aus *lat.* cisterna ,,Zisterne, unterirdischer Behälter zur Ansammlung von Regenwasser'', das eine Bildung zu *lat.* cista ,,Kiste'' (vgl. *Kiste*) ist.

Zither *w*: *Ahd.* zitara ist entlehnt aus *lat.* cithara ,,Zither'', aus dem auch *niederl.* cither, *schwed.* cittra und (durch *frz.* Vermittlung) *engl.* cither stammen. Das *lat.* Wort seinerseits ist entlehnt aus *gr.* kithárā ,,Zither'', das unbekannter Herkunft ist. *Ahd.* zitara wurde durch *mhd.* zitōl[e] abgelöst, das aus *afrz.* citole entlehnt war. Daneben blieb *lat.* cithara bekannt, das im Anfang des 17. Jh.s erneut entlehnt wurde. Vgl. auch Gitarre.

zitieren ,,(Geschriebenes oder Gesprochenes) wörtlich anführen; jmdn. herbeirufen, vorladen'': Das bereits in der Rechtssprache des 15. Jh.s im Sinne von ,,vor Gericht laden'' bezeugte Verb geht wie entspr. *frz.* citer auf *lat.* citāre ,,herbeirufen, vorladen; sich auf die Zeugenaussage jmds. berufen; anführen, erwähnen'' (eigtl. ,,in schnelle Bewegung setzen'') zurück. Stammwort ist *lat.* ciēre (citum) ,,in Bewegung setzen, erregen, antreiben; aufrufen, herbeirufen usw.'', das mit *dt.* →*heißen* urverwandt ist. – Dazu: Zitat *s* ,,wörtlich angeführte Stelle (aus einer Schrift oder Rede); bekannter Ausspruch, geflügeltes Wort'' (gelehrte Entlehnung des 18. Jh.s aus *lat.* citātum ,,das Angeführte, Erwähnte''). – Siehe auch rezitieren.

Zitrone *w*: Der im Deutschen seit dem 16. Jh. bezeugte Name für die Frucht des urspr. im indisch-malaiischen Gebiet heimischen Zitronenbaumes ist aus gleichbed. älter *it.* citrone (dafür heute *it.* limone, s. Limone) entlehnt. Das *it.* Wort selbst beruht wie gleichbed. *frz.* citron auf einer Bildung zu *lat.* citrus ,,Zitronenbaum, Zitronatbaum''. – Dazu: Zitronat *s* ,,kandierte Fruchtschale einer großen Zitronenart'' (16. Jh.; über gleichbed. *frz.* citronnat aus älter *it.* citronata entlehnt).

zittern: Das *altgerm.* Verb *mhd.* zit[t]ern, *ahd.* zitterōn, *engl. mdal.* to titter, *aisl.* titra ist unsicherer Herkunft. Vielleicht beruht es auf einer reduplizierenden Präsensbildung zur *idg.* Wurzel *der- ,,laufen, sich schnell bewegen'', vgl. aus anderen *idg.* Sprachen *aind.* dráti ,,läuft'', *gr.* apo-didráskein ,,weglaufen'', zu dem sich *gr.* drómos ,,Lauf'' (s. Dromedar) stellt. Zu dieser Wurzel gehört vielleicht auch das unter →*trollen* behandelte Verb. Dazu: zitterig (Ende des 15. Jh.s); erzittern (*mhd.* erziteren, erzittern).

Zitze *w*: *Mhd.* zitze ist wie *niederl.* tit, *aengl.* titt, *schwed. mdal.* tiss, titt ,,Brustwarze'' ein Lallwort der Kindersprache, vgl. dazu *armen.* tit ,,Mutterbrust'' und *gr.* títthē ,,Brustwarze, Mutterbrust''.

zivil ,,bürgerlich'': Das seit dem 16. Jh. bezeugte Adjektiv geht wie entspr. *frz.* civil, das seinerseits auf unser Wort eingewirkt hat, auf gleichbed. *lat.* cīvīlis zurück. Stammwort ist *lat.* cīvis ,,Bürger'' (urspr. Bed. ,,Haus- oder Gemeindegenosse''), das u. a. urverwandt ist mit den unter →*Heirat* genannten *germ.* Wörtern *ahd.* hī[w]o ,,Hausgenosse, Familienangehöriger; Gatte'' usw. Dazu: Zivil *s* ,,bürgerliche Kleidung'' (im Gegensatz zur militär. →Uniform), im 19. Jh. aufgekommen nach gleichbed. *frz.* 'tenue civile'; Zivilist *m* ,,wer nicht Soldat oder Uniformträger ist'' (Anfang 19. Jh.; *nlat.* Bildung); zivilisieren ,,der Zivilisation zuführen; gesittet machen, verfeinern, veredeln'' (Anfang 18. Jh.; aus gleichbed. *frz.* civiliser); Zivilisation *w* ,,die Gesamtheit der durch den Fortschritt von Wissenschaft und Technik geschaffenen [verbesserten] Lebensbedingungen; Lebensverfeinerung, Gesittung'' (18. Jh.; aus gleichbed. *frz.* civilisation, *engl.* civilization).

Zobel *m*: Die Bezeichnung der Marderart und ihres Felles (*mhd.* zobel, *ahd.* zobil) wurde im Rahmen des Fellhandels mit den *Slawen* aus dem *Slawischen* entlehnt, vgl. die gleichbed. Wörter *tschech.* sobol, *russ.* sóbol'. Die Herkunft des slawischen Wortes ist unklar.

Zofe *w*: Das zuerst im 17. Jh. als Zofe, Zoffe in Sachsen bezeugte Substantiv gehört wohl zu dem untergegangenen *mitteld.* Verb zoffen (,,zögern'' (16. Jh.), das auch in *frühnhd.* Zoffmagd ,,Nachtreterin, der Herrin nachfolgende Magd'' enthalten ist und etwa ,,hinterherzotteln'' bedeutet. Das Verb ist eine Nebenform zu *mdal.* zaufen ,,zurücktreten, -gehen''. 'Zofe' bedeutet also eigtl. ,,Hinterherzottlerin''.

zögern: Das seit dem 17. Jh. belegte Verb ist eine Iterativbildung zu *frühnhd.* zogen ,,sich von einem Ort zum anderen bewegen'', *mhd.* zogen, *ahd.* zogōn ,,gehen, ziehen, [ver]zögern'' (entpr. *engl.* to tow ,,ziehen, schleppen'', *aisl.* toga ,,ziehen, zerren''), das zu dem unter →*ziehen* behandelten Verb gehört. Das Verb 'zögern' bedeutet demnach eigtl. ,,wiederholt hin und her ziehen''. Präfixbildung: verzögern (17. Jh.), dazu Verzögerung *w* (Ende des 17. Jh.s).

Zögling *m*: Das im 18. Jh. als Übersetzung von gleichbed. *frz.* élève gebildete Wort ist von dem Präteritumstamm (zog-) des Verbs →*ziehen* (im Sinne von ,,erziehen'') abgeleitet.

Zölibat *m* oder *s* ,,Ehelosigkeit, bes. aus religiösen Gründen'': Das der Kirchensprache entstammende, seit dem 16. Jh. bezeugte FW beruht auf *lat.* caelibātus ,,der ehelose Stand, die Ehelosigkeit''. Zu *lat.* caelebs (-libis) ,,ehelos''. Die heute übliche ö-Form des Fremdwortes resultiert aus einer irrtümlichen Lesung.

¹Zoll m „Abgabe": Das Substantiv *mhd.*, *ahd.* zol, *niederl.* tol, *engl.* toll, *schwed.* tull ist aus *mlat.* telōnium entlehnt, das auf *gr.* telōnion „Zoll[haus]" zurückgeht. Siehe auch Zöllner. Abl.: zollen (*mhd.* zollen „Zoll geben", heute nur noch in Wendungen wie 'Dank, Anerkennung usw. zollen'), dazu verzollen (seit 1300). Zus.: zollfrei (*mhd.* zollvrī).

²Zoll m (Längenmaß): Das Substantiv *mhd.* zol „zylinderförmiges Stück, Klotz" (entspr. *niederl.* tol „Kreisel") gehört zu der unter →*Zahl* entwickelten *idg.* Wurzel *del[ə]- „spalten, kerben, schnitzen, behauen". Es bedeutete demnach eigentlich „abgeschnittenes Holz". Seit dem 16. Jh. wird das Wort als Bezeichnung für ein kleines Längenmaß gebraucht.

Zöllner m: Das Substantiv *mhd.* zolnǣre, *ahd.* zolōnāri (entspr. *niederl.* tollenaar) ist aus gleichbedeutendem *mlat.* telanārius entlehnt, einer Bildung zu *mlat.* telōnium „Zoll[haus]" (vgl. ¹*Zoll*).

Zone w „[Erd]gürtel; Gebiet[sstreifen]": Im 18. Jh. aus *lat.* zōna „Gürtel; Erdgürtel" entlehnt, das seinerseits aus gleichbed. *gr.* zṓnē stammt. Zu *gr.* zónnýnai „sich gürten".

Zoologie w „Tierkunde": Das seit dem 18. Jh. bezeugte, aus *frz.* zoologie übernommene FW ist eine gelehrte, zusammengesetzte Neubildung aus *gr.* zōion „Lebewesen; Tier" (zu *gr.* zēn, zóein „leben", etymolog. verwandt mit *dt.* →*keck*) und *gr.* lógos „Rede, Wort; wissenschaftl. Forschung" (vgl. *Logik*). Dazu: Zoologe m „Wissenschaftler auf dem Gebiet der Zoologie" (19. Jh.); zoologisch „die Zoologie betreffend" (19. Jh.); Zoo m „Tiergarten, Tierpark" (20. Jh.; Kurzwort für 'zoologischer Garten').

Zopf m: Das *altgerm.* Substantiv *mhd.* zopf „Haarflechte; geflochtenes Backwerk; hinterstes Ende, Zipfel", *ahd.* zoph „Locke", *niederl.* top „Spitze, Gipfel, Wipfel", *engl.* top „Spitze, Gipfel, Wipfel; oberes Ende", *schwed.* topp „Gipfel, Wipfel, Spitze" bedeutete urspr. wohl „Spitze", dann „Gipfel, Wipfel; aufgestecktes Haar, Haarbüschel (bes. auf dem Scheitel)". Nur im *hochd.* Sprachbereich hat sich daraus die Bed. „geflochtenes Haar" entwickelt. Beachte dagegen die *niederd.* Entsprechung Topp m „oberstes Ende eines Mastes" (im 18. Jh. schriftsprachlich). Im *germ.* Sprachbereich sind mit 'Zopf' die unter →*Zapfen* und →*Zipfel* behandelten Substantive verwandt, vielleicht auch →*zupfen*. *Außergerm.* Anknüpfungen sind unsicher.

Zorn m: Das *westgerm.* Substantiv *mhd.*, *ahd.* zorn „Wut, Beleidigung; Streit", *niederl.* toorn „Zorn, Grimm", *aengl.* torn „Zorn, Grimm; Kummer, Leid, Elend" (vgl. *aengl.* torn „bitter, grausam, schmerzlich") ist unsicherer Herkunft. Vielleicht gehört es zu der unter →*zehren* entwickelten *idg.* Wurzel. Abl.: zornig (*mhd.* zornec, *ahd.* zornac); zürnen (*mhd.* zürnen, *ahd.* zurnen), dazu erzürnen (*mhd.* erzürnen, *ahd.* irzurnen).

Zote w: „unanständiger Witz": Das seit dem Ende des 15. Jh.s, zuerst meist in der *Mehrz.* Zot[t]en auftretende Substantiv ist wahrscheinlich identisch mit → *Zotte*, das früher speziell „unsauberes Haar, Schamhaar, unsauberes Frauenzimmer" bedeutete.

Zotte, Zottel w: Das Substantiv *mhd.* zot[t]e, *ahd.* zota, zata „herabhängendes [Tier]haar, Flausch" ist im *germ.* Sprachbereich verwandt mit *niederl.* todde „Fetzen, Lumpen", *engl.* (veraltet) tod „Busch, ein bestimmtes Wollgewicht", *aisl.* toddi „Stückchen". Die weiteren Beziehungen sind unklar. Die Verkleinerungsform 'Zottel' ist erst *spätmhd.* belegt. Siehe auch den Artikel Zote. Abl.: zotteln *mdal.* für „langsam gehen", eigtl. „hin und her baumeln" (17. Jh.); zottig (16. Jh; für *mhd.* zoteht, *ahd.* zatoht).

zu: Das *westgerm.* Wort (Adv., Präp.) *mhd.* zuo, ze, *ahd.* zuo, za, zi, *niederl.* toe, te, *engl.* too, to ist wahrscheinlich verwandt mit *gr.* -de „zu" (z. B. in *gr.* oikón-de „nach Hause"), *lat.* dē „von, über, betreffs" (s. de...), *russ.* do „bis". Als Adverb steht 'zu' vor allem in unfest zusammengesetzten Verben, die eine Richtung, im Schließen oder Hinzufügen bezeichnen, ferner in Zus. wie nahezu, dazu. Als Präposition bezeichnet 'zu' die absichtliche, zweckhafte Bewegung auf ein Ziel hin, früher auch die Ruhelage (beachte noch 'zu Hause', 'zu Ostern'). Auch als Infinitivkonjunktion ist 'zu' urspr. Präposition gewesen, ebenso als Bezeichnung des zu hohen Grades bei Adjektiven und Adverbien.

Zubehör s: Das erst im 18. Jh. belegte Wort ist wohl aus dem *Niederd.* übernommen (vgl. *mnd.* tobehȫre). Es gehört dann zu *mnd.* [to]behȫren „zukommen, gebühren", dem gleichbed. älter *nhd.* behören entspricht. Diese Verben sind Präfixbildungen zu →*hören*.

Zuber m „großer Bottich": Das Substantiv *mhd.* zuber, *ahd.* zubar, zwipar ist eine Zusammensetzung, deren erster Bestandteil zu →*zwei* und deren zweiter Bestandteil zum *ahd.* Verb beran „tragen" (vgl. *gebären*) gehört. Es bedeutet eigtl. „Zweiträger, Gefäß mit zwei Henkeln". Vgl. auch Eimer.

Zucht w: Das *westgerm.* Substantiv *mhd.*, *ahd.* zuht, *niederl.* tucht, *aengl.* tyht ist eine Bildung zu dem unter →*ziehen* behandelten Verb. Es bedeutet eigtl. „das Ziehen". Daraus entwickelten sich früh die Bedeutungen „Ernährung, Erziehung, Nachkommenschaft (bes. von Tieren und Pflanzen)" und „Disziplin, Strafe; Anstand, Sittsamkeit". Abl.: züchten (*mhd.* zühten, *ahd.* zuhten

„aufziehen, nähren"); Züchter *m (mhd.* zühter „wer junge Tiere aufzieht", *ahd.* zuhtari „Lehrer, Erzieher"); züchtig *(mhd.* zühtec, *ahd.* zuhtig „wohlgezogen"), dazu züchtigen *(mhd.* zühtegen „strafen"). Beachte auch die Gegenwörter Unzucht *(mhd., ahd.* unzuht) und unzüchtig *(mhd.* unzühtec, *ahd.* unzuhtig). Zus.: Inzucht „innere Züchtung" (mit nahe verwandten Lebewesen; 19. Jh.); Zuchthaus (im 16. Jh. für „Erziehungsanstalt", seit dem 17. Jh. auch für „Arbeitshaus; Gefängnis").

zucken: Das *westgerm.* Verb *mhd.* zucken, *ahd.* zucchōn, *mniederl.* tucken, *mengl.* tukken gehört – wie 'zücken' (s. d.) – zu dem unter →*ziehen* behandelten Verb. Es bedeutet eigtl. „heftig oder wiederholt ziehen". Abl.: Zuckung *w* (15. Jh. für „Verzükkung", heute für „heftige, unwillkürliche Bewegung"). Beachte auch die Zus. zurückzucken und zusammenzucken.

zücken: Das auf das *dt.* Sprachgebiet beschränkte Verb *mhd.* zücken, *ahd.* zuccan gehört – wie 'zucken' (s. d.) – zu dem unter → *ziehen* behandelten Verb und bedeutet eigtl. „heftig ziehen oder reißen". Bis zum 18. Jh. wurde 'zücken' gleichbedeutend mit 'zucken' verwendet, von da an nur noch transitiv, speziell auf das schnelle Ziehen einer Waffe bezogen. Beachte die Präfixbildung → entzücken (s. dort auch über verzücken).

Zucker *m*: Mhd. zuker ist entlehnt aus gleichbed. *it.* zucchero, das seinerseits aus gleichbed. *arab.* sukkar entlehnt ist. Das *arab.* Wort stammt letzten Endes – wie *gr.* sákcharon „Zucker" (beachte das FW Saccharin) – von *aind.* śárkarā „Kieselstein; gemahlener Zucker". Abl.: zuckern (17.Jh.).

Zufall *m*: Mhd. zuoval bedeutete, dem zugrunde liegenden Verb zufallen entsprechend, „das, was jemandem zufällt, zuteil wird, zustößt", daher „Abgabe, Einnahme; Beifall, Zustimmung; Anfall" (vgl. *fallen*). Bei den Mystikern des 14. Jh.s wurde es im Anschluß an *lat.* accidēns, accidentia für „äußerlich Hinzukommendes" gebraucht. Daraus entstand die heutige Bed. „(scheinbar) sinnloses Vorkommnis". Abl.: zufällig (spätmhd. zuovellic).

Zug *m*: Das *westgerm.* Substantiv *mhd., ahd.* zuc, *mnd.* toch, *aengl.* tyge ist eine Bildung zu dem unter →*ziehen* behandelten Verb. Die Grundbedeutung ist „das Ziehen" (beachte dazu Zus. wie Feldzug, Flaschenzug und 'Zug im Brettspiel'). In der Bed. „geschlossen ziehende Menschenmenge" erscheint 'Zug' seit dem 16. Jh., zuerst in der Heeressprache. Daran schloß sich in der ersten Hälfte des 19. Jh.s die Verwendung im Sinne von „Eisenbahnzug" (Bedeutungslehnwort von *engl.* train) an. Seit dem 16. Jh. ist 'Zug' auch im Sinne von „stetige Luftbewegung" gebräuchlich. Abl.: zugig

„windig" (19. Jh.); zügig „in einem Zuge" (16. Jh.).

Zügel *m*: Das *altgerm.* Substantiv *mhd.* zügel, *ahd.* zugil, *niederl.* teugel, *aengl.* tygel, *schwed.* tygel ist eine Bildung zu dem unter →*ziehen* behandelten Verb. Es bedeutet eigtl. – wie das andersgebildete →Zaum – „Mittel zum Ziehen", woraus sich die heutige Bedeutung entwickelt hat. Abl.: zügeln meist im übertragenen Sinne (seit Mitte des 18. Jh.s). Zus.: zügellos „unbeherrscht" (17. Jh.).

Zuhälter *m*: Das seit dem 19. Jh. bezeugte Wort ist eine Ableitung von dem selten gebrauchten zusammengesetzten Verb zuhalten, *spätmhd.* zuohalten „es [buhlerisch] mit einem halten" (vgl. *halten*). Zuhälter bedeutet demnach eigtl. „außerehelicher Geschlechtspartner", beachte das veraltete Zuhälterin „Dirne" (15. Jh.). Daraus ergab sich die Bedeutung „Dirnenbeschützer".

zünden: Das urspr. nur *oberd.* Verb *mhd.* zünden, *ahd.* zunden „Feuer anzünden" stellt sich wie das andersgebildete *got.* tundnan „brennen" und die Veranlassungswörter *got.* tandjan, *aengl.* on-tendan, *schwed.* tända „anzünden, brennen machen" zu einem untergegangenen *germ.* starken Verb, das in *mhd.* ich zinne „glühe" vorliegt. Siehe auch Zunder. Außergerm. Anknüpfungen der Wortgruppe sind nicht gesichert. Abl.: Zünder *m* „Zündvorrichtung" (18. Jh.); Zündung *w* (19. Jh.). Präfixbildungen und Zus.: anzünden *(mhd.* anzünden); entzünden *(mhd.* enzünden, *ahd.* inzunden; im medizin. Sinne seit dem 18. Jh.), dazu Entzündung *w* (18. Jh.; meist im medizin. Sinne); Zündholz (Anfang des 18. Jh.s).

Zunder *m* „Zündschwamm": Das *altgerm.* Substantiv *mhd.* zunder, *ahd.* zuntra, *niederl.* tonder, *engl.* tinder, *schwed.* tunder ist mit dem unter → *zünden* behandelten Verb verwandt.

Zunft *w*: Das auf das *dt.* Sprachgebiet beschränkte Substantiv *mhd.* zunft, *ahd.* zumft ist eine Bildung zu dem unter →*ziemen* behandelten Verb (beachte zur Bildung z. B. das Verhältnis von 'Vernunft' zu 'vernehmen'). Es bedeutet eigtl. „was sich fügt, paßt oder sich schickt". Daraus entwickelte sich die Bedeutung „Übereinkommen, Ordnung, Vertrag", wie sie im *Ahd.* üblich war. In *mhd.* Zeit entstand daraus die Bedeutung „Ordnung, nach der eine Gesellschaft lebt; Verband, Gruppe, bes. von Handwerkern". Abl.: zünftig *(mhd.* zünftic „zur Zunft gehörig", *ahd.* zumftig „friedlich").

Zunge *w*: Das *gemeingerm.* Substantiv *mhd.* zunge, *ahd.* zunga, *got.* tuggō, *engl.* tongue, *schwed.* tunga ist z. B. verwandt mit *lat.* lingua „Zunge" (mit l- von *lat.* lingere „lecken", *altlat.* dingua). Welche Vorstellung dieser Benennung zugrunde liegt, ist unbekannt. Abl.: züngeln (17. Jh.).

zupfen: Das erst seit dem 15. Jh. belegte, urspr. nur *oberd.* Verb ist nicht sicher erklärt. Vielleicht ist es mit dem unter →*Zopf* behandelten Substantiv verwandt, das *mdal.* auch „Flachs-, Hanfbüschel" bedeutet, und würde dann urspr. „Flachs, Hanf raufen" bedeuten.

zusammen: Das Adverb *mhd.* zesamen[e], *ahd.* zasamane enthält als zweiten Bestandteil das Adverb *mhd.* samen, *ahd.* saman „gesamt, zusammen", das zu der unter →*sammeln* behandelten Wortgruppe gehört. Der erste Bestandteil ist die Präposition zu (s. d.). Ähnlich ist be i s amm en (16. Jh.; beachte gleichbed. *mhd.* besamen) gebildet.

Zwang *m*: Das Substantiv *mhd.* zwanc, dwanc, twanc, *ahd.* thwanga (*Mehrz.*) ist eine Bildung zu dem unter →*zwingen* behandelten Verb. Zus.: zwanglos (18. Jh.).

zwängen: Das Verb *mhd.* zwengen, twengen, *ahd.* dwengen ist das Veranlassungswort zu dem unter →*zwingen* behandelten Verb und bedeutet eigtl. „drücken machen". Eine Ableitung zu ‚zwängen' ist wahrscheinlich →*quengeln*.

zwanzig: Das *westgerm.* Zahlwort *mhd.* zweinzec, zweinzic, *ahd.* zweinzug *niederl.* twintig, *engl.* twenty ist zusammengesetzt aus der männl. Form des Zahlwortes →*zwei* (z. B. *ahd.* *zweine, nur als zwēne belegt) und dem unter →*...zig* behandelten Wort; es bedeutet eigtl. „zwei Zehner". Vgl. gleichbed. *got.* twai tigus „zwanzig".

Zweck *m*: Das Substantiv *mhd.* zwec „Nagel aus Holz oder Eisen", *ahd.* zwec „Nagel" gehört zu dem unter →*zwei* behandelten Zahlwort. Es bedeutet urspr. – wie das näher verwandte Wort →*Zwieg* – „gegabelter Ast, Gabelung". Im 15. und 16. Jh. bezeichnete ‚Zweck' dann den Nagel, an dem die Zielscheibe aufgehängt war, oder den Nagel, der in der Mitte der Zielscheibe saß, woraus die Bed. „Zielpunkt", übertr. „Absicht, Sinn" entstand. Abl.: be - zwecken (18. Jh.). Zus.: zwecklos (18. Jh.); zweckmäßig (18. Jh.). – Als sich die Bed. von ‚Zweck' „Nagel" zu „Absicht, Sinn" gewandelt hatte, bildete man im 18. Jh. für „Nagel" die Nebenform Zwecke w. Zu dem alten Wort Zweck „Nagel" gehört noch die Abl. zwecken „mit Zwecken befestigen" (Anfang des 17. Jh.s) mit der Zus. anzwecken (18. Jh.) u. a.

Zwehle, Quehle *w* (*landsch.* für:) „Hand-, Tischtuch": Das *westgerm.* Substantiv *mhd.* twehel[e], zwehel, *ahd.* twahilla, dwahilla, *niederl.* dwaal, *aengl.* đwēle bezeichnet urspr. ein Badetuch. Es ist abgeleitet von dem *gemeingerm.* Substantiv *ahd.* dwahal, *got.* þwahl, *aengl.* đwēal „[Laugen]bad", *schwed.* tvāl „Seife", das seinerseits zu einem *gemeingerm.* starken Verb mit der Bed. „waschen, baden" gebildet ist (z. B. erhalten in *mhd.* dwahen, *ahd.* dwahan, in *oderd.* *mdal.* zwagen „den Kopf waschen", vgl. *schwed.* två „waschen"). *Außergerm.* Beziehungen dieser *germ.* Wortgruppe, die durch die Sippen von ‚baden' und ‚waschen' verdrängt worden ist, sind nicht gesichert. Über den *oberd.* und *mitteld.* Nebenform Quehle (*spät-mhd.* quehel) s. den Artikel quer.

zwei: Die heute übliche Form geht zurück auf die sächliche Form *mhd.*, *ahd.* zwei. Nur noch *mdal.* gebräuchlich sind die alte männliche Form zween (*mhd.*, *ahd.* zwēne) und die alte weibliche Form zwo (*mhd.*, *ahd.* zwō, zwā). Die Form zwo wurde im 20. Jh. aus Deutlichkeitsgründen neu belebt, um Verwechslung von ‚zwei' mit dem gleich auslautenden ‚drei' zu verhindern. Das Zahlwort ist *gemeingerm.*, vgl. noch *got.* twai m, twōs w, twa s, *engl.* two, *schwed.* två. Es beruht auf *idg.* *dụõ[u] m, *dụai w, s „zwei". In anderen *idg.* Sprachen sind z. B. verwandt *aind.* dvau „zwei", *gr.* dýo „zwei" (s. [2]*di*...), *lat.* duo „zwei" (s. das FW *Duo*). Wahrscheinlich gehört zu ‚zwei' das unter →*zer*... behandelte Präfix. Bildungen zu ‚zwei' sind die unter →*Zuber* (eigtl. „Gefäß mit zwei Henkeln"), →*zwanzig* (eigtl. „zwei Zehner"), →*Zweck* (eigtl. „Astgabel, Gabelung"), → *Zweifel* (eigtl. „zweifach[e Möglichkeit]"), →*Zweig* (eigtl. „gegabelter Ast"), →*Zwillich* (eigtl. „zweifach"), →*Zwilling* (eigtl. „Zweiling"), →*Zwirn* (eigtl. „zweifacher Faden"), →*zwischen* (eigtl. „[in der Mitte] von beiden"), →*Zwist* (eigtl. „Entzweiung"), →*Zwitter* (eigtl. „zweierlei") und →*zwölf* (eigtl. „zwei plus [zehn]") behandelten Wörter. Vgl. auch die unter zwie... behandelten Bildungen und →*Zwickmühle*. Abl.: Zu einem heute nicht mehr gebräuchlichen einfachen Verb *mhd.* zweien „sich einigen, paaren" gehört als Präfixbildung ent - zweien „sich streiten" (*spätmhd.* enzweien; vgl. die die Trennung oder den Gegensatz ausdrückende Partikel ent...); zweite (14. Jh.; an Stelle von →*ander*). Zus.: entzwei (*mhd.* enzwei, *ahd.* in zwei, eigtl. „in zwei [Teile]").

Zweifel *m*: Die Substantive *mhd.* zwīvel, *ahd.* zwīfal, *niederl.* twijfel, *got.* tweifls beruhen auf einer Zusammensetzung, deren erster Teil zu dem unter →*zwei* behandelten Wort gehört und deren zweiter Teil auf der unter →*falten* behandelten *idg.* Wz. *pel- „falten" beruht. Verwandte Bildungen sind *gr.* diplós „doppelt", *lat.* duplus „doppelt" (s. doppelt). ‚Zweifel' bedeutet demnach eigtl. „[Ungewißheit bei] zweifach[er Möglichkeit]". – Abl.: zweifeln (*mhd.* zwīveln, *ahd.* zwīfalen, zwīfalōn), dazu die Präfixbildungen bezweifeln (*mhd.* bezwīveln) und verzweifeln (*mhd.* verzwīveln).

Zweig *m*: Das auf das *dt.* und *niederl.* Sprachgebiet beschränkte Substantiv *mhd.* zwīc, *ahd.* zwig, *niederl.* twijg (vgl. das an-

dersgebildete *engl.* twig „Zweig") gehört zu
dem unter →*zwei* behandelten Wort. Es
bedeutet eigtl. „gegabelter Ast". Mit 'Zweig'
ist das unter →Zweck behandelte Wort
näher verwandt. Abl.: z w e i g e n veraltet für
„Zweige treiben" (*mhd.* zwīgen); ob a b z w e i -
g e n (18. Jh.; davon A b z w e i g u n g *w*, 1. Hälfte des 19. Jh.s) und v e r z w e i g e n (19. Jh.)
Bildungen zu 'zweigen' oder unmittelbar
von 'Zweig' abgeleitet sind, ist nicht sicher
zu entscheiden.

zwerch: Das *gemeingerm.* Adjektiv *mhd.*
twerch, *ahd.* twerah, dwerah „schräg, verkehrt, quer", *got.* þwaírhs „zornig", *aengl.*
dweorh „verkehrt, quer", *schwed.* tvär
„quer; barsch" ist nicht sicher erklärt.
Wahrscheinlich bedeutet es eigtl. „verdreht"
und gehört zu der *idg.* Sippe von 'drechseln'
(vgl. *drehen*). Der abweichende Anlaut
(*germ.* þw-) beruht wohl auf einer schon
vorgerm. Vermischung mit Wörtern der unter
→ Quirl behandelten Sippe. Der jetzige Anlaut zw- ist zuerst im 14. Jh. bezeugt. In der
Schriftsprache ist 'zwerch' seit dem 18. Jh.
von seiner urspr. *mitteld.* Nebenform 'quer'
(s. d.) verdrängt worden. Es steht heute fast
nur in Zus., z. B. ü b e r z w e r c h *mdal.* für
„quer, über Kreuz" (*mhd.* übertwerch, über
twerch) und Z w e r c h f e l l *s* „Trennwand
von Brust- und Bauchraum" (16. Jh.), dazu
z w e r c h f e l l e r s c h ü t t e r n d (19. Jh.).

Zwerg *m*: Das *altgerm.* Substantiv *mhd.*, *ahd.*
twerc, *niederl.* dwerg, *engl.* dwarf, *schwed.*
dvärg ist unsicherer Herkunft. Vielleicht
hängt es im Sinne von „Trugwesen" mit
ahd. gidrog „Gespenst" zusammen. Vgl.
auch Quarz.

Zwetsche, (*oberd.*:) Z w e t s c h g e, Z w e t s c h k e
w: Der Name der Pflaumenart erscheint im
15. und 16. Jh. zuerst im *dt.* Südwesten in Formen wie tzwetzschken, zwetsch[g]en und (mit
ähnlicher Lautentwicklung wie bei quer, s. d.)
quetzig, quetschgen (daraus *nhd. landsch.*
Quetsche „Zwetsche"). Diese verschiedenen Bildungen sind wohl durch Angleichung
von Formen entstanden, die aus den benach-
barten Mundarten Südostfrankreichs und
Norditaliens entlehnt sind und über *lat.*
*davascēna „Zwetsche" auf *lat.* damascēna
„Damaszenerpflaume" zurückgehen. Das
letztere beruht auf *gr.* Damaskēná „die
damaskische [Frucht]". Als Heimat der
Obstart galt schon in der Antike die Gegend
von Damaskus in Syrien.

zwicken: Das Verb *mhd.*, *ahd.* zwicken ist
wohl eine Intensivbildung zu *ahd.* zwīgōn
„ausreißen, rupfen, pflücken", einer Ableitung von *ahd.* zwīg „Zweig". In *mhd.* Zeit
lehnte sich 'zwicken' an *mhd.* zwec „Nagel"
(s. Zweck) an und erhielt die zusätzliche Bedeutung „mit Nägeln befestigen, einklemmen". Abl.: Z w i c k e r *m* (Brillenart;
Mitte des 19. Jh.s).

Zwickmühle *w*: Die seit dem 15. Jh. belegte
Zusammensetzung hat nichts mit →zwicken
zu tun. Der Bestandteil 'Zwick-' gehört zu
dem unter →*zwei* behandelten Wort. 'Zwickmühle' bedeutet demnach eigtl. „Zweimühle,
Zwiemühle", nach der Möglichkeit im Mühle-
spiel, durch den gleichen Zug eine Mühle zu
öffnen und eine zweite zu schließen.

zwie...: Die als Bestimmungswort auftretenden Bildungen *mhd.*, *ahd.* zwi-, *niederl.* twee-,
engl. twi-, *schwed.* tve- gehören zu dem unter
→*zwei* behandelten Zahlwort (siehe auch die
Artikel bi... und ²di...). Bildungen mit diesem Bestimmungswort sind z. B. Z w i e b a c k
m (eigtl. „zweimal Gebackenes", eine LÜ
des 17. Jh.s aus *it.* biscotto oder *frz.* biscuit,
vgl. das FW Biskuit); z w i e f a c h (*mhd.*
zwivach); Z w i e f a l t *w* (*mhd.* zwivalt, *ahd.*
als zwifalti), dazu z w i e f ä l t i g (*mhd.* zwival-
tic); Z w i e g e s p r ä c h (Anfang des 19. Jh.s);
z w i e s p ä l t i g (*mhd.* zwispeltic, zwispaltic,
ahd. zwispaltig, eigtl. „in zwei Teile gespalten"), daraus rückgebildet Z w i e s p a l t *m*
(16. Jh.); Z w i e s p r a c h e (um 1800); Z w i e -
t r a c h t (s. Eintracht).

Zwiebel *w*: Das Substantiv *mhd.* zwibel, zwi-
bolle, *ahd.* zwibollo, cipolle ist durch *roman.*
Vermittlung entlehnt aus *spätlat.* cēpulla
„Zwiebel", *lat.* cēpula, das eine Verkleinerungsbildung zu *lat.* cēpa „Zwiebel" ist. Das
lat. Wort ist selbst LW unbekannten Ursprungs. Das *dt.* Wort wurde wohl schon im
Ahd. volksetymologisch als 'zwie-bolle' (zwei-
fache Bolle; 'Bolle' „runder Körper, Knolle")
gedeutet.

Zwillich *m*: *Mhd.* zwil[i]ch ist das substantivierte Adjektiv *mhd.* zwil[l]ich, *ahd.* zwilīh
„zweifach, doppelt", eine Bildung zu dem
unter →*zwei* behandelten Wort. Das *mhd.* Adjektiv gewann die Bedeutung „zweifädig" in
Anlehnung an *lat.* bilix „zweifädig" (zu *lat.*
līcium „Faden"), vgl. noch *aengl.* twilic
„doppelt; Zwillich". Vgl. auch den Artikel
Drillich.

Zwilling *m*: Das Substantiv *mhd.* zwillinc,
zwinlinc, zwinelinc, *ahd.* zwiniling ist eine
Ableitung von *ahd.* Adj. zwinal „doppelt",
das zu dem unter →*zwei* behandelten
Zahlwort gehört. Es bedeutet demnach eigtl.
„Zweiling". Das n ist in *mhd.* Zeit an I angeglichen worden. Vgl. noch die gleichgebil-
deten Formen *schwed.* tvilling und *mengl.*
tvinling. Nach 'Zwilling' wurde →Drilling
gebildet.

zwingen: Das *altgerm.* Verb *mhd.* zwingen,
twingen, dwingen, *ahd.* twingan, dwingan,
niederl. dwingen, *mengl.* twingen, *schwed.*
tvinga bedeutet eigtl. „zusammendrücken,
einengen". *Außerungs.* Beziehungen sind unsicher. Vielleicht ist die *balt.* Sippe von *lit.*
tvankùs „drückend, schwül", tviñkti „anschwellen" verwandt. Der Anlaut zw- setzte
sich im Laufe des 14./15. Jh.s durch. Bildungen zu 'zwingen' sind →Zwang und

→zwängen. Eine Verneinung des 2. Partizips ist das adjektivisch verwendete ungezwungen, das seit dem 18. Jh. in der Bedeutung „einfach, natürlich" auftritt. Abl.: zwingend (16. Jh.); Zwinger m (mhd. twingære „Bedränger, Zwingherr", auch „[befestigter] Raum zwischen Mauer und Graben"; die darauf beruhende Bed. „umzäunter Auslauf für wilde Tiere und Hunde" ist seit dem 15. Jh. belegt). Präfixbildung: bezwingen (mhd. betwingen, ahd. bidwingan).

zwinkern „die Lider wiederholt zuckend bewegen": Das seit dem 17. Jh. belegte Verb ist eine Iterativbildung zum veralteten Verb zwinken (mhd. zwinken „blinzeln"). Dazu stellt sich im germ. Bereich engl. to twinkle „zwinkern". Im übrigen ist das Verb ohne Anknüpfungen.

Zwirn m: Das Substantiv mhd. zwirn gehört zu dem unter →zwei behandelten Zahlwort, vgl. aisl. tvennr, tvinnr „doppelt". Es bedeutet demnach eigtl. „zweifacher Faden". Verwandt sind im germ. Sprachbereich engl. twine „zweifach zusammengedrehter Faden" und niederl. twijn „Zwirn"; im Außergerm. lat. bīnī „je zwei" und lett. dvinis „Zwilling". Abl.: zwirnen (mhd. zwirnen, ahd. gezwirnōt „gezwirnt").

zwischen: Die Präposition (urspr. auch Adverb) mhd. zwischen ist aus einer Verkürzung der Fügung mhd. in zwischen (enzwischen), ahd. in zuisken „in der Mitte von beiden, innerhalb von Zweifachem" entstanden. Diese Fügung enthält den Dativ Mehrz. von mhd. zwisc, ahd. zuiski „zweifach, je zwei" (vgl. zwei). Vgl. das ähnlich gebildete aind. dvikā-ḥ „zweifach". Die mhd. Zusammenrückung enzwischen ergab auch das Adv. nhd. inzwischen.

Zwist m: Das im 16./17. Jh. aus dem Niederd. ins Hochd. übernommene Wort geht zurück auf mnd. twist, das aus gleichbed. mniederl. twist übernommen ist. Es gehört zu dem unter →zwei behandelten Zahlwort und bedeutet demnach eigtl. „Zweiteilung, Entzweiung; Trennung". Im germ. Sprachbereich sind z. B. verwandt aisl. tvistra „trennen" und aengl. -twist „Gabel". Außergerm. läßt sich aind. dviṣ- „hassen" vergleichen.

zwitschern: Das in der heutigen Form seit dem 17. Jh. bezeugte Wort ist die verstärkende Form eines älteren, heute nicht mehr gebräuchlichen Verbs zwitzern „einen feinen Laut von sich geben" (mhd. zwitzern, ahd. zwizzirōn). Dieses Verb ist lautnachahmenden Ursprungs und verwandt mit engl. to twitter „zwitschern, zirpen".

Zwitter m: Das Substantiv mhd., ahd. zwitarn (vgl. schwed. mdal. tvetorna) gehört mit seinem ersten Bestandteil zwi- zu dem unter →zwei behandelten Zahlwort. Die Herkunft

des zweiten Bestandteils ist unsicher. Das Wort bedeutet wohl eigtl. „zweifach, zweierlei", dann „zweifacher Rasse oder Abstammung". Die Bedeutung „zweigeschlechtiges Wesen" tritt zwar schon im 13. Jh. auf, dringt aber erst im 16. Jh. durch und herrscht heute ausschließlich.

zwölf: Das gemeingerm. Zahlwort mhd. zwelf, zwelif, ahd. zwelif, got. twalif, engl. twelve, schwed. tolv ist eine Zus. aus →zwei und dem unter→bleiben behandelten Stamm germ. *lib- mit der Bed. „Überbleibsel, Rest"; s. dazu den Artikel elf. Auf der Zwölfzahl beruhen viele alte Maß- und Münzsysteme (s. Dutzend); sie hat in Astronomie und Mathematik, in der Kultur- und Religionsgeschichte wie im Volksglauben eine große Rolle gespielt. – Abl.: zwölfte (Ordnungszahl; mhd. zwelft, ahd. zwelifto). Zus.: Zwölffingerdarm / Zwölffingerdarm „Anfangsstück des menschl. Dünndarms" (zwölf Fingerbreiten lang; die Bezeichnung wurde im 17. Jh. nach gleichbed. gr. dōdeka-dáktylon gebildet, vgl. mlat. intestīnum duodēnum „zwölffacher Darm", das den medizin. Terminus Duodenum „Zwölffingerdarm" ergab).

Zyklus m „Kreislauf, periodische Folge; Ideen-, Themenkreis; in sich geschlossene Reihe inhaltlich zusammengehörender Dinge (Gedichte, Geschichten, Vorträge u. a.)": Das im Deutschen seit dem 18. Jh. bezeugte FW geht über lat. cyclus auf gr. kýklos „Kreis; Kreislauf, Ring; Rad usw." zurück. Das gr. Wort selbst gehört zu den unter →Hals genannten Wörtern der idg. Wz. *kʷel- „[sich] herumdrehen". – Dazu das Adj. zyklisch „kreisläufig; zu einem Zyklus gehörend; in periodischer Folge erscheinend" (19. Jh.; aus lat. cyclicus, gr. kyklikós „kreisförmig").

¹Zylinder m „Walze, walzenförmiger Körper; röhrenförmiger Hohlkörper" (Math. und Technik): Das in dieser Form seit dem 16. Jh. bezeugte FW führt über lat. cylindrus auf gr. kýlindros „Walze, Rolle, Zylinder" zurück. Stammwort ist gr. kylindein „rollen, wälzen". Abl.: zylindrisch „zylinderförmig" (17. Jh.). Mit ¹Zylinder identisch ist das im 19. Jh. aufkommende ²Zylinder m als Bezeichnung für einen hohen, röhrenförmigen, steifen Herrenhut. Voraus geht die Zus. Zylinderhut.

zynisch „verletzend spöttisch, schamlos, bissig, giftig": Das seit dem 18. Jh. bezeugte FW, das sich nach gleichbed. frz. cynique entwickelte, führt formal auf lat. cynicus, gr. kynikós „hündisch; bedürfnislos wie ein Hund" zurück (zu gr. kýōn „Hund", urverwandt mit dt. →Hund). Bedeutungsgeschichtlich jedoch basiert das Wort auf dem Namen der altgriech. Philosophenschule der Kyniker (gr. Kynikoí). Der Gründer der Schule, der Philosoph Antisthenes, lehrte im Gymnasium 'Kynósarges'. Die Anhänger der Schule waren in ihrer Haltung in gewissem Sinne „hündisch" (kynikós), und zwar einerseits in ihrer Bedürfnislosigkeit und gewollten Armut, andererseits hinsichtlich ihrer rücksichtslosen und schamlosen Art, mit der sie die Menschen gleichsam anfielen, um ihnen ihre Philosophie der geistigen und moralischen Erneuerung auf der Grundlage einer natürlichen Lebensweise zu predigen. – Dazu: Zyniker m „zynischer Mensch" (um 1800); Zynismus m „verletzender, bissiger Spott, Schamlosigkeit" (19. Jh.; zuerst speziell als Bezeichnung für die Lebensphilosophie der altgriech. Kyniker; aus *spätlat.* cynismus, *gr.* kynismós „kynische Philosophie").

Zypresse w: Der Baumname (*mhd.* zipresse[nboum], *ahd.* cipresenboum) ist aus *lat.* cupressus, cypressus „Zypresse" entlehnt, das wie gleichbed. *gr.* kypárissos wahrscheinlich aus einer Mittelmeersprache oder aus einer kleinasiatischen Sprache stammt.

Hinweise für den Benutzer

1. Das Auffinden eines Wortes

Beim Aufsuchen eines Wortes achte man darauf, daß nur das *Stichwort* halbfett gedruckt ist. Die zum Stichwort gehörenden *Ableitungen* und *Zusammensetzungen* sind durch S p e r r d r u c k hervorgehoben. Wörter, die nicht im Rahmen des Alphabets stehen, wurden zum besseren Auffinden noch einmal in das Register am Ende des Buches aufgenommen.

2. Sprachangaben

Die Sprachangaben sind *kursiv* gedruckt, z. B. *nhd.* (16. Jh. bis zur Gegenwart), *mhd.* (12. bis 15. Jh.), *ahd.* (7. bis 11. Jh.).

B e a c h t e :
Die Gliederung des germanischen Sprachraumes folgt der herkömmlichen Dreiteilung in N o r d g e r m a n i s c h (Schwedisch, Dänisch, Norwegisch, Isländisch), O s t g e r m a n i s c h (Gotisch, Burgundisch und andere Sprachreste) und W e s t g e r m a n i s c h (Deutsch, Friesisch, Niederländisch, Englisch).
Zusammenfassend stehen die Bezeichnungen g e m e i n g e r m a n i s c h, wenn ein Wort im Nord-, Ost- und Westgermanischen vorkommt, und a l t g e r m a n i s c h, wenn ein Wort im West- und Ostgermanischen oder im West- und Nordgermanischen bezeugt ist. Alle diese Bezeichnungen beziehen sich lediglich auf die Bezeugung eines Wortes innerhalb des germanischen Sprachbereiches und nicht etwa auf eine zeitliche Gliederung.
Um eine Häufung von Sprachformen zu vermeiden, stehen für die nordgermanischen Formen gewöhnlich stellvertretend die schwedische, für die ostgermanischen Formen die gotische und für die westgermanischen Formen die deutschen, niederländischen und englischen Formen. Die älteren Formen eines Wortes sind im allgemeinen nur für das deutsche Wort genannt. Die verwandten Wörter im germanischen Sprachbereich werden gewöhnlich in der heute üblichen Form aufgeführt. Sind sie nicht mehr bewahrt, tritt eine ältere Sprachform ein, und zwar die mittelniederländische für die niederländische, die altenglische oder die mittelenglische für die englische Form und die altisländische für die nordischen Formen.
Der Terminus i n d o g e r m a n i s c h bezeichnet einerseits Formen, die der erschlossenen Grundsprache der Indogermanen angehören, andererseits die Zugehörigkeit zum indogermanischen Sprachstamm. Zu diesem gehören folgende Sprachen:
1. Hethitisch, 2. Tocharisch, 3. Indisch, 4. Iranisch, 5. Armenisch, 6. Thrakisch, 7. Phrygisch, 8. Griechisch, 9. Albanisch, 10. Illyrisch, 11. Venetisch(?), 12. Italisch (vor allem Latein und seine romanischen Folgesprachen, wie z. B. Französisch, Spanisch, Italienisch), 13. Keltisch, 14. Germanisch, 15. Baltisch, 16. Slawisch.

Formen aus Sprachen, die nicht zum indogermanischen Sprachstamm gehören, treten nur bei Fremd- und Lehnwörtern auf. Dabei erscheinen Formen aus dem Hebräischen, Arabischen und aus den Eingeborenensprachen Mittel- und Südamerikas am häufigsten.

3. Verweise

Wörter, auf die innerhalb eines Artikels verwiesen ist, sind *kursiv* gedruckt, wenn unter ihnen weitere etymologische Angaben zu finden sind. Sie sind normal gedruckt, wenn sie nur angeführt sind, um die Sippe des behandelten Stichwortes aufzuzeigen.

Abkürzungen und Zeichen

1. Abkürzungen

Abk.	Abkürzung[en]	balt.	baltisch	hait.	haitisch
Abl.	Ableitung[en]	baltoslaw.	baltoslawisch	hebr.	hebräisch
abulgar.	altbulgarisch	bask.	baskisch	hess.	hessisch
adj.	adjektivisch	bayr.	bayrisch	hethit.	hethitisch
Adj.	Adjektiv	bed.	bedeutet, -en	hochd.	hochdeutsch
adv.	adverbiell	Bed.	Bedeutung[en]	hoch-	
Adv.	Adverb	berlin.	berlinerisch	sprachl.	hochsprachlich
aengl.	altenglisch	Bez.	Bezeichnung[en]		
afghan.	afghanisch	böhm.	böhmisch	iber.	iberisch
afläm.	altflämisch	bret.	bretonisch	idg.	indogermanisch
afränk.	altfränkisch	bulgar.	bulgarisch	illyr.	illyrisch
afries.	altfriesisch			ind.	indisch
afrik.	afrikanisch	chin.	chinesisch	indian.	indianisch
afrz.	altfranzösisch			indoiran.	indoiranisch
ägypt.	ägyptisch	dän.	dänisch	Inf.	Infinitiv
ahd.	althochdeutsch	Dat.	Dativ	Interj.	Interjektion
aind.	altindisch	dicht.	dichterisch	intr.	intransitiv
air.	altirisch	dt.	deutsch	ir.	irisch
aisl.	altisländisch			isl.	isländisch
ait.	altitalienisch	eigtl.	eigentlich	it.	italienisch
Akk.	Akkusativ	Einz.	Einzahl		
akkad.	akkadisch	engl.	englisch	jap.	japanisch
alat.	altlateinisch	entspr.	entsprechend;	jidd.	jiddisch
alban.	albanisch		entspricht		
aleman.	alemannisch	eskim.	eskimoisch	katalan.	katalanisch
allg.	allgemein	etrusk.	etruskisch	kelt.	keltisch
altgerm.	altgermanisch			kirchen-	kirchen-
altgriech.	altgriechisch	fachspr.	fachsprachlich	lat.	lateinisch
altröm.	altrömisch	finn.	finnisch	kirchen-	kirchen-
amerik.	amerikanisch	finnougr.	finnougrisch	slaw.	slawisch
amtsspr.	amtssprachlich	fläm.	flämisch	klass.	klassisch
anglo-	anglo-	FN	Familienname[n]	klass.-lat.	klassisch-
amerik.	amerikanisch	fränk.	fränkisch		lateinisch
angloind.	angloindisch	fries.	friesisch	Konj.	Konjunktion
anord.	altnordisch	frz.	französisch	kopt.	koptisch
apoln.	altpolnisch	FW	Fremdwort	kret.	kretisch
apreuß.	altpreußisch			krimgot.	krimgotisch
aprov.	altprovenzalisch	gäl.	gälisch	kroat.	kroatisch
arab.	arabisch	gall.	gallisch	kymr.	kymrisch
aram.	aramäisch	gallo-			
armen.	armenisch	roman.	galloromanisch	landsch.	landschaftlich
aruss.	altrussisch	gemein-	gemein-	langob.	langobardisch
asächs.	altsächsisch	germ.	germanisch	lapp.	lappisch
aschwed.	altschwedisch	Gen.	Genitiv	lat.	lateinisch
asiat.	asiatisch	germ.	germanisch	lett.	lettisch
aslaw.	altslawisch	Ggs.	Gegensatz	lit.	litauisch
assyr.	assyrisch	gleichbed.	gleichbedeutend	Lok.	Lokativ
awest.	awestisch	got.	gotisch	LÜ	Lehnübersetzung
		gr.	griechisch	LW	Lehnwort

malai.	malaiisch	pers.	persisch	s. o.	siehe oben
mdal.	mundartlich	peruan.	peruanisch	sorb.	sorbisch
Mehrz.	Mehrzahl	phryg.	phrygisch	span.	spanisch
mengl.	mittelenglisch	pik.	pikardisch	stud.	studentisch
mgr.	mittelgriechisch	Plur.	Plural	s. u.	siehe unten
mhd.	mittel-hochdeutsch	PN	Personenname[n]	subst.	substantivisch
		poln.	polnisch	Subst.	Substantiv
militär.	militärisch	polynes.	polynesisch	südd.	süddeutsch
mind.	mittelindisch	port.	portugiesisch	südslaw.	südslawisch
mir,	mittelirisch	Präp.	Präposition	sumer.	sumerisch
mitteld.	mitteldeutsch	Präs.	Präsens	syr.	syrisch
mlat.	mittellateinisch	Prät.	Präteritum		
mnd.	mittelnieder-deutsch	preuß.	preußisch	tatar.	tatarisch
		Pron.	Pronomen	techn.	technisch
mniederl.	mittelnieder-ländisch	prov.	provenzalisch	thrak.	thrakisch
				tirol.	tirolisch
mong.	mongolisch	refl.	reflexiv	tochar.	tocharisch
mpers.	mittelpersisch	rhein.	rheinisch	tr.	transitiv
		röm.	römisch	tschech.	tschechisch
ngr.	neugriechisch	roman.	romanisch	türk.	türkisch
nhd.	neuhochdeutsch	rotw.	rotwelsch	turkotat.	turkotatarisch
niederd.	niederdeutsch	rumän.	rumänisch		
niederl.	niederländisch	russ.	russisch	übertr.	übertragen
nlat.	neulateinisch			ugr.	ugrisch
Nom.	Nominativ	s.	siehe	ugs.	umgangs-sprachlich
nord.	nordisch	sächs.	sächsisch		
nordd.	norddeutsch	scherzh.	scherzhaft	ukrain.	ukrainisch
nordgerm.	nordgermanisch	schles.	schlesisch	umbr.	umbrisch
norm.	normannisch	schott.	schottisch	ung.	ungarisch
norw.	norwegisch	schwed.	schwedisch	urspr.	ursprünglich
		schweiz.	schweizerisch	urverw.	urverwandt
oberd.	oberdeutsch	s. d.	siehe dies; siehe dort	venez.	venezianisch
ON	Ortsname[n]			verw.	verwandt
osk.	oskisch	semit.	semitisch	vgl.	vergleiche
ostd.	ostdeutsch	serb.	serbisch	vlat.	vulgärlateinisch
ostgerm.	ostgermanisch	serbo-kroat.	serbokroatisch		
ost-mitteld.	ostmitteldeutsch	sibir.	sibirisch	westgerm.	westgermanisch
ostpreuß.	ostpreußisch	Sing.	Singular	westslaw.	westslawisch
östr.	österreichisch	skand.	skandinavisch	wiener.	wienerisch
		slaw.	slawisch	Wz.	Wurzel
Part.	Partizip	slowak.	slowakisch	Zus.	Zusammen-setzung[en]
Perf.	Perfekt	slowen.	slowenisch		

2. Zeichen

> geworden zu
< entstanden aus
→ siehe!
* erschlossene Form

Verzeichnis der wichtigsten Fachausdrücke

Fachausdrücke, die hier nicht erklärt sind, sehe man bitte in der Duden-Grammatik oder im Fremdwörterduden nach.

Ableitung = Bildung eines Wortes durch Lautveränderung(Ablaut)oder durch das Anfügen von Suffixen, z. B. Trank von trinken, kräftig von Kraft, fröhlich von froh.
Analogiebildung = Formübertragung; Wortbildung, bei der ein Wort nach dem Vorbild eines anderen Wortes [um]gebildet wird,

z. B. ritt (für reit) in Angleichung an ritten, Diskothek nach Bibliothek.
Assimilation = Angleichung eines Konsonanten an einen anderen, z. B. in Lamm aus mhd. lamb.
Bewirkungswort = Verb, das ausdrückt, daß ein durch ein Adjektiv bezeichneter Zustand

an einem Wesen oder Ding bewirkt wird, z. B. schärfen = (ein Messer) scharf machen.

deiktisch = hinweisend.

denominativ = von einem Substantiv oder Adjektiv abgeleitet.

Denominativ = von einem Substantiv oder Adjektiv abgeleitetes Verb, z. B. trösten von Trost, bangen von bang.

deverbativ = von einem Verb abgeleitet.

Deverbativ = von einem Verb abgeleitetes Substantiv oder Adjektiv, z. B. Eroberung von erobern, tragbar von tragen.

Diminutiv = Verkleinerungswort, z. B. Öfchen zu Ofen, lächeln zu lachen.

Dissimilation = „Entähnlichung", d. h. stärkere Unterscheidung gleicher Laute oder Unterdrückung eines Lautes von zwei gleichen in einem Wort, z. B. Wechsel von *t* zu *k* in Kartoffel (aus früherem Tartüffel) oder Ausfall eines *n* in König (aus früherem kuning).

durativ = verlaufend, dauernd; durative Aktionsart = Aktionsart eines Verbs, die die Dauer eines Seins oder Geschehens ausdrückt, z. B. schlafen.

Etymon = Stammwort.

expressiv = ausdrucksbetont, z. B. die Konsonantenverdoppelung in *mhd.* rappe „Rabe" für *mhd.* rabe „Rabe".

Faktitiv, Faktitivbildung → Bewirkungswort.

Gemination = Konsonantenverdoppelung, z. B. *bb* in Krabbe neben *b* in Krebs.

grammatischer Wechsel = in den germanischen Sprachen Wechsel von stimmlosen mit stimmhaften Reibelauten innerhalb zusammengehöriger Wortgruppen, wenn der unmittelbar vorhergehende Vokal nicht nach der *idg.* Betonung den Hauptton trug. Im *Nhd.* wechseln als Folge davon u. a. *h* und *g*, *d* und *t*, *s* und *r*, z. B. ziehen – zog, leiden – litt, Wesen – waren.

Homonym = Wort, das mit anderen gleich lautet, aber in der Bedeutung [und Herkunft] verschieden ist, z. B. Riemen (Gurt, Gürtel) – Riemen (Ruder).

Hüllwort = verhüllendes, beschönigendes Wort, z. B. verscheiden für sterben.

hybride Bildung = zusammengesetztes oder abgeleitetes Wort, dessen Teile verschiedenen Sprachen angehören, z. B. Auto-mobil (*gr.*; *lat.*), Büro-kratie (*frz.*; *gr.*), Intelligenzler (*lat.*; *dt.*).

Intensivbildung = Verb mit einer Aktionsart, die den größeren Grad, die Intensität eines Geschehens kennzeichnet, z. B. schnitzen = kräftig und andauernd schneiden, placken = heftig plagen.

Iterativbildung = Verb mit einer Aktionsart, die eine stete Wiederholung von Vorgängen ausdrückt, z. B. sticheln = ständig stechen.

Kausativ, Kausativbildung → Veranlassungswort.

Kollektivbildung, Kollektivum = Sammelname, z. B. Gemüse zu Mus, Gebirge zu Berg.

Komparativsuffix = Nachsilbe, die ein Adjektiv oder Adverb zur Vergleichsform macht, z. B. *-er* in fleißig-er.

Kompositum = zusammengesetztes Wort im Gegensatz zum → Simplex, z. B. Hauswand, hinunterlaufen, hierher.

Kontamination = Wortkreuzung, Ineinanderrückung zweier Wörter oder Fügungen, die gleichzeitig in der Vorstellung des Sprechers auftauchen und von ihm versehentlich in ein Wort (oder eine Fügung) zusammengezogen werden, z. B. Gebäulichkeiten aus Gebäude und Baulichkeiten.

Kontraktion = Zusammenziehung zweier oder mehrerer Vokale zu einem Vokal oder Diphthong, oft unter Ausfall eines dazwischenstehenden Konsonanten, z. B. nein aus ni-ein oder nicht aus ni-wiht.

Lehnübersetzung = genaue, d. h. Glied für Glied wiedergebende Übersetzung eines fremden Wortes im Gegensatz zur Lehnübertragung (s. d.), z. B. Dampfer für *engl.* steamer, Gevatter für *lat.* compater.

Lehnübertragung = freiere Übertragung eines fremden Wortes im Gegensatz zur Lehnübersetzung, z. B. Dunstkreis für Atmosphäre.

medial = das → Medium betreffend.

Medium = Verhaltensrichtung des Verbs, die das Betroffensein des tätigen Subjekts durch das Verhalten kennzeichnet.

Nomen agentis = Substantiv, das den Träger eines Geschehens bezeichnet, z. B. Läufer.

Partizipialadjektiv = ein Partizip, das vorwiegend oder ausschließlich wie ein Adjektiv verwendet wird, z. B. reizend, betrunken, verliebt.

postverbales Substantiv → Rückbildung.

Präfixbildung = Wort mit einer Vorsilbe, die als selbständiges Wort nicht mehr vorkommt, z. B. *Besitz*, *ent*laufen, *un*schön.

Präfixverb = deutsches Verb mit einer Vorsilbe, die als selbständiges Wort nicht mehr vorkommt, z. B. *be*wundern, *ver*lieren. Bei lateinischen Verben auch dort üblich, wo eine Präposition im ersten Glied steht, z. B. *prae-dicare* „ausrufen, -sagen".

Präteritopräsens = Verb, dessen Präsens ein früheres starkes Präteritum ist, z. B. kann (von können).

Präverb = nichtverbaler Teil eines Verbs, z. B. *teil*nehmen.

Reduplikation = Verdoppelung eines Wortes oder eines Wortteiles, z. B. *got.* skai-skaid „ich bin geschieden", Bonbon, Wirrwarr.

reduplizieren = der Reduplikation unterworfen sein; reduplizierendes Verb = Verb, das bestimmte Formen mit Hilfe der → Reduplikation bildet, z. B. *lat.* cu-curri „ich bin gelaufen".

Rückbildung = Wort, bes. Substantiv, das aus einem [meist abgeleiteten] Verb oder aus einem Adjektiv gebildet ist, aber den Eindruck erweckt, die Grundlage des Verbs oder des Adjektivs zu sein, z. B. Kauf aus kaufen, Blödsinn aus blödsinnig.

semantisch = bedeutungsmäßig.

Simplex = einfaches, nicht zusammengesetztes Wort, im Gegensatz zum →Kompositum, z. B. Haus.

Suffix = hinter den Wortstamm tretende Silbe, Nachsilbe, z. B. [Schön]*heit*.

Terminus = Fachwort, Fachausdruck, z. B. Logarithmus.

Veranlassungswort = Verb, das ausdrückt, daß ein durch ein Verb bezeichnetes Geschehen bei einem Wesen oder Ding veranlaßt wird, z. B. tränken (eigtl. trinken machen).

Verbalsubstantiv = als Substantiv gebrauchte Verbform, z. B. Vermögen (von vermögen).

Wortfamilie = Gesamtheit aller Wörter, die etymologisch miteinander verwandt sind.

Wurzel = der einer Gruppe etymologisch verwandter Wörter zugrunde liegende Lautkomplex.

Zusammenbildung = Ableitung aus einer syntaktischen Wortgruppe, z. B. Arbeitnehmer aus „Arbeit nehmen", blauäugig aus „mit blauen Augen".

Zusammensetzung →Kompositum.

Register
der behandelten Wörter, die nicht im Rahmen des Alphabets stehen

A

Aasgeier s. Geier 205
Abart s. Art 34
abarten s. Art 34
abartig s. Art 35
abblenden s. blenden 72
abblitzen s. blitzen 72
abböschen s. Böschung 78
abdanken s. Dank 99
Abdankung s. Dank 99
Abdecker s. decken 101
abdingen s. dingen 111
abdingbar s. dingen 111
abebben s. Ebbe 125
abfinden s. finden 168
Abfindung s. finden 168
abflauen s. flau 172
Abgabe s. geben 200
Abgang s. gehen 204
abgeben s. geben 200
abgebrannt s. brennen 82
abgebrüht s. brühen 85
abgedroschen s. dreschen 118
abgehen s. gehen 204
abgeleiert s. Leier 397
abgeneigt s. neigen 465
abgespannt s. spannen 654
abgewöhnen s. gewöhnen 221
abgreifen s. greifen 234
abhalten s. halten 246
abhanden s. ab 7,
    s. Hand 247

Abhandlung s. handeln 248
Abhang s. hängen 249
abhängig s. hängen 249
abhold s. hold 270
abkanzeln s. Kanzel 308
abkapseln s. Kapsel 310
abkarten s. Karte 313
Abklatsch s. klatschen 330
abknöpfen s. Knopf 340
abkommen s. kommen 348
Abkommen s. kommen 348
abkömmlich s. kommen 348
abkonterfeien s. Konterfei 357
abkratzen s. kratzen 367
Abkunft s. kommen 348
Ablaß s. lassen 387
ablassen s. lassen 387
ableben s. leben 392
ablegen s. legen 393
Ableger s. legen 393
ablehnen s. ¹lehnen 395
ableiern s. Leier 397
ablösen s. lösen 410
abmachen s. machen 414
abmagern s. mager 415
abmergeln s. ausmergeln 41
abprotzen s. Protze 535
abrahmen s. Rahm 548
abrechnen s. rechnen 555
Abrechnung s. rechnen 555
abreiben s. reiben 559
Abreibung s. reiben 559

abreißen s. reißen 561
abringen s. ringen 570
Abriß s. reißen 561
abrüsten s. rüsten 581
abs..., Abs... s. ab..., Ab... 7
absacken s. versacken 740
Absage s. sagen 583
absagen s. sagen 583
absatteln s. Sattel 589
Absatz s. setzen 640
abschaffen s. schaffen 593
Abschaum s. Schaum 597
Abscheu s. scheu 601
abscheuern s. scheuern 601
abscheulich s. scheu 601
abschirmen s. Schirm 605
abschlagen s. schlagen 607
abschlägig s. schlagen 607
Abschlag[s]zahlung s. schlagen 607
abschneiden s. schneiden 617
Abschnitt s. schneiden 617
abschrägen s. schräg 621
abschrecken s. ¹schrecken 622
abschreiben s. schreiben 622
abschreiten s. schreiten 623
Abschrift s. schreiben 622
abschweifen s. schweifen 628
absehbar s. sehen 633
absehen s. sehen 633
abseilen s. Seil 634

795

Absenker s. senken 638
absetzen s. setzen 640
Absetzung s. setzen 640
Absicht s. sehen 633
absondern s. sonder 650
abspeisen s. Speise 656
abspielen, sich s. Spiel 659
Absprache s. sprechen 663
absprechen s. sprechen 663
absprechend s. sprechen 663
abstammen s. Stamm 668
Abstammung s. Stamm 668
Abstand s. stehen 673
abstatten s. Statt 671
abstauben s. Staub 671
abstechen s. stechen 672
Abstecher s. stechen 672
abstecken s. stecken 673
abstehen s. stehen 673
abstellen s. stellen 676
absterben s. sterben 677
abstimmen s. Stimme 681
abstoßen s. stoßen 684
abstoßend s. stoßen 684
abstottern s. stottern 684
abstreichen s. streichen 687
abstreifen s. streifen 687
abstreiten s. Streit 688
Abstrich s. streichen 687
abstumpfen s. stumpf 691
Abteil s. Teil 704
Abteilung s. Teil 704
abtönen s. ²Ton 711
abtöten s. tot 713
Abtrag s. tragen 714
abtragen s. tragen 714
abträglich s. tragen 714
abtreiben s. treiben 717
Abtreibung s. treiben 718
abtreten s. treten 718
Abtritt s. treten 718
abtun s. tun 724
aburteilen s. Urteil 733
abwägen s. wägen 750
abwarten s. warten 755
abwechseln s. Wechsel 756
Abwechslung s. Wechsel 756
Abwehr s. wehren 757
abwehren s.wehren 757
abweichen s. ²weichen 758
Abweichung s. ²weichen 758
abwerfen s. werfen 761
abwerten s. wert 762
abwesend s. Wesen 763
Abwesenheit s. Wesen 763
abwickeln s. wickeln 764
abwracken s. Wrack 771
abwürgen s. würgen 772
Abzeichen s.Zeichen 777
abziehen s. ziehen 781
abzirkeln s. Zirkel 783
Abzug s. ziehen 781
abzüglich s. ziehen 781
abzweigen s. Zweig 788

Abzweigung s. Zweig 788
ac... s. ad..., Ad... 12
achtzehn s. acht 11
achtzig s. acht 11
a conto s. Konto 357
ad[e]lig s. Adel 12
af... s. ad..., Ad... 12
Affenliebe s. Affe 14
affig s. Affe 14
äffisch s. Affe 14
ag... s. ad..., Ad... 12
ähneln s. ähnlich 15
Ahnherr s. Ahn 15
ak... s. ad..., Ad... 12
Akontozahlung s. Konto 357
al... s. ad..., Ad... 12
Alben s. Elf 134
Alkalde s. Kadi 301
allein s. all 19
alleinig s. all 19
Allelujah s. Hallelujah 245
allenfalls s. all 19
allerdings s. all 19
allerhand s. all 19; s. Hand 247
Allerheiligen s. all 19
allerlei s. all 19
Allerseelen s. all 19
allesamt s. samt 586
allgemein s. all 19
Allmacht s. all 19
allmächtig s. all 19
allmählich s. all 19
Alltag s. all 19
alltäglich s. all 19
alltags s. all 19
Alm s. ¹Alp 20
altbacken s. backen 44
Altenteil s. alt 20
Altistin s. Alt 21
altklug s. alt 20
ältlich s. alt 20
Altmeister s. alt 20
altmodisch s. Mode 446
Altvordern s. alt 20
Altweibersommer s. alt 20
am..., Am... s. amb... Amb... 21
Ammann s. Amt 23
an... s. ad... Ad... 12
Analphabet s. Alphabet 20
anbändeln s. Bendel 59
anbelangen s. belangen 58
anbiedern, sich s. bieder 65
anbinden s. binden 68
andeuten s. deuten 106
anecken s. Ecke 126
Anerbe s. ¹Erbe 141
anerkennen s. erkennen 142
anfechten s. fechten 160
anfeinden s. Feind 161
anfordern s. fordern 180
anfreunden s. Freund 185
Angeber s. geben 200

Angebinde s. binden 68
angeblich s. geben 200
angegossen s. gießen 222
angeheitert s. heiter 259
angehen s. gehen 204
Angehöriger s. gehören 205
angekränkelt s. krank 366
angelegen s. liegen 404
Angelegenheit s. liegen 404
angemessen s. messen 437
angenehm s.genehm 210
angesäuselt s. säuseln 591
angesehen s. sehen 633
Angesicht s. Gesicht 217
angesichts s. Gesicht 217
angespannt s. spannen 654
angestammt s. Stamm 668
Angestellter s. stellen 676
angewöhnen s. gewöhnen 221
Angler s. Angel 25
angreifen s. greifen 234
Angreifer s. greifen 234
angrenzen s. Grenze 235
Angriff s. greifen 234
angstschlotternd s.schlottern 611
anhalten s. halten 246
Anhalter s. halten 246
Anhaltspunkt s. halten 246
Anhang s. hängen 249
Anhänger s. hängen 249
anhänglich s. hängen 249
Anhängsel s. hängen 249
anketten s. Kette 322
anklagen s. klagen 328
Anklang s. klingen 334
ankommen s. kommen 348
Ankömmling s. kommen 348
ankotzen s. kotzen 364
ankreiden s. Kreide 368
ankündigen s. kund 377
Ankunft s. kommen 348
Anlage s. legen 393
anlangen s. lang 386
Anlaß s. lassen 387
anlassen s. lassen 387
Anlasser s. lassen 387
anläßlich s. lassen 387
Anlauf s. laufen 390
anlaufen s. laufen 390
anlegen s. legen 393
Anleihe s. leihen 397
anleiten s. leiten 399
Anleitung s. leiten 399
anliegen s. liegen 404
Anliegen s. liegen 404
Anlieger s. liegen 404
anmaßen s. Maß 426
Anmaßung s. Maß 426
anmerken s. merken 436
Anmerkung s. merken 436
anmuten s. Mut 458
anöden s. öde 476
anorganisch s. Organ 483

anpacken s. packen 487
anpassen s. passen 494
anprangern s. Pranger 525
anreißen s. reißen 561
Anreißer s. reißen 561
anrempeln s. rempeln 564
Anrichte s. richten 569
anrichten s. richten 569
anrotzen s. Rotz 576
anrühren s. rühren 578
Ansage s. sagen 583
ansagen s. sagen 583
Ansager s. sagen 583
ansäuseln s. säuseln 591
anschaffen s. schaffen 593
anschauen s. schauen 597
anschaulich s. schauen 597
Anschauung s. schauen 597
anscheinend s. scheinen 598
anschicken s. schicken 602
Anschiß s. scheißen 598
Anschlag s. schlagen 607
anschlagen s. schlagen 607
anschmachten s. schmachten 612
anschmieren s. schmieren 614
anschnauzen s. Schnauze 616
anschneiden s. schneiden 617
anschreiben s. schreiben 622
Anschreiben s. schreiben 622
anschuldigen s. Schuld 624
anschwärzen s. schwarz 628
ansehen s. sehen 633
Ansehen s. sehen 633
ansehnlich s. sehen 633
anseilen s. Seil 634
Ansicht s. sehen 633
Ansichtskarte s. sehen 633
Ansinnen s. sinnen 645
anspielen s. Spiel 659
Anspielung s. Spiel 659
Ansporn s. Sporn 662
anspornen s. Sporn 662
Ansprache s. sprechen 663
ansprechen s. sprechen 663
ansprechend s. sprechen 663
Anspruch s. sprechen 663
anstatt s. Statt 671
anstechen s. stechen 672
anstecken s. stecken 673
anstellen s. stellen 676
anstellig s. stellen 676
Anstellung s. stellen 676
Anstich s. stechen 672
anstiften s. stiften 680
anstimmen s. Stimme 681
Anstoß s. stoßen 684
anstoßen s. stoßen 684
anstößig s. stoßen 684
ansträngen s. Strang 685
anstreichen s. streichen 687
Anstreicher s. streichen 687
anstrengen s. streng 688
Anstrich s. streichen 687

Ansturm s. Sturm 692
Antarktis s. Arktis 33
Anteil s. Teil 705
Anteilnahme s. Teil 705
Antrag s. tragen 714
antragen s. tragen 714
antreiben s. treiben 718
antreten s. treten 718
Antrieb s. treiben 718
Antritt s. treten 718
antun s. tun 724
anvertrauen s. trauen 716
anvisieren s. ²Visier 745
anwenden s. wenden 761
anwerfen s. werfen 761
anwidern s. wider 764
Anwurf s. werfen 762
Anzahl s. Zahl 774
anzapfen s. Zapfen 775
Anzeichen s. Zeichen 777
Anzeige s. zeigen 777
anzeigen s. zeigen 777
anzetteln s. ¹Zettel 780
anziehen s. ziehen 781
Anzug s. ziehen 781
anzüglich s. ziehen 781
anzünden s. zünden 786
anzwecken s. Zweck 787
ap..., Ap... s. ad..., Ad... 12;
s. apo..., Apo... 29
Apartement s. Appartement 30
aph..., Aph..., s. apo...,
Apo... 29
ar..., Ar..., s. ad..., Ad... 12
Arglist s. List 406
Argwohn, s. arg 32
argwöhnen s. arg 32
argwöhnisch s. arg 32
ärmlich s. arm 33
armselig s. arm 33
Armut s. arm 33
Arschbacke s. ²Backe 44
Arschpauker s. Pauke 498
artig s. Art 34
as..., s. ad..., Ad... 12
asozial s. sozial 653
Äsung s. äsen 36
at... s. ad..., Ad..., 12
atmen s. Atem 37
aufbahren s. Bahre 45
aufbäumen, sich s. Baum 53
aufbauschen s. Bausch 54
aufbieten s. bieten 66
aufbinden s. binden 68
aufbrechen s. brechen 81
Aufbruch s. brechen 81
aufbrummen s. brummen 85
aufbürden s. Bürde 90
aufdringlich s. Drang 117
auferstehen s. stehen 673
Auferstehung s. stehen 673
auferwecken s. wecken 756
auffallen s. fallen 154

auffallend s. fallen 154
auffällig s. fallen 154
auffordern s. fordern 180
auffrischen s. frisch 187
aufführen s. führen 190
Aufführung s. führen 190
Aufgabe s. geben 200
aufgabeln s. Gabel 194
Aufgang s. gehen 204
aufgeben s. geben 200
Aufgebot s. bieten 66
aufgedonnert s. Donner 115
aufgehen s. gehen 204
aufgeilen s. geil 206
aufgekratzt s. kratzen 367
aufgelegt s. legen 393
aufgeräumt s. Raum 553
aufhalsen s. Hals 246
aufhalten s. halten 246
aufheitern s. heiter 259
aufhören s. hören 272
aufklaren s. klar 329
aufklären s. klar 329
Aufklärer s. klar 329
Aufklärung s. klar 329
aufkommen s. kommen 348
aufkündigen s. kund 377
Auflage s. legen 394
Auflauf s. laufen 390
auflaufen s. laufen 390
auflegen s. legen 393
auflehnen s. ¹lehnen 395
auflösen s. lösen 410
aufmachen s. machen 414
aufmerken s. merken 436
aufmerksam s. merken 436
aufmöbeln s. Möbel 446
aufmuntern s. munter 456
aufoktroyieren s. oktroyieren 478
aufpassen s. passen 495
aufputschen s. Putsch 540
aufreiben s. reiben 559
aufreißen s. reißen 561
aufrichten s. richten 569
aufrichtig s. richtig 569
Aufriß s. reißen 561
aufrühren s. rühren 578
aufrüsten s. rüsten 581
Aufsatz s. setzen 640
Aufschlag s. schlagen 607
aufschlagen s. schlagen 607
aufschlüsseln s. Schlüssel 612
aufschneiden s. schneiden 617
Aufschneider s. schneiden 617
Aufschnitt s. schneiden 617
aufschwemmen s. schwemmen 630
aufsehen s. sehen 633
Aufsehen s. sehen 633
Aufseher s. sehen 633
aufsetzen s. setzen 640
Aufsicht s. sehen 633
aufsitzen s. aufsässig 40

797

aufspielen, sich s. Spiel 659
Aufstand s. stehen 674
aufständisch s. stehen 674
aufstecken s. stecken 673
aufstehen s. stehen 673
auftischen s. Tisch 710
Auftrag s. tragen 714
auftragen s. tragen 714
auftreiben s. treiben 718
auftreten s. treten 718
Auftrieb s. treiben 718
Auftritt s. treten 718
auftrumpfen s. Trumpf 723
auftürmen s. Turm 725
Aufwand s. wenden 761
aufwarten s. warten 755
Aufwärter s. warten 755
aufwärts s. ...wärts 755
Aufwartung s. warten 755
aufwecken s. wecken 756
aufwenden s. wenden 761
aufwerfen s. werfen 762
aufzäumen s. Zaum 776
aufziehen s. ziehen 781
Aufzug s. ziehen 781
Augenlid s. Lid 403
Augenweide s. ²Weide 758
ausarten s. Art 35
ausbaden s. Bad 44
ausbedingen s. bedingen 54
Ausbeute s. Beute 63
ausbeuten s. Beute 63
Ausbeuter s. Beute 63
ausbilden s. bilden 67
ausbojen s. Boje 76
ausbomben s. Bombe 76
ausbooten s. Boot 77
ausbrechen s. brechen 81
ausbuchten s. Bucht 87
Ausbuchtung s. Bucht 87
Ausdruck s. drücken 120
ausdrücken s. drücken 120
ausdrücklich s. drücken 120
ausdünsten s. Dunst 123
auseinanderstieben s. stieben 679
auserkoren s. kiesen 324
auserlesen s. lesen 400
auserwählen s. wählen 751
auserwählt s. wählen 751
ausfallen s. fallen 154
ausfallend werden s. fallen 154
ausfällig werden s. fallen 154
ausfechten s. fechten 160
ausfeilen s. Feile 161
ausfindig s. finden 168
Ausflucht s. ²Flucht 177
Ausflug s. Flug 177
ausführen s. führen 190
ausführlich s. führen 190
Ausführung s. führen 190
Ausgabe s. geben 201
Ausgang s. gehen 204

ausgattern s. Gatter 199
ausgeben s. geben 200
ausgebombt s. Bombe 76
Ausgeburt s. Geburt 202
ausgehen s. gehen 204
ausgelassen s. lassen 387
ausgeleiert s. Leier 397
ausgesucht s. suchen 694
ausgezeichnet s. zeichnen 777
ausgiebig s. geben 201
ausgraben s. graben 230
Ausgrabung s. graben 230
ausgräten s. Gräte 232
ausgreifen s. greifen 234
aushalten s. halten 246
Aushang s. hängen 249
Aushängebogen s. hängen 249
Aushängeschild s. hängen 249
aushecken s. hecken 254
auskegeln s. ¹Kegel 319
auskehlen s. Kehle 319
ausklügeln s. klug 336
auskneifen s. kneifen 338
ausknocken s. knockout 340
auskommen s. kommen 348
auskömmlich s. kommen 348
auskundschaften s. kund 377
Auskunft s. kommen 348
Auskunftei s. kommen 348
Auslage s. legen 394
Ausland s. Land 386
Ausländer s. Land 386
ausländisch s. Land 386
auslassen s. lassen 387
auslaugen s. Lauge 390
auslegen s. legen 394
ausleiern s. Leier 397
Auslese s. lesen 400
auslesen s. lesen 400
ausloben s. loben 407
auslosen s. Los 409
auslösen s. lösen 410
Auslöser s. lösen 410
ausmanövrieren s. Manöver 421
ausposaunen s. Posaune 522
ausreißen s. reißen 561
ausrenken s. renken 564
aussagen s. sagen 583
ausschachten s. Schacht 592
ausscheren s. ²scheren 601
ausschlachten s. Schlacht 606
Ausschlag s. schlagen 607
ausschlagen s. schlagen 607
ausschreiben s. schreiben 622
ausschreiten s. schreiten 623
Ausschreitung s. schreiten 623
ausschweifen s. schweifen 628
ausschweifend s. schweifen 628
Ausschweifung s. schweifen 628
aussehen s. sehen 633

Aussehen s. sehen 633
Außenstände s. stehen 674
aussetzen s. setzen 640
Aussicht s. sehen 633
aussondern s. sonder 650
ausspannen s. spannen 654
aussprengen s. sprengen 663
ausstaffieren s. staffieren 668
Ausstand s. stehen 674
ausstechen s. stechen 672
ausstehen s. stehen 674
ausstellen s. stellen 676
Ausstellung s. stellen 676
aussterben s. sterben 677
Aussteuer s. ¹Steuer 678
aussteuern s. ¹Steuer 678
ausstopfen s. stopfen 683
aussuchen s. suchen 694
austreten s. treten 718
austricksen s. Trick 719
Austritt s. treten 718
austrocknen s. trocken 721
austüfteln s. tüfteln 724
ausweichen s. ²weichen 758
ausweiden s. Eingeweide 131
Ausweis s. weisen 759
ausweisen s. weisen 759
auswendig s. wenden 761
auswerfen s. werfen 762
Auswurf s. werfen 762
auszehren s. zehren 777
Auszehrung s. zehren 777
auszeichnen s. zeichnen 777
Auszeichnung s. zeichnen 777
ausziehen s. ziehen 781
Auszug s. ziehen 781
Autobus s. Omnibus 479
Automobil s. Auto 42

B

babbeln s. papperlapapp 490
Backenstreich s. Streich 687
Back[en]zahn s. ¹Backe 44
Backpfeife s. ¹Backe 44
balbieren s. Barbier 50
Balbier[er] s. Barbier 50
ballern s. poltern 520
ballhornisieren s. verballhornen 736
bammeln s. baumeln 54
Bändel s. Bendel 59
Bankerott s. Bankrott 48
Banknote s. ²Bank 48
Bannmeile s. Bann 49
Bannwald s. Bann 49
Bannware s. Bann 49
bärbeißig s. Bär 50
barfuß s. bar 49
barfüßig s. bar 49
barhaupt s. bar 49
Bärlapp s. Bär 50
Barlauf s. Barre 51
barmen s. erbarmen 140
Barmixer s. mixen 445

Barschaft s. bar 49
baufällig s. Bau 53
baulich s. bauen 53
Baulichkeit s. bauen 53
Baumeister s. bauen 53
Baumkrone s. Krone 372
bäurisch s. ³Bauer 53
beachten s. ²Acht 11
beachtlich s. ²Acht 11
beanstanden s. Anstand 27
beantragen s. tragen 714
beaufsichtigen s. sehen 633
beauftragen s. tragen 714
Bedarf s. bedürfen 55
bedauerlich s. ²dauern 100
bedauern s. ²dauern 100
bedenken s. denken 104
Bedenken s. denken 104
bedenklich s. denken 104
bedeuten s. deuten 106
bedeutend s. deuten 106
Bedeutung s. deuten 106
beduselt s. Dusel 125
beeinträchtigen s. tragen 714
beenden s. Ende 137
beendigen s. Ende 137
beengen s. eng 137
beerben s. ¹Erbe 141
beerdigen s. Erde 141
befähigen s. fähig 151
befehden s. Fehde 160
beflecken s. Fleck 173
befleißen s. Fleiß 174
befleißigen s. Fleiß 174
beflissen s. Fleiß 174
beflügeln s. Flügel 177
befördern s. fördern 180
befreien s. frei 184
befremden s. fremd 184
Befremden s. fremd 184
befremdlich s. fremd 184
befreunden s. Freund 185
befrieden s. Friede[n] 186
befriedigen s. Friede[n] 186
befruchten s. Frucht 188
Befugnis s. fügen 189
befugt s. fügen 189
begaben s. Gabe 193
begabt s. Gabe 193
Begabung s. Gabe 193
begatten s. Gatte 199
begeben s. geben 201
Begebenheit s. geben 201
begegnen s. gegen 203
Begegnung s. gegen 203
begehen s. gehen 204
Begeisterung s. Geist 206
beglaubigen s. glauben 225
begleichen s. gleich 225
begnaden s. Gnade 228
begnadet s. Gnade 228
begnadigen s. Gnade 228
begnügen, sich s. genug 212
begraben s. graben 230

Begräbnis s. graben 230
begreifen s. greifen 234
begreiflich s. greifen 234
begrenzen s. Grenze 235
Begriff s. greifen 234
begriffsstutzig s. greifen 234
begründen s. Grund 239
begünstigen s. Gunst 240
begütert s. gut 241
begütigen s. gut 241
behalten s. halten 246
Behälter s. halten 246
Behältnis s. halten 246
Behandlung s. handeln 248
Behausung s. Haus 253
Behelf s. helfen 260
behelfen s. helfen 260
beherrschen s. herrschen 263
beherzigen s. Herz 263
beherzt s. Herz 263
behexen s. Hexe 264
behilflich s. Hilfe 265
behüten s. hüten 279
behutsam s. hüten 279
beigeben s. geben 201
Beilage s. legen 394
beilegen s. legen 394
Beileid s. leid 397
beinah[e] s. nah[e] 461
beipflichten s. Pflicht 506
beisammen s. zusammen 787
Beischlaf s. Schlaf 606
beisetzen s. setzen 640
Beisetzung s. setzen 640
beispringen s. springen 664
Beißzange s. Zange 775
Beistand s. stehen 674
beistehen s. stehen 674
Beisteuer s. ¹Steuer 678
beisteuern s. ¹Steuer 678
beistimmen s. Stimme 681
bejahen s. ja 293
beklagen s. klagen 328
beklemmen s. klemmen 332
beköstigen s. Kost 363
bekräftigen s. Kraft 364
bekritteln s. kritteln 372
bekümmern s. Kummer 376
bekunden s. kund 377
belagern s. Lager 383
belasten s. Last 388
belästigen s. lästig 388
belauben s. Laub 389
belaufen s. laufen 390
Beleg s. legen 394
belegen s. legen 394
Belegschaft s. legen 394
belehnen s. ²lehnen 395
beleibt s. Leib 396
beleidigen s. leid 397
belesen s. lesen 400
beleuchten s. leuchten 401
beleumdet s. Leumund 401
beleumundet s. Leumund 401

belichten s. licht 403
belobigen s. loben 407
belügen s. lügen 411
belustigen s. lustig 413
bemächtigen, sich s. Macht 414
bemängeln s. ²mangeln 420
bemannen s. Mann 421
bemerken s. merken 436
Bemerkung s. merken 436
bemittelt s. mittel 445
bemühen s. mühen 454
bemuttern s. Mutter 459
benachrichtigen s. Nachricht 460
benachteiligen s. Teil 705
benamsen s. Name 461
benebeln s. Nebel 464
benehmen s. nehmen 465
Benehmen s. nehmen 465
beneiden s. Neid 465
benennen s. nennen 465
benetzen s. netzen 467
benommen s. nehmen 465
beobachten s. ¹ob 474
beordern s. Order 482
beratschlagen s. Rat 551
beräuchern s. Rauch 552
berauschen s. rauschen 553
berechnen s. rechnen 555
Berechnung s. rechnen 555
beredsam s. Rede 556
Beredsamkeit s. Rede 556
beredt s. Rede 556
Bereich s. reichen 559
bereichern s. reich 559
bereifen s. ¹Reif 560
Bereifung s. ¹Reif 560
bereinigen s. rein 560
berennen s. rennen 564
bereuen s. Reue 567
Bergknappe s. Berg 60
Bergmann s. Berg 60
Bergwerk s. Berg 60
berichtigen s. richtig 569
beritten s. reiten 562
berücksichtigen s. Rücken 577
beruhigen s. Ruhe 578
berühmt s. Ruhm 578
berühren s. rühren 578
Beryll s. Brille 83
besagen s. sagen 583
besaiten s. Saite 584
besaitet s. Saite 584
besänftigen s. sanft 587
Besatz s. setzen 641
Besatzung s. setzen 641
besaufen s. saufen 590
beschämen s. Scham 594
beschatten s. Schatten 596
beschauen s. schauen 597
Beschauer s. schauen 597
beschaulich s. schauen 597

bescheinigen s. scheinen 598
bescheißen s. scheißen 598
beschirmen s. Schirm 605
Beschiß s. scheißen 598
beschlafen s. Schlaf 606
Beschlag s. schlagen 607
beschlagen s. schlagen 607
Beschlagnahme s. schlagen 607
beschleunigen s. schleunig 610
Beschleunigung s. schleunig 610
beschneiden s. schneiden 617
beschönigen s. schön 619
beschottern s. Schotter 621
beschränken s. schränken 621
beschränkt s. schränken 621
beschreiben s. schreiben 622
Beschreibung s. schreiben 622
beschreien s. schreien 622
beschuldigen s. Schuld 624
beschwingt s. schwingen 631
beschwören s. schwören 632
beseelen s. Seele 633
beseitigen s. Seite 635
beseligen s. selig 637
besessen s. sitzen 647
besetzen s. setzen 641
besichtigen s. Sicht 642
Besichtigung s. Sicht 642
besiedeln s. siedeln 643
besiegeln s. Siegel 643
besinnen s. sinnen 645
besinnlich s. sinnen 645
Besinnung s. sinnen 645
Besitz s. sitzen 647
besitzen s. sitzen 646
Besitzer s. sitzen 647
Besitzung s. sitzen 647
besoffen s. saufen 590
besohlen s. Sohle 649
besolden s. Sold 649
besonnen s. sinnen 645
besorgen s. Sorge 652
Besorgnis s. Sorge 652
besorgt s. Sorge 652
bespitzeln s. spitz 661
besprechen s. sprechen 663
Besprechung s. sprechen 663
besprengen s. sprengen 663
bespringen s. springen 664
Besserwisser s. wissen 769
Bestand s. stehen 674
beständig s. stehen 674
Bestandteil s. stehen 674
bestäuben s. Staub 671
Besteck s. stecken 673
bestecken s. stecken 673
bestehen s. stehen 674
bestellen s. stellen 676
Bestellung s. stellen 676
besteuern s. ¹Steuer 678

bestreiten s. Streit 688
bestücken s. Stück 690
Besuch s. suchen 694
besuchen s. suchen 694
Besucher s. suchen 694
betagt s. Tag 698
betätigen s. Tat 701
betäuben s. taub 702
beteiligen s. Teil 704
betonen s. ²Ton 711
betören s. ²Tor 712
Betrag s. tragen 714
betragen s. tragen 714
betrauen s. trauen 716
betreffen s. treffen 717
betreiben s. treiben 718
betreten s. treten 718
betreuen s. treu 719
Betrieb s. treiben 718
betriebsam s. treiben 718
betrinken s. trinken 720
betroffen s. treffen 717
betrüben s. trüb[e] 722
betrüblich s. trüb[e] 722
Betrug s. trügen 723
betrügen s. trügen 722
Betschwester s. Schwester 630
Bettstelle s. stellen 676
betulich s. tun 724
betupfen s. tupfen 725
beurkunden s. Urkunde 733
beurlauben s. Urlaub 733
beurteilen s. Urteil 733
bevölkern s. Volk 747
Bevölkerung s. Volk 747
bevormunden s. Vormund 748
bevorraten s. Vorrat 748
bewachen s. wachen 749
bewaffnen s. Waffe 750
bewahren s. wahren 751
bewältigen s. Gewalt 219
bewandert s. wandern 753
bewandt s. bewenden 64
Bewandtnis s. bewenden 64
bewerben s. werben 761
bewerkstelligen s. Werk 762
bewerten s. Wert 762
bewilligen s. Wille 766
bewirken s. wirken 768
bewirten s. Wirt 768
bewölken s. Wolke 770
Bewölkung s. Wolke 770
bezahlen s. Zahl 774
bezaubern s. Zauber 776
bezechen s. Zeche 776
bezecht s. Zeche 776
bezeichnen s. zeichnen 777
Bezeichnung s. zeichnen 777
bezeigen s. zeigen 777
bezeugen s. Zeuge 780
beziehen s. ziehen 781
Beziehung s. ziehen 781

Bezug s. ziehen 781
bezüglich s. ziehen 781
bezwecken s. Zweck 787
bezweifeln s. Zweifel 787
bezwingen s. zwingen 789
bibbern s. beben 54
biblisch s. Bibel 65
Biest s. Bestie 62
Bildfläche s. Bild 66
bildhaft s. Bild 66
Bildhauer s. Bild 66
bildhübsch s. Bild 67
bildlich s. Bild 66
Bildnis s. Bild 66
Bildsäule s. Bild 67
bildschön s. Bild 67
Bildstock s. Bild 67
Billion s. Million 441
Bilwiß s. Bild 66
bislang s. bis 69
Bison s. Wisent 768
Biß s. beißen 57
bißchen s. beißen 57
bissel s. beißen 57
Bissen s. beißen 57
bissig s. beißen 57
bisweilen s. bis 69
Bitumen s. Beton 62
Blahe s. Plane 514
Blarre s. plärren 515
Blasebalg s. Balg 46
Bläßhuhn s. Blesse 72
Blattgold s. Gold 228
blaumachen s. Montag 450
bleiern s. Blei 71
Bleistift s. Blei 71
Bleiweiß s. Blei 71
Blumenkorso s. Korso 362
blutdürstig s. Durst 124
Blutegel s. Egel 127
Blutrache s. Blut 74
blutrot s. Blut 74
Blutschande s. Blut 74
Blutschuld s. Blut 74
böig s. Bö 74
Born s. Brunnen 85
Bouteille s. Buddel 88
Bovist s. Bofist 75
Boxkalf s. Box 78
Bräme s. verbrämen 736
Branntwein s. brennen 82
Bratspieß s. ¹Spieß 659
Bratwurst s. Braten 79
Breme s. Bremse 82
Brennpunkt s. brennen 82
Briefkasten s. Brief 83
brieflich s. Brief 83
Briefmarke s. Brief 83
Briefschaften s. Brief 83
Brieftaube s. Brief 83
Briefträger s. Brief 83
Briefwechsel s. Brief 83
Bronnen s. Brunnen 85
brotzeln s. brutzeln 86

Bruch s. Hose 274
Brünne s. Brust 86
Buchecker s. Ecker 126
Budike s. Butike 92
Bugspriet s. Bug 88
Bullenbeißer s. Bulldogge 89
bullern s. poltern 520
Buntspecht s. Specht 655
Burgfriede[n] s. Burg 90
Buttel s. Buddel 88
Büttner s. Bütte 92
Butz[e] s. putzig 540
Butzemann s. putzig 540

C

Café s. Kaffee 301
carb[o]..., Carb[o]... s. karbo..., Karbo... 311
Chemisette s. Hemd 261
Chicorée s. Zichorie 781
Christstolle[n] s. Stollen 682
Cie. s. Kompanie 350
circa s. zirka 783
Co. s. Kompanie 350
Compagnie s. Kompanie 350
contre..., Contre...
  s. kontra..., Kontra... 357

D

daheim s. Heim 257
dahinsiechen s. siech 643
Damhirsch s. Dambock 98
damisch s. dämlich 98
Damwild s. Dambock 98
Darlehen s. ²lehnen 395
darstellen s. stellen 676
Darsteller s. stellen 676
Darstellung s. stellen 676
das s. der 105
dasig s. hiesig 265
dasselbe s. selb 636
datieren s. Datum 99
dato s. Datum 99
davonstieben s. stieben 679
dechiffrieren s. Chiffre 94
Dechsel s. Technik 704
Deckmantel s. Mantel 422
de facto s. Faktum 153
Deichgraf s. Graf 230
deklassieren s. Klasse 329
dem..., Dem... s. demo..., Demo... 103
demaskieren s. Maske 426
Demontage s. montieren 450
demoralisieren s. Moral 451
deplaciert s. placieren 513
dereinst s. einst 131
derjenige s. jener 295
dermaleinst s. einst 131
dermaßen s. Maß 426
derselbe s. selb 636
des..., Des... s. dis..., Dis... 112
desinfizieren s. infizieren 286

Deutsche Mark s. ¹Mark 423
di..., Di... s. dis..., Dis... 112
Dia s. Diapositiv 108
dich s. du 120
dickfellig s. Fell 162
Dickhäuter s. Haut 253
die s. der 105
dieselbe s. selb 636
dif..., Dif... s. dis..., Dis... 112
dinieren s. Diner 111
Dinner s. Diner 110
dir s. du 120
diskreditieren s. Kredit 368
Disqualifikation s. Qualität 542
disqualifizieren s. Qualität 541
Döbel s. Dübel 121
döbeln s. Dübel 121
Domkapitel s. Kapitel 309
Doppeldecker s. Deck 100
Drasch s. dreschen 118
dräuen s. drohen 119
Dreidecker s. Deck 100
Dreschflegel s. Flegel 173
Drink s. Trunk 723
Drohung s. drohen 119
Drusch s. dreschen 118
Dschiu-Dschitsu s. Jiu-Jitsu 295
Dune s. Daune 100
durchbrennen s. brennen 82
Durchfall s. fallen 154
durchfallen s. fallen 154
durchforsten s. Forst 181
durchgeistigt s. Geist 206
durchleuchten s. leuchten 401
durchlöchern s. Loch 407
durchpassieren s. passieren 495
durchpausen s. pausen 498
durchscheuern s. scheuern 601
durchschleusen s. Schleuse 610
durchschneiden s. schneiden 617
durchseihen s. seihen 634
durchsetzen s. setzen 640
durchweg s. durch 124
Duzbruder s. du 120
duzen s. du 120

E

e..., E... s. ¹ex..., ¹Ex... 147
ebnen s. eben 125
Echse s. Eidechse 129
ef..., Ef... s. ¹ex..., ¹Ex... 147
ehrerbietig s. bieten 66
Ehrgeiz s. Geiz 206
ehrgeizig s. Geiz 206
Eiderdaune s. Daune 100
Eierkuchen s. Ei 128

Eierstock s. Ei 128
Eiertanz s. Ei 128
Eigelb s. Ei 128
eigenmächtig s. Macht 414
ein s. in 285
einäschern s. Asche 35
einbalsamieren s. Balsam 47
einbilden s. bilden 67
Einbildung s. bilden 67
Einbildungskraft s. bilden 67
einbleuen s. bleuen 72
einbrechen s. brechen 81
Einbrecher s. brechen 81
Einbruch s. brechen 81
einbuchten s. Bucht 87
Einbuße, einbüßen s. büßen 92
Eindruck s. drücken 120
einengen s. eng 137
Einer s. ¹ein 130
einfädeln s. Faden 151
Einfall s. fallen 154
einfallen s. fallen 154
einflößen s. flößen 176
einfried[ig]en s. Friede[n] 186
Eingabe s. geben 201
Eingang s. gehen 204
eingeben s. geben 201
eingebildet s. bilden 67
Eingebung s. geben 201
eingedenk s. in 285
eingefleischt s. Fleisch 173
eingehen s. gehen 204
Eingeweide s. in 285
eingravieren s. gravieren 233
eingreifen s. greifen 234
einhalten s. halten 246
Einheit s. ¹ein 130
einigeln s. Igel 282
einigermaßen s. Maß 426
einkassieren s. Kasse 315
einkesseln s. Kessel 322
einkommen s. kommen 348
Einkommen s. kommen 348
Einkünfte s. kommen 348
einladen s. ²laden 383
Einlage s. legen 394
Einlaß s. lassen 387
einlassen s. lassen 387
Einlauf s. laufen 390
einlegen s. legen 394
einleiten s. leiten 399
Einleitung s. leiten 399
einleuchten s. leuchten 401
einlösen s. lösen 410
einmachen s. machen 414
einmotten s. Motte 453
einmummen s. mummen 455
einpferchen s. Pferch 505
einpökeln s. Pökel 519
einquartieren s. Quartier 542
einreißen s. reißen 561
einrenken s. renken 564

801

einrichten s. richten 569
einrühren s. rühren 578
eins s. ¹ein 130
einsacken s. Sack 582
Einsatz s. setzen 640
einschärfen s. scharf 595
einschläfern s. Schlaf 606
einschlagen s. schlagen 607
einschlägig s. schlagen 607
einschränken s. Schranke 621
einschreiben s. schreiben 622
Einschreiben s. schreiben 622
einschreiten s. schreiten 623
einschüchtern s. schüchtern 624
einsehen s. sehen 633
einseifen s. Seife 634
Einser s. ¹ein 130
einsetzen s. setzen 640
Einsicht s. sehen 633
einsichtig s. sehen 633
einspannen s. spannen 654
einsprechen s. sprechen 663
Einspruch s. sprechen 663
Einstand s. stehen 674
einstehen s. stehen 674
einstimmig s. Stimme 681
Eintel s. ¹ein 130
Eintrag s. tragen 714
eintragen s. tragen 714
eintreffen s. treffen 717
eintrichtern s. Trichter 719
einverleiben s. Leib 396
einverstanden sein s. verstehen 742
Einverständnis s. verstehen 742
Einwand s. wenden 761
einweihen s. weihen 758
Einweihung s. weihen 758
einwenden s. wenden 761
einwerfen s. werfen 762
einwickeln s. wickeln 764
einwilligen s. Wille 766
Einwohner s. in 285
Einwurf s. werfen 762
einzäunen s. Zaun 776
eisig s. Eis 132
Eiszapfen s. Zapfen 775
Eiweiß s. Ei 128
ek..., Ek... s. ²ex..., ²Ex... 147
Elben s. Elf 134
elbisch s. Elf 134
Elentier s. Elch 133
elfisch s. Elf 134
elfte s. elf 134
em..., Em... s. en..., En... 137
Emmer s. Ammer 22
en détail s. Detail 105
Endung s. Ende 137
enervieren s. Nerv 466
engstirnig s. Stirn 681
entarten s. Art 35
entbieten s. bieten 66

entbinden s. binden 68
entblöden s. blöd[e] 73
entblößen s. ¹bloß 73
entfernen s. fern 163
Entfernung s. fern 163
entflechten s. flechten 173
entfliehen s. fliehen 174
entgegnen s. gegen 203
entgehen s. gehen 204
entgeistern s. Geist 206
entgeistert s. Geist 206
Entgelt s. gelten 208
entgelten s. gelten 208
entgleisen s. Geleise 208
entgräten s. Gräte 232
enthalten s. halten 246
enthaltsam s. halten 246
Enthaltsamkeit s. halten 246
Enthaltung s. halten 246
enthaupten s. Haupt 253
Enthauptung s. Haupt 253
enthülsen s. Hülse 276
entkommen s. kommen 348
entkorken s. Kork 361
entkräften s. Kraft 364
entlarven s. Larve 387
entlassen s. lassen 387
Entlassung s. lassen 387
entlasten s. Last 388
entlauben s. Laub 389
entlausen s. Laus 391
entledigen s. ledig 393
entlegen s. liegen 404
entlehnen s. ²lehnen 395
entmachten s. Macht 414
entmannen s. Mann 421
entmilitarisieren s. ¹Militär 440
entmotten s. Motte 453
entmündigen s. mündig 455
entnerven s. Nerv 466
entpuppen s. Puppe 539
entrahmen s. Rahm 548
entrüsten s. rüsten 581
Entrüstung s. rüsten 581
entsaften s. Saft 583
Entsafter s. Saft 583
entsagen s. sagen 583
Entsagung s. sagen 583
entschädigen s. Schaden 592
Entscheid s. scheiden 598
entscheiden s. scheiden 598
Entscheidung s. scheiden 598
entschieden s. scheiden 598
entschlafen s. in 285, s. Schlaf 606
entschlüsseln s. Schlüssel 612
entschuldigen s. Schuld 624
entseelt s. Seele 633
entsinnen s. sinnen 645
entspannen s. spannen 654
entsprechen s. sprechen 663
entsprechend s. sprechen 663

entspringen s. springen 664
entstehen s. stehen 674
entstellen s. stellen 676
entstören s. stören 683
enttäuschen s. täuschen 703
entwaffnen s. Waffe 750
entweichen s. ²weichen 758
entwenden s. wenden 761
entwerten s. wert 762
entwickeln s. wickeln 764
Entwicklung s. wickeln 764
entwirren s. verwirren 743
entwischen s. Wisch 768
entwürdigen s. Würde 772
entziffern s. Ziffer 782
entzünden s. zünden 786
Entzündung s. zünden 786
entzwei s. zwei 787
entzweien s. zwei 787
ep..., Ep... s. epi..., Epi... 139
eph..., Eph... s. epi...' Epi... 139
Epik s. Epos 140
Epiker s. Epos 140
episch s. Epos 140
erachten s. ²Acht 11
erbeben s. beben 54
erbeuten s. Beute 63
erbieten s. bieten 66
erbittern, s. bitter 69
Erbitterung s. bitter 69
erblassen s. blaß 70
erbosen s. böse 78
erbötig s. bieten 66
Erbsünde s. ¹Erbe 141
erdrosseln s. ²Drossel 120
Erdsatellit s. Satellit 588
erfinden s. finden 168
Erfinder s. finden 168
erfinderisch s. finden 168
Erfindung s. finden 168
Erfolg s. folgen 179
erfolgen s. folgen 179
erfolglos s. folgen 179
erfolgreich s. folgen 179
erfreuen s. freuen 185
erfrischen s. frisch 187
ergänzen s. ganz 196
ergattern s. Gatter 199
ergeben (zum Resultat haben) s. geben 201
ergeben (gefügig) s. geben 201
Ergebenheit s. geben 201
Ergebnis s. geben 201
Ergebung s. geben 201
ergehen s. gehen 204
ergiebig s. geben 201
ergreifen s. greifen 234
ergreifend s. greifen 234
ergriffen s. greifen 234
Ergriffenheit s. greifen 234
ergrimmen s. grimm 236
ergründen s. Grund 239

erhalten s. halten 246
erheben s. heben 254
erheblich s. heben 254
Erhebung s. heben 254
erhitzen s. Hitze 267
erhöhen s. hoch 268
erholen s. holen 270
Erholung s. holen 270
erhören s. hören 273
erkalten s. kalt 304
erkälten s. kalt 304
Erkältung s. kalt 304
erklären s. klar 329
Erklärung s. klar 329
erklecklich s. klecken 331
erkoren s. kiesen 324
erkranken s. krank 366
erkühnen, sich s. kühn 375
erkunden s. kund 377
erkundigen s. kund 377
Erkundung s. kund 377
Erlaß s. lassen 387
erlassen s. lassen 387
erläutern s. lauter 391
erleben s. leben 392
Erlebnis s. leben 392
erledigen s. ledig 393
erledigt s. ledig 393
erlegen s. legen 394
erleichtern s. leicht 396
erleiden s. leiden 397
erlesen s. lesen 400
erleuchten s. leuchten 401
Erlös s. lösen 410
erlösen s. lösen 410
Erlöser s. lösen 410
Erlösung s. lösen 410
ermächtigen s. Macht 414
ermangeln s. ²mangeln 420
ermannen s. Mann 421
ermäßigen s. mäßig 427
Ermäßigung s. mäßig 427
ermatten s. matt 429
ermitteln s. mittel 445
ermüden s. müde 453
ermuntern s. munter 456
ernähren s. nähren 461
Ernährer s. nähren 461
Ernährung s. nähren 461
ernennen s. nennen 465
erneuen s. neu 467
erneuern s. neu 467
erniedrigen s. nieder 468
erpressen s. pressen 528
erproben s. Probe 530
erprobt s. Probe 530
erregen s. regen 557
erreichen s. reichen 559
errichten s. richten 569
erringen s. ringen 570
erröten s. rot 575
Errungenschaft s. ringen 570
Ersatz s. setzen 641

ersaufen s. saufen 590
ersäufen s. saufen 590
erschaffen s. schaffen 593
erscheinen s. scheinen 598
erschlaffen s. schlaff 606
erschöpfen s. schöpfen 620
erschöpft s. schöpfen 620
erschrecken s. ¹schrecken 621
erschwingen s. schwingen 631
erschwinglich s. schwingen 631
ersehnen s. sehnen 634
ersetzen s. setzen 641
ersinnen s. sinnen 645
ersprießlich s. sprießen 664
erstatten s. Statt 671
erstaunen s. staunen 672
erstaunlich s. staunen 672
erstehen s. stehen 674
ersteigern s. steigern 675
erstellen s. stellen 676
ersterben s. sterben 677
erstinken s. stinken 681
erstklassig s. Klasse 329
erstrecken s. strecken 687
ersuchen s. suchen 694
ertappen s. tappen 701
erteilen s. Teil 704
ertönen s. ²Ton 711
ertöten s. tot 713
Ertrag s. tragen 714
ertragen s. tragen 714
erträglich s. tragen 714
ertränken s. tränken 715
ertrinken s. trinken 720
ertüchtigen s. tüchtig 723
erübrigen s. über 727
erwachen s. wachen 749
erwachsen s. ²wachsen 749
erwägen s. wägen 750
erwählen s. wählen 751
erwärmen s. warm 754
erwarten s. warten 755
erwecken s. wecken 756
erweichen s. weich 757
erweitern s. weit 760
Erwerb s. werben 761
erwerben s. werben 761
erwidern s. wider 764
erwürgen s. würgen 772
Erzbischof s. Bischof 69
erzeigen s. zeigen 777
Erzengel s. Engel 138
erzeugen s. ²zeugen 780
Erzeuger s. ²zeugen 780
Erzeugnis s. ²zeugen 780
Erzeugung s. ²zeugen 780
erziehen s. ziehen 781
Erzieher s. ziehen 781
Erziehung s. ziehen 781
erzittern s. zittern 784
erzürnen s. Zorn 785
es s. er 140
Exklave s. Enklave 138

Exmatrikulation s. Matrikel 428
exmatrikulieren s. Matrikel 428

F
Fachmann s. Fach 151
Fachwerk s. Fach 151
Fähe s. Fuchs 189
Fahnenjunker s. Junker 298
Fahr s. Gefahr 202
Fahrgast s. Gast 198
Fährmann s. Fähre 152
faktisch s. Faktum 153
Fallstrick s. Strick 688
faltig s. Falte 154
...faltig, ...fältig s. Falte 154
Fassung s. fassen 157
feien s. gefeit 203
feinern s. fein 161
Feinheit s. fein 161
Feldgraf s. Graf 230
Feldgrau s. grau 233
Feldmarschall s. Marschall 425
Fensterladen s. Laden 383
Ferge s. Fähre 152
Festland s. fest 164
festsetzen s. setzen 640
Festung s. fest 164
Feuersbrunst s. Brunst 85
Fingerhut s. ¹Hut 278
Fischotter s. ¹Otter 485
fitzen s. ficken 166
Flaute s. flau 172
Fletz s. Flöz 176
flexibel s. flektieren 174
Flexion s. flektieren 174
Flugschrift s. Flug 177
Flugzeug s. Flug 177
Flunsch s. Flansch 172
Flurschütz s. Schütze 626
Foliant s. Folio 179
Forle s. Föhre 179
Forleule s. Föhre 179
formell s. formal 181
förmlich s. Form 180
formlos s. Form 180
Fortepiano s. piano 510
fortschreiten s. schreiten 623
fragwürdig s. Frage 182
Franzbranntwein s. Branntwein 79
Fraß s. fressen 185
Frechdachs s. Dachs 97
Freibeuter s. Beute 63
freibleibend s. bleiben 71
freigebig s. geben 201
Freikorps s. Korps 361
Freitod s. frei 184
Fremdenlegion s. Legion 394
Fuhrpark s. Park 492
Füllhorn s. Fülle 190
füllig s. Fülle 190

Fund s. finden 168
Funde s. finden 168
Fundgrube s. finden 168
fündig s. finden 168
funkelnagelneu s. Nagel 461
fürbaß s. baß 52
Fürbitte s. bitten 69
fürder s. fördern 180
Fürsorge s. Sorge 652
Fürsorger s. Sorge 652
Fürsorgerin s. Sorge 652
Fürsprech s. sprechen 663
Fußangel s. Angel 25
Fußnote s. Note 472

G

Gaffel s. Gabel 194
Galgenstrick s. Strick 688
Gams s. Gemse 209
Ganeff s. Ganove 196
gängig s. ¹Gang 196
Gangsterbande s. ²Gang 196
Garaus s. gar 196
gardez s. Garde 197
Gardist s. Garde 197
Gattung s. Gatte 199
Geäse s. äsen 36
Geäst s. Ast 37
Gebäck s. backen 44
Gebälk s. Balken 46
Gebein s. Bein 57
gebieten s. bieten 66
Gebild[e] s. Bild 66
gebildet s. bilden 67
Gebildeter s. bilden 67
Gebinde s. binden 68
geblümt s. Blume 74
Gebrauch s. brauchen 80
gebrauchen s. brauchen 80
gebräuchlich s. brauchen 80
gebrechen s. brechen 81
Gebrechen s. brechen 81
gebrechlich s. brechen 81
Gebrüder s. Bruder 85
Gebüsch s. Busch 91
Gedankensplitter s. Splitter 662
Gedankensprung s. Sprung 665
Gedeck s. decken 101
gedenken s. denken 104
Gedicht s. ²dichten 108
Gedränge s. Drang 117
gedrungen s. dringen 119
Geduld s. dulden 121
gedulden s. dulden 121
geduldig s. dulden 121
Geest s. gähnen 194
Gefälle s. fallen 154
Gefangener s. fangen 155
Gefangenschaft s. fangen 156
Gefängnis s. fangen 156
gefaßt s. fassen 157
Gefecht s. fechten 160

gefiedert s. Feder 160
Geflecht s. flechten 173
geflissentlich s. Fleiß 174
Gefolge s. folgen 179
Gefolgschaft s. folgen 179
gefräßig s. fressen 185
gefüge s. fügen 190
Gefüge s. fügen 190
gefügig s. fügen 190
Gefühl s. fühlen 190
gefühllos s. fühlen 190
Gegenteil s. Teil 705
gegenteilig s. Teil 705
gehandikapt s. Handikap 248
Gehänge s. hängen 249
geharnischt s. Harnisch 250
Gehecke s. hecken 255
Geheiß s. heißen 258
gehemmt s. hemmen 261
Gehemmtheit s. hemmen 261
Gehilfe s. Hilfe 265
Gehirn s. Hirn 267
gehl s. gelb 207
Gehlchen s. gelb 207
Gehölz s. Holz 271
Gehör s. hören 273
gehorchen s. horchen 272
Gel s. Gelatine 207
gelahrt s. lehren 396
geläufig s. laufen 390
gelaunt s. Laune 391
gelehrig s. lehren 396
gelehrsam s. lehren 396
Gelehrsamkeit s. lehren 396
gelehrt s. lehren 395
Gelehrter s. lehren 395
Geleier s. Leier 397
Geleit[e] s. leiten 399
gleiten s. leiten 399
gelieren s. Gelee 207
gelind[e] s. lind 405
geloben s. loben 407
Gelöbnis s. loben 407
Gelünge s. Lunge 412
Gelüst[e] s. Lust 412
gelüsten s. Lust 412
Gemarkung s. ²Mark 423
Gemenge s. mengen 434
gemessen s. messen 437
Gemetzel s. metzeln 438
Gemisch s. mischen 443
gemut s. Mut 458
genant s. genieren 211
geneigt s. neigen 465
Generalprobe s. generell 210
Generalversammlung s. generell 210
Genetiv s. Genitiv 211
genial s. Genie 210
Gepflogenheit s. pflegen 506
Gepräge s. prägen 524
Gepränge s. prangen 525
gerädert s. Rad 546
geraten s. raten 551

geraum s. Raum 553
geräumig s. Raum 553
gereichen s. reichen 559
gereuen s. Reue 567
Gerippe s. Rippe 571
gerochen s. rächen 546
gerührt s. rühren 578
Gerüst s. rüsten 581
Geschenk s. schenken 600
Geschichtsklitterung s. klittern 335
Geschiebe s. schieben 602
Geschmeiß s. ¹schmeißen 614
Geschöpf s. schaffen 593
Geschrei s. schreien 622
Geschwätz s. schwatzen 628
geschweift s. schweifen 628
geschweigen s. schweigen 629
geschwollen s. ¹schwellen 630
gesetzt s. setzen 640
Gesims s. Sims 644
gesonnen s. sinnen 645
gespannt s. spannen 654
gesprenkelt s. Sprenkel 664
geständig s. stehen 674
Geständnis s. stehen 674
gestehen s. stehen 674
Gestellungsbefehl s. stellen 676
Gestöber s. stöbern 681
Gesträuch s. Strauch 686
gestreift s. Streif[en] 687
gestrichelt s. Strich 688
gestrig s. gestern 218
getreu s. treu 719
Geviert s. vier 745
Gewaltakt s. Akt 16
gewärtig s. warten 754
Gewerke s. Werk 762
Gewerkschaft s. Werk 762
gewichst s. wichsen 764
Gewirr s. verwirren 743
gewissermaßen s. Maß 426
gewitzigt s. Witz 769
Gewölk s. Wolke 770
Gewürm s. Wurm 772
Geziefer s. Ungeziefer 731
Gieper s. Geifer 205
giepern s. Geifer 205
Glasfluß s. Fluß 178
Gleichgewicht s. Gewicht 220
gleichwertig s. wert 762
Gleis s. Geleise 208
Gnadenakt s. Akt 16
Gnitte s. nagen 461
Gnitze s. nagen 461
gokeln s. gaukeln 199
Goldfinger s. Finger 168
Gottesacker s. Acker 12
gottselig s. selig 637
Grabstichel s. Stichel 679

Grand s. Grind 236
grapho..., Grapho... s. Graphik 232
grapschen s. grabbeln 230
grapsen s. grabbeln 230
Grasnarbe s. Narbe 462
gräten s. grätschen 232
graulich s. Greuel 235
graumeliert s. meliert 433
greinen s. grinsen 236
grienen s. grinsen 236
Grisette s. greis 234
Grislybär s. greis 234
Groden s. grün 238
Grundeis s. Eis 132
Grundstock s. Stock 681
Grünspecht s. Specht 655
Grus s. groß 237
gülden s. Gold 228
Gült[e] s. gelten 208
Gur s. gären 197
gutsituiert s. situiert 646

H

Haar s. harsch 251
haarsträubend s. sträuben 686
Hainbuche s. Hag 243
halbpart s. Part 492
Halogene s. Salz 586
halsstarrig s. starren 670
handelseinig s. ¹einig 131
Handgift s. Gift 223
Handgranate s. Granate 231
Handgriff s. Griff 235
Handkuß s. küssen 381
Hans Taps s. Depp 104
hären s. Haar 241
hartgesotten s. sieden 643
hartnäckig s. Nacken 460
Haspe s. verhaspeln 738
Haspel s. verhaspeln 738
haspeln s. verhaspeln 738
hausbacken s. backen 44
Hausdrachen s. Drache 116
Hausfrau s. Frau 183
Hauspersonal s. Personal 502
Hausputz s. putzen 540
Haverei s. Havarie 254
Haxe s. Hachse 242
Hechse s. Hachse 242
Heidentum s. ¹Heide 256
heidnisch s. ¹Heide 256
heimelig s. anheimeln 25
heimeln s. anheimeln 25
Heimfall s. Heim 257
heimfallen s. Heim 257
heimleuchten s. Heim 257
heimsuchen s. Heim 257
Heimsuchung s. Heim 257
Heimtücke s. Tücke 724
Heimwesen s. Heim 257

Heimzahlung s. Heim 257
Heiratskandidat s. Kandidat 306
Heißhunger s. heiß 258
heißhungrig s. heiß 258
Heißsporn s. heiß 258
Hel s. Hölle 270
Hellegat[t] s. Hölle 270
herausfordern s. fordern 180
herbeischaffen s. schaffen 593
Herbstzeitlose s. Zeit 778
herkommen s. kommen 348
Herkommen s. kommen 348
herkömmlich s. kommen 348
Herkunft s. kommen 348
herstellen s. stellen 676
Hersteller s. stellen 676
Herstellung s. stellen 676
herumdoktern s. Doktor 114
herumkritteln s. kritteln 372
herumlungern s. lungern 412
herumtüfteln s. tüfteln 724
herunterkanzeln s. Kanzel 308
herunterputzen s. putzen 540
Hesse s. Hachse 242
Heumonat s. Heu 264
Heuschober s. Heu 264
Heuschrecke s. Heu 264
hinauskomplimentieren s. Kompliment 351
hineinbuttern s. Butter 92
Hingabe s. geben 201
hingeben s. geben 201
Hingebung s. geben 201
hingebungsvoll s. geben 201
hinlänglich s. hin 266
hinreißen s. reißen 561
hinreißend s. reißen 562
hinrichten s. richten 569
Hinsicht s. hin 266
hinsichtlich s. hin 266
hintergehen s. gehen 204
Hinterlader s. ¹laden 383
Hinterlist s. List 406
Hirngespinst s. Gespinst 217
Hochspannung s. spannen 654
höchstens s. hoch 268
Hochverrat s. verraten 740
Hofstaat s. Staat 666
Hoheit s. hoch 268
Honigseim s. sämig 586
Hube s. Hufe 275
Hucke s. ¹Hocke 268
huckens s. hocken 268
Hungerkur s. Kur 379
Hunt s. Hund 277
hürnen s. Horn 273
Hurrikan s. Orkan 484
hydr..., Hydr... s. hydro..., Hydro... 279
hyph..., Hyph... s. hypo..., Hypo... 280

I

ihm s. er 140
ihn s. er 140
ihr s. er 140
ihrer s. er 140
il... s. ¹in..., ¹In... 285
   s. ²in.., ²In... 285
illegal s. legal 393
illegitim s. legitim 395
im... s. ¹in..., ¹In... 285;
   s. ²in..., ²In... 285
Immatrikulation s. Matrikel 428
immatrikulieren s. Matrikel 428
Immobilien s. Mobilien 446
Imperfekt s. perfekt 501
impotent s. potent 523
Impotenz s. potent 523
Inbegriff s. greifen 234
Inbrunst s. Brunst 85
inbrünstig s. Brunst 86
indiskret s. diskret 112
Ingrimm s. grimm 236
ingrimmig s. grimm 236
Inhalt s. in 285
inkommodieren s. kommod 349
inkonsequent s. konsequent 355
Inkonsequenz s. konsequent 355
Inland s. Land 386
innen s. in 285
innere s. in 285
innerhalb s. in 285
innerlich s. in 285
Insasse s. in 285
inständig s. in 285
Insulaner s. Insel 288
inszenieren s. Szene 697
international s. national 463
intolerant s. tolerieren 710
Intoleranz s. tolerieren 710
inwendig s. in 285;
   s. wenden 761
Inzucht s. Zucht 786
inzwischen s. zwischen 789
ir... s. ¹in..., ¹In... 285;
   s. ²in..., ²In... 285
irreal s. real 554

J

Jahrzehnt s. zehn 777
Jauner s. Gauner 199
Jazzband s. ²Band 47
Jazz-Fan s. Fan 155
jeck s. Geck 202
Jieper s. Geifer 205
Jöhre s. Gör 229
juchzen s. jauchzen 294
Juchzer s. Jauchzer 294

Kabriolett s. Kapriole 310
Kadettenkorps s. Korps 361
Kalbsnuß s. Nuß 474
Kali s. Alkali 18
Kamellen s. Kamille 304
Kamisol s. Hemd 261
Kandelzucker s. Kandis[zuk-ker] 306
Kanditor s. Konditor 353
Kantare s. Kandare 306
Kapee s. kapieren 308
Kapo s. Korporal 361
Kaporal s. Korporal 361
Käppi s. Kappe 310
karnen s. kirnen 326
Karree s. kariert 312
Kartätsche s. Kartusche 314
karto..., Karto... s. Karte 313
Kartoffelpuffer s. Puff 538
Kartoffelpüree s. Püree 539
Kartograph s. Karte 313
Kartographie s. Karte 313
kartographisch s. Karte 313
Kartothek s. Karte 313
Karwoche s. Karfreitag 311
Karzer s. Kerker 321
Käsematte s. ²Matte 429
katzbalgen s. Balg 46
katzbuckeln s. Buckel 87
Kaule s. Keule 322
Kaulquappe s. Quappe 542
Kaute s. Keule 322; s. Kittchen 327
Kautsch s. Couch 96
Kehraus s. kehren 320
Kehrreim s. Reim 560
kernen s. kirnen 326
Kickstarter s. Start 670
Kieselgur s. gären 197
Kilometer s. Meter 438
Kinderhort s. Hort 274
Kinderreim s. Reim 560
Kinematograph s. Kino 325
Kirste s. Kruste 374
Klater s. Kladde 327
klat[e]rig s. Kladde 327
Klaun s. Clown 96
Klavierpart s. Part 492
Kleinkredit s. Kredit 368
klicken s. klacken 327
Klippkram s. klipp 334
Klippschenke s. klipp 334
Klippschule s. klipp 334
Klucke s. Glucke 227
Knagge, Knaggen s. Knecht 338
knappe[r]n s. knabbern 337
Knappsack s. knabbern 337
Knaus s. Knust 342
Knaust s. Knust 342
Kneifzange s. Zange 775
Kniekehle s. Kehle 319
Knilch s. Knülch 341
Knittel s. Knüttel 342

Knittelvers s. Knüttelvers 342
knüffeln s. kniff[e]lig 339
Knüpfel s. Knüppel 341
knuppern s. knabbern 337
ko..., Ko... s. kon..., Kon... 352
Köchin s. Koch 342
Kocke s. Kogge 343
Kofent s. Konvent 358
Kogel s. Kugel 375
kokeln s. gaukeln 199
koken s. ¹Koks 344
Koker s. ¹Koks 344
Kokerei s. ¹Koks 344
kol..., Kol... s. kon..., Kon... 352
kolken s. Kolkrabe 345
kom..., Kom... s. kon..., Kon... 352
Komplikation s. kompliziert 351
Konfirmand s. firmen 169
Konfirmation s. firmen 169
konfirmieren s. firmen 169
Konfiskation s. Fiskus 170
konfiszieren s. Fiskus 170
Konföderation s. Föderation 178
kongenial s. Genie 211
konisch s. Konus 358
Konservator s. konservieren 355
Konsultation s. konsultieren 356
konter..., Konter... s. kontra..., Kontra 357
Konzept s. konzipieren 359
Konzeption s. konzipieren 359
kor..., Kor... s. kon..., Kon... 352
Korporation s. Korps 361
korporiert s. Korps 361
Korste s. Kruste 374
kostbar s. Kosten 363
Kotflügel s. Kot 363
Krad s. Kraft 364
Krähenfüße s. Krähe 365
Kranewitter s. Krammetsvogel 365
Krankenschwester s. Schwester 630
Krankheitsherd s. Herd 262
Kratz s. kratzen 367
Kratzbeere s. kratzen 367
Kratzbürste s. kratzen 367
kratzbürstig s. kratzen 367
Kratze s. kratzen 367
Kratzfuß s. kratzen 367
Krause s. Kreisel 369
Kreation s. kreieren 368
kreisen s. Kreis 369
Kreislauf s. Kreis 369
Krem s. Creme 97

Krempel s. Krampe 365
krempeln s. Krampe 365
kreß s. ¹Kresse 369
Kreuzgang s. ¹Gang 196
kreuzigen s. Kreuz 370
Kreuzigung s. Kreuz 370
Kreuzotter s. Kreuz 370
Kreuzschnabel s. Kreuz 370
Kreuzspinne s. Kreuz 370
Kreuzung s. kreuzen 370
Kreuzworträtsel s. Kreuz 370
Kribbe s. Krippe 371
Kribskrabs s. Krimskrams 371
Krickente s. Kriekente 370
krimpen s. Krampf 366
Kroatzbeere s. kratzen 367
Kronsbeere s. Kranich 366
Kröppel s. Krapfen 366
Kubikmeter s. Kubus 374
Kubikwurzel s. Kubus 374
Kubikzahl s. Kubus 374
kubisch s. Kubus 374
Küchel s. Kuchen 374
kücheln s. Kuchen 374
Küchlein s. Küken 375
Küfer s. ²Kufe 375
Kuhle s. Keule 322
Kule s. Keule 322
Kulleraugen s. ²kollern 346
kullern s. ¹kollern 346; s. ²kollern 346
Kultus s. Kult 376
Kumst s. Kompott 352
Kumt s. Kummet 377
Kunft s. kommen 348
Kunstgriff s. Griff 235
Kunstharz s. Harz 251
Kupon s. Coupon 96
kuppen s. Kuppe 378
Kurfürst s. Kür 379
Kurpfalz s. Kür 379
Kurste s. Kruste 374
Kursus s. Kurs 380
Kurswagen s. Kurs 380
Kurwürde s. Kür 379
Kwaß s. Quas 543

L

Labkraut s. Lab 381
Labmagen s. Lab 381
Labsal s. laben 382
Ladebaum s. ¹laden 383
Ladnerin s. Laden 383
Ladung s. ¹laden 383; s. ²laden 383
Landammann s. Amt 23
Landstrich s. Strich 688
Lapislazuli s. Lasur 388
lasieren s. Lasur 388
laß s. lässig 388; s. letzen 401
läßlich s. lassen 387
Laufpaß s. Paß 494

Lauft s. laufen 390
Lausbub s. Bube 86
lauten s. laut 391
lauthals s. Hals 246
Leberegel s. Egel 127
lecken s. löcken 407
Lehnwort s. ²lehnen 395
Lehrstuhl s. Stuhl 691
Leibeskonstitution s. Konstitution 356
leidlich s. leiden 397
Leitartikel s. leiten 399
Leitung s. leiten 399
Lenzpumpe s. ³lenzen 400
Letzt s. letzen 401
Leu s. Löwe 410
Leuchter s. leuchten 401
Leuteschinder s. schinden 605
leutselig s. Leute 402
Leutseligkeit s. Leute 402
Liaison s. liieren 404
Libido s. lieb 403
lichterloh s. licht 403
lichtern s. leicht 396
Lichthupe s. Hupe 278
Liebestrank s. Trank 715
liebkosen s. kosen 362
linnen s. leinen 398
Linnen s. leinen 398
Liquor s. Likör 404
lobhudeln s. hudeln 275
lockig s. Locke 407
Lockspitzel s. ²locken 407
Lockvogel s. ²locken 407
Loggia s. Loge 408
Logis s. Loge 408
loseisen s. Eis 132
losen s. lauschen 391
Lucht s. Luft 411
Lückenbüßer s. büßen 92
Lufthansa s. Hanse 249
Lug s. lügen 411
Lulatsch s. ¹Latsche 389
lumpen s. Lump 412

M

Mahnmal s. ²Mal 418
Makrone s. Makkaroni 417
manchmal s. ¹Mal 418
mang s. mengen 434
manisch s. Manie 420
mannigfach s. manch[er] 419
mannigfaltig s. manch[er] 419
Mannsbild s. Bild 66
Mansch s. Matsch 428
manschen s. Matsch 428
Mär s. Märchen 422
Maräne s. Plötze 517
Märe s. Märchen 422
markant s. markieren 424
markig s. ³Mark 424
Marks s. ³Mark 424

Marktflecken s. Fleck 173
Marktschreier s. schreien 622
marktschreierisch s. schreien 622
Marmel s. Marmor 424
Marre s. Marone 424
Märte s. mären 423
Maschinengewehr s. Gewehr 220
Massage s. ²massieren 427
Masseur s. ²massieren 427
Masseuse s. ²massieren 427
Maßholder s. Maßlieb[chen] 427
Massiv s. Masse 427
Maßnahme s. Maß 426
Maßregel s. Maß 426
maßregeln s. Maß 426
Maßstab s. Maß 426
mattieren s. matt 429
Maulschelle s. ²Schelle 599
Maultier s. Maulesel 429
maunzen s. miauen 439
Maurer s. Mauer 429
mauzen s. miauen 439
Medikament s. Medizin 431
Meerbusen s. Busen 91
mehrstimmig s. Stimme 681
Mehrzahl s. Einzahl 132
Melange s. meliert 433
Meltau s. Mehltau 432
Menthol s. Minze 443
Merkmal s. ²Mal 418
Metze s. messen 437
Metzen s. messen 437
Mies s. Mieze 440
Mietpartei s. Partei 493
Mietskaserne s. ²Miete 440
Millimeter s. Meter 438
Miltau s. Mehltau 432
minderwertig s. wert 762
mißbilligen s. billig 67
Mißbrauch s. brauchen 80
mißbrauchen s. brauchen 80
mißbräuchlich s. brauchen 80
Mißgeschick s. Geschick 215
mißhandeln s. handeln 248
Mißhandlung s. handeln 248
mißhellig s. einhellig 131
Mißhelligkeit s. einhellig 131
Mißkredit s. Kredit 368
mißliebig s. miß... 443
mißlingen s. gelingen 208
Mißmut s. miß... 443
mißmutig s. miß... 443
mißraten s. miß... 443
Mißstand s. miß... 443
Mißstimmung s. miß... 443
mißtrauen s. miß... 443
Mißtrauen s. miß... 443
mißtrauisch s. miß... 443
Mißverhältnis s. miß... 443
Mißverständnis s. miß... 443
Mißverstehen s. miß... 443

Mitbringsel s. bringen 83
Mitgift s. Gift 223
Mitglied s. Glied 226
mitteilen s. Teil 704
Mitteilung s. Teil 704
Mittelfinger s. Finger 168
Modder s. Moder 447
modisch s. Mode 446
Modistin s. Mode 446
Mohrrübe s. Möhre 447
Molle s. Mulde 454
molsch s. mollig 448
mon..., Mon... s. mono...
Mono 449
Monster... s. Monstrum 449
Monsterfilm s. Monstrum 450
monströs s. Monstrum 450
Montage s. montieren 450
Monteur s. montieren 450
Mördergrube s. Grube 238
Mores s. Moral 451
Morphium s. Morpheus 452
Mühsal s. mühen 454
mühsam s. mühen 454
mühselig s. mühen 454
Mühseligkeit s. mühen 454
mulsch s. mollig 448
Mundart s. Mund 455
mundartlich s. Mund 455
münden s. Mund 455
mundfaul s. Mund 455
Mundharmonika s. Mund 455
mündlich s. Mund 455
Mundraub s. Mund 455
Mundschenk s. Mund 455
Mündung s. Mund 455
Mundwerk s. Mund 455
Murkel s. murksen 456
Murmel s. Marmor 424
mürrisch s. murren 456
Muschkote s. Muskete 458
musisch s. Muse 457
Muskulatur s. Muskel 457
muskulös s. Muskel 457
müßig s. Muße 458
Müßiggang s. Muße 458
Müßiggänger s. Muße 458
mutmaßen s. Mut 458
mutmaßlich s. Mut 458
Muttermal s. ²Mal 418
Mutwille s. Mut 458

N

nachdenken s. denken 104
nachdenklich s. denken 104
Nachfahr s. fahren 152
nachgeben s. geben 201
Nachgeburt s. Geburt 202
nachgiebig s. geben 201
Nachhut s. ²Hut 279
nachkommen s. kommen 348
Nachkommen s. kommen 348

807

Nachkommenschaft s. kommen 348
Nachkömmling s. kommen 348
Nachlaß s. lassen 387
nachlassen s. lassen 387
nachlässig s. lassen 387
Nachmittag s. Mittag 445
nachschaffen s. schaffen 593
Nachschub s. Schub 624
nachsehen s. sehen 633
nachsetzen s. setzen 640
Nachsicht s. sehen 633
nachstellen s. stellen 676
Nächstenliebe s. nah[e] 461
Nachteil s. Teil 705
nachteilig s. Teil 705
Nachtmahl s. Mahl 416
nachtmahlen s. Mahl 416
nachwachsen s. ²wachsen 749
Nachwuchs s. ²wachsen 749
nachziehen s. ziehen 781
Nachzügler s. ziehen 781
nähern, sich s. nah[e] 461
nämlich s. Name 461
Nebenbuhler s. Buhle 89
Negation s. negieren 464
negativ s. negieren 464
Nesthäkchen s. Nest 466
neumodisch s. Mode 446
Neuzeit s. neu 467
neuzeitlich s. neu 467
Nickfänger s. Genick 210
niederkommen s. kommen 348
Niederkunft s. kommen 348
Niederlage s. legen 394
niederlassen s. lassen 387
Niederlassung s. lassen 387
niederlegen s. legen 394
niedermetzeln s. metzeln 439
niederringen s. ringen 570
niederstrecken s. strecken 686
niedrig s. nieder 468
niemals s. ¹Mal 418; s. nie 468
niemand s. nie 468
Nießbrauch s. genießen 211
Nießnutz s. genießen 211
Nieswurz s. Wurz 773
Nigger s. Neger 464
nimmer s. nie 468
Nimmersatt s. nie 468
nirgend s. irgend 292
Nitrat s. Natron 463
Nitrit s. Natron 463
Nitrogenium s. Natron 463
Nitroglyzerin s. Natron 463
noch s. nun 473
nominal s. nominell 470
Notbehelf s. helfen 260; s. Not 471
Notdurft s. Not 471

notdürftig s. Not 471
nötig s. Not 471
Notlüge s. Not 471
Notnagel s. Not 471
Notpfennig s. Not 471
Notstand s. Not 471
Notwehr s. Not 471
notwendig s. Not 471
Notwendigkeit s. Not 471
Notzucht s. Not 471
notzüchtigen s. Not 471
Nu s. nun 473
Nugat s. Nougat 472
nutschen s. lutschen 413
Nutte s. Nut 474

O

Obacht s. ¹ob 474
Obdach s. ¹ob 474
obdachlos s. ¹ob 474
Obdachlosenasyl s. ¹ob 474
oberflächlich s. flach 170
Oberhand s. Hand 248
Obhut s. ¹ob 474; s. ²Hut 279
obliegen s. ¹ob 474
Obmann s. ¹ob 474
Obrigkeit s. obere 475
Obus s. Omnibus 479
obwalten s. ¹ob 474
oc..., Oc... s. ob..., Ob... 474
Odem s. Atem 37
of..., Of... s. ob..., Ob... 474
öffnen s. offen 477
Öffnung s. offen 477
Ohrenschmalz s. Schmalz 613
ok..., Ok... s. ob..., Ob... 474
Ölgötze s. Öl 479
Ölung s. Öl 479
op..., Op... s. ob..., Ob... 474
Opposition s. opponieren 481
optimal s. Optimum 481
optisch s. Optik 481
Ordensstern s. Stern 678
Osterhase s. Hase 251

P

Palais s. Palast 487
Panier s. Banner 49
Papierdrachen s. Drache 116
pappeln s. papperlapapp 490
päppeln s. Papp 489
pappig s. Papp 489
Parade s. parieren 491
Paraphrase s. Phrase 510
paraphrasieren s. Phrase 510
Parkometer s. Park 492
Parkplatz s. Park 492
Parteiorgan s. Organ 483
partiell s. partial 493
passabel s. passen 494
Passage s. passieren 495
Passagier s. passieren 495

Passant s. passieren 495
passé s. passieren 495
Passepartout s. partout 494
pathetisch s. Pathos 496
Patin s. Pate 496
pausieren s. ¹Pause 498
Penis s. Pinsel 512
Perzent s. Prozent 535
pexieren s. pekzieren 499
pfauchen s. fauchen 158
Pfefferminze s. Minze 443
Pferdekur s. Kur 379
pfiffig s. Pfiff 505
Pfiffikus s. Pfiff 505
pflaum[en]weich s. Flaum 172
Pflugschar s. ²Schar 595
Pflugsterz s. Sterz 678
Pfnüsel s. niesen 469
Pick s. ²Pik 511
Pietismus s. Pietät 511
Pimpf s. Pumpernickel 539
Pipeline s. Pfeife 504
placken s. plagen 514
Plackerei s. plagen 514
pladdern s. plätschern 515
planieren s. plan 514
planlos s. ²Plan 514
planschen s. plätschern 515
plantschen s. plätschern 515
Planung s. ²Plan 514
planvoll s. ²Plan 514
plätschen s. plätschern 515
plaustern s. plustern 518
plazieren s. placieren 513
Pleuel[stange] s. bleuen 72
Plusquamperfekt s. perfekt 501
Pogrom s. grimm 236
Politur s. polieren 519
Polizze s. Police 519
posthum s. postum 523
Postillion s. Post 523
Postillon d'amour s. Post 523
postlagernd s. Post 523
postwendend s. Post 523
Präses s. präsidieren 526
Prélude s. Präludium 525
Presbyter s. Priester 528
pressant s. pressen 528
prinzipiell s. Prinzip 529
Prinzipienreiter s. Prinzip 529
pro mille s. Mille 441
prost s. prosit! 534
prosten s. prosit! 534
prot..., Prot... s. proto..., Proto... 534
Protestant s. protestieren 534
protestantisch s. protestieren 534

Protestantismus s. prote-
stieren 534
Protoplasma s. Plasma 515
Prozeßpartei s. Partei 493
pünktlich s. Punkt 539
Purzelbaum s. purzeln 540

Q

Quackelei s. quaken 541
quackeln s. quaken 541
Quadrillon s. Million 441
quappeln s. quabbeln 540
quappig s. quabbeln 540
Quebbe s. quabbeln 540
Quehle s. Zwehle 787
Quetsche s. Kneipe 339;
s. quetschen 544;
s. Zwetsche 788

R

Rache s. rächen 546
rädern s. Rad 546
Rädlein[s]führer, s. Rädels-
führer 546
Raffke s. raffen 547
rändern s. Rand 549
Ranft s. Rahmen 548
Ranken s. Runkelrübe 580
ranzen s. anranzen 27
Raritätenkabinett s. Kabi-
nett 300
Rasur s. rasieren 550
ratsam s. Rat 551
ratschen s. rasseln 551
rätschen s. rasseln 551
Ratschlag s. Rat 551
ratschlagen s. Rat 551
rauch s. rauh 553
Rauchfang s. fangen 156
Rauchware s. rauh 553
Rauchwerk s. rauh 553
rechts s. recht 555
Rechtsanwalt s. Anwalt 28
Rechtsbeistand s. stehen 674
rechtskräftig s. Kraft 364
Redakteur s. redigieren 556
Redaktion s. redigieren 556
reell s. real 554
Reep s. ¹Reif 559
Reeper s. ¹Reif 559
Reeperbahn s. ¹Reif 560
Regenpfeifer s. Regen 558
Regenschirm s. Regen 558
Regenwurm s. Regen 558
Regierung s. regieren 558
Regisseur s. Regie 558
regnen s. Regen 557
regnerisch s. Regen 557
regsam s. regen 557
regulär s. Regel 557
regulieren s. Regel 557
Regung s. regen 557
Reichsmark s. ¹Mark 423
Reifen s. ¹Reif 560

Reihen s. Rist 571
Reineklaude s. Reneklode
564
Reisepaß s. Paß 494
Reißschiene s. Schiene 603
Reiter (Sieb) s. rein 560
Relation s. relativ 563
rentabel s. Rente 565
Rentenmark s. ¹Mark 423
Rentier s. Ren 564
Reorganisation s. organisie-
ren 483
reorganisieren s. organisieren
483
Reproduktion s. produzieren
531
reproduzieren s. produzieren
531
Reps s. Raps 549
retuschieren s. Tusche 726
reuten s. roden 572
rischeln s. rascheln 550
rittlings s. Ritt 571
Roastbeef s. ¹Rost 575
Rock and Roll s. rücken 576
Rock n'Roll s. rücken 576
rojen s. Ruder 577
Rollo s. Rouleau 576
Roßtäuscher s. täuschen 703
Rothaut s. Haut 253
Rotwelsch s. welsch 760
rubbeln s. rupfen 580
rück... s. Rücken 577
Rückgrat s. Grat 232
Rückschritt s. Schritt 623
Rückspiegel s. Spiegel 659
Rundfunk s. Funke[n] 191
Runse s. blutrünstig 74
ruscheln s. rascheln 550
rüstig s. rüsten 581
Rutte s. Aal 7

S

Sackpfeife s. Dudelsack 121
Saint s. Sankt 587
...sam s. sammeln 586
Sämann s. säen 583
San s. Sankt 587
São s. Sankt 587
Sarkophag s. Sarg 588
Sattelschlepper s. schleppen
610
sättigen s. satt 589
Sättigung s. satt 589
sattsam s. satt 589
Sauce s. Soße 652
Sauciere s. Soße 652
saudumm s. dumm 122
Sauerkraut s. Kraut 367
Säugling s. saugen 590
Säule s. ¹Saum 591

Saumpfad s. Saumtier 591
Saumsal s. ²säumen 591
saumselig s. ²säumen 591
Saumseligkeit s. ²säumen 591
Saus s. sausen 591
Sause s. sausen 591
schachmatt s. matt 429
Schamleiste s. Leiste 398
Scharm s. Charme 93
scharmant s. Charme 93
Schatulle s. Schachtel 592
Schaufenster s. schauen 597
Schauplatz s. schauen 597
Schauspiel s. schauen 597
Schauspieler s. schauen 597
schauspielern s. schauen 597
Schembart s. Schemen 599
Schererei s. ¹scheren 600
Schienenbus s. Omnibus 479
Schiet s. scheißen 598
schilpen s. zirpen 783
Schindanger s. Anger 25
Schinnen s. schinden 605
schirpen s. zirpen 783
Schiß s. scheißen 598
Schlachtenbummler s. bum-
meln 89
Schlafittchen s. Fittich 170
Schlafittich s. Fittich 170
Schlafkammer s. Kammer 304
Schlagbaum s. Baum 54
Schlägel s. Schlegel 608
Schlagsahne s. Sahne 584
schleißen s. verschleißen 740
Schlich s. schleichen 609
schliefen s. schlüpfen 612
Schliff s. ¹schleifen 609
schlohweiß s. Schloße 611
Schluft s. Schlucht 611
schmackhaft s. schmecken
613
Schmer s. schmieren 614
Schmiß s. ¹schmeißen 613
schmissig s. ¹schmeißen 613
schmuddelig s. schmausen
613
schneien s. Schnee 617
schnipp, schnapp s. schnappen 616
Schnittlauch s. Lauch 389
schnobern s. schnauben 616
schnuppern s. schnupfen 618
Schraublehre s. Lehre 395
Schubkarre[n] s. Karre 313
Schublade s. Lade 383
Schublehre s. Lehre 395
schuldbewußt s. bewußt 64
schupfen s. Schippe 605
schurren s. scharren 596
Schuß s. scheißen 603
schüttern s. erschüttern 143;
s. schütten 626
Schwabe s. Schabe 591
Schwall s. ¹schwellen 630

Schwarzspecht s. Specht 655
Schweizerdegen s. ²Degen 101
Schwimmdock s, Dock 113
Schwund s. schwinden 631
Seemannsgarn s. Garn 198
Seestern s. Stern 678
Segge s. Säge 583
Seim s. sämig 586
seimig s. sämig 586
Seitengewehr s. Gewehr 220
Sektion s. sezieren 641
selbander s. ander 24
selbstbewußt s. bewußt 64
Selbstbewußtsein s. bewußt 64
Selters s. Salz 586
Selterswasser s. Salz 586
Sendbrief s. Brief 83
Sexbombe s. Bombe 76
sezernieren s. Sekret 635
Siedler s. siedeln 643
Siedlung s. siedeln 643
sielen s. saufen 590
siezen s. sie 642
Sild s. Hering 262
simpeln s. fachsimpeln 151
Sinnesorgane s. Organ 483
Sint s. Sankt 587
Ski s. Schi 601
Slibowitz s. Schlehe 608
Slowfox s. Foxtrott 182
Söldner s. Sold 649
Solist s. Solo 650
Solistin s. Solo 650
solistisch s. Solo 650
Sommerfrische s. frisch 187
sondieren s. Sonde 650
Sozia s. Sozius 653
Spachtel s. Spatel 655
sperrangelweit s. Angel 25
Spill s. Spindel 660
Spital s. Hospital 274
Spitzbube s. Bube 86
Spitzbüberei s. Bube 86
spitzbübisch s. Bube 86
spitzfindig s. finden 168
Splitting s. spleißen 661
Sprinkler s. Sprenkel 664
Sprungschanze s. ²Schanze 595
Staatsanwalt s. Anwalt 28
Staatsräson s. Räson 550
Staffage s. staffieren 668
Standpauke s. pauken 498
Stank s. Gestank 218
stänkern s. stinken 681
statthaft s. gestatten 218
stauchen s. verstauchen 741
Stearin s. Talg 699
Steinbruch s. ¹Bruch 84
Stenge s. Stange 669
Steppke s. stopfen 683

Sternschnuppe s. Schnuppe 618
Steven s. Stab 667
Stickhusten s. Stickstoff 679
stickig s. Stickstoff 679
Stickluft s. Stickstoff 679
Stiefelknecht s. Knecht 338; s. Stiefel 679
stier s. stieren 680
Stiftsdame s. stiften 680
Stiftskirche s. stiften 680
stillschweigen s. schweigen 629
stillschweigend s. schweigen 629
stippen s. ²steppen 677
Stippvisite s. ²steppen 677
Stockfisch s. Stock 682
Stockfleck s. stocken 682
stocksteif s. steif 674
Strahlenkranz s. Kranz 366
Striegel s. streichen 687
strobeln s. strubbelig 689
strohdumm s. dumm 122
Stromschnelle s. schnell 617
Struwwelpeter s. strubbelig 689
Stubben s. Stief... 667
Stuhlgang s. ¹Gang 196
Stülz s. rumpeln 579
Stunk s. stinken 681
Stuten s. Steiß 675
suckeln s. saugen 590
suf... s. sub..., Sub... 693
sug... s. sub..., Sub... 693
Suhle s. saufen 590
suhlen s. saufen 590
sühlen s. saufen 590
suk... s. sub..., Sub... 693
Sumpfdotterblume s. Dotter 116
Sündflut s. Sintflut 645
sup... s. sub..., Sub... 693
sur... s. sub..., Sub... 693
Swinegel s. Schwein 629
sy..., Sy... s. syn..., Syn... 697
syl..., Syl... s. syn..., Syn... 697
sym..., Sym... s. syn..., Syn... 697
Symphonie s. Sinfonie 644

T
Tagedieb s. Dieb 109
Takel s. Zacke 774
Takelage s. Zacke 774
takeln s. Zacke 774
Tannenzapfen s. Zapfen 775
Taps s. Depp 104
tatauieren s. tätowieren 701
Tauchsieder s. sieden 643
Teckel s. Dackel 97
Thing s. Ding 111

Tinktur s tunken 725
Todeskandidat s. Kandidat 306
todschick s. Schick 602
Tollwut s. Wut 773
Tonleiter s. ²Leiter 399
topfit s. fit 170
Topp s. Zopf 785
Torfmull s. Müll 454
Torheit s. ²Tor 712
töricht s. ²Tor 712
Tragbahre s. Bahre 45
Tragweite s. tragen 714
traktieren s. trachten 714
Traktor s. trecken 717
traulich s. trauen 716
Trauring s. trauen 716
Trauung s. trauen 716
Trauzeuge s. trauen 716
Trillion s. Million 441
Trockendock s. Dock 113
Typus s. Typ 726

U
überbrücken s. Brücke 85
überbürden s. Bürde 90
übereinkommen s. kommen 348
Übereinkunft s. kommen 348
übereinstimmen s. Stimme 681
überflügeln s. Flügel 177
überfordern s. fordern 180
Übergabe s. geben 201
Übergang s. gehen 204
übergeben s. geben 201
übergehen s. gehen 204
Übergewicht s. Gewicht 220
überhandnehmen s. Hand 248
Überhang s. hängen 249
überholen s. holen 270
Überholung s. holen 270
überhören s. hören 273
überirdisch s. irdisch 292
überkommen s. kommen 348
überlassen s. lassen 387
überlaufen s. laufen 390
Überläufer s. laufen 390
überleben s. leben 392
überlegen s. legen 394
Überlegung s. legen 394
überliefern s. liefern 404
übermächtig s. machen 414
übermannen s. Mann 421
Übermensch s. Mensch 435
übermitteln s. Mittel 445
Übermut s. Mut 458
übermütig s. Mut 458
übernachten s. Nacht 460
überschlagen s. schlagen 607
überschneiden s. schneiden 617

überschreiten s. schreiten 623
überschwemmen s. schwem-
  men 630
Überschwemmung s.
  schwemmen 630
übersetzen s. setzen 640
Übersetzung s. setzen 640
übersinnlich s. Sinn 645
überspannt s. spannen 654
überspringen s. springen 664
übertreffen s. treffen 717
übertreten s. treten 718
Übertritt s. treten 718
übertrumpfen s. Trumpf 723
übervorteilen s. Teil 705
überwältigen s. Gewalt 219
überweisen s. weisen 759
Überweisung s. weisen 759
überwerfen s. werfen 762
Überwurf s. werfen 762
überzeugen s. Zeuge 780
Überzeugung s. Zeuge 780
überziehen s. ziehen 781
Überzieher s. ziehen 781
Überzug s. ziehen 781
überzwerch s. zwerch 788
üblich s. üben 727
übrig s. über 727
übrigens s. über 727
Übung s. üben 727
Ulenflucht s. Eule 146
umarmen s. Arm 33
umbringen s. bringen 83
umfrie[di]gen s. Friede[n]
  186
umgarnen s. Garn 198
umgeben s. geben 201
Umgebung s. geben 201
umhalsen s. Hals 246
Umhang s. hängen 249
umkommen s. kommen 348
ummodeln s. Modell 446
umnachten s. Nacht 460
umnebeln s. Nebel 464
umringen s. Ring 570
umrühren s. rühren 578
umsatteln s. Sattel 589
Umsatz s. setzen 640
umschichtig s. Schicht 602
Umschlag s. schlagen 607
umschlagen s. schlagen 607
Umschweife s. Schweif 628
umsetzen s. setzen 640
umsonst s. sonst 651
umstimmen s. Stimme 681
umstritten s. Streit 688
Umsturz s. stürzen 692
umstürzen s. stürzen 692
Umtrunk s. Trunk 723
umtun s. tun 724
Umwelt s. Welt 761
umwinden s. ²winden 767
umzäunen s. Zaun 776
umziehen s. ziehen 781

Umzug s. ziehen 781
unabdingbar s. dingen 111
unablässig s. lassen 387
Unannehmlichkeit s. genehm
  210
unbändig s. bändigen 47
unbedingt s. bedingen 55
unbefangen s. befangen 55
Unbefangenheit
  s. befangen 55
unbehaust s. Haus 253
unbeholfen s. helfen 260
unbekümmert s. Kummer
  376
unbeschadet s. Schaden 592
unbescholten s. schelten 599
unbewußt s. bewußt 64
unbillig s. billig 67
unendlich s. Ende 137
unentgeltlich s. gelten 208
unerfindlich s. finden 168
unerhört s. hören 273
unerläßlich s. lassen 387
unerschöpflich s. schöpfen
  620
unerschütterlich s. erschüttern 143
unerträglich s. tragen 714
unfaßbar s. fassen 157
unfehlbar s. fehlen 161
Unfug s. fügen 189
ungefüge s. fügen 190
ungeheuer s. geheuer 205
Ungeheuer s. geheuer 205
ungeheuerlich s. geheuer 205
ungelenk s. Gelenk 208
Ungemach s. Gemach 209
ungeniert s. genieren 211
ungenießbar s. genießen 211
ungeschoren s. ¹scheren 600
ungestalt s. verunstalten 742
ungezogen s. ziehen 781
ungezwungen s. zwingen 789
Unglimpf s. glimpflich 226
unglücksschwanger
  s. schwanger 627
unheilschwanger s. schwanger
  627
Unhold s. hold 270
Unkosten s. Kosten 363
Unkraut s. Kraut 367
unlängst s. lang 386
unlogisch s. Logik 408
Unmensch s. Mensch 435
unparteiisch s. Partei 493
unpäßlich s. passen 494
Unruh s. Ruhe 578
Unruhe s. Ruhe 578
Unruheherd s. Herd 262
unsagbar s. sagen 583
unsäglich s. sagen 583
unsauber s. sauber 589
Unsauberkeit s. sauber 589
unscheinbar s. scheinen 598

Unschuld s. Schuld 624
unschuldig s. Schuld 624
Unsinn s. Sinn 645
unsinnig s. Sinn 645
Unsitte s. Sitte 646
unsittlich s. Sitte 646
unsterblich s. sterben 677
Unsterblichkeit s. sterben
  677
Unstern s. Stern 678
Unterbewußtsein s. bewußt
  64
unterbinden s. binden 68
unterbleiben s. bleiben 71
unterbreiten s. breit 82
Untergang s. gehen 204
untergeben s. geben 201
Untergebener s. geben 201
untergehen s. gehen 204
Unterhalt s. halten 246
unterhalten s. halten 246
Unterhaltung s. halten 246
unterhandeln s. handeln 248
Unterhändler s. handeln 248
unterirdisch s. irdisch 292
unterjochen s. Joch 296
unterkommen s. kommen 348
Unterkunft s. kommen 348
Unterlage s. legen 394
Unterlaß s. lassen 388
unterlassen s. lassen 387
unterlegen s. legen 394
unterliegen s. liegen 404
untermauern s. Mauer 429
Untermensch s. Mensch 435
unterminieren s. Mine 442
unternehmen s. nehmen 465
Unternehmen s. nehmen 465
Unternehmer s. nehmen 465
Unterpfand s. Pfand 504
untersagen s. sagen 583
Untersatz s. setzen 640
unterscheiden s. scheiden 598
Unterschied s. scheiden 598
unterschlagen s. schlagen 607
untersetzen s. setzen 640
untersetzt s. setzen 640
Unterstand s. stehen 674
unterstehen s. stehen 674
unterstützen s. stützen 693
untersuchen s. suchen 694
Untersuchung s. suchen 694
unterweisen s. weisen 759
Unterweisung s. weisen 759
Unterwelt s. unter 732
unterwerfen s. werfen 762
unterwürfig s. werfen 762
unterzeichnen s. zeichnen 777
Unterzeichnung s. zeichnen
  777
Untier s. Tier 709
untragbar s. tragen 714
unübertrefflich s. treffen 717
unübertroffen s. treffen 717

unumwunden s. ²winden 767
unverbindlich s. verbinden 68
unverblümt s. Blume 74
unverbrüchlich s. ¹Bruch 84
unverdrossen s. verdrießen 737
unverhofft s. hoffen 269
unverhohlen s. hehlen 256
unverschämt s. Scham 594
unversehrt s. versehren 741
Unversehrtheit s. versehren 741
unwillkürlich s. Willkür 766
unwirtlich s. Wirt 768
Unzucht s. Zucht 786
unzüchtig s. Zucht 786
Ur s. Auerochse 40
Urahn s. Ahn 15
Urbild s. Bild 67
urchig s. ur... 732
Urenkel s. Enkel 138
Urfehde s. Fehde 160
urig s. ur... 732
urtümlich s. ur... 732
urwüchsig s. Wuchs 771

V
verabfolgen s. folgen 179
verachten s. ²Acht 11
verächtlich s. ²Acht 11
veralten s. alt 20
verankern s. Anker 26
veranlassen s. lassen 387
veranschaulichen s. schauen 597
veranschlagen s. schlagen 607
veranstalten s. Anstalt 27
verargen s. arg 32
verarmen s. arm 33
verarschen s. Arsch 34
verarzten s. Arzt 35
verästeln s. Ast 37
Verband s. binden 68
verbannen s. bannen 49
verbarrikadieren s. Barrikade 51
verbauern s. ³Bauer 53
verbergen s. bergen 60
verbeugen, sich s. beugen 63
Verbeugung s. beugen 63
verbieten s. bieten 66
verbilligen s. billig 67
verbinden s. binden 68
verbindlich, s. binden 68
Verbindlichkeit s. binden 68
Verbindung s. binden 68
verbittern s. bitter 69
Verbitterung s. bitter 69
verblassen s. blaß 70
Verbleib s. bleiben 71
verbleiben s. bleiben 71
verblenden s. blenden 72

verblöden s. blöd[e] 73
verblümt s. Blume 74
verbohrt s. bohren 76
Verbot s. bieten 66
Verbrauch s. brauchen 80
verbrauchen s. brauchen 80
Verbraucher s. brauchen 80
verbrechen s. brechen 81
Verbrechen s. brechen 81
Verbrecher s. brechen 81
verbrecherisch s. brechen 81
verbriefen s. Brief 83
verbrüdern s. Bruder 85
verbrühen s. brühen 85
Verbum s. Verb 736
Verbund s. binden 68
verbünden s. Bund 90
Verdeck s. Deck 100
verdenken s. denken 104
verdeutlichen s. deuten 106
verdeutschen s. deutsch 106
verdienen s. dienen 109
Verdienst, s. dienen 109
verdienstlich s. dienen 109
verdonnern s. Donner 115
verdoppeln s. doppelt 115
verdorren s. dorren 115
verdummen s. dumm 122
verdunkeln s. dunkel 122
verdunsten s. Dunst 123
verdüstern s. düster 125
verebben s. Ebbe 125
verehelichen s. Ehe 127
Verein s. ¹ein 130
vereinen s. ¹ein 130
vereinigen s. ¹einig 130
vereiteln s. eitel 132
verenden s. Ende 137
verengen s. eng 137
vererben s. ¹Erbe 141
verfangen s. fangen 156
verfänglich s. fangen 156
verfassen s. fassen 157
Verfasser s. fassen 157
Verfassung s. fassen 157
verfehlen s. fehlen 160
Verfehlung s. fehlen 160
verfeinden, sich s. Feind 161
verfeinern s. fein 161
verfemen s. Feme 163
verfilzen s. Filz 167
verflechten s. flechten 173
verfluchen s. fluchen 177
verflucht s. fluchen 177
verflüchtigen s. ²Flucht 177
verfolgen s. folgen 179
Verfolger s. folgen 179
Verfolgung s. folgen 179
verfremden s. fremd 184
verführen s. führen 190
Verführer s. führen 190
verführerisch s. führen 190
vergällen s. ¹Galle 195
vergeben s. geben 201

vergebens s. geben 201
vergeblich s. geben 201
vergegenwärtigen s. gegen 203
vergehen s. gehen 204
Vergehen s. gehen 205
vergeistigen s. Geist 206
vergelten s. gelten 208
vergewaltigen s. Gewalt 219
vergewissern s. gewiß 221
vergilben s. gelb 207
vergittern s. Gitter 224
verglasen s. ¹Glas 224
Vergleich s. gleich 225
vergleichen s. gleich 225
vergolden s. Gold 228
vergöttern s. Gott 229
vergreifen s. greifen 234
vergreisen s. greis 234
vergriffen s. greifen 234
vergröbern s. grob 236
vergrößern s. groß 237
vergüten s. gut 241
verhaften s. haften 243
verhaftet s. haften 243
verhallen s. Hall 245
verhalten s. halten 246
Verhalten s. halten 246
Verhältnis s. halten 246
verhandeln s. handeln 248
Verhandlung s. handeln 248
verhätscheln s. hätscheln 252
Verhau s. hauen 252
verhauen s. hauen 252
verhehlen s. hehlen 256
verheimlichen s. heimlich 258
verheißen s. heißen 258
Verheißung s. heißen 258
verherrlichen s. herrlich 263
verhexen s. hexen 264
verhoffen s. hoffen 269
verhökern s. Höker 270
verholen s. holen 270
Verhör s. hören 273
verhören s. hören 273
verhunzen s. hunzen 278
verhüten s. hüten 279
verhütten s. Hütte 279
Verhüttung s. Hütte 279
verirren s. irren 292
verjubeln s. jubilieren 297
verjüngen s. jung 298
verkappen s. Kappe 310
verkappt s. Kappe 310
verkapseln s. Kapsel 310
Verkauf s. kaufen 318
verkaufen s. kaufen 318
Verkäufer s. kaufen 318
Verkehrsampel s. Ampel 22
verkennen s. kennen 321
verketten s. Kette 322
verklagen s. klagen 328
verklären s. klar 329

verklausulieren s. Klausel 331
verknacksen s. Knacks 337
verknallen s. Knall 337
verknappen s. knapp 337
verkneifen s. kneifen 338
verkniffen s. kneifen 338
verknöchern s. Knochen 340
verknöchert s. Knochen 340
verknorpeln s. Knorpel 341
verkohlen s. ²Kohl 343
verkommen s. kommen 348
Verkommenheit s. kommen 348
verkörpern s. Körper 361
verköstigen s. Kost 363
verkrachen s. krachen 364
verkraften s. Kraft 364
verkrümeln s. Krume 373
verkrüppeln s. Krüppel 374
verkümmern s. Kummer 376
verkündigen s. künden 377
verkuppeln s. kuppeln 378
Verlag s. legen 394
verlagern s. lagern 383
verlanden s. Land 386
verläppern s. läppern 386
Verlaß s. lassen 388
verlassen s. lassen 388
verläßlich s. lassen 388
Verlauf s. laufen 390
verlaufen s. laufen 390
verlautbaren s. laut 391
verlauten s. laut 391
verleben s. leben 392
verlebt s. leben 392
verlegen s. legen 394
Verleger s. legen 394
verleiden s. leid 397
verleiten s. leiten 399
verlernen s. lernen 400
verlesen s. lesen 400
verletzen s. letzen 401
verleugnen s. leugnen 401
verleumden s. Leumund 401
Verleumder s. Leumund 401
verleumderisch s. Leumund 401
Verleumdung s. Leumund 401
verloben s. loben 407
Verlöbnis s. loben 407
Verlobung s. loben 407
verlogen s. lügen 411
verlohnen s. Lohn 409
verlosen s. Los 409
verlottern s. lottern 410
verlügen s. lügen 411
vermachen s. machen 414
Vermächtnis s. machen 414
vermehren s. mehr 432
vermeiden s. meiden 432
vermeinen s. meinen 432
vermeintlich s. meinen 432

Vermerk s. merken 436
vermessen s. messen 437
Vermessenheit s. messen 437
vermieten s. ²Miete 439
vermindern s. minder 441
vermissen s. missen 444
vermitteln s. mittel 445
vermöbeln s. Möbel 446
vermodern s. Moder 447
vermögen s. mögen 447
Vermögen s. mögen 447
vermögend s. mögen 447
vermummen s. mummen 455
vermuten s. Mut 458
vermutlich s. Mut 458
Vermutung s. Mut 458
vernachlässigen s. lassen 387
vernarben s. Narbe 462
vernarren s. Narr 462
vernebeln s. Nebel 464
vernehmen s. nehmen 465
vernehmlich s. nehmen 465
Vernehmung s. nehmen 465
verneigen s. neigen 465
Verneigung s. neigen 465
verneinen s. nein 465
verniedlichen s. niedlich 468
veröden s. öde 476
veröffentlichen s. offen 477
verpassen s. passen 494, 495
verpatzen s. patzen 497
verpesten s. Pest 503
verpetzen s. petzen 503
verpfänden s. Pfand 504
verpfeifen s. pfeifen 504
verpflegen s. pflegen 506
Verpflegung s. pflegen 506
verpflichten s. Pflicht 506
verpfuschen s. pfuschen 507
verpichen s. erpicht 143
verprassen s. prassen 526
verproviantieren s. Proviant 535
verpulvern s. Pulver 538
verpuppen s. Puppe 539
Verputz s. putzen 540
verputzen s. putzen 540
verramschen s. ¹Ramsch 548
verräuchern s. Rauch 552
verrechnen s. rechnen 555
verreißen s. reißen 562
verrenken s. renken 564
verrennen s. rennen 564
verrichten s. richten 569
verrohen s. roh 573
verrosten s. ²Rost 575
Verruf s. rufen 577
verrufen s. rufen 577
verrühren s. rühren 578
versachlichen s. Sache 582
versaften s. Saft 583
versagen s. sagen 583
Versager s. sagen 583
versalzen s. Salz 586

Versand s. senden 638
versauen s. Sau 589
versauern s. sauer 590
versaufen s. saufen 590
versäumen s. ²säumen 591
Versäumnis s. ²säumen 591
verschalen s. ²Schale 594
verschämt s. Scham 594
verscherzen s. Scherz 601
Verschlag s. schlagen 607
verschlagen s. schlagen 607
verschleiern s. Schleier 609
verschlimmbessern s. schlimm 610
verschlimmern s. schlimm 610
verschlingen s. ²schlingen 610
verschlüsseln s. Schlüssel 612
verschmachten s. schmachten 612
verschmähen s. schmähen 612
verschneiden s. schneiden 617
Verschnitt s. schneiden 617
Verschnittener s. schneiden 617
verschnörkeln s. Schnörkel 618
verschöne[r]n s. schön 619
verschränken s. schränken 621
verschreiben s. schreiben 622
verschreien s. schreien 622
verschrie[e]n s. schreien 622
verschrotten s. Schrott 623
verschrumpeln s. schrumpfen 624
verschüchtert s. schüchtern 624
verschwägern s. Schwager 626
verschwägert s. Schwager 626
verschweigen s. schweigen 629
verschwiegen s. schweigen 629
Verschwiegenheit s. schweigen 629
verschwimmen s. schwimmen 631
verschwinden s. schwinden 631
verschwistert s. Schwester 630
verschwitzen s. schwitzen 632
verschwommen s. schwimmen 631
verschwören s. schwören 632
Verschwörer s. schwören 632

Verschwörung s. schwören 632
versehen s. sehen 633
Versehen s. sehen 633
versenden s. senden 638
versengen s. sengen 638
versenken s. senken 638
Versenkung s. senken 638
versessen s. sitzen 647
versetzen s. setzen 641
verseuchen s. Seuche 641
versichern s. sicher 642
Versicherung s. sicher 642
versiegeln s. Siegel 643
versilbern s. Silber 644
versimpeln s. fachsimpeln 151
versinken s. sinken 644
versippt s. Sippe 646
versklaven s. Sklave 648
versoffen s. saufen 590
versohlen s. Sohle 649
versorgen s. Sorge 652
verspäten s. spät 655
verspeisen s. Speise 656
versprechen s. sprechen 663
Versprechen s. sprechen 663
Versprechung s. sprechen 663
versprengen s. sprengen 664
versprengt s. sprengen 664
verstaatlichen s. Staat 666
verstädtern s. Stadt 667
verstauben s. Staub 671
verstaubt s. Staub 671
verstauen s. stauen 672
Versteck s. stecken 673
verstecken s. stecken 673
versteifen s. steif 674
versteigen s. steigen 675
versteigern s. steigern 675
Versteigerung s. steigern 675
versteinern s. Stein 675
Versteinerung s. Stein 675
verstellen s. stellen 676
Verstellung s. stellen 676
versterben s. sterben 677
versteuern s. ¹Steuer 678
verstimmen s. Stimme 681
verstockt s. stocken 682
verstopfen s. stopfen 683
Verstopfung s. stopfen 683
Verstorbener s. sterben 677
verstört s. stören 683
Verstoß s. stoßen 684
verstoßen s. stoßen 684
verstreben s. streben 686
verstreichen s. streichen 687
verstümmeln s. Stummel 691
verstummen s. stumm 691
Versuch s. suchen 694
versuchen s. suchen 694
Versucher s. suchen 694

Versuchung s. suchen 694
versumpfen s. Sumpf 695
versündigen, sich s. Sünde 696
versüßen s. süß 696
vertagen s. Tag 698
vertauschen s. tauschen 703
verteilen s. Teil 704
verteuern s. teuer 707
vertonen s. ²Ton 711
vertrackt s. trecken 717
Vertrag s. tragen 714
vertragen s. tragen 714
vertrauen s. trauen 716
Vertrauen s. trauen 716
vertraulich s. trauen 716
verträumen s. Traum 717
vertreiben s. treiben 718
vertreten s. treten 718
Vertreter s. treten 719
Vertrieb s. treiben 718
vertrocknen s. trocken 721
vertrösten s. Trost 721
vertun s. tun 724
verübeln s. übel 727
verulken s. Ulk 729
verunglimpfen s. glimpflich 226
verunreinigen s. rein 560
verursachen s. Ursache 733
verurteilen s. Urteil 733
vervielfältigen s. viel 744
vervollkommnen s. voll 747
verwahren s. wahren 751
verwaisen s. Waise 752
verwalten s. walten 753
Verwalter s. walten 753
Verwaltung s. walten 753
verwandeln s. wandeln 753
Verwandlung s. wandeln 753
verwarnen s. warnen 754
Verwarnung s. warnen 754
verwässern s. Wasser 755
verwechseln s. Wechsel 756
Verwechslung s. Wechsel 756
verwehren s. wehren 757
verweichlichen s. weich 757
verweigern s. weigern 758
verweilen s. Weile 759
verweisen s. weisen 759
verwelken s. welk 760
verweltlichen s. Welt 760
verwenden s. wenden 761
Verwendung s. wenden 761
verwerfen s. werfen 762
verwerflich s. werfen 762
Verwerfung s. werfen 762
verwerten s. wert 762
verwichsen s. wichsen 764
verwickeln s. wickeln 764
verwickelt s. wickeln 764
Verwicklung s. wickeln 764
verwildern s. wild 766
verwinden s. überwinden 728

verwirken s. wirken 768
verwirklichen s. wirken 768
verworren s. verwirren 743
Verworrenheit s. verwirren 743
verwunden s. wund 772
verwundern s. Wunder 772
verwurzeln s. Wurzel 773
verwüsten s. wüst 773
verzagen s. zag 774
verzahnen s. Zahn 775
verzärteln s. zart 775
verzaubern s. Zauber 776
Verzehr s. zehren 777
verzehren s. zehren 777
verzeichnen s. zeichnen 777
Verzeichnis s. zeichnen 777
verzeihen s. zeihen 778
verzerren s. zerren 780
Verzerrung s. zerren 780
verziehen s. ziehen 781
verzieren s. Zier 782
Verzierung s. Zier 782
verzinsen s. Zins 783
verzögern s. zögern 784
Verzögerung s. zögern 784
verzollen s. ¹Zoll 785
verzücken s. entzücken 139
verzückt s. entzücken 139
Verzug s. ziehen 781
verzweifeln s. Zweifel 787
verzweigen s. Zweig 788
vielleicht s. viel 744
vierschrötig s. Schrot 623
Vogeldunst s. Dunst 122
Vogelherd s. Herd 262
vollstopfen s. stopfen 683
vollwertig s. wert 762
vollziehen s. ziehen 781
Vollzug s. ziehen 781
vonstatten s. gestatten 218
Voranschlag s. schlagen 607
vorbeugen s. beugen 63
Vorbild s. Bild 67
Vorbote s. Bote 78
Vorderlader s. ¹laden 383
vorerst s. erst 143
Vorfahr s. fahren 152
Vorgang s. gehen 205
Vorgänger s. gehen 205
vorgehen s. gehen 205
Vorgesetzter s. setzen 640
vorgestern s. gestern 218
vorhanden s. Hand 247
Vorhang s. hängen 249
Vorhaut s. Haut 253
Vorhut s. ²Hut 279
vorknöpfen s. Knopf 340
vorkommen s. kommen 348
Vorkommnis s. kommen 348
vorladen s. ¹laden 383
Vormittag s. Mittag 445
vorrichten s. richten 569
Vorsatz s. setzen 640

Vorschlag s. schlagen 607
vorschlagen s. schlagen 607
vorschreiben s. schreiben 622
Vorschrift s. schreiben 622
Vorschuß s. schießen 603
vorschützen s. schützen 626
vorsehen s. sehen 633
Vorsehung s. sehen 633
vorsetzen s. setzen 640
Vorsicht s. sehen 633
vorsichtig s. sehen 633
vorsintflutlich s. Sintflut 645
Vorsitz s. sitzen 646
vorsitzen s. sitzen 646
Vorsitzender s. sitzen 646
Vorsitzer s. sitzen 646
Vorsorge s. Sorge 652
Vorspann s. spannen 654
vorspannen s. spannen 654
vorspiegeln s. Spiegel 659
Vorspiegelung s. Spiegel 659
vorspringen s. springen 664
Vorsprung s. springen 664
Vorstand s. stehen 674
vorstehen s. stehen 674
vorstehend s. stehen 674
Vorsteher s. stehen 674
Vorstehhund s. stehen 674
vorstellen s. stellen 676
Vorstellung s. stellen 676
Vorstoß s. stoßen 684
vorstoßen s. stoßen 684
vorstrecken s. strecken 687
Vorteil s. Teil 705
vortreten s. treten 719
Vortritt s. treten 719
vorwärts s. ...wärts 755
vorwerfen s. werfen 762
Vorwurf s. werfen 762
Vorzeichen s. Zeichen 777
vorziehen s. ziehen 781
Vorzug s. ziehen 781
vorzüglich s. ziehen 781

W

wachsam s. Wache 749
Wachsamkeit s. Wache 749
Wachsfigurenkabinett s.
   Kabinett 300
Wagenpark s. Park 492
Wagnis s. wagen 750
wahrhaft s. wahr 751
Wahrheit s. wahr 751
wahrlich s. wahr 751
Wahrsager s. wahr 751
wahrscheinlich s. scheinen
   598; s. wahr 751
...wärtig s. ...wärts 755
warum s. wo 769
was s. wer 761
Wassergraf s. Graf 230
Wasserhose s. Hose 274;
   s. Wasser 755
Wasserspeier s. speien 656

Wasserstelz[er] s. Bachstelze
   44
Watt s. Kilowatt 324
Wegzehrung s. zehren 777
wehrhaft s. ¹Wehr 757
wehrlos s. ²Wehr 757
Weibsbild s. Bild 66
Weichheit s. weich 757
weichlich s. weich 757
Weichling s. weich 757
Weichteile s. weich 757
Weichtier s. weich 757
weidgerecht s. ²Weide 758
Weidmann s. ²Weide 758
weidmännisch s. ²Weide 758
Weidwerk s. ²Weide 758
weidwund s. Eingeweide 131
weil s. Weile 759
weiland s. Weile 759
Weisheit s. weise 759
weitschweifig s. schweifen
   628
Weltall s. all 19
wenn s. wann 754
Wettkampf s. Wette 763
Wettlauf s. Wette 763
wettmachen s. wett 763
Wettrennen s. Wette 763
Wettstreit s. Wette 763
Widem s. Wittum 769
widerborstig s. Borste 77
Widerpart s. Part 493
widersprechen s. wider 765
Widerspruch s. wider 765
Widerstand s. stehen 674;
   s. wider 765
widerstehen s. stehen 674;
   s. wider 765
widerstreben s. streben 686
widerwärtig s. wider 765
Widerwärtigkeit s. wider 765
Widerwille s. wider 765
widerwillig s. wider 765
widrig s. wider 764
wieder s. wider 764
wiederherstellen s. stellen
   676
Wiederherstellung s. stellen
   676
wiederholen s. wider 765
Wiederholung s. wider 765
wiederkäuen s. kauen 318
Wiederkäuer s. kauen 318
Willensakt s. Akt 16
Windbeutel s. Beutel 64
Windfang s. fangen 156;
   s. Wind 766
Windhose s. Hose 274;
windig s. Wind 766
Windung s. ²winden 767
Wippstert s. Bachstelze 44
Wirren s. verwirren 743
Wirrwarr s. verwirren 743
Wirtshaus s. Wirt 768

Wohlfahrt s. Hoffart 269
wohlfeil s. feil 161
wohlgemut s. Mut 458
Wortklauber s. klauben 330
Wortklauberei s. klauben 330
wriggeln s. Rist 571
wriggen s. Rist 571
Wunderkur s. Kur 379
Wundmal s. ²Mal 418
würzig s. Würze 773

Z

zackern s. Acker 12
Zahlung s. Zahl 774
Zahlwort s. Zahl 774
Zahnklempner s. Klempner
   333
Zahnkrone s. Krone 372
Zahnstocher s. stochern 681
Zain s. Zinn 783
Zaubertrank s. Trank 715
Zechpreller s. prellen 528
Zechprellerei s. prellen 528
Zeigefinger s. Finger 168
Zentimeter s. Meter 438
zerfasern s. Faser 157
zerfetzen s. Fetzen 165
zerfleischen s.Fleisch 173
zerklüftet s. ²Kluft 336
zerkratzen s. Krätze 367
zerlaufen s. laufen 390
zerlegen s. legen 394
zerlesen s. lesen 400
zerlöchern s. Loch 407
zerlumpt s. Lumpen 412
zermalmen s. malmen 418
zermürben s. mürbe 456
zerreiben s. reiben 559
zerreißen s. reißen 562
zerrissen s. reißen 562
zerschmettern s. schmettern
   614
zersetzen s. setzen 641
zersprengen s. sprengen 664
zerstäuben s. Staub 672
Zerstäuber s. Staub 672
zerstieben s. stieben 679
zerstören s. stören 683
Zerstörer s. stören 683
zerstreuen s. streuen 688
zerstreut s. streuen 688
Zerstreuung s. streuen 688
zerstückeln s. Stück 690
zerzausen s. zausen 776
Zeughaus s. Zeug 780
Zeugnis s. Zeuge 780
Zicke s. Ziege 781
Zickel s. Ziege 781
Zicklein s. Ziege 781
zielstrebig s. streben 686
Ziemer s. Ochse 476
zubilligen s. billig 67
zubuttern s. Butter 92
Zuckerhut s. ¹Hut 278

Zuckung s. zucken 786
zudringlich s. Drang 117
zuerst s. erst 143
Zuflucht s. ²Flucht 177
zufrieden s. Friede[n] 186
Zufriedenheit s. Friede[n] 186
Zugabe s. geben 201
zugeben s. geben 201
zuhanden s. Hand 247
zukommen s. kommen 348
Zukost s. Kost 363
Zukunft s. kommen 348
zukünftig s. kommen 348
zulassen s. lassen 388
zulässig s. lassen 388
zumuten s. Mut 458
Zumutung s. Mut 458
zuneigen s. neigen 465
Zuneigung s. neigen 465
zuprosten s. prost! 534
zurechtschustern s. Schuster 625
zurichten s. richten 569
zürnen s. Zorn 785
zurück s. Rücken 577
Zusage s. sagen 583
zusagen s. sagen 583
zusammenläppern s. läppern 386

zusammenrotten s. Rotte 575
zusammenschustern s. Schuster 625
zusammenschweißen s. schweißen 629
zusammenstauchen s. verstauchen 741
zusammenstoppeln s. Stoppel 683
Zusatz s. setzen 641
zuschanzen s. ¹Schanze 595
zuschauen s. schauen 597
Zuschauer s. schauen 597
zuschreiben s. schreiben 622
Zuschrift s. schreiben 622
Zuschuß s. schießen 603
zuschustern s. Schuster 625
zusetzen s. setzen 641
zuspielen s. Spiel 659
zusprechen s. sprechen 663
Zuspruch s. sprechen 663
Zustand s. stehen 674
zuständig s. stehen 674
zustatten s. gestatten 218
zustehen s. stehen 674
zustimmen s. Stimme 681
zustöpseln s. Stöpsel 683
Zutat s. tun 725
Zutaten s. tun 725

zutragen s. tragen 714
Zuträger s. tragen 714
zuträglich s. tragen 714
zutrauen s. trauen 716
Zutrauen s. trauen 716
zutraulich s. trauen 716
zutreffen s. treffen 717
Zutritt s. treten 719
zutun s. tun 724
Zutun s. tun 725
zuverlässig s. lassen 388
Zuversicht s. sehen 634
Zuwachs s. ²wachsen 749
zuwachsen s. ²wachsen 749
zuwider s. wider 764
zuziehen s. ziehen 781
zuzüglich s. ziehen 781
Zweidecker s. Deck 100
zweideutig s. deuten 106
zweischläfig s. Schlaf 606
zweischläfrig s. Schlaf 606
zweischneidig s. schneiden 617
zweite s. zwei 787
zweitklassig s. Klasse 329
Zwiespalt s. spalten 653
zwiespältig s. spalten 653
Zwietracht s. Eintracht 132
zwieträchtig s. Eintracht 132

DUDEN-TASCHENBÜCHER

Herausgegeben vom Wissenschaftlichen Rat der Dudenredaktion: Dr. Günther Drosdowski · Professor Dr. Paul Grebe · Dr. Rudolf Köster · Dr. Wolfgang Müller · Dr. Werner Scholze-Stubenrecht

Band 1: Komma, Punkt und alle anderen Satzzeichen
Sie finden in diesem Taschenbuch Antwort auf alle Fragen, die im Bereich der deutschen Zeichensetzung auftreten können. 165 Seiten.

Band 2: Wie sagt man noch?
Hier ist der Ratgeber, wenn Ihnen gerade das passende Wort nicht einfällt oder wenn Sie sich im Ausdruck nicht wiederholen wollen. 219 Seiten.

Band 3: Die Regeln der deutschen Rechtschreibung
Dieses Buch stellt die Regeln zum richtigen Schreiben der Wörter und Namen sowie die Regeln zum richtigen Gebrauch der Satzzeichen dar. 188 Seiten.

Band 4: Lexikon der Vornamen
Mehr als 3 000 weibliche und männliche Vornamen enthält dieses Taschenbuch. Sie erfahren, aus welcher Sprache ein Name stammt, was er bedeutet und welche Persönlichkeiten ihn getragen haben. 239 Seiten.

Band 5: Satz- und Korrekturanweisungen
Richtlinien für die Texterfassung.
Mit ausführlicher Beispielsammlung.
Dieses Taschenbuch enthält nicht nur die Vorschriften für den Schriftsatz und die üblichen Korrekturvorschriften, sondern auch Regeln für Spezialbereiche. 268 Seiten.

Band 6: Wann schreibt man groß, wann schreibt man klein?
In diesem Taschenbuch finden Sie in mehr als 7 500 Artikeln Antwort auf die Frage „groß oder klein"? 252 Seiten.

Band 7: Wie schreibt man gutes Deutsch?
Eine Stilfibel. Der Band stellt die vielfältigen sprachlichen Möglichkeiten dar und zeigt, wie man seinen Stil verbessern kann. 163 Seiten.

Band 8: Wie sagt man in Österreich?
Das Buch bringt eine Fülle an Informationen über alle sprachlichen Eigenheiten, durch die sich die deutsche Sprache in Österreich von dem in Deutschland üblichen Sprachgebrauch unterscheidet. 252 Seiten.

Band 9: Wie gebraucht man Fremdwörter richtig?
Mit 4 000 Stichwörtern und über 30 000 Anwendungsbeispielen ist dieses Taschenbuch eine praktische Stilfibel des Fremdwortes. 368 Seiten.

Band 10: Wie sagt der Arzt?
Dieses Buch unterrichtet Sie in knapper Form darüber, was der Arzt mit diesem oder jenem Ausdruck meint. 176 Seiten.

Band 11: Wörterbuch der Abkürzungen
Berücksichtigt werden 36 000 Abkürzungen, Kurzformen und Zeichen aus allen Bereichen. 260 Seiten.

Band 13: mahlen oder malen?
Hier werden gleichklingende aber verschieden geschriebene Wörter in Gruppen dargestellt und erläutert. 191 Seiten.

Band 14: Fehlerfreies Deutsch
Viele Fragen zur Grammatik erübrigen sich, wenn man dieses Duden-Taschenbuch besitzt. Es macht grammatische Regeln verständlich und führt zum richtigen Sprachgebrauch. 204 Seiten.

Band 15: Wie sagt man anderswo?
Dieses Buch will allen jenen helfen, die mit den landschaftlichen Unterschieden in Wort- und Sprachgebrauch konfrontiert werden. 160 Seiten.

Band 17: Leicht verwechselbare Wörter
Der Band enthält Gruppen von Wörtern, die auf Grund ihrer lautlichen Ähnlichkeit leicht verwechselt werden. 334 Seiten.

Band 18: Wie schreibt man im Büro?
Es werden nützliche Ratschläge und Tips zur Erledigung der täglichen Büroarbeit gegeben. 176 Seiten.

Band 19: Wie diktiert man im Büro?
Alles Wesentliche über die Verfahren, Regeln und Techniken des Diktierens. 225 Seiten.

Band 20: Wie formuliert man im Büro?
Dieses Taschenbuch bietet Regeln, Empfehlungen und Übungstexte aus der Praxis. Formulieren und Diktieren wird dadurch leichter, der Stil wirkungsvoller. 282 Seiten.

Band 21: Wie verfaßt man wissenschaftliche Arbeiten?
Dieses Buch behandelt ausführlich und mit vielen praktischen Beispielen die formalen und organisatorischen Probleme des wissenschaftlichen Arbeitens. 208 Seiten.

DER KLEINE DUDEN
Deutsches Wörterbuch
Der Grundstock unseres Wortschatzes. Über 30 000 Wörter mit mehr als 100 000 Angaben zu Rechtschreibung, Silbentrennung, Aussprache und Grammatik. 445 Seiten.

Fremdwörterbuch
Ein zuverlässiger Helfer über die wichtigsten Fremdwörter des täglichen Gebrauchs. Rund 15 000 Fremdwörter mit mehr als 90 000 Angaben zur Bedeutung, Aussprache und Grammatik. 448 Seiten.

Bibliographisches Institut
Mannheim/Wien/Zürich

LEXIKA

MEYERS ENZYKLOPÄDISCHES LEXIKON IN 25 BÄNDEN,

1 Atlasband, 6 Ergänzungsbände und Jahrbücher.
Das größte Lexikon des 20. Jahrhunderts in deutscher Sprache.
Rund 250 000 Stichwörter und 100 enzyklopädische Sonderbeiträge auf 22 000 Seiten. 26 000 Abbildungen, transparente Schautafeln und Karten im Text, davon 10 000 farbig. 340 farbige Kartenseiten, davon 80 Stadtpläne. Halbledereinband mit Goldschnitt.

Ergänzungsbände:
Band 26: Nachträge/Band 27: Weltatlas/ Band 28: Personenregister/Band 29: Bildwörterbuch Deutsch-Englisch-Französisch/ Band 30–32: Deutsches Wörterbuch in 3 Bänden.

MEYERS GROSSES UNIVERSAL-LEXIKON IN 15 BÄNDEN,

1 Atlasband, 4 Ergänzungsbände und Jahrbücher.
Das perfekte Informationszentrum für die tägliche Praxis in unserer Zeit. Mit dem einzigartigen Aktualisierungsdienst.
Rund 200 000 Stichwörter und 30 namentlich signierte Sonderbeiträge auf etwa 10 000 Seiten. Über 20 000 meist farbige Abbildungen, Zeichnungen, Graphiken sowie Karten, Tabellen und Übersichten im Text.
Das Werk ist in zwei Ausstattungen erhältlich: gebunden in echtem Buckramleinen und in dunkelblauem Halbleder mit Echtgoldschnitt und Echtgoldprägung.

MEYERS NEUES LEXIKON IN 8 BÄNDEN,

Atlasband und Jahrbücher.
Das neue, praxisgerechte Lexikon in der idealen Mittelgröße.
Rund 150 000 Stichwörter und 16 namentlich signierte Sonderbeiträge auf etwa 5 300 Seiten. Über 12 000 meist farbige Abbildungen und Zeichnungen im Text. Mehr als 1 000 Tabellen, Spezialkarten und Bildtafeln. In echtem Buckramleinen gebunden.

MEYERS GROSSES STANDARDLEXIKON IN 3 BÄNDEN

Das aktuelle Kompaktlexikon des fundamentalen Wissens.
Rund 100 000 Stichwörter auf etwa 2 200 Seiten. Über 5 000 meist farbige Abbildungen, Zeichnungen und Graphiken sowie Karten, Tabellen und Übersichten im Text. Gebunden in Balacron.

Meyers Großes Handlexikon in Farbe
Das moderne Qualitätslexikon in einem Band.
1 147 Seiten mit rund 60 000 Stichwörtern und 2 200 Bildern, Zeichnungen, Karten und 37 farbigen Kartenseiten.

MEYERS GROSSES TASCHENLEXIKON IN 24 BÄNDEN

Das ideale Nachschlagewerk für Beruf, Schule und Universität.
Rund 150 000 Stichwörter und mehr als 5 000 Literaturangaben auf 8 640 Seiten. Über 6 000 Abbildungen und Zeichnungen sowie Spezialkarten, Tabellen und Übersichten im Text. Durchgehend farbig. 24 Bände zusammengefaßt in einer Kassette.

Meyers Großes Jahreslexikon
Die ideale neuartige Ergänzung zu jedem Lexikon. Jedes Jahr ein neuer Band: Mit den Daten, Fakten und vielen Bildern über das vergangene Jahr. Jeder Band 328 Seiten. Über 1 000 Stichwörter, rund 250 meist farbige Abbildungen im Text.

Meyers Jahresreport
Das kleine Taschenlexikon mit den wichtigsten Ereignissen eines Jahres in Daten, Bildern und Fakten. Jede Ausgabe 156 Seiten.

GEOGRAPHIE/ATLANTEN

MEYERS ENZYKLOPÄDIE DER ERDE in 8 Bänden

Das lebendige Bild unserer Welt – von den Anfängen der Erdgeschichte bis zu den Staaten von heute und den aktuellen Weltproblemen.
3 200 Seiten mit rund 7 500 farbigen Bildern, Karten, Tabellen, Graphiken und Diagrammen.

DIE ERDE

Meyers Großkarten-Edition
Ein kostbarer Besitz für alle, die höchste Ansprüche stellen.
Inhalt: 87 großformatige Kartenblätter (Kartengröße von 38 × 51 cm bis zu 102 × 51 cm bzw. 66 × 83 cm), 32 Zwischenblätter mit Kartenweisern, geographisch-statistischen Angaben und Begleittexten zu den Karten. Register mit 200 000 geographischen Namen. Alle Blätter sind einzeln herausnehmbar.
Großformat 42 × 52 cm.

Meyers Großer Weltatlas
Ein Spitzenwerk der europäischen Kartographie. 610 Seiten mit 241 mehrfarbigen Kartenseiten und einem Register mit etwa 125 000 Namen.

Meyers Neuer Handatlas
Der moderne Atlas im großen Format für die tägliche Information. 354 Seiten mit 126 mehrfarbigen Kartenseiten. Register mit etwa 80 000 Namen.

Meyers Universalatlas
Der Qualitätsatlas zum besonders günstigen Preis. 264 Seiten mit 66 mehrfarbigen Kartenseiten. 33 Seiten zweifarbige thematische Darstellungen zur Geographie der Erde, Länderlexikon. Register mit 55 000 Namen.

Bibliographisches Institut
Mannheim/Wien/Zürich